Charles Spurgeon

Os Tesouros de Davi

CHARLES SPURGEON

Os Tesouros de Davi

Traduzido por

Degmar Ribas Júnior e Luís Aron de Macedo

VOLUME

1

1ª EDIÇÃO

CPAD

RIO DE JANEIRO

2017

Título do original em inglês: *The Treasury of David*
Thomas Nelson, Nashville, Tennessee, EUA
Tradução: Degmar Ribas Júnior e Luis Aron de Macedo

Preparação dos originais: Cristiane Alves
Daniele Pereira
Elaine Ellen Arsênio
Karen Doreto de Andrade
Miquéias Nascimento
Patrícia Almeida
Verônica Araújo

Capa: Fábio Longo
Projeto gráfico e Editoração: Anderson Lopes

CDD: 230 – Cristianismo e Teologia Cristã
ISBN: 978-85-263-1503-7

As citações bíblicas foram extraídas da versão Almeida Revista e Corrigida, edição de 1995, da Sociedade Bíblica do Brasil, salvo indicação em contrário.

Para maiores informações sobre livros, revistas, periódicos e os últimos lançamentos da CPAD, visite nosso site: http://www.cpad.com.br.

SAC — Serviço de Atendimento ao Cliente: 0800-021-7373

Casa Publicadora das Assembleias de Deus
Av. Brasil, 34.401, Bangu, Rio de Janeiro - RJ
CEP 21.852-002

2ª Impressão: Março/2018
Tiragem: 5.000

C. H. Spurgeon no púlpito
Ilustração desenhada por E. H. Fitchew especialmente
para Os Tesouros de Davi.

PREFÁCIO

O meu prefácio possuirá pelo menos a virtude da brevidade, visto que acho difícil dar-lhe outra virtude.

O estudo delicioso dos salmos rendeu-me ganho ilimitado e prazer sempre crescente. A gratidão comum constrange-me a comunicar às pessoas uma porção do benefício, com a oração que as induza a procurar mais. Que eu não tenha nada melhor de mim mesmo para oferecer neste livro inigualável é para mim questão do mais profundo pesar; que eu tenha algo a apresentar é questão de gratidão devota ao Senhor da graça. Fiz o melhor que pude. Mas, consciente dos muitos defeitos, desejaria sinceramente ter feito muito melhor.

A exposição apresentada é minha. Consultei alguns autores antes de escrevê-la para ajudar-me na interpretação e despertar-me os pensamentos. Entretanto, ainda posso reivindicar originalidade aos meus comentários, pelo menos é o que penso honestamente. Quer sejam melhores ou piores por conta disso, não sei. Pelo menos sei que busquei orientação divina enquanto escrevia, e por isso procuro uma bênção no trabalho feito.

A coletânea de citações foi uma ideia que me surgiu posteriormente. Na realidade, o projeto foi crescendo em mim a ponto de pensar que era bom demais para jogá-lo fora. Pareceu-me que seria útil aos outros se eu estocasse porções de minha leitura acerca dos salmos. Esse estoque logo adquiriu tamanho considerável e avolumou-se tanto que acabei disponibilizando apenas amostras e não a totalidade originalmente formada.

Uma coisa o leitor tem de entender claramente, e peço-lhe que jamais o esqueça: *Nem de longe endosso tudo que citei.* Também não sou responsável pela erudição ou ortodoxia dos escritores. Os nomes são citados para que cada escritor assuma o próprio fardo. Citei muitos escritores para que os mais variados pensamentos fossem apresentados ao leitor. Contudo, não creio que algo ruim tenha sido consentido, mas, caso o tenha, foi por engano.

A pesquisa requerida para esta obra teria tomado muito do meu tempo, não tivesse meu amigo e amanuense John L. Keys, me ajudado diligentemente nas investigações feitas no Museu Britânico, na Biblioteca do Dr. Williams e em outros depósitos preciosos de conhecimento teológico. Com essa ajuda rebusquei livros às centenas, na maioria das vezes sem achar uma linha memorável como recompensa, mas em outras vezes com o mais satisfatório resultado. Os leitores nem imaginam que grande trabalho custou achar trechos que fossem pertinentes. Claro que não poupei esforços. A minha mais sincera oração é que seja de algum bem para os meus irmãos no ministério e para a igreja em geral.

As sugestões aos pregadores são muito simples, e peço desculpas aos meus leitores ministeriais por inseri-las. Não obstante, espero humildemente que sejam de préstimo àqueles a quem foram exclusivamente designadas, a saber, aos pregadores leigos cujo tempo é escasso e o conhecimento é limitado.

Se este primeiro volume encontrar a aprovação dos criteriosos, espero pela graça de Deus dar prosseguimento ao trabalho o mais depressa possível, sem deixar de ser coerente com a pertinente pesquisa e constante com os meus incessantes deveres pastorais. Outro volume virá com toda a probabilidade em doze meses, se me forem dadas vida e forças.[1]

Acrescento também que embora os comentários foram obra da minha saúde, o restante do livro é produto da minha doença. Quando enfermidades constantes me impediram de pregar diariamente, recorri à escrita como meio de fazer o bem. Eu teria pregado se pudesse. Mas como o meu Mestre negou-me o privilégio do servi-lo assim, alegremente me vali de outro método para testemunhar do seu nome. Que Deus também me dê frutos neste campo, pois para Ele seja todo louvor.

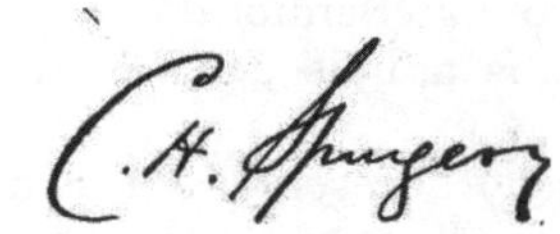

C. H. Spurgeon

[1] **N. do E.:** Originalmente esta obra foi escrita em seis volumes.

PREFÁCIO À EDIÇÃO BRASILEIRA

Os Tesouros de Spurgeon

Nossa missão é divulgar o Evangelho de Jesus Cristo através da página impressa e oferecer ao povo de Deus o que de melhor já se produziu pelos autores cristãos, desde os dias apostólicos. Logo, somos herdeiros não apenas de Myer Pearlman e Stanley Horton, mas também de Tertuliano, Atanásio, Lutero, Wesley e Spurgeon.

Isso não significa que estejamos de pleno acordo com todos os pontos doutrinais expostos por esses mestres e doutores. Aqui e ali, pode haver alguma divergência. Se esta não ferir os pontos centrais de nossa fé, por que não publicar esses doutores e mestres?

Tendo em vista nossa missão, valores e visão do Reino de Deus foi que achamos por bem brindar nossos leitores com Tesouros de Davi, de autoria do querido pastor inglês Charles Spurgeon (1834-1892). A obra, escrita ao longo de vinte anos, destaca-se pela erudição, doutrina, beleza literária e, acima de tudo, por um amor provado e sincero por Jesus Cristo e por sua Igreja.

Este comentário, tido como a obra máxima do príncipe dos pregadores, foi composto quando ele encontrava-se torturado pela doença de Bright, conhecida hoje como insuficiência renal crônica. Não bastasse essa enfermidade, o autor tinha de enfrentar, ainda, o desconforto do reumatismo e da gota, que o obrigavam a longos recolhimentos em Menton, na região dos alpes marítimos da França.

Susannah Spurgeon, esposa de Charles, afirmou que, se o marido nada tivesse produzido, a não ser Tesouros de Davi, bastaria esta obra para coroar-lhe a carreira literária.

O que torna este livro uma obra-prima?

Antes de tudo, a dedicação de seu autor. Ele faz um comentário exaustivo, erudito e teológico de cada cântico e prece do Saltério Sagrado. De início, descreve a estrutura e o contexto da passagem. E, no decorrer de sua exposição, transcreve o que os principais eruditos bíblicos, como Lutero e Adam Clark, por exemplo, disseram acerca do salmo analisado. Ao encerrar a explanação, o autor lavra o seu posicionamento. A devoção permeia toda a sua obra, proporcionando uma espiritualidade bíblica, segura e comprometida com Jesus.

Não devemos, por causa da persuasão teológica de seu autor, ignorar este monumento da literatura cristã. Se, por um lado, os arminianos veem-no com reserva devido ao seu calvinismo, por outro, os calvinistas acusam-no de arminianismo, em virtude do tom de suas mensagens evangelísticas. Neste terçar de armas, aqueles perdem e estes deixam de ganhar.

Quanto à homilética de Spurgeon, há algo a considerar. Entre os sermões evangelísticos do príncipe dos pregadores e os nossos, não há diferenças substanciais. Ele falava de Cristo a todos, mostrando a todos que o amoroso Deus a todos quer salvar. E, num dado momento de seu ministério, vê-se constrangido a denunciar o que veio a ser chamado de hipercalvinismo.

Em seu amor pelas almas perdidas, o irmão Spurgeon jamais se conformou, na prática, com a doutrina da dupla predestinação. Evangelista incansável, certa vez, declarou: "Se os pecadores serão condenados, que pelo menos pulem para o inferno passando por cima de nossos corpos. Se perecerem, que pereçam com nossos braços e mãos tocando os seus joelhos, implorando que fiquem. Se o inferno tiver de ser cheio, pelo menos que seja cheio apesar de nossos esforços, e que ninguém entre ali sem estar avisado e sem que se tenha intercedido por essa pessoa".

Poderíamos arrolar outras provas de que Spurgeon foi um autêntico homem de Deus, comprometido com o Evangelho de Cristo e servo fiel da Igreja. O importante, agora, é sabermos que, na Inglaterra da rainha Vitória, havia um príncipe que se entregara sem reservas ao serviço do Rei dos reis. Pregando, discursando ou formando discípulos, deixou-nos um legado inestimável. E, dele, nós, pentecostais, somos também herdeiros. Herdamos-lhe os sermões, as aulas, os livros e, de igual modo, os Tesouros de Davi. Através desta obra, a Casa Publicadora das Assembleias de Deus reafirma, mais uma vez, o seu compromisso com a autêntica literatura cristã.

Quanto ao nosso posicionamento soteriológico, declaramos, desde já, que não aceitamos a doutrina da dupla predestinação, porquanto o bondoso Deus "amou ao mundo de tal maneira que deu o seu Filho unigênito, para que todo o que nele crê não pereça, mas tenha a vida eterna" (Jo 3.16, ARA). Além disso, o Pai Celeste "deseja que todos os homens sejam salvos e cheguem ao pleno conhecimento da verdade" (1Tm 2.4, ARA). Por conseguinte, Deus jamais predestinou alguém à perdição eterna, mas, em sua presciência, elegeu-nos à salvação (1Pe 1.2). Somos, pois, uma editora confessionalmente bíblica, pentecostal e arminiana. Através de nossas obras, apregoamos que Jesus Cristo salva, batiza com o Espírito Santo, cura as enfermidades, opera sinais e maravilhas e, em breve, virá buscar-nos.

Nossa oração é que esta obra venha a edificar os cristãos de língua portuguesa e a glorificar o nome de Nosso Senhor Jesus Cristo.

No Reino e no Testemunho de Cristo,
Ronaldo Rodrigues de Souza
Diretor executivo

SUMÁRIO

SALMO 1

TÍTULO

Podemos considerar este salmo como o *Prefácio dos Salmos*, porque faz uma apresentação do conteúdo do livro todo. O salmista deseja nos ensinar o caminho para a bem-aventurança e nos avisar da destruição certa dos pecadores. Este é o assunto do Salmo 1, que, sob certos aspectos, podemos vê-lo como o texto sobre o qual todos os salmos fazem um sermão divino.

DIVISÃO

Este salmo consiste em duas partes. Na primeira parte, do versículo 1 ao versículo 3, Davi delimita em que consiste a felicidade e bem-aventurança dos justos, quais são os seus procedimentos e quais as bênçãos que ele receberá do Senhor. Na segunda parte, do versículo 4 ao versículo 6, ele contrasta o estado e o caráter dos ímpios, revela o futuro e, em linguagem impressionante, descreve o seu destino final.

EXPOSIÇÃO

1 *Bem-aventurado o varão que não anda segundo o conselho dos ímpios, nem se detém no caminho dos pecadores, nem se assenta na roda dos escarnecedores.*

2 *Antes, tem o seu prazer na lei do* Senhor, *e na sua lei medita de dia e de noite.*

1. *"Bem-aventurado."* Veja como o livro dos Salmos inicia com uma bênção, exatamente como ocorre no famoso Sermão do Monte proferido pelo nosso Senhor! A palavra hebraica traduzida por "bem-aventurado" é muito expressiva. A palavra original está no plural, e é ponto de debate se é um adjetivo ou um substantivo. Por conseguinte, é certa a multiplicidade de bênçãos que repousará sobre o homem a quem Deus justificou, e a perfeição e grandeza da bem-aventurança que ele desfrutará. Poderíamos traduzir a

palavra assim: "Oh, bem-aventuranças!" e considerá-la (como faz Henry Ainsworth) como aclamação alegre da felicidade do justo. Que tais bênçãos venham sobre nós!

O justo é descrito negativamente (v. 1) e positivamente (v. 2). É o homem "que não anda segundo o conselho dos ímpios". Ele aceita conselhos mais sábios e anda segundo os mandamentos do Senhor, seu Deus. Para ele, os caminhos da salvação são os caminhos da paz e afabilidade. Os seus passos são ordenados pela Palavra de Deus, e não pelos truques astuciosos e artifícios maldosos de homens carnais. É marca de abundante graça interior quando mudamos o nosso andar e colocamos a impiedade longe de nossas ações.

Note em seguida: *"Nem se detém no caminho dos pecadores"*. A companhia do justo é da mais sublime escolha. Embora pecador, agora ele é um pecador lavado pelo sangue, movido pelo Espírito Santo e de coração regenerado. Detendo-se na rica graça de Deus na congregação dos justos, ele não ousa se reunir com a multidão que comete o mal.

Continua o texto: *"Nem se assenta na roda dos escarnecedores"*. Ele não tem paz na zombaria dos ateus. Que os outros zombem do pecado, da eternidade, do inferno, do céu e do Deus eterno. Este homem aprendeu filosofia melhor que a dos infiéis, e tem o mais profundo sentimento da presença de Deus para suportar ouvir o nome santo ser blasfemado. A roda dos escarnecedores pode ser muito imponente, mas está muito perto das portas do inferno. Fujamos, pois em breve essa roda estará vazia e a destruição engolirá o homem que se assentar nela. Observe a gradação no versículo 1:

[Ele] não anda segundo o conselho dos ímpios.		
Nem *se detém*	no *caminho*	dos *pecadores.*
Nem se *assenta*	na *roda*	dos *escarnecedores.*

Quando os homens vivem em pecado eles vão de mal a pior. No princípio, meramente andam segundo o conselho dos descuidados e ímpios, que se esquecem de Deus — o mal é mais prático que habitual. Mas depois, eles se acostumam com o mal e se detém no caminho dos descarados pecadores que deliberadamente violam os mandamentos de Deus. Caso sejam deixados ao seu bel-prazer, eles vão mais longe e se tornam mestres e tentadores perniciosos de outros, assentando-se na roda dos escarnecedores. Colaram grau em maldade, e se estabelecem como verdadeiros mestres da danação, sendo observados pelos outros como mestres de Belial. Mas o bem-aventurado, o homem a quem pertencem todas as bênçãos de Deus, não pode manter comunhão com pessoas desse tipo. Ele se mantém puro desses leprosos. Retira de si as coisas más como roupas manchadas pela carne. Sai do meio dos ímpios e vai para fora do acampamento, suportando o escárnio ligado ao nome de Cristo. Que pela graça estejamos assim separados dos pecadores.

2. Agora observe o caráter positivo do bem-aventurado: *"Antes, tem o seu prazer na lei do Senhor"*. Ele não está sob a lei como maldição e condenação, mas está nela e tem prazer de estar nela como regra de vida. Além disso, tem prazer em meditar na lei, lendo-a de dia e pensando nela de noite ("e na sua lei medita de dia e de noite"). Escolhe um texto e o leva consigo o dia todo. Nas vigílias da noite, quando o sono lhe abandona as pálpebras, ele se afunda na meditação da Palavra de Deus. No dia da prosperidade, canta salmos da Palavra de Deus, e na noite da aflição, consola-se com as promessas do mesmo livro. A "lei do Senhor" é o pão diário do verdadeiro crente. E como era pequeno o volume da inspiração nos dias de Davi, pois não havia outra coisa exceto os primeiros cinco livros de Moisés! Quanto mais, então, devemos prezar todo o escrito da Palavra que é o privilégio de cada um ter em casa! Mas infelizmente, como é mal-tratado este anjo do céu! Não somos absolutamente pesquisadores bereanos

das Escrituras. Como são poucos entre nós os que podem reivindicar as bênçãos do texto! Talvez alguns possam reivindicar de certa forma a pureza negativa, porque vocês não andam no caminho dos pecadores. Mas permitam-me uma pergunta: O seu prazer está na lei do Senhor? Você estuda a Palavra de Deus? Você faz da Bíblia o seu auxiliar indispensável, a sua melhor companhia e o seu guia de hora em hora? Se as respostas não forem afirmativas, esta bênção não lhe pertence.

3 *Pois será como a árvore plantada junto a ribeiros de águas, a qual dá o seu fruto na estação própria, e cujas folhas não caem, e tudo quanto fizer prosperará.*

3. *"Pois será como a árvore plantada."* Não como a árvore silvestre, mas como "a árvore plantada", escolhida, considerada como propriedade, cultivada e preservada do terrível e cabal desarraigamento, visto que "toda planta que meu Pai celestial não plantou será arrancada" (Mt 15.13).

"Junto a ribeiros de águas", de forma que se um ribeiro secar, tem outro. O rio do perdão, o rio da graça, o rio da promessa e o rio da comunhão com Cristo são fontes de provisão que jamais secam.

"Como a árvore plantada junto a ribeiros de águas", o homem bem-aventurado "dá o seu fruto na estação própria". Não são graças fora de época, como os figos extemporâneos que nunca são totalmente saborosos. Mas o homem que tem prazer na Palavra de Deus, sendo ensinado por ela, dá o fruto da paciência nos tempos do sofrimento, fé nos dias da provação e alegria santa nas épocas da prosperidade. A frutificação é uma qualidade essencial do homem cheio da graça, e tal frutificação ocorre na estação própria.

"Cujas folhas não caem", a sua palavra imarcescível será eterna. Todas as suas pequenas ações de amor serão tidas em memória. Não são somente os frutos que serão preservados, mas também as folhas. Ele não perderá a beleza nem a fertilidade.

"E tudo quanto fizer prosperará." Bem-aventurado é o homem que tem uma promessa como esta. Mas jamais calculemos o cumprimento de uma promessa por nossa própria percepção. Quantas vezes, meus irmãos, avaliando pelos sentidos fracos, chegamos à triste conclusão de Jacó: "Todas estas coisas vieram sobre mim" (Gn 42.36). Pois embora estejamos interessados na promessa, estamos tão atribulados e preocupados, que a visão vê o inverso exato do que a promessa prediz. Mas para os olhos da fé esta palavra é certa, e por ela percebemos que o nosso trabalho prospera, mesmo quando tudo parece estar contra nós. Não se trata de prosperidade externa que os cristãos mais desejam e valorizam. É a prosperidade da alma que ansiamos. Como Josafá, fazemos navios para ir a Társis trazer ouro, mas eles se quebram em Eziom-Geber (cf. 1 Rs 22.48). Mas mesmo aqui há a verdadeira prosperidade, pois é para a saúde da alma que somos pobres, enlutados e perseguidos. As nossas piores coisas são muitas vezes as nossas melhores coisas. Como há uma maldição envolta nas misericórdias dos ímpios, assim há uma bênção escondida nas cruzes, perdas e tristezas dos justos. A provação dos santos é a administração divina pela qual eles crescem e dão frutos abundantes.

4 *Não são assim os ímpios; mas são como a moinha que o vento espalha.*

4. Chegamos agora à segunda divisão do salmo. Neste versículo, o contraste do mau estado dos ímpios é empregado para realçar o colorido do quadro belo e agradável que o precede. A tradução mais enfática da Vulgata e da Septuaginta é: "Assim os ímpios não são, assim não". Com isso temos de entender que todas as coisas boas ditas sobre os justos não são verdadeiras no caso dos ímpios. Como é terrível ter

uma dupla negação nas promessas! No entanto, esta é a real situação dos ímpios. Note o uso do termo "ímpios", pois, como vimos na introdução do salmo, estes são os iniciantes no mal, e são os menos ofensivos dos pecadores. Se é este o estado triste dos que silenciosamente continuam na sua moralidade e negligenciam o seu Deus, qual deve ser a situação dos descarados pecadores e insolentes descrentes? A primeira frase é uma descrição negativa dos ímpios, e a segunda é o quadro positivo. Este é o caráter deles: "São como a moinha [palha, ARA]", intrinsecamente inúteis, mortos, inservíveis, sem substância e facilmente levados pelas circunstâncias. Isto também lhes caracteriza o destino: "Que o vento espalha". A morte os impele com a sua terrível rajada ao fogo no qual serão totalmente consumidos.

5 *Pelo que os ímpios não subsistirão no juízo, nem os pecadores na congregação dos justos.*

5. Estarão lá para serem julgados, mas não para serem absolvidos. Ali o medo virá sobre eles. Não ficarão firmes. Fugirão. Não subsistirão em defesa própria, porque se envergonharão e serão cobertos com desprezo eterno.

É muito bom os santos almejarem o céu, porque nenhum homem mau habitará lá, "nem os pecadores na congregação dos justos". Todas as nossas congregações na terra estão misturadas. Em toda igreja há demônios. O joio cresce nos mesmos sulcos que o trigo. Não há terra que já esteja completamente purgada do joio. Os pecadores se misturam com os santos, como a escória se mistura com o ouro. Os preciosos diamantes de Deus ainda estão no mesmo campo que os seixos. Os justos Lós são continuamente vexados deste lado do céu pelos homens de Sodoma. Alegremo-nos, pois na "universal assembleia e igreja dos primogênitos" (Hebreus 12.23) não haverá meio de entrar uma única alma não regenerada. Os pecadores não podem viver no céu. Eles estariam fora do seu elemento. É mais fácil os peixes viverem em árvores do que os ímpios nos céus. O céu seria um inferno intolerável para os impenitentes, mesmo que tivessem a permissão de entrar. Mas tal privilégio jamais será concedido ao homem que persevera nas suas iniquidades. Que Deus nos conceda ter um nome e um lugar nos átrios celestiais!

6 *Porque o Senhor conhece o caminho dos justos; mas o caminho dos ímpios perecerá.*

6. Ou, como vemos mais detalhadamente em hebraico: *"O Senhor está conhecendo o caminho dos justos".* Ele está constantemente olhando o caminho. Mesmo que muitas vezes esteja em névoa e escuridão, o Senhor o conhece. Quer esteja envolto em nuvens e tempestades de aflição, ele o entende. Ele sabe o número dos fios de cabelo da nossa cabeça; não permitirá que o mal nos sobrevenha. "Mas ele sabe o meu caminho; prove-me, e sairei como o ouro" (Jó 23.10).

"Mas o caminho dos ímpios perecerá." Não só os próprios ímpios perecem, mas também o seu caminho perecerá. Os justos esculpem o nome na pedra, mas os ímpios escrevem a memória na areia. Os justos aram a terra e semeiam uma colheita que nunca será totalmente colhida até que ele entre nas delícias da eternidade. Mas, quanto aos ímpios, eles aram o mar, e ainda que apareça um rastro brilhante atrás da quilha, as ondas o ignorarão, e o lugar que o conheceu não o conhecerá mais para sempre. O próprio "caminho" dos ímpios perecerá. Se existir na memória, estará na recordação dos maus. O Senhor fará o nome dos ímpios apodrecer, tornar-se um fedor nas narinas dos bons, e ser conhecido somente aos próprios ímpios por sua podridão.

Que o Senhor limpe o nosso coração e o nosso caminho para que escapemos do destino dos ímpios e gozemos a bem-aventurança dos justos!

NOTAS EXPLICATIVAS E DECLARAÇÕES IMPORTANTES

O Salmo: O livro de Cantares de Salomão é chamado, por um hebraísmo, Cântico dos Cânticos, sendo o mais excelente. Assim este salmo não pode ser inadequadamente intitulado o *Salmo dos Salmos*, pois contém a própria substância e quinta-essência do cristianismo. O que Jerônimo disse acerca das epístolas de Paulo, o mesmo digo acerca deste salmo: É de compostura curta, mas de extensão e força completas quanto ao assunto. Este salmo traz a bem-aventurança no frontispício. Começa onde todos esperamos que termine. Podemos muito bem intitulá-lo de o Guia do Cristão, pois revela as areias movediças nas quais os ímpios afundam para a perdição, e a terra firme na qual os santos andam para a glória. — *Thomas Watson, "Saints' Spiritual Delight" [O Prazer Espiritual dos Santos], 1660*

O salmo se oferece a ser esquematizado de acordo com estas duas proposições opostas: os justos são abençoados, os ímpios são infelizes. O profeta propõe dois desafios: o primeiro, que ele sustentará os justos contra quem quer que seja para que sejam os únicos a ganhar a lã dourada da bem-aventurança; o segundo, que embora os ímpios façam um espetáculo no mundo por estarem felizes, eles são os mais infelizes de todos os homens. — *Sir Richard Baker, 1640*

Sou induzido a adotar a opinião de alguns entre os intérpretes antigos (por exemplo, Agostinho e Jerônimo), que entendem que o Salmo 1 descreve o caráter e a recompensa do Justo, ou seja, do Senhor Jesus. — *John Fry, Bacharel em Humanidades, 1842*

v. 1: Neste curto salmo, o salmista disse mais sobre a questão da verdadeira felicidade do que qualquer filósofo ou de todos eles reunidos. O que fizeram não passou de vasculhar a esmo, mas aqui Deus nos dá a resposta certa na mão. — *John Trapp, 1660*

v. 1: Onde aparece a palavra "bem-aventurado", podemos estar certos de que encontraremos um justo. — *Sir Richard Baker*

v. 1: A roda dos bêbados é a roda dos escarnecedores. — *Matthew Henry, 1662-1714*

v. 1: "Não anda... nem se detém... nem se assenta..." Em certos casos, os preceitos negativos são mais absolutos e peremptórios que os afirmativos. Dizer: "Que tem andado segundo o conselho dos ímpios", pode não ser suficiente. Ele pode andar segundo o conselho dos justos e também segundo o conselho dos ímpios. Não ao mesmo tempo, mas em ocasiões diferentes. Mas o preceito negativo o esclarece em todos os tempos. — *Sir Richard Baker*

v. 1: A palavra הָאִישׁ (*hā'îsh*) é enfática, "esse homem". Esse entre milhares que vive para a concretização do fim para o qual Deus o criou. — *Adam Clarke, 1844*

v. 1: "Que não anda segundo o conselho dos ímpios". Note certas circunstâncias do caráter e conduta discrepantes destas pessoas: (1) Os ímpios têm o seu conselho. (2) Os pecadores têm o seu caminho. (3) Os escarnecedores têm a sua roda. Os ímpios não se interessam por religião, não cuidam da própria salvação nem se importam com a salvação dos outros. Aconselham e recomendam aqueles com quem conversam para que adotem o seu plano, e não tenham o trabalho de orar, ler, arrepender-se. "Não há necessidade de tais coisas. Vivam uma vida honesta, não façam espalhafato sobre religião, pois no fim vocês vão se dar muito bem." Bem-aventurado é o homem que não anda segundo o conselho desses homens, que não se ajusta a essas normas, nem age de acordo com esses planos.

Os pecadores têm o seu caminho, ou seja, o seu modo particular de transgredir. Um é bêbedo, outro desonesto, outro imoral. Poucos são dados a todas as espécies de vício. Há muitos cobiçosos que detestam a embriaguez, muitos bêbedos que detestam a cobiça, e por aí vai. Cada um tem o seu pecado que constante e facilmente o aflige. Portanto, diz o profeta: "Deixe o ímpio o seu caminho" (Is 55.7). Bem-aventurado é aquele que não se detém no caminho de tais homens.

Os escarnecedores acabam, em referência a si mesmos, com toda a religião e sentimento moral. Assentam-se, ou seja, estão plenamente firmes na impiedade e zombam do pecado. A consciência está cauterizada, e crêem em toda a incredulidade. Bem-aventurado é aquele que não se assenta na roda dessa gente. — *Adam Clarke*

v. 1: Em hebraico, a palavra "bem-aventurado" é um substantivo plural, *ashrey* ("bem-aventuranças"), quer dizer, todas as bem-aventuranças são a porção do homem que permanece. É como se disséssemos: "Todas as coisas estão bem com o homem que..." Por que você entra em disputas? Por que tira conclusões vãs? Se o homem encontra a pérola de grande valor, para amar a lei de Deus e ser separado dos ímpios, todas as bem-aventuranças pertencem a esse homem. Mas, se ele não encontrar esta jóia, ele procurará todas as bem-aventuranças, mas nunca encontrará nenhuma! Todas as coisas são puras para os puros, assim todas as coisas são amáveis para os amáveis, todas as coisas boas para os bons. Universalmente, como você é para você mesmo, assim é o próprio Deus para você, embora ele não seja criatura. Ele é perverso com os perversos, e santo com os santos. Por conseguinte, nada pode ser bom ou redentor para aquele que é mau. Nada é doce para aquele a quem a lei de Deus não é doce. Não há dúvida de que temos de entender a palavra "conselho" com o significado de decretos e doutrinas, visto que não existe sociedade humana que não seja formada e mantida por decretos e leis. Com este termo, Davi golpeia o orgulho e reprova a temeridade dos ímpios. Primeiro, porque eles não se humilharão a ponto de andar na lei do Senhor, mas se governam por conselhos próprios. É por isso que ele chama "conselho", porque lhes serve de cautela e o caminho que lhes parece não dar em erro. Este é o destino dos ímpios: eles serem cautelosos aos próprios olhos e segundo avaliação própria, vestindo os erros com as roupas da prudência e do caminho certo. Se chegam aos homens trajados com as roupas do erro, não seria marca tão diferenciadora de bem-aventurança não andar com eles. Mas Davi não diz "segundo a loucura dos ímpios" ou "segundo o erro dos ímpios". Adverte-nos a vigiar com toda a diligência contra a aparência do que é certo, para que o diabo transformado em anjo de luz não nos seduza com a sua astúcia. Contrasta o conselho dos ímpios com a lei do Senhor para que aprendamos a nos precaver dos lobos vestidos em pele de ovelha, que sempre estão prontos a aconselhar, ensinar e oferecer ajuda a todos, quando eles, entre todos os homens, são os menos qualificados para tais ações. O termo "se detém" representa descritivelmente a obstinação e teimosia dessas pessoas, em que eles se endurecem e dão desculpas usando palavras maliciosas, tendo-se tornado incorrigíveis em sua impiedade. Deter-se, segundo a maneira figurativa da expressão bíblica, significa ser firme e estar fixo, como diz em Romanos 14.4: "Para seu próprio senhor ele está em pé ou cai; mas estará firme, porque poderoso é Deus para o firmar". Por conseguinte, a palavra "coluna" é derivada pelo hebraico do verbo que significa "estar de pé", "ficar de pé", como é a palavra estátua entre os latinos. Esta é a própria desculpa e endurecimento dos ímpios, qual seja, a aparência de viverem corretamente e brilharem no espetáculo eterno das obras acima de todas as outras pessoas. Com respeito ao termo "se assenta", sentar-se na cadeira, é ensinar, agir como instrutor e professor, como diz em Mateus 23.2: "Na cadeira de Moisés, estão assentados os escribas e fariseus". Assentam-se na cadeira da peste que enche a igreja com a opinião dos filósofos, com a tradição dos homens e com o conselho da sua cabeça, e oprime as consciências miseráveis, pondo de lado, o tempo todo, a palavra de Deus pela qual a alma se alimenta, vive e se mantém. — *Martinho Lutero, 1536-1546 v. 1:* “Os escarnecedores”. *Peccator cum in profundum venerit contemnet*, que significa “quando o ímpio chega às profundezas e ao pior ponto do pecado, ele desdenha”. Então, o hebreu desdenhará Moisés: “Quem te tem posto a ti por maioral e juiz sobre nós?” (Êx 2.14). Então, Acabe disputará com Miqueias (1 Rs 22.18), porque ele não profetizou o que era bom para ele. Todo rapaz de Betel escarnecerá de Eliseu, e ousará lhe dizer: “Sobe, calvo, sobe, calvo!” (2 Rs 2.23). Eis uma gota original de veneno instilada a um grande oceano de veneno: como a gota do veneno das serpentes, picando a mão, entra nas veias e se espalha por todo o corpo até sufocar o espírito vital. Deus “zombará deles” (Sl 2.4), que o zombaram. E por fim menospreza você que o menosprezou em nós. Aquele que cospe contra o céu, receberá no rosto o que cuspiu. As indignidades que você cometeu contra os médicos espirituais permanecerão no pó com as cinzas do seu corpo, mas se levantarão contra a sua alma no dia do juízo. — *Thomas Adams, 1614*

v. 2: “Antes, tem o seu prazer na lei do Senhor”. O sentido do “prazer” aqui é o prazer do coração e o prazer na lei que não olha para o que a lei promete, nem para o que ameaça, mas apenas para isso: que a lei é santa, justa e boa (Rm 7.12). Por conseguinte, não é somente o amor pela lei, mas o prazer amoroso na lei que nem a prosperidade, a adversidade, o mundo, o príncipe deste mundo podem tirar ou destruir. Abre caminho vitoriosamente através da pobreza, notícia ruim, cruz, morte e inferno, e em meio às adversidades brilha mui esplendorosamente. — *Martinho Lutero*

v. 2: “Antes, tem o seu prazer na lei do Senhor”. Este prazer que o salmista fala é o prazer que não se enrubesce nem se empalidece. É o único prazer que dá uma refeição sem esperar agradecimento. É o único prazer em todos os sentidos da palavra. E como Enéas Anquises, carrega os pais nas costas. — *Sir Richard Baker*

v. 2: “Na sua lei medita”. No texto mais amplo, há um mundo de santidade e espiritualidade. Se em oração e dependência a Deus nos sentássemos para estudá-la, veríamos muito mais do que se nos aparenta. Numa primeira leitura ou exame, pouco ou nada vemos, como o servo de Elias foi uma vez e não viu nada. Por isso, foi mandado que olhasse sete vezes. E agora?, pergunta o profeta. “Eis aqui uma pequena nuvem, como a mão de um homem” (1 Rs18.44). E logo toda a superfície dos céus se cobriu de nuvens. Assim você olha ligeiramente o texto bíblico e não vê nada. Medite nele e você verá uma luz, como a luz do sol. — *Joseph Caryl, 1647*

v. 2: “Na sua lei medita de dia e de noite”. O homem bom medita na lei do Senhor de dia e de noite. Os pontífices afugentaram as pessoas comuns deste tesouro comum, alegando esta suposta dificuldade. É difícil de entender as Escrituras, não esquentem a cabeça com isso. Nós lhes diremos o significado. Também podem dizer: O céu é um lugar maravilhoso, mas é difícil de ir para o céu. Não se incomodem com isso, nós iremos para o céu por vocês. Assim, no grande dia do juízo, quando deveriam ser salvos pela Bíblia, infelizmente eles não têm a Bíblia para salvá-los. Em vez das Escrituras, eles apresentam imagens, que são os livros dos leigos, como se fossem julgados por um júri de escultores e pintores, e não pelos doze apóstolos. Não deixem que eles enganem vocês, mas estudem o evangelho enquanto buscam consolo pelo evangelho. Aquele que espera pela herança, fará de tudo para que a receba. — *Thomas Adams*

v. 2: “Medita”, como geralmente se entende, significa discutir, disputar. O seu significado sempre é limitado a ser empregado em palavras, como no Salmo 37.30: “A boca do justo fala da sabedoria”. Por conseguinte, Agostinho a traduziu por “tagarelar”. Esta é uma bonita metáfora: como os pássaros tagarelam, assim os homens deveriam conversar ininterruptamente sobre a lei do Senhor (pois a fala é peculiar aos homens). Mas não dá de expor meritória e completamente o gracioso significado e força desta palavra. Esta meditação consiste primeiramente na observação atenta das palavras da lei e depois na comparação de textos bíblicos diferentes. Este procedimento é uma caça deliciosa, uma caça a antílopes em uma floresta onde o Senhor nos fornece os antílopes e nos revela os seus esconderijos. É deste tipo de empreendimento que surge finalmente o homem instruído na lei do Senhor para falar às pessoas. — *Martinho Lutero*

v. 2: "Na sua lei medita de dia e de noite". O justo lerá a Palavra de dia para que os homens, vendo as suas boas obras, glorifiquem o Pai que está nos céus. E o fará de noite para que não seja visto pelos homens. De dia, para mostrar que ele não é dos que têm medo da luz; de noite, para mostrar que ele é um dos que brilham nas trevas. De dia, porque essa é a hora de trabalhar (Jo 9.4); de noite, para que o seu Senhor não venha de improviso e o ache dormindo (Mc 13.36). — *Sir Richard Baker*

v. 2: Não tenho descanso, senão quando estou em um recanto com a Bíblia. — *Thomas à Kempis, 1380-1471*

v. 2: "Medita". A meditação discrimina e caracteriza o homem, pois por ela ele mede o coração, quer seja bom quer seja mau. "Como imaginou na sua alma, assim ele é" (Pv 23.7). Como a meditação é, assim é o homem. A meditação é o critério do cristão, pois mostra de que metal ele é feito. É um índice espiritual. O índice mostra o que o livro contém, assim a meditação mostra o que há no coração. — *Thomas Watson, "Saints' Spiritual Delight" [O Prazer Espiritual dos Santos], 1660*

A meditação rumina e coloca a doçura e virtude nutritiva da Palavra no coração e na vida. Este é o modo em que o justo produz muito fruto. — *Bartholomew Ashwood, "Heavenly Trade" [O Comércio Celestial], 1688*

Os naturalistas observam que para sustentar e acomodar a vida material há diversos tipos de faculdades comunicadas, e entre outras, estas: (1) A faculdade de atração, para aceitar e atrair os alimentos. (2) A faculdade de retenção, para retê-los quando ingeridos. (3) A faculdade de assimilação, para misturar a nutrição. (4) A faculdade de crescimento, para chegar à perfeição.

A meditação é tudo isso. Ajuda o julgamento, a sabedoria e a fé a ponderar, discernir e creditar as coisas que lendo e ouvindo suprem e abastecem. Auxilia a memória a prender as jóias da verdade divina no cofre seguro. Tem o poder da digestão, e torna a verdade especial em nutrição espiritual. E, por fim, ajuda o coração regenerado a crescer mais e aumentar o poder para saber as coisas que nos são dadas livremente por Deus. — Condensado de *Nathaniel Ranew, 1670*

v. 3: "A árvore". Há uma árvore que só existe no vale do Jordão, mas é muito bonita para ser ignorada. O oleandro, ou loureiro rosa (espirradeira), é um tipo de arbusto com as flores viçosas e folhas verdes escuras, dando o aspecto de um jardim fértil em todo lugar onde está. É raramente citado nas Escrituras. Mas pode ser "a árvore plantada junto a ribeiros de águas, a qual dá o seu fruto na estação própria, e cujas folhas não caem". — *Arthur Penrhyn Stanley, Doutor em Teologia, "Sinai and Palestine" [Sinai e Palestina]*

v. 3: "A árvore plantada junto a ribeiros de águas". É alusão ao método oriental de agricultura, no qual se fazem regatos para a água fluir entre as fileiras de árvores. Assim, por meio artificial, as árvores recebem uma provisão constante de umidade.

v. 3: "O seu fruto na estação própria". Em tal caso a expectativa jamais se frustra. Espera-se o fruto, o fruto dá, e dá no tempo que deveria dar. A educação religiosa, sob a influência do Espírito divino, que nunca pode ser retido quando avidamente buscado, certamente produz os frutos da justiça. Aquele que lê, ora e medita, sempre verá a obra que Deus lhe deu para fazer, receberá o poder pelo qual ele o fará e terá os tempos, os lugares e as oportunidades para fazer essas coisas pelas quais Deus obtém a mais sublime glória, a sua alma, o maior bem, e o seu próximo, a maior edificação. — *Adam Clarke*

v. 3: "Na estação própria". O Senhor computa os tempos pelos quais passamos, e os põe em nossa conta. Vamos melhorá-lo, e, com os doentes no tanque de Betesda, entremos quando o anjo agitar a água. Agora a igreja está sendo afligida, é tempo de orar e aprender. Agora a igreja está crescendo, é tempo de louvar. Agora estou pregando, ouvirei o que Deus diz. Agora estou na companhia de sábios e entendidos, buscarei conhecimento e conselhos. Agora estou sendo tentado, é o tempo certo para apoiar-me no nome do Senhor. Agora estou em posição de dignidade e poder, farei considerações sobre o que Deus requer de mim em tempos como estes. A árvore da vida frutifica todos os meses, assim o cristão sábio, como agricultor sábio, tem as suas diferentes atividades para cada mês, produzindo fruto na estação própria. — *John Spencer, "Things New and Old" [Coisas Novas e Velhas], 1658*

v. 3: "Na estação própria". Que palavra preciosa e admirável pela qual se declara a liberdade da justiça cristã! Os ímpios têm os seus dias fixos, tempos determinados, trabalhos certos e lugares garantidos, aos quais se apegam com tanta força, que se pessoas próximas a eles estiverem morrendo de fome, elas são terminantemente rejeitadas. Mas este homem bem-aventurado, estando livre em todos os tempos, em todos os lugares, para todos os trabalhos e para todas as pessoas, servirá você sempre que tiver oportunidade. Tudo que lhe cai nas mãos para fazer, ele o faz. Ele não é judeu, nem gentio, nem grego, nem bárbaro, nem de outra pessoa em particular. Ele dá fruto na estação própria com tanta frequência que nem Deus nem o homem lhe cobra o trabalho. É por isso que os seus frutos não têm nome, e que os seus tempos não têm nome. — *Martinho Lutero*

v. 3: "Cujas folhas não caem". O salmista descreve o fruto antes das folhas. O próprio Espírito Santo sempre ensina o pregador fiel na igreja para que saiba que o reino de Deus não consiste em palavra, mas em virtude (1 Co 4.20). "Jesus começou, não só a fazer, mas a ensinar" (At 1.1). "Jesus, o Nazareno, que foi um profeta poderoso em obras e palavras" (Lc 24.19). Assim, aquele que professa a palavra da doutrina, primeiro dá os frutos da vida, pois caso não dê, ele murcha, pois Cristo amaldiçoou a figueira que não deu frutos. Como Gregório disse, o homem cuja vida é menosprezada está condenado pela doutrina que professa, porque ele prega para os outros e ele mesmo é reprovado. — *Martinho Lutero*

v. 3: "Cujas folhas não caem". As árvores do Senhor possuem folhas que sempre estão verdes. O frio do inverno não acaba com o verdor. Diferente das sempre-vivas de nosso país, todas elas são árvores frutíferas. — *C. H. S.*

v. 3: "E tudo quanto fizer [ou empreender] prosperará". E com relação a esta prosperidade, entenda que não é uma prosperidade material. Esta prosperidade é uma prosperidade oculta que fica totalmente escondida no espírito. Se a sua prosperidade não for a que vem pela fé, considere que essa sua prosperidade é a maior adversidade. Da mesma forma que o diabo odeia ferrenhamente estas folhas e a palavra de Deus, assim odeiam aqueles que as ensinam e as ouvem, perseguindo os tais com o auxílio de todos os poderes do mundo. Você fica sabendo do maior de todos os milagres, quando fica sabendo que prosperam todas as coisas que o homem bem-aventurado faz. — *Martinho Lutero*

v. 3: Certo crítico de jornal mostrou que em vez de "tudo quanto fizer prosperará", a tradução poderia ser: "Tudo que produzir amadurecerá". Isto é pertinente à ilustração, sendo sancionada por alguns manuscritos e versões antigas.

v. 3: "E tudo quanto fizer prosperará". A prosperidade exterior, sendo acompanhada com um andar íntimo com Deus, é muito maravilhosa. É igual à cifra que, quando acompanhada de um número, aumenta o valor, embora não seja nada em si mesma. — *John Trapp*

v. 4: "Moinha" ("palha", ARA). Aqui, por sinal, os ímpios precisam saber que têm de agradecer pelo que nem imaginam. Têm de agradecer ao justo por todos os dias bons que vivem na terra, visto que não é por causa de si mesmos que os desfrutam. Quando a moinha (palha) está unida ao trigo, desfruta de alguns privilégios por causa do trigo, sendo armazenada cuidadosamente no celeiro. Mas assim que é dividida e separada do trigo, é expulsa e espalhada pelo vento. O mesmo se dá com os ímpios. Enquanto estão em companhia dos justos e vivem entre eles, por causa destes participam de algumas bem-aventuranças prometidas aos justos. Mas se os justos os abandonam ou são levados dentre eles, sobrevêm subitamente ou um dilúvio de água, como aconteceu no mundo antigo quando Noé os deixou, ou um dilúvio de fogo, como aconteceu em Sodoma, quando Ló os deixou e saiu da cidade. — *Sir Richard Baker*

v. 4: "Que o vento espalha" ou "atira longe". O aramaico traduz por "vento", "vendaval". — *Henry Ainsworth, 1639*

Isto mostra a veemente tempestade da morte que varre a alma dos ímpios.

v. 5: "Pelo que os ímpios não subsistirão no juízo, nem os pecadores na congregação dos justos". Talvez não haja razão para pensarmos por que os ímpios não podem ser da congregação dos justos: os justos trilham um caminho que Deus conhece e os ímpios trilham um caminho que Deus destrói. Considerando que estes caminhos jamais se cruzam, como os homens encontram os que trilham esses dois caminhos? E para garantir que jamais os encontrem, o salmista expressa o caminho dos justos pelo primeiro elo da corrente da bondade de Deus, que é ele conhecer. Mas expressa o caminho dos ímpios pelo último elo da corrente da justiça de Deus, que é ele destruir. Embora a justiça e a misericórdia de Deus se encontrem e sejam contíguas uma com a outra, o primeiro elo da sua misericórdia e o último elo da sua justiça jamais se encontram, pois nunca chega à destruição até que se ouça Deus dizer: *Nescio vos*, que significa "não vos conheço", e *nescio vos* em Deus, e o conhecimento de Deus, jamais podem se encontrar. — *Sir Richard Baker*

v. 5: É mais fácil o ar irlandês carregar um sapo ou uma cobra do que o céu receber um pecador. — *John Trapp*

v. 6: "Porque o Senhor conhece o caminho dos justos; mas o caminho dos ímpios perecerá". Veja como Davi nos afugenta de toda aparência de prosperidade, e nos recomenda várias provações e adversidades. Todos os homens estão totalmente reprovados para este "caminho" dos justos, pensando também que Deus não conhece esse caminho. Mas aqui está a sabedoria da cruz. Só Deus conhece o caminho dos justos, tão oculto está para os próprios justos. Pois a sua mão direita os seduz de maneira maravilhosa, vendo que é um caminho, não de sentimento, nem de razão, mas só de fé, a mesma fé que vê nas trevas e vê as coisas que são invisíveis. — *Martinho Lutero*

v. 6: "Justos". São os que se empenham em viver segundo a justiça e têm a justiça de Cristo imputada a eles. — *Thomas Wilcocks, 1586*

SUGESTÕES AOS PREGADORES

v. 1. Este versículo fornece um texto excelente sobre "o progresso no pecado", ou "a pureza do cristão", ou "a bem-aventurança do justo". Acerca deste último assunto, fala que os crentes são bem-aventurados: (1) Por Deus, (2) em Cristo, (3) com todas as bênçãos, (4) em todas as circunstâncias, (5) através do tempo e da eternidade, (6) até o mais alto grau.

v. 1. Este versículo ensina o justo a precaver-se: (1) Das opiniões, (2) da vida prática, (3) da companhia e associação com pecadores. Mostra como a meditação na Palavra nos ajuda a manter distância destes três males.

A natureza insinuante e progressiva do pecado. — *John Morison*

vv.1 a 6. A grande diferença entre os justos e os ímpios.

v. 2. A Palavra de Deus: (1) O prazer que o crente tem nela, (2) o conhecimento que o crente tem com ela. Desejamos estar na companhia daqueles a quem amamos.

v. 2. (1) O que significa "a lei do Senhor", (2) o que há na lei para o crente ter prazer nela, (3) como o crente mostra que tem prazer nela: pensando nela, lendo-a muito, falando sobre ela, obedecendo-lhe, não tendo prazer no mal.

v. 2. "Na sua lei medita de dia e de noite": Os benefícios, ajudas e empecilhos da meditação.

v. 3. A árvore frutífera: (1) Onde cresce, (2) como chegou lá, (3) o que produz, (4) como ser igual a ela.

v. 3. "Plantada junto a ribeiros de águas": (1) A origem da vida cristã, "plantada", (2) os ribeiros ou rios que a sustentam, (3) o fruto que se espera dela.

v. 3. A influência da religião sobre a prosperidade. — *Hugh Blair*

A natureza, causas, sinais e resultados da verdadeira prosperidade. "Fruto na estação própria." Virtudes a serem mostradas em ocasiões certas: paciência na tribulação; gratidão na prosperidade; zelo na oportunidade. "Cujas folhas não caem": A bênção de ter uma confissão de fé que não murcha.

vv. 3 e 4. Título sugestivo: "A Moinha que o Vento Espalha", *in: "Spurgeon's Sermons" [Sermões de Spurgeon], n.º 280.*

O pecado põe um elemento negativo em toda bênção.

v. 5. A condenação dupla do pecador: (1) Condenado no tribunal de justiça, (2) separado dos santos. A racionalidade destas penalidades: "pelo que" e o modo de escapar delas. "A congregação dos justos" vista como a igreja dos primogênitos dos céus. É um tópico nobre.

v. 6. "O Senhor conhece o caminho dos justos." É um grandioso incentivo para o sofrido povo de Deus. O significado desse conhecimento: (1) *O seu caráter:* é um conhecimento de observação e aprovação, (2) *a sua fonte:* emana da onisciência e do amor infinito, (3) *os seus resultados:* sustento, livramento, aceitação e, por fim, glória.

v. 6. "O caminho dos ímpios perecerá." O caminho do prazer, do orgulho, do incredulidade, da descrença, da profanação, da perseguição, do adiamento, da autoilusão. Todos estes caminhos terão fim.

SALMO 2

TÍTULO

Não estaremos errando em nossas considerações sobre este salmo magnífico se o chamarmos *Salmo do Príncipe Messias*. Apresenta-nos em visão impressionante a agitação dos povos contra o Ungido do Senhor, o propósito firme de Deus exaltar o seu Filho e o reinado sublime desse Filho sobre todos os inimigos. Leiamos com os olhos da fé, vendo, como em espelho, o triunfo final de nosso Senhor Jesus Cristo sobre todos os inimigos. Lowth faz as seguintes observações sobre este salmo: O estabelecimento de Davi no trono, apesar da oposição levantada pelos inimigos, é o tema do salmo. Davi sustenta um caráter duplo: um literal e outro alegórico. Se lermos o salmo do princípio ao fim, primeiro tendo em vista o Davi literal, o significado fica óbvio e se coloca acima de disputa pela história sagrada. Há indubitavelmente um brilho incomum na expressão e sublimidade das figuras, e o estilo é exagerado de vez em quando, como se de propósito quisesse sugerir e conduzir-nos à contemplação de temas mais altos e mais importantes que estão ocultos. Em conformidade com esta admoestação, se fizermos outra pesquisa do salmo em relação à pessoa e interesses do Davi espiritual, uma nobre série de eventos imediatamente vem à vista, e o significado fica mais óbvio como também mais elevado. A coloração, que pode ser muito forte e brilhante para o rei de Israel, já não é quando colocada sobre o seu antítipo. Depois de considerarmos atentamente os assuntos em separado, examinemos em conjunto, e veremos a plena beleza e majestade deste poema extremamente encantador. Perceberemos os dois sentidos muito distintos, ao mesmo tempo em que cooperam em perfeita harmonia e mantêm semelhança maravilhosa em toda característica e aspecto, enquanto a analogia entre eles é preservada com toda exatidão, que a cópia pode passar pelo original. Nova luz é lançada continuamente na escolha das palavras, novo peso e dignidade são dados aos sentimentos, até que, pouco a pouco subindo das coisas debaixo para as coisas de cima, dos assuntos humanos para os assuntos divinos, sustentam o grande tema importante e finalmente o colocam nas alturas e brilho dos céus.

DIVISÃO

Entenderemos melhor este salmo se o virmos como um quadro de quatro partes: As nações se amotinam (vv. 1, 2, 3); o Senhor dos céus zomba das nações (vv. 4 a 6); o Filho proclama o decreto (vv. 7 a 9); e o conselho dado aos reis para obedecer ao Ungido do Senhor (vv. 10 ao 12). Esta divisão nos é sugerida pela lógica e também nos é garantida pela forma poética do salmo que naturalmente se divide em quatro estrofes de três versículos cada.

EXPOSIÇÃO

1 Por que se amotinam as nações, e os povos imaginam coisas vãs?
2 Os reis da terra se levantam, e os príncipes juntos se mancomunam contra o Senhor e contra o seu ungido, dizendo:
3 Rompamos as suas ataduras e sacudamos de nós as suas cordas.

1. Temos nestes primeiros três versículos a descrição do ódio da natureza humana contra o Cristo de Deus. Não é necessário melhor comentário sobre esse trecho do que a canção apostólica registrada em Atos 4.27,28: "Porque, verdadeiramente, contra o teu santo Filho Jesus, que tu ungiste, se ajuntaram, não só Herodes, mas Pôncio Pilatos, com os gentios e os povos de Israel, para fazerem tudo o que a tua mão e o teu conselho tinham anteriormente determinado que se havia de fazer". O salmo começa abruptamente com uma pergunta irada, e não é para menos que a visão de criaturas armadas prontas para batalhar contra o seu Deus pasmasse a mente do salmista. Vemos as nações se amotinando, o mar rugindo, lançando-se de um lado para o outro em ondas revoltosas, como o oceano em meio à tempestade, e notamos os povos imaginando em seus corações coisas vãs contra Deus. Onde há grande amotinação há também loucura, e, neste caso, a loucura é extrema. Note que a comoção não foi causada pelos povos, mas são os líderes que fomentam a rebelião.

2. *"Os reis da terra se levantam."* Com determinada intenção de prejudicar, eles se põem em formação opositora contra Deus. Não se tratava de amotinação temporária, mas de ódio entranhado, porque eles se levantam resolutamente para resistir o Príncipe da Paz.

"Os príncipes juntos se mancomunam." Empreendem a guerra astuciosamente, não com afobação imprudente, mas com deliberação. Servem-se de todas as aptidões que o ofício oferece. Como faraó, clamam: "Usemos sabiamente para com ele" (Êx 1.10). Que os homens fossem a metade cuidadosos no serviço de Deus para servi--lo sabiamente, como os inimigos são para atacar o seu reino astuciosamente. Os pecadores são habilidosos nesse empreendimento, ao passo que os santos são obtusos.

3. Mas o que estão dizendo? Qual é o significado desta comoção? "Rompamos as suas ataduras", em outras palavras: "Sejamos livres para cometer toda sorte de abominações. Sejamos nós os nossos próprios deuses. Livremo-nos de toda a restrição". Juntando descaramento pela proposição traiçoeira de rebelião, acrescentam: "Sacudamos", como se fosse questão fácil, lancemos rápida e descuidadamente "de nós as suas cordas". O quê?! Vocês, reis, pensam que são Sansão? Acham que os bandos da Onipotência não passam de vimes frescos diante de vocês? Você sonham fazer em pedaços e destruir os mandatos de Deus, os decretos do Altíssimo, como se não passassem de estopa? E

chegam a dizer: "Sacudamos de nós as suas cordas"? Sim! Há monarcas que disseram isso, e ainda há rebeldes assentados em tronos. Por mais insensata que seja a decisão de amotinar-se contra Deus, trata-se de algo em que o homem tem persistido desde a criação e continua até hoje. O reinado glorioso de Jesus nos últimos dias não se consumirá até que uma luta terrível convulsione as nações. A sua vinda será como o fogo do ourives e como sabão dos lavadeiros (Ml 3.2), e aquele dia vem ardendo como forno (Ml 4.1). A terra não ama o seu monarca legítimo, mas aferra-se ao poder do usurpador. Os conflitos terríveis dos últimos dias ilustrarão o amor que o mundo tem pelo pecado e o poder que o Senhor tem em dar o reino ao seu Unigênito. Para o pescoço ímpio, o jugo de Cristo é intolerável, mas para o pecador salvo é suave e leve. Podemos nos julgar por este critério: amamos esse jugo ou desejamos lançá-lo para longe de nós?

4 *Aquele que habita nos céus se rirá; o Senhor zombará deles.*

4. Tiremos nossa atenção da câmara do conselho dos ímpios e do tumulto encolerizado dos homens, e nos dediquemos ao lugar secreto da majestade do Altíssimo. O que Deus está dizendo? O que o Rei fará com os homens que rejeitam o seu Filho Unigênito, o Herdeiro de todas as coisas?

Observe a dignidade tranquila do Onipotente, e o desprezo que ele dá aos príncipes e povos furiosos. Ele nem teve o trabalho de levantar-se para lutar contra eles. Ele os menospreza, pois sabe como são absurdas, irracionais e fúteis os esforços feitos contra ele. Portanto, ri-se deles.

5 *Então, lhes falará na sua ira e no seu furor os confundirá.*
6 *Eu, porém, ungi o meu Rei sobre o meu santo monte Sião.*

5 e 6. Depois de rir-se, Deus fala. Não precisa atacar. O sopro da sua boca é suficiente. No momento em que o poder desses povos está no ápice e a fúria no ponto mais forte, sai a Palavra divina contra eles. O que ele diz? — É um veredicto muito atormentador. "Eu, porém", diz ele, "apesar da sua maldade, apesar dos seus ajuntamentos tumultuosos, apesar da sabedoria dos seus conselhos, apesar da perícia dos seus legisladores, "ungi o meu Rei sobre o meu santo monte Sião". Não é uma exclamação tão imponente! Ele já fez aquilo que o inimigo procura impedir. Enquanto propunham, ele dispôs o assunto. A vontade do Senhor é feita, e a vontade do homem se irrita e se enfurece em vão. O Ungido do Senhor é nomeado, e não será deposto. Relembre todos estes séculos de infidelidade, escute as palavras arrogantes e duras que os homens têm falado contra o Altíssimo, ouça o trovão retumbante das aclamações da terra contra a Majestade dos céus e, em todo tempo, pense que Deus está dizendo: "Eu, porém, ungi o meu Rei sobre o meu santo monte Sião". Jesus, porém, reina. Ele, porém, vê o trabalho difícil da sua alma e "o seu reino incapaz de sofrer ainda virá", quando tomar para si o seu grande poder e reinar do rio até aos confins da terra. Mesmo agora ele reina em Sião, e nossos lábios alegres soam os louvores do Príncipe da Paz. Maiores conflitos são preditos, mas estamos confiantes de que a vitória será dada ao nosso Senhor e Rei. Triunfos gloriosos ainda estão por vir. Que venham logo, nós pedimos, ó Senhor! É a glória e alegria de Sião que o seu Rei nela esteja, guardando-a dos inimigos e enchendo-a de coisas boas. Jesus está assentado no trono da graça, e o trono de poder está no meio da igreja. Nele está a melhor proteção de Sião; que os seus cidadãos nele se alegrem.

Teus muros são força, e em tuas portas
Um guarda dos guerreiros celestiais vigia

Nem se mexerão as tuas profundas fundações
Firmadas nos conselhos e amor de Deus

Teus inimigos em vão planejam guerrear
Contra o trono divino em vão se amotinam
Como ondas grandes, com rugido bravio
Que dão e morrem na praia

7 *Recitarei o decreto: O* SENHOR *me disse: Tu és meu Filho; eu hoje te gerei.*
8 *Pede-me, e eu te darei as nações por herança e os confins da terra por tua possessão.*
9 *Tu os esmigalharás com uma vara de ferro; tu os despedaçarás como a um vaso de oleiro.*

7. Este salmo usa certa forma de drama, pois agora outra pessoa aparece falando. Examinamos a câmara do conselho dos ímpios e o trono de Deus. Agora vemos o Ungido declarando os direitos de soberania e informando aos traidores o destino que lhes espera. Deus se riu dos conselhos e delírios dos ímpios, e agora o próprio Cristo Ungido surge, como o Redentor ressurreto, "declarado [ser] Filho de Deus em poder, segundo o Espírito de santificação, pela ressurreição dos mortos" (Rm 1.4). Olhando os rostos irados dos reis rebeldes, o Ungido diz: "Se isto não for suficiente para silenciá-los, 'recitarei o decreto'". Este decreto conflita diretamente com os estratagemas dos homens, pois a tendência geral é o estabelecimento do mesmo domínio contra o qual as nações estão se amotinando.

"Tu és meu Filho." Esta é uma nobre prova da divindade gloriosa do nosso Emanuel: "Porque a qual dos anjos disse jamais: Tu és meu Filho, hoje te gerei?" (Hb1.5). Quanta misericórdia é termos um Redentor divino em quem podemos colocar a confiança!

"Eu hoje te gerei." Caso diga respeito à divindade de nosso Senhor, não tentemos investigar, pois se trata de uma grande verdade, uma verdade a ser recebida com reverência e não insolentemente esquadrinhada. Poderíamos acrescentar que caso se relacione ao Unigênito na sua natureza humana, também devemos nos alegrar no mistério, e não tentar violar a santidade mediante inquirição intrusiva nos segredos do Deus Eterno. As coisas que nos são reveladas bastam, sem termos de nos arriscar em especulações vãs. No esforço de definir a trindade ou desvelar a essência da divindade, muitos homens se perderam — houveram grandes naufrágios. O que temos a fazer em um mar como esse com os nossos frágeis barquinhos?

8 e 9. *"Pede-me."* Era costume entre grandes reis dar a favorecidos o que eles pedissem (ver Ester 5.6; Mateus 14.7). Assim basta Jesus pedir para ter. Aqui ele declara que os seus inimigos são a sua herança. Diante deles ele declara este decreto. "Olhem aqui", brada o Ungido, segurando no alto com a mão perfurada o cetro do seu poder: "Ele me deu isto, não apenas o direito de ser rei, mas o poder de conquistar". O Senhor deu ao seu Ungido a vara de ferro com a qual ele fará em pedaços as nações rebeldes. E, apesar da força imperial, eles não passarão de vasos de oleiro facilmente despedaçados com a vara de ferro que está na mão do onipotente Filho de Deus. Aqueles que não se dobram serão quebrados. Os vasos de oleiro não serão restaurados caso sejam quebrados. A ruína dos pecadores será incorrigível se Jesus os golpear.

Pecadores, buscai a graça divina
Cuja ira vós não podeis suportar
Correi para o abrigo da cruz
E lá encontrareis salvação

10 *Agora, pois, ó reis, sede prudentes; deixai-vos instruir, juízes da terra.*
11 *Servi ao Senhor com temor e alegrai-vos com tremor.*
12 *Beijai o Filho, para que se não ire, e pereçais no caminho, quando em breve se inflamar a sua ira. Bem-aventurados todos aqueles que nele confiam.*

10. A cena muda novamente, e conselhos são dados aos que foram aconselhados a rebelar-se. Eles são exortados a obedecer e dar o beijo do respeito e afeto àquele a quem eles odiavam.

"Sede prudentes." Sempre é prudente e sábio estarmos dispostos a aprender, especialmente quando o ensino diz respeito à salvação da alma.

"Agora, pois, [...] sede prudentes." Não demorem mais, mas se deixem levar pelo bom senso. A sua guerra não terá sucesso, portanto desistam e rendam-se alegremente àquele que fará vocês se curvarem, caso se recusem a aceitar o jugo que ele oferece. Como é sábio e prudente, como é infinitamente sábio e prudente obedecer a Jesus, e como é extremamente terrível a loucura dos que continuam sendo seus inimigos!

11 e 12. *"Servi ao Senhor com temor."* A reverência e humildade devem estar combinadas com o serviço. Ele é um Deus grande, e nós somos criaturas pequenas. Curvemo-nos em adoração humilde, e que um temor filial se misture com toda a nossa obediência ao grande Pai dos séculos.

"Alegrai-vos com tremor." Nunca deve faltar o temor santo combinado com a alegria do cristão. Esta é uma combinação sacra, que dá um cheiro suave. Temos de cuidar para que não queimemos outra combinação no altar. O temor sem a alegria é tormento; e a alegria sem o santo temor é presunção. Note a argumentação solene em prol da reconciliação e obediência. É terrível perecer em meio ao pecado, no pleno caminho da rebelião. Contudo, como é fácil a sua ira nos matar de repente. A sua ira não precisa ser aquecida sete vezes mais. Basta se inflamar um pouco, e já estamos consumidos. Pecador, preste atenção aos terrores do Senhor, "porque o nosso Deus é um fogo consumidor" (Hb 12.29).

Note a bênção com a qual o salmo finda: "Bem-aventurados todos aqueles que nele confiam". Temos parte nesta bem-aventurança? Confiamos nele? A nossa fé pode ser fraca como o fio da teia da aranha, mas, se for real, somos bem-aventurados segundo nossa medida. Quanto mais confiamos, mais completamente conheceremos esta bem-aventurança. Podemos encerrar o salmo com a oração dos apóstolos: "[Senhor], acrescenta-nos a fé" (Lc 17.5).

O Salmo 1 apresentou um contraste entre os justos e os ímpios; o Salmo 2 é um contraste entre a desobediência tumultuosa do mundo ímpio e a exaltação certa do justo Filho de Deus. No Salmo 1, vimos os ímpios serem afugentados como a palha; no Salmo 2, os vemos feitos em pedaços como o vaso de oleiro. No Salmo 1, vimos os justos como as árvores que crescem à beira dos rios; no Salmo 2, contemplamos Cristo, a Cabeça da aliança dos justos, em situação melhor do que as árvores que crescem à beira dos rios, porque ele foi feito Rei de todas as nações, e diante de quem todos os gentios se curvam e beijam o pó; enquanto que ele mesmo dá uma bênção a todos os que põem a confiança nele.

Os dois salmos são dignos da mais profunda atenção. São, na realidade, o prefácio ao livro dos Salmos, os antigos os consideravam um só. Mas na verdade são dois salmos, pois acerca deste Paulo diz que é o Salmo segundo (At 13.33). O Salmo 1 mostra o caráter e destino dos justos; o Salmo 2 ensina que os salmos são messiânicos e falam de Cristo Messias — o Príncipe que reinará do rio até aos confins da terra. Temos certeza de que ambos os salmos têm uma perspectiva profética de longo alcance, mas não nos sentimos competentes para tratar desse assunto e o passamos a mãos mais capazes.

NOTAS EXPLICATIVAS E DECLARAÇÕES IMPORTANTES

v. 1: "Por que se amotinam as nações, e os povos imaginam coisas vãs?" O verbo hebraico não expressa um sentimento interior, mas fala da agitação exterior que o denota. Pode haver alusão à ondulação e rugido do mar usados como emblema de comoção popular, tanto bíblica quanto clássica. O tempo presente deste verbo ("se amotinam") diz que a comoção já começou, ao passo que o tempo futuro dos verbos constantes nas próximas frases expressa a sua continuação. — *Joseph Addison Alexander, Doutor em Teologia, 1850*

v. 1: "Imaginam". O termo com que Paulo traduz em grego este verbo denota raiva, orgulho e nervosismo, como o que sentem os cavalos que relincham e vão correndo para a batalha. O termo grego ἐφρύαξαν, derivado de φρυάσσω, significa "bufar" ou "relinchar", sendo corretamente aplicado ao cavalo que está excessivamente fogoso (ver Atos 4.25).

v. 1: "Coisas vãs". Diocleciano cunhou uma medalha na qual consta a inscrição: "O nome de cristãos está sendo extinto". Na Espanha, foram erigidas duas colunas monumentais nas quais estava escrito: (1) "Diocleciano Joviano Maximiano Hércules César Augusto, por ter ampliado o império romano para o oriente e para o ocidente, e por ter extinguido o nome dos cristãos que levaram a República à ruína". (2) "Diocleciano Joviano Maximiano Hércules César Augusto, por ter adotado Galério no oriente, por ter abolido a superstição de Cristo em todos lugares, por ter estendido a adoração dos deuses". Como certo escritor moderno observou com elegância: "Temos aqui um monumento levantado pelo paganismo em cima da sepultura do seu inimigo derrotado. Mas nisto, 'os povos imaginam coisas vãs'. Longe de estar morto, o cristianismo estava na véspera do triunfo final e permanente, e a pedra fechava um sepulcro vazio como a urna que Electra lavou com lágrimas. Nem na Espanha, nem em outro lugar, podemos identificar o lugar do sepultamento do cristianismo. Não existe, pois, aquele que vive não tem sepultura".

vv. 1 a 4: Herodes, a raposa, tramou contra Cristo para impedir o curso do seu ministério e atividade mediadora, mas não conseguiu executar o intento. É assim desde o princípio, pelo que se diz: "Por que [...] os povos imaginam coisas vãs?" Eram coisas vãs, porque era algo sem sucesso, algo que as mãos não puderam executar. Eram vãs, não só porque não havia verdadeira base racional para que imaginassem ou fizessem tais coisas, mas vãs porque também labutaram em vão. Por não poderem fazer é que se conclui: "Aquele que habita nos céus se rirá; o Senhor zombará deles". O Senhor vê como são tolos, e até os homens (sim, eles mesmos) o verão. Para essa finalidade, o profeta faz uma descrição elegante: "Tecem teias de aranha. [...] As suas teias não prestam para vestes, nem se poderão cobrir com as suas obras" (Isaías 59.5,6). É como se ele tivesse dito que eles inventam e fazem coisas em uma armação vistosa e bonita para pegar mosquitos. Tecem fios dos cérebros, como as aranhas tecem dos intestinos. Tecem teias, mas quando as terminam, não podem cortá-las ou fazer uma roupa com elas. Irão nus e com frio, apesar de terem tecido e fiado, e tramado e imaginado. Logo chegará a vassoura que varrerá todas as teias e as aranhas também, exceto as que saírem rastejando velozmente. Deus gosta e tem prazer em cruzar provérbios seculares com estratagemas mundanos. — *Joseph Caryl, 1647*

v. 2: Os muitos fizeram a sua parte, e agora os poderosos se revelam. — *John Trapp*

v. 2: "Juntos se mancomunam contra o SENHOR e contra o seu ungido". Mas por que juntos se mancomunam contra o SENHOR e contra o seu ungido? O que queriam com isso? Ter-lhe os bens? Não, ele não tinha nada de si mesmo e eles eram mais ricos que ele. Ter-lhe a liberdade? Não, isso não lhes bastaria, porque já o haviam preso antes. Levar as pessoas a ter antipatia por ele? Não, isso não lhes serviria, porque já o haviam feito, quando até os seus discípulos fugiram dele. O que queriam então? O seu sangue? Sim, eles "formavam juntamente conselho", disse Mateus, "para o matarem" (Mt 27.1). Eles tinham a mente do diabo que não se satisfaz exceto com a morte. E como tramavam isto? Ele respondeu: "Formavam juntamente conselho [...] para o matarem". — *Henry Smith, 1578*

v. 2: "Contra o Senhor e contra o seu ungido". Que honra foi para Davi estar associado assim publicamente com o Senhor! E, porque era o seu ungido, que honra foi para Davi ser objeto de ódio e desprezo para o mundo ímpio! Se esta mesma circunstância aumentasse terrivelmente a culpa e selasse o destino desses enfatuados pagãos, seguramente era aquilo que acima de todas as coisas manteria a mente de Davi tranquila, serena, calma e alegre, apesar do orgulho arrogante e prepotente dos inimigos. [...] Ao escrever este salmo, Davi era como um homem em uma tempestade que só ouve o rugido da tempestade ou vê nada mais que as imensas ondas furiosamente ameaçando causar destruição por todos os lados. Mesmo assim, a fé o capacitou a dizer: "Os povos imaginam coisas vãs". Não podem ter sucesso. Não podem derrotar os conselhos dos céus. Não podem prejudicar o Ungido do Senhor. — *David Pitcairn, 1851*

v. 3: Decididos como estavam em tornar-se violentos como indivíduos sem lei e destemidos, eles caluniam as doces leis do reino de Cristo, tachando-as de ataduras e cordas que são sinais de escravidão (Jeremias 27.2,6,7). Mas o que disse o nosso Salvador? "O meu jugo é suave, e o meu fardo é leve" (Mateus 11.30). Não é mais jugo para o homem regenerado do que asas para o pássaro. A lei de Cristo não é mais como ataduras e cordas, mas como cintas e ligas que cingem os lombos do homem regenerado e lhe desembaraçam o andamento. — *John Trapp*

v. 4: "Aquele que habita nos céus". Está bem claro que: (1) O Senhor está muito acima de toda a maldade e poder desses povos.m (2) O Senhor vê todos os enredos, encarando-os com desprezo. (3) O Senhor é de poder onipotente, podendo fazer o que quiser com os inimigos: "O nosso Deus está nos céus e faz tudo o que lhe apraz" (Sl 115.3). — *Arthur Jackson, 1643*

v. 4: "Aquele que habita nos céus se rirá; o Senhor zombará deles". As loucuras dos pecadores não passam de zombaria à infinita sabedoria e poder de Deus. E essas tentativas do reino de Satanás que, aos nossos olhos, são tremendas, aos do Senhor são desprezíveis. — *Matthew Henry*

v. 4: "Aquele que habita nos céus se rirá". Eles nos ridicularizam, Deus ri deles. Ri? À primeira vista, parece uma palavra dura: as perdas dos santos, as crueldades dos inimigos, a derrisão, a perseguição de tudo que está à nossa volta não passam de questão de riso? O severo Catão pensava que o riso não convinha à gravidade dos cônsules romanos, que era uma diminuição de posição, que outros chamavam príncipes. E agora o riso é atribuído à Majestade dos céus? De acordo com a nossa capacidade, o salmista descreve Deus em termos de como nós nos sentiríamos se estivéssemos em uma disposição alegre, zombando dos vãos esforços. Ele ri, mas é de desprezo; ele despreza, mas é por vingança. Faraó imaginou que afogando os bebês israelitas do sexo masculino, ele encontrara um meio de apagar o nome de Israel da terra. Mas durante esse mesmo tempo, quando a sua própria filha, na sua própria corte, dava educação magnífica a Moisés, o libertador dos israelitas, Deus não estava rindo?

É curta a alegria dos ímpios. Colocaram Dagom de volta no lugar? O sorriso de Deus cortou a cabeça e as mãos desse ídolo, não lhe deixando inteligência para orientar, nem poder para subsistir. [...] Não julguemos as obras de Deus até o último ato: basta um sorriso dos céus para que o caso externamente deplorável e desesperador tenha um fim abençoado. Ele permitiu que o templo fosse saqueado e roubado, os utensílios santos profanados e usados para festejos profanos. Mas o sorriso de Deus não fez Belsazar tremer de medo diante da escritura na parede? O que é a carranca desse rei, se o sorriso divino é tão terrível! — *Thomas Adams*

v. 4: Com a expressão: "Aquele que habita nos céus", imediatamente nos vem à mente um ser infinitamente exaltado sobre os homens, que são da terra, terrenos. Quando diz: "[Ele] se rirá", a palavra visa transmitir à mente a ideia de que as maiores confederações entre os reis e os povos, e as mais extensas e vigorosas preparações para derrotar-lhe os propósitos ou prejudicar-lhe os servos, são, aos olhos divinos, insignificantes e inúteis. Ele olha os esforços fracos e medíocres, não só sem a menor inquietação ou temor, mas também ri da loucura deles. Trata a impotência com escárnio. Sabe que, quando quiser, pode esmagá-los com uma traça ou, em um momento, consumi-los com o sopro da sua boca. Como nos é proveitoso lembrar de verdades como estas! Não passa realmente de "coisas vãs" o caco de louça de barro competir com a majestade gloriosa dos céus. — *David Pitcairn*

v. 4: "O Senhor", em hebraico, *Adonai*, significa misticamente "meus suportes" ou "meus sustentadores" — meus pilares, minhas colunas. A palavra "senhor" tem grande parte dessa força. — *Henry Ainsworth*

v. 4: "Aquele que habita nos céus se rirá; o Senhor zombará deles". Esta tautologia ou repetição da mesma coisa, que é frequente nas Escrituras, é sinal que a coisa é estabelecida. Está de acordo com a autoridade do patriarca José (Gn 41.32), que, tendo interpretado os sonhos de faraó, disse: "E o sonho foi duplicado duas vezes a Faraó é porque esta coisa é determinada de Deus, e Deus se apressa a fazê-la". Aqui também: "se rirá [deles]" e "zombará deles", são repetições para mostrar que não há dúvida a ser cogitada que todas estas coisas irão seguramente acontecer. E o Espírito da graça faz tudo isso para a nossa consolação e salvação, para que não desfaleçamos sob a tentação, mas ergamos a cabeça com a mais firme e certa esperança, porque "o que há de vir virá e não tardará" (Hb10.37). — *Martinho Lutero*

v. 5: "[Deus] os confundirá" por horror de consciência ou por pestes físicas. De um jeito ou de outro, ele lhes cobrará até o último centavo, como ele sempre têm cobrado dos perseguidores do seu povo. — *John Trapp*

vv. 5 e 9: É fácil Deus destruir os inimigos. [...] Lembremo-nos de faraó, seus sábios, seus exércitos e seus cavalos afogando-se e afundando-se como chumbo no mar Vermelho. Este foi o fim de uma das maiores tramas formadas contra o escolhido de Deus. De trinta imperadores romanos, governadores de províncias e outros altos oficiais no poder que se distinguiram pelo zelo e crueldade na perseguição aos primitivos cristãos, um logo ficou louco depois de ter cometido certa atrocidade cruel, outro foi assassinado pelo próprio filho, outro ficou cego, tendo os olhos saltados das órbitas, outro foi afogado, outro foi estrangulado, outro morreu em deprimente cativeiro, outro caiu morto de modo insuportável de contar, outro morreu de doença tão repugnante que muitos médicos que o atenderam morreram por não aguentar o fedor que enchia o quarto, dois cometeram suicídio, um terceiro tentou, mas teve de pedir ajuda para terminar o ato, cinco foram assassinados pelos próprios súditos ou criados, cinco outros tiveram as mortes mais desgraçadas e torturantes, muitos tiveram uma complicação inédita de doenças e oito morreram na batalha ou depois de serem levados prisioneiros. Entre estes estava o apóstata Juliano. Dizem que nos dias em que gozava de prosperidade, ele apontou o punhal aos céus desafiando o Filho de Deus, a quem chamou comumente Galileu. Mas quando estava ferido na batalha e viu que tudo estava acabado, ele recolheu o sangue coagulado e o lançou ao ar, exclamando: "Tu venceste, tu, ó Galileu". Voltaire narrou as agonias do rei Carlos IX, da França, que teve o sangue extraído pelos poros da pele depois das crueldades e traições feitas contra os huguenotes. — *William S. Plummer, Doutor em Teologia e Doutor em Direito, 1867*

v. 6: "Eu, porém, ungi o meu Rei sobre o meu santo monte Sião". Notemos: (1) O ofício e caráter ligados à realeza de nosso Redentor glorioso. Ele é "Rei": "Na veste e na sua coxa tem escrito este nome" (Ap 19.16). (2) A autoridade pela qual ele reina. Ele é "o meu Rei", diz Deus Pai, e o ungi desde a eternidade: "E também o Pai a ninguém julga, mas deu ao Filho todo o juízo" (Jo 5.22). O mundo não lhe reconhece a autoridade, mas eu a possuo. Eu o "ungi", "sobre todas as coisas, o constituiu como cabeça da igreja" (Ef 1.22). (3) O reino em particular sobre o qual ele reina. É "sobre o meu santo monte Sião", um tipo eminente da igreja cristã. O templo foi construído no monte Sião, sendo esta a razão de ser chamado "santo monte". O trono de Cristo está na igreja, é o seu quartel-general e o lugar da sua residência peculiar. Note a firmeza do propósito divino com respeito a este assunto. "Eu [..] ungi o meu Rei", quer dizer, sejam quais forem os enredos do inferno e da terra para impedir essa unção, ele reina pela ordenação do Pai. — *Stephen Charnock, 1628-1680*

v. 6: "Eu, porém, ungi o meu Rei sobre o meu santo monte Sião". Jesus Cristo é triplamente Rei. Em primeiro lugar, é o Rei dos seus inimigos; em segundo lugar, é o Rei dos seus santos; em terceiro lugar, é o Rei do seu Pai.

Em primeiro lugar, Jesus Cristo é o Rei dos seus inimigos, quer dizer, ele é o Rei sobre os seus inimigos. Cristo é o Rei acima de todos os reis. O que são todos os poderosos, os grandes, os ilustres da terra diante de Jesus Cristo? Não passam de uma pequena bolha na água, pois se todas as nações, em comparação a Deus, não passam da gota de um balde, ou do pó das balanças, como fala o profeta em Isaías 40.15, como devem ser pequenos os reis da terra! Cristo Jesus não só é superior aos reis, mas também é superior aos anjos. Ele é a Cabeça dos anjos. Portanto, todos os anjos dos céus têm a ordem de adorá-lo (Cl 2.12; Hb1.6). [...] Ele é o Rei sobre todos os reinos, sobre todas as nações, sobre todos os governos, sobre todos os domínios, sobre todos os povos (Dn 7.14). [...] Até as nações pagãs são entregues a Cristo, e as extremidades da terra por sua possessão (Sl 2.8).

Em segundo lugar, Jesus Cristo é o Rei dos seus santos. Ele é o Rei dos maus e dos bons. Quanto aos ímpios, ele reina sobre eles por força e poder; quanto aos santos, ele reina sobre eles pelo seu Espírito e graça. Este é o reino espiritual de Cristo. Ele reina no coração do povo, sobre a sua consciência, vontade, sentimentos, julgamentos e interpretações, e ninguém tem nada a fazer aqui exceto Cristo. Jesus é o Rei das nações e o Rei dos santos. Ele reina *sobre as* nações e reina *nos* santos.

Em terceiro lugar, Jesus Cristo é o Rei do seu Pai, como o Pai o chama: "Eu, porém, ungi o meu Rei sobre o meu santo monte Sião". Que ele seja o nosso Rei, quando ele for o Rei de Deus. Talvez você pergunte: Como Jesus Cristo é o Rei do Pai? É que ele reina por seu Pai. Há um duplo reino de Deus entregue a Jesus Cristo. Primeiramente, há o reino espiritual, pelo qual ele reina no coração das pessoas, sendo o Rei dos santos; depois, há o reino providencial, pelo qual ele reina sobre os assuntos deste mundo, sendo o Rei das nações. — *Condensado de William Dyer, "Christ's Famous Titles" [Os Famosos Títulos de Cristo], 1665*

v. 6: "Sião". O termo "Sião" significa "visão distante" (*speculam*). A igreja é chamada "uma visão distante" (*specula*), porque vê Deus e as coisas divinas pela fé (quer dizer, de longe), sendo sábia nas coisas que são de cima e não nas coisas que são da terra. E também porque há na igreja verdadeiros espectadores (ou videntes) e guardas no espírito, cujo ofício é tomar conta das pessoas sob sua responsabilidade e vigiar contra as armadilhas dos inimigos e dos pecados. Os tais são chamados em grego *bispos* ('επίσκοποι), quer dizer, "observadores" ou "videntes". Pela mesma razão, damos-lhes do hebraico o título de sionistas de sião. — *Martinho Lutero*

v. 7: A questão relativa à filiação eterna de nosso Senhor denuncia mais curiosidade presunçosa do que fé reverente. É o esforço de explicar muito mais do que adorar. Poderíamos apresentar exposições rivais deste versículo, mas as contemos. A controvérsia é uma das tarefas mais improdutivas que os teólogos já se engajaram em cumprir. — *C. H. S.*

v. 8: "Pede-me". O sacerdócio foi estabelecido em Cristo por esta expressão: "Pede-me". O salmo fala da investidura de Jesus ao ofício de rei. O apóstolo se refere ao sacerdócio e à comissão de Jesus, pois ambos ocorreram ao mesmo tempo, sendo dadas e confirmadas pela mesma autoridade. O ofício de pedir fundamenta-se na mesma autoridade de honrar o rei. Reinar dizia respeito ao ofício de rei, pedir dizia respeito ao ofício de sacerdote. Depois da ressurreição, o Pai lhe dá o poder e mandamento de pedir. — *Stephen Charnock*

v. 8: Como o ilustrador olha para a pessoa cuja ilustração ele faz, e traça as linhas para corresponder à mais próxima similitude que puder, assim Deus olha para Jesus como o arquétipo ao qual ele conformará os santos no sofrimento, na graça e na glória, sem que Jesus jamais deixe de ter a preeminência sobre todas as coisas. Todos os santos têm de sofrer, porque Cristo sofreu. Cristo não deve ter um corpo frágil sob uma cabeça crucificada. Contudo, ninguém já sofreu ou pode sofrer o que ele suportou. Cristo é santo, portanto, todos devem ser santos, mas em grau inferior. A imagem esculpida em barro não pode ser tão exata quanto à gravada em ouro. Hoje, a nossa conformidade com Cristo aparece, pois como as promessas feitas a ele foram cumpridas nas suas orações ao Pai, assim as suas promessas feitas aos santos lhes serão dadas da mesma maneira — pedindo: "Pede-me", disse Deus ao Filho, "e eu te darei". E o apóstolo acrescenta: "Nada tendes, porque não pedis" (Tg 4.2). Deus prometeu sustentar Cristo em todos os conflitos: "Eis aqui o meu Servo, a quem sustenho" (Is 42.1). Contudo, ele orou "com grande clamor e lágrimas" (Hb 5.7), quando os pés trilhavam a sombra da morte. Deus lhe promete uma semente e a vitória sobre os inimigos, contudo ele tem de pedir estas duas coisas. Cristo para nós age como rei, mas para o Pai age como sacerdote. Tudo que ele fala com Deus é pela oração e intercessão. O mesmo se dá com os santos. A promessa lhes faz reis sobre as concupiscências, vencedores sobre os inimigos. Mas lhes faz sacerdotes para Deus, pois através da oração humilde eles obtêm essas grandes coisas que lhes foram dadas pela promessa. — *William Gurnall, 1617-1679*

v. 8: Observamos em nossa Bíblia que duas palavras do versículo estão em itálico, sugerindo que não são traduções do hebraico, mas adições feitas com a finalidade de elucidar o significado. Se retirarmos o "te" e os "por", o versículo ficará assim: "Pede-me, e eu darei as nações herança e os confins da terra tua possessão". Esta leitura é decididamente preferível à outra. Insinua que por arranjo prévio da parte de Deus, ele já designara uma herança das nações e a possessão da terra à pessoa de quem ele diz: "Tu és meu Filho". Quando Deus diz: "Eu darei as nações herança e os confins da terra tua possessão", ele revela ao seu Ungido, não tanto em que consistia a herança e qual era a extensão da possessão destinada para ele, quanto a promessa da sua prontidão em concedê-la. As nações já eram a "herança" e os confins da terra a "possessão" que Deus propusera dar ao seu Ungido. Agora ele lhe diz: "Pede-me", e promete cumprir o que propusera. Esta é a ideia envolvida nas palavras do texto, e a importância ficará mais evidente, quando considerarmos a aplicação ao Davi espiritual, ao verdadeiro Filho de Deus, "a quem constituiu herdeiro de tudo" (Hb 1.2).

v. 9: A "vara" tem uma variedade de significados na Bíblia. Pode ser de diferentes materiais, conforme era empregada para diferentes propósitos. Em certo período antigo, uma vara de madeira era usada como uma das insígnias da realeza com o nome de cetro. Por etapas, o cetro cresceu em importância até chegar a ser considerado como característica do império ou do reinado de um rei em particular. O cetro de ouro denotava riqueza e pompa. O cetro reto e ereto, sobre o qual lemos no Salmo 45.6, expressa a justiça, probidade, verdade e retidão que distinguirão o reinado do Messias quando o seu reino for estabelecido na terra. Apocalipse fala que aquele cujo nome se chama a Palavra de Deus ferirá "as nações" e "as regerá com vara de ferro". Se a "vara" significa "cetro", então o "ferro" do qual ela é feita tem de ter o propósito de expressar a severidade dos julgamentos que este onipotente "REI DOS REIS" infligirá em todos que resistem à sua autoridade (ver Apocalipse 19.13,15,16). Mas me parece duvidoso que a "vara de ferro" simbolize o cetro da realeza do Filho de Deus no segundo advento. É mencionada com relação a "uma aguda espada", o que me leva a preferir a opinião que diz que também deve ser considerada como arma de guerra. Em todo caso, a "vara de ferro" mencionada no salmo que estamos nos esforçando em explicar, não é evidentemente emblema de poder soberano, embora esteja nas mãos do rei. Trata-se de um instrumento de correção e castigo. Neste sentido, a palavra "vara" é usada frequentemente. [...] Quando a vara da correção, que era normalmente um bastão ou cana, é de "ferro" como consta no Salmo 2, indica apenas que o castigo será extremamente pesado, severo e eficaz. Não apenas ferirá, mas quebrará: "Tu os esmigalharás com uma vara de ferro".

É um esmigalhamento total como não seria devidamente efetuado exceto por uma vara de ferro. Este fato é expresso mais completamente na frase seguinte do versículo: "Tu os despedaçarás como a um vaso de oleiro". A totalidade da destruição depende de duas coisas. Quando a vara de ferro é usada suavemente ou contra uma substância dura e firme, causa pequeno dano. Mas no caso que temos diante de nós, está implícito que a vara é aplicada com muita força: "Tu os despedaçarás", e é aplicada em algo que é frágil e quebrável como "vaso de oleiro". "Tu os despedaçarás." [...] Neste e em outros aspectos, temos de entender que as predições e promessas deste salmo foram muito parcialmente cumpridas na história do Davi literal. O verdadeiro cumprimento, a conclusão terrível, aguarda o dia em que o Davi espiritual entrará em glória e em majestade como o Rei de Sião, com uma vara de ferro para despedaçar a grande confederação anticristã de reis e povos, e tomar posse da herança há muito prometida e comprada por elevado preço. Os sinais dos tempos indicam que a vinda do Senhor está perto. — *David Pitcairn*

v. 10: "Agora, pois, ó reis, sede prudentes; deixai-vos instruir, juízes da terra". Como Jesus é o Rei dos reis e o Juiz dos juízes, assim o evangelho é o mestre dos grandes e sábios. Se forem tão grandes quanto a rejeitar os conselhos do evangelho, Deus fará pouco caso deles. E se forem tão sábios quanto a menosprezar os seus ensinos, a sabedoria imaginária lhes fará de tolos. O evangelho tem elevada voz diante dos juízes da terra, e aqueles que o pregam, como Knox e Melville, realçam o ofício ministerial fazendo ousadas repreensões e valorosas declarações na presença de reis. O bajulador ministerial só é adequado para ser o ajudante na cozinha do diabo. — *C. H. S.*

v. 11: "Servi ao Senhor com temor e alegrai-vos com tremor". Este temor de Deus qualifica a nossa alegria. Se você subtrair o temor da alegria, a alegria ficará leviana e libertina. Se você subtrair a alegria do temor, o temor ficará servil. — *William Bates*, Doutor em Teologia, 1625-1699

v. 11: "Servi ao Senhor com temor e alegrai-vos com tremor". Há dois tipos de servir e alegrar-se em Deus.

Em primeiro lugar, o serviço com confiança própria e a alegria no Senhor sem temor. Estes são peculiares aos hipócritas que são autoconfiantes, agradam-se em si mesmos, têm a aparência de serem servos úteis e gozam de grande mérito próprio, acerca dos quais se diz: "Os teus juízos estão longe dele, em grande altura" (Sl 10.5). E mais adiante: "Não há temor de Deus perante os seus olhos" (Sl 36.1). Estes fazem justiça a toda hora sem julgamento. Não permitem que Cristo seja o Juiz a ser temido por todos, sob cujos olhos nenhum homem vivo está justificado.

Em segundo lugar, o serviço com temor e a alegria com tremor. Estes são peculiares aos justos, que fazem justiça a toda hora e sempre conciliam ambos corretamente. Por um lado, nunca estão sem julgamento, pelo qual ficam apavorados e são levados ao desespero de si mesmos e de todos os seus trabalhos. Por outro lado, nunca estão sem a justiça, na qual descansam e se alegram na misericórdia de Deus. É o trabalho de uma vida inteira estas pessoas acusarem-se em todas as coisas e justificarem e louvarem a Deus em todas as coisas. Cumprem, assim, a palavra de Provérbios 28.14, que diz: "Bem-aventurado o homem que continuamente teme", e também de Filipenses 4.4, onde lemos: "Regozijai-vos, sempre, no Senhor". Entre a mó de cima e a mó de baixo (Dt 24.6) eles são triturados e humilhados, e as cascas sendo esmagadas revelam o mais puro trigo de Cristo. — *Martinho Lutero*

v. 11: O temor de Deus promove a alegria espiritual. É a estrela da manhã que acompanha a luz solar da consolação. "Andando no temor do Senhor e na consolação do Espírito Santo" (At 9.31). Deus mistura alegria com temor, para que o temor não desprezado. — *Thomas Watson, 1660*

v. 12: Beijar é sinal de: (1) Amor entre iguais (Gn 33.4; 1 Sm 20.41; Rm16.16; 1 Co 16.20). (2) Sujeição a inferiores (1 Sm 10.1). (3) Adoração religiosa em adoradores (1 Rs19.18; Jó 31.27). — *John Richardson, Bispo de Ardagh, 1655*

v. 12: "Beijai o Filho, para que se não ire". Da Pessoa, o Filho, passaremos para o ato (lat. *osculamini*, que significa "beijai o Filho"). Vemos que, ainda que este seja um ato que os licenciosos depravaram (os homens carnais o fazem e os traiçoeiros o fazem — Judas traiu o Mestre com um beijo), Deus o ordena e pelo qual expressa amor. Tudo que é ou pode ser abusado não deve ser abandonado. A retirada de uma coisa do seu modo habitual não é o desvirtuamento dessa coisa. Coisas boas desviadas para usos maus por alguns, podem ser revertidas à bondade primitiva por outros. Então consideremos e louvemos a bondade de Deus que nos levou ao ponto de podermos beijar o Filho, que a expressão deste amor se acha em nossas mãos e que, dado o amor da igreja no Antigo Testamento, até mesmo no Cântico dos Cânticos, não foi mais longe que *Osculatur me* ("beije-me ele com os beijos da sua boca", Cantares 1.2). Agora, na igreja cristã e na visitação da alma cristã, ele nos convida, nos permite beijá-lo, porque ele está presente entre nós. Isto nos leva a insistir e exortar seriamente a beijar o Filho com todos os sentimentos expressos na Bíblia, no testemunho de verdadeiro amor, um beijo santo. Entretanto, para que essa insistência por amor nos seja suficientemente eficaz e poderosa, desceremos desse dever para o perigo, do amor para o temor, "para que se não ire". Nisso vemos, em primeiro lugar, que Deus, que é amor, pode se irar. Em segundo lugar, que este Deus, que está irado aqui, é o Filho de

Deus que tanto fez por nós e, com razão, pode estar irado. Ele é o nosso Juiz e, portanto, temos razão em temer a ira. E em terceiro lugar, vemos como é fácil esta ira passar — um beijo a remove.

v. 12: "Beijai o Filho". Quer dizer, abrace-o, dependa dele de todas estas maneiras: como seu parente, soberano, ida, vinda. A sua reconciliação, na verdade da religião em você, em unidade pacífica com a igreja, em estima reverente desses homens e esses meios a quem ele envia. Beije-o e não se envergonhe do beijo. É o que a esposa desejava: "Beijar-te-ia, e não me desprezariam!" (Ct 8.1). Se você for desprezado por amar Cristo no seu evangelho, lembre-se de que quando Davi foi considerado vadio por dançar diante da arca, ainda mais ele se desprezaria. Se você for considerado ridículo por ser impetuoso no culto da manhã, seja mais ridículo no culto da noite: *Tanto major requies, quanto ab amore Jesu nulla requies* (Gregório), que significa: "Quanto mais você se preocupar ou se aborrecer pelos outros a favor de Jesus, mais paz você terá em Jesus". [...]

"Para que se não ire." A ira na qualidade de emoção que inquieta, perturba e agita o homem, não atua assim para com Deus. Mas a ira, na qualidade de diferenciador lógico entre inimigos e amigos, e de coisas que contribuem ou não para a sua glória, atua assim para com Deus. Em um enunciado, Hilário foi feliz ao expressar: *Paena patientis, ira decernentis*, que significa: "O sofrimento do homem é a ira de Deus". Quando Deus inflige tais punições como faria um rei justamente enraivecido, então Deus se ira. Mas o nosso caso é mais sério. Não é este Deus grande, todo-poderoso e majestoso que pode se irar — isso é muito provável. Mas é o Filho, a quem temos de beijar, que pode se irar. Não é uma pessoa a quem meramente consideramos como Deus, mas como homem. Nem como homem tampouco, mas como "verme, e não homem" (Sl 22.6), e ele pode se irar, e se irar para a nossa ruína. [...] "Beijai o Filho" e ele não se irará. Se irar-se, beije a vara de ferro e ele não ficará mais irado — ame-o para que ele não se ire; tema-o quando ele estiver irado. O preservativo é fácil, assim como o restaurativo. O bálsamo deste beijo é tudo; sugar o leite espiritual do seio esquerdo como também do direito e achar misericórdia nos seus julgamentos, restauração nas suas ruínas, banquetes nas suas quaresmas e alegria na sua ira. — *Extraído de John Donne, "Sermons of John Donne" [Sermões de John Donne], Doutor em Teologia, Decano de Saint Paul, 1621-1631*

v. 12: "Beijai o Filho". Para fazer paz com o Pai, beije o Filho. "Beije-me ele", era a oração da igreja (Ct 1.2). Beijemo-no e empenhemo-nos em beijar. O Filho tem de beijar-nos primeiro por sua misericórdia para que então o beijemos por nossa devoção. Senhor, concede-nos estes beijos mútuos e abraços trocáveis para que no futuro participemos plenamente da ceia das bodas; quando o coro celestial, até mesmo as vozes de anjos, entoará cantos e poemas nupciais nas bodas da esposa do Cordeiro. — *Thomas Adams*

v. 12: "Quando em breve se inflamar a sua ira", em hebraico é "quando em breve o seu nariz ou narina se inflamar". A narina, sendo um órgão físico no qual a ira se mostra, deixa claro a ira. A palidez e fungada do nariz são sintomas de raiva. Segundo o ditado antigo, fungar o nariz é sinal de raiva. — *Joseph Caryl*

v. 12: "A sua ira". É inenarrável quando a ira de Deus se inflama, visto que a perdição pode sobrevir quando em breve ele se infamar. — *John Newton*

SUGESTÕES AOS PREGADORES

O Salmo. O salmo nos mostra a natureza do pecado, e os resultados terríveis caso ele reine.

v. 1. "Nada é mais irracional do que a falta de crença." Um tema importante.

As razões de os pecadores se rebelarem contra Deus são declaradas, refutadas, lamentadas e arrependidas.

O coroamento do pecado humano se mostra no ódio dos homens ao Mediador.

vv. 1 e 2. A oposição ao evangelho é irracional e ineficaz. — *John Newton, "Two Sermons" [Dois Sermões]*

vv. 1 e 2. Estes versículos mostram que toda confiança que o homem tenha no serviço de Deus é vã. Levando em conta que os homens se opõem a Cristo, não é bom colocar a nossa confiança na multidão numerosa, no anseio pelo zelo, na força do semblante ou na sabedoria dos conselhos, pois todos estes elementos são mais contra Cristo do que a favor dele.

v. 2. Título sugestivo: "O Maior Julgamento já Registrado", *in: "Spurgeon's Sermons" [Sermões de Spurgeon], n.º 495.*

v. 3. A verdadeira razão de os pecadores se oporem à verdade de Cristo é o ódio das restrições da piedade.

v. 4. A zombaria de Deus aos rebeldes, tanto de hoje quanto do futuro.

v. 5. A voz da ira. Uma de uma série de sermões sobre as vozes dos atributos divinos.

v. 6. A soberania de Cristo: (1) Sua oposição: "porém", (2) a certeza da sua existência: "eu, porém, ungi", (3) o poder que a mantém: "eu [...] ungi", (4) o lugar da sua manifestação: "o meu santo monte Sião", (5) as bênçãos que fluem dela.

v. 7. O decreto divino concernente a Cristo com relação aos decretos da eleição e da providência. A filiação de Jesus.

Este versículo nos ensina a declarar fielmente e reivindicar humildemente os dons e a chamada que Deus nos deu. — *Thomas Wilcocks*

v. 8. A herança de Cristo. — *William Jay*

Oração indispensável: Jesus tem de pedir.

v. 9. A ruína dos ímpios. É certa, irresistível, terrível, completa, irrecuperável, "como a um vaso de oleiro".

Espera-se a destruição dos sistemas de erro e opressão. O evangelho é uma vara de ferro suficientemente capaz de quebrar os meros vasos feitos pelos homens.

v. 10. A verdadeira sabedoria, adequada para reis e juízes, acha-se em obedecer a Cristo.

O evangelho é uma escola para os que aprendem a reinar e julgar bem. Eles consideram seus princípios, seu exemplo, seu espírito, etc.

v. 11. Experiência combinada. Veja o caso das mulheres que voltavam do sepulcro (Mt 28.8). Este pode dar um assunto muito consolador, se o Espírito Santo dirigir a mente do pregador.

A verdadeira religião é a combinação de muitas virtudes e emoções.

v. 12. Um convite sério: (1) A ordem, (2) o argumento, (3) a bênção sobre os obedientes. — *"Spurgeon's Sermons" [Sermões de Spurgeon], n. 260*

"Bem-aventurados todos aqueles que nele confiam": A natureza, o objeto e a bem-aventurança da fé salvadora.

SALMO 3

TÍTULO

Salmo de Davi, quando fugiu de diante da face de Absalão, seu filho. Você se lembrará da triste história da fuga de Davi que, saindo do palácio na calada da noite, atravessou o ribeiro de Cedrom e foi com alguns seguidores fiéis esconder-se por um tempo da fúria do seu filho rebelde. Mantenha em mente que Davi, neste episódio, é um tipo do Senhor Jesus Cristo.

Ele também fugiu, também atravessou o ribeiro de Cedrom quando o seu povo estava em rebelião contra Ele e, com um pequeno grupo de seguidores, foi para o jardim do Getsêmani.

Por sinal, ele também bebeu do ribeiro e depois ergueu a cabeça. Para muitos expositores, este salmo se intitula *O Hino da Manhã*. Que sempre acordemos com confiança santa no coração e uma canção nos lábios!

DIVISÃO

Podemos dividir este salmo em quatro partes de dois versículos cada. Não podemos entender muitos dos salmos a menos que consideremos atentamente as partes nas quais foram divididos. Não são descrições contínuas de uma cena, mas um conjunto de quadros de muitos assuntos análogos. Como nos sermões de hoje, os quais dividimos o discurso em diferentes tópicos, assim fizemos com esses salmos. Sempre há unidade, mas é a unidade de uma aljava de flechas, e não de uma única e solitária lança. Examinemos agora o salmo sob estudo. Nos primeiros dois versículos, temos Davi fazendo uma reclamação a Deus acerca dos seus inimigos. Em seguida, ele declara a confiança que tem no Senhor (vv. 3,4), canta a sua segurança no sono (vv. 5,6) e se fortalece para o conflito futuro (vv. 7,8).

EXPOSIÇÃO

1 *Senhor, como se têm multiplicado os meus adversários! São muitos os que se levantam contra mim.*

2 *Muitos dizem da minha alma: Não há salvação para ele em Deus. (Selá)*

1. O pobre pai com o coração partido reclama da multidão de inimigos. Se lermos 2 Samuel 15.12, veremos que "a conjuração se fortificava, e vinha o povo e se aumentava com Absalão", ao passo que as tropas de Davi constantemente diminuíam! *"SENHOR, como se têm multiplicado os meus adversários!"* Eis uma nota de exclamação para expressar o espanto da dor que deixou pasmo e perplexo o pai fugitivo. Infelizmente, não vejo fim para a minha desgraça, pois as dificuldades têm aumentado. De início já eram o suficiente para me prostrar. Mas, vejam só, os meus inimigos se multiplicam. Estando Absalão, meu filho querido, em rebelião contra mim, já basta para partir-me o coração. Mas Aitofel me abandonou, os meus conselheiros fiéis me deram as costas, os meus generais e soldados desertaram os seus postos. "Como se têm multiplicado os meus adversários!" As dificuldades sempre vêm em pencas. Os problemas têm uma família numerosa.

"São muitos os que se levantam contra mim." Os seus exércitos são muitíssimo superiores aos meus! As suas multidões são numerosas demais para eu contar! Recordemos os exércitos incontáveis que atacaram o nosso Redentor divino. As legiões de nossos pecados, as hostes de demônios, as multidões de dores físicas, os exércitos das desgraças espirituais e todos os aliados da morte e do inferno colocarem-se em batalha contra o Filho do Homem. Como é precioso saber e crer que Ele derrotou esses exércitos e, na sua ira, os esmagou com os pés! Aqueles que teriam nos atormentado, ele os levou em cativeiro, e aqueles que teriam se revoltado contra nós, ele os matou. O dragão perdeu o ferrão quando o lançou com força e ímpeto na alma de Jesus.

2. Diante do seu Deus amoroso, Davi reclama da pior arma empregada nos ataques dos inimigos e da dose mais amarga das angústias. "Muitos", queixa-se Davi, "dizem da minha alma: Não há salvação para ele em Deus". Foi o que disseram tristemente alguns amigos receosos, mas foi o que os inimigos exultantemente ostentaram, pois desejavam ver as palavras cumpridas com o extermínio total de Davi. Foi o golpe mais ferino quando declararam que o Senhor o abandonara. Davi tinha consciência de que lhes dera base para tal exclamação, pois ele cometera pecado contra Deus à plena luz do dia. Lançaram na cara o seu pecado com Bate-Seba, dizendo: "Sai, sai, homem de sangue e homem de Belial" (2 Sm 16.7). Simei o amaldiçoou e o xingou na cara, porque era incentivado por quem o apoiava, visto que era o que multidões de homens de Belial pensavam de Davi. Indubitavelmente, Davi sentia que essa sugestão infernal lhe abalava a fé. Se todas as provações que vêm do céu, todas as tentações que sobem do inferno e todas as cruzes que surgem da terra pudessem ser misturadas e comprimidas, não constituiriam prova tão terrível quanto a que está contida nesse versículo. A mais amarga de todas as tribulações é ser levado a temer que não há ajuda para nós em Deus. Lembremos que o nosso bendito Salvador teve de suportar essa tribulação no mais profundo grau, quando exclamou: "Deus meu, Deus meu, por que me desamparaste?" (Sl 22.1). Ele sabia muito bem o que era andar nas trevas e não ver luz. Essa era a maldição das maldições. Esse era o vinagre misturado com o fel. Ser abandonado pelo Pai era pior que ser menosprezado pelos homens. Claro que devemos amar este que sofreu essa mais amarga das provações e tentações por nossa causa. Será um exercício delicioso e instrutivo para o coração amoroso marcar o Senhor nas suas agonias como estas aqui retratadas, porque aqui e em muitos outros salmos há muito mais do Senhor de Davi do que do próprio Davi.

"Selá." É uma pausa musical, cujo significado exato nos é desconhecido. Alguns estudiosos opinam que é uma pausa na música; outros pensam que significa "realce

a melodia", "cante mais alto", "coloque a melodia em uma tonalidade mais alta", "virá um trecho mais nobre, portanto afine novamente as harpas". As cordas das harpas logo se afrouxam e precisam ser esticadas na tensão apropriada. Claro que as cordas do nosso coração sempre estão ficando desafinadas. Então, que o "selá" nos ensine a orar:

Que o meu coração esteja afinado
Como a harpa de Davi em solene som

Pelo menos aprendemos que sempre que virmos "selá" devemos considerar como nota de observação. Leiamos a passagem que a precede e a sucede com maior seriedade, pois sempre há algo excelente quando nos pedem que façamos uma pausa para meditar, ou quando exigem que elevemos o coração em um cântico de gratidão. "Selá."

3 *Mas tu, Senhor, és um escudo para mim, a minha glória e o que exalta a minha cabeça.*
4 *Com a minha voz clamei ao Senhor; ele ouviu-me desde o seu santo monte. (Selá)*

3. Davi confessa a confiança em Deus: "Tu, Senhor, és um escudo para mim". A palavra no original significa mais que escudo. Significa um broquel, uma proteção pequena e redonda, que envolve totalmente o homem, um escudo em cima, em baixo, em volta, por dentro e por fora. Que escudo é Deus para o seu povo! Ele impede os dardos inflamados de Satanás que vêm de baixo, e as tempestades das provações que vêm de cima, ao mesmo momento em que fala que a tempestade interior se acalme.

"[Tu és] a minha glória." Davi sabia que, embora estivesse sendo expulso da capital em meio a desprezo e desdém, ele voltaria com triunfo. Pela fé, ele olha para Deus, que o honra e o glorifica. Que grande graça é vermos a nossa glória futura entre a vergonha do presente! Há uma glória presente em nossas aflições, se ao menos a discernimos, pois não é pouca coisa termos comunhão com Cristo nos seus sofrimentos. Davi foi honrado quando subiu o monte das Oliveiras, chorando com a cabeça coberta, pois em todas essas coisas ele estava sendo semelhante ao seu Senhor. Nesse aspecto, aprendamos também a nos gloriar nas tribulações!

"[Tu és] o que exalta a minha cabeça", ou seja, Deus ainda exaltará a cabeça de Davi. Embora a minha cabeça se incline de tristeza, em breve eu a levantarei de alegria e ação de graças. Que trinca divina de misericórdia há nesse versículo: defesa para os indefesos, glória para os menosprezados e alegria para os desconsolados. Não há que duvidar que estamos certos em dizer: "Não há outro, ó Jesurum, semelhante a Deus" (Dt 33.26).

4. *"Com a minha voz clamei ao Senhor."* Por que ele diz: "Com a minha voz?" Claro que as orações silenciosas são ouvidas. Mas os bons descobrem que, mesmo em segredo, eles oram melhor em voz alta do que quando não proferem nenhum som vocal. Talvez Davi estivesse pensando assim: "Os meus inimigos cruéis clamam contra mim. Eles erguem a voz, então erguerei a minha, e o meu clamor se elevará acima de todos eles. Eles clamam, mas o grito da minha voz extremamente angustiada perfura os céus, e é mais alto e mais forte que todo o barulho que fazem, pois há alguém no santuário que me ouve do sétimo céu: 'Ele ouviu-me desde o seu santo monte'". As respostas às orações são alimentos doces para a alma. Não precisamos ter medo de um mundo que nos olha com olhar de reprovação e desdém, enquanto estivermos nos alegrando em um Deus que ouve as orações.

Temos aqui outro "Selá". Descanse um pouco, ó crente sob provação, e dê à tensão um ar mais leve.

5 *Eu me deitei e dormi; acordei, porque o SENHOR me sustentou.*
6 *Não terei medo de dez milhares de pessoas que se puseram contra mim ao meu redor.*

5. A fé de Davi o capacitava a deitar-se. A ansiedade o teria mantido a andar de um lado para o outro, esperando pelo inimigo. Ele conseguia dormir, e dormir em meio às dificuldades e cercado por inimigos, "pois assim dá ele aos seus amados o sono" (Sl 127.2). Há o sono da arrogância — que Deus nos livre. Há o sono da confiança santa — Deus nos ajuda a fechar os olhos para dormir! Mas Davi diz também que ele acordava. Alguns dormem o sono da morte. Mas aquele que, embora exposto a muitos inimigos, reclinava a cabeça no seio do seu Deus, dormia feliz sob a asa da providência em doce segurança, na qual, depois, despertava.

"Porque o SENHOR me sustentou." A doce influência das Plêiades da promessa brilhou sobre o dormente, e ele despertou consciente de que o Senhor o guardou. Um excelente ministro observou muito bem: "Esta quietude do coração do homem que vem pela fé em Deus é obra de qualidade superior do que a decisão natural proveniente da coragem varonil. Trata-se da operação da graça do Espírito Santo de Deus que sustenta o homem acima da natureza. Portanto, o Senhor tem de receber toda a glória por causa disso".

6. Afivelando a couraça para a batalha do dia, nosso herói canta: "Não terei medo de dez milhares de pessoas que se puseram contra mim ao meu redor". Observe que ele não tenta subestimar o número ou a sabedoria dos inimigos. No seu cômputo, são dez milhares de pessoas, que, na sua ótica, o perseguem como caçadores habilmente cruéis. Contudo, ele não treme, mas olha o inimigo na cara pronto para a batalha. Pode não haver meio de fuga. Podem me rodear como o cervo é rodeado por um círculo de caçadores. Podem me cercar de todos os lados, mas no nome do Senhor eu me arremessarei sobre eles furando o cerco. Ou, se eu permanecer no meio deles, não me ferirão. Serei livre em minha própria prisão.

Mas Davi é muito sábio para aventurar-se na batalha sem oração. Ele se entrega aos joelhos, e clama em voz alta ao Senhor.

7 *Levanta-te, SENHOR; salva-me, Deus meu, pois feriste a todos os meus inimigos nos queixos; quebraste os dentes aos ímpios.*

7. A única esperança está no seu Deus, mas a confiança é tão forte, que ele percebe que só resta ao Senhor levantar-se para salvá-lo. Basta o Senhor levantar-se e tudo ficará bem. Ele compara os inimigos a animais selvagens, e declara que Deus lhes quebrou as mandíbulas de forma que não podem lhe fazer mal.

"Quebraste os dentes aos ímpios." Ou então ele alude às tentações peculiares às quais ele estava exposto. Eles falaram contra ele; Deus, então, os golpeou no queixo. Era como se quisessem devorá-lo com a boca; Deus lhes quebrara os dentes e deixou que dissessem o que quisessem, pois as mandíbulas desdentadas já não podiam devorá-lo. Alegre-se, crente, pois você tem de enfrentar um dragão cuja cabeça está esmagada e inimigos cujos dentes foram arrebentados da mandíbula!

8 *A salvação vem do SENHOR; sobre o teu povo seja a tua bênção. (Selá)*

8. Esse versículo contém a parte essencial da doutrina calvinista. Pesquise a Bíblia e, lendo-a com a mente aberta, você ficará convencido de que a doutrina da salvação somente pela graça é a grande doutrina da Palavra de Deus: "A salvação vem do SENHOR". Esse é um ponto acerca do qual lutamos diariamente. Nossos oponentes dizem: "A salvação vem do livre-arbítrio do homem. Se não vem do mérito humano, vem pelo menos da vontade humana". Mas sustentamos e ensinamos do início ao fim que a salvação, em cada uma das suas minúcias, vem do Deus Altíssimo. É

Deus quem escolhe o seu povo. Chama-os pela graça, motiva-os pelo seu Espírito e sustenta-os pelo seu poder. Não é do homem, nem pelo homem, "não depende do que quer, nem do que corre, mas de Deus, que se compadece" (Rm 9.16). Que todos aprendamos esta verdade experiencialmente, pois a carne e o sangue orgulhosos jamais permitirão que o aprendamos de outro modo.

A última frase declara nitidamente a peculiaridade e especialidade da salvação: "Sobre o teu povo seja a tua bênção". Nem no Egito, nem em Tiro, nem em Nínive a bênção do Senhor foi sobre o povo escolhido, comprado pelo seu sangue e amado para sempre.

"Selá." Eleve o coração e faça uma pausa para meditar nesta doutrina. "Sobre o teu povo seja a tua bênção." O amor divino, distintivo, diferenciado, eterno, infinito e imutável é tema de adoração constante. Pausa, minha alma, neste selá e considera o teu interesse na salvação de Deus. Se pela fé humilde tu puderes ver Jesus como teu pela sua livre graça para contigo, se esta maior de todas as bênçãos estiver em ti, então te levanta e canta:

Levanta-te, minha alma! Adora e maravilha-te!
Pergunta: "Por que tal amor por mim?"
A graça me colocou na família do Salvador: Aleluia!
Agradeço-te, agradeço-te eternamente

NOTAS EXPLICATIVAS E DECLARAÇÕES IMPORTANTES

O Título: Com relação à autoridade dos títulos, cabe a nós falarmos com modéstia, levando em conta as opiniões muito opostas que foram oferecidas sobre esse assunto por estudiosos de igual excelência. Nos dias de hoje, é muito comum desprezar tais títulos ou omiti-los, como se tivessem sido adicionados ninguém sabe quando, nem por quem e como, em muitos casos incompatíveis com o tema do próprio salmo. Agostinho, Teodoreto e outros escritores da igreja cristã primitiva os consideram parte do texto inspirado. Os judeus ainda continuam fazendo deles parte do seu canto, e os rabinos os comentam.

Claro que não sabemos quem os inventou ou os colocou onde estão. Mas é inquestionável que foram colocados ali desde tempos imemoriais. Constam na Septuaginta, que contém alguns títulos de salmos que estão ausentes no original hebraico. Jerônimo os copiou da Septuaginta. Até onde esse escritor pôde penetrar a obscuridade que ocasionalmente paira sobre os títulos, eles são uma chave direta e muito valiosa para a história geral ou tema dos salmos para os quais são antepostos. Exceto onde foram evidentemente mal entendidos ou erroneamente interpretados, jamais encontrei um único caso no qual a tendência do título e o seu respectivo salmo não coincidem de modo exato. Indubitavelmente, muitos desses salmos foram compostos por Esdras quando editava sua coleção, em cujo período alguns críticos supõem que a totalidade do saltério foi escrito. Mas o restante mostra-se bastante contemporâneo, ou quase, aos respectivos salmos, e indica ter sido escrito no período em que foram produzidos. — *John Mason Good, médico, membro da Sociedade Royal de Londres, 1854*

Temos neste título o primeiro uso da palavra *salmo*. Em hebraico é *mizmor*, que tem o significado de "poda" ou "corte de galhos supérfluos", sendo usado em canções compostas de frases curtas onde muitas palavras supérfluas são colocadas de lado. — *Henry Ainsworth*

Acerca disso, note a observação feita por um antigo escritor: "Com isso, aprendamos que em tempos de dificuldade extrema os homens não se servirão de bússola e usarão palavras boas na oração, mas farão uma oração que é podada de toda opulência de discursos prolixos".

O Salmo: Veja claramente como Deus forjou a igreja nos tempos antigos. Portanto, não desanime por causa de mudanças súbitas. Mas, com Davi, confesse seus pecados a Deus, declare a Ele quantos há que atormentam você e se revoltam contra você, dizendo que você pertence aos huguenotes, luteranos, hereges, puritanos e filhos de Belial, como chamaram Davi. Deixe que os idólatras ímpios se vangloriem que prevalecerão contra você, derrotando-o, e que Deus abandonou você e não será mais o seu Deus. Deixe que coloquem a confiança em Absalão, com as suas grandes mechas de cabelos loiros, e na sabedoria de Aitofel, o sábio conselheiro. Diga como Davi: "Mas tu, Senhor, és um escudo para mim, a minha glória e o que exalta a minha cabeça". Junto com Davi, convença-se de que o Senhor é o seu defensor que o rodeia inteiramente e é, por assim dizer, um "escudo" que o cobre de todos os lados. É só ele que pode e rodeará você de glória e honra. É ele que derrubará esses hipócritas orgulhosos de onde estão assentados, e exaltará os humildes e submissos. É ele que ferirá os "inimigos nos queixos" e quebrará todos os dentes em pedaços. Ele pendurará Absalão pelos longos cabelos; e Aitofel por desespero se enforcará. As correntes serão arrebentadas e você ficará livre. Pois isto cabe ao Senhor: salvar dos inimigos os que são dEle e abençoar o seu povo para que, sem medo, avancem com segurança na peregrinação ao céu. — *Thomas Tymme, "Silver Watch Bell" [O Sino de Prata], 1634*

v. 1: A facção de Absalão, como uma bola de neve, estranhamente reuniu-se nesse movimento. Davi fala a respeito com pasmo e razão, visto que as pessoas que ele de tantos modos favoreceu quase todas se revoltaram e se rebelaram contra ele, escolhendo como cabeça tal camarada jovem, tolo e volúvel como Absalão. Como as pessoas são instáveis e enganosas! E como é pouca a fidelidade e constância entre os homens! Davi tivera o coração dos seus súditos tanto quanto um rei teria, e como foi repentina a perda! Da mesma forma que o povo não deve confiar em príncipes (Sl 146.3), os príncipes não devem firmar seu interesse no povo. Jesus, o Filho de Davi, tinha muitos inimigos, quando uma grande multidão foi prendê-lo e quando a multidão bradou: "Crucifica-o! Crucifica-o!" (Lc 23.21), como aumentava o número dos que o aborreciam! Até as pessoas boas não devem achar estranho se o fluxo da vida estiver contra elas, e os poderes que as ameaçam ficarem cada vez mais descomunais. — *Matthew Henry*

v. 2: Quando o crente questiona o poder de Deus ou o seu interesse no poder, a alegria jorra como sangue de veia perfurada. Esse versículo é realmente uma punhalada ferina. — *William Gurnall*

v. 2: O filho de Deus se assusta só de pensar em perder a esperança da ajuda em Deus. Você não o irrita mais tanto quanto se esforça em persuadi-lo: "Não há salvação para ele em Deus". Davi se chega a Deus para contar-lhe o que os inimigos diziam dele, como fez Ezequias quando apresentou a carta blasfema de Rabsaqué diante do Senhor. Dizem: "Não há salvação para mim em ti". Mas, Senhor, se é assim, então estou liquidado. Dizem à minha alma: "Não há salvação para ele em Deus". Mas Senhor, tu dizes à minha alma: "Eu sou a tua salvação" (Sl 35.3), e isso me satisfaz e no devido tempo os silenciará. — *Matthew Henry*

vv. 2, 4 e 8: "Selá", סֶלָה (*selâ*). Muita coisa tem sido escrita sobre essa palavra, cujo significado não se mostra totalmente determinado. No Targum, que é uma paráfrase aramaica, a palavra é traduzida por לְעָלְמִין (*lᵉ'almîn*), que significa "para sempre" ou "pela eternidade". A Vulgata Latina a omite como se não fizesse parte do texto. Na Septuaginta, é traduzida por Διάψαλμα, suposta referência à variação ou modulação da voz no canto (J. H. Schleusner, *Lexical*). A palavra ocorre setenta e três vezes nos salmos, e três vezes no livro de Habacuque (Hc 3.3,9,13). Mesmo não sendo traduzida em algumas versões, a palavra original *selá* consta em todos os lugares. Só ocorre em textos poéticos, e supõe-se ter tido alguma referência ao canto ou melodia poética, sendo um termo musical. Em geral, indica uma pausa no sentido, como também no desempenho musical. Friedrich H. W. Gesenius (*Lexical*) propõe que o significado mais provável deste termo ou nota musical seja "silêncio" ou "pausa", e que, ao cantar as palavras do salmo, servia para orientar o cantor a calar-se, fazer uma pequena pausa, enquanto os instrumentos tocavam um interlúdio ou melodia. Talvez seja tudo que se possa saber hoje sobre o significado da palavra, e baste para satisfazer toda investigação lógica. É provável, se este for o uso do termo, que fosse comum corresponder ao sentido da passagem e fosse inserido onde o sentido tornasse uma pausa satisfatória. Não há que duvidar que se tratasse disso. Mas todo aquele que não estiver familiarizado com a característica da anotação musical perceberá imediatamente que não devemos supor que se tratava invariável ou necessariamente disso, pois nem sempre as pausas musicais correspondem com as pausas no sentido. Essa palavra oferece muito pouca ajuda em determinar o significado das passagens onde se encontra. Diferindo dessa opinião, Ewald propõe que nos lugares onde ocorre indica a elevação de voz, e que é sinônimo de "para cima", "mais alto", "sonoramente alto" ou "com nitidez", derivado de סַל (*sal*), סָלַל (*sālal*), que significa "ascender". Quem estiver disposto a investigar mais a fundo o significado e usos de pausas musicais em geral, pode consultar Ugolin, "Thesaurus Antiquarian Sacra", vol. XXII. — *Albert Barnes, 1868*

vv. 2, 4 e 8: "Selá" סֶלָה ocorre setenta e três vezes nos salmos, geralmente ao término de uma frase ou parágrafo. Em Salmos 55.19 e 57.3, ocorre no meio do versículo. A maioria dos autores concorda que essa palavra tem relação com música, mas as conjeturas sobre o significado exato variam muito. Atualmente, estas duas opiniões gozam a primazia. Alguns estudiosos, entre eles Herder, De Wette, Ewald (*Poet Bücher*, vol. I, p. 179) e Delitzsch, sustentam que a palavra é derivada de סֶלָה ou סָלַל, que significa "elevar", e entendem que é uma elevação de voz ou música. Outros, como Rosenmüller, Hengstenberg e Tholuck, seguindo Gesenius (em *Thesaurus*), opinam que é derivada de סלה, que significa "estar [ficar] em silêncio" ou "estar [ficar] silencioso", e entendem que é uma pausa no canto. "Selá" era usado para orientar o cantor a ficar calado ou a fazer uma pequena pausa, enquanto os instrumentos tocavam um interlúdio (segundo a Septuaginta, διάψαλμα) ou sinfonia. Em Salmos 9.16, ocorre na expressão "Higaiom; Selá" que Gesenius, com muita probabilidade, traduz por "pausa instrumental", ou seja, que os instrumentos comecem uma sinfonia e que o cantor faça uma pausa. Segundo Tholuck e Hengstenberg, porém, as duas palavras são tradução de "meditação", "pausa", ou seja, que o cantor medite enquanto a música pára. — *Benjamim Davis, Doutor em Filosofia, Doutor em Direito, artigo "Psalms" [Salmos], in: "Cyclopaedia of Biblical Literature" [Enciclopédia de Literatura Bíblica], de H. D. F. Kitto*

v. 3: "O que exalta a minha cabeça". Deus fará o corpo participar com a alma — tanto no que diz respeito à tristeza, quanto no que diz respeito à alegria. A luz do farol brilha na luz da vela. — *Richard Sibbes, 1639*

Há a exaltação da cabeça pela elevação de cargo, como aconteceu com o copeiro de faraó; é o que determinamos pela nomeação divina. Há a exaltação em honra depois da vergonha, em saúde depois da doença, em alegria depois da tristeza, em restauração depois da queda, em vitória depois da derrota temporária. Em todos esses aspectos, o Senhor é que exalta a nossa cabeça. — *C. H. S.*

v. 4: Quando a oração vai na vanguarda, no devido tempo a libertação vem na retaguarda. — *Thomas Watson v. 4:* "Ele ouviu-me". Já ouvi pessoas dizerem em oração: "Tu és o Deus que ouve as orações, o Deus que responde às orações". Mas a expressão contém certa superfluidade, visto que Deus *ouvir* é, de acordo com a Bíblia, a mesma coisa que *responder*. — *C. H. S.*

v. 5: "Eu me deitei e dormi; acordei, porque o SENHOR me sustentou". O título do salmo nos informa quando Davi teve a sua agradável noite de descanso. Não foi quando ele estava em Jerusalém que ele deitou-se na cama em seu palácio imponente, mas foi quando, para salvar a vida, ele fugia do desnaturado filho Absalão, sendo forçado a deitar-se em campo aberto sob o pálio do céu. Claro que o travesseiro devia ser muito macio para fazê-lo esquecer do perigo de ter tal exército desleal às suas costas, caçando-o. É tão transcendente a influência dessa paz que faz a criatura deitar-se e dormir na mais macia cama tanto quanto na mais dura sepultura. Dir-se-ia que a criança obedece imediatamente quando chamada para ir dormir. Alguns santos desejaram que Deus os fizesse descansar em camas de pó, e não por enfado e descontentamento com as dificuldades da vida, como fez Jó, mas pela doce sensação de paz que tinham no peito. "Agora, Senhor, podes despedir em paz o teu servo, segundo a tua palavra, pois já os meus olhos viram a tua salvação", foi o canto do cisne do velho Simeão (Lc 2.29,30). Ele fala como o comerciante que está com todos os bens a bordo do navio, e agora deseja que o capitão do navio levante as velas e rume para casa. De fato, por que o cristão, que não passa de estrangeiro aqui, desejaria ficar mais tempo no mundo, se não fosse para chegar ao céu com a carga máxima? E não terá ele essa carga completa quando estiver seguro de ter feito a paz com Deus? Essa paz do evangelho e o sentimento do amor de Deus na alma conduzem tão admiravelmente à capacitação da pessoa em meio a todas as dificuldades, provações e problemas, que ordinariamente, antes de chamar os santos a qualquer serviço difícil ou trabalho árduo, ele lhes dá logo um trago desse vinho revigorante ao coração para animá-los e incentivá-los na luta. — *William Gurnall*

v. 5: Gurnall, que escreveu quando havia casas na antiga Ponte de Londres, disse curiosamente: "Não acha que os que moram na Ponte de Londres dormem tão profundamente como os que moram em ruas como Whitehall ou Cheapside? É que eles sabem que as ondas que passam volumosas por baixo da ponte não podem fazer-lhes mal. Da mesma forma que os santos descansem calmamente acima das inundações ou problemas ou morte, e não temam nenhum mal".

v. 5: Xerxes, rei da Pérsia, quando destruiu todos os templos na Grécia, fez com que o templo de Diana fosse preservado por causa da bela estrutura construtiva. A alma que tem a beleza ou santidade brilhando em si, será preservada pela glória da sua estrutura. Deus não permitirá que o seu templo seja destruído. Gostaria de estar seguro nos tempos maus? Receba a graça e fortaleça essa guarnição. A boa consciência é a fortaleza do cristão. Os inimigos de Davi se achavam ao seu redor. Contudo, ele diz: "Eu me deitei e dormi". A boa consciência pode dormir na boca do canhão. A graça é a cota de malha do cristão que não teme as flechas ou as balas. Podem atirar na verdadeira graça, mas nunca conseguirão atingi-la. A graça põe a alma em Cristo, onde está segura, como a abelha na colmeia, como a pomba o pombal. "Portanto, agora, nenhuma condenação há para os que estão em Cristo Jesus" (Rm 8.1). — *Thomas Watson*

v. 5: "Porque o SENHOR me sustentou". Não seria improdutivo fazermos algumas considerações sobre o poder sustentador manifestado em nós enquanto estamos dormindo. O fluxo sanguíneo, o sobe e desce dos pulmões, etc., o corpo e a continuação das faculdades mentais enquanto a imagem da morte paira sobre nós. — *C. H. S.*

v. 6: "Não terei medo de dez milhares de pessoas que se puseram contra mim ao meu redor". O salmista confiará, a despeito das aparências. Não terá medo mesmo que dez milhares de pessoas se coloquem contra ele ao redor. Limitemos o pensamento a esta ideia: "Apesar das aparências". O que seria pior para a visão humana do que essa formação militar de dez milhares de pessoas? A ruína parecia fitá-lo na cara. Para onde quer que olhasse, via um inimigo. O que era um contra dez mil? É frequente o povo de Deus entrar em circunstâncias como essas. Dizem: "Todas estas coisas vieram sobre mim" (Gn 42.36). As dificuldades são inumeráveis. Não veem uma saída. As coisas parecem extremamente desesperadoras e sombrias. Dadas essas circunstâncias, grandes são a fé e a confiança que dizem: "Não terei medo".

Eram essas as circunstâncias sob as quais Lutero se encontrava quando viajava para Worms. O seu amigo George Spalatin o ouviu dizer, pelos inimigos da Reforma, que o salvo-conduto de um herege não devia ser respeitado, e ficou preocupado por causa do reformador. "No momento em que o Lutero estava se aproximando da cidade, um mensageiro o encontrou com este conselho de Chaplin: 'Não entre em Worms'. E palavras do seu melhor amigo, o confidente do eleitor, de próprio Spalatin! [...] Mas Lutero, impávido, fixou os olhos no mensageiro e respondeu: 'Vá e diga ao seu mestre que mesmo que em Worms haja tantos demônios quantas as telhas dos telhados lá eu entrarei'. O mensageiro voltou a Worms com essa resposta surpreendente: 'Eu era destemido', disse Lutero, alguns dias antes de morrer, 'eu não tinha medo de nada'."

Em ocasiões como essas, os homens racionais do mundo, os que andam por vista e não por fé, pensarão com razão que o cristão tem medo. Eles mesmos sentiriam medo se estivessem em tal situação difícil. Os crentes fracos estão prontos a nos justificar, caso nós mesmos não o façamos primeiro. Em vez de subirmos acima da fraqueza da carne, nos refugiamos nela e a usamos como desculpa. Mas pensemos com oração um pouco e veremos que não deveríamos agir assim. Só confiar quando as aparências são favoráveis, é só velejar com vento e maré — é só crer quando podemos ver. Sigamos o exemplo do salmista, e busquemos essa fé sem reservas que nos capacita a confiar em Deus venha o que vier e a dizer o que ele disse: "Não terei medo de dez milhares de pessoas que se puseram contra mim ao meu redor". — *Philip Bennett Power, "'I Wills' of the Psalms" [Os "Eu Vou" dos Salmos], 1862*

v. 6: "Não terei medo de dez milhares de pessoas que se puseram contra mim ao meu redor". Pouco importando quais sejam os nossos inimigos, ainda que numerosos como as legiões, poderosos como os principados, astutos como as serpentes, cruéis como os dragões, malignos como a maldade espiritual, tenham vantagem por conta do lugar que ocupam como o príncipe dos ares, mais forte é aquele que está em nós do que aqueles que estão contra nós. Nada pode nos separar do amor de Deus. Em Cristo Jesus, nosso Senhor, seremos mais do que vencedores. — *William Cowper, 1612*

v. 7: "Levanta-te, Senhor". Este é um modo bíblico comum de invocar a Deus para que manifeste a sua presença e o seu poder ou em ira ou em favor. Por um antropomorfismo natural, descreve os intervalos de tais manifestações como períodos de inação ou de soneca dos quais pedem que Ele desperte.

"Salva-me", até mesmo de mim, de quem dizem eles que não há ajuda em Deus.

"Salva-me, Deus meu", que é meu por aliança e compromisso mútuo, a quem tenho o direito de buscar libertação e proteção. Além disso, essa confiança está garantida por experiência.

"Pois feriste [em outras situações de emergência] a todos os meus inimigos [sem exceção] nos queixos [ou na mandíbula]", um ato ao mesmo tempo violento e insultante. — *Joseph Addison Alexander, Doutor em Teologia v. 7:* "Nos queixos". Pelo visto, a linguagem foi retirada da comparação dos inimigos com animais selvagens. O queixo denota o osso no qual os dentes estão fixados, e quebrá-lo é desarmar o animal. — *Albert Barnes, in loc.*

v. 7: Quando Deus se vinga dos ímpios, Ele os fere de modo a fazer com que sintam a sua onipotência em cada golpe. Todo o seu poder é exercido em castigar e nada em compadecer-se. Que todo pecador obstinado reflita sobre isso e leve em conta a tremenda ousadia que é pensar ser capaz de lutar com o Onipotente! — *Albert Barnes, in loc.*

v. 8: "Do Senhor é a salvação" (ARA) é passagem paralela de Jonas 2.9: "Do Senhor vem a salvação". Em vez de Castor e Pólux, os marinheiros poderiam ter escrito no navio o emblema: "Do Senhor é a salvação". Os ninivitas poderiam ter escrito nas portas da cidade: "Do Senhor é a salvação". Toda a humanidade, cuja causa fora levantada e defendida por Deus contra a dureza do coração de Jonas, poderia no final das contas ter escrito nas palmas das mãos: "Do Senhor é a salvação". É o argumento de ambos os Testamentos, o apoio e o sustento do céu e da terra. Ambos afundariam e todas as suas juntas seriam desconjuntadas, caso a salvação não viesse do Senhor. Os pássaros não cantam outra melodia, os animais do campo não soam outra voz que não *Salus Jehovae*, que significa "a Salvação é do Senhor". Os muros e fortalezas das portas do nosso país, de nossas vilas e cidades, as trancas de nossas casas, a melhor proteção para a cabeça que um capacete de aço, a melhor receita para o corpo do que a manipulação de remédios, a melhor quitação para a alma do que as absolvições de Roma é *Salus Jehovae*, "a Salvação é do Senhor". A salvação do Senhor abençoa, preserva, sustenta tudo que temos: a cesta, a dispensa, o azeite dos jarros, as prensas, as ovelhas dos apriscos, os estábulos, as crianças no útero, as mesas, os cereais no campo, os depósitos, os armazéns. Não é a virtude das estrelas, nem a natureza de todas as coisas em si que dão à existência e continuação dessas bênçãos. "E o que mais direi?", como perguntou o apóstolo em Hebreus 11.32, quando ele falara muito e havia muito mais a dizer, mas lhe faltava tempo. Mais exatamente: E o que mais *não* direi?, porque o mundo é o meu teatro neste momento, e não penso nem posso fingir para mim mesmo qualquer coisa que dependa desta aclamação: "Do Senhor é a salvação". Plutarco escreveu que os anfictiões da Grécia, que são um famoso conselho formado por doze pessoas diversas, escreveram sobre o templo de Apolo Pítio, e não sobre a Ilíada de Homero ou as canções de Píndaro (discursos longos e enfadonhos), discursos curtos e comemorativos como *Conhece-te a Ti Mesmo, Usa de Moderação, Cuidado com a Fiança* e outros semelhantes. Indubitavelmente, embora cada criatura no mundo, a da qual nos servimos, nos seja um tratado e narração sobre a bondade de Deus, e possamos cansar a carne e passar dias escrevendo livros sobre esse assunto inexplicável, essa curta máxima de Jonas engloba tudo e fica ao término do cântico, como os altares e pedras que o patriarca estabeleceu ao partir de viagem para dar ciência ao além-mundo por quais meios ele foi liberto. Eu o pregaria todos os dias nos templos, cantaria nas ruas, escreveria nos batentes das portas, pintaria nas paredes ou talharia com uma ponta duríssima nas tábuas dos nossos corações para que jamais esqueçamos que a salvação é do Senhor. Temos necessidade de tais recordações para nos manter no hábito de meditar nas misericórdias de Deus. "Pois nada declina mais cedo que o amor" (*nihil facilius quam amor putrescit*); de todas as faculdades da alma, "a memória é a mais delicada, terna e frágil, sendo a primeira a envelhecer" (*memoria delicata, tenera, fragilis, in quam primum senectus incurrit*"); e "de todas as apreensões da memória, a primeiro é o benefício" (*primum senescit beneficium*). — *John King, "Commentary on Jonah" [Comentário de Jonas], 1594 v. 8:* "Sobre o teu povo seja a tua bênção". Os santos não só são abençoados quando são compreensivos, mas também quando são viajantes. São abençoados antes de serem coroados. Este parece um paradoxo para a carne e o sangue: aquele que é repreendido e difamado, é contudo abençoado! O homem que olha os filhos de Deus com olhos carnais e vê como são afligidos — vê como o barco no Evangelho de Mateus que estava coberto pelas ondas (Mt 8.24) —, pensaria que eles estavam longe de serem abençoados. Paulo faz uma lista detalhada dos seus sofrimentos, dizendo, por exemplo: "Três vezes fui açoitado com varas, uma vez fui apedrejado, três vezes sofri naufrágio" (ver 2 Co 11.24-26). Esses cristãos de primeiro magnitude, dos quais o mundo não era digno, "experimentaram escárnios e açoites, e até cadeias e prisões. Foram apedrejados, serrados, tentados, mortos a fio de espada" (Hb 11.36,37). O quê! E todos estes eram abençoados durante o tempo em que sofriam? O homem carnal pensaria que se isso é ser abençoado, então que Deus o livre disso. Entretanto, por mais sentido que a decisão desse, o nosso Salvador Cristo declarou abençoado o homem espiritual. Embora enlutado, embora mártir, contudo abençoado. Jó no monte de estrume era o abençoado Jó. Os santos são abençoados quando são amaldiçoados. Simei amaldiçoou Davi: "E, saindo, ia amaldiçoando" (2 Sm 16.5). Mesmo quando estava amaldiçoando Davi, Davi era o abençoado Davi. Os santos mesmo sendo feridos, são abençoados. Não só serão abençoados, mas são abençoados. "Bem-aventurados os que trilham caminhos retos" (Sl 119.1). "Sobre o teu povo seja a tua bênção" (Sl 3.8). — *Thomas Watson*

[Como exemplo curioso das interpretações dogmáticas de Martinho Lutero, apresento trechos bastante consideráveis da sua interpretação deste salmo sem o menor grau de endosso. — *C. H. S.*]

O Salmo. O significado desse salmo não é histórico, como vemos claramente por muitos pormenores que militam contra ele ser compreendido assim. Em primeiro lugar, há o que Agostinho observou, que as palavras "Eu me deitei e dormi" parecem ser as palavras de Cristo que ressurgiu dos mortos. Depois, há no fim a bênção de Deus pronunciada sobre o povo, a qual evidentemente pertence à igreja inteira. Por conseguinte, Agostinho interpreta o salmo de modo triplo. Em primeiro lugar, relativo a Cristo, a cabeça; em segundo lugar, pertinente à totalidade de Cristo, quer dizer, Cristo e a Igreja, a cabeça e o corpo; e em terceiro lugar, figurativamente, concernente a cada crente em particular. Que cada um tenha sua própria interpretação. Entrementes, interpretarei o salmo relativo a Cristo, sendo movido pelo mesmo argumento que moveu Agostinho, a saber, que o versículo 5 não se aplica adequadamente a mais ninguém que a Cristo. Em primeiro lugar, porque aqui "deitar" e "dormir" juntos significam a morte natural e não o sono natural. É o que deduzimos, porque depois do sono da morte se segue: "e me levantei". Ao passo que se Davi tivesse falado em relação ao sono do corpo, ele teria dito: "acordei", embora não seja fortemente convincente para a interpretação da qual estamos falando, caso examinemos de perto a palavra hebraica. Mas qual coisa nova ele apresentaria declarando que se deitou e dormiu? Por que não disse também que andou, comeu, bebeu, trabalhou ou estava necessitado, ou menciona outra atividade física em particular? Parece um absurdo vangloriar-se sob tão grande tribulação de nada mais que o sono físico. Uma tribulação como essa o forçaria à privação de sono por estar em perigo e angústia, sobretudo, quando levamos em conta que essas duas expressões, "eu me deitei" e "dormi", significam o repouso silencioso de quem está deitado na cama, não sendo o estado de alguém que dormiu por exaustão ou por tristeza. Mas essa interpretação nos é mais convincente, ou seja, que ele se gloria em levantar-se porque foi o Senhor que o sustentou, que o levantou enquanto dormia, não o deixando no sono. Como tal glorificação concorda e que novo tipo de religião concorda com o sono particular do corpo? (Pois neste caso, não se aplicaria também ao sono diário?) E quando este sustento de Deus indica ao mesmo tempo um estado totalmente entregue para a pessoa dormindo, que não diga respeito ao sono físico? Pois a pessoa dormindo pode ser protegida até mesmo por homens que sejam os seus guardas. Mas este sustento ser totalmente de Deus, insinua não o sono, mas um conflito intenso. Por fim, a própria palavra *hekizothi* favorece tal interpretação, pois aqui significa absoluta e transitivamente, "eu causei levantar" ou "eu causei acordar". Como se ele tivesse dito, "eu causei me acordar", "eu me levantei". Claro que isso concorda mais adequadamente com a ressurreição de Cristo do que com o sono do corpo. Por dois motivos: os que dormem estão acostumados a serem despertados e acordarem, e não é uma coisa maravilhosa, nem assunto digno de tão importante declaração alguém acordá-los, visto que é algo que ocorre diariamente. Mas sendo este assunto apresentado pelo Espírito como algo novo e singular, é certamente diferente de tudo que diz respeito a dormir e acordar comum.

v. 2: "Não há salvação para ele em Deus". No hebraico, a frase é simplesmente: "em Deus", sem o pronome "seu", que na minha opinião dá clareza e força à expressão. É como se ele tivesse dito: Dizem sobre mim que fui não só abandonado e tiranizado por todas as criaturas, mas que até Deus, que está presente com todas as coisas, sustenta todas as coisas e protege todas as coisas, me abandonou como a única coisa em todo o universo que Ele não protege. Pelo visto, esse foi o tipo de provação por que Jó passou, quando disse: "Por que fizeste de mim um alvo para ti"? (Jó 7.20). Não há provação, nem no mundo inteiro, nem com todo o inferno reunido, que seja igual àquela em que Deus está contra o homem. É contra tal provação que Jeremias ora: "Não me sejas por espanto; meu refúgio és tu no dia do mal" (Jr 17.17), e acerca da qual também diz o Salmo 6 o seguinte: "SENHOR, não me repreendas na tua ira" (Sl 6.1). Encontramos os mesmos pedidos ao longo do saltério. Essa provação é totalmente insuportável e verdadeiramente o próprio inferno. Como diz o mesmo Salmo 6: "Porque na morte não há lembrança de ti; no sepulcro quem te louvará?" (Sl 6.5). Em outras palavras, se você nunca foi provado dessa maneira, você não faz ideia do que seja.

v. 3: "Mas tu, SENHOR, és um escudo para mim, a minha glória e o que exalta a minha cabeça". Davi contrasta três coisas com outras três: escudo com muitos problemas, glória com muitos levantamentos e o que exalta a cabeça com o blasfemo e insultante. A pessoa aqui representada está sozinha segundo a avaliação dos homens, e até mesmo de acordo com o que ela sente. Mas aos olhos de Deus e conforme a visão espiritual, ela não está de modo nenhum sozinha. Está protegida com a maior abundância de ajuda, como disse Jesus: "Eis que chega a hora, e já se aproxima, em que vós sereis dispersos, cada um para sua casa, e me deixareis só, mas não estou só, porque o Pai está comigo" (Jo 16.32). [...] As palavras contidas nesse versículo não são palavras da natureza, mas da graça. Não partem do livre-arbítrio, mas do espírito da fé forte. Essa fé, embora vendo Deus como na escuridão da tempestade da morte e do inferno, um Deus que abandona, reconhece-o como um Deus que sustenta. Quando o vê como um Deus que persegue, reconhece-o como um Deus que ajuda. Quando o vê como um Deus que condena, reconhece-o como um Deus que salva. Assim, essa fé não julga as coisas de acordo com o que parecem, ou sente que são, como o cavalo ou mula que não tem compreensão. Mas entende as coisas que não são vistas, pois "a esperança que se vê não é esperança; porque o que alguém vê, como o esperará?" (Rm 8.24).

v. 4: "Com a minha voz clamei ao Senhor; ele ouviu-me desde o seu santo monte". No hebraico, o verbo está no futuro, e, como traduz Hierônimo, significa: "eu clamarei" e "ele ouvirá". Isso me agrada mais do que o tempo perfeito, porque são as palavras de alguém que triunfa em Deus, louvando-o e glorificando-o, e dando graças àquele que o sustentou, o preservou e o exaltou, segundo ele esperara no versículo precedente. É habitual que aqueles que triunfam e alegram-se falem das coisas que fizeram e experimentaram, entoando uma canção de louvor a quem o ajudou e libertou. Como diz Salmos 66.16,17: "Vinde e ouvi, todos os que temeis a Deus, e eu contarei o que ele tem feito à minha alma. A ele clamei com a minha boca, e ele foi exaltado pela minha língua". Também em Salmos 81.1: "Cantai alegremente a Deus, nossa fortaleza". E também em Êxodo 15.1: "Cantarei ao Senhor, porque sumamente se exaltou". Estando com um sentimento transbordante de gratidão e alegria, ele canta sobre o fato de ter estado morto, dormido e se levantado, dos inimigos terem sido atingidos duramente e dos dentes dos ímpios terem sido quebrados. É o que causa mudanças, porque até aqui ele tratara Deus na segunda pessoa, muda de súbito o tratamento para outro relativo a Deus, na terceira pessoa, dizendo: "ele ouviu-me" e não "tu me ouviste"; e: "clamei ao Senhor" e não "clamei a ti", pois ele quer que todos saibam que benefícios Deus lhe cumulou, comportamento que é peculiar a uma mente grata.

v. 5: "Eu me deitei e dormi; acordei, porque o Senhor me sustentou". Cristo, pelas palavras desse versículo, fala da sua morte e sepultamento. [...] pois não devemos supor que Ele teria falado com tanta importância sobre o mero descanso físico e o sono natural. Tendo em vista especialmente o que precede e o que sucede, somos forçados a entender que Ele está falando sobre um conflito profundo e uma vitória gloriosa sobre os inimigos. Por meio de todas essas coisas, ele nos exorta e nos motiva a ter fé em Deus, recomendando-nos o poder e a graça de Deus que pode nos levantar dos mortos. Para isso, ele nos dá como exemplo ele mesmo e o proclama como tendo sido feito nele. [...] Isso também aparece mais claramente no uso que fez de palavras gentis, no esforço admirável de minorar o terror da morte.

"Eu me deitei", diz ele, "e dormi." Ele não diz: "Eu morri e fui enterrado", pois a morte e a sepultura perderam a autoridade e o poder. Agora a morte não é uma morte, mas um sono; e o sepulcro não é um sepulcro, mas uma cama e lugar de descanso. Essa foi a razão de terem as palavras dessa profecia sido colocadas um tanto quanto ambíguas e questionáveis, para que a morte não fosse tão afrontosa (ou, antes, tão desprezível) aos nossos olhos, tendo a promessa certa de ser acordado e levantado desse estado, como ocorre no doce repouso do sono. Pois quem está bastante seguro de acordar e levantar-se, senão aquele que se deita para descansar no doce sono (onde a morte não frustra)? Mas essa pessoa não diz que morreu, e sim que se deitou para dormir e depois acordou. Além disso, como o sono é útil e necessário para a melhor renovação da energia do corpo (como diz Ambrósio no seu hino), e como o sono faz os membros descansar, assim também a morte é igualmente útil e ordenada para chegar a uma vida melhor. É o que Davi diz no salmo a seguir: "Em paz também me deitarei e dormirei, porque só tu, Senhor, me fazes habitar em segurança" (Sl 4.8). Portanto, ao considerarmos a morte, não temos tanto de considerar a morte em si como aquela mais certa vida e ressurreição que estão seguras a quem está em Cristo. As palavras de João poderiam se cumprir: "Se alguém guardar a minha palavra, nunca verá a morte" (Jo 8.51). Mas como é que ele nunca a verá? Não a sentirá? Não morrerá? Não, ele só verá o sono, pois, tendo os olhos da fé fixos na ressurreição, ele desliza pela morte que nem mesmo a vê. A morte, como eu disse, não é para ele morte. Por conseguinte, há também João 11.25: "Eu sou a ressurreição e a vida; quem crê em mim, ainda que esteja morto, viverá".

v. 7: "Pois feriste a todos os meus inimigos nos queixos; quebraste os dentes aos ímpios". Hierônimo usa essa metáfora de "queixos" e "dentes" para representar palavras cortantes, difamações, calúnias e outros danos do mesmo tipo pelo qual os inocentes são atacados. De acordo com Provérbios 30.14: "Há uma geração cujos dentes são espadas e cujos queixais são facas, para consumirem na terra os aflitos e os necessitados entre os homens". Foi por esses que Cristo foi devorado, quando, diante de Pilatos, foi condenado à cruz pelas vozes e acusações dos inimigos. Por conseguinte, é o que o apóstolo diz: "Se vós, porém, vos mordeis e devorais uns aos outros, vede não vos consumais também uns aos outros" (Gl 5.15).

v. 8: "A salvação vem do SENHOR; sobre o teu povo seja a tua bênção". Conclusão muito adequada e, por assim dizer, é a suma de todos os sentimentos falados. O sentido é que é somente Deus que salva e abençoa. Mesmo que toda a grande multidão de males se reúna em um contra o homem, é o Senhor que salva: a salvação e as bênçãos estão nas suas mãos. Então, o que temerei? O que não prometerei? Quando sei que ninguém pode ser aniquilado ou insultado sem a permissão de Deus, mesmo que todos se levantem para amaldiçoar e matar. Ninguém pode ser abençoado e salvo sem a permissão de Deus, por mais que sejam abençoados e se esforcem para salvar-se. Como declara Gregório Nazianzeno: "Quando Deus dá, a inveja não pode fazer nada; e quando Deus não dá, a labuta não pode fazer nada". Da mesma maneira, Paulo também disse: "Que diremos, pois, a estas coisas? Se Deus é por nós, quem será contra nós?" (Rm 8.31). E o inverso é: se Deus é contra eles, quem será por eles? Por quê? Porque "a salvação vem do SENHOR" e não deles, nem de nós, pois "vão é o socorro do homem" (Sl 60.11). — *Martinho Lutero*

SUGESTÕES AOS PREGADORES

v. 1. Os santos contando suas aflições ao Senhor. (1) A maneira certa de fazer, (2) a maneira apropriada de falar, (3) os resultados satisfatórios por conta de tais comunicações santas ao Senhor.

Quando é que as dificuldades aumentam? Por que são enviadas? Qual é a nossa sabedoria em referência a elas?

v. 2. A mentira contra os santos e a calúnia no seu Deus.

v. 3. As bênçãos triplas que Deus proporciona aos que sofrem: defesa, honra, alegria. Mostra como todas essas bênçãos podem ser desfrutadas pela fé, mesmo em nossa pior situação.

v. 4. (1) Em perigos devemos orar, (2) Deus graciosamente ouvirá a nossa oração, (3) devemos registrar as respostas da graça, (4) podemos nos fortalecer no futuro lembrando-nos das libertações do passado.

v. 5. (1) Descreva o sono profundo, (2) descreva o despertamento feliz, (3) mostre como ambos têm de ser desfrutados, "porque o SENHOR me sustentou".

v. 6. Fé cercada por inimigos e, ainda assim, triunfante.

v. 7. (1) Descreva os procedimentos que o Senhor fez no passado com relação aos inimigos: "Feriste", (2) mostre que o Senhor tem de ser o nosso recurso constante: "SENHOR", "Deus meu", (3) discorra sobre o fato de que o Senhor tem de ser invocado: "Levanta-te", (4) exorte os crentes a usar as vitórias dadas pelo Senhor no passado como argumento com o qual persuadi-lo.

v. 7. "Feriste a todos os meus inimigos nos queixos; quebraste os dentes aos ímpios." Os nossos inimigos são inimigos derrotados, leões desdentados.

v. 8. "A salvação vem do SENHOR." A salvação de Deus do início ao fim. (Ver Exposição.)

v. 8. "Sobre o teu povo seja a tua bênção." Eles eram abençoados *em* Cristo, *por* Cristo e serão abençoados *com* Cristo. As bênçãos estão nas pessoas, consolações, tribulações, trabalhos, famílias, etc. Fluem da graça, são desfrutadas pela fé e são prometidas por juramento. — *James Smith, "James Smith's Portions" [As Porções de James Smith], 1802-1862*

SALMO 4

TÍTULO

Este salmo, ao que parece, foi composto para acompanhar o Salmo 3 e formar uma parelha. Se podemos dar ao Salmo 3 o título de *O Salmo da Manhã*, o Salmo 4 segundo o seu tema merece igualmente o título de *O Hino da Noite*. Que as palavras seletas do versículo 8 sejam a nossa doce cantiga de ninar quando nos retiramos para os nossos aposentos!

Com os pensamentos acomodados pela paz
Darei aos olhos o sono
A tua mão guarda em segurança os meus dias
E também guardará o meu sono

O título inspirado diz: *"Salmo de Davi para o cantor-mor, sobre Neguinote"*. O cantor-mor era o mestre ou diretor da música sacra do santuário. Acerca desta pessoa, leia cuidadosamente 1 Crônicas 6.31,32; 15.16-22; 25.1,7. Nestas passagens, você encontrará muitas informações interessantes aos amantes do cântico sagrado, as quais muito esclarecerão o modo de louvar a Deus no templo. Alguns títulos dos salmos são, não duvidamos, derivados dos nomes de certos cantores renomados que compuseram a música para os cânticos em que são citados.

"Sobre Neguinote", ou seja, sobre instrumentos de cordas, ou instrumentos de mão, que eram tocados somente com as mãos, como a harpa e o címbalo. A alegria da igreja judaica era tão grande que eles precisavam de música para expor os sentimentos agradabilíssimos que lhes iam na alma. A nossa alegria santa não é menos transbordante, pois preferimos expressá-la de maneira mais espiritual, como convém a uma dispensação mais espiritual. Em alusão a estes instrumentos que eram tocados com as mãos, Nazianzeno diz: "Senhor, sou um instrumento para tu tocares". Sejamos receptivos ao toque do Espírito para que façamos melodia. Estejamos cheios de fé e amar, e seremos vivos instrumentos musicais.

Robert Hawker declara: “A palavra hebraica que em nossas versões é traduzida por ‘cantor-mor’, a Septuaginta a lê por *lamenetz*, em vez de *lamenetzoth*, cujo significado é ‘para o fim’”. Com isso, os pais gregos e latinos imaginaram que todos os salmos que tivessem esta inscrição referiam-se ao Messias, o grande final. Neste caso, este salmo é endereçado a Cristo. É bem possível, pois é tudo de Cristo, falado por Cristo e diz respeito ao seu povo como sendo um com Cristo. O Espírito do Senhor dá ao leitor esta visão, que o achará muito abençoado.

DIVISÃO

No primeiro versículo, Davi roga a Deus por sua ajuda. No versículo 2, ele repreende os inimigos, e continua falando com eles até o versículo 5. Do versículo 6 ao versículo 8, ele prazerosamente contrasta a própria satisfação e segurança com a ansiedade e inquietação dos ímpios em suas melhores situações. O salmo provavelmente foi escrito na mesma ocasião que o precedente, e é outra flor seleta do jardim da aflição. Somos muitos abençoados por Davi ter sido provado, pois caso contrário jamais teríamos ouvido falar destes maravilhosos sonetos de fé.

EXPOSIÇÃO

1 *Ouve-me quando eu clamo, ó Deus da minha justiça; na angústia me deste largueza; tem misericórdia de mim e ouve a minha oração.*

1. Este é outro exemplo do hábito comum de Davi apelar para as misericórdias do passado como base para os benefícios do presente. Aqui ele revisa os seus ebenézeres e se consola com eles. É inconcebível que aquele que nos ajudou em seis dificuldades venha a nos abandonar na sétima. Deus não faz nada pela metade, nunca deixará de nos ajudar até que não precisemos mais. O maná cairá todas as manhãs até que atravessemos o rio Jordão.

Observe que Davi fala primeiro com Deus e depois com os homens. Claro que falamos muito mais ousadamente com os homens se temos dito uma conversa mais constante com Deus. Aquele que ousa estar na presença do Criador não terá medo de estar na presença dos filhos dos homens.

É digno de nota o nome pelo qual o Senhor é tratado: “Deus da minha justiça”, visto que não é usado em outra parte da Bíblia. Significa: “Tu és o autor, a testemunha, o mantenedor, o juiz e o recompensador da minha justiça. É a ti que apelo por causa das calúnias e julgamentos severos dos homens”. Há, neste apelo, sabedoria, que devemos imitar e sempre usar em nossas demandas, não aos insignificantes tribunais da opinião humana, mas ao supremo tribunal celestial.

“Na angústia me deste largueza.” Trata-se de ilustração retirada de um exército enclausurado em uma passagem estreita por entre montanhas, sendo duramente pressionado pelo inimigo que o cerca. Deus despedaçou as pedras e me abriu espaço. Quebrou as barreiras e me colocou em um lugar espaçoso. Ou podemos entender assim: “Deus alargou o meu coração com alegria e consolação quando eu era como um homem preso por dor e tristeza”. Deus é um consolador constante.

“Tem misericórdia de mim.” Ainda que tu permitas com razão que os meus inimigos me firam por causa dos meus muitos e grandes pecados, abrigo-me na tua misericórdia e peço que tu ouças a minha oração, tirando o teu servo dessas dificuldades. O melhor dos homens precisa de misericórdia tão verdadeiramente quanto o pior deles. Todas as libertações dos santos como também os perdões dos pecadores são dons livres da graça divina.

2 *Filhos dos homens, até quando convertereis a minha glória em infâmia? Até quando amareis a vaidade e buscareis a mentira? (Selá)*

2. Nesta segunda divisão do salmo, somos levados do quartinho da oração para o campo da batalha. Observe a coragem destemida do homem de Deus. Ele reconhece que os inimigos são homens grandes (pois este é o significado das palavras hebraicas traduzidas por "filhos dos homens"), mas considera-os homens tolos, repreendendo-os como se não passassem de crianças. Diz que amam a vaidade e buscam a mentira, quer dizer, ilusões, imaginações vãs, extravagâncias inúteis, invenções mal intencionadas. Pergunta-lhes até quando pretendem tornar-lhe a glória em pilhéria, e a fama em escárnio? Um pouco dessa risada já é demais, por que precisam continuar se entregando a essas coisas? Não tinham sido bastante insistentes em observar-lhe as dificuldades? Os repetidos reveses que tiveram não os convenceram de que o ungido de Deus não seria vencido por todas essas calúnias? Será que pretendiam brincar com a alma no inferno e prosseguir com as zombarias até que a vingança veloz transformasse a alegria ruidosa em uivos arrepiantes? Ao contemplar a insistência perversa das buscas inúteis e mentirosas, o salmista faz uma pausa solene e insere um "selá". Claro que também podemos parar um pouco para meditar na extrema loucura dos ímpios, na permanência no mal e na destruição certa. Podemos aprender a admirar a graça que nos fez ser diferentes e nos ensinou a amar a verdade e a buscar a justiça.

3 *Sabei, pois, que o SENHOR separou para si aquele que lhe é querido; o SENHOR ouvirá quando eu clamar a ele.*

3. "Sabei." Os tolos não aprendem, sendo necessária a repetição das mesmas coisas inúmeras vezes, sobretudo quando se trata de uma verdade extremamente amarga que terão de aprender, a saber, o fato de que os justos são os escolhidos de Deus e, por graça distintiva, foram reservados e separados dentre homens. Eleição é doutrina que os não-regenerados não podem suportar, mas é uma verdade gloriosa e confirmada, que consola o crente sob tentação. A eleição é a garantia da salvação total e um argumento a favor do sucesso no trono da graça. É certo que aquele que nos escolheu para si mesmo ouvirá as nossas orações. Os eleitos do Senhor não serão condenados, nem os seus clamores ficarão sem serem ouvidos. Davi era rei por decreto divino, e somos o povo do Senhor também por decreto divino. Digamos na cara dos nossos inimigos que eles estão lutando contra Deus e o destino, quando se empenham em arruinar a nossa alma. Amados, quando vocês estão de joelhos, o fato de vocês serem separados como o tesouro peculiar de Deus, deveria lhes encher de coragem e inspiração com fervor e fé. "Deus não fará justiça aos seus escolhidos, que clamam a ele de dia e de noite"? (Lc 18.7). Considerando que ele escolheu nos amar, ele não pode senão escolher nos ouvir.

4 *Perturbai-vos e não pequeis; falai com o vosso coração sobre a vossa cama e calai-vos. (Selá)*

4. "Perturbai-vos e não pequeis." Quantos fazem o inverso deste conselho, ou seja, pecam e não se perturbam. Bom seria que os homens seguissem o conselho deste versículo e falassem com o próprio coração. Claro que a falta de reflexão deve ser uma das razões por que os homens estão tão furiosos a ponto de desdenhar de Cristo e odiar as próprias misericórdias. Que as suas emoções sejam silenciadas de vez e que eles sejam calados, para que no silêncio solene eles revisem o passado e reflitam no seu destino inevitável.

Lógico que o homem ao pensar terá suficiente sentido para descobrir a vaidade do pecado e a inutilidade do mundo. Aquiete-se, pecador volúvel, aquiete-se antes de fazer o último lance. Vá para a cama e reflita nos seus caminhos. Peça conselhos ao travesseiro, e que a quietude da noite ensine você! Não jogue fora a alma por nada! Deixe a razão falar! Que o mundo clamoroso fique calado por um tempo, e que a sua pobre alma pleiteie com você para refletir antes que o seu destino seja selado e arruinado para sempre! "Selá." Pecador! Faça uma pausa enquanto questiono você por meio das palavras de um poeta sacro:

Pecador, o teu coração está descansado?
Não há medo em teu peito?
Não estás oprimido pela culpa?
A consciência não fala em teus ouvidos?

Este mundo pode te dar felicidade?
Pode te afugentar a melancolia?
É adulador, falso e vão
Estremece diante do destino da mundanalidade!

Pensa, pecador, em teu fim
Vê o dia do julgamento surgindo
Para lá se dirigirá o teu espírito
Lá soa a tua sentença justa

Alma miserável, arruinada, desamparada
Recorre ao sangue do Salvador
Só ele pode te restaurar
Corra para Jesus, pecador, corra!

5 *Oferecei sacrifícios de justiça e confiai no Senhor.*

5. Considerando que os rebeldes obedeceram à voz do versículo anterior, agora estão clamando: "O que é necessário que façamos para nos salvar?" Neste versículo, eles são orientados ao sacrifício e exortados a confiar no Senhor. Quando os judeus ofereciam sacrifícios de modo correto, isso é, de maneira espiritual, eles anunciavam o Redentor, o grande Cordeiro que expia o pecado. Há o pleno evangelho nesta exortação do salmista. Pecadores, recorram aos sacrifícios do Calvário, e coloquem ali toda a confiança e crença, porque aquele que morreu pelos homens é o Senhor Jeová.

6 *Muitos dizem: Quem nos mostrará o bem? Senhor, exalta sobre nós a luz do teu rosto.*

6. Entramos agora na terceira divisão do salmo, na qual a fé do aflito se expressa vocalmente em ternas expressões de satisfação e paz.

Havia muitos, até entre os seguidores de Davi, que queriam ver para crer. Infelizmente, esta é a tendência de todos nós! Até os regenerados às vezes gemem segundo o senso e visão de prosperidade, entristecendo-se quando a escuridão esconde todo o bem proveniente da visão. Como se dá com a mundanalidade, este é o seu clamor incessante: "Quem nos mostrará o bem?" Nunca satisfeitos, escancaram a boca a todas as direções, tendo o coração vazio pronto a beber toda ilusão bonita que os impostores inventem.

Quando estes fracassam, logo se entregam ao desespero, declarando que não há coisa boa no céu ou na terra. O verdadeiro crente é um homem de natureza muito diferente. O rosto não é voltado para baixo como os animais, mas para cima como os anjos. Não bebe das poças barrentas de Mamom, mas da fonte de vida de cima. A luz do semblante de Deus lhe basta. Estes são as suas riquezas, honra, saúde, ambição, comodidade. Dê-lhe estas coisas, e ele não pedirá mais nada. Esta é a alegria indizível e cheia de glória. Quanto mais constantes e permanentes sejam a habitação do Espírito Santo, a nossa comunhão com o Pai e com o Filho Jesus Cristo!

7 *Puseste alegria no meu coração, mais do que no tempo em que se multiplicaram o seu trigo e o seu vinho.*

7. "É melhor", disse alguém, "sentir o favor de Deus uma hora em nossa alma arrependida, do que se sentar longos séculos debaixo do sol mais quente que este mundo dê". Jesus no coração é melhor do que trigo no celeiro ou vinho no barril. Trigo e vinho são frutos do mundo, mas a luz do semblante de Deus é o fruto maduro do céu. "Tu estás comigo" é clamor muito mais bendito do que "festa da colheita". Que o meu silo fique vazio, contanto que eu esteja cheio das bênçãos quando Jesus Cristo sorri para mim; mas se eu tiver o mundo inteiro, sou pobre sem Jesus.

Observemos que este versículo é a declaração dos justos em oposição à declaração de muitos. Como é fácil a língua trair o caráter! "Fale, para que eu veja quem você é", disse Sócrates a um menino bonito. O metal de um sino é mais bem conhecido pelo som. Os pássaros revelam a sua natureza pelo canto que cantam. As corujas não podem cantar o canto alegre da cotovia, nem o rouxinol pia como a coruja. Pesemos e vigiemos o que dizemos para que as nossas palavras comprovam que somos forasteiros e estrangeiros na comunidade de Israel.

8 *Em paz também me deitarei e dormirei, porque só tu, Senhor, me fazes habitar em segurança.*

8. Belo Hino da Noite! Não me sentarei para ficar vigiando por ter medo, mas me deitarei. Deitado, não ficarei acordado ouvindo todo som sussurrante, mas me deitarei em paz e dormirei, pois não tenho nada a temer. Aquele que tem sobre si as asas de Deus não precisa de outra proteção. A proteção do Senhor é melhor que trancas ou ferrolhos. Homens armados guardavam a cama do rei Salomão, mas não cremos que ele dormisse mais profundamente do que o seu pai, cuja cama era o chão duro quando estava sendo perseguido por inimigos sedentos de sangue. Observe a palavra "só", que significa que Deus era o único e exclusivo guarda do salmista. Embora estivesse sozinho, sem a ajuda dos homens, ele estava sendo bem guardado, porque estava "sozinho com Deus". A consciência tranquila é boa companheira de cama. Quanto de nossas horas insones poderiam ser determinadas à falta de confiança e mentes perturbadas. Dorme profundamente quem tem a fé a niná-lo para dormir. Não há travesseiro tão macio como uma promessa; nem cobertor tão quente como um interesse garantido em Cristo.

Senhor, dá-nos este descanso tranquilo em ti para que, como Davi, deitemos em paz e durmamos todas as noites que vivermos. E que deitemos alegremente no momento aprazado para dormir na morte e descansar em Deus!

A reflexão de Robert Hawker sobre este salmo é digna de ser a nossa oração e incentivo com prazer santo. Não podemos deixar de transcrevê-la.

Leitor! Nunca percamos de vista o Senhor Jesus quando lermos este salmo. Ele é o Senhor justiça nossa. Todas as vezes que nos aproximarmos do propiciatório, cheguemos com uma linguagem corresponde à que diz que Jesus é o Senhor justiça nossa. Enquanto os homens do mundo, do mundo buscam o seu bem principal, desejemos o favor divino que infinitamente transcende ao trigo e vinho, e todas as coisas boas que perecem pelo uso. Senhor, "a tua benignidade é melhor do que a vida" (Sl 63.3). Tu fazes que os que te amam herdem coisas substanciais e enches todos os seus depósitos.

Tu, Deus e Pai cheio de graça, separaste de maneira maravilhosa um de nossa natureza para ti mesmo? Tu realmente escolheste um do povo? Tu o viste na pureza da sua natureza, como alguém piedoso em todos os aspectos? Tu o deste como aliança do povo? Tu declaraste que te comprazes nele? Que a minha alma se compraza também nele. Agora sei que o meu Deus e Pai me ouvirá quando eu o clamar em nome de Jesus, e quando o observo em busca de aceitação por causa de Jesus? O meu coração está firme, ó Senhor, o meu coração está firme. Jesus é a minha esperança e justiça, o Senhor me ouvirá quando eu clamar. Daqui em diante me deitarei em paz e dormirei em segurança em Jesus, aceito e recebido no Amado. Pois "este é o descanso, dai descanso ao cansado; e este é o refrigério" (Is 28.12).

NOTAS EXPLICATIVAS E DECLARAÇÕES IMPORTANTES

v.1: "Ouve-me quando eu clamo, ó Deus da minha justiça; na angústia me deste largueza; tem misericórdia de mim e ouve a minha oração". A fé é um bom orador e um nobre disputador em um dilema. Pode argumentar sobre a prontidão de Deus em ouvir: "Ouve-me quando eu clamo, ó Deus"; sobre a justiça eterna dada ao homem na justificação da sua pessoa: "Ó Deus da minha justiça"; sobre a constante justiça de Deus em defender a justiça da causa do seu servo: "Ó Deus da minha justiça"; sobre as angústias do presente e do passado, pelas quais ele passou e das antigas misericórdias recebidas: "Na angústia me deste largueza"; e sobre a graça de Deus, que responde todas as objeções da indignidade e desmerecimento do homem: "Tem misericórdia de mim e ouve a minha oração". — *David Dickson, 1653*

v.1: "Ouve-me". O grande Criador da natureza e de todas as coisas não faz nada em vão. Não instituiu esta lei e, se me permito expressar, habilidade de oração como uma coisa vã e insuficiente, mas dota-a de eficácia admirável para produzir as maiores e mais felizes consequências. Ele a tornaria a chave pela qual se abririam todos os tesouros dos céus. Construiu-a como uma máquina poderosa pela qual, com trabalho fácil e agradável, afastamos de nós as maquinações mais medonhas e infelizes do inimigo, e, com igual facilidade, atraímos para nós o que é muito propício e vantajoso. O céu, a terra e todos os elementos obedecem e ministram às mãos que frequentemente se erguem ao céu em oração fervorosa. Todas as obras, e até as mais e maiores do que estas, todas as palavras de Deus a obedecem. Nas Escrituras, são bem conhecidos os exemplos de Moisés e Josué. Tiago particularmente menciona Elias, a quem chama expressamente por ὁμοιοπαθὴς, homem sujeito a fraquezas semelhantes às nossas para que servisse de ilustração da força admirável da oração, pela fraqueza comum e humana da pessoa por quem é oferecida (Tg 5.17). É bem conhecida e pertinentemente célebre a legião cristã sobre as ordens de Marco Aurélio, a qual, para condizer com o ardor e eficácia singular das suas orações, obteve o nome de κεραυνοβόλος, que significa "a legião trovejante". — *Robert Leighton, Doutor em Teologia, Arcebispo de Glasgow, 1611-1684*

v. 2: "Filhos dos homens, até quando convertereis a minha glória em infâmia? Até quando amareis a vaidade e buscareis a mentira? (Selá)". A oração plana por sobre a violência e impiedade dos homens, e com asas ligeiras alcança o céu, com presságio feliz, se me permito aludir ao que os instruídos dizem sobre o augúrio dos anciãos que não discutirei minuciosamente. Orações fervorosas abrem asas fortes e amplamente estendidas. Enquanto os pássaros da noite pairam abaixo, as orações fervorosas voam bem alto, e mostram, por assim dizer, os lugares aos quais devemos aspirar. Pois certamente não há nada que corte os ares tão velozmente, nada que alce vôos tão sublimes, felizes e auspiciosos como a oração que leva a alma nas asas, deixando para trás todos os perigos e até os prazeres deste mundo nosso aqui embaixo. Vejam este homem santo que há pouco estava clamando a Deus no meio da angústia, e o fazia de modo urgentemente importuno para que fosse ouvido. Agora, como se já tivesse recebido tudo que pedira, tomando para si corajosamente a incumbência de repreender os inimigos, como foram em todo caso altamente exaltados e como seriam poderosos até mesmo no palácio real. — *Robert Leighton, Doutor em Teologia*

v. 2: "Filhos dos homens, até quando convertereis a minha glória em infâmia? Até quando amareis a vaidade e buscareis a mentira? *(Selá)*". Podemos imaginar cada sílaba deste salmo precioso sendo usada por nosso Mestre em uma noite qualquer, quando estava prestes a deixar o templo ao findar do dia para retirar-se ao seu descanso habitual em Betânia (versículo 8), depois de outra disputa infrutífera com os homens de Israel. Também podemos ler o versículo como a própria expressão vocal do seu coração, almejando o homem e deleitando-se em Deus. É não só a expressão vocal da Cabeça, mas também a linguagem de um dos seus membros em plena simpatia com ele em termos de sentimento santo. Este é um salmo com o qual os justos fazem as suas habitações ressoarem, de manhã e de noite, quando lançam um olhar triste sobre o mundo que rejeita a graça de Deus. Entoam este cântico enquanto se apegam cada vez mais diariamente ao Senhor, como a herança todo-suficiente para hoje e a era por vir. Entoam também na feliz confiança que provém da fé e esperança, quando cai a noite do dia do mundo, e podem dormir na certeza do que saudará os seus olhos na manhã da ressurreição:

> Dormindo envolto na sua graça
> Até que as sombras da manhã fujam
> — *Andrew A. Bonar, 1859*

v. 2: "Amareis a vaidade". Quem ama o pecado, ama a vaidade. Correm atrás de bolhas, apóiam-se em canas, a esperança é como a teia de uma aranha.

"Mentira." Esta é uma palavra que significa falsidade.

v. 2: "Até quando amareis a vaidade e buscareis a mentira?" Como diz o pregador: "Vaidade de vaidades! É tudo vaidade" (Ec 1.2). Foi o que descobriram os nossos primeiros pais. Por isso, deram ao segundo filho o nome de Abel, que significa "vaidade". Salomão, que tentara estas coisas e melhor do que ninguém sabia que tudo é vaidade, pregou este sermão muitas e muitas vezes: "Vaidade de vaidades! É tudo vaidade". É triste pensar quantos milhares de pessoas podem dizer com o pregador: "Vaidade de vaidades! É tudo vaidade". Não apenas dizer, mas jurar, e ainda assim procurar estas coisas como se não houvesse outra glória, nem felicidade. As coisas que buscam são o que se chama vaidade. Tais homens venderão Cristo, o céu e a alma por uma ninharia que dizem que são vaidade, embora não creiam sinceramente que o sejam. Fixam o coração nessas coisas como se fosse a coroa, o topo de toda a realeza e glória. Faça a sua alma discorrer longamente sobre a vaidade de todas as coisas terrenas, até que o coração se convença inteiramente que são vaidade. Espezinhe tais coisas, e faça delas um escabelo para Cristo apoiar-se e triunfar santamente em seus corações.

Gilemex, rei dos vândalos, liderado triunfalmente por Belisário, clamou: "Vaidade de vaidades! É tudo vaidade". É muito agradável a fantasia de Luciano que colocou Caronte no topo de um alto monte, vendo todos os assuntos dos homens vivos e olhando as maiores cidades como ninhos de passarinhos. A imperfeição, a ingratidão, a leviandade, a inconstância, a perfídia dessas criaturas que mais servilmente nos afeta! Já que avaliamos a dor do homem pelo seu castigo, a cruz pela sua misericórdia, a miséria pelo seu prazer, temos então de ver que nada se adquire por pechincha, e concluir: "Vaidade de vaidades! É tudo vaidade". Crisóstomo disse: "Que se ele fosse o mais adequado no mundo para pregar um sermão ao mundo inteiro reunido em uma congregação, tivesse por púlpito um alto monte de onde ele tivesse um prospecto visionário de todo o mundo, e recebesse uma voz de bronze, voz tão alta quanto as trombetas do arcanjo de modo que o mundo todo o ouvisse, não haveria outro texto que ele escolheria pregar que não os salmos: Ó homens mortais, 'até quando amareis a vaidade e buscareis a mentira?'" — *Thomas Brooks, 1608-1680*

v. 2: "Amareis a vaidade". O sentimento dos homens está de acordo com os seus princípios. Toda pessoa ama aquilo que a esvazia, que lhe dá mais satisfação interior. O gosto se fundamenta na semelhança, onde se apóia a palavra. É assim em tudo que podemos imaginar, quer em coisas temporais ou espiritual, quer no que tange às coisas desta vida ou de uma vida melhor. O amor dos homens está de acordo com certa operação e impressão no seu espírito. O mesmo ocorre está aqui no ponto da vaidade. Os que são pessoas vãs, deleitam-se e coisas vãs. Como crianças, gostam das coisas que mais agradam suas disposições infantis e as convêm nesse particular. Do coração vem todo o tipo de mal. — *Thomas Horton, 1675*

v. 3: "Sabei, pois, que o Senhor separou para si aquele que lhe é querido". Quando Deus escolhe um homem, ele o escolhe para si, para conversar com ele, comunicar-se com ele como amigo, companheiro e ter prazer. É a santidade que nos torna adequados para viver com o Deus santo para sempre, visto que sem ela não podemos vê-lo (Hebreus 12.14), que é o principal alvo de Deus e mais do que sermos seus filhos, assim como supomos que o homem, um do gênero humano, tem uma alma racional, antes de supormos que seja capaz de ser adotado ou ser o herdeiro de outro homem. Como foi o primeiro e principal desígnio aos olhos de Deus, antes da consideração de nossa felicidade, que assim o seja aos nossos olhos. — *Thomas Goodwin, 1600-1679*

v. 3: Como são raras as pessoas queridas: "O justo é um guia para o seu companheiro" (Provérbios 12.26). Como os raios do sol, o vinho do Líbano, o brilho no peitoral de Arão, tal é o esplendor oriente da pessoa embelezada com a piedade. [...] Os queridos são preciosos, por isso são separados para Deus: "Sabei, pois, que o Senhor separou para si aquele que lhe é querido". Separamos coisas que nos são preciosas. Os queridos são separados como o tesouro peculiar de Deus (Sl 135.4), como o seu jardim de delícias (Ct 4.12), como o seu diadema real (Is 62.3). Os queridos são os ilustres da terra (Salmo 16.3), comparáveis a puro ouro (Lm 4.2), duplamente refinados (Zc 13.9). São a glória da criação (Is 46.13). Orígenes compara os santos a safiras e cristais: Deus os chama jóias (Ml 3.17). — *Thomas Watson*

v. 3: "O Senhor ouvirá quando eu clamar a ele". Lembremos que a experiência de um dos santos concernente à verdade das promessas de Deus e da certeza dos privilégios escritos do povo do Senhor é uma prova suficiente do direito que todos os seus filhos têm às mesmas misericórdias e base de esperança, que eles também participarão delas em tempos de necessidade. — *David Dickson, 1653*

v. 4: "Perturbai-vos e não pequeis". Jeová é um nome de grande poder e eficácia, um nome que tem cinco vogais sem as quais nenhuma língua pode ser expressa. Um nome que também tem três sílabas para indicar a trindade de pessoas, a eternidade de Deus, Um em Três e Três em Um. Um nome de tamanho medo e reverência entre os judeus que eles tremem nomeá-lo, usando então o nome Adonai ("Senhor") em todos os seus atos devocionais. Assim cada um de nós deve perturbar-se e não pecar, não tomando o nome do Senhor em vão, mas cantando louvores e tributos para lembrar, declarar, exaltar, elogiar e bendizer esse nome, pois é santo e venerável, único digno e excelente é o seu nome. — *J. Rayment, 1630*

v. 4: "Falai com o vosso coração". A linguagem é semelhante ao que usamos quando queremos dizer para a pessoa fazer um julgamento correto e equilibrado: "Use o seu bom senso". — *Albert Barnes, in loc.*

v. 4: Se na solidão você não se exercitar na piedade, acostume-se a monólogos, ou seja, conferencie-se com você mesmo. Nunca fica ocioso quem tem tanto a tratar com a própria alma. Esta era uma resposta famosa que Antístenes dava quando lhe perguntavam que frutos ele colhia com todos os seus estudos. Pelos estudos, dizia ele, aprendi a viver e falar comigo mesmo. Os monólogos são as melhores disputas. Entre todas as criaturas, todo homem bom é a melhor companhia para si mesmo. O santo Davi prescreveu aos outros: "Falai com o vosso coração sobre a vossa cama". "Falai com o vosso coração", ou seja, quando você não tiver ninguém com quem falar, fale consigo mesmo. Levante consigo mesmo por qual finalidade você está sozinho, que vida você tem tido, que tempo você tem perdido, que amor você tem abusado, que ira você merece. Chame você mesmo para prestar contas, como você tem ganhado mais talentos, como tem sido verdadeira ou falsa a sua confiança, que provisão você guardou para a hora da morte, que preparativos você fez para o grande dia do julgamento.

"Sobre a vossa cama." Os momentos de reclusão são as melhores oportunidades para este dever. O silêncio da noite é boa ocasião para esta conversa. Quando não há interesses externos para nos perturbar e chamar a atenção dos olhos para os confins da terra, como sempre ocorre com os olhos dos tolos. Os nossos olhos, como os olhos dos sábios, estão voltados para a mente. A mente, como as janelas no templo de Salomão, pode ser ampla por dentro. As buscas mais prósperas foram feitas durante a noite. A alma fica completamente calada na casa terrena do corpo, não tendo a visita de estranhos para inquietar-lhe os pensamentos. Os médicos consideram os sonhos um sinal provável por meio do qual podem descobrir as enfermidades do corpo. Está perfeitamente claro que a cama não é lugar ruim para examinar e investigar o estado da alma.

"E calai-vos." Os pensamentos sobre si próprio o ajudará muito a restringir as emoções obstinadas e ímpias. Considerações sérias, como o arremesso de terra entre abelhas, acalmará os sentimentos irregulares quando estão cheios de fúria e fazem tamanho barulho horroroso. Entretanto, os apetites sensuais e os desejos incontroláveis estão, como os habitantes de Éfeso, em alvoroço, lutando pela volta dos privilégios e esperando pela habitual provisão, como ocorria nos dias em que eram predominantes, se a consciência usa de autoridade, comandando-as no nome de Senhor, cujo responsável é manter a paz do rei e argumentá-la com eles, como fez o escrivão da cidade de Eféso: "Na verdade, até corremos perigo de que, por hoje, sejamos acusados de sedição, não havendo causa alguma com que possamos justificar este concurso" (At 19.40). Por este meio, tudo é silenciado, e o tumulto apaziguado sem maiores consequências. — *George Swinnock, 1627-1673*

v. 4: "Falai com o vosso coração sobre a vossa cama e calai-vos". Os momentos em que estamos mais retirados do mundo são os mais adequados para termos e normalmente temos mais comunhão com Deus. Quando o homem reduz as horas de sono e acorda com pensamentos santos, quando o sono profundo cai sobre os homens cansados e tristes, então eles podem ter visões de Deus. Mesmo não sendo visões como Elifaz e outros santos tiveram, são visões. Toda vez que Deus se comunica com a alma, há uma visão de amor, ou de misericórdia, ou de poder, um pouco de Deus na sua natureza ou vontade nos é mostrado. Davi nos mostra obra divina quando vamos descansar. A cama não é só para dormir: "Falai com o vosso coração sobre a vossa cama e calai-vos". Aquiete-se ou fique quieto, e fale com o coração. Se você falar com o coração, Deus virá e também falará com o seu coração. O Espírito divino lhe fará uma visita amorosa e lhe dará visões do amor de Deus. — *Joseph Caryl*

v. 4: "Perturbai-vos".

Com santa perturbação pronuncie o nome divino
A quem nossas palavras ou pensamentos não podem alcançar
— *John Needham, 1768*

v. 6: Onde Cristo se revela há satisfação na mais escassa porção, e sem Cristo há vazio na mais abundante porção. — *Alexander Grosse, "On Enjoying Christ" [Sobre Desfrutar Cristo], 1632*

v. 6: "Muitos", falou Davi, "dizem: Quem nos mostrará o bem?", dando a entender riquezas, honra e prazer que não são bons. Mas quando ele chega à própria espiritualidade, ele omite os "muitos" e ora na sua pessoa gramatical: "Senhor, exalta sobre nós a luz do teu rosto", como se ninguém se juntasse com ele. — *Henry Smith*

v. 6: "Quem nos mostrará o bem?" O trecho é suficientemente enfático. Há multidões que dizem: "Quem nos mostrará o bem?" Os homens querem o bem. Odeiam o mal por ser mau, pois através dele há dor, sofrimento e morte. Desejam achar que bem supremo lhes encherá o coração e lhes poupará do mal. Mas os homens equivocam-se com este bem. Procuram um bem para satisfazer-lhes as emoções. Não têm noção de felicidade que não lhes venha por meio dos sentidos. Por isso, rejeitam o bem espiritual e o Deus supremo, por meio unicamente de quem todas as faculdades da alma humana podem ser satisfeitas. — *Adam Clarke*

v. 6: "Exalta sobre nós a luz do teu rosto". Esta era a bênção sumo sacerdotal e é a herança de todos os santos. Inclui reconciliação, segurança, comunhão, bênção — em uma palavra, a plenitude de Deus. Que sejamos cheios de toda essa herança. — *C. H. S.*

vv. 6 e 7: Para que as riquezas não sejam consideradas más em si mesmas, às vezes Deus as dá para os justos; para que elas não sejam consideradas como o bem principal, muitas vezes ele as dá aos ímpios. Mas de modo geral são mais a porção dos inimigos do que dos amigos. Infelizmente, o que é receber e não ser recebido? Não ter outros orvalhos de bênçãos do que aqueles que serão acompanhados por chuvas de enxofre? Podemos nos rodear com faíscas de segurança, e depois nos garantir com misérias eternas. Este mundo é uma ilha flutuante, e se nele lançarmos âncora, seguramente seremos levados embora com ele. Deus e tudo que ele fez não são mais que Deus sem qualquer coisa que ele fez. Ninguém que tenha uma nina de ouro pode desejar riquezas. Ele se basta para si mesmo sem a criatura, mas a criatura não é nada sem ele. É melhor desfrutá-lo sem outra coisa do que desfrutar todas as outras coisas sem ele. É melhor ser um vaso de madeira cheio de vinho do que um vaso de ouro cheio de água. — *William Secker, "Nonsuch Professor" [O Professor Incomparável], 1660*

v. 7: Que loucura e estupidez os queridos do céu invejarem os homens do mundo, que na melhor das hipóteses se alimentam das migalhas que caem da mesa de Deus!

As coisas temporais são os ossos, as espirituais são o tutano. Está abaixo de os homens invejarem os cachorrinhos por causa dos ossos? Não é muito mais baixo de os cristãos invejarem os outros pelas coisas temporais, quando eles mesmos desfrutam das coisas espirituais? — *Thomas Brooks*

v. 7: "Puseste alegria no meu coração". As consolações que Deus reserva para os que choram são consolações que enchem, satisfazendo-os: "O Deus de esperança vos encha de todo o gozo" (Rm 15.13); "pedi [...] para que a vossa alegria se cumpra" (Jo16.24). Quando Deus derrama as alegrias do céu, elas enchem o coração, fazendo-o transbordar: "Estou [...] transbordante de gozo" (2 Co 7.4), em grego é: "Eu transbordo de alegria", como um copo que está cheio de vinho até que transborde. As consolações externas não enchem o coração mais do que um triângulo enche um círculo. As alegrias espirituais satisfazem: "A minha alma se fartará, como de tutano e de gordura; e a minha boca te louvará com alegres lábios" (Sl 63.5). "Puseste alegria no meu coração." As alegrias do mundo põem alegria no rosto, mas o Espírito de Deus põe alegria no coração. As alegrias divinas são alegrias do coração: "O seu coração se regozijará" (Zc 10.7; Jo 16.22); "O meu espírito se alegra em Deus" (Lc 1.47). Para mostrar como estas consolações satisfazem, que são de origem divina, o salmista diz que elas geram maior alegria do que quando "se multiplicaram o seu trigo e o seu vinho". Vinho e óleo podem alegrar, mas não satisfazem; têm a sua vacuidade e indigência. Podemos dizer, como consta em Zacarias 10.2, que "com vaidade consolam". As consolações externas saciam mais cedo que a alegria, mas se esgotam antes de satisfazer. Xerxes ofereceu grandes recompensas àquele que descobrisse um novo prazer. Mas as consolações do Espírito são satisfatórias, pois recreiam o coração: "As tuas consolações reanimaram a minha alma" (Sl 94.19). Há muita diferença entre as consolações divinas e as terrenas quanta há entre um banquete que é comido e a pintura de um banquete na parede. — *Thomas Watson*

v. 8: Diz a Bíblia que o lavrador, tendo lançado a semente à terra, dorme e se levanta de dia ou de noite. A semente brota e cresce, não sabendo ele como (Mc 4.26,27). Do mesmo modo, tendo o homem bom lançado pela fé e oração os seus cuidados em Deus, descansa de noite e de dia. É muito fácil, pois ele deixa que o seu Deus faça todas as coisas para ele de acordo com a santa vontade divina. — *Matthew Henry*

v. 8: Quando você anda com Deus de manhã à noite, deduz-se que você conclui bem o dia no momento em que você se dá ao descanso à noite. Portanto, em primeiro lugar, rememore e tenha uma visão fixa da sua postura mantida ao longo do dia. Corrija o que você achar que esteja errado. Alegre-se ou entristeça-se, quando descobrir que fez algo bom ou ruim, ao aumentar ou diminuir em graça naquele dia. Em segundo lugar, você não pode dormir em segurança se Deus, que é o seu guardião (Sl 121.4,5), não guardar e vigiar você (Sl 127.1). Embora você tenha Deus para vigiar você enquanto você dorme, não há como estar seguro, se aquele que vigia for o seu inimigo. Portanto, é muito conveniente que à noite você renove e confirme a paz com Deus através da fé e oração, recomendando e entregando-se ao ensino de Deus através da oração (Sl 3.4,5; 92.2), com ação de graças antes de deitar-se. Então você se deitará em segurança (Sl 4.8). Tendo feito isso, enquanto estiver despindo-se, deitando-se e acomodando-se na cama, antes de dormir, é bom você falar com o seu coração (Sl 4.4). Se puder dormir meditando nas coisas espirituais, então o seu sono será mais suave (Pv 3.21,24,25) e mais seguro (Pv 6.21,22). Os sonhos serão menos frequentes ou mais confortáveis. A cabeça estará mais cheia de bons pensamentos (Pv 6.22), e o coração estará em melhor disposição quando você acordar, quer à noite ou pela manhã. — Condensado de *Henry Scudder, "Daily Walk" [Andar Diário], 1633*

v. 8: Temos de nos retirar por certo tempo da agitação das palavras e da hostilidade aberta dos inimigos, aconchegando-nos na quietude e privacidade do quarto. Aqui também encontramos o "eu vou" da confiança: "Em paz também me deitarei e dormirei, porque só tu, Senhor, me fazes habitar em segurança". Deus nos é revelado na ação de exercer cuidado pessoal no quarto silencioso. Há algo aqui que deve ser inexprimivelmente agradável para o crente, pois mostra a minúcia do cuidado de Deus, a individualidade do seu amor. O quanto que condescende, inclina-se e age, não só nas grandes esferas, mas também nas pequenas. Atua não só onde se alcança glória proveniente de grandes resultados, mas também onde nada se obtém exceto a gratidão e amor da criatura fraca e pobre, cuja vida foi protegida e preservada no período de desamparo e sono. Como seríamos abençoados se reconhecêssemos mais prontamente a presença de Deus no silêncio do quarto, se pensássemos nele como alguém que está presente durante todas as horas de doença, cansaço e dor, se acreditássemos que o interesse e cuidado divino estão tão concentrados no crente débil quanto no seu povo quando está no mais amplo campo de batalha da agitação de palavras. Há algo inexpressivelmente tocante neste "deitarei" do salmista. Ao deitar-se, ele voluntariamente abriu mão da autoproteção, entregando-se às mãos de outro. Entregou-se tão inteiramente, que na ausência de ter cuidado ele dormiu. Vemos aqui a confiança perfeita em ação. Muitos crentes se deitam, mas não dormem. Talvez se sintam suficientemente seguros no que tange à preocupação do corpo, mas os cuidados e ansiedades lhes invadem a privacidade do quarto de dormir. Sentem que a fé e a confiança lhes são tentadas, ameaçadas, amedrontadas, afugentadas. Infelizmente, os ataques são muito fortes para a confiança prevalecer. Há muitos crentes que, coitados, diriam: "Eu me deitarei e não dormirei". O autor encontrou um exemplo comovedor deste fato ao visitar um ministro idoso severamente doente. As circunstâncias deste homem ilustre eram tensas, e as provações pelas quais a família passava eram grandes. Ele disse: "O médico quer que eu durma, mas como posso dormir com os cuidados sentados em meu travesseiro?" É a experiência de alguns do povo do Senhor que, embora seja reação idêntica diante de a uma emergência ou pressão continuada, esboçam uma reação retardada. Quando ficam a sós, o seu espírito se deprime, e não percebem a força de Deus, nem sentem a confiança que sentiam nele agora que a pressão mostra a sua força. [...] Há certa provação na quietude. É frequente o silêncio do quarto nos exigir mais da confiança amorosa do que quando estamos no campo de batalha. Que possamos confiar em Deus cada vez mais nas coisas pessoais! Que seja ele o Deus de nosso quarto, como também de nosso templo e casa! Que possamos levar a ele cada vez mais as minúcias da vida diária! Se assim o fizermos, alcançaremos um nível de descanso ao qual, talvez, nos é desconhecido atualmente, teremos menos medo do quarto do doente e sentiremos a mente tranquila que leva rapidamente ao repouso do corpo e da alma. Devemos dizer: "Eu me deitarei e dormirei, porque deixo o amanhã com Deus". O irmão de Ridley ofereceu-se para ficar com ele durante a noite que precedeu o martírio, mas o bispo recusou, dizendo que "ele queria ir para cama e dormir tão profundamente quanto sempre fez na vida". — *Philip Bennett Power, "'I Wills' of the Psalms" [Os "Eu Vous" dos Salmos], 1862*

v. 8: A pertinente observação da providência gerará e garantirá a tranquilidade interior em meio às vicissitudes e agitação de coisas neste mundo vão e instável. "Em paz também me deitarei e dormirei, porque só tu, Senhor, me fazes habitar em segurança." Ele decide que o medo incrédulo dos acontecimentos da vida não lhe roubará a quietude interior, nem lhe torturará os pensamentos com presságios inquietantes. Ele entregará todas as suas preocupações aos cuidados fielmente paternais que até aqui tomou conta de todas as coisas para ele. Não é seu propósito perder o conforto de uma noite de descanso, nem trazer o mal de amanhã para o hoje. Mas sabendo em que mãos ele estava, ele sabiamente desfruta a doce felicidade de uma vontade rendida. Agora, esta tranquilidade mental é tanto gerada quanto conservada pela devida consideração da providência como por qualquer outra coisa. — *John Flavel, 1627-1691*

v. 8: Feliz é o cristão que, tendo todas as noites este versículo, entrega-se à cama como à sepultura, pois por fim, com as mesmas palavras, se resignará à sepultura como à cama da qual ele crê que se levantará no devido tempo para cantar o hino da manhã com os filhos da ressurreição. — *George Home, Doutor em Teologia, 1776*

v. 8: "E dormirei".

Como era abençoado o sono
Que o inocente Salvador teve!
Em vão os ventos da tempestade sopraram
Até que ele acordou com a aflição dos outros
E silenciou as ondas para voltar a descansar

Como é agradável o sono
O sono que os cristãos têm!
Ó lamentadores! Parem de afligir-se
Enquanto gostosamente no peito do Salvador
Os justos se entregam ao descanso infinito
— *Sra. M'Cartree*

SUGESTÕES AOS PREGADORES

v. 1. Está cheio de temas para sermão: as misericórdias do passado servem de argumento para buscar a ajuda no presente. A primeira frase mostra que os crentes desejam, esperam e crêem em um Deus que ouve as orações. O título "Deus da minha justiça" fornece um texto (ver Exposição). A última frase sugere um sermão: "O melhor dos santos ainda tem de apelar para a misericórdia e graça soberana de Deus".

v. 2. A depravação do homem se mostra pela permanência (1) em menosprezar Cristo, (2) em amar a vaidade no coração e (3) em buscar a mentira na vida diária.

v. 2. A extensão do pecado do pecador. "Quanto tempo?" Pode ser limitado pelo arrependimento, será restringido pela morte e ainda continuará na eternidade.

v. 3. Eleição. Os seus aspectos para com Deus, com os nossos inimigos e conosco mesmos.

v. 3. "O SENHOR ouvirá quando eu clamar a ele." Respostas à oração garantidas para as pessoas especiais. Destaque as pessoas que podem reivindicar o favor.

v. 3. O separatista gracioso. Quem é ele? Quem o separou? Com que fim? Como fazer para que os homens o conheçam?

v. 4. O pecador orientado a examinar-se a fim de que lhe convençam do pecado. — *Andrew Fuller, 1754-1815*

v. 4. "Calai-vos." Conselho bom e prático, mas difícil de seguir. Tempos quando propícios. Graças necessárias para permitir que a pessoa se cale. Resultados da tranquilidade. Pessoas que mais precisam de conselho. Exemplos da prática do conselho. Aqui há muito material para um sermão.

v. 5. A natureza dos sacrifícios de justiça que se espera que o povo do Senhor ofereça. — *William Ford Vance, 1827*

v. 6. O contraste entre o clamor do mundo e o clamor da igreja. A voz do povo nem sempre é a voz de Deus.

v. 6. Os ardentes desejos da alma são todos satisfeitos em Deus.

vv. 6 e 7. A garantia do amor do Salvador, a fonte de alegria incomparável.

v. 7. As alegrias do crente: (1) A fonte: "[Tu]" (pronome oculto), (2) o tempo — agora mesmo: "[Tu] puseste", (3) o lugar: "No meu coração", (4) a excelência: "Mais do que no tempo em que se multiplicaram o seu trigo e o seu vinho".

Outra sugestão de excelente tema: "A superioridade das alegrias da graça em relação às alegrias da terra"; ou: "Dois tipos de prosperidade — qual deve ser a mais desejada?"

v. 8. A paz e segurança do homem bom. — *Joseph Lathrop*, Doutor em Teologia, *1805*

v. 8. O dormitório para os crentes, uma canção vespertina para cantar no quarto e um guarda para guardar a porta.

v. 8. O boa-noite do cristão.

vv. 2 a 8. Os meios que os crentes devem usar para ganhar os não-crentes a Cristo: (1) Repreensão, versículo 2; (2) instrução, versículo 3; (3) exortação, versículos 4 e 5; (4) testemunho da bem-aventurança da verdadeira religião, como consta nos versículos 6 e 7; (5) exemplificação desse testemunho através da paz da fé, versículo 8.

SALMO 5

TÍTULO

Salmo de Davi para o cantor-mor, sobre Neilote. A palavra hebraica traduzida por "Neilote" é derivada de outra palavra, que significa "perfurar", "furar através de", de onde veio a significar "tubo" ou "flauta". Sendo assim, este cântico era para ser cantado com acompanhamento de instrumentos de sopro, como o chifre, a trombeta, a flauta ou a corneta.

Entretanto, é adequado observar que não estamos seguros da interpretação desses títulos antigos, pois a Septuaginta traduz assim: "Para aquele que obterá a herança". Aben Ezra opina que denota uma melodia antiga e famosa segundo a qual o salmo deveria ser cantado. Os melhores estudiosos confessam que grande incerteza paira sobre a interpretação exata dos títulos. Não é muito a ser lamentado, visto que fornece evidência interna sobre a antiguidade do livro.

Ao longo dos Salmos 1 a 4, você deve ter notado que o assunto girou em torno do contraste entre a posição, o caráter e o destino dos justos e dos ímpios. Neste salmo, você notará a mesma coisa. O salmista faz um contraste entre ele mesmo ter sido justificado pela graça de Deus e o ímpio que se lhe opôs.

Para a mente devota, esta é a apresentação de uma visão preciosa do Senhor Jesus, de quem se diz que nos dias da sua carne, ele ofereceu orações e súplicas com grande clamor e lágrimas (ver Hb 5.7).

DIVISÃO

Dividiremos o salmo em duas partes: dos versículos 1 ao 8 e dos versículos 9 ao 12. Na primeira parte do salmo, Davi veementemente roga que o Senhor lhe ouça a oração, e na segunda parte, ele repassa o mesmo terreno.

EXPOSIÇÃO

1 *Dá ouvidos às minhas palavras, ó* Senhor*; atende à minha meditação.*

1. Há dois tipos de oração — as expressas em palavras e as expressas em desejos não ditos que subsistem como meditações silenciosas. As palavras não são a essência, mas a roupagem da oração. Quando estava diante do mar Vermelho, Moisés clamou a Deus, embora não dissesse nada. Contudo, o uso da língua previne a distração da mente, ajuda as faculdades da alma e promove a devoção. Vemos que Davi usa as duas formas de oração, almejando uma para ser ouvido e a outra para ser atendido. Que palavra expressiva! "Atende à minha meditação." Se peço o que é certo, dê-me; se omito pedir o que mais preciso, preencha a falta em minha oração. "Atende à minha meditação." Que a tua alma santa a atende como tendo sido apresentada por meu Mediador todo-glorioso. Depois, atende-a em tua sabedoria, pesa-a na balança, julga a minha sinceridade e o verdadeiro estado de minhas necessidades, respondendo-me no devido tempo por tua misericórdia! É possível haver intercessão prevalecente quando não há palavras. Infelizmente, também é possível haver palavras quando não há a verdadeira súplica. Cultivemos o espírito de oração que até é melhor do que o hábito da oração. É possível haver oração aparente quando há pouca devoção. Comecemos a orar antes de nos ajoelhar, e não cessemos quando nos levantarmos.

2 *Atende à voz do meu clamor, Rei meu e Deus meu, pois a ti orarei.*

2. *"À voz do meu clamor."* Em outro salmo, encontramos a expressão: "A voz do meu lamento" (Sl 6.8). O lamento tem uma voz cujo tom é comovedor e melancólico, uma estridência lancinante que atinge o próprio coração de Deus. O clamor tem uma voz, cuja eloquência comove a alma. Partindo do nosso coração alcança o coração de Deus. Meus irmãos e minhas irmãs, às vezes não conseguimos exprimir em palavras as nossas orações. Não passam de um clamor ou choro. Mas o Senhor sabe o significado, porque Ele ouve a voz que há em nosso choro de clamor. Para o pai ou mãe amorosa os choros dos filhos são música. Têm influência mágica à qual o coração não pode resistir.

"Rei meu e Deus meu." Observe cuidadosamente estes pronomes: "Rei *meu* e Deus *meu*". São o cerne e a essência da súplica. Este é um forte apelo para Deus responder à oração, porque Ele é o *nosso* Rei e o *nosso* Deus. Não somos estranhos a Ele, visto que Ele é o Rei de nossa vida. É função dos reis atenderem aos rogos do seu povo. Não somos estranhos a Rei. Somos os seus adoradores e ele é o nosso Deus — é nosso por aliança, por promessa, por juramento e por sangue.

"Pois a ti orarei." Davi expressa a declaração de que buscará a Deus e somente a Deus. Deus tem de ser o objeto único de nossa adoração — o recurso exclusivo de nossa alma em tempos de necessidade. Deixemos as cisternas rotas para os ímpios, bebamos a bebida espiritual da única fonte divina.

"A ti orarei." Davi toma uma decisão: enquanto vivesse, ele oraria. Ele jamais deixaria de suplicar, ainda que a resposta não viesse.

3 *Pela manhã, ouvirás a minha voz, ó* Senhor; *pela manhã, me apresentarei a ti, e vigiarei.*

3. Observe que esta não é tanto uma oração quanto uma decisão: "'Ouvirás a minha voz', não ficarei mudo, não me calarei, não reterei o meu pronunciamento, clamarei a ti, pois o fogo que habita em mim me compele a orar". Antes morrer do que viver sem oração. Nenhum filho de Deus é possesso com o demônio da mudez.

"Pela manhã." Esta é a melhor hora para uma conversa relacional com Deus. Uma hora pela manhã vale duas da noite. Enquanto o orvalho ainda está na relva,

que a graça goteje na alma. Demos a Deus a manhã de nosso dia e a manhã de nossa vida. A oração deve ser a chave do dia e a fechadura da noite. A devoção tem de ser a estrela da manhã e a estrela da noite.

Se meramente lermos nossa versão bíblica e quisermos uma explicação dessas duas frases, acharemos a figura do arqueiro: "[Eu] te apresento a minha oração" (ARA). Porei a minha oração no arco, e a dirigirei ao céu. E quando minha flecha estiver subindo, ficarei vendo até onde ela vai. Mas o original hebraico tem um significado ainda mais amplo. A palavra hebraica traduzida por "apresentarei" ("apresento", ARA) é usada para referir-se a colocar em ordem a lenha e os pedaços da vítima sobre o altar. É também usada para referir-se a colocar os pães da proposição sobre a mesa da proposição. Significa exatamente isto: "Eu organizarei a minha oração diante de ti". Eu a disporei no altar pela manhã, da mesma maneira que o sacerdote dispunha o sacrifício matutino. Organizarei a minha oração. Ou, como antigo Mestre John Trapp a traduziu: "Eu porei em ordem as minhas orações", convocarei todos os meus poderes e mandarei que se coloquem nos seus devidos lugares para que eu possa suplicar com todas as minhas forças e orar aceitavelmente.

"E vigiarei", ou, como poderíamos traduzir melhor o original hebraico: "'E observarei', procurarei a resposta. Depois de ter orado, esperarei pela vinda da bênção". É uma palavra usada em outro texto bíblico onde lemos sobre aqueles que vigiavam esperando a chegada da manhã. Assim vigiarei à espera da tua resposta, ó meu Senhor! Eu espalharei a minha oração como a vítima sobre o altar, e vigiarei à espera de receber a resposta pelo fogo do céu para consumir o sacrifício.

A última parte do versículo sugere duas perguntas. Perdemos grande parte da doçura e eficácia da oração por não meditarmos cuidadosamente antes da oração e por não esperarmos esperançosamente depois. É muito frequente entrarmos às pressas na presença de Deus sem premeditação ou humildade. Será que continuamos vivos se nos apresentarmos na presença de um rei sem termos um pedido? Não é de admirar que percamos o fim da oração? Deveríamos ter cuidado em manter o fluxo da meditação sempre fluindo, pois esta é a água que impulsiona o moinho da oração. É fútil abrir as comportas de um rio seco e esperar que a roda gire. Oração sem fervor é como caçar com um cão morto, e oração sem preparação é como caçar com um falcão cego. A oração é obra do Espírito Santo, mas ele trabalha através de meios. Deus fez o homem, mas usou o pó da terra como material. O Espírito Santo é o autor da oração, mas ele emprega os pensamentos da alma fervorosa como o ouro para fabricar o vaso. Não deixemos que as nossas orações e louvores sejam os flashes de um cérebro esquentado e precipitado, mas a chama contínua de um fogo forte.

Mas, além disso, não é verdade que nos esquecemos de ver o resultado de nossas súplicas? Somos como a avestruz que bota os ovos e não cuida dos filhotes. Semeamos a semente, e somos muito preguiçosos em fazer a colheita. Como podemos querer que o Senhor abra as janelas da graça e derrame sobre nós as bênçãos, se não abrimos as janelas da esperança e procuramos os benefícios prometidos? Que a santa preparação nos una as mãos com expectativa paciente, e tenhamos respostas muito maiores às nossas orações.

4 *Porque tu não és um Deus que tenha prazer na iniquidade, nem contigo habitará o mal.*
5 *Os loucos não pararão à tua vista; aborreces a todos os que praticam a maldade.*
6 *Destruirás aqueles que proferem a mentira; o Senhor aborrecerá o homem sanguinário e fraudulento.*

4. Tendo o salmista expresso a decisão de orar, imediatamente o ouvimos se aplicar à oração. Ele roga que seja livre dos inimigos cruéis e maus, usando um argumento

muito forte. Implora a Deus que os afaste para longe, porque desagradavam até ao próprio Deus. “Porque tu não és um Deus que tenha prazer na iniquidade, nem contigo habitará o mal.” “Quando oro para ser livre dos meus tentadores”, diz Davi, “oro para ser livre das mesmas coisas que tu detestas”. Tu odeias o mal: Senhor, eu te peço, livra-me disso.

Tomemos ciência da verdade solene do ódio que um Deus justo tem de nutrir contra o pecado. Ele não tem prazer na iniquidade, por mais sutil, impressionante e suntuosa que se disponha. O resplendor do pecado não lhe causa o menor encanto. Os homens se curvam diante da vilania bem-sucedida, e, na ostentação do triunfo, se esquecem das iniquidades e maldades cometidas na batalha, mas o Senhor da santidade não é tal pessoa como nós.

“Nem contigo habitará o mal.” Ele não lhe proporcionará o menor abrigo. Nem na terra nem no céu os ímpios terão parte na mansão de Deus. Como somos tolos em tentar entreter dois convidados tão hostis um ao outro como Cristo Jesus e o Diabo! É certo que Cristo não habitará na sala de visitas de nosso coração se entretivermos o Diabo no porão dos nossos pensamentos.

5. *“Os loucos não pararão à tua vista.”* Os pecadores são loucos varridos. Um pequeno pecado é uma grande loucura, e a maior de todas as loucuras é um grande pecado. Pecadores loucos como estes devem ser banidos dos pátios celestiais. Era costume os reis terrestres terem bobos na corte que agiam loucamente, mas o único Deus sábio não terá bobos no palácio celestial.

“Aborreces a todos os que praticam a maldade.” Não se trata de simples antipatia, mas de ódio total que Deus nutre contra os que praticam a iniquidade. Ser odiado por Deus é algo terrível. Sejamos extremamente fiéis em advertir os ímpios que conhecemos, pois lhes será coisa terrível caírem nas mãos de um Deus irado!

6. Observe que os que proferem a maldade têm de ser castigados como também os que praticam a maldade, pois “destruirás aqueles que proferem a mentira”. Todos os mentirosos terão parte no lago que queima com fogo e enxofre. O homem pode mentir impunemente diante da lei dos homens, mas ele não escapará da lei de Deus. A mentira tem pernas curtas, cuja caminhada terminará logo com os mentirosos entrando no lago ardente da destruição.

“O Senhor aborrecerá o homem sanguinário e fraudulento.” Os homens sanguinários ficarão bêbados com o próprio sangue, e os que começam enganando os outros terminarão sendo enganados. Como diz o antigo ditado: “Os homens sanguinários e fraudulentos cavam a própria sepultura”. Neste caso, a voz do povo é a voz de Deus. Como é impressionante forte a palavra “aborrecerá”! Mostra-nos claramente que o ódio do Senhor contra os que praticam a maldade é grande e entranhado.

7 *Mas eu entrarei em tua casa pela grandeza da tua benignidade; e em teu temor me inclinarei para o teu santo templo.*

7. Esse versículo completa a primeira parte do salmo. O salmista dobrou os joelhos em oração e descreveu diante de Deus, como argumento favorável à sua libertação, o caráter e o destino dos ímpios. Agora ele o contrasta com a condição dos justos. “Mas eu entrarei em tua casa.” Não ficarei à distância, eu entrarei no teu santuário, da mesma maneira que um filho entra na casa do pai. Mas ali não entrarei baseado em méritos próprios. Tenho uma multidão de pecados, por isso entrarei “pela grandeza da tua benignidade”. Eu me achegarei a ti com confiança por causa da tua graça imensurável. Os julgamentos de Deus são numeráveis, mas as suas misericórdias (ARA) são inumeráveis. A ira Ele dá por medida, mas a benignidade é sem medida.

"E em teu temor me inclinarei para o teu santo templo", em direção ao templo da tua santidade. Na época da composição do salmo, o templo ainda não fora construído na terra; não passava de um tabernáculo, uma tenda. Mas Davi estava acostumado a voltar os olhos espiritualmente ao templo da santidade de Deus onde entre as asas dos querubins o Senhor habita na luz inacessível. Daniel abria a janela em direção a Jerusalém, mas nós abrimos o coração em direção ao céu.

8 *Senhor, guia-me na tua justiça, por causa dos meus inimigos; aplana diante de mim o teu caminho.*

Analisemos agora a segunda parte na qual o salmista repete as súplicas, repassando o mesmo terreno.

8. *"Senhor, guia-me"* como uma criança é conduzida pelo pai, como um cego é guiado pelo amigo. É seguro e agradável andar quando Deus conduz desse modo.

"Na tua justiça", não na minha justiça, pois ela é imperfeita, mas em tua, pois Tu és a própria justiça.

"Aplana [...] o teu caminho", não o meu caminho "diante de mim". Quando aprendemos a deixar de lado o nosso caminho e desejamos andar no caminho de Deus, damos evidência da graça em operação. Não é pouca misericórdia ver com visão clara o caminho de Deus aplanado diante de nós. Os erros acerca dos deveres levam-nos a um mar de pecados, antes de nos darmos contas de onde estamos.

9 *Porque não há retidão na boca deles; o seu íntimo são verdadeiras maldades; a sua garganta é um sepulcro aberto; lisonjeiam com a sua língua.*

9. O apóstolo Paulo copiou essa representação dos homens depravados e, junto com outras citações, colocou-a no segundo capítulo de Romanos como uma descrição precisa da raça humana — não apenas dos inimigos de Davi, mas de todos os homens por natureza. Note que ilustração impressionante: "A sua garganta é um sepulcro aberto", um sepulcro que causa extremo asco, miasma, peste e morte. Pior que isso, é um sepulcro aberto que emite todos os gases pestilentos, espalhando morte e destruição. Portanto, com relação à garganta dos ímpios, faria um grande bem se fosse fechada para sempre. Se fechássemos hermeticamente em um silêncio ininterrupto, a boca dos ímpios seria como um sepulcro fechado e não produziria muito dano. Mas "a sua garganta é um sepulcro aberto". Por conseguinte, toda a maldade do coração exala e exsuda. Como é perigoso um sepulcro aberto. Os homens em seus trajetos de locomoção podem facilmente cair num sepulcro aberto e se achar entre os mortos. Tome cuidado com os ímpios, pois não há nada que eles não digam para arruiná-lo. Desejam destruir-lhe o caráter e sepultá-lo no repugnante sepulcro da sua própria garganta má. Mas tenhamos um pensamento agradável aqui. Na ressurreição haverá não apenas a ressurreição de corpos, mas de personalidades também. Esta é grande consolação para o homem que foi maltratado e caluniado: "Os justos resplandecerão como o sol" (Mt 13.43). O mundo pode pensar que você é vil, e enterrar o seu caráter. Mas se você for reto e justo, no dia em que os sepulcros entregarem os seus mortos, esse sepulcro aberto da garganta dos pecadores será forçado a entregar de si o caráter divino que você é, e você sairá e será honrado à vista dos homens.

"Lisonjeiam com a sua língua", ou, poderíamos ler: "Eles têm uma língua oleosa, escorregadia, bajuladora". A língua bajuladora é um grande mal. Muitos são enfeitiçados por ela. Há muitos "comedores de formigas humanos" que com a língua comprida coberta de palavras bajuladoras atraem e enredam os imprudentes, obtendo vantagens sobre eles. Quando o lobo lambe o cordeiro, ele está preparando-se para regar os dentes no seu sangue.

10 *Declara-os culpados, ó Deus; caiam por seus próprios conselhos; lança-os fora por causa da multidão de suas transgressões, pois se revoltaram contra ti.*

10. "Contra ti", não contra mim. Se fossem meus inimigos, eu os perdoaria, mas não posso perdoar os teus inimigos. Temos de perdoar os nossos inimigos, mas quanto aos inimigos de Deus não está em nossa alçada perdoá-los. Essas expressões foram notadas por homens de alto refinamento que as consideraram severas e irritantes aos ouvidos. "Eles são", dizem eles, "vingativos e dados à desforra". Não esqueçamos que podem ser traduzidas como profecias e não como desejos. Mas não nos preocupamos em nos valer desse método de fuga. Nunca ouvimos falar de um leitor da Bíblia que, depois de ler essas passagens, se tornasse vingativo. É justo testar a natureza da escritura pelos efeitos que causa. Quando ouvimos um juiz condenando um assassino, por mais severa que seja a sentença, não nos sentimos justificados em condenar os outros por algum dano particular cometido contra nós. O salmista fala como juiz, *ex officio*. Ele fala como a boca de Deus. Ao condenar os ímpios, ele não nos dá a menor justificativa para proferir algo do modo a amaldiçoar aqueles que nos ofenderam pessoalmente. O modo mais vergonhoso de amaldiçoar as pessoas é fingir abençoá-las. Sentimo-nos um tanto quanto divertidos ao notar a malícia desdentada daquele velho padre miserável de Roma, quando tolamente amaldiçoou o imperador da França com uma bênção. Na forma, ele o abençoava, mas na realidade, o amaldiçoava. Agora, em direto contraste pusemos esta comutação saudável de Davi, cujo objetivo é ser uma bênção por avisar o pecador da maldição iminente. Ó homem impenitente, saiba que todos os teus amigos religiosos darão o consentimento solene à sentença terrível do Senhor, que ele pronunciará sobre ti no dia do juízo! O nosso veredicto aplaudirá a maldição condenatória que o Juiz de toda a terra trovejará contra os ímpios.

No versículo seguinte, encontramos mais uma vez o contraste que marcou os salmos precedentes.

11 *Mas alegrem-se todos os que confiam em ti; exultem eternamente, porquanto tu os defendes; e em ti se gloriem os que amam o teu nome.*

11. A alegria é o privilégio do crente. Quando os pecadores forem destruídos, a nossa alegria estará completa. Eles sempre riem primeiro e choram depois. Nós choramos agora, mas nos alegraremos para sempre. Quando eles uivarem, nós exultaremos. Considerando que eles gemerão eternamente, nós exultaremos de alegria eternamente. Essas nossas bênçãos santas têm um firme fundamento, pois, ó Senhor, nós nos gloriamos em ti. O Deus eterno é o manancial de nossas bênçãos. Amamos a Deus, portanto nos deleitamos nele. O nosso coração está descansado em nosso Deus. Passamos suntuosamente bem todos os dias, porque nos alimentamos dele. Temos música em casa, música no coração e música no céu, pois o Senhor Jeová é a nossa força e a nossa canção. Ele também se tornou para nós a nossa salvação.

12 *Pois tu, Senhor, abençoarás ao justo; circundá-lo-ás da tua benevolência como de um escudo.*

12. O Senhor decretou para o seu povo ser os herdeiros das bênçãos, e nada lhes roubará a herança. Com toda a plenitude de poder, Ele os abençoará, e todos os seus atributos se unirão para saciá-los com a satisfação divina. Também não são apenas para o presente, pois as bênçãos alcançam o futuro distante e desconhecido.

"Tu, SENHOR, abençoarás ao justo." Essa é uma promessa de extensão infinita, de largura ilimitada e de preciosidade indescritível.

Quanto à defesa que o crente precisa neste mundo de batalhas, aqui lhe é prometido na mais plena medida. Os antigos usavam proteções vastas tão grandes quanto a altura do homem para envolvê-lo completamente. Assim diz Davi: "Circundá-lo-ás da tua benevolência como de um escudo". De acordo com Henry Ainsworth, temos também aqui a ideia de ser coroado, de forma que usamos um capacete da realeza que é ao mesmo tempo a nossa glória e a nossa defesa. Ó Senhor, dê-nos sempre essa coroação da graça!

NOTAS EXPLICATIVAS E DECLARAÇÕES IMPORTANTES

v. 1: "Dá ouvidos às minhas palavras, ó SENHOR; atende à minha meditação". É certo que os homens, em sua maioria, quando balbuciam orações vãs, chochas e ineficazes, extremamente indignas aos ouvidos do Deus bendito, estão em certa medida fazendo uma avaliação justa sobre si mesmos, nem esperando algo das orações, nem se mostrando inteiramente solícitos a respeito, mas entregando-as à mente como palavras vãs que de fato são. Mas longe esteja do homem sábio e piedoso ser tão tola e friamente leviano em assunto tão sério. A oração tem certa tendência e extensão, às quais ele almeja com desejo assíduo e repetido, e não só ora por orar, mas ora porque pode obter a resposta. E na medida em que firmemente crê que obtém a resposta, assim ele firme, constante e avidamente promove a sua petição, para que não se vanglorie com uma esperança vazia. — *Robert Leighton, Doutor em Teologia*

v. 1: A "meditação" ajusta a alma para a súplica e a enche de bons fluidos. Depois, a oração perfura a alma e a coloca em fluidez. Davi primeiro meditou e depois falou com a língua: "Faze-me conhecer, SENHOR, o meu fim" (Sl 39.3,4). Para nos assegurar que a meditação era a mãe que gerou e criou a oração, ele chama a criança pelo nome do pai dela: "Dá ouvidos às minhas palavras, ó SENHOR; atende à minha meditação". A meditação é o carregamento e a oração o descarregamento. "Saíra Isaque a meditar no campo" (Gn 24.63, ARA). Acerca disso, a Septuaginta, a tradução de Genebra e John Immanuel Tremellius trazem nas suas notas marginais a leitura "orar", em vez de "meditar". A palavra hebraica הָגִיג é usada com o significado tanto de orar quanto de meditar. Por conta disso, entendemos que são significados muito próximos; como gêmeos, estão no mesmo útero, na mesma palavra. A meditação é o melhor começo da oração, e a oração é a melhor conclusão da meditação. Quando o cristão, como Daniel, primeiro abre as janelas da alma pela contemplação, depois ele se ajoelha para orar. — *George Swinnock*

vv. 1 e 2: Observe a ordem e força das palavras, "meu clamor", "voz do meu clamor"; e também, "dá ouvidos", "atende", "atende" (ou "dá ouvidos", "acode", "escuta", ARA). Todas essas expressões evidenciam a urgência e vigor dos sentimentos e súplicas de Davi. Em primeiro lugar, "dá ouvidos" quer dizer ouça-me. Mas é de pouca serventia as palavras serem ouvidas, a menos que o "clamor", ou o "gemido" (ARA), ou a meditação, seja atendido. É como se ele tivesse dito, no modo comum de falar: Eu falo com profunda ansiedade e preocupação, mas uso uma expressão deficiente. Não posso me expressar, nem me fazer compreender como desejo. Tu entendes os meus sentimentos mais do que posso me expressar em palavras. Por isso, acrescento o meu "clamor". Aquilo que não posso expressar em palavras para tu ouvires, posso dizer por meu "clamor" para que entendas. E quando tu tiveres me entendido, ó Senhor, "atende à voz do meu clamor", e não menosprezes o que tu ouviste e entendeste. Contudo, não devemos entender que a audição, a compreensão e o atendimento sejam atos diferentes para Deus, da mesma maneira que são para nós. Mas os nossos sentimentos a Deus têm de ser variados e tenham uma sequência aumentativa, ou seja, primeiro devemos desejar ser ouvidos, depois, sendo ouvidos, que as nossas orações sejam entendidas, e por fim, sendo entendidas, que elas sejam atendidas, quer dizer, não sejam desconsideradas. — *Martinho Lutero*

v. 3: "Pela manhã, ouvirás a minha voz, ó Senhor".

Quando os teus olhos se abrirem, dai à tua alma a liberdade
De fazer o mesmo; os nossos corpos precedem
Os deveres do espírito; os verdadeiros corações dilatam-se e suspiram
Pelo seu Deus, como as flores fazem ao sol
Dá-lhe os teus primeiros pensamentos, pois assim tu o manterás
Em companhia o dia todo, e nele estarás ao dormir

Nunca esteja dormindo quando o sol nascer; a oração deve
Amanhecer com o dia, há horas terríveis determinadas
Entre o céu e nós; o maná não era bom
Depois que o sol nascia, porque o dia macula as flores
Levanta-te para evitar o sol; o sono peca por excesso
E as portas do céu se abrem quando as do mundo se fecham

Anda com as tuas criaturas companheiras; nota o silêncio
E murmúrios entre elas. Não uma fonte
Ou uma folha, mas o seu hino matutino; cada arbusto
E árvore conhecem o EU SOU — não podes tu cantar?
Abandona os teus cuidados e loucuras! Faz assim
E é certo que tu prosperarás todos os dias
— *Henry Vaughan, 1621-1695*

v. 3: "Pela manhã, ouvirás a minha voz". Ou, segundo Heman: "Pela manhã, a minha oração te prevenirá". Essa é a hora mais adequada para o devocional, quando você está revigorado em seu espírito e mais livre de distrações. Não há outra oportunidade para o cumprimento dos deveres santos que seja adequadamente chamada "as asas da manhã". — *Edward Reyner, 1658*

v. 3: "Pela manhã". "Nos dias de nossos pais", diz o bispo Burnet, "quando alguém chegava cedo à porta do vizinho e desejava falar com o dono da casa, era comum os criados lhe falarem com liberdade: 'O meu senhor está em oração', como hoje se diz: 'O meu senhor ainda não se levantou'."

v. 3: "De manhã te apresento a minha oração e fico esperando" (ARA), ou "porei em ordem a minha oração". Trarei pedido após pedido, súplica após súplica até que eu me torne como Jacó, príncipe com Deus, até que eu ganhe a luta e vença o dia. Assim, a palavra é aplicada por metáfora das discussões com os homens e das súplicas a Deus. Além disso, podemos entender o significado claramente sem qualquer força de retórica: "Coloca as tuas palavras em ordem diante de mim". O método é bom em todas as coisas, quer sejam por método público, quer particular. Às vezes, a melhor aplicação é por método particular. Quando falamos, há o uso especial de método, ainda que, como disse alguém (falando sobre aqueles que são mais curiosos quanto ao método do que sérios quanto ao assunto): "O método nunca converteu homem algum", o método e a ordem de palavras são muito úteis. Os nossos discursos não devem ser montões de palavras, mas palavras encadeadas;

não uma multidão de palavras, mas palavras colocadas em ordem, ou, por assim dizer, por pasta e subpasta. — *Joseph Caryl*

v. 3: "De manhã te apresento a minha oração e fico esperando" (ARA). Observamos nessas palavras duas coisas: primeiro, a postura de Davi na oração; segundo, o seu costume depois da oração. Primeiro, a sua postura na oração: "[Eu] te apresento a minha oração" (ARA). Segundo, o seu costume depois da oração: "E fico esperando" (ARA). Nessas palavras, o salmista faz uso de duas palavras militares. Primeiro, ele não só ora, mas ordena as orações, pondo-as em ordem de batalha (esse é o significado da palavra hebraica עָרַךְ). Segundo, tendo feito isso, ele é como um espião na torre de vigia que fica vendo se prevaleceu, se ganhou o dia ou não (esse é o significado da palavra hebraica צָפָה). Quando Davi terminava de colocar em boa ordem as suas orações e súplicas classificando-as por pasta e subpasta, então ele se punha a olhar e esperar para ver a qual porta Deus o enviaria em resposta à oração. Aquele que ora e ora, mas nunca espera pela resposta das orações, é tolo ou louco, é muito fraco ou muito mau. O tal atira muitas flechas para o céu, mas nunca se importa aonde elas caem. — *Thomas Brooks*

v. 3: Davi apresentava as suas orações a Deus e ficava esperando (cf. ARA). Não as apresentava ao mundo, à corrupção, mas a Deus para ouvir o que ele diria: "Escutarei o que Deus, o SENHOR, disser" (Sl 85.8). Que a decisão do profeta também seja a nossa: "Eu, porém, esperarei no SENHOR; esperei no Deus da minha salvação; o meu Deus me ouvirá" (Mq 7.7). — *William Greenhill, 1650*

v. 3: "[Eu] te apresento a minha oração e fico esperando" (ARA), quer dizer, eu negociarei, enviarei as minhas mercadorias espirituais e esperarei obter grande lucro. Farei as minhas orações e não as darei por perdidas, pois ficarei esperando pela resposta. Deus trará o homem para casa pelo caminho inverso e que ele se desviou. Na queda, o homem afastou-se para longe de Deus por desconfiança, tendo-o em suspeita. Deus o trará de volta por confiança, tendo pensamentos bons dele. Como pode vir abundantemente carregado o vaso que você enviou quando ele voltar para você, se no mínimo você desejar e esperar pelo retorno! — *George Swinnock*

v. 3: A fé tem a capacidade de apoio depois da oração. Apoia a alma para que espere pela resposta da graça: "[Eu] te apresento a minha oração e fico esperando" (ARA), ou procurarei, pois pelo que procurarei que não a resposta? Um coração incrédulo atira ao acaso, e nunca se importa onde as flechas caem, ou o que vem pela oração. Mas a fé enche a alma com expectativa. O comerciante, quando aumenta os seus bens, conta o que enviou para além mar, como também o que ele tem em mãos. Da mesma forma, a fé pensa no que ele enviou ao céu em oração e não recebeu, como também nas misericórdias que ele recebeu e, no momento, estão em suas mãos. Essa expectativa que a fé suscita na alma depois da oração mostra-se no poder que ela tem de aquietar e compor a alma no ínterim entre o enviar, por assim dizer, o navio da oração e a sua volta com a carga rica — que saíra em busca —, e é mais ou é menos de acordo com a força da fé. A fé, por vezes, vem da oração em triunfo, clamando: *Vitória*. Traz à realidade e dá a existência a misericórdia pela qual a alma do cristão orou antes que haja a probabilidade dessa misericórdia surgir aos sentimentos e razão, para que o cristão silencie todos os pensamentos preocupantes com a expectativa do recebimento do que pediu. Fará o cristão dar louvores à misericórdia antes de receber. [...] Por falta de espera muita oração se perdeu. Se você não crê, por que ora? E se crê, por que não espera? Ao orar você mostra que depende de Deus; ao não esperar, você renuncia a confiança. O que é isto, senão tomar o nome do Senhor em vão? Cristão, fique firme em suas orações na santa expectativa do que você pediu firmado no crédito da promessa. [...] Mardoqueu, sem dúvida, propusera muitas orações a Ester. Por isso, postou-se à porta do rei para ver qual resposta Deus lhe daria na sua providência.."Faze da mesma maneira" (Lc 10.37). — *William Gurnall*

v. 4: "Tu não és um Deus que tenha prazer na iniquidade". O homem que corta com uma faca cega é a causa do ato de cortar, mas não do ato de cortar mal e do corte da faca — a faca é a causa disso. Ou se o homem usa um instrumento que está desafinado, ele é a causa do som, mas não do som estridente — esta é culpa das cordas desafinadas. Ou o homem que anda em um cavalo manco fica se mexendo de modo esquisito — o homem é a causa do movimento, mas o cavalo é a causa do movimento manco. Assim, Deus é o autor de toda ação, mas não do mal dessa ação — isso pertence ao homem. Aquele que faz instrumentos e ferramentas de ferro ou outro metal não faz a ferrugem e o cancro que os corrói, isso é proveniente de outra causa. Também não é responsável o trabalhador divino, o Deus Todo-Poderoso, em trazer o pecado e a iniquidade; nem pode ser Ele devidamente culpado se as suas criaturas se sujam e se emporcalham com a lama do pecado, pois Ele as fez boas. — *John Spencer, "Things New and Old" [Coisas Novas e Velhas], 1658*

vv. 4 a 6: Esse texto apresenta o Senhor afastando-se gradualmente dos ímpios na forma de seis passos. Primeiro, Ele não tem prazer neles, "tu não és um Deus que tenha prazer na iniquidade"; segundo, Ele não habita com eles, "nem contigo habitará o mal"; terceiro, Ele os lança fora, pois "não pararão à tua vista"; quarto, o seu coração se afasta deles, "aborreces a todos os que praticam a maldade"; quinto, a sua mão se volta contra eles, "destruirás aqueles que proferem a mentira"; sexto, o seu espírito se levanta contra eles e se aparta deles, "o Senhor aborrecerá o homem sanguinário e fraudulento". Esse afastamento é realmente um castigo estranho (ainda que certo) para "os que praticam a iniquidade" (ARA). Podemos analisar as palavras "os que praticam a iniquidade" de dois modos. Primeiro, com o significado (não todos os tipos de pecadores ou pecadores de todos os tipos, mas) dos maiores pecadores, dos grandes e terríveis pecadores, dos determinados e teimosos pecadores. Estes são os que pecam habilidosamente e, por assim dizer, artificialmente com perícia e cuidado para adquirir um nome, como se tivessem a ambição de serem considerados praticantes que não precisam se envergonhar de fazer aquilo de que deveriam ter vergonha. Estes, no sentido exato da Escrituras, são "os que praticam a iniquidade" (ARA). Por conseguinte, note que os pecadores notórios fizeram do pecado o seu negócio ou comércio. Embora todo pecado seja uma prática da iniquidade, contudo só alguns pecadores são "os que praticam a iniquidade" (ARA). Aqueles que são chamados assim fazem a chamada para pecar. Lemos que há quem "ama e comete a mentira" (Ap 22.15). Aqueles que não amam nem cometem a mentira podem dizer uma mentira. Mas há os que cometem a mentira os quais, seguramente, são os que amam a mentira. Salmos 58.2 também descreve tais peritos em pecar: "Antes, no coração forjais iniquidades; sobre a terra fazeis pesar a violência das vossas mãos". O salmista não diz que eles tinham iniquidade no coração, mas que é ali que eles o forjaram. O coração é uma fábrica interior, uma oficina subterrânea. É onde eles maquinam, forjam e elaboram com rigor os propósitos maus e os ajustam em ações. — *Joseph Caryl*

v. 5: Que surpreendente é o pecado, que torna o Deus de amor e o Pai das misericórdias inimigo dos seres que Ele criou, e que só pode ser purgado pelo sangue do Filho de Deus! Todos os que creem na Bíblia têm de crer nisso. Contudo, a excessiva pecaminosidade do pecado é apenas fracamente compreendida por aqueles que a sentem de modo tão profundo e jamais será conhecida de forma plena neste mundo. — *Thomas Adam, "Private Thoughts" [Pensamentos Particulares], 1701-1284 v. 5:* "Aborreces a todos os que praticam a iniquidade" (ARA). Quanto ao que Deus pensa sobre o pecado, ver Deuteronômio 7.22; Provérbios 6.16; Apocalipse 2.6,15. Nessas passagens, Ele expressa a ira e ódio dedicados ao pecado, de cuja ira procede todas as pestes e julgamentos terríveis que saem da boca ardente da sua mais santa lei contra o pecado. Não é só a prática, mas os que praticam a iniquidade também se tornam o objeto da sua ira. — *William Gurnall*

v. 5: "Aborreces a todos os que praticam a iniquidade" (ARA). Se a ira de Deus é contra os que praticam a iniquidade, como é grande a ira contra a própria iniquidade! Se o homem odeia um animal venenoso, ele odeia o veneno muito mais. A força da ira de Deus é contra o pecado. Portanto, odiemos o pecado e o odiemos com força. Já que é uma abominação a Deus, que também o seja para nós: "Estas seis coisas aborrece o Senhor, e a sétima a sua alma abomina: olhos altivos, e língua mentirosa, e mãos que derramam sangue inocente, e coração que maquina pensamentos viciosos, e pés que se apressam a correr para o mal, e testemunha falsa que profere mentiras, e o que semeia contendas entre irmãos" (Pv 6.16-19). — *William Greenhill*

v. 5: Aqueles a quem o Senhor odeia têm de perecer. Mas Ele odeia os pecadores impenitentes: "Aborreces a todos os que praticam a iniquidade" (ARA). Quem são exatamente os que praticam a iniquidade senão aqueles que anseiam visceralmente por ela a ponto de não abandonar essa prática, ainda que estejam em perigo de perecer por ela? Cristo dirime toda dúvida. Os que praticam a iniquidade têm de perecer (Lc 13.27). Aqueles a quem o Senhor despedaçará na sua ira têm de perecer com uma testemunha, mas aqueles a quem Ele odeia, Ele despedaça (Jó 16.8). Quanto mais merecem tais pecadores impenitentes do que a ira! O que é mais apropriado do que a ira, visto que eles entesouram ira? (Rm 2.5). Terá Ele de receber no seio do seu amor aqueles que lhe odeiam a alma? Não, a destruição é a parte que lhes cabe (Pv 21.15). Se todas as maldições da lei, todas as ameaças do evangelho, todos os julgamentos na terra ou no inferno lhe serão a ruína, ele tem de perecer. Se o braço do Senhor for suficientemente forte para feri-lo de morte, ele tem de morrer (Sl 68.21). [...] Evite tudo que Cristo odeia. Se você ama, aprova, recebe aquilo que é odioso a Cristo, como pode Ele amar você? O que Cristo odeia? O salmista, tornando-o um dos atributos de Cristo, nos diz que Cristo odeia a impiedade (Sl 45.7). [...] Cristo odeia a iniquidade, portanto odeia "os que praticam a iniquidade" (ARA). Você não deve amar tais praticantes, a ponto de ser chegado a eles, ter prazer na companhia de malfeitores, claramente profanos, escarnecedores das coisas espirituais, obstrutores do seu poder (2 Co 6.14-18). Se você gosta de ter relações tão próximas com homens maus, Cristo não terá nenhuma relação com você. Se você deseja ter comunhão com Cristo em doces atos de amor, então não tenha comunhão com as obras infrutuosas das trevas, nem com aqueles que as fazem. — *David Clarkson, Bacharel em Teologia, 1621-1686*

v. 6: "Destruirás aqueles que proferem a mentira", quer mintam por brincadeira, quer estejam falando sério. Aqueles que mentem por brincadeira (caso não se arrependam) vão para o inferno a sério. — *John Trapp*

v. 6: "Destruirás aqueles que proferem a mentira; o Senhor aborrecerá o homem sanguinário e fraudulento". No mesmo campo em que Absalão fez guerra contra o seu pai, estava o carvalho que lhe serviu de forca. A jumenta na qual ele montava lhe foi de carrasco, pois ela o levou à árvore. E os cabelos em que ele se gloriava lhe fizeram a vez de corda de forca. Os ímpios nem imaginam que tudo que hoje possuem lhes serão de armadilha para prendê-los quando Deus começar a castigá-los. — *William Cowper, 1612 v. 7:* "Em teu temor me inclinarei". O temor ou medo natural faz o espírito se retirar das partes externas do corpo para concentrar-se no coração. Assim, o santo medo de fracassar em tão solene dever seria um meio de convocar os pensamentos de todos os objetos carnais exteriores para fixá-los no dever em mão. Como a gravura está no selo, assim estará a impressão na cera. Se o temor de Deus estiver intimamente gravado no nosso coração, não há dúvida de que deixará uma impressão satisfatória no dever que estiver cumprindo. — *William Gurnall*

v. 7: Disse Davi: "Em teu temor me inclinarei para o teu santo templo". O templo era a sombra do corpo de nosso Senhor Jesus Cristo, o Mediador, somente em quem as nossas orações e cultos são aceitos com o Pai que Salomão respeitava olhando em direção ao templo. — *Thomas Manton, Doutor em Teologia, 1620-1677*

v. 7: "Mas eu entrarei em tua casa pela grandeza da tua benignidade; e em teu temor me inclinarei para o teu santo templo". Que versículo abençoado! Que declaração bendita! As palavras e o próprio sentido fazem por si um forte contraste. Há duas coisas com as quais esta vida é exercida, a *esperança* e o *temor*, que são, por assim dizer, as duas fontes citadas em Juízes 1.15, a fonte superior e a fonte inferior. O temor surge por ver as ameaças e julgamentos temerosos de Deus. Sendo um Deus em cuja visão ninguém é limpo, toda pessoa é pecadora, toda pessoa é condenável. Mas a esperança surge de ver as promessas e as dulcíssimas misericórdias de Deus. Como está escrito: "Lembra-te, Senhor, das tuas misericórdias e das tuas benignidades, porque são desde a eternidade" (Sl 25.6). Entre esses dois, como entre a mó superior e a mó inferior, devemos sempre ser moídos e guardados para que jamais viremos ou para a direita ou para a esquerda. Essa virada é o estado peculiar dos hipócritas que são exercidos com as duas coisas contrárias: a segurança e a presunção. — *Martinho Lutero*

v. 9: Se a alma for infectada com tal doença irrecuperável, que trabalho grande e difícil é regenerar, restaurar os homens à vida e vigor espiritual, quando cada partícula do seu ser é capturada por tamanho destempero mortal! Como é grande a cura que o Espírito de Deus ocasiona ao restaurar a alma, santificando-a! Consideramos um grande feito, embora seja apenas uma parte do todo, a cura dos pulmões ou do fígado, caso estejam podres. Mas todo o seu íntimo está na maior podridão: "Porque não há retidão na boca deles; o seu íntimo são verdadeiras maldades; a sua garganta é um sepulcro aberto; lisonjeiam com a sua língua". Como é grande a cura que cura você! Tal cura cabe apenas à habilidade e poder de Deus fazer. — *Thomas Goodwin*

v. 9: "A sua garganta é um sepulcro aberto". Essa figura ilustra graficamente a conversa imunda dos ímpios. Nada é mais asqueroso aos sentidos do que um sepulcro aberto, quando o cadáver começa a putrefazer vapores em suas exalações putrefatas. O que procede da boca é infetado e pútrido. A exalação de um sepulcro comprova a corrupção interior, assim se dá com a conversa corrupta dos pecadores. —*Robert Haldane, "Expositions of the Epistle to the Romans" [Exposições da Epístola aos Romanos], 1835*

v. 9: "A sua garganta é um sepulcro aberto". Essa declaração nos admoesta:

(1) O discurso dos homens não regenerados naturais é insípido, podre e danoso aos outros. O sepulcro emite cheiros nauseantes e imundos, assim os homens maus proferem palavras podres e imundas.

(2) O sepulcro consome e devora os cadáveres que são lançados nele, assim fazem os homens maus com as suas palavras cruéis que destroem os outros; são como um golfo para destruir os outros.

(3) Como o sepulcro, tendo devorado muitos cadáveres, ainda está pronto para consumir muitos mais, nunca se satisfazendo, assim os homens maus, tendo

subvertido muitos com as suas palavras, procedem na sua afronta, buscando a quem possam devorar. — *Thomas Wilson, 1653*

v. 9: "O seu íntimo são verdadeiras maldades". Os seus corações são armazéns para o Diabo. — *John Trapp*

v. 10: Jamais devemos pensar que todas as passagens em que encontramos orações que ventilam vingança sejam algo mais que o consentimento ventilado das almas justas à justiça do seu Deus, que se vinga do pecado. Quando reputadas como as palavras do próprio Cristo, são nada mais que o eco da aquiescência do Intercessor na sentença dada à figueira estéril. É como se ele tivesse clamado em voz alta: "Corta-os agora, eu não intercederei mais, a sentença é justa, 'declara-os culpados, ó Deus; caiam por seus próprios conselhos; lança-os fora por causa da multidão de suas transgressões, pois se revoltaram contra ti'". Ao mesmo tempo podemos supor que ele convida os santos a compartilhar da sua decisão, como ocorre em Apocalipse 18.20: "Alegra-te sobre ela, ó céu, e vós, santos apóstolos e profetas". De certa forma, quando um dos membros de Cristo, em total concordância com a Cabeça, vê a figueira estéril do mesmo ponto de observação e vê a glória de Deus interessada em infligir o golpe, ele também pode clamar: "Que o machado entre em ação!" Se Abraão tivesse se colocado ao lado do anjo que destruiu Sodoma, e visto como o nome de Senhor requeria a ruína desses rebeldes impenitentes, ele teria clamado: "Que venha a chuva; que caiam fogo e enxofre!" Ele diria isso não em espírito de vingança, não por falta de amor carinhoso pelas almas, mas por pura preocupação pela glória do seu Deus. Em nossa opinião, essa explicação é a verdadeira chave que abre todas as passagens difíceis desse livro, onde maldições parecem ser lançadas na cabeça dos ímpios. São não mais que o cumprimento de Deuteronômio 27.15-26: "E todo o povo dirá: Amém!", o compartilhamento na aversão santa que o Senhor tem ao pecado e o prazer nos atos de justiça expressos no "Aleluia!" de Apocalipse 19.3. — *Andrew A. Bonar, 1859*

v. 10 (ou passagens imprecatórias em geral): Senhor, quando em meu serviços diários leio os salmos de Davi, conceda-me alterar a ênfase da minha alma de acordo com os diversos assuntos salmistas. Nos salmos em que ele confesse pecados, ou te suplique perdão, ou te louve por perdão já recebido, ou ore por bênçãos futuras, permita-me elevar a alma tão altaneiramente quanto possível. Mas quando eu ler os salmos em que ele amaldiçoa os inimigos, permita-me abater a alma tão humildemente quanto possível, pois tais palavras cabem apenas na boca de Davi. Tenho fôlego igual, mas não o mesmo espírito para pronunciá-los. Nem deixes que eu me vanglorie, que me é legítimo junto com Davi amaldiçoar os teus inimigos, para que o meu coração não se engane em intitular meus os teus inimigos. Assim o que era religião em Davi, se mostra maldade em mim, ainda que eu me vingue sob o pretexto da piedade. — *Thomas Fuller, Doutor em Teologia, 1608-1661*

v. 12: Quando o homem forte vem armado contra nós, quando ele arremessa os dardos inflamados, o que pode nos ferir, se Deus nos envolve com a sua "benevolência como de um escudo"? Ele desarma o tentador, retém-lhe a maldade e pisa-o debaixo de nossos pés. Se Deus não está conosco, se ele não nos dá graça suficiente, tal inimigo sutil, poderoso e prudente nos será muito difícil. Como é certa derrota e o recebimento do pior, quando lutamos com ele segundo a nossa própria força! Quantas quedas e quantos ferimentos por essas quedas, pois confiamos muito na nossa própria habilidade? Quantas vezes tivemos a ajuda de Deus quando humildemente lhe pedimos! Por outro lado, como é certa a vitória, se Cristo rogou por nós para que não desfaleçamos (Lc 22.31). Onde encontraremos abrigo exceto em Deus, nosso Criador? Quando esse leão da floresta começa a rugir, como ele nos aterroriza e nos atormenta, até que aquele o permite por certo tempo para nos inquietar se agrade em acorrentá-lo! — *Timothy Rogers, 1691*

v. 12: "Como de um escudo". Um dos subordinados do cardeal Tomás Caetano foi enviado ao encontro de Lutero, que, convocado para explicar as opiniões heréticas, viajava para Augsburg. Ao abordá-lo, perguntou onde ele encontraria abrigo, se o seu protetor, o eleitor da Saxônia, o abandonasse? "Sob a proteção dos céus!", foi a resposta. O subordinado, silenciado, virou-se e foi embora.

v. 12: "Circundá-lo-ás da tua benevolência como de um escudo". O escudo não é para a defesa de uma parte particular do corpo, como quase todas as outras peças da armadura são: o capacete se ajusta à cabeça; o peitoral foi projetado para o peito. Assim as outras peças têm as suas respectivas partes do corpo para proteger. Mas o escudo é uma peça projetada para a defesa do corpo inteiro. Era fabricado para ser muito grande. Por ser largo, era chamado portão ou porta. Era comprido e grande para cobrir o corpo todo. E se o escudo não fosse bastante largo para cobrir todo o corpo de uma só vez, ainda que fosse uma peça móvel da armadura, o soldado hábil podia girá-lo de um modo ou de outro para obstar o golpe ou a flecha. Isso de fato demonstrava excelentemente bem o uso universal que a fé tem para o cristão. Defende o homem por completo; cada parte do cristão é protegida. [...] O escudo não só protege e defende o corpo inteiro, mas também é uma defesa para a armadura do soldado. O capacete protege a cabeça da flecha, como também o peitoral protege o peito. Assim a fé, é armadura sobre armadura, uma graça que guarda todas as outras graças. — *William Gurnall*

SUGESTÕES AOS PREGADORES

vv. 1 e 2. Oração em sua forma tripla: "Palavras, meditação, clamor". Mostra que falar não adianta sem coração, mas que anseios fervorosos e desejos silenciosos são aceitos, mesmo quando não expressos.

v. 3. A excelência do devocional matutino.

v. 3. "[Eu] me apresentarei a ti, e vigiarei": (1) Oração dirigida; (2) respostas esperadas.

v. 4. O ódio que Deus tem ao pecado é um exemplo para o seu povo.

v. 5. "Os loucos": Mostre por que os pecadores são corretamente chamados de loucos ou tolos.

v. 7. A "grandeza da tua benignidade". Enfatize os diversos aspectos da graça e bondade de Deus.

v. 7. A decisão piedosa.

v. 7. (1) Observe a singularidade da decisão; (2) Note bem o objeto da decisão. Diz respeito ao serviço de Deus no santuário. "Eu entrarei em tua casa [...] e em teu temor me inclinarei para o teu santo templo"; (3) a maneira em que ele realizava a decisão: (a) Impressionado com um senso da bondade divina: "Eu entrarei em tua casa pela grandeza da tua benignidade"; (b) cheio de reverência santa: "Em teu temor me inclinarei". — *William Jay, 1842*

v. 8. A orientação de Deus sempre é necessária, especialmente quando os inimigos estão nos observando.

v. 10. Visto como ameaça. A frase: "Lança-os fora por causa da multidão de suas transgressões", é especialmente adequada como base de um discurso muito solene.

v. 11. (1) O caráter dos justos: "confiam" e "amam"; (2) os privilégios dos justos: (a) *alegria* grande, pura, satisfatória, triunfante ("exultem"), constante ("eternamente"); (b) *proteção* por meio de poder, providência, anjos, graça.

v. 11. A alegria no Senhor é tanto um dever quanto um privilégio.

v. 12. "Tu, SENHOR, abençoarás ao justo": a bênção divina sobre o justo. É antiga, eficaz, constante, extensa, irreversível, ótima, insuperável, infinita.

v. 12. "Tu, SENHOR, [...] circundá-lo-ás da tua benevolência como de um escudo": a consciência do favor divino é uma proteção para a alma.

SALMO 6

TÍTULO

Este salmo é comumente conhecido como o primeiro dos *Salmos Penitenciais*. Os outros seis são o Salmo 32, 38, 51, 102, 130 e 143. E como não poderia deixar de ser, a sua linguagem se ajusta bem aos lábios do penitente, pois expressa ao mesmo tempo a tristeza (vv. 3, 6 e 7), a humilhação (vv. 2 e 4) e o ódio ao pecado (v. 8), que são as características infalíveis do espírito arrependido quando se volta a Deus. "Espírito Santo, crie em nós o verdadeiro arrependimento do qual não precisamos nos arrepender!" O título do salmo é: "Salmo de Davi para o cantor-mor em Neguinote, sobre Seminite [ver 1 Crônicas 15.21]", quer dizer, ao músico chefe com instrumentos de cordas, na oitava musical. Certos estudiosos opinam que diz respeito à tonalidade da voz de baixo ou tenor, que se adaptaria muito bem a esta ode triste. Mas não temos meios para entender esses antigos termos musicais, e até mesmo o termo "Selá" ainda permanece sem tradução. Entretanto, isso não nos causa dificuldade em nosso estudo. Perdemos muito pouco por essa ignorância, que serve para nos confirmar a fé. É prova da antiguidade destes salmos o fato de conterem palavras, cujo significado se tenha perdido até para os melhores estudiosos da língua hebraica. Claro que estes elementos são provas incidentais (quase poderíamos dizer que são acidentais, se eu não crêssemos que foram designados por Deus) de que se tratam, como professam ser, os escritos antigos do rei Davi de tempos idos.

DIVISÃO

Observemos que o salmo já está prontamente dividido em duas partes. Primeiro, há a súplica do salmista em sua grande aflição, que vai do versículo 1 ao versículo 7. Depois, do versículo 8 ao versículo 10, temos um tema bem diferente. O salmista mudou de tom. Deixa o tom mais baixo e se transporta a melodias mais altas.

Afina as notas musicais segundo o tom alto da confiança, declarando que Deus lhe ouviu a oração e já o livrou de todas as suas dificuldades.

EXPOSIÇÃO

1 *SENHOR, não me repreendas na tua ira, nem me castigues no teu furor.*
2 *Tem misericórdia de mim, SENHOR, porque sou fraco; sara-me, SENHOR, porque os meus ossos estão perturbados.*
3 *Até a minha alma está perturbada; mas tu, SENHOR, até quando?*
4 *Volta-te, SENHOR, livra a minha alma; salva-me por tua benignidade.*
5 *Porque na morte não há lembrança de ti; no sepulcro quem te louvará?*
6 *Já estou cansado do meu gemido; toda noite faço nadar a minha cama; molho o meu leito com as minhas lágrimas.*
7 *Já os meus olhos estão consumidos pela mágoa e têm envelhecido por causa de todos os meus inimigos.*

Tendo lido a primeira divisão do princípio ao fim para vê-la como um todo, examinaremos agora versículo por versículo.

1. *"Senhor, não me repreendas na tua ira."* O salmista está plenamente ciente de que merece ser repreendido. Sente também que a repreensão de uma forma ou de outra tem de vir sobre ele, se não para condenar, que seja para convencer e santificar. "O trigo é limpo com o vento, e a alma com punições." Seria um contrassenso orar contra a mão de ouro que nos enriquece com os seus golpes. Não pede que a repreensão lhe seja totalmente retida, porque assim poderia perder uma bênção disfarçada. Mas clama: "'SENHOR, não me repreendas na tua ira'. Se tu me lembrares do meu pecado, é bom. Mas não me faças lembrar dele como algo incensado contra mim, para que o coração do teu servo não caia em desespero. Como disse o profeta: 'Castiga-me, ó SENHOR, mas com medida, não na tua ira, para que me não reduzas a nada' [Jr 10.24]. Sei que tenho de ser castigado. Procuro evitar a vara, ainda que eu perceba que é para o meu benefício.

"Mas, meu Deus, 'nem me castigues no teu furor', para que a vara não se torne uma espada e para que o golpe não me mate." Oremos assim para que os castigos de nosso Deus misericordioso, caso não nos sejam totalmente retirados, sejam pelo menos suavizados pela consciência de que não são infligidos "em ira, mas no bendito amor do concerto".

2. *"Tem misericórdia de mim, Senhor, porque sou fraco."* Em outras palavras: "Embora eu mereça o castigo, que a tua misericórdia se apiede da minha fragilidade". Este é o jeito certo de argumentarmos com Deus para que sejamos bem-sucedidos. Não promova a sua bondade ou grandeza, mas rogue pelo seu pecado e pequenez. Clame: "'Sou fraco', portanto, ó Deus, dá-me forças e não me esmague. Não envie a fúria da tua tempestade contra vaso tão fraco. Tempera o vento com o cordeiro tosquiado. Sê amável e compassivo com uma pobre flor murcha, e não lhe quebre o talo". Com certeza este é o pedido que o fraco faria para mover a piedade do seu companheiro, caso este estivesse em luta com aquele: "Lida brandamente comigo, 'porque sou fraco'". O senso de pecado deteriorara o orgulho do salmista, que privado da força da vanglória, encontrava-se fraco para obedecer à lei, fraco pela tristeza que estava nele, fraco demais, talvez, para apoderar-se da promessa. "Sou fraco", no original pode ter esta leitura: "Eu sou alguém que se inclina", ou murcho como uma planta magoada. Amado, sabemos o que isto significa, porque nós também vimos a nossa glória manchada e a nossa beleza como uma flor murcha.

"Sara-me, Senhor, porque os meus ossos estão perturbados." O salmista ora pela cura, não apenas pela mitigação das doenças que ele sofria, mas a remoção total e a cura plena das feridas resultantes das doenças. Segundo o original hebraico, os seus ossos "tremem" (NVI). O terror se tornara tão grande que os ossos tremiam. Não era somente a carne que tremia, mas os ossos, as sólidas colunas da casa da hombridade, tremiam. "Os meus ossos estão perturbados." Quando a alma está com o sentimento de pecado já basta para fazer os ossos tremerem. É suficiente para fazer os cabelos do homem se levantarem no fim ao ver as chamas do inferno embaixo dele e um Deus irado em cima, tendo o perigo e a dúvida cercando-o. Ele pode muito bem dizer: "Os meus ossos estão abalados".

3. Para que não imaginemos que se tratava meramente de uma doença física, embora a doença física possa ser o sinal externo, o salmista declara a seguir: *"Até a minha alma está perturbada"*. O problema da alma é a própria alma do problema. Não tem importância que os ossos tremam quando a alma está firme, mas quando a alma também está dolorosamente perturbada é uma verdadeira agonia.

"Mas tu, Senhor, até quando?" Esta frase termina abruptamente, pois as palavras falham. A aflição afogou o pouco consolo que lhe restava. Contudo, o salmista ainda tinha alguma esperança; e essa esperança estava somente no seu Deus. Então, clama: "Senhor, até quando?" A vinda de Cristo trajado com as vestes sacerdotais da graça é a principal esperança para a alma penitente. De uma forma ou de outra, a aparição de Cristo é e sempre será a esperança dos santos.

A exclamação favorita de Calvino era: *Domine usque quo*, que significa "Senhor, até quando?" Nem as dores mais agudas, durante uma vida de aflição, lhe forçam a dizer outro tipo de palavra. Este é certamente o clamor dos santos que estavam debaixo do altar: "Até quando, ó verdadeiro e santo Dominador"? (Ap 6.10). Este deve ser o clamor dos santos que esperam pelas glórias milenares: "Por que tarda em vir o seu carro? Por que se demoram os passos dos seus carros?" (Jz 5.28). Nós que fomos convencidos do pecado sabemos o que era contar os minutos em horas e as horas em anos, enquanto a misericórdia demorava para chegar. Esperamos pelo amanhecer da graça, como aqueles que de madrugada esperam pela manhã. Ardentemente o nosso espírito pergunta: "Senhor, até quando?"

4. *"Volta-te, Senhor, livra a minha alma."* Considerando que a ausência de Deus era a principal causa da desgraça do salmista, a volta do Senhor bastaria para livrá-lo das dificuldades.

"Salva-me por tua benignidade." Ele sabe para onde olhar, e em que braço se envolver. Ele não toma a mão esquerda da justiça de Deus, mas a mão direita da sua benignidade ("graça", ARA). Bem conhecia ele a sua iniquidade para pensar em méritos ou apelar para algo que não fosse a graça de Deus.

"Por tua benignidade." Que apelo! Como é prevalecente com Deus! Se nos voltarmos à justiça, que argumento teremos? Mas se nos voltarmos à benignidade ainda podemos, apesar da grandeza da nossa culpa, clamar: "Salva-me por tua benignidade".

Observe a frequência com que Davi usa o nome "Senhor". Encontramos o nome cinco vezes em quatro versículos. Não é prova de que o nome glorioso está cheio de consolação para os santos provados? Eternidade, infinidade, imutabilidade e auto-existência estão no nome do "Senhor", e cada um desses atributos estão cheios de consolo.

5. Davi estava com muito medo da morte — a morte temporal e, talvez, a morte eterna. Leiamos a passagem como quisermos, e o versículo a seguir se destaca por estar cheio de poder: "Porque na morte não há lembrança de ti; no sepulcro quem te louvará?" Os adros são lugares silenciosos; os buracos dos sepulcros não ecoam com canções. Terra úmida cobre covas mudas. "Senhor", diz ele, "se tu me poupares, eu te

louvarei. Se eu morrer, o meu louvor mortal será interrompido. Se eu perecer no inferno, tu não terás jamais qualquer ação de graças de minha parte. Cânticos de gratidão não podem subir da cova flamejante do inferno. É lógico que tu indubitavelmente serás glorificado, mesmo em minha condenação eterna. Mas, Senhor, então não poderei te glorificar voluntariamente. Entre os filhos dos homens não haverá nem um coração para bendizer-te". Pobres pecadores trêmulos, que o Senhor os ajude a usar a força desta súplica. É para a glória de Deus que o pecador seja salvo. Quando buscamos perdão, não estamos pedindo que Deus faça algo que manchará a sua bandeira ou borrará o seu brasão. Ele tem prazer na misericórdia. Trata-se do seu atributo peculiar e favorito. A misericórdia honra a Deus. "A misericórdia abençoa quem tem e quem a recebe", é o que dizemos. Claro que, em certo sentido vaticinador, isto é verdadeiro acerca de Deus que, quando ele tem misericórdia, ele glorifica a si mesmo.

6 e 7. O salmista faz uma descrição atemorizante da sua longa agonia: *"Já estou cansado do meu gemido"*. Ele gemera até a garganta ficar rouca. Clamara pela misericórdia até a oração se tornar uma labuta. O povo de Deus pode gemer, mas não pode murmurar. Na verdade, estando cheio de preocupações, tem de gemer ou nunca bradará no dia da libertação.

A próxima frase, opinamos, está traduzida com exatidão: *"Toda noite faço nadar a minha cama"* (quando o corpo naturalmente precisa de descanso, e quando estou totalmente a sós com o meu Deus). Quer dizer, a minha aflição continua sendo terrível. Caso Deus não me salve logo, não ficará permanecerei por mim mesmo, mas a aflição aumentará, até as lágrimas serem tantas que a minha cama boiará nas lágrimas. É uma descrição mais do que ele temia que acontecesse do que realmente aconteceu. Será que os nossos pressentimentos de aflição futura não podem se tornar argumentos para a fé usar quando buscar misericórdia presente?

"Molho o meu leito com as minhas lágrimas. Já os meus olhos estão consumidos pela mágoa e têm envelhecido por causa de todos os meus inimigos." Os olhos do idoso se escurecem com o decorrer dos anos, assim, diz Davi, os meus olhos ficam vermelhos e fracos de tanto chorar. A crença às vezes causa esse efeito no corpo a ponto de os órgãos externos sofrerem. Será que isso não explica as convulsões e ataques histéricos que ocorreram durante os reavivamentos na Irlanda? Não é surpreendente que as pessoas caiam ao chão e chorem em voz alta, quando o próprio Davi fez a sua cama nadar e envelheceu enquanto estava debaixo da pesada mão de Deus? Irmãos, não é de pouca monta a pessoa sentir-se pecadora e condenada sob o julgamento de Deus. A linguagem deste salmo não é exagerada, nem fingida, mas é perfeitamente natural a alguém em tão triste apuro.

8 *Apartai-vos de mim todos os que praticais a iniquidade; porque o SENHOR já ouviu a voz do meu lamento.*

9 *O SENHOR já ouviu a minha súplica; o SENHOR aceitará a minha oração.*

10 *Envergonhem-se e perturbem-se todos os meus inimigos; tornem atrás e envergonhem-se num momento.*

8. Até aqui, tudo tem sido triste e sem esperança, mas agora:

As vossas harpas, santos trementes,
Tirai dos salgueiros.

Você tem de ter pelos tempos de lamento, mas que sejam curtos. Levante-se, levante-se do seu estado vil. Lance fora o pano de saco e cinzas! "O choro pode durar uma noite, mas a alegria vem pela manhã" (Sl 30.5).

Davi encontrou paz e, levantando-se dos joelhos, ele começa a expulsar de casa os ímpios: "Apartai-vos de mim todos os que praticais a iniquidade". A melhor medida a tomarmos contra os homens maus é nos manter longe deles: "Vão embora; não posso ter comunhão com vocês". O arrependimento é algo prático. Não basta lamentarmos a profanação do templo do coração. Temos de expulsar aos açoites os compradores e vendedores, e derrubar as mesas dos cambistas. O pecador perdoado odiará os pecados que custaram o sangue do Salvador. A graça e o pecado são vizinhos briguentos, e um ou outro tem de ir ser derrotado.

"Porque o Senhor já ouviu a voz do meu lamento." Que hebraísmo excelente e extremamente poético! "[Ele] já ouviu a voz do meu lamento." O lamento tem voz? O lamento fala? Em que idioma declara o que quer dizer? Ora, na língua universal que é conhecida e compreendida em toda a terra e até mesmo no céu. Quando o homem lamenta, quer seja judeu, gentio, bárbaro, cita, escravo ou livre tem o mesmo significado. O lamento é a eloquência da tristeza. É um orador que não gagueja, que não precisa de intérprete, pois compreende tudo. Não é bom acreditarmos que as nossas lágrimas são compreendidas quando nos faltam palavras? Aprendamos a pensar que lágrimas são orações líquidas, e lamentos são um gotejamento constante de intercessão inoportuna que seguramente transpassará o coração da misericórdia, a despeito das dificuldades pedregosas que lhe obstruam o caminho. "Meu Deus, eu lamentarei quando eu não puder suplicar para que tu ouças 'a voz do meu lamento'."

9. *"O Senhor já ouviu a minha súplica."* O Espírito Santo elaborara na mente do salmista a confiança de que a oração fora ouvida. Este é o privilégio dos santos. Orando a oração da fé, eles têm a infalível certeza de que prevaleceram com Deus. Lemos que Lutero, tendo lutando duramente com Deus em oração, saiu apressadamente do quarto de oração clamando: *Vicimus, vicimus*, que quer dizer, "vencemos, prevalecemos" com Deus. Termos a firme confiança não é um sonho fútil. Quando o Espírito Santo nos dá essa confiança, sabemos da sua realidade e não podemos duvidar, ainda que todos os homens zombem de nossa coragem.

"O Senhor aceitará a minha oração." Esta é experiência passada usada para encorajamento futuro. Ele "ouviu", ele "aceitará". Crente, preste atenção e imite tal argumento.

10. *"Envergonhem-se e perturbem-se todos os meus inimigos."* É mais uma profecia do que uma imprecação. Pode ter esta leitura no tempo futuro: *"Envergonhar-se-ão e perturbar-se-ão todos os meus inimigos"*.

"Tornem atrás e envergonhem-se num momento." A destruição lhes sobrevirá "num momento", ou seja, de repente. O dia da morte é o dia da destruição. A vinda de ambos os dias é certa e pode ser súbita. Os romanos costumavam dizer: "Os pés da deidade vingadora estão calçados com lã". Com passadas silenciosas a vingança se aproxima da vítima, pois o golpe destruidor será súbito e esmagador. Se esta for uma maldição, não podemos esquecer que a linguagem da antiga dispensação não é a da nova. Hoje oramos a favor e não contra os nossos inimigos. Deus tenha misericórdia deles, e os leve ao caminho certo.

Este salmo, como os outros que o precedem, mostra as diferentes situações dos justos e dos ímpios. "Senhor, que estejamos entre o número do teu povo hoje e para sempre!"

NOTAS EXPLICATIVAS E DECLARAÇÕES IMPORTANTES

O Salmo: Davi era um homem provado com as doenças e dificuldades dos inimigos. Em quase todas as vezes que deparamos essas aflições nos salmos, observamos que as ocasiões externas de dificuldade o colocaram sob a suspeita de ter pecado e de estar sob a ira de Deus, de forma que ele raramente estava doente ou era perseguido. Mas isto lhe provocava inquietação de consciência e lhe trazia à memória o seu pecado. É o que ocorre neste salmo, que foi composto na ocasião de doença, pelo que demonstra o versículo 8, onde ele expressa o tormento de alma sob a percepção da ira de Deus. Todas as outras aflições desembocam neste canal, como riachos pequenos que se perdem em um rio grande, mudando de nome e de natureza. Aquele que a princípio se preocupava somente com a sua doença, agora se preocupa totalmente com tristeza e dor lancinante sob o medo e perigo da condição de sua alma. Vemos o mesmo no Salmo 38 e muitos outros textos bíblicos. — *Richard Gilpin*, 1677

v. 1: "Não me repreendas". Deus tem dois meios pelos quais ele submete os seus filhos à obediência: a sua palavra, pela qual ele os repreende, e a sua vara, pela qual ele os castiga. A palavra precede, avisando-os pelos seus servos que ele tem enviado ao longo dos séculos para chamar os pecadores ao arrependimento. Sobre isto o próprio Davi disse: "Fira-me o justo" (Sl 141.5). Como o pai que primeiro repreende o filho desordeiro, assim o Senhor fala com eles. Mas quando os homens fazem pouco caso das advertências da palavra, então Deus, como um bom pai, toma a vara e bate neles. Nosso Salvador acordou os três discípulos no jardim do Getsêmani três vezes. Mas, vendo que não adiantava, disse-lhes que Judas e seu bando estavam chegando para acordá-los já que a sua voz não os acordava. — *Archibald Symson, 1638*

v. 1: "SENHOR, não me repreendas na tua ira, nem me castigues no teu furor". Ele não recusa totalmente o castigo, pois seria irracional. Na sua opinião, estar sem castigo lhe seria mais danoso do que benéfico. Mas do que ele tem medo é a ira de Deus que ameaça os pecadores com ruína e perdição. Para a ira e indignação Davi tacitamente opunha o castigo paternal e gentil, e este último ele estava disposto a suportar. — *João Calvino, 1509-1564*

v. 1: "SENHOR, não me repreendas na tua ira".

A ira do Senhor? Que pensamento terrível!
Como pode a criatura frágil como o homem suportar
A tempestade da sua ira? Para onde fugir
A fim de escapar do castigo que ele bem merece?
Fugir para a cruz! Lá está a grande expiação
Que protegerá o pecador, se ele suplicar
Por perdão com arrependimento verdadeiro e profundo
E fé que não questiona. Então a carranca
Da ira sairá do rosto de Deus,
Como a nuvem negra da tempestade que esconde o sol.
— *Anônimo*

v. 1: "SENHOR, não me repreendas na tua ira, nem me castigues no teu furor", quer dizer, "não coloques sobre mim o que tu ameaças na tua lei, onde a ira não é empregada por decreto, nem por execução, mas por denúncia" (cf. Mateus 3.11). Portanto: "Não executarei o furor da minha ira" (Os 11.9), quer dizer, "não executarei a minha ira conforme eu a declarei". Também está escrito que ele castiga os ímpios. Ele não só o declara, mas o executa, assim a ira é empregada pela execução da ira. — *Richard Stock, 1641*

v. 1: "Nem me castigues no teu furor".

Mantém a vida e a paz em mim,
Se tenho de sentir a vara do teu castigo!
Contudo não me mates, mas mata o meu pecado,
E me permitas saber que tu és o meu Deus.
Dá à minha alma algum doce antegozo
Do que em breve verei
Clamem a fé e o amor no fim:
"Vem, Deus, eu me entrego a ti!
— *Richard Baxter, 1615-1691*

v. 2: "Tem misericórdia de mim, Senhor". Para fugir e escapar da ira de Deus, Davi não vê meios no céu ou na terra. Por isso, se volta a Deus, àquele que o feriu para que o curasse. Ele não foge com Adão para o meio das árvores, nem com Saul para a feiticeira, nem com Jonas para Társis. Mas apela de um Deus irado para um Deus misericordioso, e de si mesmo para si mesmo. A mulher que foi condenada pelo rei Filipe, apelou do Filipe bêbedo para o Filipe sóbrio. Mas Davi apelou de uma virtude, a justiça, para outra virtude, a misericórdia. Pode haver o apelo do tribunal dos homens para o supremo tribunal de Deus. Mas quando você é acusado pelo supremo tribunal de Deus, para onde ou para quem você irá, senão para ele e para o propiciatório (o tribunal da misericórdia, o trono de Deus) que é o lugar de apelação mais alto e último? "A quem tenho eu no céu senão a ti? E na terra não há quem eu deseje além de ti" (Sl 73.25). [...] Davi, em nome da misericórdia, incluiu todas as coisas, de acordo com o que Jacó fez com o seu irmão Esaú: "Recebi misericórdia. Portanto, adquiri todas as coisas". Você deseja algo das mãos de Deus? Clame por misericórdia de cuja fonte todas as coisas boas emanarão para você. — *Archibald Symson*

v. 2: "Porque eu sou fraco". Veja a retórica que ele usa para comover Deus a curá-lo: "Eu sou fraco", um argumento tirado da fraqueza. Trata-se de argumento verdadeiramente fraco para comover o homem a lhe mostrar favor, mas é um argumento forte para prevalecer com Deus. Se o doente fosse ao médico apenas para lamentar a dificuldade da doença, receberia como resposta: "Deus te ajude". Se o injustiçado consultasse um advogado para lhe mostrar a situação da sua ação e lhe pedisse conselho, seria uma pergunta elogiosa. Se você fosse ao comerciante para comprar roupas, você lhe pagaria em dinheiro ou apresentaria uma fiança. Se fosse buscar as boas graças de um cortesão, você teria de ter em mãos a gratificação. Mas indo à presença de Deus, o argumento mais forte que você pode usar é a sua necessidade, pobreza, lágrimas, miséria, indignidade. Confessando-as a ele, você terá uma porta aberta para ele lhe fornecer todas as coisas que ele tem. [...] As lágrimas de nossa miséria são setas poderosas que perfuram o coração de nosso Pai celestial, para livrar-nos e apiedar-se de nossa situação difícil. Os mendigos expõem abertamente as suas feridas aos olhos do mundo para comover ao máximo os homens a ter pena deles. Lamentemos as nossas misérias a Deus para que ele, com o compadecido bom Samaritano, à vista de nossas feridas, nos ajude no devido tempo. — *Archibald Symson*

v. 2: "Os meus ossos estão perturbados". O Senhor pode fazer com que a parte mais forte e mais insensível do corpo humano se torne sensível à sua ira, quando lhe agradar tocá-lo, pois aqui os ossos de Davi estão perturbados. — *David Dickson*

v. 2: O termo "ossos" ocorre frequentemente nos salmos. Examinando as ocorrências, constatamos que é usado em três sentidos diferentes: (1) Por vezes, é literalmente aplicado ao corpo humano de nosso bendito Senhor, ao corpo que foi pendurado na cruz, como no Salmo 22.16,17: "Traspassaram-me as mãos e os pés. Poderia contar todos os meus ossos". (2) Outras vezes, tem a referência adicional ao seu corpo místico, a igreja. Denota todos os membros do corpo de Cristo que ficaram firmes na fé, que não se moveram por perseguições ou provações, por mais severas que fossem, como no Salmo 35.10: "Todos os meus ossos dirão: Senhor, quem é como tu?" (3) Em algumas passagens, o termo *ossos* é aplicado à alma e não ao corpo, referindo-se ao homem interior do cristão individual. Indica a força e fortaleza da alma, a ousadia determinada que os justos recebem pela fé em Deus. Este é o sentido no qual é usado no Salmo 6.2: "Sara-me, Senhor, porque os meus ossos estão perturbados". — *Agostinho, Ambrósio* e *Crisóstomo*, citado por *F. H. Dunwell, Bacharel em Humanidades, "Parochial Lectures on the Psalms" [Conferências Paroquiais sobre os Salmos], 1855*

vv. 2 e 3: Davi não quer tomar remédio por petulância, mas porque a doença é severa, porque as circunstâncias são terríveis. São tão medonhas e horríveis que lhe perfuraram os ossos e a alma (*ad ossa* e *ad animam*). "Os meus ossos estão perturbados. Até a minha alma está perturbada", portanto, "sara-me", que é a razão na qual ele fundamenta esta segunda petição. — *John Donne*

v. 3: "A minha alma". Os companheiros no pecado são companheiros na dor. A alma é castigada por informar e o corpo por realizar, tanto o informante quanto o realizador, a causa e o instrumento. Assim, serão castigados o ocasionador do pecado e o seu executor. — *John Donne*

v. 3: "Tu, Senhor, até quando?" Acerca disso temos três coisas a observar. Em primeiro lugar, que há um tempo designado que Deus determinou para a cruz de todos os seus filhos, antes de cujo tempo eles não serão libertos e para o qual têm de aguardar com paciência, não pensando em prescrever o tempo a Deus para serem libertos ou em limitar o Santo de Israel. Os israelitas permaneceram no Egito até se completar o número de quatrocentos e trinta anos. José ficou três anos ou mais na prisão até o tempo designado para a libertação. Os judeus permaneceram setenta anos na Babilônia. De mesma forma que o médico designa certo tempo para o paciente, no qual ele tem de jejuar e seguir determinadas normais alimentares, além de descansar, assim Deus conhece o prazo conveniente para a nossa humilhação e para a nossa exaltação. Em segundo lugar, veja a impaciência de nossa natureza em meio aos sofrimentos. A nossa carne em pleno estado de rebelião contra o Espírito muitas vezes se esquece de si mesmo, indo ao ponto de convencer Deus pela lógica e discutir com ele, como fizeram Jó, Jonas e outros, bem como Davi neste salmo. Em terceiro lugar, embora o Senhor demore em dar alívio os seus santos, ele tem uma ótima razão, caso a ponderemos. Quando estávamos no auge dos nossos pecados, muitas vezes ele clamou pela boca dos servos e profetas: "Até quando, ó néscios, amareis a necedade?" (Pv 1.22). E não dávamos ouvidos. Agora que estamos no auge de nossas dores, pensando quando seremos libertos (em um dia? um ano?), não admira que Deus não esteja nos ouvindo. Consideremos conosco mesmos os justos procedimentos de Deus para conosco: como ele clamou e nós não ouvimos, assim agora nós clamamos e ele não nos ouve. — *Archibald Symson*

v. 3: "Tu, Senhor, até quando?" Os santos no céu têm o seu *usque quo* ("Até quando, ó verdadeiro e santo Dominador, não julgas"?, Apocalipse 6.10). Assim, os santos na terra têm o seu *usque quo*. Até quando, Senhor, demorarás em tirar de cima de nós a execução deste julgamento? As nossas orações deprecatórias não são obrigatórias, não são diretórias, não designam os caminhos de Deus ou o seu tempo. Mas como as nossas orações são postulatórias, são também submissas à vontade de Deus. Todas têm em si aquele ingrediente, aquela erva da graça que Cristo pôs na sua própria oração, aquele *veruntamen*: "Todavia, não se faça a minha vontade, mas a tua" (Lc 22.42). Têm aquele ingrediente que Cristo pôs em nossa oração, aquele *fiat voluntas*: "Seja feita a tua vontade, tanto na terra como no céu" (Mt 6.10). No céu, não há resistência à vontade divina. Contudo, no céu há a solicitação, o apressamento, o aceleramento do julgamento e a glória da ressurreição. Embora não resistamos às suas correções aqui na terra, podemos humildemente apresentar a Deus o sentimento que temos do seu desprazer, pois este sentimento e entendimento das suas correções é uma das principais razões por que ele as envia. Ele nos corrige para que sejamos sensíveis às suas correções, para que, quando estivermos humilhados debaixo da sua mão, digamos junto com o profeta: "Sofrerei a ira do Senhor, porque pequei contra ele" (Mq 7.9). Assim, ele se agrada em dizer ao anjo corretor, como disse ao anjo destruidor: "Basta" (2 Sm 24.16), e queima a sua vara agora, como põe a espada na bainha depois. — *John Donne*

v. 4: "Volta-te, Senhor, livra a minha alma; salva-me por tua benignidade". Neste sítio de Deus, o salmista reúne as suas obras de longe para mais perto. No salmo, ele dá início a uma oração deprecatória. Nada pede senão que Deus não o reprima: "Não me repreendas na tua ira, nem me castigues" (v. 1). Agora, custa menos ao rei dar um perdão que dar um encargo, dar uma suspensão que dar um perdão, conspirar e não questionar, do que dar ou a suspensão, ou o perdão, ou a pensão. Reprimir não é muito. Certo matemático disse que pode inventar uma máquina ou um parafuso que move a estrutura do mundo, caso tenha um lugar designado para fixar a máquina, algo em que colocar o parafuso de forma a causar efeito no mundo. Assim é com a oração. Quando uma petição se fixa em Deus, causa efeito em Deus, move Deus, prevalece com Deus inteiramente para todos. Tendo Davi este fundamento, este fundamento em Deus, ele reúne as suas obras. Passa da oração deprecatória para a postulatória, ou seja, Deus não faria nada contra ele mas também faria algo a favor dele. Deus experimentou o homem para ver *arcana imperii*, que significa "os segredos do império", ou seja, os segredos do seu estado, a maneira como ele governa — ele governa por precedentes. Por precedentes dos seus antecessores, não pode e não tem nada; por precedentes de outros deuses, não pode e não há. Contudo, ele governa por precedentes, pelos seus próprios precedentes, ele faz como fez antes, *habenti dat*, àquele que recebe ele dá mais, e está disposto a ser envolto e prevalecido nisso, e apertou com o seu próprio exemplo. E, embora o seu fazer o bem fosse para aprender a fazer melhor, ele escreve segundo a sua própria cópia, e *nulla dies sine linea*, que significa, "nem um dia sem uma linha". Ele escreve algo para nós, quer dizer, ele escreve algo para nós todos os dias. Aquilo que não é visto comumente em outros mestres, as cópias são melhores que os originais. As suas últimas misericórdias são maiores que as primeiras. É nesta oração postulatória, maior que a deprecatória, que entra nosso texto: "Volta-te, Senhor, livra a minha alma; salva-me por tua benignidade". — *John Donne*

v. 5: "Porque na morte não há lembrança de ti; no sepulcro quem te louvará?" Senhor, sê pacífico e reconciliado comigo, [...] para que tu não procedas a tomar minha vida, como se fosse a condição mais terrível eu morrer antes de te propiciar, assim posso exigir bem que aumento de glória ou honra te trará? Não será infinitamente mais glorioso para ti me poupares, até que pela verdadeira contrição eu recupere o teu favor? Então viverei para louvar e engrandecer a tua misericórdia e a tua graça. A tua misericórdia em perdoar tão grande pecador, para que então eu confessar a ti por meio de todas as ações vitais de obediência santa para o futuro, e assim demonstrar o poder da tua graça que elaborou esta mudança em mim. Nada disso existirá destruindo-me, mas só os teus julgamentos manifestos em tua vingança aos pecadores. — *Henry Hammond, Doutor em Teologia, 1659 v. 6:* "Já estou cansado do meu gemido". Ao que parece, é uma mudança incrível em Davi, sendo um homem de tamanha magnitude mental, estar abatido e desencorajado desse jeito. Não prevaleceu ele contra Golias, contra o leão e o urso por meio de fortaleza e magnanimidade? Mas agora ele está chorando, suspirando e pranteando como criança! A resposta é fácil. As pessoas diversas com quem ele teve a ver ocasionaram o mesmo. Quando homens e animais são os seus opostos, então ele é mais que vencedor. Mas quando ele tem a ver com Deus contra quem ele pecou, então ele é menos que nada.

v. 6: "Toda noite faço nadar a minha cama". [...] Chuva é melhor que orvalho, contudo é suficiente se Deus pelo menos tiver orvalhado o nosso coração e tiver nos dado algum sinal de coração penitente. Se não tivermos rios de águas para emanarmos como Davi, nem fontes que fluem como Maria Madalena, nem como Jeremias, desejarmos ter uma fonte em nossa cabeça para chorar dia e noite, nem como Pedro chorarmos amargamente. Contudo, se lamentarmos que não podemos lamentar, e chorarmos que não podemos chorar; se tivermos os menores choros de tristeza e lágrimas de compunção, quer sejam verdadeiros e não falsos, eles nos tornarão aceitáveis a Deus. A mulher com o fluxo de sangue que tocou a bainha das vestes de Cristo não teve pior acolhida por Cristo do que Tomé que pôs os dedos nos sinais dos cravos. Assim, Deus não olha a quantidade, mas a sinceridade de nosso arrependimento.

v. 6: "A minha cama". O lugar do pecado é o lugar do arrependimento, e assim deve ser. Quando víssemos o lugar onde pecamos, devíamos ser compungidos no coração e novamente almejar o perdão de Deus. Como Adão pecou no jardim do Éden assim Cristo suou lágrimas de sangue no jardim do Getsêmani. "Examinai o vosso coração sobre a vossa cama e convertei-vos ao Senhor", ao passo que você se deita na cama para maquinar coisas más, arrependa-se lá e faça santuários para Deus. Santifique pelas lágrimas todo lugar que você poluiu pelo pecado. Busquemos Cristo Jesus em nossa própria cama como disse o cônjuge em Cantares: "De noite busquei em minha cama aquele a quem ama a minha alma; busquei-o e não o achei" (Ct 3.1). — *Archibald Symson*

v.6: "Molho o meu leito com as minhas lágrimas". Não só lavo, mas também molho. As ovelhas fiéis do grande Pastor "sobem do lavadouro" e "todas produzem gêmeos, e nenhuma há estéril entre elas" (Ct 4.2). O mesmo se dava com as ovelhas de Jacó, que, tendo concebido nas pias de água, davam crias fortes e listradas (ver Gênesis 30.38,39). Semelhantemente Davi, que anteriormente errara e vagueara como ovelha perdida, fazendo aqui da sua cama um lavadouro, por muito menos é estéril em obediência, por muito mais ele é frutífero em arrependimento. Havia no templo de Salomão caldeirões de bronze para lavar a carne dos animais onde tinham de ser sacrificados no altar. O pai de Salomão fez das lágrimas um mar, da cama um caldeirão, do coração um altar, um sacrifício não com a carne de animais irracionais, mas com o seu próprio corpo, um sacrifício vivo que foi o seu culto racional a Deus. "Faço nadar" é a tradução devidamente correta para a palavra hebraica usada aqui, que é confirmada pela leitura na tradução da Bíblia de Genebra. Portanto, assim como os sacerdotes nadavam no mar de fundição para que se purificarem e se limparem imediatamente antes de cumprirem os ritos e serviços santos do templo, assim, de certa forma, o principesco profeta lavava a cama, até mesmo nadava na cama, ou, mais exatamente, ele fazia a cama nadar em lágrimas, como em um mar de aflição e tristeza penitente pelo seu pecado. — *Thomas Playfere, 1604*

v. 6: "Molho o meu leito com as minhas lágrimas". Molhemos a cama todas as noites com as nossas lágrimas. Não apenas de modo intermitente para que o fogo não ressurja e queime mais. O pecado é como uma vela recentemente apagada, que fede e logo se acende de novo. Pode ser ferido, mas como o cachorro se lambe por inteiro sem o menor esforço. Um pouco de contenção o multiplica como as cabeças de hidra. Seja qual for a calúnia que o pecado nos trouxe durante o dia, que as lágrimas da noite a lavem. — *Thomas Adams*

vv. 6 e 7: Os problemas da alma estão ligados aos sofrimentos do corpo. O homem é ferido e afligido em todas as partes. Não há saúde em minha carne por causa da ira divina, diz Davi. "As flechas venenosas do Deus Todo-Poderoso estão fincadas em mim, e o veneno entra na minha alma" (Jó 6.4). A tristeza de coração contrai o espírito natural, reduzindo a velocidade de todos os movimentos e enfraquecendo-os. O pobre corpo afligido decai e definha-se. Como disse Heman: "A minha alma está cheia de problemas, e a minha vida se aproxima da sepultura". Nesta angústia interior, a nossa força declina e se dissolve, como cera diante do fogo, pois a tristeza embota o espírito, obscurece o julgamento, escurece a memória sobre todas as coisas agradáveis e anuvia a parte lúcida da mente, fazendo com que a lâmpada da vida ilumine debilmente. Nesta condição preocupante, o indivíduo só pode ficar com um semblante pálido, lívido e abatido, como alguém que é acometido de forte medo e consternação. Todos os movimentos são lentos e não lhe resta vivacidade nem atividade: "O coração alegre serve de bom remédio, mas o espírito abatido virá a secar os ossos" (Pv 17.22). Esta é a razão de haver essas reclamações frequentes nas Escrituras: "O meu humor se tornou em sequidão de estio" (Sl 32.4); "Fiquei como odre na fumaça" (Sl 119.83);"O meu rosto todo está descorado de chorar, e sobre as minhas pálpebras está a sombra da morte" (Jó 16.16); "De noite, se me traspassam os meus ossos, e o mal que me corrói não descansa. Pela grande força do meu mal se demudou a minha veste, que, como a gola da minha túnica, me cinge. Lançou-me na lama, e fiquei semelhante ao pó e à cinza" (Jó 30.17-19). Não são poucas as vezes em que os problemas da alma começaram com a fraqueza e indisposição do corpo. A angústia prolongada, sem o prospecto de solução, passa, no decorrer do tempo, a afligir a própria alma. Davi era um homem provado com as doenças e dificuldades dos inimigos. Em quase todas as vezes que deparamos essas aflições nos salmos, observamos que as ocasiões externas de dificuldade o colocaram sob a suspeita de ter pecado e de estar sob a ira de Deus (Salmo 6.1,2; e as razões dadas, versículos 5 e 6). Todas as suas aflições colidem com este pensamento terribilíssimo: Deus era o seu inimigo. Como os riachos pequenos que se perdem em um rio grande, mudando de nome e de natureza, assim acontece na maioria das vezes que, quando a nossa dor é longa e lancinante, e desenfreada e inevitável, começamos a questionar a sinceridade de nosso estado diante de Deus, ainda que em sua primeira investida tivéssemos pouca dúvida ou medo a esse respeito. A longa fraqueza do corpo torna a alma mais suscetível a problemas e a pensamentos intranquilos. — *Timothy Rogers, "Trouble of Mind" [Problemas Mentais]*

v. 7: "Já os meus olhos estão consumidos". Muitos fazem dos olhos que Deus lhes deu as vezes de duas velas acesas para verem que estão indo para o inferno. Diante disso, Deus os retribui com justiça. Estando eles com a mente cega pela concupiscência dos olhos, a concupiscência da carne e a soberba da vida, Deus — afirmo — envia doenças para debilitar-lhes os olhos que outrora eram extremamente perspicazes a serviço do diabo, e agora a concupiscência faz com que desejem a visão necessária do corpo.

v. 7: "Os meus inimigos". Quando os piratas veem um navio vazio, passam por ele. Mas se o navio estiver carregado de mercadorias preciosas, eles o assaltarão. Assim, se o homem não tem graça interior, Satanás passa por ele, considerando-o uma presa inconveniente para ele. Mas se estiver carregado de graças, como o amor de Deus, o seu temor e outras virtudes espirituais semelhantes, ele fica convencido de que, segundo ele sabe que tipo de material há no outro, não deixará de roubá-lo, caso possa. — *Archibald Symson*

v. 7: Os olhos que tinham olhado e cobiçado a esposa do próximo agora são consumidos pela aflição e indignação. Ele próprio chorara até ficar quase cego. — *John Trapp*

v. 8: "Apartai-vos de mim todos os que praticais a iniquidade", ou seja, vão embora, pois o que vocês procuram, isto é, a minha morte, vocês não a terão neste momento. "Porque o Senhor já ouviu a voz do meu lamento", ou seja, ele me tem graciosamente concedido aquilo que com lágrimas eu lhe pedi. — *Thomas Wilcocks*

v. 8: "Apartai-vos de mim todos os que praticais a iniquidade". Não pode a muita familiaridade com os miseráveis profanos ser imputada com justiça aos membros da igreja? Sei que o homem é um ser sociável, mas isso não desculpa os santos do descuido em escolher as companhias. As próprias aves do céu e os animais do campo não gostam de companhia heterogênea. "Pássaros de asas comuns voam juntos." Tive medo de que muitos que seriam considerados eminentes, de estatura elevada em graça e espiritualidade, não vejam a enorme diferença que há entre natureza e regeneração, pecado e graça, velho homem e novo homem, ao considerarem todas as companhias iguais a eles. — *Lewis Stuckley, "Gospel Glass" [O Vidro do Evangelho], 1667*

v. 8: "A voz do meu lamento". O lamento tem voz. A música na água reverbera e soa mais harmoniosamente do que na terra, assim as orações, unidas com lágrimas, clamam mais alto nos ouvidos de Deus e tornam mais doce a música do que quando as lágrimas estão ausentes. Quando Antípater escrevera para Alexandre uma carta longa falando contra a mãe de Alexandre, o rei lhe respondeu: "Uma lágrima de minha mãe bastará para lavar todas as faltas dela". O mesmo se dá com Deus. Uma lágrima penitente é um embaixador inegável, e nunca volta ao trono da graça insatisfeito. — *John Spencer, "Things New and Old" [Coisas Novas e Velhas], 1658*

v. 8: Os ímpios são chamados "os que praticais a iniquidade", porque eles são livres e prontos a pecar, têm forte tendência e inclinação de espírito para fazer o mal, e não o fazem pela metade mas de forma completa. Não só começam ou mordiscam um pouco (como o homem bom faz), mas gananciosamente o engolem, com isca e tudo. São detalhistas nessas coisas, e o fazem completamente. Fazem disso uma prática, por isso são "os que praticais a iniquidade". — *Joseph Caryl*

v. 8: Há quem diga: "A minha constituição física é forte a ponto de eu não chorar. É mais fácil espremer uma lágrima de uma pedra do que pensar em eu derramar uma lágrima". Mas se você não pode chorar pelo pecado, talvez possa lamentar. O lamento intelectual é melhor. Pode haver tristeza onde não haja lágrima, o vaso pode estar cheio embora esteja aberto. Não é tanto os olhos chorões que Deus respeita quanto o coração contrito. No entanto, eu teria relutância em parar as lágrimas que podem chorar. Deus levou em conta as lágrimas de Ezequias: "Vi as tuas lágrimas" (Is 38.5). As lágrimas de Davi eram música aos ouvidos de Deus: "O Senhor já ouviu a voz do meu lamento". É uma visão adequada os anjos verem, lágrimas como pérolas escorrendo dos olhos penitentes. — *Thomas Watson*

v. 8: "O Senhor já ouviu a voz do meu lamento". Deus ouve a voz de nossos olhares, Deus ouve a voz de nossas lágrimas às vezes melhor que a voz de nossas palavras. É o próprio Espírito que faz intercessão por nós (Rm 8.26). *Gemitibus inenarrabilibus*, que significa nesses gemidos, e por conseguinte nessas lágrimas, que não podemos proferir; *ineloquacibus*, como entende Tertuliano aquele lugar, lágrimas devotas e simples, que não podem falar, falam em voz alta aos ouvidos de Deus. São lágrimas que não podemos proferir, não só a força das lágrimas, mas também as próprias lágrimas. Como Deus vê a água na fonte no veio da terra antes que borbulhe na superfície da terra, assim Deus vê as lágrimas no coração do homem antes que elas escorram pela face. Deus ouve as lágrimas da alma triste que, de tanta tristeza, não consegue derramar lágrimas. Deste lançar de olhos e despejar de tristeza do coração aos olhos, abrindo Deus pelo menos uma janela pela qual ele veja um coração molhado por olhos secos. Destas propostas de arrependimento que são como os sons imperfeitos de palavras nas quais os pais se encantam com os seus filhos antes que estes falem fluentemente, o pecador penitente chega a uma oração verbal e mais expressa. Para estas orações, estas orações vocais e verbais de Davi, Deus dera ouvidos, e da audição dessas orações Davi foi levado a esta confiança grata: "O Senhor já ouviu", "o Senhor aceitará". — *John Donne*

v. 8: Que mudança estranha e súbita! Bem disse Lutero: "A oração é a sanguessuga da alma que chupa o veneno e tira o inchaço". "A oração", disse outro estudioso, "é o exorcista com Deus, e o exorcista contra o pecado e a miséria". Bernardo disse: "Quantas vezes esta oração me encontrou quase desesperado, mas me deixou triunfante e bem seguro do perdão!" O mesmo disse efetivamente Davi aqui: "Apartai-vos de mim todos os que praticais a iniquidade; porque o Senhor já ouviu a voz do meu lamento". Que palavra dirigida aos inimigos insultantes! Fora! Saiam! Desapareçam! Estas são palavras usadas a demônios e cães, mas se mostram muito boas a um Doegue ou um Simei. E o Filho de Davi dirá o mesmo aos seus inimigos quando ele vier para julgar. — *John Trapp*

v. 9: "O Senhor já ouviu a minha súplica; o Senhor aceitará a minha oração". O salmista expressa três vezes a confiança de que as suas orações foram ouvidas e recebidas. Esta constatação pode ser em referência a ele ter orado o mesmo número de vezes em busca de ajuda como fez o apóstolo Paulo (2 Co 12.8); ou dizer respeito ao que Cristo, seu antítipo, fez (Mt 26.39,42,44); ou expressar a certeza, a força da fé e a exuberância da alegria por conta disso. — *John Gill, Doutor em Teologia, 1697-1771*

v. 10: "Envergonhem-se e perturbem-se todos os meus inimigos; tornem atrás e envergonhem-se num momento". Se esta fosse uma maldição, uma imprecação, ainda assim seria medicinal e teria *rationem boni*, quer dizer, um tom e natureza benevolente, pois ele desejou que os homens não tivessem dano como homens. Mas é extremamente vaticinador, uma veemência profética, que se eles não tomarem conhecimento de Deus declarando-se protetor dos seus servos, se eles não considerarem que Deus ouvira e ouviria, salvara e salvaria os seus filhos, mas continuaria a opor-se contra ele, juízos severos certamente sobreviriam sobre eles. O castigo seria certo, mas o efeito seria incerto, pois só Deus sabe se a correção operará nos inimigos o amolecimento ou endurecimento. [...] Na segunda palavra, "perturbem-se todos os meus inimigos", ele não deseja aos inimigos algo pior do que ele tenha passado, porque pouco antes ele usara a mesma palavra para si mesmo: *ossa turbata*, que significa "os meus ossos estão perturbados" (v. 2); e, *anima turbata*, que quer dizer "a minha alma está perturbada" (v. 3). Considerando que Davi percebia que esta perturbação ser o caminho para ele se aproximar de Deus, não era maldição malevolente desejar ao inimigo o mesmo remédio que ele tomara, que estava mais doente da mesma doença que ele tinha. É como um mar revoltoso na tempestade. O perigo passou, mas as ondas ainda são grandes. O perigo estava na calma, na segurança ou na tempestade, ao interpretar erroneamente as correções de Deus por conta de nossa teimosia e estupefação sem remorso. Mas quando o homem chega a essa santa perturbação para ser inquietado, ser sacudido ao sentir a indignação de Deus, a tempestade acaba e a indignação de Deus passa. A alma está de certo modo justo e próximo de ser restaurada à tranquilidade e à repousada calma de consciência que vem por esta perturbação santa. — *John Donne*

v. 10: "Envergonhem-se e perturbem-se todos os meus inimigos [ou todos os meus inimigos se envergonharão e se perturbarão]; tornem atrás e envergonhem-se num momento". Muitos salmos de lamento terminam desta maneira para ensinar ao crente que ele deve esperar avidamente com a consolação de ver aquele dia, quando a guerra estiver terminada, quando não haverá mais pecado e tristeza, quando a confusão súbita e perpétua tomará conta dos inimigos da justiça, quando os panos de saco do penitente serão trocados pelas vestes de glória e toda lágrima se tornará uma pedra preciosa cintilante na sua coroa, quando os choros e gemidos serão substituídos pelas canções do céu, quando serão tocadas as harpas angelicais e a fé se decomporá na visão do Todo-Poderoso. — *George Home*

SUGESTÕES AOS PREGADORES

v. 1. Sermão para a alma aflita. (1) Os procedimentos de Deus em duas partes: (a) Repreensão por meio de um sermão impressionante, um julgamento em outro, uma leve prova em nossa pessoa ou uma advertência solene dada à nossa consciência por parte do Espírito; (b) Castigo é o procedimento que vem a seguir quando o primeiro não é devidamente considerado. Dor, perda, luto, melancolia e outras provações. (2) Os males a serem a mais temidos: a ira e o extremo desprazer. (3) Os meios para evitarmos estes males: humilhação, confissão, alteração comportamental, fé no Senhor.

v. 1. O maior temor do crente: a ira de Deus. O que este fato revela no coração? Por que é assim? O que remove o temor?

v. 2. O uso de "argumentum ad misericordiam", ou seja, o apelo à misericórdia.

v. 2. "Tem misericórdia de mim, Senhor, porque sou fraco." Cura divina: (1) O que a precede: "os meus ossos estão perturbados"; (2) como é realizada; (3) o que a segue.

v. 3. A impaciência da tristeza: seus pecados, males e cura.

v. 3. Podemos encontrar um tema frutífero ao considerarmos a pergunta: Por quanto tempo Deus prolongará as aflições para os justos?

v. 4. "Volta-te, Senhor." Oração sugerida pelo senso da ausência do Senhor, provocada pela graça, acompanhada com exame do coração e arrependimento, pressionada por perigo iminente, garantida quanto à resposta e contendo um pedido por todas as misericórdias.

v. 4. A oração do santo abandonado: (1) O seu estado: a alma está evidentemente em escravidão e em perigo; (2) a sua esperança: está na volta do Senhor; (3) a sua súplica: só por benignidade.

v. 5. A suspensão total dos serviços na terra considerados em vários aspectos práticos.

v. 5. O dever de louvar a Deus enquanto vivermos.

v. 6. As lágrimas dos santos em termos de qualidade, abundância, influência, alívio e fim.

v. 7. A voz do lamento. O que é.

v. 8. O pecador perdoado que abandona as más companhias.

v. 9. As respostas passadas são a base da confiança presente. "O Senhor já ouviu"; "o Senhor aceitará".

v. 10. A vergonha reservada para os ímpios.

SALMO 7

TÍTULO

Sigaiom de Davi, que cantou ao S*ENHOR*, *sobre as palavras de Cuxe, benjamita.* Até onde podemos juntar pelas observações de homens instruídos e pela comparação deste salmo com o outro único sigaiom na Palavra de Deus (Hc 3), o título "sigaiom de Davi" significa "canções variáveis", com o qual também está associada a ideia de consolo e prazer. De fato, o salmo de nossa vida é composto de versículos diversos. Uma estrofe soa na cadência sublime do triunfo, mas outra claudica no ritmo descompassado da reclamação. Há muito tom baixo na música dos santos. A nossa experiência é tão variável quanto o clima na Inglaterra.

O título nos informa quando o cântico foi composto. Pelo visto, o benjamita Cuxe acusara Davi ao rei Saul de conspiração traiçoeira contra a autoridade da realeza. Este rei tinha a inclinação de crer prontamente, tanto pelo ciúme que sentia de Davi quanto pelo possível relacionamento que existia entre ele, o filho de Quis, e este Cuxe, ou Quis, o benjamita. Aquele que está perto do trono pode causar mais dano a um súdito do que um caluniador comum.

Podemos dar a este salmo o nome de *Cântico do Santo Caluniado.* Até o mais dolorido dos males é motivo para a composição de um salmo. É uma bênção quando transformamos o acontecimento mais desastroso em tema de uma canção, pois assim vencemos o nosso grande inimigo. Aprendamos uma lição com Lutero, que disse: "Davi compôs salmos. Nós também comporemos salmos e os cantaremos tão bem quanto possível para honrarmos ao nosso Senhor e revidarmos e escarnecermos do Diabo".

DIVISÃO

Os versículos 1 e 2 declaram o perigo e fazem oração. Em seguida, o salmista declara solenemente que é inocente (vv. 3-5). Ele apela ao Senhor para que se levante e julgue (vv. 6,7). O Senhor, assentado no trono, ouve o apelo renovado do suplicante caluniado (vv. 8,9). O Senhor inocenta o servo e ameaça os ímpios (vv. 10-13). Em uma visão, o caluniador aparece com uma maldição sobre a própria cabeça (vv. 14-16), enquanto Davi se afasta do julgamento cantando um hino de louvor ao seu Deus justo. Temos aqui um sermão nobre com esse texto: "Toda ferramenta preparada contra ti não prosperará; e toda língua que se levantar contra ti em juízo, tu a condenarás" (Is 54.17).

EXPOSIÇÃO

1 *SENHOR, meu Deus, em ti confio; salva-me de todos os que me perseguem e livra-me;*
2 *para que ele não arrebate a minha alma, como leão, despedaçando-a, sem que haja quem a livre;*

1. Davi comparece à presença de Deus para defender-se do acusador que o acusara de traição e deslealdade. O caso é aberto com uma declaração de confiança em Deus. Seja qual for a emergência de nossa situação, nunca será inapropriado retermos a confiança em nosso Deus.

"SENHOR, meu Deus", que é meu por aliança especial, selada pelo sangue de Jesus e ratificada em minha alma pelo sentimento de união com Ele.

"Em ti [e somente em ti] confio", mesmo agora em minha angústia extremamente dolorida. Eu tremo, mas a minha pedra não se move. Nunca é certo desconfiar de Deus e nunca é em vão confiar nEle.

Tendo, agora, a relação divina e a confiança santa para o fortalecer, Davi profere o âmago do seu desejo: "Salva-me de todos os que me perseguem". Os perseguidores eram muitos, e qualquer um deles era cruel o suficiente para devorá-lo. Por isso, clama para ser salvo de todos eles. Nunca pensemos que as nossas orações estão completas até pedirmos que sejamos guardados de todo o pecado e de todos os inimigos.

"E livra-me." Em outras palavras: "Desembaraça-me das armadilhas dos meus perseguidores, absolva-me das acusações que me acusam, dá-me um livramento verdadeiro e justo desse julgamento que fazem do meu caráter ferido". Note a clareza com que o caso é apresentado. Cuidemos para que saibamos o que queremos quando chegarmos ao trono da misericórdia. Faça uma pausa antes de orar para que você não ofereça sacrifício de tolos. Tenha uma ideia clara da sua necessidade para então você orar com maior fluência de fervor.

2. *"Para que ele não arrebate a minha alma."* Temos aqui o argumento do medo co-trabalhado com o argumento da fé. Havia entre os inimigos de Davi alguém mais poderoso que os demais, o qual tinha dignidade, força e ferocidade, sendo, portanto, "como leão". Era desse inimigo que ele buscava libertação urgente. Talvez se tratasse de Saul, o seu inimigo no âmbito da realeza. Em nosso caso, há alguém que age como leão, buscando a quem possa devorar, acerca de quem sempre devemos clamar: "Livra-nos do mal" (Mt 6.13).

Observe o vigor da descrição: "Despedaçando-a, sem que haja quem a livre". É cena retirada da vida pastoril de Davi. Quando o leão feroz se lançava sobre o cordeiro indefeso e o fazia sua presa, ele retalhava a vítima em pedaços, quebrava todos os ossos e devorava tudo, porque não havia pastor por perto para proteger ou livrar o cordeiro do animal voraz. É uma cena de partir o coração ver a alma do santo entregue à vontade de Satanás. Isso deve sensibilizar profundamente o coração do Senhor. Um pai não consegue ficar calado quando o filho está em tamanho perigo. Não suportando pensar que o seu filho querido está nas mandíbulas de um leão, ele se levantará e livrará o molestado. O nosso Deus é muito compassivo, e com certeza salvará o seu povo de tão desesperada destruição. Faz bem ressaltar que esta é uma descrição do perigo ao qual o salmista estava exposto por causa das línguas difamadoras. Claro que esta não é uma ilustração exagerada, pois as feridas feitas pela espada logo se curam, mas as feridas feitas pela língua vão mais fundo que a carne e não se curam logo. A difamação deixa uma mácula indistinta na reputação, mesmo que seja total e devidamente contestada. A fama comum, embora notoriamente um mentiroso comum, tem muitos crentes. Assim que uma palavra má entre na boca dos homens, não é fácil tirá-la completamente. Os italianos dizem que a boa reputação é como o cipreste que, uma vez cortado, nunca mais volta a brotar. Não é o que ocorre se o nosso caráter for cortado pela mão de um estranho, pois mesmo assim não recuperará logo o verdor anterior. É a mais detestável maldade apunhalar a reputação de um homem bom, mas o ódio diabólico não respeita nobreza no modo de guerrear. Estejamos preparados para essa provação, pois ela com certeza nos sobrevirá. Se Deus foi caluniado no jardim do Éden, com certeza seremos difamados nesta terra de pecadores. Cinjam os lombos, filhos da ressurreição, pois essa provação de fogo nos espera a todos.

3 Senhor, meu Deus, se eu fiz isto, se há perversidade nas minhas mãos,
4 se paguei com o mal àquele que tinha paz comigo (antes, livrei ao que me oprimia sem causa);
5 persiga o inimigo a minha alma e alcance-a; calque aos pés a minha vida sobre a terra e reduza a pó a minha glória. (Selá)

3 a 5. A segunda parte desse hino itinerante contém um protesto de inocência e uma invocação de ira sobre a própria cabeça, caso ele não for inocentado do mal que lhe acusam. Longe de esconder intenções traidoras nas mãos, ou de vingar-se ingratamente das ações desleais de um amigo, ele até permitira a fuga do inimigo quando o tinha inteiramente nas mãos. Por duas vezes poupara a vida de Saul: uma vez na caverna de Adulão e a outra quando ele o encontrou dormindo no meio do acampamento em plena madrugada. Podia, então, em sã consciência, suplicar aos céus. Não precisa temer a maldição aquele cuja alma está livre de culpa. A imprecação é extremamente solene e justificável somente pela extremidade da ocasião e pela natureza da dispensação sob a qual o salmista vivia. O nosso Senhor Jesus ordenou que o nosso sim fosse sim e o nosso não fosse não, "porque o que passa disso é de procedência maligna" (Mt 5.37). Se a nossa palavra não for crida, com certeza ninguém terá confiança em nosso juramento. Para o verdadeiro cristão, a simples palavra dita é tão obrigatória quanto o juramento feito por outrem. Tenham muito cuidado, homens impenitentes, para não brincar com maldições solenes. Lembrem-se da mulher de Devizes, cidade inglesa, que desejou morrer caso não tivesse pago a parte que lhe cabia em uma compra conjunta, caindo morta ali mesmo com o dinheiro na mão.

"Selá." Davi realça a solenidade desse apelo ao tribunal terrível de Deus pelo uso da pausa habitual.

Aprendemos com estes versículos que não há inocência que proteja o homem das calúnias dos ímpios. Davi fora meticulosamente cuidadoso em evitar a aparência de rebelião contra Saul, a quem constantemente chamava "o ungido do Senhor". Mas tudo isso não o protegeu das línguas mentirosas. Como a sombra segue o corpo, assim a inveja persegue a bondade. É somente na árvore carregada de frutas que os homens jogam pedras. Se vivêssemos sem sermos caluniados, só nos faltaria esperar para chegarmos ao céu. Fiquemos atentos em não acreditar em boatos passageiros que sempre atormentam homens de bem. Se não houvesse quem acreditasse em mentiras não haveria um mercado banal de falsidades e o caráter dos homens bons estaria seguro. Os mal-intencionados nunca falam o que é bom. Os pecadores têm más intenções com relação aos santos, e, com certeza, não falarão bem deles.

6 *Levanta-te,* SENHOR, *na tua ira; exalta-te por causa do furor dos meus opressores; e desperta por mim, para o juízo que ordenaste.*
7 *Assim, te rodeará o ajuntamento de povos; por causa deles, pois, volta às alturas.*

Agora estamos ouvindo uma nova oração do salmista, baseada na declaração que ele acabou de fazer. Não há como orar demasiadamente. Quando o nosso coração é verdadeiro, nos voltamos tão naturalmente a Deus em oração quanto a agulha é atraída a um ímã.

6. *"Levanta-te,* SENHOR, *na tua ira."* A aflição do salmista faz com que ele veja o Senhor como juiz que deixara a sala do tribunal para ir descansar. A fé moveria o Senhor a vingar a disputa dos seus santos.

"Exalta-te por causa do furor dos meus opressores." Esta é ilustração mais forte para expressar a ansiedade do salmista em que o Senhor assumisse a sua autoridade e se assentasse no trono. "Levanta-te, ó Deus, exalta-te sobre todos eles, e que a tua justiça sobressaia sobre as vilanias dessa gente."

"Desperta por mim, para o juízo que ordenaste." Esta é uma declaração bem mais ousada, pois dá a entender sono como também inatividade, características que só podem ser aplicadas a Deus em sentido muito limitado. Ele nunca dorme, contudo frequentemente parece que dorme, pois os ímpios prevalecem e os santos são pisoteados no pó. O silêncio de Deus é a paciência da longanimidade. Se é cansativo para os santos, eles deveriam suportar alegremente na esperança de que assim os pecadores podem ser levados ao arrependimento.

7. *"Assim, te rodeará o ajuntamento de povos."* Os santos se aglomerarão no tribunal com as suas reclamações, ou o encherão com homenagens solenes: "Por causa deles, pois, volta às alturas". Quando o juiz abre a sessão do tribunal, os homens levam os seus casos ao tribunal para que sejam ouvidos.

Da mesma forma, os justos vão à presença de Deus. O salmista se fortalece em oração argumentando que se o Senhor estabelecer o trono de julgamento, multidões de santos seriam abençoadas como também ele próprio. Se sou muito vil para ser lembrado, porém, "por causa deles", pelo amor que tu nutres pelo povo escolhido, expõe o teu pavilhão secreto e senta-te junto à porta dispensando justiça entre o povo. Quando o meu processo judicial incluir os desejos de todos os justos, com certeza ganhará agilidade, pois "Deus não fará justiça aos seus escolhidos"? (Lc 18.7).

8 *O* SENHOR *julgará os povos; julga-me,* SENHOR, *conforme a minha justiça e conforme a integridade que há em mim.*
9 *Tenha já fim a malícia dos ímpios, mas estabeleça-se o justo; pois tu, ó justo Deus, provas o coração e a mente.*

8 e 9. Se não estou enganado, agora Davi vê pelos olhos da mente do Senhor que se assenta no tribunal. Vendo-o assentado na posição da realeza, aproxima-se dele para defender a sua causa outra vez. Nos dois últimos versículos, ele pediu que Senhor se levantasse. Agora que ele se levantou, ele se prepara para se misturar no "ajuntamento de povos" (v. 7) que rodeiam o Senhor.

Os arautos reais proclamam a abertura do tribunal com as palavras solenes: "O SENHOR julgará os povos" (v. 8). O nosso requerente se levanta imediatamente, e clama com seriedade e humildade: "Julga-me, SENHOR, conforme a minha justiça e conforme a integridade que há em mim". A sua mão está em um coração honesto, e o clamor é feito a um Juiz justo. Vê um sorriso de tranquilidade na face do Rei, e em nome de toda a congregação ajuntada ele proclama em voz alta: "Tenha já fim a malícia dos ímpios, mas estabeleça-se o justo". Não é este o desejo universal de toda a companhia dos eleitos? Quando ficaremos livres das conversas imundas desses homens de Sodoma? Quando escaparemos da impureza de Meseque e da negridão das tendas de Quedar?

Que verdade solene e significativa contém a última frase do versículo 9. Como é profundo o conhecimento divino! "Tu [...] provas." Como é rigorosa, precisa e detalhada a sua busca! "Tu [...] provas o coração", os pensamentos secretos, "e a mente", as emoções interiores: "[...] todas as coisas estão nuas e patentes aos olhos daquele com quem temos de tratar" (Hb 4.13).

10 *O meu escudo está com Deus, que salva os retos de coração.*

11 *Deus é um juiz justo, um Deus que se ira todos os dias.*

12 *Se o homem se não converter, Deus afiará a sua espada; já tem armado o seu arco e está aparelhado;*

13 *e já para ele preparou armas mortais; e porá em ação as suas setas inflamadas contra os perseguidores.*

O juiz já ouviu a causa, inocentou o inocente e proferiu a voz contra os perseguidores. Aproximemo-nos e aprendamos os resultados dessa grande sessão do tribunal. Lá está o caluniado com a harpa na mão, cantando hinos em louvor à justiça do seu Senhor e alegrando-se em voz alta com a sua libertação.

10. *"O meu escudo está com Deus, que salva os retos de coração."* Como é bom ter um coração sincero e reto. Pecadores arqueados sob o peso da astúcia são contrastados pela verticalidade do coração. Deus defende os retos. A impureza não fica por muito tempo nas vestes puras e brancas dos santos. Será removida pela providência divina para a perturbação dos homens, por cujas mãos vis essa impureza foi lançada nos homens tementes a Deus. Quando Deus julga a nossa causa, o nosso sol se levanta e o sol dos ímpios se põe para sempre. A verdade, como óleo, sempre fica por cima, pois não há poder que os nossos inimigos tenham que a faça submergir. Refutaremos as suas difamações no dia em que a trombeta despertar os mortos, e brilharemos de honra quando os lábios mentirosos forem silenciados. Crente, não fique com medo do que os inimigos podem fazer ou dizer contra você, pois a árvore que Deus planta não há vento que danifique.

11. *"Deus é um juiz justo."* Ele não livrou você para que você fosse condenado pela boca dos perseguidores. Os seus inimigos não podem se assentar no trono de Deus, nem apagar o seu nome do livro da vida. Deixe-os em paz, pois Deus tem o tempo certo para vingar-se.

"Um Deus que se ira todos os dias." Deus não apenas detesta o pecado, mas se ira com aqueles que continuam se entregando ao pecado. Não temos um Deus insensível e frio com quem tratar. Ele se ira, e está irado hoje e todos os dias com vocês, pecadores incrédulos e impenitentes. O melhor dia que já amanheceu para o pecador já traz consigo uma maldição. Os pecadores podem ter muitos dias festeiros, mas nenhum dia seguro. Do começo ao fim do ano, não há uma hora na qual a fornalha de Deus não esteja quente, ardendo em prontidão para os ímpios, que serão como o restolho.

12 e 13. *"Se o homem se não converter, Deus afiará a sua espada."* Que golpe receberão aqueles que forem tratados pelo braço erguido do Senhor! A espada de Deus foi afiada na pedra rotativa de nossa maldade diária, e caso não nos arrependamos,

seremos feitos em pedacinhos muito rapidamente. Converter-se ou ser queimado são as duas únicas alternativas para o pecador.

"Já tem armado o seu arco e está aparelhado." Ainda hoje a seta sedenta deseja se encharcar com o sangue dos perseguidores. O arco está armado, o alvo está na mira, a seta está afiada, e agora, pecador, o que acontecerá se a seta for lançada contra você agora mesmo. Não se esqueça de que as setas de Deus nunca erram o alvo, e são "armas mortais". O julgamento pode tardar, mas não chegará muito atrasado. Diz o provérbio grego: "O moinho de Deus demora para moer, mas mói até polvilhar".

14 *Eis que esse está com dores de perversidade; concebeu trabalhos e produzirá mentiras.*
15 *Cavou um poço, e o fez fundo, e caiu na cova que fez.*
16 *A sua obra cairá sobre a sua cabeça; e a sua violência descerá sobre a sua mioleira.*

Vemos em três ilustrações gráficas a história do caluniador.

14. A mulher em trabalho de parto fornece a primeira metáfora. *"Eis que esse está com dores de perversidade."* Esse está cheio e com muitas dores até poder se livrar disso. Deseja pôr em execução o seu desejo, está cheio de dores agudas e repentinas até que as suas más intenções sejam executadas.

"Concebeu trabalhos e produzirá mentiras." Este é o seu desígnio original básico. O Diabo esteve em atividade com ele, e o vírus do mal nele está. E agora veja a progênie dessa concepção profana. O filho é digno do pai, o seu nome de antigamente era "o pai das mentiras". O nascimento não desmente o pai, porque ele produziu mentiras. Assim, a ilustração é aperfeiçoada. Agora, o salmista ilustra o que quer dizer servindo-se dos estratagemas do caçador.

15 e 16. *"Cavou um poço, e o fez fundo."* Foi esperto nos planos e industrioso na labuta. Dedicou-se ao trabalho sujo de cavar. Não temeu enlamear as mãos, pois estava disposto a trabalhar em um buraco para os outros caírem nele. Que coisas más os homens fazem para desafogar a vingança nos que temem a Deus. Caçam os homens bons, como se fossem animais irracionais. Não somente isso, mas não lhes dão a caçada justa que se dá ao coelho ou à raposa, pois lhes armam armadilhas secretas, não os perseguindo para capturá-los nem os derrubando. Os nossos inimigos não nos encontram cara a cara, porque nos temem tanto quanto fingem nos menosprezar. Contudo, olhemos para o fim da cena. O versículo diz: *"E caiu na cova que fez"*. Lá está ele, riamos do engano em que caíram. Vejam só, agora ele mesmo é o animal, ele caçou a própria alma e a caça lhe rendeu uma vítima agradável. Este sempre deve ser o resultado. Aproximem-se e divirtam-se com esse caçador que caiu na armadilha, esse enganador que se enganou. Não lhe mostrem piedade, pois será perda de tempo para um infeliz como esse. Ele foi senão justa e regiamente recompensado na mesma moeda. Lançou da boca o mal que entrou no peito. Ateou fogo à própria casa com a tocha que ele acendeu para queimar o vizinho. Enviou um pássaro nojento que acabou voltando ao ninho. A vara que ele ergueu bem alto golpeou-lhe as próprias costas. Atirou uma seta para cima que caiu "sobre a sua cabeça". Jogou uma pedra em alguém, e ela voltou atingindo "a sua mioleira". As maldições são como frangos, sempre voltam para o poleiro. As cinzas sempre voam no rosto de quem as lança. "Visto que amou a maldição, ela lhe sobrevenha" (Sl 109.17). Quantas vezes esta foi a realidade nas histórias dos tempos antigos e modernos. Os homens queimam os próprios dedos enquanto esperam para marcar a ferro o próximo. Se isso não acontecer agora, acontecerá mais tarde. O Senhor fez os cães lamberem o sangue de Acabe no meio do vinhedo de Nabote.

Cedo ou tarde as ações más dos perseguidores sempre pulam de volta aos seus braços. Assim será no último grande dia, quando todos os dardos inflamados de Satanás serão metidos de volta ao seu próprio coração, e todos os que o seguiram colherão o que semearam.

17 *Eu louvarei ao* Senhor *segundo a sua justiça e cantarei louvores ao nome do* Senhor *Altíssimo.*

17. Concluímos com o contraste alegre. Nesse aspecto, todos estes salmos estão de acordo. Todos exibem a bem-aventurança dos justos, e tornam o seu caráter mais resplandecente em comparação com as misérias dos ímpios. A joia brilhante reluz mais em um fundo preto. Os louvores são a ocupação dos tementes a Deus, a sua obra eterna e o seu prazer presente. Cantar louvores é a personificação adequada para o louvor, e por isso os santos entoam melodias diante do Deus Altíssimo. O caluniado é agora um cantor: a sua harpa esteve sem cordas por muito pouco tempo, mas agora o ouvimos tangendo as cordas em acordes harmoniosos e voando na música ao terceiro céu de louvor em adoração.

NOTAS EXPLICATIVAS E DECLARAÇÕES IMPORTANTES

O Título: "Sigaiom", embora alguns estudiosos tentem fixar nessa palavra uma referência ao aspecto moral do mundo conforme este salmo descreve, temos com toda a probabilidade de considerá-la como a expressão da natureza da composição. Transmite a ideia de algo de estilo *irregular* (שָׁגָה, "vagar"); algo não tão calmo como os outros salmos. Por conta disso, Ewald sugere a tradução: "uma ode confusa", um ditirambo. Essa característica de estilo inconstante e de certa desordem no sentido se ajusta a Habacuque 3.1, o outro único lugar onde a palavra ocorre. — *Andrew A. Bonar*

O Salmo: Qualquer que seja a ocasião em que o salmo foi composto, o verdadeiro assunto é ao que parece o apelo do Messias a Deus contra as falsas acusações dos seus inimigos. As predições que contém sobre a conversão final do mundo e do futuro julgamento estão claras e explícitas. — *Samuel Horsley, Doutor em Direito, 1733-1806*

v. 1: "Senhor, meu Deus, em ti confio". Nos salmos, esta é a primeira vez que Davi trata o Todo-Poderoso pela junção dos nomes "Senhor" e "meu Deus". Não há palavras mais adequadas a serem colocadas no início de todo ato de oração ou louvor. Esses nomes mostram a base da confiança expressa mais tarde. "Denotam ao mesmo tempo a reverência suprema e a confiança mais amável. Transmitem um reconhecimento das perfeições infinitas de Deus, e das suas relações ligadas ao concerto e à graça". — *William S. Plumer*

v. 2: "Para que ele não arrebate a minha alma, como leão, despedaçando-a, sem que haja quem a livre". Dizem que os tigres se enfurecem ao sentir o cheiro de certas especiarias aromáticas; assim os descrentes se enraivecem ao sentir o cheiro santificado dos que temem a Deus. Li que os indivíduos de certas nações bárbaras, quando sol os esquenta demais, atiram flechas contra ele. O mesmo fazem os ímpios diante da luz e calor dos tementes a Deus. Há uma antipatia natural entre o espírito dos tementes a Deus e dos ímpios. "E porei inimizade entre ti e a mulher e entre a tua semente e a sua semente" (Gn 3.15). — *Jeremiah Burroughs, 1660 v. 3:* "SENHOR, meu Deus, se eu fiz isto, se há perversidade nas minhas mãos". Nos tempos antigos, o povo de Deus era um povo que vivia sob grande censura e vergonha. Que coisas estranhas Tertuliano nos conta acerca dessas difamações de que era alvo o povo do Senhor. Nas reuniões, por exemplo, eles serviam refeições de Tiestes, que convidou o próprio irmão a um banquete e lhe serviu um prato de carne dos seus próprios filhos. As pessoas os acusavam de impureza porque se reuniam à noite (não ousavam se reunir durante o dia), e diziam que eles apagavam as velas quando estavam juntos para cometer imundícies. Eram reprovados pela ignorância, quer dizer, todos eram incultos. Nos dias de Tertuliano, os descrentes pintavam o Deus dos cristãos com a cabeça de um asno e um livro na mão, querendo dizer que embora fingissem aprender, eram iletrados, burros, rudes e ignorantes. No sermão sobre Lucas 11.5, o bispo Jewel cita Tertuliano em aplicação aos seus dias: "Não fazem os nossos adversários o mesmo", disse ele, "hoje, contra todos os que professam o evangelho de Cristo? Quem, dizem eles, são esses que defendem este caminho? Eles não passam de sapateiros, alfaiates, tecedores que nunca frequentaram uma universidade", são as próprias palavras do bispo. Pouco depois, ele também cita Tertuliano, dizendo que os cristãos eram considerados inimigos públicos do Estado. Josefo nos conta que Apolinário, falando sobre judeus e cristãos, afirmou que eles são mais tolos que os bárbaros. Paulus Fagius relata a história de certo egípcio que, em relação aos cristãos, declarou: "Eles são o ajuntamento de um povo muito impuro e lascivo". E quanto a guardar o sábado, diz ele: "Eles tinham uma doença, por cuja razão eles eram forçados a descansar no sétimo dia". Havia nos dias de Agostinho esta expressão: "Todo aquele que passa a ser religioso tem de preparar-se para sofrer a reprovação das línguas dos adversários". Esta era a maneira habitual de censura: "O que teremos de vocês, um Elias? Um Jeremias?" Nazianzeno, em um dos seus sermões, diz: "É comum me censurarem por eu não poder pensar livremente por mim mesmo". Costumavam referir-se a Atanásio por Satanásio, porque ele foi um instrumento especial contra os arianos. A Cipriano chamavam Copriano, ou seja, aquele que recolhe estercos, como se todas as coisas excelentes que ele recolhera dos seus trabalhos não passassem de esterco. — *Jeremiah Burroughs*

v. 3: "Se eu fiz isto, se há perversidade nas minhas mãos". Não nego, mas você pode, e tenho de ser sensível ao erro cometido contra o seu nome, pois "como unguento derramado é o teu nome" (Ct 1.3). Ter um nome mau já é em si um grande julgamento. Não seja, portanto, insensível com a injustiça feita ao seu nome por meio de difamações e repreensões, dizendo: "Que os homens falem de mim o que quiserem, não me importo contanto que eu saiba que sou inocente", pois embora o testemunho da sua inocência seja a base de consolação para você, o seu cuidado não só deve ser estar aprovado diante de Deus, mas também diante dos homens, ser tão cuidadoso dos seus bons nomes tanto possível. Mas você não deve manifestar qualquer destempero ou paixão com os discursos repreensivos das pessoas contra você. — *Thomas Gouge, 1660*

v. 3: É sinal de que há algum bem em você, se o mundo ímpio maltrata você. *Quid mali feci?*, disse Sócrates, que mal fiz eu para que este homem mau me censure? O aplauso dos ímpios normalmente denota algum mau, e a censura importa em algum bem. — *Thomas Watson*

v. 3: "Se há perversidade nas minhas mãos". A injustiça é designada às mãos, não porque a injustiça sempre seja, embora não em geral, feita com as mãos. Com as mãos, os homens tomam, e com elas, os homens retêm o direito dos outros. Davi fala assim: "Sem que haja deslealdade nas minhas mãos" (1 Cr 12.17), quer dizer, sem que eu tivesse cometido nenhum crime. — *Joseph Caryl*

vv. 3 e 4: A boa consciência é fonte contínua de confiança. "Porque a nossa glória é esta: o testemunho da nossa consciência, de que, com simplicidade e sinceridade de Deus, não com sabedoria carnal, mas na graça de Deus, temos vivido no mundo e maiormente convosco" (2 Co 1.12). "Amados, se o nosso coração nos não condena, temos confiança para com Deus" (1 Jo 3.21). A boa consciência tem confiança firme. Quem a tem se assenta no meio de todos os tumultos e distrações, como Noé, com toda a sinceridade, serenidade, retidão e ousadia. O que o discípulo principiante disse ao nosso Salvador: "Mestre, aonde quer que fores, eu te seguirei" (Mt 8.19), é o que a boa consciência diz à alma crente: Eu ficarei do seu lado, fortalecerei você, apoiarei você, serei um consolo para você em vida e um amigo para você na morte. "Ainda que todos se escandalizem em ti, eu nunca me escandalizarei" (Mt 26.33). — *Thomas Brooks*

v. 4: "Antes, livrei ao que me oprimia sem causa". Querendo dizer Saul, cujo vida ele poupou duas vezes: uma vez em En-Gedi e a outra quando o rei dormia na planície. — *John Gill*

v. 4: "Se paguei com o mal àquele que tinha paz comigo". Pagar o mal para os bons é corrupção humana; pagar o bem para os bons é retribuição civil; mas pagar o bem para os maus, é perfeição cristã. Não é a graça da natureza, mas a natureza da graça. — *William Secker*

v. 4: É graça vitoriosa, que faz do homem um espírito nobre e valente, não quando ele é vencido pelo mal (pois isso deduz fraqueza), mas quando ele vence o mal. É o modo de Deus envergonhar a parte que cometeu a injustiça, e de vencê-lo também. É o melhor modo de adquirir a vitória sobre ele. Quando Davi esteve em vantagem com relação a Saul na caverna, cortou-lhe a barra das vestes e reprimiu qualquer ato de vingança contra ele. Saul ficou comovido e disse para Davi: "Mais justo és do que eu" (1 Sm 24.17). Embora tivesse tamanha mente hostil contra Davi, perseguisse-o e procurasse-o por todos os lados, mesmo assim, Davi reprimiu a vingança na ocasião que estava no seu poder vencê-lo, fazendo-o cair chorando. — *Thomas Manton*

v. 5: "Calque aos pés a minha vida sobre a terra". A alusão é à maneira na qual os derrotados eram tratados na batalha, quando eram atropelados por cavalos ou pisoteados por homens. A ideia de Davi é que se ele fosse culpado ele estaria disposto a permitir que o inimigo triunfasse sobre ele, o subjugasse, o tratasse com extrema indignidade e desprezo. — *Albert Barnes, in loc.*

v. 5: "Reduza a pó a minha glória". Quando Aquiles arrastou o corpo de Heitor ao redor dos muros de Troia, fez nada menos que o costume que havia naqueles tempos de barbarismo. Na sua inocência consciente, Davi ousa imprecar tal destino infame sobre si caso a acusação do negro benjamita fosse verdadeira. Ele tinha de ter um caráter primoroso para ousar desafiar tal provação. — *C. H. S.*

v. 6: "O juízo que ordenaste". No fim do versículo, ele mostra que não pede nada mais do que está de acordo com o compromisso de Deus. Esta é a regra que deve ser observada por nós em nossas orações. Devemos conformar todos os nossos pedidos de acordo com a vontade divina, como João também nos ensina (1 Jo 4.4). De fato, nunca oraremos com fé a menos que atendamos, em primeiro lugar, o que Deus ordena, para que a mente não vagueie impulsivamente e ao acaso desejando mais do que nos seja permitido desejar e pedir. Davi ora corretamente, descansando na palavra e na promessa de Deus. A importância da prática é esta: Senhor, não sou levado pela ambição, ou sentimento tolo e pertinaz, ou desejo depravado em inconsideradamente pedir tudo que agrade a minha carne. Mas é a luz clara da tua palavra que me dirige, e nela confio firmemente. — *João Calvino*

v. 7: "O ajuntamento de povos". Ou significa:

(1) Grande quantidade de todos os tipos de pessoas que observarão a justiça, santidade e bondade divina em defender a minha causa justa contra o meu opressor cruel e implacável. Ou, mais exatamente, significa:

(2) O corpo do povo de Israel, por quem ambas estas palavras hebraicas são referidas comumente nas Santas Escrituras.

"Assim, te rodeará." Eles e eu, como rei e príncipe deles em teu lugar, tomarei cuidado para que eles venham de todas as regiões e se ajuntem para adorar-te. Essa prática foi negligenciada nos dias de Saul e, por causa dessa negligência, não te ofereceram louvores e sacrifícios para o teu favor para comigo e para os benefícios múltiplos que eles desfrutarão por meu intermédio e sob o meu governo.

"Por causa deles", ou seja, por causa da tua congregação ("ajuntamento") que agora está desgraçadamente dispersa e oprimida, e que em grande parte perdeu toda a administração de justiça e exercício de religião.

"Volta às alturas", ou, volta a teu lugar alto, ou seja, ao teu tribunal para assentar-se e julgar a minha causa. Alusão aos tribunais da terra que geralmente são estabelecidos em um lugar alto em relação ao povo (1 Rs 10.19). — *Matthew Pool, 1624-1679*

v. 8: Crentes! Não deixem que o terror daquele dia desanimem vocês de meditar nestas coisas. Deixem que aqueles que desprezaram o Juiz, e continuam sendo inimigos dele e do caminho da santidade, descaiam e despenquem a cabeça quando pensarem na sua vinda. Mas ergam, crentes, a cabeça com alegria, pois o último dia será o melhor dia. O Juiz é a Cabeça, o Marido, o Redentor e o Defensor. Vocês têm de comparecer diante do tribunal, mas vocês não serão condenados. A sua vinda não será contra vocês, mas a favor de vocês. Para os incrédulos é o inverso, pois um Salvador negligenciado será um Juiz severo. — *Thomas Boston, 1676-1732*

v. 9: "Tu, ó justo Deus, provas o coração e a mente". Como mostra a experiência comum, o funcionamento da mente, em particular os sentimentos da alegria, aflição e choro, causam efeito extremamente notáveis no coração e nos rins (ver Pv 23.16, "íntimo"; Sl 73.21). Pela posição isolada no corpo e estarem escondidos na gordura, esses órgãos são usados para denotar as operações e sentimentos mais secretos da alma. Ver ou examinar a mente é ver ou examinar os pensamentos ou desejos mais secretos da alma. — *John Parkhurst, 1762*

v. 9: "Tu, ó justo Deus, provas o coração e a mente".

Eu que unicamente sou único infinito, posso provar
A profundidade que há em teu coração
O mergulho dos marinheiros alcança senão a terra
Eu encontro o que o teu coração jamais encontrará
— *Francis Quarles, 1592-1644*

v. 9: O "coração" significa as cogitações, e a "mente", os sentimentos. — *Henry Ainsworth*

v. 10: "O meu escudo está com Deus". A tradução é literal, como também consta em Salmos 62.7: "Em Deus está a minha salvação". A ideia foi tirada do pajem que sempre tinha à mão a arma necessária para entregar ao guerreiro. — *Andrew A. Bonar*

v. 11: "Deus é um juiz justo, um Deus que se ira todos os dias". Muitos debates entre os estudiosos têm se levantado sobre o significado desse versículo. Temos de confessar que o verdadeiro significado não é nada fácil de determinar. A pergunta que ainda permanece é: Será que esta é uma boa tradução? Podemos responder a pergunta dizendo que há forte evidência do contrário. Henry Ainsworth traduz assim: "Deus é um juiz justo; e Deus furiosamente intimida todos os dias". Isto corresponde à tradução da Bíblia de Coverdale:* "Deus é um juiz justo, e Deus sempre é intimidador". Na Bíblia do Rei Edward, tradução de 1549, a leitura é a mesma. Mas há outra classe de críticos que adota uma visão bastante diferente do texto, e com maior plausibilidade de argumento. O bispo Horsley traduz o versículo desta maneira: "Deus é um juiz justo, embora ele não se ire todos os dias". Nesta tradução, ele segue a maioria das versões antigas. A tradução da Vulgata é a seguinte: "Deus é juiz, íntegro, forte e paciente; ele ficará irado todos os dias?" A Septuaginta tem esta versão: "Deus é um juiz justo, forte e longânimo; não gerando a sua ira todos os dias". A versão Siríaca traz esta tradução: "Deus é o juiz da justiça; ele não se ira todos os dias". Adam Clarke concorda com esta visão do texto e, como opinião, expressa que o texto foi corrompido antigamente pelos caldeus. Este estudioso propõe restaurar o texto assim: "אֵל (*'ēl*), com o ponto vocálico *sere*, que significa Deus; אַל (*'al*), as mesmas letras, com o ponto vocálico *pathah*, que significa *não*". Por esta visão e restauração do original, não há repetição do nome divino no versículo, de forma que a leitura será: "Deus é um juiz justo, e não se ira todos os dias". O contexto, conforme dão a entender a Vulgata, a Septuaginta e outras versões antigas, transmitem a forte insinuação à longanimidade de Deus, cujo ódio ao pecado é inalterável, mas cuja ira aos transgressores é marcada por paciência infinita, não irrompendo vingativamente todos os dias. — *John Morison, "An Exposition of The Book of Psalm" [Uma Exposição do Livro de Salmos], 1829*

v. 11: "Deus [...] se ira". A expressão original aqui é muito forte. A verdadeira ideia é *espumar* ou *fazer espuma pela boca* com indignação. — *Richard Mant, Doutor em Teologia, 1824*

vv. 11 e 12: Deus estabeleceu o seu verdadeiro padrão em oposição a todos os filhos e filhas do apóstata Adão que, da própria boca são proclamados rebeldes e traidores da coroa e dignidade divina. Contra os tais, ele entrou em campo, com fogo e espada, para vingar-se deles. Ele dá ao mundo testemunho suficiente da sua ira enraivecida, por aquilo que é revelado diariamente dos céus nos julgamentos feitos aos pecadores e àqueles que, em pouco tempo, mostram por meio do pecado de que natureza são, sendo esmagados fatalmente pelo pé justo de Deus somente pelo tipo venenoso de que são constituídos. Em todo lugar que o pecado põe o pé, é onde a ira de Deus nos encontra. Toda faculdade da alma e membro do corpo são usados como arma da injustiça contra Deus. Cada um tem a sua porção de ira, mesmo para a ponta da língua. Como o homem é completamente pecador por toda parte, assim é ele amaldiçoado por toda parte. Há ais e maldições por dentro e por fora, alma e corpo, tão profundos e cheios, que não sobre lugar para alguém escrever entre duas linhas ou acrescentar ao que Deus já escreveu. — *William Gurnall*

vv. 11 a 13: A ideia da justiça de Deus possuiu grande vigor para tornar tal representação possível. Nos escritos de Lutero, há excelentes observações baseadas nesta ideia. Contudo, ele ignora totalmente o fato de que o salmista apresenta diante dos olhos esta forma de um Deus irado e vingador principalmente com vistas a fortalecer a própria esperança por meio de suas considerações, e dá muito pouca atenção à distinção entre o salmista, que só indiretamente ensina o que ele descreveu

* **N. do T.:** Miles Coverdale (1488-1568), clérigo e tradutor inglês que traduziu e produziu a primeira tradução completa da Bíblia em 1535.

como parte da sua experiência interior, e o profeta: "O profeta pega o exemplo de uma grosseira similitude humana para inspirar terror nos não crentes.

Ele fala contra pessoas tolas e endurecidas, que não entenderiam a realidade do julgamento divino do qual há pouco fora falado. Eles podem ser levados a considerá-lo por maior seriedade da parte dos homens. Não estando satisfeito em pensar na espada, o profeta acrescenta o arco. Mas nem sequer o arco o satisfaz, pois ele o descreve na posição armada, a pontaria no alvo e as setas aplicadas ao alvo como se mostra a seguir. Os não crentes são tão duros, teimosos e descarados que por mais ameaças que lhes sejam feitas, eles ainda permanecem impassíveis. Nestas palavras, ele descreve por imposição como a ira de Deus é forte contra os não crentes, embora nunca venham a entender até que a experimentem de fato. Também temos de observar que não tivemos ameaça e indignação tão assustadores contra os não crentes em nenhum salmo anterior a este; e nem o Espírito de Deus os ataca com tantas palavras. Nos versículos seguintes, ele também reconta os planos e propósitos, mostra como estes não serão em vão, mas voltará contra a própria cabeça dos não crentes. De forma que é plenamente evidente a todos os que sofrem injustiça e castigo, como questão de consolação, que Deus odeia tais injuriadores e caluniadores acima de todas as pessoas que tenham outro tipo de personalidade". — *E. W. Hengstenberg, in loc., 1845*

v. 12: "Se o homem se não converter". Como são poucos os que acreditam que Deus briga com os ímpios? Não só com os libertinos, mas também com os formais e hipócritas? Se acreditássemos, tremeríamos tanto estar entre eles quanto estar em uma casa que está desmoronando. Nós nos esforçaríamos para nos salvar "desta geração perversa" (At 2.40). O apóstolo não os teria repudiado, acusado, implorado, caso não tivesse ele conhecido o perigo das más companhias. "Deus que se ira todos os dias; [...] já tem armado o seu arco e está aparelhado." Os instrumentos para a ruína dos ímpios estão todos preparados. É seguro estar onde as setas de Deus estão prontas para serem lançadas entre nossos ouvidos? Como era grande o medo do apóstolo por estar no banho com Cerinto! "Levantai-vos", disse Deus por Moisés, "do redor da habitação de Corá, Datã e Abirão, [...] para que, porventura, não pereçais em todos os seus pecados" (Êx 16.24,26). Como as cestas de figos bons sofreram com os figos ruins! Não é prejudicial ao ouro estar com a escória? Ló teria sido arruinado pela proximidade com os sodomitas se Deus não tivesse trabalhado maravilhosamente para libertá-lo. Você vai fazer com que Deus opere milagres para salvar você das companhias de não crentes? É perigoso estar na estrada com ladrões enquanto o clamor por justiça e o grito de vingança estão sendo feitos por Deus às costas dessa gente. "O companheiro dos tolos será afligido" (Pv 13.20). Até os animais podem ensinar você a informar-se mais para a sua segurança. Os próprios cervos têm medo de um cervo ferido e perseguido, pois para a preservação do grupo expulsam o ferido da sua companhia. — *Lewis Stuckley*

v. 12: "Se o homem se não converter, Deus afiará a sua espada". O afiamento da espada é nada mais que dar um fio mais afiado para cortar mais fundo. Deus fica calado contanto que o pecador o deixe. Mas quando a espada está a afiar, é para cortar. Quando o arco está armado, é para matar. Ai do homem que é o alvo. — *William Secker*

v. 13: "E já para ele preparou armas mortais; e porá em ação as suas setas inflamadas contra os perseguidores". Deus pôs em ordem as suas setas contra os perseguidores; a palavra significa extremamente inflamado em ira e malícia contra os ímpios. A palavra hebraica traduzida por "porá em ação" significa Deus forja as suas setas.

Ele não as atira ao acaso, mas as trabalha contra os ímpios. Ilírico conta a história que serve muito bem de comentário desse texto em suas ambas as partes. Certo Félix, conde de Wartenberg, um dos capitães do imperador Carlos V, jurou na presença dos convivas na ceia que antes de morrer ele cavalgaria até as esporas com o sangue dos luteranos. Eis alguém inflamado em malícia, mas veja como Deus trabalha as suas setas contra ele. Naquela mesma noite, a mão de Deus o golpeou, sendo estrangulado e sufocado no próprio sangue.

Assim, ele cavalgou antes de morrer não só até as esporas, mas se banhou até à garganta, e não com o sangue dos luteranos, mas com o seu próprio sangue. — *Jeremiah Burroughs*

v. 13: "Porá em ação as suas setas inflamadas". A tradução mais exata seria: "Ele faz as suas setas inflamarem". Chegamos à conclusão de que essa ilustração vem do uso de setas inflamadas. — *John Kitto, 1804-1854*

v. 14: "Eis que esse está com dores de perversidade; concebeu trabalhos e produzirá mentiras". Essas palavras expressam a concepção, o nascimento, a gestação e o aborto de uma trama contra Davi. Sobre essa ilustração, consideremos:

(1) O que os inimigos fizeram.

(2) O que Deus fez.

(3) O que todos nós deveríamos fazer: a intenção dos inimigos, a prevenção de Deus e o nosso dever. A intenção dos inimigos: "Esse está com dores de perversidade" e "concebeu trabalhos". A prevenção de Deus: "Esse [...] produzirá mentiras". O nosso dever: "Eis", ou seja, "aqui está". [...] Observe a agravação do pecado: "Esse [...] concebeu". Não lhe foi imposto ou forçado nisto; foi um ato voluntário. Quanto mais liberdade temos para não pecar, maior se torna o nosso pecado. Esse não o fez movido por paixão, mas a sangue frio. Quanto menor a vontade, menor o pecado. — *Richard Sibbes*

v. 14: "Esse está com dores de perversidade; concebeu trabalhos". Todos sabem que conceber vem antes de estar com dores de parto. Mas aqui as dores de parto, como a mulher em trabalho de parto, vêm primeiro. A razão é que os ímpios estão tão calorosamente estabelecidos no mal maldosamente tencionado, que querem extravasá-lo imediatamente até mesmo antes de conceberem por que meios. Mas no fim só produzem mentiras, quer dizer, encontram aquilo que o coração mentiu para eles, quando prometeram bom sucesso, mas eles tiveram mal. A pressa para perpetrar o dano está insinuada na palavra traduzida por "perseguidores" (v. 13), que corretamente significa "ardentes", "inflamados", "queimando", quer dizer, com o desejo de causar dano — e isso não admite demora. Uma rotina notável na apresentação do caso mau dos ímpios, especialmente tentando qualquer coisa contra os justos para movê-los ao arrependimento — pois você tem Deus por inimigo em guerra contra você, contra cuja força você não pode resistir — e no desejo ganancioso que os ímpios têm de serem maus, mas a sua concepção acabará sendo abortiva. — *John Mayer, in loc.*

v. 14: "E produzirá mentiras". Todo pecado é uma mentira. — *Agostinho*

v. 14: "Eis que esse está com dores de perversidade; concebeu trabalhos e produzirá mentiras".

Os entretenimentos da terra são como os de Jael
A sua mão esquerda me traz leite, a sua direita, uma estaca.
— *Thomas Fuller*

vv. 14 e 15: "Cavou um poço", cuja profundidade vai até ao inferno, "e caiu na cova que fez".

Não há lei mais justa que possa ser inventada ou feita
Do que os agentes do pecado caírem pelo seu próprio comércio.

A ordem do inferno progride na mesma ordem. Embora dê uma porção maior, ainda assim é uma proporção justa de tormento. Esses convidados miseráveis estavam ocupados demais com as águas do pecado. Agora estão no fundo de uma cova "onde não há água" (Sl 63.1). Dives**, que desperdiçou tantos barris de vinho, não pode obter água, nem um pote de água, nem um punhado de água, nem uma gota de água para esfriar a língua. *Desideravit guttam, qui non dedit micam* (Agostinho, Homilia 7). Justa recompensa! Ele não daria uma migalha; ele não terá uma gota. O pão não tem o menor fragmento que uma migalha, a água não tem a menor fração que uma gota. Como ele negou o menor consolo para o Lázaro vivo, assim o Lázaro morto não lhe trará o menor consolo. A dor pelo pecado corresponde ao prazer do pecado. [...] Os pecados condenáveis terão castigos semelhantes. Como disse Agostinho sobre a língua, assim podemos dizer de qualquer membro do corpo. [...] Se não serve a Deus em ação, o servirá em paixão. — *Thomas Adams*

v. 15: "Cavou um poço, e o fez fundo". A prática de fazer armadilhas não só era utilizada em tempos antigos para capturar animais selvagens, mas também era um estratagema que os homens usavam contra os inimigos em tempos de guerra. A ideia se refere ao homem que, tendo feito tal cova, quer para homens, quer para animais, e a coberto para camuflar o perigo, ele próprio inadvertidamente pisava na armadilha e caía na cova que preparara para outro. — *"Pictorial Bible" [Bíblia Pictórica]*

v. 16: O mais engenhoso dos comentaristas, o velho mestre John Trapp, conta a seguinte anedota interessante para ilustrar esse versículo. Foi um caso muito extraordinário do doutor Story que, fugindo da prisão nos dias da rainha Elizabeth, foi para a Antuérpia. Pensando que estava fora do alcance da vara de Deus, recebeu a comissão sob as ordens do duque de Alva para vasculhar todos os navios que chegassem em busca de livros de inglês. Mas certo Parker, um comerciante inglês, indo negociar na Antuérpia, armou uma cilada (disse o nosso cronista) para caçar esse criminoso, fazendo com que fosse dada informação secreta a Story que no navio do inglês havia pilhas de livros heréticos em lugares secretos. O canonista, imaginando que estava seguro o suficiente, foi às pressas ao navio onde, lançando olhares de arrogância aos pobres marinheiros, vasculhou cada camarote, caixa e canto das cabines que estavam acima da linha do mar. Achou algumas coisas para o incentivar a continuar vasculhando, de forma que as escotilhas tiveram de ser abertas sob a aparente má vontade dos marinheiros e com sinais de muito medo estampados nos rostos. Isso fez com que o doutor Story descesse ao porão de carga do navio. Agora, estando o rato na armadilha, ele podia roer, mas não sair, pois as escotilhas foram fechadas e as velas içadas. O navio, impulsionado por um forte vento, rumou à Inglaterra, onde sem demora o doutor Story foi acusado, condenado por alta traição e adequadamente executado no vilarejo de Tyburn, como ele bem merecia.

v. 16: A história do touro de Fálaris, inventada para o tormento dos outros e depois servindo para si mesma, é notória na história pagã. [...] Foi um julgamento voluntário que o arcebispo Cranmer infligiu sobre si quando colocou a mão no fogo, queimado-a, a mesma mão com a qual ele assinara artigos papistas, enquanto clamava: "Oh, a minha indigna mão direita!" Mas quem negará que a mão do

** **N. do E.:** Dives — Na Vulgata de Jerônimo, constatamos que homem rico, em latim, é significado pelo vocábulo "dives". Ou seja: homem abastado.

Todo-Poderoso também estava envolta nisto? — *William Turner, "Divine Judgments by Way of Retaliation" [Julgamentos Divinos por Via da Vingança], 1697*

v. 17: Bendizer a Deus por suas misericórdias é a forma de aumentá-las. Bendizê-lo pelas desgraças é a forma de retirá-las. Não há bem que perdure tanto quanto o bem que é agradecidamente aprimorado. Não há mal que acabe tão logo como o que é pacientemente suportado. — *William Dyer*

SUGESTÕES AOS PREGADORES

v. 1. A necessidade de termos fé quando nos dirigimos a Deus. Mostre a inutilidade da oração sem a confiança no Senhor.

vv. 1 e 2. Versículos considerados como oração pela libertação de todos os inimigos, especialmente de Satanás, o leão.

v. 3. A defesa própria diante dos homens. Quando possível, é sensata ou útil. Com observações sobre o espírito em que deve ser feita.

v. 4. "A melhor vingança." Pagar o mal pelo bem é o estilo do Diabo, o mal pelo mal é o estilo dos animais, o bem pelo bem é o estilo dos homens, o bem pelo mal é o estilo de Deus.

v. 6. Como e em que sentido a ira divina pode se tornar a esperança dos justos. Fogo combatido por fogo, ou a ira do homem vencida pela ira de Deus.

v. 7. "O ajuntamento de povos": (1) Quem são; (2) por que se ajuntam; (3) onde se ajuntam; (4) por que escolhem que tal pessoa seja o centro do ajuntamento.

v. 7. O ajuntamento dos santos em torno do Senhor Jesus.

v. 7. "Volta às alturas." A vinda de Jesus para julgar por causa dos seus santos.

v. 8. O caráter do Juiz diante de quem todos teremos de comparecer.

v. 9. "Tenha já fim a malícia dos ímpios": (1) Mudando-lhes o coração; ou (2) contendo-lhes a vontade; (3) ou privando-os de poder; (4) ou removendo-os. Mostre quando e por que tal oração deve ser feita, e como, no primeiro sentido, podemos nos empenhar para a sua concretização.

v. 9. Esse versículo contém duas orações principais e a prova nobre de que o Senhor pode responder.

v. 9. O período do pecado e a perpetuidade do justo. — *Matthew Henry*

v. 9. "Estabeleça-se o justo." Por quais meios e em que sentido o justo é estabelecido, ou a verdadeira igreja estabelecida.

v. 9. "Tu, ó justo Deus, provas o coração e a mente." Deus prova o coração dos homens.

v. 10. "Os retos de coração." Explique o caráter.

v. 10. A confiança do crente em Deus e o cuidado de Deus para com o crente. Mostre a ação da fé em obter a defesa e proteção, e essa defesa em nossa fé, fortalecendo-a.

v. 11. O Juiz e as duas pessoas em julgamento.

v. 11. "Um Deus que se ira todos os dias." A ira vigente, diária, constante e veemente de Deus contra os ímpios.

v. 12. Título sugestivo: "Converta-se ou Você Será Queimado", in: "Spurgeon's Sermons" [Sermões de Spurgeon], n. 106.

vv. 14 a 16. Esses versículos mostram por meio de três ilustrações os artifícios e a derrota dos perseguidores.

v. 17. O excelente dever do louvor.

v. 17. Veja o versículo com relação ao assunto do salmo e mostre como a libertação dos justos e a destruição dos ímpios são temas para cânticos.

SALMO 8

TÍTULO

Salmo de Davi para o cantor-mor, sobre Gitite. Não temos certeza do que significa a palavra *gitite*. Certos estudiosos opinam que (1) diz respeito a Gate, em alusão a uma melodia comumente cantada nessa cidade ou a um instrumento musical inventado ali, (2) ou é concernente a uma canção sobre Obede-Edom, o geteu, em cuja casa a arca ficou, (3) ou, melhor ainda, tem relação a uma canção cantada sobre Golias, o gadita. Outros, remontando às raízes hebraicas, acreditam que significa um cântico para o lagar, um canção alegre para os pisadores de uvas. O termo *gitite* é usado em dois outros salmos (Sl 81 e 84), ambos de natureza alegre, levando-nos a concluir que, onde conste essa palavra no título temos um hino de prazer.

Podemos intitular este salmo de *A Canção do Astrônomo.* Saiamos e o cantemos sob os céus estrelados ao cair da noite, pois é muito provável que o cântico tenha ocorrido à mente do poeta em tal situação. Thomas Chalmers diz: "Há muitas coisas no cenário do céu noturno para elevar a alma à contemplação piedosa. A lua e as estrelas, o que são? Destacam-se do mundo e nos elevam acima dele. Sentimo-nos distanciados da terra, subindo em elevada abstração desse pequeno teatro de emoções e ansiedades humanas. A mente se abandona a devaneios, transferindo-se no êxtase de pensar nas regiões distantes e inexploradas. Vê a natureza na simplicidade dos seus grandes elementos, e vê o Deus da natureza investido com os altos atributos da sabedoria e majestade".

DIVISÃO

O primeiro e o último versículos são uma suave canção de admiração, na qual a excelência do nome de Deus é exaltada. Os versículos intermediários são compostos da santa admiração diante da grandeza do Senhor da criação, e da sua benevolência para com o homem. Poole, nas suas anotações, expressou-se muito bem: "A grande pergunta entre os intérpretes é saber se este salmo fala do homem em geral e da honra que Deus lhe dá na criação, ou se diz respeito tão-somente ao Homem Jesus Cristo. Talvez ambos os aspectos possam ser reconciliados e juntados, dando fim à controvérsia, se forem corretamente declarados, pois o tema desse salmo é claramente este: mostrar e celebrar o grande amor e bondade de Deus para com a humanidade, não só na criação, mas, sobretudo, na redenção feita por Jesus Cristo, que, como homem, promoveu a honra e domínio aqui mencionados para que ele continuasse a sua grande e gloriosa obra. Assim, Jesus é o tema principal do salmo. Essa é a interpretação dada tanto pelo nosso Senhor (Mt 21.16) quanto por Paulo, o seu santo apóstolo (1 Co 15.27; Hb 2.6,7).

EXPOSIÇÃO

1 *Ó Senhor, Senhor nosso, quão admirável é o teu nome em toda a terra, pois puseste a tua glória sobre os céus!*

1. Incapaz de expressar a glória de Deus, o salmista profere uma exclamação: "Ó Senhor, Senhor nosso"! Não nos admiremos, pois não há coração que possa medir ou declarar a metade da grandeza do Senhor. Toda a criação está cheia da glória divina e brilha com a excelência do seu poder. A bondade e sabedoria de Deus se manifestam em todas as habilidades e aptidões. As incontáveis miríades de seres terrestres, do homem (a cabeça) ao verme rastejante (os pés), são sustentados e alimentados pela generosidade divina. A estrutura sólida do universo se apoia no braço eterno. Universalmente, ele está presente, e em todos os lugares está o seu nome excelente. Deus trabalha sempre e em todos os lugares. Não há lugar onde Deus não esteja. Os milagres do seu poder nos esperam por todos os lados. Atravesse os vales silenciosos onde as pedras o cercam por todos os lados, subindo como as muralhas do céu até que você veja apenas uma nesga do céu azul bem longe por sobre a cabeça. Talvez você seja o primeiro viajante a atravessar esse vale estreito e profundo. Os pássaros se assustam, e o musgo treme debaixo do primeiro passo do pé humano. Mas Deus está lá em mil maravilhas, sustentando as barreiras rochosas, enchendo de perfume os cálices das flores e refrescando os solitários pinheiros com o hálito da sua boca. Desça, se quiser, ao oceano mais profundo, onde as águas dormem imperturbadas e a própria areia está imóvel no silêncio ininterrupto, mas a glória do Senhor está ali, revelando a sua excelência no palácio tranquilo do mar. Pegue emprestado as asas da manhã e voe às mais longínquas partes do mar, e Deus lá está. Escale o mais alto céu ou mergulhe no mais profundo inferno, e Deus está em ambos os lugares, cantado em hinos de canções eternas ou justificado em vinganças terríveis. Em todos os lugares, Deus habita e está manifestadamente em ação. O Senhor não é exaltado somente na terra, pois a sua luz brilha no firmamento acima da terra. A sua glória excede a glória dos céus estrelados. Acima da região das estrelas ele estabeleceu o seu trono eterno, onde habita na luz inacessível: "O que sozinho estende os céus e anda sobre os altos do mar; o que faz a Ursa, e o Órion, e o Sete-estrelo, e as recâmaras do sul" (Jó 9.8,9). Dificilmente encontramos palavras mais adequadas que as de Neemias: "Tu só és Senhor, tu fizeste o céu, o céu dos céus e todo o seu exército, a terra e tudo quanto nela há, os mares e tudo quanto neles há; e tu os guardas em vida a todos, e o exército dos céus te adora" (Ne 9.6). Voltando ao texto, somos levados a observar que esse salmo é dirigido a Deus, porque ninguém senão o Senhor conhece inteiramente a sua própria glória. O coração crente fica encantado com o que vê, mas só Deus conhece a glória de

Deus. Que doçura há na pequena palavra "nosso"! Quanto nos é encarecida a glória de Deus quando consideramos o interesse nele como o nosso Deus. "Quão admirável é o teu nome"! Não há palavras que expressem essa admiração. Portanto, é sentido como exclamação. O próprio "nome" do Senhor é admirável, quanto mais a sua pessoa. Note o fato de que nem sequer os céus podem conter a sua glória, que foi posta "sobre os céus", visto que é e sempre tem de ser grande demais para a criatura expressar. Quando passávamos pelos Alpes, sentimos que o Senhor era infinitamente maior que todas as suas obras mais grandiosas. Foi com esse sentimento que escrevemos estas poucas mal traçadas linhas:

Por mais que sejam grandes todas estas obras,
Não o vemos. O espelho é por demais opaco
E escuro, ou então os nossos olhos mortais são por demais turvos.

Os Alpes cujos cumes avançam acima das nuvens
E mantêm conversas familiares com as estrelas,
São pó em que a balança não treme,
Comparados com a imensidão divina.

Os cumes cobertos de neve não o apresentam,
Aquele que habita na eternidade e permanece
Sozinho, o nome do Altíssimo.
As profundezas inimaginadas são muito rasas para expressar
A sabedoria e o conhecimento do Senhor,
O espelho das criaturas não tem espaço
Para conter a imagem do Infinito.
É verdade que o Senhor de modo correto escreveu o seu nome,
E pôs o selo na testa de criação.
Mas como o oleiro hábil supera em muito
O vaso que ele forma na roda,
Mesmo assim, mas em proporção muito maior,
A pessoa do Senhor transcende as suas mais nobres obras.
As pesadas rodas da terra quebrariam, os eixos estalariam,
Se fossem fretados com a carga da deidade.
O espaço é muito estreito para o descanso do Eterno,
E o tempo é muito curto para ser o escabelo do seu trono.
Até a avalanche e o trovão ficam sem voz,
Para expressar o pleno volume do seu louvor.
Como posso declará-lo? Onde estão as palavras
Com as quais a minha língua inflamada pode falar o seu nome?
Em silêncio me curvo e com humildade o adoro.

2 *Da boca das crianças e dos que mamam tu suscitaste força, por causa dos teus adversários, para fazeres calar o inimigo e vingativo.*

2. Não só nos céus em cima o Senhor é visto, mas a terra embaixo fala da sua majestade. No céu, os orbes volumosos, girando na sua grandeza estupenda, são testemunhas do seu poder em grandes coisas, ao passo que aqui embaixo, as expressões balbuciantes dos bebês são as manifestações da sua força nos pequeninos. Quantas vezes as crianças nos falam de um Deus de quem nos esquecemos! Como a sua tagarelice simples refuta os tolos instruídos que negam a existência de Deus!

Muitos homens se calam, ao passo que os lactentes dão testemunhos da glória do Deus dos céus. É singular a clareza com que a história da igreja explana esse versículo. As crianças não clamavam "Hosana!" no templo, enquanto os fariseus orgulhosos estavam calados e desdenhosos? E o nosso Salvador não citou essas mesmas palavras como justificativa aos clamores infantis? A história da Igreja Primitiva registra muitos exemplos surpreendentes do testemunho de crianças da verdade de Deus, mas talvez exemplos mais recentes sejam mais interessantes. Em *O Livro dos Mártires* (CPAD), John Fox conta que quando Lawrence foi queimado em Colchester, foi levado à fogueira em uma cadeira, porque, pela crueldade dos papistas, ele não conseguia manter-se de pé. Nesse episódio, várias crianças vieram correndo à fogueira, clamando, como também a falar: "Senhor, fortalece o teu servo e cumpre a tua promessa". Deus respondeu a oração, pois Lawrence morreu tão firme e calmamente quanto alguém pode desejar dar o último suspiro. Quando um dos capelães papistas disse a George Wishart, o grande mártir escocês, que ele tinha demônio, uma criança que estava por perto clamou: "Um demônio não pode falar palavras como este homem fala". Outro exemplo ainda mais próximo de nossos dias. Em um pós-escrito de suas cartas nas quais detalha a perseguição por pregar o evangelho em Moorfields, George Whitfield diz: "Não posso deixar de acrescentar que vários meninos e meninas gostavam muito de sentar-se à minha volta, no púlpito, enquanto eu pregava, para poderem me passar os bilhetes das pessoas — embora fossem frequentemente atingidos por pedras, ovos, sujeira, etc., que eram jogados à minha pessoa — jamais desistiram de me ajudar. Antes, pelo contrário, toda vez que eu era atingido, erguiam os pequeninos olhos lacrimejantes, como que desejando receberem os golpes que eu recebia. Deus fez dessas crianças, quando cresceram, grandes e vivos mártires para aquele que, da 'boca das crianças e dos que mamam' suscita força!" Aquele que se deleita com os cânticos dos anjos se agrada em honrar-se aos olhos dos inimigos pelos louvores das crianças. Que contraste entre a glória sobre os céus e a boca das crianças e lactentes! No entanto, por ambos o nome de Deus é admirado.

3 *Quando vejo os teus céus, obra dos teus dedos, a lua e as estrelas que preparaste;*
4 *que é o homem mortal para que te lembres dele? E o filho do homem, para que o visites?*

3 e 4. No fim do pequeno e excelente manual intitulado "O Sistema Solar", escrito por Thomas Dick, encontramos uma passagem eloquente que belamente expõe o texto: A pesquisa do sistema solar tem a tendência a minorar o orgulho do homem e a promover a humildade. O orgulho é uma das características distintivas dos fracos, e tem sido uma das principais causas de todas as disputas, guerras, devastações, sistemas escravistas e projetos ambiciosos que devastam e desmoralizam o nosso mundo pecador. Contudo, não há disposição mais incongruente ao caráter e circunstância do homem. Talvez não haja seres racionais em todo o universo entre os quais o orgulho fosse mais impróprio ou incompatível que no homem, levando em conta a situação na qual ele é colocado. Ele é exposto a numerosas degradações e calamidades, ao furor de tempestades e tormentas, à devastação de terremotos e vulcões, à fúria de vendavais e ondas tempestuosas do oceano, à assolação da espada, fome, peste e numerosas doenças e, no fim, tem de descer à sepultura para que o corpo tenha de tornar-se companheiro de vermes! Os mais dignos e altivos dos filhos dos homens são sujeitos a degradações como estas e outras semelhantes como também os piores homens da família humana. Não obstante, em tais circunstâncias, o homem — esse verme fraco feito do pó, cujo conhecimento é tão limitado e cujas

loucuras são tão numerosas e deslumbrantes — tem o desaforo de pavonear-se em toda a arrogância de orgulho e gloriar-se na sua vergonha.

Quando certos argumentos e motivos produzem pouco efeito em certas pessoas, não há consideração que tenha a mais poderosa tendência a contrariar esta tendência deplorável nos seres humanos do que os argumentos e motivos dos objetos ligados à astronomia. Mostram-nos que ser insignificante, que mero átomo o homem parece entre a imensidão da criação! Embora o homem seja objeto do cuidado e misericórdia paterna do Altíssimo, ele não passa de um grão de areia em relação à terra inteira, quando comparado às incontáveis miríades de seres que povoam as amplidões da criação. Que é o todo deste globo no qual habitamos comparado com o sistema solar que contém uma massa de matéria dez mil vezes maior? Que ele é em comparação aos cem milhões de sóis e mundos que pelo telescópio foram revelados por toda a região estelar? Que é, então, um reino, ou uma província, ou um território baronial do qual temos tanto orgulhoso como se fôssemos os senhores do universo e ao qual nos ocupamos com tamanha devastação e carnagem? Que são eles, quando postos em competição com as glórias do céu? Tomando lugar nos altos pináculos do céu e olhando para baixo, a esta partícula raramente distinguível da terra, deveríamos estar prontos a exclamar com Sêneca: "É a esta manchinha que estão limitados os grandes desígnios e enormes desejos dos homens? É por causa disso que as nações se perturbam tanto, que haja tanta carnagem e tantas guerras ruinosas? Que idiotice os homens enganados imaginarem grandes reinos na circunferência de um átomo, levantar exércitos para decidir um ponto da terra com a espada!" Em "Astronomical Discourses" (Discursos Astronômicos), Thomas Chalmers declara com veracidade: "Estamos dando apenas uma imagem fraca de nossa insignificância comparativa, quando dizemos que a glória de uma floresta volumosa sofreria não mais que a queda de uma única folha do que a glória deste universo vasto sofreria, embora o globo no qual andamos 'e tudo o que o herda, tenha de dissolver-se'."

5 *Contudo, pouco menor o fizeste do que os anjos e de glória e de honra o coroaste.*
6 *Fazes com que ele tenha domínio sobre as obras das tuas mãos; tudo puseste debaixo de seus pés:*
7 *todas as ovelhas e bois, assim como os animais do campo;*
8 *as aves dos céus, e os peixes do mar, e tudo o que passa pelas veredas dos mares.*

5 a 8. Esses versículos apresentam a posição do homem entre as criaturas antes da queda. Mas como o apóstolo Paulo as atribui ao homem conforme representado pelo Senhor Jesus, é melhor dar mais importância a esse significado. Em ordem de dignidade, o homem situa-se ao lado dos anjos e um pouco abaixo deles. No Senhor Jesus, isso se realizou, porque Ele foi feito um pouco abaixo que os anjos pelo sofrimento da morte. No jardim do Éden, o homem tinha o pleno comando de todas as criaturas.

Elas iam à presença dele para receber nomes como um ato de homenagem a ele, em virtude da posição de vice-gerente de Deus que o homem tinha para com elas. Jesus na sua glória agora é Senhor não só de todos os seres vivos, mas de todas as coisas criadas. Com exceção daquele que pôs todas as coisas debaixo de si, Jesus é Senhor de todos. Nele, os seus eleitos são elevados a um domínio mais amplo que o primeiro Adão, como veremos mais claramente na vinda de Cristo.

O salmista se surpreende diante da exaltação singular do homem na escala da existência, quando ele percebeu a sua insignificância em comparação com o universo estrelado.

"Pouco menor o fizeste do que os anjos", de natureza um pouco inferior, visto que são imortais, mas só um pouco, porque o tempo é curto. Quando o mundo estiver acabado, os santos já não serão mais inferiores que os anjos. É o que lemos em outras versões, como nesta: "Fizeste-o, no entanto, por um pouco, menor do que..." (v. 5, ARA).

"De glória e de honra o coroaste." O domínio que Deus deu ao homem é de grande glória e honra para ele, pois todo domínio é honroso e mais alto está quem usa a coroa. É apresentada uma lista completa das criaturas dominadas para mostrar que todo o domínio perdido pelo pecado foi restabelecido em Cristo Jesus. Não permitamos que a posse de qualquer criatura terrena nos seja uma armadilha, mas também não nos esqueçamos de que reinaremos sobre todas as criaturas e não lhes permitiremos que reinem sobre nós. Temos de manter o mundo debaixo de nossos pés e nos afastar desse espírito vil que se satisfaz em fazer com que os cuidados e prazeres mundanos dominem o império da alma imortal.

9 *Ó Senhor, Senhor nosso, quão admirável é o teu nome sobre toda a terra!*

9. Como bom compositor, o poeta volta à ideia predominante, retrocedendo, por assim dizer, ao primeiro estado de adoração fascinante. O que ele começou como proposição no versículo 1, termina como conclusão devidamente comprovada, com um tipo de *quod erat demonstrandum*, que significa, "o que era para ser demonstrado". Que pela graça andemos de modo digno desse nome excelente que foi nomeado em nós, e o qual somos incumbidos de engrandecer!

NOTAS EXPLICATIVAS E DECLARAÇÕES IMPORTANTES

O Título: "Gitite" era um instrumento musical usado nas comemorações festivas depois da vindima. A vindima fechava o ano civil dos judeus. Este salmo nos dirige à glória do último dia, quando Deus será o Rei sobre toda a terra, depois de ter vencido todos os inimigos. É muito evidente que a vindima foi adotada como representação figurativa da destruição final de todos os inimigos de Deus (Is 63.1-6; Ap 19.18-20). Era como os antigos intérpretes judeus entendiam este salmo, aplicando-o à vindima mística. Podemos considerar essa composição interessante como antecipação profética do reino de Cristo para ser estabelecido em glória e honra no "mundo futuro", o mundo habitável (Hb 2.5). Ainda não vemos todas as coisas postas debaixo dos seus pés, mas estamos seguros de que a Palavra de Deus será cumprida e todos os inimigos, Satanás, a morte e o inferno serão subjugados e destruídos para sempre e a criação liberta da escravidão da corrupção para a gloriosa liberdade dos filhos de Deus (Rm 8.17-23). No uso desse salmo, antegozamos essa vitória, e no louvor, a celebramos, indo de força em força até que, com ele que é a nossa cabeça gloriosa, compareçamos em Sião diante de Deus. — *W. Wilson, Doutor em Teologia, in loc.*

O Salmo: Consideremos apenas o escopo do salmo, como o apóstolo o cita, para provar "o mundo futuro" (Hb 2.5). Todo aquele que lê o salmo pensa que o salmista apresenta o velho Adão no seu reino, no paraíso, feito um pouco abaixo que os anjos — porque temos espíritos envoltos em carne e sangue, ao passo que eles são apenas espírito —, um grau abaixo, como se eles fossem duques e nós marqueses. Alguém pensaria, suponho, que este era todo o significado, sendo aplicado a Cristo apenas por meio de alusão. Mas a verdade é que o apóstolo o apresenta para provar e convencer os hebreus a quem ele escreveu, que o significado do salmo destina-se a Jesus, o homem que eles esperavam ser o Messias, o Cristo Jesus Homem.

E conseguiu, provo por Hebreus 2.6 — é a observação que Beza faz — "em certo lugar, testificou alguém", citando Davi, διεμαρτύρατο, "testificou". Assim podemos traduzir por "testificou", *etiam atque etiam*, que significa "testificou expressamente". Ele prova de modo explícito que o significado era o Cristo Jesus Homem. Não é, então, uma alusão. Foi Beza quem inicialmente propôs a interpretação da qual li. Ele mesmo se desculpa e apresenta uma defesa por ele afastar-se da interpretação comum, embora desde então muitos outros o seguissem.

O escopo do salmo é claramente este. Em Romanos 5.14, lemos que Adão era um tipo daquele que havia de vir. No Salmo 8, encontramos o mundo de Adão, o tipo do mundo futuro. Ele foi o primeiro Adão e teve um mundo, assim o segundo Adão também tem um mundo designado para ele. Há os bois, as ovelhas e as aves dos céus cujo significado são outras coisas, demônios, talvez, os homens maus, o príncipe dos ares. Os céus significam os anjos, ou antes, os apóstolos — "os céus manifestam a glória de Deus" (Sl 19.1), que é aplicado aos apóstolos que eram pregadores do evangelho.

Está claro que no salmo onde é usada a frase "Tudo puseste debaixo de seus pés", sendo citada pelo apóstolo em Efésios 1.22 — portanto, é apropriada —, não diz respeito ao homem na inocência, mas ao Messias, o Senhor Jesus Cristo. Então, refutavelmente, esse mundo não é este mundo, mas o mundo com propósito feito para esse Messias, como o outro fora feito para Adão.

Em primeiro lugar, o significado diz respeito correta e principalmente ao homem em sua inocência. Por quê? Porque no versículo 2 o salmista diz: "Da boca das crianças e dos que mamam tu suscitaste força". Não havia bebês no tempo da inocência de Adão, pois ele caiu antes que houvesse. Em segundo lugar, ele acrescenta: "Para fazeres calar o inimigo e vingativo". É referência ao Diabo, porque foi lá que ele se mostrou inimigo, sendo homicida desde o princípio. Deus usaria o homem para fazê-lo calar. Mas, infelizmente, ele venceu esse Adão. Portanto, o significado tem de ser o outro Adão, aquele que pode silenciar esse inimigo e vingador.

Em seguida, continua o salmista: "Quão admirável é o teu nome em toda a terra, pois puseste a tua glória sobre os céus!" Adão tinha apenas o paraíso, nunca propagando o nome de Deus por toda a terra. Foi somente depois que caiu que ele gerou filhos. Muito menos o propagou nos céus.

No versículo 4, "E o filho do homem", Adão, embora fosse homem, não era filho do homem. Na verdade, foi chamado "filho de Deus" (Lc 3.38, ARA), mas não era *filius hominis*. Lembro-me de Ribera exortar esse ponto.

Mas verifiquemos um argumento que o apóstolo usa para provar isso. Esse homem, disse ele, tem de ter todas as coisas sujeitas a ele. Tudo, menos Deus, disse ele. Ele tem de ter os anjos sujeitos a ele, porque pôs todos os principados e poderes debaixo dos pés, disse ele. Este não pode ser Adão, não pode ser o homem que teve este mundo em estado de inocência; muito menos teve Adão tudo debaixo dos pés. Não, meus irmãos, era vassalagem muito grande para Adão ter as criaturas curvadas diante dele. Mas assim estão os anjos e todas as coisas diante de Jesus Cristo. Tudo está debaixo dos seus pés, ele está muito acima deles.

Em segundo lugar, está claro que o significado não diz respeito ao homem caído. O próprio apóstolo o afirmou. "Mas, agora", disse ele, "ainda não vemos que todas as coisas lhe estejam sujeitas" (Hb 2.8). Certos estudiosos pensam que o significado é como a resposta que o apóstolo dá a uma objeção, mas na verdade é para provar que o Salmo 8 não alude ao homem caído. Por quê? Porque, disse ele, ainda não vemos todas as coisas sujeitas a ele. Você não tem um homem ou a raça humana a quem todas as coisas foram sujeitas. Às vezes, as criaturas lhe causam danos. Não o vemos, disse ele, quer dizer, a natureza do homem considerada em geral. Tomemos todos os monarcas do mundo, eles nunca conquistaram o mundo inteiro. Nunca houve um homem que fosse pecador e tivesse todas as coisas a ele sujeitas. "Vemos, porém", disse ele — marca de oposição —, "coroado de glória e de honra aquele Jesus", o Homem. Portanto, é esse Homem e nenhum outro. A oposição implica isto. [...] Agora resta que é somente a Cristo, o Deus-Homem, que o Salmo 8 diz respeito. O próprio Cristo interpreta o salmo. Temos duas testemunhas para confirmar o fato: Cristo e o apóstolo. Quando as crianças clamaram "hosana" a Cristo (ou "salva agora" Cristo) e o fizeram o Salvador do mundo, os fariseus ficaram irados. Mas o nosso Salvador os refutou por meio desse mesmo salmo: "Nunca lestes", disse ele: "Pela boca dos meninos e das criancinhas de peito tiraste o perfeito louvor?" (Mt 21.15,16). Ele citou esse mesmo salmo que fala dele. Paulo, por essa autoridade e talvez por essa indicação, discute todos os aspectos e consequências possíveis e convence os judeus desse ponto. — *Thomas Goodwin*

v. 1: "Quão admirável é o teu nome em toda a terra". Como é ilustre o nome de Jesus por todo o mundo! A sua encarnação, nascimento, vida, pregação, milagres, paixão, morte, ressurreição e ascensão são célebres pelo mundo inteiro. A sua religião, os dons e graças do seu Espírito, o seu povo — os cristãos —, o seu evangelho e os pregadores do evangelho são falados em todos os lugares. Nenhum nome é tão universal, não há poder e influência que sejam tão geralmente sentidos como os do Salvador da humanidade. Amém. — *Adam Clarke*

v. 1: "Sobre os céus". Não nos céus, mas "sobre os céus", até maior, acima e mais alto que os céus, "havendo-se-lhe sujeitado os anjos, e as autoridades, e as potências" (1 Pe 3.22). Como diz Paulo, ele "subiu acima de todos os céus" (Ef 4.10). Com isto, a sua glória sobre os céus está ligada ao fato de ele enviar o seu nome à terra pelo Espírito Santo. Como o apóstolo acrescenta nesta passagem: "[Ele] subiu acima de todos os céus; [...] e ele mesmo deu uns para apóstolos" (Ef 4.10,11). E assim, aqui: "Admirável é o teu nome em toda a terra", "puseste [...] a tua glória sobre os céus". — *Isaac Williams*

v. 2: "Da boca das crianças e dos que mamam tu suscitaste força". De maneira profética, falando do que as crianças fariam muitas centenas de anos mais tarde para afirmar a sua misericórdia infinita por enviar o seu Filho Jesus Cristo ao mundo para nos salvar dos pecados. Foi assim que o Senhor aplicou o clamor das crianças: "Hosana ao Filho de Davi!" no templo (Mt 21.9).

É como entendem Basílio e outros anciãos, além de alguns escritores recentes. Mas Calvino entendia que significava a maravilhosa provisão de Deus para elas, transformando o sangue da mãe em leite, e dando-lhes a faculdade de sugar, para assim alimentarem-se, e sustentando-as. Isso convence suficientemente todos os opositores da providência maravilhosa de Deus para com os mais fracos e mais incapazes de todas as criaturas. — *John Mayer, 1653*

v. 2: Quem são esses bebês e lactentes?

(1) São os homens em geral, que têm um começo tão fraco e pobre quanto bebês e lactantes, mas no fim avançam a tamanho poder quanto a lutar e vencer o inimigo e o vingador.

(2) É Davi em particular, que, não passando de um rapaz corado, Deus o usou como instrumento para derrotar Golias de Gate.

(3) É, mais especificamente, o nosso Senhor Jesus Cristo que, assumindo a nossa natureza e todas as suas fraquezas sem pecado, submeteu-se à fraqueza de uma criança e depois morreu, entrando na mesma natureza para reinar no céu até que haja posto todos os inimigos sob os seus pés (Sl 110.1; 1 Co 15.27). A nossa

natureza humana foi exaltada acima de todas as outras criaturas, quando o Filho de Deus foi feito de mulher, levado no útero.

(4) São os apóstolos que, pela aparência exterior, eram desprezíveis, até certo ponto bebês e lactentes em comparação com o mundo em geral. Pobres criaturas menosprezadas, contudo grandes instrumentos para o serviço e glória de Deus. Portanto, é notável que quando Cristo glorifica o Pai pela dispensação sábia e livre da graça salvadora, ele tenha se expressado assim: "Graças te dou, ó Pai, Senhor do céu e da terra, que ocultaste estas coisas aos sábios e instruídos e as revelaste aos pequeninos" (Mt 11.25). Desta forma, falou da miséria da condição deles. [...] Repare que foi falado quando os discípulos foram enviados em missão e receberam poder sobre os espíritos imundos. "Naquela mesma hora, se alegrou Jesus no Espírito Santo e disse: Graças te dou, ó Pai, Senhor do céu e da terra, porque escondeste essas coisas aos sábios e inteligentes e as revelaste às criancinhas" (Lc 10.21). Ele o reconheceu como um ato de encorajamento infinito em Deus.

(5) São os pequeninos que clamaram hosana a Cristo, fazendo parte do sentido, pois Cristo por esta Escritura defende a prática. [...]

(6) São não só os apóstolos, mas todos os que lutam sob a bandeira de Cristo e estão arrolados na sua confederação, podendo ser chamados bebês e lactentes. Em primeiro lugar, por causa da sua condição; em segundo lugar, por causa da sua disposição. [...] (a) Por causa da sua condição: [...] Deus no governo do mundo se agrada em vencer os inimigos do seu reino por meio de instrumentos fracos e menosprezados. (b) Por causa da sua disposição: Eles são de espírito muito humilde. Temos a ordem: "Se não vos converterdes e não vos fizerdes como crianças, de modo algum entrareis no Reino dos céus" (Mt 18.3). Como se ele tivesse dito que vocês se esforçam para ter preeminência e grandeza mundana no meu reino. Mas digo-lhes que o meu reino é um reino de crianças e não contém ninguém senão os humildes, os que são pequenos aos seus próprios olhos e contentam-se em ser pequenos e menosprezados aos olhos dos outros, não buscando grandes coisas no mundo. Uma criancinha não sabe pelo que se esforçar ou o que significa *status*. Portanto, por um emblema e representação visível de uma criança colocada no meio deles, Cristo os tira da expectativa de um reino carnal. — *Thomas Manton, 1620-1677*

v. 2: "Para fazeres calar o inimigo e vingativo". Essa mesma confusão e vingança contra Satanás, que foi a causa da queda do homem, foi apontada no princípio por Deus. É a primeira promessa e pregação do evangelho a Adão que lhe foi feita mais em termos de condenação do que em termos de anúncio. A semente da mulher esmagaria a cabeça da serpente, estando no alvo de Deus confundi-lo tanto quanto a salvar o pobre homem. — *Thomas Goodwin*

v. 2: O trabalho que é feito em amor perde metade do tédio e dificuldade. É como se dá com a pedra, que no ar e na terra seca puxamos com força sem conseguir mexer. Inunde o campo onde ela está de modo que o bloco de pedra fique abaixo do nível da água. Agora, com a cabeça submersa, trabalhe. Esforce-se na tarefa. Ah, a pedra se move, sai do lugar, rola à direção do seu braço. Assim, quando sob as influências divinas da graça, as ondas de amor aumentam, ficando acima de nossos deveres e dificuldades, uma criança pode fazer o trabalho de um homem, e um homem pode fazer o trabalho de um gigante. Estando o amor presente no coração, da boca das crianças e dos que mamam Deus suscita força. — *Thomas Guthrie, Doutor em Teologia*

v. 2: "Da boca das crianças e dos que mamam tu suscitaste força". Alice Driver, a pobre mártir, na presença de muitas centenas de pessoas, silenciou os bispos do Papa para que ela e o bendito Deus, para que os seus mais orgulhosos não pudessem resistir ao espírito de uma mulher tola. Assim lhe digo: "Da boca das crianças e dos que mamam" Deus será honrado. Até você, verme tolo, o honrará, quando aparecer o que Deus fez por você, que concupiscências ele mortificou e que graças lhe concedeu. O Senhor ainda pode fazer coisas maiores por você se você tão-somente confiar nele. Ele pode levá-lo sob as suas asas de águia, capacitá-lo a sofrer grande aflição por ele para que você persevere até ao fim, viva pela fé e termine a sua carreira com alegria. Foi nisso que ele fez você humilde de coração, a sua outra humildade será tanto mais honrosa para você. Não é muitíssimo mais maravilhosa a feitura rara de Deus na formiga, o animal mais pobre que rasteja, tanto quanto no grande elefante? Que tantas partes e membros fossem juntadas dentro de espaço tão pequeno; que tão pobre criatura provesse no verão a comida para o inverno. Quem não vê tanto de Deus em uma abelha como em uma criatura maior? Infelizmente, em um grande corpo não procuramos grandes habilidades e não nos maravilhamos. Portanto, para concluir, visto que Deus vestiu as partes indecentes do homem com mais honra, bendito seja Deus, ele suporta a baixeza humana mais igualmente. A maior glória humana ainda está por vir. Quando os sábios do mundo rejeitaram o conselho de Deus, o homem glorificou (com esses pobres publicanos e soldados) o ministério do evangelho. Com certeza, o Senhor também se fará admirável em você (2 Ts 1.10), criatura tola e pobre, que mesmo você foi feito sábio para a salvação e crê para aquele dia. Ainda que aos seus olhos você seja pobre, o Senhor fará que os mais orgulhosos e desdenhosos inimigos adorem aos seus pés, para confessar que Deus fez muito por você e deseja a sua porção quando Deus os visitar. — *Daniel Rogers, 1642*

v. 3: "Quando vejo". A meditação é adequada à humilhação. Quando Davi contemplara as obras da criação, em seu esplendor, harmonia, movimento, influência, ele deixa as plumagens do orgulho cair e começa a ter pensamentos auto-humilhantes: "Quando vejo os teus céus, obra dos teus dedos, a lua e as estrelas que preparaste; que é o homem mortal para que te lembres dele?" — *Thomas Watson*

v. 3: "Quando vejo os teus céus". Davi, ao inspecionar o firmamento, irrompe com esta consideração: "Quando vejo os teus céus, obra dos teus dedos, a lua e as estrelas que preparaste; que é o homem mortal para que te lembres dele?" Por que ele menciona a lua e as estrelas, mas omite o sol? Esses elementos celestes não passam de pensionistas do sol, pois brilham com a exibição de luz que a generosidade do sol compartilha com eles. A resposta é que esta era a meditação noturna de Davi, quando o sol, indo para o outro lado do mundo, deixou menos luz visível no céu. Como o céu é mais bem visto de dia em sua glória, assim também é mais bem inspecionado de noite na sua variedade. A noite foi feita para o homem descansar. Mas quando não consigo dormir, posso, como o salmista, entreter a minha insônia com bons pensamentos. Não usá-los como ópio para convidar a minha natureza corrupta a dormir, mas expelir maus pensamentos que, do contrário, possuiriam a minha alma. — *Thomas Fuller, 1608-1661*

v. 3: "Os teus céus". A mente carnal não vê Deus em nada, nem mesmo nas coisas espirituais, na sua palavra e ordenanças. A mente espiritual o vê em tudo, até mesmo nas coisas naturais, olhando os céus, a terra e as criaturas. Vê tudo nessa noção, na sua relação com Deus como obra divina e nos céus aparecem a glória divina. Está em estado de admiração, temendo abusar das criaturas e dos favores concedidos para desonrá-lo. "Teu é o dia e tua é a noite" (Sl 74.16), portanto, não devo te esquecer nem de dia, nem de noite. — *Robert Leighton, Doutor em Teologia*

v. 3: "As estrelas". Não posso dizer que seja primariamente a contemplação da infinidade de estrelas e do espaço imensurável que elas ocupam que me embevece. Essas condições tendem a confundir a mente. Na visão de números incontáveis e espaço ilimitado, há muito que diz respeito a fatores temporários e humanos do que a fatores eternamente permanentes. Muito menos considero as estrelas irrestritamente com referência à vida depois desta. Mas o mero pensamento de que elas estão tão distantes e acima de tudo que é terrestre, sentir que antes delas tudo que é terrestre tão totalmente vira em nada, que o único homem é tão infinitamente insignificante em comparação com estes mundos espalhados por todo o espaço, que os seus destinos, prazeres e sacrifícios aos quais ele dá tão detalhada importância — como tudo isso desaparece como nada diante de tais objetos imensos. Então, que as constelações liguem todas as raças dos homens e todas as eras da terra, que elas viram tudo que aconteceu desde o começo do tempo e que verão tudo o que acontece até o fim; em pensamentos como estes sempre posso me perder em um prazer silencioso na visão do firmamento estrelado. É igualmente verdadeiro, um espetáculo da mais alta solenidade, quando, na quietude da noite, em um céu bastante claro, as estrelas, como um coral de mundos, sobem e descem, enquanto a existência, por assim dizer, parte-se em duas partes: uma pertencente à terra cresce sem fala no silêncio absoluto da noite e por causa disso a outra parte sobe mais em toda a sua elevação, esplendor e majestade. Quando contemplados deste ponto de vista, os céus estrelados causam verdadeiramente uma influência moral na mente. — *Alexander Von Humboldt, 1850*

v. 3: "Quando vejo os teus céus". Se nos transportássemos acima da lua, alcançássemos a estrela mais alta acima de nossa cabeça, imediatamente descobriríamos novos céus, novas estrelas, novos sóis, novos sistemas e talvez mais magnificamente adornados. Mas mesmo assim, os vastos domínios de nosso grande Criador não terminariam. Descobriríamos, para a nossa surpresa, que chegamos apenas às orlas das obras de Deus. É muito pouco que podemos saber das suas obras, mas esse pouco nos ensina a ser humildes e admirar o poder e bondade divina. Como deve ser grande esse Ser que produziu do nada esses imensos globos, que lhes regula os cursos e cuja mão poderosa os dirige e sustenta. Que é este torrão de terra que habitamos, com todas as cenas magníficas que se nos apresenta, em comparação a esses inumeráveis mundos? Fosse esta terra aniquilada, a sua ausência não seria sentida mais do que um grão de areia na praia do mar. O que são províncias e reinos quando comparados com esses mundos? Não passam de partículas de pó que dançam no ar, os quais os raios do sol nos revelam. O que sou eu, quando reconhecido entre o número infinito das criaturas de Deus? Estou perdido em minha própria insignificância! Mas por mais pequeno que pareço neste aspecto, acho-me grande em outros. Há grande beleza neste firmamento estrelado que Deus escolheu para trono! Como são admiráveis esses corpos celestes! Estou deslumbrado com o esplendor e encantado com a beleza! Mas a despeito disso, por mais bonito e mais ricamente adornado, este céu é falto de inteligência. Desconhece a sua própria beleza, ao passo que eu, mero barro modelado pelas mãos divinas, sou dotado com a faculdade da razão. Posso contemplar a beleza desses mundos radiantes. Não somente isso, mas em certa medida já estou familiarizado com o Autor sublime que os criou. Pela fé, já vejo algumas poucas faíscas da glória divina. Que cada vez mais eu fique mais familiarizado com as suas obras e faça o estudo delas a minha ocupação, até que, por uma mudança gloriosa, eu suba para habitar com ele acima das regiões estreladas. — *Christopher Christian Sturm, "Reflections" [Reflexões], 1750-1786*

v. 3: "Obra dos teus dedos". Isso é muito elaborado e preciso. Trata-se de uma metáfora retirada dos bordadores ou dos que confeccionam tapeçaria. — *John Trapp*

v. 3: "Quando vejo os teus céus, obra dos teus dedos". É verdadeiramente um dos maiores exercícios cristãos extrair um sentimento de devoção das operações e aparências da natureza. Tem a seu favor a autoridade dos escritores sagrados, e até mesmo nosso Salvador lhe dá a importância e solenidade do citá-los: "Olhai para os lírios do campo, como eles crescem; não trabalham, nem fiam" (Mt 6.28). Ele discorre detalhadamente sobre a beleza de uma única flor para extrair o argumento delicioso da confiança em Deus. Ele nos faz ver que gosto pode ser combinado com devoção, e que o mesmo coração pode se ocupar com tudo que é sério nas contemplações da religião e, ao mesmo tempo, estar cônscio dos encantos e fascínios da natureza. O salmista faz um voo ainda mais alto. Deixando o mundo, ele eleva a imaginação até a expansão poderosa que se estende acima e ao redor do mundo. Ele levanta voo pelo espaço e vagueia em pensamentos acima das regiões imensuráveis. Em vez de solidão negra e despovoada, ele vê aglomeração de esplendor e enchimento de energia da presença divina. A criação se levanta em sua imensidão na presença de Deus, e o mundo, com tudo que o herda, se encolhe em pequenez diante de contemplação tão vasta e dominante.

Ele se maravilha por não ser negligenciado entre a grandeza e a variedade que estão por todos os lados. Passando para cima, da majestade da natureza à majestade do Arquiteto da natureza, ele exclama: "Que é o homem mortal para que te lembres dele? E o filho do homem, para que o visites?" (Sl 8.4). Não é para dizermos que a inspiração revelou ao salmista as maravilhas da astronomia moderna. Mas, embora a mente seja uma perfeita estranha à ciência desses tempos iluminados, os céus apresentam um espetáculo grande e elevado, a imensa concavidade que repousa no limite circular do mundo e as luzes inumeráveis que estão suspensas no alto, movendo-se com regularidade solene ao longo de sua superfície. Ao que parece, foi à noite que esta contemplação despertou a devoção do salmista. Quando a lua e as estrelas eram visíveis, e não quando o sol estava na sua força e lançava um resplendor ao redor que venceu e eclipsou todas as glórias menores do firmamento. — *Thomas Chalmers, Doutor em Teologia, 1817*

v. 3: "Os teus céus":

Este prospecto vasto, o que é? — avaliado corretamente
É o sistema da natureza da divindade
E todo estudante da noite inspira
É a Escritura mais velha, escrita pela própria mão de Deus
Escritura autêntica! Incorrupta pelo homem
— *Edward Young*

v. 3: "As estrelas". Quando contemplei estas estrelas, elas não olharam para mim com piedade desde o espaço sereno, como se fossem olhos que brilham com lágrimas divinas por causa da pequena sorte do homem! — *Thomas Carlyle*

vv. 3 e 4: "Quando vejo os teus céus". Tire conclusões espirituais de objetos ocasionais. Davi sabiamente não deixava de considerar os céus, irrompendo em auto-humilhação e admiração humilde a Deus. Colete informações instrutivas e louve ao Criador de tudo o que você vê. Será um grau de restauração a um estado de inocência, visto que esta era a tarefa de Adão no paraíso. Não enfatize o objeto criado apenas como algo virtuoso para satisfazer a curiosidade racional, mas como cristão, convide a religião ao banquete e faça uma melhoria espiritual. Não há criatura que os nossos olhos vejam que não nos apresentem lições dignas de nossas reflexões, além das observações gerais de poder e sabedoria do Criador. Assim, as ovelhas nos deem uma lição de paciência, as pombas de inocência, as formigas e abelhas nos façam corar de vergonha por conta de nossa preguiça e os bois obtusos e os jumentos estúpidos se corrijam e envergonhem a nossa ignorância ingrata. [...]

Aqueles cujos olhos estão abertos não podem querer um professor, a menos que queira um coração. — *Stephen Charnock*

v. 4: "Que é o homem mortal para que te lembres dele? E o filho do homem, para que o visites?" Os meus leitores devem ser cuidadosos em perceber o desígnio do salmista, que é engrandecer, por essa comparação, a bondade infinita de Deus. É realmente algo maravilhoso que o Criador dos céus, cuja glória é tão infinitamente grande quanto a nos impressionar com a mais sublime admiração, se deixe rebaixar tanto quanto a graciosamente tomar sobre si o cuidado da raça humana. Deduzimos que o salmista faz esse contraste por meio da palavra hebraica אֱנוֹשׁ (*'ĕnôsh*), que foi traduzida por "homem mortal", que expressa a fragilidade do homem e não a sua força ou poder. [...] Quase todos os intérpretes traduzem פָּקַד (*pāqad*), a última palavra desse versículo, pelo verbo "visitar". Não estou inclinado a contestá-los, visto que esse sentido se ajusta muito bem à passagem. Mas também significa "lembrar-se". Como é frequente encontrarmos nos salmos a repetição do mesmo pensamento com palavras diferentes, pode ser corretamente traduzido por "lembrar-se", como se Davi tivesse dito: "É algo maravilhoso Deus pensar nos homens, e lembrar-se deles continuamente". — *João Calvino, 1509-1564*

v. 4: "Que é o homem"? Mas, ó Deus, que pequeno senhor tu fizeste sobre este grande mundo! O menor grão de areia não é tão pequeno em relação à terra quanto é o homem em relação ao céu. Quando vejo os céus, o sol, a lua e estrelas, ó Deus, que é o homem? Quem pensaria que tu fizeste todas essas criaturas para um, o qual está bem próximo de ser o menor de todos? Contudo nenhuma criatura senão o homem pode ver o que tu fizeste. Só ele pode admirar e adorar-te no que ele vê. Como se houvesse a necessidade de fazer alguma coisa mais que isto, visto que ele só tem de fazê-lo! Certamente o preço e o valor das coisas não consistem na quantidade. Um diamante vale mais que muitas pedreiras de pedra; uma magnetita tem mais virtude do que montanhas de terra. É-nos legítimo te louvar em nós mesmos. Toda a criação não se maravilha mais nisso do que apenas um de nós. As outras criaturas foram feitas por ordem simples; o homem foi feito depois de consulta divina. As outras criaturas foram feitas imediatamente; o homem tu formaste e depois inspiraste. As outras criaturas foram feitas em várias formas, não semelhante a ninguém senão a elas mesmas; o homem foi feito segundo a tua imagem. As outras criaturas foram feitas com qualidades adequadas para servir; o homem, para dominar. O homem recebeu o nome de ti; elas receberam o nome do homem. Como seremos consagrados a ti acima de todas as outras criaturas, visto que tu deste mais valor a nós do que às outras criaturas. — *Joseph Hall, Doutor em Teologia, Bispo de Norwich, 1574-1656*

v. 4: "Que é o homem mortal para que te lembres dele? E o filho do homem, para que o visites?" E: "Que é o homem, para que tanto o estimes, e ponhas sobre ele o teu coração, e cada manhã o visites, e cada momento o proves?" (Jó 7.17,18). O homem, no orgulho do seu coração, não vê tão grande importância nisso. Mas a alma humilde está cheia de admiração: "Porque assim diz o Alto e o Sublime, que habita na eternidade e cujo nome é Santo: Em um alto e santo lugar habito e também com o contrito e abatido de espírito, para vivificar o espírito dos abatidos e para vivificar o coração dos contritos" (Is 57.15). Diz a alma humilde: "O Senhor terá respeito a tal verme vil como eu? O Senhor se relacionará pessoalmente com tal infeliz pecador como eu? O Senhor abrirá os braços, o peito, o coração para mim? Achará tal criatura repugnante como eu favor aos teus olhos?" Em Ezequiel 16.1-5, temos um relato da complacência maravilhosa de Deus para com o homem. Ali é comparado a um bebê lançado no campo no dia do nascimento, ainda envolto no sangue e imundície, sem ter ninguém que se compadecesse dele. Tais criaturas nojentas somos nós diante de Deus. Mas quando ele passou e nos viu poluídos em nosso sangue, ele nos disse: "Vive". É duplo por causa da força de sua natureza. "Era tempo de amores" (Ez 16.6,8). Era amor verdadeiro que Deus pegasse uma coisa imunda e miserável, estendesse as abas das vestes para cobrir-lhe a nudez, lhe fizesse juramento, entrasse em concerto com ela e a fizesse seu, quer dizer, que ele se casasse com essa coisa repugnante e lhe fosse por marido. Que amor insondável, que amor inconcebível, que amor de princípios. Esse é o amor de Deus pelos homens, pois Deus é amor. Oh, a profundidade das riquezas da generosidade e bondade de Deus! Como é maravilhoso o seu amor e infinita a sua graça! Como o seu coração é afetado ao saber dessas coisas? Você não fica admirado e maravilhado? Você não se sente lançado em um oceano de bondade onde não há praia, nem fundura? Dá de você fazer uma autoavaliação pelos movimentos e sentimentos que sente em si mesmo diante dessa menção. Foi assim que Jesus julgou a fé do centurião, que lhe disse: "Senhor, não sou digno de que entres debaixo do meu telhado". Tendo ouvido isso, "maravilhou-se Jesus [...] e disse aos que o seguiam: Em verdade vos digo que nem mesmo em Israel encontrei tanta fé" (Mt 8.8-10). Se, então, você não sente a alma vigorosamente tocada pela condescendência de Deus, diga à sua alma: "O que pode te afligir, ó minha alma, já que não és mais afetada pela bondade de Deus? Estás morta para não sentires nada? Ou estás cega para não te veres rodeada pela bondade surpreendente? Vê o Rei da glória descendo da habitação da sua majestade para te visitar! Não ouves a sua voz, dizendo: 'Abra-te para mim, minha irmã. Eis que estou à porta e bato. Levantai, ó portas, as vossas cabeças; levantai-vos, ó entradas eternas, e entrará o Rei da Glória'? Vê, ó minha alma, que ele te espera enquanto tu te recusas a te abrires para ele!" Oh, a maravilha da bondade divina! Oh, a condescendência do seu amor em visitar-me, pedir-me, esperar por mim, relacionar-se comigo! Assim trabalha a sua alma em estado de maravilha diante da condescendência de Deus. — *James Janeway, 1674*

v. 4: Em hebraico, "homem mortal" significa "homem fraco" ou "homem miserável". Por conta disso, é evidente que ele fala do homem não de acordo com o estado da criação, mas em relação à posição de caído em estado de pecado, miséria e mortalidade.

"Para que te lembres dele?", ou seja, para que te importes com ele e lhe concedas tão grandes benefícios.

"O filho do homem", em hebraico, é "o filho de Adão", o grande apóstata e rebelde contra Deus. O filho pecador de um pai pecador — o seu filho por semelhança de caráter e temperamento, não menos do que por procriação. Tudo isso tende a engrandecer a misericórdia divina.

"Para que o visites?", não com ira, como a palavra por vezes é usada, mas com a graça e misericórdia divina, como ocorre em Gênesis 21.1; Êxodo 4.31; Salmo 65.9; 106.4; 144.3.

v. 4: "Que é o homem [...]?" A Bíblia dá muitas respostas a essa pergunta. Pergunte ao profeta Isaías "Que é o homem?", e ele responde que o homem é "erva": "Toda carne é erva, e toda a sua beleza, como as flores do campo" (Is 40.6). Pergunte a Davi "Que é o homem?", e ele responde que o homem é "mentira", não apenas uma "mentira", mas uma "vaidade" (Sl 62.9). Todas as respostas que o Espírito Santo dá relativo a homem visam humilhar o homem. O homem sempre está pronto para lisonjear a si ou lisonjear outro homem, mas Deus nos diz claramente o que somos. [...] É maravilhoso que Deus conceda um olhar de graça a tal criatura como o homem. É admirável, considerando a distância entre Deus e o homem, visto que o homem é criatura e Deus, o criador. "Que é o homem" que Deus reparasse nele? Não é ele um torrão de terra, um pedaço de barro? Mas o considera como um pecador e uma criatura imunda, e ficamos a imaginar com admiração: que é essa criatura imunda que Deus a engrandecesse? Será que o Senhor dá valor à imundícia e fixa os olhos aprovadores em uma coisa impura? Indo um pouco mais adiante, que é o homem rebelde, homem inimigo de Deus para que Deus o enalteça? Que tipo de admiração responde essa pergunta? Deus promoverá os inimigos e elevará aqueles que o abatem? Um príncipe exalta um traidor ou dá honra a quem tenta lhe tomar a vida? A natureza pecadora do homem é inimiga da natureza de Deus, e arrancaria Deus do céu. Contudo, mesmo nesse momento Deus está elevando o homem ao céu. O pecado deprecia o grande Deus, mas Deus engrandece o homem pecador. — *Joseph Caryl*

v. 4: "Que é o homem [...]?" Oh, a grandeza e a pequenez, a excelência e a corrupção, a majestade e a maldade do homem! — *Pascal, 1623-1662*

v. 4: "Para que o visites". "Visitar" denota, em primeiro lugar, "afligir", "castigar", "punir". Os maiores julgamentos constantes na Bíblia vêm sob a conotação de visitação. "Que visita a iniquidade dos pais sobre os filhos" (Êx 34.7), quer dizer, castigando-os. [...] Quando uma casa tem peste, que é um dos piores golpes de aflição temporal, é comum dizermos: "Tal casa foi visitada". Observe, então, que aflição é visitação. [...] Em segundo lugar, "visitar", em bom sentido, significa "mostrar misericórdia", "refrescar", "livrar" e "abençoar": "O SENHOR tinha visitado o seu povo, dando-lhe pão" (Rt 1.6); "O SENHOR visitou a Sara" (Gn 21.1,2). A maior misericórdia e libertação que os filhos dos homens já tiveram é expressa nestes termos: "O Senhor [...] visitou [...] o seu povo" (Lc 1.68). Misericórdias são visitações. Quando Deus vem em bondade e amor para nos fazer bem, ele nos visita. Essas misericórdias são chamadas visitações em dois aspectos.

(1) Porque Deus chega perto de nós quando ele nos faz bem. Misericórdia é aproximar-se de uma alma, aproximar-se de um lugar. Como quando Deus envia um julgamento, ou aflige, dizemos que ele parte e vai embora daquele lugar. Assim, quando ele nos faz bem, ele se aproxima, e por assim dizer ele se aplica em favor de nossa pessoa e habitação.

(2) Porque a visita é algo livre. Uma visita é uma das coisas mais livres do mundo. Não há obrigação senão o amor de fazer a visita. Porque determinado indivíduo é meu amigo e eu o amo, então o visito. Por conseguinte, o maior ato da graça livre em redimir o mundo se chama visitação, porque era feito tão livremente quanto a visita que um amigo faz para ver o amigo, e com muito mais liberdade. Não havia a menor obrigação por parte do homem, pois havia muitas crueldades e negligências. Deus veio em amor para redimir o homem.

Em terceiro lugar, visitar importa em ato de cuidado, inspeção, instrução e direção. O ofício de pastor sobre o rebanho é expresso por esse ato (Zc 10.3; At 15.36). O cuidado que devemos ter dos órfãos e viúvas é expresso visitando-os. "A religião pura", disse o apóstolo Tiago, "é esta: visitar os órfãos e as viúvas nas suas tribulações" (Tg 1.27).

Em Mateus 25.34, Cristo pronunciou a bênção sobre aqueles que, quando ele estava na prisão, o visitaram. Não foi apenas uma visita rápida ou um cumprimento: "Como vai?", mas foi o cuidado de Jesus na prisão, o auxílio e sustento para ele na pessoa dos seus membros afligidos. Esse sentido também combina muito bem com este texto: "Que é o homem, para que tanto o estimes, e ponhas sobre ele o teu coração; e cada manhã o visites, e cada momento o proves?" (Jó 7.17,18). — *Joseph Caryl*

v. 4: "Que é o homem mortal para que te lembres dele? E o filho do homem, para que o visites?"

Senhor, que é o homem mortal para que tu
Te lembres dele? Ou o filho do homem
Para que tu abaixasses os mais altos céus
E corresses para ajudá-lo?

O homem não passa de pó
Que é animado pelo teu fôlego divino.
E quando tu retiras esse fôlego
Ele volta ao pó por meio da morte.
Ele não é digno da menor
De todas as tuas misericórdias; ele é um animal.

Ele é mais vil que o pó.
Porque o pecado o fez como os animais que perecem,
Embora em posição estivesse logo em seguida aos anjos.
Mesmo assim tu estimas esse animal,
Não sendo ele digno da menor
De todas as tuas misericórdias; ele é um animal.

Pior que um animal é o homem
Que segundo a tua imagem foi feito no princípio,
Tornou-se o filho do Diabo pelo pecado.
Pode algo ser mais maldito?
Contudo lançaste a tua maior misericórdia
A essa criatura amaldiçoada.

Tu mesmo te humilhaste
E tiraste todas as vestes da majestade,
Tomando a natureza dele para lhe dar a tua graça.
Para salvar a vida dele morreste.
Ele não é digno da menor
De todas as tuas misericórdias; ele é um animal.

Infelizmente, o homem ficou agora igual
Aos anjos benditos, sim, muito superior,
Visto que Cristo se sentou à mão direita de Deus nos céus
E Deus e o homem são um.
Assim todas as tuas misericórdias o homem herda,
Embora não mereça a menor delas.
— *Thomas Washbourne, Doutor em Teologia, 1654*

v. 4: "Que é o homem"?

Como é pobre, como é rico, como é miserável, como é respeitável
Como é intricado, como é maravilhoso o homem!
Como é excessivamente maravilhoso aquele que o fez assim!
Que centralizou em nosso fazer tais extremos estranhos!
De diferentes naturezas maravilhosamente misturadas
Conexão primorosa de mundos distantes!
Elo distinto na corrente infinita da existência!

A meio caminho do nada para a deidade!
Um feixe de luz etéreo, maculado e absorto
Ainda que maculado e desonrado é divino!
Miniatura ofuscada da grandeza absoluta!
Um herdeiro da glória! Um filho frágil do pó!
Desamparado, imortal! Infinito inseto!
Um verme! Um deus! Tremo em mim mesmo
E em mim mesmo estou perdido.
— *Edward Young, 1681-1775*

vv. 4 a 8: "Que é o homem [...]?"

O homem é todas as coisas.
E mais: ele é uma árvore, contudo não dá frutos;
Um animal, contudo é ou deveria ser mais:
Razão e fala somente temos.
Papagaios podem nos agradecer, se não forem mudos,
Eles ganham vantagem.

O homem é todo simétrico,
Cheio de proporções, de um membro para o outro,
E de modo geral o mundo também:
Cada parte pode chamar o mais distante, irmão.
Pois cabeça com pé tem relação particular,
E ambos com luas e ondas.

Nada tem tanto,
Mas o homem o pegou e o manteve como presa.
Os seus olhos desbancam a mais alta estrela:
Ele está um pouco em todas as esferas.
As ervas alegremente curam a nossa carne, porque é onde
Elas encontram algo conhecido.
Para nós sopram os ventos;
A terra descansa, o céu se move e as fontes fluem.
Não há nada que vemos que não seja para o nosso bem,
Para o nosso deleite ou para o nosso tesouro:
A totalidade é, ou para o nosso armário de alimentos,
Ou para o nosso gabinete de prazeres.

As estrelas aparecem para irmos deitar;
A noite fecha a cortina que o sol abre:
A música e a luz cuidam da nossa cabeça.
Todas as coisas para a nossa carne são boas
Na sua descida e existência; para a nossa mente
Na sua ascensão e causa.

Cada coisa está cheia de deveres:
As águas unidas são a nossa navegação;
Separadas são a nossa habitação;
Embaixo, a nossa bebida; em cima, a nossa carne:

Ambas são o nosso asseio. Tem alguém tal beleza?
Então como são limpas todas as coisas!

Mais servos atendem ao homem,
Do que ele tem consciência: em todo caminho
Ele pisa aquilo que o favorece,
Quando as doenças o empalidecem e o enfraquecem,
Oh, poderoso amor! O homem é um mundo
E tem outro mundo para assisti-lo.
— *George Herbert, 1593*

v. 5: "Contudo, pouco menor o fizeste do que os anjos". Talvez não foi tanto em natureza como em posição que o homem, como primeiramente formado, era inferior aos anjos. Em todo o caso, estamos certos de que nada mais alto pode ser afirmado em relação aos anjos do que eles terem sido feitos à imagem de Deus. Se tiveram superioridade originalmente acima dos homens, deve ter sido em grau de semelhança. Os anjos foram feitos imortais, intelectuais, santos, poderosos, gloriosos, e nessas faculdades está a sua semelhança ao Criador. Mas não foram essas faculdades dadas também aos homens? Não foram os homem feitos imortais, intelectuais, santos, poderosos e gloriosos? E se os anjos superam os homens, não foi, podemos supor, na posse de faculdades que não tinham contraparte com os homens. Ambos trazem a imagem de Deus e ambos têm características dos atributos que se centralizam na deidade. Quer essas características eram ou não mais fortemente marcantes nos anjos do que nos homens, seriamos presunçosos em decidir. Mas para o propósito atual é suficiente que as mesmas faculdades fossem comuns a ambos, visto que ambos foram amoldados segundo a mesma imagem divina. Fossem quais fossem originalmente as posições relativas aos anjos e aos homens, não há como questionar que desde a queda do homem ele ficou temerosamente inferior aos anjos. O efeito da transgressão foi humilhar todos os poderes humanos, rebaixando-os da alta categoria na escala da criação. Porém, por mais que tenham sido degradados e estejam no fundo, eles ainda retêm as faculdades pertinentes à sua formação original. E visto que essas faculdades só podem ter diferido em grau das faculdades dos anjos, está claro que eles podem ser purificados e engrandecidos quanto a produzir, para não dizermos restaurar a igualdade. [...] Repetimos que se trata de avaliação errônea, quando separamos por uma imensa distância os anjos e os homens, e derrubamos a raça humana a uma posição baixa na escala da criação. Se vasculharmos os registros da ciência, acharemos que, para a promoção de propósitos magníficos, Deus fez o homem "pouco menor [...] do que os anjos". Não dá de fecharmos os olhos para o fato triste de que, como consequência da apostasia, houve um enfraquecimento e uma pilhagem desses dons esplêndidos que Adão poderia ter transmitido incólumes aos seus filhos. Contudo, a Bíblia está repleta de notificações que mostram que, muito longe de serem por natureza mais altos que os homens, mesmo hoje os anjos não possuem a importância que pertence à nossa raça. É algo misterioso e quase que não ousamos aludir, que tenha surgido um Redentor para os homens caídos, mas não para os anjos caídos. Não ousamos formar teoria sobre verdade tão terrível e inescrutável. Será que é muito dizermos que a interferência a favor dos homens e a não interferência a favor dos anjos dá base para afirmarmos convincentemente que os homens, pelo menos, não ocupam um lugar mais baixo que os anjos em termos de amor e solicitude do Criador? Além disso, não estão os anjos representados como "espíritos ministradores, enviados para servir a favor daqueles que hão de herdar a salvação?" (Hb 1.14). Qual é a ideia transmitida por tal representação, se não que os crentes, sendo assistidos e servidos pelos anjos, são como filhos de Deus andando em direção a um trono esplêndido? Não são eles tão elevados entre as criaturas que os que têm o vento nas asas e brilham como labaredas de fogo se deleitam em honrá-los? Sem contar que o arrependimento de um único pecador ministra alegria a uma multidão de anjos. Quem dirá que o envio dessa nova onda de êxtase ao longo da hierarquia do céu não indica tamanha empatia pelos homens indo tão longe quanto lhe proporcionar a ocupação de um imenso espaço na escala da existência? Também podemos acrescentar que os anjos aprendem com os homens, visto que Paulo declara aos crentes efésios: "Para que, agora, pela igreja, a multiforme sabedoria de Deus seja conhecida dos principados e potestades nos céus" (Ef 3.10). Quando lembramos que em uma das notáveis visões com que foi agraciado o evangelista João, ele viu os representantes da igreja colocados imediatamente diante do trono eterno, ao passo que os anjos, ficando a uma distância maior, aglomeravam-se no círculo externo, acumulamos ao que parece prova de que os homens não devem ser considerados como naturalmente inferiores aos anjos. Por mais que tenham sido derrubados da eminência, maculado o brilho e solapado a força da primeira posição, eles ainda são aptos da mais alta elevação. Requerem nada mais que a restauração da posição perdida e a obtenção de lugar para o desenvolvimento dos seus poderes, para que brilhem como os brilhantes da criação, as imagens viventes e ardentes da divindade. [...] O Redentor é representado a submeter-se para ser humilhado — "pouco menor o fizeste do que os anjos" com vistas à glória que tinha de ser a recompensa dos seus sofrimentos. Esta é uma representação muito importante. Devemos considerá-la atentamente para que dela apresentemos, pensamos, argumentos fortes e claros a favor da divindade de Cristo.

Nunca teríamos visto como é a humildade em qualquer criatura, seja qual fosse a dignidade da sua posição, no que tange a assumir o ofício de Mediador e elaborar a nossa reconciliação. Não esqueçamos a degradação extrema que um mediador tem de consentir em ser reduzido, e por meio de que sofrimento e infâmia ele tem de passar sozinho para obter a nossa redenção. Mas também não esqueçamos a exaltação incomensurável que ele tinha de ser a recompensa do mediador, e que, se a Bíblia é a verdade, tinha de fazê-lo muito mais alto que o mais alto dos principados e poderes. Não saberíamos onde estaria a humildade surpreendente, onde a condescendência sem igual, tivesse qualquer mera criatura consentido em tomar o ofício na expectativa de tal recompensa. Um ser que soubesse que seria imensuravelmente elevado se ele fizesse certa coisa, quase não pode ser recomendado à grandeza da sua humildade fazendo essa coisa. O nobre que se tornasse escravo, sabendo que por conseguinte ele seria feito rei, não nos parece dispor qualquer padrão de condescendência. Ele já tem de ser o rei, incapaz de obter qualquer ascensão à sua grandeza, antes que a entrada ao estado de escravidão forneça um exemplo de humildade. De certa forma, jamais perceberíamos que um ser, senão o Ser divino, poderia ser corretamente tal modelo de condescendência, tornando-se o nosso Redentor. [...] Se ele não pudesse pôr de lado as perfeições, ele poderia pôr de lado as glórias da deidade. Sem deixar de ser Deus, ele poderia parecer ser homem. Nisto cremos que foi a humilhação — nesse autoesvaziamento que a Bíblia identifica com o nosso Senhor tendo sido feito "pouco menor [...] do que os anjos". Em lugar de manifestar-se na forma de Deus e assim centralizar em si mesmo os aspectos alegres e reverentes de todas as ordens não caídas de seres inteligentes, ele tem de esconder-se na forma de servo, não reunindo mais o rico tributo de homenagem que emanava de todos os cantos do seu império ilimitado, produzido pelo seu poder, sustentado pela sua providência, ele teve a mesma glória essencial, a mesma dignidade real que ele sempre teve. Estes pertenciam necessariamente à sua natureza, não podendo mais abrir mão disso, mesmo durante certo tempo, do que podia essa natureza em si. Mas toda marca externa de majestade e de grandeza poderia ser posta de lado. A deidade, em lugar de ficar com tais manifestações deslumbrantes de supremacia, que teriam forçado o mundo que ele visitou a cair prostrado e adorar, poderia ocultar os seus esplendores e esconder-se na forma ignóbil para que, quando os homens o vissem, não houvesse "nenhuma beleza [...] para que o desejássemos" (Is 53.2). Foi o que Cristo fez, ao consentir que fosse feito um pouco menor do que os anjos. Assim, ele se esvaziou ou "aniquilou-se a si mesmo" (Fp 2.7). O próprio ser que na forma de Deus dera aos céus a luz e magnificência apareceu na terra na forma de servo. Não somente isso, mas considerando que toda criatura é servo de Deus, a forma de servo teria sido assumida tivesse ele aparecido como anjo ou arcanjo. Contudo, ele tomou a forma mais baixa desses servos, "fazendo-se semelhante aos homens" — homens infames, apóstatas, mortais. — *Henry Melvill, Bacharel em Teologia, 1854*

vv. 5 e 6: Deus engrandece o homem na obra de criação. Os versículos 3 e 4 mostram o que foi que provocou no salmista essa admiração da bondade de Deus para com o homem: "Quando vejo os teus céus, obra dos teus dedos, a lua e as estrelas que preparaste; que é o homem mortal para que te lembres dele?" Na obra da criação, Deus tornou todas essas coisas úteis e instrumentais para o bem do homem. Que é o homem para que ele tivesse o sol, a lua e as estrelas fixadas no firmamento para ele? Que criatura é essa? Quando se fazem grandes preparações em qualquer lugar, tomam-se muitas providências e a casa é adornada com mobílias mais ricas, dizemos: "Que homem é esse que chegou a tal casa?" Quando se constrói alto tão imponente, adorna-se e mobília-se ricamente a casa, temos razão para dizer com admiração: "Quem homem é este para ser o ocupante ou habitante dessa casa? Há ainda exaltação mais alta do homem na criação. O homem foi engrandecido com a estampa da imagem de Deus, uma parte da qual o salmista descreve no versículo 6: "Fazes com que ele tenha domínio sobre as obras das tuas mãos; tudo puseste debaixo de seus pés". O homem foi engrandecido na criação. Que era o homem para que lhe fosse dado o domínio do mundo? Para que ele fosse senhor sobre os peixes do mar, os animais do campo e as aves do céu? Repetindo, o homem foi engrandecido na criação, em que Deus o colocou na categoria imediatamente depois dos anjos: "Pouco menor o fizeste do que os anjos". Esta é a primeira parte da resposta à pergunta, o homem foi engrandecido tendo sido feito tão excelente criatura e tendo tantas criaturas excelentes feitas para ele. É tudo que entendemos acerca de o homem ter sido criado à imagem de Deus. Mas desde a transgressão, é peculiar a Cristo, como o apóstolo o aplica (Hb 2.6), e aos que têm o sangue e a dignidade restaurados pela obra de redenção, que é a próxima parte da exaltação do homem. — *Joseph Caryl*

vv. 5 a 8: Agostinho, tendo alegorizado muito sobre os lagares no título desse salmo, deteve-se nestas palavras: "que é o homem mortal" ou "o filho do homem". Uma é chamada אֱנוֹשׁ, derivada de "miséria", a outra בֶּן־אָדָם, o "Filho de Adão" ou "homem". Ele disse que a primeira palavra significa o homem no estado de pecado e corrupção, e a segunda, o homem regenerado pela graça. Ainda que fosse chamado "o filho do homem", foi feito mais excelente pela mudança de mente e vida, passando da velha corrupção para a novidade de vida, do velho homem para o novo homem. Enquanto ele ainda é carnal, é miserável. Subindo, então, do corpo à cabeça, Cristo, ele enaltece a sua glória por ter sido colocado sobre todas as coisas, até mesmo sobre os anjos, os céus e o mundo inteiro como consta em outro lugar (Ef 1.21). Deixando as coisas mais altas, ele desceu a "ovelhas e bois", pelo que entendemos homens santificados e pregadores, visto que as "ovelhas" são comparadas aos crentes e os "bois", aos pregadores: "Não atarás a boca ao boi que trilha o grão" (1 Co 9.9). "Os animais do campo" denotam os voluptuosos que vivem sem restrições, indo ao caminho largo. "As aves dos céus" dizem respeito aos soberbos pelo orgulho. "Os peixes do mar" falam dos desejos cobiçosos de riquezas cravadas nas partes mais inferiores da terra, assim como os peixes mergulham ao fundo do mar. E porque os homens passam pelos mares repetidas vezes em busca de riquezas, ele acrescentou: "Tudo o que passa pelas veredas dos mares". Quanto a mergulhar ao fundo das águas podemos aplicar: "Os que querem ser ricos caem em tentação, e em laço, e em muitas concupiscências loucas e nocivas, que submergem os homens na perdição e ruína" (1 Tm 6.9). Com isso, o salmista apresentou as três coisas do mundo sobre as quais está escrito: "Se alguém ama o mundo, o amor do Pai não está nele". "A concupiscência da carne" é a sensualidade; "a concupiscência dos olhos" é a cobiça, à qual é acrescentada "a soberba da vida" (1 Jo 2.15,16). Cristo foi colocado acima de todas essas coisas, desde que sem pecado. Nem uma das três tentações do Diabo, as quais podem ter ligação a este assunto, prevalece contra ele. Todos estes, como também "ovelhas e bois", estão na igreja conforme está escrito que entraram na arca todos os tipos de animais e aves, limpos e imundos. Toda espécie de peixes, bons e ruins, foi apanhada na rede, como consta na parábola. Tudo o que apresentei o leitor discreto saberá determinar o bom uso. — *John Mayer*

v. 6: "Fazes com que ele tenha domínio sobre as obras das tuas mãos". Hermodius, um nobre de nascimento, censurou o valoroso capitão Iphicrates porque ele não passava do filho do sapateiro. "O meu sangue", disse Iphicrates, "começa em mim; e o teu sangue, agora termina em ti", dando a entender que ele, não honrando a sua casa com a glória das suas virtudes, como a casa o honrara com o título de nobreza, não passava de faca de madeira colocada na bainha vazia para encher lugar. Mas quanto a ele, pelas suas realizações valorosas, agora ele estava começando a ser o fundador da sua família. Assim, nas questões da espiritualidade, ele é melhor cavalheiro que é melhor cristão. Os homens de Bereia receberam a palavra com toda a prontidão, sendo mais nobres que os de Tessalônica. Os residentes da cidade de Deus não são de linhagem vil, mas são verdadeiramente nobres. Não se vangloriam das suas gerações, mas de regeneração muitíssimo melhor. Pois, pelo segundo nascimento, eles são filhos de Deus, a igreja é a mãe deles, Cristo, o irmão mais velho, o Espírito Santo, o tutor, os anjos, os criados, todas as outras criaturas, os súditos, o mundo inteiro, a hospedaria e o céu, o lar. — *John Spencer, "Things New and Old" [Coisas Novas e Velhas], 1658*

v. 6: "Fazes com que ele tenha domínio sobre as obras das tuas mãos; tudo puseste debaixo de seus pés". Como ajuda contra pensamentos dispersos na oração, [...] esforce-se em manter distância do mundo, exercendo a soberania que Deus lhe deu sobre o mundo em seus ganhos e prazeres, ou tudo o mais lhe será uma armadilha. Enquanto o pai e o senhor conhecerem o seu lugar e mantiverem distância, assim manterão as crianças e os servos sendo obedientes e serviçais. Mas quando se esquecem disso, os pais acabam gostando demais de um, e os senhores ficam muito íntimos com o outro. Desta forma, começam a perder a autoridade, e os outros passam a ficar atrevidos e sob nenhum comando. Ordene que vão, e pode ser que não mexam. Determine uma tarefa para eles, e retrucam que você mesmo faça. É o que verdadeiramente acontece com os cristãos. Todas as criaturas são os seus servos. Contato que mantenham o coração à distância santa delas e exerçam o domínio sobre elas, não pondo no seu seio o que Deus pôs "debaixo de seus pés", está tudo bem. Ele cumpre os deveres relacionados ao culto a Deus marchando em uma cadência alegre. Ele pode ficar a sós com Deus, que os outros não terão a ousadia de reunirem-se para perturbá-lo. — *William Gurnall*

vv. 7 e 8: Aquele que domina o mundo material, também é senhor da criação intelectual ou espiritual assim representada. Os crentes, cuja alma é humilde e inofensiva, são as "ovelhas" do seu pasto. Aqueles que, como "bois", são fortes para labutar na igreja e que, pela exposição da Palavra da vida, pisam os grãos para a nutrição do povo, possuem-no por Mestre amoroso e beneficente. Não somente isso, mas temperamentos ferozes e intratáveis como os animais do deserto, também estão sujeitos à vontade divina. Espíritos do gênero angelical que, como "as aves dos céus", cruzam livremente as regiões superiores, movem-se ao seu comando. E os espíritos malignos cuja habitação é no abismo profundo, até mesmo o grande leviatã, foram postos debaixo dos pés do Messias-Rei. — *George Horne, Doutor em Teologia*

v. 8: Todo prato de peixe e ave que nos vem à mesa, é um exemplo desse domínio que o homem tem sobre as obras das mãos de Deus, sendo razão para a nossa sujeição a Deus, nosso grande Senhor, e para o seu domínio sobre nós.

SUGESTÕES AOS PREGADORES

v. 1. "Ó Senhor, Senhor nosso." Apropriar-se pessoalmente do Senhor como nosso. É um privilégio manter tal porção.

"Quão admirável é o teu nome em toda a terra." A excelência do nome e da natureza de Deus em todos os lugares e sob todas as circunstâncias.

Sermão ou preleção sobre a glória de Deus na criação e providência.

"Em toda a terra." A revelação universal de Deus na natureza e sua excelência.

"A tua glória sobre os céus!" A glória incompreensível e infinita de Deus.

"Sobre os céus!" A glória de Deus eleva-se muito acima do intelecto dos anjos e do esplendor dos céus.

v. 2. Devoção infantil, sua possibilidade, potência, "força" e influência: "Para fazeres calar o inimigo e vingativo".

É a força do evangelho e não o resultado da eloquência ou sabedoria daquele que fala.

Grandes resultados advindos de causas pequenas quando o Senhor ordena trabalhar.

Grandes coisas que podem ser ditas e afirmadas pelos recém-convertidos, os bebês na graça.

O silenciar das forças do mal pelo testemunho dos crentes fracos.

O silenciar do grande Inimigo pelas vitórias da graça.

v. 4. A insignificância do homem. O cuidado de Deus para com o homem. Visitas divinas. A pergunta: "Que é o homem?" Cada um desses temas é suficiente para um sermão, ou podem ser manejados em um sermão.

v. 5. A relação entre os homens e os anjos.

A posição que Jesus assumiu em nosso benefício.

A coroa da humanidade — a glória de nossa natureza na pessoa do Senhor Jesus.

vv. 5 a 8. O domínio providencial e universal de nosso Senhor Jesus Cristo.

v. 6. Os direitos e responsabilidades do homem para com os animais inferiores.

v. 6. O domínio do homem sobre os animais inferiores, e como deve exercê-lo.

v. 6. "Tudo puseste debaixo de seus pés." O lugar apropriado para todas as coisas mundanas: "debaixo de seus pés".

v. 9. O peregrino em muitas regiões se delicia com a doçura do nome do Senhor em todas as situações da vida.

SALMO 9

TÍTULO

Salmo de Davi para o cantor-mor, sobre Mute-Laben. O significado desse título é muito duvidoso. Segundo Wilcocks e outros estudiosos, refere-se à música com a qual o salmo era cantado; ou diz respeito a um instrumento musical hoje desconhecido, mas comum naqueles dias; ou tem referência a Bene, mencionado em 1 Crônicas 15.18 como um dos cantores levitas. Se uma dessas conjeturas estiver correta, o título Mute-Laben não nos ensina nada, exceto que visava mostrar como Davi era cuidadoso, na adoração a Deus, para que todas as coisas fossem feitas segundo a devida ordem. Pelo grande número de testemunhas cultas, concluímos que o título tinha um significado muito instrutivo, sem ser caprichosamente forçado. Significa um salmo acerca da morte do Filho. No aramaico temos: "Concernente à morte do campeão que saiu entre os acampamentos", referindo-se a Golias de Gate, ou a outro filisteu, sobre cuja morte muitos estudiosos supõem que esse salmo tenha sido escrito anos mais tarde por Davi. Acreditando que, entre muitas suposições, esta pelo menos seja consistente com o sentido do salmo, nós a preferimos. Sobretudo, porque nos permite fazer referência de forma mística à vitória do Filho de Deus sobre o campeão do mal, o Inimigo das almas (v. 6). Não há dúvida de que estamos diante de um hino triunfal. Que ele fortaleça a fé do crente militante e estimule a coragem do santo tímido, quando ele vir o Vencedor, em cuja veste e coxa está escrito o nome: Rei dos reis e Senhor dos senhores.

ORDEM

Andrew A. Bonar observa: "A posição dos salmos em suas relações uns com os outros é muitas vezes notável. Questiona-se se a atual sequência foi a ordem na qual Israel a recebeu, ou se um compilador posterior, talvez Esdras, tenha sido inspirado a dedicar-se a esse assunto, como também a outros pontos ligados ao cânon. Sem tentar decidir o ponto, basta observarmos que temos prova de que a ordem dos salmos é tão antiga quanto a conclusão do cânon. Neste caso, é óbvio que o Espírito Santo desejou que este livro chegasse nessa ordem atual. Fazemos essas observações para chamar atenção para o fato de que, como o Salmo 8 deu continuidade à última frase do Salmo 7, o Salmo 9 inicia com uma referência clara ao Salmo 8: "Eu te louvarei, Senhor, de todo o meu coração; contarei todas as tuas maravilhas. Em ti me alegrarei e saltarei de prazer [cf. Cantares 1.4; Apocalipse 19.7]; cantarei louvores ao teu nome, ó Altíssimo" (vv. 1,2).

Como se o "nome", tão altamente louvado no salmo anterior, ainda estivesse soando nos ouvidos do suave cantor de Israel. No versículo 10, ele volta ao tema, celebrando a confiança daqueles que "conhecem" esse "nome", como se a fragrância ainda estivesse impregnando o ar.

DIVISÃO

A melodia muda com tanta frequência que é difícil fazer um esboço metodicamente organizado. Fizemos o melhor que pudemos. Dos versículos 1 ao 6, temos um cântico de ação de graças exultante; dos versículos 7 ao 12, há uma declaração ininterrupta de fé quanto ao futuro. A oração encerra a primeira divisão do salmo nos versículos 13 e 14. A segunda parte dessa ode triunfal, embora mais curta, é paralela à primeira em suas partes, sendo um tipo de repetição dela. Observe a canção pelos julgamentos passados (vv. 15,16), a declaração de confiança na justiça futura (vv. 17,18) e a oração final (vv. 19,20). Celebremos as vitórias do Redentor lendo esse salmo. Não há como não ser uma tarefa deliciosa se o Espírito Santo estiver conosco.

EXPOSIÇÃO

1 *Eu te louvarei, Senhor, de todo o meu coração; contarei todas as tuas maravilhas.*
2 *Em ti me alegrarei e saltarei de prazer; cantarei louvores ao teu nome, ó Altíssimo.*
3 *Porquanto os meus inimigos retrocederam e caíram; e pereceram diante da tua face.*
4 *Pois tu tens sustentado o meu direito e a minha causa; tu te assentaste no tribunal, julgando justamente.*
5 *Repreendeste as nações, destruíste os ímpios, apagaste o seu nome para sempre e eternamente.*
6 *Oh! Inimigo! Consumaram-se as assolações; tu arrasaste as cidades, e a sua memória pereceu com elas.*

1. Com santa resolução, o poeta começa o hino: *"Eu te louvarei, Senhor"*. Por vezes, é necessária toda a nossa determinação para enfrentarmos o inimigo e bendizermos o Senhor na cara dos inimigos, prometendo que, independente de quem fique em silêncio, nós bendiremos o seu nome. Este texto, porém, vê que a destruição do inimigo é completa, e que a canção flui com santa plenitude de delícia. É nosso dever louvar ao Senhor; façamo-lo como um privilégio. Observe que o louvor de Davi é dado inteiramente ao Senhor. O louvor deve ser oferecido somente a Deus. Podemos ser gratos pelo agente intermediário, mas o nosso agradecimento tem de ter grandes asas para subir aos altos céus.

"De todo o meu coração." Meio coração não é coração.

"Contarei." Há verdadeiro louvor em contar às pessoas sobre os procedimentos de nosso Pai divino para conosco. Este é um dos temas sobre os quais os tementes a Deus devem falar entre si. Não seria lançar pérolas aos porcos se os não crentes ouvissem de nós sobre a bondade do Senhor.

"Todas as tuas maravilhas." A gratidão por uma misericórdia recente refresca a memória acerca de milhares de outras. Um elo de prata na corrente dispõe uma longa série de ternas recordações. Este é trabalho eterno para nós, pois não há fim para contarmos todas as suas ações de amor. Se considerarmos a nossa própria pecaminosidade e insignificância, perceberemos que todo trabalho de preservação, perdão, conversão, libertação, santificação, etc., que o Senhor fez por nós ou em nós é uma obra maravilhosa. Até no céu, a bondade divina será indubitavelmente tema tanto de surpresa quanto de êxtase.

2. *"Em ti me alegrarei e saltarei de prazer."* Alegria e salto de prazer são o espírito apropriado para louvarmos a bondade do Senhor. Os pássaros exaltam o Criador em notas de alegria extrema, os rebanhos mugem seus louvores com tumulto de felicidade e os peixes saltam em adoração com excesso de prazer. Moloque pode ser adorado com gritos agudos de dor, e Jaganata pode ser honrado por meio de gemidos lânguidos e gritos desumanos, mas aquele cujo nome é Amor é mais bem satisfeito com o júbilo santo e a alegria santificada do seu povo. A alegria diária é um ornamento para o caráter cristão, e uma toga adequada para os coristas de Deus usarem. Deus ama o doador alegre, quer seja o ouro da carteira, quer seja o ouro da boca que ele apresenta no altar.

"Cantarei louvores ao teu nome, ó Altíssimo." Canções são expressões apropriadas de gratidão interior. Faria bem se nos permitíssemos e honrássemos ao nosso Senhor com mais dessas canções. B. P. Power disse muito bem: "Os marinheiros dão um grito de alegria quando levantam âncora, o lavrador assobia uma canção pela manhã enquanto dirige os animais. A mulher que trabalha na retirada do leite das vacas canta canções rústicas enquanto cumpre as tarefas matutinas. Quando os soldados deixam os amigos para trás, eles não marcham entoando a melodia da Marcha dos Mortos em 'Saul', mas segundo as notas rápidas de uma cantiga espirituosa. Um espírito de louvor faria por nós tudo que essas canções e músicas fazem para eles. Se ao menos determinássemos louvar ao Senhor, sobrepujaríamos muitas dificuldades às quais o nosso espírito oprimido jamais teria vencido, e faríamos o dobro do trabalho que pode ser feito, quando o coração não está enfraquecido em seus batimentos e a alma não está esmagada e reprimida. Nos tempos antigos, o espírito mau que estava em Saul se rendeu à influência da harpa do filho de Jessé. Da mesma forma, o espírito de melancolia levanta voo de nós assim que entoamos louvores de alegria".

3. *"Porquanto os meus inimigos retrocederam e caíram; e pereceram diante da tua face."* A presença de Deus é eternamente suficiente para operar a derrota de nossos inimigos mais furiosos. A sua ruína é tão completa quando o Senhor os tomar nas mãos, que nem a fuga pode salvá-los, caem para não se levantarem mais quando Ele os perseguir. Temos de ser cuidadosos, como Davi, para dar toda a glória àquEle cuja presença dá a vitória. Se temos aqui as exultações de nosso Capitão vencedor, façamos dos triunfos do Redentor os triunfos dos redimidos, e nos alegremos com Ele na derrota total de todos os inimigos.

4. *"Pois tu tens sustentado o meu direito e a minha causa; tu te assentaste no tribunal, julgando justamente."* Um dos nossos nobres tem por lema: "Eu o sustentarei". Mas os cristãos têm um lema melhor e mais humilde: "Tu tens sustentado". Deus e o meu direito estão unidos pela minha fé. Enquanto Deus viver, o meu direito jamais me será tirado. Se procurarmos sustentar a causa e honra de nosso Senhor, seremos repreendidos e mal-interpretados. Mas é grande consolo lembrar que aquEle que está assentado no trono conhece o nosso coração e não nos entregará ao julgamento ignorante e mesquinho de homens falhos.

5. *"Repreendeste as nações, destruíste os ímpios, apagaste o seu nome para sempre e eternamente."* Deus repreende antes de destruir, mas quando se põe a

golpear os ímpios Ele não cessa até que os tenha feito em pedaços tão pequenos que o próprio nome dessa gente é esquecido para sempre e, como um coto de vela fétido, a sua recordação é apagada para todo o sempre. Note a frequência com que a palavra "tu" (pronome oculto) ocorre neste e no versículo anterior para evidenciar que a melodia de gratidão sobre diretamente ao Senhor como a fumaça do altar quando não há vento. A minha alma envia aos céus toda a música de todas as suas faculdades àquEle que foi e é a sua libertação segura.

6. *"Oh! Inimigo! Consumaram-se as assolações; tu arrasaste as cidades, e a sua memória pereceu com elas."* O salmista exulta sobre o inimigo caído. Ele se inclina, por assim dizer, em direção ao corpo caído e insulta as forças nas quais ele outrora se vangloriava. Ele arranca a canção da boca do fanfarrão, e a canta para ele em zombaria. Depois dessa apresentação, o nosso Redentor glorioso pergunta da morte: "Onde está [...] o teu aguilhão?", e do inferno: "Onde está [...] a tua vitória?" (1 Co 15.55). O destruidor foi destruído, e aquele que fez cativos é levado em cativeiro. Que as filhas de Jerusalém saiam ao encontro do Rei, e o louvem com adufes e harpas.

7 *Mas o Senhor está assentado perpetuamente; já preparou o seu tribunal para julgar.*
8 *Ele mesmo julgará o mundo com justiça; julgará os povos com retidão.*
9 *O Senhor será também um alto refúgio para o oprimido; um alto refúgio em tempos de angústia.*
10 *E em ti confiarão os que conhecem o teu nome; porque tu, Senhor, nunca desamparaste os que te buscam.*
11 *Cantai louvores ao Senhor, que habita em Sião; anunciai entre os povos os seus feitos,*
12 *pois inquire do derramamento de sangue e lembra-se dele; não se esquece do clamor dos aflitos.*

Sob a luz do passado, o futuro não é duvidoso. Considerando que o mesmo Deus Todo-Poderoso ocupa o trono de poder, podemos com confiança e sem hesitação exultar em nossa segurança por todo o tempo futuro.

7. *"Mas o Senhor está assentado perpetuamente; já preparou o seu tribunal para julgar."* A existência duradoura e o domínio imutável de nosso Senhor são os firmes fundamentos de nossa alegria. O inimigo e as suas destruições acabarão para sempre, mas Deus e o seu trono permanecerão perpetuamente. A eternidade da soberania divina produz consolo infalível. Não devemos entender que o tribunal estando preparado signifique a velocidade da justiça divina. No tribunal celestial, os litigantes não se desgastam com demoras longas. O semestre dura o ano todo no supremo tribunal celestial. Milhares podem comparecer ao mesmo tempo diante do trono do Juiz de toda a terra, mas nem o demandante nem o acusado terá de reclamar por não estar preparado para apresentar defesa em uma audiência justa.

8. *"Ele mesmo julgará o mundo com justiça; julgará os povos com retidão."* Seja qual for a decisão dos tribunais terrenos, o supremo tribunal celestial ministra julgamento com retidão. Parcialidade e acepção de pessoas são coisas desconhecidas nos procedimentos do Santo de Israel. O prospecto de comparecermos diante do tribunal imparcial do grande Rei deve agir como um freio em nós quando formos tentados a pecar, e como consolação quando formos caluniados ou afligidos.

9. *"O Senhor será também um alto refúgio para o oprimido; um alto refúgio em tempos de angústia."* Aquele que não mostra clemência aos ímpios no dia do julgamento é a defesa e refúgio dos santos em tempos de angústia. Há muitas formas de opressão, que vêm tanto do homem quanto de Satanás. Para todas essas formas, o Senhor nos oferece um refúgio. Nos dias da lei, havia cidades de refúgio. Nos dias do evangelho,

Deus é a nossa cidade de refúgio. Os navios, quando fustigados pela tempestade, rumam para o porto. Semelhantemente, os oprimidos vão correndo para debaixo das asas de um Deus justo e gracioso. Ele é uma torre alta tão inconquistável, que as hostes do inferno não conseguem arrastá-la pela tempestade, e das suas grandiosas alturas a fé olha para baixo vendo os inimigos com desprezo.

10. *"E em ti confiarão os que conhecem o teu nome; porque tu, SENHOR, nunca desamparaste os que te buscam."* A ignorância é pior quando significa ignorância a Deus, e o conhecimento é melhor quando se exercita no nome de Deus. Esse conhecimento mais excelente conduz à graça mais excelente da fé. Aprendamos mais acerca dos atributos e caráter de Deus. A incredulidade, que gosta da escuridão, não vive sob a luz do conhecimento divino. Ela bate asas quando aparece o sol do grande e gracioso nome de Deus. Lendo este versículo literalmente, verificamos, sem dúvida, que há a mais gloriosa e completa firmeza nos nomes de Deus. Nós os relatamos em "Sugestões aos Pregadores", para onde reportamos a atenção do leitor. Conhecer o seu nome também tem o sentido de conhecer experiencialmente os atributos de Deus, que são, cada um deles, âncoras para a alma em tempos de perigo. Por certo tempo, o Senhor pode esconder a face do seu povo, mas Ele nunca desampara de forma total, final, real e furiosa os que o buscam. Que os que o buscam extraiam consolo desse fato, e os que o acham se alegrem ainda muito mais pelo que é a fidelidade do Senhor para os que descobrem que Ele é muito gracioso para os que o buscam.

Ó esperança de todo coração contrito
Ó alegria de todos os mansos
Para os que não conhecem como Tu és benigno
Como Tu és bom para os que te buscam

Mas o que Tu és para os que te acham
Nem língua nem caneta pode mostrar
O que é o amor de Jesus
Ninguém exceto os amados conhecem

11. *"Cantai louvores ao SENHOR, que habita em Sião; anunciai entre os povos os seus feitos."* Estando cheio da própria gratidão, o autor inspirado está ansioso para incentivar os outros a unirem-se na melodia para louvar a Deus da mesma maneira que ele prometera fazer nos versículos 1 e 2. O Espírito divino de louvor é gloriosamente contagioso, e aquele que o tem nunca está contente a menos que possa incentivar a todos que o cercam a unir-se com ele na agradável tarefa. Cantar e orar como meios de glorificar a Deus estão juntos. É notável que, ligado a todos os reavivamentos ministeriais do evangelho, houve uma súbita explosão do espírito de canção. Os salmos e hinos de Lutero estavam na boca de todos os homens, e nos últimos reavivamentos ocorridos durante os dias de Wesley e Whitefield, os hinos de Charles Wesley, Cennick, Berridge, Toplady, Hart, Newton e muitos outros foram a consequência natural da devoção restabelecida. O canto dos pássaros de louvor acompanha no tempo certo a volta da esplendorosa primavera da visitação divina pela proclamação da verdade. Continuem cantando, irmãos, e orando, pois estes serão prova de que o Senhor ainda habita em Sião. Quando surgir Sião, será bom lembrarmos que o Senhor habita entre os santos, estando em reverência peculiar de todos os que estão em torno dEle.

12. *"Pois inquire do derramamento de sangue e lembra-se dele; não se esquece do clamor dos aflitos."* Quando se fizer uma inquirição concernente ao sangue

dos oprimidos, serão os santos martirizados os primeiros a serem lembrados. Ele vingará os seus eleitos. Os santos que estiverem vivendo também serão ouvidos. Serão exonerados da culpa e guardados da destruição, até mesmo quando a obra mais terrível do Senhor estiver em andamento. O homem que tem o tinteiro de escrivão preso à cinta os marcará a todos para entrarem em segurança, antes que os intendentes tenham a permissão de matar os inimigos do Senhor. O clamor aflito dos santos mais pobres não será engolfado pela voz trovejante da justiça, nem pelos gritos agudos dos condenados.

13 *Tem misericórdia de mim, Senhor; vê como me fazem sofrer aqueles que me aborrecem, tu que me levantas das portas da morte;*
14 *para que eu conte todos os teus louvores às portas da filha de Sião e me alegre na tua salvação.*

13. *"Tem misericórdia de mim, Senhor; vê como me fazem sofrer aqueles que me aborrecem, tu que me levantas das portas da morte."* Recordações do passado e as crenças relativas ao futuro levaram o homem de Deus ao propiciatório — o trono da misericórdia — para rogar pelas necessidades do presente. Dividiu o tempo entre louvar e orar. Como poderia tê-lo gastado mais proveitosamente? A primeira oração é adequada para todas as pessoas e todas as ocasiões, exala um espírito humilde, indica autoconhecimento, apela aos atributos certos e à pessoa certa.

"Tem misericórdia de mim, Senhor." Lutero costumava chamar alguns textos de pequenas bíblias, da mesma maneira podemos chamar essa oração de pequeno livro de oração, pois contém a essência e âmago da oração. Tem muito em pouco, pois é como a espada angelical que se revolvia em si mesma (cf. Gênesis 4.24). A escada parece curta, mas vai da terra ao céu.

Que título nobre é dado ao Altíssimo: *"Tu que me levantas das portas da morte"*. Que glorioso levantamento! Na doença, no pecado, no desespero, na tentação fomos levados para muito baixo, e as portas tenebrosas parecem que estavam prestes a se abrir para nos prender. Mas sob nós estavam os braços eternos, sendo, então, enaltecidos até às portas do céu. John Trapp diz de modo singular: "Ele reserva comumente as mãos para o levantamento dos mortos, e salva os que já estavam falando em sepultura".

14. *"Para que eu conte todos os teus louvores às portas da filha de Sião e me alegre na tua salvação."* Não esqueçamos que o objetivo de Davi em desejar misericórdia é dar glória a Deus: "Para que eu conte todos os teus louvores". Os santos não são tão egoístas quanto a olhar somente para si mesmos. Desejam o diamante da misericórdia para que as pessoas o vejam cintilar e brilhar, e admirem aquele que dá tais inestimáveis pedras preciosas ao seu amado. O contraste entre as portas da morte e as portas da nova Jerusalém é muito surpreendente. Entoemos as nossas canções no tom musical mais alto e mais arrebatador, considerando duas coisas: de onde fomos tirados e o que já alcançamos. Sejam as nossas orações por misericórdia mais enérgicas e agonizantes por sentirmos a graça que tal salvação insinua. Quando Davi fala em contar todos os louvores de Deus, ele quer dizer que Deus seja engrandecido ao liberar a graça em todas as suas alturas e profundidades. Da mesma maneira que diz este hino:

O comprimento e a largura do amor!
Jesus, Salvador, pode ser?
Toda a altura da tua misericórdia eu provo
Toda a profundidade é vista em mim

Aqui termina a primeira parte deste salmo instrutivo. Fazendo uma pequena pausa, sentimo-nos levados a confessar que a nossa exposição apenas arranhou a superfície e não escavou as profundezas. Os versículos estão singularmente cheios de ensino. Se o Espírito Santo abençoar o leitor, este pode revisar o salmo, como o escritor fez incontáveis vezes, para ver em cada ocasião novas e refrescantes belezas.

15 *As nações precipitaram-se na cova que abriram; na rede que ocultaram ficou preso o seu pé.*
16 *O SENHOR é conhecido pelo juízo que fez; enlaçado ficou o ímpio nos seus próprios feitos. (Higaiom; Selá)*

15 e 16. Considerando este quadro terrível dos julgamentos impressionantes do Senhor feitos em seus inimigos, duas palavras não traduzidas nos chamam a ponderar e meditar nessa verdade com profunda seriedade: "Higaiom" e "Selá", que significam "medite" e "pause"; "considere" e "afine o instrumento". Reflita e ajuste solenemente o coração à solenidade que está se tornando o tema. Em espírito de humildade, abordemos estes versículos e notemos, em primeiro lugar, que o caráter de Deus exige que o pecado seja castigado. *"O SENHOR é conhecido pelo juízo que fez"*; assim se mostram a sua santidade e aversão ao pecado. O regente que fez que não viu o mal, logo seria conhecido por todos os súditos como mau. Aquele que, por outro lado, é rigorosamente justo no julgamento revela a sua natureza. Enquanto o nosso Deus for Deus, ele não poupa e não pode poupar o culpado; exceto pelo modo glorioso no qual ele é "justo e justificador daquele que tem fé em Jesus" (Rm 3.26). Em segundo lugar, temos de notar que a maneira do julgamento é singularmente sábia e incontestavelmente justa. Ele faz os ímpios serem os seus próprios executores: "As nações precipitaram-se na cova que abriram; na rede que ocultaram ficou preso o seu pé. [...] Enlaçado ficou o ímpio nos seus próprios feitos". Como caçadores espertos, preparam armadilhas para os tementes a Deus, mas são eles mesmos que caem nelas. O pé da vítima escapou das armadilhas astuciosas, mas os instrumentos preparados os cercaram. A armadilha cruel foi arduamente fabricada, comprovando a sua eficácia ao enganar o próprio fabricante. Os perseguidores e opressores são arruinados muitas vezes pelos seus próprios projetos maldosos. "Os bêbedos se matam; os esbanjadores se empobrecem." Os briguentos são envolvidos em custos ruinosos. Os depravados são devorados por doenças cruéis. Os invejosos comem o próprio coração. Os blasfemadores amaldiçoam a própria alma. Assim, os homens leem o próprio pecado no castigo que recebem. Semearam a semente do pecado, colhem o fruto maduro da condenação — naturalmente.

17 *Os ímpios serão lançados no inferno e todas as nações que se esquecem de Deus.*
18 *Porque o necessitado não será esquecido para sempre, nem a expectação dos pobres se malogrará perpetuamente.*

17. *"Os ímpios serão lançados no inferno e todas as nações que se esquecem de Deus."* A justiça que puniu os ímpios e preservou os justos permanece a mesma. Nos dias futuros, a punição será dada em doses exatas. Como é solene o versículo 17, sobretudo na advertência aos "que se esquecem de Deus". Os moralistas que não são tementes a Deus, os honestos que não são reverentes, os benevolentes que não são crentes, os amáveis que não são convertidos terão sua porção com os declaradamente ímpios no inferno, que está preparado para o Diabo e os seus anjos. Há nações inteiras de tais indivíduos. Os que se esquecem de Deus são muito mais numerosos do que os profanos ou os libertinos. De acordo com a expressão muito

forte do original hebraico, o mais baixo inferno será o lugar no qual todos eles serão lançados de ponta-cabeça. O esquecimento parece um pecado pequeno, mas provoca a ira eterna contra o homem que vive e morre no esquecimento.

18. *"Porque o necessitado não será esquecido para sempre, nem a expectação dos pobres se malogrará perpetuamente."* A misericórdia está tão pronta para entrar em ação quanto sempre está a justiça. As almas necessitadas temem ser esquecidas. Sendo assim, que elas se alegrem, "porque o necessitado não será esquecido para sempre". Satanás fala aos que temem que a sua esperança perecerá, mas eles têm a garantia divina de que "nem a expectação dos pobres se malograrão perpetuamente". "O povo do Senhor é um povo humilhado, afligido, exaurido, necessitado, impulsionado a uma frequência diária com Deus, diariamente implorando a Ele e vivendo na esperança do que é prometido." Tais pessoas podem ter de esperar, mas descobrirão que não esperam em vão.

19 *Levanta-te, Senhor! Não prevaleça o homem; sejam julgadas as nações perante a tua face.*
20 *Tu os pões em medo, Senhor, para que saibam as nações que são constituídas por meros homens. (Selá)*

19. *"Levanta-te, Senhor! Não prevaleça o homem; sejam julgadas as nações perante a tua face."* As orações são as armas de guerra do crente. Quando a batalha está muito dura para nós, apelamos para o nosso grande aliado que, por assim dizer, põe-se em emboscada até que a fé dê o sinal, clamando: "Levanta-te, Senhor!" Ainda que a nossa causa esteja perdida, logo será ganha se o Todo-Poderoso se mover. Ele não permitirá que os homens prevaleçam sobre Deus, mas com julgamentos rápidos lhes confundirá o renome. Na própria presença de Deus, os ímpios serão castigados. Aquele que hoje é só ternura não terá a menor compaixão deles, visto que não derramaram nenhuma lágrima de arrependimento enquanto durava o dia da graça.

20. *"Tu os pões em medo, Senhor, para que saibam as nações que são constituídas por meros homens. (Selá)"* Alguém pensaria que os homens não ficariam tão fúteis a ponto de negar que não passam de homens, mas é uma lição que só o professor divino pode ensinar aos orgulhosos de espírito. Coroas deixam os que a usam como "meros homens", eminentes títulos acadêmicos não tornam os seus possuidores mais que "meros homens", heroísmos e conquistas não elevam o nível mortal além de "meros homens". Toda a riqueza de Creso, a sabedoria de Sólon de Atenas, o poder de Alexandre, a eloquência de Demóstenes juntos deixariam o seu possuidor como "mero homem". Jamais nos esqueçamos disso, para que não sejamos como os mencionados no texto, sendo postos em medo.

Antes de deixar esse salmo, será muito proveitoso o estudante lê-lo como o hino triunfal do Redentor, quando ele reverentemente levar a glória das vitórias e a colocar ao pés do Pai. Alegremo-nos na alegria dele, pois a nossa alegria será completa.

NOTAS EXPLICATIVAS E DECLARAÇÕES IMPORTANTES

O Salmo: No meu entender, temos de considerar que esse cântico de louvor é a linguagem de nosso grande Defensor e Mediador, "no meio da igreja dando graças a Deus" e ensinando-nos a antegozar pela fé a grande e final vitória obtida sobre todos os adversários de nossa paz temporal e espiritual, com referência especial à afirmação da sua dignidade em Sião, o monte santo. No versículo 4, encontramos a vitória sobre o inimigo, sendo atribuída à decisão da justiça divina e à sentença de um juiz justo, que por fim retomou o lugar no tribunal. Isso confirma que a reivindicação apresentada ao trono do Todo-Poderoso procedeu dos lábios de ninguém mais que o nosso Melquisedeque. — *John Fry, Bacharel em Humanidades, 1842*

v. 1: "Eu te louvarei, SENHOR, de todo o meu coração". Como o vasilhame cujo cheiro diz que tipo de bebida contém, assim a nossa boca deve exalar continuamente aquela misericórdia com a qual o nosso coração se revigora, porque somos chamados vasos de misericórdia. — *William Cowper, 1612*

v. 1: "Eu te louvarei, SENHOR, de todo o meu coração; contarei todas as tuas maravilhas". As palavras "De todo o meu coração" servem ao mesmo tempo para mostrar a grandeza das libertações feitas a favor do salmista e para distingui-lo dos hipócritas — os mais rústicos, que louvam ao Senhor pela sua bondade somente com a boca, e os mais requintados, que o louvam somente com meio coração, enquanto secretamente atribuem a libertação mais a si mesmos do que a Ele.

"Todas as tuas maravilhas", o símbolo admirável da graça divina. O salmista mostra por esse termo que ele as reconheceu em toda a sua grandeza. Onde isso ocorre, o Senhor também é louvado com coração inteiro. A indiferença e a depreciação da graça divina vão de mãos dadas. O coração é o instrumento do louvor, a boca é apenas o seu órgão. — *E. W. Hengstenberg*

v. 1: "Contarei todas as tuas maravilhas". Quando recebemos coisas boas e especiais do Senhor, é bom, de acordo com as oportunidades, contarmos aos outros. Quando a mulher que perdera uma das dez moedas de prata achou a dracma perdida, reuniu as vizinhas e amigas, dizendo: "Alegrai-vos comigo, porque já achei a dracma perdida" (Lc 15.9). Podemos fazer a mesma coisa. Podemos contar aos amigos e parentes que recebemos tais e tais bênçãos, e que as recebemos diretamente das mãos de Deus. Por que já não fizemos isso? Será que há uma incredulidade à espreita quanto ao fato de ter mesmo vindo de Deus? Ou quem sabe temos vergonha de reconhecê-las diante daqueles que estão acostumados a rir de tais coisas? Quem conhece as maravilhas de Deus tanto quanto o seu povo? Se eles se calarem, como o mundo verá o que Deus tem feito? Não tenhamos vergonha de glorificar a Deus, contando o que sabemos e sentimos que Ele fez. Estejamos atentos às oportunidades para salientar distintamente o fato das suas ações. Sintamo-nos encantados com a oportunidade, advinda de nossa experiência, de contar o que tem de render ao seu louvor. Aqueles que honram a Deus, Deus os honra. Se estivermos dispostos a falar das suas maravilhas, Ele nos dará bastante para falar. — *Philip Bennett Power, "'I Wills' of the Psalms" [Os "Eu Vous" dos Salmos], 1862*

vv. 1 e 2: "Eu te louvarei, SENHOR, de todo o meu coração; contarei todas as tuas maravilhas. Em ti me alegrarei e saltarei de prazer; cantarei louvores ao teu nome, ó Altíssimo". Perceba com que inundação dos mais doces sentimentos o salmista fala: "louvarei", "contarei", "alegrarei", "saltarei de prazer" e "cantarei", estando cheio de êxtase! Ele não diz apenas que contará, mas que contará "de [...] coração" e "de todo o meu coração". Também não se propõe a falar somente das obras, mas das "maravilhas" do Senhor e de "todas as [suas] maravilhas". O seu espírito (como o de João Batista no útero) exulta e regozija-se em Deus seu Salvador que fez grandes coisas para ele e essas coisas maravilhosas que se seguem. Em cujas palavras está aberto o assunto deste salmo, ou seja, que ele canta as maravilhas de Deus. Essas obras são maravilhosas, porque ele converte, por esses que não são nada, aqueles que têm todas as coisas, e pelo Almuth que vive na fé oculta e está morta para o mundo, ele humilha os que florescem em glória e são considerados no mundo. Assim, realiza tais coisas poderosas sem força, sem braços, sem labor, somente pela cruz e pelo sangue. A forma como ele diz que contará "todas" as maravilhas de Deus concorda com Jó 9.10: "O que faz coisas grandes, que se não podem esquadrinhar, e maravilhas tais que se não podem contar"? Mas quem pode mostrar todas as maravilhas de Deus? Podemos dizer que essas coisas foram ditas no ímpeto de sentimento, no qual ele disse: "Toda noite faço nadar a minha cama; molho o meu leito com as minhas lágrimas" (Sl 6.6). Quer dizer, ele teve tal desejo ardente de falar das maravilhas de Deus, que, até onde dizia respeito aos seus desejos, ele as contaria "todas", mesmo que fosse impossível, porque o amor não tem limites nem fim. Como disse Paulo: "[O amor] tudo sofre, tudo crê, tudo espera, tudo suporta" (1 Co 13.7). Por conseguinte, pode fazer todas as coisas e faz todas as coisas, pois Deus olha o coração e o espírito. — *Martinho Lutero*

v. 3: "Porquanto os meus inimigos retrocederam e caíram; e pereceram diante da tua face". Foram retrocedidos, repelidos e postos para correr. Traduzir esse versículo no tempo presente, como fazem certos tradutores, é incorreto. Acaba com a coerência e dá margem a duplo sentido. Henry Ainsworth viu essa consequência e o traduziu no passado.

"Diante da tua face", quer dizer, pela ira divina. A presença ou face de Deus denota o seu favor ao tal como temê-lo e servi-lo, assim denota a sua ira para com os ímpios. "A face do Senhor está contra os que fazem o mal" (Sl 34.16). — *Benjamin Boothroyd, 1824*

v. 3: "Caíram; e pereceram". Refere-se àqueles que ou desfalecem na marcha, ou são feridos em batalha, ou especialmente àqueles que em retirada precipitada são casualmente atingidos no caminho, ficando feridos e mancos, incapazes de prosseguir. Então, caem, ficam sujeitos a todos os tipos de perseguição e, como aqui, são colhidos e perecem na queda. — *Henry Hammond, Doutor em Teologia*

v. 5: "Repreendeste as nações, destruíste os ímpios, apagaste o seu nome para sempre e eternamente". Agostinho aplicou esse versículo de forma mística, como denota (v. 1) que deve ser aplicado: "Contarei", disse o salmista, "todas as tuas maravilhas". O que é tão maravilhoso quanto ver o inimigo espiritual retroceder, quer seja o Diabo, como quando Jesus disse "Para trás de mim, Satanás" (Mt 16.23), quer seja o velho homem, quando é despojado, e o novo homem, revestido (Ef 4.22,24)? — *John Mayer*

v. 8: "Ele mesmo julgará o mundo com justiça". Nesse julgamento, as lágrimas não prevalecerão, as orações não serão ouvidas, as promessas não serão aceitas, o arrependimento será tarde demais. Quanto às riquezas, os títulos de honra, os cetros e os diademas, estes lucrarão muito menos. A inquisição será tão cuidadosa e diligente que não será esquecido o menor pensamento ou a palavra dita à toa (caso não tenha havido arrependimento durante esta vida). Pois a própria verdade disse, não de brincadeira, mas a sério: "Mas eu vos digo que de toda palavra ociosa que os homens disserem hão de dar conta no Dia do Juízo" (Mt 12.36). Quantos que hoje pecam com extremo prazer, até mesmo com avidez (como se servíssemos a um deus de madeira ou de pedra que não vê, nem pode fazer nada), ficarão surpresos, envergonhados e silenciados! Então terão fim os dias de alegria e você será engolfado por trevas perpétuas. Em vez de prazeres, você terá tormentos perpétuos. — *Thomas Tymme*

v. 8: "Julgará os povos com retidão". Até Paulo, no grande discurso proferido no areópago, mil anos depois deste salmo, não achou melhor palavra para ensinar aos atenienses a doutrina do dia do julgamento do que a tradução da Septuaginta dessa frase. — *William S. Plumer v. 8:* A consciência culpada não pode suportar aquele dia. A ovelha boba, quando apanhada, não bale para ser levada a qualquer lugar, não se opondo ao que se faça com ela. Mas o porco, se for apanhado, urrará e berrará, pensando que está sendo levado para ser morto. Assim, de todas as coisas, a consciência culpada não suporta ouvir falar desse dia, porque ela sabe que, quando ouve, ouve falar da própria condenação. Penso que se fosse feita uma cobrança geral pelo mundo para que não houvesse dia de julgamento, então Deus seria tão rico que o mundo seria um mendigo e um deserto desolado. O juiz ganancioso apresentaria os subornos cobrados; o advogado astucioso abriria as sacolas de dinheiro; o usurário entregaria os lucros e o dobro do que cobrou. Mas o dinheiro do mundo inteiro não bastará pelo pecado, pois o juiz tem de responder pelos subornos, o possuidor de dinheiro tem de explicar como o ganhou e a condenação justa tem de sobrevir a todos eles. O pecador sempre estará morrendo, mas nunca morrerá, como a salamandra que sempre está no fogo mas nunca é consumida. — *Henry Smith*

v. 9: Os egípcios nos informam que, vivendo nos pântanos e sendo atacados por mosquitos, eles costumam dormir em torres altas, a cuja altura essas criaturas não vão, ficando então livres de serem picados por elas. Assim façamos quando formos picados por cuidados e temores: corramos a Deus em busca de refúgio e descansemos confiantes de sermos ajudados. — *John Trapp*

v. 10: "E em ti confiarão os que conhecem o teu nome". A fé é uma graça inteligente. Há conhecimento sem fé, mas não há fé sem conhecimento. Isso se chama fé vigorosa, de agudo discernimento. O conhecimento tem de levar a tocha antes da fé: "Porque eu sei em quem tenho crido" (2 Tm 1.12). Na conversão de Paulo, uma luz do céu brilhou "subitamente o cercou" (At 9.3). Semelhantemente, antes que a fé esteja envolvida, Deus brilha uma luz no entendimento. A fé cega é tão ruim quanto a fé morta. Podemos dizer que esses olhos são olhos bons que estão sem visão, como a fé é boa sem conhecimento. A ignorância devota condena às penas do inferno. Esta é a condenação da igreja de Roma, que quer que uma parte da sua religião seja mantida em ignorância. Estes erigem um altar ao Deus desconhecido. Dizem que a ignorância é a mãe da devoção, mas é certo que onde o sol se põe no entendimento tem de ser noite nos sentimentos. O conhecimento é tão necessário para a existência da fé, que as Escrituras por vezes batiza a fé com o nome de conhecimento: "Com o seu conhecimento, o meu servo, o justo, justificará a muitos" (Is 53.11). O conhecimento é colocado ali no lugar da fé. — *Thomas Watson*

v. 10: "E em ti confiarão os que conhecem o teu nome; porque tu, SENHOR, nunca desamparaste os que te buscam". Ser mãe da incredulidade é ignorar Deus, a sua fidelidade, misericórdia e poder. "Em ti confiarão os que [te] conhecem". Confirmou na fé Paulo, Abraão, Sara: "Eu sei em quem tenho crido e estou certo de que é poderoso para guardar o meu depósito até àquele Dia", "fiel é o que prometeu" e "era poderoso para o fazer" (2 Tm 1.12; Hb 10.23; 11.11; Rm 4.21). As promessas livres do Senhor são exatamente certas, os seus mandamentos são retos e bons, a recompensa do galardão tem de ser inestimavelmente avaliada acima de milhares de ouro e prata. Confia no Senhor, ó minha alma, e segue-o esforçadamente. Tu tens a sua livre promessa, que nunca falhou, que promete mais do que possivelmente tu pediste ou pensaste, que faz mais para ti do que ele já prometeu, que é bom e generoso para os ímpios e não crentes. Tu fazes a sua obra, pois ele é apto e seguramente te sustentará. Há uma coroa de glória proposta para ti acima de todo conceito de mérito. Fica firme na sua palavra, e não permitas que nada te separe dela. Descansa nas promessas embora pareça que ele te mata. Apega-te aos seus estatutos, a despeito da concupiscência da carne, da sedução do mundo, da tentação do Diabo por meio de lisonjas ou ameaças para tu fazeres o contrário. — *John Ball, 1632*

v. 10: "E em ti confiarão os que conhecem o teu nome". Quem conhece parcamente os doces atributos de Deus e os seus atos nobres para com os que lhe pertencem, não consegue deixar de conhecer o seu nome. Nunca confiamos em alguém até que o conheçamos, e os homens maus são mais bem conhecidos do que confiados. Não é o que ocorre com relação ao Senhor, pois onde o seu nome é unguento derramado, as virgens o amam, o temem, se alegram e confiam nEle. — *John Trapp*

v. 12: "Pois inquire do derramamento de sangue e lembra-se dele". Há o tempo em que Deus inquire, investiga o sangue inocente. A palavra hebraica *doresh*, derivada de *darash*, aqui traduzida por "inquire", não significa apenas "buscar", "procurar", mas também "procurar obter", "perseguir" e "investigar com toda a diligência e cuidado imaginável". Haverá o tempo em que o Senhor fará uma busca e investigação muito diligente e cuidadosa do sangue inocente do seu povo afligido e perseguido, cujos perseguidores e tiranos são numerosíssimos. Ai dos perseguidores quando Deus fizer uma inquirição mais rígida, crítica e meticulosa do sangue do seu povo do que fez a Inquisição Espanhola, na qual todas as coisas foram executadas com a maior diligência, sutileza, segredo e severidade. Ó perseguidores, chegará o tempo quando Deus fará uma inquisição acurada do sangue de Hooper, Bradford, Latimer, Taylor, Ridley e tantos outros. Virá a hora em que Deus investigará quem silenciou e baniu tais e tais ministros, quem fechou a boca de tais e tais pessoas, quem prendeu, restringiu e exterminou tais e tais indivíduos, que outrora eram luzes ardentes e brilhantes, estando dispostos a gastarem-se e serem gastos para que os pecadores fossem salvos e Cristo fosse glorificado. Haverá o tempo em que o Senhor fará uma inquirição muito precisa em todas as ações e práticas dos tribunais eclesiásticos, altas comissões, comitês, veredictos e assemelhados, tratando dos perseguidores conforme eles lidaram com o seu povo. — *Thomas Brooks*

v. 12: "Pois inquire do derramamento de sangue e lembra-se dele". Há uma *vox sanguinis*, que significa "voz de sangue". "Aquele que fez o ouvido, não ouvirá?" (Sl 94.9). Cobriu o velho mundo de águas. A terra está cheia de crueldade. Era *vox sanguinis* que clamava. Os céus ouviram a terra, e as janelas dos céus se abriram para deixar cair o julgamento e a vingança sobre a terra. — *Edward Marbury, 1649*

v. 12: "Pois inquire do derramamento de sangue e lembra-se dele; não se esquece do clamor dos aflitos". Embora pareça que Deus ignore por certo tempo a crueldade dos homens violentos, ele os chamará para prestarem contas rígidas por todo sangue inocente que eles derramaram e pelo uso injusto e desapiedado dos submissos e humildes, cujos clamores ele nunca esquece (ainda que não os responda de pronto), mas reserva um tempo apropriado para vingar-se dos opressores do seu povo. — *Symon Patrick, Doutor em Teologia, 1626-1707*

v. 12: "Inquire do derramamento de sangue". Ele está tão agitado por causa desse pecado, que ele se levantará, investigar os autores, planejadores, idealizadores e responsáveis por esse pecado escarlate, vingando-se por sangue. — *William Greenhill*

v. 12: "Não se esquece do clamor dos aflitos". A oração é o porto para os náufragos, a âncora para quem está afundando nas ondas, o bastão para os que têm membros cambaleantes, a mina de ouro para os pobres, o remédio para as doenças e o guardião da saúde. A oração garante ao mesmo tempo a continuação das bênçãos e dissipa as nuvens das calamidades. Ó bendita oração! Tu és a conquistadora incansável das aflições humanas, a fundação firme da felicidade humana, a fonte de alegria duradoura, a mãe da filosofia. O homem que verdadeiramente ora, ainda que esteja se acabando na mais extrema pobreza, é mais rico que todos que o cercam, ao passo que o infeliz que nunca dobrou os joelhos, ainda que esteja sentado orgulhosamente como monarca de todas as nações, é de todos os homens o mais pobre. — *Crisóstomo*

v. 14: "Para que eu conte todos os teus louvores às portas da filha de Sião e me alegre na tua salvação". Contar todos os louvores de Deus é algo que dá muito trabalho. Um ocasional: "Graças a Deus", não é uma retribuição adequada para um fluxo contínuo de ricos benefícios. — *William S. Plumer*

v. 15: "As nações precipitaram-se na cova que abriram; na rede que ocultaram ficou preso o seu pé". Ainda que cavem covas para os outros caírem, há uma cova a cavar e uma sepultura a fazer para eles mesmos. Eles têm uma medida a completar e um tesouro a acumular, que por fim será arrombado, o que, segundo me parece, deve fazer com que aqueles que se alegram no prejuízo deixem de agradar-se nas suas tramas. Infelizmente, estão tramando a própria ruína e construindo uma torre de Babel que cairá nas suas cabeças. Se há algum aspecto favorável na trama, então o grande conspirador dos conspiradores, o grande engenheiro, Satanás, foi muito mais de nós todos e receberá todo o crédito de nós. Mas não invejemos Satanás nem ele na glória deles. Eles tinham a necessidade de algo para consolá-los. Que se agradem em suas atividades. Está chegando o dia em que a filha de Sião se rirá deles em desprezo. Haverá o tempo em que se dirá: "Levanta-te e trilha, ó filha de Sião" (Mq 4.13). Em geral, o livramento dos filhos de Deus está junto com a destruição dos inimigos. A morte de Saul e a libertação de Davi. A libertação dos israelitas e o afogamento dos egípcios. A igreja e os seus oponentes são como os pratos de uma balança: quando um sobe, o outro desce. — *Richard Sibbes*

vv. 15 a 17: Em muito aumentará o tormento dos condenados ao inferno o fato de que os tormentos lhes serão tão grandes e fortes quanto o entendimento e o sentimento que levarão esses sofrimentos violentos a ainda estarem em operação. A perda nunca seria tão grande e o sentimento dessa perda nunca tão extremado, se eles pudessem perder o uso da memória, pois assim os sentimentos acabariam e a perda, sendo esquecida, pouco os incomodaria. Mas como não podem pôr de lado a vida e a existência, embora nesse caso eles considerariam que seria uma aniquilação de misericórdia singular, assim também não podem pôr de lado qualquer parte do ser. O entendimento, a consciência, o sentimento, a memória devem estar vivos para atormentá-los, os quais os serviram na felicidade. Foi por meio dessas faculdades que eles deveriam ter se alimentado com o amor de Deus, deixando-se levar perpetuamente às alegrias da presença divina. Portanto, é por meio dessas mesmas faculdades que agora eles são alimentados com a ira de Deus, sendo levados às dores da ausência divina. Nunca pense que quando digo que a dureza do coração e a cegueira, embotamento e esquecimento desses indivíduos serão removidos, que eles serão mais santos e felizes que antes. O que quero dizer é que eles são moralmente mais vis e mais miseráveis por conta disso. Quantas vezes Deus pelos seus mensageiros os conclamou: "Pecadores, considerai para onde vós estais indo. Tomai posição e refleti onde acabará o caminho em que estais, qual é a glória oferecida que vós rejeitais tão desdenhosamente. Não sabeis que por fim haverá amargura?". Contudo, esses homens jamais chegam a considerar. Mas "no fim dos dias", disse o Senhor, "entendereis isso claramente" (Jr 23.20), quando eles forem enlaçados "nos seus próprios feitos", quando Deus os prender, os julgar e os vingar até à última gota, então não haverá escolha senão considerarem isso, quer queiram quer não. Agora não têm tempo livre para considerarem, nem lugar nas memórias para tratarem das coisas da outra vida. Mas então eles terão bastante tempo livre.

Estarão em um lugar em que não terão nada mais a fazer senão considerarem isso. As suas memórias não terão outra ocupação para impedi-los. Isso estará até mesmo gravado nas tábuas dos seus corações. Deus teria escrito a doutrina do estado eterno dessas pessoas nas guarnições das portas, nas casas, nas mãos e nos corações. Ele fez com que prestassem atenção a esse assunto e o mencionou quando se levantavam e se deitavam, e quando andavam pelo caminho, para que no último dia lhes fosse bem. Levando em conta que rejeitaram essa deliberação do Senhor, então que para sempre seja escrito diante deles no cativeiro em que estão, para que o vejam em todo lugar que olharem. — *Richard Baxter*

v. 16: "O Senhor é conhecido pelo juízo que fez". Se o Senhor é conhecido pelo juízo que faz, então o juízo que ele faz tem de ser conhecido. Tem de ser um julgamento aberto ao público. E são tantos os julgamentos de Deus, que eles têm de ser desempenhados como em um palco. Farei um relato de três particularidades por que o Senhor faz justiça em lugares onde haja espectadores ou à vista das pessoas. Em primeiro lugar, para que haja bastantes testemunhas do que Ele faz e, assim, seja mantido um registro disso, pelo menos na mente e memória dos homens fiéis pelas gerações futuras. Em segundo lugar, o Senhor faz não só que haja testemunhas da sua justiça, mas também que a sua justiça e os procedimentos ligados a ela causem as devidas consequências nos que não a sentiram, nem ficaram sob ela. Esta era a razão por que o Senhor ameaçou castigar Jerusalém à vista das nações (Ez 5.6-8,14,15). [...] Deus julgaria Jerusalém, uma cidade colocada no meio das nações, para que, como as nações tinham tomado conhecimento dos extraordinários favores, benefícios, livramentos e salvações que Deus dera a Jerusalém, assim também tomariam conhecimento dos justos julgamentos e inflamado desprazer que Ele nutria para contra elas. Jerusalém não estava situada em algum canto, recanto ou esconderijo do mundo, mas no meio das nações para que a bondade e a severidade de Deus para com elas ficasse aparente. [...] Deus permite que os pecadores sofram ou os castiga abertamente porque quer que as pessoas percebam que Ele repugna o que elas fazem, como também porque Ele não quer que as pessoas façam a mesma coisa, para que não tenham o mesmo destino, tanto na questão em vista quanto na maneira dos sofrimentos. Trata-se de um benefício, bem como é o nosso dever aprendermos com os erros e reveses dos outros para evitarmos os nossos. [...] Em terceiro lugar, Deus castiga os ímpios publicamente ou no lugar dos observadores para o consolo e encorajamento do seu povo: "O justo se alegrará quando vir a vingança" (Sl 58.10,11), não que ele se alegre com a vingança puramente por ser um ferimento ou sofrimento à criatura. Mas o justo se alegra quando vê a vingança de Deus como o cumprimento da ameaça divina contra o pecado do homem e a evidência da santidade divina. [...] Em Êxodo 14.30,31, está escrito que Deus, tendo submergido os egípcios no mar Vermelho, os israelitas viram os egípcios mortos na praia do mar. Deus não permitiu que os cadáveres dos egípcios afundassem no mar, mas fez com que ficassem na praia para que os israelitas os vissem. Quando Israel viu o golpe terrível que Deus deflagrara nos egípcios, o texto registra: "Temeu o povo ao Senhor e creu no Senhor e em Moisés, seu servo". Assim, eles foram confirmados na fé pelos julgamentos que Deus fez publicamente sobre os egípcios. Eles foram atingidos duramente no lugar dos observadores ou à plena vista das pessoas. — *Condensado de Joseph Caryl*

v. 16: "O Senhor é conhecido pelo juízo que fez", quando ele põe a mão nos pecadores, os santos tremem, consideram o seu poder, majestade, grandeza, a natureza dos seus julgamentos. Assim, julgam a si mesmos e retiram do caminho tudo que for provocativo. [...] O fogo gera um círculo de esplendor em torno de si, da mesma forma os julgamentos de Deus demonstram ao mundo a glória, justiça e santidade divina. — *William Greenhill*

v. 16: "Enlaçado ficou o ímpio nos seus próprios feitos". O salário que o pecado barganha com o pecador é a vida, o prazer e o lucro. Mas o salário com que o paga é a morte, o tormento e a destruição. Aquele que entende a falsidade e engano do pecado tem de comparar as promessas com os pagamentos. — *Robert South, Doutor em Teologia, 1633-1716*

v. 16: "Higaiom; Selá", ou seja, como traduz Henry Ainsworth, "Meditação, Selá". Por constar no salmo, devemos considerar que essas palavras demonstram algo sério. A palavra "higaiom" ocorre mais tarde em Salmos 92.3. Estando mencionada entre instrumentos musicais, concluímos que se trata de um deles: há saltério, instrumento de dez cordas, higaiom e harpa. — *John Mayer*

v. 16: "Enlaçado ficou o ímpio nos seus próprios feitos". Lemos não só na Palavra de Deus, mas em toda a história e experiência, registros da mesma justa justiça de Deus, enganando os ímpios nas coisas que eles mesmos fazem. Talvez o caso mais notável registrado, depois de Hamã ter sido enforcado na própria forca que construíra, esteja ligado aos horrores da Revolução Francesa. Segundo informações disponíveis, "no período de nove meses imediatamente após a decapitação da rainha Marie Antoinette, toda pessoa envolvida no seu fim intempestivo — os acusadores, os juízes, o júri, os prosseguidores, as testemunhas —, todo indivíduo cujo fim pelo menos conhecemos pereceu pelo mesmo instrumento (a guilhotina) como sua vítima inocente". "Na rede que lançaram para enlaçar a rainha ficou preso o pé de cada um deles — caíram na cova que eles mesmos cavaram para ela". — *Barton Bouchier, 1855*

v. 17: Quando os ímpios morrem, eles têm de sofrer a fúria e indignação de Deus: "Os ímpios serão lançados no inferno". Li sobre uma pedra-ímã na Etiópia que tem duas pontas, uma atrai o ferro e a outra o repele. Deus tem duas mãos, uma de misericórdia e a outra de justiça. Com uma Ele atrai os piedosos ao céu e com a outra repele os pecadores ao inferno. Como é terrível esse lugar! Chama-se "lago de fogo" (Ap 20.15). É um *lago* para denotar a abundância de tormentos no inferno; é lago *de fogo* para demonstrar a ferocidade dos tormentos. O fogo é elemento de tortura. Na sua geografia, Estrabão menciona um lago na Galileia que tem tal natureza pestífera que escalda a pele sobre quem é lançada. Infelizmente, esse lago é fresco em comparação ao lago de fogo ao qual os condenados serão lançados. Para evidenciar o caráter terrível desse fogo, há nele duas das mais perniciosas qualidades:

(1) É sulforoso, está misturado com enxofre (Ap 21.8), que é intragável, repulsivo e sufocante.

(2) É inextinguível. Os ímpios são sufocados nas chamas, contudo elas não se consumem: "E o diabo, que os enganava, foi lançado no lago de fogo e enxofre, onde está a besta e o falso profeta; e de dia e de noite serão atormentados para todo o sempre" (Ap 20.10).

Observe a condição deplorável de todos os descrentes quando estiverem no outro mundo: eles terão uma vida que jamais morre e uma morte que jamais vive. Será que isso não aterroriza esses homens dos seus pecados e os faz tementes a Deus? A menos que estejam decididos a experimentar o quanto é quente o fogo do inferno. — *Thomas Watson*

v. 17: "Os ímpios serão lançados no inferno e todas as nações que se esquecem de Deus". Por "ímpios" entendamos os não regenerados, quem quer que sejam os que estejam em estado de não regeneração. [...] Essas pessoas são mencionadas por "ímpios [...] que se esquecem de Deus", que não pensam nele com frequência, afeto, reverência e prazer, e cujos sentimentos não são adequados a pensamentos sérios de Deus. [...] Esquecer-se de Deus e ser ímpio é tudo a mesma coisa. São duas coisas que evidenciam devidamente a verdade desta afirmação, quais sejam, que esquecer-se de Deus exclui os elementos essenciais e principais da religião, e que também inclui as impiedades mais extremas e horripilantes, devendo necessariamente designar o sujeito de ímpio. [...] Esquecer-se de Deus exclui as partes principais e essenciais da religião. Dá a entender que o homem não estima nem avalia a todo-suficiência e santidade de Deus, como a sua felicidade, porção, força e sustento. Também não teme a Deus, nem vive em sujeição às suas leis e mandamentos como regra. Não almeja a glória de Deus como o seu objetivo. Portanto, todo aquele que assim se esquece de Deus tem de ser uma pessoa ímpia. [...] Excluir Deus dos nossos pensamentos e não permitir que Ele tenha lugar ali, não fazer caso, nem pensar em Deus é a maior maldade dos pensamentos que possa haver. Ainda que não possamos dizer que certo indivíduo será bêbado, ou praguejará, ou enganará, ou oprimirá, dá de dizermos que ele se esquecerá de Deus. Ou se ele vive todos os dias nunca se importando nem pensando em Deus, já é suficiente para declararmos que está sob a ira, indo irremediavelmente para o inferno. — *John Howe, 1630-1705*

v. 17: "Os ímpios serão lançados no inferno". A palavra hebraica לִשְׁאוֹלָה (*lish'ôlâ*), significa "de ponta-cabeça para o inferno", "em descida para o inferno". O original é muito enfático. — *Adam Clarke*

v. 17: Toda impiedade veio originalmente com o Ímpio do inferno e para o inferno será remetida outra vez. Aqueles que se mantêm ao seu lado terão de acompanhá-lo na volta àquele lugar de tormento para serem emudecidos para sempre. O verdadeiro estado das "nações" e dos indivíduos dos quais elas se compõem será estimado de uma única circunstância, qual seja, se em suas ações eles se lembram ou "se esquecem de Deus". Lembrar-se dEle é a fonte da virtude; esquecer-se dEle é a fonte do vício. — *George Horne, Doutor em Teologia*

v. 17:

Inferno, a habitação adequada, repleta de fogo
Inextinguível, a casa da aflição e da dor
— *John Milton, 1608-1674*

v. 17:

Vontade sem poder, o elemento do inferno
Abortivo todos os seus atos ainda voltam
Em si mesmo. [...] Ó, angústia terrível!
Receba a recompensa do amor-próprio, o seu próprio mau!
A maldade olharia de cara feia para o inimigo que ele teme
E ele com lábios de desprezo procuraria matar
Mas nenhum vê o outro, nenhum dos dois ouve
Pois a escuridão obstrui cada um no seu calabouço
A concupiscência consome-se de desejo, e a aflição bebe as próprias lágrimas
Cada um em sua solidão à parte. O ódio guerreia
Contra si mesmo, e se alimenta com as suas correntes
Cujo ferro penetra a alma que ela marca com cicatriz
Uma solidão terrível é cada mente insana
Cada um no seu lugar, na sua prisão totalmente só
E não encontra simpatia para aliviar a dor
— *J. A. Heraud*

v. 18: "Porque o necessitado não será esquecido para sempre, nem a expectação dos pobres se malogrará perpetuamente". Esta é uma doce promessa para mil ocasiões. Quando suplicada diante do trono no nome daquEle que encerra em si todas as promessas e é, na verdade, em si a grande promessa da Bíblia, seria encontrada como todas as outras, o sim e o amém. — *Robert Hawker, Doutor em Teologia, 1820*

v. 18: "Nem a expectação dos pobres se malogrará perpetuamente". Quando um pássaro, assustado por um falcão, voa para os braços do incrédulo, ele poderia dizer: "Não te entregarei ao teu inimigo, visto que tu viste se refugiar em mim". Quanto menos Deus entregará uma alma ao inimigo, quando ela busca refúgio no seu nome, dizendo: "Senhor, estou sendo perseguido por esta tentação, acossado por tal desejo ardente: ou tu me perdoas, ou estou condenado. Mortifica-o ou serei escravo dele. Toma-me no seio do teu amor por amor a Cristo. Encastela-me nos teus braços de força eterna. Está no teu poder salvar-me disso, ou livrar-me das mãos do meu inimigo. Não tenho confiança em mim ou em mais ninguém. Nas tuas mãos entrego a minha causa, e descanso em ti". Esta dependência da alma indubitavelmente despertará o poder todo-poderoso de Deus em prol de tal indivíduo. Ele fez o maior juramento que poderia sair dos lábios santos, jurou por si mesmo que, visto que esse foge para refugiar-se na esperança dEle, assim ele terá forte consolação (Hb 6.17). Isso realmente dá aos santos a maior ousadia de fé para esperar amável acolhimento quando ele se dirige a Deus em busca de refúgio, porque ele não pode ir antes que seja buscado. Tendo Deus estabelecido o seu nome e promessas como uma torre forte, Ele chama os seus para esses recônditos e espera que eles se dirijam para lá. — *William Gurnall*

v. 18: "Porque o necessitado não será esquecido para sempre, nem a expectação dos pobres se malogrará perpetuamente". Dizemos às vezes que Deus nos ouve não nos ouvindo. Semelhantemente, podemos dizer que Ele às vezes nos nega sendo demorado para conosco. Segundo Crisóstomo, é como dinheiro que, ficando muito tempo no banco, volta para casa com lucro, com juro sobre juro. Quando o dinheiro está fora por muito tempo, tem grande lucro; ficamos sobre os homens. Não podemos ou devemos ficar sobre o Senhor e para o Senhor, em busca de um grande lucro? Pela demora em responder, Deus nos faz orar mais. Quanto mais pedimos, mais tempo ficamos, mais consolo temos e mais certos estamos de que, no fim, teremos o que pedimos. Distinguir entre negar e demorar. [...] Em Deus, nosso Pai, estão todas as dimensões de amor, que estão em grau infinito, infinitamente infinito. E se Ele nos faz esperar? O mesmo fazemos com os nossos filhos, embora o nosso propósito seja nenhum outro que lhes dar o que pediram. Gostamos de fazê-los esperar, para que assim tenham de nós as melhores coisas quando estiverem no seu melhor, e no melhor tempo e da melhor maneira. Uma mãe pode se esquecer do seu único filho, mas Deus tem uma memória infinita — não pode esquecer, nem esquecerá. A expectação de quem espera não falhará para sempre, quer dizer, nunca falhará. — *Richard Capel*

v. 19: "Levanta-te, SENHOR! Não prevaleça o homem; sejam julgadas as nações perante a tua face". O que significa? Temos de considerar que o salmista está orando pela destruição dos seus inimigos, fazendo uma imprecação, pronunciando uma maldição contra eles? Não, estas não são as palavras de alguém que está desejando que esse dano aconteça aos inimigos. São as palavras de um profeta, de alguém que está predizendo, em linguagem bíblica, o mal que tem de vir sobre eles por causa dos pecados cometidos. — *Agostinho*

v. 20: "Tu os pões em medo, SENHOR, para que saibam as nações que são constituídas por meros homens. (Selá)". De outra forma, pensaríamos que somos deuses. Somos tão inclinados a pecar que precisamos de fortes restrições. Somos tão inchados de orgulho natural contra Deus, que precisamos de espinhos na carne para que a matéria corruptível saia. Estando a vara pairando sobre nós constantemente faz com que lambemos o pó e nos reconheçamos estar inteiramente à mercê da misericórdia do Senhor. Embora Deus nos perdoe, Ele nos faz usar o cabresto sobre o pescoço para nos humilhar. — *Stephen Charnock*

v. 20: "Para que saibam as nações que são constituídas por meros homens". A palavra hebraica original é אֱנוֹשׁ (*'ĕnôsh*). Portanto, é uma oração para que as nações saibam que não passam de homens miseráveis, frágeis e mortais. A palavra hebraica está no singular, mas é usada coletivamente. — *João Calvino*

SUGESTÕES AOS PREGADORES

v. 1. (1) O único objeto do nosso louvor: "Eu te louvarei, Senhor". (2) Os temas abundantes do louvor: "Todas as tuas maravilhas". (3) A natureza apropriada do louvor: "De todo o meu coração". — *Benjamin Davies*

v. 1. "Contarei." Ocupação e prazer infindos.

v. 1. "As tuas maravilhas." A criação, a providência e a redenção são maravilhas por mostrarem os atributos de Deus de forma a despertar a maravilha de todo o universo de Deus. Um tópico bastante sugestivo.

v. 2. A canção sagrada: sua ligação com a alegria santa. O dever, a excelência e a base para a alegria santa.

v. 4. (1) Os direitos dos justos serão por certo atacados, (2) mas é igualmente certo que serão defendidos.

v. 6. (1) O grande inimigo. (2) As destruições que ele causou. (3) Os meios para vencê-lo. (4) As consequências que sobrevirão.

v. 7. "Mas o Senhor está assentado perpetuamente." A eternidade de Deus é o consolo dos santos e o terror dos pecadores.

v. 8. A justiça do governo moral de Deus, sobretudo em relação ao grande último dia.

v. 9. Pessoas em necessidade, tempos de pobreza, provisão todo-suficiente.

v. 10. (1) O conhecimento importantíssimo: "Conhecem o teu nome". (2) A bênção resultante: "Em ti confiarão". (3) A razão suficiente: "Porque tu, Senhor, nunca desamparaste os que te buscam". — *T. W. Medhurst*

O conhecimento, a fé e a experiência estão ligados entre si.

v. 10. Os nomes de Deus inspiram confiança. Jeová-Jiré, Jeová-Tsidkenu, Jeová-Rafá, Jeová-Samá, Jeová-Shalom, Jeová-Nissi, Elohim, Shaddai, Adonai e outros.

v. 11. (1) Sião, o que é? (2) O seu glorioso habitante, o que faz? (3) A ocupação dupla dos seus filhos: "Cantai louvores ao Senhor" e "anunciai entre os povos os seus feitos". (4) Os argumentos da primeira parte do tema nos incentivam a cumprir o dever duplo.

v. 12. (1) Deus em um empreendimento terrível. (2) Deus se lembra do seu povo para o poupar, honrar, abençoar e defender. (3) Deus atende ao clamor do seu povo salvando-o e derrotando os seus inimigos. Um sermão consolador para tempos de guerra ou peste.

v. 13. "Tem misericórdia de mim, Senhor." A oração do publicano é explicada, recomendada, apresentada e cumprida.

v. 13. "Tu que me levantas das portas da morte." Angústias profundas, grandes livramentos, gloriosas exaltações.

v. 14. "E me alegre na tua salvação." Especialmente porque a salvação é de Deus e, portanto, o honra. Em sua liberalidade, abundância, conveniência, certeza, eternidade. Quem pode se alegrar por causa disso? Razões para sempre se alegrarem.

v. 15. *Lex talionis* (lei de talião). Exemplos memoráveis.

v. 16. Conhecimento terrível; alternativa tremenda quando comparada ao versículo 10.

v. 17. Aviso para os que se esquecem de Deus.

v. 18. Demora no livramento: (1) A estimativa da incredulidade: "Esquecido", "se malogrará". (2) A promessa divina: "Não [...] para sempre". (3) O dever da fé: "Expectação".

v. 19. "Não prevaleça o homem." Uma súplica forte. Exemplos em que foi empregada na Bíblia. A razão de ser poderosa. Ocasiões para o uso.

v. 20. Uma lição necessária e como é ensinada.

SALMO 10

TÍTULO

Considerando que este salmo não tem título, certos estudiosos propõem que é um fragmento do Salmo 9. Não obstante, tendo em vista que é completo em si mesmo, preferimos considerá-lo como uma composição separada. Já tivemos exemplos de salmos que parecem que foram feitos para formar uma dupla (Salmos 1 e 2; Salmos 3 e 4) e este, com o Salmo 9, é mais um exemplo de salmo duplo.

O tema predominante é a opressão e perseguição dos ímpios. Para a nossa orientação, daremos o título de *O Clamor dos Oprimidos*.

DIVISÃO

O versículo 1, em uma exclamação de surpresa, explica o propósito do salmo, qual seja, invocar a intervenção de Deus em prol da libertação do seu povo sofrido e perseguido. Os versículos 2 a 11 usam uma linguagem forte para descrever o caráter dos opressores. No versículo 12, o clamor do versículo 1 explode novamente, dessa vez com uma expressão mais clara.

O próximo trecho (vv. 13-15) mostra claramente que os olhos de Deus estão contemplando todas as ações cruéis dos ímpios. Em consequência da onisciência divina, o julgamento final dos oprimidos é aguardado com alegria (vv. 16-18). Para a Igreja de Deus, em tempos de perseguição, e para cada santo em particular que esteja sofrendo debaixo da mão de pecadores orgulhosos, este salmo oferece linguagem adequada tanto para a oração quanto para o louvor.

EXPOSIÇÃO

1 *Por que te conservas longe, Senhor? Por que te escondes nos tempos de angústia?*

1. *"Por que te conservas longe, Senhor?"* Aos olhos chorosos do sofredor, o Senhor estava inerte, como se Ele calmamente estivesse

apenas olhando e não se condoesse com o salmista aflito. Não somente isso, mas o Senhor parecia longe, não mais um "socorro bem presente na angústia" (Sl 46.1). Era mais semelhante a um monte inacessível ao qual ninguém podia escalar. A presença de Deus é a alegria do seu povo, mas a mínima suspeita de sua ausência é extremamente perturbadora. Lembremos sempre que o Senhor está perto de nós. O refinador jamais está longe da boca da fornalha quando o ouro está no fogo. O Filho de Deus sempre está andando no meio das chamas quando os seus filhos santos são lançados na fornalha. Aquele que conhece a fragilidade do homem não se admirará nenhum pouco quando somos fortemente provados, quando achamos difícil ter de suportar o aparente descaso do Senhor por ele abster-se de operar o nosso livramento.

"Por que te escondes nos tempos de angústia?" Não é a angústia, mas o fato de nosso Pai esconder a face que nos atinge até o âmago. Quando a provação e a deserção ocorrem juntas, estamos em situação tremendamente perigosa, como Paulo, quando o seu navio deu em um lugar onde duas correntes se encontravam (At 27.41). Não admira que sejamos como o navio que ficou encalhado, com a parte da frente presa fixamente, permanecendo imóvel, enquanto a parte traseira era despedaçada pela violência das ondas. Quando o nosso sol está eclipsado, fica realmente escuro. Se precisamos de resposta para a pergunta "Por que te escondes"?, nós a encontraremos no fato de que é uma necessidade, não só para a provação, mas também para a avaliação do coração sob a provação (1 Pe 1.6). Contudo, como isso ocorre se o Senhor está brilhando em nós ao mesmo tempo que está nos afligindo? Se o pai consola o filho enquanto o corrige, onde estará o proveito do castigo? O rosto sorridente e a vara corretiva não são companheiros adequados. Deus descobre o dorso para que o golpe seja sentido. É a angústia sentida que pode se tornar uma bênção. Se somos levados nos braços de Deus durante todo o curso dos acontecimentos, onde estaria a provação e onde a experiência que as dificuldades visam a nos ensinar?

2 *Os ímpios, na sua arrogância, perseguem furiosamente o pobre; sejam apanhados nas ciladas que maquinaram.*

3 *Porque o ímpio gloria-se do desejo da sua alma, bendiz ao avarento e blasfema do Senhor.*

4 *Por causa do seu orgulho, o ímpio não investiga; todas as suas cogitações são: Não há Deus.*

5 *Os seus caminhos são sempre atormentadores; os teus juízos estão longe dele, em grande altura; trata com desprezo os seus adversários.*

6 *Diz em seu coração: Não serei abalado, porque nunca me verei na adversidade.*

7 *A sua boca está cheia de imprecações, de enganos e de astúcia; debaixo da sua língua há malícia e maldade.*

8 *Põe-se nos cerrados das aldeias; nos lugares ocultos mata o inocente; os seus olhos estão ocultamente fixos sobre o pobre.*

9 *Arma ciladas em esconderijos, como o leão no seu covil; arma ciladas para roubar o pobre; rouba-o colhendo-o na sua rede.*

10 *Encolhe-se, abaixa-se, para que os pobres caiam em suas fortes garras.*

11 *Diz em seu coração: Deus esqueceu-se; cobriu o seu rosto e nunca verá isto.*

2. O versículo 2 contém o indiciamento contra os ímpios: *"Os ímpios, na sua arrogância, perseguem furiosamente o pobre"*. O indiciamento se divide em duas acusações formais e distintas: arrogância e tirania. Uma é a raiz e a causa da outra.

A segunda frase do versículo é a petição humilde do oprimido: *"Sejam apanhados nas ciladas que maquinaram"*. A oração é racional, justa e natural. Até mesmo sendo os nossos inimigos juízes, é mais do que justo que os homens se comportem de acordo com o que desejam fazer aos outros. Estamos somente avaliando vocês segundo as suas próprias medidas, e medindo os grãos conforme a cesta que vocês nos dão. Terrível será o dia, ó Babilônia perseguidora, quando você tiver de beber do cálice de vinho que você mesmo encheu até a borda com o sangue dos santos. Não há ninguém que disputará a justiça de Deus, quando Ele enforcar todos os Hamãs cada um na forca que estes mesmos fizeram e lançar todos os inimigos dos Daniéis na cova dos leões.

3. O indiciamento sendo lido e a petição sendo apresentada, agora a evidência é ouvida na primeira alegação. A evidência é muito forte e conclusiva quanto à questão da arrogância. Não há júri que hesitaria em dar um veredicto contra o prisioneiro em julgamento. Ouçamos as testemunhas uma por uma.

A primeira testemunha declara que o acusado é um fanfarrão: "Porque o ímpio gloria-se do desejo da sua alma". É um fanfarrão muito tolo, porque ele se gloria em um mero desejo. É um fanfarrão muito descarado, pois tal desejo é vilania. É um pecador muito desenfreado, visto que se gaba daquilo que é a sua vergonha. Os pecadores que se gloriam são os piores e mais desprezíveis dos homens, especialmente quando os seus desejos imundos — extremamente imundos para serem realizados — se tornam o tema dos seus discursos prepotentes. Quando Hate-Good e Heady fazem sociedade, eles dirigem um comércio exuberante em mercadorias do Diabo. Esta única prova já basta para condenar o prisioneiro em julgamento. Carcereiro, leve o prisioneiro! Espere! Há outra testemunha que deseja prestar juramento para ser ouvida. Dessa vez, o descaramento do arrogante rebelde é ainda mais evidente, porque ele "bendiz ao avarento e blasfema do Senhor". Isso é insolência, que é arrogância não mascarada. Ele é arrogante o suficiente para diferir do Juiz de toda a terra e abençoar os homens a quem Deus amaldiçoa. Foi o que fez a geração pecadora nos dias do profeta Malaquias, a qual considerava os orgulhosos felizes e edificava os que cometiam iniquidade (Ml 3.15). Esses embusteiros ignóbeis se opunham ao Criador. Veja o que fariam:

Arrebatam da sua mão a balança e a vara
Reexaminem o caso julgado, seja o deus de Deus

Quantas vezes ouvimos os ímpios falarem em termos de honra dos avarentos, o espoliador dos pobres e o negociante trapaceiro! O antigo ditado é oportuno:

Sei muito bem como este mundo anda
É mais amado aquele que tem mais bolsas

O arrogante encontra a avareza e a cumprimenta como sábia, econômica e prudente. É com tristeza que dizemos que há muitos mestres de religião que estimam os ricos e os lisonjeiam, ainda que saibam que eles se engordaram com a carne e o sangue dos pobres. Os únicos pecadores que são recebidos com respeito são os avarentos. Se o homem é adúltero, ou bêbedo, nós o tiramos da igreja. Mas quem já soube de uma igreja disciplinar o infeliz idólatra, isto é, o avarento? Tremamos para que não sejamos achados participantes do pecado cruel da arrogância, bendizendo ao avarento e blasfemando do Senhor.

4. As jactâncias orgulhosas e bênçãos libertinas do ímpio são recebidas como evidências contra ele. O seu rosto confirma a acusação, e o seu gabinete vazio clama em voz alta contra ele: "Por causa do seu orgulho, o ímpio não investiga". O coração orgulhoso gera rosto altivo e joelhos duros. É um arranjo admirável que o coração

esteja escrito no rosto, da mesma maneira que o movimento das engrenagens do relógio encontra o registro no mostrador. O rosto de bronze e o coração partido nunca estão juntos. Não temos certeza se os atenienses foram sábios quando ordenaram que os homens deveriam ser processados no escuro para que o rosto não influenciasse os juízes. Há muito mais a aprendermos dos movimentos dos músculos faciais do que das palavras da boca. A honestidade ilumina a face, mas a vilania aparece nos olhos.

Note o efeito do orgulho: impediu o homem de buscar a Deus. É difícil orar com o pescoço duro e os joelhos inflexíveis: "Todas as suas cogitações são: Não há Deus". Pensa muitas coisas, mas não tem nenhum pensamento a Deus. Entre montões de palha não havia um grão de trigo. O único lugar onde Deus não está é nos pensamentos do ímpio. Esta é uma acusação condenatória, pois onde o Deus do céu não está, o Deus do inferno está reinando e se enfurecendo. Se Deus não está em nossos pensamentos, nossos pensamentos nos levarão à perdição.

5. *"Os seus caminhos são sempre atormentadores"*. O ímpio é duro para si mesmo. Os homens transitam um caminho penoso quando vão para o inferno. Deus cercou o caminho do pecado. Que loucura saltar essas cercas e cair entre os espinhos! Aos outros, também, os seus caminhos causam muita tristeza e tormento; mas com que ele se importa? Ele se senta como o deus-ídolo no seu carro monstruoso, totalmente independente das multidões que são esmagadas enquanto ele passa por cima.

"Os teus juízos estão longe dele, em grande altura." Parece que o ímpio está nas alturas, mas não está alto o suficiente. Considerando que Deus é esquecido, assim o são os seus julgamentos. O ímpio não compreende as coisas de Deus. É mais fácil um porco olhar as estrelas por um telescópio do que esse homem estudar a Palavra de Deus e entender a justiça do Senhor.

"Trata com desprezo os seus adversários." O ímpio despreza e tiraniza. Quando os homens resistem ao seu comportamento prejudicial, ele zomba deles e ameaça aniquilá-los com um sopro. Na maioria das línguas, há uma palavra de desprezo tomada da ação de soprar com os lábios. Em inglês, expressa-se a ideia assim: "Ele mostra 'Pooh! Pooh!' [desdém] aos inimigos". Há um inimigo que não será desdenhado assim (ou seja, não será "soprado" assim). A morte soprará na vela da sua vida e a apagará, e o arrogante ímpio achará extremamente penoso vangloriar-se na sepultura.

6. O testemunho do versículo 6 conclui a evidência contra o prisioneiro sob a primeira acusação — arrogância —, sendo certamente conclusivo no mais alto grau. Essa testemunha foi inquirida nas câmaras secretas do coração, vindo nos contar o que ouviu: *"Diz em seu coração: Não serei abalado, porque nunca me verei na adversidade"*. Ó insolência decadente! O homem se acha imutável e onipotente também, porque ele, ora, ele nunca passará por adversidades. Julga-se privilegiado. Senta-se sozinho e jamais verá tristezas. O seu ninho está nas estrelas, e não sonha com uma mão que o arrancará dali. Mas lembremos que a casa desse homem está construída na areia, em fundação não mais sólida que as ondas ondulantes do mar. Aquele que é muito seguro de si nunca está seguro. Jactâncias não são contrafortes, e a autoconfiança é um baluarte que causa dó. Esta é a ruína dos tolos que, quando eles obtêm sucesso ficam muito grandes, incham-se de arrogância, como se o verão fosse durar para sempre e as flores ficassem floridas perpetuamente. Seja humilde, ó homem! Você é mortal, e a sua sorte é mutável.

Chegou a hora de comprovar o segundo crime. O fato de o homem ser orgulhoso e arrogante é suficiente para provar que ele é vingativo e cruel. O orgulho de Hamã foi o pai do desígnio desumano de exterminar todos os judeus. Nabucodonosor constrói um ídolo. Movido por orgulho, ele ordena que todos os homens se curvem diante do ídolo. É quando a crueldade se manifesta pronta em aquecer a fornalha sete vezes mais para aqueles que não lhe obedecerem a vontade imperiosa. Todo pensamento orgulhoso tem como irmão gêmeo o pensamento cruel. Aquele que se exalta menospreza os outros, ficando a um passo para se tornar um tirano.

7. Ouçamos agora as testemunhas no tribunal. O próprio infeliz fará a defesa, pois da sua boca ele será condenado: *"A sua boca está cheia de imprecações, de enganos e de astúcia"*. Não há em sua boca apenas um pequeno mal, pois ela está cheia disso. A serpente de três cabeças esconde as presas e o veneno na cova da sua boca preta. Lá estão as "imprecações" que ele esguicha contra Deus e os homens, os "enganos", com os quais ele atrai os imprudentes, e a "astúcia" pela qual, mesmo em seus procedimentos comuns, ele rouba as pessoas. Tenha cuidado com gente dessa laia. Não tenha nenhum tipo de negócio com ele. Só o mais tolo dos gansos compareceria a uma reunião para ouvir o sermão da raposa, e ninguém mais que o pior dos tolos se põe em sociedade com os patifes. Mas sigamos em frente.

Olhemos debaixo da língua desse homem como também a boca: "Debaixo da sua língua há malícia e maldade". No fundo da garganta estão as palavras em gestação que nascerão como "malícia e maldade".

8. Apesar do vangloriar desse miserável ignóbil, parece que ele é tão covarde quanto cruel: *"Põe-se nos cerrados das aldeias; nos lugares ocultos mata o inocente; os seus olhos estão ocultamente fixos sobre o pobre"*. Ele desempenha o papel do ladrão de estradas que, em alguma parte deserta do caminho, salta sobre os viajantes que não desconfiam de nada. Sempre há homens maus que ficam à espreita dos santos. Essa é terra de ladrões e assaltantes. Viajemos bem armados, pois todo arbusto esconde um inimigo. Em todos os lugares, há armadilhas armadas contra nós e inimigos que têm sede de nosso sangue. Há inimigos em nossa mesa como também do outro lado do mar. Nunca estamos seguros, exceto quando o Senhor está conosco.

9. *"Arma ciladas em esconderijos, como o leão no seu covil; arma ciladas para roubar o pobre; rouba-o colhendo-o na sua rede."* O quadro fica mais preto, pois esta é a astúcia do leão e do caçador, como também a ação secreta do ladrão. Claro que há homens que se encaixam bem em cada letra dessa descrição. Com observação, perversão, calúnia, sussurro e falso juramento, eles arruínam o caráter dos justos e assassinam os inocentes. Ou, com notificações legais, hipotecas, contratos, retenção de mercadorias até o pagamento de taxas e outros recursos assemelhados, eles apanham os pobres e os puxam na rede. Crisóstomo foi peculiarmente severo nessa última fase da crueldade, mas seguramente não mais do que merecia de forma abundante. Tomem cuidado, irmãos, pois há outras armadilhas além dessas. Leões famintos se agacham em todo covil, e os caçadores de pássaros estendem as redes em todo campo.

Nestes versos, Quarles descreve muito bem o perigo que corremos:

As mãos ocupadas dos perseguidores estão perto e colocam
Armadilhas na tua propriedade; armadilhas esperam o teu desejo;
Armadilhas no teu crédito; armadilhas em tua desgraça;
Armadilhas nos teus maiores bens; armadilhas nos teus elementos essenciais;
Armadilhas comprimem a tua cama; armadilhas cercam a tua comida;
Armadilhas observam os teus pensamentos; armadilhas atacam as tuas palavras;

Armadilhas em tua quietude; armadilhas em tua agitação;
Armadilhas em tua dieta; armadilhas em tua devoção;
Armadilhas espreitam as tuas resoluções; armadilhas em tuas dúvidas;

Armadilhas jazem dentro do teu coração, e armadilhas por fora;
Armadilhas estão em cima da tua cabeça, e armadilhas em baixo;
Armadilhas em tua doença; armadilhas estão em tua morte.

Ó Senhor, guarda os teus servos, e defende-nos de todos os nossos inimigos!

10. *"Encolhe-se, abaixa-se, para que os pobres caiam em suas fortes garras."* A aparência de humildade é muitas vezes o pajem de armas para a maldade. O leão se abaixa para saltar com mais força e pôr as fortes patas sobre a presa. Quando certo lobo velho tinha provado sangue humano, os antigos saxônios clamavam: "Cuidado, lobo!" E podemos clamar: "Cuidado, raposa!" Aqueles que se abaixam aos nossos pés desejam nos fazer cair. Tenhamos muito cuidado com os aduladores, pois a amizade e a lisonja são inimigas mortais.

11. Como ocorreu com o caso anterior, assim ocorreu com este. Uma testemunha, que ficou ouvindo no buraco da fechadura do coração, se aproxima. Fale, amigo, queremos ouvir a sua história: *"Diz em seu coração: Deus esqueceu-se; cobriu o seu rosto e nunca verá isto"*.

Esse homem cruel se consola com a ideia de que Deus é cego ou, pelo menos, desmemoriado. É fantasia quimérica e tola, sem dúvida. Os homens duvidam da onisciência quando perseguem os santos. Se tivéssemos o senso da presença de Deus conosco, seria impossível maltratarmos os seus filhos. Na realidade, não há maior proteção contra o pecado do que o pensamento constante de que "tu és Deus que vê" (Gn 16.13).

Assim prosseguia o julgamento. O caso foi totalmente apresentado. Não admira que o requerente oprimido levantasse o clamor por julgamento, o qual encontramos no versículo seguinte.

12 *Levanta-te, SENHOR! Ó Deus, levanta a tua mão; não te esqueças dos necessitados!*

12. Com que linguagem ousada a fé se dirige a Deus! Por outro lado, quanta incredulidade está misturada com a nossa mais forte confiança. Intrepidamente o Senhor é provocado a levantar a mão, contudo timidamente Ele é suplicado a não se esquecer dos necessitados. É como se o Senhor tivesse o hábito de esquecer-se dos seus santos. Este versículo é o clamor incessante da Igreja, que nunca deixará de clamar até que o Senhor entre na glória para vingar-se de todos os adversários.

13 *Por que blasfema de Deus o ímpio, dizendo no seu coração que tu não inquirirás?*
14 *Tu o viste, porque atentas para o trabalho e enfado, para os tomares sob tuas mãos; a ti o pobre se encomenda; tu és o auxílio do órfão.*
15 *Quebranta o braço do ímpio e malvado; busca a sua impiedade até nada mais achares dela.*

Esses versículos fazem uma descrição condensada do ímpio, e determinam a fonte do mal do seu caráter, qual seja, ideias ateístas com respeito ao governo do mundo. Percebemos imediatamente que o propósito é fazer outro apelo urgente ao Senhor para que Ele mostre o seu poder e revele a sua justiça. Quando os ímpios põem em dúvida a justiça de Deus, podemos lhe pedir que lhes ensine coisas terríveis sobre a justiça.

13. Esse versículo revela a esperança dos infiéis e os desejos do seu coração. Menosprezam ao Senhor, porque não acreditam que o pecado será castigado: *"Dizendo no seu coração que tu não inquirirás"*. Se não houvesse inferno para os homens, deveria haver um para os que questionam a justiça da sua existência.

14. Essa sugestão vil é respondida no versículo 14: *"Tu o viste, porque atentas para o trabalho e enfado, para os tomares sob tuas mãos"*. Deus vê todas as coisas e tem poder para castigar os inimigos. Ninguém se esconde da supervisão divina, e ninguém foge da justiça divina. A injúria libertina receberá o sofrimento terrível, e os que abrigam despeito herdarão a tristeza. "Deveras há um Deus que julga na terra" (Sl 58.11). Nem este é o único exemplo da presença de Deus no mundo, pois enquanto castiga os opressores, Ele ajuda os oprimidos.

"A ti o pobre se encomenda." Os pobres se entregam completamente às mãos do Senhor. Submetendo o seu julgamento ao esclarecimento divino e a sua vontade à supremacia divina, eles descansam certos de que Ele ordenará todas as coisas para o melhor. Nem frustra Ele a esperança deles. Ele os preserva em tempos de necessidade, e faz com que se alegrem na bondade divina.

"Tu és o auxílio do órfão." Deus é o pai de todos os órfãos. Quando o pai terreno dorme debaixo do gramado, o Pai celeste sorri em cima. Por um meio ou outro, as crianças órfãs são alimentadas, e bem lhes sucede quando têm um Pai assim.

15. Neste versículo, ouvimos novamente o encargo da oração do salmista: *"Quebranta o braço do ímpio e malvado"*. Que o pecador perca o poder para pecar. Detenha o tirano, prenda o opressor, enfraqueça os lombos do poderoso e faça em pedaços o terrível. Já que eles negam a tua justiça, que eles a sintam por completo. Na verdade, eles a sentirão, pois Deus caçará o pecador para sempre. Enquanto houver um grão de pecado nessa pessoa, isso será procurado e castigado. Não admira que seja digno de nota que muito poucos grandes opressores já morreram na cama. A maldição claramente os procurou, e os seus sofrimentos terríveis os fizeram reconhecer a justiça divina à qual eles outrora puderam desacatar. Deus permite que os tiranos se levantem como cercas de espinhos para proteger a igreja da intrusão de hipócritas. Por meio deles, Ele também ensina os seus filhos apóstatas, como fez Gideão aos homens de Sucote com os espinhos do deserto. Mas logo Ele corta em pedaços esse Herodes como espinhos, e os lança ao fogo. Tales de Mileto, um dos sábios da Grécia, ao ser perguntado qual era a maior raridade no mundo segundo a sua opinião, respondeu: "Ver um tirano viver para ser um velho". Veja como o Senhor quebra não só o braço, mas o pescoço dos opressores orgulhosos! Os homens que não foram justos nem misericordiosos com os santos, receberão a mais plena justiça, mas nem um grão de misericórdia.

16 *O Senhor é Rei eterno; da sua terra serão desarraigados os gentios.*

17 *Senhor, tu ouviste os desejos dos mansos; confortarás o seu coração; os teus ouvidos estarão abertos para eles;*

18 *para fazeres justiça ao órfão e ao oprimido, a fim de que o homem, que é da terra, não prossiga mais em usar da violência.*

O salmo termina com um cântico de ação de graças ao grande e eterno Rei, porque Ele atendeu o desejo do seu povo humilde e oprimido, defendeu o órfão e castigou o incrédulo que pisoteava os seus pobres e aflitos filhos. Aprendamos que estamos certos de sermos bem-sucedidos se levarmos a nossa reclamação ao Rei dos reis. Diante do seu trono, os direitos serão defendidos e as injustiças, reparadas. O seu governo não ignora os interesses dos necessitados, nem tolera a opressão nos poderosos.

"Grande Deus, entregamo-nos às tuas mãos. A ti confiamos mais uma vez a tua igreja. Levanta-te, ó Senhor, e que o homem da terra — a criatura de um dia — seja quebrado perante a majestade do teu poder. Vem, Senhor Jesus, e glorifica o teu povo. Amém e Amém."

NOTAS EXPLICATIVAS E DECLARAÇÕES IMPORTANTES

O Salmo: Não há, em minha opinião, um salmo que descreva a mente, os modos, as obras, as palavras, os sentimentos e o destino dos ímpios com tanta propriedade, completude e luz como este salmo. De forma que, se em algum aspecto não foi até aqui suficientemente dito, ou se há algo faltando nos salmos que se seguirão, encontramos neste uma imagem e representação perfeita da iniquidade. Este salmo é um tipo, forma e descrição do homem que, embora aos seus olhos e diante dos homens seja mais excelente que o próprio Pedro, é detestável aos olhos de Deus. Foi o que moveu Agostinho e os que o seguiram a entender que este era o Salmo do Anticristo. Mas considerando que o salmo não tem título, adotemos o entendimento mais geral e comum (como eu disse), e olhemos para o quadro de impiedade que ele nos apresenta. Não que neguemos a propriedade do sentido que os outros lhe dão, pois em nosso entendimento geral do salmo também incluiremos a referência ao Anticristo. Não será de todo absurdo se unirmos este salmo ao precedente em sua ordem. No Salmo 9, Davi falou dos ímpios convertidos e orou por aqueles que seriam convertidos. Neste, ele fala dos ímpios que ainda são ímpios e têm poder para prevalecer sobre o fraco Almuth, acerca de quem o salmista não tem esperança, ou está em grande incerteza mental se algum dia eles serão convertidos ou não. — *Martinho Lutero*

v. 1: "Por que te escondes nos tempos de angústia?" A resposta não está longe, pois se o Senhor não se escondesse não haveria tempos de angústia. Semelhantemente, perguntar por que o sol não brilha à noite, quando com certeza não haveria noite se ele brilhasse. É essencial para a eficiência do nosso castigo que o Pai retire o seu sorriso. É necessário não só para as múltiplas provações, mas também para que sejamos avaliados por meio delas. O desígnio da vara só tem validade quando nos deixamos ensinar. Se não há dor, não há proveito. Se Deus não se esconde, não há amargura e, por conseguinte, não há a eficácia purificadora nos seus castigos. — *C. H. S.*

v. 1: "Por que te escondes nos tempos de angústia?" Os "tempos de angústia" têm de ser tempos de confiança. A firmeza de coração em Deus evita o temor do coração: "Não temerá maus rumores; o seu coração está firme, confiando no SENHOR" (Sl 112.7). Como? Confiando no Senhor, o seu coração estará firme e ele não terá medo. Caso contrário, seremos tão levianos quanto um cata-vento, movidos por todo ruído de maus rumores, nossas esperanças subindo e descendo de acordo com as notícias que ouvimos. A providência parece dormir a menos que a fé e a oração a despertem. Os discípulos tinham pouca fé na consideração do Mestre, mas essa pouca fé bastou para despertá-lo no meio de uma tempestade e Ele os socorreu. A incredulidade só desencorajou Deus de mostrar o seu poder em tomar conta da nossa parte. — *Stephen Charnock*

v. 2: "Os ímpios, na sua arrogância, perseguem furiosamente o pobre". *O Apelo do Opressor.* Eu pego, mas só o que é meu por lei. O ato e a ação foram livres. A execução judicial diz respeito aos bens e ao corpo, e bens ou corpo eu terei, ou então o meu dinheiro. E se os seus pobres filhos definharem, ou a sua orgulhosa esposa perecer? Morrerão pelos seus pecados, não pelos meus. O que eu tenho a ver com isso? Quero receber o que é meu, ou ele fica preso até que eu receba o meu último centavo ou os ossos dele. A lei é justa e boa. Sendo regida por ela, como os meus procedimentos justos podem ser injustos? O que é trinta por cento para um homem do comércio? Nascemos para tamborilar na mesa ou picar palha? Vender o nosso sustento por algumas lágrimas e um rosto choroso? Graças a Deus que eles não me comovem tanto quanto um cão que uiva à meia-noite. Não darei um dia sequer mesmo que a fiança seja o próprio céu. Quero ter o meu dinheiro agora ou os ossos dele. [...] Quinze xelins para compor uma libra! Eu enforcarei primeiro. Não me fale de boa consciência. A boa consciência não é artigo em meu comércio. Ela fez mais falências do que todas as esposas infiéis na cidade universal. A minha consciência não é boba. Ela me diz que o que é meu é meu, e que uma bolsa bem cheia de dinheiro não é amiga enganosa, mas ficará bem perto de mim quando todos os meus amigos me abandonarem. Se ganhar muitos bens do nada e recuperar uma dívida irrecuperável, que é algo tão bom quanto nada, são frutos e sinal de uma má consciência, então Deus ajuda os bons. Não venha me falar de desapropriação e opressão. A vida é dura, e quem quer prosperar tem de batalhar arduamente. O que dou, dou, e o que empresto, empresto. Se o caminho para o céu é virar mendigo na terra, que o tome aquele que quiser. Não sei o que você chama opressão, pois é a lei que me dirige. Mas entre os dois, é mais lucrativo oprimir do que ser oprimido. Se os devedores fossem honestos e pagassem as dívidas, as nossas mãos estariam presas. Mas quando a bancarrota deles ofende as minhas bolsas de dinheiro, então eles tocam a menina dos meus olhos e tenho de corrigi-los. — *Francis Quarles*

v. 2: O famoso perseguidor Domiciano, como os outros imperadores romanos, recebiam honras divinas e aqueciam a fornalha sete vezes mais contra os cristãos que se recusassem a adorar a sua imagem. De certa forma, quando os papas de Roma foram decorados com os títulos blasfemos de *Mestre do Mundo* e *Pai Universal*, eles soltaram os cães de caça contra os crentes. O orgulho é o princípio da perseguição. — *C. H. S.*

v. 2: A "arrogância" é um mal que penetra tão facilmente o coração dos homens que se fôssemos nos despir de todas as nossas faltas, uma por uma, descobriríamos que ela seria indubitavelmente a última e a mais difícil de tirar. — *Richard Hooker, 1554-1600*

v. 3: "O ímpio gloria-se do desejo da sua alma, bendiz ao avarento e blasfema do SENHOR". Gaba-se da sua vida ímpia, da qual faz franca confissão. Gloria-se que realizará os seus maus desígnios, ou se gloria de já os haver feito. Ou podemos entender que ele elogia as pessoas que estão de acordo com os desejos dele, quer dizer, ele respeita ou honra única e exclusivamente quem é como ele, estimando somente a eles (Sl 36.4; 49.18; Rm 1.32). — *John Diodati, 1648*

v. 3: "O ímpio [...] bendiz ao avarento". Como diz o ditado, juntou a fome com a vontade de comer. Considerando que negligenciam completamente os mandamentos do Senhor, não só cometem os pecados mais indecentes, mas também elogiam os que estão no pecado como eles. Nos seus sentimentos eles os permitem, nas suas falas eles os lisonjeiam e os exaltam, e nas suas ações eles se unem com eles e os mantêm. — *Peter Muffet, 1594*

v. 3: "O avarento". A avareza é o desejo de possuir o que não temos, e obter grandes riquezas e posses mundanas. Se esta não é a característica do comércio, negócio e comercialização de todo tipo, a fonte dos males da comercialização além das possibilidades da qual se reclama em todos os lugares, remeto ao julgamento dos homens ao redor de mim, que estão engajados no comércio e negócio da vida. Comparado com a diligência regular e silenciosa de nossos pais e a sua satisfação com lucros pequenos, mas seguros, a especulação desordenada e difundida de grandes lucros, as aventuras apressadas e precipitadas que são feitas diariamente e os riscos semelhantes à jogatina que são assumidos afoitamente, revelam de modo seguro que o espírito de avareza se espalhou entre os homens nos últimos trinta ou quarenta anos. A providência de Deus em relação a isso, por meio de revoluções maravilhosas e inesperadas, por meio de numerosas invenções para fabricar as produções da terra a fim de levar os homens à tentação, impressionam em todos os aspectos dos negócios humanos um selo de mundanalidade séria não conhecido por nossos pais. De modo que a nossa mocidade entra na vida não mais com a ambição de prover coisas honestas à vista dos homens, manter o crédito, criar a família e perceber os meios suficientes para a subsistência, se o Senhor os fizer prosperar, mas com a ambição de fazer fortuna e aposentar-se à vontade para desfrutar os luxos da vida presente. Contra tal clamoroso pecado da avareza, queridos e amados irmãos, convoco-os efusivamente a combater o bom combate. Esse lugar é a sua sede, o baluarte, a cidade metropolitana da Inglaterra cristã. Vocês que, pela graça de Deus, são chamados da avenida do Mamom, são eleitos para o propósito expresso de testemunhar contra esta e todas as outras apostasias da igreja plantadas aqui. Especialmente contra esta, em minha opinião, por ser uma das mais evidentes e mais comuns de todas. Pois quem já não foi enganado caindo na armadilha da avareza? — *Edward Irving, 1828*

v. 3: "O ímpio [...] blasfema do SENHOR". Cristo sabia o que dizia quando declarou: "Ninguém pode servir a dois senhores" (Mt 6.24), querendo dizer Deus e o mundo, porque cada um receberia tudo. O anjo e o Diabo contenderam pelo corpo de Moisés (Jd 9), não para ver quem teria uma parte do corpo, mas quem teria todo ele. Hoje eles ainda se debatem para ver quem fica com toda a nossa alma. Disse o apóstolo: "A amizade do mundo é inimizade contra Deus" (Tg 4.4), dando a entender que há tamanha rivalidade entre esses dois, que Deus não suporta que o mundo tenha uma parte, e o mundo não suporta que Deus tenha uma parte. O amor do mundo tem de ocasionar a inimizade contra Deus. Os que amam o mundo têm de ser inimigos de Deus. Portanto, nenhum homem cobiçoso é servo de Deus, mas inimigo de Deus. É por isso que a avareza é chamada idolatria (Ef 5.5), sendo o pecado mais contrário a Deus, visto que a traição estabelece outro rei no lugar do rei, assim a idolatria coloca outro deus no lugar de Deus. — *Henry Smith*

v. 4: "Por causa do seu orgulho, o ímpio não investiga". O ímpio é julgado orgulhoso (sem júri para julgá-lo), de modo que quando for condenado não se submeterá, não se inclinará tão baixo a ponto de aceitar um perdão. Tenho de me corrigir deveras, visto que os homens estão dispostos a serem justificados, mas querem exercer o dever de comprar a paz e o favor de Deus. Milhares morrerão e serão condenados em lugar de terem o perdão por conta exclusiva dos méritos e obediência de Cristo. Oh, maldita arrogância do coração! Quando será que os homens deixarão de serem mais sábios que Deus? Limitar Deus? Quando os homens estarão contentes com o modo de Deus salvá-los pelo sangue do concerto eterno? Como ousam os homens aconselhar o Deus infinitamente sábio? Já não basta que a destruição venha da sua parte? Mas a salvação também tem de vir da sua parte? Não é suficiente que você tenha se ferido, mas que você morra para sempre, em lugar de ficar agradecido a um curativo da graça livre? Será condenado a menos que você seja o seu próprio Salvador? Deus quer salvar ("Deus amou o mundo de tal maneira que deu o seu Filho unigênito", Jo 3.16), mas você é tão orgulhoso a ponto de não ser agradecido a Deus? Você merecerá ou não terá nada. O que direi? Pobre de você, e ainda por cima, orgulhoso. Você não tem nada mais que desgraça e miséria, e ainda fica falando de comprar. Essa é uma provocação. "Deus resiste aos soberbos" (Tg 4.6), especialmente os espiritualmente orgulhosos. Aquele que tem orgulho das suas roupas e ascendência não é tão desprezível aos olhos de Deus quanto aquele que é orgulhoso das suas habilidades, e assim despreza submeter-se aos métodos de Deus para a salvação por meio de Cristo e pela sua exclusiva justiça. — *Lewis Stuckley v. 4:* "Por causa do seu orgulho, o ímpio não investiga; todas as suas cogitações são: Não há Deus". O orgulho dos ímpios é a principal razão de eles não investigarem o conhecimento de Deus. Esse conhecimento lhes impede de investigarem de vários modos. Em primeiro lugar, torna Deus um objeto desagradável de investigação para os ímpios e indesejável de terem um conhecimento dele. O orgulho consiste em uma opinião indevidamente exaltada de si mesmo. É intolerante ao rival, odeia o superior e não suporta o mestre. Na proporção em que prevalece no coração, nos faz desejar ver nada acima de nós, não reconhece a lei senão a nossa própria vontade, não segue nenhuma regra senão as nossas próprias inclinações. Assim levou Satanás a rebelar-se contra aquele que o criou e fez os nossos primeiros pais desejarem ser como deuses. Considerando que esses são os efeitos do orgulho, é evidente que nada pode ser mais doloroso ao coração orgulhoso do que o pensamento de existir tal indivíduo como Deus. Alguém que é infinitamente poderoso, justo e santo; que não pode ser resistido, nem enganado, nem iludido; que, de acordo com o seu próprio prazer soberano, faz o que quer de todas as criaturas e acontecimentos; que, de maneira especial, odeia o orgulho e é determinado a rebaixá-lo e castigá-lo. Tal ser orgulho só pode contemplar com sentimentos de medo, aversão e repulsa. Tem de vê-lo como inimigo natural, o grande inimigo a quem tem de temer. Mas o conhecimento de Deus tem a tendência direta a trazer esse inimigo infinito, sedutor e irreconciliável à plena visão do orgulhoso. Ensina-o que ele tem um superior, um mestre, a cuja autoridade ele não pode escapar, cujo poder ele não pode resistir e à cuja vontade ele tem de obedecer, ou ser esmagado diante dele e tornar-se miserável para sempre. Mostra-lhe o que ele odeia ver, que, a despeito de opor-se, o conselho de Deus permanece, que ele faz tudo que lhe agrada e que, em todas as coisas na quais os homens tanto se orgulham, Deus está acima delas. Essas verdades torturam o coração não-humilde e orgulhoso dos ímpios. Por conseguinte, eles odeiam o conhecimento de Deus que ensina essas verdades e não o investigam. Pelo contrário, desejam permanecer ignorantes de tal ser, banindo da mente todo pensamento relacionado a ele. Com essa visão, eles negligenciam, pervertem ou explicam as passagens da revelação, que descrevem o verdadeiro caráter de Deus e empenham-se em acreditar que Ele é bem igual a eles.

Como o orgulho é tolo, absurdo, ruinoso e cegamente destrutivo de seu próprio objetivo! Tentando elevar-se, afunda-se no lodo. Ainda que se empenhem em erigir para si mesmos um trono, minam a base no qual ele está e cavam a própria sepultura. Satanás foi precipitado do céu para o inferno, expulsou os nossos primeiros pais do Paraíso e, de maneira semelhante, arruinará todos que se entregam ao pecado. O orgulho nos mantém em ignorância de Deus, nos exclui das suas bênçãos, nos impede de nos assemelhar a Deus, nos priva neste mundo de toda a honra e felicidade que a comunhão com Ele nos conferiria. Em seguida, a menos que previamente odiemos, nos arrependamos e renunciemos ao orgulho, ele nos trancará para sempre a porta de entrada ao céu e nos fechará para sempre a porta de saída do inferno. Meus amigos, tenham cuidado, acima de tudo, acautelem-se do orgulho! Tomem cuidado para que vocês não se entreguem a ele sem perceber, pois, de todos os pecados, esse é talvez o mais secreto, sutil e insinuador. — *Edward Payson, Doutor em Teologia, 1783-1827*

v. 4: No Salmo 10, Davi fala de opressores e políticos grandes e potentes, que não veem nada na terra maior que eles mesmos, nada mais alto que eles, pensando que estão acima da impunidade quando caçam os menores, como fazem habitualmente os animais. O versículo 4 apresenta a base fundamental de tudo, quando diz que Deus não está em todos os seus pensamentos: "Por causa do seu orgulho, o ímpio não investiga; todas as suas cogitações são: Não há Deus". As palavras são lidas de forma diversa, todas contribuindo para esse sentido. Alguns estudiosos entendem assim: "Não há Deus em todos os seus propósitos presunçosos e astuciosos". Outros opinam que é desta forma: "Todos os seus pensamentos são: Não há Deus". O significado é que entre os muitos pensamentos que lhe enchem a mente, raramente se encontra o pensamento de Deus, não ocorrendo entre os demais, o que já basta para o propósito em vista. Além disso, em todos os seus projetos, planos e consultas do coração (a primeira leitura das palavras dá este sentido), por meio dos quais ele planeja e organiza a trama, a forma e o esboço de todas as suas ações, ele nunca considera ou consulta Deus ou a sua vontade para compor e ajustar e tudo adequadamente, mas prossegue e continua em tudo, fazendo tudo como se não houvesse Deus a ser consultado. Ele não o toma consigo, nem como se ele não fosse Deus. Os pensamentos e vontade divinos não o dominam. Como se costuma dizer, quando uma combinação de homens deixa de fora um com quem deveriam se aconselhar, tal indivíduo não é do seu conselho, não está nos planos. Assim também Deus não está nos seus propósitos e assessoramentos, pois fazem tudo sem ele. Mas este não é todo o significado, visto que todos os seus pensamentos são que não há Deus. Esta é a base, a fundação, a razão de todas as suas maquinações terríveis, projetos danosos, posturas enganosas e procedimentos ludibriadores, que vendo que não há Deus ou poder sobre eles para tomarem conhecimento, levarem em consideração ou castigá-los, eles se sentem ousados em prosseguir. — *Thomas Goodwin*

v. 4: "Por causa do seu orgulho". O orgulho que ele traz estampado no rosto e na testa torna-o conhecido em todos os seus procedimentos e gestos.

"O ímpio não investiga", quer dizer, ele menospreza todas as leis divinas e humanas. Não teme, não respeita os julgamentos de Deus. Não se importa com nada, assim pode fazer tudo o que desejar. Não investiga, nem examina nada. Todas as coisas lhe são indiferentes. — *John Diodati*

v. 4: "Todas as suas cogitações são: Não há Deus", é como alguns estudiosos leem a passagem. Sêneca diz que não há ateu, embora haja alguns. Se alguém diz que não há Deus, mente. Embora o diga à luz do dia, quando estiver a sós à noite ele o nega. Alguns se endurecem irremediavelmente, contudo se Deus se mostra terrível para com eles, eles o confessam. Muitos pagãos e outros negam que haja Deus. Contudo, quando estão em angústia, caem prostrados e o confessam, como Diágoras, o grande ateu, quando estava acometido de estrangúria (dificuldade de urinar), reconheceu uma deidade que ele tinha negado. Entrego esse tipo de ateu às ternas misericórdias de Deus, da qual duvido que haja alguma para eles. — *Richard Stock*

v. 4: "Todas as suas cogitações são: Não há Deus". É o trabalho sujo do descrente ou do ateu que Deus não está em todos os seus pensamentos. Que consolo há em Deus existir sem pensar nele com reverência e prazer? Um Deus esquecido é tão bom quanto um Deus nenhum. — *Stephen Charnock*

v. 4: As coisas sem importância nos possuem, mas Deus não está em nossas cogitações, raramente sendo o objeto exclusivo dos pensamentos. Temos pensamentos permanentes sobre coisas transitórias, e pensamentos rápidos e ligeiros sobre um bem durável e eterno. A aliança da graça compromete o coração inteiro a Deus, evitando que todas as outras coisas lhe prendam a atenção. Mas como são estranhos Deus e a alma da maioria dos homens! Temos o conhecimento de Deus pela criação. Contudo, em sua maior parte, Ele é um Deus desconhecido nas relações que trava conosco, porque não é um Deus em quem nos satisfazemos. Por conseguinte, como observou alguém, é porque não observamos os caminhos da sabedoria de Deus, não o concebemos nas suas vastas perfeições, nem nos admiramos da sua bondade que temos menos bons poemas sacros do que de outro tipo. A habilidade pensativa dos homens cai bastante quando se trata de exercer a razão e a fantasia sobre Deus. Partes e forças nos são dadas, como também o grão, o mosto e o óleo aos israelitas pelo serviço de Deus, mas estes são consagrados a algum Baal maldito (Os 2.8). Como Vênus, no poema, abandonamos o céu para seguir a algum Adônis. — *Stephen Charnock*

vv. 4 e 5: O mundo tem uma fascinação espiritual e certa feitiçaria pelas quais, onde conseguem se instalar, os homens ficam encantados e se esquecem totalmente de Deus. Por estarem embriagados pelos prazeres, é fácil eles se dedicarem a certa loucura e medida de estupidez. Alguns, como crianças tolas, provocam grande agitação no mundo por ninharias, por uma apresentação que não leva a nada. Pensam que são ilustres, honestos, excelentes, e por isso fazem grande alvoroço, quando o mundo não acrescenta um côvado à sua estatura de real valor. Outros são pela Circe transformados em animais selvagens, e desempenham o papel de leões e tigres. Outros, como porcos, se espojam nas luxúrias da impureza. Outros são emasculados, despindo-se de todos os sentimentos naturais, não se importam em quem eles tenham de passar por cima, desta forma eles podem exercer domínio ou se fazer grandes. Outros são levados por frenesis ridículos, de modo que o homem que está na sombra fresca de um estrume tranquilo os julgaria por sua sanidade mental. Faria o homem admirar ler sobre as brincadeiras de Caio Calígula, Xerxes, Alexandre e muitos outros que, por estarem sobre muitos homens, julgavam-se acima da natureza humana. Esqueciam-se de que nasceram e tinham de morrer, e faziam tais coisas como as teriam feito, mas que a sua grandeza o apavorou, uma risada de pouco caso e desprezo comum a crianças. Também não devemos pensar que estes eram apenas alguns poucos casos ou raros exemplos de intoxicação mundana, quando a Bíblia o observa como destempero geral de tudo que se curva a esse ídolo. Eles vivem "sem Deus no mundo", como disse o apóstolo em Efésios 2.12, quer dizer, eles fazem as coisas como se não houvesse Deus para observar o que fazem e deter-lhes a loucura: "Todas as suas cogitações são: Não há Deus" (Sl 10.4). Os juízos de Deus "estão longe dele, em grande altura", pensa o ímpio, que despreza "os seus adversários" (v. 5) e "diz em seu coração: Não serei abalado" (v. 6). O salmo descreve a mundanalidade como o homem que perdeu todo o entendimento, e está agindo como se fosse uma frenética casa de loucos. O que pode ser a mais perfeita máquina para o Diabo trabalhar do que os prazeres do mundo? — *Richard Gilpin*

v. 5: Os caminhos do ímpio são sempre "atormentadores" ou enervantes, quer dizer, todos os seus esforços e ações apontam a nada mais que ferir os outros.

"Estão longe", porque o ímpio é totalmente carnal, ele não tem a menor disposição nem correspondência com a justiça da lei de Deus que é completamente espiritual. Portanto, não pode representar alegremente para si os julgamentos de Deus, e a questão do ímpio de acordo com a lei estipulada (Rm 7.14; 1 Co 2.14).

"Trata com desprezo." O ímpio menospreza arrogantemente "os seus adversários", e confia que pode vencê-los com um desdém. — *John Diodati*

v. 5: "Os teus juízos estão longe dele, em grande altura". Deus não visita cada pecado imediatamente com castigo. Por isso, os descrentes não veem que no devido tempo ele julga toda a terra. Os tribunais humanos têm de inevitavelmente, por prontidão e publicidade, entregar-se ao julgamento comum, mas o modo de Deus lidar com o pecado é mais sublime e aparentemente mais demorado. Por conseguinte, os olhos cegos dos ímpios não o veem, e a sagacidade rastejante dos homens não o compreende. Se Deus se sentasse à porta de toda cidade e abrisse sessão de tribunal, até os tolos discerniriam a justiça divina. Mas não seriam capazes de perceber que a instauração de um caso no supremo tribunal, mesmo no próprio céu, é a mais solene questão. É bom que os crentes tomem conhecimento para que não caiam no mesmo tipo de erro, e passem a criticar as ações do supremo tribunal, quando forem muito elevadas para a razão humana compreendê-las. — *C. H. S.*

v. 5: "Os teus juízos estão longe dele, em grande altura". Os julgamentos de Deus estão fora da visão do ímpio, como a águia no seu mais elevado voo esconde as garras para que a presa não as veja, nem tenha medo quando for agarrada. Assim o homem presume até que peque e perca a esperança imediatamente. No começo: "Ora, Deus não vê nada?" No fim: "Será que Deus me perdoa?" Mas se o homem não conhece os seus pecados, os pecados o conhecem. Os olhos cuja presunção fecha, o desespero comumente abre. — *Thomas Adams*

v. 5: "Trata com desprezo os seus adversários". Davi diz que o orgulhoso despreza os seus inimigos. Despreza e se enche de elevada opinião favorável de si mesmo, como se houvesse nele algo sublime. Despreza os outros como se pudesse fazer grande coisa contra eles, esquecendo-se de que ele, no que tange a estar neste mundo, é nada mais que uma lufada de vento que passa. — *Joseph Caryl*

v. 5: "Trata com desprezo os seus adversários", é, literalmente, "ele assobia deles". Entrega-se ao domínio da indiferença sombria, não se importando com os outros tanto quanto consigo. Quem quer que ele imagine ser inimigo, ele não se preocupa. O desprezo e o ridículo são as suas únicas armas. Esqueceu-se de como usar os outros de caráter mais nobre. Os seus hábitos mentais são marcados por desprezo. Trata-se com desprezo os julgamentos, opiniões e práticas do mais sábio dos homens. — *John Morison*

v. 6: "Diz em seu coração: Não serei abalado, porque nunca me verei na adversidade". A segurança carnal abre a porta para todo tipo de impiedade entrar na alma. Pompeu, quando atacara uma cidade inutilmente, não conseguindo tomá-la à força, inventou este estratagema a guisa de acordo. Disse aos habitantes que ele levantaria o cerco e faria paz com eles sob a condição de permitirem a entrada na cidade de alguns soldados fracos, doentes e feridos para serem curados. Deixaram entrar os soldados e, quando a cidade estava segura, os soldados deixaram entrar o exército de Pompeu. Uma segurança carnal acomodada deixa entrar na alma um exército inteiro de concupiscências. — *Thomas Brooks*

v. 6: "Diz em seu coração: Não serei abalado, porque nunca me verei na adversidade". Levar em conta a religião sempre quando se goza de bem-estar. Felicitar a si mesmo por ter obtido o fim antes de nos servir dos meios. Estender as mãos para receber a coroa da justiça antes de elas terem sido usadas para combater o bom combate. Estar contente com uma falsa paz, e não se empenhar em obter a graça pela qual a verdadeira consolação está anexada. Estas são condições que compõem uma tranquilidade terrível, semelhante a que os passageiros descrevem e é precursor extremamente singular de um acontecimento terribilíssimo. De repente, no mar aberto, as águas ficam tranquilas, a superfície clara como cristal, lisa como vidro e o ar fica sereno. Os passageiros amadores ficam tranquilos e felizes, mas os experientes marinheiros tremem. De um momento para o outro, as ondas espumam, os ventos gemem, os céus se iluminam, mil voragens se abrem, uma luz assustadora inflama o ar e toda onda é uma ameaça de morte súbita. Esta é a imagem da certeza de salvação que muitas pessoas têm. — *James Saurin, 1677-1730*

v. 7: "Debaixo da sua língua há malícia e maldade". A alusão surpreendente dessa expressão diz respeito a certos répteis venenosos que, segundo somos informados, levam bolsas de veneno debaixo dos dentes para, com grande sutileza, infligir danos mortais em quem entra ao seu alcance. É extremamente patético que isso represente a destruição triste que mentes manchadas de infidelidade infligem na comunidade! Pelas suas perversões da verdade e pelos seus sentimentos e práticas imorais, eles são tão prejudiciais à mente como o veneno mais mortal é para o corpo. — *John Morison*

v. 7: Homens que amaldiçoam são homens amaldiçoados. — *John Trapp*

vv. 7 a 9: No relato da mártir Anne Askew sobre o interrogatório que o bispo Bonner lhe fez, temos um exemplo da arte cruel dos perseguidores: "No dia seguinte, o meu senhor de Londres me enviou a uma hora, sendo que a hora marcada era às três. Quando cheguei à sua presença, disse que estava muito triste por causa da minha situação penosa, e queria saber a minha opinião sobre as acusações levantadas contra mim. Pediu-me ousada e insistentemente que, fosse como fosse, eu declarasse os segredos do meu coração. Assegurou-me que eu não temesse em absolutamente nada, pois tudo que eu dissesse na sua casa nenhum homem me feriria por isso. Respondi: 'Pois levando em conta que a Vossa Senhoria marcou às três horas, e os meus amigos só virão a essa hora, desejo que Vossa Senhoria me perdoe de responder a que eles cheguem". Acerca disso, John Bale observa: "Nessa diferença de hora, o diligente percebe a ganância desse bispo da Babilônia, ou lobo sanguinário, concernente à sua presa. 'Os seus pés são ligeiros', disse Davi, 'para derramar sangue inocente, têm fraude na língua, veneno nos lábios e a mais cruel vingança na boca'. Davi muito se maravilhou no espírito que, tomando sobre eles o governo espiritual do povo, eles caíssem em tal frenesi ou esquecimento de si mesmos quanto a achar que é legítimo oprimir os crentes e devorá-los com tão pouco gosto quanto aquele que devora gulosamente uma fatia de pão. Se os tais lessem qualquer coisa sobre Deus, pouca atenção dariam ao verdadeiro dever pertinente a isso. 'Mais rápidos', disse Jeremias, 'são os nossos perseguidores cruéis do que as águias dos céus. Eles nos perseguem sobre as montanhas, e ficam nos esperando às ocultas no deserto'. Aquele que deseja conhecer a falcoaria astuciosa dos bispos para atrair a presa, a aprende aqui. Judas, penso, nunca teve a décima parte dessa perícia habilidosa. — *John Bale, Doutor em Teologia, Bispo de Ossory, 1495-1563, "Examination of Anne Askew" [Interrogatório de Anne Askew], Publicações da Sociedade Parker*

v. 8: "Põe-se nos cerrados das aldeias; nos lugares ocultos mata o inocente; os seus olhos estão ocultamente fixos sobre o pobre". O ladrão árabe espreita como lobo por entre esses montes de areia e saltam de repente sobre o viajante solitário, roubando-o em um instante e mergulhando de volta no deserto de montes de areia e dunas cheias de junco, onde a perseguição é infrutífera. Os nossos amigos têm o cuidado de não nos deixar andar separado ou ficar para trás. Contudo, parece absurdo temer sermos surpreendidos aqui — Kaifa diante de nós, Acre na retaguarda e viajantes em visão de ambos os lados. Os roubos, porém, acontecem exatamente onde estamos agora. País estranho! E sempre foi assim. Há centenas de alusões a tais coisas apenas na história, nos salmos e nos profetas de Israel. Um tipo exclusivo de imagens se baseia nelas. Assim, em Salmos 10.8-10: "Põe-se nos cerrados das aldeias; nos lugares ocultos mata o inocente; os seus olhos estão ocultamente fixos sobre o pobre. Arma ciladas em esconderijos, como o leão no seu covil; arma ciladas para roubar o pobre; rouba-o colhendo-o na sua rede. Encolhe-se, abaixa-se, para que os pobres caiam em suas fortes garras". E mil canalhas, os originais vivos desse quadro, hoje estão se agachando e se abaixando à espera por todo o país de apanhar os pobres viajantes desamparados. Observe que todas essas pessoas que encontramos ou pelas quais passamos estão armadas. Nem se arriscam ir de Acre a Kaifa sem o mosquete, embora o canhão dos castelos esteja comandando cada passo do caminho. Terra estranha, estranhíssima, mas conta maravilhosamente com a sua história antiga. — *W. M. Thomson, Doutor em Teologia, "The Land and the Book" [A Terra e o Livro], 1859*

v. 8: Os meus companheiros me perguntaram se eu tinha consciência do perigo do qual eu escapara. "Não", respondi. "Que perigo?" Contaram-me, então, que logo que começaram a viagem, viram um árabe indômito esgueirando-se atrás de mim, agachando-se ao chão com um mosquete na mão. E que, na opinião deles, assim que eu fiquei ao alcance do tiro do mosquete, ele levantou a arma. Mas, olhando freneticamente ao redor, como faz alguém que está a ponto de cometer algum ato desesperado, percebeu a presença deles e desapareceu. Jeremias conheceu algo do jeito desses árabes, quando escreveu: "Nos caminhos te assentavas para eles, como o árabe no deserto" (Jr 3.2). A símile é usada em Salmos 10.9,10, pois os árabes esperam e observam a presa com o maior zelo e perseverança. — *John Gadsby, "My Wanderings" [Minhas Perambulações], 1860*

v. 8: "Põe-se nos cerrados das aldeias; nos lugares ocultos mata o inocente; os seus olhos estão ocultamente fixos sobre o pobre". Toda essa força de metáfora e imagem visa salientar a assiduidade, astúcia, artifício baixo aos quais os inimigos da verdade e justiça recorrem para realizar os seus projetos corruptos e maldosos. O grande objetivo é a extirpação da verdadeira religião. Não há nada para o qual eles não se dediquem para atingir esse objetivo. Os grandes poderes que oprimiram a igreja de Cristo, em diferentes épocas, correspondem a essa descrição. As autoridades seculares e papistas rebaixaram-se a essa infâmia. Sentaram-se, por assim dizer, em emboscada aos pobres do rebanho de Cristo. Adotaram todo estratagema que a perícia infernal pudesse inventar. Associaram-se com os príncipes nos palácios, e com os mendigos nos ambientes de estrumeira social. Dirigiram-se aos vilarejos, e se entrosaram nas cidades alegres e populosas. Tudo com o propósito vão de tentar destruir o "nome [que] permanecerá eternamente", o "nome [que] se irá propagando de pais a filhos, enquanto o sol durar" (Sl 72.17). — *John Morison*

v. 9: "Para roubar o pobre; rouba-o". O animal que eles caçam é o pobre, que tem de levantar-se cedo, dormir tarde, comer o pão das dores, sentar-se com muitos para dividir a refeição frugal, talvez com os filhos chorando de fome, enquanto todos os frutos das suas labutas são servidos à mesa de Ninrode. Reclame o quanto quiser, mas, como disse o orador acerca de Gaio Verres: *pecuniosus nescit damnari.* De fato, o financista pode não ser prejudicado, mas pode ser condenado. Este é um pecado notório. Os ouvidos abertos do Senhor o ouvirão, e as suas mãos provocadas o reprimirão. *Si tacuerint pauperes loquentur lapides*, que significa "se os pobres se mantivessem calados, as próprias pedras falariam". As multas, as torturas, os confinamentos, as opressões, os tormentos clamarão a Deus por vingança: "A pedra clamará da parede, e a trave lhe responderá do madeiramento" (Hc 2.11). Veja os animais que eles caçam. Não são raposas, nem lobos, nem javalis, nem touros, nem tigres. Trata-se de observação certa de que nenhum animal caça a sua própria espécie com o objetivo de alimentar-se. Se esses caçassem raposas, lobos, javalis, touros, tigres, estariam respectivamente caçando animais da sua própria espécie. Porque aqueles caçam estes próprios, ou bastante pior que estes, porque aqui *homo homini lupus.* Mas embora sejam homens que eles caçam e do mesmo tipo de natureza, não o são da mesma qualidade, porque são cordeiros que eles caçam. Neles há sangue, carne e lã para possuir. Com estes eles se empanturram. Neles há uma armadura fraca de defesa contra as crueldades. É por isso que sobre estes, aqueles podem dominar. Serei ousado no que direi: não há um Ninrode poderoso nesta terra que ouse caçar os seus semelhantes. Mas, como um jovem Nero, ele insulta o cordeiro inferior. Seja ele honrado pelos grandes, não devendo ser saudado por menos de doze. No campo, ele prova ser uma víbora. A sua própria expressão facial de ameaça já é um portento, e provoca um terremoto. Ele seria um César, e exigira demais de todos. É bom se ele não provar ser um canibal! Macro só saúda Lúcio Sejano enquanto este está nas boas graças de Tibério. Lança-o daquele pináculo, pois os cães estão prontos para devorá-lo. — *Thomas Adams*

v. 9: "Colhendo-o na sua rede". Como diz o profeta: "Caça cada um a seu irmão com uma rede" (Mq 7.2). Eles têm armadinhas astuciosas para apanhar os homens. Mercadorias vistosas e lojas escuras (e você os faria gostar da luz que vive pelas trevas, como muitos lojistas?) atraem e seduzem os clientes para entrar, onde as sanguessugas astuciosas logo sentem a pulsação. Se tiverem de comprar, eles pagarão pelas suas necessidades. Embora argumentem: Não compelimos ninguém a comprar as nossas mercadorias — *caveat emptor* (regra nas leis de contrato que determina que o vendedor não garante a qualidade da mercadoria sem um compromisso especificado). No entanto, com excelentes frases de efeito, protestos execráveis, eles lançam uma névoa de erro diante dos olhos da verdade simples, e, com dispositivos astuciosos, os caçam. Assim, alguns dentre nós enchem os bolsos, não por meio de violência franca, mas por logro sagas. Buscaram o velo de ouro, não pelos méritos de Jasão, mas pela sutileza de Medeia, pela feitiçaria de Medeia. Se eu quisesse descobrir as tramoias desses caçadores para lidar prontamente com eles, eu disporia mais assunto do que o tempo me dispõe. Mas eu me restrinjo, e respondo a todos esses planos com Agostinho. Os seus truques podem se manter *in jure fori*, mas não *in jure poli*, ou seja, nos casos de direito civil da terra, mas não diante do supremo tribunal do céu. — *Thomas Adams*

v. 9: A opressão transforma príncipes em leões rugidores, e juízes em lobos da noite. Trata-se de um pecado antinatural, contra a luz da natureza. Nenhum animal oprime os da mesma espécie. Olhemos as aves de rapina, como as águias, urubus, falcões, e constataremos que eles nunca atacam os da sua espécie. Prestemos atenção aos animais da floresta, como os leões, tigres, lobos, ursos, e verificaremos que eles sempre são benévolos com os da própria espécie. Os homens, de modo não natural, atacam uns aos outros, como os peixes do mar, os maiores engolindo os menores. — *Thomas Brooks*

v. 10: "Encolhe-se, abaixa-se, para que os pobres caiam em suas fortes garras". Não há nada que seja baixo ou servil demais para o ímpio no empenho de atingir os seus objetivos sinistros. Veremos sua santidade o Papa lavando os pés dos peregrinos, se tal estratagema for necessário para influenciar a mente da multidão iludida. Veremos o papa sentado em trono de púrpura, se a intenção dele for causar medo e impor autoridade sobre os reis da terra. — *John Morison*

v. 10: Se encontrarmos um lobo em pele de ovelha, enforquemo-no, porque ele é o pior desta geração. — *Thomas Adams*

v. 11: "Diz em seu coração: Deus esqueceu-se". É insensatez ficar despreocupado com os pecados cometidos há muito tempo. Os antigos pecados esquecidos pelos homens, aderem-se imediatamente à compreensão infinita. O tempo não pode apagar completamente o que se conhece desde a eternidade. Por que seriam esquecidos muitos anos depois que foram cometidos, visto que foram previamente conhecidos em uma eternidade antes que fossem perpetrados, ou o criminoso capaz de praticá--los? Nos dias de Saul, Amaleque teve de pagar os atrasados pela antiga crueldade cometida contra Israel, embora a geração que a cometeu estivesse podre na sepultura (1 Sm 15.2). Os velhos pecados estão escritos em um livro, que sempre fica diante de Deus. Estão não só os nossos pecados, mas os pecados de nossos pais para serem revidados na posteridade: "Eis que está escrito diante de mim" (Is 65.6). Que presunção é ser indiferente aos pecados de uma época que foi antes de nós! Por estarem de certa forma fora de nosso conhecimento, será que foram apagados da memória de Deus? Os pecados estão atados a ele, como fazem os homens, até que decidam processar pela dívida: "A iniquidade de Efraim está atada" (Os 13.12). Considerando que a presciência divina se estende a todos os atos que serão feitos, então a sua recordação se estende a todos os atos que foram feitos. Podemos dizer que Deus não sabe nada de antemão que será feito no fim do mundo, da mesma forma que se esquece de tudo que tenha sido feito desde o princípio do mundo. — *Stephen Charnock*

v. 11: "Diz em seu coração: Deus esqueceu-se; cobriu o seu rosto e nunca verá isto". Muitos dizem no coração: "Deus não os vê", enquanto confessam com a língua que ele é um Deus que vê tudo. O coração tem uma língua como a tem a boca, e estas duas línguas raramente falam a mesma linguagem. A língua da boca diz: "Nós não podemos nos esconder dos olhos de Deus", ao passo que a língua do coração dos ímpios diz: "Deus se esconderá de nós, ele não verá". Mas se o coração não fala assim, então como disse o profeta: "Ai dos que querem esconder profundamente o seu propósito do SENHOR!" (Is 29.15a). É certo que eles têm a esperança de esconder as próprias intenções, pois, do contrário, não quereriam escondê-los profundamente. O querer esconder não é certo, mas figurativo. Os homens cavam profundamente para esconder o que não querem que fique à vista. Semelhantemente, por meio de habilidades, tramas e dispositivos, eles fazem o melhor que podem para esconder de Deus a intenção do que fazem. "Fazem as suas obras às escuras e dizem: Quem nos vê? E quem nos conhece?" (Is 29.15b). — *Joseph Caryl*

v. 11: As Escrituras repetidamente identificam o pecado a esta raiz: "Deus esqueceu-se; cobriu o seu rosto e nunca verá isto". Ele deu as costas ao mundo. Esta foi a base para os ímpios oprimirem os pobres, a qual ele menciona nos versículos 9 e 10. Não há pecado que não tenha nascido e sido alimentado por essa raiz amarga. Assim que rejeitarmos a noção da providência, ou a crença nela enfraquecer, a ambição, a cobiça, o descaso com Deus, a desconfiança, a impaciência e todas as outras coisas amargas crescem em uma noite! É desse tópico que toda a iniquidade extrairá argumentos para promover-se, pois não há nada que desaprove essas corrupções crescentes e as retire do coração quanto a crença ativada de que Deus cuida dos assuntos humanos. — *Stephen Charnock*

v. 11: "Diz em seu coração: Deus esqueceu-se; cobriu o seu rosto e nunca verá isto". Lemos em Eclesiastes 8.11: "Visto como se não executa logo o juízo sobre a má obra, por isso o coração dos filhos dos homens está inteiramente disposto para praticar o mal". Deus reprime o castigo para que os homens se arrependam. Ele não golpeia as costas para corrigir, por isso eles não batem na coxa por humilhação (Jr 31.19). O pecador pensa assim: "Até agora Deus me poupou de tudo, suprimindo com dificuldade a paciência na temperança. Com certeza, Ele não me castigará". "Diz em seu coração: Deus esqueceu-se." Deus, por infinita paciência, às vezes adia o julgamento e pospõe as sessões do tribunal por mais um tempo; Ele não está disposto a castigar (2 Pe 3.9). A abelha dá mel naturalmente, mas pica só quando é provocada. O Senhor deseja que os homens façam paz com Ele (Is 27.5). Deus não é como o credor impaciente que exige o recebimento da dívida e não dá tempo para o pagamento. Ele não só é cheio de graça, mas "esperará para ter misericórdia" (Is 30.18). Por sua paciência, Deus subornaria os pecadores ao arrependimento, mas, infelizmente, como essa paciência é abusada. A longanimidade de Deus insensibiliza, pois pelo fato de Deus reter as taças da sua ira, os pecadores retêm os canais das lágrimas. — *Thomas Watson*

v. 11: "Diz em seu coração: Deus esqueceu-se; cobriu o seu rosto e nunca verá isto". Pelo fato de Deus continuar poupando o ímpio, este continua provocando-o. À medida que Deus aumenta dias à vida do ímpio, este aumenta em suas concupiscências. O que significa tudo isso? É como se o homem quebrasse propositalmente todos os seus ossos, porque há um cirurgião habilidoso que os cure. [...] Só porque a justiça aparentemente pestaneja, os homens supõem que ela é cega. Por demorar a castigar, imaginam que ela nega castigá-los. Por nem sempre reprová-los pelos pecados que cometem, imaginam que ela sempre lhes aprova os pecados. Mas que os tais saibam que a seta silenciosa pode destruir tanto quanto o canhão barulhento. A paciência de Deus é duradoura, contudo não é perpétua. — *William Secker*

vv. 11 a 13: Os ateus negam que Deus esteja dirigindo os assuntos sublunares. "E dizem: Como o sabe Deus? Ou: Há conhecimento no Altíssimo?" (Sl 73.11), tornando-o uma deidade mutilada, sem olhos da providência ou braços de poder, no máximo restringindo-o somente às questões acima das nuvens. Mas aquele que ousa limitar o Rei aos céus logo se empenha em depô-lo e, por fim, cai categoricamente a negá-lo. — *Thomas Fuller*

v. 13: "Por que blasfema de Deus o ímpio, dizendo no seu coração que tu não inquirirás?" É semelhante ao pirata afoito que, saqueando e roubando tudo, ouve o capitão do navio dizer-lhe que, ainda que hoje não haja lei que o detenha, no dia do julgamento ele responderá pelo que está fazendo. Diante disso, o pirata respondeu: "Se posso ficar impune até esse dia, levarei você e o seu navio também". Esta é uma presunção com a qual muitos ladrões e opressores se lisonjeiam no coração, ainda que não ousem proferir com a boca. — *Thomas Adams*

vv. 13 e 14: Você pensa que Deus não se lembra dos pecados que não levamos em conta? Por ora, estamos pecando, a contagem está aumentando, o Juiz está anotando os nossos pecados na lista da recordação e o rolo de papel alcança até ao céu. Item: por emprestar com usura; item: por aumentar exorbitantemente o aluguel; item: por engomar a gola franzida da roupa; item: por encaracolar o cabelo; item: por pintar o rosto; item: por vender benefícios eclesiásticos; item: por fazer as pessoas passarem fome; item: por jogar cartas; item: por dormir na igreja; item: por profanar o sábado, e muitos outros itens que Deus tem de citar para serem levados em consideração, pois cada um de nós tem de responder por si mesmo a Deus. O adúltero, por gozar dos prazeres imundos; o prelado desleixado, por matar tantas milhares de almas; o proprietário de terras, por obter dinheiro dos inquilinos pobres atormentando excessivamente o aluguel. Todos eles se tornarão como ovelhas inocentes quando a trombeta soar, e o céu e a terra os julgarem; quando os céus desaparecerem como um rolo de papel, e a terra for consumida com fogo e todas as criaturas que se colocarem contra eles. As pedras se fenderão, os montes sacudirão e a fundação da terra tremerá, e dirão aos montes: "Caí sobre nós e escondei-nos do rosto daquele que está assentado sobre o trono e da ira do Cordeiro", de quem não nos preocupamos em ofender (Ap 6.16). Mas nada cairá sobre eles e nem serão escondidos. Mas voltarão de onde vieram, às cobras e serpentes, para serem atormentados pelos demônios para sempre. — *Henry Smith*

v. 14: "Tu o viste, porque atentas para o trabalho e enfado, para os tomares sob tuas mãos; a ti o pobre se encomenda; tu és o auxílio do órfão". Deve ser um terror para os ímpios pensarem que tudo que eles fazem, fazem na presença daquele que os julgará e os chamará para prestarem conta detalhada de todo pensamento tido contra a majestade divina. Isso deveria fazê-los ter medo de pecar, quando queimam de desejo, trabalham arduamente com ódio, desprezam os justos e prejudicam os inocentes. Fazem tudo isso não só *in conspectu Dei*, ou seja, "dentro do campo de visão de Deus", mas também *in sinu divinitatis*, ou seja, "no seio dessa deidade". Por certo tempo, Deus os suporta nessa prática contínua, pois são como a "jumenta montês, acostumada ao deserto" (Jr 2.24). Mas no fim ele os desmascarará, cortará e destruirá. E como isso é um terror para os ímpios, é um consolo para os justos pensarem que aquele que lhes ouve as orações e os ajuda está bem perto deles. Isso os leva a confiar ainda mais nele, porque estamos certos da sua presença aonde quer que estejamos. — *Griffith Williams, 1636*

v. 14: "A ti o pobre se encomenda". A falta de jeito de nosso coração em sofrer vem muito da desconfiança. A alma que não crê na promessa é como a pessoa que anda sobre o gelo. No começo, andava com medo e cheio de pensamentos tumultuosos sobre gelo quebrando-se sob os pés. Agora, a resignação diária do coração lhe dará ocasião de conversar mais com os pensamentos do poder, fidelidade e outros atributos de Deus (pois a falta de familiaridade com isso faz surgir ciúmes em nosso coração quando estivermos em grande queda repentina), assim também lhe fornecerá muitas experiências da realidade dos atributos e promessas divinos. Eles não precisam de testemunho dos sentidos para ganhar crédito conosco, contudo tanto quanto se obtém pelos sentidos, tanto quanto fica infantil e fraca a nossa fé, que sentimos nosso coração fortalecido por essas experiências que tivemos para confiar nele no que tange ao futuro. Preste atenção cuidadosamente a isto: todas as manhãs, encomende a si e os seus caminhos às mãos de Deus, como consta na frase (Sl 10.14). À noite, preste atenção novamente que Deus cuidou bem do que lhe foi confiado, e não durma até que você influencie o coração com a fidelidade divina e encarregue mais fortemente o coração a confiar de novo na guarda de Deus para a noite. Quando ocorrer uma ruptura e a aparente perda lhe suceder de qualquer alegria, a qual você pela fé pôs seguro no seu Deus, observe-o reparar essa ruptura e repor essa perda para você. Não descanse até que você no coração tenha defendido o nome bom de Deus. Não permita jamais que o descontentamento ou a inquietação tome conta do seu espírito no que tange aos procedimentos de Deus. Repreenda o coração como fez Davi (Sl 42.8). Fazendo assim, com a bênção de Deus, você manterá a fé viva para a corrida mais longa, quando chamado a corrê-la. — *William Gurnall*

v. 14: "Tu és o auxílio do órfão". Deus exerce a providência mais especial para com os homens, conforme as circunstâncias deprimentes se apresentam. Entre os outros títulos, este é único: "O auxílio do órfão". É o argumento que a igreja usava para expressar o seu retorno a Deus: "Porque, por ti, o órfão alcançará misericórdia" (Os 14.3). Que maior consolo há do que haver alguém que preside o mundo, que é tão sábio que ninguém o engana, tão fiel que não pode enganar, tão compassivo que não pode desprezar o seu povo e tão poderoso que, se desejar, transforma pedras em pães! [...] Deus governa o mundo não só pela sua vontade como monarca absoluto, mas também pela sua sabedoria e bondade como pai carinhoso. O seu maior prazer não é mostrar o seu poder soberano ou a sua sabedoria inconcebível, mas a sua imensa bondade, para a qual Ele torna os outros atributos subservientes. — *Stephen Charnock*

v. 14: "Tu o viste, porque atentas". Se Deus não visse os nossos caminhos, poderíamos pecar e ficar impunes. Mas tendo em vista que Ele os vê com olhos puros a ponto de não atentar a iniquidade e aprová-la, está comprometido com a justiça e a honra para castigar toda essa iniquidade de nossos caminhos que Ele vê ou atenta. Davi torna este o próprio desígnio da superintendência de Deus nos caminhos dos homens: "Tu o viste, porque atentas para o trabalho e enfado, para os tomares sob tuas mãos; a ti o pobre se encomenda; tu és o auxílio do órfão".

O salmista apresenta o Senhor dando uma olhada ou fazendo uma inspeção dos caminhos dos homens: "Tu o viste". O que Deus viu? Viu até mesmo toda a maldade e opressão feita contra o pobre já mencionadas anteriormente no salmo, como também a blasfêmia do ímpio proferida contra Ele, Deus: "Por que blasfema de Deus o ímpio, dizendo no seu coração que tu não inquirirás?" (v. 13). O que o salmista disse em relação a Deus para esse homem vão e confiante? "Tu", disse ele, "atentas para o trabalho e enfado". Mas com que finalidade? As palavras seguintes nos informam que foram "para os tomares sob tuas mãos" (v. 14). Tu tens visto que trabalho eles fizeram de forma malévola; assim, no devido tempo, tu o inquirirás com justiça. O Senhor não é um simples espectador, pois é recompensador e vingador. Com base nessa verdade que o Senhor vê todos os nossos caminhos e conta todos os nossos passos, nós, como exorta o profeta, podemos dizer: "Dizei aos justos que bem lhes irá, porque comerão do fruto das suas obras". E também podemos dizer: "Ai do ímpio! Mal lhe irá, porque a recompensa das suas mãos se lhe dará" (Is 3.10,11). Só os ídolos que têm olhos e não veem é que têm mãos e não apalpam. — *Joseph Caryl*

v. 14: "Tu o viste, porque atentas para o trabalho e enfado, para os tomares sob tuas mãos; a ti o pobre se encomenda; tu és o auxílio do órfão". Saibam os pobres que Deus cuida deles e lhes visita os pecados com varas. Aqueles que roubam os pobres, esquecendo-se de que somos membros uns dos outros, invadem os bens dos seus irmãos. Deus os armará contra si mesmos, e os derrotará com os seus próprios cajados. Ou a própria esperteza que os cerca e os forja lhes consumirá os recursos, ou a sua posteridade imprevidente porá asas nas riquezas para que voem, ou Deus não lhes dará a bênção de se servirem das riquezas, que serão deixadas para aqueles que forem misericordiosos com os pobres. Que eles sigam os conselhos dos sábios: "Nem ainda [...] no mais interior da tua recâmara amaldiçoes o rico" (Ec 10.20). Que eles não permitam que palavras afrontosas e amargura não cristã arruínem uma boa causa. Que lhes seja suficientemente consolador o fato de Deus ser defensor e vingador. Será que não basta pôr todas as tempestades de descontentamento contra o opressor para que Deus veja a aflição e desça para livrá-los e vingá-los? — *Edward Marbury*

v. 14: "Tu o viste, porque atentas para o trabalho e enfado, para os tomares sob tuas mãos; a ti o pobre se encomenda; tu és o auxílio do órfão". Já que Deus considera todas as obras e caminhos seus, será que você não considerará as obras e os caminhos de Deus? Quer você considere os caminhos de Deus, quer os caminhos da sua Palavra, ou os caminhos das suas obras, saiba que Deus com certeza considerará os caminhos seus. Os seus caminhos que em si mesmos não valem a consideração ou análise, os seus caminhos pecaminosos, ainda que sejam tão vis, tão abomináveis que se você os considerasse e analisasse, ficaria profundamente envergonhado deles. Embora seja abominação a Deus enquanto os vê, Ele os está vendo e os considerando. O Senhor que é tão puro de olhos que não pode ver a iniquidade para aprová-lo, verá a maior das suas iniquidades e o mais impuro dos seus caminhos para considerá-los. "Tu", disse Davi, "o viste, porque atentas para o trabalho e enfado, para os tomares". Deus vê os caminhos mais impuros, os mais impuros dos homens, os caminhos de opressão e injustiça, os caminhos de intemperança e lascívia, os caminhos de ira e malignidade para ao mesmo tempo detestá-los, discerni-los e tomá-los sob suas mãos. Se Deus assim considera os caminhos dos homens, até mesmo os caminhos imundos e tortuosos dos homens, não deveriam os homens considerarem os caminhos santos, justos e retos de Deus? — *Joseph Caryl*

vv. 14 a 18: Deus tem prazer em ajudar os pobres. Ele gosta de tomar parte com os melhores, ainda que estejam do lado mais fraco. Contrário ao curso da maioria, quem diante de uma controvérsia costuma se portar com certa indiferença ou neutralidade, até ver que lado é o mais forte, e não para ver que lado é o mais justo. Se há uma consideração (além da causa) que atrai ou mobiliza Deus é a fraqueza do lado. Ele se une com muitos, porque são fracos, não com alguns, porque são fortes. Ele é chamado "o auxílio do órfão", pois "por ti, o órfão alcançará misericórdia" (Os 14.3). Por órfão, não devemos entender só aquele cujos pais estão mortos, mas todo aquele que estiver em angústia. Como Cristo prometeu aos discípulos: "Não vos deixarei órfãos" (Jo 14.18), quer dizer, desamparados e (como interpretamos) desconsolados. Vocês são como crianças sem pai, contudo eu serei um pai para vocês. Os homens são como as nuvens que se dissolvem no mar. Enviam presentes para os ricos e ajudam os fortes. Mas Deus envia a chuva para a terra seca, e concede força para os que são fracos. [...] O profeta faz este relatório a Deus de si mesmo: "Porque foste a fortaleza do pobre e a fortaleza do necessitado na sua angústia; refúgio contra a tempestade e sombra contra o calor" (Is 25.4). — *Joseph Caryl*

v. 16: "O SENHOR é Rei eterno; da sua terra serão desarraigados os gentios". Para o mundo, esse tipo de confiança e fé parece estranho e irresponsável. É como os concidadãos se sentiram (se a história for verdadeira) acerca do homem de quem se conta ter acuidade visual tão extraordinária, que ele conseguia ver distintamente a frota cartaginês entrando no porto de Cartago, enquanto ele se estava em Lilyboeum, na Sicília. Um homem vendo do outro lado do oceano, sendo capaz de descrever objetos que tão longe estão! Ele podia se deleitar vendo o que os outros não viam. Exatamente assim a fé, ficando em Lilyboeum, vê a grande e balouçante frota entrando com segurança no porto desejado, desfrutando as alegrias daquele dia ainda distante, como se já tivesse chegado. — *Andrew A. Bonar*

v. 17: Há um ato humilhante de fé apresentado na oração. Outros dizem que é oração com humildade. Permitam-me dizer que é oração com fé. Com fé que coloca a alma na presença do Deus poderoso. Vendo-o, cuja fé Ele nos dá, é que vemos a nossa própria vileza e pecaminosidade, e nos detestamos e confessamos que somos indignos de tudo, quanto menos das misericórdias pelas quais temos de buscar. Esta foi a visão de Deus trabalhada no profeta: "Então, disse eu: ai de mim, que vou perecendo! Porque eu sou um homem de lábios impuros e habito no meio de um povo de impuros lábios; e os meus olhos viram o rei, o SENHOR dos Exércitos!" (Is 6.5). O santo Jó nos fala assim: "Com o ouvir dos meus ouvidos ouvi, mas agora te veem os meus olhos. Por isso, me abomino e me arrependo no pó e na cinza" (Jó 42.5,6). Esta é uma grande necessidade de oração como qualquer outro ato. Posso dizer, como disse o apóstolo (Tg 1.7), que sem fé não receberemos nada das mãos de Deus! Deus gosta de encher vasos vazios, Ele olha os corações partidos. Nos salmos, quantas vezes lemos que Deus ouve as orações dos mansos, o que sempre envolve e inclui fé: "Não se esquece do clamor dos aflitos" (Sl 9.12), e "SENHOR, tu ouviste os desejos dos mansos; confortarás o seu coração; os teus ouvidos estarão abertos para eles" (Sl 10.17). Ser profundamente humilhado ou afligido é ter o coração preparado e adequado para Deus ouvir a oração. Encontramos o salmista rogando *sub forma pauperis*, repetindo insistentemente: "Eu sou pobre e necessitado" (Sl 40.17). Isso evita que pensemos muito, caso Deus não conceda a coisa particular que desejamos. Da mesma forma fez o próprio Cristo na sua grande angústia, dirigindo-se a Deus: "Deus meu, eu clamo de dia, e tu não me ouves; de noite, e não tenho sossego. Em ti confiaram nossos pais; confiaram, e tu os livraste. A ti clamaram e escaparam; em ti confiaram e não foram confundidos. Mas eu sou verme, e não homem, opróbrio dos homens e desprezado do povo" (Sl 22.2,4-6). No fim, ele "foi ouvido quanto ao que temia" (Hb 5.7). Esse ato de profunda humilhação feita por nós mesmos, junto com as veementes implorações à misericórdia de Deus, são computados como créditos na oração pela fé, por Deus e por Cristo (Mt 8). — *Thomas Goodwin*

v. 17: "Senhor, tu ouviste os desejos dos mansos". A oração espiritual é a oração humilde. A oração é um pedido de esmola, ato que requer humildade: "O publicano, porém, estando em pé, de longe, nem ainda queria levantar os olhos ao céu, mas batia no peito, dizendo: Ó Deus, tem misericórdia de mim, pecador!" (Lc 18.13). A glória incompreensível de Deus pode nos pasmar e santamente nos consternar quando nos aproximarmos dele: "Meu Deus! Estou confuso e envergonhado, para levantar a ti a minha face" (Ed 9.6). É gracioso ver o pobre humilhantemente prostrado aos pés do Criador: "Eis que, agora, me atrevi a falar ao Senhor, ainda que sou pó e cinza" (Gn 18.27). Quanto mais baixo o coração desce, mais alto a oração sobe. — *Thomas Watson*

v. 17: "Senhor, tu ouviste os desejos dos mansos; confortarás o seu coração; os teus ouvidos estarão abertos para eles". Como é agradável que esses benefícios, que são de tão grande valor, tanto segundo a nossa avaliação quanto segundo a benignidade divina de onde eles vêm, fossem entregues em nossas mãos, marcados, por assim dizer, com esta inscrição grata: Estes foram obtidos pela oração! — *Robert Leighton*

v. 17: "Os desejos dos mansos". A oração é a oferta de nossos desejos a Deus em nome de Cristo, pois tais coisas são muito agradáveis à sua vontade. É uma oferta de nossos desejos. Desejos são a alma e a vida da oração. As palavras são o corpo. O corpo sem a alma está morto. Assim também estão as orações, a menos que sejam animadas pelos nossos desejos: "Senhor, tu ouviste os desejos dos mansos". Deus não ouve palavras, mas sim desejos. — *Thomas Watson*

v. 17: Os conhecidos da escolha de Deus são os mansos. — *Robert Leighton*

v. 17: Aquele que se senta mais perto do pó, senta-se mais perto do céu. — *Andrew Gray, de Glasgow, 1616*

v. 17: Há certa onipotência na oração, como tendo interesse e prevalência com a onipotência de Deus. Soltou as correntes de ferro (At 16.25,26), abriu a porta de ferro (At 12.5-10), destrancou as janelas dos céus (1 Rs 18.41), quebrou as trancas da morte (Jo 11.40,43). As Escrituras dão três títulos a Satanás, expondo a malignidade contra a igreja de Deus: dragão, para denotar maldade; serpente, para denotar sutileza; e leão, para denotar força. Mas nenhum desses permanece diante da oração. A pior maldade de Hamã vai a pique com a oração de Ester. A orientação política mais sagaz, os conselhos de Aitofel, fenece diante da oração de Davi. O maior exército, um exército de mil etíopes, fogem como covardes por causa da oração de Asa. — *Edward Reynolds, 1599-1676*

v. 18: "Para fazeres justiça ao órfão e ao oprimido, a fim de que o homem, que é da terra, não prossiga mais em usar da violência". As lágrimas dos pobres descem pelas bochechas, *et ascendunt ad coelum*, e sobem aos céus, clamando por vingança perante Deus, o juiz das viúvas, o pai das viúvas e órfãos. Até as leis oprimem os pobres. Ai daqueles que fazem leis más contra os pobres! O que será daqueles que impedem e arruínam as boas novas? O que farão no dia da grande vingança quando Deus os visitar? Ele disse que ouvirá as lágrimas da mulher pobre, quando Ele prosseguir visitando. Por causa dos pobres, Ele ferirá o juiz, seja de que instância for, por causa das viúvas Ele mudará reinos, os conduzirá em tentação, arrancará a pele dos juízes por cima da cabeça. Cambises foi um grande imperador. Semelhante aos nossos governantes, ele teve muitos deputados, presidentes e tenentes sob as suas ordens. Faz muito tempo que li a história. Aconteceu que ele tinha sob as suas ordens, em um dos seus domínios, um subornador, um recebedor de presentes, um gratificador dos ricos.

Corria atrás de presentes tão prontamente quanto corremos atrás doces. Era um artífice no seu ofício, para fazer do filho um grande homem, como diz o velho ditado: "Feliz do filho cujo pai vai para o Diabo". O clamor das viúvas pobres chegou aos ouvidos do imperador, fazendo-o matar imediatamente o juiz e forrando a cadeira de julgamento com a pele dele para que todos os juízes que posteriormente julgassem se sentassem nessa mesma pele. Com certeza, era um sinal bonito, um monumento grandioso, o sinal da pele do juiz. Oro a Deus para que vejamos o sinal da pele novamente na Inglaterra. Você talvez diga que isto foi falado com crueldade e sem caridade. Não, nada disso. Faço-o caridosamente, pelo amor que tenho pelo meu país. Deus diz que visitará. Deus faz duas visitações. A primeira ocorreu quando Ele revelou a sua palavra por intermédio dos pregadores. Quando a primeira visitação é aceita, a segunda não vem. A segunda visitação é a vingança. Ele fez a visitação quando arrancou a pele do juiz por cima das orelhas. Se essa palavra for menosprezada, Ele vem com a segunda visitação com vingança. — *Hugh Latimer, 1480-1555*

v. 18: "O homem, que é da terra". No Salmo 8 (que é salmo circular, pois termina como começa: "Ó Senhor, Senhor nosso, quão admirável é o teu nome em toda a terra". Para onde quer que voltemos os olhos, para cima ou para baixo, vemo-nos acossados pelo círculo da sua glória por toda a volta), como o profeta inferioriza e reprova a natureza e raça dos homens.

Como aparenta pela interrogação desdenhosa e derrogatória: "Que é o homem mortal para que te lembres dele? E o filho do homem, para que o visites?" (Sl 8.4). No salmo a seguir, lemos: "Levanta-te, Senhor! Não prevaleça o homem; sejam julgadas as nações perante a tua face. Tu os pões em medo, Senhor, para que saibam as nações que são constituídas por meros homens" (Sl 9.19,20). Mais adiante, no salmo depois deste: "Para fazeres justiça ao órfão e ao oprimido, a fim de que o homem, que é da terra, não prossiga mais em usar da violência" (Sl 10.18).

Esses três salmos, na ordem em que se apresentam, crescem, segundo me parece, em força. Cada um tem cada vez mais força para acabar com a nossa presunção.

(1) Somos "homem mortal" e "filho do homem" (Sl 8.4) para denotar a nossa descendência e propagação.

(2) Somos "meros homens" (Sl 9.20) para demonstrar que a consciência e a experiência da fraqueza nos condenam.

(3) Somos "homem, que é da terra" (Sl 10.18) para mostrar a matéria original da qual somos feitos.

No Salmo 22, o salmista acrescenta mais desgraça, pois ou no seu nome, concernente à miséria e desprezo a que ele foi reputado, ou na pessoa de Cristo (cuja figura ele era, como se fosse um roubo para ele tomar sobre si a natureza do homem), ele desce a um linguajar mais baixo: *at ego sem vermis et non vir*, que significa "mas eu sou verme, e não homem" (Sl 22.6). Como a corrupção é o pai de toda a carne, assim os vermes são seus irmãos e irmãs, de acordo com o antigo poema:

> Primeiro o homem, depois os vermes, depois o fedor e o estado de repugnância
> Assim o homem para não homem altera por meio de mudanças.

Abraão, pai dos crentes, classificou-se no homem mais ordinário que possa existir e decompôs sua natureza aos elementos dos quais ela veio: "Eis que, agora, me atrevi a falar ao Senhor, ainda que sou pó e cinza" (Gn 18.27). Se os filhos de Abraão, que o sucedem na fé, ou os filhos de Adão, que o sucedem na carne, pensam de outra maneira, que saibam que há uma corda de três dobras feita pelo dedo de Deus, que os ligará ao estado original, embora ele argumente até que o coração se parta: "Ó terra, terra, terra! Ouve a palavra do Senhor!" (Jr 22.29), quer dizer, a terra pela criação, a terra pela continuação, a terra pela decomposição: "Até que te tornes à terra; porque dela foste tomado, porquanto és pó e em pó te tornarás" (Gn 3.19). — *John King*

v. 18: "O homem, que é da terra". O homem habitando na terra e feito de terra. — *Thomas Wilcocks*

SUGESTÕES AOS PREGADORES

v. 1. A resposta a essas perguntas fornece um tema nobre para um sermão experimental. A pergunta não é para ser respondida da mesma maneira em todos os casos. Pecados antigos, provação da graça, fortalecimento da fé, descoberta de depravação, ensinamento são razões para o nosso Pai esconder o rosto.

v. 2. A perseguição religiosa em todas as suas fases baseada no orgulho.

v. 3. Deus odeia a avareza: mostre a justiça disso.

v. 4. O orgulho é a barreira no caminho da conversão.

v. 4. "Todas as suas cogitações são: Não há Deus." São cogitações, pensamentos nos quais Deus não está, pelos quais são avaliados e condenados.

v. 5. "Os seus caminhos são sempre atormentadores." Os homens não têm a capacidade moral de apreciar o caráter e os atos de Deus.

v. 6. A vã confiança dos pecadores.

v. 8. Os perigos para os que temem a Deus ou as armadilhas no caminho dos crentes.

v. 9. A ferocidade, astúcia, força e atividade de Satanás.

v. 9. "Rouba-o colhendo-o na sua rede." O pescador satânico, sua arte, diligência e sucesso.

v. 10. A humildade artificiosa é desmascarada.

v. 11. A onisciência divina e a presunção espantosa dos pecadores.

v. 12. "Levanta-te, Senhor!" Esta é oração necessária, permissível, propícia.

v. 13. "Por que blasfema de Deus o ímpio [...]?" É um fato espantoso e uma pergunta racional.

v. 13. A retribuição futura: dúvidas a respeito: (1) Quem se permitiu duvidar: "O ímpio". (2) Onde nutriu as dúvidas: "No seu coração". (3) Para que propósito: sossegar a consciência. (4) Com que tendência prática: "Blasfema de Deus". Quem não crê no inferno não confia no céu.

vv. 13 e 14. O governo divino no mundo. (1) Quem duvida e por que duvida? (2) Quem crê e o que esta fé lhe faz fazer?

v. 14. "Tu és o auxílio do órfão." Esta é uma súplica feita pelos órfãos.

v. 16. A realeza eterna do Senhor.

v. 17. "Senhor, tu ouviste os desejos dos mansos." (1) O caráter dos cristãos: "Mansos". (2) O atributo da vida dos cristãos: "Os desejos". Eles desejam mais santidade, mais comunhão, mais conhecimento, mais graça e mais serventia. Depois, desejam a glória. (3) A grande bem-aventurança dos cristãos: "Senhor, tu ouviste os desejos dos mansos".

v. 17. "Senhor, tu ouviste os desejos dos mansos; confortarás o seu coração; os teus ouvidos estarão abertos para eles." Considere a natureza dos desejos graciosos. (2) A origem. (3) O resultado. As três frases sugerem prontamente essas divisões, e o tema pode ser muito proveitoso.

SALMO 11

TÍTULO

Charles Simeon faz um excelente resumo sobre este salmo: "Os salmos são um reservatório rico de conhecimento experimental. Davi, nos diferentes períodos da vida, enfrentou quase toda situação que o crente, rico ou pobre, pode enfrentar. Nessas composições sagradas, ele esboça todas as operações do coração. Mostra os sentimentos e conduta de diversas pessoas que participaram indiretamente de suas dificuldades ou de suas alegrias. Apresenta-nos um compêndio de tudo o que se passa no coração das pessoas em todo o mundo. Quando escreveu esse salmo, Davi estava sendo caçado por Saul, que queria tirar-lhe a vida e o perseguia 'como quem persegue uma perdiz nos montes' (2 Sm 26.20). Os seus amigos medrosos ficaram preocupados com a segurança do salmista e o aconselharam que fugisse a um monte onde houvesse um esconderijo, a fim de se esconder da ira de Saul. Mas Davi, sendo forte na fé, rejeitou a ideia de recorrer a este ou outro expediente que denotasse fraqueza e, com confiança, determinou descansar em Deus".

Para não nos esquecermos desse salmo curto, porém doce, lhe daremos o nome de *A Canção dos Imperturbáveis*.

DIVISÃO

Nos versículos 1 a 3, Davi descreve a provação de que foi alvo. E nos versículos 4 a 7, apresenta os argumentos em que sustentava a coragem.

EXPOSIÇÃO

1 *No* Senhor *confio; como dizeis, pois, à minha alma: Foge para a tua montanha como pássaro?*

2 *Porque eis que os ímpios armam o arco, põem as flechas na corda, para com elas atirarem, às ocultas, aos retos de coração.*

3 *Na verdade, que já os fundamentos se transtornam; que pode fazer o justo?*

Esses versículos descrevem a tentação de desconfiar de Deus, a qual, em alguma ocasião não mencionada, atormentou Davi grandemente.

1. Nos dias em que ele estava na corte de Saul, Davi pode ter sido aconselhado a fugir quando essa fuga teria sido interpretada como quebra de fidelidade ao rei ou prova de covardia pessoal. O caso era semelhante ao de Neemias, quando os inimigos, à guisa de amizade, esperavam apanhá-lo em uma armadilha aconselhando-o que fugisse para salvar a vida. Se ele tivesse fugido, eles teriam achado base para acusá-lo. Neemias respondeu corajosamente: "Um homem, como eu, fugiria?" (Ne 6.11). Davi, em igual espírito, recusa retirar-se, exclamando: "No Senhor confio; como dizeis, pois, à minha alma: Foge para a tua montanha como pássaro?" Quando não nos pode vencer pela presunção, Satanás será extremamente astucioso para procurar nos arruinar pela desconfiança! Ele usa os nossos mais queridos amigos para, com argumentos, nos tirar de nossa confiança. Emprega tamanha lógica plausível que a menos que reafirmemos definitivamente a nossa confiança firme no Senhor, ele nos fará como o pássaro medroso que foge para a montanha sempre que o perigo se apresenta.

2. Reparemos na força com que o caso é apresentado. O arco está armado, a flecha está na corda: "Foge, foge, tu pássaro indefeso, pois a tua segurança está na fuga. Vai embora, pois os teus inimigos lançarão setas ao teu coração. Depressa, depressa, pois logo tu serás destruído!" Pelo visto, Davi sentiu a força do conselho, pois entrou direto em sua alma. Mas ele não se renderia. Antes enfrentar o perigo do que mostrar desconfiança no Senhor, seu Deus. Os perigos que cercavam Davi eram, indubitavelmente, grandes e iminentes. Era verdade que os inimigos estavam prontos, às ocultas, para atirar nele.

3. Era igualmente verdade que os próprios fundamentos da lei e da justiça foram destruídos no reinado injusto de Saul. Mas o que eram todas essas coisas para o homem cuja confiança estava somente em Deus? Podia enfrentar corajosamente os perigos, escapar dos inimigos e desafiar a injustiça que o cercava. A sua resposta à pergunta: "Que pode fazer o justo?", seria a contra-pergunta: "Que não pode fazer o justo?" Quando a oração mobiliza Deus ao nosso favor e quando a fé afiança o cumprimento das promessas, que motivo pode haver para fugir, por mais cruéis e poderosos que sejam os nossos inimigos? Com uma funda e uma pedra, Davi feriu o gigante diante de quem os exércitos de Israel tremiam. É claro que o Senhor que o livrou do filisteu incircunciso poderia livrá-lo do rei Saul e seus soldados fiéis. Não há tal palavra como "impossibilidade" na linguagem da fé. Essa graça marcial sabe combater e conquistar, mas não sabe fugir.

4 *O Senhor está no seu santo templo; o trono do Senhor está nos céus; os seus olhos estão atentos, e as suas pálpebras provam os filhos dos homens.*

5 *O Senhor prova o justo, mas a sua alma aborrece o ímpio e o que ama a violência.*

6 *Sobre os ímpios fará chover laços, fogo, enxofre e vento tempestuoso; eis a porção do seu copo.*

7 *Porque o Senhor é justo e ama a justiça; o seu rosto está voltado para os retos.*

Davi declara a maravilhosa fonte da sua coragem inflexível. Ele se apropria da luz do céu — do grande orbe central da deidade. O Deus dos crentes nunca está longe. Não é meramente o Deus da firmeza das montanhas, mas também dos vales perigosos e das planícies de batalha.

4. *"O Senhor está no seu santo templo."* Os céus estão sobre a nossa cabeça em todas as regiões da terra. Assim, o Senhor está sempre perto de nós em toda situação e condição. Este é um motivo muito forte para não adotarmos as vis sugestões da desconfiança. Há alguém que clama o seu precioso sangue a nosso

favor no templo dos céus, e há alguém no trono que nunca é surdo à intercessão do seu Filho. Por que, então, deveríamos temer? Que maquinações os homens podem inventar que não sejam descobertas por Jesus? É óbvio que Satanás deseja nos ter em suas mãos para nos fazer peneirar como trigo, mas Jesus está no templo orando por nós. Por conseguinte, como pode a nossa fé fracassar? Que esforços os ímpios podem fazer que não sejam vistos pelo Senhor? Considerando que ele está no seu santo templo, comprazendo-se no sacrifício do seu Filho, não irá ele derrotar todos os ardis e nos enviar uma libertação certa?

"O trono do SENHOR está nos céus", ele reina supremamente. Nada pode ser feito no céu, na terra ou no inferno que ele não tenha ordenado e dominado. Ele é o grande Imperador do mundo. Para quê, então, fugir? Se confiamos neste Rei dos reis, não basta? Será que ele não pode nos livrar sem a nossa retirada covarde? Bendito seja o Senhor, nosso Deus, pois podemos saudá-lo como Senhor-Nissi. Em seu nome, hasteamos nossas bandeiras e, em vez de fugir, erguemos o grito de guerra mais uma vez.

"Os seus olhos estão atentos." O Guarda eterno nunca dorme. Os seus olhos nunca conhecem o sono.

"E as suas pálpebras provam os filhos dos homens." Deus inspeciona rigorosamente as ações, palavras e pensamentos dos homens. Como homens, ao inspecionar atenta e estreitamente um objeto muito pequeno, quase fechamos as pálpebras para excluir todos os outros objetos. Assim, o Senhor examina todos os homens completamente. Deus vê cada homem tanto como e tão perfeitamente quanto se não houvesse outra criatura no universo. Ele sempre nos vê. Nunca tira os olhos de nós. Vê-nos por inteiro e totalmente, lendo os recessos da alma tão prontamente quanto o relance dos olhos. Não é essa base suficiente de confiança e resposta plena às exigências do desânimo? O perigo que corro não está oculto a Ele. Ele conhece os meus limites. Posso descansar seguro de que Ele não permitirá que eu pereça enquanto confiar somente nele. Por conseguinte, não tenho motivos para tomar as asas do pássaro medroso e fugir dos perigos que me acossam.

5. *"O SENHOR prova o justo"*, Ele não o odeia, mas só o prova. Os justos são preciosos para Deus, que os refina por meio das tribulações. Nenhum dos filhos do Senhor pode pensar em escapar das provações. Na verdade, em são juízo, nem em pensamento desejaríamos fazê-lo, visto que as provações são o canal de muitas bênçãos.

A minha felicidade na terra
É não viver sem a cruz
Mas o poder do Salvador sabe
Santificar toda perda

As provações tornam as promessas doces
As provações dão nova vida à oração
As provações me levam aos pés dele
Humilham-me e me mantêm ali

Não tivesse eu provações no mundo
Nem castigos pelo caminho
Eu não poderia, com razão, ter medo
E sofreria um naufrágio!

Os bastardos podem escapar da vara
Afundados nos vãos prazeres terrenos

Mas o verdadeiro filho nascido de Deus
Não escapa, nem quer escapar, se puder
— *William Cowper*

Não é esta razão extremamente convincente para não nos esforçarmos suspeitosamente em evitar as provações? Pois se procurarmos evitá-las, estaremos procurando evitar as bênçãos.

"Mas a sua alma aborrece o ímpio e o que ama a violência." Por que, então, fugirei dos ímpios? Se Deus os aborrece, não terei medo deles. Hamã era muito grande no palácio até que perdeu a preferência. Quando o rei o aborreceu, como ficaram ousados os piores servos a ponto de sugerir a forca para o homem a quem eles tinham temido! Olhemos para a marca negra no rosto dos perseguidores, e não fugiremos. Se Deus está na disputa tanto quanto nós, seremos tolos em questionar o resultado, ou evitar o conflito.

6. Sodoma e Gomorra foram destruídos por uma chuva de enxofre e fogo do céu. Este será o fim de todos os ímpios. Reunir-se-ão como Gogue e Magogue para a guerra, mas o Senhor fará cair sobre eles "uma chuva inundante, e grandes pedras de saraiva, fogo e enxofre" (Ez 38.22). Certos expositores opinam que no termo "vento tempestuoso" (Sl 11.6), há, no hebraico, a alusão ao vento ardente e sufocante que sopra nos desertos árabes, conhecido pelo nome de *simum*. Robert Lowth traduz por "tempestade abrasadora", ao passo que outro grande comentarista entende que é "ira do vento". Seja como for, o linguajar está cheio de terror. Como será terrível essa tempestade que derrotará os que desprezam a Deus! Que torrente se derramará para sempre sobre a cabeça indefesa dos pecadores impenitentes no inferno! Arrependam-se, rebeldes, ou logo esse dilúvio abrasador engolfará vocês. Os horrores do inferno serão a herança, a propriedade inalienável: "Eis a porção do seu copo". Vocês sorverão os sedimentos desse copo, bebendo-o para sempre. Uma gota do inferno é terrível, mas o que diremos de um copo cheio de tormentos? Imagine o que é um copo de desgraça sem uma gota de misericórdia. Povo de Deus, como é tolo temer a face dos homens que logo serão embrulhos a arder no fogo do inferno! Pense no fim dessas pessoas, no fim medonho, e o medo que possamos ter delas muda em desprezo das ameaças e em compaixão por tal situação horrível.

7. O delicioso contraste do último versículo do salmo é digno de nossa observação. Apresenta outra razão decisiva para nos manter firmes e inabaláveis, não sendo levados pelo medo ou impulsionados a adotar medidas carnais para evitar as provações: *"Porque o Senhor é justo e ama a justiça"*. Não é apenas a sua função defender o justo, mas diz respeito à sua natureza amá-lo. Ele estaria negando a si mesmo, caso não defendesse o justo. É essencial ao próprio ser de Deus que ele seja justo. Não temamos o fim de todas as provações, mas sejamos justos e não tenhamos medo. Deus aprova, e, se os homens se opõem, o que importa?

"O seu rosto está voltado para os retos." Não há porque estarmos fora do âmbito do cuidado divino, pois Deus está com o rosto voltado para nós. Ele observa, aprova, se alegra com os retos. Ele vê a sua imagem neles, uma imagem da sua própria forma, e com serenidade ele os considera. Ousaremos estender a mão à iniquidade para escapar da aflição? Não nos interessemos mais por atalhos e pequenos desvios, mas nos mantenhamos no justo caminho dos retos, ao longo do qual o sorriso do Senhor nos iluminará. Somos tentados a pôr a luz debaixo do alqueire, a esconder a nossa religião de nossos vizinhos? Esperam de nós que haja meios de nos esquivar da cruz, de evitar o vitupério de Cristo? Não ouçamos a voz do enganador, mas busquemos um aumento de fé para que lutemos contra os principados e as potestades, e sigamos

ao Senhor, saindo fora do arraial, levando o seu vitupério (Hb 13.4,13). Mamom, a carne, o Diabo sussurrarão em nossos ouvidos: "Foge para a tua montanha como pássaro" (Sl 11.1). Mas apresentemo-nos para desafiá-los: "Resisti ao diabo, e ele fugirá de vós" (Tg 4.8). Não há lugar ou razão para a retirada. Avancemos! Que a vanguarda prossiga! Para a frente! Todos os poderes e sentimentos da alma. Vamos! Avante! Avancemos em nome de Deus, pois "o SENHOR dos Exércitos está conosco; o Deus de Jacó é o nosso refúgio" (Sl 46.7).

NOTAS EXPLICATIVAS E DECLARAÇÕES IMPORTANTES

O Salmo: Amiraldo apresenta o relato mais provável da ocasião deste salmo. Segundo ele, o salmo foi composto por Davi quando ele estava na corte de Saul, na época em que a hostilidade do rei começava a despontar e antes que se expandisse em perseguição aberta. Os amigos de Davi, ou os que diziam ser, lhe aconselharam que fugisse por certo tempo para as montanhas nativas e permanecesse afastado, até que o rei se mostrasse mais benévolo. Naquele momento, Davi não aceitou o conselho, embora mais tarde o tivesse seguido. Este salmo se aplica ao estabelecimento da igreja contra as calúnias do mundo e o conselho transigente dos homens, na confiança que tem de ser posta em Deus, o Juiz de todos. — *W. Wilson, Doutor em Teologia, in loc., 1860*

O Salmo: Se pudermos fazer uma modesta conjetura, não é improvável que este salmo tenha sido composto por ocasião do triste assassinato dos sacerdotes cometido por ordem de Saul. Depois de assassinar o sumo sacerdote Aimeleque, o edomita Doegue, obedecendo a Saul, "matou, naquele dia, oitenta e cinco homens que vestiam éfode de linho" (1 Sm 22.18). Não sou tão carnal quanto a edificar a igreja espiritual dos judeus em cima dos fundamentos materiais da cidade dos sacerdotes de Nobe (que naquele mesmo dia foi passada a fio de espada por Doegue, 1 Samuel 22.19). Mas é bem verdade que "o meu povo foi destruído, porque lhe faltou o conhecimento" (Os 4.6); e "os lábios do sacerdote guardarão a ciência" (Ml 2.7). É fácil concluirmos que terremoto esse massacre ocasiona nos fundamentos da religião. — *Thomas Fuller*

O Salmo: Observe como é notável a correspondência do salmo com a libertação de Ló concernente à cidade de Sodoma. Compare este versículo: "No SENHOR confio; como dizeis, pois, à minha alma: Foge para a tua montanha como pássaro?" (Sl 11.1), com a exortação do anjo: "Escapa lá para o monte, para que não pereças", e a resposta de Ló: "Não posso escapar no monte, pois que tenho medo que me apanhe este mal, e eu morra" (Gns 19.17-19). Outra semelhança: "O trono do SENHOR está nos céus" e "sobre os ímpios fará chover laços, fogo, enxofre e vento tempestuoso; eis a porção do seu copo" (Sl 11.4,6), com: "Então, o SENHOR fez chover enxofre e fogo, do SENHOR desde os céus, sobre Sodoma e Gomorra" (Gn 19.24). E mais outra: "O seu rosto está voltado para os retos" (Sl 11.7), com: "E livrou o justo Ló, [...] porque este justo, habitando entre eles, afligia todos os dias a sua alma justa, pelo que via e ouvia sobre as suas obras injustas" (2 Pe 2.7,8). — *Cassiodoro (560 d.C.), citado in: John Mason Neale, "Commentary on the Psalms, from Primitive and Mediaeval Writers" [Comentário sobre os Salmos Feito pelos Escritores Primitivos e Medievais], 1860*

O Salmo: Dizem que os combatentes no lago Trasimene estavam tão concentrados em guerrear que ninguém em nenhum dos lados percebeu as convulsões da natureza que faziam o chão tremer:

Um terremoto sacudiu sem ser percebido
Ninguém sentiu a natureza severa balançar sob os pés

De causa mais nobre, é o que acontece com os soldados do Cordeiro. Eles creem e, portanto, não se apressam. Não somente isso, mas podemos dizer que dificilmente eles sentem as convulsões da terra como os outros homens, porque a ávida esperança os impulsiona à frente para a questão do advento do Senhor. — *Andrew A. Bonar*

v. 1: "No Senhor confio; como dizeis, pois, à minha alma: Foge para a tua montanha como pássaro?" Saul e seus seguidores escarneceram e zombaram de Davi com tamanhas palavras insultantes a ponto de imaginar que ele não tinha outra saída ou refúgio senão dirigir-se ao deserto e esconder-se nas montanhas, saltando, por assim dizer, de um lugar para o outro como pássaro tolo. Mas pensaram enlaçá-lo e prendê-lo bem por tudo isso, não considerando que Deus era o consolo, descanso e refúgio de Davi. — *Theodore Haak, "Translation of the Dutch Annotations, as ordered by the Synod of Dort, in 1618" [Tradução das Anotações Holandesas, conforme ordenado pelo Sínodo de Dort, em 1618], Londres, 1657*

v. 1: "No Senhor confio; como dizeis, pois, à minha alma: Foge para a tua montanha como pássaro?" "A tua montanha", a montanha da qual você diz que vem a ajuda: uma zombaria. Retire-se para aquela montanha rochosa que pode lhe dar verdadeira ajuda que recebe um pássaro: um abrigo contra as inclemências do céu tempestuoso, sem defesa contra o nosso poder. — *Samuel Horsley, in loc.*

v. 1: "No Senhor confio; como dizeis, pois, à minha alma: Foge para a tua montanha como pássaro?" A confiança santa dos santos na hora das grandes provações é ilustrada esplendidamente pela seguinte canção que Anne Askew, que foi queimada viva em Smithfield em 1546, compôs e cantou quando estava em Newgate:

Como o cavalheiro armado
Nomeado para o campo
Contra este mundo combato
E Cristo é o meu escudo

A fé é a arma forte
Que não falha na necessidade
Entre os meus inimigos
Com a fé progrido

Como ela tem em força
E poder do caminho de Cristo
Por fim, ela prevalecerá,
Mesmo que todos os demônios digam não

A fé dos antigos pais
Obtive justiça
Isso me dá muito ousadia
Para não temer a angústia do mundo

Eu me alegro agora de coração
E a esperança me ordena que faça assim
Pois Cristo tomará a minha parte
E me aliviará da minha aflição

Tu dizes, Senhor, aquele que for ferido
A esse tu ajudarás

Destranca os ferrolhos
E envia o teu forte poder

Mais inimigos tenho
Do que os cabelos da minha cabeça
Não permitas que eles me corrompam
Mas luta tu em meu lugar

Lanço a ti os meus cuidados
Por todo o despeito cruel que me fazem
Eu faço isso não porque são apressados
Pois tu és o meu deleite

Eu não sou o navio que declina
E deixa a minha âncora cair
Pois em toda névoa chuvosa
O meu navio permanece firme
Não costumo escrever com frequência
Em prosa, nem ainda em rima
Mas eu apresento uma visão
Que eu vi quando estava presa

Eu vi um trono real
Onde a justiça se assenta
Mas no seu lugar havia alguém
De inteligência taciturna e cruel

A justiça estava absorta
Como de inundação tempestuosa
Satanás, no seu excesso,
Chupou o sangue inocente

Então penso, Jesus Senhor,
Quando tu nos julgarás a todos
É difícil registrar
O que cairá sobre esses homens

Contudo, Senhor, eu desejo a ti
Pelo que eles fazem a mim
Não permita que eles recebam o pagamento
Da iniquidade que cometem

v. 1: "No Senhor confio; como dizeis, pois, à minha alma: Foge para a tua montanha como pássaro?" Observemos que Davi gosta muito de usar a metáfora para comparar-se a um pássaro, usando pássaros de várias espécies. Compara-se a uma águia: "A tua mocidade se renova como a águia" (Sl 103.5); a uma coruja: "Sou [...] como a coruja das ruínas" (Sl 102.6, ARA); a um pelicano: "Sou semelhante ao pelicano no deserto" (Sl 102.6); a um pardal: "Sou como o pardal solitário no telhado" (Sl 102.7); a uma perdiz: "Como quem persegue uma perdiz nos montes" (1 Sm 26.20). Não dá para afirmar que ele se compara a uma pomba, mas ele se compararia: "Ah! Quem me dera asas como de pomba! Voaria e estaria em descanso" (Sl 55.6). Há quem questione, dizendo:

Como é possível que pássaros de tão diferentes gêneros estariam juntos a ponto de encontrar-se no caráter de Davi? A quem respondemos: Não há dois homem que se diferenciem mais um do outro do que o mesmo servo de Deus se diferenciaria de si mesmo repetidas vezes. Davi, na prosperidade, quando comandava, era como a águia; na adversidade, quando desprezado, era como a coruja; na devoção, quando se retirava, era como o pelicano; na solidão, quando estava sem companhia, era como o pardal; na perseguição, quando temia extremamente os exércitos (de Saul), era como a perdiz. Essa metáfora geral de pássaro que Davi usava tantas vezes para si foi a que os seus inimigos usaram no primeiro versículo desse salmo, embora não especificassem de que espécie: "Foge para a tua montanha como pássaro", quer dizer, dirija-se imediatamente ao seu Deus, em quem você confia para obter socorro e segurança.

Vendo que esse conselho era bom por si mesmo e bom para o momento, por que Davi parece tão indignado e descontente por causa disso? Estas palavras: "Como dizeis, pois, à minha alma: Foge para a tua montanha como pássaro?", denotam certa zanga, pelo menos um desgosto por conta do conselho. A resposta é que Davi não ficou ofendido com o conselho, mas com a maneira em que foi proposta. Os inimigos disseram ironicamente, de modo zombeteiro e escarnecedor, como se a fuga fosse inútil e a segurança que ele buscava fosse improvável. Davi, porém, não ficou irritado ou descontente com o conselho, começando esse salmo com a firme resolução: "No Senhor confio; como dizeis, pois, à minha alma [...]?" Aprendamos que quando os homens nos dão bons conselhos de modo zombeteiro, aceitemos o conselho e o pratiquemos. Deixemos com eles a zombaria para que sejam castigados por isso. Os alimentos medicinais podem ser contaminados se forem embrulhados em papéis envenenados. Não é o que ocorre com os bons conselhos espirituais, pois o teor bom da questão não fica contaminado com o modo doentio em que foi entregue. Quando os sumos sacerdotes escarneceram de nosso Salvador: "Confiou em Deus; livre-o agora, se o ama; porque disse: Sou Filho de Deus" (Mt 27.43), Jesus nunca confiou em Deus nem um pouco menos para receber os olhares e palavras de desdém que a profanidade deles se agradava de disparar contra Ele. Caso contrário, se a zombaria dos homens nos fizesse subestimar os bons conselhos, poderíamos hoje ser escarnecidos por nosso Deus, Cristo, a Bíblia e o céu. O apóstolo Judas predisse que nos últimos tempos haveria escarnecedores que andariam atrás de suas próprias concupiscências (Jd 18). — *Thomas Fuller*

v. 1: É um pecado igualmente grande fazer um novo deus quanto negar o verdadeiro Deus. "No Senhor confio, [então] como dizeis, pois, à minha alma [vós, sedutores de almas]: Foge para a tua montanha como pássaro", para buscar ajuda desnecessária e estranha, como se o Senhor unicamente não fosse suficiente? "O Senhor é o meu rochedo, e o meu lugar forte, e o meu libertador; o meu Deus, a minha fortaleza, em quem confio; o meu escudo, a força da minha salvação e o meu alto refúgio. Invocarei o nome do Senhor, que é digno de louvor, e ficarei livre dos meus inimigos" (Sl 18.2,3). "A quem tenho eu no céu senão a ti?" Entre os milhares de anjos e santos, o que é Miguel ou Gabriel, o que é Moisés ou Samuel, o que é Pedro, o que é Paulo? Pois "na terra não há quem eu deseje além de ti" (Sl 73.25). — *John King, 1608*

v. 1: Na tentação das dificuldades e temores interiores, não é conveniente disputar a questão com Satanás. No Salmo 42, Davi se corrige do seu engano. A sua alma ficou deprimida dentro dele e, para a cura dessa tentação, ele se preparara por meio de argumentações para a disputa. Mas percebendo estar em curso equivocado, ele cancela a inquietação da alma, levando-a a uma súplica imediata a Deus e às promessas: "Espera em Deus, pois ainda o louvarei" (Sl 42.11). Mas aqui ele está mais impulsivo com o seu trabalho. Enquanto os inimigos estavam sob a influência de Satanás para desencorajá-lo, ele rejeita a tentação, antes que ela gratifique os pensamentos. Ele a expulsa como algo a que ele não deve dar ouvidos: "No SENHOR confio; como dizeis, pois, à minha alma: Foge para a tua montanha como pássaro?" Há fortes razões para nos dissuadir de seguirmos Satanás na tentação de dificuldades interiores. — *Richard Gilpin*

v. 1: A sombra não refresca exceto o que está dentro dela. Não é bom ter a sombra ainda que de uma pedra grande, quando nos sentamos ao sol? Temos poder grandioso ao nosso dispor, mas saímos dessa condição por meio de incursões ousadas na boca da tentação! A queda dos santos ocorre quando eles saem da trincheira e da fortaleza. Como os coelhos, eles são em si mesmos um povo fraco, cuja força está na pedra da onipotência de Deus, que é onde habitam. — *William Gurnall*

v. 1: Os santos de antigamente não aceitavam conselhos em termos vis. Desprezavam fugir do prazer do descanso, exceto se fosse com as asas da pomba, cobertos com a inocência prateada. Muitos mártires estavam dispostos a morrer tanto quanto para jantar. Os torturadores estavam cansados de torturar Blandina. "Estamos envergonhados, imperador! Os cristãos riem da crueldade e ficam cada vez mais resolutos", disse um dos fidalgos de Juliano. Diante disso, o pagão adicionou a obstinação. Mas não conheciam o poder do Espírito, nem a armadura secreta da prova com a qual os santos vestem o coração. — *John Trapp*

v. 2: "Porque eis que os ímpios armam o arco, põem as flechas na corda, para com elas atirarem, às ocultas, aos retos de coração". Esse versículo apresenta um combate desigual entre o poder armado, favorecido pela política, de um lado, e a inocência pura, do outro. Em primeiro lugar, o poder armado: "Armam o arco, põem as flechas na corda", sendo toda a artilharia que havia naquela época. Em segundo lugar, favorecido pela política: "Para com elas atirarem, às ocultas", para surpreendê-los de surpresa em uma emboscada, fingindo amizade e afeição por eles. Em terceiro lugar, inocência pura — se é que podemos dizer que é inocência pura aquilo que é a própria armadura deles: "Aos retos de coração". — *Thomas Fuller*

v. 2: "Porque eis que os ímpios armam o arco, põem as flechas na corda, para com elas atirarem, às ocultas, aos retos de coração". As conspirações dos sumos sacerdotes e dos fariseus para poderem prender Jesus por meio de sutileza e o matarem. Armaram o arco, quando contrataram Judas Iscariotes para trair o Mestre. Puseram as flechas na corda quando buscaram "falso testemunho contra Jesus, para poderem dar-lhe a morte" (Mt 26.59).

"Aos retos de coração." Não somente o próprio Senhor, o único verdadeiro e reto, mas também os apóstolos e a extensa linhagem daqueles que se apegariam fielmente a ele desde aquele tempo até hoje. Como aconteceu com o Mestre, assim acontece com os servos. Testemunhar as calúnias e as alegrias que desde o tempo em que José foi acusado por sua patroa até os dias atuais tem sido a sorte do povo de Deus. — *Michael Ayguan, "J. M. Neale's Commentary" [Comentário de J. M. Neale], 1416*

v. 2: "Para com elas atirarem, às ocultas, aos retos de coração". Não usaram os arcos e as flechas como espantalhos em uma horta de pepinos para espantar, mas para atirar, não em estacas, mas em homens. As flechas são *facula mortifera* (Sl 7.12,13), ou seja, "setas mortais", e para que não errassem o alvo, elas tiram vantagem da escuridão, da privacidade e do segredo. Eles as atiram "às ocultas". Esta é a aliança do próprio inferno, pois quem criou poder na terra não pode desfazer essa obra que a crueldade e a sutileza, como Simeão e Levi, os irmãos no mal, se combinaram e se confederaram para realizar? Onde a sutileza é engenhosa e insidiosa para inventar, e a crueldade é brutal para executar, a sutileza aconselha e a crueldade golpeia. A sutileza organiza o tempo, o lugar, os meios, acomoda e adapta as circunstâncias, e a crueldade responsabiliza-se pelo ato. A sutileza esconde a faca, a crueldade corta a garganta. Com a cabeça esperta, a sutileza se mete na emboscada, conspira o comboio e o estratagema. Com tão selvagem coração, a crueldade crava não nos objetos mais terríveis e medonhos, mas está pronta para atacar os tornozelos, o pescoço, em um mar vermelho de sangue humano, sim, sangue bruto. Como é horrível a situação de quem é assaltado assim! — *John King*

v. 3: "Na verdade, que já os fundamentos se transtornam; que pode fazer o justo?" Mas agora deparamos uma objeção gigantesca, que junto com Golias tem de ser removida, ou então obstruirá os nossos procedimentos atuais. Será possível que os fundamentos da religião sejam transtornados? Pode Deus estar em tão longo sono, em tão longa letargia, de modo a pacientemente permitir a destruição da religião? Se ele observa e não vê esses fundamentos serem transtornados, onde está a sua onisciência? Se ele vê e não pode ajudar, onde está a sua onipotência? Se ele vê, pode ajudar e não ajuda, onde estão a sua bondade e misericórdia? Marta disse a Jesus: "Senhor, se tu estivesses aqui, meu irmão não teria morrido" (Jo 11.21). Muitos dirão: Se Deus estivesse efetivamente presente no mundo com os atributos supracitados, com certeza os fundamentos não teriam sido destruídos nem transtornados. Respondemos negativamente, pois é impossível que os fundamentos da religião sejam total e cabalmente transtornados, ou em relação à igreja em geral, ou em referência a todo membro verdadeiro e vivo dela. Para o primeiro, temos uma promessa expressa de Cristo: "As portas do inferno não prevalecerão contra ela" (Mt 16.18). *Fundamenta tamen stant inconcussa Sionis.* Quanto a cada cristão em particular, lemos: "Todavia, o fundamento de Deus fica firme, tendo este selo: O Senhor conhece os que são seus" (2 Tm 2.19). Quanto às razões acima mencionadas nas objeções (a inconsistência com os atributos da onipotência, onisciência e bondade de Deus), os fundamentos nunca podem ser total e cabalmente transtornados, ainda que possam ser parcialmente transtornados, *quoad gradum,* ou seja, "em grau quádruplo", como a seguir.

Em primeiro lugar, nos desejos e maiores empenhos dos ímpios.

Eles trazem o seu: (1) *Hoc velle,* (2) *Hoc agere,* (3) *Totum posse.*

Se eles não transtornam os fundamentos, não é graças a eles, visto que o mundo inteiro lhes dará testemunho de que eles fizeram o melhor (quer dizer, o pior) que puderam, de acordo com o seu poder e maldade puderam executar.

Em segundo lugar, nas suas próprias imaginações vangloriosas. Eles não só se gabam vaidosamente, mas também acreditam verdadeiramente que transtornaram os fundamentos. É aplicável a esse propósito o discurso sublime do imperador romano: "E aconteceu, naqueles dias, que saiu um decreto da parte de César Augusto, para que todo o mundo se alistasse" (Lc 2.1). Todo o mundo, embora ele não tivesse toda a Europa (ainda que tivesse muito), tivesse poucos na Ásia, menos na África, nada na América, que estava muito longe de ser descoberta, não era tanto quanto conhecido pelos romanos. Mas a hipérbole não é uma figura de linguagem, mas a linguajar comum de orgulho, porque Augusto realmente teve muito, ele proclamou-se ter o mundo todo.

Em terceiro lugar, os fundamentos podem ser transtornados no que tange à toda aparência ilustre, visivelmente externa. A igreja em perseguição é como o navio em uma tempestade com todos os mastros abaixados. Visando ganhar mais velocidade, os mastros são bem abaixados para que nem um pedaço de lona sofra a ação dos ventos, não havendo vela à vista. As velas ficam amarradas na própria quilha para que a tempestade não exerça poder sobre elas. Mas quando a tempestade termina, eles içam as velas bem alto e estendem as velas tão largamente quanto possível. Assim a igreja em tempos de perseguição temia, mas especificamente sentia, perde toda a alegria e galantaria que podem atrair e fascinar os olhos dos observadores, e se contenta com a sua própria intimidade. Em outras palavras, nos dias de trabalho de aflição ela usa as piores roupas, enquanto que as melhores estão no guarda-roupa, na esperança segura e certa de que Deus lhe dará um dia santo e feliz, quando com alegria ela usará as suas melhores roupas. Ultimamente, eles podem ser destruídos nas apreensões ciumentas dos melhores santos e servos de Deus, especialmente nos ataques de melancolia. Exemplificarei não com uma estrela fraca, mas com uma estrela de primeira magnitude e da maior eminência, o próprio Elias reclamando: "E eu fiquei só, e buscam a minha vida para ma tirarem" (1 Rs 19.10). — *Thomas Fuller*

v. 3: "Se" (KJV). É a única palavra de consolo no texto, visto que o que se diz não é afirmativo, mas supositivo; não é dogmático, mas hipotético. Apesar desse consolo, que não passa de uma faísca (na qual acenderíamos de boa vontade a nossa esperança), logo se entristece com uma dupla consideração.

Em primeiro lugar, suposições impossíveis produzem consequências impossíveis: "Tal mãe, tal filha". É certo que o Espírito Santo de Deus não suporia tal coisa a não ser que fosse praticável e possível, tudo o que pudesse acontecer, tivesse de acontecer ou acontecesse.

Em segundo lugar, a palavra hebraica não é o condicional *im*, *si*, *si forte*, mas *chi*, *quia*, *quoniam*, "porque", e (embora possa ser traduzido favoravelmente por "se") parece significar, mais nesse sentido, que o caso triste já tinha acontecido nos dias de Davi. Entendo que este "se", a nossa única esperança no texto, se mostra como os amigos de Jó, ou seja, é uma consolação desprezível. É bom sabermos o pior das coisas para nos precavermos de acordo. Vejamos esse caso doloroso, não como duvidoso, mas como terminado; não como temido, mas sentido; não como suspeitado, mas nesse momento como de fato acontecido. — *Thomas Fuller*

v. 3: "Na verdade, que já os fundamentos se transtornam; que pode fazer o justo?" O meu texto é uma resposta à objeção tácita que alguns fazem, qual seja, que o justo está em falta e que, pela própria comodidade e inatividade (não ousando e fazendo o suficiente a ponto de poder e dever), atraiçoam-se a essa condição ruim. Saindo em defesa, Davi mostra que se Deus em sua vontade e prazer sábios julga adequado, por razões que lhe são devidamente conhecidas, permitir que a religião seja reduzida a condições extremas, não é dado ao poder do melhor homem vivo remediá-la e repará-la. "Já os fundamentos se transtornam; que pode fazer o justo?" O meu texto se demora em lamentação, tanto quanto um sermão fúnebre, e contém: Em primeiro lugar, a apresentação de um triste caso: "Já os fundamentos se transtornam". Em segundo lugar, a proposição de uma triste pergunta: "Que pode fazer o justo?". Em terceiro lugar, a insinuação de uma triste resposta, qual seja, que ele não pode fazer nada em relação à questão de restabelecer os fundamentos transtornados. — *Thomas Fuller*

v. 3: "Na verdade, que já os fundamentos se transtornam; que pode fazer o justo?" O fundamento civil de uma nação ou povo são as leis e a constituição. A ordem e o poder que estão entre eles são os fundamentos do povo. Uma vez que esses fundamentos sejam transtornados, "que pode fazer o justo?" O que pode o melhor homem, o mais sábio do mundo fazer em tal caso? O que pode alguém fazer, se não há fundamentos de governo entre os homens? Não há ajuda nem resposta em tal caso, a não ser o que contém o versículo 4 do salmo: "O Senhor está no seu santo templo; o trono do Senhor está nos céus; os seus olhos estão atentos, e as suas pálpebras provam os filhos dos homens". É como se ele tivesse dito, em meio a essas confusões, o que consta em Salmos 82.5: "Todos os fundamentos da terra vacilam". Contudo, Deus não vacila, pois Ele está onde esteve e como esteve, sem inconstância ou sombra de variação. — *Joseph Caryl*

v. 3: "O justo". O justo indefinidamente é equivalente ao justo universalmente. Não só o justo como uma flecha única, mas no meio de um feixe cheio de justos. Não só o justo em sua capacidade pessoal, mas também na sua capacidade extensa. Fossem todos os justos reunidos em um corpo, estivessem todos eles vivendo na mesma época em que os fundamentos foram transtornados para serem convocados e formados em uma corporação, todos os esforços conjuntos se revelariam ineficazes para restabelecer os fundamentos transtornados, visto que este não é o trabalho do homem, mas o trabalho exclusivo de Deus. — *Thomas Fuller*

v. 3: "Os fundamentos". Posições, as coisas antigamente colocadas, fixadas e firmadas. Não está dizendo já que se o telhado está estragado, ou já que as paredes estão rachadas, mas fala sobre os fundamentos.

v. 3: "Os fundamentos se transtornam". Está no plural. Não me responsabilizo pelas minhas aptidões em arquitetura, mas imagino que algo assim possa inquestionavelmente acontecer. É possível que um edifício colocado em fundamentos ou fundações maciças (suponhamos vigas) perto umas das outras, se uma fundação desabar, a estrutura continue firme ou declina (pelo menos um pouco) em virtude do complicador, que ela recebe desses fundamentos que ainda permanecem seguramente estáveis. Mas no caso de haver desabamento total e ruína absoluta de todas as fundações, ninguém pode imaginar um jeito para a subsistência do edifício. — *Thomas Fuller*

v. 3: "Que pode fazer o justo?" O poder do justo é limitado, pois está limitado à regra da palavra de Deus. Nada podem fazer exceto o que podem legitimamente fazer: "Porque nada podemos contra a verdade, senão pela verdade" (2 Co 13.8), *illud possumus, quod jure possumus.* Os ímpios podem fazer qualquer coisa. A consciência é tão tolerante que absolutamente nada consegue lhes dizer que estão agindo ilegalmente quando apunhalam, envenenam, massacram por qualquer meio, a qualquer hora, em qualquer lugar, seja quem for que fique entre eles e a finalidade do que desejam. Não são assim os justos. Eles têm uma regra por meio da qual andam, à qual eles não devem descumprir, não ousam descumprir, não descumprem. Portanto, se o justo estivesse seguro, que pela quebra de um dos mandamentos de Deus, ele restaurasse a religião deteriorada e restabelecesse o *statu quo prius*, as suas mãos, cabeça e coração estão amarrados, ele não pode fazer nada, porque é justa a sua condenação que diz: "Façamos males, para que venham bens" (Rm 3.8).

v. 3: "Fazer". Não diz: Que pode *pensar* o justo? É uma grande bênção que Deus permita que as pessoas feridas, embora oprimidas e cansadas, possam se engrandecer livremente nos pensamentos. — *Thomas Fuller*

v. 3: Tempos de pecado já foram tempos de oração dos santos. Foi o que moveu Esdras com coração pesado a confessar o pecado do povo e lamentar, diante do Senhor, as abominações do povo (Ed 9). Jeremias, falando dos ímpios dos seus dias, disse: "A minha alma chorará em lugares ocultos, por causa da vossa soberba" (Jr 13.17). Às vezes, o pecado chega a tamanho volume que tudo que o piedoso pode fazer é ir a um canto e chorar as profanações gerais que há em sua época. "Na verdade, que já os fundamentos se transtornam; que pode fazer o justo?" Os nossos olhos têm visto dias tenebrosos de confusão nacional, quando os fundamentos do governo foram transtornados e tudo foi lançado em confusão militar. Quando ocorre isso com um povo, "que pode fazer o justo?" Pode e deve "jejuar e orar". Ainda há um Deus no céu a ser buscado, quando o livramento de um povo fica acima da ajuda de política ou poder humano. Agora é o tempo certo para fazer a súplica a Deus, como as palavras a seguir sugerem: "O SENHOR está no seu santo templo; o trono do SENHOR está nos céus" (Sl 11.4). Por essas palavras Deus se apresenta sentado no céu como um templo, para encorajar o povo. Concebo, em tal situação desesperadora, a dirigir as orações a Ele em busca de libertação. Com certeza essa foi a máquina que serviu de instrumento, acima de qualquer outra, para restabelecer esta pobre nação e fixá-la nos fundamentos do governo legítimo do qual tão perigosamente ela se afastou. — *William Gurnall*

v. 4: O entendimento infinito de Deus conhece exatamente os pecados dos homens. Conhece-os para avaliar. Não só os conhecem, mas atentamente os vê: "As suas pálpebras provam os filhos dos homens", metáfora tirada dos homens que contraem as pálpebras quando estão vendo uma coisa minuciosamente e com precisão. Não é um olhar passageiro e descuidado. — *Stephen Charnock*

v. 4: "Os seus olhos estão atentos, e as suas pálpebras provam os filhos dos homens". Deus não examina como examina o homem, investigando aquilo que antes lhe estava escondido. A sua investigação é nada mais que atentar, ver. Ele vê o coração, contempla os mais profundos e íntimos sentimentos. A própria visão de Deus é investigação: "Antes, todas as coisas estão nuas e patentes aos olhos daquele com quem temos de tratar" (Hb 4.13). O termo grego τετραχηλισμένα significa "dissecadas" ou "anatomizadas". Ele tem imediatamente a mais exata visão das coisas mais ocultas, as próprias entranhas da alma, como se elas fossem anatomizadas diante dele sem a menor curiosidade. — *Richard Alleine, 1611-1681*

v. 4: "Os seus olhos estão atentos, e as suas pálpebras provam os filhos dos homens". Considere que Deus não só vê tudo o que você faz, mas Ele vê o próprio fim de tudo para examinar e investigar. Ele vê com o olhar comum e indiferente, mas também com os olhos perscrutadores, alertas e inquisitivos. Ele inquire as razões, os motivos, os fins de todas as ações que você faz. "Os seus olhos estão atentos, e as suas pálpebras provam os filhos dos homens." Apocalipse 1.14, onde consta uma descrição de Cristo, diz: "Os olhos, [são como] como chama de fogo". Sabemos que a propriedade do fogo é investigar e experimentar as coisas a que são expostos, e separar a escória do metal puro. Os olhos de Deus são como fogo para provar e examinar as ações dos homens. Ele sabe e discerne quanta mistura há nos mais puros deveres que você cumpre e os fins indignos da formalidade, hipocrisia, distração e morte. Ele vê todos os seus fingimentos especiosos, aquilo que você jogou como névoa diante dos olhos dos homens quando não passa de um ilusionista em religião. Todos os seus truques e trapaças de confissão exterior, todas as coisas que você usa para persuadir por meio de logro e iludir os homens não podem ser impostas a Ele. Ele é o Deus que vê por meio de todas as folhas de figueira da sua confissão exterior e discerne a nudez dos deveres que você cumpre. — *Ezekiel Hopkins, Doutor em Teologia*

v. 4: "Os seus olhos estão atentos, e as suas pálpebras provam os filhos dos homens". Nas suas deliberações, inclua Deus. O céu faz pouco caso do inferno. Deus a qualquer momento pode lhe dizer que tramas estão sendo elaboradas no inferno contra você. — *William Gurnall*

v. 4: "As suas pálpebras provam os filhos dos homens". Quando o criminoso ou o acusado de algum delito é levado à presença do juiz e se põe em pé diante da grade do tribunal para ser acusado, o juiz olha para ele, observa-o, fixa os olhos nele e ordena que o acusado o olhe no rosto. "Olhe para mim", diz o juiz, "e defenda-se". A culpabilidade normalmente enruga a testa e cobre a sobrancelha. O peso da culpa faz abaixar a cabeça! O malfeitor tem um olhar mau, ou não ousa erguer o olhar.

Como ele fica contente se o juiz não fica olhando para ele. Temos aqui expressão semelhante, falando do Senhor, o grande Juiz dos céus e da terra. "As suas pálpebras provam os filhos dos homens", como o juiz prova o acusado com os olhos e lê nele o caráter da maldade estampado no rosto. Por conseguinte, temos uma expressão comum em nosso idioma: "Tal pessoa olha suspeitosamente", ou: "Ele tem um olhar de culpado". Naquele grande libertador de cárceres narrado em Apocalipse 6.16, todos os prisioneiros clamam para serem escondidos "do rosto daquele que está assentado sobre o trono". Não podiam olhar para Cristo e não podiam suportar que Cristo olhasse para eles. As pálpebras de Cristo provam os filhos dos homens. [...] A maldade não pode suportar estar sob observação de qualquer olhar, muito menos do olhar da justiça. Por conseguinte, os atores dizem: "Quem nos vê?" (Is 29.15). É muito difícil não mostrar no rosto a culpa do coração, e é muito difícil a culpa ser vista no coração. — *Joseph Caryl*

v. 5: "O Senhor prova o justo". Exceto por nossos pecados, não há tantas coisas que sejam abundantes em todo o mundo quanto há dificuldades que advêm pelo pecado, como um mensageiro carregado de más notícias ia a Jó um atrás do outro. Considerando que não estamos no paraíso, mas no deserto, temos de esperar que uma dificuldade venha atrás da outra. A sequência para Davi foi um urso depois do leão, um gigante depois do urso, um rei depois do gigante, os filisteus depois do rei. Semelhantemente, quando os crentes lutarem com a pobreza, lutarão por sua vez com a inveja; quando lutarem com a inveja, lutarão por sua vez com a infâmia; quando lutarem com a infâmia, lutarão por sua vez com a doença. Serão como o trabalhador que nunca fica desempregado. — *Henry Smith*

v. 5: "O Senhor prova o justo". Os tempos de aflição e perseguição distinguem o precioso do perverso, diferencia o falso mestre do verdadeiro mestre. A perseguição é o critério do cristão. É o *lapis lydius* que provará de que metal os homens são feitos, se são prata ou lata, ouro ou escória, trigo ou joio, sombra ou substância, carnal ou espiritual, sinceros ou hipócritas. Nada fala mais integridade e justiça do que a busca pela santidade, mesmo então quando a santidade é mais afligida, procurada e perseguida no mundo. Permanecer firme nas provas ardentes fala muito da integridade interior. — *Thomas Brooks*

v. 5: Note a oposição singular das duas frase. Deus odeia o ímpio. Então, por oposição, ama o justo. Mas o texto diz que ele prova o justo. Desse modo, concluímos que provar e amar é a mesma coisa para Deus. — *C. H. S.*

v. 6: "Sobre os ímpios fará chover laços". Laços ou armadilhas para prendê-los. Em seguida, caso não sejam libertos, seguem-se fogo e enxofre, e então não podem escapar. É o que acontece com o pecador caso não se arrependa. Se Deus não perdoa, ele está no laço da tentação de Satanás, ele está no laço da vingança divina. Que ele clame em voz alta por sua libertação, que tenha os pés em um lugar espaçoso. Os ímpios armam laços para os justos, mas Deus ou impede que as suas almas escapem, ou então os arruína: "O laço quebrou-se, e nós escapamos" (Sl 124.7). Não há laço que nos prenda tão firmemente como os dos nossos pecados. Eles nos abaixam a cabeça, inclinando-a a ponto de não podermos levantá-la. São de utilidade muito fácil para aquele que não tem uma consciência cauterizada. — *Samuel Page, 1646*

v. 6: "Sobre os ímpios [o Senhor] fará chover laços". Como na caça com o laço, o caçador joga o laço sobre a presa para emaranhar a cabeça ou os pés, assim o Senhor, desde os céus, com muitos entrelaçamentos da linha do terror, cerca, amarra e leva em cativeiro os inimigos da lei. — *C. H. S.*

v. 6: "Sobre os ímpios fará chover laços, fogo, enxofre e vento tempestuoso". O Senhor fará chover sobre eles quando menos esperarem, no meio dos momentos de alegria, como a chuva cai em um dia bonito. Ou, ele fará chover a vingança quando ele vir o bem, pois nem sempre chove. Embora adie, a chuva vem. — *William Nicholson, Bispo de Gloucester, "David's Harp Strung and Tuned" [A Harpa de Davi Encordoada e Afinada], 1662*

v. 6: "Sobre os ímpios fará chover laços, fogo, enxofre e vento tempestuoso; eis a porção do seu copo". A dispensação estranha dos assuntos neste mundo é argumento que prova de modo convincente que haverá o dia em que todos os invólucros e embaraços da providência serão claramente desvelados. Então o enigma será resolvido quanto à razão de Deus ter dado a este ou aquele desgraçado profano tanta riqueza e tanto poder para causar dano. Será que não é para que sejam destruídos para sempre? Então serão chamados a prestar contas minuciosas de toda essa abundância e prosperidade pelas quais são invejados hoje. Quanto mais eles abusaram, mais terrível será a condenação. Então vermos que Deus não lhes deu o que deu como misericórdias, mas como "laços". Deus "sobre os ímpios fará chover laços, fogo, enxofre e vento tempestuoso". Quando Ele espalha as coisas desejáveis deste mundo, riqueza, honra, privilégio, boa reputação, então faz chover "laços" sobre eles. Quando Ele os chamar para prestar contas dessas coisas, então fará chover sobre eles o "fogo, enxofre e vento tempestuoso" da sua ira e fúria. Divas (o rico da parábola do rico e Lázaro), que na terra se regalou, no inferno não pôde obter nem uma mínima gota de água para refrescar a língua chamuscada e ardente. Não tivesse o seu excesso e falta de temperança sido tão grande na vida, a sede flamejante não teria sido tão atormentadora após a morte. Na triste notícia que Abraão lhe dá, ele lhe determina: "Filho, lembra-te de que recebeste os teus bens em tua vida, e Lázaro, somente males; e, agora, este é consolado, e tu, atormentado" (Lc 16.25). Considero essa situação como o sarcasmo mais amargo e mais merecido. Censurando-o por sua desmesurada loucura, por tornar das insignificâncias desta vida as suas coisas boas. Você recebeu coisas boas, mas agora você é atormentado. Nunca diga que as roupas e comidas de Divas são coisas boas, se elas terminam em tormentos! Foi bom para ele estar envolto em púrpura quando agora está envolto em chamas? Foi bom para ele comer e beber bem para que assim fosse engordado para o dia da matança? — *Ezekiel Hopkins*

v. 6: "Laços, fogo, enxofre e vento tempestuoso; eis a porção do seu copo". Depois do julgamento vem a condenação, prefigurados, como vimos, pela destruição de Sodoma e Gomorra. "Laços", porque as tentações de Satanás nesta vida serão os piores castigos na vida por vir. O "fogo" da ira, o "enxofre" da impureza, o "vento tempestuoso" do orgulho, "a concupiscência da carne, a concupiscência dos olhos e a soberba da vida" (1 Jo 2.17).

"Eis a porção do seu copo." Compare com a própria declaração do salmista em outro salmo: "O Senhor é a porção da minha herança e o meu cálice; tu sustentas a minha sorte" (Sl 16.5). — *Cassiodoro (560 d.C.), citado in: John Mason Neale, "Commentary on the Psalms, from Primitive and Mediaeval Writers" [Comentário sobre os Salmos Feito pelos Escritores Primitivos e Medievais), 1860*

v. 6: "A porção do seu copo" é, no original hebraico, a partilha do seu copo. A expressão tem referência ao costume de distribuir a cada conviva a sua comida de carne. — *William French e George Skinner, 1842*

v. 7: Que Deus dê graça sem glória é inteligível. Mas admitir o homem à comunhão com Ele em glória sem graça, não é inteligível. Não é agradável à santidade de Deus apanhar qualquer habitante dos céus, e relacionar-se livremente com ele à maneira de amor íntimo sem tal qualificação da graça: "Porque o Senhor é justo e ama a justiça; o seu rosto está voltado para os retos". Ele olha para o justo com olhos sorridentes, mas não pode olhar favoravelmente o injusto; de forma que esta necessidade fundamenta-se não só no mandamento de Deus para que sejamos renovados, mas na própria natureza da coisa, porque Deus, em consideração à sua santidade, não pode se relacionar com uma criatura impura. Deus tem de mudar de natureza, ou a natureza do pecador tem de ser mudada. Não pode haver comunhão amigável entre dois seres de naturezas diferentes sem a mudança de um deles na semelhança do outro. Lobos e ovelhas, escuridão e luz nunca podem concordar entre si. Deus não pode amar o pecador como pecador, porque Ele odeia a impureza por necessidade de natureza como também por escolha da vontade. É tão impossível Ele amar o pecado quanto a deixar de ser santo. — *Stephen Charnock*

SUGESTÕES AOS PREGADORES

v. 1. A declaração ousada da fé e a recusa corajosa.

v. 1. Ensina-nos a confiar em Deus, por maiores que sejam os perigos para nós. Também nos ensina que seremos agredidos muitas vezes a nos distanciar dessa confiança, mas que ainda assim temos de nos ater a ela, como a âncora de nossa alma, segura e firme. — *Thomas Wilcocks*

v. 1. O conselho da covardia e a zombaria da insolência são respondidos pela fé. A lição é não procurar outra resposta.

v. 2. A astúcia de nossos inimigos espirituais.

v. 3. Esse versículo proporciona uma exposição em duas partes. (1) Se o juramento e a promessa de Deus podem ser transtornados, o que podemos fazer? A resposta é fácil. (2) Se todas as coisas terrenas falharem e o estado político cair em pedaços, o que podemos fazer? Podemos sofrer com alegria, esperar com ânimo, aguardar com paciência, orar com fervor, crer com confiança e, por fim, triunfar.

v. 3. A necessidade de manter e pregar as verdades fundamentais.

v. 4. A elevação, o mistério, a supremacia, a pureza, a eternidade, a invisibilidade do trono de Deus.

vv. 4 e 5. Nesses versículos, observe o fato de que os filhos dos homens, como também os justos, são provados. Estude o contraste entre as duas provações no que tange aos seus desígnios e resultados.

v. 5. "O Senhor prova o justo": (1) Quem são os provados? (2) O que é neles provado? A fé, o amor. (3) De que maneira? Provações de todo tipo. (4) Por quanto tempo? (5) Com que propósito?

v. 5. "A sua alma aborrece." A exatidão do ódio que Deus tem pelo pecado. Ilustre por meio de julgamentos providenciais, ameaças, sofrimentos da segurança e os terrores do inferno.

v. 5. A provação do ouro e a varredura do refugo.

v. 6. "Fará chover." Chuva da graça e chuva da destruição.

v. 6. A porção dos impenitentes.

v. 7. O Senhor possui a justiça como atributo pessoal, ama-a em teoria e abençoa os que a praticam.

SALMO 12

TÍTULO

Este salmo tem no cabeçalho: "Salmo de Davi para o cantor-mor, sobre Seminite", que é título idêntico ao do Salmo 6, exceto pelo termo Neguinote que não consta aqui. Nada temos de novo a acrescentar. Por isso, remetemos o leitor às observações feitas na seção "Título" do Salmo 6. Considerando que Seminite significa "o oitavo", a versão arábica diz que é sobre o fim do mundo, que será o oitavo dia, e o atribui à vinda do Messias. Sem concordar com tão extravagante interpretação, podemos ler essa canção de fé queixosa levando em conta a vinda daquele que despedaçará o opressor. O tema proporcionará melhor visão à mente se intitularmos o salmo de: *Bons Pensamentos em Maus Tempos*. Supõe-se ter sido escrito quando Saul perseguia Davi e aqueles que lhe apoiavam a causa.

DIVISÃO

Nos versículos 1 e 2, Davi apresenta sua queixa diante do Senhor com respeito à deslealdade que vigorava em seus dias. Os versículos 3 e 4 denunciam o julgamento que sobrevém aos traidores orgulhosos. No versículo 5, o próprio Senhor vocifera a sua ira contra os opressores. Ouvindo isso, o cantor-mor canta docemente nos versículos 6 e 7 a fidelidade de Deus e o cuidado que Ele dispensa ao povo. Mas o versículo 8 termina na velha melodia de queixa, ao observar a maldade que grassava nos seus dias. Os santos que habitam em Meseque e acampam nas tendas de Quedar podem ler e cantar de coração estas estrofes sacras em pleno acordo com a melodia mista de humilde lamentação e elevada confiança.

EXPOSIÇÃO

1 *Salva-nos, Senhor, porque faltam os homens benignos; porque são poucos os fiéis entre os filhos dos homens.*

2 *Cada um fala com falsidade ao seu próximo; falam com lábios lisonjeiros e coração dobrado.*

1. *"Salva-nos, Senhor."* É uma oração curta, mas doce, sugestiva, propícia e útil. É um tipo de espada angelical, que se revolve em todos os lados e é usada em todas as ocasiões. Henry Ainsworth diz que a palavra hebraica traduzida por "salva-nos" é amplamente usada para referir-se a todo tipo de salvação, ajuda, livramento, proteção. Assim, a oração é muito completa e instrutiva. O salmista vê o perigo extremo da sua posição, pois é melhor o homem estar entre leões do que entre mentirosos. Ele sente a própria incapacidade de lidar com tais filhos de Belial, porque "qualquer que os tocar se armará de ferro". Então, ele se volta ao seu Ajudador todo-suficiente, o Senhor, que nunca nega ajuda aos seus servos e cujo socorro é suficiente para suprir todas as necessidades. "Socorro, Senhor!" (ARA) é um brado utilíssimo que podemos arremessar ao céu em ocasião de emergência, quer estejamos labutando, aprendendo, sofrendo, lutando, vivendo ou morrendo. Os barcos podem velejar nos portos que embarcações maiores, de maior calado, não podem entrar. Assim os nossos breves brados e curtas súplicas podem transacionar com o céu quando a alma está retida pelo vento e amarrada por negócios, no que concerne a exercícios mais longos de devoção, e quando o fluxo da graça parece numa situação muito ruim para flutuar uma súplica mais laboriosa.

"Porque faltam os homens benignos." A morte, o afastamento ou o declínio de homens benignos devem ser um toque de trombeta para mais oração. Dizem que os peixes cheiram mal primeiro na cabeça. Quando os homens benignos se deterioram, logo toda a comunidade fica podre. Não devemos ser apressados em nosso julgamento sobre esse ponto, pois Elias errou ao contar-se como o único servo de Deus que estava vivo, quando havia milhares que o Senhor mantinha em reserva. Os dias de hoje sempre parecem ser peculiarmente perigosos, porque estão mais próximos de nosso olhar aflito e os males que estejam predominando serão observados, ao passo que os erros de épocas passadas estão mais distantes e são mais facilmente desconsideradas. Contudo, é o que esperamos que ocorra nos últimos dias, "por se multiplicar a iniquidade, o amor de muitos se esfriará" (Mt 24.12). Devemos nos afastar o mais que pudermos dos homens e nos voltar ao Senhor das igrejas, por cuja ajuda as portas do inferno serão impedidas de prevalecer contra nós.

"São poucos os fiéis entre os filhos dos homens." Quando a piedade vai embora, a fidelidade inevitavelmente a acompanha. Sem o temor de Deus, os homens não têm o amor da verdade. A honestidade comum já não é comum, quando a irreligião comum leva à irreligiosidade universal. Davi tinha os olhos em Doegue e nos homens de Zife e Queila, lembrando-se talvez do assassinato dos sacerdotes de Nobe e dos muitos banidos que se consorciaram com ele na caverna de Adulão. Ele desejava saber para onde o estado descambaria sem a âncora de homens piedosos, benignos e fiéis. Davi, no meio do desgoverno geral, não recorreu a planos sediciosos, mas a petições solenes. Também não se juntou com a multidão para fazer o mal, mas tomou os braços da oração para resistir os ataques contra a virtude.

2. *"Cada um fala com falsidade ao seu próximo."* Proferem o que é inútil ouvir, por ser frívolo, ridículo e de nenhum valor. Não vale a pena crer no que falam, porque falam falsidade e mentira. É vão confiar no que afirmam, visto que são enganosos e lisonjeiros. É inaproveitável levar em conta o que dizem, pois eleva os ouvintes, levando-os a encher-se de vaidade orgulhosa. É triste quando a moda é falar com falsidade. "Chama-me que eu te chamo", diz o antigo provérbio escocês. Dê-me um caráter pomposo, e lhe dou outro. Elogios e felicitações bajuladoras são repugnantes para os honestos. Eles sabem que se os receberem terão de dá-los, e desprezam fazer qualquer uma das duas ações. Essas notas de aceite são mais admiradas por

quem está com o caráter arruinado. São tempos ruins quando os homens bajulam e enganam uns aos outros.

"Falam com lábios lisonjeiros e coração dobrado." Aquele que incha o coração dos outros não tem nada mais que vento dentro de si. Se um homem me exalta na minha presença, ele está mostrando só um lado do coração. O outro está negro de desprezo por mim ou turvo com a intenção de me enganar. A lisonja é a marca distintiva do bar onde a duplicidade é a anfitriã. Na estimativa dos chineses, o homem de dois corações é um homem muito vil. Não estaremos errados em dizer que os lisonjeadores também o são.

3 *O SENHOR cortará todos os lábios lisonjeiros e a língua que fala soberbamente.*
4 *Pois dizem: Com a nossa língua prevaleceremos; os lábios são nossos; quem é o senhor sobre nós?*

3. A destruição total sobrevirá àqueles que amam a lisonja e o orgulho, mas enquanto isso eles se jactam e se enfurecem ao extremo. Fez muito bem o apóstolo ao chamá-los "ondas impetuosas do mar, que escumam as suas mesmas abominações" (Jd 13). Os livres-pensadores são em geral muito livres-faladores. Não há ocasião em que estejam mais à vontade do que quando atacam e criticam o domínio de Deus, arrogando-se a si mesmos licença ilimitada. É estranho que o jugo suave do Senhor esfole tanto os ombros dos orgulhosos, enquanto que as cadeias de ferro de Satanás, com as quais eles mesmos se ligam, são como cadeias de honra.

4. Os soberbos bradam arrogantemente contra Deus: "Quem é o senhor que está acima de nós?", e não ouvem a voz inexpressiva do Maligno, que brada do lago infernal: "Sou eu que sou o seu senhor, e é mais do que certo que vocês me sirvam". Infelizmente, pobres insensatos, a sua soberba e glória serão cortadas como uma flor moribunda! Que Deus conceda que a nossa alma não seja colhida com eles. É digno de nota que "os lábios lisonjeiros e a língua que fala soberbamente" estejam classificadas conjuntamente. A adequação é clara, visto que são culpados da mesma falta: o primeiro lisonjeia o outro e o segundo se lisonjeia, estando em ambos os casos uma mentira na mão direita. Em geral, imaginamos que os lisonjeadores são tais parasitas ignóbeis, tão aduladores e bajuladores, que não podem ser orgulhosos. Mas o sábio nos dirá que, ainda que o orgulho seja verdadeiramente torpeza, há na mais baixa torpeza não pequena porção de orgulho. O cavalo de César tem muito mais orgulho de levar César, do que César tem de cavalgar nele. O capacho no qual o imperador limpou os sapatos gaba-se vangloriosamente, alardeando: "Eu limpei as botas imperiais". Nada é mais tão detestavelmente arrogante do que as pequenas criaturas que entram se rastejando no escritório gabando-se de serem grandes. Esses são realmente maus tempos nos quais esses seres desprezíveis são numerosos e poderosos. Não admira que a justiça de Deus em cortar tais pessoas insultantes seja tema para um salmo, pois a terra e o céu estão cansados de tais ofensores provocantes, cuja presença é a própria peste para os aflitos. Os homens não podem dominar a língua de tais lisonjeadores orgulhosos. Mas o remédio do Senhor se cortante é garantido, sendo a resposta incontestável às palavras inchadas de vaidade.

5 *Por causa da opressão dos pobres e do gemido dos necessitados, me levantarei agora, diz o SENHOR; porei em salvo aquele para quem eles assopram.*

5. No devido tempo, o Senhor ouvirá os eleitos que clamam a Ele dia e noite. Ele é muito paciente com os opressores, contudo há de vingá-los sem demora. Observe que a mera opressão aos santos, por mais silenciosamente que a suportem, é em

si um clamor a Deus. Moisés foi ouvido no mar Vermelho, embora não dissesse nada. A aflição de Hagar foi ouvida a despeito do seu silêncio. Jesus sente com o seu povo, e as dores agudas são oradores poderosos para Ele. Não demora muito e o povo começa a suspirar e expressar a miséria em que vive, quando então vem o alívio o mais rápido que puder. Não há nada que comova um pai quanto o choro dos seus filhos. Apressa-se, desperta a sua virilidade, vence o inimigo e coloca em segurança os seus amados. Um sopro é muito para uma criança suportar, e o inimigo é tão arrogante que ri dos pequeninos desprezando-os. Mas o Pai vem e, então, é a vez de a criança rir, quando ela é colocada acima da raiva do atormentador. Que virtude há nos gemidos do pobre, que façam o Deus Todo-Poderoso se levantar do trono. Os necessitados não ousam falar e só gemem em segredo. O Senhor ouve e não pode mais ficar descansando, pois cinge a espada para a batalha. É um dia maravilhoso quando a nossa alma leva Deus à disputa, pois quando Ele desnuda o braço, a Filístia lastimará o dia. As horas mais escuras da noite da Igreja são as que precedem o amanhecer. A necessidade do homem é a oportunidade de Deus. Jesus virá nos libertar quando os necessitados gemerem, como se toda esperança tivesse acabado para sempre. Senhor, coloca o teu *agora* perto da tua mão, e levanta-te sem demora para nos ajudar. Se o leitor aflito apoderar-se da promessa desse versículo, que ele obtenha agradecidamente a mais plena consolação. William Gurnal afirma: "Tiramos o vinho de um barril cheio através de uma torneira. Assim, a pobre alma alcança para si o consolo da total aliança através de uma promessa, caso ele a possa aplicar". Aquele que promete nos guardar com toda a segurança, tem em vista a preservação na terra e a salvação eterna no céu.

6 *As palavras do Senhor são palavras puras como prata refinada em forno de barro e purificada sete vezes.*

7 *Tu nos guardarás, Senhor; desta geração nos livrarás para sempre.*

6. Que contraste entre as palavras vãs dos homens e as puras palavras do Senhor. As palavras dos homens são sim e não, mas as promessas do Senhor são sim e amém. No que concerne à verdade, certeza, santidade e fidelidade, as palavras do Senhor são puras como prata bem refinada. No original, há a alusão ao processo mais severamente purificador conhecido pelos antigos, ao qual a prata era submetida quando se desejava obter a maior pureza possível. A impureza era consumida completamente, permanecendo somente o metal luminoso e precioso. É assim que o livro das palavras do Senhor é claro e livre de toda mistura de erro ou inexatidão. A Bíblia passou pelo forno da perseguição, crítica literária, dúvida filosófica e descoberta científica, não perdendo nada mais que essas interpretações humanas que se grudam a ela como liga ao minério precioso. A experiência dos santos a provou de toda maneira concebível, mas nem uma única doutrina ou promessa foi consumida pelo calor mais excessivo. O que as palavras de Deus são, as palavras dos seus filhos deveriam ser. Se temos de ser semelhantes a Deus em nossas conversas, temos de prestar atenção ao que falamos e manter a mais rígida pureza de integridade e santidade em todas as nossas relações.

7. Cair nas mãos de uma geração má a ponto de ser iscado pela crueldade ou contaminado pela influência, é um mal a ser temido desmedidamente. Mas se trata de um mal previsto no texto que fornece a devida correção. Na vida, muitos santos viveram cem anos antes da sua época, como se tivessem arremessados a alma a um futuro mais brilhante e escapado das névoas que confundem o presente. Foram para a sepultura sem receberem honra e serem entendidos. Infelizmente, no vai e vem das gerações, de repente o herói é revelado e vive na admiração e amor dos

excelentes da terra. É preservado para sempre da geração que o estigmatizou como semeador de sedição ou que o queimou como herege. A nossa oração diária deveria ser elevar-nos acima de nossa época, como os cumes das montanhas se elevam acima das nuvens e se salientam como altos pináculos que apontam o céu acima das névoas da ignorância e do pecado que nos cercam de todos os lados. Ó Espírito eterno, cumpra em nós a declaração fiel deste versículo! A nossa fé crê nessas três palavras certas e clama: "Tu nos guardarás", "Tu nos guardarás".

8 *Os ímpios circulam por toda parte quando os mais vis dos filhos dos homens são exaltados.*

8. Aqui retornamos à fonte da amargura — a prevalência da maldade —, que fez o salmista correr ao poço da salvação. Quando os que estão em posição de poder forem vis, os subalternos não serão melhores. Como o sol quente acaba com as moscas nocivas, assim o pecador em honra fomenta o pecado em todos os lugares. O nosso território não ficaria cheio de tantas coisas detestáveis, se os que são nomeados a cargos honráveis não se dedicassem a fazer trapaças. Queira Deus que a glória e triunfo de nosso Senhor Jesus nos impulsione a andar e trabalhar em todos os aspectos. Atos causa atos semelhantes. Como o pecador exaltado encoraja outros pecadores, assim o nosso Redentor exaltado tem de provocar, tem de alegrar e tem de estimular os seus santos. Animados pela visão do seu poder predominante, conheceremos os males dos nossos dias no espírito de santa determinação, e então oraremos com mais esperança: "Salva-nos, SENHOR".

NOTAS EXPLICATIVAS E DECLARAÇÕES IMPORTANTES

v. 1: "Socorro, SENHOR!" (ARA). Era hora de clamar aos céus em busca de ajuda, quando Saul bradou: "Virai-vos e matai os sacerdotes do SENHOR" (que é o acontecimento em torno do qual se pensa que esse salmo foi composto), desta forma cometendo o pecado contra o Espírito Santo, como opinam certos teólogos distintos (1 Sm 22.17). Davi, depois de muitos pensamentos tristes sobre essa matança e as circunstâncias em que ocorreu, a informação maldosa de Doegue junto com a escassez de amigos constantes e a multidão de inimigos jurados na corte, irrompe abruptamente nestas palavras: "Socorro, SENHOR!" (ARA), ajude no levantamento de peso. A versão árabe diz: "Livra-me por força maior", como com armas de guerra, porque "o SENHOR é varão de guerra" (Êx 15.3). — *John Trapp*

v. 1: "Os fiéis". "O homem fiel [como um pai, repreensor, conselheiro, aquele em quem "não se achou engano"], quem o achará?" (Pv 20.6). Olhe bem. Veja-se no espelho da palavra. O teu vizinho ou amigo ache você fiel a ele? O que as nossas relações diárias revelam? A tentativa de falar o que é agradável não é muitas vezes feita à custa da verdade? As afirmações de respeito não são às vezes totalmente incompatíveis com os nossos verdadeiros sentimentos? Na vida comum, onde violações graves são contidas, mil afrontas insignificantes são permitidas, que derrubam o muro entre o pecado e o dever, e, julgadas pelo padrão divino, são realmente passos culpáveis dados em terra proibida. — *Charles Bridges, 1850*

v. 1: O homem "fiel" tem de ser fiel, em primeiro lugar, a si mesmo. Depois, tem de ser fiel a Deus. E então, tem de ser fiel aos outros, particularmente à igreja de Deus. Este ponto, no que tange aos ministros, é de peculiar importância. — *Joseph Irons, 1840*

v. 1: É como a mãe cuidadosa que, vendo o filho na rua quando um bando de cavalos incontroláveis vêm correndo em plena carreira, agarra o filho nos braços e o leva para dentro de casa. Ou como a galinha que, vendo a ave de rapina sobrevoando acima da cabeça, cacareja e reúne os pintinhos debaixo das asas. Mesmo assim, quando Deus tem um propósito ao permitir uma violenta calamidade em certa região, lhe é habitual chamar e selecionar para si os que lhe são afetuosamente queridos. Ele tira os seus servos escolhidos do mal por vir. Assim Agostinho foi retirado pouco antes que Hipona (onde ele morava) fosse tomada. Parceus morreu antes que Heidelburg fosse saqueada. Lutero foi tomado antes que a Alemanha fosse infestada com guerra e matança. — *Edward Dunsterville, "Sermon at the Funeral of Sir Sim" [Sermão Fúnebre de Sir Sim], Harcourt, 1642*

v. 1: "Salva-nos, Senhor, porque faltam os homens benignos; porque são poucos os fiéis entre os filhos dos homens".

Para trás, então, queixoso, não deteste mais a tua vida
Nem te julgues em uma costa deserta
Porque as pedras mais próximas encerram o prospecto
Ainda no Israel caído há corações e olhos
Que se elevam dia a dia em oração como a tua
Tu não os conheces, mas o Criador os conhece
Vai, em volta do mundo, sem medo de lançar
O teu pão sobre as águas, com a certeza de que no fim
Com alegria o encontrarás depois de muitos dias.
— *John Keble, 1792-1866*

vv. 1, 2 e 4: Leve em conta os nossos mercados, as nossas feiras, os nossos contratos e negócios particulares, as nossas lojas, as nossas adegas, os nossos pesos, as nossas medidas, as nossas promessas, os nossos protestos, os nossos truques sagazes e maquiavelismo vilão, o aumento dos preços de todos os nossos artigos, e diga-me se o Salmo 12 não pode ser aplicado com tanta propriedade aos nossos dias quanto aos dias do homem de Deus, nos quais o fingimento, a mentira, o enfrentamento, a maldade e a sutileza dos homens provocaram o salmista a clamar: "Salva-nos, Senhor, porque faltam os homens benignos; porque são poucos os fiéis entre os filhos dos homens. Cada um fala com falsidade ao seu próximo; falam com lábios lisonjeiros e coração dobrado. Pois dizem: Com a nossa língua prevaleceremos; os lábios são nossos; quem é o senhor sobre nós?" — *R. Wolcombe, 1612*

v. 2: "Cada um fala com falsidade ao seu próximo; falam com lábios lisonjeiros e coração dobrado". O zelo fingido é como um balseiro que olha de um lado e rema do outro. O homem finge uma coisa e pretende outra. Como Jeú fingiu ter zelo pela glória de Deus, mas o alvo estava no reino do seu senhor. O zelo não era pelo serviço de Deus, mas visava levar a si ao cetro do reino. Demétrio confessou grande amor por Diana, mas a intenção era manter a boa reputação da sua profissão. Assim temos muitos que fazem grandiosas exibições de santidade, mas o coração aponta para outros fins. É certo que eles podem enganar o mundo e destruir a si mesmos, mas não a Deus, que conhece os segredos de todos os corações. — *Griffith Williams, 1636*

v. 2: "Cada um fala com falsidade".

Incrédula é a terra e incrédulos são os céus
A justiça fugiu e a verdade já não é.
— *Eneida de Virgílio, IV. 373*

v. 2: "Com [...] coração dobrado". O homem não passa de insinceridade, falsidade e hipocrisia, tanto com respeito a si mesmo quanto com respeito às pessoas. Ele não quer que lhe digam a verdade, e evita dizê-la aos outros. Todos esses estados de espírito, tão incompatíveis com a justiça e a razão, têm as raízes no coração. — *Blaise Pascal*

v. 2: "Falam com lábios lisonjeiros e coração dobrado". Não há melhor material para fazer uma capa do que a religião. Nada é tão moderno, nada é tão lucrativo. É um uniforme no qual o sábio pode servir a dois senhores — Deus e o mundo —, e prestar um serviço vantajoso para nenhum. Sirvo a ambos e em ambos a mim mesmo, enganando a ambos. Diante dos homens, ninguém serve o seu Deus com a mais forte devoção, pois, entre o melhor dos homens, trabalho para os meus próprios fins e sirvo a mim mesmo. Em particular, sirvo ao mundo, não com tão extrema devoção, porém com mais prazer, onde, satisfazendo as concupiscências dos seus servos, trabalho para os meus propósitos e sirvo a mim mesmo. Quem frequenta a casa de oração mais do que eu? Em todos os deveres cristãos, quem mais avançou do que eu? Jejuo com os que jejuam para que eu possa comer com os que comem. Choro com os que choram. Não há mão mais aberta à causa do que a minha, e nas suas famílias ninguém ora mais e com mais fervor do que eu. Quando a opinião de uma vida santa evoca a bondade da minha consciência, não pode faltar costume no meu comércio, não pode faltar preço nas minhas mercadorias, não pode faltar crédito nas minhas palavras, não pode faltar elogio às minhas ações. Se sou cobiçoso, é interpretado por providência; se sou miserável, é contado por temperança; se sou melancólico, é interpretado por tristeza religiosa; se sou alegre, é creditado à alegria espiritual; se sou rico, é reputado à bênção de uma vida piedosa; se sou pobre, presumem que é fruto de procedimento consciencioso. Se falam bem de mim, é o mérito da conversação santa. Se falam mal, é a maldade dos partidários do rei. Desta forma, velejo com todo tipo de vento, e atinjo os meus propósitos em todas as condições. Essa capa no verão me mantém fresco, no inverno, quente, e esconde a bolsa sórdida de todas as minhas concupiscências secretas. Sob essa capa, ando tranquilamente em público com aplauso, em particular peco seguramente sem ofender e ministro sabiamente sem ser descoberto. Eu rodeio o mar e a terra para fazer um prosélito; e imediatamente após tê-lo feito, ele me faz. No jejum, clamo Genebra, e no banquete, clamo Roma. Se sou pobre, falsifico a riqueza para economizar o meu crédito; se sou rico, dissimulo a pobreza para economizar despesas. Participo com frequência de conferências cismáticas, que as considero mais proveitosas. É de onde aprendo, divulgo e sustento novas doutrinas. Elas me mantêm em jantares três vezes por semana. Uso, às vezes, a ajuda de uma mentira, como novo estratagema para promover o evangelho. Disfarço a opressão com os julgamentos de Deus executados nos ímpios. Apoio a caridade como um dever extraordinário, algo que não se faz ordinariamente. O que reprovo abertamente fora de casa para vantagem própria, ajo secretamente em casa para o meu prazer. Mas espere, vejo uma escrita em meu coração que me desalenta a alma. Está caracterizado nestas palavras registradas: "Ai de vós, escribas e fariseus, hipócritas!" (Mt 23.13). — *Francis Quarles, "Hypocrite's Soliloquy" [Monólogo do Hipócrita]*

v. 2: "Falam com lábios lisonjeiros e coração dobrado". O mundo diz que não existe sociedade onde há perfeita veracidade e total franqueza entre homem e homem. Afirma também que a propriedade inerente do mundo ficaria extremamente perturbada se todo homem dissesse o que lhe agradasse, como aconteceu em certa época da história israelita, quando "cada um fazia o que parecia reto aos seus olhos" (Jz 21.25). O mundo é com certeza o melhor juiz de sua condição e tipo de governo. Portanto, não descreverei que calúnia contém tal observação. Mas é visível a apresentação da imagem do edifício social para que as suas paredes estejam fundamentadas e mantidas juntas apenas por lisonja e falsidade. — *Barton Bouchier v. 2:* "Lábios lisonjeiros". Quando perguntaram ao filósofo Bion que opinasse que animal era o mais prejudicial, ele respondeu: "Aquele que entre as criaturas selvagens é o tirano, e que entre os domesticados é o lisonjeador". O lisonjeador é o inimigo mais perigoso que há. Sir Walter Raleigh, ele próprio bajulador e, portanto, iniciado na arte da lisonja, que descobriu na carreira e destino o seu poder perigoso e enganoso, o seu mais profundo artifício e falsidade, declara: "Dizem que o lisonjeador é um animal que morde sorrindo. Mas é difícil reconhecê-lo entre os amigos, pois é indivíduo muito serviçal e cheio de declarações formais. Como o lobo se assemelha ao cachorro, assim o lisonjeador ao amigo". — *"The Book of Symbols" [O Livro dos Símbolos], 1844*

v. 2: "Falam com [...] coração dobrado". No original hebraico é: "Um coração e um coração", um para a igreja, o outro para a mudança; um para o domingo, o outro para os dias da semana; um para o rei, o outro para o papa. O homem sem um coração é uma maravilha, mas o homem com dois corações é um monstro. A respeito de Judas, dizem: "Havia muitos corações em um homem". Sobre os santos, lemos: "Era um o coração e a alma da multidão dos que criam" (At 4.32). *Dabo illis cor unum*, que significa "uma bênção especial". — *Thomas Adams*

v. 2: Quando os homens deixam de ser fiéis a Deus, aquele que espera achá-los fiéis uns aos outros ficará muito desapontado. A sinceridade primitiva acompanhará a devoção primitiva na sua passagem pela terra. Então, o interesse sucederá a consciência no regulamento da conduta humana, até que o homem não confie no outro, não mais que a força das ligações que os prendem. A propósito, é por isso que muitos são infiéis, embora poucos escolham ter famílias e dependentes. Por julgar e julgar com justiça, os verdadeiros cristãos são as únicas pessoas a serem dependentes para o cumprimento exato dos deveres sociais. — *George Horne*

v. 3: "O Senhor cortará todos os lábios lisonjeiros e a língua que fala soberbamente". Aqueles que têm prazer em enganar as pessoas, por fim serão os mais enganados de todos, quando o Sol da verdade, pelo brilho do seu surgimento, ao mesmo tempo revelar e consumir a hipocrisia. — *George Horne*

v. 3: "Cortará todos os lábios lisonjeiros". Será que essa não é alusão aos castigos terríveis, mas sugestivos, que os monarcas orientais estavam acostumados a executar em criminosos? Os lábios eram cortados e as línguas arrancadas quando os ofensores eram condenados por mentira ou traição. Muito mais terríveis e infinitamente maiores serão os castigos pelo pecado. — *C. H. S.*

vv. 3 e 4: Não deve soar estranho dizer-lhe que o Senhor é o proprietário do nosso corpo, que Ele seja mais dono dele do que nós. O apóstolo nos diz: "Glorificai, pois, a Deus no vosso corpo e no vosso espírito, os quais pertencem a Deus" (1 Co 6.20). O nosso corpo e cada um dos seus membros são dele, pois se o todo o é, nenhuma parte fica isenta. Por isso, falam coisas orgulhosas e presunçosamente usurpam o direito de posse pertencente a Deus, pois dizem: "Os lábios são nossos" (Sl 12.4), como se os lábios não fossem daquele que é Senhor e Dono de todos, mas foram senhores e poderiam tê-los usado como quisessem. Isso levou Deus a mostrar o direito que Ele tinha de dispor de tais lábios e línguas, cortando-os. — *David Clarkson*

v. 4: "Pois dizem: Com a nossa língua prevaleceremos; os lábios são nossos; quem é o senhor sobre nós?" Foi assim: doze homens pobres e iletrados, de um lado, e toda a eloquência da Grécia e Roma posta em ordem, de outro. Do tempo de Tértulo ao do apóstata Juliano, todo tipo de oratória, aprendizagem, inteligência foi esbanjado contra a igreja de Deus. Vemos o resultado na famosa história da disputa entre o camponês cristão e o filósofo pagão, quando este, tendo desafiado os pais reunidos de um sínodo que o silenciassem, ficou envergonhado pela fé simples do primeiro, que disse: "No nome de nosso Senhor Jesus Cristo, eu te ordeno que fiques mudo".

"Quem é o senhor sobre nós?" "Quem é o SENHOR, cuja voz eu ouvirei, para deixar ir Israel?" (Êx 5.2). "Quem é o Todo-poderoso, para que nós o sirvamos?" (Jó 21.15). "Quem é o Deus que vos poderá livrar das minhas mãos?" (Dn 3.15). — *Michael Ayguan, "J. M. Neale's Commentary" [Comentário de J. M. Neale], 1416*

v. 4: "Os lábios são nossos". Se temos de nos contentar com Deus, precisamos deixar de reivindicar direito sobre nós mesmos e passar a olhar para Deus como o nosso dono. Mas veja o que está inscrito no coração dos homens: "Nós somos de nós". Não consentiremos ao requerimento que Deus nos faz, pois "os lábios são nossos". Os ímpios podem dizer a mesma coisa do corpo inteiro: o nosso corpo, a nossa força, o nosso tempo, os nossos membros são nossos, e "quem é o senhor sobre nós?" — *John Howe*

v. 4: Com os erros dos ímpios temos de aprender três lições opostas, a saber:

(1) Que nada que temos é nosso.

(2) Mas que tudo que nos é dado por Deus é para serviço a ser feito para Ele.

(3) Que em tudo que fazemos ou dizemos, temos um Senhor sobre nós, a quem devemos prestar contas quando Ele nos chamar. — *David Dickson*

v. 5: "Por causa da opressão dos pobres e do gemido dos necessitados, me levantarei agora, diz o SENHOR; porei em salvo aquele para quem eles assopram". Quando os opressores e perseguidores sopram e bufam contra o povo de Deus, quando os desafiam e os desprezam, pensando que com um sopro podem assoá-los, então Deus surgirá em julgamento, como os caldeus fizeram. No exato momento em que tudo parece perdido e o pobre, oprimido e aflito povo de Deus nada pode fazer, senão gemer e chorar, e chorar e gemer, então o Senhor se levantará e os porá a salvo das opressões. Ele faz do dia de necessidade extrema uma oportunidade gloriosa para o benefício da sua glória e o bem do povo: "E, os outros, apoderando-se dos servos, os ultrajaram e mataram. E o rei, tendo notícias disso, encolerizou-se, e, enviando os seus exércitos, destruiu aqueles homicidas, e incendiou a sua cidade" (Mt 22.6,7). — *Thomas Brooks*

v. 5: Temam todos os que prejudicarem os pobres. Vocês têm o poder, a riqueza e o favor dos juízes, mas eles têm as armas mais fortes de todas, gemidos e choros, que buscam ajuda dos céus para eles. Essas armas escavam casas, acabam com fundações, subvertem nações. — *Crisóstomo*

v. 5: "Por causa da opressão dos pobres e do gemido dos necessitados, me levantarei agora, diz o SENHOR". Deus se agrada de tomar conhecimento de toda graça, até mesmo a menor e mínima, de toda inclinação da graça em qualquer um dos seus servos. Temer o seu nome não é grande coisa, contudo estes têm uma promessa. Pensar no seu nome menos, contudo está anotado em um "memorial" (Ml 3.16). Deus anota quantos bons pensamentos uma pobre alma teve. Como os maus pensamentos dos homens maus são conhecidos — são os primeiros frutos do coração mau (Mt 15.19) —, assim os bons pensamentos são conhecidos, os quais ficam no lugar mais alto e melhor revelam um coração bom. O desejo é algo de somenos importância, especialmente dos pobres. Mas Deus leva em conta o desejo dos pobres e diz que o bom desejo é a maior beneficência: "O desejo do homem é a sua beneficência" (Pv 19.22). Uma lágrima não faz barulho, contudo tem uma voz: "O SENHOR já ouviu a voz do meu lamento" (Sl 6.8). Não é água potável, mas Deus a engarrafa. Um gemido é algo pequeno, no entanto é, às vezes, a melhor parte da oração (Rm 8.26). O gemido dos pobres é menor que o gemido do Espírito Santo, contudo Deus se desperta e se levanta por causa disso (Sl 12.5). Um olhar é menor que esses dois tipos de gemido, contudo é levando em conta (Jn 2.4). Uma respiração é bem menor ainda, mas a igreja não pode falar sem respirar (Lm 3.56). Um suspiro é menor que uma respiração, quando a pessoa está extenuada por falta de fôlego, mas às vezes é tudo de que o justo pode se gabar (Sl 42.1). Muitas vezes, a descrição de um justo é feita pelo seu menor *quod sic.* Bem-aventurados os pobres, os que choram, os mansos, e os que têm fome e sede. A melhor oração que Ana fez foi quando ela não podia proferir uma palavra sequer, senão chorar: "Duro, duro coração". A melhor oração do publicano foi quando, batendo no peito, clamou: "Ó Deus, tem misericórdia de mim, pecador!" (Lc 18.13). A melhor oração de Maria Madalena foi quando ela chegou por trás de Jesus, sentou-se, chorou e ficou em silêncio. Como é suave e agradável ouvir a melodia que as águas entoam! Como são férteis os mais baixos vales! Os corações que estão de luto são extremamente musicais, quanto mais débeis, mais frutíferos. O bom pastor sempre tem o maior cuidado dos mais fracos: os cordeirinhos e as ovelhas fracas. O pai faz mais pelos pequeninos, e a mãe atende mais vezes a criança doente. Como é consolador termos essa informação a respeito de nosso Salvador: "Assim também não é vontade de vosso Pai, que está nos céus, que um desses pequeninos se perca" (Mt 18.14), pois não entraremos no céu, exceto se nos tornarmos como é uma criança (Mt 18.15). — *John Sheffield, 1654*

v. 5: A "opressão dos pobres". A opressão insolente e cruel cometida contra os pobres é um pecado que traz julgamentos assoladores e destruidores a um povo. Deus enviou dez julgamentos devastadores, um depois do outro, sobre faraó, seu povo e sua terra para vingar a opressão cruel cometida contra o pobre povo do Senhor. "Não roubes ao pobre, porque é pobre, nem atropeles, na porta, o aflito. Porque o Senhor defenderá a sua causa em juízo, e aos que os roubam lhes tirará a vida" (Pv 22.22,23). Roubar e oprimir os ricos é um grande pecado, mas roubar e oprimir os pobres é um pecado maior. Roubar e oprimir os pobres porque são pobres e querer dinheiro para comprar justiça é o cúmulo de toda desumanidade e impiedade. Oprimir seja quem for é pecado. Mas oprimir os oprimidos é o ápice dos pecados. A pobreza, a necessidade e a miséria deveriam ser motivos de compadecimento. Mas os opressores fazem delas as pedras de amolar a crueldade e severidade. O Senhor defenderá a causa dos oprimidos e pobres contra quem lhes oprima sem medo ou razão. Ele advogará a causa com peste, sangue e fogo. Gogue foi um grande opressor dos pobres (Ez 38.8-14), e Deus o castigou com peste, sangue e fogo: "E contenderei com ele por meio da peste e do sangue; e uma chuva inundante, e grandes pedras de saraiva, fogo e enxofre farei cair sobre ele, e sobre as suas tropas, e sobre os muitos povos que estiverem com ele" (Ez 38.22). — *Thomas Brooks*

v. 6: "As palavras do Senhor são palavras puras como prata refinada em forno de barro e purificada sete vezes". Como é bela e adequada a apresentação desse versículo, que faz um contraste ao que fora anteriormente dito e considerado. Os pecadores falam com falsidade? Que os santos falem de Jesus e do evangelho. Falam palavras impuras? Que os fiéis se utilizem das puras palavras de Deus que, como a prata, quanto mais usadas, mais derretidas no fogo, mais preciosas são. É verdade que os desprezadores estimam em pouca conta Deus e a sua palavra. Mas que tesouro desconhecido contém a palavra, as promessas, a relação de aliança das coisas divinas ligadas a Jesus! São mais desejáveis que o ouro, sim, que o puro ouro. São também mais doces que o mel e o favo de mel. — *Robert Hawker*

v. 6: "As palavras do Senhor são palavras puras como prata refinada em forno de barro e purificada sete vezes". Os purificadores de prata costumam colocá-la repetidas vezes no fogo para que seja completamente refinada. Assim é com a verdade de Deus. É extremamente difícil haver verdade que já não tenha sido inúmeras vezes purificada. Caso ainda lhe reste alguma impureza, Deus a coloca no refino de novo. Se em outras épocas houve supostas Escrituras que não foram pertinentes refiná-las, agora essa verdade tem de ir novamente ao fogo para que a impureza seja queimada. O Espírito Santo é tão cuidadoso, tão delicado, tão exato, que não suporta que a falsidade esteja misturada com as verdades do evangelho. Essa é a razão por que Deus, século após século, coloca as primeiras coisas no refino. De um modo ou de outro, ainda há impurezas misturadas. Ou na declaração das próprias opiniões, ou nas Escrituras que são referidas e citadas como fundamentação, as quais foram aceitas como válidas, pois Ele nunca as deixará até que as purifique. A doutrina da livre graça de Deus já foi refinada inúmeras vezes. Começou com Pelágio, que a misturou com impurezas. Segundo ele, a graça é nada mais que a natureza no homem. Essa doutrina foi purificada, tendo sido purgada muita impureza. Depois vieram os semipelagianos, que misturaram ainda mais. Conforme opinam, a natureza não pode fazer nada sem a graça, mas fazem a natureza concordar com a graça e ter influência tanto quanto a graça. Tal impureza foi queimada. Os papistas entraram na disputa, mas nem como pelagianos nem como semipelagianos. Mesmo assim, trouxeram impurezas. Chegaram os arminianos e refinaram o papismo nesse ponto. Contudo, introduziram impurezas. Deus refinará essa verdade sete vezes no fogo, até apresentá-la tão pura quanto a pureza possa ser. E afirmo que é porque essa verdade é muito preciosa. — *Thomas Goodwin*

v. 6: A Bíblia é o sol. A igreja é o relógio. Sabemos que o sol é regularmente constante nos seus movimentos. O relógio, conforme seu posicionamento, pode adiantar ou atrasar. Portanto, devemos reputar como louco quem professe confiar no relógio e não no sol. Assim, não podemos deixar de avaliar adequadamente a credulidade dos que confiam antes na igreja do que na Bíblia. — *Bispo Hall*

v. 6: "As palavras do SENHOR são palavras puras". Os homens podem inspecionar porções destacadas da Bíblia e gostar de algumas coisas que, à primeira vista, parecem que são coniventes com o que está errado. Mas leiamos a Bíblia e a leiamos por inteiro. Levem na mente o caráter das pessoas para as quais foram enviadas as diferentes porções. A idade do mundo e as circunstâncias sob as quais foram escritas as diversas partes, além dos objetivos particulares que até mesmo essas porções têm em vista, os quais, para a mente infiel, se parecem os mais censuráveis. Essas pessoas podem ser racionalmente convencidas de que, em vez de as palavras puras terem sido originadas no seio de um impostor, devem a origem a homens que escreveram "inspirados pelo Espírito Santo" (2 Pe 1.21). Examinem com tanta severidade quanto queiram. Mas que o escrutínio seja bem informado, sabiamente dirigido e com mente imparcial e franca, e não temeremos o assunto. Há certas porções em que a ignorância e a insensatez impuseram significados que são forçados e antinaturais, e que mentes impuras veem nas sombras refletidas da sua própria impureza. Montesquieu disse sobre Voltaire: *Lorsque Voltaire lit un livre, il le fait, puis il écrit contre ce qu'il a fait*, que significa: "Quando Voltaire lê um livro, ele faz o que lhe agrada, e depois escreve contra aquele que o fez". Não é difícil lambuzar e manchar as páginas, e depois imputar as manchas imundas, feitas por homens de mente corrupta, ao Autor imaculado. Mas se olharmos honestamente para as coisas como realmente são, descobriremos que, como o seu Autor, são sem mancha e sem defeito. — *Gardiner Spring, Doutor em Teologia*

v. 6: "As palavras do SENHOR são palavras puras como prata refinada em forno de barro e purificada sete vezes". A expressão significa duas coisas: primeiro, a certeza infalível da palavra; segundo, a pureza exata.

Em primeiro lugar, a certeza infalível da palavra, como o ouro resiste no fogo quando a impureza é consumida. As vãs extravagâncias não nos consolam em tempos de dificuldade. Mas a palavra de Deus, quanto mais é refinada, mais excelência revela — a promessa é refinada, como também nós o somos nas extremas aflições. Mas sendo assim, ela mostrará que é muito pura: "Toda palavra de Deus é pura; escudo é para os que confiam nele" (Pv 30.5). O ouro puro não sofre perda pelo fogo. Do mesmo modo, as promessas não sofrem perda quando são refinadas, mas firmam-nos em nossas maiores dificuldades.

Em segundo lugar, note a perfeição exata da palavra. Não há impureza na prata e no ouro que foram refinados muitas vezes, assim não há defeito na palavra de Deus. — *Thomas Manton*

v. 6: John Fry traduz esse versículo desta forma:

As palavras do Senhor são puras palavras
Prata refinada no crisol
Ouro, sete vezes lavado da terra

A palavra hebraica מְזֻקָּק é às vezes aplicada para expressar a pureza da prata, porém é mais exatamente um epíteto do ouro, do método peculiar usado habitualmente para separá-lo da terra por meio de repetidas lavagens e decantações. — *John Fry, in loc.*

v. 6: "Sete vezes". Não posso deixar de admitir que pode haver um significado místico na expressão "sete vezes", em alusão aos sete períodos da igreja, ou à perfeição implícita no número sete, a qual será levada à revelação de Jesus Cristo. Isso será mais prontamente reconhecido pelos que aceitam a interpretação profética das sete epístolas do livro do Apocalipse. — *W. Wilson, Doutor em Teologia, in loc.*

v. 8: "Quando os mais vis dos filhos dos homens são exaltados". Em hebraico, "vilanias", οὐτίδανοι, o abstrato para o concreto, *quisquiliae,* οὐτίδανοι. Não raro, os navios vazios navegam no alto, pilares podres são chapeados com ouro adulterado, as piores ervas daninhas brotam vistosamente. A palha chega ao topo da eira, quando o trigo bom, à medida que fica no fundo do montão, assim cai para baixo dos pés do abanador. Essa é a razão por que "os ímpios circulam por toda parte", são tão alegres, tão atarefados (e quem senão eles?), pois os vadios e amotinadores foram exaltados (ver Provérbios 28.12,18; 29.2). Reumas e catarros descem da cabeça para os pulmões, causando tuberculose no corpo todo. O mesmo se dá no corpo político. O peixe putrefaz primeiro na cabeça e depois no restante do corpo, assim ocorre aqui. Certos estudiosos traduzem o texto assim: "Quando eles [quer dizer, os ímpios] são exaltados", é uma "vergonha para os filhos dos homens" que outros homens que melhor mereçam subida de cargo sejam não só desdenhados, mas vilmente manipulados por tais ambiciosos desprezíveis que, por mais alto que subam, como macacos, mais revelam que são ineficientes. — *John Trapp*

v. 8: John Mason Good traduz esse versículo assim:

Avançando os ímpios por todos os lados
Estariam os sedimentos da terra nos lugares mais altos?

O original hebraico é dado literalmente זֻלּוּת, que significa "fezes", "imundícies", "sedimentos". Em vez de "exaltados", a palavra hebraica כֻּרֻם aqui é um advérbio, que significa "no lugar mais alto". — *John Mason Good, in loc.*

SUGESTÕES AOS PREGADORES

v. 1. "Salva-nos, Senhor." (1) A oração em si, curta, sugestiva, oportuna, acertadamente dirigida, veemente. (2) Ocasiões para uso. (2) Modos para resposta. (4) Razões para esperar uma resposta graciosa.

v. 1. "Salva-nos, SENHOR, porque faltam os homens benignos." Texto para funeral de crentes eminentes.

v. 1. (1) O lamento do fato: descreva os benignos e fiéis, e mostre como eles fracassam. (2) O impulso do sentimento: choro pela perda, medo pela igreja, necessidades pessoais de tais companheiros, súplica a Deus. (3) O despertamento dos pressentimentos: Fracasso da causa, julgamento iminente. (4) A permanência da fé: "Socorro, SENHOR!" (ARA).

v. 1. Conexão íntima entre honrar a Deus e ser honesto ao homem, visto que honra e honestidade diminuem conjuntamente.

v. 2. "Cada um fala com falsidade ao seu próximo." Discurso sobre a prevalência e a periculosidade das conversas vazias.

"Cada um fala com falsidade ao seu próximo; falam com lábios lisonjeiros e coração dobrado." Relação entre adulação e traição.

"Coração dobrado." Tipos certos e errados de coração, e a doença da duplicidade.

v. 3. O ódio que Deus tem desses dois pecados dos lábios: a lisonja e a soberba (que é autolisonja). Por que Ele os odeia. Como Ele mostra o ódio. Em quem Ele os odeia mais. Como ficar limpos deles.

vv. 3 e 4. (1) A revolta da língua. A sua pretensão de poder, autonomia e liberdade. Contraste com a confissão dos crentes: "Não somos de nós mesmos". (2) O método da rebelião: "Os lábios lisonjeiros e a língua que fala soberbamente". (3) O fim da traição: "Cortará".

v. 5. O levante do Senhor: Como. Por quê. O que fazer. Quando.

"Porei em salvo aquele para quem eles assopram." O perigo peculiar aos crentes da parte dos que os menosprezam e a sua segurança especial. Bom tópico prático.

v. 6. A pureza, refinação e permanência das palavras do Senhor.

Sete crisóis nos quais os crentes refinam a palavra. Pensar um pouco sugerirá quais são.

v. 7. O livramento que Deus nos dá dessa geração durante a nossa vida e para sempre. Tema muito sugestivo.

v. 8. *O pecado nas altas posições é especialmente contagiante.* Chamada aos ricos e proeminentes para que se lembrem das suas responsabilidades. Gratidão por governantes que merecem respeito. Discriminação na escolha de nossos representantes ou magistrados civis.

SALMO 13

TÍTULO

Não há como relacionar o salmo a algum acontecimento ou período especial da história de Davi. Todas as tentativas de encontrar um lugar de origem são apenas suposições. Tratava-se, indubitavelmente, mais de uma vez do palavreado do homem de Deus tantas vezes provado, cujo propósito é expressar os sentimentos do povo de Deus nessas provações recorrentes que os acossavam. Se o leitor ainda não teve a oportunidade de usar as palavras dessa breve ode, agora as usará se for um homem segundo o coração do Senhor. Estamos habituados a dizer que esse salmo é o "Salmo do Até Quando". Quase dá de intitulá-lo de *O Salmo Uivante*, em virtude da repetição incessante do clamor "até quando?".

DIVISÃO

Este salmo se divide naturalmente em três partes: A pergunta da ansiedade (vv. 1,2); o clamor da oração (vv. 3,4); a canção da fé (vv. 5,6).

EXPOSIÇÃO

1 *Até quando te esquecerás de mim, Senhor? Para sempre? Até quando esconderás de mim o teu rosto?*
2 *Até quando consultarei com a minha alma, tendo tristeza no meu coração cada dia? Até quando se exaltará sobre mim o meu inimigo?*

1. *"Até quando [...]?"* Essa pergunta é repetida não menos que quatro vezes. Indica o desejo extremamente intenso de libertação e mostra a grande angústia de coração. E se nessa configuração houver certa impaciência? Não é esse o retrato fiel de nossa própria experiência? Não é fácil impedir que o desejo se degenere em impaciência. É em virtude da graça que, enquanto esperamos em Deus, somos impedidos de nos capitular ao espírito de murmuração. "Até quando?" O clamor repetido muitas vezes não se torna um brado

muito uivante? E se a angústia não encontrar outro meio de expressar-se? Mesmo assim, Deus não está longe da voz de nosso bramido, pois Ele não considera o som de nossas orações, mas a obra que o seu Espírito faz nas orações para provocar o desejo e inflamar os sentimentos.

"Até quando?" Ah! Até quando os dias parecerão longos quando a alma estiver deprimida dentro de nós.

Como os momentos parecem deslizar desgastadamente
Para a tristeza! Como o tempo gosta de
Demorar-se em permanecer em voo!

O tempo voa com asas habilidosas durante os dias de verão, mas nos dias de inverno ele tremula dolorosamente. Uma semana confinado entre as paredes de uma prisão é mais longa que um mês em liberdade. Tristeza longa manifesta corrupção abundante, pois o ouro tem de ficar muito tempo no fogo para que as impurezas sejam consumidas. Por conseguinte, a pergunta: "Até quando?", indica investigação profunda do coração. "Até quando te esquecerás de mim, Senhor?" Ah, Davi! Como são tolas as suas palavras! Pode Deus se esquecer? A onisciência pode ter lapsos de memória? Acima de tudo, o coração do Senhor pode esquecer-se dos seus próprios filhos amados? Ah, irmãos, afugentemos esse pensamento e ouçamos a voz do Deus da aliança proferida pela boca do profeta: "Pode uma mulher esquecer-se tanto do filho que cria, que se não compadeça dele, do filho do seu ventre? Mas, ainda que esta se esquecesse, eu, todavia, me não esquecerei de ti. Eis que, na palma das minhas mãos, te tenho gravado; os teus muros estão continuamente perante mim" (Is 49.15,16).

"Para sempre?" Que pensamento tenebroso. Já era ruim suspeitar um esquecimento temporário, mas faremos a ingrata pergunta e imaginaremos que o Senhor rejeitará o seu povo para sempre? Não, a sua ira pode durar uma noite, mas o seu amor permanecerá eternamente.

"Até quando esconderás de mim o teu rosto?" Esta é uma pergunta extremamente racional, pois Deus pode esconder o rosto e ao mesmo tempo se lembrar. O rosto escondido não é sinal de coração esquecido. É em amor que o rosto é virado. Mas, para o verdadeiro filho de Deus, a ocultação do rosto do Pai é terrível. Ele só ficará tranquilo quando o rosto do Pai lhe voltar a sorrir.

2. *"Até quando consultarei com a minha alma, tendo tristeza no meu coração cada dia?"* No original hebraico, há a ideia de "armazenar" conselhos no coração, como se os recursos fossem inumeráveis, mas infrutuosos. Nesse ponto, temos sido como Davi, porque consideramos e reconsideramos dia após dia, mas não descobrimos o recurso feliz por meio do qual escapemos de nossos problemas. Tal armazenamento é uma ferida triste. Ficar pensando sobre as dificuldades é procedimento amargo. As crianças enchem a boca de amargura quando, com rebeldia, mastigam o comprimido que deveria ter sido, com obediência, engolido imediatamente.

"Até quando se exaltará sobre mim o meu inimigo?" É como absinto no fel ver o inimigo ímpio exultar-se, enquanto a nossa alma fica oprimida dentro de nós. A risada de um inimigo irrita terrivelmente os ouvidos do aflito. O Diabo rir de nossa miséria é a última gota para extravasar a nossa reclamação, e acaba totalmente com a nossa paciência. Portanto, façamos disso um importante argumento em nossa súplica por misericórdia.

O leitor cuidadoso observará que a pergunta "até quando?" foi feita de quatro formas. Ao que parece, a aflição do escritor é vista, por assim dizer, como afetando a ele por dentro e aos inimigos por fora. Todos somos propensos a tocar na pior corda. Erigimos pedras monumentais em cima das sepulturas de nossas alegrias, mas quem pensaria em erigir monumentos de louvor em cima de misericórdias recebidas? Escrevemos quatro livros de Lamentações e apenas um de Cantares, e nos sentimos muito mais à vontade lamentando um *Miserere* (oração por misericórdia) do que cantando um *Te Deum* (hino de ação de graças).

3 *Atenta em mim, ouve-me, ó Senhor, meu Deus; alumia os meus olhos para que eu não adormeça na morte;*

4 *para que o meu inimigo não diga: Prevaleci contra ele; e os meus adversários se não alegrem, vindo eu a vacilar.*

3. Agora a oração eleva a voz, como o guarda que proclama a alvorada. É a hora da virada, em que os que choram enxugarão os olhos. O propiciatório é a vida da esperança e a morte da desesperança. O pensamento sombrio de Deus tê-lo abandonado ainda está na alma do salmista, que clama: *"Atenta em mim, ouve-me"*. Lembra-se imediatamente da origem da angústia e clama em voz alta para que lhe seja arrancada. A ausência final de Deus é o fogo do Tofete, e a ausência temporária leva o seu povo aos arredores do próprio inferno. A súplica é para Deus atentar e ouvir, de modo que ele seja duplamente comovido a compadecer. O que devemos fazer se não tivermos nenhum Deus a quem nos voltar no tempo da desgraça?

Note o clamor da fé: *"Ó Senhor, meu Deus"*. É um fato muito glorioso que o nosso interesse em Deus não seja destruído por todas as nossas provações e tristezas. Podemos perder as coisas deste mundo, mas não o nosso Deus. O título de propriedade do céu não está escrito na areia, mas em bronze eterno.

"Alumia os meus olhos", quer dizer, que os olhos da minha fé se iluminem para que eu veja o meu Deus no escuro. Que os meus olhos vigilantes fiquem bem abertos para que eu não seja ludibriado. Que os olhos do meu entendimento sejam iluminados para verem o que é certo. Talvez aqui também haja alusão ao aplauso dos espíritos tão frequentemente chamados de a iluminação dos olhos, porque faz o rosto iluminar e os olhos brilharem. Habituemo-nos a orar: "Clareia as minhas trevas, nós te pedimos, ó Senhor!", pois em muitos aspectos precisamos dos raios iluminadores do Espírito Santo.

"Para que eu não adormeça na morte." O escuro gera sono, e o desânimo não tarda em tornar os olhos pesados. Dessa fraqueza e obscuridade de visão, causada pelo desespero, há apenas um passo para o sono férreo da morte. Davi temia que as provações lhe acabassem com a vida, e ele corretamente usa o medo como argumento com Deus em oração. Nisso, a angústia profunda tem certo tipo de reivindicação à compaixão. Não se trata de um direito, mas de um argumento que tem poder com a graça. Sob a pressão da tristeza de coração, o salmista não aguarda o sono da morte com esperança e alegria, como fazem os crentes convictos e seguros. Ele recua da morte com medo, da qual inferimos que a escravidão do medo da morte não é coisa nova.

4. Este versículo apresenta outra súplica. É algo que o crente experimentado controla bem quando está de joelhos. Fazemos uso de nosso arquiinimigo pelo menos uma vez, e, como Sansão, o forçamos a moer no moinho enquanto usamos a sua arrogância cruel como argumento na oração. Não é a vontade do Senhor que o grande inimigo de nossas almas prevaleça contra os filhos de Deus. Isso desonra a Deus e faz os ímpios se gabarem. Para nós é bom que a nossa salvação e a honra de Deus estejam tão estreitamente ligadas, porque assim elas permanecem juntas ou caem juntas.

O Deus da aliança deixará todos os nossos inimigos totalmente confusos. Se, por certo tempo, nos tornarmos alvo da zombaria e escárnio deles, chegará o dia em que a vergonha mudará de lado e o desprezo será derramado naqueles a quem é devido.

5 *Mas eu confio na tua benignidade; na tua salvação, meu coração se alegrará.*

6 *Cantarei ao Senhor, porquanto me tem feito muito bem.*

5. Que mudança! Note que a chuva parou e o tempo de os pássaros cantarem chegou. O propiciatório revigorou de tal maneira o pobre chorão que ele limpa a garganta para cantar. Se choramos com ele, agora dancemos com ele. O coração de Davi estava mais frequentemente desafinado do que a harpa que ele toca. Muitos dos salmos ele começa gemendo e os termina cantando. Outros ele começa com alegria e termina com tristeza, "de forma que o leitor pensaria", diz Peter Moulin, "que esses salmos foram compostos por dois homens de temperamentos opostos". É digno de nota que a alegria é bem maior por causa da tristeza prévia, assim como a calma é muito mais deliciosa mentalmente do que a tempestade que a precede.

Tristezas lembradas adocicam a alegria presente.

Esta é a declaração de confiança: *"Mas eu confio na tua benignidade"*. Por muitos anos fora o seu costume fazer do Senhor o seu castelo e torre de defesa, e ele sorri por detrás do mesmo bastião. Ele está firme na fé e a fé lhe dá firmeza. Tivesse ele duvidado da realidade da confiança em Deus, teria fechado uma das janelas pelas quais o sol se delicia em brilhar. A fé está em operação e, por conseguinte, se revela prontamente. Nunca haverá dúvida no coração sobre a existência da fé, enquanto ela estiver em ação. Quando a lebre ou a perdiz está parada, não a vemos. Mas tão logo esteja em movimento, a percebemos imediatamente. Todos os poderes dos inimigos não retiraram o salmista do lugar seguro em que se encontrava. Como o marinheiro náufrago se agarra no mastro, assim Davi se agarra na fé. Jamais poderia nem abandonaria a confiança no Senhor, seu Deus. Que ganhemos pelo seu exemplo, e nos mantenhamos por nossa fé como por nossa vida!

Preste atenção à música que a fé toca na alma. Os sinos da mente estão tocando: *"Na tua salvação, meu coração se alegrará"*. Há alegria e festa dentro de casa, pois um convidado importante chegou e o bezerro cevado foi morto. A doçura é a música que soa das cordas do coração.

6. Mas não é tudo. A voz se une ao santo trabalho, e a língua entoa a mesma melodia que a alma, enquanto o escritor declara: "Cantarei ao SENHOR".

Eu te louvarei todos os dias
Agora que a tua ira se afastou
Pensamentos reconfortantes surgem
Do sacrifício de sangue

O salmo se encerra com uma declaração que é uma refutação da acusação de esquecimento, que Davi proferira no versículo 1: "Porquanto me tem feito muito bem". Assim devemos fazer, caso estejamos esperando por algum tempo. A reclamação que em nossa precipitação proferimos será alegremente retratada, e testemunharemos que o Senhor nos tem feito muito bem.

NOTAS EXPLICATIVAS E DECLARAÇÕES IMPORTANTES

v. 1: "Até quando te esquecerás de mim, SENHOR? Para sempre? Até quando esconderás de mim o teu rosto?" Deus se afasta dos verdadeiros crentes, mas esses afastamentos nunca são finais. São tediosos, mas temporários. A Bíblia diz que o espírito maligno afastou-se de Cristo por certo tempo (Lc 4.13; ele desistiu daquela tentação específica, mas não abandonou o desígnio quanto a não tentar mais), assim o Espírito bom se retira dos que são de Cristo apenas por curto período, sempre com o propósito de voltar. Quando ele muito evidentemente abandona, é inquestionável que cedo ou tarde voltará. A felicidade do retorno recompensará efusivamente a tristeza da deserção: "Por um pequeno momento, te deixei, mas com grande misericórdia te recolherei" (Is 54.7). Não é apenas um recolhimento depois de um abandono, mas "com grande misericórdia" para indenizar "um pequeno momento". Aquele que se comprometeu em ser o nosso Deus para sempre, não pode se afastar para sempre. — *Timothy Cruso, 1696*

v. 1: "Até quando te esquecerás de mim, Senhor?" Seja qual for a necessidade urgente dos seguidores de Cristo atribulados e o apego constante ao dever; e seja qual for o propósito de amor que Cristo tenha para eles, Ele considera pertinente que não o recebam no começo. Ele deixa a provação prosseguir até que chegue a certo ponto e seja realmente uma tribulação, colocando-os seriamente em tal situação. Ele deixou os discípulos remarem "uns vinte e cinco ou trinta estádios" (Jo 6.19; trinta estádios são quase seis quilômetros e meio), e chegou somente na quarta vigília da noite que é o quarto da alvorada (Mc 6.48). Temos realmente muito dó de nós mesmos quando estamos em dificuldade. Logo começamos a pensar que estamos perdidos, cansados de sofrer e então seremos libertos. Mas o nosso Senhor sábio vê que precisamos de mais. — *George Hutcheson, 1657*

v. 1: "Até quando te esquecerás de mim, Senhor?" Investigue a causa da ira de Deus. Ele nunca se ira, senão quando há uma razão muito grande, quando o forçamos a isso. O que é essa coisa amaldiçoada em nosso coração, ou em nossa vida, da qual Deus esconde o rosto e mostra desagrado? Que desobediência particular aos seus mandamentos é essa para a qual Ele pegou a vara? "Direi a Deus: não me condenes; faze-me saber por que contendes comigo" (Jó 10.2), como se ele tivesse dito: Senhor, as minhas dificuldades e tristezas são muito bem conhecidas. [...] Não devemos deixar de ser solícitos em saber quais são os pecados específicos que o fizeram nos arrancar pelas raízes e nos lançar ao léu como em um vendaval. O que lhe provocou tão longa ira de nós, fazendo-o demorar tanto em nos ajudar, de modo que se o mal ficar escondido em nossa alma, podemos lamentá-lo com o devido pesar e receber o perdão. Não é o curso comum da providência divina cobrir os seus servos com tão densa escuridão, na qual a nossa alma atribulada labuta durante o dia ou, antes, durante a noite do seu desprazer. Podemos com humildade desejar saber por que Ele procede conosco de certo modo que é tão singular, visto que o entendimento gosta de saber a razão e causa das coisas. — *Timothy Rogers*

v. 1: "Até quando te esquecerás de mim, Senhor? Para sempre? Até quando esconderás de mim o teu rosto?" É muito Deus esquecer-se de Davi, não lhe dar atenção nem cuidar dele! Se Ele tirar os olhos de nós uma única vez, o adversário espiritual está pronto para apoderar-se de nós, como a ave de rapina agarra o pintinho se a galinha não for sempre cuidadosa. [...] O pai às vezes irrita o filho para testar a disposição de espírito da criança, para ver como o filho lida com a provocação, se irá resmungar, reclamar, ficar genioso e rebelde; se fará pouco caso dos deveres ao pai, porque este parece fazer pouco caso dele; se proporá fugir para esconder-se da obediência ao pai, porque este mostra estar tratando-o de forma severa e áspera para o provocar. Semelhantemente, Deus irrita os seus filhos e parece fazer pouco caso deles para testar-lhes a disposição de espírito, ver de que material são feitos e verificar o modo em que serão afetados para com Ele. Se farão pouco caso de Deus, porque Deus parece fazer pouco caso deles, se deixarão de servi-lo, porque Ele parece esquecê-los, se desistirão de depender dele, porque Ele parece não cuidar deles, prover-lhes a subsistência ou protegê-los. Como disse o seguidor profano de Jorão: "Eis que este mal vem do Senhor; que mais, pois, esperaria do Senhor?" (2 Rs 6.33). Ou se eles ainda se manterão constantemente firmes nele, apesar de parecer não os considerar, nem cuidar deles. Digam como Isaías: "E esperarei o Senhor, que esconde o rosto da casa de Jacó, e a ele aguardarei", pois "o Senhor esperará para ter misericórdia de vós; e, por isso, será exalçado para se compadecer de vós, porque o Senhor é um Deus de equidade. Bem-aventurados todos os que nele esperam" (Is 8.17; 30.18). Como Samuel lidou com Saul, ele se manteve afastado até o último momento para ver o que Saul faria quando Samuel parecesse não manter contato com ele. Assim faz Deus com os seus santos e com os que têm uma relação com Ele. Ele se afasta e se mantém indiferente para testar o que farão, e que cursos tomarão quando Deus parece se distanciar deles para deixá-los na pior, como diríamos. Entre muitas dificuldades muitos ficam desconcertados, como ficou Davi nesse momento. — *Thomas Gataker, 1637*

v. 1:

(1) Sobre deserções. Penso nelas como deixar a terra de pousio e o solo improdutivo descansarem por alguns anos, enquanto junta seiva para uma colheita melhor. É possível juntar ouro, onde se possa dizer, com luar. Se eu pudesse insinuar-me pelo menos um pé ou meio pé mais perto de Jesus, em tal noite escura como essa quando Ele está longe, eu consideraria uma ausência feliz.

(2) Se eu soubesse que o Amado se afastou apenas para me provar e em seguida me humilhar, e não me forçasse a expor com novas provocações, eu perdoaria as deserções e comemoraria a minha paz na sua ausência. Mas a ausência comprada de Cristo (que eu comprei com o meu pecado) é a ocorrência simultânea de duas ebulições, uma de cada lado. De que lado, então, eu me apoio?

(3) Sei que, como a noite e a sombra são boas para as flores, e o luar e o orvalho são melhores que um sol ininterrupto, assim a ausência de Cristo é de serventia especial, tem certa virtude nutritiva, revigora a humildade, aguça a fome, fornece um campo belo para a fé apresentar-se e exercita os dedos para agarrá-la não vendo o quê. — *Samuel Rutherford, 1600-1661*

v. 1: Por que tu escondes "de mim o teu rosto?" Alegremente tu dirás: Ninguém pode ver o teu rosto e continuar vivendo. Ah, Senhor, permita-me morrer para que eu possa te ver. Permita-me te ver para que eu possa morrer. Eu não viveria, mas morreria; para que eu possa ver Cristo, desejo morrer; para que eu possa viver com Cristo, eu menosprezo a vida. — *Agostinho*

v. 1: "Até quando esconderás de mim o teu rosto?" Esse maravilhoso escondimento se tornou a minha perfeição! Meu Deus, tu escondes o teu tesouro para despertar o meu desejo! Tu escondes a tua pérola para fazer com que a procurem. Tu demoras em dar para que me ensines a importunar. Parece que não me ouves para me fazer perseverar. — *João Anselmo, 1034-1109*

vv. 1 e 2: O que o provérbio francês diz sobre doenças é pertinente a todos os males que chegam a cavalo e vão embora a pé. É frequente vermos que uma queda súbita, ou o excesso em comer e beber levou muitos à sepultura. Os prazeres nos chegam como bois, lenta e expressivamente, e vão embora como cavalos de correios, em disparada. A tristeza, por ser uma convidada demorada, considerarei com moderação, sabendo que de quanto mais ela se compõe, mais tempo permanecerá. Quanto ao prazer, porque não se demora e me bate à porta convidando-me para beber, eu o utilizarei como transitório, fazendo muito poucas considerações. O melhor amigo é aquele que tem a menor parcela com ambos. — *Joseph Hall*

vv. 1 e 2: "Até quando?" "Até quando?" "Até quando?" "Até quando?" A intensidade da aflição serve para provar a nossa fortaleza. É pela permanência das aflições que é a paciência é provada. Não é durante as provações mais extremas, e sim nas mais longas que corremos o maior perigo de desanimar. No primeiro exemplo, a alma reúne todas as forças e se sente mais desejosa de buscar ajuda dos céus. No último, a mente relaxa e se afunda na depressão. Quando Jó foi abordado com más notícias, em rápida sequência, ele as suportou com a devida coragem. Mas quando não via fim às dificuldades, ele se afundou nelas. — *Andrew Fuller*

vv. 1 a 4: Tudo muda estranhamente. Toda a graça, beleza, glória desaparecem quando a vida acaba. A vida é a coisa agradável. É doce e confortável. Mas a morte com seus servos pálidos desperta horror e aversão em todos os lugares. Os santos de Deus temem a retirada do favor divino e o escondimento do rosto divino. Quando o rosto está escondido, um desfalecimento e um frio assombro e medo apoderam-se em todas as partes, e sentem estranha amargura, angústia e tribulação que faz as juntas tremerem, sendo para eles como o próprio estertor da morte. — *Timothy Rogers*

vv. 1, 5 e 6: A oração contribui para o aumento e crescimento da graça, pondo em exercício os hábitos da graça. O exercício físico beneficia o corpo, assim como a oração beneficia a alma. O exercício ajuda a digestão ou a exalação dos humores que entopem os espíritos. Vemos que o indivíduo que se movimenta pouco fica obeso e ofegante, logo se sufocando com o muco que o exercício limpa do corpo. A oração é o campo de exercício dos santos, onde a graça é inalada. É como o vento em relação ao ambiente, pois aclara a alma. É como o foles para o fogo, que clareia o carvão das cinzas que as sufoca. O cristão, enquanto está neste mundo, vive em um clima insalubre. Por um lado, os prazeres do mundo o enfraquecem e lhe entorpecem o amor por Cristo. Por outro lado, as dificuldades que ele enfrenta no mundo lhe desalentam a fé na promessa. Como o cristão sairia desses destemperos, não tivesse ele um trono da graça a recorrer, onde, assim que a sua alma estivesse em uma estrutura de derretimento, ele (como alguém situado em um suor bondoso) logo exalaria a malignidade da sua doença e voltaria ao seu temperamento correto? Quantas vezes encontramos o profeta santo, quando se ajoelha para orar, cheio de medo e dúvida, e antes que ele e o dever se separarem, ele cresce em uma doce familiaridade com Deus e descansa no seu próprio espírito!

O salmista começa a oração como se pensasse que Deus nunca mais lhe daria um olhar benévolo: "Até quando te esquecerás de mim, Senhor? Para sempre?" (v. 1). Mas assim que ele se exercita um pouco no dever, o destempero desaparece, as névoas se dispersam e a fé surge como o sol na sua força: "Mas eu confio na tua benignidade; na tua salvação, meu coração se alegrará. Cantarei ao Senhor, porquanto me tem feito muito bem" (vv. 5,6). A fé põe a mesa, esperando um banquete antes que seja servido. Aquele que questionou se voltaria a receber boas notícias do céu, é tão forte na fé quanto a alegrar-se com a esperança dessa misericórdia que ele tem certeza de que por fim virá. Abraão começou com cinquenta, mas a sua fé foi se fundamentando em Deus a cada etapa até que parou em dez justos. — *William Gurnall*

vv. 1 e 6: Seja qual for o desânimo que você enfrente em seu serviço a Deus no cumprimento das ordenações, seja como o azeviche inglês, que é incendiado por água, e não como o fogo comum, que é apagado pela água. Que o desânimo aumente e não diminua a sua determinação e coragem. Não permita que a repulsa afugente você. Seja valente, dê um segundo ataque pelo reino dos céus. Os pais às vezes se escondem para fazer com que seus filhos os procurem. Aquele que a princípio não abriu a boca, nem concedeu a palavra para a mulher cananeia, diante das súplicas contínuas e fervorosas, finalmente abra a mão e lhe dá tudo que ela pede: "Ó mulher, grande é a tua fé. Seja isso feito para contigo, como tu desejas" (Mt 15.28). Importunidade contínua é oratória inegável. Verdadeiramente, se depois dos sofrimentos você encontrar Jesus Cristo, não servirá de indenização pela longa paciência? As pessoas que jogam na loteria, mesmo que não acertem por vinte vezes, se depois ganham uma bacia e uma jarra dourada, elas ficarão muito satisfeitas. Suponhamos que você continue insistindo por vinte ou mesmo quarenta anos, contudo, se a uma hora antes de morrer, o seu coração se abrir para Cristo e Ele for recebido na sua alma, e quando você morrer o céu for aberto e a sua alma for recebida, não lhe recompensará infinitamente mais por todo esforço feito? Pense nisso e determine jamais ficar mudo enquanto Deus estiver surdo, nunca deixar de orar até que Deus responda com uma resposta da graça. Para a sua consolação, saiba que aquele que começou o salmo com: "Até quando te esquecerás de mim, Senhor? Para sempre? Até quando esconderás de mim o teu rosto?", o concluiu com: "Cantarei ao Senhor, porquanto me tem feito muito bem". — *George Swinnock*

v. 2: "Até quando [...]?" Há muitas situações na vida do crente na qual as palavras deste salmo consolam e ajudam a reavivar a fé que esteja naufragando. Certo homem, que há trinta e oito anos tinha uma enfermidade, estava junto ao tanque de Betesda (Jo 5.5). Uma mulher tinha um espírito de enfermidade há dezoito anos, até que ela foi "livre" (Lc 13.11). Durante toda a vida, Lázaro labutou com doença e pobreza, até que foi liberto pela morte, sendo transferido ao seio de Abraão (Lc 16.20-22). Todo aquele que for tentado a usar as reclamações desse salmo, certifique-se em seu coração de que Deus não se esquece do seu povo, pois o socorro por fim virá e, enquanto isso, todas as coisas contribuem para o bem daqueles que o amam. — *W. Wilson, Doutor em Teologia*

v. 2: "Até quando consultarei com a minha alma, tendo tristeza no meu coração cada dia?" Há tal coisa quanto ponderar a nossa culpa e miséria para fazer descaso das nossas mais altas misericórdias. Embora seja apropriado conhecer o nosso próprio coração com a finalidade de convicção, se esperarmos consolação desse lugar ficaremos tristemente desapontados. Durante certo tempo, foi o que o sucedeu com Davi. Ele esteve em grande angústia e, como é comum em tais casos, os pensamentos focaram o interior, lançando na mente o que ele deveria fazer e o que seria o fim das coisas. Enquanto assim sucedia, ele tinha tristeza diária no coração. Mas dirigindo-se a Deus em busca de alívio, ele foi bem-sucedido: "Eu confio na tua benignidade; na tua salvação, meu coração se alegrará" (vv. 5). Há muitas pessoas que, quando em dificuldades, imitam Davi na parte inicial dessa experiência. Gostaria que o imitássemos na final. — *Andrew Fuller*

vv. 2 e 4: "Até quando se exaltará sobre mim o meu inimigo?" É um grande alívio para o miserável e aflito ser compadecido pelos outros. É certo alívio quando as pessoas, embora não possam nos ajudar, deem a impressão de que verdadeiramente se interessam pela tristeza de nosso caso, quando, pela bondade das palavras e ações, elas realmente amenizam as feridas que não podem curar. Mas é um aumento indizível à cruz, quando o homem é humilhado por sentir o desagrado de Deus, tendo pessoas escarnecendo da sua calamidade, ou insultando-o, ou falando asperamente com ele. Isso inflama e aumenta a ferida que já era grande. É difícil quando há um som terrível soando nos ouvidos vermos os amigos se tornarem filhos do trovão. É questão de pequena monta para as pessoas que estão descansadas lidarem severamente com aqueles que estão aflitos. Mas nem imaginam como as palavras duras e iradas os perfuram até a alma. É fácil culpar os outros por reclamação, mas se os tais tivessem sentido mesmo que por pouco tempo o que é estar debaixo do medo da ira de Deus, descobririam que não podiam deixar de reclamar. Só podemos ficar inquietos e intranquilos quando nos damos conta de que Deus é o nosso inimigo. Não admira que façamos de todos que vemos e em todo lugar em que estejamos uma testemunha da nossa aflição. Mas agora nos é um consolo nas provações e temores que tenhamos tão compassivo amigo como Cristo a quem podemos nos dirigir: "Porque não temos um sumo sacerdote que não possa compadecer-se das nossas fraquezas; porém um que, como nós, em tudo foi tentado, mas sem pecado" (Hb 4.15). — *Timothy Rogers*

v. 3: "Alumia os meus olhos para que eu não adormeça na morte". No tempo da doença e tribulação, os "olhos" ficam enuviados e pesados. Ficam cada vez mais assim com a proximidade da morte que os cercam na escuridão. Por outro lado, a saúde e a alegria tornam luminosas e cintilantes os órgãos da visão, parecendo, por assim dizer, dar-lhes "luz" do interior. As palavras podem ser adequadamente aplicadas a uma recuperação física natural, e daí, do corpo político, das suas respectivas mazelas. Nem descrevem de modo menos significativo a restauração da alma a um estado de saúde espiritual e alegria santa, que se manifestará de certa forma "tendo iluminados os olhos do vosso entendimento" (Ef 1.18). Nesse caso, a alma é salva do sono do pecado, como o corpo é no outro, do sono da morte. — *George Horne v. 4:*

Ah! Você pode suportar o desprezo; o veneno da língua
Daqueles cuja ruína se agrada, a zombaria extrema
As repreensões lascivas do rebanho maroto
Que pelas próprias ações, se bem-sucedidas
Seriam tão grotescamente pródigas em louvor a você?
Para resumir tudo em um — você pode suportar
Os olhares desdenhosos, a alegria maldosa
Ou a compaixão mais detestável de um adversário
De um adversário triunfante?
— *James Thomson, 1700-1748*

v. 4: "E os meus adversários se não alegrem, vindo eu a vacilar", ou seja, que eles não componham comédias com as minhas tragédias. — *John Trapp*

v. 5: "Mas eu confio na tua benignidade; na tua salvação, meu coração se alegrará". A fé se alegra nas tribulações, e triunfa diante das vitórias. O paciente se alegra quando sente que o remédio está fazendo efeito, mesmo que haja algum efeito colateral, porque ele espera que ficará curado. Nós nos alegramos nas aflições, não porque sejam presentemente agradáveis, mas porque contribuirão para o nosso bem. Como a fé se regozija, assim triunfa na certeza de bom sucesso. Ela não vê de acordo com as aparências, mas quando todos os recursos fracassam, mantém Deus em vista e o considera presente para o nosso socorro. — *John Ball*

v. 5: "Mas eu confio na tua benignidade; na tua salvação, meu coração se alegrará". Os sentimentos dominam o nosso corpo, mas "na vossa paciência, possuí a vossa alma" (Lc 21.19). A lei da nossa confissão nos prende a uma guerra; *patiendo vincimus*, que quer dizer, "as nossas dificuldades terminarão, a nossa vitória é eterna". Este é o triunfo de Davi: "Atravessei-os, de sorte que não se puderam levantar; caíram debaixo dos meus pés. Pois me cingiste de força para a peleja; fizeste abater debaixo de mim aqueles que contra mim se levantaram. Deste-me também o pescoço dos meus inimigos, para que eu pudesse destruir os que me aborrecem" (Sl 18.38-40). Eles foram feridos porque feriram. Os pisadores dos pobres são pisados pelos pobres. O Senhor abaterá para nós aqueles que nos teriam abatido para eles. Embora por pouco tempo passassem sobre a nossa cabeça, agora devemos andar eternamente sobre o pescoço deles. Esta é a recompensa da paciência humilde e da esperança confiante. *Speramus et superamus*. "A sua rocha não é como a nossa Rocha, sendo até os nossos inimigos juízes disso" (Dt 32.31). "Uns confiam em carros, e outros, em cavalos", mas quando Deus persegue não há carro que tenha força para opor-se, nem cavalo que seja veloz para fugir: "Uns encurvam-se e caem, mas nós nos levantamos e estamos de pé" (Sl 22.7,8). A confiança os enganou, pois se encurvam e caem para nunca mais se levantar. O nosso Deus nos ajuda. Nós nos levantamos não para alcançar um espaço para respirar, mas para estar de pé para sempre. — *Thomas Adams*

v. 5: Ninguém vive com tanto sossego e conforto quanto os que vivem pela fé. — *Matthew Henry*

v. 5: Portanto, repito: "Viva pela fé". Repito novamente, sempre viva pela fé, alegre-se pela fé no Senhor. Ouso dizer corajosamente que é por relaxo e descaso em exercitar a fé que você padece de temperamento melancólico ou permite que Satanás interrompa a felicidade e vivacidade espiritual que você tem, e ele conserve você em tristezas e melancolia a qualquer tempo. E se você for de temperamento triste? Ou de aparência abatida? A fé não pode retificar a natureza? Não é ela mais forte que qualquer erva medicinal? Os experientes ministros e médicos não preferem valiosamente um gole de fé do que todos os remédios da farmácia que tenham esse efeito? Não há virtude soberana na fé para execrar todos os cuidados, expectorar todos os medos e aflições, evacuar a mente de todos os pensamentos e sentimentos doentios, e alegrar o homem? Mas que bem faz a pessoa possuir um medicamento estimulante se ela não o usa? Usar uma espada na cintura, semelhante a um soldado, e não sacá-la diante de uma agressão? Quando uma dificuldade lhe sobrevém, se você disser à sua alma em uma ou duas palavras: "Alma, por que tu te inquietaste? Não sabes nem consideras em quem tu crês?", não voltará ela ao seu descanso? O Mestre não repreenderia os ventos e a tempestade, e não acalmaria o que agora perturba você? Não têm todos algo para afastar as tristezas, afugentar os espíritos malignos, como Davi fazia com a harpa? Alguns com companhia alegre, outros com uma xícara de chá, a maioria com um cachimbo de tabaco sem o qual eles não podem cavalgar ou ir. Se passam um dia sem isso, ficam com catarro e tédio de espírito. Aqueles que vivem em pântanos e ambientes doentios ousam não se mexer sem tomar um aperitivo de algum licor forte. São ajudas pobres, tolas e esfumaçadas em comparação com a menor gustação (mas para envergonhar a fé eu diria baforada) ou inalação de fé. — *Samuel Ward, 1577-1653*

v. 6: "Cantarei ao SENHOR, porquanto me tem feito muito bem". A fé impede que a alma naufrague sob as pesadas tribulações, trazendo à alma aflita as anteriores experiências do poder, misericórdia e fidelidade de Deus. Por esse meio, o salmista era sustentado na angústia. A fé diz para nos lembrar do que Deus nos tem feito para o homem exterior e o homem interior. Ajuda-nos não só a libertar o corpo quando estamos em dificuldades, mas também tem feito grandes coisas para a nossa alma. Tirou-nos de um estado de natureza sombria, entrou em uma relação de aliança conosco, fez a sua bondade passar diante de nós. Auxilia-nos a orar, tendo muitas vezes ouvido as nossas orações e visto as nossas lágrimas. Tirou-nos da cova horrível e do lodaçal imundo, pôs uma nova canção em nossa boca e nos fez determinar jamais para dar vazão a tais pensamentos e temores incrédulos. Percebe como nos é impróprio naufragar nas dificuldades? — *John Willison, 1680-1750*

v. 6: "Cantarei ao SENHOR". John Philpot permaneceu por certo tempo na carvoaria do bispo de Londres. Certo dia, o bispo o chamou e, entre outras questões, perguntou-lhe por que os prisioneiros eram tão alegres na prisão? Cantando (como o profeta diz) *Exultantes in rebus pessimis*, que significa "alegrando-se na inadequação", ao passo que deveria estar se lamentando e se afligindo. Philpot respondeu: "Meu senhor, a felicidade que temos é por cantarmos certos salmos, como Paulo ordenou que nos alegrássemos no Senhor, cantando hinos e salmos. É por estarmos em um lugar escuro e desconfortável que nos consolamos assim. Espero que vossa senhoria não se embraveça, vendo o apóstolo dizer: 'Todos que forem de coração reto, cantem salmos'. Nós, para declararmos que somos de mente reta para com Deus, embora estejamos na miséria, nos refrescamos com tais cânticos". Em outro discurso, ele disse: "Fui levado de volta à carvoaria do meu senhor, onde, com os meus seis companheiros de prisão, despertamos juntos na palha, como outros despertam alegremente (graças a Deus) nas suas camas de penas". Em carta a um amigo, ele escreveu: "Recomenda-me a Elsing e sua esposa, e agradeça-lhes por me proverem algum conforto em minha prisão. Diga-lhes que a carvoaria do meu senhor é muito negra, contudo é mais desejável para o crente do que o palácio da Rainha. O mundo se admira por sermos tão alegres em situações miseráveis tão extremas. Mas o nosso Deus é onipotente, que transforma a penúria em felicidade. Acredite, não há alegria semelhante no mundo como tem o povo de Deus aos pés da cruz de Cristo. Falo por experiência, creia-me, e não tema o que o mundo possa lhe fazer, pois quando prendem o nosso corpo, libertam a nossa alma para conversar com Deus. Quando nos abatem, eles nos levantam. Quando nos matam, eles nos enviam para a vida eterna. Que maior glória há do que sermos feitos conforme a Cabeça, Cristo? Isso é feito por intermédio dos sofrimentos. Ó bom Deus, quem sou eu, a quem tu dás tão grande misericórdia? 'Este é o dia que fez o Senhor; regozijemo-nos e alegremo-nos nele' [Sl 118.24]. Este é o caminho, ainda que estreito, que está cheio da paz de Deus e repleto das bênçãos eternas. O meu coração salta de alegria por estar tão perto de entender isso! Que Deus me perdoe a ingratidão e indignidade de tão grande glória. Tenho tanta alegria que, embora esteja em um lugar de escuridão e choro, não posso lamentar. De noite e de dia sempre estou tão cheio de alegria, como jamais estive antes. Louvado seja o nome do Senhor para sempre. Os nossos inimigos se afligem, se atormentam e rangem os dentes nesse lugar. Oro insistentemente para que essa alegria jamais nos seja tirada, pois é mais que todos os prazeres deste mundo. Esta é 'a paz de Deus, que excede todo o entendimento' [Fp 4.7]. Quanto mais os escolhidos são afligidos, mais eles sentem essa paz, não podendo desfalecer nem por fogo nem por água". — *Samuel Clarke, "Mirrour" [Espelho], 1671*

v. 6: "Cantarei ao Senhor". Como é extremamente diferente o fim desse salmo em relação ao começo! — *John Trapp*

v. 6: "Cantarei ao Senhor, porquanto me tem feito muito bem". Eu nunca soube o que era Deus ficar comigo em todas as situações e em todas as tentativas de Satanás em afligir-me, como quando o encontrei desde que entrei aqui. À medida que os medos se apresentavam, apoio e encorajamento surgiam. Quando comecei, mesmo que por assim dizer não havia nada mais senão a minha sombra, Deus, sendo muito carinhoso para comigo, não permitiu que eu sofresse. Com uma Escritura ou outra, Ele me fortalecia contra todos a tal ponto que sempre digo: "Se me fosse permitido, eu oraria para ter mais dificuldades, porque assim eu receberia mais consolação" (Ec 7.14; 2 Co 1.5). — *John Bunyan, 1628-1688*

SUGESTÕES AOS PREGADORES

v. 1. A longa duração da tristeza é somente aparente. Contraste com os dias de alegria, com a desgraça eterna e a alegria eterna. A impaciência e outros sentimentos ruins causam a sensação de que é muito tempo. Há meios de encurtar a espera, recusando-se antecipar ou afligir-se depois.

v. 1. "Até quando esconderás de mim o teu rosto?" O escondimento da face divina. Por quê, afinal? Por que de mim? Por que por tanto tempo?

v. 2. Conselho aos desanimados, ou a alma dirigida a olhar para fora de si mesma em busca de consolação. — *Andrew Fuller*

v. 2. "Até quando consultarei com a minha alma, tendo tristeza no meu coração cada dia?" A autotortura, sua causa, calamidade, crime e cura.

v. 2. "Tendo tristeza no meu coração cada dia." (1) A causa de tristeza diária. O grande inimigo, incredulidade, pecado, tribulação, perda da presença de Jesus, falta de empatia pelos outros, lamentação pela ruína humana. (2) A necessidade de tristeza diária. Purgar a corrupção, incentivar a graça, aumentar o desejo pelo céu. (3) A cura de tristeza diária. Comida boa proveniente da mesa de Deus, vinho velho das promessas, andança com Jesus, exercício nas boas obras, evitação de tudo que é insalubre. — *Benjamin Davis*

v. 2. "Até quando se exaltará sobre mim o meu inimigo?" O tempo prenunciou quando a derrota se transformará em vitória.

v. 3. A acomodação do texto aos crentes. (1) O verdadeiro caráter de Satanás: "Inimigo". (2) O fato extraordinário de que o inimigo se exalta sobre nós. (3) Pergunta urgente: "Até quando?" — *Benjamin Davis*

v. 3. "Alumia os meus olhos." Oração adequada para: (1) Todo pecador ignorante. (2) Todo buscador de salvação. (3) Todo aprendiz na escola de Cristo. (4) Todo crente experimentado. (5) Todo santo agonizante. — *Benjamin Davis*

v. 4. Note a natureza dos ímpios em dois modos, quais sejam, (1) quanto mais prevalecem, mais insolentes ficam e (2) exultam-se notavelmente sobre os aflitos. — *Thomas Wilcocks*

v. 5. Experiência e perseverança: "Eu confio" e "meu coração se alegrará".

v. 6. O doador generoso e o cantor leal.

O salmo inteiro fornece excelente tema, mostrando os estágios desde a queixa à alegria, enfatizando especialmente o ponto decisivo, a oração. Há dois versículos para cada estágio: queixa, oração e alegria. — *A. G. Brown*

SALMO 14

TÍTULO

Este poema admirável tem um título simples: *Salmo de Davi para o cantor-mor.* A dedicatória ao cantor-mor consta no título de cinquenta e três salmos. Indica claramente que tais salmos eram para os crentes usarem particularmente e também para o coral cantá-los nas grandes reuniões. O maestro desse coral era o administrador ou superintendente, chamado em nossa versão de "cantor-mor", e por Henry Ainsworth, "o mestre da música". Vários desses salmos têm pouco ou nenhum louvor e não eram endereçados diretamente ao Altíssimo, mas deviam ser cantados no culto público. Isso comprova firmemente que a teoria de Agostinho (que diz que se devia cantar apenas os louvores), reavivada recentemente por certas editoras de hinário, é mais plausível que bíblica. A igreja antiga não só salmodiava a doutrina santa e oferecia orações entre os seus cânticos espirituais, mas ela também entoava as notas lamentosas de reclamação ditas pelo gracioso cantor de Israel, que foi inspirado por Deus. Há pessoas que se agarram a minúcias que têm a falsa aparência de justeza, pois gostam de ser mais caprichosamente exatas que as outras pessoas. Não obstante, sempre será o modo de homens simples não só glorificar o Senhor com cânticos sacros, mas também, de acordo com o preceito de Paulo, ensinar e admoestar uns aos outros "com salmos, e hinos, e cânticos espirituais, cantando e salmodiando ao Senhor no vosso coração" (Ef 5.19). Considerando que esse salmo não tem título que o distinga, como ajuda à memória sugerimos o título: *Sobre o Ateísmo Prático.*

OCASIÃO

As muitas conjecturas acerca da ocasião em que o salmo foi escrito são tão completamente sem fundamento que é perda de tempo mencioná-las em detalhes. Em Romanos 3, o apóstolo Paulo prova incidentemente que o desígnio do escritor inspirado é mostrar que judeus e gentios estão todos debaixo do pecado. Não há razão para determinar qualquer ocasião histórica em particular, quando toda a história se regala com evidências terríveis da corrupção humana. Com alterações edificantes, Davi nos dá no Salmo 53 uma segunda edição desse salmo humilhante, sendo movido pelo Espírito Santo a declarar duas vezes uma verdade que é sempre desagradável para a mente carnal.

DIVISÃO

O credo néscio do mundo (v. 1). A influência prática em corromper a moral (vv. 1 a 3), as tendências perseguidoras dos pecadores (v. 4), os temores dos pecadores (v. 5), a zombaria que os pecadores fazem dos piedosos (v. 6) e uma oração pela manifestação do Senhor para a alegria do seu povo (v. 7).

EXPOSIÇÃO

1 *Disseram os néscios no seu coração: Não há Deus. Têm-se corrompido, fazem-se abomináveis em suas obras, não há ninguém que faça o bem.*

1. *"Os néscios."* Os ateus são preeminentemente néscios, universalmente néscios. Não negariam a Deus se não fossem por natureza néscios. Tendo negado a Deus, não admira que se tornem néscios na prática. O pecado sempre é loucura. O cúmulo do pecado é atacar a própria existência do Altíssimo, sendo também a maior loucura imaginável. Dizer que não há Deus é desmentir a evidência mais clara, o que se configura em obstinação. É opor-se ao consenso comum da humanidade, o que é estupidez. É abafar a consciência, o que é loucura. Se pelo seu ateísmo o pecador pudesse destruir o Deus a quem ele odeia, haveria sentido, embora muita maldade, na infidelidade. Mas como negar a existência do fogo não previne que o homem se queime, duvidar da existência de Deus também não impedirá que o Juiz de toda a terra destrua os rebeldes que lhe quebram as leis. Esse ateísmo é um crime que muito provoca o céu, e ocasionará vingança terrível sobre os néscios que o favorecem. Como diz o provérbio: "A língua do louco corta a própria garganta", e nesse exemplo mata a alma e o corpo para sempre. O dano pararia até mesmo em Deus, mas infelizmente o néscio faz centenas de danos, e um blasfemador ruidoso espalha doutrinas horríveis como os leprosos disseminam a peste. Em *"Annotations"* [Anotações], Henry Ainsworth fala que a palavra hebraica usada aqui é *nabal*, que tem o significado de "enfraquecimento", "morte" ou "murchamento como de uma folha ou flor". É o título dado ao néscio por ter perdido o vigor da sabedoria, razão, honestidade e piedade. John Trapp vai direto ao ponto quando o chama de "o companheiro sem vigor, a carcaça de um homem, a sepultura ambulante dele, em quem toda a religião e razão de direito estão murchas, debilitadas, secas e deterioradas". Certos estudiosos a traduzem por "apóstata", e outros por "miserável". Com essa seriedade deveríamos evitar a aparência de dúvida quanto à presença, atividade, poder e amor de Deus, pois toda desconfiança semelhante é loucura de natureza, e quem entre nós desejaria ser categorizado juntamente com os néscios do texto sacro? Jamais nos esqueçamos de que todos os homens não regenerados são mais ou menos como esses néscios.

"Disseram os néscios no seu coração." Pode o homem com a boca confessar crer e no coração dizer o contrário? Ficou ele suficientemente audacioso para declarar a loucura com a língua? O Senhor considerou os pensamentos humanos como sendo na natureza de palavras para ele, mas não para o homem? É aqui onde o homem se torna primeiramente incrédulo? No coração e não na cabeça? E quando ele fala ateisticamente, é um coração néscio falando e esforçando-se para abafar aos gritos a voz da consciência? Pensamos que sim. Se os sentimentos fossem colocados na verdade e na justiça, o entendimento não teria dificuldade em resolver a questão de

uma deidade pessoal presente, mas como o coração não gosta do bem e do certo, não admira que deseja livrar-se do Elohim, que é o grande Governador moral, o Benfeitor da retidão e o Castigador da iniquidade. Enquanto o coração dos homens continuar o que é, não devemos ficar surpresos com a prevalência do ceticismo. Uma árvore corrupta produzirá frutos corruptos. "Todo homem", diz David Dickson, "enquanto permanece não regenerado e não reconciliado com Deus, na prática não passa de um louco." É de admirar então que ele delira? Tão néscios como esses que estamos tratando são comuns em todas as épocas e em todos os países. Crescem sem serem regados e estão por todo o mundo. A expansão do mero esclarecimento intelectual não diminuirá o número dos seus integrantes, pois visto que é questão do coração, essa loucura e grande aprendizado quase sempre estão juntos. Responder às objeções céticas será trabalho perdido até que a graça entre para tornar a mente propensa a crer. Os néscios podem levantar mais objeções por hora do que os sábios podem responder em sete anos. Na realidade, alegram-se em colocar tropeço para os sábios caírem. O pregador deve objetivar o coração e pregar o amor extremamente conquistador de Jesus, pois assim, pela graça de Deus, ganhará mais duvidadores da fé do evangelho do que centenas dos melhores raciocinadores que só apontam os argumentos para a cabeça.

"Disseram os néscios no seu coração: Não há Deus." É tão monstruoso o enunciado que o autor quase não ousou pô-lo como declaração positiva, embora tenha chegado muito perto de fazê-lo. Ao que parece, Calvino entende que esta declaração, "Não há Deus", é correspondente a um silogismo, quase sendo uma declaração positiva e dogmática. Mas Joseph Addison Alexander mostra claramente que sim. Não é meramente o desejo da natureza corrupta do pecador e a esperança do coração rebelde, pois ele dá um jeito de obrigar-se a fazer essa declaração e, em certas ocasiões, pensa que crê nela. É uma reflexão solene o fato de alguns que adoram a Deus com a boca possam dizer no coração: "Não há Deus". É digno de nota que ele não diz que não há Jeová, mas sim que não há Elohim. A deidade em teoria não é tanto o objeto de ataque quanto a presença convencional, pessoal, dominante e administrativa de Deus no mundo. Deus como regente, legislador, trabalhador, salvador é o alvo ao qual são atiradas as setas da ira humana. Como é impotente a maldade! Como é furiosa a ira que delira e espuma contra aquele em quem vivemos, nos movemos e existimos! Como é horrível a insanidade que leva o homem — que deve tudo a Deus — clamar: "Não há Deus"! Como é terrível a depravação que faz a raça humana adotar este enunciado como o desejo de todos os corações: "Não há Deus"!

"Têm-se corrompido." Refere-se a todos os homens e temos a garantia do Espírito Santo para afirmá-lo (ver Rm 3). Onde há inimizade contra Deus, há profunda e íntima depravação mental. Certos críticos eminentes traduzem as palavras em sentido ativo: "Eles fazem corruptamente". Isso serve para ressaltar que o pecado não só está passivamente em nossa natureza como fonte do mal, mas também nós mesmos ativamente inflamamos a chama e nos corrompemos, tornando mais negro o que já era negro como as próprias trevas. Rebitamos as nossas próprias correntes por hábito e persistência.

"Fazem-se abomináveis em suas obras." Quando os homens começam renunciando ao Deus Altíssimo, quem dirá onde terminarão? Quando os olhos do Mestre são tirados, o que não farão os servos? Observe o estado do mundo antes do dilúvio, conforme está escrito em Gênesis 6.12, e lembre que a natureza humana não se alterou depois disso. Aquele que veria uma fotografia terrível do mundo sem Deus tem de ler a mais dolorosa de todas as Escrituras inspiradas, o primeiro capítulo da Epístola aos Romanos. Hindus instruídos confessam que a descrição é literalmente correta em hindustani no presente momento. Não fosse pela graça restritiva de Deus, o mesmo estaria ocorrendo na Inglaterra. Infelizmente, até mesmo aqui é nada mais

que um quadro correto das coisas que são feitas de homens em segredo. Coisas que repugnam Deus e os homens são doces a certos paladares.

"Não há ninguém que faça o bem." Os pecados de omissão têm de abundar onde predominam as transgressões. Aqueles que fazem coisas que não deveriam ter feito, seguramente deixarão sem fazer coisas que deveriam ter feito. Que quadro da raça humana! Exceto onde a graça reina, "não há ninguém que faça o bem". A humanidade, caída e humilhada, é um deserto sem oásis, uma noite sem estrelas, um monturo sem joias, um inferno sem fundo.

2 *O SENHOR olhou desde os céus para os filhos dos homens, para ver se havia algum que tivesse entendimento e buscasse a Deus.*
3 *Desviaram-se todos e juntamente se fizeram imundos; não há quem faça o bem, não há sequer um.*

2. *"O SENHOR olhou desde os céus para os filhos dos homens."* Como se estivesse em uma torre de vigia ou outro lugar elevado de observação, o Senhor está contemplando atentamente os homens. Ele não castiga cegamente, nem como um tirano comanda um massacre indiscriminado, porque um rumor de rebelião lhe chegou aos ouvidos. Que interesse condescendente e justiça imparcial imagina-se aqui. O caso de Sodoma, cidade visitada antes de ser destruída, ilustra a maneira cuidadosa na qual a justiça divina vê o pecado antes de puni-lo e procurar os justos para que não pereçam com os culpados. Veja os olhos da Onisciência esquadrinhando o globo e espreitando entre todos os povos e nações, "para ver se havia algum que tivesse entendimento e buscasse a Deus". Aquele que está olhando conhece o bem, é rápido em identificá-lo e se delicia em encontrá-lo. Mas quando vê todos os filhos dos homens não regenerados, a sua procura é infrutífera, pois toda a raça de Adão e cada alma não regenerada não passa de um inimigo de Deus e da sua bondade. Os objetos da procura do Senhor não são os ricos, os grandes ou os instruídos. Estes, com tudo que possam oferecer, não satisfazem as exigências do grande Governador. Ao mesmo tempo, Ele não está procurando eminência superlativa em termos de virtude, pois procura alguém que entenda a si mesmo, o seu estado, o seu dever, o seu destino, a sua felicidade. Ele procura alguém que busque a Deus, pois, se há um Deus, está disposto e ansioso em encontrá-lo. Não é, com certeza, coisa muito grande a esperar, pois se os homens ainda não conhecerem a Deus, se tiverem entendimento correto, eles o buscarão. Infelizmente, até mesmo este mínimo grau de bem não será encontrado por aquele que vê todas as coisas. Os homens amam a negação horrorosa de "Não há Deus" (v. 1), e com as costas dadas ao Criador, que é o sol da vida, eles viajam para a região triste da incredulidade e alienação, que é uma terra de trevas, como as próprias trevas, e da sombra da morte sem qualquer ordem e onde a luz é como as trevas.

3. *"Desviaram-se todos."* Sem exceção, todos os homens se apostataram do Senhor, seu Criador, das suas leis e dos princípios eternos de direito. Como novilhas teimosas eles recusam-se firmemente a receber o jugo, como ovelhas errantes eles acharam um buraco para fugir do campo certo. O original hebraico fala como um todo da raça humana, como uma totalidade. A humanidade como um todo foi depravada de coração e contaminada de vida.

"E juntamente se fizeram imundos." Como um todo, os homens se deterioraram e se azedaram como levedura estragada ou, como certos intérpretes propõem, eles ficaram pútridos e até mesmo fedendo. A única razão por que não vemos mais notoriamente essa podridão é porque estamos acostumados, da mesma maneira que os que trabalham diariamente em ambiente que contenham cheiros ofensivos deixam de percebê-los. O moleiro não repara no barulho do moinho, e demoramos

para perceber a nossa própria ruína e depravação. Mas não há exceção, todos os homens são pecadores? "São", diz o salmista de modo a não deixar dúvidas, "eles são".

Ele o diz positivamente e o repete negativamente: *"Não há quem faça o bem, não há sequer um"*. A frase hebraica é uma negação absoluta concernente a qualquer mero homem que ele de si mesmo faça o bem. O que pode ser mais abrangente? Este é o veredicto do Jeová que tudo vê, que não exagera nem se equivoca. É como se não pudesse ser abrigada nem por um momento a esperança de achar um espécime solitário de homem bom entre a família humana não regenerada. O Espírito Santo não se contentou em dizer tudo e ao todo, mas acrescenta uma esmagadora dupla negativa: "não há", "não há". Diante disso, o que dizer dos que se opõem à doutrina da depravação natural? O que sentimos acerca disso? Confessamos que somos por natureza corruptos, e abençoamos a graça soberana que nos renovou no espírito de nossa mente. Afirmamos que o pecado não pode mais ter domínio sobre nós, mas que a graça pode dominar e reinar.

4 *Não terão conhecimento os obreiros da iniquidade, que comem o meu povo como se comessem pão? Eles não invocam ao Senhor.*

4. O ódio contra Deus e a corrupção da vida são as forças motivadoras que produzem a perseguição. Os homens que não têm conhecimento salvífico das coisas divinas escravizam-se para tornar-se "obreiros da iniquidade". Não têm coração para invocar ao Senhor em busca de libertação, mas se divertem em devorar os pobres e menosprezar o povo de Deus. É escravidão cruel ser "obreiros da iniquidade". Os obreiros nas galeras ou nas minas da Sibéria não são mais verdadeiramente aviltados e miseráveis que aqueles. A labuta é dura e a recompensa terrível. Os que não têm conhecimento escolhem semelhante escravidão, mas os que são instruídos por Deus clamam para serem salvos. A mesma ignorância que mantém os homens escravizados ao mal faz com que odeiem os filhos livres de Deus.

Por conseguinte, eles buscam comê-los "como se comessem pão" — diariamente, vorazmente, como se fosse costumeiro, habitual, assunto de todo dia oprimir os santos de Deus. Como os lúcios na lagoa comem os peixes menores, como as águias atacam os pássaros menores, como os lobos arrebatam as ovelhas do pasto, assim os pecadores, naturalmente e como de costume, perseguem, difamam e escarnecem os seguidores do Senhor Jesus. Enquanto caçam, renegam toda oração e assim agem consistentemente, pois como podem esperar ser ouvidos enquanto as mãos estão cheias de sangue?

5 *Ali se acharam em grande pavor, porque Deus está na geração dos justos.*

5. Os opressores não têm tudo do jeito que querem, pois são alvos de ataques de pavor e períodos designados de derrota. "Ali", onde eles negaram a Deus e amedrontaram o povo de Deus. "Ali", onde pensaram em paz e segurança, foram forçados a ceder. "Ali se acharam" os altamente impudentes, arrogantes e rígidos Ninrodes e Herodes. Esses pecadores precipitados e imbuídos de altos ideais "ali se acharam em grande pavor". Um terror de pânico se apoderou deles: "Eles temeram de medo", como diz o original hebraico. Um temor indefinível, horrível, misterioso se insinuou neles. O mais endurecido dos homens tem períodos em que a consciência o joga em um suor frio de alarme. Como os covardes são cruéis, assim no fundo todos os cruéis são covardes. O espírito de pecados antigos é um espectro terrível que assombra o homem. Ainda que os incrédulos se vangloriem tão ruidosamente quanto queiram, há um som ecoando nos ouvidos que os deixam inquietos.

"Porque Deus está na geração dos justos." Isso torna a companhia de homens piedosos altamente irritante para o ímpio, porque ele percebe que Deus está com

eles. Por mais que fechem os olhos, não podem deixar de perceber a imagem de Deus no caráter do seu povo verdadeiramente bondoso, nem lhes foge da atenção o fato de Deus trabalhar em prol da libertação do seu povo. Como Hamã, sentem instintivamente um terror quando veem os Mardoqueus de Deus.Mesmo que o santo esteja em uma posição humilhante, chorando à porta onde o perseguidor se alegra com toda a pompa, o pecador sente a influência da verdadeira nobreza do crente e cede diante dela, porque Deus está ali. Que os escarnecedores tenham cuidado, porque eles estão perseguindo o Senhor Jesus quando molestam o povo de Deus. A união é muito íntima entre Deus e o seu povo, correspondendo a uma habitação misteriosa, "porque Deus está na geração dos justos".

6 *Vós envergonhais o conselho dos pobres, porquanto o SENHOR é o seu refúgio.*

6. A despeito da real covardia, os ímpios se vestem de pele de leão e dominam sobre os pobres do Senhor. Embora façam papel de tolo, eles escarnecem do verdadeiramente sábio como se a loucura estivesse do lado deles. É o que se poderia esperar, pois a mente embrutecida não pode apreciar a excelência nem os que têm olhos de coruja podem admirar o sol. O ponto e alvo especial do gracejo parece ser a confiança dos piedosos no Senhor. O que o seu Deus pode fazer por você agora? Quem é esse Deus que pode livrar você das nossas mãos? Onde está a recompensa de todas as suas orações e pedidos? Perguntas zombeteiras desse tipo eles jogam na cara dos fracos, mas cheios de graça, com o objetivo de fazê-los sentir vergonha do refúgio no qual se abrigam. Não permitamos que eles ridicularizem a nossa confiança, mas desprezemos o desprezo e desafiemos as zombarias. Não teremos de esperar muito para que o Senhor, o nosso refúgio, vingue os seus escolhidos e se livre da perturbação dos seus adversários, que outrora trataram com tão pouco caso a ele e ao seu povo.

7 *Oh! Se de Sião tivera já vindo a redenção de Israel! Quando o SENHOR fizer voltar os cativos do seu povo, se regozijará Jacó e se alegrará Israel.*

7. Esta oração final é bastante natural, pois o que é tão eficaz em convencer os ateus, derrotar os perseguidores, deter o pecado e fortalecer os piedosos quanto a manifestação clara da grande redenção de Israel? A vinda do Messias era o desejo dos piedosos de todas as épocas. Embora Ele já tivesse vindo com uma oferta pelo pecado para a purificação da iniquidade, esperamos que venha em um segundo momento sem uma oferta pelo pecado para a redenção. Que esses anos enfadonhos tenham um fim! Por que Ele tarda tanto? Ele sabe que o pecado abunda e que o seu povo é humilhado. Por que Ele não vem para o salvamento? O seu advento glorioso restaurará o antigo povo do cativeiro literal e a semente espiritual da tristeza espiritual. O Jacó lutador e o Israel prevalecente se alegrarão diante dele quando for revelado como a redenção para eles. Se Ele já tivesse vindo, teríamos dias felizes, santos, calmos e divinos! Mas não consideremos que Ele esteja inativo, pois Ele vem, Ele vem sem demora! Bem-aventurados todos os que esperam por Ele.

NOTAS EXPLICATIVAS E DECLARAÇÕES IMPORTANTES

O Salmo: Há uma marca peculiar neste salmo, visto que consta duas vezes no livro dos Salmos. O Salmo 14 e o Salmo 53 são os mesmos com alteração de, no máximo, uma ou duas expressões. Há ainda mais outra marca peculiar: o apóstolo transcreve grande parte do salmo (Rm 3.10-12).

Contém uma descrição do mais deplorável estado de coisas no mundo, quer dizer, em Israel. Um estado terrivelmente deplorável, por causa da corrupção geral que se abateu sobre todos os tipos de homens, nos seus princípios, nas suas práticas e nas suas opiniões.

Em primeiro lugar, era um tempo em que havia um princípio sumamente prevalecente de ateísmo operando no mundo, existente entre os grandes homens do mundo. O salmista disse como um princípio: "Disseram os néscios no seu coração: Não há Deus" (v. 1). É verdade, eles não o professavam incondicionalmente. Era o princípio por meio do qual todas as ações eram reguladas e com a qual eles se conformavam. Escreveu ele: "Disseram os néscios no seu coração: Não há Deus". Não este ou aquele homem em particular, mas os néscios, pois na declaração imediatamente a seguir ele fala: "Têm-se corrompido", e no versículo 3: "Desviaram-se todos". "Os néscios" são tomados indefinidamente pela grande companhia e sociedade dos homens para intimar seja o que for em que eles se dividam em relação aos demais homens, pois nisso todos eles estavam de acordo. "Todos são uma companhia de ateus", disse ele, "de ateus práticos".

Em segundo lugar, os sentimentos eram adequados a esse princípio, como os sentimentos e ações de todos os homens são adequados aos seus princípios. Quem é você para esperar de homens cujo princípio é: Não há Deus? Quanto, disse ele, aos seus sentimentos: "Têm-se corrompido", que ele expressa novamente: "Desviaram-se todos e juntamente se fizeram imundos" (v. 3). *"Desviaram-se todos."* A palavra no original hebraico é: "Azedaram-se todos", como bebida, que fora antigamente de alguma serventia, mas que quando ficou choca — perdendo todo o álcool e vida — tornou-se uma coisa insípida, que não serve para nada. "E", disse ele, "juntamente se fizeram imundos", "tornaram-se fedidos", como consta na margem. Eles têm os sentimentos corrompidos, nos quais não lhes resta vida, nem sabor, mas concupiscências fedidas e corrompidas prevalecem universalmente neles. Eles dizem: "Não há Deus", e eles estão cheios de concupiscências fedidas e corrompidas.

Em terceiro lugar, se este é o princípio e estes os sentimentos, cuidemos das ações para ver se são alguma coisa melhor. Consideremos as ações. São de dois tipos: Como agem no mundo e como agem para com o povo de Deus.

(1) Como as ações agem no mundo? Ora, consideremos no que tange aos deveres que eles omitem e acerca da perversidade com que as executam. Que bem fazem? Não, disse ele, "não há ninguém que faça o bem". Sim, alguns deles. "Não há ninguém." "Não há ninguém que faça o bem", "não há", "não há", disse ele (vv. 1 e 3). Se não houvesse ninguém entre eles que prestasse atenção ao que era realmente bom e útil no mundo, haveria pouca esperança. "Não", disse ele, "o princípio é ateísmo, os sentimentos estão corrompidos. Para o bem, não há ninguém que faça o bem. Eles omitem todos os deveres".

O que fazem eles para o mal? Disse ele: "Fazem-se abomináveis em suas obras". "Obras", disse ele, "não para serem nomeadas, nem para serem mencionadas — obras que Deus detesta, as quais todos os homens bons detestam". "Obras [...] abomináveis", disse ele, "como a própria luz da natureza detestaria". E me dá a permissão de usar a expressão do salmista — "obras fedidas e imundas". Assim ele descreve o estado e a condição das coisas que vigoravam durante o reinado de Saul, quando o salmista escreveu esse salmo.

(2) Como as ações agem para com o povo de Deus? "Se é assim que se dá com eles e se é assim que se dá com os seus próprios caminhos, contudo deixassem o povo de Deus em paz, então eles não acrescentariam mais este aos seus outros pecados." Não, é exatamente o oposto, disse ele: Eles "comem o meu povo como se comessem pão" (v. 4). "Esses obreiros da iniquidade não têm conhecimento, pois comem o meu povo como se comessem pão e não buscam ao Senhor." Qual é a razão de ele dizer dessa maneira? Por que ele não poderia dizer: "Não têm conhecimento os que fazem tais coisas abomináveis", mas diz assim: "Não terão conhecimento os obreiros da iniquidade, que comem o meu povo como se comessem pão?" "É estranho que, depois de todos

os meus procedimentos para com eles e a declaração da minha vontade, eles sejam tão ignorantes quanto a não saber que isso lhes levaria à ruína. Não sabem que isto os devorará, os destruirá e será chamado mais uma vez de maneira particular?" No meio de todos os pecados e das maiores e mais altas provocações que estão no mundo, Deus avalia de modo especial o fato de comerem o seu povo. Eles podem alimentar-se com as suas próprias concupiscências como quiserem, mas: "Não terão conhecimento os obreiros da iniquidade, que comem o meu povo como se comessem pão?"

Poderíamos fazer muitas considerações sobre tudo isso. Mas a minha intenção é fazer algumas poucas observações sobre o salmo.

Qual é o estado de coisas atualmente? Veja qual era com eles. Como era a providência de Deus em referência a eles? O que é estranho, e quase não dá de acreditar em tal curso como este, diz ele, a despeito de tudo, eles estavam com muito medo. "Ali se acharam em grande pavor", disse ele (v. 5). Pode ser que viram algum mau vindo ao encontro deles. Não, não havia nada mais que a mão de Deus, pois em Salmos 53.5 (ARA), onde essas palavras são repetidas, lemos: "Tomam-se de grande pavor, onde não há a quem temer". Não havia causa visível de medo, contudo eles estavam com muito medo.

Deus, pela sua providência, raramente dá uma tranquilidade absoluta e universal aos homens no ápice dos seus pecados, opressão, sensualidade e concupiscências, mas Ele os porá secretamente em medo onde não há medo. Embora não haja nada visto que os leve a ter medo, eles agirão como homens sem juízo por conta do medo.

Mas de onde esse medo surgiu? Disse ele, surge por conseguinte disso: "Porque Deus está na geração dos justos" (v. 5). Claramente veem que o trabalho não prospera, os alimentos não fazem digestão e o pão não lhes cai bem. "Eles estavam comendo e devorando o meu povo. Quando foram devorá-los, acharam Deus entre eles (não puderam digerir o pão). Isso os deixou com medo, pois foram totalmente pegos de surpresa". Chegaram e pensaram que acharam um bocado saboroso. Quando se ocuparam em comer, Deus estava ali lhes enchendo a boca e os dentes de pedregulho. Ele começou quebrando o maxilar dos terríveis, quando foram comer os pobres. Disse ele: "Deus está ali".

O Espírito Santo relata o estado de coisas que havia entre esses dois tipos de pessoas que ele tinha de descrever — entre os néscios e o povo de Deus — os que eram comidos e os que teriam sido totalmente comidos, caso não tivesse Deus estado entre eles. Ambos estavam com medo — os que seriam devorados e os que devoravam. Procuraram vários meios de alívio. Ele mostra quais eram esses meios, e que julgamento fizeram sobre os caminhos uns dos outros. Disse ele: "Vós envergonhais o conselho dos pobres, porquanto o SENHOR é o seu refúgio" (v. 6).

Há as pessoas citadas — são "os pobres" —, e há as que são descritas nos versículos precedentes, ou seja, as pessoas que estavam prontas para serem totalmente comidas e devoradas.

Há a esperança e o refúgio que esses pobres tinham em tempo como esse, quando todas as coisas estavam em estado de medo. Isso era "o SENHOR". Os pobres fazem do Senhor o seu refúgio.

Podemos observar aqui que, como ele descreveu todos os ímpios como um grupo, "os néscios", assim ele descreveu todo o seu povo como um grupo, "os pobres": "Porquanto o SENHOR é o seu refúgio". Sejam quais forem as características em que o povo de Deus se diferencie, eles são como um grupo nesse quesito.

Há o modo por meio do qual os pobres tornam Deus o seu refúgio. Eles o fazem por meio de "conselho", disse ele. Não é algo que fazem por casualidade, mas o consideram com sabedoria. Fazem-no sob considerações, em conselho. É uma coisa de grande sabedoria.

Que pensamentos os outros têm acerca dessa ação? Os pobres tornam Deus o seu refúgio, e o fazem por meio de conselho. Que julgamento, agora, o mundo faz desse conselho dos pobres? Ora, eles o envergonham, quer dizer, eles lançam vergonha e desprezam como coisa muito tola o ato de fazer do Senhor o seu refúgio. "Claro que se pudessem fazer deste ou daquele grande homem o seu refúgio, seria alguma coisa. Mas fazer do Senhor o seu refúgio é a coisa mais tola do mundo", dizem eles. Envergonhar o conselho dos homens e menosprezar a sua deliberação tachando-a de tola é o máximo do desprezo por eles.

Aqui, vemos o estado de coisas conforme está representado nesse salmo e estendido diante do Senhor, o qual, sendo estabelecido, o salmista mostra qual é o nosso dever em tal estado de coisas, qual é o dever do povo de Deus, sendo as coisas declaradas assim. Disse ele: "O caminho é ir à oração". "Oh! Se de Sião tivera já vindo a redenção de Israel! Quando o Senhor fizer voltar os cativos do seu povo, se regozijará Jacó e se alegrará Israel" (v. 7). Se as coisas são declaradas assim, então clamemos e oremos os dizeres do versículo 7. Haverá rendimentos de louvor oferecidos ao Deus de Sião para a alegria do seu povo. — *John Owen*

v. 1: "Os néscios". Esses indivíduos sem vida, esses cadáveres humanos, esses sepulcros ambulantes de si mesmo em quem toda religião e razão de direito estão murchos, debilitados, secos e decompostos. Esses apóstatas em quem os princípios naturais se extinguiram e de quem Deus se afastou, como quando o príncipe é deposto, os reposteiros são retirados. Esses meros animais que não têm mais que uma alma racional, com pouco sal seus corpos são impedidos de putrefazer. Esses ímpios descritos neste salmo, esses consideram o ateísmo. — *John Trapp*

v. 1: "Os néscios". O mundo em que vivemos é um mundo de néscios. A grande maioria da humanidade desempenha um papel inteiramente irracional. É tão grande a obsessão, que eles preferem o tempo à eternidade, os prazeres momentâneos aos que nunca terão fim e ouvir o testemunho de Satanás em preferência ao de Deus. De toda a loucura, a maior é a que diz respeito aos objetos eternos, porque é a mais fatal e, quando perdura por toda a vida, é completamente irremediável. Um erro na administração dos interesses temporais pode ser retificado depois. De qualquer modo, é comparativamente de pouca importância. Mas um erro nas questões espirituais e eternas, como é por si mesmo da maior importância, se perdurar ao longo da vida, nunca pode ser remediado, porque depois da morte não há redenção. A maior loucura possível é negar ou entreter entendimentos injustos sobre o ser e perfeições do grande Criador. De certo modo eminente, o título de néscio é dado pelo Espírito de Deus àquele que é atribuível com esta acusação: "Disseram os néscios no seu coração: Não há Deus". — *John Jamieson, Mestre em Ciências Humanas, 1789*

v. 1: "Néscios", termo bíblico que significa *ímpios*, os filósofos pagãos também o usam com o sentido de *cruel, malévolo*, נָבָל, que vem de נָבֵל, e significa a extinção da vida em homens, animais e plantas. É com esse significado que a palavra נָבֵל é usada em Isaías 40.7, נָבֵל צִיץ, "a flor que cai" (Is 28.1), uma planta que perdeu toda a seiva que a torna viçosa e útil. O néscio é alguém que perdeu a sabedoria e a noção de direito de Deus e das coisas divinas que foram comunicadas aos homens pela criação. É alguém morto em pecados, contudo não tanto sem faculdades racionais, como falto de graça nessas faculdades. Não é alguém que quer razão, mas que abusa da razão. — *Stephen Charnock*

v. 1: "Disseram os néscios no seu coração: Não há Deus". Essa loucura está associada a todo coração. Está associada, mas não está com a língua presa. Fala coisas blasfemas contra Deus, dizendo que "não há Deus". Existe realmente uma diferença de linguagem. Pecados grandes falam mais sonoramente, pois são pecados notórios, ao passo que pecados menores não falam tão sonoramente, pois sussurram. Mas o Senhor pode ouvir a linguagem do coração, os murmúrios dos seus movimentos tão claramente quanto ouvimos uns aos outros em nossa conversa comum. O menor pecado é tão odioso quanto prejudicial ao próprio ser do grande Deus! — *David Clarkson*

v. 1: "Disseram os néscios no seu coração: Não há Deus". Se folhearmos algumas páginas indo até o Salmo 53, encontraremos não só o meu texto, mas também este salmo completo, sem alteração, exceto no versículo 5, mesmo assim, sem mudança de sentido. O que diremos? Será que o Espírito Santo de Deus ressaltou de modo particular e especial as declarações e ações dos néscios, de forma que uma expressão não valeria a pena ser repetida? Ou a tagarelice e a loucura dos néscios nos preocupe tanto a ponto de precisarmos exortá-los mais uma vez e uma terceira vez em Romanos 3? Claro que nenhum de nós presente aqui é esse néscio! Se algum de nós pudesse dizer onde achar tal néscio como esse que se propusesse a dizer, ainda que no coração, "Não há Deus", ele não permaneceria em silêncio, pois logo perceberia que não somos da sua facção. Nós que podemos dizer a Davi um ou dois artigos de fé, os quais ele jamais conheceu! Será que podemos com base racional imaginável supor que estamos sujeitos a certa suspeita de ateísmo, que possa repreender Davi pelos seus próprios salmos e explicar o significado das suas profecias mais claramente que ele mesmo que as escreveu para o Espírito Santo de Deus? Não há como negar que em outras coisas haja certo traço de loucura e imperfeição em nós. Contudo, não podemos supor que nós, que quase estamos saciados com o maná celestial da Palavra de Deus, que podemos ensinar os nossos professores e manter opiniões e doutrinas, cujas dúvidas nem as universidades nesta terra, nem o clero conseguem solucionar, que nos fosse possível chegarmos a essa perfeição e excelência de loucura e insensatez, quanto a entreter o pensamento de que "não há Deus". Não somos tão descaridosos a ponto de acusar um turco ou um descrente de tal imputação horrível como esta.

Cristãos amados, não sejam sábios aos seus próprios olhos. Se vocês examinarem seriamente Romanos 3 (o qual já mencionei), descobrirão que Paulo, baseado nesse salmo e nas palavras semelhantes de Isaías, conclui que a posteridade de Adão (exceto Cristo) estava debaixo do pecado e da maldição de Deus. Essa inferência era fraca e inconclusa, a menos que todo homem fosse por natureza tal como o profeta aqui descreve. O mesmo apóstolo em outro lugar expressa: "Não tendo esperança e sem Deus no mundo" (Ef 2.12), ou seja, não mantendo como opinião que eles empreenderiam por meio de argumentação para confirmar que não há Deus. Não lemos de mais de três ou quatro entre os pagãos que eram de qualquer forma que foram tão longe assim. Mas como nos seus discursos e pensamentos sérios eles não questionam uma deidade, mas detestariam todo homem que não permitisse liberalmente a Deus todos os seus atributos gloriosos, contudo no coração e sentimentos eles o negam, vivendo como se não houvesse Deus, não tendo nenhum respeito por Ele em todos os projetos e, portanto, de fato e na estima de Deus, tornam-se formalmente e no sentido exato da palavra muito ateus. — *William Chillingworth, 1602-1643*

v. 1: "Disseram os néscios no seu coração: Não há Deus". Por que os homens resistem à autoridade de Deus, contra a qual não podem se opor? E desobedecem aos mandamentos, sobre os quais não conseguem inventar uma exceção sequer? O que senão o espírito de inimizade pode fazer com que reclamem de jugo tão suave, rejeitem tão leve fardo (Mt 11.30), evitem e soltem-se de caminhos tão calmos e agradáveis? Tomam caminhos que tão evidentemente são "caminhos de sepultura [...], os quais descem às câmaras da morte" (Pv 7.27), preferindo morrer que obedecer? Não é este o cúmulo da inimizade? Que outras provas buscaríamos de um coração desafeiçoado e implacável? A tudo isso, podemos lançar aquele enunciado temeroso, a declaração do coração: "Não há Deus", tanto quanto a dizer: "Ó que não houvesse Deus!" É inimizade no ponto mais alto da maldade desejar que o pai comum fosse extinto, o autor do ser, além de ser a própria loucura. Pois no ápice esquecido desse transporte, não se pensa em que eles desejam a impossibilidade mais absoluta. Com isso, desejam, se fosse possível, a extinção deles mesmos e de todo o ser. O sentido dos seus corações, posto em palavras, não chegaria menos que a mais terrível execração e a mais horrenda maldição ao mesmo tempo para Deus e para a criação de Deus! Como se, pela blasfêmia do seu hálito venenoso, eles murchassem toda a natureza, dinamitassem o universo da existência, fazendo-a enfraquecer, desaparecer e virar em nada. Este é para fixar a boca ao mesmo tempo contra o céu e a terra, contra eles mesmos e contra todas as coisas, como se eles pensassem que o fôlego fraco dominasse a Palavra onipotente, sacudisse e tremesse os pilares adamantinos do céu e da terra, e a ordem todo-poderosa fosse derrotada pelo não, golpeando a raiz de tudo! Portanto, de maneira adequada é que ele disse: "Disseram os néscios no seu coração", murmurando assim. Nem há poucos de tais néscios, mas isso é claramente nos dado como o caráter comum dos apóstatas, a revolta de toda a raça humana, de quem se diz em termos muito gerais: "Desviaram-se todos; [...] não há quem faça o bem" (Sl 53.3). Este é o sentido deles, todos juntos sem exceção, quer dizer, comparativamente. O verdadeiro estado do caso que é posto diante deles é mais o seu temperamento e sentido dize: "Não há Deus", do que arrepender-se "e voltar para ele". Que inimizade insensata é esta! Nem podemos imaginar o que mais para solucioná-la. — *John Howe*

v. 1: "Disseram os néscios no seu coração: Não há Deus". Aquele que nega que haja Deus, peca com uma mão muito alta contra a luz da natureza. Toda criatura, o menor mosquito e inseto, e o pior verme que rasteja no chão refuta e confunde o homem que disputa se há um Deus ou não. O nome de Deus está escrito em caracteres grandes, bonitos e brilhantes na criação, de modo que todos os homens que passam correndo podem ler que há um Deus. A noção de uma deidade é tão forte e está tão profundamente impressa nas tábuas do coração de todos os homens que negar Deus é extinguir os próprios princípios da natureza comum. É formalmente *deicidium*, ou seja, uma matança de Deus, tanto quanto está na criatura. Nenhum desses ateus está no inferno, pois os demônios creem e estremecem (Tg 2.19). A palavra grega φρίσσουσι usada aqui significa literalmente o rugido do mar. Denota tamanho medo extremo que causa não só tremor, mas também rugido e guinchos (Mc 6.49; At 16.29). De acordo com Mateus 8.29, os demônios creem e reconhecem quatro artigos de nossa fé:

(1) Eles reconhecem Deus.
(2) Eles reconhecem Jesus.
(3) Eles reconhecem o dia do julgamento.
(4) Eles reconhecem que serão atormentados.

Aquele que não crê que haja Deus é mais vil que um demônio. Negar que haja Deus é um tipo de ateísmo que não se encontra no inferno.

Na terra há muitos ateus
No inferno não há nenhum.

Agostinho, falando sobre os ateus, disse: "Há quem pense ou se convença de que não há Deus, contudo o miserável mais vil e irremediável que já viveu não diria: 'Não há Deus'". Sêneca faz um comentário notável: *Mentiuntur qui dicunt se non sentire Deum esse: nam etsi tibi affirmant interdiù noctu tamen dubitant*, que significa: "Mente, disse ele, quem diz que não percebe que haja um Deus. Embora o afirmem de dia, contudo de noite duvidam". Mais adiante, disse o mesmo autor: "Ouvi dizer que alguns negam que haja Deus. Mas nunca conheci alguém que, quando doente, não busque a ajuda de Deus. Portanto, mentem os que dizem que não há

Deus. Pecam contra a luz da própria consciência. Quem insiste intencionalmente em negar Deus não pode fazê-lo sem ir contra a própria consciência. Na verdade, eu diria que nunca houve uma nação debaixo do céu tão bárbara a ponto de negar que houvesse Deus. — *Thomas Brooks*

v. 1: "Disseram os néscios no seu coração: Não há Deus". O papismo não ganhou tanta sabedoria quanto o ateísmo. É a superfluidade de inteligência que faz os ateus. Estes não serão derrotados com argumentos impertinentes. Pedras de granizo desordenadas da Bíblia nunca os assustam. Eles têm de ser convencidos e batidos com as suas próprias armas. "Apelaste para César? Para César irás" (At 25.12). Vocês apelaram para a razão? Para a razão os levaremos para que vocês cheguem à razão. Não precisamos ter medo da falta de armas nesse arsenal, mas somente de nossa ignorância e inabilidade em usá-las. Há o suficiente até mesmo na filosofia para convencer os ateístas, fazendo-os confessar: "Fomos derrotados com as nossas próprias armas", pois com toda a sua inteligência os ateus são néscios. — *Thomas Adams*

v. 1: Não há ferida mais mortal do que aquela que arranca o coração ou a alma do homem. Semelhantemente, não há pessoa ou peste de maior força nos homens para matar totalmente a fé, a esperança e o amor com o medo de Deus e, por conseguinte, lançá-los precipitadamente ao fundo do inferno, do que negar o princípio e o fundamento de toda religião, ou seja, que Deus existe. — *Robert Cawdray, "Treasury or Storehouse of Similes" [Tesouro ou Depósito de Símiles], 1609*

v. 1: "Disseram os néscios no seu coração: Não há Deus". Quem no mundo é o mais completo néscio, o indivíduo mais ignorante e miserável do que o ateu? Talvez o homem prefira crer que não haja ninguém como ele e que ele não exista, do que crer que Deus existe. O homem pode deixar de existir e não existir de uma vez. Ele será mudado do que é, e em muitos períodos da vida ele não sabe que ele é. Assim acontece todas as noites com ele quando dorme. Mas nada disso pode acontecer com Deus. Se ele não sabe disso, ele é néscio. Pode haver algo mais néscio neste mundo do que pensar que toda essa estrutura rara do céu e da terra surgiu por acaso, quando a maior aptidão humana não pode fazer uma ostra? Ver efeitos surpreendentes sem causa, um reinado excelente sem príncipe, um movimento sem imobilidade, um círculo sem centro, um tempo sem eternidade, um segundo sem um primeiro, uma coisa que não começa de si mesma sem, então, perceber que haja algo de onde isso não começa que deve estar sem começo. Essas coisas são tão contra a filosofia e a razão natural que o indivíduo tem de ter necessariamente um entendimento irracional que não consinta com elas. Estes são os ateus: "Disseram os néscios no seu coração: Não há Deus". Esse é o seu caráter. A coisa formada diz que nada a formou. A língua nunca criou a si mesma para falar, mas fala contra aquele que a criou, dizendo que aquilo que é criado, existe, e que aquilo a criou, não existe. Essa loucura é tão infinita quanto o inferno, tão sem luz ou limite como o caos do primitivo nada. — *Jeremy Taylor, 1613-1667*

v. 1: "Disseram os néscios no seu coração: Não há Deus". Há sábio que vive segundo os princípios da razão e da virtude. Se alguém o considera que na sua solidão ele entende o sistema do universo, observando a dependência e harmonia mútuas nas quais a estrutura das coisas se apoia, abatendo as emoções ou inchando os pensamentos com ideias magníficas da providência, ele faz uma imagem mais nobre aos olhos de um ser inteligente do que o maior conquistador entre as pompas e solenidades do triunfo. Pelo contrário, não há animal mais ridículo do que o ateu na sua privada. A sua mente é incapaz de êxtase ou enlevo. Ele só pode considerar-se como um personagem insignificante na paisagem, vagando para cima e para baixo em um cenário campesino ou pradoso, nas mesmas condições que os mais vis animais em torno dele e sujeitos à mesma mortalidade plena que eles, com este agravamento: que ele é o único entre eles que sabe disso. Angustiado, ele tem de ser entre todos os seres o mais desamparado e abandonado. Ele sente a pressão da calamidade vigente, sem ser aliviado pela memória de qualquer coisa do passado ou o prospecto de qualquer coisa que está por vir. A aniquilação é a maior bênção que ele propõe para si mesmo, e a forca ou a arma de fogo o único refúgio para o qual ele pode fugir. Mas se virmos um desses tristes infames na sua mais pobre aparência, temos de considerá-lo cheio de terror ou na aproximação da morte. Cerca de trinta anos atrás, eu estava a bordo de um navio com um dessa gentalha, quando surgiu uma ventania forte que amedrontou somente a ele. No balanço do navio, ele caiu de joelhos e confessou ao capelão que ele fora um ateu vil e negara o Ser Supremo até que chegou a tal situação. O bom homem ficou surpreso, e pelo navio se espalhou imediatamente o rumor de que havia um ateu na coberta superior. Vários marinheiros comuns, que nunca tinham ouvido a palavra *ateu*, pensaram que era um peixe esquisito. Ficaram muito mais surpresos quando viram que se tratava de um homem, e ouviram da sua própria boca: "Até agora eu nunca tinha crido na existência de Deus". Enquanto estava nas agonias da confissão, um dos marujos honestos sussurrou ao contramestre: "Seria uma boa ação lançá-lo ao mar". Mas a essa altura o porto já estava à vista, quando de súbito deu outra ventania, fazendo o penitente ter uma recaída. Implorou a todos nós que estávamos presentes, como éramos cavalheiros, a não dizer nada a ninguém do que se passara. Fazia somente dois dias que ele estava em terra firme, quando um do grupo que estivera no navio começou a importuná-lo acerca da devoção demonstrada a bordo do navio, a qual o outro negava nos mais extremos termos. Essa discordância insistente de ambos os lados terminou em duelo. O ateu foi atingido. Depois de perder sangue, tornou-se outra vez cristão como aconteceu no mar, até descobrir que a ferida não era mortal. Hoje, ele é um dos livres-pensadores da atualidade, escrevendo folhetos contra várias opiniões aceitas relativas à existência de fadas. — *Joseph Addison (1671-1719), "The Tatter" [O Tagarela]*

v. 1:

"Não há Deus", o néscio diz em segredo
"Não há Deus que governe ou a terra ou o céu"
Arranque a faixa que cobre o rosto dos miseráveis
Para que Deus apareça diante dos olhos incrédulos!
Não há Deus? As estrelas em grande quantidade se espalham
Se ele olhar para cima, a blasfêmia nega
Enquanto as suas próprias características lidas no espelho
Refletem a imagem da divindade.
Não há Deus? As correntes que a prata flui
O ar que ele respira, a terra em que ele anda, as árvores
As flores, a grama, as areias, cada vento que sopra
Tudo fala de Deus. Por toda a parte a voz é uníssona
E, eloquente, mostra a terrível existência divina
Cega-te a ti mesmo para vê-lo, néscio, nessas coisas!
— *Giovanni Cotta*

v. 1:

Velejando com asas obscenas pelo meio-dia
Caem as suas pálpebras orladas de azul e as fecha bem
E piando ao sol glorioso no céu
Grita: "Onde está?"
— *Samuel Taylor Coleridge, "The Owlet", Atheism ["A Pequena Coruja", O Ateísmo], 1772-1834*

v. 1: "Têm-se corrompido, fazem-se abomináveis em suas obras". O pecado agrada a carne. *Omne simile nutrit simile*, que quer dizer "a corrupção inerente é nutrida pela ascensão das ações corruptas". O lucro injusto adocicou a cobiça de Judas. O sangue encorajou e endureceu Joabe (1 Rs 2.5). O roubo é alimentado e engordado no coração desonesto com pilhagens óbvias. Os elogios oficiosos de noivos observantes fomentam o orgulho. A extorsão se empapuça com as emoções do usuário pelo tilintar das moedas. O sacrilégio prospera nos ladrões de igreja pelas distinções agradáveis dos sacerdotes de sicofanta, ajudando com os lucros não laboriosos. Os sentidos conduzem e alimentam a natureza. Quando a fortaleza do coração é ganha de vez, a torre do entendimento não permanecerá por muito tempo. É semelhante às sufumigações do estômago pressionado que surgem e causam dor de cabeça. Ou é quando as névoas espessas e espumosas nublam, as quais evaporam da terra escura e nebulosa, sufocam o ambiente mais luminoso e mais do que nos eclipsam o sol e as emoções negras e corrompidas, as quais ascendem do mais inferior da alma, causando não menos escuridão e sufocando a compreensão. Nem pode o fogo da graça persistir aceso no altar de Deus (o coração do homem), quando as nuvens da concupiscência ocasionam chuvas de impiedade. *Perit omne judicium, cum res transit ad affectum*, que significa: "Adeus à perspicuidade de julgamento, quando a questão é colocada na parcialidade das emoções". — *Thomas Adams*

v. 1: "Têm-se corrompido, fazem-se abomináveis em suas obras, não há ninguém que faça o bem". "Os homens", diz Bernardo, "porque são de mente corrompida, fazem-se abomináveis nas suas ações. Corrompem-se diante de Deus e são abomináveis diante dos homens. Há três tipos de homens que não fazem o bem. Há os que não entendem nem buscam a Deus — esses são os mortos. Há outros que o entendem, mas não o buscam — esses são os ímpios. Há outros que o buscam, mas não o entendem — esses são os néscios". "Ó Deus", exclama o escritor da Idade Média, "quantos há hoje que, em nome do cristianismo, adoram ídolos e são abomináveis a vocês e aos homens! Todo homem adora o que ele mais ama. Os orgulhosos se inclinam diante do ídolo do poder mundano. Os cobiçosos diante do ídolo do dinheiro. Os adúlteros diante do ídolo da beleza, e assim por diante". Acerca dos tais, disse o apóstolo: "Confessam que conhecem a Deus, mas negam-no com as obras, sendo abomináveis, e desobedientes, e reprovados para toda boa obra" (Tt 1.16).

"Não há ninguém que faça o bem." Note como Paulo se aproveita desse testemunho na Epístola aos Romanos, onde ele está demonstrando que, "tanto judeus como gregos, todos estão debaixo do pecado" (Rm 3.9). — *John Mason Neale, in loc.*

v. 1: O argumento do meu texto é a divindade dos ateus, o sumário da sua crença expressada totalmente em um único artigo, que é negativo e bem contrário à forma habitual de todos os credos: "Não há Deus". O artigo é um só, mas há tantos absurdos ligados às suas consequências, que são tão irreligiosas, tão prodigiosamente profanas que ele ousa não mencioná-las. Diz apenas suavemente para si, em segredo, "no seu coração". O texto desabrocha nestes três pontos: Quem são eles? "Néscios." O que disseram? "Não há Deus." Como o disseram? "No seu coração." O néscio, o seu dardo e o seu golpe. Falarei sobre eles severamente. [...] Há a criança em anos e há a criança em modos, *aetate et moribus*, disse Aristóteles. Há o néscio, pois os néscios e as crianças são ambos chamados pelo mesmo termo νηπιοι. Há o néscio em inteligência e há o néscio em vida: *stultus in scientia, et stultus in conscientia*, o falto de inteligência e o néscio falto de graça. O último é digno do título como o primeiro. Ambos são destituídos de razão, não da faculdade, mas do uso. O último néscio é realmente o mais amável dos dois, pois o bêbado crônico usaria a razão se pudesse e o pecador não pensaria que pudesse. Não é o néscio natural, mas o néscio moral a que Davi visa, o ímpio e o desprezível, pois este é o sentido do termo original. [...] É hora de deixarmos a pessoa, e considerarmos o ato. O que esses néscios fizeram? Com certeza, nada. Apenas disseram. O que disseram? Nada, nada. Apenas pensaram, pois dizer no coração é apenas pensar. Há dois tipos de dizer na Bíblia, um cujo significado é realmente correto, ao passo que o outro não passa de esperança; um é pela palavra da boca, o outro é pelo pensamento do coração. Vemos que o salmista se refere ao segundo tipo. O dardo que os néscios lançam aqui é o ateísmo. Não faz barulho, conforme atiram os arqueiros. Os néscios se aproximam, atiram de perto, calmamente, longe da vista e sem som. Dizem: "Não há Deus", mas dizem "no seu coração". O coração tem boca; *intus est os cordis*, disse Agostinho. Deus, disse Cipriano, é o *cordis auditor*, ele ouve o coração. Então, pelo jeito, o coração tem fala. Quando Deus disse a Moisés: *quare clamas?*, que significa: "Por que clamas a mim?" (Êx 14.15), não encontramos nenhuma palavra que ele tivesse proferido. *Silens auditur*, disse Gregory, ele é ouvido por não dizer nada. Há uma fala silenciosa: "Falai com o vosso coração", disse Davi, "e calai-vos" (Sl 4.4). A fala não é ação do coração, não mais que a meditação é ação da boca. Mas às vezes o coração e a boca trocam de função. *Lingua mea meditabitur*, disse Davi (Sl 35.28). Há *lingua meditans*, "língua meditativa", mas aqui é *cor loquens*, "coração falante". Para dizer a verdade, o filósofo disse muito bem, pois é o coração que faz todas as coisas, *mens videt, mens audit, mens loquitur*. É o coração que fala, a língua não passa de instrumento para dar o som. É senão o eco do coração repetir as palavras segundo ele. Exceto quando a língua corre antes da inteligência, o coração dita para a boca, sugere o que dirá. O coração é o arauto da alma. Ele vê o que ela terá proclamado, o coração a lê e a boca o clama. A língua não diz o que o coração não tenha dito primeiro. Na realidade, o discurso mais verdadeiro e mais amável está no coração. A língua e os lábios são os jesuítas, pois arrendam, mentem e usam de equivocações: ou a bajulação, ou o medo, ou outra vantagem particular, ou outra consideração distorcida adultera-lhe as palavras. Mas o coração fala o que quer dizer, o mesmo que vinte bocas, se pudesse falar audivelmente. — *Richard Clerke, Doutor em Teologia, 1634 (um dos tradutores da Bíblia em inglês)*

vv. 1 e 4: A Bíblia diz, como causa dos notórios cursos de ação dos ímpios, que "todas as suas cogitações são: Não há Deus" (Sl 10.4). Esquecem-se de que há um Deus de vingança e um dia de ajuste de contas. "Os néscios" impõem necessariamente no coração que "não há Deus", complementando: "Têm-se corrompido, fazem-se abomináveis em suas obras, não há ninguém que faça o bem. [...] Comem o meu povo como se comessem pão. [...] Eles não invocam ao Senhor". Não têm dúvidas de comer os homens e os seus bens do que ter escrúpulos de comer um pedaço de pão. Em que condição miserável o pecado pôs o homem, para que o grande Deus, que enche os céus e a terra (Jr 23.24), não tivesse lugar no coração que Ele fez especialmente para si! O sol não é tão brilhante quanto esta verdade que Deus é, pois todas as coisas que há no mundo são porque Deus é. Se Ele não fosse, nada poderia ser. É dele que os ímpios recebem forças para cometer pecado, portanto o pecado procede do ateísmo, sobretudo os pecados de conspiração. Se as pessoas pensassem mais em Deus, Ele tiraria a alma das tramas pecadoras e a colocaria nele. — *Richard Sibbes*

v. 2: "Para ver se havia algum que tivesse entendimento e buscasse a Deus". Ninguém o busca de forma que vale a pena e como deve ser buscado, nem pode buscá-lo enquanto estiver vivendo em pecado. Os homens ao buscaram a Deus falham em muitas coisas. Em primeiro lugar, os homens não o buscam por Ele mesmo. Em segundo lugar, não o buscam exclusivamente, mas juntamente com outras coisas. Em terceiro lugar, buscam outras coisas antes dele, como fazem os mundanos. Em quarto lugar, buscam-no com indiferença ou descaso. Em quarto lugar, buscam-no inconstantemente, como exemplificam Judas e Demas.

Em sexto lugar, não o buscam na sua Palavra, como fazem os hereges. Em sétimo lugar, não o buscam em toda a sua Palavra, como fazem os hipócritas. Em oitavo e último lugar, não o buscam oportunamente e na hora certa, como fazem os pecadores profanos e impenitentes. Não têm cuidado em depender da Palavra de Deus, mas seguem as próprias concupiscências e costumes deste mundo. — *Thomas Wilson, 1653*

vv. 2 e 3: Qual era o motivo de Deus olhar os homens assim? "Desviaram-se todos", quer dizer, de Deus e dos seus caminhos. "Juntamente se fizeram imundos", as suas práticas são tamanhas que fedem. "Não há quem faça o bem, não há sequer um", de tantos milhões de seres humanos que há na terra, não há um que faça o bem. Havia homens de regiões excelentes do mundo, homens de alma, mas nenhum deles conhecia Deus de verdade ou o buscava. Paulo o estabeleceu como uma máxima universal que o homem animal, natural ou intelectual não recebe as coisas do Espírito de Deus, porque elas lhe são tolice, rejeitando-as. — *William Greenhill*

v. 3: Os ímpios são "imundos". "Ali farei o teu sepulcro, porque és vil" (Na 1.14). O pecado torna os homens vis, mancha-lhes o nome, suja-lhes o sangue. "Juntamente se fizeram imundos", é, no hebraico: "Eles se fizeram fedidos". Por mais que seja ruim chamar os homens de ímpios, não podemos desvinculá-los do que são. Eles são "porcos" (Mt 7.6); "víboras" (Mt 3.7); "diabos" (Jo 6.70). Os ímpios são as "escórias" (Sl 119.119), e os céus são puros demais para que haja escórias em seu meio. — *Thomas Watson*

v. 3: "Juntamente se fizeram imundos". O satirista romano descreve a sua própria época:

Nada resta, nada para o futuro
A acrescentar à lista completa de crimes
Os filhos desnorteados têm de sentir os mesmos desejos
E fazer as mesmas loucuras radicais que os antepassados
O vício atingiu o zênite.
— *Juvenal, "As Sátiras", 1*

v. 3: "Não há quem faça o bem, não há sequer um". Orígenes levanta a questão de como poderia ser dito que não havia ninguém, nem entre os judeus nem os gentios, que fizessem o bem, visto que havia muitos entre eles que vestiam os nus, alimentam os famintos e faziam outras coisas boas. Ele próprio dá a resposta. É semelhante àquele que lança a fundação, constrói uma parede ou duas, mas não se pode dizer que construiu uma casa até que a termine. Aqueles podem fazer algumas coisas boas, contudo não atingiram a bondade perfeita que só se encontra em Jesus. Mas não é esse o significado que o apóstolo dá ao excluir os homens da perfeição da justiça, pois até os crentes e os fiéis carecem dessa perfeição necessária. Ele demonstra o que os homens são por natureza, pois todos estão debaixo do pecado e no mesmo estado de danação, sem a graça e a fé em Cristo. Se alguém faz uma boa obra, ou foi da graça e, portanto, não de si mesmos, ou se a fizeram pela luz da natureza, não a fizeram como deveriam. Então, estava realmente longe de uma boa obra. — *Andrew Willet (1562-1621), "On Romans iii. 10" [Sobre Romanos 3.10]*

v. 4: "Não terão conhecimento os obreiros da iniquidade [...]?" A ignorância dos homens é a razão por que eles não temem o que deveriam temer. Por que é que os ímpios não têm medo do pecado? É porque não o conhecem. "Não terão conhecimento os obreiros da iniquidade [...]?" Claro que não, porque "comem o meu povo como se comessem pão". Tais bocados lhes queimariam a boca, e não ousariam ser perseguidores e destruidores do povo de Deus. Teriam medo de tocá-los se pelo menos soubessem o que fazem. — *Richard Alleine v. 4:* "Que comem o meu povo como se comessem pão", ou seja, *quotidie*, "diariamente", disse Austin, tão propriamente quanto comem pão, ou com a mesma ânsia e voracidade. Esses devoradores de homens, esses Λαοβόροι, "canibais cruéis", não têm mais consciência que arruínam o pobre do que quando comem uma comida boa por estarem com fome. Como os lúcios na lagoa ou os tubarões no mar, eles devoram os mais pobres; como os peixes maiores devoram os menores, e muitas vezes com uma destruição plausível e invisível; como o usurário que, como a avestruz, digere metais, mas especificamente dinheiro. — *John Trapp*

v. 4: "Que comem o meu povo como se comessem pão?" Como são poucos os que consultam e creem na Bíblia que expõem a inimizade dos ímpios contra o povo de Deus! A Bíblia diz "que comem o meu povo como se comessem pão". Dá a entender que possuem uma inclinação estranha para devorar os santos, têm enorme prazer em comer, como o faminto que come vorazmente, e lhes é natural atormentá-los. A Bíblia os compara a leões e ursos pelas características odiosas, a raposas pela sutileza, a bois selvagens, a porcos gananciosos, a escorpiões, a sarças e espinhos (coisas dolorosas e irritantes). A Bíblia fala que são industriosos e incansáveis nos empreendimentos sangrentos, não conseguindo dormir sem que tenham feito o dano. Herodias preferiu o sangue de um santo à metade de um reino. Hamã estava disposto a pagar uma grande multa ao rei para que os judeus dispersos (que não cumprem as leis do rei) fossem destruídos. Os ímpios correm o perigo de condenar a própria alma, em vez de não arremessar um punhal à menina dos olhos de Deus. Embora saibam o que custa uma palavra — será? —, eles arrombam todos os deveres naturais, civis e morais para arruinar o povo de Deus. O Espírito Santo os chama de "irreconciliáveis" (Rm 1.31), ferozes e teimosos. São como a fornalha ardente em sua fúria, como o mar em sua ira ilimitada. Mas "quem deu crédito" a essa "pregação" (Is 53.1) da Bíblia? Crendo que inimigos todos os ímpios são contra todos os santos, não deveríamos nos valer da prudência e discrição para nos precaver de todo perigo que venha por esses homens? Arranjaríamos uma arca para nos salvar do dilúvio da ira. Se a qualquer hora fôssemos lançados entre eles e libertos, bendiríamos a Deus juntamente com os três filhos, pois a fornalha ardente não nos consumiu. Não nos espantaríamos quando ouvíssemos alguma das suas crueldades bárbaras, mas, antes, nos maravilharíamos por Deus estar contendo-os todos os dias. Seríamos suspeitos de receber dano quando fôssemos lançados entre pessoas fúteis e levianas. Evitaríamos essa companhia como fazemos com os leões e escorpiões. Nunca confiaríamos depósitos ou segredos em suas mãos. Jamais ficaríamos despreocupados na sua presença. Não confiaríamos nas suas promessas na mesma proporção que não confiamos nas promessas feitas pelo Diabo, o seu pai. Almejaríamos o céu para ficarmos livres das "tendas de Quedar" (Sl 120.5). Não contaríamos que os santos estivessem livres de perigo, tendo relações com algum grande ímpio. Não teríamos vínculos com eles, quer nós, quer os nossos filhos e filhas com esses filhos e filhas de Belial. Não escolheríamos os demônios para serem os nossos servos. — *Lewis Stuckley*

v. 4: Este é um mundo mau, que odeia o povo de Deus. "Porque não sois do mundo, [...] por isso é que o mundo vos aborrece" (Jo 15.19). O ódio de Hamã era contra a semente dos judeus. Quando houver uma serpente que não pique ou um leopardo que não tenha manchas, então haverá um mundo ímpio que não tenha ódio pelos santos. A devoção é o alvo em que miram: "Os que dão mal pelo bem são meus adversários, porque eu sigo o que é bom" (Sl 38.20). O mundo finge odiar os piedosos por outra coisa, mas a base da disputa é a santidade. O ódio do mundo é implacável. A ira pode ser reconciliada, o ódio não. Você pode tão logo reconciliar o céu e o inferno como as duas sementes. Se o mundo odiou Cristo, não admira que nos odeie: "Se o mundo vos aborrece, sabei que, primeiro do que a vós, me aborreceu a mim" (Jo 15.18). Por que alguém odiaria Cristo? Esta sagrada Pomba não tinha fel, esta rosa de Sarom exalava o mais doce perfume, mas isso ressalta a baixeza do mundo. É um mundo que odeia a Cristo e um mundo que come os santos. — *Thomas Watson*

v. 5: "Ali se acharam em grande pavor". Para que não nos equivoquemos com o significado da ideia, temos de entender que essa frouxidão e covardia nem sempre sobrevêm aos pecadores presunçosos quando eles contemplam perigos iminentes. Nenhum deles tem a verdadeira coragem e fortaleza, pois muitos têm certo tipo de firmeza e resolução desestabilizada quando contemplam, por assim dizer, a morte bem diante dos olhos. É morte que procede de certo tipo de morte que está no coração deles e vigor que cresce mais do que a consciência para terem maior condenação. Mas quando agrada ao Senhor despertá-los do sono da morte e colocar neles o verme da consciência em ação, então essa doutrina se mostra verdadeira sem exceção para que os pecadores mais ousados provem por um longo tempo os covardes mais ignóbeis. Aqueles que são muito audaciosos em aventurar-se nos males mais perniciosos tornam-se mais tímidos entre todos os outros quando a mão vingadora de Deus os agarrar pelos mesmos. — *John Dod, 1547-1645*

v. 5: "Deus está na geração dos justos", quer dizer, Ele favorece essa geração ou espécie de homens. Deus está em todas as gerações, mas nessa Ele tem mais prazer. Os ímpios têm muitos motivos para temer aqueles em quem Deus tem prazer. — *Joseph Caryl*

v. 5: O Rei da glória não pode entrar no coração (como está escrito que Ele entra no coração do seu povo como tal, Salmos 24.9,10), mas parte da sua glória aparecerá. Deus acompanha a palavra com majestade, porque é a sua palavra. Assim Ele acompanha os seus filhos e os caminhos dos seus filhos com majestade, até nas suas maiores humilhações. Quando Estêvão foi levado à presença do conselho como prisioneiro no tribunal para defender a vida, Deus lhe manifestou a sua presença, pois "o seu rosto [era] como o rosto de um anjo" (At 6.15). De maneira proporcional, é por via de regra verdade o que Salomão diz sobre todos os justos: "A sabedoria do homem faz brilhar o seu rosto" (Ec 8.1). A mesma coisa Pedro também fala: "Se, pelo nome de Cristo, sois vituperados, bem-aventurados sois, porque sobre vós repousa o Espírito da glória de Deus" (1 Pe 4.14). É o que ocorre com os mártires, pois mostram majestade na inocência, presença e comportamento religioso! Que amabilidade na presença das pessoas, que amedronta, frustra e confunde os opressores mais terríveis. Os perseguidores "comem o meu povo como se comessem pão" (v. 4), mas se achavam em grande pavor por conta disso: "Deus está na geração dos justos" (v. 5). Deus ficou, por assim dizer, surpreso com os procedimentos dessas pessoas: "Não terão conhecimento os obreiros da iniquidade" (segundo constam as palavras precedentes), "que comem o meu povo como se comessem pão", não tendo mais dificuldade em comê-lo do que o homem que entusiasticamente come a própria carne? É o que parecem fazer, efetuar e comprovar. Mas durante todo o tempo em que o fazem estão em grande pavor, pois Deus lhes enche o coração com terror quando então mais insultam. Por quê? "Porque Deus está [ou habita] na geração dos justos", e é frequente Deus dar alguns vislumbres, indícios e advertências para os ímpios (como Pilatos teve em relação a Jesus), dizendo que o seu povo é justo. É o que vemos em Filipenses 1.28: "E em nada vos espanteis dos que resistem, o que para eles, na verdade, é indício de perdição, mas, para vós, de salvação, e isto de Deus". Nesta última passagem, observo que a certeza de salvação e o espírito de terror, e isto de Deus, são dados para ambos. O Antigo Testamento registra que Davi, embora Saul o odiasse (1 Sm 18.9) e procurasse matá-lo (1 Sm 18.10,11), "temia Saul a Davi, porque o Senhor era com ele e se tinha retirado de Saul" (1 Sm 18.12), que é a razão em estudo. Deus manifestou a sua presença a Davi e feriu a consciência de Saul com as maneiras religiosas e sábias de Davi, deixando Saul amedrontado. — *Thomas Goodwin*

v. 6: "Vós envergonhais o conselho dos pobres, porquanto o Senhor é o seu refúgio". Salmos 53.5 diz: "Tu os confundiste, porque Deus os rejeitou". Claro que a alusão é totalmente diferente em cada texto. Neste salmo é o protesto indignado do salmista contra "os obreiros da iniquidade" por subestimarem e envergonharem os pobres do Senhor. O outro afirma a vergonha final e confusão total dos ímpios, revelando o desprezo no qual o Senhor os mantém. Em qualquer caso, ilustra maravilhosamente o cuidado que Deus tem pelos pobres, não somente os pobres de espírito, mas literalmente os pobres, humildes, oprimidos e feridos. É esse caráter de Deus que é tão visivelmente delineado na sua palavra. Podemos vasculhar todos os shastras e vedas dos hindus, o Alcorão dos mulçumanos, a legislação dos gregos e o código dos romanos e o Talmude dos judeus — inclusive nos textos mais severos —, e nem em uma única linha ou página acharemos um vestígio ou rastro dessa ternura, compaixão ou empatia pelas injustiças, opressões, tribulações e tristezas dos pobres de Deus, cujas características a Bíblia dos cristãos comprova em quase todas as páginas. — *Barton Bouchier*

v. 6: "Vós envergonhais". Todo néscio que disse no coração que não há Deus provém da mesma aljava donde saem os dardos para atirar na bondade. A estéril Mical tem muitos filhos que, como a mãe deles, zomba do santo Davi. — *John Trapp*

v. 6: "Vós envergonhais", disse ele, "o conselho dos pobres". Não há nada que os ímpios tanto menosprezem quanto fazer de Deus um refúgio — não há nada que desprezem no coração tanto quanto isso. "Vós envergonhais", disse ele, "é algo para ser expulso de toda consideração. Os sábios confiam na sua sabedoria, os fortes na sua força, os ricos nas suas riquezas. Mas esse confiar em Deus é a coisa mais louca do mundo". As razões são:

(1) Não conhecem a Deus. É tolice confiar em quem não se conhece.

(2) São inimigos de Deus e Deus é o seu inimigo. Consideram loucura confiar nos inimigos.

(3) Não sabem como Deus ajuda e socorre.

(4) E buscam tal ajuda, tal socorro, tal provisão de certo modo que Deus não dá. Serem livres para servir as próprias concupiscências. Serem poupados para realizar a ira, a imundície e a loucura. Eles não têm outro desígnio ou propósito dessas coisas. Deus não lhes dará nada disso. É uma coisa tola o homem confiar em Deus para permanecer no pecado. É verdade que a sua loucura é a sua sabedoria, levando em conta o seu estado e condição. É loucura confiar em Deus para viver no pecado e desdenhar o conselho dos pobres. — *John Owen*

v. 6: "Vós envergonhais o conselho dos pobres" e por quê? "Porquanto o Senhor é o seu refúgio." Esta é a causa mais verdadeira, sejam quais forem outros pretextos existentes. Diante disso, façamos algumas observações sobre essa doutrina. A verdadeira piedade é a que gera a disputa entre os filhos de Deus e os ímpios. O descrente pode dizer o que quiser, ou seja, que ele os odeia e os despreza por serem arrogantes e insolentes por intrometer-se com os seus melhores, que eles são muito zombadores e desdenhosos para com as pessoas. Por isso, são descontentes e turbulentos e não sei mais o quê. Mas a verdadeira razão é dada pelo Senhor nesse texto, a saber, porque os filhos de Deus fazem de Deus a sua morada e confiança, não dependendo de bobagens ilusórias como os homens do mundo dependem. — *John Dod*

v. 6: "O Senhor é o seu refúgio". Convençam-se de fato para refugiar-se com Jesus Cristo. Ter um lugar de refúgio e não usá-lo é tão ruim quanto desejar um. Fuja para Cristo, corra para as brechas dessa Rocha. — *Ralph Robinson, 1656*

v. 7: "Oh! Se de Sião tivera já vindo a redenção de Israel! Quando o Senhor fizer voltar os cativos do seu povo, se regozijará Jacó e se alegrará Israel". Quando estamos em silêncio, ou não oramos de vez ou oramos muito friamente a Deus.

Assim, na adversidade e dificuldade, o nosso espírito é incitado e inflamado a orar, acerca dos quais encontramos exemplos em todos os pontos dos salmos de Davi. Diante disso, as tribulações são como se fossem o tempero da oração, como a fome é da carne. De fato, as orações são em geral insípidas quando não há aflições, e muitos não oram de verdade, mas imitam uma oração, ou oram por costume. — *Wolfgang Musculus, 1497-1563*

v. 7: "De Sião". Sião, a igreja, não é o Salvador, nem ousamos confiar nos seus ministros ou ordenanças. No entanto, a salvação chega aos homens por intermédio dela. As multidões famintas são alimentadas pelas mãos dos discípulos que gostam de agir como os serventes no banquete do evangelho. Sião se torna o local da fonte de águas que curam, as quais fluirão para o leste e oeste até que todas as nações as bebam. Essa é excelente razão para mantermos na maior pureza e energia todas as obras da igreja do Deus vivo. — *C. H. S.*

v. 7: "Quando o SENHOR fizer voltar os cativos do seu povo, se regozijará Jacó e se alegrará Israel". Note que por Israel devemos entender as outras ovelhas que o Senhor tem que não são desse aprisco, mas que Ele as trará para que lhe ouçam a voz. Esta é a razão de ser Israel, e não Judá, Sião e não Jerusalém. "Quando o SENHOR fizer voltar os cativos do seu povo", então, como consta na passagem paralela, "estávamos como os que sonham" (Sl 126.1). Sonho verdadeiramente glorioso no qual, por mais que imaginemos a metade da beleza ou a metade do esplendor, jamais conseguiremos ter uma noção. "A redenção" do cativeiro de nossa alma à lei da concupiscência, de nosso corpo à lei da morte. "A redenção" do cativeiro de nossos sentimentos ao temor. "A redenção", cuja conclusão expressa de forma extremamente bela um de nossos maiores poetas, *Giles Fletcher (1588-1623), em "Christ's Triumph over Death" [O Triunfo de Cristo sobre a Morte]*

Nenhuma tristeza lhes turva o cenho
Nenhuma doença descorada lhes empalidece o rosto
Nenhuma idade lhes branqueia os cabelos
Nenhuma nudez lhes envolve o corpo
Nenhuma pobreza em si e as suas desgraças
Nenhum medo da morte lhes devora a alegria de viver
Nenhum sono impudico lhes deflora o tempo precioso
Nenhuma perda, nenhuma dor, nenhuma mudança lhes espera as horas que passam voando.

— *John Mason Neale, in loc.*

SUGESTÕES AOS PREGADORES

v. 1. "Disseram os néscios no seu coração: Não há Deus." A loucura do ateísmo.

v. 1. O ateísmo do coração. — *John Jamieson, "Sermons on the Heart" [Sermões sobre o Coração]*

v. 1. "Disseram os néscios no seu coração: Não há Deus. Têm-se corrompido, fazem-se abomináveis em suas obras, não há ninguém que faça o bem." Descreva: (1) O credo dos néscios. (2) Os néscios que mantêm o credo. Ou o ateísmo: (1) A sua fonte: O "coração". (2) O seu credo: "Não há Deus". (3) Os seus frutos: "Têm-se corrompido".

v. 1. (1) A grande fonte do pecado: o homem afastar-se de Deus. (2) O lugar de domínio do pecado: o coração. (3) O efeito do pecado no intelecto: torna o homem néscio. (4) As manifestações do pecado na vida: atos de comissão e atos de omissão.

v. 1. "Não há ninguém que faça o bem." A lanterna de Diógenes. Levante-a em todas as classes, e denuncie os pecados.

v. 2. (1) A busca condescendente. (2) Os súditos beneficiados. (3) As intenções generosas.

v. 2. O que Deus busca e o que devemos buscar. Os homens em geral enxergam prontamente as coisas que têm a ver com o seu próprio caráter.

vv. 2 e 3. A busca de Deus por um homem naturalmente bom. Os resultados. As lições a serem aprendidas com isso.

v. 3. A total depravação da raça humana.

v. 4. "Não terão conhecimento os obreiros da iniquidade [...]?" Se os homens conhecessem corretamente a Deus, a sua lei, o mal do pecado, o tormento do inferno e as outras grandes verdades espirituais, eles pecariam como pecam? Ou se sabem de tudo isso e, mesmo assim, continuam na iniquidade, como são culpados e como são néscios! Responda à pergunta tanto positiva quanto negativamente, o que dará material para um discurso minucioso.

v. 4. "Não terão conhecimento os obreiros da iniquidade"? O pecado gritante de transgredir contra a luz e o conhecimento.

v. 4. "Eles não invocam ao Senhor." A ausência de oração é marca certa de um estado sem a graça.

v. 5. Os temores loucos daqueles que não têm o temor do Senhor.

v. 5. A proximidade do Senhor aos justos, as consequências aos que o buscam e o encorajamento aos santos.

v. 6. A sabedoria de fazer do Senhor o nosso refúgio. — *John Owen*

v. 6. Descreva: (1) A que tipo de pobre o texto se refere. (2) O conselho dos pobres. (3) A repreensão dos pobres. (4) O refúgio dos pobres.

v. 6. A confiança em Deus é um tema de escárnio somente para os néscios. Mostre a sabedoria do tema.

v. 7. O nosso desejo ardente pela vinda.

v. 7. "De Sião." A igreja é o canal de bênçãos para os homens.

v. 7. O discurso para promover o reavivamento. (1) A condição frequente da igreja: "Salvação". (2) O meio do reavivamento: a vinda do Senhor em graça. (3) As consequências: "regozijará", "se alegrará".

v. 7. A salvação da alma. O que é. Como é preparada. Como se efetua. Com que resultados.

SALMO 15

TÍTULO

Este "Salmo de Davi" não tem dedicatória que indique a ocasião em que foi escrito. Contudo, é muito provável que, junto com o Salmo 24, com o qual possui semelhança extraordinária, a sua composição esteja de algum modo relacionada com a mudança da arca para o monte santo de Sião. Quem tinha o dever de cuidar da arca não era questão de pouca importância, pois quando pessoas sem autorização se intrometeram no encargo, Davi não pôde na primeira tentativa levar a arca para Sião, conforme era o seu propósito. Na segunda tentativa, ele foi mais cuidadoso, não só passando o encargo de levar a arca aos levitas divinamente nomeados (1 Cr 15.2), mas também a deixando sob a responsabilidade do homem cuja casa o Senhor abençoara. Estamos falando de Obede-Edom, que, com os muitos filhos, ministrava na casa do Senhor (1 Cr 26.8,12). Espiritualmente, temos aqui uma descrição do homem que é uma criança versada na igreja de Deus na terra, e que habitará na casa do Senhor para sempre lá no céu. Trata-se primariamente de Jesus, o Homem perfeito, e nele todos os que pela graça são conformados à sua imagem.

DIVISÃO

O versículo 1 faz a pergunta, e os versículos 2 a 5 dão a resposta. Intitularemos o salmo de *A Pergunta e a Resposta.*

EXPOSIÇÃO

1 *Senhor, quem habitará no teu tabernáculo? Quem morará no teu santo monte?*

1. **A Pergunta.** Jeová, sublime e santo, a quem Tu permitirás que tenha comunhão contigo? Os céus não são puros aos teus olhos, e nos anjos Tu encontras loucura (Jó 4.18). Então, quem da natureza mortal habitará contigo, Tu que és temeroso fogo consumidor? O senso da glória do Senhor e da santidade que é

a sua casa, o seu serviço e os seus servos, provoca a mente humilde a fazer a pergunta solene que está diante de nós. Onde os anjos se curvam com o rosto coberto, como os homens poderão adorar? Muitos que são irrefletidos imaginam que é muito fácil nos aproximar do Altíssimo, e que, quando declaradamente se ocupam em adorá-lo, não têm dúvida no coração quanto à aptidão para isso. Mas as almas verdadeiramente humildes encolhem-se sob o senso da indignidade absoluta, não ousando aproximar-se do trono do Deus da santidade se não for por meio dele, o nosso Senhor, o nosso Advogado, que habita no templo celestial porque a sua retidão permanece para sempre.

"Quem habitará no teu tabernáculo?" Quem terá permissão para pertencer à casa de Deus, permanecer debaixo do seu teto e desfrutar de comunhão com Ele?

"Quem morará no teu santo monte?" Quem será o cidadão de Sião e o habitante da Jerusalém celestial? A pergunta é feita porque é uma controvérsia. Nem todos os homens têm esse privilégio; mesmo entre os mestres há estranhos à comunidade que não têm relacionamento secreto com Deus. Com base na lei, o mero homem não pode habitar com Deus, pois não há ninguém na terra que satisfaça as justas exigências mencionadas nos versículos subsequentes. As perguntas no texto são feitas ao Senhor, como se nada senão a Mente infinita pudesse responder-lhes e atender-lhes a consciência inquieta. Só o Senhor do Tabernáculo pode nos informar quais são as qualificações para servi-lo, pois quando Ele nos ensinar, veremos claramente só o nosso imaculado Senhor Jesus e os que são conformados à sua imagem podem se colocar com aceitação na presença da Majestade nos altos céus.

A curiosidade impertinente deseja saber quem e quantos serão salvos. Se os que fazem a pergunta, "Quem morará no teu santo monte?", empreendessem meticuloso exame de consciência em relação a si mesmos, agiriam com muito mais sabedoria. Os membros da igreja visível, que é o Tabernáculo de adoração a Deus e o monte da eminência, devem diligentemente esforçar-se para terem a preparação de coração que os qualifica para serem os ocupantes da casa de Deus. Sem as vestes nupciais da retidão em Cristo Jesus, não temos direito de nos sentar no banquete da comunhão. Sem a sinceridade em nosso andar não somos qualificados para a igreja imperfeita na terra, e certamente não devemos esperar que assim entraremos na igreja perfeita nos céus.

2 *Aquele que anda em sinceridade, e pratica a justiça, e fala verazmente segundo o seu coração;*

3 *aquele que não difama com a sua língua, nem faz mal ao seu próximo, nem aceita nenhuma afronta contra o seu próximo;*

4 *aquele a cujos olhos o réprobo é desprezado; mas honra os que temem ao Senhor; aquele que, mesmo que jure com dano seu, não muda.*

5 *Aquele que não empresta o seu dinheiro com usura, nem recebe subornos contra o inocente; quem faz isto nunca será abalado.*

2 a 5. **A Resposta.** Em resposta à pergunta, o Senhor nos informa pelo Espírito Santo quais são as características internas do homem que pode habitar no santo monte. Em termos de perfeição, essa santidade se acha apenas no Homem de dores, mas em termos de medida, é trabalhada em cada um do seu povo pelo Espírito Santo. A fé e as graças do Espírito não são mencionadas, porque essa é uma descrição do caráter externo. Onde há frutos sem que se veja a raiz, indica a certeza de que a raiz existe. Observemos o porte, a prática e a palavra do homem aceito.

2. *"Aquele que anda em sinceridade ["integridade", ARA]"*, que se mantém ereto, como aqueles que andam na corda bamba, sem se inclinarem para um lado ou para o outro. Ou como aqueles que levam mercadoria preciosa, mas frágil, em cestas na cabeça, que perdem tudo se deixarem a posição ereta. Os verdadeiros crentes

não bajulam como os bajuladores, não ziguezagueiam como as serpentes, não se dobram ao meio como os cavoucadores de terra nem se entortam para um lado como aqueles que têm alvos desonestos. Eles têm a forte firmeza de caráter do princípio vital da graça interior, e sendo íntegros, podem andar com integridade. Andar é de muito maior importância do que falar. Só é íntegro aquele que é de andar íntegro e cuja honestidade é íntegra.

"E pratica a justiça." A fé se mostra por meio das boas obras, não sendo, então, uma fé morta. A casa de Deus é uma colmeia para os obreiros, e não um ninho para os zangões. Aqueles que se alegram que tudo é feito para eles pelos outros, até mesmo o Senhor Jesus, e portanto detestam a legalidade, são os melhores praticantes do mundo contra os princípios do evangelho. Se não estamos servindo ao Senhor positivamente e fazendo a sua santa vontade no ponto máximo das nossas forças, podemos seriamente discutir o nosso interesse nas coisas divinas, pois as árvores que não dão fruto têm de ser cortadas e lançadas ao fogo.

"E fala verazmente segundo o seu coração." Os néscios no Salmo 14 falavam falsamente segundo o seu coração. Observe aqui e em outro lugar nos dois salmos o contraste extraordinário. Os santos não só desejam amar e falar a verdade com a boca, mas também buscam ser verdadeiros interiormente. Não mentem nem sequer no recesso do coração, pois Deus está ali e ouve. Desprezam significados dúbios, subterfúgios, ambiguidades, mentiras brancas, bajulações e logros. As verdades, como as rosas, têm espinhos, mais os homens bons as usam no peito. O nosso coração tem de ser o santuário e refúgio da verdade, mesmo que seja ela banida do mundo ao redor e expulsa dentre os homens. Mesmo correndo todo tipo de risco, temos que receber o anjo da verdade, pois a verdade é a filha de Deus. Devemos ser cuidadosos em realmente fixar e estabelecer tal princípio no coração, pois a ternura da consciência em relação à veracidade, como a camada aveludada de um pêssego, precisa de manipulação suave e, uma vez perdida, será difícil de recuperá-la. Jesus era o espelho da sinceridade e da santidade. Que sejamos cada vez mais conformados segundo a sua similitude!

3. Depois dos aspectos positivos vêm os negativos. *"Aquele que não difama com a sua língua."* Há um modo pecaminoso de caluniar com o coração quando pensamos muito duramente sobre alguém, mas é a língua que faz o dano. A língua de alguns homens morde mais que os dentes. A língua não é de aço, mas corta, e as feridas são muito difíceis de sarar. As piores feridas não são feitas com o gume da faca em nosso rosto, mas com o lado cego da faca quando a nossa cabeça está virada. Sob a lei, o falcão noturno era um pássaro imundo, e sua imagem humana é abominável em todos os lugares. Os caluniadores são o fole do Diabo para explodir as brigas, mas os piores são os que assopram a parte de trás do fogo.

"Nem faz mal ao seu próximo." Aqueles que refreiam a língua não darão licença para as mãos. Amar o próximo como a nós mesmos nos torna zelosos do bom nome do próximo, cuidadosos para não causarmos danos aos seus bens ou, pelo mau exemplo, corromper-lhe o caráter.

"Nem aceita nenhuma afronta contra o seu próximo." São néscios senão patifes aqueles que coletam bens roubados e os abriga. Na difamação como também no roubo, o receptor é tão culpado quanto o ladrão. Se não houvesse pessoas que gostam de ouvir fofocas, haveria um fim do comércio de espalhá-las. John Trapp diz que "o fofoqueiro carrega o Diabo na língua, e o ouvinte de fofocas leva o Diabo nos ouvidos". O original hebraico ("aceita") pode ser traduzido por "atura", denotando que é pecado aturar ou tolerar os fofoqueiros. "Levem tal indivíduo para fora!", diríamos acerca de um bêbedo. Contudo, é extremamente questionável que o seu comportamento grosseiro nos cause dano tanto quanto a história insinuante do fofoqueiro. "Chame a polícia!", dizemos se flagramos um ladrão no ato. No entanto, não deveríamos sentir mais indignação quando ouvimos uma fofoca em ação? "Cachorro louco!

Cachorro louco!" é terrível alarido, mas há poucos vira-latas cuja mordida é tão perigosa quanto a língua dos intrometidos. "Fogo! Fogo!" é aviso alarmante, mas a língua do fofoqueiro é posta em chamas pelo inferno, e aqueles que a favorecem é melhor remendar os modos, ou descobrirão que o fogo do inferno serve para línguas desenfreadas. O nosso Senhor não falou mal de ninguém, mas fez uma oração pelos inimigos. Temos de ser como Ele, ou jamais estaremos com Ele.

4. *"Aquele a cujos olhos o réprobo é desprezado; mas honra os que temem ao Senhor."* Temos de ser tão honestos em prestar homenagens quanto a pagar as contas. Dar honra a quem é devido. Temos uma dívida de honra com todos os homens bons. Não temos o direito de entregar o que lhes é devido a pessoas vis que estejam ocupando lugares de posição. Quando homens maus ocupam cargos, é nosso dever respeitar o cargo, mas não podemos violar a consciência a ponto de desprezar os homens. Por outro lado, quando os verdadeiros santos estão na pobreza e passando por aflições, devemos nos condoer de tais dificuldades sem deixar de honrar os homens. Podemos honrar o porta-joias mais tosco em virtude das joias, mas não devemos apreciar as falsas pedras preciosas por conta do lugar em que estão. O pecador adornado com artefatos de ouro e roupas sedosas não deve ser comparado ao santo em trapos mais do que comparamos a luz fraca de um castiçal de prata ao sol atrás de uma nuvem. O provérbio diz: "Mulheres feias, finamente vestidas, ficam mais feias ainda", e homens maus com inúmeros bens são piores ainda.

"Aquele que, mesmo que jure com dano seu, não muda." Os santos bíblicos do Novo Testamento regulamentam: "De maneira nenhuma, jureis" (Mt 5.34), mas a sua palavra é tão boa quanto um juramento. Os homens de Deus que pensam que é certo jurar são cuidadosos e reverentes para não se arriscarem demais. Quando as promessas vem a ser improdutivas, "os santos ainda são homens de honra". Aquele que é a nossa certeza segura jurou com dano próprio, mas como Ele gloriosamente permaneceu firme à fiança! Que consolo é para nós o fato de Ele não mudar, e que exemplo Ele nos é por ser meticulosa e precisamente exato em cumprir as nossas alianças com os outros. Os comerciantes perspicazes podem fazer negócios que causam perdas sérias, mas seja o que for que percam, se mantiverem a honra, as perdas serão suportáveis. Se perderem a honra tudo o mais estará perdido.

5. *"Aquele que não empresta o seu dinheiro com usura."* A usura era e é odiosa para Deus e o homem. O fato de o emprestador ter parte com o tomador de empréstimo nos ganhos obtidos com o dinheiro é muito adequado e próprio. Mas o homem de bens dilapidar o pobre infeliz que por desventura obteve um empréstimo é abominável. Aqueles que oprimem os negociantes pobres, as viúvas necessitadas e outros em situação semelhante, cobrando juros a taxas intoleráveis, descobrirão que o ouro e a prata que obtêm estão corrompidos. O homem que morará no monte do Senhor tem de sacudir esse pecado como Paulo sacudiu a víbora no fogo (At 28.4,5).

"Nem recebe subornos contra o inocente." O suborno é um pecado para quem dá e para quem recebe. Era frequentemente praticado nos tribunais orientais de justiça. Hoje, essa prática é quase desconhecida entre os nossos juízes excelentes. Mas o pecado sobrevive em várias formas, as quais o leitor não precisa que mencionemos. Em todas as formas, é algo repugnante ao verdadeiro homem de Deus. Ele lembra que Jesus, em vez de tomar a recompensa contra os inocentes, morreu pelos culpados.

"Quem faz isto nunca será abalado." Não há tempestade que o demova das fundações, arraste-o do ancoradouro ou desarraigue-o do lugar. Como o Senhor Jesus, cujo domínio é perpétuo, o verdadeiro cristão nunca perderá a coroa. Ele não só *estará* em Sião, mas *será* como Sião, inabalável e firme. Ele habitará no Tabernáculo do Altíssimo, e nem a morte nem o julgamento o removerá do lugar de privilégio e bem-aventurança.

Recorramos à oração e ao autoexame, porque esse salmo é como o fogo para o ouro e como a fornalha para a prata. Poderemos suportar o poder da prova?

NOTAS EXPLICATIVAS E DECLARAÇÕES IMPORTANTES

v. 1: "SENHOR, quem habitará no teu tabernáculo?" No que tange à Igreja de Cristo na terra ser um "tabernáculo", podemos observar que nem a igreja nem os seus membros têm lugar fixo ou firme de habitação neste mundo: "Levantai-vos e andai, porque não será aqui o vosso descanso" (Mq 2.10). "Porque não temos aqui cidade permanente, mas buscamos a futura" (Hb 13.14). O Tabernáculo de Deus, sendo um templo móvel, vagava por todos os lugares, às vezes pelo deserto, às vezes em Siló, às vezes entre os filisteus, às vezes em Quiriate-Jearim, nunca encontrando lugar certo até que foi transladado ao monte de Deus. Mesmo assim, a igreja de Deus vagava como peregrina e estrangeira pelo deserto deste mundo, sendo empobrecida, atormentada e aflita por todos os lados, perseguida de uma cidade para outra e nunca desfrutando de habitação permanente de descanso certo e legítimo até que foi levada ao "monte santo [de Deus]". O verbo hebraico גּוּר (*gûr*) (como os versados em hebraico observam) significa "morar como estrangeiro" ou "hóspede", denota que o cidadão do céu é peregrino na terra. [...] No que respeita à igreja ser um Tabernáculo, vemos que não é uma fortaleza rodeada por muros fortes, armada com força humana. Manter-se dentro dela é defender-se do calor do sol e do dano das intempéries. A força da igreja não está na terra, mas vem do céu. Cristo, a Cabeça, é, em todas as dificuldades da igreja, a ajuda presente, o refúgio contra a tempestade, a sombra contra o calor (Is 25.4). A igreja na terra é realmente um Tabernáculo, mas é o Tabernáculo de Deus, no qual Ele habita como na sua casa. "SENHOR, quem habitará no teu tabernáculo?" O Senhor ordenou a construção do Tabernáculo para que Ele pudesse habitar entre eles. Considerando que Ele prometeu por Moisés levantar o Tabernáculo entre eles, o apóstolo santo o construiu da sua habitação entre eles. "Vós sois", disse ele, "o templo do Deus vivente, como Deus disse: Neles habitarei e entre eles andarei" (2 Co 6.16). Para o mesmo propósito, há outro texto que diz que Deus habita em Sião e anda no meio dos sete castiçais de ouro, ou seja, no meio das sete igrejas no meio da sua cidade (Sl 46.5), no meio do seu povo (Is 12.6). — *John Boys, Doutor em Teologia, Decano de Canterbury, 1571-1625*

v. 1: "Quem morará no teu santo monte?" Se Davi, homem dotado com espírito excelente e divino, alguém em quem havia sabedoria singular, conhecimento raro e entendimento profundo dos segredos ocultos, o qual, sendo ensinado por Deus sobre as coisas divinas, ultrapassou muitíssimo e excedeu em sabedoria todos os mestres e conselheiros, quis saber a diferença entre ovelhas e bodes, bons e ruins, santos e hipócritas, verdadeiros adoradores de Deus e dissimuladores, os verdadeiros habitantes do Tabernáculo santo e os intrusos dos ímpios para que ele não se enganasse nesse ponto, que grande causa temos, em quem nem espírito semelhante, nem tal sabedoria, nem conhecimento igual, nem entendimento comparável, parece em certo ponto temer a nossa própria fraqueza, duvidar de nossos próprios julgamentos, confessar a nossa própria enfermidade e suspeitar dos truques sutis e pretextos dissimulados dos homens. Para mais conhecimento sobre as coisas ocultas, profundas e secretas, com Davi a exigir e fazer esta pergunta: "SENHOR, quem habitará no teu tabernáculo? Quem morará no teu santo monte?" [...] Quando Davi diz: "Quem morará no teu santo monte?", ele nos dá a entender que não há verdadeiro e sadio descanso senão no monte do Senhor que é a igreja. Os ímpios e descrentes que não são da casa de Deus, do monte santo, da igreja, não têm tranquilidade, descanso ou paz saudável. Mas estão com a mente em perplexidade ininterrupta, tormento ininterrupto, intranquilidade ininterrupta. — *Richard Turnbull, 1606*

v. 1: "Habitará no teu tabernáculo". Os adoradores no pátio exterior só terão a morada eterna lá fora entre os cães, os feiticeiros, os mentirosos. Mas aqueles que serão habitantes dos céus entram mais, chegando até ao interior do Tabernáculo.

A alma se alimenta à mesa do Senhor, sente o cheiro das vestes por conta da mirra, babosa e cássia. Se a qualquer hora eles perdem essas coisas, a alma se aflige e nunca fica em repouso até que eles as recuperem novamente. — *Thomas Boston*

v. 1: "Quem morará no teu santo monte?"

Agora, quem é ele? Dizei, se podeis
Que assim ganhará a firme morada?
Pilatos dirá: "Eis aqui o Homem!"
E João: "Eis o Cordeiro de Deus!"
— *John Barclay, citado por Andrew A. Bonar, in loc.*

v. 1: "Santo monte". O céu é adequadamente comparado a um monte e o inferno a um buraco. Quem subirá a esse monte santo? Ninguém senão aquele que desce do monte para ter doce comunhão com Deus nesta vida presente, cujas relações estão no céu, embora a sua morada ainda esteja por certo tempo na terra, pois aqui come, bebe e dorme a vida eterna. — *John Trapp*

vv. 1 e 2: O disfarce e simulação dos hipócritas de todas as épocas ocasionaram, quiçá, esta questão. Como Paulo fala: "[...] nem todos os que são de Israel são israelitas" (Rm 9.6), muitos que estão na igreja não são da igreja, segundo a opinião dos estudiosos sobre esse texto, *multi sunt corpore qui non sunt fide, multi nomine qui non sunt nomine.* Davi, percebendo que vários indivíduos foram arrastados ao Tabernáculo de Deus como bodes entre ovelhas, o joio entre o trigo, sendo exteriormente judeus, mas não intimamente, enganando os outros e, às vezes, a si mesmos com uma tosca confissão de fé e a falsa opinião da verdadeira devoção, aproximam-se de Deus (quanto ao investigador e experimentador do coração dos homens, familiarizado com todos os segredos e conhecendo bem quem lhe pertence), dizendo-lhe: "Ó Senhor, tendo em vista que há tanta instabilidade e hipocrisia que reina entre os que habitam no teu Tabernáculo, confessando a tua palavra e frequentando os lugares da tua adoração, eu te peço muito humildemente que declare ao teu povo alguns símbolos e conhecimentos pelos quais os verdadeiros súditos do teu reino possam ser discernidos dos filhos deste mundo". Observemos que a confissão externa de fé e a comunhão externa com a Igreja de Deus não são suficientes para a salvação, a menos que tenhamos uma vida incorrupta correspondente para a salvação, fazendo a coisa certa e falando a verdade em nosso coração. O papista tolo é excessivamente enganado em confiar na igreja, ou seja, na sucessão dos bispos romanos, nas multidões de católicos romanos, no poder e pompa da sinagoga romana, bradando como os judeus dos tempos antigos: "Templo do Senhor, templo do Senhor" (Jr 7.4), a nossa igreja é o templo do Senhor. O evangelista carnal e descuidado também se engana, colocando toda a religião na observação formal do culto externo, pois o mero cristão verbal é um verdadeiro ateu, de acordo com as palavras de Paulo: "Confessam que conhecem a Deus, mas negam-no com as obras" (Tt 1.16). Há tantos que parecem permanecer no Tabernáculo de Deus durante certo tempo, mas que jamais morarão no santo monte de Deus. Esta declaração é expressamente confirmada pelo próprio Cristo: "Nem todo [disse ele] o que me diz: Senhor, Senhor! entrará no Reino dos céus, mas aquele que faz a vontade de meu Pai, que está nos céus. Muitos me dirão naquele Dia: Senhor, Senhor, não profetizamos nós em teu nome? E, em teu nome, não expulsamos demônios? E, em teu nome, não fizemos muitas maravilhas? E, então, lhes direi abertamente: Nunca vos conheci; apartai-vos de mim, vós que praticais a iniquidade" (Mt 7.21-23). Considerem isto, todos vocês que são cristãos só de boca, mas não em vida, assumindo uma máscara de religião ou, antes, um disfarce para os olhos, boca e nariz, convenientemente pintado e proporcionado para todos os pretextos e propósitos. Pensem nisso, todos vocês que se esquecem de Deus, aquele que habita no céu e vê as coisas aqui na terra, não permite que ninguém more no monte da sua santidade, exceto "aquele que anda em sinceridade, e pratica a justiça, e fala verazmente segundo o seu coração". — *John Boys*

v. 2: "Aquele que anda em sinceridade". Se nem a razão dourada da excelência nos comove, nem a razão prateada de lucro nos fascina, então a razão férrea tem de necessariamente nos obrigar à integridade e sinceridade de coração. Primeiramente, tal é a necessidade disso que sem integridade as melhores bênçãos que temos são falsas e, portanto, são pecados gloriosos. A melhor adoração que prestamos não passa de hipocrisia e, portanto, é abominável aos olhos de Deus. A sinceridade é a estabilidade de todas as bênçãos e virtudes, como também de toda a religião e adoração a Deus, sem a qual elas são irreais e de nenhum valor. Primeiro, como bênçãos comovedoras, se não estiverem unidas com a sinceridade de coração, são pecados sob a máscara ou pretexto de virtude, ao que parece, pecados duplos. Como disse Agostinho: *Simulata aequitas est duplex iniquitas, quia et iniquitas est, et simulatio*, que significa "a equidade fingida é iniquidade dupla, tanto porque é iniquidade quanto porque é fingida". — *George Downame, Doutor em Teologia, 1604*

v. 2: "Aquele que anda em sinceridade". Temos aqui duas perguntas. Em primeiro lugar, por que Davi descreve um membro sadio da igreja e herdeiro do céu por meio de obras e não da fé, visto que o Reino do céu é prometido para a fé, e confessando-a, também o torna um membro da igreja visível? Em segundo lugar, por que, entre todos os frutos da fé, quase inumeráveis, ele escolhe os deveres que dizem respeito especialmente ao próximo? À primeira pergunta, respondemos que nesta e em todas as outras passagens das Santas Escrituras onde as boas obras são ordenadas ou recomendadas, a fé sempre é pressuposta, de acordo com a máxima apostólica: "[...] tudo o que não é de fé é pecado" (Rm 14.23); "sem mim", disse o nosso bendito Salvador, "nada podereis fazer" (Jo 15.5); e "sem fé é impossível agradar-lhe [a Deus]" (Hb 11.6); *fides est operum fomes*, como Paulino disse com perspicácia: "'A fé [como a igreja fala] é o ninho das boas obras.' Os nossos pássaros jamais são tão bonitos, ainda que quiçá façamos o que é certo e falemos o que é verdadeiro, tudo isso se perderá, exceto que seja realizado em verdadeira convicção". Aristides foi tão justo no seu governo que não agia mal por respeito aos amigos ou apesar dos inimigos. Dizem que Pompônio era tão verdadeiro que jamais mentiu, nem permitiu que os outros mentissem. Curtio em Roma, Meneceu em Tebas e Codro em Atenas se expuseram à morte voluntária para o bem do próximo e do país. Porque queriam o restante da verdadeira fé no Salvador do mundo onde colocar a sua juventude, não podemos (se falarmos com o nosso profeta aqui acerca do oráculo de Deus) dizer que eles jamais morarão no santo monte de Deus. Outra resposta pode ser que a fé é uma graça interior e oculta. Muitos enganam a si mesmos e aos outros com uma confissão fingida, fazendo com que o Espírito Santo prove a fé de todo homem para conhecê-los pelos frutos. Todo aquele a quem a vida eterna é prometida com a fé, e a condenação eterna é ameaçada contra a infidelidade, a oração de salvação e condenação será pronunciada de acordo com as obras, conforme a evidência mais clara de ambos. Bernardo disse verdadeiramente que embora as nossas boas obras não sejam *causa regnandi*, elas são *via regni*, o passadiço em que e não a causa pela qual temos de subir ao santo monte de Deus. Quanto à segunda questão, por que os deveres que pertencem imediatamente a Deus não são mencionadas aqui, mas só no que tange ao nosso irmão? A resposta a essa pergunta é que os tais, que, vivendo na igreja visível, abertamente confessam a fé e se mostram devotos, ouvindo a Palavra de Deus e invocando o seu nome, são aqui os ateus profanos, e não tanto quanto a fazer a semelhança de santidade, não há pergunta a ser feita, pois, sem dúvida, não pode haver lugar de descanso para os tais no Reino dos céus. Agora que podemos discernir corretamente quais desses que professam a

Cristo são verdadeiros e quais são falsos, as marcas não serão estabelecidas pela audição externa da palavra, ou pelo recebimento dos sacramentos e muito menos pela observação formal das tradições humanas no Tabernáculo de Deus (pois todas essas coisas os hipócritas normalmente fazem). Serão estabelecidas pelos deveres da sinceridade, dando a todo homem o que lhe é devido, porque o critério da devoção a Deus é o amor aos nossos irmãos. "Nisto", disse João, "são manifestos os filhos de Deus e os filhos do diabo: qualquer que não pratica a justiça e não ama a seu irmão não é de Deus" (1 Jo 3.10). — *John Boys*

v. 2: Não há melhor averiguação do tipo de árvore do que pelos frutos que produz. Quando as engrenagens do relógio se movem interiormente, os ponteiros no dial se movem exteriormente. Quando o coração do homem é salvo na conversão, então a vida é condizente na confissão. Quando os condutos estão na parede, como julgaremos a fonte senão pelas águas que passam pelos tubos? — *William Secker*

v. 2: "E pratica a justiça". O homem tem de primeiro ser justo para então praticar a justiça da vida. "Quem pratica justiça é justo, assim como ele é justo" (1 Jo 3.7). A árvore produz frutos, não os frutos a árvore. Portanto, a árvore tem de ser boa para que então os frutos sejam bons (Mt 7.18). O justo pode fazer uma prática ou obra justa, mas não há obra que torne justo o injusto. Nós nos tornamos justos pela fé, pela justiça de Cristo imputada em nós (Rm 5.1). [...] Portanto, que os homens façam obras como quiserem, se eles não são verdadeiros crentes em Cristo, não são obreiros da justiça e, por conseguinte, não morarão nos céus. Você tem de primeiro aproximar-se de Cristo para, pela fé, receber o dom da justiça imputada, ou você nunca a terá o verdadeiro caráter de cidadão de Sião. O homem força produzir frutos de um ramo quebrado e murcho de uma árvore, tanto quanto pratica a justiça sem crer e unir-se a Cristo. Estas são duas coisas pelas quais os que ouvem o evangelho se arruínam. — *Thomas Boston*

v. 2: "E pratica a justiça". A escada de Jacó tinha degraus nos quais ele não viu ninguém parado, pois todos ou estavam subindo ou descendo. Semelhantemente, suba ao topo da escada, ao céu, e lá você ouvirá alguém dizer: "Meu Pai trabalha até agora, e eu trabalho também" (Jo 5.17). Acerca disso, Basílio observou que o rei Davi, tendo dito primeiro: "Senhor, quem habitará no teu tabernáculo?" (v. 1), depois acrescentou, não aquele que até agora praticava a justiça, mas aquele que agora pratica a justiça, exatamente como Jesus disse: "Meu Pai trabalha até agora, e eu trabalho também" (Jo 5.17). — *Thomas Playfere*

v. 2: Aqui observamos o que Davi disse: "E pratica a justiça". Não aquele que fala, pensa ou ouve sobre a justiça, pois "os que ouvem a lei não são justos diante de Deus, mas os que praticam a lei hão de ser justificados" (Rm 2.13). O que, então, devemos aos outros? Aquilo que Jesus disse: "Tudo o que vós quereis que os homens vos façam, fazei-lho também vós" (Mt 7.12), até aos seus inimigos, quer dizer, não prejudicar ninguém, socorrer os que sofrem dano e fazer o bem a todos os homens. Mas essas coisas, digo, são faladas especialmente aos que fazem acepção de pessoas. É como se Ele tivesse dito: Não é porque você é sacerdote, nem porque você pertence a determinada ordem religiosa, nem porque você ora muito, nem porque você faz milagres, nem porque você ensina com esmero, nem porque você foi dignificado com o título de padre, nem porque você é praticante de qualquer trabalho (exceto a justiça), que você descansará no santo monte do Senhor. Se você não tiver a prática da justiça, nem todas as suas boas obras, indulgências, resoluções, promessas, intercessões lhe servirão de qualquer coisa. A verdade é firme, ou seja, é o andador sem mancha e o praticante da justiça que habitará no Tabernáculo do Senhor. Quantos há que constroem, aumentam e adornam igrejas, monastérios, altares, recipientes, roupas, e pensam o tempo todo que são obras da justiça. Há quem pise na justiça para poder trabalhar essas próprias obras e, por causa delas, espera ganhar o perdão das injustiças, enquanto que milhares de pessoas se enganam por meio disso! Por conseguinte, no último dia, Jesus dirá: "Tive fome, [...] tive sede, [...] era estrangeiro, [...] estava nu, [...] adoeci, [...] estive na prisão" (Mt 25.35,36). Ele não dirá uma palavra sequer sobre as obras que são feitas e admiradas hoje em dia. Por outro lado, em hipótese alguma é contra você o fato de ser leigo, ou pobre, ou doente, ou desprezível, ou por mais vil que você seja, se pratica a justiça, você será salvo. A única obra que temos de esperar que seja levada em consideração e avaliação é a obra da justiça. Todas as outras obras que desejamos ou nos fascinam sob a égide da piedade são o mesmo que nada. — *Martinho Lutero*

v. 2: "E fala verazmente segundo o seu coração". Os anatomistas observam que a língua humana está ligada com um fio duplo ao coração. Assim, para falar a verdade, é necessário uma concordância dupla de nossas palavras.

(1) Com o coração, quer dizer, ao falarmos a verdade é necessário que as palavras concordem com a mente e os pensamentos sobre as coisas faladas. Temos de falar como pensamos. A língua deve ser a intérprete fiel da mente. Caso contrário, mentimos, não falando como pensamos. Assim, o que é verdade em si mesmo pode ser falado pelo homem, e ao mesmo tempo ele é mentiroso, ou seja, se ele não pensa como fala.

(2) Com a coisa como é em si mesma. Embora pensemos que uma coisa é assim, quando não é, mentimos ao afirmá-la, porque não é como dizemos, ainda que realmente pensemos que seja. As nossas noções equivocadas das coisas nunca podem estampar mentiras para serem aceitas por verdades (2 Ts 2.11). — *Thomas Boston*

v. 2: Hoje ouvi um sermão sobre Salmos 15.2: "E fala verazmente segundo o seu coração". [...] Ó minha alma, receba a advertência que te foi dada! Medita na verdade em seu interior. Que a integridade e a verdade sempre te acompanhem e te guardem. Fala a verdade em teu coração. Sou grato pela convicção e sentimento que tenho acerca do mal de mentir. Senhor, aumenta a minha aversão à mentira. Como ajuda e assistência adicional contra esse vício mau, sórdido e pernicioso, esforço-me e determino buscar as orientações apresentadas diante de nós no sermão para mortificar essas paixões e corrupções, de onde o pecado da mentira mais comumente flui e que são a sua ocasião principal, "porque do coração procedem os maus pensamentos" (Mt 15.19). Assim, da mesma fonte procedem palavras más. Eu, com o maior zelo, me porei contra tais corrupções, pois noto que caio mais comumente nessa iniquidade. O orgulho com frequência acusa a nossa fala e cunha muitas mentiras. O mesmo se dá com a inveja, a cobiça, a malícia, etc. Vou me esforçar para me limpar de todas essas imundícies. Nunca haverá uma língua mortificada enquanto houver um coração não mortificado. Se eu amar o mundo desordenadamente, é mil contra um que estarei fazendo uma exceção para promover interesses mundanos. Se eu odiar o meu irmão, é com a mesma probabilidade que o reprovarei. Senhor, ajuda-me a purificar a fonte para que, então, as correntes sejam puras. Quando a mola de um relógio e todos os movimentos estão certos, os ponteiros andam certos. O mesmo se dá aqui. A língua segue a inclinação interior. Determino não fazer nada que requeira uma mentira. Se a cobiça de Geazi não o tivesse envergonhado, ele não teria tido de mentir para desculpar-se: "Quem anda em sinceridade anda seguro", e seguro neste como também em todos os outros aspectos (Pv 10.9). Quando eu fizer nada que seja desonroso e mau, nada que não suporte a luz, então terei pouca tentação em mentir. Esforçar-me-ei em ter um sentimento vivo aos olhos de Deus sobre mim, agindo e falando na sua presença. Senhor, desejo sempre colocar a ti diante de mim. Tu entendes os meus pensamentos tão perfeitamente quanto as pessoas entendem as minhas palavras. Eu considero antes de falar, e não falo muito ou estouvadamente (Pv 29.20). Penso na severidade do julgamento futuro, quando todo segredo será manifesto e os hipócritas e mentirosos expostos diante dos anjos e dos homens. Por último, imploro insistentemente ajuda divina (Sl 119.29; Pv 30.8). Ó meu Deus, ajuda-me em minha conduta futura, retira-me do caminho da mentira, que a lei da bondade e verdade esteja em minha língua.

Que eu preste atenção aos meus caminhos para que eu não peque com a língua. Lamento as minhas falhas passadas a esse respeito, e fujo para a tua misericórdia pelo sangue de Cristo. Abençoa-me nas instruções que me foram dadas neste dia. Não deixes que a iniquidade prevaleça contra mim. "Também da soberba guarda o teu servo. [...] Expurga-me tu dos que me são ocultos" (Sl 19.13,12). Entrego os meus pensamentos, desejos e língua à tua conduta e governo. Que eu pense e aja segundo o teu temor, e sempre fale a verdade no meu coração. — *Benjamin Bennet, "Christian Oratory" [O Oratório Cristão], 1728*

vv. 2 e 5: A águia tira o bico para renovar a mocidade. A cobra retira a pele velha para manter-se lisa. Aquele que entra nas alegrias de Deus e habita no seu monte santo deve, como a Bíblia fala, tirar o velho homem e vestir-se do novo, o qual, segundo Deus, é criado em justiça e verdadeira santidade, arrependendo-se verdadeira, veloz e continuamente. — *Robert Cawdray*

v. 3: "Aquele que não difama com a sua língua, nem faz mal ao seu próximo". Lamentar pela negligência total desse dever ou pela comissão frequente desse pecado. Que lágrimas são suficientes para lamentar isso? Como são rigorosas as censuras e repreensões que se espalham em todos os lugares, em todas as mesas, em todas as convenções! Isto seria mais tolerável, se fosse só a falta de pessoas descrentes, de estranhos e inimigos da religião, pois diz o provérbio antigo: "Dos ímpios procede a impiedade" (1 Sm 24.13). Quando o coração do homem está cheio do inferno, não é irracional esperar que a sua língua esteja ateada pelo fogo do inferno. Não admira ouvir tais pessoas reprovarem os homens bons, até mesmo a bondade deles. Mas, infelizmente, a doença não para por aqui. Essa praga não só está entre os egípcios, mas também entre os israelitas. É muito doloroso considerar como os teólogos afiam a língua como espadas contra outros teólogos. O homem bom censura e reprova outro homem bom. Um ministro calunia outro: "Quem poderá dizer: Purifiquei o meu coração, limpo estou de meu pecado!" (Pv 20.9). Tomara que eu tenha comovido a sua piedade nesse caso! Pelo amor de Deus, apiedem-se e não contaminem e firam a consciência com esse crime. Tenham pena dos seus irmãos. Já é suficiente que os ministros e cristãos piedosos sejam sobrecarregados com repreensões feitas pelos ímpios. Não há necessidade de vocês juntarem-se a eles nesse trabalho diabólico. Vocês deveriam apoiar e fortalecer as mãos contra as repreensões do mundo descrente, e não acrescentar aflição aos aflitos. Compadeçam-se do mundo e compadeçam-se da igreja que Cristo comprou com o seu próprio sangue, que me parece indicar as palavras: "Compadecei-vos de mim, amigos meus, compadecei-vos de mim, porque a mão de Deus me tocou" (Jó 19.21). Tenham pena do mundo furioso e miserável, e ajude-o contra esse pecado. Detenham o fluxo sangrento. Parem com essa prática má entre os homens tanto quanto for possível a cada um de vocês, chorem diante de Deus e, no que depender de vocês, não deem a Deus descanso até que Ele se agrade em operar a cura. — *Matthew Poole, 1624-1679*

v. 3: "Aquele que não difama com a sua língua, nem faz mal ao seu próximo, nem aceita nenhuma afronta contra o seu próximo". A detração ou difamação não deve ser ignorada, porque é muito comum cairmos nesse ponto. Pelo bom nome do homem, como disse Salomão, é algo precioso a cada um, e ser preferido antes de muito tesouro, de tal modo que não é menos doloroso ferir um homem com a língua do que com a espada. Por vezes, o golpe da língua é mais atroz que a ferida da lança, como está no provérbio francês. Portanto, a língua tem de ser refreada para que não ferirmos de modo algum o nome bom do próximo. Mas devemos guardá-la sã e salva tanto quanto em nós ela está. Aquilo que ele acrescenta no tocante ao mal ou dano não ser feito ao próximo, é como aquilo que já vimos relativo à operação ou prática da justiça. Ele nos faria então assim exercer todos os procedimentos em sinceridade, para que possamos estar longe de causar dano ou injustiça ao próximo. A expressão amor ao próximo tem o sentido de todo homem e mulher, como está claro e evidente. Porque todos somos servos de Deus e fomos colocados neste mundo para vivermos de forma íntegra e sincera. Ele quebra a lei da sociedade humana (pois todos estamos amarrados e presos a esta lei da natureza) que fere ou causa dano nos outros.

A terceira parte desse versículo é: "Nem aceita nenhuma afronta contra o seu próximo", nem confirme falso testemunho dadc uns contra os outros. Essa última parte parece ser a melhor, visto que antes ele falara expressamente, tocando o bom nome do próximo, não para ser ferido ou mal-tratado com a nossa língua. Esse erro é o seguinte em termos de gravidade, de maneira que também estamos muito envergonhados e mal reconhecemos que seja um erro, quando promovemos e mantemos as difamações inventadas e apresentadas por alguém contra outra pessoa, quer ouvindo-as ou contando-as a outras pessoas à medida que as ouvirmos. Por quê? Em geral, parece-nos que é o bastante podermos dizer que não fingimos isso ou aquilo, nem o fizemos por invenção própria, mas só passamos adiante o que ouvimos os outros contarem, sem acrescentar nada de nossa própria ideia. Mas sempre que fazemos assim, fracassamos em nosso dever de não dar crédito ao próximo, pois as coisas exigiam que sendo proferidas pelos outros deveriam ser ignoradas em silêncio e deixadas inativas, mas nós as recolhemos e, contando-as, as espalhamos, sendo pecado ou não. Quando por todos os meios possíveis desejamos e fazemos o bem ao próximo, todos os homens veem. Portanto, você que viaja para a vida eterna, não só não deve inventar relatórios falsos e difamações contra os homens, mas também não deve tendo-as em sua boca sido inventadas por outros, nem por qualquer meio promova ou continue caluniando. Mas por todos os meios honestos e legais, dê o crédito e estimação do próximo tanto quanto há em você. — *Peter Baro, Doutor em Teologia, 1560*

v. 3: "Aquele que não difama com a sua língua". A palavra hebraica רָגַל significa "ser espião", e por metáfora "difamar" ou "caluniar", pois os caluniadores e murmuradores, segundo a maneira de espiões, vão por toda parte dissimulando a maldade para que possam espiar os erros e defeitos dos outros. Por meio disso, eles constroem uma relação maldosa a ponto de serem ouvidos quando difamam. De forma que difamar é a calúnia maldosa feita por trás das pessoas. [...] O fato de que o cidadão do céu deteste e tenha que detestar a difamação evidencia a maldade horrível desse pecado. Em primeiro lugar, em Levítico 19.16, onde é categoricamente proibido, o "mexeriqueiro" é comparado a um vendedor ambulante: "Não andarás como mexeriqueiro entre o teu povo; não te porás contra o sangue do teu próximo". É o que significa רָכִיל. O vendedor ambulante, tendo comprado mercadorias de um ou de outro, vai de casa em casa para que ele as venda às pessoas. Assim os difamadores e fofoqueiros, reunindo boatos e rumores, como se fossem mercadorias, vão de um lado para o outro espalhando mercadorias que ou eles mesmos inventaram ou as reuniram por boatos, podendo então proferi-las na ausência do próximo para a infâmia e desgraça deste. Semelhantemente, Salmos 50.20, o mexerico é condenado como crime notável que Deus não permitirá que fique impune; em Ezequiel 22.9, o mexerico é reconhecido entre as abominações de Jerusalém por cuja destruição é denunciada contra ele; e em Romanos 1.29,30, entre os crimes dos ímpios, entregues a um sentimento réprobo, está este: eles eram murmuradores e mexeriqueiros. — *George Downame*

v. 3: "Aquele que não difama". Aquele que é culpado de difamação, que fala mal dos outros pelas costas, se aquilo que ele fala for falso, é culpado de mentira, o que é prejudicial à salvação. Se aquilo que ele fala for verdade, contudo lhe falta caridade por buscar difamar o outro. Como observa Salomão: "O amor cobre todas as transgressões" (Pv 10.12). Onde há amor e caridade, haverá uma coberta e escondimento dos pecados dos homens tanto quanto possível. Agora, onde falta caridade, não devemos esperar a salvação (1 Co 13.1-8; 1 Jo 3.14,15). — *Christopher Cartwright, 1602-1658 v. 3:* "Não difama". Esse crime é uma conjugação de males, sendo produtivo de danos infinitos. Arruína a paz e mina a fundação da amizade. Destrói as famílias e despedaça o coração e órgãos vitais da caridade. Torna o homem mau parte, testemunha, juiz e executor do inocente. — *Bispo Taylor*

v. 3: "Difama". O escorpião não fere ninguém exceto aquele a quem ele toca com a ponta da cauda. O crocodilo e o basilisco não matam ninguém senão pela força da visão ou pela força do bafo. A víbora não fere ninguém a não ser que ela morda. As ervas ou raízes venenosas não matam ninguém senão que as degusta, ou as manuseia, ou as cheira e, assim, chega perto delas. Mas o veneno da língua difamadora é muito mais violento e mortal. Fere e mata, machuca e extermina não só por perto, mas também ao longe; não só nas proximidades, mas também em lugares remotos; não só em casa, mas também fora de casa; não só em nossa própria nação, mas também em países estrangeiros. Não poupa nem vivos nem mortos. — *Richard Turnbull*

v. 3: "Difama". A palavra hebraica usada aqui vem de uma raiz que significa "pé", e denota a pessoa que anda de casa em casa, falando coisas que não deve (1 Tm 5.13). Uma palavra dessa raiz significa "espiões". A frase conota a pessoa que se infiltra nas casas, intromete-se nos segredos das famílias, divulga-os e muitas vezes os representa sob falsa luz. Os tais estão qualificados entre os piores homens, sendo muito impróprios de estar na sociedade dos santos ou em uma igreja de Cristo (ver Rm 1.30). — *John Gill*

v. 3: "Nem aceita nenhuma afronta contra o seu próximo". Os santos de Deus não devem ser muito propensos a ouvir, muito menos a acreditar em todos os boatos, rumores e histórias dos irmãos. A caridade requer que não só os detenhamos e lhes demos um fim, mas que os examinemos antes de serem cridos. O rei Saul, muito propenso a crer no que ouvia, acatou os relatos difamadores e falsos dos inimigos de Davi, os quais puseram na cabeça de Saul que Davi maquinava o mal contra o rei. O próprio Davi mostrou essa grande fraqueza quando, sem o devido exame e constatação dos fatos, acreditou no falso relatório de Ziba feito contra Mefibosete, filho de Jônatas. No tempo em que Davi era perseguido pelo filho Absalão, Ziba informou ao rei falsamente, dizendo que Mefibosete afirmara: "Hoje, me restaurará a casa de Israel o reino de meu pai" (2 Sm 16.3). Não devemos seguir esse exemplo de fraqueza reprovada pela Bíblia. Adotemos a verdade dessa doutrina celestial que, pelo Espírito de Deus, aqui ele anunciou, para que não acreditemos em falsos relatos emitidos contra o próximo. — *Richard Turnbull*

v. 3: Não menosprezes o próximo, mas pensa que tu és tão ruim pecador e que defeitos iguais podem te sobrevir. Se tu não podes desculpar a ação dele, desculpa-lhe a intenção que pode ser boa. Se a ação é má, pensa que foi feita por ignorância. Se não podes de nenhum modo desculpá-lo, pensa em alguma grande tentação que te ocorra e que tu farias pior se tentação igual te sobreviesse. Dê graças a Deus que tentação igual não te sobreveio. Não menosprezes o homem por ser pecador, pois ainda que hoje ele seja mau, amanhã ele pode mudar. — *Williams Perkins, 1558-1602*

vv. 3 a 5: Aqueles que depreciam a honestidade moral, depreciam aquilo que é grande parte da religião, o meu dever para com Deus e o meu dever para com os homens. O que eu ganho em ver um homem interessar-se grandemente em um sermão, se ele engana e trapaceia assim que chega em casa? Por outro lado, a moralidade não deve estar sem religião, pois sendo assim, pode mudar conforme vejo conveniente. A religião tem de governá-la. Aquele que não tem religião para governar a moralidade, não é nenhum pouco melhor do que o meu cão de guarda. Assim que você o acaricie, o agrade e não o belisque, ele brincará com você tão belamente quanto possível. Ele é um cão de guarda moral muito bom. Mas se você o ferir, ele pulará em direção ao seu rosto e lhe arrancará a garganta. — *John Seldon, 1584-1654*

v. 4: "Aquele a cujos olhos o réprobo é desprezado; mas honra os que temem ao SENHOR". Quando Jorão, o mau rei de Israel, dirigiu-se a Eliseu, o profeta, para pedir conselhos, consultar a deliberação do Senhor e solicitar águas, estando em companhia de Josafá, rei de Judá, que era virtuoso, o profeta lhe mostrou desprezo ao que era mau e a reverência ao outro que era piedoso, fiel e virtuoso, dizendo: "Vive o SENHOR dos Exércitos, em cuja presença estou, que, se eu não respeitasse a presença de Josafá, rei de Judá, não olharia para ti nem te veria" (2 Rs 3.14). Assim o ímpio foi desprezado aos olhos do profeta, que não honrou o descrente. Semelhantemente, o piedoso Mardoqueu, o judeu, desprezando o ambicioso e orgulhoso Hamã, o agagita, de modo algum se ajoelharia diante deste em sinal de honra, como as demais pessoas faziam. Por causa disso, ele foi extremamente odiado, ameaçado e molestado pelo orgulhoso e mau Hamã. Tolerar a impiedade dos ímpios, apoiá-los na iniquidade, adulá-los e bajulá-los. Louvá-los quando o que merecem é somente reprovação é, por assim dizer, uma honra para eles. Para isso e para o pecado mais doloroso, o profeta denuncia a maldição mais amarga: "Ai dos que ao mal chamam bem e ao bem, mal! Que fazem da escuridade luz, e da luz, escuridade, e fazem do amargo doce, e do doce, amargo!" (Is 5.20). — *Richard Turnbull*

v. 4: "Aquele a cujos olhos o réprobo é desprezado; mas honra os que temem ao SENHOR". Desprezar os ímpios e honrar os justos são opostos entre si. Mas o primeiro pode não ser adequado o suficiente para o homem piedoso. Por que ele desprezaria ou menosprezaria os outros, visto que por todos os meios a ordem é cuidar para o crédito dos outros, como ouvimos até hoje? O homem piedoso, libertando os outros, se examinaria e se acusaria, mas não julgaria os outros. Mas temos de entender que essa declaração do profeta se refere aos erros e não à pessoa. Toda pessoa tem de ser amada, assim todos os erros de todas as pessoas têm de ser odiados pelos piedosos. Pois assim é o próprio Deus afetado e disposto, a quem desejamos ser semelhantes para que moremos com Ele. Por quê? Ele não odeia nenhum homem. Não somente isso, mas Ele não odeia nada neste mundo universal inteiro, exceto o pecado. Ele é o autor e guardador de todas as coisas que existem. Portanto, Ele faz o bem e deseja o bem a todos. Só do pecado Ele não é o autor, mas é autor do natural livre-arbítrio do homem e de Satanás. Todavia, Deus odeia tanto o pecado que, por isso, às vezes negligencia e abandona os homens, desprezando-os. Por conseguinte, o homem piedoso não odeia ninguém, nem despreza ninguém. No entanto, Ele detesta o pecado nos pecadores sem que percebam, quer reprovando-os, quer evitando-lhes a companhia, quer fazendo alguma outra coisa por meio da qual eles saibam que não são detestados pelo homem bom por suas atrocidades, e vejam que são desprezados pelos outros em virtude da vida ímpia e descrente que vivem. O homem bom não deve bajular os descrentes nas suas tentativas desagradáveis, mas tem de declarar livremente que lhes desaprova o curso e as relações. — *Peter Baro*

v. 4: "Aquele a cujos olhos o réprobo é desprezado". Agostinho, como escreveu Posidônio, mostrando que ele tinha ódio dos fofoqueiros e das pessoas que contam mentiras sobre os outros, encontrou sobre a mesa dois versos, que, por tradução, são estes:

> Aquele que gosta de difamar com palavras amargas o ausente
> Tem de seguramente saber que não há nesta mesa lugar para o mesmo
> — *Richard Turnbull*

v. 4: "Aquele a cujos olhos o réprobo é desprezado". O residente da nova Jerusalém, *reprobos reprobat, et probos probat*. Ele não pode lisonjear o homem, nem imaginar tal qual em quem ele não encontrou *aliquid Christi*, algo da imagem de Deus. Ele não pode se inclinar a um Colosso de ouro recheado de lixo: "Mas honra os que temem ao SENHOR", como os únicos anjos terrenos, embora nunca tão vis e desprezíveis aos olhos do mundo. Quando perguntaram a Fox se ele não se lembrava do pobre servo de Deus que recebera socorro em tempos de dificuldade, ele respondeu: "Eu me lembro bem dele. Digo-lhe que me esqueço dos senhores e senhoras para lembrar-me dele". — *John Trapp*

v. 4: "Mas honra os que temem ao Senhor". Os homens tementes a Deus nos são, de um modo ou de outro, prejudiciais, contudo devemos honrá-los, e não menosprezá-los. Foi o que fez José em relação a Maria, embora ele supusesse que ela o tratara de forma injusta. Teria sido verdade se tivesse ocorrido com ela como ele imaginava. A resolução de Calvino concernente a Lutero foi muito admirável a esse respeito. Eles tinham opinião muito diferente sobre a presença de Cristo no sacramento. Lutero, sendo de espírito veemente, escreveu duramente contra os que mantinham outro ponto de vista que ele. Isso obrigou alguns, cuja preocupação era maior com o assunto, a preparar uma resposta a Lutero. Calvino, entendendo e temendo que eles, sendo provocados pela aspereza de Lutero, não o tratassem do mesmo modo, ele escreveu a Bullinger, homem importante entre eles, persuadindo-o e exortando-o a lidar com a situação de modo a mostrar todo o respeito devido a Lutero, levando em conta o valor e excelência que havia nele, por mais que se rebaixasse nesse particular. E acrescentou que costumava dizer que, embora Lutero o chamasse de demônio, ele lhe faria a honra de reconhecê-lo como servo escolhido de Deus. — *Christopher Cartwright*

v. 4: "Mas honra os que temem ao Senhor". Li acerca de uma pessoa que disse que se encontrasse um pregador e um anjo juntos, ele saudaria primeiro o pregador e depois o anjo. — *Charles Bradbury, "Cabinet of Jewels" [O Porta-Joias], 1785*

v. 4: "Aquele que, mesmo que jure com dano seu, não muda".

As suas palavras são vínculos, as suas promessas são oráculos
O seu amor é sincero, os seus pensamentos são imaculados
As suas lágrimas são puros mensageiros enviados do coração
O seu coração está tão longe da fraude como o céu da terra.
— *William Shakespeare*

v. 5: Quase todos os ministros puritanos são contra a tomada de juros em dinheiro, indo a ponto de dizer que um centavo por cento ao ano deixará o homem fora do céu se persistir nessa prática. Parece-me inútil citar opiniões com as quais não concordo, sobretudo por ocupar espaço que seria mais bem empregado. A exigência de juros excessivos e exorbitantes são um pecado a ser detestado. A tomada do juro habitual em um país comercial não é contrária à lei do amor. Os judeus não estavam engajados nesse comércio, e emprestar dinheiro mesmo a juros mais baixos aos agricultores em tempos de pobreza teria sido agiotagem. Mas poderiam emprestar a estrangeiros que normalmente se ocupavam no comércio, porque no mundo comercial, dinheiro é uma coisa frutífera, e o emprestador tem direito a uma parte nos seus produtos. Um empréstimo para habilitar um não-comerciante a viver durante um período de escassez é totalmente outra questão. — *C. H. S.*

v. 5: "Aquele que não empresta o seu dinheiro com usura". Em geral, entendemos que usura é o ganho de qualquer coisa sobre o montante principal ou aquilo que foi emprestado, cobrado só em atenção ao empréstimo, seja em dinheiro, seja em alimentos, mercadorias, etc. É mais comumente tomado por lucro ilegal que a pessoa obtém do seu dinheiro ou bens. A palavra hebraica usada para referir-se a *usura* significa "mordida". A lei de Deus proíbe condições rigorosas impostas para ganho pelo empréstimo de dinheiro ou bens, e a cobrança sem respeito pela situação do prestatário, quer ele ganhe, quer perca, ou seja, quer a pobreza ocasionou o empréstimo, quer houve um prospecto visível de ganho por empregar os bens recebidos por empréstimo. Êxodo 22.25,26 diz: "Se emprestares dinheiro ao meu povo, ao pobre que está contigo, não te haverás com ele como um usurário; não lhe imporás usura. Se tomares em penhor a veste do teu próximo, lho restituirás antes do pôr do sol". Em Levítico 25.35-37, lemos: "E, quando teu irmão empobrecer, e as suas forças decaírem, então, sustentá-lo-ás como estrangeiro e peregrino, para que viva contigo. Não tomarás dele usura nem ganho; mas do teu Deus terás temor, para que teu irmão viva contigo. Não lhe darás teu dinheiro com usura, nem darás o teu manjar por interesse". Essa lei proíbe cobrar juros do irmão que ficou pobre, do israelita reduzido à pobreza ou de um prosélito. Mas em Deuteronômio 23.20, Deus parece tolerar a usura em relação aos estrangeiros: "Ao estranho emprestarás à usura". Certos comentaristas entendem que "estranhos", nessa passagem, diz respeito aos gentios em geral ou a todos que não são judeus, com exceção dos prosélitos. Outros opinam que "estranhos" quer dizer os cananeus e outros povos que se dedicavam à escravidão e sujeição. Destes os hebreus tinham permissão de cobrar juros, mas não de estrangeiros com quem eles não tinham disputa e contra quem o Senhor não denunciara os seus julgamentos. Em Êxodo 22.25-27, os hebreus têm a ordem clara de não receber usura por dinheiro emprestado a qualquer pessoa que pedisse emprestado por necessidade, como no caso que consta em Neemias 5.5,7. Essa provisão a lei fez para manter as propriedades nas suas respectivas famílias no ano do jubileu. Para o povo que tinha poucos interesses no comércio, não podemos supor que o empréstimo de dinheiro a juros fosse permitido apenas por necessidade. Havia a permissão de emprestar a juros a estrangeiros a quem eles não devem oprimir. Essa lei, em sua severidade, parece ter sido peculiar ao estado judeu. Mas na sua equidade, obriga-nos a mostrar misericórdia àqueles sobre quem temos vantagem, e estar contentes em compartilhar com aqueles a quem emprestamos com perda, como também com lucro, se a providência assim determinar. Sobre essa condição, diz um valioso comentarista: "Parece-me legítimo receber juros por dinheiro, com o qual os outros se esforçam, se aperfeiçoam, mas correm o perigo no comércio, como é receber renda por minhas terras, com as quais os outros se esforçam, se aperfeiçoam, mas correm o perigo na agricultura". — *Alexander Cruden, 1701-1770*

v. 5: "Aquele que não empresta o seu dinheiro com usura". Êxodo 22.25, de acordo com a literalidade do original, diz: "Se emprestares dinheiro ao meu povo, ao pobre que está contigo". Os israelitas eram um povo pouco engajado no comércio. Portanto, podemos supor que em geral faziam empréstimos de dinheiro somente por total necessidade. Por conta dessa necessidade, o emprestador não podia tirar vantagem por meio de extorsões usurárias. Não devemos entender que a lei seja de qualquer modo uma proibição da cobrança de juros total, mas de juro ou usura excessivo. A frase: "Não te haverás com ele como um usurário" (Êx 22.25), é equivalente a dizer: "Tu não dominarás nem te assenhorearás sobre ele com rigor e crueldade". Essa classe de homens era peculiarmente propensa a ser extorsiva e opressiva nos procedimentos com os devedores, o que, talvez, denota a etimologia do termo original hebraico para referir-se à usura (נֶשֶׁךְ [*neshek*]), que provém de uma raiz que significa "morder". Em Neemias 5.2-5, temos um exemplo notável dos efeitos amargos e opressores que são o resultado do exercício dos direitos do credor sobre o devedor. O povo, em sua maioria, não só tinha hipotecado as terras, vinhedos e casas, mas também vendido os filhos e as filhas em escravidão, para atender as exigências de credores ávidos. Nesta emergência, Neemias esposou a causa dos pobres e forçou os ricos, contra quem reuniu o povo, a perdoar a totalidade das dívidas. Além disso, exigiu que fizessem um juramento para que depois não oprimissem os irmãos pobres por conta do pagamento dessas dívidas. As coisas não aconteceram assim porque cada parte desses procedimentos estivesse contrária à letra da lei mosaica, mas porque era uma brecha flagrante de equidade dadas as circunstâncias. Era porque estavam tirando proveito das necessidades dos irmãos, com o que Deus estava profundamente indignado e o qual os seus servos adequadamente reprovaram. Dessa lei, os canonistas hebreus fizeram uma regra geral, que diz: "Todo aquele que extorquir do pobre e souber que este não tem com que pagar, transgride contra esta proibição: 'Não te haverás com ele como um usurário'" (Maimônides, em *Henry Ainsworth*). Em nenhuma parte somos informados pelos institutos dados por Moisés que a cobrança simples de juros, em especial das nações vizinhas (Dt 23.19,20), fosse proibida aos israelitas. A lei divina não aprovaria as práticas de confisco e extorsão, para as quais os agiotas avarentos sempre são propensos. Os pobres merecedores e laboriosos às vezes poderiam cair em tais apuros, de modo que acomodações pecuniárias lhes seriam muito desejáveis. Para os tais, Deus inculcaria um espírito moderado, amável e paciente, sendo o preceito obrigado pela relação que eles lhe sustentavam: "Lembrem-se de que vocês estão emprestando para o meu povo, os meus pobres. Portanto, não tirem vantagem das necessidades deles. Confiem em mim no que tange ao medo de perda, e os tratem com amabilidade e generosidade". — *George Bush, "Notes on the Book of Exodus" [Notas sobre o Livro de Êxodo], 1856*

v. 5: "Aquele que não empresta o seu dinheiro com usura". Com respeito à primeira frase, visto que Davi parece condenar todos os tipos de usura em geral e sem exceção, a própria menção de cobrar juros já é detestada em todos os lugares. Homens astuciosos inventaram nomes enganosos para esconder o vício. Pensando que por esse artifício poderiam escapar ilesos, eles saqueiam com maior excesso do que se, de forma aberta e franca, tivessem emprestado a juros com usura. Deus, porém, não será tratado nem forçado por sofismas e falsos pretextos. Ele olha as coisas como elas realmente são. Não há tipo pior de usura do que a maneira injusta de barganhar quando a equidade é desconsiderada por ambas as partes. Lembremo-nos, então, que todas as barganhas nas quais uma parte de forma injusta se esforça para ganhar pela perda da outra parte, seja qual for o nome que se dê a isso, aqui são condenadas. Podemos perguntar se todos os tipos de usura têm de ser enquadrados nessa denúncia e considerados semelhantemente ilegais? Se condenarmos tudo sem distinção, há o perigo de que muitos, sendo levados a dilema tal que cheguem a pensar que incorreram em pecado, de qualquer modo que se voltem, fiquem mais ousados pelo desespero e se entreguem de cabeça a todo tipo de usura sem escolha ou discriminação. Por outro lado, sempre que concedemos que algo possa ser feito legitimamente desse modo, muitos soltarão as rédeas, pensando que lhes foi concedida a liberdade de cobrar juros, sem controle ou moderação. Em primeiro lugar e acima de tudo, aconselho os leitores a precaver-se de pretextos enganosos engenhosamente inventados para, pelos quais, tirar vantagem do próximo, e que não pensem que qualquer coisa que lhes seja legítima seja dolorosa e danosa aos outros. [...] Não é sem causa que, em Levítico 25.35,36, Deus proibiu a usura, dando esta razão: "E, quando teu irmão empobrecer, e as suas forças decaírem, então, sustentá-lo-ás como estrangeiro e peregrino, para que viva contigo. Não tomarás dele usura nem ganho; mas do teu Deus terás temor, para que teu irmão viva contigo". Vemos que o fim para o qual a lei foi feita era para que o homem não oprimisse cruelmente os pobres, que deveriam receber empatia e compaixão. Na verdade, esta fazia parte da lei judicial que o Senhor designou em particular para os judeus. Mas é um princípio comum de justiça que se estende a todas as nações e a todas as épocas, que deveríamos evitar saquear e devorar os pobres que estão em angústia e necessidade. De onde deduzimos que o ganho que o emprestador de dinheiro receber por juros, sem fazer dano a ninguém, não dever enquadrado no título de usura ilegal. A palavra hebraica נֶשֶׁךְ (*neshek*), que Davi emprega aqui, sendo derivada de outra palavra que significa "morder", mostra suficientemente que a usura é condenada na medida em que envolve em si, ou conduz à licença de roubar ou saquear o próximo. Ezequiel realmente condena a cobrança de qualquer tipo de juro por dinheiro emprestado (Ez

18.17; 22.12). Mas ele, indubitavelmente, tem em vista os estratagemas injustos e astuciosos de ganhar por meio dos quais os ricos devoravam os pobres. Em suma, contanto que tenhamos gravado em nosso coração a regra da equidade que Jesus prescreve em Mateus 7.12: "Portanto, tudo o que vós quereis que os homens vos façam, fazei-lho também vós", não é necessário entrar em longas disputas relativas à usura. — *João Calvino, in loc.*

v. 5: "Aquele que não empresta o seu dinheiro com usura". A lei mosaica proíbe o empréstimo de dinheiro a juros aos israelitas (Êx 22.25; Lv 25.37; Dt 23.19; Pv 28.8; Ez 18.8). Em várias das passagens citadas, supõe-se expressamente que o dinheiro só é emprestado aos pobres, suposição que tem base nas relações simples dos tempos mosaicos, nas quais emprestar com a finalidade de especulação e lucro não tinha existência. Tais empréstimos só devem ser uma ação de amor fraternal. É violação séria se a pessoa, em vez de ajudar o próximo, tira proveito da sua necessidade para colocá-lo em dilemas ainda maiores. O regulamento mosaico em questão tem, adequadamente, a sua importância também para os tempos do Novo Testamento. Não têm nada a ver com o empréstimo a juros dos capitalistas que emprestam por especulação. Esta é uma questão que pertence a outra classe, como está implícito pelo nome נֶשֶׁךְ, *a mordendo*, de acordo com o qual tal usura só pode dizer respeito a pestes e empobrecimento do próximo. Por comparação inoportuna com o nosso modo de falar, muitos exporiam: "Ele não empresta dinheiro a juros". — *E. W. Hengstenberg*

v. 5: "Aquele que não empresta o seu dinheiro com usura". O molusco chamado teredo, sobre o qual Plínio fala na sua história, se reproduz e vive na madeira. É macio ao toque, contudo os dentes são tão fortes que se engajam e comem a mais dura madeira. Assim, o usurário no princípio é um animal macio de controlar, mas com a continuação do tempo a dureza dos dentes come a carne e os ossos seus, caso você não se cuide. Ele alega amor, mas não por você, e sim por ele. A hera se enrosca e se ajusta ao carvalho como uma amante, cresce e eleva-se sobre o carvalho, sugando-lhe o suco e a seiva, e impossibilitando-lhe desenvolver-se e prosperar. Assim o usurário se enrosca, se ajusta e prende o prestatário nos braços para ficar mais rico. Suga-lhe todas as riquezas, bens e haveres, de modo que ele jamais prospera ou se desenvolve. O prazer que o usurário mostra é como o brincar do gato com o rato tolo. O gato brinca com o rato, mas o jogo do gato é a morte do rato. O usurário agrada o prestatário, mas o prazer do usurário é a ruína do prestatário. A raposa por artimanha move-se quietamente e faz baderna, divertindo-se bastante até chegar à presa, quando então a devora. O usurário fala muito bonito, faz muitas promessas interessantes, finge ser muitíssimo bom até que você esteja em seu alcance. Então, ele esmaga e atormenta você. O usurário rouba o pobre, fica rico com a penúria do irmão, veste-se com o casaco do nu, junta riquezas com a miséria e pobreza do próximo. Alimenta-se com o pão do faminto e devora o irmão pobre, como fazem os animais maiores com os menores. Ambrósio disse que não há maior desumanidade e crueldade, maior miséria e iniquidade do que a usura, como Crisóstomo e Basílio em muitos outros textos observaram muito bem acerca desse salmo. — *Richard Turnbull*

v. 5: Os ricos fazem com que os pobres os encham, pois os usurários se alimentam dos pobres, como os peixes grandes comem os pequenos. Aquele que disse: "Somente para que entre ti não haja pobre" (Dt 15.4), também disse: "Não te haverás com ele [o pobre] como um usurário" (Êx 22.25). Se há usurários também haverá pobres. Os usurários fazem os pobres, como os advogados fazem os disputantes. [...] É uma ocupação miserável viver pelo pecado. É um grande consolo para o homem quando ele olha o ouro e a prata, dizendo em seu coração: Tudo isso foi bem ganho. Quando ele estiver deitado no leito de morte e tiver de deixar tudo aos filhos, ele poderá lhes dizer: "Deixo a vocês o que é meu". Mas o usurário não pode dizer: "Deixo a vocês o que é meu", mas: "Deixo a vocês o que é das outras pessoas". O usurário nunca pode morrer em paz, porque se morrer antes de fazer a restituição, ele morre em pecado. — *Henry Smith*

v. 5: Os usurários mordentes eram tão detestados na Igreja Primitiva que, quando condenavam os próprios usurários, também condenavam os escrivães, que escreviam os contratos, e as testemunhas, mesmo que não tivessem qualquer benefício. Nenhum testamento ou última vontade escrito pelos tais é válido. A casa do usurário se chamava *domus Satanae*, que significa "a casa de Satanás". Ordenavam que ninguém deveria comer ou beber junto com tais usurários, nem ir buscar fogo da casa deles. Depois de mortos, eles não deveriam ser enterrados em enterro cristão. A conclusão é que este pecado ficou no mesmo nível que o roubo (Ez 18.13), o adultério (Ez 18.11), a violência (Ez 18.12). É filha da opressão e irmã da idolatria, e aquele que faz essas coisas não morarão no monte santo de Deus. Esses mundanos se julgam mais honestos que os ladrões e adúlteros, contudo o Senhor os coloca a todos no mesmo patamar. — *John Weemse, 1636*

v. 5: "Nem recebe subornos contra o inocente". Estou certo de que este é *scala inferni*, que quer dizer "o caminho certo para o inferno"; é ser cobiçoso, aceitar suborno e perverter a justiça. Se um juiz me perguntasse o caminho para o inferno, eu lhe mostraria este caminho. Em primeiro lugar, ser cobiçoso; o coração tem de ficar envenenado com a cobiça. Em segundo lugar e indo um pouco mais adiante, aceitar suborno. Em terceiro e último lugar, perverter a justiça. Reparem que aqui estão a mãe, a filha e a neta. A avareza é a mãe. Ela produz a aceitação do suborno e a aceitação do suborno perverte o julgamento. Falta uma quarta coisa para compor a bagunça que, Deus me livre, se eu fosse juiz. Teria de haver um *hangum tuum*, um certificado de execução para levar com ele. Um se fosse o juiz do supremo tribunal, o meu Senhor Juiz da Inglaterra, um se fosse o meu Senhor o próprio Chanceler para a execução com ele. — *Hugh Latimer*

v. 5: "Nem recebe subornos contra o inocente". Venho para corromper advogados e defensores que, muitas vezes, aceitam "subornos contra o inocente", quando assumem a defesa de causas das quais, em sua própria consciência, convencem-se de que devem ser maus e injustos. Este é erro muito comum entre os advogados, visto que muito poucos que defendem causas, quer em tribunais civis, quer eclesiásticos, têm consciência disso, para quem tudo que lhes cai na rede é peixe. Todos os advogados são exortados a conscientizarem-se disso. — *George Downame*

v. 5: "Quem faz isto". O texto não diz que é quem confessa isto ou aquilo, ou quem crê de determinada maneira, ou quem é desta ou daquela opinião, ou quem cultua assim ou assado, ou quem define novas ideias e finge que é o Espírito que o guia prontamente. Não é quem ouve muito ou fala muito sobre religião, nem é quem ora e prega muito, nem quem pensa muito nessas coisas e tem boas intenções. É quem faz essas coisas, ou seja, quem se dedica mesmo a essas coisas que é verdadeiramente crente e temente a Deus. Não é, afirmo, o confessor formal, o crente confidente, o opiniático fogoso, o perfeccionista de alto fluxo. Não é o que o ouvinte constante, ou o falador veemente, ou o professor laborioso, ou o irmão talentoso, ou o simpatizante simples tem de passar. Mas é o fazedor honesto e sincero dessas coisas que suportará o teste e permanecerá firme nas provações, quando todos os outros pretextos forem, nessas chamas minuciosas, queimadas e consumidas como "madeira, feno, palha", segundo expressa o apóstolo (1 Co 3.12). Usar a vestimenta característica de Cristo e não lhe prestar nenhum serviço é escarnecer de um Mestre amável. Aceitá-lo com a nossa confissão e negá-lo em nossa prática é, com Judas, traí-lo com um beijo de respeito; é, com os soldados rudes de joelhos dobrados diante dele e, enquanto isso, bater na cabeça sagrada com o cetro de junco; e é, com Pilatos, coroá-lo com espinhos, crucificar o Senhor e escrever acima da sua cabeça: "O REI DOS JUDEUS" (Mc 15.26). Em uma palavra, é afligi-lo com as nossas honras e feri-lo com os nossos agradecimentos. A confissão cristã sem a vida condizente está tão longe de salvar alguém quanto agrava a condenação seriamente. Quando uma amizade encoberta ao grande dia das descobertas será considerada como o pior das inimizades. A mera formalidade exterior de adoração é, na melhor das hipóteses, um sacrifício de Prometeu, um esqueleto de ossos e uma fraude religiosa. [...] O humour inofensivo de ter boas intenções não basta para aprovar o estado espiritual do homem, absolver as obrigações ou averiguar as expectativas. Porque aquele que nos ordena: "Aparte--se do mal", acrescenta imediatamente os deveres: "Faça o bem" e "Busque a paz e siga-a" (1 Pe 3.11). De nada valerá não ter feito o mal, a menos que mostremos que também temos feito o bem, visto que a não comissão de grandes pecados não desculpa a omissão de grandes deveres. Na movimentada comunidade das abelhas, o zangão sem ferrão, como não tem arma para causar dano, também lhe falta ferramenta para usar, sendo meritoriamente expulso da colmeia. — *Condensado de Adam Littleton, Doutor em Teologia, 1627-1694*

v. 5: "Quem faz isto nunca será abalado". Observe que o profeta não disse quem ler essas coisas, ou quem ouvir essas coisas, mas quem *fizer* isto nunca será abalado. Se bastasse ler ou ouvir esses preceitos, então um número infinito de pessoas vãs e más entraria e permaneceria na igreja, que não têm lugar. Há muito poucos ou ninguém que já as leu, ou pelo menos ouviu essas coisas, mas que não as fariam. Nem diz que quem fala essas coisas, mas quem as faz, pois muitos hoje podem falar gloriosamente de sinceridade, justiça, verdade, em quem não há procedimentos sinceros, nem justiça sadia, nem verdade genuína. Muitos podem dizer que difamação é pecado, dano é iniquidade, acatar boatos é ser severo, que não convém aos santos bajular os ímpios, quebrar promessas e jurar falsamente é impróprio, emprestar a juros é opressão, receber subornos contra o inocente é crueldade extrema. Contudo, caluniam e ferem o próximo, acreditam em todo boato que ouvem, bajulam e adulam os ímpios para tirar vantagem, juram e renegam segundo a comodidade, oprimem por meio de usura e recebem presentes de suborno contra o inocente. Em outras palavras, falam dessas coisas, mas na realidade não as fazem. [...] Nem Davi diz que quem pregar essas coisas "nunca será abalado", pois então não só muitos outros ímpios, que podem falar, mas também muitos descrentes, que podem pregar sobre virtude, deveriam ter lugar no Tabernáculo do Senhor e morada no santo monte de Deus. Também entre outros, até Balaão, o profeta cobiçoso, teria lugar certo no Tabernáculo de Deus, pois ele disse: "Ainda que Balaque me desse a sua casa cheia de prata e de ouro, eu não poderia traspassar o mandado do SENHOR, meu Deus, para fazer coisa pequena ou grande" (Nm 22.18); contudo, ele recebeu recompensas. Ele foi levado pela cobiça, tanto quanto havia nele, para trabalhar pela destruição de Israel, o povo inocente do Senhor. — *Richard Turnbull*

v. 5: "Nunca será abalado". Ele pode ser abalado por certo tempo, mas não removido para sempre. A sua alma está presa ao feixe da vida, perto do trono da glória, ao passo que a alma dos ímpios está inquieta como a pedra no meio de uma funda, diz o Targum em 1 Samuel 25. — *John Trapp*

v. 5: "Quem faz isto nunca será abalado". A alma santa é o amor de Deus e a alegria dos anjos. Os seus olhos ousam olhar o Juiz glorioso a quem a alma reconhece como o seu Salvador. O seu coração é corajoso. Ousa permanecer no trovão. Quando pessoas cheias de culpa se escondem pelos cantos, a alma confia naquele que a defenderá. Desafia o mundo inteiro para acusá-lo de injustiça, e não teme o suborno da falsa testemunha, porque conhece o testemunho da própria consciência. As suas palavras são livres e ousadas, sem a culpabilidade de pausas interrompidas. A testa é clara e lisa, como o cume do céu. Os joelhos sempre estão dobrados em direção ao trono da graça. Os pés estão viajando para Jerusalém. As mãos tecem a teia da retidão. Os homens bons a abençoam. Os anjos bons a vigiam.

O Filho de Deus a beija. E quando o mundo virar uma pilha em chamas, ela será levada em segurança ao monte da alegria e colocada no trono da bem-aventurança para sempre. — *Thomas Adams*

SUGESTÕES AOS PREGADORES

v. 1. Qualificações para ser membro da igreja na terra e no céu. Assunto para autoexame.

v. 1. (1) Comparação entre a igreja e o Tabernáculo. A presença de Deus manifestada, o sacrifício oferecido e os vasos da graça guardados nela. Desprezível por fora, gloriosa por dentro. (2) Comparação entre a dupla posição da igreja e a posição do Tabernáculo. Móvel no deserto e fixa no monte. (3) Investigação das qualificações para a admissão à igreja e ao Tabernáculo. É paralela com os sacerdotes.

v. 1. A grande pergunta. Pergunta feita por mera curiosidade, desespero, temor piedoso, busca sincera, alma aborrecida diante da queda dos outros, fé santa. Dê resposta a cada item.

v. 1. Apresentação das características do cidadão de Sião. — *Thomas Boston, "Thomas Boston's Sermons" [Sermões de Thomas Boston]*

v. 1. Ansiedade em conhecer os verdadeiros santos, até que ponto é legítimo e lucrativo.

v. 1. Deus, o único que discerne infalivelmente os verdadeiros santos.

v. 2. "Aquele que anda em sinceridade." (1) O que ele precisa ser: sincero de coração. O homem curvado ou torto não pode andar em sinceridade. (2) Como ele deve agir: nem por impulso, ambição, ganho, medo ou bajulação. Não deve ser inclinado para qualquer direção, mas tem de manter-se sincero. (3) O que ele tem de esperar: armadilhas para apanhá-lo. (4) Onde ele deve andar: no caminho do dever, o único no qual ele pode andar com sinceridade. (5) Para onde ele precisa olhar: para cima, diretamente para cima, e então ele será sincero.

v. 2. "E fala verazmente segundo o seu coração." Assunto: falsidade de coração e veracidade de coração.

v. 2. "Aquele que anda em sinceridade." O cidadão de Sião é um andante sincero.

v. 2. "E pratica a justiça." O cidadão de Sião é um praticante da justiça.

v. 2. "E fala verazmente segundo o seu coração." O cidadão de Sião é um falador da verdade. — *Thomas Boston, "Four Sermons" in: Works of Thomas Boston ["Quatro Sermões" in: Obras de Thomas Boston]*

v. 3. Os males da calúnia. Afeta três pessoas aqui mencionadas: o difamador, o próximo sofredor e o aceitador da afronta.

v. 3. "Nem aceita nenhuma afronta contra o seu próximo." O pecado de ser propenso demais em acreditar em boatos. É comum, cruel, tolo, prejudicial, mau.

v. 4. O dever de praticamente honrar os que temem ao Senhor. Com elogio, respeito, ajuda, imitação.

v. 4. O pecado de medir as pessoas por critérios que não sejam pelas características práticas.

v. 4. "Aquele que, mesmo que jure com dano seu, não muda." O Senhor Jesus como nossa segurança imutável, o seu juramento e o seu dano.

v. 5. As evidências e privilégios dos que são tementes a Deus.

v. 5. "Quem faz isto nunca será abalado." A estabilidade e segurança dos tementes a Deus.

SALMO 16

TÍTULO

Salmo excelentíssimo de Davi (ARC) ou *Mictã de Davi* (AEC). Entendemos normalmente que significa "O Salmo de Ouro". Este título é muito apropriado, porque o assunto do salmo é do mais fino ouro. Henry Ainsworth o chama de "A Joia de Davi" ou "O Cântico Extraordinário". Robert Hawker, que sempre está atento a passagens interessantes, clama piedosamente: "Certos estudiosos o intitulam de *precioso*, outros *de ouro* e outros, *joia preciosa*. Considerando que o Espírito Santo, por meio dos apóstolos Pedro e Paulo, nos mostra que tudo diz respeito ao Senhor Jesus Cristo, o que é dito sobre Ele é precioso, de ouro e é realmente uma joia!" Não encontramos o termo "mictã" nos salmos já estudados, mas ao chegarmos nos Salmos 56, 57, 58, 59 e 60, o veremos de novo. Observaremos que, como este, esses salmos, embora comecem com oração e insinuem dificuldades, estão cheios de confiança santa e terminam com cânticos de certeza acerca da segurança e alegria finais. Joseph Addison Alexander, cujos comentários são peculiarmente valiosos, opina que o termo seja um derivado simples de uma palavra que significa "esconder", conotando "segredo" ou "mistério" e dando a entender a profundidade da importância doutrinal e espiritual contida nestas composições sagradas. Se esta for a verdadeira interpretação, concorda bem com a outra. Quando juntamos as duas, elas formam um nome do qual todo leitor se lembrará e que imediatamente brotará na mente o tema precioso: *O Salmo do Segredo Precioso.*

ASSUNTO

Não dependemos de intérpretes humanos para termos a chave deste mistério de ouro, pois, falando pelo Espírito Santo, Pedro diz: "Porque dele disse Davi" (At 2.25). Mais adiante, no mesmo sermão memorável, ele afirmou: "Varões irmãos, seja-me lícito dizer-vos livremente acerca do patriarca Davi que ele morreu e foi sepultado, e entre nós está até hoje a sua sepultura. Sendo, pois, ele profeta e sabendo que Deus lhe havia prometido com juramento que do fruto de seus lombos, segundo a carne, levantaria o Cristo, para o assentar sobre o seu trono, nesta previsão, disse da ressurreição de Cristo, que a sua alma não foi deixada no Hades, nem a sua carne viu a corrupção" (At 2.29-31). Nem este é o nosso único guia, pois o apóstolo Paulo, orientado pela mesma inspiração infalível, cita este salmo e confirma que Davi escreveu sobre o homem por quem se prega a nós o perdão de pecados (At 13.35-38). Em geral, os comentaristas aplicam o salmo a Davi, aos santos e ao Senhor Jesus, mas arriscaremos afirmar que nele "Cristo é tudo" (Cl 3.11), visto que nos versículos 9 e 10 deste Salmo 16, como os apóstolos no monte, "ninguém mais [vemos], senão Jesus" (Mc 9.8).

DIVISÃO

A totalidade do Salmo é tão compacta que é difícil esboçar linhas definidas de divisão. Talvez baste observar a oração de fé do nosso Senhor (v.1), a declaração de fé somente no Senhor (vv. 2—5), o contentamento da sua fé no presente (vv. 6, 7) e a confiança alegre da sua fé no futuro (vv. 8—11.)

EXPOSIÇÃO

1 *Guarda-me, ó Deus, porque em ti confio.*

1. *"Guarda-me"*, proteja-me, salva-me, ou como pensa Samuel Horsley: "Guarda-me", como o guarda-costas que cerca o monarca, ou como o pastor que protege o rebanho. Tentado em todos os pontos como nós, a humanidade de Jesus precisava ser guardada do poder do mal. Embora fosse em si mesmo puro, o Senhor Jesus não confiou nessa pureza natural, mas, como exemplo aos seus seguidores, dependeu do Senhor, seu Deus, em busca de guarda. Um dos grandes nomes de Deus é "Guarda dos homens" (Jó 7.20). O Pai exerceu este gracioso ofício para com o nosso Mediador e Representante. Fora prometido ao Senhor Jesus em palavras expressas que Ele seria guardado: "Assim diz o Senhor, o Redentor de Israel, o seu Santo, à alma desprezada, ao que as nações abominam, [...] te ajudei, e te guardarei, e te darei por concerto do povo" (Is 49.7,8). Esta promessa foi cumprida à risca, tanto pela libertação providencial quanto pelo poder sustentador, no caso de nosso Senhor. Pelo fato de ter sido guardado, Ele pode restaurar os guardados de Israel, porque fomos "chamados [...] e guardados em Jesus Cristo" (Jd 1, ARA). Sendo um com Ele, os eleitos são guardados na guarda dEle. Podemos ver esta súplica intercessora na petição do grande Sumo Sacerdote por todos aqueles que estão nEle. A intercessão registrada em João 17 é apenas uma amplificação deste clamor: "Pai santo, guarda em teu nome aqueles que me deste, para que sejam um, assim como nós" (Jo 17.11). Quando diz: "Guarda-me", Ele quer dizer os seus membros, o corpo místico, Ele mesmo e tudo nEle. Mas enquanto nos alegramos no fato de que o Senhor Jesus fez esta oração pelos seus membros, não nos esqueçamos de que Ele a empregou seguramente para si mesmo. Ele tanto se esvaziara e tão verdadeiramente assumira em si a forma de servo que, como homem, Ele precisava da guarda divina como nós a precisamos, clamando muitas vezes ao forte em busca de forças. No cume do monte, era habitual Jesus aspirar este desejo. Em certa ocasião, com quase as mesmas palavras, Ele orou publicamente: "Pai, salva-me desta hora" (Jo 12.27). Se Jesus procurava proteção para si mesmo, quanto mais nós, os seus seguidores errantes, temos de procurar!

"Ó Deus." A palavra hebraica usada aqui para referir-se a Deus é El, אֵל, por cujo nome o Senhor Jesus, sempre que estava sob forte sentimento de fraqueza, como, por exemplo, quando estava na cruz, habitualmente se dirigia ao Deus poderoso, o

Ajudante onipotente do seu povo. Nós também podemos nos voltar a *El*, o Onipotente, em todas as horas de perigo, com a confiança de que aquEle que ouve os fortes clamores e lágrimas de nosso fiel Sumo Sacerdote, também pode e deseja nos abençoar nEle. É bom estudar o nome e caráter de Deus, de forma que em nossos apuros podemos saber como e por qual título nos dirigir ao nosso Pai que está nos céus.

"Porque em ti confio." Ou *"em ti me refugio"*, como os pintinhos correm para baixo da galinha, assim recorro a ti. Tu és o meu grande Protetor abrigador, e me refugio debaixo da tua força. Este é um argumento potente na súplica, e o nosso Senhor não só sabia usá-lo com Deus, mas também como se entregar ao seu poder quando desafiado por outros. "Seja-vos feito segundo a vossa fé" (Mt 9.29), é uma grande regra celestial para a dispensação de bênçãos. Quando podemos declarar sinceramente que exercemos fé no Deus Poderoso com respeito à misericórdia que buscamos, podemos descansar certos de que a nossa súplica prevalecerá. A fé, como a espada de Saul, nunca volta vazia. Vence o céu quando empunhada na mão da oração. Como o Salvador orou, assim devemos orar. Como Ele se tornou mais do que vencedor, assim também devemos ser por meio dEle. Quando formos açoitados pelas intempéries, brademos imediatamente a Deus com ousadia como Ele fez: "Em ti confio".

2 *A minha alma disse ao Senhor: Tu és o meu Senhor; não tenho outro bem além de ti.*
3 *Digo aos santos que estão na terra e aos ilustres em quem está todo o meu prazer:*
4 *As dores se multiplicarão àqueles que fazem oferendas a outro deus; eu não oferecerei as suas libações de sangue, nem tomarei o seu nome nos meus lábios.*
5 *O Senhor é a porção da minha herança e o meu cálice; tu sustentas a minha sorte.*

2. *"A minha alma disse ao SENHOR: Tu és o meu Senhor."* Em seu interior, Jesus se curvou para servir ao Pai celestial, e diante do trono de Jeová a sua alma declarou submissão ao Senhor por amor de nós. Somos como Ele quando a nossa alma, de modo verdadeiro e consistente na presença do Deus que examina os corações, declara total consentimento à regra e governo do Jeová infinito, dizendo: "Tu és o meu Senhor". Confessar com a boca é pouco, mas para a alma dizer, sobretudo em tempos de tribulação, é evidência graciosa de saúde espiritual. Confessar diante dos homens é de pouca monta, mas declarar diante do próprio Jeová é de muito mais importância. Também podemos considerar esta frase como a expressão da fé relevante, que se apodera do Senhor por meio de aliança pessoal e prazer. Neste sentido, que esta seja a nossa canção diária na casa de nossa peregrinação.

"Não tenho outro bem além de ti." A obra de nosso Senhor Jesus não era necessária por causa de alguma necessidade que o Ser divino tivesse. O Senhor teria sido inconcebivelmente glorioso caso a raça humana tivesse perecido e não lhe tivesse sido oferecida expiação. A obra de vida e a agonia de morte do Filho refletem brilho inigualável em cada atributo de Deus, contudo o Deus Santíssimo e infinitamente bendito não tinha necessidade da obediência e morte do seu Filho. Foi por nossa causa que a obra de redenção foi empreendida, e não por causa de alguma falta ou necessidade que o Altíssimo tivesse. Veja com que modéstia o Salvador estima o seu próprio bem! Note como são urgentes as razões que temos para imitar a sua humildade! "Se fores justo, que lhe darás, ou que receberá da tua mão?" (Jó 35.7).

3. *"Digo aos santos que estão na terra."* Estes santificados, embora estejam na terra, participam dos resultados medianeiros da obra de Jesus, e pela sua bondade são feitos o que são. O povo peculiar e zeloso de boas obras, e santificado para o serviço sagrado, é preparado na justiça do Salvador e lavado no seu sangue. Desta forma, recebe o bem que está entesourado no Senhor. Este povo são as pessoas que são ganhas pela obra do Homem Cristo Jesus. Mas essa obra não acrescentou nada à natureza, virtude ou felicidade de Deus, que é bendito para sempre. Quanto mais

intensamente, isto é, verdadeiro acerca de nós, servos indignos e pobres, inadequados para sermos mencionados em comparação ao fiel Filho de Deus! A nossa esperança sempre deve ser que, talvez, algum pobre filho de Deus seja servido por nós, pois o Grande Pai jamais precisa de nossa ajuda. Cantemos os versos de Isaac Watts:

> Muitas vezes o meu coração e língua confessaram
> Como sou vazio e como sou pobre
> O meu louvor jamais pode te santificar
> Nem acrescenta nova glória ao teu nome
> Contudo, Senhor, os santos na terra podem colher
> Benefícios pelo bem que fazemos
> Estes são a companhia que mantenho
> Estes são os amigos mais seletos que conheço

Os pobres crentes são os recebedores de Deus, tendo a garantia da coroa para receber a renda de nossas ofertas em nome do Rei. Não podemos abençoar os santos que partiram. Nem mesmo orar por eles é de alguma serventia. Mas enquanto estão aqui temos de demonstrar na prática o nosso amor por eles, como fez o nosso Mestre, porque eles são os ilustres na terra. Apesar das suas fraquezas, o seu Senhor os tem em alta conta e os considera ilustres entre os homens. O título de "sua excelência" pertence apropriadamente ao pior santo do que ao maior governador. A verdadeira aristocracia são os crentes em Jesus. São os únicos notáveis de direito. Estrelas e ligas são distinções pobres comparadas à graça do Espírito. Aquele que os conhece sabe o que diz sobre eles: "Em quem está todo o meu prazer". Eles são o seu Hefzibá e a sua terra de Beulá (Is 62.4), e antes da criação do mundo o seu prazer já estava com estes filhos escolhidos dentre os homens. A própria opinião que eles têm de si mesmos é bastante diferente da opinião que o seu Amado tem. Eles se contam menos do que nada, contudo Ele os reputa em elevada conta, fixando neles o coração para abençoá-los. Que maravilhas os olhos do amor divino podem ver onde as mãos do poder infinito estão graciosamente em ação. Foi este afeto profundo que levou Jesus a ver em nós uma recompensa por toda a sua agonia, e o sustentou em todos os seus sofrimentos pela alegria de nos resgatar de ir para o inferno.

4. O mesmo coração amoroso que se abre para o povo escolhido se fecha imediatamente contra os que continuam em rebelião contra Deus. Jesus odeia toda impiedade, sobretudo o alto crime da idolatria. O texto enquanto mostra a aversão de nosso Senhor contra o pecado, também mostra a ganância do pecador pelo pecado. Os crentes confessos são muitas vezes lentos para com o verdadeiro Deus, mas os pecadores "fazem oferendas a outro deus". Correm como loucos para fazer oferendas onde rastejamos como caracóis. Que esse zelo reprove o nosso atraso. No caso deles, quanto mais se apressam em fazer oferendas pior avançam, pois "as dores se multiplicarão" pela diligência em multiplicar os pecados. Matthew Henry comenta incisivamente: "Aqueles que multiplicam deuses multiplicam dores para si mesmos. Todo aquele que pensa que um deus é muito pequeno, descobrirá que dois sãos muitos grandes e, todavia, centenas não bastarão". As crueldades e sofrimentos que os homens suportam pelos falsos deuses causam admiração só de ver. Os relatos de nossos missionários são um comentário notável para esta passagem. Porém, talvez, a nossa própria experiência seja uma exposição igualmente vívida, pois quando damos o nosso coração aos ídolos, cedo ou tarde teremos de sofrer terrivelmente por isso. Perto das raízes de nosso amor-próprio estão todas as nossas dores, e quando esse ídolo é arrancado, a ferroada da aflição se vai. Moisés quebrou o bezerro de ouro, moeu-o até virar pó e o lançou na água, da qual fez Israel beber. Assim, os nossos ídolos preciosos devem se tornar porções amargas para nós, a menos que os abandonemos imediatamente. O nosso Deus não foi egoísta. Ele serviu senão a

um Senhor e só a ele serviu. Quanto àqueles que se afastaram do Senhor, Ele se separou deles, levando o seu vitupério para fora do arraial. O pecado e o Salvador não tinham comunhão. Ele veio para destruir, não para patrocinar ou aliar-se com as obras do Diabo. Por conseguinte, Ele recusou o testemunho dos espíritos imundos sobre a sua divindade, pois em nada Ele tem comunhão com as trevas. Temos de ser extremamente cuidadosos para não nos ligarmos no mínimo grau com a falsidade da religião. Temos de detestar até o mais solene dos ritos papistas.

"Eu não oferecerei as suas libações de sangue." O antigo provérbio diz: "Nunca é seguro comer à mesa do Diabo, ainda que a colher seja bem longa". A mera menção de nomes maus tem de ser evitada: "Nem tomarei o seu nome nos meus lábios". Se permitirmos o veneno nos lábios, não demora muito e ele penetra pela boca. É bom mantermos o veneno fora da boca para que o mantenhamos fora do coração. Para que a Igreja desfrute da união com Cristo, ela tem de quebrar todos os laços da impiedade e manter-se pura de todas as contaminações da adoração segundo a vontade da carne, que agora contamina o serviço de Deus. Certos estudiosos são culpados por permanecer na comunhão das igrejas papistas, onde Deus é desonrado tanto quanto na própria Roma, só que de maneira mais astuciosa.

5. *"O Senhor é a porção da minha herança e o meu cálice"*. Com que confiança e alegria determinada Jesus se volta ao Senhor, a quem a sua alma estava entregue e em quem tinha prazer. O contentamento desmedido com a sua porção no Senhor, seu Deus, Ele não tinha vontade com que buscar outros deuses. O seu cálice estava cheio e o seu coração também. Até nas mais profundas tristezas Ele ainda se agarrava com ambas as mãos ao Pai, clamando: "Deus meu, Deus meu" (Mt 27.46). Ele não tinha nem o pensamento de cair em adoração diante do príncipe deste mundo, embora tentado com um "tudo isto te darei" (Mt 4.9). Nós também podemos fazer nossa ostentação no Senhor. Ele é a carne e a bebida de nossa alma. Ele é a nossa porção, que provê todas as nossas necessidades, e o nosso cálice, que atende os prazeres reais. É o nosso cálice nesta vida e a nossa herança na vida por vir. Considerando que somos filhos do Pai que está nos céus, herdamos, em virtude de nossa coerança com Jesus, todas as riquezas da aliança da graça. A porção que nos cai coloca em nossa mesa o pão do céu e o vinho novo do reino. Quem não ficaria satisfeito com tal saborosa dieta? O nosso cálice raso de tristeza pode ser totalmente esvaziado com resignação, visto que o cálice cheio de amor fica lado a lado com Ele e nunca se esgota.

"Tu sustentas a minha sorte." Há arrendatários que têm contratos de arrendamento para que eles mesmos mantenham e sustentem. Mas no nosso caso, é o próprio Senhor que sustenta a nossa sorte. O nosso Senhor Jesus se deleita com esta verdade, pois o Pai estava ao seu lado e lhe sustentaria o direito contra todas as injustiças dos homens. Jesus sabia o que os eleitos seriam reservados para Ele, e que o poder Todo-Poderoso os guardaria como a sua sorte e recompensa para sempre. Alegremo-nos também, porque o Juiz de toda a terra defenderá a nossa causa justa.

6 *As linhas caem-me em lugares deliciosos; sim, coube-me uma formosa herança.*
7 *Louvarei ao Senhor que me aconselhou; até o meu coração me ensina de noite.*

6. Jesus encontrou o caminho da obediência que leva a *"lugares deliciosos"*. A despeito de todas as tristezas que lhe arruinaram o semblante, Ele exclamou: "Eis aqui venho; no rolo do livro está escrito de mim: Deleito-me em fazer a tua vontade, ó Deus meu; sim, a tua lei está dentro do meu coração" (Sl 40.7,8). Parece estranho, mas porquanto não haja outro homem que esteja tão inteiramente familiarizado com a aflição, é nossa crença de que nenhum outro homem jamais experimentou tanta alegria e deleite no serviço, pois nenhum outro serviu tão fielmente e com tão grandes resultados em vista como recompensa da sua recompensa. A alegria que lhe estava

proposta deve ter enviado alguns raios de esplendor aos lugares ásperos onde Ele suportou a cruz, menosprezando a afronta, e deve tê-los feito, em alguns aspectos, lugares deliciosos para o coração generoso do Redentor. De qualquer modo, sabemos que Jesus estava muito contente com a porção comprada pelo seu sangue, que as linhas do amor eleitor assinalaram como o seu legado com os fortes e a sua porção com os grandes. Nisto Ele se consolou na terra e se deliciou nos céus. Ele não pede mais "formosa herança" do que o seu próprio amado pode estar com Ele onde está e ver a sua glória. Todos os santos podem usar a linguagem deste versículo. Quanto mais completamente puderem entrar em seu espírito contente, alegre e jovial melhor para eles, e quanto mais glorioso ao seu Deus. O nosso Senhor era mais pobre que nós, porque Ele não tinha onde reclinar a cabeça. Contudo, quando mencionou a sua pobreza, nunca falou uma palavra de murmúrio. Espíritos descontentes são diferentes de Jesus, como a grasnada dos corvos é diferente do arrulho das pombas. Os mártires eram alegres nos calabouços. "Do pomar deleitável da prisão leonina o mártir italiano datou a carta. A presença de Deus tornou as grades de Laurence agradáveis para o mártir." Richard Greenham foi suficientemente ousado para dizer: "Quem está descontente nunca sentiu o amor de Deus ou provou o perdão dos pecados". Certos estudiosos pensam que o descontentamento foi o primeiro pecado, a pedra que destruiu a nossa raça no paraíso. Claro que não pode haver paraíso onde este espírito maligno tenha poder, pois o seu lodo envenena todas as flores do jardim.

7. *"Louvarei ao Senhor que me aconselhou."* O nosso Senhor Jesus apresentou ao Pai louvor e oração. Não somos verdadeiramente os seus seguidores a menos que a nossa resolução seja: *"Louvarei ao Senhor"*. Jesus é chamado Maravilhoso, Conselheiro, mas como homem não falou de si mesmo, mas como o Pai o ensinava. Em confirmação deste fato, leia João 7.16; 8.28; 12.49,50, e a profecia relativa a Ele registrada em Isaías 11.2,3. Era hábito de nosso Redentor dirigir-se ao Pai em busca de orientação. Tendo-a recebido, Ele lhe bendizia pelos conselhos dados. Seria bom se seguíssemos o seu exemplo de submissão, parássemos de confiar em nosso próprio entendimento e buscássemos ser guiados pelo Espírito de Deus.

"Até o meu coração me ensina de noite." Por coração entendemos o homem interior, as emoções e sentimentos. A comunhão da alma com Deus dá à alma uma sabedoria espiritual interior que, em tempos de tranquilidade, se revela por si mesma.

O nosso Redentor passou muitas noites sozinho no monte. Podemos facilmente imaginar que junto com a sua comunhão com o céu, Ele manteve intercâmbios proveitosos consigo mesmo, revisando a sua experiência, prevendo a sua obra e considerando a sua posição. Os grandes generais lutam as batalhas na mente muito tempo antes do toque das trombetas. Assim o nosso Senhor venceu a nossa batalha nos joelhos antes de vencê-la na cruz. É um hábito benevolente depois de aconselhar-se com os céus aconselhar-se consigo mesmo. Os sábios veem mais de noite com os olhos fechados do que os tolos podem ver de dia com os olhos abertos.

Aquele que aprende de Deus e, assim, recebe a semente, logo verá a sabedoria crescendo dentro de si no jardim da alma: "E os teus ouvidos ouvirão a palavra que está por detrás de ti, dizendo: Este é o caminho; andai nele, sem vos desviardes nem para a direita nem para a esquerda" (Is 30.21).

O período da noite que o pecador escolhe para a prática dos seus pecados é a sagrada hora da quietude em que os crentes ouvem a voz suave e macia que vem dos céus e da vida divina dentro deles.

8 *Tenho posto o Senhor continuamente diante de mim; por isso que ele está à minha mão direita, nunca vacilarei.*

9 *Portanto, está alegre o meu coração e se regozija a minha glória; também a minha carne repousará segura.*

10 *Pois não deixarás a minha alma no inferno, nem permitirás que o teu Santo veja corrupção.*
11 *Far-me-ás ver a vereda da vida; na tua presença há abundância de alegrias; à tua mão direita há delícias perpetuamente.*

8. O medo da morte lançou a sua sombra tenebrosa de uma vez na alma do Redentor, pois lemos que "foi ouvido quanto ao que temia" (Hb 5.7). Ali lhe apareceu um anjo para fortalecê-lo. Talvez o mensageiro celeste o reafirmou da gloriosa ressurreição, como a segurança do seu povo, e da alegria eterna, na qual Ele receberia o rebanho redimido pelo sangue. Então, a esperança brilhou em cheio na alma do nosso Senhor e, como registrado nestes versículos, Jesus inspecionou o futuro com santa confiança, porque os seus olhos estavam firmemente em Deus e Ele desfrutava da sua presença eterna. Assim, Jesus se sentia sustentado, nunca podendo ser afastado do seu principal propósito de vida. E nem se afastou, porque Ele não saiu do caminho até que pudesse dizer: "Está consumado" (Jo 19.30). Que misericórdia infinita isso nos foi. Na firmeza desta determinação, ocasionada pela fé simples na ajuda divina, temos de ver Jesus como nosso exemplo. Reconhecer a presença do Senhor é o dever de todo crente: "Tenho posto o Senhor continuamente diante de mim". E confiar no Senhor como o nosso defensor e guarda é o privilégio de todos os santos: "Por isso que ele está à minha mão direita, nunca vacilarei". O apóstolo traduz esta passagem nestes termos: "Sempre via diante de mim o Senhor" (At 2.25). Os olhos da fé de Jesus discerniam de antemão a continuação do sustento divino para o seu Filho sofredor, em tal intensidade que Ele jamais vacilaria no cumprimento do seu propósito de redimir o seu povo. Pelo poder de Deus que estava à sua mão direita, Jesus conjeturou que deveria abater tudo que se revoltasse contra Ele, e nesse poder colocou a mais firme confiança. Ele previu claramente que tinha de morrer, porque Ele fala da sua carne descansando e da sua alma estando na morada de espíritos que partiram. A morte estava bem presente diante da sua face, ou Ele não teria mencionado a corrupção. Mas era tamanha a sua confiança no seu Deus, que Jesus cantou e alegrou-se com a visão do sepulcro. Ele sabia que a visita da sua alma ao Sheol, ou o mundo invisível dos espíritos desincorporados, seria muito curta, e que o seu corpo em um período de tempo muito limitado deixaria a sepultura, incólume em sua curta estadia.

9. Tudo isso fez com que Jesus dissesse: *"Portanto, está alegre o meu coração"*, e movesse a língua, a glória da sua compleição física, regozijar-se em Deus, a força da sua salvação. E essa fé santa estava no prospecto das tribulações e da morte! É obra da fé não meramente criar a paz que excede todo entendimento, mas encher o coração de plena alegria até que a língua, que, como órgão da criatura inteligente, é a nossa glória, irrompa em notas de louvor harmoniosas. A fé nos dá a alegria da vida e nos concede o descanso da morte: "A minha carne repousará segura".

10. O nosso Senhor Jesus não ficou desapontado com a sua esperança. Ele declarou a fidelidade do Pai nas palavras: *"Pois não deixarás a minha alma no inferno"*, e a fidelidade foi provada na manhã da ressurreição. Jesus não foi deixado entre os que partiram e os desincorporados. Ele crera na ressurreição e a recebera no terceiro dia, quando o corpo voltou à vida gloriosa, de acordo com o que dissera em alegre confiança: "Nem permitirás que o teu Santo veja corrupção". O seu corpo poderia ir para a prisão externa da sepultura, mas não para a prisão interna da corrupção. AquEle que em alma e corpo era preeminentemente o "Santo" de Deus, foi solto das angústias da morte, porque não era possível que fosse retido por ela. Trata-se de encorajamento nobre para todos os santos. Devem morrer, no entanto também devem ressuscitar. No seu no caso, eles verão a corrupção, contudo ressuscitarão para a vida eterna. A ressurreição de Cristo é a causa, o desejo, a garantia e o emblema da ressurreição de todos que lhe pertencem. Então, que eles vão para a

sepultura como quem vai para a cama, descansando a carne entre os torrões de terra como descansam agora entre almofadas.

> Considerando que Jesus é meu, não temerei ser despido.
> Mas, alegremente me despirei destas vestes de terra;
> Morrer no Senhor é a bênção da aliança.
> Visto que Jesus foi para a glória através da morte.

Miserável seja o homem que, quando os filisteus da morte lhe invadirem a alma, descubra que, como Saul, foi abandonado por Deus. Bendito seja o homem que tem o Senhor à mão direita, porque ele não temerá mal nenhum, mas esperará avidamente por uma eternidade de bênçãos.

11. *"Far-me-ás ver a vereda da vida"*. Este caminho foi mostrado inicialmente a Jesus, porque Ele é o primogênito dos mortos e de todas as criaturas. Ele próprio abriu o caminho através da sua carne, e o trilhou como o precursor dos remidos.

O pensamento de ser feito o caminho da vida para o povo, alegrou a alma de Jesus: *"Na tua presença há abundância de alegrias"*. Jesus, tendo se levantado dos mortos, ascendeu em glória para morar em constante proximidade a Deus, onde a alegria está em sua plena força para sempre. A previsão disto o impeliu para frente na sua labuta gloriosa, mas dolorosa. Levar os escolhidos para a bem-aventurança eterna era a ambição sublime que o inspirou e o fez vadear por um mar de sangue. Ó Senhor, quando a felicidade da mundanalidade expirar por completo, para sempre moraremos com Jesus "à tua mão direita" onde "há delícias perpetuamente". Enquanto isso tenhamos o desejo ardente de experimentar o teu amor. O comentário de John Trapp sobre o versículo divino que fecha o Salmo é um doce bocado que serve para uma meditação e rende um antegosto de nossa herança. Ele registrou: "Aqui está escrito o máximo do que se pode dizer, porém as palavras são muito fracas para expressar tudo. Quanto à *qualidade*, há no céu 'alegrias' e 'delícias'; quanto à *quantidade*, há 'abundância', uma torrente na qual eles bebem sem interferência ou repugnância; quanto à *constância*, está à 'mão direita' de Deus, que é mais forte do que tudo, ninguém pode nos tirar da sua mão. É uma felicidade constante sem interrupção. E quanto à *perpetuidade* é 'perpetuamente'. As alegrias do céu são sem medida, mistura ou fim".

NOTAS EXPLICATIVAS E DECLARAÇÕES IMPORTANTES

O Título: Há diversidade de opiniões sobre o significado do título deste salmo. É chamado "Mictã de Davi" (AEC), mas *mictã* é a palavra hebraica não traduzida — a palavra hebraica em letras do nosso idioma —, cujo significado está envolto em obscuridade. De acordo com certos estudiosos, é derivada de um verbo que significa "esconder", denotando "mistério" ou "segredo". Aqueles que adotam este ponto de vista consideram que o título tem uma profunda significação doutrinal e espiritual, a qual nem o escritor nem os seus contemporâneos tinha imaginado. De acordo com outros, é derivada de um verbo que significa "cortar", "gravar", "escrever", denotando simplesmente uma escrita de Davi. Com este ponto de vista concordam a Versão Aramaica e a Septuaginta, a primeira traduzindo por "escultura ereta de Davi", a última por "inscrição em uma coluna para Davi". Outros preferem considerar que "mictã" é derivado de um substantivo que significa "ouro", entendendo que significa um salmo de ouro — um salmo de ótima excelência e digno de ser escrito em letras de ouro. Esta era a opinião dos tradutores que colocaram na margem: "Um Salmo de Ouro de Davi". As obras dos mais excelentes poetas árabes eram chamadas de ouro, porque eram escritas em letras de ouro. Esta canção de ouro pode ter sido escrita e colocada em alguma parte de destaque do templo. Há muitas outras interpretações dadas a este termo, mas a esta distância do tempo, podemos apenas considerá-lo como representante de certa peculiaridade intransferível da composição. — *James Frame, 1858*

O Título: São tamanhas as riquezas deste salmo, que certos intérpretes foram levados a pensar que o título obscuro, "mictã", foi lhe anteposto por conta de suas riquezas de ouro. A palavra hebraica כֶּתֶם é usada apenas na expressão "ouro de Ofir" (por exemplo, em Salmos 45.9), e a palavra hebraica מִכְתָּם pode ser derivada dessa raiz. Mas como há um grupo de cinco outros salmos (Sl 56, 57, 58, 59 e 60) que usam este título, cujos temas são diversos, ainda que cada um termine em um tom de triunfo, supõem-se que a Septuaginta esteja praticamente certa com a tradução Στηλογραφία, como se fosse "um salmo para ser pendurado ou inscrito em uma coluna para comemorar a vitória". É, contudo, mais provável que o termo "mictã" (como "masquil"), é um termo musical cujo verdadeiro significado e uso nos escapa. Só poderemos recuperá-lo quando a casa redimida de Israel voltar para casa com cânticos. Enquanto isso, o tema deste salmo é muito claro: a satisfação do justo com a sua sorte. — *Andrew A. Bonar*

O Salmo: Ainda que o versículo 10 fale claramente sobre o nosso Senhor, a aplicação de cada versículo deste salmo a Jesus no jardim do Getsêmani nos parece forçada e inexata. É difícil imaginarmos como o versículo 9 se encaixa com a agonia e o suor sangrento, sem mencionarmos o versículo 6. O "cálice" do versículo 5 é um oposto tão direto ao cálice acerca do qual Jesus orou em angústia de espírito, que não podemos ser o mesmo. Julgamos certo acrescentar o que James Frame escreveu em uma valiosa obra sobre este salmo, intitulado *"Christ in Gethsemane" (Cristo no Jardim do Getsêmani)*, pois ele fundamentou a teoria na opinião de muitos comentaristas antigos. Frame diz: "Todos os intérpretes distintos dos dias antigos, como Eusébio, Jerônimo e Agostinho, explicam que o salmo se refere ao Messias, na sua paixão e vitória sobre a morte e a sepultura, incluindo a exaltação subsequente à mão direita de Deus". Em nota de rodapé, ele faz as seguintes citações. *Jerônimo:* "O salmo diz respeito a Cristo, que fala sobre ele. [...] Esta é a voz do nosso Rei que expressa na natureza humana que Ele assumira, mas sem depreciar a sua natureza divina. [...] O salmo concerne à sua paixão". *Agostinho:* "O nosso Rei fala neste salmo na pessoa da natureza humana que Ele assumiu, na hora da paixão, o título real inscrito se mostra por si mesmo evidente". — *C. H. S.*

O Salmo: Este salmo está ligado em pensamento e linguagem ao salmo antecedente e unido ao salmo seguinte através de estribilhos. A Versão Siríaca e a Versão Árabe o intitulam, respectivamente, de "Salmo sobre a Eleição da Igreja" e "Salmo sobre a Ressurreição de Cristo". — *Christopher Wordsworth, Doutor em Teologia, 1868*

v. 1: "Guarda-me, ó Deus". Davi não deseja o livramento de qualquer dificuldade especial, mas ora em termos gerais para ser protegido e defendido continuamente pela providência de Deus, desejando que o Senhor continue mostrando-lhe a sua misericórdia até ao fim e no fim. Com isso, ele previu que era imprescindível estar guardado por Deus, tendo a sua proteção em todos os momentos. Semelhantemente, Davi não desprezou essa proteção divina nem na prosperidade nem na adversidade. Desta forma, o homem de Deus ainda temia a sua fraqueza, reconhecendo sempre a necessidade da ajuda de Deus. Esta é marca segura e indubitável do filho de Deus, quando o homem terá tão grande cuidado em continuar e crescer em boas obras quanto a começar nelas. Este pagamento pelo dom da perseverança final é uma nota especial do filho de Deus. Este zelo santo do homem de Deus o faz desejar ser guardado em todo tempo, tanto na alma quanto no corpo. — *Richard Greenham, 1531-1591*

v. 1: "Porque em ti confio". O profeta registra a causa para orar a Deus, por meio da qual ele declara que ninguém pode invocar a Deus verdadeiramente a menos que creia: "Como, pois, invocarão aquele em quem não creram?" (Rm 10.14). Por conta disso, quando Davi ora para que Deus lhe seja o Salvador, ele está completamente seguro de que Deus lhe será o Salvador. Se, então, sem fé não podemos invocar verdadeiramente a Deus, os homens deste mundo preferem tagarelar como papagaios a orar como cristãos. Eles mostram que não confiam em Deus desprezando os meios legítimos e também usando os meios ilegítimos. Sabemos que há quem confie em amigos. Outros levam aos ombros, como pensam, a cruz com os seus bens. Uns se cercam de autoridade. Alguns se banham e se regam em prazeres para afastar de si o dia mau. Outros fazem da carne o seu braço. Ainda outros fazem da cunha de ouro a sua confiança. Quando estes homens buscam a ajuda do Senhor, pensam no coração achá-la nos amigos, na boa autoridade e nos prazeres, por mais que tenham medo e não ousem dizê-lo verbalmente. Repetindo, estamos aqui para observar debaixo de que abrigo nos protegemos das chuvas da adversidade, até mesmo debaixo da proteção do Todo-Poderoso. E por quê? "Aquele que habita no esconderijo do Altíssimo, à sombra do Onipotente descansará" (Sl 91.1). Aqui mostra que todo aquele que confia em Deus será guardado. Caso contrário, a razão do profeta aqui não teria sido boa. Além disso, vemos que ele recorreu não pelo mérito, mas suplicou pela fé, ensinando-nos que se estivermos associados com a fé, obteremos livramento igual. — *Richard Greenham*

v. 2: "A minha alma disse ao Senhor: Tu és o meu Senhor". Gostaria de ter ouvido o que você disse para si mesmo quando ouviu estas palavras mencionadas pela primeira vez. Acredito que possa adivinhar as palavras de alguns de vocês. Quando me ouviram repetir estas palavras: "A minha alma disse ao Senhor: Tu és o meu Senhor", vocês pensaram: "Eu nunca disse nada ao Senhor, exceto quando clamei: Aparta de mim, porque não desejo conhecer os teus caminhos". Algo semelhante não lhes passou pela mente? Tentarei novamente. Quando mencionei pela primeira vez o texto: "Deixe-me ver", você disse secretamente, "acredito que eu disse uma vez ao Senhor: 'Tu és o meu Senhor'. Mas foi há tanto tempo que quase já esqueci. Suponho que deve ter sido em um momento em que eu estava em dificuldades. Encontrei decepções neste mundo. Então, talvez, clamei: 'Tu és a minha porção, ó Senhor'. Ou, talvez, quando eu estava seriamente abalado, de espírito inquieto, tenha olhado para cima, para Deus e dito: 'Tu és o meu Senhor'. Mas seja o que for que então tenha dito, tenho certeza de que não posso dizê-lo no momento". Alguém já pensou assim? Arriscarei mais uma suposição. Não duvido que desta vez adivinharei em cheio. Quando repeti estas palavras: "A minha alma disse ao Senhor: Tu és o meu Senhor". "Eu também disse", pensou alguém. "Eu também disse", pensou outro. "Eu o disse muitas vezes, mas disse com solenidade e prazer peculiar, quando, em ato de reverência humilde, por fim lancei minha alma redimida, salva e grata aos pés do Senhor, clamando: 'Ó Senhor, deveras sou teu servo; sou teu servo, filho da tua serva; soltaste as minhas ataduras' (Sl 116.16). O simples fato de me lembrar disso já é agradável. Tenho agora a oportunidade de renovar os meus votos, e espero recuperar algo da serenidade e alegria divina que experimentei naquela ocasião". — *Samuel Lavington, "Samuel Lavington's Sermons" [Sermões de Samuel Lavington], 1810*

v. 2: "Tu és o meu Senhor". Ele reconhece o Senhor Jeová, mas não o vê como se estivesse longe, mas aproximando-se dEle, Davi docemente o abraça. Este procedimento é apropriado para a fé, e à aplicação particular que dizemos existe na fé. — *Robert Rollock, 1600*

v. 2: "Não tenho outro bem além de ti". Penso que deveríamos entender que estas palavras dizem respeito ao que o Messias estava fazendo a favor dos homens. Não tenho outro "bem", טוֹבָתִי (*ṭôbātî*), "generosidade", "bondade", além de ti. O que estou fazendo não pode acrescentar nada à tua divindade. Tu não estás provendo este sacrifício surpreendente, porque tu derivas qualquer excelência dEle. Esta generosidade se estende aos "santos" (v. 3), a todos os espíritos dos justos aperfeiçoados, cujos corpos ainda estão na terra, e aos "ilustres", אַדִּירֵי (*'addîrê*), os "nobres" ou "supereminentes", aqueles que pela fé e paciência herdam as promessas. Os santos e os ilustres são os que não só provam o bem, mas também desfrutam da salvação. Talvez os anjos também estejam em vista no versículo. Eles não estão desinteressados na encarnação, paixão, morte e ressurreição de nosso Senhor: "Para as quais coisas os anjos desejam bem atentar" (1 Pe 1.12). A vitória da cruz na conversão dos pecadores causa alegria entre os anjos de Deus. — *Adam Clarke*

v. 2: "Não tenho outro bem além de ti". Não tenho outra beneficência além de ti. O que te darei, meu Deus, por todos os benefícios que me tens feito? Com que te pagarei? Infelizmente, não há bem que eu possa fazer a ti, pois a minha bondade imperfeita não pode agradar a ti, que és o ápice da própria perfeição e bondade. O meu bom comportamento não pode te fazer nenhum bem, e o meu mau procedimento não pode te causar nenhum dano. Recebo todo o bem de ti, mas nenhum bem eu posso te dar em troca. Portanto, reconheço que tu és muito rico e que eu sou muito pobre. Muitíssimo longe está que tu tenhas qualquer necessidade de mim. Deste modo, me unirei ao teu povo para que tudo que eles tenham eu ganhe também e tudo que eu tenha eles ganhem também, visto que as coisas que recebo devem ser postas a empréstimo, para que os outros também obtenham algum proveito. Seja o que for que os outros tenham, eles não o têm para o próprio uso particular, mas para que, por meio dessas coisas, como por canais e condutos, elas sejam liberalmente transmitidas a mim. Desta maneira, aprendemos que se somos filhos de Deus, temos de nos unir com o seu povo, e, por participação mútua nas dádivas de Deus, temos de confirmar uns para os outros que somos do número e comunhão dos santos. Esta é insígnia indubitável e reconhecimento distinto daquele que ama a Deus, se também amamos aqueles que são gerados de Deus. Destarte, se assim confessarmos que somos de Deus e o adorarmos, então temos de nos unir à igreja de Deus que conosco o adora. Houvemos de necessariamente fazê-lo, pois é um ramo de nossa crença que haja comunhão entre os santos na igreja. Se acreditamos que há um Deus, então também temos de acreditar que há um remanescente de povo, a quem Deus se revela e comunica as suas misericórdias, em quem tem de estar todo o nosso prazer, a quem temos de nos comunicar de acordo com a medida da graça dada a cada um de nós. — *Richard Greenham*

v. 2: "Não tenho outro bem além de ti". Como é grande a bondade de Deus para conosco! Ele convoca outros para as mesmas coisas, e a consciência fica como os feitores de faraó, exigindo o número costumeiro de tijolos, mas não dando palha. Insiste e pressiona, mas não dá amplificação de coração, fustigando-os e ferindo-os por serem negligentes. É semelhante ao credor obstinado que, agarrando o devedor pobre pelo pescoço, disse: "Paga-me o que me deves" (Mt 18.28), mas não lhe proporciona condições para fazê-lo. Deus também poderia nos tratar do mesmo modo, porque Ele não nos deve ajuda, todavia nós lhe devemos obediência. Lembre-se de que tivemos poder, e é justo exigir o que não podemos fazer, porque a fraqueza que está em nós é de nós mesmos. Nós mesmos nos empobrecemos. Quando em muita misericórdia Ele estende a mão no trabalho junto conosco, sejamos-lhe muito gratos. Se o trabalho não for feito, Deus não perde nada; se for feito e bem feito, Ele não ganha nada (Jó 22.2; 35.6-8). Mas o ganho é todo nosso. Todo o bem que nos vem por meio disso é nosso. — *Joseph Symonds, 1639*

v. 2: "Não tenho outro bem além de ti". Para nós, é a maior glória termos permissão de servir a Deus, pois é a Ele que oferecemos esse serviço. Não somos nós que o fazemos feliz, mas é Ele que nos faz felizes. Ele pode ficar feliz sem esses servos terrenos, mas nós não podemos ficar felizes sem esse Senhor celeste. —*William Secker*

v. 2: "Não tenho outro bem além de ti". Não há nada que seja acrescentado a Deus. Ele é tão perfeito, que nenhum pecado pode feri-lo; tão justo, que nenhuma justiça pode beneficiá-lo. "Ó Senhor, não tenho outra justiça além de ti! Tu não tens necessidade da minha justiça" (At 17.24,25). Deus não precisa de nada. — *Richard Stock, 1641*

v. 2: Como Cristo é a cabeça do homem, assim Deus é a cabeça de Cristo (1 Co 11.3). Como o homem é sujeito a Cristo, assim Cristo é sujeito a Deus. Não em consideração à natureza divina, em que há igualdade e, por conseguinte, nenhum domínio de jurisdição. Não apenas na sua natureza humana, no entanto também na economia do Redentor, considerado como projetado, e consentindo em encarnar-se e tomar a nossa carne, de forma que depois deste acordo Deus teve o direito soberano de dispor dEle segundo os artigos estipulam. Em consideração ao seu empreendimento e aos benefícios que Jesus tinha de oferecer aos eleitos de Deus na terra, Ele chama Deus pelo título solene de "Seu Senhor". Ó minha alma, tu disseste ao Senhor: Tu és o meu Senhor. A minha bondade não se estende a ti, senão aos santos que estão na terra. Parece um discurso de Cristo no céu, mencionando os santos na terra como se estivessem à distância. Nada posso acrescentar à glória da tua majestade, mas o fruto total da minha meditação e sofrimento redunda aos santos que estão na terra. — *Stephen Charnock*

vv. 2 e 3: "Não tenho outro bem além de ti. Digo aos santos". O bem que Deus nos faz deveria nos tornar misericordiosos com os outros. Seria realmente estranho a alma sair da ternura do seu seio com um coração descaridoso e duro. Há filhos que não puxam os pais terrenos, como o filho de Cícero que não tinha nada do pai, exceto o nome. Mas todos os filhos de Deus participam da natureza do Pai celestial. A filosofia nos conta que não há reação da terra para com o céu. Eles espalham as influências dEle neste mundo, que as promovem e frutificam, mas a terra não contribui em nada para fazer o sol brilhar melhor. Davi sabia que a sua bondade não se estendia até Deus, porém isso o fez estendê-la aos seus irmãos. Na verdade, Deus deixa que os seus pobres santos recebam os rendimentos que lhe devemos pelas suas misericórdias. Os convidados sinceros, embora o amigo não receba nada por tê-los recebido, para mostrar gratidão, dão algo para os servos dele. — *William Gurnall*

v. 3: "Digo aos santos que estão na terra e aos ilustres em quem está todo o meu prazer". Meus irmãos considerem a santidade como a maior excelência para amarmos. Foi o que Jesus fez. Os seus olhos estavam nos "ilustres" da "terra", quer dizer, nos "santos" que lhe eram ilustres, mesmo quando não eram santos, porque Deus os amou (Is 43.4). É estranho ouvir os homens, pelas suas palavras, subestimarem os santos, que exteriormente não evidenciam outros aspectos ilustres. Ainda que reconheçam que um homem é santo, contudo, em outros aspectos, eles o desprezam. "Ele é um homem santo", dirão, "mas é fraco". Mas ele não é santo? Pode haver outra imperfeição ou fraqueza que, em seus pensamentos, o rebaixe em comparação aos outros homens carnais mais ilustres? Jesus não o amou, o comprou, o redimiu? — *Thomas Goodwin*

v. 3: "Digo aos santos". Entendo que o homem evidencia afeto para com Deus e para com os que amam a Deus. Quando a alma anseia por eles, quando Davi se obriga a amá-los servindo-os e beneficiando-os de fato, ou seja, agindo para com eles como agiria com o próprio Deus, tivesse Ele necessidade dos seus préstimos, como diz Davi que fez. — *Juan de Valdes, 1550*

v. 3: "Aos santos". Os papistas não toleram santo senão aqueles que estão nos céus. Isso demonstra que eles moram em um reino de trevas e erram por não conhecerem as Escrituras, nem o poder de Deus. Se tivessem um mínimo de familiaridade para com a Bíblia, nas Epístolas Santas, encontrariam quase em todas as Epístolas menção aos santos que para isso são chamados em Jesus Cristo, através de quem eles são santificados pelo Espírito Santo. Note que são chamados de "ilustres". Certos intérpretes opinam que os "ilustres" são os ricos, outros pensam que são os cultos, uns reputam que são as pessoas em posição de autoridade. Mas o texto ensina que os "ilustres" são os homens que são santificados pela graça de Deus. — *Richard Greenham*

v. 3: Pelas palavras de Davi, entendemos que havia muitos santos singulares nos seus dias: "Digo aos santos que estão na terra e aos ilustres em quem está todo o meu prazer". Se outrora era assim, então hoje não deveria ser também? Sabemos que o Novo Testamento excede em brilho ao Antigo Testamento tanto quanto o sol excede em brilho à lua. Se vivemos na mais gloriosa dispensação, não deveríamos então manter uma relação mais gloriosa? [...]

"Aos ilustres." Se o sol não desse mais prazer que uma estrela, você deixaria de acreditar que ele era o regente do dia. Se ele não transmitisse mais calor do que um vaga-lume, você questionaria o fato de ele ser a fonte de calor elementar. Se Deus não passasse de uma criatura, onde estaria a sua divindade? Se os homens não passassem de animais irracionais, onde estaria a sua humanidade? Se os santos não sobrepujassem os pecadores, onde estaria a sua santidade? — *William Secker*

v. 3: Ingo, antigo rei dos Draves, ao fazer um banquete imponente, designou que os seus nobres, naquele tempo descrentes, se sentassem no saguão inferior. Ordenou, ao mesmo tempo, que certos cristãos pobres fossem levados à sala de recepção real, onde deveriam sentar-se com ele à mesa para comerem e beberem da alegria da realeza. Quando muitos ficaram questionando este procedimento, ele disse que considerava os cristãos, embora paupérrimos, o mais formoso ornamento para a sua mesa e os mais dignos da sua companhia do que os mais nobres amigos inconversos à fé cristã. Considerando que estes serão lançados ao inferno, aqueles serão os consoladores e príncipes que o acompanharão no céu. Às vezes vemos as estrelas pelo reflexo de uma poça, no fundo de um poço, ou em uma valeta fedida. Contudo, as estrelas estão situadas nos céus. Assim, vemos pessoas tementes a Deus em condições pobres, miseráveis, vis e menosprezadas em relação às coisas deste mundo. Contudo, essas pessoas estão situadas nos céus, nas regiões celestiais: "E nos ressuscitou juntamente com ele", disse o apóstolo, "e nos fez assentar nos lugares celestiais, em Cristo Jesus" (Ef 2.6). — *Charles Bradbury, "Cabinet of Jewels" [O Porta-Joias], 1785*

v. 3: Para resumir, temos de saber que não podemos amar os que temem a Deus tão bem quanto deveríamos. Mas tudo está bem se os amássemos melhor e se gostássemos menos de nós, porque não os amamos mais. Se isso for comum ou habitual comigo, então está tudo bem, de forma que devemos amar os que temem a Deus primeiro, porque Deus ordena, porque eles são bons. Neste caso, a fé opera por meio do nosso amor aos homens bons. Logo, quando estou triste, como ovelha doente, não me interesso pela companhia das outras ovelhas, mas fico me lastimando sozinho em um canto. Mesmo assim, por não ter prazer na companhia de bodes ou cachorros, é prova de que há algo de bom em mim. É porque no momento não tenho nenhum prazer em mim mesmo ou em meu Deus do tenho mais prazer nos que temem a Deus. Como eu me amo por tudo isso, assim podemos dizer que eu os amo por tudo isso. O homem é uma criatura sociável, mantenedor de companhias por natureza quando está só. Se não nos associamos com os descrentes, embora pelo momento, e não nos importamos muito em colocar nós mesmos entre os crentes, a questão não é muito. Trata-se de pecado de fraqueza e não fruto da iniquidade. Os discípulos saíram de Cristo, mas não se voltaram para o outro lado como Judas, que abandonou o Mestre e se uniu aos inimigos dEle, contudo permaneceram juntos. Há estudiosos que dizem que Demas se arrependeu (que penso ser a verdade), e depois amou "o presente século" (2 Tm 4.10), senão por conformismo com a situação presente. Suponhamos que ele abandonou Paulo, assim os homens fizeram melhor do que ele. Contanto que o homem tenha o seu prazer em si, ele adota os prazeres deste mundo presente ou os prazeres pertencentes ao mundo vindouro. Junte-se a Paulo ou parta para o mundo. Nesta tentação está o nosso esteio, em primeiro lugar, porque não queremos a companhia de bodes. Em segundo lugar, como devemos, assim desejamos ter prazer na companhia das ovelhas, contá-las os únicos homens ilustres do mundo, em quem está todo o nosso prazer. A conclusão é que amar os santos como santos é prova legítima de fé. Esse é o motivo pelo qual não podemos dominar os nossos sentimentos pelo amor, mas primeiro temos de dominar o nosso entendimento pela fé. — *Richard Capel, 1586-1656*

v. 4: "Eu não oferecerei as suas libações de sangue". Os gentios ofereciam e às vezes bebiam parte do sangue dos sacrifícios, quer de animais quer de homens, enquanto eram sacrificados. — *Matthew Poole*

v. 4: "Eu não oferecerei as suas libações de sangue". Não está claro se devemos entender esta expressão como o sangue que os pagãos misturavam nas libações, quando se obrigavam à comissão de alguma ação terrível, ou se as libações são figurativamente chamadas de libações de sangue para denotar o horror com que o escritor as considerava. — *George R. Noyes, in loc., 1846*

v. 4: "Nem tomarei o seu nome nos meus lábios". O pecado rolado debaixo da língua fica macio e flexível. A garganta é uma passagem tão curta e escorregadia que insensivelmente pode deixar o pecado deslizar da boca ao estômago. A libertinagem meditativa logo se torna em impureza prática. — *Thomas Fuller*

v. 5: "O Senhor é a porção da minha herança". Se o Senhor for a sua porção, então você pode concluir que a onipotência é a minha porção, imensidão, suficiência, etc. Não diga: Neste caso, então eu sou onipotente, etc., pois há vasta diferença entre identidade e interesse, entre a posse de um título e a transmutação da natureza. Um amigo dá a você um tesouro inestimável, e toda a segurança que você deseja. Você negará que é seu, porque você não mudou de natureza? Os atributos são seus, como a sua herança, como as suas terras são suas, não porque você mudou de natureza, mas porque o título foi entregue a você e melhorado para beneficiá-lo. Se outro o administra e pode torná-lo mais vantajoso do que você, não é uma transgressão do seu título. [...] O Senhor é a nossa porção, e isto é incomparavelmente mais do que se tivéssemos os céus e a terra. Toda a terra é apenas como um ponto comparado com a vastidão dos céus e os próprios céus não passam de um ponto comparado com Deus. Que grande posse temos então! Não há confisco, nem banimento. A nossa porção enche os céus e a terra, e está infinitamente acima dos céus e debaixo da terra, e além de ambos. Os pobres homens se vangloriam e se orgulham de um reino, entretanto possuímos mais do que todos os reinos do mundo e a sua glória. Cristo nos deu mais do que o Diabo pôde oferecê-lo. — *David Clarkson*

v. 5: "O Senhor é a porção da minha herança e o meu cálice", contém alusão à provisão diária de comida e também à herança de Levi (Dt 18.1,2). — *A. R. Fausset e B. M. Smith, "Critical and Explanatory Pocket Bible" [Bíblia de Bolso Crítica e Explicativa], 1867*

vv. 5 e 6: "O Senhor é a porção da minha herança. [...] As linhas caem-me em lugares deliciosos; sim, coube-me uma formosa herança". Bem-aventurado é o povo em tal caso. Sim, "bem-aventurada é a nação cujo Deus é o Senhor" (Sl 33.12). Não há maior misericórdia a ser dada a qualquer povo, família ou pessoa que esta, pois Deus habita entre eles. Se avaliarmos esta misericórdia de acordo com a excelência e o valor do que é dado, é a maior de todas. Se a avaliarmos de acordo com a boa vontade daquEle que a dá, também será a maior bênção. A grandeza da boa vontade de Deus em dar a si mesmo para se tornar o nosso conhecido, está evidente na natureza da dádiva. O homem pode dar os seus bens àqueles a quem ele não ama muito, mas nunca dá a si mesmo exceto se móvito por forte sentimento. Deus dá abundantemente a todos as obras das suas mãos. Ele faz o sol brilhar sobre maus e bons, e a chuva cair sobre justos e injustos. Contudo não podemos conceber que Ele se dê para ser uma porção, um amigo, um pai, um marido, senão em abundância de amor. Todo aquele que se recusar a conhecer a Deus, desdenha a maior benção já oferecida ao homem. Consideremos a gravidade da acusação, pois abusar de tal bondade de Deus é ato da maior vileza. Davi jamais foi tão provocado como quando o rei Amom abusou da sua bondade, através dos embaixadores, depois da morte do pai deste (2 Sm 10.1-6). Deus é altamente provocado quando as suas maiores misericórdias, dadas no amor, são rejeitadas e jogadas fora. O que Deus poderia dar mais e melhor senão Ele mesmo? [...] Pergunte a Davi o que pensa sobre Deus. Ele estava bem familiarizado, ele habitava na casa do Pai e por vontade própria jamais estaria fora da presença e companhia do Pai. Investigue, peço, o que ele descobriu de inapropriado nEle. A fim de que você conheça mais a mente do salmista, ele a deixou registrada em mais de um ou dois lugares, mostrando que amigo ele tem em Deus: "As linhas caem-me em lugares deliciosos; sim, coube-me uma formosa herança". Do que é que você tanto se orgulha, Davi? Outros não possuem reinos como você também possui? Não, não é este o ponto. A coroa é uma das menores joias em meu gabinete: "O SENHOR é a porção da minha herança e o meu cálice". — *James Janeway*

vv. 5 e 6: Observe não apenas as misericórdias de Deus, mas o Deus das misericórdias. As misericórdias nunca são tão saborosas quando têm o sabor do Salvador. — *Ralph Venning, 1620-1673*

v. 6: "As linhas caem-me em lugares deliciosos; sim, coube-me uma formosa herança". Ervas amargas caem muito bem, quando o homem tem "alimentos [deliciosos] que o mundo não conhece". O sentimento do amor do nosso Pai é como o mel na ponta da vara. Transforma pedras em pães, água em vinho e o vale dos problemas em a porta da esperança. Faz com que os maiores males pareçam como se não fossem nada ou melhores que nada. Torna os nossos desertos em o jardim do Senhor. Quando estamos na cruz por amor a Cristo, é como se estivéssemos no paraíso com Cristo. Quem deixaria o dever em prol do sofrimento para ter alívio? Quem não preferiria andar em verdade, quando tem essa bebida estimulante para sustentá-lo, do que preferir a conduta da sabedoria carnal para servir-se de algum método indireto ou irregular e obter o próprio livramento? — *Timothy Cruso*

v. 6: "As linhas". Provável alusão à divisão da terra por sortes, e a medição através de cordas e linhas. Davi cria em um destino predominante que fixaria os limites da sua morada e das suas posses. O salmista fez mais, ele estava satisfeito com todas as designações do Deus que predestina. — *C. H. S.*

v. 7: "Louvarei ao SENHOR que me aconselhou". O Espírito Santo é espírito de conselho, instruindo poderosamente e ensinando convincentemente como agir e andar, porque Ele nos dirige a dar passos certos e a andar com o pé certo. Desta forma, Ele desvia de nós muitos pecados, como também por meio de instruções oportunas colocadas em nosso coração "com uma mão forte" (Is 8.11). Como diz o mesmo profeta, Ele é "o Espírito de conselho e de fortaleza" (Is 11.2). De conselho para orientar; de fortaleza para encorajar o homem interior. Foi isso que Espírito Santo representou para Cristo, a Cabeça, sobre quem está escrito nas Santas Escrituras. Por exemplo, na agonia (em cuja determinação dependia a nossa salvação) e conflito no jardim do Getsêmani, quando Ele orou: "Afasta de mim este cálice" (Mc 14.36), foi este bom Espírito que o aconselhou a morrer, e Jesus bendisse a Deus por isso: "Louvarei ao SENHOR que me aconselhou" (Sl 16.7). Foi esse conselho que neste caso fez o seu coração dizer: "Não seja, porém, o que eu quero, mas o que tu queres" (Mc 14.36). — *Thomas Goodwin*

v. 7: "O meu coração". A experiência comum mostra que o funcionamento da mente, em particular os sentimentos da alegria, aflição e medo, causa um efeito muito notável no coração ou rins, daí passando para o corpo inteiro. Pelo fato de estar encerrado em gordura, esses órgãos são usados nas Escrituras para denotar o funcionamento mais íntimo da alma e sentimentos. — *John Parkhurst*

v. 7: "Até o meu coração me ensina de noite". Estas palavras mostram que Deus sempre estava presente com Davi, dera-lhe conselhos em sonhos, ou pelo menos os pensamentos quando o salmista estava acordado de noite, dos quais juntou certa garantia de recuperação. É possível que ele tenha sido orientado a tomar um remédio. O imperador Antonino agradece aos deuses por orientá-lo no sono a tomar certos remédios. — *Zachary Mudge, in loc., 1744*

v. 7: "Até o meu coração me ensina de noite". Há um ditado entre nós que diz: "O travesseiro é o melhor conselheiro". A declaração é verdadeira, sobretudo se nos entregarmos primeiro em oração a Deus, e levarmos um espírito fervoroso conosco para a cama. Na quietude das horas silenciosas, imperturbados pelos sentimentos e não molestados pelos conflitos do mundo, podemos comungar com o nosso coração, sendo ensinados e guardados quanto ao nosso curso futuro até mesmo "de noite". Ao que parece, Davi fez especialmente destes períodos noturnos fonte de grande proveito como também de prazer. Às vezes, gostamos de meditar em Deus quando nos deitamos na cama. Não há dúvida de que ele meditava sobre a bondade do Senhor e o modo pelo qual Ele o conduzira, pois o salmista foi, por assim dizer, constrangido a levantar-se e orar até mesmo à meia-noite. Enquanto reconhecemos que o travesseiro é um bom conselheiro, como Davi, reconheçamos também que é o Senhor que aconselha e ensina no período noturno. — *Barton Bouchier*

v. 8: "Tenho posto o Senhor continuamente diante de mim". Davi não se punha diante do Senhor aos trancos e barrancos. "Continuamente" ele punha o Senhor diante de si no transcurso da vida. Ele tinha os olhos postos no Senhor. Este é o significado da palavra hebraica: Eu fixei o Senhor igualmente diante de mim. Esta é a força da palavra original, quer dizer, eu pus o Senhor diante de mim em uma ocasião tanto quanto em outra, sem afetos ou sentimentos irregulares. Em todos os lugares, em todas as condições, em todas as companhias, em todos os empreendimentos e em todos os prazeres, pus o Senhor igualmente diante de mim. Isso o impulsionou a levantar-se, e impulsionará todo cristão a levantar-se, pouco a pouco, até chegar à grandíssima altura da santidade. — *Thomas Brooks*

v. 8: "Tenho posto o Senhor continuamente diante de mim". Em hebraico, temos: "Eu tenho posto ou proposto igualmente". O apóstolo traduziu assim: "Sempre via diante de mim o Senhor, porque está à minha direita" (At 2.25). Tenho posto os olhos da fé plenamente nEle. Não permitirei que se ponham em outras coisas. Olho no rosto, *oculo irretorto*, como a águia olha para o sol; e *oculo adamantino*, com os olhos de diamante que se voltam apenas para um ponto. Assim, tenho posto o Senhor igualmente diante de mim, sem afetos e sentimentos irregulares. Esta foi uma dessas lições que o coração lhe ensinara, que o Espírito Santo lhe ditara. — *John Trapp*

v. 8: "Tenho posto o Senhor continuamente diante de mim". Como o gnômon sempre aponta para a estrela do norte, quer esteja fechado e confinado em um estojo de ouro, prata ou madeira, nunca perdendo a sua natureza, assim o cristão fiel, quer seja abundante em riquezas ou atormentado pela pobreza, quer esteja em alta ou baixa posição neste mundo, precisa continuamente ter a fé e a esperança seguramente construídas e fundamentadas em Cristo. Ter o coração e a mente firmes e estabelecidos nEle para segui-lo em todas as dificuldades, pelo fogo e pela água, em tempos de guerra ou de paz, na fome e no frio, com amigos e com inimigos, por meio de mil perigos, através das tempestades e ondas de inveja, maldade, ódio, mentira, palavras afrontosas e desprezo do mundo, da carne e do Diabo, e até na própria morte, por mais que estas coisas sejam amargas, cruéis e tirânicas, jamais o cristão deve perder de vista Cristo. — *Robert Cawdray*

v. 8: "Tenho posto o SENHOR continuamente diante de mim". Por pensar frequentemente em Deus, o coração é atraído a ter desejos dEle: "No teu nome e na tua memória está o desejo da nossa alma" (Is 26.8). Veja o que vem a seguir: "Com minha alma te desejei de noite e, com o meu espírito, que está dentro de mim, madrugarei a buscar-te" (Is 26.9). O amor faz a alma meditar, passando da meditação à oração. A meditação é a oração em ouro em barra, a oração em minério — logo se derrete e topa com os desejos santos. A nuvem carregada logo desaba em chuva. A lenha cortada logo se consome quando posta no fogo. A alma que medita está em *proxima potentia* à oração. — *William Gurnall*

v. 8: "Tenho posto o SENHOR continuamente diante de mim; por isso que ele está à minha mão direita, nunca vacilarei". Aquele que pela fé vê Deus continuamente como o seu protetor nas dificuldades, nunca vacilará seja qual for o mal que sofra. Aquele que vê Deus pela fé como padrão de santidade, não vacilará em fazer o que é bom. Este pensamento — que o Senhor está à nossa mão direita — evita que nos voltemos para a direita ou para a esquerda. Sobre Enoque, está escrito: "E andou Enoque com Deus" (Gn 5.22). A história da sua vida é muito curta, contudo é falada uma segunda vez: "E andou Enoque com Deus" (Gn 5.24). Ele andava tanto com Deus que ele andou "como Deus". Ele não "andou" com o tipo de andadura que o apóstolo reprova: "Segundo os homens" (1 Co 3.3). Ele andou tão pouco como o mundo que a sua permanência foi curta no mundo. "E não se viu mais", diz o texto, "porquanto Deus para si o tomou" (Gn 5.24). Ele o tomou do mundo para si, ou, como o autor aos Hebreus nos informa: "Enoque foi trasladado para não ver a morte e não foi achado, porque Deus o trasladara, visto como, antes da sua trasladação, alcançou testemunho de que agradara a Deus" (Hb 11.5). — *Joseph Caryl*

v. 8: "Por isso que ele está à minha mão direita, nunca vacilarei". De nós mesmos, não estamos firmes em tempo nenhum, mas pelo poder de Deus vencemos a toda hora. Quando somos mais duramente atacados Ele sempre está pronto à nossa mão direita para nos sustentar e nos firmar a fim de que não caiamos. Ele começou bem e com muita alegria continuará na sua obra. A verdadeira graça bem plantada no coração, por mais fraca que seja, resistirá para sempre. Todas as decadências vêm do fato de que o coração nunca foi verdadeiramente apaziguado, nem a graça plantada nele profundamente e de bom grado. — *John Ball*

v. 8: "Ele está à minha mão direita". Esta frase do discurso é tomada daqueles que, quando assumem o patronato, a defesa ou a instrução de alguém, colocam-no à mão direita por ser o lugar que oferece maior proteção. A experiência confirma este fato nas crianças que, estando em perigo iminente se envolvem e se abrigam nos braços ou mãos do pai, como se estivessem debaixo de um escudo suficientemente protetor. Era esta a situação do homem de Deus, como o texto dá a entender que se confinava dentro do poder de Deus, contra os males presentes e os perigos vindouros. — *Richard Greenham*

v. 8: Como a coluna ou pilar está, às vezes, à sua mão direita e, às vezes, à sua mão esquerda, porque você muda de posição, ficando em pé, sentado ou andando, e a coluna está imóvel e permanece no mesmo lugar, assim Deus é, às vezes, favorável e profícuo e, às vezes, está furioso e irado, porque você caiu da virtude ao vício, da obediência e humildade ao orgulho e presunção, e no Senhor não há mudança, nem a menor sombra de variação. Ele é imutável, sempre único e eterno. Se você se curvar à obediência e a uma vida virtuosa e religiosa, sempre terá nEle uma pedra forte, sobre a qual poderá ousadamente construir um castelo e uma torre de defesa. Deus será uma coluna poderosa, sustentando os céus e a terra, na qual você se apoia e não se engana, na qual você confia e não fica desapontado. Ele sempre estará à sua mão direita para que você não caia. Ele tomará o seu partido, e o defenderá poderosamente contra todos os inimigos do corpo e da alma. Mas se você apertar as mãos da virtude para despedir-se dela, abandonando os caminhos de Deus para viver como quiser seguindo a sua própria corrupção e não ter consciência dos seus deveres, contaminando-se e manchando-se com toda sorte de pecados e iniquidades, pode ter certeza de que o Senhor, na sua fúria e indignação, aparecerá diante de você. Nenhuma das suas justiças e julgamentos poderá jamais livrá-lo. — *Robert Cawdray*

v. 9: "Está alegre o meu coração". Os homens, por certo tempo, podem ser ouvintes do Evangelho. Os homens por causa dos outros podem orar, cantar e receber os sacramentos. Mas se o fizerem sem alegria, essa hipocrisia não acabará se revelando? Eles não começarão a desanimar? Não estarão prontos a ouvir outra doutrina? As coisas boas não encontram receptividade por muito tempo em nossas corrupções, a menos que o Espírito Santo nos mude de nossas antigas delícias para ter prazer nestas coisas. — *Richard Greenham*

v. 9: "Está alegre o meu coração e se regozija a minha glória". A alegria interior não pode se conter. Revelamos o nosso prazer nas mais baixas ocasiões, até mesmo com a satisfação de nossos sentidos, quando a audição se enche de melodia harmoniosa, quando a visão se fixa em objetos admiráveis e belos, quando o olfato se diverte com cheiros agradáveis e o paladar se entretém com a iguaria e raridade das provisões. Muito mais a nossa alma mostrará prazer, quando as suas faculdades, que são da mais primorosa constituição, se satisfizerem com coisas que sob todos os aspectos lhes são agradáveis e prazerosas. Em Deus, eles se satisfazem com todos esses. O nosso entendimento se refresca com a sua luz, e assim a nossa vontade se refresca com a sua bondade e amor. — *Timothy Rogers*

v. 9: "Portanto, está alegre o meu coração e se regozija a minha glória". Em outras palavras, eu estou bem em todas as boas condições tanto quanto o coração deseja ou requer. Eu superabundo excessivamente de alegria. "Que Deus me perdoe a ingratidão e indignidade de tão grande glória", como disse o mártir. "Em todos os dias da minha vida nunca estive tão alegre quanto agora que estou neste calabouço escuro." Os homens maus se alegram com a aparência e não com o coração (2 Co 5.12). A sua alegria é superficial, o seu regozijo é frívolo e barato, pois umedece a boca, mas não aquece o coração. Mas Davi é *totus totus, quantus quantus exultabundus*, o seu "coração", "glória" e "carne" (condizentes, como pensam certos estudiosos, ao "espírito, e alma, e corpo" escritos pelo apóstolo em 1 Ts 5.23) estavam extremamente felizes. — *John Trapp*

v. 9: "Também a minha carne repousará segura". Se o judeu penhorasse sua roupa de cama, Deus providenciava misericordiosamente que lhe fosse devolvida antes de anoitecer: "Porque", disse ele, "aquela é a sua cobertura e a veste da sua pele; em que se deitaria?" (Êx 22.27). Na verdade, a segurança é a cobertura dos santos na qual eles se enredam, quando deitam o corpo no sono da sepultura: "A minha carne", disse Davi, "repousará segura". Ó cristão, apresse-se em redimir a sua esperança antes que este sol da vida temporal se ponha, ou antes, que você certamente se deite na tristeza. Aquele que não tem esperança da ressurreição para a vida tem uma ida triste para a cama da sepultura. — *William Gurnall*

v. 9: "Também a minha carne repousará segura". Esta segurança que está fundamentada na Palavra oferece descanso para a alma. É uma âncora que a mantém firme (Hb 6.13), o que mostra a imobilidade daquilo a que a nossa âncora está firmada. A promessa sustenta a nossa fé, e a nossa fé é o que nos sustenta.

Aquele que tem sua segurança na Palavra como Davi tinha (Sl 119.81) enfatiza-a grandiosamente. Como Sansão tinha segurança quando se apoiou nas colunas da casa para derrubá-la sobre os filisteus. O crente lança o peso total de todos os seus interesses e preocupações temporais, espirituais e eternas nas promessas de Deus, como o homem decidido a permanecer ou cair com eles. Ele arrisca a si e a tudo que lhe pertence totalmente neste fundamento, que é como se dissesse: "Se eles não me sustentam, então estou contente em afundar. Sei que haverá uma apresentação dessas coisas que me foram ditas sobre o Senhor, portanto eu a buscarei incessantemente". — *Timothy Cruso*

v. 10: "Pois não deixarás a minha alma no inferno, nem permitirás que o teu Santo veja corrupção". O título deste texto de ouro poderia ser *O Embalsamento dos Santos Mortos*, cuja força é livrar a alma do abandono no estado da morte, e proteger o corpo dos santos de Deus contra a corrupção na sepultura. É a arte que desejo aprender e, neste momento, ensinar nesta triste ocasião,[1] na preparação desta feitura contra os nossos enterros. — *George Hughes, 1642*

v. 10: Muitos dos mais antigos reformadores sustentam que o nosso Senhor em alma desceu de fato ao inferno, de acordo com alguns deles, para ali sofrer como a nossa segurança e, de acordo com outros, fazer um triunfo público sobre a morte e o inferno. Essa ideia foi quase universalmente e, segundo cremos, corretamente repudiada pelos puritanos. Para provar o fato, citamos o itinerário engenhoso de Richard Corbet:

> Quatro clérigos de Oxford, doutores dois e dois
> Que seriam doutores.

Ele lamenta a secularização da igreja concernente a Banbury, cidade da Inglaterra, pelos puritanos a quem ele descreve como:

> — Aqueles que contam
> Que Cristo não desceu ao inferno
> Mas somente à sepultura
> — *C. H. S. (A citação é extraída dos Poemas de Richard Corbet, 1632.)*

v. 10: "A minha alma no inferno". Cristo em alma desceu ao inferno, Ele se submeteu para suportar essas tristezas infernais (ou equivalente a elas), às quais estávamos presos por nossos pecados a sofrer eternamente. A sua descida é a sua projeção de si mesmo ao mar da ira de Deus concebido pelos nossos pecados, e o seu ingresso aos mais indizíveis dilemas e tormentos na alma que teríamos sofrido para sempre no inferno. Este modo da descida de Cristo ao inferno[2] é proferido expressamente na pessoa de Davi, como tipo de Cristo (Sl 86.13; 116.3; 69.1-3). Assim disse o profeta Isaías: "Quando a sua alma se puser por expiação do pecado" (Is 53.10). É o que entendo que Davi quis dizer, quando falou sobre Cristo: "Pois não deixarás a minha alma no inferno" (Sl 16.10; At 2.27). Assim, Cristo desceu ao inferno quando estava vivo e não quando estava morto. Assim, a sua alma estava no inferno quando Ele estava no jardim do Getsêmani, suando sangue, e na cruz do Calvário, quando clamou tão lamentavelmente: "Deus meu, Deus meu, por que me desamparaste?" (Mt 27.46). — *Nicholas Byfield, "Exposition of the Creed" [A Exposição do Credo], 1676*

v. 10: "No inferno". *Sheol* aqui, como *Hades* no Novo Testamento, significa o estado dos mortos, o estado separado das almas depois da morte, o mundo invisível das almas onde a alma de Cristo estava, embora não tenha permanecido lá, pois ao terceiro dia voltou para o seu corpo novamente. Ao que parece, é melhor entender que a palavra se refere à sepultura, como está traduzida, por exemplo, em Gênesis 42.38 e Isaías 38.18. — *John Gill*

v. 10: "O teu Santo". A santidade evita que a alma seja abandonada no estado da morte, e que o corpo dos santos sofra corrupção na sepultura. Se aqueles que

---

[1] Um sermão fúnebre.

[2] **N. do E.:** Jesus Cristo desceu ao inferno no intervalo entre a sua morte e a sua ressurreição. É o que chamamos de Ministério no Hades (Ef 4.8,9; 1 Pe 3.18-20).

duvidam quiserem ver o assunto claro no texto, os orientarei a ler o texto com ênfase constante nestes termos: "O teu Santo", para que tomem conhecimento especialmente do assunto e da qualidade daquele homem isento destes males. Nisto, o Espírito de Deus dá ênfase à santidade como contrabalanço e domínio sobre a morte e a sepultura. É isso e nada mais do que isso que mantém o homem, morto e enterrado, livre de ser abandonado na morte e na corrupção da sepultura. — *George Hughes*

v. 10: A grande promessa feita para Cristo é que, embora tenha assumido um corpo corrutível, Ele não veria a corrupção, quer dizer, não participaria da corrupção, pois a corrupção não teria comunhão, muito menos poder sobre Ele. — *Joseph Caryl*

v. 10: Citado pelo apóstolo Pedro (At 2.27), sobre o qual Hackett comenta: "Podemos expressar o sentido assim: 'Tu não me deixarás como presa para a morte. Ela não terá poder sobre mim para dissolver o meu corpo e fazê-lo voltar ao pó'." (*"Commentary" [Comentário], in loc.)*

v. 11: Este versículo proporciona quatro elementos observáveis: (1) O guia: Tu. (2) O viajante: Eu. (3) O caminho: A vereda. (4) O fim: A vida. Este último elemento é descrito adiante, pois o que vem a seguir é apenas a descrição desta vida.

Este versículo oferece um tema apropriado para meditação. Todos os quatro estão isolados. O guia é senão um, o viajante é senão um, o caminho é senão um e a vida é senão uma. Fazer uma boa meditação sobre estes elementos é reuni-los todos e, no final das contas, fazê-los de todos um. É o que vamos fazer, tratemos primeiramente do nosso guia.

O guia. Encontramos o seu nome já no primeiro versículo: Deus. Comecemos como devemos começar em todas as práticas santas, com adoração. Diante dEle se dobrará todo joelho (Is 45.23), não somente diante dEle, mas também diante do seu nome (Fp 2.10). Santo é o seu nome. Glória seja dada a ti, ó Deus! Ele é Deus, portanto, é santo. Ele é Deus *fortis*, portanto, é poderoso. "As alturas dos montes são suas" (Sl 95.4), e se há um caminho na terra, Ele pode nos fazer vê-lo, pois em suas mãos estão todas as profundezes da terra. Mas Ele está disposto o nos fazer ver? Sim, embora seja Deus, santo (que é palavra terrível para a pobre carne e sangue), é *Deus meu*, a minha santidade. Isso acaba com o medo de servir. Ele é *meu*, temos posse dEle, e Ele está disposto: "Far-me-ás ver". Para que você saiba que Deus nos fará ver, Davi mostra um pouco acima como Ele será diligente em nos fazer ver. Primeiramente, Deus irá adiante, pois nos guiará no caminho. Se tudo que posso fazer é seguir, me certificarei de estou no caminho certo. Aquele que tem um guia diante de si e não o segue, é merecedor de ser deixado para trás. Mas diz, estou disposto, desejo ir e sigo. E se por desfalecimento eu, no longo caminho, cair muitas vezes? Ou, por falta de cuidado, sair do caminho, então serei deixado para trás? Não tenha medo, porque "ele está à minha mão direita, nunca vacilarei" (v. 8). Saber disso é realmente reconfortante. Mas logo ficamos cansados nesse caminho, e caímos e erramos tantas vezes que acabaria com a paciência de um bom líder nem que seja por mais um dia. Ele será paciente para conosco e continuará até ao fim? Sim, Deus será, sempre será, ou este texto é enganoso, pois tudo isso consta no versículo 8. Precisamos ter a Deus, e a mais ninguém, porque Ele é único e singular. Assim confessou o salmista Asafe: "A quem tenho eu no céu senão a ti? E na terra não há quem eu deseje além de ti" (Sl 73.25). Busque este bom Guia. É fácil encontrá-lo: "Buscai e encontrareis" (Mt 7.7). Você descobrirá que Ele é primeiramente santo, depois, capaz, em terceiro lugar, disposto, em quarto lugar, diligente e, em quinto lugar, constante. Ó minha alma! Siga-o, e Ele fará você capaz de seguir até ao fim e ser santo no fim.

O viajante. Tendo achado o guia, não levará muito tempo para encontrarmos alguém que o queira, pois o homem anda desviado do seu caminho (Pv 21.16). Logo isso aparecerá se considerarmos a sua condição. Ele é um estrangeiro ("far-me-ás ver") e o que sou? Sou "como um estranho, e peregrino como todos os meus pais", diz ele, em outro lugar (Sl 39.12). Mas isso foi nos tempos antigos debaixo da Lei. E hoje nós, os seus filhos, no Evangelho, somos outra coisa? Pedro nos diz que não, que ainda somos estranhos e peregrinos, quer dizer, viajantes. Viajamos, por assim dizer, para fora de nosso país. Somos estrangeiros em relação a quem nos relacionamos. Nem os nativos são os nossos amigos, nem possuímos outra coisa que nos seja verdadeiramente nossa. É hora de termos *animum reverlendi.* Certamente assim teremos se pudermos pelo menos orar pelo caminho. *Converte nos Domine.* Mas faz tanto tempo desde que nos aproximamos que nos esquecemos do caminho de casa: *obliti sunt montis mei.* Mas ainda estamos indo para casa. Mas todos esperamos bem: *oculi omnium sperant in te.* Mas corretamente, iguais a peregrinos, ou antes, a vagantes. Mal sabemos se estamos no caminho certo e, o que é pior, pouco nos importamos em investigar.

"Far-me-ás". Davi ainda mantém o número singular. Como há apenas um guia, assim ele fala na pessoa de um único viajante. Talvez tenhamos algo aqui. É para mostrar a sua confiança. A oração do Senhor está no plural, mas o credo, no singular. Podemos orar que Deus guie a todos. Mas não podemos ter certeza sobre ninguém, senão sobre nós mesmos. "Far-me-ás ver", ou me fazes ver, ou tens-me feito ver, como alguns intérpretes traduzem; tudo para mostrar confiança particular. "Far-me-ás ver", "me" e não "nos", um número indefinido no qual posso ser um, mas "me", ou seja, eu em particular que estou fora do caminho e que tenho de andar no caminho sozinho. Ou eu tenho de seguir ou ir à frente dos outros. Tenho de trabalhar e acreditar sozinho e ser salvo por um só. O caminho que tenho de andar é senão um. Não somente isso, todavia é, mais um caminho onde apenas um pode ir. Não é uma estrada larga, mas um caminho de tolerância através do favor; não vem de nós. Não é uma estrada. Não dá para correr em um trecho, ou galopar em grupos. É uma vereda, uma trilha estreita para a pessoa ir sozinha. É um caminho para um só por vez, é um caminho solitário: *preparate vias ejus in solitudine*, disse João, e ele sabia que caminho Deus ia, que é o nosso Guia *in solitudine.* Existe a doçura da solidão, o conforto da meditação. Deus se revela mais ao homem quando este está na solidão. O próprio Cristo veio assim, completamente só, sem tropa, ou barulho, sempre evitando a multidão tumultuosa, embora ela lhe teria feito rei. Ele nunca falou com as multidões senão por parábolas. Para os que o buscavam, *in solitudine*, em particular, Ele falava abertamente. É como Ele ainda gosta de falar com a alma, a sós e em particular. Davi disse muito bem: "Far-me-ás ver" em particular e no singular. Mas como saberei que eu, em particular, serei ensinado e verei o caminho? Este profeta, que teve experiência, nos falará: *mites docebit*, "aos mansos ensinará" (Sl 25.9). Cristo coroou esta virtude com uma bênção: "Bem-aventurados os mansos" (Mt 5.5), pois Ele os chamará para si e os ensinará. Mas você tem de ser manso. O céu é construído como as nossas igrejas, com tetos e telhados altos, mas com uma porta estreita e baixa. Aqueles que entram têm de inclinar-se para ver a Deus. A mansidão é a marca da cruz, por meio da qual você sabe se está no caminho. Se alguém tiver outra opinião, Deus também a revelará para você, pois: "Far-me-ás ver a vereda da vida".

O caminho. Vejamos agora o que Ele nos fará ver: "A vereda". Temos de saber que como os homens têm muitas veredas, ou seja, muitos caminhos que saem do caminho mais largo — o mundo —, embora todos terminem em destruição, assim Deus tem muitos caminhos que saem do caminho mais largo — a Palavra —, embora todos terminem em salvação. Vamos comparar os nossos caminhos aos deles (pois realmente são opostos) para ver em que eles concordam. Os nossos caminhos não valem à pena marcar, os caminhos de Deus são marcados com um *attendite*, para começar com tudo isso. Os nossos caminhos são sangrentos, os dEle são impolutos. Os nossos são tortos, os dEle são retos. Os nossos conduzem ao inferno, os dEle conduzem ao céu. Não nos desviamos? Tivemos necessidade de virar e tomar outro caminho, e isso às pressas. Podemos muito bem dizer: *semitas nostras, à via tuâ.* Aqui está a Bíblia e aqui estão os caminhos diante de você, mas Ele fará você ver. Aqui está *semita mandatorum* em Salmos 119.35. Aqui está *semita pacifica* em Provérbios 3.17. Aqui está *semita sequitatis* em Provérbios 4.11. Aqui está *semita justitiae* em Salmos 23.3. Aqui está *semita judicii* em Provérbios 17.23, e muitos outros caminhos. Estes são, cada um deles, os caminhos de Deus. Mas estes são, de certo modo, muitos e estão muito longe. Temos de buscar o caminho em que todos estes se juntam e nos levem à "vereda". Estes são muitos, mas farei você ver "um caminho ainda mais excelente", como disse Paulo em 1 Coríntios 12.31.

Temos de começar indo pela *via mandatorum*, pois até então estamos na escuridão e não podemos distinguir nenhum caminho, quer seja bom ou quer seja ruim. Mas encontraremos uma lâmpada e uma luz. O mandamento de Deus é uma lâmpada, e a Lei, uma luz (Pv 6.23). Leve-as consigo (como o bom homem deve levar, *lex Dei in corde ejus*), que elas manterão você no caminho. Veja como o nosso Guia é cuidadoso, pois para que o vento não apague a luz, ele a colocou em uma lâmpada para protegê-la. O temor, ou a sanção, dos "Mandamentos" protege a memória da Lei em nosso coração, como a lâmpada protege a luz que queima em seu interior. A Lei é a luz, e o Mandamento é a lâmpada, de forma que nem o zéfiro lisonjeiro, nem o bóreas ventoso poderão apagá-la, contanto que o temor da sanção o detenha. Este é *lucerna pedibus* (Sl 119.105). Não só mostrará a você onde deve andar, mas que passo deve manter. Quando você tiver esta luz, aceite o conselho de Jeremias: pergunte pela *semita antiqua*, antes de prosseguir. "Ponde-vos nos caminhos", disse ele, "e vede, e perguntai pelas veredas antigas, qual é o bom caminho, e andai por ele; e achareis descanso para a vossa alma" (Jr 6.16). Isso lhe levará ao local em que você pode descansar um pouco. Onde é? Siga este caminho e você encontrará esta antiga vereda para percorrê-la totalmente por todo o Antigo Testamento até terminá-la no Novo Testamento, o Evangelho de paz, e lá descansar. É o que Paulo afirma. A Lei, que é a vereda antiga, não passa de pedagoga para o Evangelho. Este é "um caminho ainda mais excelente" (1 Co 12.31) do que a Lei, cujas cerimônias em relação ao Evangelho foram chamadas "rudimentos fracos e pobres" (Gl 4.9). Quando chegarmos a esse ponto, descobriremos o caminho agradável e de muita luz, de forma que veremos claramente diante de nós essa mesma vereda, essa única vereda, "a vereda da vida" (*semita vitae*), na qual o Evangelho termina, como a Lei termina no Evangelho. Qual é a *semita vitae* que procuramos? "Todos os teus mandamentos [ou caminhos] são a verdade", disse Davi (Sl 119.151). Ele não diz que são *verae* ou *veritates*, mas *veritas*; todos uma única verdade. Todos os caminhos de Deus terminam em uma única verdade. *Semita vitae*, portanto, é a verdade. É tão certo que o caminho para a vida é a verdade que João muito se alegrou ao saber que os seus filhos andavam na verdade (3 Jo 1.3). Claro que ele foi levado a uma alegria excessivamente grande, a qual não há maior. *Via veritatis* é "o Evangelho da verdade", mas *semita vitae* é a própria verdade. Acerca destes, profetizou Esay: *et erit ibi semita et via*, etc., "haverá uma vereda e um caminho". O caminho será chamado santo, o próprio epíteto do evangelho: "O evangelho santo" que é o caminho. Mas a vereda é o epítome deste caminho (chamado em nosso texto, para ressaltar a excelência, de "a vereda", no singular), do qual não há outro. "O evangelho da vossa salvação", disse Paulo, é "a palavra da verdade" (Ef 1.13). E "a tua palavra é a verdade", disse o nosso Salvador ao Pai (Jo 17.17). A verdade, então, é "a vereda da vida", pois é o epítome do Evangelho que é o caminho. Esta é a verdade que Pilatos (o homem infeliz) perguntou, mas não teve a paciência para esperar pela resposta. O próprio Jesus é a Palavra. A Palavra é a verdade, a verdade é "a vereda da vida", trilhada por todos os patriarcas, profetas, apóstolos, mártires e confessores que já foram para os céus antes de nós. O sumário do Evangelho, a porta do céu, *semita vitae*, "a vereda da vida", o próprio Jesus Cristo, o Justo, que trilhou o caminho por nós, foi mesmo antes de nós e nos deixou as pegadas para nós o seguirmos, onde Ele mesmo se assenta pronto para nos receber. Portanto, a Lei é a luz, o Evangelho é o caminho e Cristo é "a vereda da vida". — *William Austin, 1637*

v. 11: É o triunfo de Cristo em retribuição à sua exaltação, e o recebimento do prazer nos frutos dos seus sofrimentos: "Far-me-ás ver a vereda da vida". Agora, Deus abriu o caminho para o paraíso que fora impedido por uma espada inflamada que andava ao redor e aplanou o caminho. Esta é parte da alegria da alma de Cristo. Hoje Ele tem "abundância de alegrias", "delícias" que satisfazem em vez de tristezas que oprimem. É uma "abundância de alegrias", não apenas algumas faíscas e gotas que Ele teve de vez ou outra quando estava na condição de humilhação; isso ocorreu na "presença" do Pai. A sua alma foi alimentada e nutrida com a visão perpétua de Deus, em cuja face ele não vê mais censura e reprovação, nem desígnio de tratá-lo como servo, mas sorriso e satisfação que lhe desencadearão uma perpétua alegria e lhe encherão a alma de labaredas frescas e puras. São prazeres, afabilidade em cuja comparação as maiores alegrias desta vida são angústias e horrores. A sua alma tem alegrias sem mistura, prazeres sem número, abundância sem falta, constância sem interrupção e perpetuidade sem fim. — *Stephen Charnock*

v. 11: "Na tua presença há abundância de alegrias; à tua mão direita há delícias perpetuamente". Será dada para a alma bendita que descansa no seio de Abraão, um corpo imortal, impassível, resplandecente, perfeito e glorioso. Que junção feliz, que doce saudação entre a alma e o corpo, é o conhecimento mais próximo e querido que jamais houve! Que boas-vindas a alma dará ao corpo amado! Bendito sejas tu (dirá ela), pois tu me ajudaste a ir para a glória que desfrutei desde que me separei de ti. Bendito sejas tu que sofreste para te mortificares, dando "os vossos membros a Deus, como instrumentos de justiça" (Rm 6.13). Alegra-te, pois o tempo de labuta passou e o tempo de descanso chegou. Tu foste semeado e enterrado no pó da terra com infâmia, mas agora és ressuscitado em glória; foste semeado em fraqueza, mas ressuscitado em poder; semeado corpo natural, mas ressuscitado corpo espiritual; semeado em corrupção, mas ressuscitado em incorrupção (1 Co 15.43). Ó meu querido e familiar companheiro, nós nos aconselhávamos agradavelmente juntos, nós dois andávamos como amigos na casa de Deus (Sl 55.14), pois quando eu orava interiormente, você atendia exteriormente as minhas devoções com joelhos dobrados e mãos levantadas. Nós fomos companheiros de trabalho na obra do Senhor, nós sofremos juntos e agora reinaremos juntos para sempre. Eu entrarei em ti novamente, e assim nós dois entraremos nas "alegrias" de nosso Mestre, onde teremos "delícias" eternamente à "mão direita" dEle.

Os santos que entraram, por assim dizer, na câmara da presença de Deus, terão alegria ao ouvirem estas palavras de elogio e aprovação dirigidas a eles: "Bem está, servo bom e fiel" (Mt 25.21), e ao ouvirem o idioma celestial da Canaã celeste. O nosso corpo será *vera et viva*, perfeito como o corpo glorioso de Cristo, que ouve as pessoas e fala depois da ressurreição, como mostra a história dos Evangelhos. Se as palavras dos sábios, faladas em ocasião própria, são como "maçãs de ouro em salvas de prata" (Pv 25.11); se o discurso melífluo de Orígenes, a trombeta de prata de Hilário, a boca de ouro de Crisóstomo, enfeitiçavam auditórios com deleites excessivamente grandes; se a eloquência agradável dos oradores pagãos, cujas línguas jamais foram tocadas com brasas do altar de Deus, arrebatava o coração dos ouvintes e os levava para cima e para baixo, para onde quer que quisessem, que "abundância de alegrias" será ouvir no reino da glória as línguas santificadas e glorificadas dos santos e dos anjos? [...] Bonaventura relata amavelmente que, quando São Francisco ouviu por pouco tempo um anjo tocando harpa, ficou tão comovido com a delícia extraordinária que pensou que estivesse em outro mundo. Que "abundância de alegrias" será ouvir mais de doze legiões de anjos, acompanhados com muitos santos felizes que nenhum homem pode enumerar, todos de uma vez cantando juntos: "Santo, Santo, Santo é o Senhor Deus, o Todo-Poderoso, que era, e que é, e que há de vir" (Ap 4.8). "E ouvi a toda criatura que está no céu, e na terra, e debaixo da terra, e que está no mar, e a todas as coisas que neles há, dizer: Ao que está assentado sobre o trono e ao Cordeiro sejam dadas ações de graças, e honra, e glória, e poder para todo o sempre" (Ap 5.13). Se as vozes de homens mortais e o som de buzinas, trombetas, harpas, saltérios, gaitas de foles e outros instrumentos musicais bem-afinados, entrando em nossos ouvidos são tão portentosos, de modo que todos os nossos sentimentos e emoções são diversamente arrebatados. Então, como ficaremos encantados na presença de Deus quando ouvirmos os ares celestiais com ouvidos celestiais!

Acerca da "abundância de alegrias" no que tange aos demais sentidos, encontro pouco ou nada nas Santas Escrituras. Considerando que o Espírito de Deus não terá ninguém para escrever, não tenha uma língua para falar. Os teólogos afirmam em geral que o olfato, o paladar e o tato terão alegria proporcional ao estado de santificação, pois o que é corrutível tem de revestir-se de incorruptibilidade, e o que é imortal, de mortalidade. O corpo que é semeado em fraqueza será ressuscitado em poder, é semeado corpo natural, mas ressuscitado corpo espiritual, enterrado em desonra, ressuscitado em glória, quer dizer, capaz do bem e, sendo impassível, de modo nenhum sujeito a experimentar o mal, a tal ponto que não pode ser ferido se for lançado no fogo do inferno, não mais que Sadraque, Mesaque e Abednego foram feridos na fornalha ardente. Em outras palavras, Deus não só é para as almas, contudo também para os corpos dos santos, "tudo em todos" (1 Co 15.28), óculos para a visão, mel para o paladar, música para a audição, perfume para o olfato. — *John Boys*

v. 11: "Na tua presença há abundância de alegrias". Os santos na terra não passam de *viatores*, viajantes, peregrinos longe de casa. Mas os santos no céu são *comprehensores*, que seguramente chegam ao término da viagem. Todos nós hoje, por enquanto, somos meros estrangeiros no meio do perigo, pois estamos perdendo a nós mesmos e perdendo a nossa vida na terra do morrer. Mas em pouco tempo, acharemos a nossa vida e a nós mesmos no céu com o Senhor da vida, sendo encontrados por Ele na terra do viver. Se quando morrermos, estivermos no Senhor, a nossa alma seguramente estará associada ao feixe da vida, para que, quando vivermos novamente, estejamos certos de encontrá-la na vida do Senhor. Hoje temos só um pouco, apenas um tiquinho, somente um grão de felicidade para uma porção, para um monte, para uma tonelada de peso. Agora temos uma gota de alegria para um oceano de tristeza, um momento de sossego para um século de dor. Mas então (como Agostinho muito agradavelmente disse em "Monólogos"), teremos sossego infinito sem qualquer dor, verdadeira felicidade sem qualquer peso, a maior medida de riqueza sem a menor medida de pobreza, a medida plena de alegria sem a mistura de sofrimento. Portanto (como Gregório nos avisou), aliviemos as nossas mais pesadas cargas de sofrimentos, e adociquemos os nossos mais amargos cálices de tristezas com a meditação ininterrupta e a esperança constante da "abundância de alegrias" na "presença" de Deus e das "delícias" à sua "mão direita" "perpetuamente".

"Na tua presença há", há e não houve, nem pode haver, nem haverá, mas há, há sem cessação ou intercessão, há sempre foi, é e será. É uma afirmação *aeternae veritatis*, que é sempre verdadeira, que se pode dizer a qualquer hora que há.

"Na tua presença há abundância de alegrias." Nisto consiste a realização da felicidade, pois o que o homem aqui presente mais desejaria do que a alegria? E que medida de alegria o homem desejaria mais do que a "abundância de alegrias"? E que tipo de abundância o homem desejaria em lugar desta abundância, a abundância κατ' ἐξοχὴν? E onde o homem desejaria desfrutar desta "abundância de alegrias" senão na "presença" de Deus, que é a fonte superabundante de alegria? Hoje todos estes elementos desejáveis estão dentro da área do primeiro elemento notável para compor a realização da verdadeira felicidade: "Na tua presença há abundância de alegrias". — *Edward Willan, "The Consummation of Felicity" [A Realização da Felicidade], 1645*

v. 11: A natureza humana de Cristo no céu tem a capacidade dupla de glória: felicidade e delícia. Uma está nesse mero companheirismo e comunhão com o Pai e a outra, nas pessoas, através da sua união pessoal com a divindade. Que alegria Ele tem nesta comunhão, pois o próprio Cristo fala que é desfrutada intermédio dEle: "Na tua presença há abundância de alegrias; à tua mão direita há delícias perpetuamente". Esta é uma "abundância de delícias" constante e determinada, que não admite nem adição nem diminuição, mas sempre é a mesma coisa, absoluta e inteira em si mesma. É por si mesma suficiente para o Filho de Deus, e herdeira de todas as coisas para continuar a existir, embora Ele não tivesse tido nenhuma outra abundância vinda das alegrias e delícias de qualquer criatura. Esta é a sua herança natural. — *Thomas Goodwin*

v. 11: "Na tua presença há abundância de alegrias". Não há nada que desejem no céu que não seja satisfeito. Pode ser que encontrem a escassez do mal, mas nunca encontrarão o mal da escassez. O mal é apenas a escassez do bem, e a escassez do mal é senão a ausência de escassez. Deus é bom, e nenhuma escassez do bem pode haver em Deus. Que inópia então pode suportar na presença de Deus onde não há mal, mas todo o bem que possa ser desfrutada na abundância de alegrias? Aqui alguns homens comem a própria carne sem ter fome, ao passo que outros têm fome sem ter carne para comer. Alguns homens bebem muito sem ter sede, ao passo que outros têm muita sede sem ter água. Mas na presença gloriosa de Deus, ninguém pode ficar empanturrado com muito, nem pode ficar definhando com muito pouco. "Não sobejava ao que colhera muito [maná divino], nem faltava ao que colhera pouco" (Êx 16.18). Aqueles que uma vez foram tomados pela presença de Deus, ficam tão cheios dela que nunca mais poderão sentir a miséria da sede ou da fome. — *Edward Willan*

v. 11: "Abundância". No céu, toda alma desfrutará de alegrias infinitas, porque desfrutará da bondade infinita. Será desfrutada para sempre, sem repugnância, ou perda, ou escassez. Toda alma desfrutará do bem nessa presença, tanto quanto poderá receber ou desejar. Tanto quanto a fará completamente feliz. Toda pessoa será proporcionalmente cheia, e todo desejo em qualquer alma será tão perfeitamente satisfeito com a glória daquela presença que ninguém jamais desejará algo mais, ou jamais se cansará daquilo que tem, ou estará disposto a trocar por outro. — *Edward Willan*

v. 11: "Abundância de alegrias". Quando o homem chega ao mar, ele não reclama que quer a cisterna de água. Embora você obtenha consolo nas suas relações, quando chega ao oceano e está com Cristo, você nunca reclama que deixou para trás a cisterna. Não haverá nada que gere tristeza no céu. Haverá alegrias e nada mais do que alegrias, pois o céu está estabelecido nesta frase: "Entra no gozo do teu senhor" (Mt 25.21). Na terra, a alegria entra em nós; no céu, nós entramos na alegria. As alegrias que temos aqui são do céu. As alegrias que teremos com Cristo são sem medida e sem mistura: "Na tua presença há abundância de alegrias". — *Thomas Watson*

v. 11: "Na tua presença há abundância de alegrias". Nesta vida, a nossa alegria está misturada com tristeza, assim como os espinhos estão juntos da rosa. Jacó ficou muito alegre quando os seus filhos voltaram para casa, vindo do Egito, com os sacos cheios de mantimento, mas ficou muito triste quando encontrou o copo de prata na boca do saco. Davi sentiu muita alegria ao transportar a arca de Deus, porém ao mesmo tempo sentiu muita tristeza pela ruptura feita em

Uzá. Esta é a grande sabedoria do Senhor temperar e moderar a nossa alegria. Como os homens de compleição física fraca têm o vinho temperado com água por medo de destemperos, assim nós nesta vida (tamanha é a nossa fraqueza), temos a nossa alegria misturada com tristeza, para que não fiquemos levianos e insolentes. Na terra, a nossa alegria está misturada com medo: "Alegrai-vos com tremor" (Sl 2.11). As mulheres que saíram "pressurosamente do sepulcro, com temor e grande alegria, correram a anunciá-lo aos seus discípulos" (Mt 28.8). Em nosso estado regenerado, embora tenhamos a alegria de Cristo que é "formado em vós" (Gl 4.19), a impressão dos terrores de Deus que tínhamos antes do tempo de nosso novo nascimento ainda permanece em nós. É como a comoção do mar proveniente de uma grande tempestade depois que o vento cessou, pois a impressão da tormenta ainda permanece e ocasiona a agitação. A mãe carinhosa que resguardando o filhinho dos perigos de uma queda sente alegria por proteger, embora sinta também muito medo com a impressão do perigo. Semelhantemente, depois que somos protegidos de nossas quedas pelas ricas e amorosas misericórdias de nosso Deus, às vezes, guardando-nos, às vezes, curando-nos, embora nos alegremos com a sua misericórdia e com a nossa recuperação das armadilhas de Satanás, no meio da alegria a lembrança da culpa nos humilha o coração. Como a nossa alegria aqui está misturada com medos, assim está também com tristeza. Os crentes sadios olham para cima, para o Cristo crucificado e se alegram no seu amor incomparável, por tal pessoa morresse tal morte por tais que eram inimigos de Deus por inclinações pecadoras e más obras. Eles também olham para baixo, para os próprios pecados que feriram e crucificaram o Senhor da glória, e isso lhes parte o coração.

Os crentes sadios olham para os pequenos começos da graça, e se alegram na obra das mãos de Deus. Mas quando o comparam com a justiça original e primitiva, choram amargamente, como os anciãos de Israel choraram com a reconstrução do templo: "Porém muitos dos sacerdotes, e levitas, e chefes dos pais, já velhos, que viram a primeira casa sobre o seu fundamento, vendo perante os seus olhos esta casa, choraram em altas vozes" (Ed 3.12). No céu, a nossa alegria será completa, sem mistura de tristeza: "A vossa tristeza", disse o nosso Senhor, "se converterá em alegria" (Jo 16.20). Então não haverá tristeza pelas dificuldades presentes, nem medo presente pelas dificuldades futuras. Então os olhos afetarão o coração profundamente. A visão e conhecimento de Deus, o bem supremo e infinito, encantará e arrebatará todos os corações com alegrias e delícias. Pedro, no monte, ficou tão extasiado com a visão gloriosa, que se esqueceu das delícias e dificuldades que havia descendo o monte: "É estarmos aqui", disse ele (Mt 17.4). Quanto mais todas as dificuldades e delícias mundanas serão esquecidas diante da visão celestial que satisfaz a alma, que é muito superior à visão que Pedro teve no monte, assim como o terceiro céu está muito acima daquele monte e como a glória incriada está acima da glória criada! — *William Colvill, "Refreshing Streams" (Rios Refrescantes), 1655*

v. 11: "Na tua presença há abundância de alegrias; à tua mão direita há delícias perpetuamente". Observe que, quanto à qualidade, há "delícias", quanto à quantidade, há "abundância", quanto à dignidade, está "à tua mão direita [de Deus]", quanto à eternidade, é "perpetuamente". Milhões de anos multiplicados por milhões não compõem um minuto sequer desta eternidade de alegrias que os santos terão no céu, não haverá pecado para tirar as nossas alegrias, nem Demônio para roubar as nossas alegrias, nem homem para acabar com as nossas alegrias: "A vossa alegria, ninguém vo-la tirará" (Jo 16.22). A alegria dos santos no céu jamais se esgota. As alegrias do céu nunca enfraquecem, murcham ou morrem, elas são minoradas ou interrompidas. A alegria dos santos no céu é uma alegria constante, uma alegria perpétua, em sua origem e causa. "A alegria dura para sempre cujos objetos permanecem para sempre." — *Thomas Brooks v. 11:* "Delícias perpetuamente". Assim que a alma pousa nos rincões celestiais está acima de todas as tempestades. A alma glorificada se banhará para sempre nos rios das delícias. É o que faz o céu ser céu: "E assim estaremos sempre com o Senhor" (1 Ts 4.17). Disse Agostinho: "Senhor, estou contente por sofrer dores e tormentos neste mundo, se um dia eu vir a tua face. Mas fosse só por um dia para depois ser lançado do céu, seria antes um agravamento da miséria". Mas esta palavra: "Sempre com o Senhor", é muito acumulativa e compõe a guirlanda da glória. Um estado da eternidade é um estado da segurança. — *Thomas Watson*

v. 11: Este, então, pode servir de base de consolação para toda alma aflita com a amargura tediosa desta vida. Em troca da tristeza curta na terra, teremos alegria eterna no céu, da pequena fome, um banquete eterno, da leve doença e aflição, saúde e salvação perpétua, da pequena prisão, liberdade infinita, da desgraça, glória. Em vez dos ímpios que os oprimem e afligem, eles terão os anjos e os santos para confortá-los e consolá-los. Em vez de Satanás para atormentá-los e tentá-los, eles terão Jesus para encantá-los e maravilhá-los. A prisão de José será transformada em um palácio. Os leões de Daniel se tornarão em guarida na presença do Leão da Tribo de Judá. A fornalha ardente dos três jovens virará na Nova Jerusalém de puro ouro. A Gate de Davi será o tabernáculo do Deus vivo. — *John Cragge, "Cabinet of Spiritual Jewells" [O Porta-Joias Espiritual], 1657*

v. 11: Este banquete celestial não terá um fim, como teve fim o banquete de Assuero, ainda que tivesse durado por muitos dias, pois "à tua mão direita há delícias perpetuamente". — *William Colvill*

SUGESTÕES AOS PREGADORES

Mictã de Davi. Com o título de "O Salmo de Ouro", Canon Dale publicou um pequeno volume que é valioso como uma série de bons discursos simples, mas que dificilmente se chamaria de "uma exposição". Achamos por bem dar os títulos dos capítulos nos quais o livro é dividido, pois há muito brilho e certa solidez nas sugestões.

v. 1. *A Busca do Ouro.* Os crentes que estão conscientes do perigo confiam somente em Deus em busca de libertação.

vv. 2 e 3. *A Posse do Ouro.* Os crentes buscam defesa apenas na justiça de Deus, enquanto mantêm a santidade pessoal através da companhia com os santos.

vv. 4 e 5. *O Teste do Ouro.* Os crentes encontram a sua porção presente e esperam a sua herança eterna no Senhor.

v. 6. *A Apreciação ou Valorização do Ouro.* Os crentes se felicitam no prazer da sua habitação e no bem da sua herança.

vv. 7 e 8. *A Utilização do Ouro.* Os crentes buscam orientações pelos conselhos do Senhor dados à noite, e realizam a sua promessa de dia.

vv. 9 e 10. *A Somatória ou Cálculo do Ouro.* Os crentes se alegram e louvam a Deus pela promessa de um descanso na segurança e ressurreição na glória.

v. 11. *O Aperfeiçoamento do Ouro.* Os crentes vivem à mão direita de Deus a abundância de alegrias e as delícias perpetuamente.

Sobre este salmo evocativo, oferecemos algumas poucas sugestões selecionadas entre muitas.

v. 1. A oração e o apelo. Aquele que guarda e aquele que confia. Os perigos dos santos e o lugar da sua confiança.

v. 2. "Tu és o meu Senhor." A apropriação, submissão, garantia e declaração da alma.

vv. 2 e 3. A influência e o domínio do bem. Nenhum lucro para Deus, ou para os santos ou pecadores que já partiram, mas para os homens vivos. Necessidade de prontidão.

vv. 2 e 3. Evidências da verdadeira fé. (1) A submissão à autoridade divina. (2) A rejeição ao farisaísmo. (3) O fazer o bem aos santos. (4) A apreciação da excelência dos santos. (5) O prazer em estar com os santos.

v. 3. Os ilustres da terra. A palavra hebraica pode ser traduzida por nobres, maravilhosos, magníficos, excelentes. É o que são depois do novo nascimento, em sua natureza, roupa, presença, herança.

v. 3. "Em quem está todo o meu prazer." Por que os cristãos devem ser objetos de nosso prazer. Por que não temos mais prazer. Por que eles não têm prazer em nós. Como tornar a nossa comunhão mais prazerosa.

v. 3. Sermão de coleta para os crentes pobres. (1) Os santos. (2) Os santos na terra. (3) Estes são os ilustres. (4) Temos de ter prazer neles. (5) Temos de estender o nosso bem para eles. — Matthew Henry

v. 4. As dores da idolatria ilustradas nos descrentes e em nós mesmos. "Eu não oferecerei as suas libações de sangue, nem tomarei o seu nome nos meus lábios." O dever de nos separar completamente dos pecadores na vida e nos lábios.

v. 5. A herança futura e o cálice presente encontram-se em Deus. (Ver Exposição.) "Tu sustentas a minha sorte." Qual é a nossa "sorte". Qual perigo há nela. Quem a defende.

v. 6. (1) "Lugares deliciosos." Belém, monte Calvário, monte das Oliveiras, monte Tabor, Sião, o Paraíso. (2) Propósitos deliciosos que fizeram com que estas linhas caíssem para mim. (3) Louvores deliciosos, por meio de serviço, sacrifício, culto e canção.

v. 6. "Sim, coube-me uma formosa herança." (1) Uma herança. (2) Uma formosa herança. (3) Coube-me. (4) Sim, ou o testemunho do Espírito.

v. 6. "Uma formosa herança." O que torna a nossa porção formosa: (1) O favor de Deus para com ela. (2) Ela vem da mão do Pai. (3) Ela vem pela aliança da graça. (4) Ela foi comprada pelo sangue de Jesus. (5) Ela é resposta à oração e bênção dos céus que vem por conta de empreendimentos honestos.

v. 6. Podemos pôr este agradecimento na boca: (1) Das crianças abençoadas pela providência. (2) Dos habitantes deste país abençoado. (3) Dos cristãos com respeito à sua condição espiritual. — *William Jay*

v. 7. A aceitação dos conselhos dos conselheiros. De quem? Com base em quê? Por quê? Quando? Como? E depois?

v. 7. Para cima e para dentro, ou as duas escolas de ensino.

v. 8. Ponha o Senhor sempre diante de você como: (1) Seu protetor. (2) Seu líder. (3) Seu exemplo. (4) Seu observador. — *William Jay*

vv. 8 e 9. O senso da presença divina é o nosso melhor apoio, que nos dá: (1) Boa confiança relativa às coisas exteriores: "Nunca vacilarei". (2) Boa alegria interior: "Está alegre o meu coração". (3) Boa música para a língua viva: "Se regozija a minha glória". (4) Boa segurança para o corpo que morre: "Também a minha carne repousará segura".

v. 9. "Também a minha carne repousará segura." (1) O sábado dos santos ("repousará"). (2) O sarcófago dos santos ("segura"). (3) A salvação dos santos (para a qual o salmista "repousará seguro").

vv. 9 e 10. Jesus alegrou-se em prospecto da morte pela segurança da sua alma e corpo. Temos a nossa consolação nEle sobre o mesmo aspecto.

v. 10. Jesus morto, o lugar da sua alma e do seu corpo. Tópico difícil, mas interessante.

vv. 10 e 11. Porque Jesus vive, nós também vivemos. Os crentes também podem dizer: "Far-*me*-ás ver a vereda da vida". Esta vida significa a bem-aventurança reservada nos céus para o povo de Deus depois da ressurreição. Tem três características. A primeira diz respeito à fonte: "Na tua presença". A segunda é acerca da plenitude: "Abundância" de alegrias. A terceira versa sobre a permanência: As delícias são "perpetuamente". — *William Jay*

v. 11. Um doce quadro do céu. (Ver Exposição.)

SALMO 17

TÍTULO

"Oração de Davi." Davi não teria sido um homem segundo o coração de Deus, caso ele não tivesse sido um homem de oração. Ele era mestre na arte sagrada da súplica. O salmista corria para a oração em todos os tempos de necessidade, como o capitão do navio que, na iminência da tempestade, navega a toda velocidade ao porto. As orações de Davi eram tão frequentes que nem todas puderam ser datadas e intituladas. Por conseguinte, este salmo traz o nome do autor e nada mais. O cheiro da fornalha recende deste salmo, mas há evidência, no último versículo, de que quem o escreveu saiu incólume das chamas. Temos nesta canção melancólica *Um Apelo aos Céus* por conta das perseguições terrenas. Os olhos espirituais conseguem ver Jesus aqui.

DIVISÃO

Não há linhas de demarcação muito claras entre as partes. Preferimos a divisão adotada por David Dickson, antigo e precioso comentarista. Nos versículos 1 a 4, Davi almeja justiça na controvérsia que havia entre ele e os opressores. Nos versículos 5 e 6, suplica ao Senhor a graça para agir corretamente enquanto está sob provação. Nos versículos 7 a 12, o salmista busca proteção contra os inimigos, os quais ele descreve nitidamente. E nos versículos 13 e 14, roga que eles fiquem desapontados, encerrando o salmo com a mais plena confiança de que tudo certamente ficará bem, com ele, no final.

EXPOSIÇÃO

1 *Ouve, Senhor, a justiça e atende ao meu clamor; dá ouvidos à minha oração, que não é feita com lábios enganosos.*

2 *Saia a minha sentença de diante do teu rosto; atendam os teus olhos à razão.*

3 *Provaste o meu coração; visitaste-me de noite; examinaste-me e nada achaste; o que pensei, a minha boca não transgredirá.*

4 *Quanto ao trato dos homens, pela palavra dos teus lábios me guardei das veredas do destruidor.*

1. *"Ouve, Senhor, a justiça."* Aquele que tem a pior causa faz o maior barulho. Por conseguinte, a alma oprimida teme que a voz lhe seja abafada, e então não menos que três vezes suplica neste versículo por uma audiência. O coração preocupado almeja a atenção do grande Juiz, convencido de que com Ele ouvir é socorrer. Se o nosso Deus não pudesse ou não quisesse nos ouvir, o nosso estado seria realmente deplorável. Certos teólogos dão tão pouco valor ao trono da misericórdia, que Deus não os ouve pela simples razão de que eles não suplicam. De que nos vale ter casa, se persistimos em viver como ciganos viajando pelas estradas e buscando porções de comida? De que nos vale termos acesso ao trono da misericórdia, se sempre defendemos a nossa causa e nunca vamos a Deus? Há mais medo de não ouvirmos ao Senhor do que o Senhor não nos ouvir. "Ouve [...] a justiça." É melhor se o nosso caso for bom e puder ser recomendado como justo, porque a justiça nunca será desfeita pelo nosso justo Juiz. Mas se a nossa questão estiver arruinada por nossas fraquezas, é um grande privilégio podermos fazer menção da justiça de nosso Senhor Jesus, que sempre prevalece nos céus. "A justiça" tem uma voz que o Senhor sempre ouve. Se as minhas injustiças clamam contra mim com grande força e fúria, pedirei ao Senhor que ouça a voz mais alta e mais poderosa da justiça, e os direitos do seu querido Filho. "Ouve, ó Deus, o Justo", ou seja, "ouve o Messias" é uma tradução adotada por Jerônimo e admirada por Bishop Horsley, quer seja correta ou não, é suficientemente adequada como súplica. Que o leitor clame diante do trono do Deus justo, mesmo quando todas as outras súplicas sejam infrutíferas.

"E atende ao meu clamor." Isso mostra a veemência e seriedade do suplicante. Ele não é mero falador, ele clama e chora. Quem pode resistir a um clamor choroso? O verdadeiro clamor vigoroso, pungente e comovente pode derreter pedras e não tem medo de persuadir o nosso Pai celestial. O clamor é a nossa expressão vocal mais primitiva e, de muitas formas, o mais natural dos sons humanos. Se a nossa oração for como o choro de criança é mais natural que inteligente, mais sincera que elegante, não sendo menos eloquente com Deus. Há poder tremendo no choro de uma criança para persuadir o coração dos pais.

"Dá ouvidos à minha oração." Certas repetições não são vãs. A reduplicação usada aqui não é superstição nem tautologia. É como o golpe repetido do martelo batendo na cabeça do mesmo prego para fixá-lo mais firmemente, ou a batida insistente do mendigo à porta a quem não podemos negar dar esmolas.

"Oração, que não é feita com lábios enganosos." A sinceridade é um *sine qua non* na oração. Os lábios enganosos são detestáveis aos homens e muito mais a Deus. No relacionamento tão sagrado quanto da oração, a hipocrisia até mesmo no mais ínfimo grau é tão fatal quanto tola. Devoção hipócrita é iniquidade em dobro. Aquele que finge e lisonjeia é melhor tentar suas artimanhas com os tolos como ele, pois enganar o Onisciente é tão impossível quanto apanhar a lua com uma rede ou fazer o sol cair em uma armadilha. Aquele que engana Deus já está totalmente enganado. A nossa sinceridade na oração não tem mérito próprio, não mais que a seriedade de um mendicante na rua. Porém, ao mesmo tempo, o Senhor leva isso em consideração, por meio de Jesus, e não demora em ouvir ao suplicante honesto e fervoroso.

2. *"Saia a minha sentença de diante do teu rosto."* Agora o salmista ficou ousado pela influência fortalecedora da oração, e pede ao Juiz de toda a terra que dê sentença ao seu caso. Ele fora processado, vil e maldosamente. Tendo levado a ação diante do supremo tribunal, Davi, como inocente, não deseja escapar do inquérito, mas até intima e implora o julgamento. Não pede segredo, mas deseja que o resultado seja divulgado para o mundo inteiro. A sua vontade é que a sentença seja pronunciada e executada em seguida. Em certos assuntos, nos aventuramos a ser tão ousados

quanto Davi. Mas a menos que aleguemos algo melhor que a nossa própria suposta inocência, seria presunção extremamente terrível desafiar o julgamento de um Deus que odeia o pecado. Com Jesus como a nossa justiça completa e gloriosa não precisamos ter medo, mesmo que o dia do julgamento comece imediatamente e o inferno abra a boca debaixo dos nossos pés, como alegremente prova a verdade da ostentação santa do escritor deste hino:

Com ousadia me levantarei naquele grande dia;
Pois quem me acusará?
Pois pelo teu sangue inocentado fui
Da tremenda maldição e vergonha do pecado.

"Atendam os teus olhos à razão." Os crentes não desejam outro juiz que não Deus, ou serem isentos do julgamento, ou mesmo serem julgados em princípios da parcialidade. Nada disso. A nossa esperança não está no prospecto de favoritismo de Deus, e na consequente suspensão da sua Lei. Esperamos ser julgados pelos mesmos princípios como os outros homens, pois pelo sangue e justiça de nosso Redentor passaremos intactos pela provação. O Senhor nos pesará racional e justamente na balança da justiça. Não usará falsos pesos para facilitar a nossa fuga, porém com a mais severa equidade essa balança será usada em nós como também nos outros. Com o nosso bendito Senhor Jesus como o nosso tudo, não trememos, porque não seremos achados em falta. No caso de Davi, ele sabia que a sua causa era tão justa que desejou que os olhos divinos pousassem na questão; ele estava confiante de que a equidade lhe daria tudo o que precisava.

3. *"Provaste o meu coração."* Como Pedro, Davi usa o argumento: "Senhor, tu sabes tudo; tu sabes que eu te amo" (Jo 21.17). É a coisa mais certa suplicar imediatamente ao Senhor, e convocar o nosso Juiz para ser nossa testemunha de defesa. "Amados, se o nosso coração nos não condena, temos confiança para com Deus" (1 Jo 3.21).

"Visitaste-me de noite", como se ele tivesse dito: "Deus, tu entras em minha casa a qualquer hora. Tu me vês mesmo quando não há ninguém por perto. Tu me encontras de improviso e anotas as minhas ações desenfreadas. Tu sabes se sou ou não culpado dos crimes que me batem à porta". Feliz o homem que pode assim lembrar os olhos oniscientes e o Visitante onipresente, e sentir consolo na lembrança. Esperamos ter sido visitados à meia-noite pelo nosso Senhor, e verdadeiramente essas visitas são agradáveis, tão agradáveis que ao nos lembrarmos delas ficamos desejando ardentemente mais dessas comunhões condescendentes. Senhor, se tivéssemos sido realmente hipócritas, teríamos tido tal comunhão ou sentido tamanho desejo ardente depois da renovação disso?

"Examinaste-me e nada achaste." É claro que o salmista quer ser hipócrita ou maldoso no sentido no qual os caluniadores o acusavam, pois se o Senhor colocasse o melhor do seu povo no crisol, as impurezas que surgiriam seriam uma visão medonha, e faria a penitência abrir as eclusas amplamente. Os experimentadores de minérios muito prontamente detectam a presença de amálgamas. Quando o Chefe de todos os experimentadores disser, por fim, que não achou nada disso em nós, será verdadeiramente um momento glorioso: "Porque são irrepreensíveis diante do trono de Deus" (Ap 14.5). Mesmo aqui, quando vê a cabeça de nossa aliança, o Senhor não vê pecado em Jacó, nem perversidade em Israel. Até mesmo o olhar da onisciência que tudo detecta não vê falha onde o grande Substituto cobre tudo com beleza e perfeição.

"O que pensei, a minha boca não transgredirá." Que lábios tristes os nossos! Tivemos de pensar e pensar para impedi-los de exceder os limites. O número de doenças relacionadas à língua é tanto quanto o número de doenças de todo o restante dos homens, e são mais inveteradas. Mãos e pés podem ser amarrados,

mas quem pode acorrentar os lábios? Algemas de ferro podem prender o louco, mas que correntes podem conter a língua? Precisamos mais que um pensamento para manter este ofensor ágil no seu devido lugar. Domesticar o leão e encantar a serpente não serão mencionados no mesmo dia como dominar a língua, pois não há homem que controle a língua. Aqueles que se ressentem das falsidades dos outros são os que mais têm ciúmes deles. Talvez isto levou o salmista a registrar esta resolução santa. Além disso, Davi quis prevenir que, se ele disse muito em defesa própria, não foi intencional, porque o seu intuito era modular os lábios a doce e simples música da verdade sob todos os aspectos. A despeito de tudo isso, Davi foi caluniado para nos mostrar que a mais pura inocência será enlameada pela malícia. Não há sol sem sombra, nem frutas maduras que não tenham sido picadas pelos passarinhos.

4. *"Quanto ao trato dos homens."* Enquanto estamos no meio dos homens, as suas ações virão forçosamente à nossa atenção, e seremos compelidos a manter um espaço em nosso diário com o título "Relativo às ações dos homens". O desejo devoto das almas que são impulsionadas pelo Espírito Santo é estar bastante longe das obras mortas da humanidade carnal.

"Pela palavra dos teus lábios me guardei das veredas do destruidor." Ele se mantivera no sublime caminho da Bíblia, e não escolhera os atalhos da malícia. Imitemos logo o exemplo do pior dos homens, se a graça de Deus não usar a Palavra como o grande conservante do mal. Os caminhos do destruidor sempre nos tentam. Somos incitados a nos tornar destruidores também, quando somos extremamente provocados e o ressentimento se acalora. Mas nos lembramos do exemplo de nosso Senhor, que não chamou fogo do céu sobre os seus inimigos, mas humildemente orou: "Pai, perdoa-lhes" (Lc 23.34). Todos os caminhos do pecado são caminhos de Satanás — o Apoliom ou Abadom, cujas palavras significam o destruidor. São verdadeiramente loucos os que dão o coração ao antigo homicida, pois sob as circunstâncias atuais ele se entrega aos seus desejos ignóbeis e maus. Esse Livro Divino que ficou esquecido em muitas estantes é o único guia para os que evitam os labirintos traiçoeiros e emaranhados do pecado. É o melhor meio de proteger os jovens peregrinos para que jamais andem nesses caminhos perigosos. Temos de seguir ou um ou outro: o Livro da Vida ou o caminho da morte, a Palavra do Espírito Santo ou a sugestão do espírito maligno. Davi poderia aventar como prova da sua sinceridade que ele não tinha parte ou sorte com os descrentes nos caminhos da ruína. Como podemos nos aventurar a defender a nossa causa perante Deus, a menos que também possamos ter as nossas mãos limpas de toda a ligação com os inimigos do grande Rei?

5 *Dirige os meus passos nos teus caminhos, para que as minhas pegadas não vacilem.*
6 *Eu te invoquei, ó Deus, pois me queres ouvir; inclina para mim os teus ouvidos e escuta as minhas palavras.*

5. Durante as provações, não é fácil nos comportar corretamente. Uma vela dificilmente fica acesa quando há muitas bocas invejosas soprando nela. Em tempos de dificuldade, a oração é peculiarmente necessária, e os sábios recorrem a ela imediatamente. Platão disse a um dos seus discípulos: "Quando os homens falarem mal de você, viva de forma que ninguém acredite neles". Conselho extremamente bom, mas ele não disse como fazer. Temos um preceito incorporado em um exemplo. Para sermos guardados, temos de clamar ao Guardador, e recrutar apoio divino a nosso favor. *"Dirige os meus passos nos teus caminhos"*, como o cavaleiro cuidadoso dirige o cavalo ao descer um morro. Temos todos os tipos de passos, rápidos e vagarosos, e o caminho nunca é percorrido com um só tipo de passo. Mas com Deus a dirigir os nossos passos, nada no passo ou na estrada pode nos derrubar. Aquele que já caiu e feriu tristemente os joelhos, até aos ossos, teve de redobrar o

cuidado ao usar esta oração. Todos nós, visto que somos tão fracos de pernas por causa da queda de Adão, tivemos de usar esta oração em todas as horas do dia. Se um pai perfeito cair, como o filho imperfeito ousará se vangloriar?

"Nos teus caminhos." Abandonando os caminhos de Satanás, o salmista ora para ser dirigido nos caminhos de Deus. Não podemos nos guardar do mal sem nos guardar no bem. Se o alqueire não estiver cheio de trigo, logo volta a estar cheio de joio. Que em todas as ordenanças e deveres designados de nossa santíssima fé, o Senhor nos capacite a correr por meio da sua graça dirigente!

"Para que as minhas pegadas não vacilem." O quê? Vacilar nos caminhos de Deus? Sim, o caminho é bom, mas os nossos pés são maus, e por isso vacilam, mesmo no sublime caminho do Rei. Quem se espanta se os homens carnais vacilam e caem nos caminhos que eles mesmos escolhem, os quais, como o vale de Sidim, estão cheios de poços de betume mortais? Podemos tropeçar em uma ordenança como também em uma tentação. O próprio Jesus Cristo é uma pedra de tropeço para alguns, e as doutrinas da graça são motivo de ofensa para muitos. Só a graça dirige os nossos passos nos caminhos da verdade.

6. *"Eu te invoquei, ó Deus, pois me queres ouvir."* Tu sempre me ouves, ó meu Senhor, portanto, tenho a extrema confiança em me aproximar de novo do teu altar. A experiência é uma bendita educadora. Aquele que experimentou a fidelidade de Deus em tempos de necessidade tem grande ousadia de apresentar o caso diante do trono. A nossa alma ainda anseia pelo poço de Belém do qual bebemos águas refrescantes em anos passados, e também não o trocaremos pelas cisternas rotas da terra.

"Inclina para mim os teus ouvidos e escuta as minhas palavras." Inclina-te dos céus e ponha o teu ouvido à minha boca. Dai-me o teu ouvido todo para mim, como fazem os homens quando se inclinam para pegar todas as palavras do amigo. O salmista volta à primeira oração, dando-nos o exemplo de insistir em nossa súplica repetidas vezes, até que termos a plena certeza de que fomos atendidos.

7 *Faze maravilhosas as tuas beneficências, tu que livras aqueles que em ti confiam dos que se levantam contra a tua destra.*
8 *Guarda-me como à menina do olho, esconde-me à sombra das tuas asas,*
9 *dos ímpios que me oprimem, dos meus inimigos mortais que me andam cercando.*
10 *Na sua gordura se encerram e com a boca falam soberbamente.*
11 *Andam-nos agora espiando os nossos passos; e fixam os seus olhos em nós para nos derribarem por terra;*
12 *parecem-se com o leão que deseja arrebatar a sua presa e com o leãozinho que se põe em esconderijos.*

7. *"Faze maravilhosas as tuas beneficências."* Maravilhosas em sua antiguidade, caráter distintivo, fidelidade, imutabilidade e, acima de tudo, maravilhosas nas maravilhas que fazem. Essa graça maravilhosa que nos resgatou com o precioso sangue do unigênito de Deus, é invocada para vir ao nosso salvamento. Essa graça, às vezes, está escondida. O texto diz: "Faze". Os prazeres atuais do amor divino são inigualáveis para sustentar corações desfalecentes. Crente, que oração! Considere-a bem. Ó Senhor, faze maravilhosas as tuas beneficências. Faze-as ao meu intelecto e retira a minha ignorância. Faze-as ao meu coração e reaviva a minha gratidão. Faze-as à minha fé, e renova a minha confiança. Faze-as à minha experiência, e livra-me de todos os meus temores. A palavra original usada aqui é a mesma que consta em Salmos 4.3, onde é traduzida por *separou*, e tem a força de: Distingue as tuas beneficências, exibe-as e separa a mais escolhida para me ser dada durante esta hora da minha aflição mais severa.

"Tu que livras aqueles que em ti confiam dos que se levantam contra a tua destra." O título dado ao nosso Deus gracioso é eminentemente consolador. Ele é o Deus da

salvação. É o seu hábito atual e perpétuo salvar os crentes. Ele mostra a melhor e mais gloriosa força, usando a mão direita da sabedoria e poder para salvar todos aqueles, de qualquer posição ou classe, que confiam nEle. Ditosa fé que assegura a proteção onipotente dos céus! Bendito Deus, que é gracioso aos mortais indignos, quando eles têm somente a graça para confiar em ti! A mão direita de Deus está interposta entre os santos e todos os males. Deus nunca tem falta de recursos. Basta a sua própria mão. Ele trabalha sem ferramentas como também com elas.

8. *"Guarda-me como à menina do olho."* Não há parte do corpo mais preciosa, mais delicada e mais cuidadosamente guardada do que os olhos. E dos olhos, não há porção mais peculiarmente protegida do que a menina dos olhos, a pupila, ou, como diz em hebraico: "a filha do olho". O Criador extremamente sábio colocou os olhos em posição bem protegida. Estão cercados por ossos protetores como Jerusalém está cercada por montes. Além disso, o grande Autor os cercou com muitas túnicas de cobertura interior, sem falar da borda das sobrancelhas, da cortina das pálpebras e da cerca dos cílios. Além de tudo isso, Ele deu a todos os homens tão alto valor aos olhos e compreensão tão veloz do perigo, que nenhum membro do corpo é mais fielmente cuidado do que o órgão da visão. Assim, Senhor, guarda-me, porque creio que sou uma pessoa com Jesus e, assim, membro do corpo místico.

"Esconde-me à sombra das tuas asas." Como o pássaro protege a ninhada do mal e ao mesmo tempo afaga os filhotes com o calor do próprio coração, cobrindo-os com as asas, assim faze tu comigo, Deus mui condescendente, porque eu sou a tua descendência e tu tens o amor de pai em perfeição. Esta última frase no hebraico está no futuro, como a mostrar que aquilo que o escritor pedira por um momento antes do que ele agora estava certo de receber lhe fosse concedido. A expectativa confiante mantém o passo com a súplica séria.

9. *"Dos ímpios que me oprimem, dos meus inimigos mortais que me andam cercando."* Os inimigos de quem Davi procurava ser salvo eram homens maus. É nos esperançoso quando os nossos inimigos forem os inimigos de Deus. Eram inimigos mortais que não ficariam contentes com nada mais que a morte do salmista. Os inimigos da alma do crente são enfaticamente inimigos mortais, pois aqueles que guerreiam contra a fé almejam a própria vida de nossa vida. Pecados mortais são inimigos mortais, e qual pecado há que não tenha morte em suas estranhas? Esses inimigos oprimiam Davi, lhe assolavam o espírito, como exércitos invasores saqueiam um país, ou como animais selvagens que devastam uma terra. Ele se compara a uma cidade sitiada, e reclama que os inimigos o cercavam. Pode promover a nossa questão, quando tudo à nossa volta, todos os caminhos estão bloqueados por inimigos mortais. Esta é a nossa posição diária, pois todos que nos cercam são perigos e pecados que nos espiam. Ó Deus, protege-nos de todos eles.

10. *"Na sua gordura se encerram."* A luxúria e a glutonaria geram abundância vangloriosa de coração, que fecha as portas contra todas as emoções compassivas e julgamentos racionais. O antigo provérbio diz que barriga cheia deixa a cabeça vazia, e ainda mais verdadeiramente deixa o coração vazio. As ervas daninhas mais vigorosas crescem da terra mais fértil. Riquezas e a satisfação dos próprios desejos são o combustível pelo quais certos pecados alimentam as chamas. Orgulho e abundância de pão eram os duplos pecados de Sodoma (Ez 16.49). Falcões alimentados se esquecem dos seus mestres. A lua em seu mais forte brilho está mais distante do sol. Eglom é exemplo notável de que uma barriga bem protuberante não é segurança de vida, quando a severa mensagem vem de Deus endereçada aos órgãos vitais do corpo.

"E com a boca falam soberbamente." Aquele que adora a si mesmo não terá coração para adorar ao Senhor. Cheio de prazeres egoístas no coração, o homem perverso enche a boca de expressões orgulhosas e arrogantes. É frequente a prosperidade e a vaidade se alojarem juntas. Ai do boi gordo quando muge ao seu dono, pois a machadinha não está longe.

11. *"Andam-nos agora espiando os nossos passos."* A fúria dos descrentes não é apontada apenas a um crente, mas ao grupo todo; eles andam nos espiando. Toda a raça dos judeus era apenas um bocado para a vingança faminta de Hamã, e tudo por causa de um Mardoqueu. O príncipe das trevas odeia todos os santos por causa do Mestre. O Senhor Jesus é um de nós, e nisto está a nossa esperança. Ele é o Desbravador que abrirá o caminho para nós através das hostes que nos cercam. O ódio dos poderes do mal é contínuo e vigoroso, porque eles espiam cada um de nossos passos, esperando que chegue o momento em que nos pegarão de surpresa. Se os nossos adversários espirituais espiam os nossos passos, como devemos ser ávidos em vigiar todos os nossos movimentos, para que de modo algum caiamos seduzidos pelo mal!

"E fixam os seus olhos em nós para nos derribarem por terra." Trapp explica com perspicácia esta metáfora pela alusão ao touro quando está prestes a atacar a vítima. Ele abaixa a cabeça, olha para baixo e então concentra todas as forças na pancada que ele causa. Denota o ciúme malicioso com o qual os inimigos espiam os passos dos justos, como se eles examinassem o chão no qual pisaram e procurassem por alguma pegada de injustiça para acusá-los do passado, ou alguma pedra de tropeço para lançá-la no caminho futuro a fim de fazê-los tropeçar em dias por vir.

12. Os leões não são mais gananciosos, nem os seus costumes mais espertos do que Satanás e os seus ajudantes quando engajados contra os filhos de Deus. O adversário tem sede do sangue das almas, e toda a sua força e astúcia são exercidas ao extremo para satisfazer esse apetite detestável. Somos fracos e tolos como ovelhas. Mas temos um pastor sábio e forte, que conhece as artimanhas do leão velho e lhe é um rival de maior força. Por isso, não tememos, mas descansamos na segurança do aprisco. Tenhamos cuidado com o nosso inimigo que nos espia e, nas partes do caminho em que nos sentimos mais seguros, olhemos ao redor para que, por desventura, o nosso inimigo não salte sobre nós.

13 *Levanta-te, SENHOR! Detém-no, derriba-o, livra a minha alma do ímpio, pela tua espada;*

14 *dos homens, com a tua mão, SENHOR, dos homens do mundo, cuja porção está nesta vida e cujo ventre enches do teu tesouro oculto; seus filhos estão fartos, e estes dão os seus sobejos às suas crianças.*

13. *"Levanta-te, Senhor!"* Quanto mais furioso o ataque, mais fervorosa a oração do salmista. Os seus olhos descansam unicamente no Todo-Poderoso, e ele sente que Deus só tem de levantar-se do assento da paciência para que a obra seja feita imediatamente. Mesmo que o leão pule sobre nós, o Senhor se interpõe. Portanto, não precisamos de melhor defesa. Quando Deus enfrenta o inimigo cara a cara na batalha, o conflito logo termina.

"Detém-no." Antecipa-te a ele, logra-o e ultrapassa-o. E, assim, detém-no.

"Derriba-o". Prostra-o. Faze-o cair. Faze-o curvar-se como os conquistados são humilhados diante do conquistador. Que visão gloriosa será ver Satanás prostrado debaixo do pé do nosso glorioso Senhor! Vem, dia glorioso!

"Livra a minha alma do ímpio, pela tua espada." Ele reconhece que o mais profano e opressivo está sob o governo providencial do Rei dos reis, e é usado como uma espada na mão divina. O que pode fazer uma espada a menos que seja brandida pela mão? Não mais podem os ímpios nos prejudicar, a menos que o Senhor os permita. Os tradutores, em sua maioria, concordam que esta leitura do texto original hebraico: "Livra a minha alma do ímpio *que é a* tua espada", não é a correta, devendo ser como Calvino o traduziu: "Livra a minha alma do ímpio, pela tua espada". Desta forma, Davi contrasta a espada do Senhor com a ajuda e o socorro humanos, descansando com a confiança de que ele é suficientemente forte sob o patrocínio dos céus.

14. Quase todas as palavras deste versículo fornecem tema para debate entre os estudiosos, pois o texto original hebraico é bastante obscuro. Nós nos contentaremos com a versão comum, em vez de distrai o leitor com traduções variantes.

"Dos homens, com a tua mão, Senhor." Tendo descrito os ímpios como a espada na mão do Pai, o salmista agora os compara com a própria mão para expor a certeza de que Deus pode remover a violência deles tão facilmente quanto o homem move a própria mão. Ele nunca mata os filhos com a própria mão.

"Dos homens do mundo", meros vermes. Não são os homens do mundo por vir, mas os meros habitantes desta pequenina esfera da mortalidade, que não têm esperança ou desejo além da terra sobre a qual andam.

"Cuja porção está nesta vida." Como o filho pródigo, eles têm a sua porção, a herança, e não se contentam em esperar o tempo do Pai. Como a Paixão no "Peregrino", eles têm as melhores coisas primeiro, e se divertem durante o seu pouco tempo. Lutero sempre era precavido para não ter a sua porção aqui, por isso era frequente dar somas de dinheiro que lhe tinham sido oferecidas. Também não podemos ter a terra e o céu ambos à nossa escolha e por nossa porção. Os sábios escolhem aquilo que durará mais.

"E cujo ventre enches do teu tesouro oculto." O apetite sensual obtém o que almejou. Deus dá a esses untuosos as cascas pelas quais eles têm fome. Os generosos não negam comida aos cachorros. O nosso Deus generoso dá até mesmo para os inimigos o bastante para satisfazê-los, se eles não fossem tão irracionais quanto a jamais se contentarem. O ouro e a prata que estão armazenados nos tesouros escuros da terra são dados aos ímpios liberalmente, e eles se revolvem de todas as maneiras nas delícias carnais. Todo cachorro tem o seu dia, e aqueles têm o deles que parece um dia de verão luminoso. Mas esse dia logo acaba em noite!

"Seus filhos estão fartos." Esta era a esperança mais acarinhada, que uma raça saída dos lombos prolongasse os nomes ao longo das páginas da história. Isso Deus também lhes concedeu, de forma que têm tudo o que coração pode desejar. Parecem criaturas invejáveis, mas só parecem!

"E estes dão os seus sobejos às suas crianças." Eram governantas gordas, mas não deixaram nada em testamento. Vivendo e morrendo não lhes faltava nada senão a graça, pois é a graça que lhes faltava que agora deteriora tudo. Tinham uma porção justa durante o pequeno círculo de tempo terreno, mas a eternidade não entrou nas suas considerações. Eles eram cautelosos em assuntos de pouca monta, mas extravagantes nos que tinham extrema importância. Lembraram o presente, mas esqueceram o futuro. Lutaram pela casca, mas perderam o núcleo. Que boa descrição temos aqui acerca de muitos comerciantes prósperos ou estadistas populares. À primeira vista, são muito vistosos e atraentes, mas em contraste com as glórias do mundo por vir, que são estes montículos de alegria sem valor. Eu, eu, eu, todas estas alegrias começam e terminam no egoísmo mais vil. Mas ó Senhor nosso, como são ricos aqueles que começam e terminam em ti! Livra-nos, ó Deus, de toda contaminação e dano que a associação com homens mundanos com certeza nos traz!

15 *Quanto a mim, contemplarei a tua face na justiça; eu me satisfarei da tua semelhança quando acordar.*

15. *"Quanto a mim." "Não invejo nem desejo a felicidade desses homens, pois em parte tenho e em parte espero algo infinitamente melhor."* A minha ambição nobre é contemplar a face de Deus e ser mudado pela visão a essa mesma imagem, de modo a participar da sua justiça. Nessa perspectiva, alegremente renuncio a todos os meus prazeres atuais. A minha satisfação é futura; não a busco aqui. Dormirei por certo tempo, mas acordarei ao som da trombeta. Acordarei na alegria eterna,

porque me levanto na tua semelhança, ó Deus meu e Rei meu! Os homens bons têm aqui relances da glória para ficarem com fome sagrada. Mas o banquete abundante aguarda-nos nos mais altos céus. Em comparação com esta satisfação profunda, inefável e eterna de delícias, as alegrias do mundanismo não passam de vaga-lumes ao sol, ou com a gota de um balde no oceano.

NOTAS EXPLICATIVAS E DECLARAÇÕES IMPORTANTES

O Título: "Oração de Davi." Considerando que muitos salmos consistem em orações, a pergunta a ser feita é por que esta inscrição pertence mais especificamente a este salmo. Embora os outros salmos contenham orações diversas misturadas com outros assuntos, este é uma súplica do começo ao fim. — *O Venerável Bede, 672-735*

v.1: "Ouve... atende... dá ouvidos". Esta petição feita três vezes indica grande poder de sentimento e muitas lágrimas, porque a artimanha dos ímpios, na verdade, aflige e angustia o homem espiritual mais que o poder e a violência. O fato é que quando ficamos sabendo de força e violência aberta, e vemos o perigo, somos de algum modo guardados disso. — *Martinho Lutero*

v.1: "Que não é feita com lábios enganosos". Há coisas como "lábios enganosos", que é uma contradição entre o coração e a língua, um clamor na voz e um escárnio na alma, um choro a Deus: "Pai meu, tu és o guia da minha mocidade". Contudo falas e fazes mal ao extremo de nosso poder (Jr 3.4,5), como se Deus pudesse ser forçado por fingimentos aduladores, como ocorreu com o velho Isaque que tomou Jacó por Esaú, sendo logrado pelo cheiro das roupas, ou como se Deus não pudesse discernir o coração escuro sob as vestes do anjo. [...] Este é um conceito indigno que fazem de Deus, quando imaginam que podemos satisfazer os pecados interiores e fugir de julgamentos futuros através de ofertas externas, com voz alta, com um coração falso, como se Deus (como as crianças) se agradasse do brilho de uma concha vazia, ou do ruído de chocalho de pedras, do som característico de dinheiro, uma mera voz e clamor sem estrutura interior e intenção de serviço. — *Stephen Charnock*

v. 1: "Não é feita com lábios enganosos". Observemos que a águia plana bem alto no céu, sem a intenção de voar para o céu, senão para apanhar a presa. Assim, é que muitos demonstram muita devoção aparente ao erguer os olhos ao céu, mas o fazem apenas para atingir com mais facilidade, segurança e aplauso os seus desígnios maus e condenáveis na terra. Os tais são Catos por fora e Neros por dentro. Dai ouvidos a eles — não há homem melhor. Investiga-os e prova-os — não há homem pior. Têm a voz de Jacó, mas as mãos de Esaú. Confessam que são santos, mas praticam pequenos Satanás. Fazem orações longas, mas de conteúdo curto. São como os galipódios — tendo por fora o título de excelente fórmula farmacêutica, mas por dentro estão cheios de veneno mortal. A falsa santidade é a sua capa sob a qual cometem todos os tipos de baixezas, e a parteira para trazer à luz todos os seus desígnios diabólicos. — *Peter Bales, in: John Spencer, "Things New and Old" [Coisas Novas e Velhas], 1658*

v. 1: "Não é feita com lábios enganosos". Não somente uma causa justa, mas uma oração justa são preconizadas como motivos para Deus ouvir. Calvino observa a importância de unir oração ao testemunho de uma boa consciência, para que não defraudemos Deus da sua honra não lhe entregando todos os julgamentos. — *J. J. Stewart Perowne*

v. 1: Mesmo que as tuas orações não sejam tão bem formuladas no que tange a palavras, e reverentemente feitas no que diz respeito a gestos, tudo isso não vale nada, se o coração não estiver engajado no dever. A oração não é um trabalho apenas da cabeça, ou das mãos, ou dos olhos, mas é principalmente um trabalho do coração, sendo chamado na Bíblia de "o derramamento da alma" (1 Sm 1.15) e o "derramamento do coração" (Sl 62.8) Na verdade, o próprio cerne da oração se coloca no derramamento da alma perante o Senhor. Sempre que se aproximar de Deus em oração, faze-o de coração e alma, caso contrário não terá certeza de ser ouvindo e atendido, pois como fala Cipriano: *Quomodo te audiri a Deo postulas*, etc., que significa: "Como podes esperar que o Senhor te ouça, quando tu mesmo não te ouves? Ou que Ele leve em conta as suas orações, quando você não leva em conta o que ora? Certamente essa oração não alcançou o coração de Deus, pois não alcançou o nosso". — *Thomas Gouge, 1605-1681*

v. 2: Davi apela a Deus para julgar a justiça do seu coração com relação a Saul: "Saia a minha sentença de diante do teu rosto". De Saul e seus bajuladores parte uma sentença dura. Chamam-me de traidor e de rebelde. Mas Senhor, não me entregue à sentença deles: "Saia a minha sentença de diante do teu rosto", pois sei que será uma sentença diferente. Tu me provaste, me examinaste e não achaste nada em mim. — *Jeremiah Burroughs*

v. 3: "Provaste o meu coração":

O quê? Arrisca-te e não provas
De que metal é feito? Não, eu não
Deixo passar levianamente
Tomar chumbo escuro por prata, por bronze ressoante
Em vez de ouro sólido
O que restasse no grande dia
Da confecção de joias seria jogado fora

O coração que tu me deste tem de ser de tal tipo
Como é o mesmo do começo ao fim. Não aceitarei nada
Senão o que suporta o fogo
Não é o que brilha por fora que eu desejo
Cujas exibições aparentes logo expiram
Mas o real valor por dentro, o qual nem a escória
Nem amálgamas vis o tornam passível de perda

Se na composição do teu coração
Tiver parte uma má-intenção teimosa e acerada
Essa vontade não se curva nem se submete a mim
Salvo por mera formalidade
Com hipocrisia enfeitada e reluzente
Não me importo, embora se mostre tão pura
Quanto o primeiro rubor dos raios do sol

O coração que não derreter na minha fornalha
Quando sentir o calor ardente
Torna-se líquido e se dissolve em lágrimas
De verdadeiro arrependimento de suas faltas, que ouve
A minha voz ameaçadora e nunca tem medo
Não é um coração de valor. Se é
Coração de pedra, não é coração para mim

O coração que, lançado na minha fornalha, cospe
E respinga em minha face, cai nas formas
Do rancor descontente, lamenta
Quando a vontade é quebrada, resmunga

Ao menor sofrimento, recusa
A correção paternal é um coração
No qual não me importo em trabalhar a minha perícia

* * * * *

O coração que se evapora e vira fumaça
E com estas sombras turvas pensa ocultar
A nudez vazia, por quanto mais
Que tu estimes, é o coração
Que nunca experimentará o meu toque

Eu o levarei à minha fornalha e lá
Verei o que se mostrar o que ele é
Se for ouro, com certeza haverá
O fogo mais quente que possa suportar
E eu o tirarei dali mais puro
A dor refina, mas não destrói
O coração no qual o meu amor está fixado
— *Francis Quarks*

v. 3: "Visitaste-me de noite; examinaste-me e nada achaste; o que pensei, a minha boca não transgredirá". À noite, a alma está livre dos assuntos deste mundo e, portanto, com mais liberdade para negociar com Deus. Deus prova e visita Davi, quer dizer, examina-o e investiga-o, trazendo-lhe à mente todos os seus caminhos e ações nas passagens anteriores. A questão deste julgamento foi que não se achou nada nele, não que a sua alma estivesse vazia de coisas boas ou que não houvesse nada de mal nele. Mas Deus, ao examiná-lo, não achou nada daquele mal que certos homens suspeitavam, ou seja, uma vontade perversa ou desígnio mau contra Saul, a respeito de quem ele chamou a sua causa de causa justa ou de "a justiça": "Ouve, Senhor, a justiça" (v. 1). — *Joseph Caryl*

v. 3: "Examinaste-me e nada achaste", ou: "Fundiste-me e não achaste impureza em mim" (versão bíblica *New Translation*). Metáfora tirada da fundição de metais para purificá-los de corpos estranhos. — *Alexander Geddes, 1737-1802*

v. 3: "Provaste... visitaste-me... examinaste-me". A tribulação por meio da qual, quando examinado, fui achado justo, chama-se não só noite, na qual ela está habituada a perturbar com medo, mas fogo, no qual verdadeiramente queima. — *Agostinho*

v. 3: "O que pensei, a minha boca não transgredirá". Se você estiver em um monte, não olhe para trás para Sodoma como a esposa de Ló fez. Se estiver na arca, não voe ao mundo como o corvo de Noé fez. Se estiver bem lavado, não volte ao lodo como o porco faz. Se estiver limpo, não corra para a imundície, como o cachorro faz. Se for à terra de Canaã, não pense nas panelas de carne do Egito. Se está marchando contra os exércitos de Midiã, não beba das águas de Harode. Se estiver no telhado, não desça. Se por a mão no arado, não olhe para trás. Não se lembre dos males que estão atrás de você. — *Thomas Playfere*

vv. 3 a 5: Onde há verdadeira graça, há ódio de todo o pecado, pois o ódio é πρὸς τὸ γένος. O homem pode decidir cometer o que ele odeia? Não, pois a aversão interior lhe fortalece mais contra essa ideia que todos os obstáculos exteriores. Levando em conta que este propósito interior do homem bom é contra todo o pecado, assim mais particularmente é contra os que o sitiam por nenhum motivo. Em várias passagens Davi parece estar naturalmente inclinado a mentir, mas toma a firme resolução contra isso. "O que pensei, a minha boca não transgredirá" (v. 3); זַמֹּתִי — planejei atocaiar e interceptar o pecado da mentira, quando tivesse motivo para aproximar-se de mim. O homem bom não só intenta, mas se esforça para firmar e fortalecer os propósitos pela oração. Assim diz Davi: "Dirige os meus passos nos teus caminhos, para que as minhas pegadas não vacilem" (v. 5). Ele se fortalece estimulando a vivacidade no dever, e evitando oportunidade de pecado. "Quanto ao trato dos homens, pela palavra dos teus lábios me guardei das veredas do destruidor" (v. 4), ao passo que os ímpios nem saem do caminho da tentação, nem se dirigem a Deus para ganhar força contra ela. — *Stephen Charnock*

v. 4: "Quanto ao trato dos homens, pela palavra dos teus lábios me guardei das veredas do destruidor", como se ele tivesse dito: Você sabe o que acontece quando escapo das obras e práticas ímpias que os homens comumente tomam a liberdade de fazer? Tenho de atribuir à boa Palavra de Deus. É ela que consulto e pela qual sou guardado desses caminhos loucos em que os outros, que não fazem uso da Palavra em sua defesa, são levados por Satanás, o destruidor. Podemos ir contra o pecado e contra Satanás com uma arma melhor do que Cristo usava para derrotar o tentador? É claro que Cristo nos deu o exemplo sobre como devemos entrar armados no campo de batalha contra eles. Cristo com um feixe de luz atirado de sua deidade (caso lhe agradasse mostrá-la), muito facilmente colocaria o Demônio intrépido aos seus pés, como posteriormente ele fez quando o atacaram. Mas Ele preferiu esconder a majestade da divindade, e permitir que Satanás se aproximasse mais dEle para confundi-lo com a Palavra e, assim, dar-lhe uma prova dessa espada dos santos, que Jesus lhes deixaria para a defesa contra o mesmo inimigo. O Diabo se apresenta pelo leviatã (Is 27.1), aquele que Deus ameaça castigar com a sua espada forte. Significa o grande peixe, a baleia, que não teme peixe, como o peixe-espada, por quem este grande devorador de todos os outros peixes é morto, pois ao receber uma estocada da espada, ele nada velozmente para a costa e se bate contra as rochas até morrer. Assim, o Diabo, o grande devorador de almas que se diverte no mar deste mundo como o leviatã nas águas, e engole a maior parte da humanidade sem que lhe façam a menor resistência, é derrotado pela Palavra. Quando ele tem de encarar um santo armado com esta espada e perito em usá-la, então, e só então, ele encontrou um rival à altura. — *William Gurnall*

v. 4: "Pela palavra dos teus lábios me guardei das veredas do destruidor". É um grande alívio contra as tentações termos a Palavra pronta. A Palavra é chamada: "A espada do Espírito" (Ef 6.17). Nos conflitos espirituais não há nada que se compare a ela. Aquele que viaja ao estrangeiro em tempos de perigo, não vai sem uma espada. Estamos em perigo e precisamos empunhar a espada do Espírito. Quanto mais pronta a Escritura estiver conosco, maior vantagem teremos em nossos conflitos e provações. Quando o Diabo atacou Jesus, este tinha as Escrituras prontas para acossá-lo, por meio das quais Ele venceu o tentador. A porta está trancada para Satanás, não sendo fácil ele achar a entrada quando a Palavra está oculta em nosso coração e a usamos adequadamente. "Eu vos escrevi, jovens, porque sois fortes." Onde estava a força? "E a palavra de Deus está em vós, e já vencestes o maligno" (1 Jo 2.14). É extremamente vantajoso quando temos a Palavra não só conosco, mas em nós, encravada no coração. Quando está conosco, podemos resistir mais às agressões de Satanás. Primeiro o homem ou se esquece da Palavra ou perde o afeto por ela para que então ele seja atraído ao pecado. — *Thomas Manton*

v. 5: "Dirige os meus passos nos teus caminhos, para que as minhas pegadas não vacilem". Senhor, seja qual for a ira que Saul tenha contra mim, não permitas que isso ou qualquer outra coisa me tire dos teus caminhos, mas mantém o meu coração perto de ti e mantém os meus caminhos no teu caminho. Não permitas que as minhas pegadas cheguem a vacilar afastando-se de ti, pois, Senhor, elas cuidam da minha firmeza. Se houver o menor vacilo, elas tiram vantagem disso ao extremo. Sou pobre e fraco. Portanto, Deus me ajude para que os meus passos não vacilem. — *Jeremiah Burroughs*

v. 5: "Dirige os meus passos nos teus caminhos, para que as minhas pegadas não vacilem". É como a pedra lançada para cima que não pode ir mais alto ou permanecer no ponto máximo quando a força do arremessador cessa de dirigi-la. Mesmo assim, levando em conta que a nossa natureza corrupta só pode ir para baixo, e que o Diabo, o mundo e a carne a impulsionam para a mesma direção, como podemos prosseguir adiante em virtude, ou permanecer firmes, quando somos tentados, se o nosso Deus misericordioso e bom pelo seu Espírito Santo não nos guiar e governar de vez em quando? — *Robert Cawdray*

v. 5: "Dirige os meus passos nos teus caminhos, para que as minhas pegadas não vacilem". Senhor sustenta-me para que eu resista. Tu fixaste a coroa ao término da corrida. Permita-me corrê-la para que eu ganhe a coroa. Era a oração de Beza e que seja a nossa: "Senhor, aperfeiçoa o que tu começaste em mim para que eu não naufrague quando estiver quase chegando ao porto". — *Thomas Watson*

v. 5: Nos ataques ferozes e nas tentações fortes, quando Satanás sitia a alma, atirando os dardos inflamados e usando estratagemas sagazes, unindo os seus esforços à nossas corrupções, como o vento à maré, então temos motivo para orar como Davi: "Dirige os meus passos nos teus caminhos, para que as minhas pegadas não vacilem". O apóstolo também descobriu que precisava da ajuda dos céus quando foi atacado, tendo orado "três vezes" para que a coisa que ele temia lhe fosse tirada (2 Co 12). Jesus nos ensina a orar diariamente: "Não nos induzas à tentação" (Mt 6.13), pois é perigosa. As tentações são muito perigosas: (1) Quando são mais satisfatórias, quando Satanás se une à nossa disposição ou constituição. (2) Quando são ininterruptas. (3) Quando a oportunidade e a força são maiores. — *Joseph Symonds*

v. 6: "Eu te invoquei, ó Deus, pois me queres ouvir". Clamo, diz o salmista, porque tu me ouviste. Alguém poderia pensar que ele devia ter dito o contrário: Tu me ouviste, pois te invoquei. Mas ele diz: Clamei, porque tu me ouviste, para mostrar que, para com Deus, clamar nem sempre vem antes de ouvir, como acontece conosco, mas que Deus não só ouve o nosso clamor, mas também nos ouve antes de clamarmos, pois nos ajudará. — *Thomas Playfere*

v. 6: "Eu te invoquei, ó Deus, pois me queres ouvir; inclina para mim os teus ouvidos e escuta as minhas palavras". A oração é o melhor remédio em tempos de provação. É verdadeiramente um remédio universal para todas as enfermidades. Não como o remédio universal empírico, que às vezes não age e na maioria das vezes falha, mas aquele que sob evidência segura e experiência constante tem o seu *probatum est*. É o que o Médico mais sábio, instruído, honesto e hábil que já existiu ou venha a existir prescreveu, pois Ele nos ensina a suportar o que tem de ser suportado, ou a curar e ajudar o que tem sido suportado. — *William Gouge, 1575-1653*

v. 6: Outrora, eu te invocava, então, Senhor, ouvi-me agora. Ser-nos-á um grande consolo se as dificuldades, quando vierem, encontrarem as rodas da oração em movimento, pois então iremos com mais ousadia ao trono da graça. Os negociantes têm a propensão de forçar aqueles que há muito têm sido os seus clientes. — *Matthew Henry*

v. 8: "Guarda-me como à menina do olho". Ele ora por libertação: "Faze maravilhosas as tuas beneficências" para mim (v. 7). Senhor, as minhas necessidades são incríveis. Não sei o que fazer, para onde me voltar, mas os meus olhos estão postos em ti. Como as necessidades são incríveis, assim as beneficências de Deus me são maravilhosas, e "guarda-me como à menina do olho".

Ó Senhor, diante de ti não passo de um cão, uma criatura vil aos olhos de Saul e dos que são dele. Mas bendito seja o teu nome, pois posso erguer os meus olhos a ti e saber que te sou querido como a menina do olho. Todos os santos de Deus lhe são queridos em todos os tempos, mas os santos perseguidos são a menina do olho de Deus.

Se em qualquer tempo eles são queridos a Deus, muito mais quando estão na maior perseguição. Agora são a menina do olho, e a menina do olho é um lugar delicado que dificilmente resiste à lesão, por isso o homem é extremamente cuidadoso com a menina dos olhos. Os santos por si mesmos são fracos e ineptos, mas o Senhor é extremamente cuidadoso deles. — *Jeremiah Burroughs*

v. 8: Não parece ser obra da providência que, levando em conta a fraqueza dos olhos, Deus protegeu a menina dos olhos com as pálpebras, como se fossem portas, as quais sempre que há motivo para usá-la ficam abertas e são fechadas no sono? E para não ser lesada pelos ventos, Ele plantou cílios como um filtro? E acima dos olhos dispôs as sobrancelhas como um telheiro, de forma que o suor da cabeça não lhe cause dano. — *Sócrates, "Xenofonte"*

v. 9: "Dos ímpios", como se Davi tivesse dito: Eles são inimigos igualmente para ti e para mim. Eles não são mais opostos a mim pela crueldade, que são a ti pela maldade. Então, defenda-te imediatamente a ti mesmo, e livra-me. — *John Howe*

v. 10: "Na sua gordura se encerram" ou a gordura se encerrou neles; quer os olhos, de forma que quase não veem sem eles, quer os corações, de forma que são tolos e insensatos, não tendo o temor de Deus. A frase expressa abundância de riqueza e aumento de poder, pelos quais eles se enchem de orgulho e prepotência, nem temendo a Deus nem tendo consideração pelo homem. O Targum parafraseia assim: "As suas riquezas multiplicam-se, a sua gordura os cobre". — *John Gill*

v. 10: "Na sua gordura se encerram". A prosperidade mundana deixa-os soberbos e torna-os insensíveis e obstinados contra toda a razão e medo. A Bíblia usa esse termo referindo-se ao coração engordado neste sentido, já que a gordura que está no coração do homem deixa-o sem compaixão, e os que são muito gordos estão menos sujeitos ao temor. — *John Diodati*

v. 10: "Na sua gordura se encerram". Dizer que um homem é gordo significa muitas vezes que ele é muito orgulhoso. Diz-se de alguém que fala orgulhosamente: "O que podemos fazer? *lassi kullap inãl*, que significa, "da gordura da sua carne ele se declara". "A gordura da boca — como escancaram a boca para falar!","Cuidado, amigo, ou acabarei com a gordura da tua boca!" — *Joseph Roberts, "Oriental Illustrations" [Ilustrações Orientais], 1844*

v. 11: "Andam-nos agora espiando os nossos passos; e fixam os seus olhos em nós para nos derribarem por terra". O homem que tem espiões que o vigiam para descobrir uma causa de acusação contra ele perante o rei ou homens de posição, diz: "Eles estão em volta das minhas pernas e dos meus pés. Os seus olhos estão sempre abertos. Sempre estão vigiando os meus *suvadu*, 'passos'". Quer dizer, eles procuram a impressão ou as pegadas que ele deixava na terra. Para esta finalidade, os olhos dos inimigos de Davi estavam fixos na terra. — *Joseph Roberts*

v. 11: "Andam-nos agora espiando os nossos passos". Como aqueles que acabam com a diversão através da carnificina, fazendo a presa ficar em um cerco do qual as vítimas não conseguem escapar. — *C. H. S.*

v. 11: "E fixam os seus olhos em nós para nos derribarem por terra". A alusão é ao caçador que localiza as pegadas do animal procurado. — *Religious Tract Society's Commentary Bible [Comentário Bíblico da Sociedade de Panfletos Religiosos]*

v. 11: "E fixam os seus olhos em nós para nos derribarem por terra". É menção, imagino, aos caçadores que vão estudar o solo para assustar ou para achar as marcas das garras da lebre, quando os cães de caça perderam o rastro e não conseguem farejá-lo. — *Joseph Caryl*

v. 12: "Parecem-se com o leão que deseja arrebatar a sua presa e com o leãozinho que se põe em esconderijos". Em o "Paraíso Perdido", temos boa concepção poética do arquiinimigo que rondou os nossos primeiros pais quando viu que eram felizes e, então, resolveu arruiná-los.

Já feito leão soberbo, em fogo os olhos,
Perfaz, deles em torno, um lento giro:
Já tigre se afigura, quando o acaso
Dois mui bonitos gamos lhe descobre
Que ao pé de um bosque ou num aceiro brincam;
Debruçado se cose então co'a terra,
Depois a miúdo se ergue, abaixa, ajeita,
Buscando pouso donde em breve pulo,
Sem medo de errá-los, consiga logo,
Em cada garra o seu, colhê-los ambos.
— *John Milton*

v. 12: Falávamos sobre o melhor meio de caçar uma rinoceronte fêmea que víamos a pouca distância em pé debaixo de uma árvore, quando chegou um bando de impalas trazendo atrás de si uma linda leoa velha. Enquanto nos aproximávamos, vimo-la deitar-se bem rente ao chão, da cabeça à cauda, de modo a impossibilitar--nos um tiro certeiro. Nem por um momento ela tirou os olhos de nós. Quando chegamos mais perto, ela continuava completamente deitada como um prato no chão. Mas parecia que a cabeça da leoa estava em um pino vertical, enquanto os olhos alertas dardejavam em cada um de nós em torno do círculo, sem mover um músculo do corpo, à medida que fechávamos o círculo. A nossa esperança era que ela se levantasse e nos desse a chance justa de um tiro atrás do ombro. [...] Procurei uma árvore para subir, suficientemente perto para garantir a tolerabilidade do meu tiro, e estava a ponto de subir, quando a leoa fugiu. — *William Charles Baldwin, "F. R. G. S.", in: African Hunting [Caçando na África], 1863*

v. 13: "Do ímpio, pela tua espada". O Diabo e os seus instrumentos são os instrumentos de Deus. Por isso, o "ímpio" é chamado de espada, o machado, de Deus (Sl 17.13; Is 10.15). Só Deus branda um e controla o outro. Ele é desmazelado que fere e acerta as próprias pernas com o próprio machado, o que Deus faria se os seus filhos fossem piores que as tentações de Satanás. Que o Diabo faça a sua escolha, pois Deus é um rival à altura em todas as armas. Se tentar pela força dos braços e atacar os santos por meio de perseguição, como o "Senhor dos exércitos" Ele se lhe oporá. Caso se sirva de sagacidade e sutileza, Ele também está pronto. O Diabo e o seu conselho não passam de tolos para Deus e a sua sabedoria, de tolice. — *William Gurnall*

vv. 13 e 14: "Tua espada... tua mão". Tu podes manejar e administrar a espada e a mão, como o homem pode brandir a espada ou mover a mão. Tu usarás a tua própria espada, a tua própria mão para matar o teu próprio servo? — *John Howe*

v. 14: "Dos homens, com a tua mão, SENHOR". "Como são maravilhosas as dispensações da providência de Deus, que usa até mesmo os ímpios para promover a felicidade atual e a salvação final dos santos" — *J. Edwards, Mestre em Ciências Humanas, 1856*

v. 14: "Homens do mundo, cuja porção está nesta vida". O tempo e este mundo prendem todas as suas esperanças e medos. Não têm sérias noções de fé de qualquer coisa que não esteja nesta vida. Não há nada que os contenha da violência mais prejudicial, se tu não os contiveres. Os homens que não creem em outro mundo são atores propensos a cometer qualquer tipo de dano e tragédia imagináveis neste. — *John Howe*

v. 14: "Dos homens, com a tua mão, Senhor, dos homens do mundo, cuja porção está nesta vida e cujo ventre enches do teu tesouro oculto; seus filhos estão fartos, e estes dão os seus sobejos às suas crianças." O que diremos? Porque Deus usa os seus pecados, você está escusado? O pecado não é seu, só porque Ele tira o bem disso? Não se engane. Quando você fizer tal serviço ao Mestre e Criador, embora de sete em sete anos, como Jacó serviu a Labão, você perderá os seus salários e as suas recompensas também. Melhor fosse se perdesse, porque também ganha uma vantagem triste. É um serviço improdutivo, não somente isso, mas miserável que você faz. A Babilônia será o martelo do Senhor por tempo suficiente para ferir as nações, sendo depois ela mesma ferida. Assur e a vara divina para açoitar o povo do Senhor, mas Assur será açoitado mais. Estes martelos, varas, machados, serras e outros instrumentos, quando tiverem cumprido as suas funções, as quais nunca pretenderam fazer, serão lançados no fogo e queimados até virar cinza. Não há como negar que Satanás serviu a Deus, afligindo Jó, joeirando Pedro, esbofeteando Paulo, executando Judas. Deus fez uma obra em todos estes serviços, quer para provar a paciência, confirmar a fé, testar a força ou exaltar a justiça. Contudo, Satanás está reservado "na escuridão e em prisões eternas até ao juízo daquele grande Dia" (Jd 6). Judas serviu a Deus, dando honra ao nome bendito do Senhor para a redenção da humanidade, enquanto o mundo durar, ainda que o seu salário tenha sido um amieiro para enforcar-se nele e, o que é pior, ele está pendurado no inferno pelas gerações eternas. Teve o salário e o perdeu. A soma que o sacerdote lhe deu, ele perdeu. E perdeu o apostolado, mas ganhou a recompensa da infelicidade perpétua, estando no mais profundo do lago, onde o bicho e a morte roem sem cessar. — *John King*

v. 14: "A tua mão". A mão de Deus é corretiva ou apreciadora, às vezes é imediata e às vezes mediata. Às vezes é imediata, quando Deus por ela pune, ou castiga, ou aflige, quando não surge ou intervém uma segunda causa. Pode ser o que Satanás quis dizer, quando propôs: "Estende a tua mão" (Jó 1.11), ou seja, faze tu mesmo e não permitas que ninguém lide com Jó, exceto tu mesmo. Deus envia tais aflições imediatas. O homem é aflito no corpo, na propriedade e de muitos outros modos, não achando nada na criatura de onde isso venha. Trata-se de um golpe imediato de Deus, não podendo ele ver como, ou de que forma, ou de que porta este mal veio. Chama-se, então, servo do mal: "Eu faço a paz e crio o mal" (Is 45.7). A criação veio do nada, não há nada do qual foi feita. Tantas vezes Deus leva o mal a povos e pessoas quando não há surgimento de segundas causas, pouco importando do que foi feito, mas vem como criatura, formada pela inigualável mão de Deus. Às vezes é chamada a mão de Deus, quando é a mão de uma criatura. É a mão de Deus na mão da criatura. A mão de Deus quando é a mão dos homens maus, a mão de Deus quando é a mão de Satanás. De forma nesse lugar é traduzido por: "Livra a minha alma do ímpio, pela tua espada; dos homens, com a tua mão" (Sl 17.13,14), visto que podemos entender que "a tua mão" é um instrumento. Neste sentido, o próprio Satanás é a mão de Deus para castigar, como diz aqui que é a mão de Deus: "Dos homens, com a tua mão", embora haja outras leituras. Alguns estudiosos entendem assim: "Livra-me dos homens através da tua mão", e outros assim: "Livra-me dos homens da tua mão". Mas esta tradução transmite muito bem o sentido do original hebraico: "Dos homens que são a tua mão", como Nabucodonosor, o rei perverso, é chamado de servo de Deus: "Eis que eu enviarei, e tomarei a Nabucodonosor, rei da Babilônia, meu servo" (Jr 43.10). Deus fala dele como o seu servo ou como a sua mão na coisa. — *Joseph Caryl*

v. 14: "Homens do mundo, cuja porção está nesta vida". A grande porção que os ímpios têm das coisas deste mundo pode dizer ao justo que ele vale pouco aos olhos de Deus. Estas coisas são dadas com abundância aos inimigos, sendo abundantemente negadas aos filhos. A razão não pode ser que Deus ama ou favorece mais os inimigos. Mas porque estas coisas mais baixas, dadas a eles seja em que medida, são tão más aos olhos divinos a ponto de os escolhidos aprendam por esta distribuição divina a considerá-las como Deus as considera, ou seja, como algo que não tem parte nas suas felicidades, mas como favores comuns a todos os seres humanos, bons ou ruins, inimigos ou amigos. — *Daniel Wilcox*

v. 14: "Homens do mundo, cuja porção está nesta vida". Deus dá aos ímpios uma porção neste mundo para mostrar-lhes o pouco benefício que há em todas estas coisas, e mostrar que pequeno bem há em todas as coisas que estão aqui no mundo. Certamente se fossem coisas muito boas eles jamais as teriam. É um argumento que afirma que não há grande superioridade na força do corpo, pois o boi a tem mais que você, que não há grande superioridade na agilidade do corpo, pois o cachorro a tem mais que você, que não há grande superioridade em roupas finas, pois o pavão as tem mais que você, que não há grande superioridade no ouro e na prata, pois os índios que não conhecem a Deus os têm mais que você. Se estas coisas tivessem grande valor, certamente Deus nunca as daria aos ímpios — argumento certeiro. Como é argumento que não há grande mal na aflição neste mundo, pois os santos são extremamente afligidos, assim não é grande argumento que há grande bem neste mundo, pois os ímpios o desfrutam muito. No seu comentário sobre Gênesis, Lutero escreveu estas palavras excelentes: "O império turco, por maior que seja, não passa de uma migalha que o Senhor da família, que Deus, lança aos cachorrinhos". O império turco, que teve tal avaliação de Lutero, hoje não mais existe. Todas as coisas do mundo, Deus dando-as aos turcos e aos ímpios, inimigos de Deus, mostram que não há muita superioridade e benefício nelas. Deus as lança a torto e a direito pelo mundo, porque as considera coisas inúteis. Deus não se importa tanto se os homens estão preparados para dar-lhe a glória dessas coisas, se ou não eles as terão, por mais que Ele se contente em pô-las em jogo.

Quando Deus avalia as seletas beneficências em Cristo, é onde procura receber a glória delas e nunca as dá a ninguém, mas primeiro as prepara para que possam lhe dar a glória dessas beneficências. Porém é o contrário com os outros. Suponhamos que você veja um homem colhendo maças silvestres e ácidas. Embora haja porcos junto à árvore, ele não se preocuparia muito em afugentá-los. Não passam de maças silvestres e ácidas, que as tenham. Mas se ele estivesse colhendo frutas escolhidas e preciosas, se um porco que fosse se aproximasse, ele o afugentaria. Quanto às coisas exteriores, maças silvestres e ácidas, o Senhor tolera que os porcos do mundo vão guinchando para comê-las. Mas quando se trata das suas seletas beneficências em Cristo, Deus age diferentemente. Que frutas preciosas! O ferreiro que está trabalhando, embora produza grande volume de cinza e pedacinhos de ferro voando por todos os lados, ele os desconsidera. Mas o ourives que trabalha o ouro preserva todo fragmento e todo grão de pó de ouro. O lapidário que trabalha as pedras preciosas guarda cada pedacinho dessas gemas. O carpinteiro que corta a madeira, não se importa muito se lascas de madeira voarem por todos os lados. Mas não é assim com o lapidário. Estas coisas exteriores não passam de lascas e cinzas, pois são esse tipo de coisas. Por isso, Deus sempre distribui uma porção dessas coisas aos ímpios. — *Jeremiah Burroughs*

v. 14: "Homens do mundo, cuja porção está nesta vida". Li que Gregório, tendo subido de cargo honorífico, confessou que não havia texto bíblico que falasse tão forte ao seu coração, que fizesse estremecer o seu espírito, que o amedrontasse tanto quanto este texto: "Filho, lembra-te de que recebeste os teus bens em tua vida" (Lc 16.25). Este era um texto bíblico terrível que me soava continuamente nos ouvidos, como

Hierom fala acerca desse texto bíblico: "Levantai-vos, ó mortos, e vinde a julgamento". Noite e dia ele pensava sobre este texto bíblico, que lhe soava nos ouvidos. Como Gregório: "Filho, lembra-te de que recebeste os teus bens em tua vida", este era o texto bíblico que noite e dia lhe soavam nos ouvidos. Que o Senhor se agrade em me ajudar a falar para você sobre este texto bíblico, de modo que ele fique tocando incessantemente aos seus ouvidos mesmo quando estiver na cama, depois do término do sermão, para que reflita sobre este texto bíblico que ainda soa em seus ouvidos: "Homens do mundo, cuja porção está nesta vida". — *Jeremiah Burroughs*

v. 14: "Cuja porção está nesta vida". A terra e tudo que nela há Deus distribui sem acepção de pessoas, mesmo aos que são seus filhos apenas por criação e não por adoção. Mas existe uma diferença entre a prosperidade de um e de outro. Para um é apenas com ansiedade de coração (mesmo rindo o coração está pesado); para o outro, é com alegria e gozo no Espírito. Para um é garantia de maior preferência no mundo por vir; para o outro é toda a sua porção, como se Deus dissesse: "Peguem isso e não procurem mais". "Para um é com a bênção do povo, que deseja que eles tenham mais; para o outro é com a maldição e ódio do povo, que é afligido por eles terem tanto". — *Miles Smith*

v. 14: "Cuja porção está nesta vida". O melhor do homem bom e o pior do homem mau estão no aspecto futuro dos verbos (Is 3.10,11), em reversão. No presente, Dives[1] não teve nada mais que "bens", mas no futuro ele não teve nenhuma bem. No presente, Lázaro teve "males", mas depois nenhum mal. Quando o homem bom morre, despede-se e parte de todos os males. Quando o homem mau morre, despede-se e parte de todos os seus bens, que foi todo o bem que teve. "Agora, este é consolado, e tu, atormentado" (Lc 16.25). É triste ter a porção de bem somente nesta vida. — *Ralph Venning, "Helps to Piety" [Ajudas à Devoção], 1620-1673*

v. 14: "Nesta vida". Há mais uma coisa a considerarmos sobre esta criatura monstruosa. Levando em conta que ele é dotado de razão e conselho, sabe que esta vida é como uma sombra, um sonho, um conto, uma vigília noturna, uma fumaça, uma palha que o vento dispersa, uma bolha d'água e outras coisas desvanecentes, e sabe que a vida por vir nunca terá fim, ele sempre está pensando cuidadosamente sobre esta vida, a qual hoje existe, mas amanhã não. Contudo, sobre a vida que é eterna ele não pensa nem por um segundo. Se este indivíduo não for um monstro, então não sei o que pode ser chamado de monstruoso. — *Thomas Tymme*

v. 14: Aquilo que os homens maus possuem neste mundo sempre é tudo pelo que podem esperar. Por que invejar-lhes as bolsas cheias ou os títulos elevados! Esta é a porção deles. Recebem as coisas boas agora. Tens comida e roupa? Este é o sustento para os filhos. Não invejes os ímpios que se vangloriam disso na galantaria do mundo. Eles têm mais que você, mas é tudo que provavelmente terão. O salmista faz uma descrição dos bens deles. São "homens do mundo, cuja porção está nesta vida e cujo ventre enche do seu tesouro oculto". Considerando que você, cristão, não possui nada, é herdeiro legítimo do céu, coerdeiro com Jesus Cristo, que é o herdeiro de todas as coisas, e tens um volume infinito de riquezas colocado sobre ti. São riquezas tão inumeráveis e infinitas, que todas as estrelas do céu são insuficientes para contá-las. Você não tem razão para reclamar de estar em necessidade, pois tudo que Deus tem é seu, quer a prosperidade ou a adversidade, a vida ou a morte, tudo é seu. O que Deus dá é para o seu consolo. O que Ele nega ou tira é para a sua provação, para o aumento dessas graças que são muito mais graciosas do que prazeres temporais. Se, vendo homens maus e descrentes gozando de riqueza e bens, quando você é forçado a lutar contra as inconveniências

[1] **N. do E.:** Na Vulgata de Jerônimo, constatamos que homem rico, em latim, é o significado do vocábulo "dives". Ou seja: homem abastado.

e dificuldades de uma situação pobre, você aprende a ter um desprezo e desdém santo pelo mundo. Pode confiar que nisso Deus lhe dá mais do que se Ele tivesse oferecido-lhe o mundo inteiro. — *Ezekiel Hopkins*

v. 14: Para mostrar que os homens maus têm muitas vezes a maior porção neste mundo, não preciso falar muito. A experiência de todas as eras desde o começo do mundo confirma o fato, e creio também que a sua observação o ratifica. A Bíblia o prova inúmeras vezes. O primeiro assassino traz no próprio nome: *Caim* significa "tanto" (Gn 4.8). Prossiga pelas páginas da Bíblia, e você achará José perseguido pelos irmãos, Esaú (como Rivet observa sobre Gênesis 32) por certo tempo mais próspero que Jacó. Vá em frente, e achará os israelitas, o povo peculiar de Deus, em cativeiro e faraó no trono. Saul reinando e Davi em uma caverna ou no deserto. Jó no monturo. Jeremias no calabouço. Daniel na cova dos leões e os jovens na fornalha e Nabucodonosor no trono. No Novo Testamento, vemos Félix na tribuna e Paulo diante do tribunal. Dives no palácio, Lázaro à sua porta (Lc 16.19). Dives vestido em púrpura, Lázaro em trapos e coberto de feridas. Dives se banqueteava e se alimentava deliciosamente todos os dias, Lázaro desejava apenas as migalhas da mesa e não as tinha. Dives frequentava a sociedade abastada e imponente, Lázaro não tinha outra companhia, exceto os cães que iam lamber-lhe as feridas. Tudo que Austin e Tertuliano contra Marcião (lib. 4) imaginam que é uma história verdadeira do que realmente aconteceu, embora os outros pensem que é uma parábola. Jó fala que "as tendas dos assoladores [às vezes] têm descanso" (Jó 12.6), cuja prosperidade ele descreve em geral em Jó 21.7-14. São exaltados "em poder" (v. 7), múltiples na posteridade (vv. 8, 11), seguros em casa (v. 9), aumentados exterior (v. 10), "alegram-se" (v. 12) e têm "prosperidade" à vontade (v.13). Davi fala sobre a sua própria experiência sobre isso (Sl 37.35; 73.7). Assim, segundo o texto, eles desfrutam de favores comuns, como ar para respirar, terra para caminhar, e a barriga está cheia do "tesouro oculto" de Deus — não só para eles mesmos, mas também para a sua posteridade. Eles "dão os seus sobejos às suas crianças", em outras palavras, "cuja porção está nesta vida" — *John Frost, 1657*

v. 14: O senhor ou patrão paga salário aos empregados, enquanto encurta a mesada do filho durante a menoridade, para que ele aprenda a depender do pai em prol da herança. O mesmo faz Deus, o grande Senhor de tudo, quando trata dos empregados que trabalham para Ele em troca de alguma vantagem temporal. Dá-lhes a recompensa e salário nesta vida. Ainda que a bondade de Deus determine uma porção melhor para ser a recompensa pela devoção e obediência dos filhos, Ele a dá em reversão, pouco em mãos para que aprendam a viver na promessa e a, pela fé, depender da bondade e fidelidade do Pai em prol da herança celestial. Para que, não andando por vista, mas por fé (que é a obra e situação do cristão aqui), aprendam também a não atentar "nas coisas que se veem, mas nas que se não veem; porque as que se veem são temporais, e as que se não veem são eternas" (2 Co 4.18). [...] Isso expõe a fundação podre na qual muitos homens constroem as esperanças celestiais. Com certeza (muitos estão prontos a argumentar), se Deus não me amasse, Ele não teria me dado tal porção no mundo. Não se engane em assunto de tão grande importância. Você pode, então, dizer que Deus amava a Judas, porque ele tinha a bolsa, porque ele se alimentava deliciosamente, os quais agora estão urrando no inferno. — *John Frost*

v. 14: A palavra hebraica que denota "ventre" pode ter sido colocada pelo Espírito divino para indicar o fato de que uma proporção mui grande do pecado de pessoas mundanas e depravadas está ligado com a indulgência de concupiscências ignóbeis e degradantes. E para indicar também que elas abusam da própria generosidade do céu, prendendo as correntes do sentimento às suas almas infelizes. Mas que não se esqueçam de que após as idolatrias sensuais, virão, no fim das contas, as visitações mais medonhas da ira divina. — *John Morison*

v. 14: "E cujo ventre enches do teu tesouro oculto". Os homens maus podem abundar nas coisas terrenas, tendo a terra e a sua plenitude, a terra e tudo o que é terreno. O seu ventre foi cheio pelo próprio Deus com o tesouro oculto. Em geral, as coisas preciosas estão ocultas, e tudo que leva o nome de tesouro, ainda que seja terreno, possui certa preciosidade. Os tesouros ocultos da terra lhes enchem a barriga, desprezando os tesouros do céu, e a sua alma não terá nem o gosto dos tesouros divinos. Riquezas e honras são as porções da herança que não tem herança entre aqueles cuja porção é a glória. Têm a terra nas mãos (Jó 9.24), mas não têm nada do céu no coração. Mantêm controle do mundo, mas são escravos do mundo. Governam e dão ordens aos outros à vontade, mas são levados cativos por Satanás à vontade deste. Não se ofenda nem se preocupe ao ver as rédeas do governo nas mãos de quem não sabe governar a si mesmo, ou vê-las governar o mundo sendo indignas de viver no mundo. — *Joseph Caryl*

v. 14: "E cujo ventre enches do teu tesouro oculto". O coração dos santos está cheio somente do "maná escondido" (Ap 2.17), contudo o ventre dos ímpios está cheio do "tesouro oculto", quer dizer, de guloseimas e coisas boas que estão virtualmente ocultas e formalmente jorram do ventre e das entranhas da terra. O Senhor facilmente lhes satisfaz o apetite em tais coisas, dando-lhes a "porção" que é tudo que recebem e recebem só "nesta vida". Pois como não passam de ensinadores comuns, assim estas não passam de beneficências comuns, como muitos dos inimigos recebem, que não passam de cevados como bois para a matança e preparados para a destruição. A verdadeira felicidade não se determina por terras ou casas, por ouro ou prata. O mundo é muito pequeno e, a menos que olhemos além da criação e fixemos a esperança acima deste mundo, não podemos ser felizes. Como os hipócritas desejam, assim obtêm muitas coisas do mundo, todavia não conseguirão mais, por mais que desejem. — *Joseph Caryl*

v. 14: "Cujo ventre enches", quer dizer, o apetite sensual dessas pessoas, como o termo também é usado em Romanos 16.18; Filipenses 3.19. "Enches do teu tesouro oculto", ou seja, das riquezas que Deus ou habitualmente oculta nas entranhas da terra, ou guarda no repositório da providência, dispensando-as a seu bel-prazer. — *John Howe*

v. 14: "Cujo ventre enches do teu tesouro oculto; seus filhos estão fartos, e estes dão os seus sobejos às suas crianças":

Tu, dos teus depósitos ocultos
Enches, Senhor, o ventre deles
Os seus filhos se empanturram e do que sobra
Dão aos filhos dos seus filhos
— *Richard Mant*

v. 14: "Os quais se fartam de filhos" (ARA), ou "seus filhos estão fartos" (ARC). Esta última opção expressa melhor o sentido do hebraico. A tradução literal seria: "os seus filhos estão satisfeitos", que significa, têm bastante para satisfazer os desejos dos filhos. A expressão, "eles estão cheios de filhos", é severa e antinatural, não sendo requerida pelo original, ou pelo pensamento principal da passagem. O significado é óbvio: eles têm bastante para si mesmos e para os filhos. — *Albert Barnes*

vv. 14 e 15: "Os quais se fartam de filhos" (ARA). Pelo que vem a seguir, esta deveria ser a tradução, e não aquela de acordo com o erro grosseiro, mas fácil (ὑῶν em lugar de υἱῶν), de alguns copistas dos setenta. Como se em tudo isso ele estivesse suplicando assim: "Senhor, tu já favoreceste abundantemente a esses homens, do que mais eles precisam? Eles têm a si mesmos, proveniente da tua generosidade ignorada, os próprios desejos soberbos e vastos suficientemente satisfeitos, o bastante para a vida inteira. E quando não puderem mais viver, estarão vivendo na posteridade, e não tornam os estranhos, mas a sua numerosa descendência, herdeiros. Não basta que a avareza seja satisfeita, mas a malícia também? E que eles tenham tudo que imaginem desejável para si, mas também possam deduzir tudo que julguem danoso para mim?" Diante desta descrição dos inimigos, ele *ex opposito*, acrescenta alguma observação acerca de si no encerramento do salmo. "Quanto a mim", aqui Davi está no ponto estático. Depois de certa aparente descompostura, o seu espírito volta a ser coerente, em atenção ao seu próprio estado mais feliz, o qual ele opõe e prefere ao deles, nos seguintes aspectos. Eles eram ímpios, ele justo: "Contemplarei a tua face na justiça". A felicidade deles era mundana e terrena, do tipo que só emana da terra, ao passo que a dele era celestial e divina, a qual é resultado da face e imagem de Deus. As coisas presentes e temporárias deles limitavam-se a esta vida, enquanto que as coisas futuras e eternas dele serão desfrutadas quando acordar. A porção parcial e imperfeita, que satisfaz o elemento animal, enche o ventre deles, mas a porção adequada e completa dele (a εὐδαιμονὶα τοῦ συνετοῦ, "felicidade de proporção") satisfaz o homem: "Eu me satisfarei da tua semelhança quando acordar". — *John Howe*

v. 15: "Contemplarei a tua face". Olho a face de um estranho e não me comovo. Mas olho amigo, e a sua face transforma a minha em um aspecto vivo e alegre. "Como o ferro com o ferro se aguça, assim o homem afia o rosto do seu amigo" (Pv 27.17), então põe agudeza e afiação no seu olhar. A alma que ama a Deus, abre-se para Ele, aceita as suas influências e impressões, molda-se facilmente e conforma-se à sua vontade, entrega-se ao poder transformador da sua glória visível. Não há princípio resistente que permaneça quando o amor de Deus é aperfeiçoado nisso. Portanto, vencer é a primeira visão da glória divina na alma que acorda, que aperfeiçoa a ela e, assim, a sua semelhança, ambas ao mesmo tempo. — *John Howe*

v. 15: "Contemplarei a tua face na justiça; eu me satisfarei da tua semelhança quando acordar". Nestas palavras, temos: (1) O tempo da felicidade completa e consumada — "quando acordar". (2) O tema da felicidade e a maneira de desfrutá--la; o tema e o objeto — a "face" ou "semelhança" de Deus; a maneira de desfrutar — "contemplarei a tua face". (3) A disposição e condição perfeita do estado da felicidade — "contemplarei [...] na justiça", tendo o meu coração perfeitamente conformado à vontade de Deus, a regra perfeita e adequada de justiça. (4) A medida da felicidade — "eu me satisfarei", a minha felicidade estará na medida cheia, sem falta de qualquer coisa que possa me fazer feliz. Todos os meus desejos serão satisfeitos e a minha felicidade em relação à duração será eterna, sem sombra ou medo de mudança. — *William Colvill*

v. 15: Ele professa a decisão, apesar de todo o perigo que se encontrava, de continuar nos caminhos de Deus, esperando uma graça. "Quanto a mim", diz ele, "contemplarei a tua face na justiça". Na verdade, não posso ver a face do rei sem perigo para mim. Há muitos que correm para me matar, e desejam a face dele. Não posso ver a face do rei, contudo, Senhor, eu verei a tua face: "contemplarei a tua face" e será "na justiça". Permanecerei nos caminhos da justiça e, "quando acordar" — pois creio que estas dificuldades não durarão por muito tempo —, não dormirei no sono perpétuo, mas acordarei e serei liberto, e então "eu me satisfarei da tua semelhança". Haverá a manifestação da tua glória para mim, que me satisfará em troca de todas as dificuldades que suportei por causa do teu nome, para que a minha alma diga: Tenho bastante. — *Jeremiah Burroughs*

v. 15: "Eu me satisfarei da tua semelhança quando acordar". A plenitude da felicidade celestial pode tornar-se evidente se a compararmos com as alegrias e consolações do Espírito Santo. São elas, conforme a Bíblia as designa, "firme consolação" (Hb 6.18), "alegria [...] completa" (Jo 15.11), "gozo inefável e glorioso" (1 Pe 1.8), "consolação sobeja" (2 Co 1.5). Toda a alegria e paz que os crentes são participantes nesta vida não passam de uma gota no oceano, como um único cacho de uva em relação ao vinhedo, como o tomilho ou mel na coxa da abelha em relação à colmeia completamente carregada de mel, ou como o amanhecer e romper do dia em relação ao brilhante meio-dia. Mas o gosto de água, vinho e mel desta Canaã celestial, com que o Espírito Santo satisfaz o coração dos crentes, é muito mais desejável e gratificante que as correntes transbordantes de todas as felicidades terrenas. Não há ninguém que já o tenha provado, por isso diz como a mulher samaritana: "Senhor, dá-me dessa água, para que não mais tenha sede e não venha aqui tirá-la" (Jo 4.15). Assim também, os primeiros lampejos da luz celestial enchem a alma com mais serenidade e a delicia com a mais pura alegria, que o sol mais radiante de todos os esplendores mundanos que possa existir. Soube de certo crente que sonhou com o céu. As marcas e impressões características do céu ficaram tão fortemente estampadas na imaginação, que quando acordou ele não sabia onde estava, não distinguia a noite do dia, nem a diferenciava o gosto de óleo do vinho. Contudo, pedia a visão, dizendo: *Redde mihi campos floridos, columnam auream, comitem Hierongmum, assistentes angelos*, que significa "dai-me de novo os meus campos frescos e fragrantes, a minha coluna dourada de luz, Jerônimo, meu companheiro, os anjos, meus assistentes". Se o céu em sonhos produz tamanhos êxtases a ponto de abafar e subjugar os exercícios dos sentidos aos objetos inferiores, que arrebatamento e enlevo devem o gozo desse trabalhar naqueles que têm o apetite racional totalmente satisfeito e o corpo embelezado com a glória infinita? — *William Spurstow, 1656*

v. 15: "Eu me satisfarei". Já percebeu, quando os trabalhadores concluem os trabalhos no interior das construções, que eles mantêm os andaimes montados? O velho papa, quando empregou Michelangelo na decoração do interior daquele edifício magnífico, a Capela Sistina, exigiu que o andaime fosse tirado para que ele pudesse ver as cores brilhantes que, com habilidade inigualável, estavam sendo produzidas. Paciente e assiduamente labutou o artista nobre, trabalhando com afinco de dia e quase de noite, pondo em cena profetas e quadros maravilhosos por sua beleza e significação, até que ele concluiu o trabalho. No dia imediatamente anterior ao término, se você tivesse entrado na capela e observado, o que teria visto? Pilares, pranchas, tábuas, ripas, cordas, cal, argamassa, água entornada, sujeira, poeira. Mas quando tudo estava terminado, os trabalhadores vieram e retiraram o andaime. Então, embora o chão ainda estivesse coberto de lixo e detritos, se você olhasse para cima, era como se o próprio céu tivesse sido aberto e você estivesse olhando os pátios de Deus e os anjos. Hoje, o andaime é mantido em volta dos homens muito tempo depois que o fresco começou a ser pintado. Quantas revelações maravilhosas ocorrerão quando Deus tirar este corpo-andaime e mostrar o que você fez. Por alegrias e tristezas; por alegrias, que são as cores luminosas, e por tristezas, que são o sombreado das cores luminosas. Pela oração, pelas influências do santuário. Pelos seus prazeres, pelos seus negócios. Por reveses, por sucessos e por fracassos. Pelo que fortaleceu a confiança e pelo que a derrubou. Pelas coisas nas quais você se alegrou e pelas coisas nas quais você chorou — por tudo que Deus está trabalhando em você. E você será aperfeiçoado, não de acordo com as coisas que pintou, mas de acordo com o padrão divino. O seu e o meu retrato estão sendo pintados, e Deus, mediante pinceladas e influências maravilhosas, está nos desenvolvendo segundo o seu ideal. Em cima e além do que você está fazendo para você, Deus está trabalhando para torná-lo semelhante a Ele. A declaração maravilhosa é que quando você estiver diante de Deus e vir o que foi feito em você, ficará satisfeito. A palavra que tem peregrinado solitariamente e sem habitação desde que o mundo começou, e as estrelas d'alva juntas cantavam com alegria! Já houve um ser humano que poderia estar na terra ainda vestido em carne e dizer: Estou satisfeito? Qual é o significado da palavra? Integralmente saciado, totalmente cheio, enchido completamente em toda parte. Quando a obra de Deus estiver finalizada, estaremos diante dEle e, com o brilho ideal e a concepção glorificada da aspiração divina em nós, olhando para Deus e em nós mesmos, diremos: "Estou satisfeito", porque seremos como Ele. Amém. Por que não ficaríamos satisfeitos? — *Henry Ward Beecher, "Royal Truths" [Verdades Régias], 1862*

v. 15: "Eu me satisfarei da tua semelhança quando acordar". Ele está falando da ressurreição. Chama-a de um acordar, pois você sabe que a morte é chamada de sono. "Aos que em Jesus dormem Deus os tornará a trazer com ele" (1 Ts 4.14). Ele já tinha falado daqueles que puseram a felicidade nos confortos desta vida, os quais são adequados ao corpo, ao estado animal do corpo. É o que está claro pelos versículos 13b e 14 de Salmos 17, que diz: "Livra a minha alma do ímpio, pela tua espada; dos homens, com a tua mão, SENHOR, dos homens do mundo, cuja porção está nesta vida e cujo ventre enches do teu tesouro oculto; seus filhos estão fartos, e estes dão os seus sobejos às suas crianças", sendo que "sobejos" são as coisas exteriores. "Quanto a mim", disse ele, "contemplarei a tua face na justiça [há a visão de Deus que é a sua felicidade na alma do salmista]; eu me satisfarei da tua semelhança quando acordar [quando eu ressuscitar]." Não é só a imagem de Deus em Davi que ele quer dizer. Por quê? Porque isso não satisfaz o coração santo, mas é aquela imagem do Deus invisível que a natureza humana de Jesus Cristo é, que, em oposição a todos os prazeres exteriores, será tudo em todos para nós. Ele é uma criatura espiritual, a sua natureza humana foi espiritualizada, glorificada, e o nosso corpo também se tornará espiritual. "O corpo [é] [...] para o Senhor, e o Senhor para o corpo" (1 Co 6.13), e isso acontecerá quando ambos ressuscitarem. Cristo já ressuscitou, e porque ordenou um ser útil ao outro, Ele também ressuscitará o nosso corpo. Quando Deus me levantar, disse Davi, embora os outros homens estejam com o ventre cheio e tenham prazeres animais aos quais se entregar, mas quando eu acordar no último dia e vir esta tua imagem, verei o teu Filho, eu me satisfarei: "Eu me satisfarei da tua semelhança quando acordar". — *Thomas Goodwin*

v. 15: "Eu me satisfarei da tua semelhança quando acordar". Neste salmo, as aflições do santo Davi não são poucas nem pequenas. A inocência que foi ferida por caluniadores maldosos, a vida que está em perigo por inimigos mortais que o cercam. A atual situação que lhe se tornou amarga pelas necessidades urgentes de um deserto estéril, enquanto os inimigos viviam delirantemente na corte de Saul. Não obstante, sob o peso e combinação de tantos males dolorosos, Davi se porta como alguém que não está desesperado nem foi abandonado. Não somente isso, mas ele pesa o seu estado contra o deles e, nesta situação baixa, disputa com eles por felicidade. Encerrando o salmo com uma declaração exclamatória e triunfante, o salmista conclui que é homem muitíssimo melhor: "Quanto a mim, contemplarei a tua face na justiça; eu me satisfarei da tua semelhança quando acordar". Eles, é verdade, desfrutam da face do rei, cujo favor é como uma nuvem de chuva tardia que promete uma colheita frutífera de muitas bênçãos, mas, "quanto a mim", diz ele, "contemplarei a tua face na justiça", cuja bondade é melhor que a vida, vestida com todas as suas realezas. Eles têm o ventre cheio do tesouro oculto, tendo mais que um punhado de generosidade aberto para eles, mas eu tenho mais alegria em meu coração, mais que quando o trigo e o vinho são abundantes. Eles têm a porção à mão, visto que são homens deste mundo, mas eu tenho a minha porção estabelecida no outro mundo: "Eu me satisfarei da tua semelhança quando acordar". Temos, nestas palavras, a felicidade eterna dele e de todos os crentes na outra vida, apresentada em três pormenores como o antídoto mais eficaz contra as dificuldades e tentações atuais que surgem da maldade dos homens contra eles. — *William Spurstow*

v. 15: "Eu me satisfarei da tua semelhança quando acordar". Os santos no céu ainda não acordaram na semelhança de Deus. O corpo dos justos dorme imóvel, mas eles serão satisfeitos na manhã da ressurreição, quando despertarem. Quando um conquistador romano tinha estado na guerra e ganhado grandes vitórias, ele voltava para Roma com os soldados, entrava secretamente em casa e se divertia até o dia seguinte, quando então saía da cidade para reentrar nela publicamente em triunfo. Agora, os santos, por assim dizer, entram secretamente no céu sem o corpo. Mas no último dia, quando o corpo acordar, eles entrarão em carruagens triunfais. Creio que vejo essa procissão grandiosa, quando Jesus Cristo com muitas coroas na cabeça, com o corpo luminoso, glorioso e imortal, virá na frente. Imediatamente, atrás dEle vêm os santos, cada um aplaudindo com as mãos, ou tangendo doces melodias com harpas de ouro, todos entrando em triunfo. Quando chegarem aos portões celestiais e as portas forem amplamente abertas para deixar entrar o Rei da glória, os anjos se aglomerarão nas janelas e telhados, como os habitantes nos triunfos romanos, para assistir a procissão pomposa e espalhar sobre eles rosas e lírios celestiais, clamando: "Aleluia! Pois já o Senhor, Deus Todo-poderoso, reina" (Ap 19.6). "Eu me satisfarei" naquele dia glorioso quando todos os anjos de Deus virão para ver os triunfos de Jesus, e quando o seu povo será vitorioso com Ele. — *"Spurgeon's Sermons" [Sermões de Spurgeon]*

v.15: "Eu me satisfarei da tua semelhança". Quem tem sede seja conduzido ao oceano de água pura, pois terá água em abundância. Se há o bastante em Deus para satisfazer os anjos, então com certeza há o bastante para nos satisfazer. A alma é finita, mas Deus é infinito. Embora Deus seja um bem que satisfaz, Ele não engorda. Novas alegrias jorram continuamente da sua face. Ele é tão desejado depois de milhões de anos por almas glorificadas quanto no primeiro momento. Há uma plenitude em Deus que satisfaz, e tanta doçura que a alma ainda deseja mais. Deus é um bem delicioso. Aquilo que é o bem principal tem de encantar a alma com prazer. Tem de haver nEle delícia e quinta-essência de alegrias arrebatadoras. *In Deo quadam dulcedine delectatur anima immo rapitur*, que significa, "o amor de Deus goteja tal suavidade infinita na alma quanto é indizível e cheia de glória". Se há tanta delícia em Deus, quando o vemos apenas pela fé (1 Pe 1.8), qual será a alegria da vista quando nós o virmos face a face! Se os santos acham tanta delícia em Deus enquanto estão sofrendo, que alegria e delícia terão quando forem coroados! Se chamas de fogo forem camas de rosas, o que será sentar-se no colo de Jesus! Que cama de rosas! Deus é um bem superlativo. Ele é melhor que qualquer coisa com que possamos comparar. É melhor que saúde, riqueza, honra. As outras coisas mantêm vida, mas Ele dá a vida. Quem poria qualquer coisa em comparação com a deidade? Quem pesaria uma pena contra uma montanha de ouro? Deus supera todas as outras coisas mais infinitamente que o sol à luz de uma vela. Deus é um bem eterno. Ele é o Ancião de dias, contudo nunca se enfraquece, nem envelhece (Dn 7.9). A alegria que ele dá é eterna, e a coroa não murcha (1 Pe 5.4). A alma glorificada sempre se confortará em Deus, banqueteando-se no seu amor e tomando sol à luz da face divina. Sabemos que há um rio de delícias à mão direita de Deus, mas com o tempo esse rio não se secará? Não, pois há uma fonte ao fundo que o abastece: "Porque em ti está o manancial da vida" (Sl 36.8b,9a). Portanto, Deus é o principal bem, e o prazer de Deus é para sempre a mais sublime felicidade da qual a alma é capaz. — *Thomas Watson*

v. 15: "Eu me satisfarei da tua semelhança quando acordar". O cristão sincero é progressivo, nunca está no fim da jornada até que chegue ao céu. Isso sempre o mantém em movimento, progredindo nos desejos e empreendimentos. Ele é grato pela pouca graça, mas não se contenta com grandes medidas de graça. "Quando acordar", disse Davi, "eu me satisfarei da tua semelhança." Ele teve muitos entretenimentos agradáveis na casa de Deus nas suas ordenanças. O Espírito de Deus foi o mensageiro que lhe deu muitos pratos cheios na mesa de Deus, consolações interiores que o mundo não conheceu. Contudo, Davi não tem o bastante, pois só o céu pode lhe dar a sua plena porção. Dizem que os gauleses, quando provaram os vinhos da Itália, ficaram tão tomados pela delícia e doçura excessiva, que não se contentaram em levar e comerciar esse vinho na Gália, mas resolveram conquistar a terra onde era cultivada. Assim, a alma sincera não acha que basta receber um pouco de vez em quando da graça e consolações do céu, comerciando e negociando à distância com Deus nas suas ordenanças aqui na terra, mas projeta e estuda em conquistar a terra santa e lugar bendito, de onde vêm tais coisas, para que ele beba o vinho daquele reino naquele reino. — *William Gurnall*

v. 15: "Quando acordar". Como é apropriada e óbvia a analogia entre o acordar do sono natural, e a ressurreição da alma santa da escuridão e entorpecimento do atual estado para a luz vivificadora da presença de Deus. É verdade o que dizem sobre acordar aos primeiros abandonos destas regiões escuras, quando põem de lado o incômodo véu noturno. É muito mais perfeito na alegre manhã do dia da ressurreição, quando a mortalidade for tragada pela vida, e todas as sombras que ainda pairam sobre ela desaparecerem e fugirem. E nem preciso dizer aos que leem a Bíblia que esta é aplicação conhecida e habitual sobre as condições metafóricas de dormir e acordar apresentadas pelos Escritos Santos. Nem esta interpretação concorda menos adequadamente com os outros teores deste versículo, pois a qual estado a visão da face de Deus e a satisfação da sua semelhança concordam tão completamente quanto ao da bem-aventurança futura no outro mundo? Sendo assim, as partes interconectadas do discurso neste e no versículo anterior nos determinam claramente este sentido, pois o que pode ser mais evidente que a comparação proposta, uma oposição mútua dos dois estados de felicidade? O estado de felicidade dos ímpios, que ele chama "homens do tempo" (visto que Pagninus traduz as palavras מְמְתִים מֵחֶלֶד por *homines tempore*, sendo o que significam literalmente) e cuja porção, nos diz Davi, está nesta vida, e o estado de felicidade dos justos — o seu próprio, o qual ele não esperava receber até que acordasse, isto é, somente depois da sua vida. — *John Howe*

v. 15: Há o sono da morte do espírito, do qual o brilho do semblante amoroso de Deus acorda o crente e reaviva o espírito dos arrependidos. Há o sono do corpo da morte, do qual a benignidade do Senhor despertará todos os seus no dia da ressurreição, quando Ele os transformará na própria similitude da sua santidade e felicidade gloriosa, com os quais ficarão plenamente satisfeitos para sempre. Este primeiro e segundo livramento de todas as dificuldades todo crente pode esperar e prometer para si mesmo: "Eu me satisfarei da tua semelhança quando acordar". — *David Dickson*

v. 15: Há um significado triplo neste versículo, já que é somente em Cristo, o primogênito dos mortos, a expressa imagem da glória do Senhor, que os santos ressuscitarão imortais e incorruptíveis e serão como os anjos nos céus. (1) Eles grandemente se deleitarão no estado glorioso no qual ressuscitarão.(2) Eles grandemente se deleitarão em Jesus, em quem e por quem a ressurreição e a imortalidade são trazidas à existência. (3) Eles grandemente se deleitarão ao verem o semblante santo e reconciliado do Senhor, o Pai, a quem os olhos carnais não podem ver. Esta é a diferença entre a manifestação de Deus para Israel no monte Sinai, e o estado feliz no qual os santos o verão na ressurreição. Por mais gloriosa que foi a cena no Sinai, o Senhor disse para Israel: "Semelhança [תְּמוּנָה, *t^e^mûnâ*, "aparência", "semblante"] nenhuma vistes" (Dt 4.15). Mas Davi fala da glória espiritual dos santos triunfantes na ressurreição, quando eles verão o Senhor como Ele é e se alegrarão para sempre e sempre na sua presença beatífica. — *Benjamim Weiss, in loc., 1858*

v. 15: A vida e salvação eterna nos céus não são verdades reveladas somente pelo Evangelho, pois eram bem conhecidas, claramente reveladas e firmemente cridas pelos santos de antigamente. Eles tinham a certeza de que viveriam para sempre com Deus na glória: "Eu me satisfarei da tua semelhança quando acordar" (Sl 17.15); "[Tu] me receberás em glória" (Sl 73.24); "Na tua presença há abundância de alegrias; à tua mão direita há delícias perpetuamente" (Sl 16.11). Eles buscam outro país, do qual Canaã era apenas tipo e sombra, como mostra o apóstolo na epístola aos Hebreus 11.16. Eles sabiam que havia um estado eterno de felicidade para os santos, como também um estado eterno de tormento para os ímpios. Eles já criam nisso naqueles dias. — *Samuel Mather, "Types" [Tipos], 1705*

SUGESTÕES AOS PREGADORES

v. 1. A voz de Jesus — a nossa Justiça — e a nossa voz. Elabore o pensamento de subir aos ouvidos celestiais, fazendo observações sobre as qualidades da oração, como indica a linguagem do salmista, em termos de seriedade, perseverança, sinceridade.
v. 2. "Saia a minha sentença de diante do teu rosto." (1) Quando virá. (2) Quem ousa tê-la agora. (3) Como estar entre eles.
v. 3. "Provaste o meu coração." O metal, a fornalha, o refinador.
v. 3. "Visitaste-me de noite." (1) Visitante glorioso. (2) Indivíduo querido. (3) Lugar peculiar. (4) Recordação refrescante. (5) Resultado prático.
v. 3. "O que pensei, a minha boca não transgredirá." As transgressões da boca e como evitá-las.
v. 4. O caminho e os atalhos. O mundo e o pecado. "As veredas do destruidor" — nome significativo para a transgressão.
v. 5. "Dirige." (1) Quem? Deus. (2) O quê? "Os meus passos." (3) Quando? Agora. (4) Onde? "Nos teus caminhos." (5) Para quê? "Para que as minhas pegadas não vacilem."

v. 5. Observemos Davi e aprendamos a orar como ele: "Dirige os meus passos nos teus caminhos, para que as minhas pegadas não vacilem". (1) Veja o percurso. Ele fala de "passos". A religião não permite que o homem fique sentado sem fazer nada. Ele fala que os passos eram dados "nos caminhos" de Deus. Os caminhos divinos em três aspectos: (a) O caminho dos seus mandamentos. (b) O caminho das suas ordenanças. (c) O caminho das suas dispensações. (2) A preocupação acerca deste percurso. É a linguagem de: (a) Convicção; (b) Apreensão; (c) Fraqueza; (d) Confiança. — *William Jay*

v. 6. Duas palavras ao mesmo tempo grandes e pequenas: "invoquei" e "ouvir". Duas pessoas, uma pequena, a outra grande: "Eu" e "te, [...] ó Deus". Dois aspectos verbais: passado: "invoquei", e futuro: "queres". Duas maravilhas: não pedir mais e Deus ouvir orações tão pouco indignas.

v. 7. "Faze maravilhosas as tuas beneficências." (ver Exposição). Uma visão das beneficências divinas desejadas.

v. 7. "Tu que livras aqueles que em ti confiam dos que se levantam contra a tua destra." Deus, o Salvador dos crentes.

v. 8. Dois emblemas muito sugestivos de ternura e cuidado. Em um caso, envolvendo unidade viva, como os olhos em relação ao corpo, e no outro, envolvendo relação amorosa, como o pássaro e seus filhotes.

v.14. "Homens do mundo, cuja porção está nesta vida." Quem eles? O que têm? Onde a têm? O que vem em seguida?

v. 14. "Homens, com a tua mão." Controle e uso providencial dos ímpios.

v. 15. (1) Esta é a linguagem: (a) do homem cuja opinião já está formada, que se decidiu, que não depende a conduta na decisão dos outros; (b) do homem que está subindo na vida e tem grandes perspectivas à frente. (2) É a linguagem do judeu.

v. 15. Contemplar a face de Deus significa duas coisas: (1) O prazer do seu favor; (2) A comunhão íntima com Ele. — *William Jay*

v. 15. Ver "Spurgeon's Sermons" [Os Sermões de Spurgeon], número 25. Título: "A Esperança da Felicidade Futura". Divisões. (1) O Espírito desta declaração. (2) O assunto. (3) O contraste implícito.

v. 15. Ver a Deus e ser como Ele, é o desejo do crente. — *J. Fawcett*

SALMO 18

TÍTULO

"Para o cantor-mor. Salmo do servo do SENHOR, Davi, que disse as palavras deste cântico ao SENHOR, no dia em que o SENHOR o livrou de todos os seus inimigos e das mãos de Saul." Temos outra forma deste salmo com variações significativas (2 Sm 22), o que sugere a ideia de que foi cantado por Davi em diferentes ocasiões quando revia a sua história e observava a mão graciosa de Deus em todas as coisas. Como diz a primeira linha do hino de Addison: "Quando todas as tuas misericórdias, ó meu Deus", este salmo é a canção de um coração grato e impressionado com o retrospecto das múltiplas e maravilhosas misericórdias de Deus. Nós o chamaremos de *O Retrospecto Agradecido*. O título merece atenção. Davi, embora nessa época já fosse rei, se chama de "servo do SENHOR", mas não menciona a realeza. Por conseguinte, deduzimos que ele contava muito mais honroso ser o servo do Senhor do que o rei de Judá. Discernimento sábio. Possuidor de um gênio poético, ele serviu a Deus compondo este salmo para uso da casa do Senhor. Não é trabalho medíocre administrar ou melhorar essa parte da adoração divina, o cântico dos louvores do Senhor. Quem dera que mais habilidades musicais e poéticas fossem consagradas, e que os nossos cantores-mores fossem adequados para receberem salmodia devota e espiritual. Observemos que as palavras desta canção não foram compostas com vistas a satisfazer o gosto dos homens, mas foram dirigidas ao Senhor. Seria bom termos um olhar exclusivo à honra do Senhor em nosso cantar e em todas as outras práticas sagradas. O louvor que não é dirigido única e sinceramente ao Senhor tem pouco valor. Davi pôde ser direto na gratidão, porque devia tudo a Deus. No dia do livramento, ele não devia gratidão a ninguém senão ao Senhor, cuja mão direita o guardara. Nós também devemos ter esse sentimento, pois somente a Deus somos devedores da maior dívida de honra e ação de graças. Se lembrarmos que os versículos 2 e 49 são citados no Novo Testamento (Hb 2.13; Rm 15.9) como palavras do Senhor Jesus, ficará claro que alguém maior do que Davi está aqui. Leitor, você não precisa de ajuda a este respeito:

Se você conhece Jesus, você prontamente o encontrará nas tristezas, livramentos e triunfos ao longo de todo este salmo maravilhoso.

DIVISÃO

Os versículos 1 a 3 são o prólogo ou prefácio que declara a decisão de bendizer a Deus. A misericórdia libertadora é poeticamente exaltada dos versículos 4 ao 19. Depois, nos versículos 20 a 28, o feliz cantor-poeta assegura que Deus agira corretamente ao favorecê-lo desta forma. Cheio de grata alegria, o salmista descreve o livramento e prenuncia as vitórias futuras nos versículos 29 a 45. No encerramento do salmo, Davi fala com evidente presciência profética acerca dos triunfos gloriosos do Messias, a semente de Davi e o ungido do Senhor.

EXPOSIÇÃO

1 *Eu te amarei do coração, ó Senhor, fortaleza minha.*

2 *O Senhor é o meu rochedo, e o meu lugar forte, e o meu libertador; o meu Deus, a minha fortaleza, em quem confio; o meu escudo, a força da minha salvação e o meu alto refúgio.*

3 *Invocarei o nome do Senhor, que é digno de louvor, e ficarei livre dos meus inimigos.*

1. *"Eu te amarei do coração, ó Senhor."* Com afeto intenso e amável me apego a ti, como o filho ao pai, ou o cônjuge ao cônjuge. A palavra é veementemente forçosa, o amor é do tipo mais profundo. "Eu te amarei de coração, desde as minhas mais profundas entranhas." Esta é a decisão firme de permanecer na mais próxima e íntima união com o Altíssimo. O nosso Deus trino merece o amor mais caloroso de todo o nosso coração. O Pai, Filho e Espírito têm cada um direito ao nosso amor. O propósito solene de nunca deixar de amar emana naturalmente do presente fervor afetivo. É errado tomar decisões apressadas, mas quando são tomadas na força de Deus são muito sábias e adequadas.

"Fortaleza minha." O nosso Deus é a força de nossa vida, nossa graça, nosso trabalho, nossa esperança, nosso conflito, nossa vitória. Este versículo não se acha em 1 Samuel 22, sendo adição muito preciosa, colocada acima de todos os versículos para, afinal de contas, formar o pináculo do templo, o ápice da pirâmide. O amor ainda é a graça culminante.

2. *"O Senhor é o meu rochedo, e o meu lugar forte."* Morando entre penhascos e fortalezas montanhosas de Judá, Davi conseguira escapar da maldade de Saul. Ele compara o seu Deus a um lugar de segurança. Os crentes estão escondidos no seu Deus do conflito de línguas e da fúria da tempestade. As fendas da Rocha dos séculos são lugares seguros.

"O meu libertador" que se interpõe em meus tempos de perigo. Quando quase capturado, o povo do Senhor é resgatado da mão dos poderosos por aquEle que é ainda mais poderoso. O título "libertador" contém muitos significados, sendo merecedor de estudos por parte de todos os santos experientes.

"O meu Deus." Este título é todas as coisas boas em um. Há uma riqueza ilimitada nesta expressão. Significa o meu bem perpétuo, imutável, infinito e eterno. Aquele que verdadeiramente pode dizer "o meu Deus" pode acrescentar "o meu céu, o meu tudo".

"A minha fortaleza." Na verdade, esta palavra hebraica significa "a minha rocha", no sentido de força e imobilidade. A minha confiança e sustento seguro, imutável e eterno. Assim, a ideia de *rocha* ocorre duas vezes, mas não é tautologia, pois a primeira vez se trata de um rochedo para alguém se esconder e a segunda, de uma rocha para firmeza e imutabilidade.

"Em quem confio." A fé tem de ser exercida, se não a preciosidade de Deus não é verdadeiramente conhecida. Deus tem de ser o objeto da fé, se não a fé é mera presunção.

"O meu escudo", que repele os golpes dos inimigos, protegendo-me da seta ou da espada. O Senhor abastece os guerreiros de armas ofensivas e defensivas. O nosso arsenal está como estoque cheio, de forma que ninguém precisa ir para a guerra desarmado.

"A força da minha salvação", que me capacita a derrubar os inimigos, e triunfar sobre eles com exultação santa.

"E o meu alto refúgio", uma alta cidadela construída em uma protuberância rochosa fora do alcance dos meus inimigos, de cuja altura olho sem alarme a fúria lá embaixo, e inspeciono um panorama de misericórdia que vai até as regiões agradáveis além do Jordão. São muitas palavras, no entanto não demais. Podemos examinar proveitosamente cada uma delas se tivermos tempo livre, mas, resumindo o todo, concluímos com Calvino que Davi está equipando o crente da cabeça aos pés.

3. *"Invocarei o nome do Senhor, que é digno de louvor, e ficarei livre dos meus inimigos."* Neste versículo, o poeta feliz resolve invocar o Senhor em cânticos joviais, crendo que o seu Deus o tratará tão bem em todos os conflitos futuros quanto o tratara no passado. É bom orar a Deus como alguém digno de louvor, pois então suplicamos de maneira feliz e confiante. Se percebo que posso e bendigo ao Senhor por toda a bondade do passado, tenho ousadia de pedir-lhe grandes coisas. A palavra "e" tem muito significado. Ser salvo cantando é ser realmente salvo. Muitos são salvos lamentando e duvidando. Mas Davi tinha tamanha fé, que podia lutar cantando, e vencer as batalhas com uma canção nos lábios. Que ato feliz é receber nova misericórdia com um coração ainda sentindo a misericórdia desfrutada, e esperar novas provações com a confiança fundamentada nas experiências transcorridas do amor divino!

Não há medo ou dúvida com Cristo ao nosso lado
Esperamos morrer, bradando: "O Senhor proverá"

4 *Cordéis de morte me cercaram, e torrentes de impiedade me assombraram.*

5 *Cordas do inferno me cingiram, laços de morte me surpreenderam.*

6 *Na angústia, invoquei ao SENHOR e clamei ao meu Deus; desde o seu templo ouviu a minha voz e aos seus ouvidos chegou o meu clamor perante a sua face.*

7 *Então, a terra se abalou e tremeu; e os fundamentos dos montes também se moveram e se abalaram, porquanto se indignou.*

8 *Do seu nariz subiu fumaça, e da sua boca saiu fogo que consumia; carvões se acenderam dele.*

9 *Abaixou os céus e desceu, e a escuridão estava debaixo de seus pés.*

10 *E montou num querubim e voou; sim, voou sobre as asas do vento.*

11 *Fez das trevas o seu lugar oculto; o pavilhão que o cercava era a escuridão das águas e as nuvens dos céus.*

12 *Ao resplendor da sua presença as nuvens se espalharam, e a saraiva, e as brasas de fogo.*

13 *E o SENHOR trovejou nos céus; o Altíssimo levantou a sua voz; e havia saraiva e brasas de fogo.*

14 *Despediu as suas setas e os espalhou; multiplicou raios e os perturbou.*

15 *Então, foram vistas as profundezas das águas, e foram descobertos os fundamentos do mundo; pela tua repreensão, SENHOR, ao soprar das tuas narinas.*

16 *Enviou desde o alto e me tomou; tirou-me das muitas águas.*

17 *Livrou-me do meu inimigo forte e dos que me aborreciam, pois eram mais poderosos do que eu.*

18 *Surpreenderam-me no dia da minha calamidade; mas o SENHOR foi o meu amparo.*

19 *Trouxe-me para um lugar espaçoso; livrou-me, porque tinha prazer em mim.*

Em linguagem mais poética, o salmista descreve as experiências tidas do poder libertador do Senhor. A poesia não tem em todos os seus tesouros uma pedra preciosa mais brilhante do que o soneto dos versículos examinados a seguir. A tristeza, o clamor, a descida do Divino e o salvamento do aflito são determinados a uma música digna das harpas de ouro. O Messias, nosso Salvador, é evidentemente — além de Davi ou outro crente — o tema principal e importante deste cântico. Quanto mais o estudávamos, mais seguros ficávamos de que cada linha poética tem o mais profundo e completo cumprimento em Jesus. Mas, como não desejamos estender o nosso comentário além de porções delimitadas e moderadas, temos de deixar ao leitor devoto a tarefa de fazer a aplicação da passagem ao nosso outrora afligido, porém hoje triunfante Senhor.

4. *"Cordéis de morte me cercaram"*. A morte, como conquistadora cruel, estava torcendo em volta dele as cordas da dor. Ele foi envolvido e confinado com mortes ameaçadoras do tipo mais apavorante. O salmista era como marinheiro açoitado pela tempestade e levado às pedras nos rochedos por terríveis ondas de arrebentação, brancas como os dentes da morte. Que situação terrível para o homem que era segundo o coração de Deus, mas é assim que o Senhor trata dos seus filhos.

"E torrentes de impiedade me assombraram." Correntezas de incredulidade ameaçavam submergir toda a religião, e acabar de vez com a esperança do homem devoto como algo a ser desprezado e desdenhado. Até agora esta ameaça estava sendo cumprida, pois até mesmo o herói que matou Golias começou a ter medo. O navio próprio para o alto-mar, às vezes, se torna difícil de pilotar quando o demônio da tempestade está a bordo. O homem mais corajoso que, como via de regra, sempre espera pelo melhor, às vezes, teme o pior. Leitor amado, aquele que escreve estas linhas sabe mais do que a maioria dos homens o que este versículo significa. Ele se sente inclinado a chorar, mais canta, enquanto comenta um texto tão descritivo sobre a própria experiência. Na noite do lamentável acidente no Surrey Music Hall, as torrentes de Belial foram soltas e as observações subsequentes de grande parte da imprensa foram extremamente maldosas e más. A nossa alma sentiu medo quando fomos cercados pelas tristezas da morte e as blasfêmias do cruel. Mas que misericórdia havia em tudo, e que mel de bondade o nosso Senhor extraiu deste leão da aflição! Com certeza, Deus me ouviu! Leitor, você está em apuros? Querido amigo aprenda com a nossa experiência a confiar no Senhor Jeová que não abandona os seus escolhidos.

5. *"Cordas do inferno me cingiram."* De todos os lados, os cães do inferno latiram furiosamente. Um cordão de demônios cercou o caçado homem de Deus. Toda rota de escape estava fechada. Satanás sabe bloquear as nossas costas com navios de ferro, os navios de guerra da tristeza. Mas, bendito seja Deus, o porto de todas as orações ainda está aberto, e a graça pode furar o bloqueio levando mensagens da terra para o céu e trazendo bênçãos do céu para a terra.

"Laços de morte me surpreenderam." O velho inimigo caça a presa, não só com os cães do canil infernal, mas também com as armadilhas da astúcia mortal. As redes foram se aproximando cada vez mais até fechar o círculo estreito impedindo a fuga do cativo:

As cordas do inferno foram enleadas em volta de mim
E as armadilhas da morte prenderam os meus passos.

Era desesperador o caso deste homem bom, tão desesperador quanto poderia, tão desesperador que nada senão o braço Todo-Poderoso poderia ser de serventia. De acordo com as quatro metáforas empregadas, ele foi preso como malfeitor para a execução, subjugado como marinheiro náufrago, cercado e imobilizado como antílope caçado, e capturado em rede como pássaro trêmulo. Que mais terrores e angústias ainda atingiriam a cabeça indefesa do infeliz?

6. *"Na angústia, invoquei ao Senhor e clamei ao meu Deus."* A oração é a portinhola oculta que fica aberta mesmo quando a cidade está rigorosamente sitiada pelo inimigo. É o caminho de saída da cova do desespero — o caminho que o mineiro espiritual percorre imediatamente quando as inundações subterrâneas irrompem e começam a subir. Observemos que primeiro ele invoca e depois clama. A oração cresce em veemência à medida que avança. Observemos também que o salmista primeiro invoca a Deus pelo nome de Senhor e depois, prosseguindo, clama usando um nome mais familiar, "meu Deus". A fé aumenta pelo exercício. Aquele a quem a princípio vimos como Senhor, logo nos damos conta de que Ele é o Deus da aliança. Nunca é tempo errado de orar. Não há angústia que nos impeça de tomar o remédio divino da súplica. Acima do barulho das furiosas ondas da morte, ou do latido dos cães do inferno, o clamor mais fraco do verdadeiro crente é ouvido no céu.

"Desde o seu templo ouviu a minha voz e aos seus ouvidos chegou o meu clamor perante a sua face." Bem no alto, entre os muros adornados com joias e pelas portas de pérola, foi ouvido o clamor do suplicante sofredor. A música dos anjos e a harmonia dos serafins são ineficazes para abafar ou mesmo prejudicar a voz do clamor humilde. O Rei o ouviu no palácio de luz inacessível, e emprestou atenção voluntária ao clamor do filho amado. Ó oração honrada que, pelo sangue de Jesus, pôde penetrar nos ouvidos e descer ao coração da deidade. A voz e o clamor são ouvidos diretamente pelo Senhor, não tendo de passar por meio de santos e intercessores.

"Chegou o meu clamor perante a sua face." A intervenção da oração com Deus é imediata e pessoal. Podemos clamar com impertinência confiante e familiar, enquanto o nosso Pai em pessoa ouve.

7. Não houve grande espaço entre o clamor e a resposta. O Senhor não é lento em suas promessas, mas é rápido em salvar os aflitos. Davi tem em mente as manifestações gloriosas de Deus no Egito, no Sinai e em ocasiões diferentes para com Josué e os juízes. Em sua opinião, o caso exibe a mesma glória de poder e bondade, e, portanto, pode ajustar ao hino de louvor as descrições antigas de demonstrações da majestade divina.

"Então, a terra se abalou e tremeu." Observemos como as coisas mais sólidas e imóveis sentem a força da súplica. A oração faz tremer casas, abrir portas da prisão e ceder corações robustos. A oração toca a campainha de alarme, e o Senhor da casa se levanta para salvar, fazendo tremer todas as coisas pelos passos que dá.

"E os fundamentos dos montes também se moveram e se abalaram, porquanto se indignou." AquEle que fixou as colunas do mundo pode fazê-las balançar nas bases, e soerguer os alicerces da criação. As enormes raízes das altíssimas montanhas são despedaçadas quando o Senhor se move com ira para golpear os inimigos do seu povo. Como pode o homem fraco insistir em enfrentar Deus, quando as próprias montanhas tremem de medo? Não sonhem os orgulhosos que a sua falsa confiança os sustentará no terrível dia da ira.

8. *"Do seu nariz subiu fumaça."* Este é um método oriental violento de expressar ira feroz. Levando em conta que a respiração das narinas é aquecida por forte emoção, a figura descreve o Libertador Todo-Poderoso exalando fumaça no calor da ira e na impetuosidade do zelo. Não há nada que deixe Deus tão irado quanto o dano causado aos seus filhos, "porque aquele que tocar em vós toca na menina do seu olho" (Zc 2.8). Deus não está sujeito às paixões que governam as criaturas, mas agindo com toda a energia e velocidade de alguém que está irado, Ele é habilmente apresentado na imagem poética adequada ao entendimento humano. A abertura dos lábios divinos é suficiente para destruir os inimigos.

"E da sua boca saiu fogo que consumia." Este fogo não era temporário, mas firme e duradouro.

"Carvões se acenderam dele." A passagem toda descreve a descida de Deus para ajudar os seus filhos, acompanhada por terremoto e tempestade. Pela majestade da

sua aparição, a terra balança, as nuvens se juntam como fumaça e raios devoram como fogo flamejante, deixando o mundo em chamas. Que grandeza de descrição! O bispo Mant muito admiravelmente escreve o versículo em versos:

Veio fumaça das suas narinas aquecidas,
E da sua boca chamas vorazes;
Carvões ardentes e quentes anunciam a sua ira,
E raios de fogo correm em disparada.

9. Entre o terror da tempestade, o Senhor, o Vingador, desceu, curvando debaixo dos pés o arco dos céus. *"Abaixou os céus e desceu."* Ele veio depressa, e afastou tudo que impedia a sua agilidade. A escuridão mais densa escondeu o seu esplendor, "e a escuridão estava debaixo de seus pés". Lutou no meio de vapores densos, como um guerreiro em meio de nuvens de fumaça e pó, e expôs o coração dos inimigos com a afiada cimitarra da vingança. A escuridão não é impedimento para Deus. As trevas mais densas Ele faz de tenda e pavilhão secreto. Repare como a oração move a terra e os céus, e levanta tempestades para destruir em um momento os inimigos do Israel de Deus. As coisas estavam ruins para Davi antes de ele orar, mas ficaram muito piores para os inimigos tão logo a petição subira aos céus. Um coração confiante, recrutando a ajuda divina, reverte à vantagem que os inimigos tenham. Se tenho de ter um inimigo que não seja um homem de oração, pois logo ele levará a melhor sobre mim invocando o seu Deus que entrará na disputa.

10. Há grandeza inimitável neste versículo. O sistema mosaico apresenta os querubins como o carro de Deus. Por isso, Milton, em *Paraíso Perdido*, escreve sobre o grande Pai:

Dos querubins nas flamejantes penas,
Ornado todo co'a paterna glória,
Voa e se entranha na extensão do Caos.

Sem especular sobre o assunto misterioso e muito disputado dos querubins, basta observar que os anjos são indubitavelmente nossos guardas e amigos ministradores, e todo o poder que eles têm é recrutado para acelerar o salvamento do aflito.

"E montou num querubim e voou." A natureza também envia todos os seus agentes para serem os nossos ajudantes, e até as potestades do ar são subservientes: "Sim, voou sobre as asas do vento". O Senhor vem voando quando a misericórdia está em missão divina, mas Ele demora-se bastante quando os pecadores estão sendo cortejados ao arrependimento. O voo descrito é tão majestoso quanto rápido. "Voar amplamente" é a tradução de Sternhold, a qual não está longe do correto. Como a águia plana em grandeza natural com asas estendidas, sem agitação e esforço violento, assim vem o Senhor com majestade da onipotência para ajudar os que são dEle.

11. *"Fez das trevas o seu lugar oculto; o pavilhão que o cercava era a escuridão das águas e as nuvens dos céus."* A tempestade engrossou e as nuvens verteram torrentes de chuva combinadas para formar a câmara secreta do Deus invisível, mas que opera maravilhas. "Empavilhado em trevas impérvias" a fé o viu, mas nenhum outro olho poderia contemplar através da "escuridão das águas" e pelas "nuvens dos céus". Benditas são as trevas que encortinam o meu Deus. Se não posso vê-lo, é bom saber que Ele está trabalhando em segredo para o meu bem eterno. Até o tolo crê que Deus está no sol e na calma, mas a fé é sábia, e o discerne na escuridão terrível e na tempestade ameaçadora.

12. *"Ao resplendor da sua presença as nuvens se espalharam, e a saraiva, e as brasas de fogo."* De repente, a artilharia terrível dos céus foi descarregada. O resplendor dos raios iluminou as nuvens como com a glória procedente do Senhor,

que estava oculto no pavilhão nublado. Chuvas de saraiva e brasas de fogo foram lançadas sobre o inimigo. Os raios pareciam partir as nuvens e acendê-las em chamas, e depois saraiva e brasas de fogo com relâmpagos de grandeza incrível aterrorizaram os filhos dos homens.

13. Por todo esse resplendor de tempestade ressoou o trovão terrível: *"E o Senhor trovejou nos céus; o Altíssimo levantou a sua voz"*. Acompanhamento adequado para as chamas da vingança. Como os homens suportarão ouvir este trovão quando no fim lhes for dirigida a proclamação do destino que terão, pois mesmo agora eles ficam com o coração na boca por só o ouvirem murmurando de longe? Em todo este terror, Davi achou um tema para o cântico, e assim todos os crentes acham nos terrores de Deus um tema para o louvor santo. "Saraiva" e "brasas de fogo" são mencionadas duas vezes (vv. 12, 13) para mostrar a certeza de que estão na mão divina e de que são as armas da vingança dos céus. Horne observa que "todo temporal deveria nos fazer lembrar esta exibição de poder e vingança, que no futuro terá de acompanhar a ressurreição de todos". Também para mostrar a certeza do verdadeiro poder daquEle que é nosso Pai e nosso amigo, tendendo firmar-nos enquanto luta as nossas batalhas. O príncipe das potestades do ar logo é desalojado quando a carro querúbico anda pelos seus domínios. Portanto, não permitamos que as legiões do inferno nos causem desânimo. AquEle que está conosco é maior do que todos aqueles que estão contra nós.

14. *"Despediu as suas setas e os espalhou; multiplicou raios e os perturbou."* Os raios foram arremessados como setas bifurcadas contra os exércitos do inimigo, e imediatamente "os espalhou". Os pecadores orgulhosos provam ser grandes covardes quando o Senhor entrar em combate com eles. Eles menosprezam as palavras divinas, e são muito ousados de língua, mas quando se trata de ataques eles fogem sem pensar duas vezes. As chamas brilhantes e os tremendos raios de fogo foram algo que "os perturbou". Deus nunca se perturba; nunca está com falta de armas. "Ai daquele que contende com o seu Criador" (Is 45.9). As setas de Deus nunca erram o alvo. Estão emplumadas com o raio e farpadas com a morte eterna. Corra, ó pecador, para a rocha de refúgio antes que estas setas cravejem profundamente a tua alma.

15. Foi tão tremendo o choque do ataque armado de Deus que a ordem da natureza mudou e o leito dos rios e dos mares ficou exposto. *"Então, foram vistas as profundezas das águas"* e soerguidas as profundas vísceras cavernosas da terra até que "foram descobertos os fundamentos do mundo". O que não fará a "repreensão" do Senhor? Se o "soprar das tuas narinas", ó Senhor, é tão terrível, o que dizer da ação do teu braço? São inúteis os esforços dos homens em esconder qualquer coisa daquEle cuja palavra desobstrui o abismo e ergue as portas da terra das dobradiças. São vãs todas as esperanças de resistência, pois basta um sussurro da voz divina para que a terra inteira trema de medo aterrador.

16. Agora chega o salvamento. O Autor é divino: *"enviou"*; o trabalho é divino: *"desde o alto"*; a libertação é maravilhosa: "tirou-me das muitas águas". Aqui Davi foi como outro Moisés — tirado das águas. Assim são todos os crentes como o seu Deus, cujo batismo em muitas águas da agonia e no seu sangue nos resgatou da ira por vir. As torrentes do mal não submergirão o homem cujo Deus se assentou sobre o dilúvio para conter-lhe a fúria (Sl 29.10).

17. *"Livrou-me do meu inimigo forte e dos que me aborreciam, pois eram mais poderosos do que eu."* Quando formos salvos, temos de tomar cuidado para designar toda a glória a Deus, confessando a nossa própria fraqueza e lembrando-nos dos poderes do inimigo conquistado. O poder de Deus deriva honra de todos os incidentes do conflito. Nosso grande adversário espiritual é realmente um "inimigo forte", muito forte para criaturas pobres e fracas como nós. Mas temos sido libertos até agora e seremos até ao fim. A nossa fraqueza é razão para a ajuda divina. Observe a força do "pois" no texto.

18. *"Surpreenderam-me no dia da minha calamidade."* Era um dia mau, um dia de calamidade, do qual os inimigos maus tiraram proveito enquanto se serviam de métodos astuciosos exclusivamente para arruinar Davi. Contudo, ponderou ele: "Mas o Senhor foi o meu amparo". Que bendito "mas" que desfaz o nó górdio e mata a hidra de cem cabeças! Inexiste medo de não haver libertação quando o nosso amparo é o Senhor.

19. *"Trouxe-me para um lugar espaçoso."* Depois de por certo tempo anelar por libertação na prisão, José alcançou o palácio. Davi, da caverna de Adulão, subiu ao trono. É doce o prazer depois da dor. O espaço amplo é mais delicioso depois de tempos de pobreza apertada e prisão estreita. Almas sitiadas se deleitam nos campos amplos da promessa, quando Deus expulsa o inimigo e escancara as portas da cidade cercada. O Senhor não deixa o trabalho pela metade, pois tendo derrotado o inimigo Ele conduz o cativo em liberdade. É de fato grande a posse e espaçoso o lugar do crente em Jesus, não havendo necessidade de limite à paz, pois não há limite para o seu privilégio.

"Livrou-me, porque tinha prazer em mim." A graça livre está na fundação. Sustentada e segura, a graça soberana é a verdade que está na base de toda misericórdia. Áreas profundas no oceano da generosidade divina sempre expõem as pérolas da eleição, discriminando o amor. Por que o Senhor se agradaria de nós é uma pergunta que não tem resposta, e um mistério que os anjos não podem resolver. Mas é certo que Ele tem prazer nos seus amados, sendo a raiz frutífera de bênçãos tão numerosas quanto preciosas. Crente, pare e medite intimamente nas frases instrutivas que estamos estudando. Aprenda a ver o amor incriado de Deus como a causa de toda a bondade da qual somos participantes.

20 *Recompensou-me o Senhor conforme a minha justiça e retribuiu-me conforme a pureza das minhas mãos.*

21 *Porque guardei os caminhos do Senhor e não me apartei impiamente do meu Deus.*

22 *Porque todos os seus juízos estavam diante de mim, e não rejeitei os seus estatutos.*

23 *Também fui sincero perante ele e me guardei da minha iniquidade.*

24 *Pelo que me retribuiu o Senhor conforme a minha justiça, conforme a pureza de minhas mãos perante os seus olhos.*

25 *Com o benigno te mostrarás benigno; e com o homem sincero te mostrarás sincero;*

26 *com o puro te mostrarás puro; e com o perverso te mostrarás indomável.*

27 *Porque tu livrarás o povo aflito e abaterás os olhos altivos.*

28 *Porque tu acenderás a minha candeia; o Senhor, meu Deus, alumiará as minhas trevas.*

20. *"Recompensou-me o Senhor conforme a minha justiça."* Vendo este salmo como salmo profético do Messias, compreendemos estas declarações expressas fortemente segundo a justiça, porque as suas roupas eram brancas como a neve. Mas consideradas como linguagem de Davi, elas têm desconcertado a muitos. Contudo, o caso fica claro e — se as palavras não forem forçadas além da intenção original — não há a menor dificuldade. A dispensação da graça divina é no mais elevado grau soberano e independente do mérito humano. No entanto, descobrimos nos procedimentos da providência uma regra pela qual, por mais que demore, o ferido é vingado, e o justo, liberto. As primeiras dificuldades de Davi surgiram da maldade ímpia do Saul invejoso, que sem dúvida o perseguia sob o pretexto da acusação levantada contra o caráter do homem que era segundo o coração de Deus (cf. 1 Sm 13.14; At 13.22). Davi declara que estas acusações eram totalmente falsas, e afirma que possuía uma justiça dada pela graça que o Senhor o recompensou em oposição a todos que o caluniavam. Diante de Deus,

o salmista era um pecador humilde, mas diante dos caluniadores, ele podia falar com face desavergonhada sobre a "pureza" das suas mãos e a "justiça" da sua vida. Pouco sabe do poder santificador da graça divina, que não pode no foro da justiça humana pleitear inocência. Não há hipocrisia no homem honesto que sabe que é honesto, nem em sua fé de que Deus o recompensa em providência por causa da sua honestidade, pois tal questão é trivial. Mas seria realmente hipocrisia se transferíssemos tais pensamentos da região do governo providencial para o reino espiritual, pois ali reina a graça não só de maneira suprema, mas exclusiva quanto à distribuição dos favores divinos. De forma alguma é oposição à doutrina da salvação pela graça e não há nenhum tipo de evidência de espírito hipócrita, quando o homem da graça, tendo sido caluniado, mantém resolutamente a integridade e defende vigorosamente o caráter. O homem espiritual tem uma consciência clara e sabe o que é ser reto. Deve ele negar a própria consciência e menosprezar a obra do Espírito Santo para hipocritamente se fazer pior do que é? O homem espiritual tem em alta conta a integridade, caso contrário não seria homem espiritual. Deve ele ser chamado de orgulhoso, por não perder prontamente a joia de um caráter respeitável? O homem espiritual vê que na providência divina, é certo que a retidão e a verdade lhe darão em longo prazo a sua recompensa. Não pode ele, quando vir essa recompensa dada no seu caso, louvar ao Senhor por isso? Mais exatamente, não deve ele mostrar a fidelidade e a bondade do seu Deus? Leia o grupo de expressões neste e nos versículos seguintes como o cântico de uma boa consciência, depois de ter se saído melhor e em segurança de uma tempestade de insultos, perseguições e abusos, e não haverá medo se censurarmos o escritor como alguém que fixou muito alto o valor do seu caráter moral.

21. *"Porque guardei os caminhos do Senhor e não me apartei impiamente do meu Deus."* O salmista repete a afirmação de pureza, tanto de forma positiva quanto negativa. Há aspectos positivos e negativos, ambos os quais devem ser misturados em uma vida verdadeiramente santificada. A graça limitadora e restringente tem de cada uma tomar a sua parte. As palavras deste versículo se referem ao santo como viajante que se guarda cuidadosamente nos "caminhos do Senhor", e "não [...] impiamente", quer dizer, proposital, acintosa, persistente e desafiadoramente abandonando o caminho ordenado no qual Deus favorece o peregrino com a sua presença. Observemos que na expressão "e não me apartei impiamente do meu Deus" está implícito que Davi habitualmente vivia em comunhão com Deus e o conhecia como o seu Senhor, sobre quem Ele podia usar o título: "o meu Deus". Deus nunca abandona o seu povo, então que o seu povo tome cuidado para não se apartar de Deus.

22. *"Porque todos os seus juízos estavam diante de mim."* A palavra, o caráter e as ações de Deus deveriam estar sempre diante dos nossos olhos. Aprendamos, consideremos e reverenciemo-los. Os homens se esquecem do que não querem se lembrar, mas os atributos excelentes do Altíssimo são objetos de admiração afetuosa e prazerosa para o crente. Mantenhamos constantemente a imagem de Deus diante de nós para que, em nosso ritmo, nos conformemos a ela. Este amor interior ao que é certo tem de ser a principal fonte de integridade cristã em nosso andar público. A fonte deve ser cheia de amor à santidade, e então as correntes que emanam dela serão puras e graciosas.

"E não rejeitei os seus estatutos." Colocar de lado a Bíblia do estudo interior é o modo certo de evitar que ela influencie as relações exteriores. Os apóstatas começam com Bíblias poeirentas e passam para vestimentas imundas.

23. *"Também fui sincero perante ele."* A sinceridade é aclamada. Mas a sinceridade considerada genuína diante do tribunal de Deus. Seja qual for o mal que os homens pensem de Deus, Davi sabia que tinha boa opinião acerca do seu Senhor. Além disso, tendo sido liberto do seu grande pecado importunador, ele se arrisca

a alegar: "E me guardei da minha iniquidade". É sinal de muita graça quando as partes mais violentas de nossa natureza foram bem guardadas. Se o elo mais fraco da corrente não se romper, os elos mais fortes estarão seguros. O temperamento impetuoso de Davi poderia tê-lo levado a matar Saul, quando o tinha em mãos, mas a graça capacitou-o a manter as mãos limpas do sangue do inimigo. Mas como foi maravilhoso e como era digno de tal registro feliz, conforme mostram estes versículos! Será estimulante e agradável recordarmos um destes dias as negações de nós mesmos e bendizermos a Deus por podermos citá-las.

24. *"Pelo que me retribuiu o Senhor conforme a minha justiça, conforme a pureza de minhas mãos perante os seus olhos."* Primeiro Deus nos dá santidade, e depois nos recompensa por ela. Somos obra das suas mãos, vasos feitos para honra. E, tendo sido feitos, a honra não é retraída do vaso, embora, na realidade, tudo pertença ao Oleiro em cuja roda o vaso foi formado. O preço é outorgado à flor que está visível, mas foi o jardineiro que 1 1lantou e cuidou. A criança ganha o louvor do professor, mas a verdadeira honra do aprendizado está com o professor, ainda que em vez de receber a recompensa ele a dá.

25. Os procedimentos do Senhor no caso de Davi fazem o cantor grato lembrar-se da regra do governo moral de Deus. Ele é justo nos procedimentos para com os filhos dos homens, e dá a cada um de acordo com a sua capacidade.

"Com o benigno te mostrarás benigno; e com o homem sincero te mostrarás sincero." Todo homem terá a carne pesada de acordo com a sua própria balança, o trigo dado de acordo com o seu próprio cesto e a terra medida de acordo com a sua própria vara. Não há regra que seja mais justa, pois para os ímpios será muito terrível e para os generosos, muito honrável. Como podem os homens jogar fora os pesos e medidas adulterados, se eles não tiverem certeza de que no fim serão perdedores pelos próprios truques enganosos? Note que até o misericordioso precisa de misericórdia. Não há quantidade de generosidade para os pobres, ou de perdão para os inimigos que nos coloque acima da necessidade de misericórdia. "Ó Deus, tem misericórdia de mim, pecador!" (Lc 18.13).

26. *"Com o puro te mostrarás puro; e com o perverso te mostrarás indomável."* O caráter indômito do pecador é pecado e rebeldia. O único sentido no qual o termo pode ser aplicado ao Deus Santíssimo é a oposição e severidade judicial, na qual o Juiz de toda a terra age incoerentemente com o ofensor para que este veja que todas as coisas não são subservientes aos caprichos vis e imaginações voluntariosas. Galvin diz muito categoricamente: "Esta estupidez bruta e monstruosa nos homens força Deus a inventar novas maneiras de expressão, como se Ele tivesse se vestido de um caráter diferente. Há uma oração semelhante em Levítico 26.21-24, onde Deus diz: "E, se andardes contrariamente [ou perversamente] para comigo [...] eu também convosco andarei contrariamente [ou perversamente, ou rudemente, ou impetuosamente]". Como se Deus tivesse dito que, da sua parte, a obstinação e teimosia o fariam esquecer-se da habitual paciência e bondade, e o deixaria indiferente ou impetuoso contra os homens. Vemos então o que os teimosos por fim ganham por serem teimosos, ou seja, que Deus se endurece ainda mais para quebrá-los em pedaços. Se forem de pedra, Deus faz com que sintam que Ele tem a dureza do ferro. A tradição judaica dizia que o maná tinha o gosto de acordo com a boca de cada um. Certamente, Deus se mostra individualmente de acordo com o caráter de cada um.

27. *"Porque tu livrarás o povo aflito."* Esta é a garantia consoladora para os pobres de espírito, cujas aflições espirituais não admitem consolo suficiente que não da mão divina. Não podem se salvar nem os outros podem, mas Deus os salvará.

"E abaterás os olhos altivos." Aqueles que olham com desprezo os outros logo serão olhados com desprezo. O Senhor detesta o olhar orgulhoso. Que razão para arrependimento e humilhação! É muito melhor ser humilde do que provocar Deus para

nos humilhar na sua ira! Nesta passagem, ocorre um número considerável de verbos no tempo futuro. Desta forma, somos insistentemente lembrados que a nossa alegria ou tristeza presente não terá muito peso conosco quanto o grande e eterno futuro!

28. *"Porque tu acenderás a minha candeia; o Senhor, meu Deus, alumiará as minhas trevas."* Até os filhos do dia, às vezes, precisam da luz da candeia. Na hora mais escura, a luz surgirá. Uma candeia se acenderá, sendo confortável usá-la adequadamente sem desonestidade, pois será a nossa própria candeia. Mas o próprio Deus achará o fogo santo com o qual a candeia será acesa. As nossas evidências são nossas, no entanto a luz confortável é de acima. As candeias acesas por Deus não podem ser apagadas pelo Diabo. Todas as candeias não estão brilhando, assim há certas graças que atualmente não estão dando conforto. Contudo é bom ter candeias que sejam acesas pouco a pouco, e é bom possuir graças que ainda possam nos oferecer evidências consoladoras. A metáfora do versículo está fundamentada na natureza dolorosa da escuridão e na delícia da luz: "Verdadeiramente suave é a luz, e agradável é aos olhos ver o sol" (Ec 11.7). Mesmo assim, a presença do Senhor remove toda a escuridão da tristeza, e capacita o crente a alegrar-se. A iluminação da lâmpada oferece momentos alegres em noites de inverno, mas o acendimento da luz do semblante de Deus oferece muito mais alegria. Dizem que os pobres do Egito deixam de comer pão para comprar óleo para as lâmpadas, a fim de não terem de sentar-se no escuro. Bem que poderíamos nos dispor a nos separar dos confortos terrenos para que a luz do amor de Deus constantemente alegre a nossa alma.

29 *Porque contigo entrei pelo meio de um esquadrão e com o meu Deus saltei uma muralha.*

30 *O caminho de Deus é perfeito; a palavra do SENHOR é provada; é um escudo para todos os que nele confiam.*

31 *Porque, quem é Deus senão o SENHOR? E quem é rochedo senão o nosso Deus?*

32 *Deus é o que me cinge de força e aperfeiçoa o meu caminho.*

33 *Faz os meus pés como os das cervas e põe-me nas minhas alturas.*

34 *Adestra as minhas mãos para o combate, de sorte que os meus braços quebraram um arco de cobre.*

35 *Também me deste o escudo da tua salvação; a tua mão direita me susteve, e a tua mansidão me engrandeceu.*

36 *Alargaste os meus passos e os meus artelhos não vacilaram.*

37 *Persegui os meus inimigos e os alcancei; não voltei, senão depois de os ter consumido.*

38 *Atravessei-os, de sorte que não se puderam levantar; caíram debaixo dos meus pés.*

39 *Pois me cingiste de força para a peleja; fizeste abater debaixo de mim aqueles que contra mim se levantaram.*

40 *Deste-me também o pescoço dos meus inimigos, para que eu pudesse destruir os que me aborrecem.*

41 *Clamaram, mas não houve quem os livrasse; até ao SENHOR, mas ele não lhes respondeu.*

42 *Então, os esmiucei como o pó diante do vento; deitei-os fora como a lama das ruas.*

43 *Livraste-me das contendas do povo e me fizeste cabeça das nações; um povo que não conheci me servirá.*

44 *Em ouvindo a minha voz, me obedecerão; os estranhos se submeterão a mim.*

45 *Os estranhos decairão e terão medo nas suas fortificações.*

Algumas repetições não são vãs repetições. Refletir e voltar a refletir sobre a misericórdia de Deus devem ser e frequentemente são as nossas melhores ações. A nossa gratidão fica cada vez mais forte e mais agradável quando meditamos na bondade divina. Os versículos que analisaremos agora são os frutos maduros de um espírito grato. Quanto ao assunto, são maçãs de ouro, e quanto à linguagem, são colocados em cestas de prata. Descrevem a carreira vitoriosa dos crentes e a confusão dos inimigos.

29. *"Porque contigo entrei pelo meio de um esquadrão e com o meu Deus saltei uma muralha."* Quer enfrentemos os inimigos em campo aberto ou saltemos sobre eles, quando nos espreitam por atrás das ameias da cidade, venceremos pela graça de Deus em qualquer caso. Se eles nos cercam com legiões vivas, ou nos circundam com muros de pedra, obteremos com igual certeza a nossa liberdade. Já fizemos tais feitos, abrindo caminho correndo por meio de exércitos de dificuldades e escalando impossibilidades aos saltos. Os guerreiros de Deus experimentarão todo tipo de luta, e pelo poder da fé terão de determinar livrarem-se como os homens. No entanto cabe a eles ser extremamente cuidadosos em pôr todos os lauréis aos pés do Senhor, cada um dizendo: "Com o meu Deus" fiz esta ação valorosa. O nosso *spolia opima* — os troféus de nossos conflitos — pelo qual dedicamos ao Deus das Batalhas e lhe atribuímos toda a glória e força.

30. *"O caminho de Deus é perfeito."* Muito acima de falta e erro estão os procedimentos de Deus para com o seu povo. Todas as ações são resplandecentes com justiça, verdade, ternura, misericórdia e santidade. Todo caminho de Deus é completo em si mesmo, e todos os seus caminhos reunidos são inigualáveis em termos de harmonia e bondade. É muito consolador crermos que aquEle que começou a nos abençoar aperfeiçoará a sua obra, pois todos os seus caminhos são perfeitos. A palavra divina sempre deve estar acompanhada com os seus cânticos de louvor.

"A palavra do Senhor é provada" como prata refinada no forno. As doutrinas são gloriosas, os preceitos são puros, as promessas são fiéis e a revelação toda é superlativamente cheia de graça e verdade. Davi a provara, milhares de crentes a provaram também, nós a provamos e nunca falhou. Foi acertado que quando caminho e Palavra foram enaltecidos, o próprio Senhor seria enaltecido.

Por conseguinte, o salmista acrescenta: *"É um escudo para todos os que nele confiam"*. Não há armadura de ferro ou escudo de bronze que proteja tão bem o guerreiro como o Deus da aliança de Israel protege o seu povo guerreiro. Ele o escudo dos confiantes. Que pensamento! Que paz desfruta toda alma que confia no Senhor!

31. Tendo mencionado o seu Deus, o coração do salmista arde e as palavras incendeiam. Ele desafia os céus e a terra a acharem outro ser digno de adoração ou confiança em comparação ao Senhor. O seu Deus, como diz Matthew Henry, é inigualável. Os ídolos dos gentios não são dignos nem de citação, desprezando-os todos como nada quando se trata da deidade.

"Porque, quem é Deus senão o Senhor?" Quem mais cria, sustenta, prevê e predomina? Quem senão aquEle que é perfeito em todos os atributos e glorioso em todos os atos? A quem senão ao Senhor as criaturas devem se curvar? Quem mais pode reivindicar o serviço e o amor da criação?

"E quem é rochedo senão o nosso Deus?" Onde mais podemos pôr a nossa esperança duradoura? Onde a alma acha descanso? Onde encontramos estabilidade? Onde a força se revela? Com certeza, só no Senhor Jeová encontramos descanso e refúgio.

32. Inspecionando toda a armadura com a qual Davi lutou, o vencedor alegre louva ao Senhor por cada peça da panóplia. O cinto dos lombos ganha a primeira estrofe: "Deus é o que me cinge de força e aperfeiçoa o meu caminho". Cingindo os lombos com o poder dos céus, o guerreiro estava cheio de vitalidade, muito acima de todo poder criado. Por outro lado, sem este cinto maravilhoso, ele teria sido fraco e deficiente, com energia relaxada e força dispersa. Mas, quando envolvido com o cinto de verdade, ele sentia que era de propósito compacto, de ousadia corajosa e de poder concentrado. Desta forma, o percurso foi um sucesso completo, sem ter sido perturbado por derrota desastrosa, chegando ao ponto de ser chamado de

perfeito. Somos mais do que vencedores sobre o pecado, e a nossa vida até aqui se tornou digna do Evangelho? Então, atribuamos toda a glória a Deus que nos cinge com a sua própria força inesgotável para que sejamos invencíveis na batalha e incansáveis na peregrinação.

33. Os pés do vencedor foram calçados pelas mãos divinas, tendo o próximo texto de se referir a eles: *"Faz os meus pés como os das cervas e põe-me nas minhas alturas"*. Ao perseguir os inimigos, o guerreiro fora ligeiro de pés como os do cabrito novo. Todavia, em vez de ter prazer nas pernas do homem, ele designa o benefício da velocidade unicamente ao Senhor. Quando os nossos pensamentos são ágeis e o nosso espírito veloz, como os "carros do meu povo excelente" (Ct 6.12), não nos esqueçamos de que a mão do nosso querido Amado nos deu o favor escolhido. Escalando fortalezas inconquistáveis, Davi fora guardado de escorregar e os pés lhe foram firmados aonde cabras selvagens dificilmente vão. Nisso se manifestou a misericórdia protetora. Nós também tivemos as nossas alturas de honra, serviço, tentação e perigo, porém até aqui fomos guardados de cair. Traga a harpa para cá, e imitemos a ação de graças jovial do salmista. Tivéssemos caído, os nossos gemidos teriam sido terríveis. Considerando que estamos de pé, que a nossa gratidão seja fervorosa.

34. *"Adestra as minhas mãos para o combate"*. A coragem e perícia no uso de armas são gratamente reconhecidas como resultado do ensino divino. Não há sacrifício que seja oferecido no santuário do eu em louvor da destreza natural ou aptidão adquirida. Todavia, quando consideramos toda bravura bélica como um presente do favor divino, apresentamos gratidão ao Doador. O Espírito Santo é o grande instrutor de exercícios militares para os soldados celestiais.

"De sorte que os meus braços quebraram um arco de cobre." Arcos de cobre dificilmente podem ser vergados apenas pela força dos braços. O arqueiro tinha de ganhar a ajuda dos pés. Era um grande feito de força vergar o arco, quanto mais quebrá-lo pelo meio. O salmista não só arrebatava o arco das mãos dos inimigos, mas o inutilizava, quebrando-o em pedaços. Jesus não só destruiu as sugestões inflamadas de Satanás, mas também despedaçou os argumentos com as quais ele as lançava, usando a Santa Bíblia contra o inimigo. Pelo mesmo método, podemos obter triunfo igual, quebrando o arco e partindo a lança em dois pedaços através do corte afiado da verdade revelada. Davi provavelmente tinha por natureza uma constituição física vigorosa, entretanto é mais provável que, como Sansão, ele era por vezes revestido com força mais do que comum. Seja como for, ele designa a honra dos feitos inteiramente ao seu Deus. Que jamais sejamos perniciosos em privar do Senhor aquilo que lhe é devido, mas sejamos fiéis em lhe dar a glória que é devido ao seu nome.

35. *"Também me deste o escudo da tua salvação."* Acima de tudo, temos de tomar o escudo da fé, pois nada mais pode apagar os dardos inflamados de Satanás. Este escudo é de artesanato celestial, sendo em todos os casos um presente direto do próprio Deus. É o canal, o sinal, a garantia e a certeza da salvação perfeita.

"A tua mão direita me susteve." A graça protetora de Deus administra o sustento secreto para nós e, ao mesmo tempo, a providência amavelmente nos presta socorro evidente. Somos tão bebês que não podemos ficar sozinhos. No entanto quando a mão direita do Senhor nos sustenta, somos como colunas de bronze que permanecem impassíveis.

"E a tua mansidão me engrandeceu." Há várias leituras desta frase. A palavra hebraica traduzida por *mansidão* também pode ser traduzida por "bondade". Davi viu muita benevolência na ação de Deus para com ele, e agradecidamente atribuiu toda a grandeza não à bondade própria, mas à bondade divina. "Providência" é outra opção tradutória, a qual não é nada mais que bondade em ação. A bondade é o broto do qual a providência é a flor, ou a bondade é a semente da qual a providência é a colheita. Certos estudiosos traduzem a palavra por "ajuda", que é apenas outra

palavra para referir-se à providência, sendo a providência a aliada firme dos santos, que os ajuda no serviço do seu Deus. Certos comentaristas cultos afirmam que a palavra significa "humildade". "Condescendência" talvez sirva de leitura inclusiva, combinando as ideias que ele já mencionou, como também a ideia de humildade. É Deus se fazendo pequeno que é a causa de nós termos sido engrandecidos. Somos tão pequenos que se Deus manifestasse a sua grandeza sem condescendência, seríamos pisoteados sob os seus pés.

Mas Deus, que tem de se inclinar para ver os céus e se abaixar para ver o que os anjos fazem, olha para os humildes e arrependidos, e os engrandece. Estas são traduções dadas ao texto adotado do original, porém também encontramos outras leituras, por exemplo, a versão da Septuaginta: "A tua disciplina [a tua correção paternal] me engrandeceu", enquanto a paráfrase aramaica traduz: "A tua palavra me engrandeceu". A ideia ainda é a mesma. Davi designa toda a sua grandeza à bondade e generosidade condescendente do Pai celestial. Sintamos este sentimento entrar em nosso coração, e confessemos que seja qual for a bondade ou grandeza Deus tenha nos dado, lancemos as nossas coroas aos pés dEle, bradando: "A tua mansidão me engrandeceu".

36. *"Alargaste os meus passos e os meus artelhos não vacilaram."* Um caminho plano que conduz a possessões espaçosas e lugares amplos de acampamento fora aberto para Davi. Em vez de se enfiar nos estreitos caminhos das montanhas, e esconder-se nas fendas e cantos das cavernas, ele podia cruzar as planícies e morar debaixo da sua própria videira e figueira. Não é pequena misericórdia sermos levados à plena liberdade e engrandecimento cristãos, mas ainda é bênção ainda maior ter a permissão de entrar meritoriamente em tal liberdade, não sendo proibido o vacilo dos artelhos. Levante-se nas pedras da aflição é o resultado de apoio gracioso, mas essa ajuda é muito necessária nas planícies luxuosas da prosperidade.

37. *"Persegui os meus inimigos e os alcancei; não voltei, senão depois de os ter consumido."* A preservação dos santos não é bom prenúncio para os adversários. Os amalequitas pensaram que tinham se dado bem com o saque, mas quando o Deus de Davi o guiou a persegui-los, eles foram logo alcançados, atacados repentinamente e despedaçados. Quando Deus está conosco, os pecados e as tristezas fogem, e todas as formas de males são consumidas diante do poder da graça. Que quadro nobre este e os versículos seguintes apresentam sobre as vitórias de nosso glorioso Senhor Jesus!

38. *"Atravessei-os, de sorte que não se puderam levantar; caíram debaixo dos meus pés."* A destruição de nossos inimigos espirituais é completa. Exultemos sobre o pecado, a morte e o inferno, pois o nosso Senhor vencedor os desarmou e incapacitou para nós. Que Deus graciosamente dê a eles derrota igual dentro de nós.

39 e 40. *"Pois me cingiste de força para a peleja; fizeste abater debaixo de mim aqueles que contra mim se levantaram. Deste-me também o pescoço dos meus inimigos, para que eu pudesse destruir os que me aborrecem."* É impossível ser excessivamente cumpridor do dever de designar todas as vitórias ao Deus de nossa salvação. É verdade que temos de lutar contra os nossos antagonistas espirituais, no entanto o triunfo é do Senhor. Não nos orgulhemos como os entusiastas ambiciosos da vanglória, mas exultemos como instrumentos dispostos e crentes nas mãos de Deus para realizar os seus grandes desígnios.

41. *"Clamaram, mas não houve quem os livrasse; até ao Senhor, mas ele não lhes respondeu."* A oração é arma tão notável que até os ímpios a usam quando acossados pelo desespero. Homens maus apelam a Deus contra os próprios servos de Deus, mas tudo em vão. O reino dos céus não está dividido, e Deus nunca socorre os inimigos à custa dos amigos. Há orações a Deus que não passam de blasfêmias, que não ocasionam resposta consoladora, mas, antes, provocam no Senhor a maior ira. Pedirei que um homem fira ou mate o próprio filho para satisfazer a minha maldade? Ele não se ressentiria com o insulto contra a sua humanidade? Quanto menos o Senhor

leva em conta os desejos cruéis dos inimigos da igreja, que ousam fazer orações para destruí-la dizendo que a sua existência é cisma e a sua doutrina, heresia.

42. *"Então, os esmiucei como o pó diante do vento; deitei-os fora como a lama das ruas."* A derrota das nações que lutaram contra o rei Davi foi tão absoluta e completa que eles ficaram como pólvora triturada no morteiro. O poder foi quebrado e estraçalhado, ficando tão fracos quanto o pó ao sabor do vento e tão desgraçados quanto o lodo das ruas. Assim, a impotência e vileza são os inimigos de Deus agora derrotados pela vitória do Filho de Davi na cruz. Levanta-te, ó minha alma, e enfrenta os inimigos, porque eles receberam um golpe mortal e cairão diante das tuas investidas de bravura.

O inferno e os meus pecados resistem à minha trajetória
Mas o inferno e o pecado são inimigos derrotados
O meu Jesus os pregou na cruz
E cantou triunfalmente quando ressuscitou

43. *"Livraste-me das contendas do povo."* É muito difícil tratar da contenda interna. Uma guerra civil é guerra em sua forma mais destruidora. É assunto para gratidão mais terna quando o acordo reina interiormente. O poeta louva ao Senhor pela união e paz que sorriam nos seus domínios. Se tivermos paz nos três reinos do nosso espírito, alma e corpo estaremos compelidos pelo dever de entoar ao Senhor uma canção. A unidade em uma igreja com certeza provoca gratidão semelhante.

"E me fizeste cabeça das nações; um povo que não conheci me servirá." As nações vizinhas se renderam ao poder do príncipe de Judá. Quando todas as terras adorarão ao rei Jesus e o servirão com alegria santa? Com certeza, há muito mais de Jesus aqui do que de Davi. Os missionários podem extrair encorajamento rico da declaração que as terras pagãs reconhecerão o Senhorio do Crucificado.

44. *"Em ouvindo a minha voz, me obedecerão; os estranhos se submeterão a mim."* Assim prontamente o então capitão lutador se tornou um tão renomado vencedor, e assim facilmente serão os nossos triunfos. Nós, porém, preferimos falar de Jesus. Em muitos casos, o Evangelho é recebido imediatamente por corações aparentemente despreparados. Aqueles que nunca ouviram o Evangelho ficam encantados pela primeira mensagem e se entregam a obedece-lhe, ao passo que outros — infelizmente — acostumados a ouvir o som jovial, endurecem-se em vez de ficarem amolecidos pelos seus ensinos. A graça de Deus, às vezes, corre como fogo entre o restolho, e uma nação nasce em um dia. "Amor à primeira vista" não é incomum quando Jesus é o galanteador. Ele pode escrever a mensagem de César sem ostentação: *Veni, vidi, vici.* Em alguns casos, o Evangelho é crido assim que é ouvido. Quantos estímulos para espalhar a Doutrina do Crucificado!

45. *"Os estranhos decairão."* Como folhas queimadas ou árvores derrubadas, os nossos inimigos e os inimigos de Cristo não acharão seiva e vigor remanescente em si mesmos. Os que são estranhos a Jesus são estranhos à felicidade duradoura. Os que se recusam a ser irrigados pelo rio da vida logo murcharão.

"E terão medo nas suas fortificações." Saindo das fortalezas nas montanhas os pagãos vieram rastejando de medo para prestar submissão ao rei de Israel. Mesmo assim, dos castelos da autoconfiança e das covas da segurança carnal vêm pecadores pobres inclinando-se ao Salvador, Cristo, o Senhor. Os nossos pecados que se entrincheiraram em nossa carne e sangue como fortes inconquistáveis, ainda serão expulsos pelo poder santificador do Espírito Santo, e serviremos ao Senhor em singeleza de coração.

Assim, com recordações de conquistas do passado e com expectativas alvissareiras de vitórias futuras, o doce cantor encerra a descrição, e volta a exercer adoração mais direta ao gracioso Deus.

46 *O SENHOR vive; e bendito seja o meu rochedo, e exaltado seja o Deus da minha salvação.*
47 *É Deus que me vinga inteiramente e sujeita os povos debaixo de mim;*
48 *o que me livra de meus inimigos; sim, tu me exaltas sobre os que se levantam contra mim, tu me livras do homem violento.*
49 *Pelo que, ó SENHOR, te louvarei entre as nações e cantarei louvores ao teu nome.*
50 *É ele que engrandece as vitórias do seu rei e usa de benignidade com o seu ungido, com Davi, e com a sua posteridade para sempre.*

46. *"O Senhor vive."* É possuidor de vida primária, essencial, independente e eterna. Não servimos um Deus inanimado, imaginário ou agonizante. Só Ele tem a imortalidade. Como súditos leais, clamemos: Vive, ó Deus. Vida longa ao Rei dos reis. Por tua imortalidade nos dedicamos mais uma vez a ti. Como o Senhor, nosso Deus, vive, assim vivemos para Ele.

"E bendito seja o meu rochedo." Ele é a razão de nossa esperança, e que Ele seja o tema de nosso louvor. O nosso coração bendiz ao Senhor, com santo amor exaltando-o.

O Senhor vive, bendita seja a minha Rocha!
Louvado seja o Deus que me dá descanso!

"E exaltado seja o Deus da minha salvação." Como nosso Salvador, o Senhor deveria ser mais do que nunca glorificado. Divulguemos a história da aliança e da cruz, da eleição do Pai, da redenção do Filho e da regeneração do Espírito. AquEle que nos salva da merecida ruína deve nos ser muito querido. No céu, eles cantam: "Àquele que nos ama, e em seu sangue nos lavou dos nossos pecados" (Ap 1.5). A mesma música deveria ser habitual nas assembleias dos santos na terra.

47. *"É Deus que me vinga inteiramente e sujeita os povos debaixo de mim."* Alegrar-se na vingança pessoal é ímpio e perverso, mas Davi se viu como o instrumento da vingança para os inimigos de Deus e seu povo. Não tivesse ele se alegrado no sucesso que lhe foi dado, o salmista seria merecedor de censura. Que os pecadores perecem é em si fato doloroso, contudo que a Lei do Senhor é vingada naqueles que a quebram é para a mente devota um tema de gratidão. Entretanto, jamais devemos nos esquecer de que a vingança nunca é nossa, pois a vingança pertence ao Senhor. Ele é tão justo e, além disso, tão longânimo no exercício da vingança, que podemos descansar deixando em suas mãos essa administração.

48. *"O que me livra de meus inimigos; sim, tu me exaltas sobre os que se levantam contra mim, tu me livras do homem violento."* O ungido do Senhor foi guardado de todos os inimigos, e especialmente daquele que se destacava em violência. Por fim, ele reinou em honra sobre a cabeça de Saul e de todos os outros adversários. O mesmo fim espera todos os santos, porque Jesus que se dobrou para ser alegremente estimado entre os homens sentou-se muito acima de todos os principados e potestades.

49. *"Pelo que, ó Senhor, te louvarei entre as nações e cantarei louvores ao teu nome."* Paulo cita este versículo em Romanos 15.9: "E para que os gentios glorifiquem a Deus pela sua misericórdia, como está escrito: Portanto, eu te louvarei entre os gentios e cantarei ao teu nome". Esta é evidência clara de que o Senhor de Davi está em vista aqui como também Davi está, tendo de ser considerado como exemplo de uma alma santa que faz sua ostentação em Deus na presença dos ímpios. Quem são os desprezadores de Deus para que calemos a boca por causa deles? Cantaremos ao nosso Deus quer gostem quer não, e imporemos sobre eles o conhecimento da bondade divina. Muita educação para com traidores pode ser traição ao nosso Rei.

50. *"É ele que engrandece as vitórias do seu rei e usa de benignidade com o seu ungido, com Davi, e com a sua posteridade para sempre."* Este é o versículo de

encerramento no qual o escritor extravasa muitas expressões, indicando o mais arrebatador e prazeroso sentimento de gratidão.

"É ele que engrandece." No original, a palavra "engrandece" está no plural para mostrar a variedade e perfeição da salvação. O adjetivo "grandes" (ARA) está bem colocado se considerarmos do quê? Para quê? E como fomos salvados? Toda esta benignidade ou misericórdia nos é dada em nosso Rei, o ungido do Senhor, e são realmente benditos aqueles que, por serem a sua semente, podem esperar maior misericórdia para sempre. O Senhor foi fiel ao Davi literal, e não quebrará a aliança com o Davi espiritual, pois isso envolveria muita mais a honra da sua coroa e caráter.

O salmo conclui no mesmo espírito de amor que brilhou no início. Felizes são os que podem cantar de amor em amor, como peregrinos que marcham de força em força.

NOTAS EXPLICATIVAS E DECLARAÇÕES IMPORTANTES

O Salmo: Podemos declarar o argumento geral do salmo da seguinte forma: é uma magnífica ode eucarística. Começa com uma celebração das perfeições gloriosas da divindade, cujo auxílio o orador experimentara tantas e tantas vezes. Ele descreve, ou mais exatamente, delineia os perigos por que passou, o poder dos inimigos, o livramento súbito que ganhou e a indignação e poder do libertador divino manifestado na destruição desses inimigos. Pinta estes fatos com cores tão vivas que ao lermos parece que vemos raios, ouvimos trovões, sentimos terremotos. Depois, narra as vitórias, de forma que temos a impressão de que somos testemunhas oculares e tomamos parte nelas. Prediz um império muito extenso, e conclui com expressões sublimes de adoração ao Senhor, o Autor de todos os livramentos e triunfos. O estilo é altamente oratório e poético, sublime e cheio de figuras de linguagem incomuns. É o linguajar natural de pessoa dotada das mais altas aptidões mentais, sob inspiração divina, profundamente emocionada pelos extraordinários benefícios e cheia das mais grandiosas concepções do caráter e dispensação divinos. — *John Brown, Doutor em Teologia, 1853*

O Salmo: John Kitto, em *"The Pictorial Bible" [A Bíblia Pictórica]*, escreve a seguinte nota em 2 Samuel 22: "Este capítulo é igual ao Salmo 18. [...] Os rabinos identificam setenta e quatro diferenças entre as duas cópias, a maioria das quais muito minúscula. Surgiram provavelmente do fato de que o poema foi, como conjeturam, composto por Davi quando jovem e revisado por ele no fim de sua vida quando o enviou ao cantor-mor. Supõem que a forma atual preservada no salmo seja, claro, a cópia mais antiga".

O Salmo: Michaelis chama o Salmo 18 de mais artificial e menos verdadeiramente terrível do que as odes mosaicas. Estruturalmente pode ser, mas espiritualmente com certeza não. Parece a muitos além de nós, um dos êxtases líricos mais magníficos das Escrituras. É como se o poeta tivesse imergido a caneta no "brilho da luz que estava diante dos seus olhos", à medida que descreve o Deus descendente. Talvez alguém objete que o ponto intricado dificilmente é digno do defensor — para livrar Davi dos inimigos, poder-se-ia imaginar que a deidade tivesse descido? Mas o objetor desconhece o caráter da mente hebraica dos tempos antigos. Na concepção hebraica, Deus não precisava descer do céu. Ele já estava perto do clamor — uma nuvem como a mão do homem pode escondê-lo, um olhar pode fazê-lo descer. E por que não poderia a imaginação de Davi vesti-lo, como Ele veio, trajado em um troféu condizente com a sua dignidade, em nuvens lantejouladas com brasas de fogo? Se era para o Senhor descer, por que não com grande pompa? A prova da grandiosidade deste salmo está no fato de que passou no teste de quase toda tradução e fez os versos ruins erguerem-se e tornarem-se divinos. Mesmo para Sternhold e Hopkins, o seu vendaval inflamado levanta-se, purifica, toca no verdadeiro poder e depois se lança ao chão, desamparado e ofegante, em sua antiga terra comum. Talvez o grande encanto do Salmo 18, sem mencionar a poesia da descida, seja a alternância primorosa e sutil entre o EU e o TU. Falamos de paralelismo como a chave para o mecanismo do cântico hebraico. Descobrimos que isso já existia entre Davi e Deus — o libertado e o libertador — belamente desempenhado ao longo de todo o salmo: "Eu te amarei do coração, ó Senhor, fortaleza minha"; "Invocarei o nome do Senhor, que é digno de louvor"; "Enviou desde o alto e me tomou; tirou-me das muitas águas"; "Porque tu acenderás a minha candeia"; "Também me deste o escudo da tua salvação"; "Pois me cingiste de força para a peleja"; "Deste-me também o pescoço dos meus inimigos"; "e me fizeste cabeça das nações" (vv. 1, 3a, 16, 28, 35a, 39a, 40a, 43b). Tem sido engenhosamente argumentado que a existência do EU sugere, inevitavelmente como polo oposto, o pensamento do TU, que assim a personalidade do homem prova a personalidade de Deus. Mas, seja como for, a percepção que Davi tem dessa personalidade não é em nenhuma parte tão intensa como aqui. Ele não somente vê, mas sente e toca o objeto da sua gratidão e adoração. — *George Gilfillan, "The Bards of the Bible" [Os Bardos da Bíblia], 1852*

O Salmo: Quem quer ser sábio, leia Provérbios. Quem quer ser santo, leia Salmos. Cada linha escrita neste livro exsuda santidade peculiar. Este salmo, embora situado entre os primeiros, foi escrito entre os últimos, como nos informa o prefácio e nos é deixado como a síntese da história geral da vida de Davi. Está registrado duas vezes na Bíblia em 2 Samuel 22 e aqui, no livro dos Salmos, por conta da sua excelência e doçura. É lógico que devemos lhe dar atenção dobrada. O santo Davi, perto do fim da vida, rememora os antigos perigos e livramentos com um coração grato, e escreve este salmo para bendizer ao Senhor Deus. É como se todo aquele que está avançado em idade devesse revisar a vida e observar as intervenções da bondade e providência maravilhosa de Deus. Depois, senta-se para escrever um modesto comemorativo das mais notáveis misericórdias divinas, visando trazer consolações para si e para a posteridade. Trata-se de prática excelente. Quantas consolações você teria ao ler como o seu Deus foi bom para o seu pai ou avô, que agora estão mortos! Semelhantemente, os seus filhos de alegram no Senhor com a leitura da bondade divina para com você. Não há melhor padrão para isso do que o Davi santo, que escreveu este salmo quando tinha sessenta e sete anos de idade. Tendo já vencido a maioria das suas dificuldades, ele estava quase pronto para viajar ao seu Pai celestial, quando decide deixar este relatório na terra. Peço que observemos como ele começa. Não institui para si troféus, mas levanta triunfos no seu Deus: "Eu te amarei do coração, ó Senhor, fortaleza minha". Considerando que o amor de Deus é o começo de todas as misericórdias recebidas, assim o amor a Deus deveria ser o fim e o produto delas todas. Como o rio nos conduz à nascente, assim todos os presentes de Deus têm de nos conduzir ao presenteador. Senhor, tu me curaste de doenças, "eu te amarei", me salvaste da morte e do inferno, "eu te amarei", e me deste graça e consolo, "eu te amarei do coração, ó Senhor, fortaleza minha". Depois de ter cumulado Deus com todos os nomes maravilhosos que ele poderia imaginar (v. 2), como opina o salmista, pois nunca é demais falar bem de Deus ou mal de si mesmo, ele começa com: (1) A narrativa dos perigos: "Cordéis de morte", "torrentes de impiedade", "cordas do inferno" (vv. 4, 5). O inferno e a terra se associam contra todo homem santo, causando muitos prejuízos e aborrecimentos neste mundo, caso não consigam deixá-lo fora das coisas boas. (2) A narrativa do escape, que foi a oração fervorosa a Deus: "Invoquei ao Senhor e clamei ao meu Deus". Quando as nossas orações são clamores ardentes e inoportunos, então elas promovem: "Aos seus ouvidos chegou o meu clamor perante a sua face" (v.6). A mãe trata de outros afazeres domésticos enquanto o filho choraminga. Mas quando ele levanta a voz em choro — deixando-a nervosa por chorar aos berros —, então ela deixa tudo de lado para lhe dar o que deseja. Enquanto as nossas orações forem somente sussurros, o nosso Deus descansa. Mas quando nos caímos a clamar: "Agora, me levantarei, diz o SENHOR" (Is 33.10). (3) A narrativa do livramento pelo braço poderoso e terrível do Senhor (vv.7 a 20), que desta maneira grandiosa socorreu o seu servo, como se Ele tivesse unido o céu e a terra para não deixar o filho nas garras do leão. (4) A narrativa da razão deste procedimento gracioso de Deus para com ele (v. 20-50). Davi era justo e tinha uma causa justa. Logo após, ele se volta a Deus e diz: Tu me trataste com justiça como tu és acostumado a fazer, pois "com o benigno te mostrarás benigno; e com o homem sincero te mostrarás sincero" (v. 25). — *Richard Steele, "Plain Discourse upon Uprightness" (Discurso Livre sobre a Retidão), 1670*

O Salmo: Às vezes, o Senhor alegra e consola o coração do seu povo com providências alvissareiras e vivificadoras, públicas e pessoais. Há tempo de juntar como também de espalhar pela mão da providência. A cena muda, os aspectos da providência são muito alegres e encorajadores. O inverno parece que terminou. Tiraram a roupa de lamento e então, que maravilhosos benefícios as almas graciosas celestes recebem! Deus levanta o seu povo pela prosperidade? Eles também levantarão o seu Deus pelos louvores (ver o título e os versículos 1-3 do Salmo 18). Foi o que aconteceu com Moisés e o povo em relação a Ele (Êx 15). Quando Deus os libertou de faraó, eles o exaltaram em um cântico de ação de graças, pois pela distinção e espiritualidade do fato, se tornou tema de canções de louvor a Deus em glória pelos santos (Ap 15.1). — *John Flavel*

O Título: "Servo do SENHOR" é o nome dado a Moisés (Js 1.1,13,15, e em mais nove textos daquele livro) e a Josué (Js 24.29; Jz 2.8), contudo a mais ninguém exceto Davi (aqui e no título do Salmo 36; cf. Atos 13.36, ὑπηρετήσας). Este dado é significativo, pois nos faz lembrar o lugar ocupado por Davi na história de Israel. Ele foi o sucessor designado de Moises e Josué, que ampliou o poder de Israel por toda a região atribuída a eles pela promessa divina. — *W. Kay, 1871.*

O Título: Este salmo, que é intitulado de *shirah* (ou canção), é o hino de louvor de Davi a Deus por tê-lo liberto de todos os seus inimigos (ver o título, e acima, 2 Samuel 22), tendo lugar apropriado no presente grupo dos salmos, que fala da ressurreição depois do sofrimento. É intitulado de salmo de Davi, "servo do SENHOR", sendo atrelado com outro salmo de libertação, Salmo 36. — *Christopher Wordsworth*

v. 1: "Eu te amarei do coração, ó SENHOR". A palavra pela qual o salmista expressa o seu afeto, no substantivo significa "útero" e denota o afeto que surge da parte mais secreta do homem (רֶחֶם, "matriz"), das suas entranhas, do fundo do seu coração, como diríamos. É sinônimo de piedade e compaixão que move as entranhas. Certos estudiosos traduzem a frase assim: "Das minhas mais íntimas entranhas, eu te amo, ó Senhor". Para mostrar todo o seu amor ardente por Deus, ele confessa o grande e maravilhoso amor pelos mandamentos de Deus, a partir do qual Davi diz com admiração: "Oh! Quanto amo a tua lei!" "Pelo que amo os teus mandamentos mais do que o ouro, e ainda mais do que o ouro fino"; "amo-os extremamente" (Sl 119.97,127,167). Por fim, ele declara a Deus: "Considera como amo os teus preceitos" (v. 159). — *William Gouge, 1575-1653*

v. 1: "Eu te amarei". Intimamente como a mãe ama o filho que saiu do seu ventre. — *Westminster Assembly's Annotations [Anotações da Assembleia de Westminster], 1651*

vv. 1 e 2: Deus, por assim dizer, se transferiu para os crentes. Davi que não diz que Deus lhe dará a salvação, mas diz: "[Ele é] a força da minha salvação". É o próprio Deus que é a salvação e a porção do seu povo. Eles não se importariam tanto com a salvação, se o próprio Deus não fosse a salvação deles. Dá mais prazer aos santos desfrutarem a Deus do que desfrutarem a salvação. Os espíritos falsos e carnais expressarão desejo maior pela salvação, porque eles gostam muito da salvação, do céu e da glória. Mas nunca expressam o desejo de ter Deus e Jesus Cristo. Amam a salvação, mas não querem o Salvador. A mais alta opção da fé é o próprio Deus. Ele será a minha salvação, deixem-me tê-lo e isso me bastará por salvação. Ele é a minha vida, o meu consolo, a minha riqueza, a minha honra e o meu tudo. O coração de Davi agia imediatamente em consonância com Deus: "Eu te amarei do coração, ó Senhor, fortaleza minha.

O Senhor é o meu rochedo, e o meu lugar forte, e o meu libertador; o meu Deus, a minha fortaleza, em quem confio; o meu escudo, a força da minha salvação e o meu alto refúgio". Agradava mais ao Davi santo que Deus lhe fosse a força do que Deus lhe dar a força. Preferia que Deus lhe fosse o libertador do que ele ser liberto. Gostaria que Deus lhe fosse a fortaleza, escudo, força, alto refúgio do que Ele lhe dar o finalidade de todas estas coisas. Agradava mais a Davi e agrada mais a todos os santos que Deus seja a salvação deles, quer temporal ou eterna, do que Ele os salvar. Os santos procuram mais a Deus do que tudo que é de Deus. — *Joseph Caryl*

vv. 1 e 2: Davi fala como alguém que ama a Deus, porque ele o adorna com confissão de louvor. A sua boca está cheia de louvores ao Senhor, os quais ele expressa nesta exuberante oratória santa. — *Edward Marbury*

v. 2: "O Senhor é o meu rochedo". Como as rochas que são difíceis de serem escaladas são bons refúgios para fugir e esconder-se da face dos perseguidores, assim Deus é a segurança de todos os que na angústia correm para Ele em busca de socorro. — *Robert Cawdray*

v. 2: "O meu libertador". Aquele que se dirigiu a um destes retiros inacessíveis, às vezes, foi obrigado por fome a render-se ao inimigo, que estava lhe esperando. Mas o Senhor não só lhe dá segurança, contudo também liberdade. Ele não apenas o preserva, por assim dizer, em um retiro inacessível, mas ao mesmo tempo o capacita a prosseguir em segurança. — *Jarchi*

v. 2: "A força [chifre] da minha salvação". A referência é duvidosa. Certos estudiosos supõem que a referência seja aos chifres dos animais pelos quais eles se defendem e atacam os inimigos. "Deus é para mim, faz para mim, o que os chifres fazem para os bois." Outros consideram que se refira ao fato bem conhecido de que os guerreiros eram acostumados a colocar chifres, ou ornamentos de chifres nos capacetes. O chifre representa o capacete. "O capacete da salvação" (Ef 6.17) é uma expressão equivalente ao "capacete que salva e protege". Outros opinam que a referência seja aos cantos ou pontas do altar que ficava no pátio do tabernáculo ou do templo, que são chamados de chifres. Outros aventam que a referência seja ao cume de uma montanha alta e escarpada. Sem dúvida, no idioma hebraico, o chifre é usado para referir-se às montanhas como em Isaías 5.1. Uma montanha muito fértil é chamada de chifre de óleo. O sentido é essencialmente o mesmo, seja qual for a proposta entre estas que aceitemos. Entretanto, pela ligação de "escudo" com "defesa", sou induzido a considerar a segunda destas opiniões como a mais provável. Parece que a mesma ideia está expressa no Salmo 140.7: "Tu cobriste [e me cobrirás] a minha cabeça no dia da batalha". — *John Brown*

v. 2: "A força [chifre] da minha salvação". Chifres são emblemas famosos de força e poder, tanto nos textos de escritores sacros quanto profanos. Pela metáfora extraída de animais chifrudos, os escritores poéticos os usam insistentemente como itens de comparação, pois a força quer para atacar ou defender, está principalmente nos chifres. Bruce fala de uma touca incrível usada pelos governadores das províncias da Abissínia. Era em um filete largo e grande, colocado na testa e amarrado atrás da cabeça, tendo no meio um chifre, ou uma peça cônica de prata, chapeada de ouro, de cerca de dez centímetros de comprimento, de forma muito semelhante aos atuais apagadores de vela. Chamava-se corno ou chifre, e era usado somente em revistas de tropas ou em paradas depois da vitória. Ele supõe que isso, como os outros usos abissínios, foram tirados dos hebreus, e é de opinião que há muitas alusões à prática na Bíblia, nas expressões "não levanteis a fronte [chifre]" (Sl 75.4,5), "levantaram o seu poder [chifre]" (Zc 1.21) e outras semelhantes. — *Richard Mant*

v. 2: "O SENHOR é [...] o meu alto refúgio". Se o homem corre para um alto refúgio, por exemplo, uma torre, e esta for fraca e insuficiente, sem homens e munição, uma torre abalada e em ruínas; ou se o homem escolhe uma torre, suficientemente forte, mas quando em perigo ele não corre para a torre, porém fica sentado sem fazer nada; ou mesmo que não fique sentado, mas vai andando comodamente em direção a ela, mesmo tendo-a, ele corre o risco de ser detido, pego de surpresa e interceptado antes de chegar e entrar na torre. Contudo o homem que está seguro por ter escolhido uma torre forte, tem de ir correndo para essa torre. Correr não dá segurança ao homem a menos que a torre seja forte. [...] Davi chegou e entrou na torre, encontrando pesados canhões.

Davi se serviu deles através da oração: "Na angústia, invoquei ao SENHOR e clamei ao meu Deus; desde o seu templo ouviu a minha voz e aos seus ouvidos chegou o meu clamor perante a sua face" (v. 6). Davi ora e atira com os canhões. E o que aconteceu? Leiamos os versículos 7, 8, 13 e 14: "Então, a terra se abalou e tremeu; e os fundamentos dos montes também se moveram e se abalaram, porquanto se indignou. Do seu nariz subiu fumaça, e da sua boca saiu fogo que consumia; carvões se acenderam dele. E o SENHOR trovejou nos céus; o Altíssimo levantou a sua voz; e havia saraiva e brasas de fogo. Despediu as suas setas e os espalhou; multiplicou raios e os perturbou". No tempo de Davi, ainda não existiam armas de fogo nem canhões, mas as orações de Davi que estavam nessa torre lhe fizeram um bom serviço contra os inimigos como fazem todo o arsenal bélico e canhões do mundo. Davi tinha canhões potentes, e com eles perturbou e desbaratou os inimigos antes mesmo da invenção de pólvora e armas de fogo. É memorável e bem conhecida a história da legião cristã que fazia parte do exército de Marco Aurélio. O inimigo estava colocando-o em grande apuro, mas esses soldados cristãos obtiveram pelas orações não apenas chuva, pela qual o exército romano enfraquecido foi refrescado, mas também granizo misturado com raios contra o inimigo. Por conta disso, ele honrou-os com o nome de *Legio fulminatrix*, que significa "a Legião Trovejante". Eles usaram os canhões de Davi contra o inimigo, e descarregaram o arsenal trovejante pelas orações, pondo o inimigo e*m confusão.* — *Jeremiah Dyke, "Righteous Man's Tower" [A Torre do Justo], 1639*

v. 2: "O meu alto refúgio". Como as aves do céu, que escapam das redes e armadilhas dos caçadores, estão habituadas a voar para cima, no alto, assim nós, para evitarmos as armadilhas infinitas de tentações inumeráveis, temos de voar para Deus. Temos de nos erguer acima das corrupções fatais, ostentações mentirosas e truques enganosos do mundo. — *Robert Cawdray*

v. 3: "Invocarei o nome do SENHOR, que é digno de louvor". Oração e invocação a Deus sempre devem estar unidas com louvor e ação de graças. Devem ser usadas como meio pelo qual a fé extrairá o bem que sabe que está em Deus e do qual Ele fez promessas. — Davi Dickson

v. 3: "E ficarei livre dos meus inimigos". Todo aquele que for a Deus como deve não invocará em vão. O tipo certo de oração é o meio mais potente que se conhece na terra. — *William S. Plumer*

v. 4: "Cordéis de morte". É prerrogativa de o céu estar na terra dos viventes. Toda esta vida é no máximo a sombra da morte, a porta da morte, os cordéis da morte, as armadilhas da morte, os terrores da morte, as câmaras da morte, a sentença da morte, o cheiro da morte, o ministério da morte, o caminho da morte. — *Matthew Griffith, 1634*

v. 4: "Cordéis de morte me cercaram". É difícil determinar o significado exato da frase "cordéis de morte" ou "laços de morte". Podemos considerá-la como equivalente às "faixas pelas quais o morto é envolvido", em cujo caso, ser cercado com cordéis de morte é uma expressão figurativa para referir-se a estar morto. Ou podemos considerá-la como equivalente às faixas com as quais a pessoa é amarrada na expectativa de morte violenta, as quais prenunciam que a morte é certa e a fuga, impossível. Certos estudiosos propõem que a alusão seja ao antigo modo de caçar animais selvagens. Uma área considerável era cercada com cordas fortes. O círculo era gradualmente fechado, até que o objeto da caça ficasse tão limitado a ponto de se tornar presa fácil para o caçador. Estas cordas eram os cordéis de morte que garantiriam a morte do animal. A frase é aplicável ao nosso Senhor em ambos os sentidos. Mas visto que o texto diz que as "torrentes da impiedade" ou dos ímpios deixam a vítima com medo depois de ela estar sendo cercada com os cordéis de morte, estou disposto a entender a frase no último destes dois sentidos. — *John Brown*

v. 4: "Torrentes". Não há metáfora de ocorrência mais frequente entre os poetas sacros do que a que representa calamidades terríveis e inesperadas na figura de águas devastadoras. Esta imagem era particularmente conhecida aos hebreus, já que era derivada do hábito e natureza peculiares do seu país. Eles tinham continuamente diante dos olhos o rio Jordão, que alagava as margens anualmente quando a chegada do verão a neve do Líbano e das montanhas vizinhas derretia e escorria de repente em torrentes, aumentando o volume do rio. Além disso, a região da Palestina, embora não irrigada por muitos rios perenes, estava por causa do caráter montanhoso do seu relevo sujeito a numerosas correntes que se precipitavam pelos vales estreitos depois das periódicas estações da chuva. Esta imagem por mais conhecida e adotada por outros poetas, pode ser considerada como particularmente conhecida e, por assim dizer, familiar aos hebreus, que a adequadamente utilizam frequência e liberdade. — *Robert Lowth (Bispo), 1710-1787*

v. 5: "Laços de morte me surpreenderam". A palavra "laços" significa armadilhas para caçar pássaros e animais selvagens. A palavra hebraica traduzida por *surpreenderam* tem o significado literal de "vir antes", "preceder". — *John Brown*

v. 6: "Na angústia". Se você ouvir a harpa de Davi, ouvirá muitas melodias fúnebres soarem como canções alegres. A caneta do Espírito Santo trabalhou mais para descrever as aflições de Jó do que as felicidades de Salomão. A prosperidade não vem sem temores e desgostos. A adversidade não ocorre sem consolações e esperanças. Vemos nas costuras e bordados que é mais agradável e gostoso fazer um trabalho vívido e alegre em uma base triste e solene do que fazer um trabalho sombrio e melancólico em uma base jovial e brilhante. Julgue os prazeres do coração pelos prazeres dos olhos. A virtude certamente é como o aroma precioso, que é mais perfumado quando esmagado. A prosperidade revela melhor o vício, mas a adversidade descobre melhor a virtude. — *Francis Bacon, "Baron of Verulam" (Barão de Verulam), 1561-1626*

v. 6: "Invoquei ao Senhor e clamei ao meu Deus". A oração não é eloquência, mas seriedade. Não é definição de desamparo, mas o sentimento disso. É o brado de fé nos ouvidos da misericórdia. — *Hannah Moore, 1745-1833*

v. 6: "Desde o seu templo ouviu a minha voz e aos seus ouvidos chegou o meu clamor perante a sua face". Os edis ou chefes de gabinete romanos sempre mantinham as portas abertas para que todos que tivessem pedidos ou reclamações a fazer tivessem livre acesso a eles. "As portas da misericórdia de Deus estão amplamente abertas às orações do seu povo fiel." Os reis persas fechavam parte da sua glória tola para negar acesso fácil à maioria dos súditos. Era morte certa procurá-los sem serem chamados. A própria rainha Ester tinha medo. Mas o rei do céu manifestou-se ao povo, chamando o cônjuge com: "Mostra-me a tua face, faze-me ouvir a tua voz, porque a tua voz *é* doce, e a tua face, aprazível" (Ct 2.14), e atribui a negligência dela neste caso como a causa da doença da alma. A porta do tabernáculo não era de material duro ou excludente, mas era um véu de fácil penetração. Considerando que no templo ninguém podia se aproximar para adorar, mas só o sumo sacerdote, as pessoas tinham de ficar do lado de fora, no pátio exterior. Hoje, o povo de Deus é um reino de sacerdotes, que adoram no templo e no altar: "Levanta-te e mede o templo de Deus, e o altar, e os que nele adoram"; "Cheguemo-nos com verdadeiro coração, em inteira certeza de fé"; "Cheguemos, pois, com confiança ao trono da graça, para que possamos alcançar misericórdia e achar graça, a fim de sermos ajudados em tempo oportuno" (Ap 11.1; Hb 10.22; 4.16). — *Charles Bradbury, "Cabinet of Jewels" [O Porta-Joias], 1785*

v. 6: Como é verdadeira essa declaração: "A fé está segura quando em perigo, e em perigo quando está segura. A oração é fervorosa nas situações difíceis, todavia nas circunstâncias felizes e prósperas, se não estiver totalmente fria e morta, está no mínimo morna". Oh, dilemas felizes, pois impedem a mente de derivar em coisas terrenas e misturar-se com o lodo. Eles favorecem a nossa correspondência com o céu e promovem o nosso amor às coisas celestiais, sem os quais, o que chamamos de vida pode mais corretamente merecer o nome de morte! — *Robert Leighton, Doutor em Teologia*

vv. 6 e 7: A oração de um único santo, às vezes, é acompanhada de efeitos maravilhosos: "Na angústia, invoquei ao SENHOR e clamei ao meu Deus; desde o seu templo ouviu a minha voz e aos seus ouvidos chegou o meu clamor perante a sua face. Então, a terra se abalou e tremeu; e os fundamentos dos montes também se moveram e se abalaram, porquanto se indignou". O que então pode ocasionar uma legião trovejante de tais pessoas orando? Lutero disse: *Iste vir potuit cum Deo quicquid voluit*, que significa: "Que o homem pudesse ter de Deus o que quisesse". Os inimigos sentiriam o peso das orações, e a igreja de Deus colheria os benefícios disso. A rainha dos escoceses confessou que tinha mais medo das orações de John Knox do que de um exército com dez mil soldados. Estes eram os poderosos lutadores com Deus, por mais que fossem desdenhados e vilipendiados entre os inimigos. Chegará o tempo em que Deus ouvirá as orações do seu povo que continuamente clama aos ouvidos divinos: "Tu, SENHOR, até quando?" (Sl 6.3). — *John Flavel*

v. 7: "Então, a terra se abalou e tremeu". A palavra גָּעַשׁ significa "mover tremendamente" ou "tremer violentamente". É empregada também para denotar o movimento vacilante e cambaleante de um bêbedo (Jr 25.16). — *John Morison, in loc.*

v. 7: Não permita que a aparente impossibilidade faça você questionar o cumprimento de Deus das palavras da graça que Ele disse. Embora você não veja como a coisa é feita, basta que Deus lhe diga que o fará. Não há obstrução à salvação prometida que nos faça temer. Aquele que é o Deus desta salvação e o Autor da promessa preparará o caminho para fazer o seu trabalho, de forma que "todo vale se encherá, e se abaixará todo monte e outeiro" (Lc 3.5). Mesmo que os vales sejam tão profundos que não possamos ver o fundo, e as montanhas tão altas que não possamos ver o cume, Deus sabe como elevar um e abaixar o outro: "Eu, que falo em justiça [ou fidelidade], [sou] poderoso para salvar" (Is 63.1). Se existe algo que nos impeça de entrar no reino de Cristo é a infidelidade. Mas Ele virá ainda que não ache fé na terra (Rm 3.3). Não descarte a confiança nEle, porque Deus adia em executá-la. Embora as providências passem correndo e se movam de um lado para outro, você tem uma palavra segura e fiel em que confiar. As promessas, ainda que aparentemente adiadas por certo tempo, não podem ser frustradas. Não ouse aceitar pensamentos como o Salmo 77.8: "Cessou para sempre a sua benignidade?" O ser de Deus pode fracassar tanto quanto a promessa de Deus. Aquilo que não vem no tempo que você determina, será apressado para chegar no tempo dEle, o qual sempre é o tempo mais conveniente. Não acuse de lentidão aquEle que disse: "Eis que presto venho" (Ap 22.7), quer dizer, Ele vem assim que todas as coisas estiverem prontas e maduras para a sua aparição. É tão verdade que "o Senhor não retarda a sua promessa" (2 Pe 3.9), como aquEle que nunca quebra as promessas. Então, espere por mais que o Senhor tarde. Não desista de esperar. O coração de Deus não está fechado ainda que o rosto esteja oculto. As orações não são contestadas veementemente, ainda que não sejam respondidas imediatamente. — *Timothy Cruso*

vv. 7 e 8: Os fenômenos vulcânicos da Palestina levantam a questão de que, sob certo ponto de vista científico, os dados são muito imprecisos para serem analisados. Mas há suficiente na história e literatura do povo para mostrar que havia uma agência deste tipo em ação. O vale do Jordão, em sua desolação e vegetação, era um prodígio permanente. Das suas fendas ramificavam-se até ao interior da Judeia os aparecimentos surpreendentes, se não do vulcão, pelo menos do terremoto. O efeito histórico nos teatros especiais da operação irão surgindo à medida que avançarmos. Mas observemos os rastros nos sentimentos permanentes da nação. Os escritos dos salmistas e profetas abundam com indicações que fogem dos olhos do leitor superficial. Semelhante ao solo da sua terra, eles na verdade empurram e labutam com convulsões terríveis que incandescem debaixo da superfície. — *Arthur Penrhyn Stanley, Doutor em Teologia, "Sinai and Palestine" [Sinai e Palestina]*

vv. 7 a 9: Quando Jesus estava na cruz, "houve trevas [sobrenaturais] sobre toda a terra", e imediatamente após ter entregue o espírito, "o véu do templo se rasgou em dois, de alto a baixo; e tremeu a terra, e fenderam-se as pedra. E abriram-se os sepulcros, e muitos corpos de santos que dormiam foram ressuscitados; E, saindo dos sepulcros, depois da ressurreição dele, entraram na Cidade Santa e apareceram a muitos" (Mt 27.45,51-53). — *John Brown*

vv. 7 a 9: Na noite em que os idumeus acamparam-se diante de Jerusalém, surgiu uma tempestade assombrosa com ventos violentos, chuvas muito veementes, raios, trovões terríveis e grandes estrondos de terra sacudida. Era evidente que o estado do universo ficou desordenado com a matança de homens, de forma que se poderia adivinhar que estes eram sinais de uma grande calamidade [...] No dia de Pentecostes, quando os sacerdotes entraram de noite no Templo de dentro segundo o costume para desempenhar suas funções, disseram que perceberam primeiro um tremor e um barulho, e depois uma voz súbita: "Levantai-vos, vamo-nos daqui". [...] Poucos dias depois da festa dos pães asmos, houve uma visão estranha e quase incrível que, suponho, seria tomada como mera fábula, não estivesse sito contada pelos que a viram e as misérias que se seguiram não fossem condizentes com os sinais, pois, antes do pôr do sol, foram vistos no alto, no ar, por toda parte do país, carros e regimentos armados movimentam-se velozmente pelas nuvens e cercando a cidade. — *Flávio Josefo, 37-103*

v. 8: "Do seu nariz subiu fumaça", עָלָה עָשָׁן בְּאַפּוֹ. Ou "para o seu nariz subiu fumaça", como as palavras traduzidas literalmente significam. Os antigos colocavam no nariz ou nas narinas a emoção da ira, porque quando ela se inflama e se torna violenta, revela-se, por assim dizer, através da respiração fogosa e aquecida que procede das narinas. — *Samuel Chandler, Doutor em Teologia, "F.R." e "A.S.S.", 1766*

vv. 8 a 9: Davi se serve da plena força da imagem poética para descrever de maneira vistosa as maravilhas dos seus livramentos. O propósito é dizer que eles eram tão evidentes quanto os sinais do céu e da terra, tão súbitos e poderosos quanto os fenômenos do reino da natureza surpreendem os mortais terrificados. Sendo o livramento o tema, ele pode ter tomado a figura dos fenômenos pacíficos dos céus. Mas considerando que os homens se dirigem aos céus mais com raiva do que com gratidão e levam Deus em consideração mais quando Ele desce na terra na tempestade do que no arco-íris, Davi descreve a condescendência bendita de Deus pela figura de uma tempestade. A fim de apreciarmos inteiramente a beleza e veracidade desta figura, devemos nos esforçar para ter um ideia do pleno poder da tempestade no oriente, conforme descreve o Salmo 29. O raio solitário precede a descarga — o que está descrito pelos "carvões" no versículo 8. As nuvens se aproximam do cume dos montes — "abaixou os céus" como diz o versículo 9. A tempestade bate as asas. Envolto em nuvens grossas como em uma tenda, Deus desce a terra. A saraiva (fenômeno abundante nas tempestades do oriente) e raios saem das nuvens negras, por cujas camadas dissolventes se veem o resplendor incandescente que esconde o Senhor da natureza. Ele fala, e a sua voz é trovão; Ele atira, e os raios são as suas setas. À sua repreensão e ao sopro da sua respiração a terra recua. O mar espuma e o seu leito é visto. A terra explode e as fundações do mundo são expostas. Mas vejam! Um braço de libertação se estende das nuvens negras, e o fogo destrutivo se apodera do miserável que clamara das profundezas, arranca-o dali e o livra de todos os seus inimigos! Sim, a mão do Senhor fez coisas maravilhosas na vida de Davi. Mas só os olhos da fé poderiam perceber em tudo isso a mão de Deus. Milhares de pessoas cujas experiências da mão libertadora de Deus não são menos notáveis do que estas de Davi, param abruptamente diante dos poderes da natureza e, em vez de dobrar os joelhos diante do Deus misericordioso, contentam-se em expressar com coração frio a admiração da mudança do destino dos homens. — *Augustus F. Tholuck, Doutor em Teologia, Doutor em Filosofia, 1856*

v. 9: "Abaixou os céus e desceu". Como em uma tempestade, as nuvens se aproximam mais da terra, vindo das montanhas para os vales, assim o salmista adota esta figura peculiar para ocasiões em que Deus se aproxima para julgar (Sl 144.5; Hb 3.6).

"E a escuridão estava debaixo de seus pés." Temos aqui o aumento dos horrores da tempestade, e sua aproximação, todavia Deus não se revelou, pois é escuridão debaixo dos seus pés. Densas trevas acompanharam a descida de Deus ao monte Sinai (Êx 20.21; Dt 4.11), e envolvem o seu trono para ocultar de nós a majestade estupefaciente da deidade (Sl 97.2). Mas esta escuridade, ainda que esconda a proximidade do julgamento, evidencia a tristeza e angústia dos objetos da sua ira (Lc 21.25,26). — *W. Wilson, in loc.*

vv. 9 a 11:

Ele também dobrou os céus
E por isso Ele desceu
E nuvens grossíssimas de escuridão
Acompanhavam debaixo dos seus pés

E Ele montou um querubim
E nele voou
Sim, nas asas velozes do vento
O seu voo foi lá no alto

Ele fez da escuridão o seu lugar secreto
Em torno dEle por sua tenda
Eram águas escuras e nuvens muito grossas
Do firmamento dos céus
— *Versão Escocesa, 1649*

vv. 9 a 12:
Na sua descida, vergou o céu tocando-o na terra
E trevas escuras rolavam debaixo dos seus pés
Em um querubim alado e dourado Ele cavalgou
E na tempestade velozmente voou montado

Ele fez da escuridão o seu gabinete secreto
Névoas grossas e nuvens gotejantes em torno dEle se fixaram
Os feixes da sua presença luminosa expelem estes
De onde chuvas de brasas ardentes e saraivas caíram
— *George Sandys, 1577-1643*

v. 10: "Querubim". O nome hebraico tem afinidade com o termo *rechub*, "carro", usado no Salmo 104.3, quase em sentido semelhante a "querubim" usado aqui. Os querubins são chamados de carro (1 Cr 28.18) e os anjos de Deus são os seus carros (Sl 68.17). Pelo visto, este é o significado aqui, pois assim como está escrito que os anjos voam (Dn 9.21), assim também está escrito que os querubins tinham asas (Êx 25.20), e o apóstolo os chama de "querubins da glória" (Hb 9.5). O Salmo 80.1 diz que Deus se assenta entre os querubins, como aqui fala que Ele monta. Um querubim pode ser posto por muitos ou todos os querubins, assim como um carro pode ser posto por carros (Sl 68.17). — *Henry Ainsworth*

v. 10: "Querubim". O "querubim" com as faces de homem, leão, boi e águia (combinando em si mesmo, por assim dizer, a inteligência, majestade, força e vida da natureza), era símbolo dos poderes da natureza. Quando elementos poderosos, como em uma tempestade, estão servindo a Deus, se diz que Ele "montou num querubim". — *Augustus F. Tholuck*

v. 10: "Querubim".

Ele nas asas de querubim montou sublime
No céu cristalino
— *John Milton*

v. 10: Quando Deus vem para castigar os inimigos e salvar o seu povo, nada mais surpreende os amigos ou inimigos do que a velocidade admirável com que Ele se move e age: Ele voa "sobre as asas do vento". — *William S. Plumer*

v. 10: O poeta inspirado interpõe na narrativa toda circunstância que acrescente esplendor à descida do Senhor sobre os inimigos. Não basta que os céus se dobrem debaixo dEle, e que se vejam nuvens de escuridão rolando, em majestade terrível, debaixo dos seus pés. As legiões querúbicas também são sustentadoras voluntárias do seu trono, e, veloz como o vento, Ele voa "sobre as asas do vento". Constam nesta cena surpreendente os apêndices tremendos do propiciatório. Nos céus que se dobram, o carro de nuvens anda esplendidamente, e os ventos dos céus o conduzem de maneira majestosa. — *John Morison*

v. 12: "As brasas de fogo". A palavra hebraica significa "carvões ardentes" e vivos. Onde o raio caiu, devorou tudo que encontrou pelo caminho e queimou tudo que tocou transformando em brasas ardentes. — *Samuel Chandler*

v. 14: "Despediu as suas setas e os espalhou; multiplicou raios e os perturbou". Vós, que agora sois estrangeiros a Deus, considerai estas coisas! Imaginai esta batalha em que os combatentes são tão desiguais! Para, ó sol, no vale de Aijalom, até que o Senhor o vingue dos seus inimigos! Reuni-vos, ó estrelas, e lutai em vossas órbitas contra os pecadores miseráveis que empreenderam guerra contra o Criador. Posicionai os canhões potentes, atiras as pedras enormes de granizo, as setas de fogo e os raios ardentes acompanhados de trovões! Como caem os feridos! Quantos são os mortos do Senhor, multidões no vale da Decisão, pois o dia do Senhor é terrível. Vede os inimigos de Deus caindo aos milhares, contemplai as roupas ensanguentadas, as montanhas estão repletas de cavalos e carros de fogo. Os soldados de Deus correm de um lugar ao outro com espadas flamejantes nas mãos, armados com a justiça, o zelo, o poder e a indignação de Deus! Que matança horrível! Milhões e milhões de inimigos caem. Não conseguem permanecer de pé, não podem erguer a mão. O coração falha. A palidez e o tremor se apoderaram dos mais robustos. O arco do Senhor é forte. Do sangue dos mortos e da gordura dos poderosos o arco do Senhor não se retira. A espada do Todo-Poderoso não volta vazia. Como os poderosos caem nesta batalha! Trata-se de batalha ferrenha, ninguém escapa! "Quem é este que vem de Edom, de Bozra, com vestes tintas? Este que é glorioso em sua vestidura, que marcha com a sua grande força? Eu, que falo em justiça, poderoso para salvar? Eu sozinho pisei no lagar, e dos povos ninguém se achava comigo. E pisei os povos na minha ira e os embriaguei no meu furor, e a sua força derribei por terra. então, a mão do SENHOR será notória aos seus servos, Ele se indignará contra os seus inimigos. Porque eis que o SENHOR virá em fogo; e os seus carros, como um torvelinho, para tornar a sua ira em furor e a sua repreensão, em chamas de fogo. Porque, com fogo e com a sua espada, entrará o SENHOR em juízo com toda a carne; e os mortos do SENHOR serão multiplicados. E sairão e verão os corpos mortos dos homens que prevaricaram contra mim; porque o seu verme nunca morrerá, nem o seu fogo se apagará; e serão um horror para toda a carne. Sobre os ímpios fará chover laços, fogo, enxofre e vento tempestuoso; eis a porção do seu copo" (Is 63.1, 3a,6; 66.14b-16, 24; Sl 11.6). Esta é a batalha contra o Senhor! Este é o desafio ao Senhor dos Exércitos! — *James Janeway*

v. 14: "Multiplicou raios", בְּרָקִים רָב. Na Septuaginta, é ἀστραπὰς ἐπλήθυνεν. Na Vulgata Latina e outras versões é *fulgura multiplicavit*. Ele multiplicou raios ou os atirou pesadamente um depois do outro, como a palavra hebraica corretamente significa. וַיְהֻמֵּם. "e os perturbou", como traduzimos a palavra, ou, antes, como penso que deveria ser traduzida: "e os derreteu", ou seja, os céus. — *Samuel Chandler*

v. 14: "E os perturbou". Está escrito "e os destruiu", porque o Espírito Santo não chega a mencionar, pela boca do seu profeta, os espíritos malignos a quem ele se refere. — *Euthymias Zigabenus (1125), citado por John Mason Neale*

v. 15: "E foram descobertos os fundamentos do mundo", ou seja, a violência do terremoto ocasionou fendas ou precipícios tão grandes e profundos que quase se podia ver as próprias fundações do mundo, ou mais exatamente, como diz o profeta Jonas, as extremidades das montanhas no fundo do mar (Jn 2.6). — *Samuel Chandler*

v. 15: O Senhor se interpôs com a própria notoriedade da sua presença, como quando as águas do mar foram empurradas por um forte vento oriental, transformando o leito do rio em terra seca (Êx14.21,22), para dar aos israelitas uma passagem segura na saída da sua escravidão e para afogar os egípcios. — *Henry Hammond*

v. 16: "Enviou desde o alto". Ele "enviou" anjos ou outro tipo de assistência. — Matthew Poole

v. 16: "E me tomou". O agarramento de Deus é extremamente forte. Nada pode vencê-lo. Ninguém e nada podem arrancar os escolhidos das mãos divinas. — *William S. Plumer*

v. 16: "Tirou-me das muitas águas". Esta expressão tem referência ao caso de Moisés que foi "tirado das águas" e logo depois de chamado de Moisés (Êx 2.10). Davi usa aqui a palavra hebraica *mashah*, a qual não consta em nenhuma outra parte da Bíblia. "Águas", que significa, "dificuldades", e, às vezes, multidão de pessoas. — *Henry Ainsworth*

v. 18: "Surpreenderam-me no dia da minha calamidade", ou seja, sobreveio-me subitamente de improviso, quando eu estava desprevenido e desamparado, e teriam me destruído caso Deus não tivesse me sustentado e apoiado quando eu estava a ponto de perecer. Deus foi para o salmista לְמִשְׁעָן, "por cajado" para ampará-lo. O que o cajado é para alguém que está prestes a cair, sendo o instrumento de recuperação e apoio, Deus foi para Davi nos tempos de apuro o apoio que ele precisava. Porque várias vezes Deus o guardou de Saul, quando, o salmista, pensou que a morte era quase inevitável (1 Sm 23.26,27). — *Samuel Chandler*

v. 18: "Surpreenderam-me no dia da minha calamidade; mas o Senhor foi o meu amparo". Quando Henrique VIII tinha falado e escrito fortemente contra Lutero, este respondeu: "Digam para os henriques, para os bispos, para os turcos e para o próprio Diabo que façam o que desejarem, mas nós somos filhos do reino, adoradores do verdadeiro Deus, em quem eles e como os da laia deles cuspiram e crucificaram. E do mesmo espírito eram muitos mártires. Acerca dos santos primitivos, Basílio afirma que eles manifestaram tanta coragem e confiança nos sofrimentos que muitos ímpios, vendo o zelo e a constância heroica, tornaram-se cristãos". — *Charles Bradbury*

v. 20: "Recompensou-me o Senhor conforme a minha justiça e retribuiu-me conforme a pureza das minhas mãos". Temos de ficar firmes e ser duros conosco contra todos os julgamentos incorretos. Sempre é bom defender ardorosamente uma causa boa, quer diga respeito à glória de Deus única e exclusivamente, ou seja, referente ao crédito de nossos irmãos ou nosso próprio. Desejar ser famoso no mundo, como eram os gigantes no mundo antigo (Gn 6.4), homens de renome, ou, como diz no texto original hebraico, "homens de nome", é uma vaidade muito grande. Mas proteger e preservar o nosso bom nome é um dever grande e necessário. — *Joseph Caryl*

v. 21: "Porque guardei os caminhos do Senhor", quer dizer, com propósito e resolução de coração para continuar no caminho do pecado. Esta é a característica da sinceridade. O homem pode realmente ser surpreendido e colhido pela tentação, mas não é com a decisão de abandonar a Deus e apegar-se ao pecado ou permanecer nele. Ele não se acomodará no pecado, nem se entregará ou o favorecerá, ou seja, o homem não agirá impiamente contra Deus, nem terá um coração duplo e olhos duplos para olhar dois objetos, em parte em Deus e em parte no pecado, e assim guardar Deus e também algum pecado, como fazem todos os homens de falso coração no mundo. Eles não olham somente em Deus, contudo fingem que se importam com a religião. Não olham a Deus somente, mas em qualquer outra coisa junto com Deus. Herodes levou em conta João Batista, entretanto levou em conta mais Herodias. No Evangelho, o jovem foi a Cristo, mas tinha olhos presos nos bens. Judas seguiu a Cristo, no entanto cuidou mais da bolsa. É o que significa apartar-se impiamente de Deus. — *William Strong, 1650*

v. 21: "E não me apartei impiamente do meu Deus". Embora o homem temente a Deus possa quebrar um mandamento em particular repetidas vezes indo contra ao que sabe, o seu conhecimento nunca o permite ir conscientemente tão longe quanto a aventurar-se a quebrar a aliança da graça com Deus e apartar-se dEle. Quando o homem se afunda tanto no pecado a ponto de entender que tem de apartar-se de Deus e perdê-lo se for mais longe, este entendimento detém-no, segura-o e o traz de volta. Ele pode de forma arrogante aventurar-se (embora raramente e sempre às suas custas) a cometer um ato de pecado contra o conhecimento, porque pode pensar que por um ato só a aliança não é quebrada, nem toda a amizade e amor são prejudicados entre Deus e ele, nem o seu interesse no estado de graça. Mas se o homem começasse a permitir-se nisso e continuasse repetindo muitas e muitas vezes, ele sabe que a aliança seria quebrada e que não poderia permanecer com graça de Deus. Quando este entendimento chega, o homem não pode pecar contra o que sabe, pois seria como jogar o Senhor fora e apartar-se impiamente dEle. Então, agora ele não faz. Assim Davi, embora tivesse pecado de forma séria e arrogante, diz: "Não me apartei impiamente do meu Deus", que significa, não me afastei dEle a tal ponto de saber que eu perderia totalmente o interesse em Deus se eu continuasse me afastando. Não, pois Ele é o meu Deus. Aqui está a consideração que o impediu de apartar-se do seu Senhor. Diz a igreja no Salmo 44.17: "Nem nos houvemos falsamente contra o teu concerto". Muitos atos de desagrado podem ocorrer e aventurar-se, todavia se o crente santo pensa que a posição da aliança está em jogo, que ele e Deus têm de separar-se e romper laços terminantemente, o crente jamais irá tão longe assim. — *Thomas Goodwin*

vv. 22 e 23: "Porque todos os seus juízos estavam diante de mim, e não rejeitei os seus estatutos. Também fui sincero perante ele e me guardei da minha iniquidade". A alma doente não dará atenção a tal princípio que se opõe ao seu pecado especial. Tal princípio tem de ir passar em branco para que a alma se entregue sem pensar, mas de vez em quando a consciência a lembra disso, quer queira quer não. Mas não é assim com o homem que é sincero. O preceito que mais se opõe ao pecado ao qual ele mais se inclina, se empenha em obedecer como qualquer outro. A alma enferma coloca tantos estatutos de Deus diante dela como regras pelas quais andar, como processos consigo mesma e os tempos, e nada mais. Os princípios que se opõem às corrupções especiais ou desagradam os tempos, expondo-a a sofrer, a alma recusa-se a seguir e os coloca de lado, como Davi disse aqui, e os chama como os escribas e fariseus corruptos eram inclinados a chamar de "menores mandamentos", coisas pequenas a não serem levadas em conta. Essa corrupção Jesus englobou severamente nessas palavras irônicas: "Qualquer, pois, que violar um destes menores mandamentos e assim ensinar aos homens será chamado o menor no Reino dos céus" (Mt 5.19). A sinceridade religiosa não faz diferença entre maior e menor entre os preceitos de Deus, mas apresentam-os diante dos homens como regra pelos quais andar e torna a alma laboriosa para observá-los todos. "Então, não ficaria confundido, atentando eu para todos os teus mandamentos" (Sl 119.6). — *Nicholas Lockyer, 1649*

v. 23: "Também fui sincero perante ele e me guardei da minha iniquidade". Aquele que diz: "Eis aqui venho; no rolo do livro está escrito de mim: Deleito-me em fazer a tua vontade, ó Deus meu; sim, a tua lei está dentro do meu coração" (Sl 40.7,8), e que pelo apóstolo, no capítulo 10 da epístola aos Hebreus, é identificado com Jesus Cristo, também diz: "Porque males sem número me têm rodeado; as minhas iniquidades me prenderam, de modo que não posso olhar para cima; são mais numerosas do que os cabelos da minha cabeça, pelo que desfalece o meu coração" (Sl 40.12), e no Salmo 41.9: "Até o meu próprio amigo íntimo, em quem eu tanto confiava, que comia do meu pão, levantou contra mim o seu calcanhar", a quem o nosso Senhor no capítulo 13 do Evangelho de João se identifica, diz: "SENHOR, tem piedade de mim; sara a minha alma, porque pequei contra ti" (Sl 41.4). A dificuldade é afastada pelo princípio indubitavelmente verdadeiro — o princípio que, acima de todos os outros, dá ao cristianismo o seu caráter peculiar — "Àquele que não conheceu pecado, o fez pecado por nós"; "O SENHOR fez cair sobre ele a iniquidade de nós todos"; "O meu servo, o justo, justificará a muitos, porque as iniquidades deles levará sobre si" (2 Co 5.21; Is 63.6,11). Neste sentido, "males sem número me têm rodeado; as minhas iniquidades me prenderam", as iniquidades que foram feitas cair sobre Ele tornaram-se responsabilidade sua tanto quanto deles — foram por designação divina colocadas sobre Ele. No sentido de culpa no que diz respeito a ser merecedor de condenação, Jesus não tinha pecado. No sentido de culpa no que diz respeito a ser responsável pelos efeitos do pecado, nunca teve alguém com tanto pecado a suportar quanto Jesus: "Ele levou sobre si o pecado de muitos" (Is 53.12). — *John Brown*

v. 23: "Também fui sincero perante ele". Portanto, observemos, em primeiro lugar, que o homem temente a Deus pode ter o coração sincero e perfeito mesmo na imperfeição dos seus caminhos. Em segundo lugar, o homem que é sincero é aos olhos de Deus torna-se um homem perfeito: a sinceridade é a verdade de toda a graça, o ponto mais alto a ser atingido aqui. Em terceiro lugar, a sinceridade de coração dá ousadia ao homem na presença de Deus, a despeito das muitas falhas. O Senhor "nos seus anjos encontra loucura", quanto mais nos homens "que habitam em casas de lodo" (Jó 4.18,19). Davi, cuja fé falhara e que dissera: "Ora, ainda algum dia perecerei pela mão de Saul" (1 Sm 27.1), e cuja língua também fracassara com o sacerdote Abimeleque, dizendo-lhe três ou quatro mentiras. Todos os seus pecados serão expostos no último dia como um laço cancelado, para que fiquem imaginando como os verão sem ter vergonha. No entanto o mesmo espírito de filiação que lhes dará ousadia perfeita lhes dá ousadia em grande medida nesta vida, para que possam dizer: "Nem a altura, nem a profundidade, nem alguma outra criatura [nada] nos poderá separar do amor de Deus, que está em Cristo Jesus, nosso Senhor!" (Rm 8.39). — *William Strong*

v. 23: "Também fui sincero perante ele e me guardei da minha iniquidade". O cristão sincero não se entrega a qualquer pecado conhecido. Ele ousa não tocar no fruto proibido: "Como, pois, faria eu este tamanho mal e pecaria contra Deus?" (Gn 39.9). Embora seja um pecado de aparência, ele o desaprova. Não há homem que não se inclina mais a um pecado que outro. Como no corpo há um temperamento predominante, ou como na colmeia há a abelha-rainha, assim no coração há um pecado-rei. Há um pecado que não só está junto do homem como a roupa, mas lhe é querido como o olho direito. Esta é forte-real de Satanás, pois toda a sua força está ali. Se derrubarmos as suas defesas externas, o pecado bruto, mas deixarmos esta fortaleza de pecado de aparência é tudo o que ele deseja. O Diabo pode prender o homem tão fortemente por este elo quanto pela corrente toda de vícios. O caçador de aves selvagens já caçou o pássaro tendo-o prendido apenas pela asa. O cristão sincero não se entrega a este pecado de aparência: "Também fui sincero perante ele e me guardei da minha iniquidade". O cristão sincero toma a faca do sacrifício da mortificação, e a usa no seu mais querido pecado. Herodes fez muitas coisas más, no entanto havia um pecado que lhe era querido, pois ele preferiu decapitar o profeta a decapitar esse pecado. Herodes quis uma brecha para o seu incesto. Um coração sincero não só tem ódio do pecado (que dá margem a reconciliação), mas odeia o pecado. Se ele vê esta serpente insinuando-se no seu peito, quanto mais perto está mais ele a odeia. — *Thomas Watson*

v. 23: "E me guardei". Ele se guardou! Quem fez do homem o seu próprio guarda? É o Senhor que é o seu guarda. Ele é o guarda de Israel e o protetor do homem. Se o homem não pode se guardar da tristeza, como pode se guardar do pecado? Em nossa primeira conversão, Deus realmente trabalha em nós como trabalhou na terra, ou no corpo de Adão no paraíso, antes de soprar nele a alma e torná-lo criatura viva. É o poder semelhante a que Jesus ativou em Lázaro na sepultura, pois estamos "mortos em ofensas e pecados" (Ef 2.1). Mas estando vivo, ele tem de andar e agir sozinho, querendo o Senhor que cooperemos juntamente com Ele, porque somos edificados sobre Cristo, não como mortos, mas como "pedras vivas" (1 Pe 2.5). A graça pela qual somos vivificados é dEle, e o poder é dEle. É Deus que trabalha em nós tanto o querer como o efetuar (Fp 2.13), quando fazemos alguma coisa. Contudo, pela sua graça também o fazemos. *Ille facit ut nos faciamus, quae praecepit* (Agostinho). — *William Strong*

v. 23: "E me guardei da minha iniquidade". É possível nos guardar de tais pecados como Davi se guardou, pois ele confessa ter sido extremamente sincero, ter se guardado da iniquidade à qual era tentado fortemente e à qual era propenso a cair. O método que o Davi santo usou nos dá a primeira e melhor orientação, que é, pela oração constante e fervorosa implorar a ajuda divina e a assistência ininterrupta do Espírito Santo, para que Deus não só nos guarde de cair nesses pecados, mas até mesmo afaste o nosso coração de inclinar-se a eles e nos ajude a ver a nossa loucura e perigo. Mas infelizmente não somos capazes de ajudar a nós mesmos, nem tanto quanto a ter um pensamento bom, muito menos resistir uma inclinação má ou tentação forte. "Mas a nossa capacidade vem de Deus" (2 Co 3.5). É Deus, diz o salmista, que "aperfeiçoa o meu caminho" (Sl 18.32). [...] Por fim, para que sejamos cuidados em evitar tais coisas e recusemos as oportunidades mais prováveis de nos enganar e nos vencer, a fim de uma coisa não se enganchar na outra e sermos pegos nos enfeites antes de suspeitarmos do perigo. — *Henry Dove, 1690*

v. 23: "Minha iniquidade". O pecado querido do homem pode variar com a mudança de condição do homem, e por certa oportunidade que se apresente. Não sabemos qual foi o pecado de Saul e o pecado de Jeú antes que chegassem ao trono, mas certamente era aquele em que a concupiscência se satisfez — o estabelecimento de um reino para a posteridade. A petulância pode ser a querida da mocidade, e a mundanalidade pode ser a querida da velhice. Sendo o homem elevado à honra, e tendo oportunidade que não teve no passado, a concupiscência pode ocorrer em outro canal, tendo ele agora tal oportunidade como nunca esperada. — *William Strong*

v. 23: "Minha iniquidade". Existe um pecado particular que é mais propenso que os outros, sobre o qual se pode dizer com ênfase: Esta é a "minha iniquidade", à qual se pode apontar com o dedo e dizer: "É esta..." Há mais tentação a certos pecados do que a outros, dependendo das diferentes profissões ou cursos de vida que os homens tomem. Se optarem pela realeza, não preciso dizer que tentações e armadilhas existem a pecados diversos e citar o perigo de queda, a menos que os votos à virtude e a consideração cuidadosa à honra que vem só de Deus mantenham o indivíduo sincero. Se forem arrolados no campo, a tentação diz respeito à rapina, violência, descaso ao culto a Deus e profanação. Se exercerem comércio, enfrentam a grande tentação de mentir e enganar, negociando de forma fraudulenta e injusta. O mistério de certas profissões, por piores que os homens as administrem, é claramente "o mistério da iniquidade" (2 Ts 2.7, ARA). Se o ramo for da agricultura, a tentação será a ansiedade sobre as coisas do mundo, a desconfiança da providência de Deus ou a murmuração contra essa providência. Gostaria que na profissão mais sagrada de todas houvesse exceção a este particular, mas Paulo fala que nos últimos dias "alguns pregam a Cristo por inveja e porfia", objetivando lucro fácil, mas há outros *que o pregam "de boa mente"* (Fp 1.15). — *Henry Dove*

v. 23: "Minha iniquidade". O verdadeiro reinado do pecado é comumente de um desejo-mestre em particular, que age como o vice-rei sobre todos os demais pecados da alma, governa-os todos como senhor supremo e torna-os todos servis e subordinados a ele. Isso está de acordo com o costume, chamada, constituição, capacidade, relações e também segundo as diferentes administrações do Espírito de Deus, pois embora Deus não seja o autor do pecado, Ele é o ordenador do pecado. De forma que é desse modo de pecado e morte que o homem escolhe, tendo ele olhado amplamente todas as satisfações do mundo, a sua inclinação corrupta escolhe seguir com mais prazer, satisfação e deleite aquilo em que consiste a felicidade da sua vida. Como o corpo físico tem uma inclinação predominante, assim também há uma inclinação predominante no corpo do pecado. O homem natural, mesmo possuindo todas as faculdades mentais, tem certas faculdades mais lúcidas e vigorosas que outras, pois uns são mais engenhosos, outros são mais fortes, outros possuem visão aguçada, outros têm ouvidos sensíveis, outros uma língua inteligente e assim por diante. O mesmo se dá com o velho homem. Há todo o poder do pecado no homem não regenerado, mas em alguns é mais ágil de que em outros. Como o homem na escolha de uma profissão tem mais inclinação a certa coisa que a outra, assim também é na escolha dos prazeres. Como se dá no apetite por comida, assim também na concupiscência, não sendo nada mais do que o apetite da criatura corrompida por algum objeto pecador. — *William Strong*

v. 23: Crescimento em mortificação. [...] Os homens se enganam quando calculam o progresso neste quesito por terem vencido concupiscências às quais a sua natureza não é tão propensa. A maneira mais segura é avaliar segundo a decadência do pecado que o homem mais gosta, como Davi calculou a justiça por guardar-se da iniquidade, assim o homem deve avaliar segundo o crescimento em sua sinceridade. Quando os médicos avaliam a doença física, não o fazem por uma parte só, como apenas pela aparência do rosto ou algo semelhante. Tal abatimento particular da carne em uma parte do corpo pode vir de outra causa, mas eles costumam avaliar pela queda da força muscular das mãos, braços e pernas, etc., pois estas são as partes mais sólidas. Os médicos fazem avaliações semelhantes de outras doenças e da cura através da diminuição de tais sintomas que são característicos, próprios e peculiares da doença em questão. De maneira semelhante, a avaliação do progresso das vitórias em um reino do inimigo não é feita pela tomada ou destruição de aldeias ou vilarejos, mas pela tomada das fortalezas e dos mais fortes baluartes, e por qual razão ele venceu a força principal, por quais forças ele exterminou o exército principal. O mesmo ocorre na diminuição e vitória sobre as suas concupiscências. — *Thomas Goodwin*

v. 23: Nunca devemos nos esquecer de que a graça de Deus nos guarda, que podemos ter boa vontade e obras em nós quando a tivermos e que assim podemos ter sucesso. Contudo, em vão esperamos a continuação da ajuda sem esforços diligentes. Enquanto Deus ajuda as nossas fraquezas, Ele não tem a intenção de encorajar a nossa preguiça. Temos então de imitar o que o apóstolo expressa em Colossenses 1.29: "Trabalho, combatendo segundo a sua eficácia, que opera em mim poderosamente". — *Henry Dove*

vv. 24 a 26: Como você pode ver uma proporção entre pecados e castigos que são as recompensas deles e pode dizer: Esse pecado gerou este sofrimento, é semelhante ao pai. Assim você vê a proporção semelhante entre as suas orações e o seu andar com Deus, e entre as respostas de Deus e os seus procedimentos para com você: "Pelo que me retribuiu o Senhor conforme a minha justiça, conforme a pureza de minhas mãos perante os seus olhos". O discurso revela alguma similitude ou semelhança como, por exemplo, quanto mais vantagens próprias ou desejos carnais você tem na oração, mais você mistura isso com os desejos santos, e quanto mais falta de zelo e fervor for encontrado nas orações, mais você encontrará amargura misturada com misericórdia quando for dada, e tanta imperfeição e falta de consolação. Assim diz Davi neste mesmo salmo: "Com o puro te mostrarás puro". Orações puras têm bênçãos puras; em contrapartida, "com o perverso te mostrarás indomável" (vv. 25, 26). Como você na oração, às vezes, desanima e esfria, assim vê o negócio de forma semelhante esfriar e voltar para trás, como: "Quando Moisés levantava a sua mão, Israel prevalecia; mas, quando ele abaixava a sua mão, Amaleque prevalecia" (Êx 17.11). Deus o deixou ver uma proporção, que mostrou que as orações era o meio para prevalecer. O homem em oração acha que o seu pedido, às vezes, demora e não ocorre como esperado. É porque ele não dá tão boa paga quanto estava acostumado, e não importuna Deus e o procura. Pelo contrário, quando ele é provocado a orar, descobre que as coisas vão bem. Por meio disso, o homem vê claramente que foi a oração que Deus ouviu e considerou. Assim igualmente, quando o homem vê colinas e vales em um negócio, esperanças justas tantas e tantas vezes frustradas e o fato no fim concretizado, basta rememorar as orações feitas. Você não age de maneira semelhante com Deus? Quando você tinha orado fervorosamente e pensado que venceu, então estragou tudo interpondo algum pecado, e isso repetidas vezes? Com isso Deus fez com que observaste uma proporção, ajudando-o a discernir como e quando as coisas são respondidas e obtidas pela oração, porque Deus trata assim contigo em proporção às tuas orações. — *Thomas Goodwin*

vv. 24 a 27: Quando os olhos estão sãos e sem doença, o sol é muito agradável e saudável, mas quando os mesmos olhos estão fracos, doloridos e sensíveis, o sol é muito problemático e danoso, ainda que seja o mesmo sol de sempre. Assim Deus sempre se mostra benigno e generoso para com aqueles que são amáveis e bondosos para com os santos e é misericordioso para com os que mostram misericórdia. Mas para os mesmos homens, quando caem na maldade e ficam cheios de crueldade bestial, o Senhor se mostra muito colérico e irado, ainda que seja o mesmo Deus imutável de eternidade a eternidade. — *Robert Cawdray*

v. 25: "Com o benigno te mostrarás benigno; e com o homem sincero te mostrarás sincero". "Sincero" é a mesma palavra muitas vezes traduzida por "perfeito". Ele é bom do começo ao fim, mais não inteiramente. Não é alguém que personifica a religião, mas alguém que é religioso. Ele é perfeito, porque ele o seria. Noé é assim chamado: "Noé era varão justo e reto [ou seja, perfeito] em suas gerações" (Gn 6.9), era um homem bom em uma época ruim. Era como uma ardente faísca de fogo em um mar de água, que é a bondade perfeita. O Espírito Santo se afeiçoou ao seu nome, como se não pudesse se livrar dele — é excelente observação do pregador: "Noé, porém, achou graça aos olhos do SENHOR. Estas são as gerações de Noé: Noé era varão justo e reto em suas gerações; Noé andava com Deus. E gerou Noé três filhos: Sem, Cam e Jafé" (Gn 6.8-10). Noé, Noé, Noé, gosto do som deste nome. É o que acontece com todos os nomes preciosos para Deus, embora odiados pelos homens, caso o nome de Deus seja querido e agradável para você. A palavra hebraica, às vezes, também é traduzida por "simples", como em Gênesis 25.27. Jacó era אִישׁ תָּם, "simples", que significa, um homem sincero, "habitando em tendas". Esaú era "varão perito em caça", mas Jacó era um homem simples, pacato, sem papas na língua. Você conhece o coração pelas palavras, pois exceto a vez em que Rebeca pôs um truque astucioso na cabeça do filho, ele era um homem muito "sincero", correto. O significado claro é homem simples, sincero, afetuoso e correto. É um homem assim que procuramos.

"Homem." Os hebreus usam este substantivo para denotar o adjetivo. Mas aqui o Espírito Santo exibe uma palavra e um escolhido também, que significa "homem forte e valoroso". A mesma palavra ocorre em Salmos 45.3: "valente", que é o nosso Senhor Cristo, que era homem muito forte e valoroso que poderia enfrentar a ira de Deus, a maldade do Diabo e o pecado do homem e sair com triunfo. A tradução holandesa desta frase em 2 Samuel 22 é: "Com a pessoa valorosa e correta, tu te comportas retamente". Em resumo, se as palavras fossem traduzidas literalmente, ficaria assim: "homem de sinceridade", seja de que jeito for que você lide com ele, ele é um homem sincero. Como um dado precisamente quadrado, lance-o do modo que você quiser e ele se comportará de forma justa e igual. É um homem duro e forte para esmagar as concupiscências interiores e as tentações exteriores. É um Atanásio contra o muno, um Lutero contra Roma, um homem de espírito excelente tal é este nosso homem sincero.

"[Tu] te mostrarás sincero" ou "tu serás sincero com ele", pois uma palavra no original hebraico produz todas estas cinco: "Tu serás sincero com ele". Se os homens lidarem francamente com Deus, Ele lidará francamente com eles. Aquele que for sincero em cumprir os seus deveres, descobrirá que Deus é sincero em cumprir as suas promessas. É a maneira de Deus se envolver com os homens conforme eles se envolvem com Ele. Se tens o desígnio de agradá-lo, Deus terá o desígnio de abençoá-lo. Se ecoares a Deus quando Ele chamar, o Senhor ecoará a ti quando tu o chamares. Por outro lado, se os homens lutarem com Deus, Ele lutará com eles. Se fores irresponsável e insincero com Ele, e andares indomavelmente com Deus, tu receberás exatamente nessa medida. Se o provocares com pecados intermináveis, Ele te perseguirá com tormentos intermináveis. Se cometeres o pecado eterno, terás de sofrer eternamente, pois todo homem será tratado do mesmo modo. [...] O coração sincero é único e sem divisão. Para o hipócrita, "há muitos deuses e muitos senhores" (1 Co 8.5), e ele tem de ter um coração para cada um desses deuses e senhores. Mas para o sincero, há apenas um Deus Pai, e um Senhor Jesus Cristo, e um coração servirá a ambos. Aquele que fixa o coração nas criaturas, para cada criatura ele tem de ter um coração e a divisão do coração o destrói (Os 10.2). Os ganhos mundanos batem à porta, ele tem de ter um coração para agradá-los. Os prazeres carnais se apresentam, ele também tem de ter um coração para eles. As subidas de cargos pecaminosas aparecem, ele tem de ter um coração — *Necessariorum numerus parvus, opinionum nullus*, que significa, "O número de objetos necessários é pequeno, o número de vaidades desnecessárias é infinito". O homem sincero escolhe Deus e tem o bastante. — *Richard Steele*

v. 25: "Com o benigno te mostrarás benigno; e com o homem sincero te mostrarás sincero". Podemos falar do verdadeiro Deus, o Senhor, que tem nas mãos duas taças, uma de consolações, a outra de cruzes, que Ele derrama indiferentemente para os bons e para os maus. "Com o benigno [misericordioso] te mostrarás benigno [misericordioso]; e com o homem sincero te mostrarás sincero". Isso não faz Deus o autor do mal, mas da justiça que é boa. *Quorum deus non est author eorum est Justus uttor*, disse Agostinho: "Deus não é o autor do pecado, mas Ele pune o pecador justamente". — *Miles Smith (Bispo), 1632*

v. 26: "Com o puro te mostrarás puro; e com o perverso te mostrarás indomável". Mas o Senhor age de acordo com quem encontra, ou muda de temperamento conforme muda a companhia? Esta é a fraqueza do homem pecador, que não pode ser assim com quem não há mudança nem sombra de variação. Deus é puro e sincero com os imundos e hipócritas, como também com os puros e sinceros, pois as suas ações mostram o seu caráter. Deus se mostra indomável com os indomáveis, quando lida com eles como disse que lidará com os indomáveis — negue-os e rejeite-os. Deus se mostra puro com os puros, quando lida com eles como disse que lidará — ouça-os e aceite-os. Embora não haja nada na pureza e sinceridade que mereça misericórdia, não podemos esperar misericórdia sem elas. As nossas consolações não estão fundamentadas em nossas graças, mas as nossas consolações são frutos ou consequências das nossas graças. — *Joseph Caryl*

v. 26: "O indomável". Aqui, como na primeira promessa, os dois combatentes estão em contraste — a semente da mulher e a serpente — o benignamente generoso, perfeito, puro e o indomável, cujas obras Ele veio destruir, e que fez o seu grande negócio esquivar-se de quem temia. O significado literal da palavra é "tortuoso" ou "dobrado", e tanto a ideia de perversidade quanto de astúcia que a figura naturalmente sugere é muito aplicável à "antiga serpente, chamada o Diabo e Satanás" (Ap 12.9). Da parte final da frase, penso que não há dúvida de que a ideia posterior é o significado que se quer dar. Deus não pode tratar perversamente com alguém, mas Ele burla o sábio e apanha a astúcia na sua própria esperteza. — *John Brown*

v. 26: "E com o perverso te mostrarás indomável". A raiz da palavra hebraica significa "arrancar", "puxar", contorcer" ou "virar uma coisa", como os lutadores fazem com o corpo. Conseguintemente, por um tropo, é traduzido na maioria das vezes por "lutar", porque o homem esperto quando luta, vira e balança o corpo, mexe-se para um lado e para outro para de algum modo obter vantagem sobre o adversário. Vocês, homens astutos e sagazes, estão apropriadamente representados por esta palavra. Eles são como lutadores que se mexem e giram de um lado para o outro, mentindo em troca de toda e qualquer vantagem. Não sabemos se falam a verdade, ou o que querem dizer quando falam mais claramente ou juram solenemente. Quando pensamos que estamos vendo-lhes o rosto, estamos vendo só uma máscara. Todas as suas promessas e realizações também estão mascaradas. [...] Esta palavra se aplica ao próprio Senhor: "Com o perverso te mostrarás indomável", quer dizer, se os homens forem sinuosos e tortuosos, pensando em enganar os outros ou levar vantagem sobre o próprio Senhor com truques e mudanças de intenções, o Senhor os encontrará e lhes responderá na mesma moeda. Ele pode se movimentar tão rápido quanto eles, pode se colocar em labirintos de sabedoria infinita e artimanha sagrada tão complicados a ponto de emaranhar e enlaçar o lutador mais esperto ou o acrobata mais astuto. Ele será mais cretense do que os cretenses, suplantará os suplantadores do seu povo. — *Joseph Caryl*

v. 26: "[Tu] te mostrarás indomável". É uma expressão tomada dos lutadores, e denota o bamboleio do corpo contra o adversário. Compare com Deuteronômio 32.5: "Geração perversa e torcida é", onde são usadas as mesmas duas palavras usadas no texto sob estudo. A segunda palavra significa que as pessoas ziguezagueavam e se contorciam segundo o método dos lutadores que se mexem para todos os lados, e giram para o outro lado, quando a pessoa pensa que ele está aqui ou ali. Mas nem todos os esquivos servirão para salvá-los do castigo. Deus com certeza os golpeará, a Palavra se apoderará deles e o pecado os encontrará. — *John Trapp*

v. 27: "O povo aflito". A palavra hebraica traduzida por "aflito", significa, corretamente "pobre" ou "necessitado". O povo referido é obviamente o aflito, porque ele precisa ser salvo ou liberto. Porém não é tanto a aflição quanto a pobreza que denota este epíteto. Os pobres são contrastados, não com os ricos, mas com os altivos, porque este é o significado da expressão figurativa "os olhos altivos". É lógico que, embora a grande maioria da classe citada sempre se ache entre os comparativamente "pobres deste mundo" (Tg 2.5), a referência é aos pobres a quem o nosso Senhor representa por "pobres de espírito" (Mt 5.3). — *John Brown*

v. 27: "Os olhos altivos", isto é, os orgulhosos. O levantar das sobrancelhas é o natural daquele mal (Sl 101.5; Pv 6.17). — *John Diodati*

v. 28: "Porque tu acenderás a minha candeia; o Senhor, meu Deus, alumiará as minhas trevas". O salmista fala sobre um lugar de luz artificial, ao falar acerca de "candeia" ("vela" ou "lâmpada"). Supomos que isso está ilustrado pelo costume prevalecente no Egito de nunca deixar a casa sem luz, pois as lâmpadas ficam acesas por toda a noite, de forma que até as pessoas mais pobres preferem reduzir gastos com alimentação a negligenciar a luz durante a noite. Supondo que este era o costume antigo não só no Egito, mas também nos países circunvizinhos da Arábia e Judeia, "a iluminação por lâmpada" nesta passagem pode ter alusão especial. A passagem paralela de 2 Samuel 22.29 fala que o Senhor é figurativamente a "candeia" ("lâmpada") do salmista, como acima. — *Richard Mant*

v. 28: "Porque tu acenderás a minha candeia". "Tu acenderás" quando ninguém pode acender. Note também que aqui e frequentemente em outros lugares o salmista começa falando *de* Deus e termina falando *com* Ele. Assim diz a noiva em Cantares: "Beije-me ele com os beijos da sua boca; porque melhor é o seu amor do que o vinho" (Ct 1.2). — *Dionísio, o Cartuxo (1471), citado por John Mason Neale*

v. 29: "Porque contigo entrei pelo meio de um esquadrão e com o meu Deus saltei uma muralha". Davi atribui as suas vitórias a Deus, declarando que, sob sua conduta, ele penetrara os esquadrões ou falanges dos inimigos e tomara por meio de tempestades as cidades fortificadas. Assim vemos que, embora fosse guerreiro valoroso e perito em armas, ele não arroga nada para si. — *João Calvino*

v. 29: "E com o meu Deus saltei uma muralha" ou "tomei um forte". — *Henry Hammond*

v. 29: "Saltei uma muralha". Esta expressão diz respeito ao salmista ter tomado alguma cidade importante escalando-lhe as trincheiras. — *John Kitto, "The Pictorial Bible" [A Bíblia Pictórica]*

v. 31: "Porque, quem é Deus senão o Senhor?" Aqui ocorre pela primeira vez nos salmos o nome divino *Eloah*, traduzido por "Deus". Ocorre mais de cinquenta vezes na Bíblia, mas apenas quatro vezes nos salmos. É o singular de *Elohim*. Muitos supõem que este nome se refira especialmente a Deus como objeto de adoração religiosa. Essa ideia é muito proeminente neste texto. — *William S. Plumer*

v. 32: "Deus é o que me cinge de força". Um dos poucos artigos de vestuário oriental que usei no Ocidente foi o cinto, pois era de grande utilidade para sustentar o corpo nas longas e cansativas viagens de camelo pelo deserto. O apoio e força que recebi deste artefato me deu uma ideia mais clara do que o salmista quis dizer. — *John Anderson, "Bible from Bible Lands" [A Bíblia das Terras Bíblicas], 1856*

v. 33: "Faz os meus pés como os das cervas e põe-me nas minhas alturas", quer dizer, o Senhor dá ligeireza e velocidade para a igreja, conforme Agostinho interpreta: *transcendendo spinosa, et umbrosa implicamenta hujus saeculi*, que significa "atravessando velozmente por meio das dificuldades espinhosas e sombrias deste mundo".

"E põe-me nas minhas alturas", disse Davi, fazendo-o andar nos lugares altos. Consideremos que Davi, portanto, quando compôs o salmo, vivia momentos em que Deus o livrara da mão dos inimigos e da mão de Saul. Deus, então, lhe firmou os pés em lugares altos, estabelecendo-lhe o reino e colocando-o no lugar de Saul. — *Edward Marbury*

v. 33: "Faz os meus pés como os das cervas", מְשַׁוֶּה רַגְלַי כָּאַיָּלוֹת. A celeridade de movimento era considerada uma das qualidades do herói de antigamente. Aquiles é célebre por ser πὸδας ὠκύς. Virgilio descreve Nisus hiperbolicamente: "Et ventis et fulminis ocior alis". O cronista fala que os homens de Deus que vieram a Davi eram "varões valentes, homens de guerra para pelejar, armados com rodela e lança", tendo rostos "como rostos de leões" e sendo "ligeiros como corças sobre os montes" (1 Cr 12.8). Asael era "ligeiro de pés, como uma das cabras monteses que há no campo" (2 Sm l 2.18). Ao que parece, Saul era chamado de cabrito (na tradução: "Ornamento) de Israel!" (2 Sm 1.19). Dizem que as pernas da cerva são mais retas que as do cervo, e que a fêmea é mais veloz do que o macho, mas não há prova suficiente disso. Gataker dá a verdadeira explicação quando diz: "A fórmula feminina é usada muitas vezes para referir-se à espécie". Isso não é incomum no hebraico. A jumenta representa obviamente a espécie do jumento (Gn 12.16; Jó 1.3; 42.12). Certos estudiosos (o principal dos quais é Bochart, "Hierozoicon", P. i, L. ii, c. 17) propõem que a referência seja à dureza característica do casco que permite o animal andar firmemente sem perigo de cair nos lugares mais ásperos e rochosos. Virgílio chama a cerva de *aeri-pedem*, que significa "de pés de cobre". Outros propõem que a alusão seja à sua agilidade e celeridade. Não há nada que nos proíba de pensar que haja uma referência a estas duas qualidades distintivas dos pés das cervas. — *John Brown*

v. 33: "Faz os meus pés como os das cervas e põe-me nas minhas alturas", ou seja, Deus me capacita a ficar de pé no lado das montanhas e rochedos, que antigamente eram usados como praças fortificadas em tempo de guerra. Os pés das ovelhas, cabras e cervos são particularmente adaptados para firmar-se nesses lugares. Merrick cita muito apropriadamente a seguinte passagem de Xenofonte: Ἐπισκοπεῖν δεῖ ἔχοντα τὰς κύνας τὰς μὲν ἐν ὄρεσι ἑσῶσας 'λαφους (Lib. de Venatione). Ver também o Salmo 104.18, onde a mesma propriedade de estar em pé nos rochedos e precipícios íngremes é atribuída às cabras monteses. — *Stephen Street, Mestre em Ciências Humanas, in loc., 1790*

v. 34: "Adestra as minhas mãos para o combate, de sorte que os meus braços uebraram um arco de cobre". Devo ao Senhor toda essa perícia, força ou bravura militar que tenho. A minha força é suficiente, não apenas para vergar um "arco de cobre", mas até para quebrá-lo. — *Matthew Poole*

v. 34: "Cobre". Algumas versões bíblicas traduzem a palavra hebraica correspondente por "aço" (נְחוּשָׁה). É duvidoso se os hebreus já conheciam o processo de endurecimento de ferro para transformá-lo em aço, pois embora certos estudiosos suponham que "o ferro do Norte" de Jeremias 15.12 seja o aço, de modo algum isso está claro. Pode ser um tipo superior de ferro. — *William Lindsay Alexander, in: Cyclopaedia of Biblical Literature [Enciclopédia de Literatura Bíblica], de H. D. F. Kitto*

v. 34: O desenho de um arco forte era marca de grande matança e perícia.

Assim o grande mestre sacou o poderoso arco
E esticou com facilidade. Uma mão no alto mostrava
As pontas vergando, e a outra puxava a corda
— *Alexander Pope, 1688-1744 [Tradução para o inglês feita por Homero]*

vv. 37 e 38:

Oh, eu vejo o dia
Quando com uma única palavra
Deus me ajuda a dizer
"A minha confiança está no Senhor"
A minha alma suprimiu mil inimigos
Sem medo de todos que poderiam se me opor
— *William Cowper, 1731-1800*

v. 38: "Atravessei-os, de sorte que não se puderam levantar; caíram debaixo dos meus pés". Maior é o que está em nós do que o que é contra nós (cf. 1 Jo 4.4), e "o Deus de paz esmagará em breve Satanás debaixo dos vossos pés" (Rm 16.20). — *W. Wilson*

vv. 38 a 40: As emoções possuem o nosso corpo, mas "na vossa paciência, possuí a vossa alma" (Lc 21.19). A lei de nossa confissão nos prende a uma guerra: *patiendo vincimus*, que significa, "as nossas dificuldades terminarão, a nossa vitória é eterna". Vejamos o triunfo de Davi: "Atravessei-os, de sorte que não se puderam levantar; caíram debaixo dos meus pés. Pois me cingiste de força para a peleja; fizeste abater debaixo de mim aqueles que contra mim se levantaram. Deste-me também o pescoço dos meus inimigos, para que eu pudesse destruir os que me aborrecem". Foram feridos porque feriram. Os pisadores dos pobres são pisados pelos pobres. O Senhor fará abater debaixo de nós aqueles que nos teriam abatido debaixo deles. Por pouco tempo montaram sobre a nossa cabeça, mas agora pisaremos no pescoço deles para sempre. Eis a recompensa da paciência humilde e da esperança confiante! — *Thomas Adams*

v. 39: "Pois me cingiste de força para a peleja". Segundo os idiomas grego e latino, como também no hebraico, estar bem cingido era sinônimo de estar bem armado. — *Alexander Geddes, Doutor em Direito, 1737-1802*

v. 41: "Clamaram, mas não houve quem os livrasse; até ao SENHOR, mas ele não lhes respondeu". Há muitos exemplos tristes sobre a verdade desta profecia. Acerca de Esaú, está escrito que ele "não achou lugar de arrependimento, ainda que, com lágrimas, o buscou" (Hb 12.17). Acerca de Antíoco, embora jurasse na doença terminal que "ele mesmo se tornaria judeu e percorreria todos os lugares habitados, proclamando o poder de Deus! Mas", continua o historiador, "suas dores não se atenuavam porque o justo castigo de Deus pesava sobre ele" (2 Macabeus 9.17,18)*. Porém mais adequadamente a esta passagem sob estudo, acerca de Saul está escrito:

* **N. do E.:** Em sua vasta bibliografia, Spurgeon cita autores cristãos e não cristãos. E, quando necessário, faz menção dos apócrifos. O Texto Sagrado também utiliza fontes pagãs e apócrifas (At 17.28; Tt 1.12; Jd 14,15).

"E perguntou Saul ao Senhor, porém o Senhor lhe não respondeu, nem por sonhos, nem por Urim, nem por profetas" (1 Sm 28.6). Portanto, o profeta nos adverte: "Dai glória ao Senhor, vosso Deus, antes que venha a escuridão e antes que tropecem vossos pés nos montes tenebrosos" (Jr 13.16a), visto que os pés de Saul realmente tropeçaram nas montanhas escuras de Gilboa. "Clamaram [...] ao Senhor", mas, como já se observou muito bem, não por um Mediador. Assim, clamando a Ele em nome próprio e por méritos próprios, clamam em vão. — *John Lorinus (1569-1634), e Remigius (900), citado por John Mason Neale*

v. 41: "Até ao Senhor". Como a natureza leva os homens em necessidade a procurar ajuda, mas porque é somente a oração da carne em busca de sossego e não do Espírito em busca de graça, e apenas por boa serventia das calamidades e não por extremo desespero de ajuda, então Deus não os ouve. Em 2 Samuel está escrito: "Olharam, porém, não houve libertador" (2 Sm 22.42), diariamente, mesmo que tivessem feito outra mudança, Deus jamais os teria ouvido. — *John Trapp*

v. 42: "Deitei-os fora como a lama das ruas". No Oriente, toda sujeira e lixo doméstico eram jogados nas ruas, onde tudo que fosse comestível logo seria apanhado por pássaros e cachorros, e o restante secava rapidamente ao sol. Jogar alguém fora como a lama das ruas é uma imagem forte de desprezo e rejeição. — *John Kitto*

vv. 43 e 44: Se podemos aplicar estas palavras literalmente a Davi, mas elas aplicam-se mais naturalmente a Jesus Cristo que foi liberto das lutas artificiosas do povo judeu. Quando, depois da oposição terrível que Ele enfrentou, para o estabelecimento do Evangelho, Jesus foi feito o cabeça dos gentios que eram um povo estrangeiro, e a quem Ele não fora anteriormente reconhecido como seu, mas que lhe obedeceram com prontidão surpreendente assim que lhe ouviram a voz. — *Louis Isaac, "Le Maistre de Stacy", 1613-1684*

v. 45: A primeira frase é comparativamente fácil: "Os estranhos decairão", murcharão gradualmente até desaparecer. A segunda frase é muito difícil: "E terão medo nas suas fortificações". Jarchi, estudioso judeu, interpreta assim: "Eles terão medo das prisões nas quais eu os lançarei e os manterei presos". Outro estudioso entende assim: "Eles terão medo nos castelos aos quais eles recorreram por medo de mim". Abenezra, também estudioso judeu, diz: "Eles se entregarão nas suas fortalezas". O significado geral é bastante claro. A classe referida diz respeito às pessoas que foram reduzidas a um estado de completa subjugação desamparada. Quanto ao acontecimento referido, se nos mantivermos a tradução, o significado pode ser: "Os pagãos, agora retirados em geral a aldeias e lugares ermos, gradualmente diminuirão e medrosamente esperarão a extinção total da sua religião". Isso concorda exatamente com a história. Se com alguns intérpretes lermos: "Os estranhos decairão e terão medo nas suas fortificações", então o significado pode ser: "Aqueles que só fingem lealdade, quando surgir a perseguição por causa da palavra se desviarão abertamente". Isso também soa consoante aos fatos. A primeira destas interpretações parece a mais provável. — *John Brown*

v. 46: "O Senhor vive; e bendito seja o meu rochedo, e exaltado seja o Deus da minha salvação". Unamos os nossos corações neste cântico para uma conclusão dos nossos louvores. As honras morrem, os prazeres morrem, o mudo morre, mas "o Senhor vive". A minha carne é como areia, a minha vida, força e glória carnal são como uma palavra escrita na areia, mas "bendito seja o meu rochedo". Aqueles duram só um momento, mas este permanece para sempre. A maldição devorará aqueles, mas as bênçãos eternas estarão na cabeça deste. As salvações exteriores desaparecem.

Crucifiquem o salvo. "Exaltado seja o Deus da [nossa] salvação". Este Senhor é o meu rochedo; este Deus é a minha salvação. — *Peter Sterry, 1649*

v. 46: "O SENHOR vive". Por que vocês não contrapõem um Deus contra todos os exércitos de males que acossam vocês? Por que vocês não se contentam mais em Deus, quando têm a menor das criaturas em que se contentar? Por que vocês não se gloriam no seu Deus? Por que não se engrandecem na esperança em Deus e na expectativa dEle? Vocês não veem herdeiros jovens de grandes propriedades agirem e gastarem adequadamente? Então, por que vocês, sendo filhos do Rei dos céus, são pobres e atormentados todos os dias, como se não tivessem valor? Senhores vivam segundo a sua parte, repreendam-se por viver além do que vocês têm. Há grandes e preciosas promessas, ricas e enriquecedoras misericórdias. Vocês podem usar a todo-suficiência de Deus. Podem culpar a ninguém mais senão a vocês mesmos por serem imperfeitos ou desanimados. Uma mulher, na maior parte verdadeiramente temente a Deus, tendo enterrado um filho e estando sentada sozinha na maior tristeza, ainda sustenta o coração com a expressão "o SENHOR vive". Tendo repartido com outras pessoas, ainda acrescenta: "As consolações morrem, mas o Senhor vive". Por fim, o seu querido esposo morre, e ela fica deprimida e extremamente devastada pela tristeza. Um filho pequeno que ela ainda tinha, depois de ter observado o que antes ela falara para consolar-se, dirige-se ela e diz: "Deus está morto, mamãe? Deus está morto?" Estas palavras atingiram-lhe o coração em cheio, o qual, pela bênção do Senhor, recuperou a confiança anterior no seu Deus, que é um Deus vivo. Assim, cada um de vocês repreenda a si mesmo. Perguntem ao espírito desanimado debaixo de tristezas exteriores: Deus não está vivo? Então, por que a alma não reaviva? Por que o coração morre dentro de vocês quando as consolações morrem? Um Deus vivo não pode sustentar as esperanças agonizantes? Assim, cristãos, vençam o espírito desanimado e inquieto como Davi venceu. — *Oliver Heywood, "Sure Mercies of David" (As Misericórdias Certas de Davi), 1672*

v. 47: "É Deus". Isso não é senão a mão de Deus. Somente ao Senhor pertence a glória, na qual ninguém irá compartilhar com Ele. O General, Oliver Cromwell, serviu você com toda fidelidade e honra. O melhor elogio que posso dar a ele é que ouso dizer que atribui tudo a Deus, preferindo perecer a tomar para si. — *Oliver Cromwell, escrito para o orador da Câmara dos Comuns, depois da batalha de Naseby, 14 de junho de 1645*

v. 49: Admiro muito o rei Davi, mais do que quando o vejo no coro do que quando o vejo no acampamento. Mais quando o vejo cantando como o doce cantor de Israel, do que quando o vejo lutando como o guerreiro digno de Israel, pois lutando com os outros ele venceu a todos os outros, mas cantando e deleitando-se, venceu a si mesmo. — *Thomas Playfere*

SUGESTÕES AOS PREGADORES

v. 1. A decisão do amor, a lógica do amor, as provações do amor, as vitórias do amor. James Hervey tem dois sermões sobre o "Amor a Deus" baseados neste texto.

v. 2. As muitas excelências do Senhor para o seu povo.

v. 2. Deus a porção todo-suficiente do seu povo. — *Charles Simeon, "Works" [Trabalhos], vol. 5, p. 85.*

v. 3. Oração decidida. Louvor dado. Resultado esperado.

vv. 4 a 6. Retrato vívido de uma alma aflita e os recursos procurados na hora da necessidade.

v. 5. "Cordas do inferno me cingiram." A condição da alma convencida de pecado.

v. 5. "Laços de morte me surpreenderam." O modo em que armadilhas e tentações se organizam, pela astúcia satânica, para nos explorar ou nos impedir.

v. 6. O tempo, a maneira, a audição e a resposta da oração.

v. 7. O abalo de todas as coisas na presença de um Deus irado.

v.10. Agências celestiais e terrenas subservientes aos propósitos divinos.

v. 11. A escuridão na qual o Senhor se esconde. Por quê? Quando? E depois?

v. 13. "Saraiva e brasas de fogo." O terrificante em sua relação com o Senhor.

v. 16. O cristão, como Moisés, é alguém que foi "tirado das águas". O versículo inteiro é um assunto nobre, podendo ser ilustrado pela vida de Moisés.

v. 17. O canto de vitória dos santos sobre Satanás e todos os outros inimigos.

v. 17. "Eram mais poderosos do que eu." Razão singular, mas sólida para esperar a ajuda divina.

v. 18. A "astúcia" do inimigo: "Surpreenderam-me no dia da minha calamidade". O inimigo acorrentado: "Mas o Senhor foi o meu amparo".

v. 19. A razão da graça e a posição na qual coloca os escolhidos.

v. 21. Integridade de vida, sua medida, fonte, benefício e perigos.

v. 22. A necessidade de considerar as coisas sagradas e a maldade de considerá-las de forma descuidada.

v. 23. O coração sincero e o seu pecado predileto. — *William Strong, "Sermons" [Sermões]*

v. 23. *Peccata in deliciis.* Um discurso sobre pecados secretos. — *P. Newcome*

v. 23. A provação certa da sinceridade. — William Bates

v. 25. Ecos na providência, graça e julgamento.

v. 25. A equidade dos procedimentos divinos. — *Charles Simeon*

v. 27. Consolação para os humildes e desolação para os orgulhosos.

v. 27. "Abaterás os olhos altivos." O abatimento dos olhares altivos. Em um modo de graça e justiça. Entre os santos e os pecadores. Este tema é amplo.

v. 28. Uma esperança consoladora para um estado desconsolador.

v. 29. Narração das proezas de fé. Sua variedade, dificuldade, facilidade de realização, perfeição, impunidade e dependência da operação divina.

v. 30. O modo, palavra e guerra de Deus.

v. 31. Um desafio: (1) Aos deuses: o mundo, os prazeres. Quais dentre estes são dignos do nome? (2) Aos rochedos: a autoconfiança, a superstição. Em quais podemos confiar?

vv. 32 a 34. Posições que provam, adaptações da graça, realizações cheias da graça, obediências que dão segurança, reconhecimento grato.

v. 35. "O escudo da tua salvação." O que é? Fé. De onde vem? "[Tu] me deste". O que a garante? A "salvação". Quem já recebeu esse escudo?

v. 35. Título sugestivo: "A Bondade Divina Reconhecida", in: "Spurgeon's Sermons" [Sermões de Spurgeon], n.º 683.

v. 36. A benevolência divina na distribuição de nossa parte.

v. 39. O cavaleiro da cruz da salvação armado para a batalha.

v. 41. Orações inúteis na terra e no inferno.

v. 42. A vitória certa, a vergonha final e a ruína do mal.

v. 43. "Um povo que não conheci me servirá." A nossa distância natural e pecaminosa em relação a Cristo não é impedimento para a graça.

v. 44. Avanço rápido do Evangelho em alguns lugares, progresso lento em outros. Considerações solenes.

v. 46. O Deus vivo e como bendizê-lo e exaltá-lo.

v. 50. A grandeza da salvação: Ele "engrandece as vitórias". O canal da salvação: o "Rei". A perpetuidade da salvação: "para sempre".

SALMO 19

TÍTULO

Seria perda de tempo investigar o período específico em que este poepma prazeroso foi composto, pois não há nada no título ou no assunto que nos oriente na pesquisa. O título: "Salmo de Davi para o cantor-mor", nos informa que Davi o escreveu e o entregou ao dirigente do serviço musical no santuário para uso dos adoradores reunidos. Na juventude, o salmista, enquanto vigiava o rebanho do pai, se dedicara ao estudo dos dois grandes livros de Deus — a natureza e a Bíblia.

Ele se embrenhara tão profundamente no espírito destes dois volumes singulares da sua biblioteca, que se habilitou com crítica devota a compará-los e contrastá-los, realçando a excelência do Autor conforme via em ambos.

Como são tolos e maus os que em vez de aceitarem os dois tomos sagrados e deleitarem-se em ver a própria mão divina em cada um, gastam todas as faculdades mentais no empenho de encontrar discrepâncias e contradições. Podemos estar certos de que os verdadeiros "vestígios da criação" jamais entrarão em contradição com Gênesis, nem um "cosmo" correto revelará discrepâncias com a narrativa de Moisés. É mais sábio quem lê tanto o livro do mundo quanto o livro da Palavra como dois volumes da mesma obra, tendo este sentimento em relação a ambos: "O meu Pai escreveu os dois".

DIVISÃO

Este cântico se divide muito claramente em três partes muito bem descritas em determinados títulos comuns. A criação mostra a glória de Deus (vv. 1-6). A palavra mostra a graça de Deus (vv. 7-11). Davi ora para receber a graça de Deus (vv. 12-14).

Desta forma, louvor e oração se combinam, e aquele que aqui canta a obra de Deus no mundo exterior roga por uma obra da graça no seu mundo interior.

EXPOSIÇÃO

1 *Os céus manifestam a glória de Deus e o firmamento anuncia a obra das suas mãos.*
2 *Um dia faz declaração a outro dia, e uma noite mostra sabedoria a outra noite.*
3 *Sem linguagem, sem fala, ouvem-se as suas vozes*
4 *em toda a extensão da terra, e as suas palavras, até ao fim do mundo. Neles pôs uma tenda para o sol,*
5 *que é qual noivo que sai do seu tálamo e se alegra como um herói a correr o seu caminho.*
6 *A sua saída é desde uma extremidade dos céus, e o seu curso, até à outra extremidade deles; e nada se furta ao seu calor.*

1. *"Os céus manifestam a glória de Deus."* O livro da natureza tem três folhas: o céu, a terra e o mar, das quais o céu é a primeira e a mais gloriosa, e por sua ajuda podemos ver as belezas dos outros dois. Todo livro que não tem a primeira página é tristemente imperfeito, sobretudo a grande bíblia da natureza, visto que as suas primeiras páginas, o sol, a lua e as estrelas, fornecem luz ao restante do volume e são as chaves sem as quais a escritura que se segue seria obscura e irreconhecível. É lógico que o homem que anda ereto foi feito para esquadrinhar os céus, e aquele que começa lendo a criação estudando as estrelas começa lendo o livro no lugar certo.

A palavra "céus" está no plural por causa da sua variedade, abrangendo os céus aquosos com nuvens de incontáveis formas, os céus aéreos com as calmarias e as tempestades, os céus solares com todas as glórias do dia e os céus estrelados com todas as maravilhas da noite. Como deve ser o céu dos céus ainda não entrou no coração do homem, mas lá todas as coisas falam primariamente da glória de Deus. Qualquer parte da criação tem mais instrução que a mente humana jamais conseguirá esgotar, mas o âmbito celestial é peculiarmente rico em conhecimento espiritual. Os céus "manifestam" ou estão manifestando, pois os particípios hebraicos usados denotam a continuação do testemunho. Em todo momento, a existência, o poder, a sabedoria e a bondade de Deus estão sendo amplamente soados pelos arautos divinos que de cima brilham sobre nós. Quem conjetura sobre a sublimidade divina deve olhar para cima e contemplar a abóbada estrelada. Quem imagina a infinidade deve perscrutar o espaço infinito. Quem deseja ver a sabedoria divina deve considerar o equilíbrio dos astros. Quem quer conhecer a fidelidade divina deve observar a regularidade dos movimentos planetários. Quem visa obter algumas concepções do poder, grandeza e majestade divina tem de calcular as forças de atração, a magnitude das estrelas fixas e o brilho de todo o sistema celestial. Não é somente glória que os céus manifestam, mas "a glória de Deus", porque nos oferecem argumentos incontestáveis sobre a existência de um Criador consciente, inteligente, planejador, controlador e dirigente, que toda pessoa imparcial não deixará de ser convencida por eles. O testemunho dado pelos céus não é mera sugestão, mas uma declaração clara e certa. Trata-se de declaração do tipo mais constante e permanente. A despeito de tudo isso, que proveito há na declaração mais sublime para o surdo, ou na exibição mais clara para alguém espiritualmente cego? O Deus Espírito Santo tem de nos iluminar ou todos os sóis da via láctea não valem de nada.

"E o firmamento anuncia a obra das suas mãos." A expansão está cheia das obras das mãos hábeis e criadoras do Senhor. As mãos são atribuídas ao grande Espírito criador que mostram o seu cuidado e ação primorosa, e atendem a pobre compreensão dos mortais. É humilhante perceber que até mesmo quando as pessoas mais devotas e nobres desejam avidamente expressar os mais altos pensamentos sobre Deus, elas tenham de usar palavras e metáforas tiradas da terra. Somos crianças, e cada um de nós deve confessar: "Penso como criança, falo como criança"

(cf. 1 Co 13.11). Na expansão que está acima de nós, Deus, por assim dizer, hasteia a bandeira estrelada para mostrar que o Rei está no palácio, e expõe o brasão para que os ateus vejam como menospreza as denúncias feitas contra Ele. Aquele que olha para o firmamento e depois se qualifica como ateu, denuncia-se no mesmo instante como tolo ou mentiroso. Estranho é aquele que ama Deus e ao mesmo tempo tem medo de estudar o livro da natureza que manifesta Deus. A suposta espiritualidade de alguns crentes, que são muito espirituais para estudar os céus, deturpa a vangloria dos infiéis de que a natureza contradiz a revelação. Mais sábios são os que com desejo devoto determinam as manifestações do Senhor tanto na criação quanta na graça. Só os tolos têm medo de que o estudo honesto de um prejudique a nossa crença em outro. M'Cosh disse muito bem: "Frequentemente lamentamos os esforços feitos em contrapor as obras de Deus com a Palavra de Deus, e assim estimulamos, propagamos e perpetuamos invejas adequadas para separar partes que deveriam viver na mais completa união. Em particular, sempre deploramos que esforços sejam feitos para depreciar a natureza com vistas a exaltar a revelação. Sempre nos pareceu que se tratava de degradar uma parte das obras de Deus na esperança de exaltar e recomendar a outra. Não deixe que a ciência e a religião sejam consideradas como fortalezas adversárias, uma olhando desafiadora e desdenhosamente para a outra e as tropas brandindo mutuamente a armadura em atitude hostil. Elas têm muitos inimigos comuns, se pararem para pensar, em termos de ignorância, preconceito, paixão e imoralidade, sob todas as formas, para admitirem a possibilidade de desperdiçar legitimamente entre si forças em uma guerra inútil. A ciência tem fundamento e também a religião. Que elas unam os fundamentos para a base ficar mais larga, sendo então dois compartimentos de uma grande estrutura criados para a glória de Deus. Que uma seja o pátio exterior e a outra o pátio interior. Em uma, que todos olhem, admirem e adorem, e na outra, que os que têm fé ajoelhem-se, orem e louvem. Que uma seja o santuário onde a aprendizagem humana apresente o incenso mais rico como oferta a Deus, e a outra seja o lugar santíssimo — separado por um véu hoje rasgado em dois — onde, em um propiciatório com sangue aspergido, derramemos o amor de um coração reconciliado e ouçamos os oráculos do Deus vivo".

2. *"Um dia faz declaração a outro dia, e uma noite mostra sabedoria a outra noite."* É como se um dia continuasse a história onde o outro a deixou, e cada noite passasse o conto maravilhoso para a próxima. O original hebraico tem aqui o pensamento de derramar ou transbordar com linguagem, como se os dias e as noites fossem meramente uma fonte que jorra eternamente com o louvor do Senhor. Que gozo beber da fonte celestial e aprender a manifestar a glória de Deus! O testemunho acima não pode ser morto ou silenciado. Desde os lugares elevados em que estão eles constantemente anunciam o conhecimento de Deus, sem respeito e parcialidade pela opinião dos homens. Mesmo as mudanças da alternância entre noite e dia são silenciosamente eloquentes. A luz e a sombra igualmente revelam o Invisível. Que as vicissitudes de nossas circunstâncias façam o mesmo, e enquanto bendizemos o Deus de nossos dias de alegria, exaltemos também aquEle que dá "salmos entre a noite" (Jó 35.10).

A lição do dia e da noite é valiosa e todos os homens deveriam aprender. Precisa estar entre os pensamentos do dia e os pensamentos da noite para nos fazer lembrar a passagem do tempo, do caráter mutável das coisas terrenas, da brevidade da alegria e da tristeza, da preciosidade da vida, da nossa absoluta falta de poder em trazer de volta as horas já passadas e cancelar a aproximação inexorável da eternidade. O dia nos manda trabalhar, a noite nos ordena que estejamos preparados para o nosso último lar. O dia nos propõe a trabalhar para Deus, e a noite nos convida a descansar nEle. O dia nos conclama a buscar o dia infinito, e a noite nos adverte a fugir da noite eterna.

3. *"Sem linguagem, sem fala, ouvem-se as suas vozes."* Todo homem pode ouvir a voz das estrelas. Muitas são as falas das coisas terrenas, as coisas celestiais têm apenas uma, a qual pode ser entendida por toda pessoa de mente disposta. Os mais ignóbeis pagãos não têm desculpa, se não descobrem as coisas invisíveis de Deus nas obras que Ele faz. O sol, a lua e as estrelas são os pregadores itinerantes de Deus. São apóstolos em viagem confirmando aqueles que consideram o Senhor, e juízes em circuito condenando os que adoram ídolos. Há outra opção tradutória mais literal embora envolva mais repetição: "Não há linguagem, nem há palavras, e deles não se ouve nenhum som" (ARA), quer dizer, o ensino não é dirigido aos ouvidos e não é proferido em sons articulados. É pictórico e dirigido aos olhos e coração. Não toca o sentido pelo qual a fé vem, pois a fé vem pelo ouvir. Jesus Cristo é chamado a Palavra (ou Verbo), porque Ele é a exibição mais distinta da divindade que todos os céus podem oferecer. No fim das contas, eles são instrutores mudos. Nem as estrelas e nem o sol podem dizer uma palavra, mas Jesus é "a expressa imagem da [...] pessoa" do Senhor e "o nome pelo qual se chama é a Palavra de Deus" (Hb 1.3; Ap 19.13).

4. *"Em toda a extensão da terra, e as suas palavras, até ao fim do mundo."* Embora os corpos celestes se movimentem em silêncio solene, com o ouvido da razão eles proferem ensinos preciosos. Não dão palavra literal, mas a instrução é suficientemente clara para ser descrita assim. Horne diz que a frase hebraica empregada indica uma linguagem de sinais. Desta forma, somos informados que os céus falam pelas suas ações e operações significativas. As palavras da natureza são como as palavras dos surdos e mudos, mas a graça nos fala claramente do Pai. A "extensão" estabelece a medida do domínio que, junto com o testemunho, vai até aos confins da terra habitável. Não há homem vivendo abaixo da abóboda celeste que vá além dos limites da mitra dos pregadores do paço de Deus. É fácil fugir da luz dos ministros, que são como estrelas na mão direita do Filho do Homem. Mas mesmo assim, os homens, com a consciência ainda não cauterizada, encontrarão um Natã para acusá-los, um Jonas para adverti-los e um Elias para ameaçá-los nas estrelas silenciosas da noite.

"Neles pôs uma tenda para o sol." No meio dos céus o sol se acampa, e marcha como um monarca poderoso no seu trajeto glorioso. Ele não tem domicílio fixo, mas como viajante monta e desmonta acampamento, uma tenda que em breve será tirada e enrolada como um rolo de papel. Como o pavilhão do rei ficava no centro do exército acampado, assim o sol no seu lugar aparece como um rei no meio de estrelas assistentes.

5. *"Que é qual noivo que sai do seu tálamo."* O noivo sai suntuosamente trajado, o rosto brilhando de alegria que ele dá a todos ao redor. Este, mas com forte ênfase, é o sol nascente.

"E se alegra como um herói a correr o seu caminho." Como o atleta cingido para a corrida alegremente percorre a pista, assim o sol avança apressadamente com regularidade inigualável e velocidade infatigável na órbita designada. Não passa de mera brincadeira para ele.

Não há sinal de esforço, cansaço ou esgotamento. Nenhuma outra criatura distribui tamanha alegria para a terra como o seu noivo, o sol. E nada, seja cavalo ou águia, consegue por um instante que seja igualar-se em velocidade com esse campeão divino. Mas toda a sua glória é somente a glória de Deus. Até o sol brilha a luz tomada do grande Pai das luzes.

Tu, sol, que deste grande mundo és os olhos e a alma
Reconhece aquEle que é maior que tu; entoe-lhe o louvor
Quando sobes e quando alcanças o alto meio-dia
E quando desces

6. *"A sua saída é desde uma extremidade dos céus, e o seu curso, até à outra extremidade deles."* O sol espalha a luz até às fronteiras dos céus solares, atravessando o espaço sideral com movimento constante e não negando luz a nada que esteja dentro do seu âmbito.

"E nada se furta ao seu calor." Em cima, em baixo, ao redor o calor do sol exerce influência. As entranhas da terra estão armazenadas com o produto antigo dos raios solares. Mesmo assim, as cavernas mais profundas da terra sentem o seu poder. Onde a luz é impedida de entrar, o calor e outras influências mais sutis encontram o caminho de entrada.

Não há dúvida de que a intenção do salmista foi traçar um paralelo entre o céu da graça e o céu da natureza. O caminho da graça divina é sublime, largo e cheio da glória de Deus. Em todas as suas manifestações, tem de ser admirado e estudado com diligência. A sua luz e sombra são igualmente instrutivas. Tem se manifestado em certa medida para toda pessoa, no devido tempo ainda será manifestado completamente até ao fim do mundo. Jesus, como sol, permanece no meio da revelação, pondo uma tenda entre os homens em todo o seu resplendor, alegrando-se, como Noivo da igreja, para revelar-se aos homens e, como herói, ganhar para si renome. Faz um giro de misericórdia, abençoando os mais remotos cantos da terra. Não há alma, por mais depravada que esteja, que o busque e lhe seja negada o calor e a bênção aprazível do seu amor — até a morte sentirá o poder da sua presença e abandonará o corpo dos santos. Esta terra caída será restaurada à glória primitiva.

7 *A lei do SENHOR é perfeita e refrigera a alma; o testemunho do SENHOR é fiel e dá sabedoria aos símplices.*
8 *Os preceitos do SENHOR são retos e alegram o coração; o mandamento do SENHOR é puro e alumia os olhos.*
9 *O temor do SENHOR é limpo e permanece eternamente; os juízos do SENHOR são verdadeiros e justos juntamente.*
10 *Mais desejáveis são do que o ouro, sim, do que muito ouro fino; e mais doces do que o mel e o licor dos favos.*
11 *Também por eles é admoestado o teu servo; e em os guardar há grande recompensa.*

Nos três versículos a seguir, temos uma hexapla curta, mas instrutiva contendo seis títulos descritivos da palavra, seis qualidades características e seis efeitos divinos. Nomes, natureza e efeitos estão muito bem apresentados.

7. *"A lei do Senhor é perfeita". Por "lei",* o salmista não quer dizer a Lei de Moisés, mas a doutrina de Deus, a série de ordens e regras do Escrito sagrado. Ele declara que a doutrina revelada por Deus é perfeita. Mas na época, Davi possuía apenas uma parte muito pequena da Bíblia. Se um fragmento, mesmo uma porção mais obscura e mais histórica era perfeita, o que seria o volume todo? Quanto mais que perfeito é o livro que contém a manifestação mais clara do amor divino e nos dá uma visão ampla da graça redentora. O Evangelho é um esquema ou Lei completa da salvação da graça, apresentando aos necessitados tudo o que eles podem precisar, por mais difíceis e terríveis que sejam as penúrias. Não há redundância e omissão na Palavra de Deus e no plano da graça. Por que os homens tentam pintar os lírios e tornar atraente o ouro fino? O Evangelho é perfeito em todas suas partes e perfeito como um todo. É pecado acrescentar-lhe, traição alterá-lo e crime diminuí-lo.

"E refrigera a alma" (ou "e restaura a alma", ARA). Faz o homem ser devolvido ou restaurado ao lugar do qual o pecado o tirara. O efeito prático da Palavra de Deus é revolver o homem para si mesmo, para o seu Deus e para a santidade. A virada ou conversão não é somente externa, pois "a alma" é movida e renovada. O grande meio de conversão dos pecadores é a Palavra de Deus.

Quanto mais perto nos mantivermos a ela em nosso ministério, maior será a probabilidade de termos êxito. É a Palavra de Deus e não o comentário do homem sobre a Palavra de Deus que tem poder para com as almas. Quando a Lei repele e o Evangelho atrai, a ação é diferente, mas o fim é o mesmo, pois pelo Espírito de Deus a alma é levada a entregar-se e clamar: "Converte-me, e converter-me-ei" (Jr 31.18). Tente a natureza depravada dos homens com filosofia e argumentações, e ela rirá com desprezo dos seus esforços. Mas a Palavra de Deus logo opera uma transformação.

"O testemunho do Senhor é fiel." Deus testemunha contra o pecado e a favor da justiça. Ele testemunha de nossa queda e de nossa restauração. Este testemunho é claro, resoluto e infalível, sendo aceito como fiel. O testemunho de Deus na Palavra é tão fiel que podemos extrair dela sólidas e firmes consolações para hoje e para a eternidade. É tão fiel que não há ataque contra ela, por mais impetuoso e sutil, que sequer lhe diminua a força. Em um mundo de incertezas e infidelidade é uma bênção termos algo fiel em que confiar! Saímos correndo da areia movediça das especulações humanas para a terra firme da revelação divina.

"E dá sabedoria aos símplices." Os humildes, sinceros e ensináveis recebem a Palavra e tornam-se sábios para a salvação. As coisas que foram ocultas aos sábios e prudentes são reveladas aos pequeninos. Os persuadíveis tornam-se sábios, mas os críticos permanecem tolos. Como Lei ou plano, a Palavra de Deus converte, e depois, como testemunho, instrui. Não basta sermos convertidos; temos de continuar sendo discípulos. Se temos sentido o poder da verdade, temos de prosseguir para comprovar a certeza pela experiência. A perfeição do Evangelho converte, mas a sua fidelidade edifica. Se somos edificados, cabe a nós não balançarmos diante da promessa por incredulidade, pois um Evangelho duvidado não pode nos tornar sábios, mas a verdade da qual estamos seguros será a nossa fundação.

8. "Os preceitos do Senhor são retos." Os preceitos e decretos divinos estão fundamentados na retidão, e são tão fiéis quanto retos ou apropriados para a razão do homem. Como o médico prescreve o remédio certo, e o conselheiro dá o conselho certo, assim faz o Livro de Deus.

"E alegram o coração." Observe o progresso. Aquele que se converteu, logo se tornou sábio e agora é feliz. A verdade que torna o coração reto em seguida dá alegria ao coração. A graça livre produz alegria de coração. A felicidade humana enfatiza os lábios e enrubesce as faculdades físicas, mas os deleites celestiais satisfazem a natureza interior e enche as faculdades mentais até a borda.

Pare, leia a Bíblia e você será feliz

"O mandamento do Senhor é puro." Não há mistura de erro que o contamine, nem mancha de pecado que o polua. É leite não falsificado e vinho não diluído.

"e alumia os olhos", purgando pela própria pureza a rudeza terrena que arruína o discernimento intelectual. Quer os olhos se escureçam de tristeza ou pelo pecado, a Bíblia é o oculista hábil, limpando e iluminando os olhos. Olhe para o sol e ele lhe repelirá os olhos. Olhe para o maior que a luz solar da revelação e Ele lhe iluminará os olhos. A pureza da neve causa cegueira para os viajantes dos Alpes, mas a pureza da verdade de Deus causa o efeito contrário, pois cura a cegueira natural da alma. É bem observarmos novamente a gradação. O convertido se tornou discípulo e, logo em seguida, uma alma alegre. Agora obtém olhos perspicazes e, como homem espiritual, "discerne bem tudo, e ele de ninguém é discernido" (1 Co 2.15).

9. *"O temor do Senhor é limpo."* A doutrina da verdade está sendo descrita pelo efeito espiritual, a saber, a devoção interior ou o temor do Senhor. É limpo em si mesmo e limpa o amor ao pecado, santificando o coração no qual reina. O senhor Temente-Piedoso nunca se satisfaz até que toda rua, beco e viela, e toda casa e cada canto da cidade de Mansoul fique livre dos diabolonianos que espreitam por toda fresta.

"E permanece eternamente." A sujeira provoca decomposição, mas a limpeza é a grande inimiga da corrupção. A graça de Deus no coração sendo um princípio puro também é um princípio permanente e incorruptível, que pode ser pisado por certo tempo, mas não totalmente destruído. Tanto na Palavra quanto no coração, quando o Senhor escreve, Ele diz com Pilatos: "O que escrevi escrevi" (Jo 19.22). Ele não fará rasuras no que escreve, muito menos permitirá que outros o façam. A vontade revelada de Deus nunca muda. Até Jesus não veio para destruir, mas para cumprir. A Lei cerimonial só foi mudada quanto à sombra, pois no que diz respeito ao corpo, ela é eterna. Quando vemos revoluções sacudirem o governo das nações, e a revogação de constituições antigas, é consolador saber que o trono de Deus é inabalável e a sua Lei inalterável.

"Os juízos do Senhor são verdadeiros e justos juntamente". Rigorosamente as Palavras do Senhor são verdadeiras. Aquilo que é bom em detalhes é excelente em bloco. Não há exceção a ser feita separadamente a uma única frase ou ao Livro como um todo. Os juízos de Deus, todos eles juntos ou cada um deles em particular, são manifestadamente justos e não precisam de desculpa laboriosa para justificá-los. As decisões judiciais do Senhor, conforme estão reveladas na Lei ou ilustradas na história da providência, são verdadeiras em essência e recomendam-se a toda pessoa verdadeira. Não só o seu poder é invencível, mas a sua justiça é irrepreensível.

10. *"Mais desejáveis são do que o ouro, sim, do que muito ouro fino."* A verdade da Bíblia é enriquecedora para a alma no mais elevado grau. A metáfora é de algo que junta força quando é revelado. Ouro — ouro fino — muito ouro fino. É bom, melhor, muito melhor, não sendo apenas desejado com a voracidade do cauíra, não obstante com muito mais que isso. Como o tesouro espiritual é mais nobre que a mera riqueza material, assim deve ser desejado e buscado. Os homens falam de ouro genuíno, todavia o que é mais genuíno que a verdade genuína? Pois o amor ao ouro repudia o prazer, renuncia a tranquilidade e coloca a vida em perigo. Não deveríamos estar prontos e dispostos a fazer muito mais pelo amor à verdade?

"E mais doces do que o mel e o licor dos favos." Trapp diz: "As pessoas mais velhas são ávidas por lucro, as mais jovens, por prazer. Aqui está o ouro para um, o melhor ouro em grande quantidade. Aqui está o mel para o outro, mel energizante e gotejante do favo de mel". O prazer que surge por entendermos corretamente os testemunhos divinos é da mais deliciosa ordem. O prazer terreno é totalmente desprezível, quando comparado com o prazer celestial. A alegria mais doce, sim, a mais doce das mais doces enquadra-se na porção daquele que tem a verdade de Deus por herança.

11. *"Também por eles é admoestado o teu servo."* Somos advertidos pela Palavra quanto aos nossos deveres, perigos e remédio. No mar da vida haveria muito mais destruições, se não fossem os sinais divinos de tempestade, os quais dão aos vigilantes o alerta oportuno. A Bíblia deve ser a nossa mentora, monitora, lembrete de morte e a guardiã da consciência. Infelizmente são tão poucos os homens que aceitam a advertência tão graciosamente dada. Ninguém senão os servos de Deus a aceitarão, porque só eles levam em conta a vontade do Mestre.

Os servos de Deus não só acham o serviço em si prazeroso, mas recebem boa recompensa: "e em os guardar há grande recompensa". Há um salário e um salário grande. Não ganhamos o salário do pecado, mas ganhamos o grande salário da graça. Os santos podem ser perdedores por certo tempo, mas no final serão ganhadores gloriosos. Mesmo hoje ter uma consciência silenciosa já é em si recompensa não pequena pela obediência. Aquele que tem a paz perfeita no coração já é verdadeiramente abençoado. A principal recompensa, porém, ainda está por vir, e a palavra hebraica usada aqui denota tanto mais, pois significa *o calcanhar*, como se a recompensa viesse a nós logo ao término da vida, quando o trabalho estiver feito — não enquanto o trabalho estava sendo feito, mas quando terminou e o vimos pelos calcanhares. Que glória ainda a ser revelada! É o suficiente para fazer o homem desfalecer de alegria por conta da expectativa. A nossa leve tribulação dura somente um momento, não sendo digna de ser comparada com a glória que em nós há de ser revelada (ver Rm 8.18). É então que saberemos o valor da Bíblia quando nadarmos naquele mar de delícias indescritíveis para o qual os rios e correntes nos levarão, se nos entregarmos a eles.

12 *Quem pode entender os próprios erros? Expurga-me tu dos que me são ocultos.*
13 *Também da soberba guarda o teu servo, para que se não assenhoreie de mim; então, serei sincero e ficarei limpo de grande transgressão.*
14 *Sejam agradáveis as palavras da minha boca e a meditação do meu coração perante a tua face, Senhor, rocha minha e libertador meu!*

12. *"Quem pode entender os próprios erros?"* Uma pergunta que é a própria resposta. Requer um ponto de exclamação e não um ponto de interrogação. Pela Lei, é o conhecimento do pecado, e na presença da verdade divina, o salmista se maravilha do número e hediondez dos pecados. Conhece-se melhor aquele que conhece a Palavra, contudo mesmo tal indivíduo estará em um labirinto de maravilha quanto ao que não sabe, em lugar de estar no monte da congratulação quanto ao que sabe. Ouvimos falar de uma comédia de erros, entretanto para o homem bom é mais semelhante a uma tragédia. Há livros que têm linhas de errata no final, mas a lista de nossa errata pode ser tão grande quanto o livro inteiro se não tivermos a percepção de vê-la. Nos dias da sua velhice Agostinho escreveu uma série de retratações. As nossas poderiam formar uma biblioteca se tivermos suficiente graça para nos convencer de nossos erros e confessá-los.

"Expurga-me tu dos que me são ocultos." Tu podes assinalar em mim os meus erros totalmente ocultos. Seria desesperador ver todos os meus erros. Portanto, ó Senhor, tira lavando no sangue expiador os pecados que a minha consciência não tem percepção. Pecados secretos, como conspiradores privados, têm de ser expulsos, ou podem causar dano mortal. É bom ser constante em oração a respeito deles. No concílio da Igreja Católica Romana, foi decretado que todo verdadeiro crente tem de confessar os pecados, todos eles, uma vez por ano para o padre, anexando a declaração de que não há esperança de perdão exceto obedecendo ao decreto. O que pode igualar o absurdo de tal decreto? Será que eles supõem que podem contar os pecados tão facilmente quanto podem contar os dedos? Por que, se pudéssemos ser perdoados contando cada pecado que cometemos em uma hora, não haveria nenhum de nós que entrasse no céu, visto que, além dos pecados que nos são conhecidos e que podemos confessar, há um enorme volume de pecados, que são tão verdadeiramente pecados quanto aqueles que lamentamos, mas que estão ocultos e não nos veem aos olhos. Se tivéssemos olhos como os de Deus, teríamos opinião muito diferente de nós mesmos. As transgressões que vemos e confessamos são como as pequenas amostras de produtos que o agricultor leva para comercializar, enquanto deixou o celeiro cheio em casa. Temos somente uns poucos pecados que sabemos e observamos em comparação aos que nos são ocultos e não vistos por nossos semelhantes.

13. *"Também da soberba guarda o teu servo, para que se não assenhoreie de mim."* Esta oração fervorosa e humilde ensina que os santos podem cair no pior dos pecados, a menos que sejam contidos pela graça, e que, portanto, eles têm de vigiar e orar para que não caiam em tentação. Há uma propensão natural ao pecado no melhor dos homens, os quais devem ser contidos como o cavalo é contido pelo freio para não sair em disparada. A soberba é pecado peculiarmente perigoso. Todos os pecados são pecados grandes, mas alguns pecados são maiores que outros. Todo pecado tem em si o próprio veneno da rebelião, e está cheio do tutano essencial da rejeição

traiçoeira a Deus. No entanto há pecados que contêm em si maior desenvolvimento do dano essencial da rebelião, e que trazem na cara mais do orgulho descarado que desafia o Altíssimo. É errado supor que já que todos os pecados nos condenarão um pecado não é maior que outro. O fato é que ainda que toda transgressão seja algo muito doloroso e pecaminoso, há certas transgressões que têm uma sombra mais densa e uma cor duplamente mais escarlata de criminalidade que outros. Os pecados da soberba de nosso texto são os principais e piores de todos os pecados. Classificam-se em primeiro lugar na lista de iniquidades. É surpreendente que a Lei judaica provesse expiação para todo tipo de pecado, exceto para esta única exceção: "Mas a alma que fizer alguma coisa à mão levantada, quer seja dos naturais quer dos estrangeiros, injúria ao Senhor; e tal alma será extirpada do meio do seu povo" (Nm 15.30). Hoje, na dispensação cristã, embora no sacrifício de nosso Senhor bendito haja grande e preciosa expiação para os pecados da soberba, pelos quais os pecadores que erraram desta maneira são limpos, é óbvio que os pecadores da soberba, morrendo sem perdão, têm de esperar receber porção dobrada da ira de Deus e uma porção mais terrível do castigo eterno no inferno que é preparado para os ímpios. É por isso que Davi está tão preocupado em nunca ficar sob o poder dominante destes males gigantescos.

"Então, serei sincero e ficarei limpo de grande transgressão." Davi estremece ao pensar no pecado imperdoável. O pecado oculto é um degrau para o pecado da soberba, que é a entrada do "pecado para morte" (1 Jo 5.16). Aquele que não é intencional no pecado, estará no caminho certo para ser inocente tanto quanto o pobre pecador está. Mas aquele que provoca o Diabo para tentá-lo está em um caminho que o levará de mal a pior e do pior para o ainda pior.

14. *"Sejam agradáveis as palavras da minha boca e a meditação do meu coração perante a tua face, Senhor, rocha minha e libertador meu!"* Oração preciosa e tão espiritual que é quase tão habitualmente usada na adoração cristã como bênção apostólica. "As palavras da minha boca" são escárnio se não houver "a meditação do meu coração". A casca não é nada sem a polpa, mas ambas são juntamente inúteis a menos que sejam agradáveis. Mesmo sendo agradáveis para o homem, todas são vaidade se não forem agradáveis perante a face de Deus. Na oração, devemos ver o Senhor como a rocha que nos capacita e o libertador que nos salva, ou não estaremos orando corretamente. É bom sabermos qual é o nosso interesse pessoal quanto a usar a palavra "meu" (ou "minha"), ou as nossas orações serão impedidas. O nome de nosso parente próximo ou Redentor ou Resgatador ou Goel dá um encerramento santo ao salmo. Começou com os céus, mas termina com aquEle cuja glória enche os céus e a terra. Bendito Resgatador, concede-nos agora a graça de meditar agradavelmente em teu mais doce amor e ternura.

NOTAS EXPLICATIVAS E DECLARAÇÕES IMPORTANTES

O Salmo: O cenário magnífico ao qual o poema alude se deriva inteiramente da contemplação da natureza em um estado de reclusão pastoral. Trata-se de uma contemplação que se permitiu ter ao meio-dia ou pela manhã, quando o sol estava viajando pelo horizonte e eclipsando com a sua glória todos os outros corpos celestes. Por conta disso, forma um contraste perfeito com o Salmo 8, que foi evidentemente composto à noite e deve ser lido nesse ambiente, visto que foi escrito quase nesse mesmo período e considerando que ambos são cânticos de louvor derivados dos fenômenos da natureza e peculiarmente apropriados para a vida rural ou pastoral. — *John Mason Good*

O Salmo: O mundo se assemelha a uma escola de teologia, disse Plutarco, e Cristo, como diz a Bíblia, é o nosso Mestre, instruindo-nos pelas suas obras e pelas suas palavras. Aristóteles tinha dois tipos de ensinamento, um chamado exotérico, para o público sem restrição, e o outro acroamático, para os seus estudantes particulares e conhecidos da família. Assim Deus tem dois tipos de livro, como Davi dá a entender neste salmo: o livro da criação, como livro corriqueiro para todos os homens do mundo: “Os céus manifestam a glória de Deus” (vv. 1-6), e o livro das Escrituras, como livro de preceitos para o seu auditório doméstico, a igreja: “A lei do Senhor é perfeita” (vv. 7, 8). Na forma, o grande livro da criação pode ser adequadamente denominado de agenda do pastor e alfabeto do lavrador, para o qual até os mais ignorantes podem correr (como o profeta fala, v. 5) e ler. Trata-se de uma carta aberta para todos, como disse Davi, em nosso texto: “Não há linguagem, nem há palavras, e deles não se ouve nenhum som; no entanto, por toda a terra se faz ouvir a sua voz, e as suas palavras, até aos confins do mundo” (vv. 3, 4, ARA). Pois embora o céu, o sol no céu e a luz do sol sejam mudos, as vozes são bem compreendidas, catequizando claramente os primeiros elementos da religião, a saber, que Deus existe, que este Deus é o único Deus e que este único Deus sobrepuja todas as outras coisas infinitamente tanto em poder quanto em majestade. *Universus Mundus* [como disse alguém sucintamente] *nihil aliud est quam Deus explicatus*, que significa “o mundo inteiro é nada mais que Deus expresso”. Assim Paulo declara: “Porque as suas coisas invisíveis, desde a criação do mundo, tanto o seu eterno poder como a sua divindade, se entendem e claramente se veem pelas coisas que estão criadas” (Rm 1.20). Os céus o manifestam, o firmamento o anuncia, o dia o declara, a noite o mostra, o som do trovão o proclama, por assim dizer, em todas as terras e as palavras do vento sibilante até aos confins do mundo. Mais principalmente, o sol “é qual noivo que sai do seu tálamo e se alegra como um herói a correr o seu caminho” (Sl 19.5). O corpo do sol (como os matemáticos confiantemente calculam) é cento e sessenta e seis vezes maior que a terra. Contudo, é levado diariamente pelo dedo de Deus a viagem tão longa, a curso tão extenso que é como se fosse levado na terra a correr toda hora do dia a duzentos e vinte e cinco milhas alemãs. É verdade que Deus não se deixa levar pelos sentimentos, mas Ele se torna por assim dizer visível nas obras que faz como disse agradavelmente Du Bartas, poeta francês e teólogo:

> Os nossos dedos sentem, as nossas narinas cheiram
> O nosso paladar prova as virtudes divinas primorosas
> Ele o mostra aos nossos olhos, fala aos nossos ouvidos
> Nos movimentos ordenados das esferas lantejouladas

“Os céus manifestam”, ou seja, fazem os homens manifestar a glória de Deus por intermédio da sua estrutura, movimentos e influência admirável. A pregação dos céus é maravilhosa em três aspectos: (1) A pregação dura toda a noite e todo o dia sem interrupção: “Um dia faz declaração a outro dia, e uma noite mostra sabedoria a outra noite” (v. 2). (2) A pregação é feita em todos os tipos de idiomas: “Sem linguagem, sem fala, ouvem-se as suas vozes” (v. 3). (3) A pregação ocorre em todas as partes do mundo, em toda área de toda parte e em todo lugar de toda área: “em toda a extensão da terra, e as suas palavras, até ao fim do mundo” (v. 4). São pastores diligentes que pregam a toda hora, pastores cultos que pregam em todas as línguas e pastores universais que pregam em todas as cidades. Não sejamos nesta universidade (onde ouvimos as vozes de professores tão distintos) como os preguiçosos de outras escolas, que ficam olhando as figuras ou ilustrações dos livros, as capas bonitas e os rabiscos feitos à margem das páginas, enquanto ignoram o texto e a lição. Este é o livro de instrução de Deus, por assim dizer, para todos os tipos de pessoas. Mas Ele tem outro livro próprio só para a audiência doméstica, a igreja: “Mostra a sua palavra a Jacó, os seus estatutos e os seus juízos, a Israel. Não fez assim a nenhuma outra nação; e, quanto aos seus juízos, nenhuma os conhece. Louvai ao Senhor!” (Sl 147.19,20). Os pagãos leem no livro de instrução de Deus, mas os cristãos estão bem familiarizados com a Bíblia. O livro de instrução de Deus é um bom livro, mas é incompleto, pois, após aprendê-lo, o homem tem de aprender mais. Já "a Lei do Senhor", quer dizer, o corpo das Santas Escrituras é o cânon mais absoluto de todas as doutrinas pertinentes à fé ou à boa conduta. É uma Lei perfeita, refrigera a alma, dá sabedoria aos símplices, alegra o coração, alumia os olhos, permanece eternamente, é limpo, reto, puro, verdadeiro, justo, mais desejável que o ouro, mais doce que o mel e há recompensa em guardá-lo. — *John Boys*

O Salmo: Crisóstomo conjetura que a intenção principal da maior parte deste salmo consiste em descobrir a providência divina que se manifesta nos movimentos e órbitas dos corpos celestes, acerca dos quais o salmista fala muito do versículo 1 ao versículo 7. Agostinho é de opinião bastante diferente, pois conjetura que Cristo é o assunto do salmo. A sua pessoa é comparada ao sol por sua excelência e beleza. A sua doutrina é semelhante ao curso do sol que vai por todo o mundo, assim como vão os apóstolos, aos quais Paulo alude em Romanos 10.18: "Mas digo: Porventura, não ouviram? Sim, por certo, pois por toda a terra saiu a voz deles, e as suas palavras até aos confins do mundo". E a eficácia do seu Evangelho é como o calor do sol que penetra até ao centro da terra, assim como aos segredos da alma. Confesso que esta exposição alegórica não é totalmente impertinente, nem a exposição literal de Crisóstomo deve ser desconsiderada, pois tem o seu valor. Mas para omitir toda variedade de conjeturas, este salmo contém: (1) Um duplo tipo do conhecimento de Deus, sendo um dos quais por meio do livro da criação, o qual os teólogos chamam de conhecimento natural. Não há uma única criatura, mas é uma folha cheia escrita com a descrição de Deus. Podemos entender o seu poder eterno e divindade pelas coisas que são vistas, disse o apóstolo em Romanos 1.20. Como ocorre com cada criatura em particular, os céus nos conduzem ao conhecimento de um Deus, conforme diz o versículo 1 deste salmo: "Os céus manifestam a glória de Deus e o firmamento anuncia a obra das suas mãos". São os teatros, por assim dizer, do conhecimento, poder e glória de Deus. Outro tipo de conhecimento de Deus é revelado pelo livro das Escrituras. Este conhecimento é muito mais diferenciado e explícito. Com o primeiro tipo de conhecimento até os pagãos tateiam no escuro em busca de uma deidade, mas com este conhecimento os cristãos veem Deus, por assim dizer, com o rosto descoberto. As características aqui são novas, espirituais, completas e vivas. A Palavra de Deus é o meio singular para conhecer Deus corretamente. Como a luz que vem do sol, assim a Palavra de Deus, que é luz, é o modo mais claro de conhecê-lo, que é a própria luz. É por isso que o salmista insiste tanto neste ponto nos versículos 7 ao 12, onde ele fala aberta e livremente sobre os seus elogios e operações, a saber, na sua perfeição, certeza, firmeza, retidão, pureza e verdade. E depois sobre a sua eficácia — que é uma Palavra que refrigera, alumina, mostra sabedoria, alegra, é desejável, admoesta e recompensa. (2) Um conhecimento singular e experimental de Deus. É o que parece que a palavra que Davi tanto recomendou, ele a recomendou por eficácia experimental. O salmista descobrira que era uma Palavra justa, santa, pura e reveladora, pois desvenda não só transgressões visíveis e grosseiras, mas também, como a luz do sol, os átomos que passam despercebidos e escondidos pelos sentidos e que entram pela casa. Estou me referindo às câmaras secretas da alma. — *Obadiah Sedgwick, 1660*

v. 1: "Os céus manifestam a glória de Deus e o firmamento anuncia a obra das suas mãos". Os santos eminentes dos tempos antigos eram observadores alertas dos objetos e operações da natureza. Em toda ocorrência, eles viam a agência de Deus. Por isso, tinham prazer no exame. Não havia como não ter o prazer de testemunhar as manifestações da sabedoria e beneficência daquEle a quem cultuavam e amavam. Não tinham aprendido, como nós sabemos nos tempos modernos, a interpor leis inflexíveis entre o Criador e a sua obra. Dando poder inerente a estas leis, praticamente tira Deus da criação e o coloca em uma esfera extramundana etérea de tranquilidade e felicidade. Não afirmo que este é o sentimento universal dos dias atuais. Mas prevalece extensivamente na igreja e ainda mais no mundo. Os filósofos mais capazes de hoje sustentam que uma lei natural é nada mais que o modo uniforme no qual Deus age. Afinal de contas, esta não é a eficiência da lei, mas a própria força de Deus que mantém toda a natureza em movimento. Ele opera imediata e diretamente, e não remota e indiretamente, ocasionando todo acontecimento.

Toda mudança natural é tão realmente obra de Deus como se os olhos do sentimento pudessem ver as mãos divinas impulsionando as rodas da natureza. Mas a despeito de a filosofia mais capaz dos tempos atuais ter chegado a esta conclusão, a grande massa da comunidade e até mesmo dos cristãos ainda está tateando na escuridão daquele sistema mecânico que designa as operações do mundo natural às leis da natureza em vez de atribuí-las ao Deus da natureza. Por certo tipo de figura é próprio, como os defensores deste sistema admitem, falar de Deus como o autor das ocorrências naturais, porque Ele originalmente ordenou as leis da natureza. Mas eles não têm ideia que Deus exerce agência direta e imediata ocasionando-os. Portanto, quando olham estas ocorrências não sentem nenhuma impressão da presença ativa do Senhor.

Mas como eram diferentes, conforme já observamos, os sentimentos dos santos antigos. O salmista não podia observar o céu sem exclamar: "Os céus manifestam a glória de Deus e o firmamento anuncia a obra das suas mãos. Um dia faz declaração a outro dia, e uma noite mostra sabedoria a outra noite. Sem linguagem, sem fala, ouvem-se as suas vozes" (vv. 1-3). Quando olhava pela terra, o coração cheio bradava: "Ó Senhor, quão variadas são as tuas obras! Todas as coisas fizeste com sabedoria; cheia está a terra das tuas riquezas" (Sl 104.24). Aos seus olhos, tudo estava cheio de Deus. Era Deus que nos vales fazia rebentar nascentes que corriam entre os montes (Sl 104.10). Quando a tempestade de raios e trovões passava diante do salmista, era a voz do trovão de Deus que se repercutia nos ares e os seus relâmpagos alumiavam o mundo (Sl 77.18). Quando ele sentia os tremores de terra e via a fumaça dos vulcões, era Deus que, por ter olhado para a terra, fazia-a tremer, e por ter tocado os montes, eles fumegavam (Sl 104.32). — *Edward Hitchcock, Doutor em Teologia e Doutor em Direito, 1867*

v. 1: "Os céus manifestam a glória de Deus e o firmamento anuncia a obra das suas mãos". Os homens foram dotados pelo Criador de poderes mentais suscetíveis de aumento. Eles os empregam no estudo das obras maravilhosas de Deus que o universo exibe. A própria habitação humana lhes fornece uma base que serve para medir os céus. Eles comparam a sua estatura com a magnitude da terra na qual vivem com o sistema no qual é colocada, a extensão do sistema, com a distância fixa das estrelas mais próximas, servindo essa distância de unidade de medida para outras distâncias as quais a observação destaca. Contudo, nenhum tipo de medição chega a um limite.

Qual a extensão destas obras maravilhosas do Todo-Poderoso o homem não pode nem presumir. A esfera da criação estende-se indefinidamente ao nosso redor por todos os lados. Ter o centro em todos os lugares significa que a circunferência não está em parte alguma. Estas são considerações que no que tange à extensão quase nos desnorteiam a mente. Mas como elevariam a nossa ideia ao grande Criador, quando levamos em conta que todas estas coisas foram criadas do nada, por uma palavra, por mera volição da deidade? "Haja", disse Deus, e eles passaram a existir. "Pela palavra do Senhor foram feitos os céus; e todo o exército deles, pelo espírito da sua boca. Porque falou, e tudo se fez; mandou, e logo tudo apareceu" (Sl 33.6,9). Que poder é esse que formou mundos em mundos — mundos em comparação dos quais esta terra em que habitamos é absolutamente nada! Com certeza, quando elevamos os pensamentos aos céus, a lua e as estrelas que Ele ordenou, temos de perceber — se é que podemos — como é estupendo e incompreensível o Ser que os formou, que "os céus [realmente] manifestam a glória de Deus e [que] o firmamento [verdadeiramente] anuncia a obra das suas mãos". — *Temple Chevallier, "The Hudson Lectures for 1827"[As Conferências de Hudson de 1827]*

v. 1: "Os céus manifestam a glória de Deus e o firmamento anuncia a obra das suas mãos". Frequentemente fico encantado e admirado com a vista do céu noturno, mesmo antes de saber como considerá-lo segundo as circunstâncias próprias da majestade e beleza. Algo incrível me ocorreu ao examinar breve e descuidadamente a abóbada etérea, tingida completamente com o mais puro azul-celeste e enfeitada com inumeráveis lâmpadas estreladas. Senti não sei o que, um forte e intenso impulso que me pareceu arrancar dos baixos emaranhamentos da futilidade e provocar o desejo ardente por objetos mais sublimes. Pensei ter ouvido, até mesmo das esferas silenciosas, um chamamento dominante para rejeitar a terra miserável e anelar por delícias não vistas. As estrelas, confio, ensinarão como também brilharão, ajudando a dispersar a escuridão da natureza e a minha escuridão intelectual. Para certas pessoas, desempenham um serviço não melhor que manter uma tocha para os pés e amenizar os horrores da noite. Para mim e meus amigos, as estrelas agem como ministros de ordem superior, como conselheiros da sabedoria e guias para a felicidade. Também não executarão esta função mais nobre, se iluminarem suavemente o nosso caminho ao conhecimento do Criador adorado — se mostrarem com raios prateados o nosso caminho à presença de Deus. — *James Hervey, Mestre em Ciências Humanas, 1713-1758*

v. 1: Vivesse o homem debaixo da terra e se relacionasse com as obras da arte e mecanismo, e depois fosse exposto ao dia, ao céu aberto, e visse as glórias do céu e da terra, ele imediatamente pronunciaria que essas são obras do Ser que definimos por Deus. — *Aristóteles*

v. 1: Quando vemos "Os céus", quando contemplamos os corpos celestiais, será possível não nos convencer? Não temos de reconhecer que há uma divindade, um Ser perfeito, uma inteligência dominante que governa, um Deus que está em todos os lugares e dirige tudo pelo seu poder? Todo aquele que duvida disso pode também negar que há um sol que nos ilumina. O tempo destrói todas as falsas opiniões, mas confirma as que são formadas pela natureza. Por isso, para conosco como também para com outras nações, a adoração aos deuses e os exercícios santos da religião aumentam em pureza e extensão diariamente. — *Cícero*

v. 1: "Os céus manifestam a glória de Deus e o firmamento anuncia a obra das suas mãos". Os céus revelam a sabedoria, o poder e a bondade de Deus. Não há uma criatura sequer, por menor que seja, que não tenha de admirar o Criador por conta disso. Como um quarto com espelhos em todas as paredes reflete o rosto de todos os ângulos, assim o mundo inteiro mostra a misericórdia e generosidade de Deus. Embora os céus sejam visíveis, revelam um Deus invisível com suas propriedades invisíveis. — *Anthony Burgess, 1656*

v. 1: "Os céus manifestam a glória de Deus e o firmamento anuncia a obra das suas mãos". A este respeito, nenhum dos eleitos é tão ignorante quanto a recusar-se a ouvir e considerar as obras e Palavras de Deus como não pertencentes a Ele. Deus o livre. Não há homem no mundo que considere com mais fervor as obras de Deus, nem mais prontamente ergue os ouvidos para ouvir Deus falar que aqueles que têm a revelação interior do Espírito Santo. — *Wolfgang Musculus*

v. 1: Durante a Revolução Francesa, Jean Bon Saint-André, o revolucionário, disse a um camponês: "Derrubarei todos os campanários para que você nunca mais tenha um objeto que o lembre das suas velhas superstições". "Mas", respondeu o camponês, "você não pode deixar as estrelas para nós." — *John Bates, "Cyclopaedia of Moral and Religion Truths" [Enciclopédia de Verdades Morais e Religiosas], 1865*

v. 1: "Os céus manifestam a glória de Deus".

Como é bonita a cúpula do céu
E as enormes montanhas em flutuação fixadas
Às tuas ordens, que maravilhosas! Deve a alma
Humana e racional falar de ti
Algo menos que estes? Fique calado quem quiser e puder
Mas eu te louvarei com voz comovida
Os meus lábios, que te esquecem na multidão
Não podem te esquecer aqui, onde tu edificas
Para a tua própria glória, no deserto!
— *William Wordsworth, 1770-1850*

v. 1: "E o firmamento anuncia a obra das suas mãos".

As estrelas brilhantes
Pelos ouvidos atentos da meditação são ouvidas
Ainda nas vigílias da meia-noite cantam acerca de ti
Ele acena uma calma. A tempestade irrompe a sua ira
O trovão é a sua voz e o raio vermelho
É a sua espada veloz da justiça. Ao seu toque
As montanhas incandescem. Ele sacode a terra sólida
E balança as nações. Não somente nestes
Mas em todo fato comum vemos Deus
— *James Thomson*

v. 1: "Os céus manifestam a glória de Deus e o firmamento anuncia a obra das suas mãos".

Ó Pai de todo o bem, Senhor de tudo!
Tu mesmo — que estupenda maravilha! —
Destes céus muito acima tu te assentas
Invisível a nós, só vislumbrado
Nas obras tuas de menor valia
Que, ainda assim, teu poder divino mostram
E de tua bondade a cópia imensa
— *John Milton*

vv. 1 e 2: A fim de ilustrar a riqueza expressiva do idioma hebraico, chamaria a atenção direta do leitor à fraseologia bonita do Salmo 19. Podemos fazer a seguinte leitura literal dos versículos 1 e 2:

Os céus estão contando a glória de Deus
O firmamento está mostrando a obra das suas mãos
Dia a dia faz discurso
Noite a noite exala conhecimento

Desta forma, a tradução preserva os quatro termos distintos do original hebraico. A plenitude transbordante com a qual dia a dia verte ensino divino e os sussurros suaves da noite silenciosa ficam em contraste como no original hebraico. — *Henry Craik, 1860*

vv. 1 a 4: Ainda que todos os pregadores da terra se calem e toda boca humana cesse de divulgar a glória de Deus, os céus jamais deixarão de manifestar e anunciar a majestade e glória divinas. Eles estão pregando para sempre, pois, como uma corrente contínua, a mensagem é entregue a cada dia e a cada noite. Ao silêncio de um, o outro arauto retoma o discurso. Um dia como o outro revela os próprios espetáculos da glória, e uma noite como a outra, as próprias maravilhas da majestade. Mesmo que a natureza seja silenciada e fique quieta quando o sol na sua glória alcança o zênite no céu cerúleo e ainda que o mundo silencie o evento festivo quando as estrelas brilham de noite, eles, diz o salmista, falam. O próprio silêncio santo é um discurso, contanto que haja ouvidos para ouvir. — *Augustus T. Tholuck*

vv. 1 a 4: "Os céus manifestam a glória de Deus e o firmamento anuncia a obra das suas mãos". Se os céus manifestam a glória de Deus, observemos qual é essa glória que eles manifestam. Os céus pregam diariamente para nós. [...]

"Sem linguagem, sem fala, ouvem-se as suas vozes em toda a extensão da terra, e as suas palavras, até ao fim do mundo" (vv. 3, 4). O sol, a lua e as estrelas são pregadores. São apóstolos universais e naturais. O mundo é o seu encargo, "as suas palavras", diz o salmo, "ouvem-se [...] até ao fim do mundo". Recebemos a boa doutrina deles, sobretudo a doutrina constante no texto sobre a sabedoria e poder de Deus. É adequado observar que o apóstolo cite este texto do salmo como prova da pregação do Evangelho por todo o mundo (Rm 10.18). O Evangelho, como o sol, lança raios e emite luz por todo o mundo.

No salmo, Davi disse: "No entanto, por toda a terra se faz ouvir a sua voz" (ARA; ou: "por toda a terra se vai a sua linha", KJV). Por "linha", ele dá a entender que os céus, sendo de estrutura muito curiosa, confeccionados, por assim dizer, com pano, linha e régua, pregam de modo claro, mas silencioso a habilidade e perfeição de Deus. Ou podemos entender que as verdades divinas nos céus são como a linha de palavras e frases escrita por caneta (o original hebraico significa tanto uma linha de medir quanto uma linha escrita), letras e palavras por escrito sendo nada mais que linhas traçadas em diversas formas ou figuras.

Mas a Septuaginta, cuja tradução o apóstolo citou, em lugar de *kavam*, "a linha", traduziu por *kolam*, "o som" (Rm 10.18, KJV), ou interpretando erroneamente a palavra ou suavizando cuidadosamente o sentido em maior conformidade com a última frase do versículo: "E as suas palavras, até ao fim do mundo". — *Joseph Caryl*

vv. 1 a 4: Como o sol que, com a sua luz, beneficia vantajosamente o mundo inteiro, assim Jesus, o Filho de Deus, estende os benefícios a todos os homens, para que os recebam gratamente e não os recusem desobedientemente. — *Robert Cawdray*

v. 2: "Um dia faz declaração a outro dia". Mas qual é o significado da próxima palavra: "e uma noite mostra sabedoria a outra noite". Literalmente, *dies diem dicit*, é nada mais que, *dies diem docet*. Um dia mostrar o outro, é um dia ensinar o outro. O dia de ontem ensina o dia de hoje. Todo novo dia apresenta um novo ensino. O dia é a ocasião para aprender por intermédio da leitura e debate. A noite é mais adequada para reflexão e meditação. Aquilo que você não entende neste dia pode aprender quiçá no outro dia, e aquilo que não foi descoberto em uma noite pode ser adquirido em outra. Segundo Heirom, Jesus é esse "dia", que disse sobre si mesmo: "Eu sou a luz do mundo" (Jo 8.12), e os doze apóstolos são as doze horas do dia, pois o Espírito de Cristo revelou pela boca dos apóstolos os mistérios da nossa salvação, em outras épocas não tão inteiramente conhecidas pelos filhos dos homens. "Um dia faz declaração a outro dia", quer dizer, o espiritual o declara ao espiritual, "e uma noite mostra sabedoria a outra noite", ou seja, Judas indica tanto quanto aos judeus na noite da ignorância, dizendo: "O que eu beijar é esse; prendei-o" (Mt 26.48). Ou o Antigo Testamento que só é sombra de Jesus é a noite, e o Novo Testamento que mostra Jesus claramente é o dia. — *John Boys*

v. 2: "Um dia [...] a outro dia", ou dia após dia. A vicissitude ou sucessão constante de dia e noite revela muito conhecimento divino. Expressa a assiduidade e constância ininterrupta da pregação dos céus. — *John Richardson*

v. 2: "faz declaração", despeja abundantemente; "mostra", revela com clareza e eficácia, sem ambiguidade (Jó 36.2). Muitos não ouvem a fala na plena luz do dia do Evangelho, mas na noite da aflição e sofrimento, ou na convicção da escuridão natural, têm essa sabedoria comunicada a eles, capacitando-os a perceber a alegria que vem pela manhã. — *W. Wilson*

v. 2: "mostra sabedoria". Podemos ilustrar as medidas discrepantes em que os objetos naturais transmitem conhecimento aos homens de diferentes capacidades mentais e espirituais pela história de um grande artista inglês. Contam que quando ele estava fazendo uma das suas obras imortais, uma senhora de posição olhou e observou: "Mas senhor Turner, não vejo na natureza tudo que você está retratando aqui". "Mas minha senhora", respondeu o pintor, "você não gostaria de poder ver?" — *C. H. S.*

v. 3: "Sem linguagem, sem fala, ouvem-se as suas vozes". O pôr do sol era um dos mais gloriosos que já vi. A terra estava tão silenciosa que nem a voz de Deus nem a do homem se ouviam. Não havia ondulação nas águas, nem o movimento de uma folha das árvores, nem sequer de uma folha de relva. As pedras na encosta oposta refletiam o arrebol do sol, que era novamente refletido do rio e no rio durante o breve crepúsculo. Não me lembro de algum dia ter visto algo assim. Não, não direi que a voz de Deus não era ouvida. Falava tão alto na quietude quanto o rugido do trovão, na cena plácida como em rochedos e precipícios intransitáveis. Falava mais alto ainda nos céus e no firmamento, e no prospecto magnífico ao meu redor. As suas obras maravilhosas declararam que Ele está perto. Eu sentia como se o próprio chão no qual estava andando era santo. — *John Gadsby*

v. 4: "No entanto, por toda a terra se faz ouvir a sua voz [ou "por toda a terra se vai a sua linha", KJV], e as suas palavras, até aos confins do mundo" (ARA). "Por toda a terra saiu a voz deles" (Rm 10.18). As relações que o Evangelho de Cristo Jesus tem com os salmos de Davi são, em minha opinião, maiores que todos os demais textos bíblicos, de forma que quase nada é escrito no Novo Testamento, mas temos de buscar prova destes. A epístola me envia ao salmo e o salmo me manda de volta à epístola, mostrando que ambos falam a mesma coisa. Como pode ser um, pois "linha" e "voz" não são a mesma coisa. Não há um erro aqui? Resposta: Buscar prova em um lugar é uma coisa, e haver uma indicação é outra. Às vezes, os evangelistas são obrigados a buscar provas do que escrevem fora do Antigo Testamento, ou nunca acreditaríamos neles. Portanto, eles têm de estar bastante certos dos termos que usam, quando dizem: "Tudo isso aconteceu para que se cumprisse o que foi dito..." (Mt 1.22). Mas o apóstolo não estava se referindo a isso. Só estava mostrando aos crentes romanos o progresso maravilhoso do Evangelho, citando a passagem de Davi sobre o discurso dos céus, ao qual o profeta comparou a divulgação da Palavra. O sol, a lua e as estrelas não só brilham pelo céu, mas por toda a terra. Paulo estava tratando do mesmo assunto. Para essa finalidade, usa um termo mais adequado para expressar a pregação do Evangelho — "voz" — que o outro termo que expressa as limitações da Lei — "linha" —, ambos os quais concordando que não há comparação mais adequada a ser procurada na natureza que os céus, seus movimentos, revoluções, influências nos corpos terrestres. Também nos eclipses textuais, quando um texto obscurece outro, como se tivesse sido completamente apagado por cruzamento e oposição, que é como acreditam os ignorantes. Mas os textos concordam suficientemente bem em si mesmos. Nenhum noivo concorda mais que a noiva, nem se alegra mais a correr o seu curso. Assim, ambos concluem neste ponto: o sol nunca viu a nação onde o mundo da verdade, em um grau ou outro (todo o mundo, você tem de admitir, não pode estar certo abaixo do meridiano), ainda não brilhou. — *William Streat, "The Dividing of the Hoof" [A Divisão do Casco], 1654*

v. 4: "até ao fim do mundo". Há mil e cem anos, Venâncio Fortunato testifica das peregrinações do apóstolo Paulo.

Ele passou as ondas encrespadas do oceano
Até onde as ilhas tenham portos
Até onde o Reino Unido produza uma baía
Ou a praia congelada da Islândia um estai
— *John Cragge, 1557*

v. 4: "No entanto, por toda a terra se faz ouvir a sua voz" (ARA). O mar de fundição estava sobre doze bois, quer dizer, segundo Paulo interpreta, os doze apóstolos (1 Co 9.10). O fato de estarem olhando para quatro direções — leste, oeste, norte e sul — significa que eles ensinaram todas as nações. E por olharem de três em três, representaram a santíssima Trindade. Não só ensinando todos os povos, mas também naquele mar de água, batizando-os no nome do Pai, e do Filho, e do Espírito Santo. Portanto, as duas vacas que levavam a arca que continha as tábuas da Lei, iam diretamente em frente e se mantinham no mesmo caminho, sem se virarem para a direita nem para a esquerda. Mas estes doze bois sobre os quais estava o mar de fundição, significando a doutrina do Evangelho, não estão retos e nem se mantêm no mesmo caminho, mas estão virados para o caminho dos gentios. Olhavam para todos os tipos de direção: leste, oeste, norte e sul. As duas vacas ficaram paradas e não mugiam mais quando chegaram ao campo de Josué, morador de Bete-Semes, isto é, a casa do sol. Observe que todo o gado, bezerros, sacrifícios e cerimônias da antiga Lei tinham de cessar e ficar parados quando chegasse a Jesus, que é o verdadeiro Josué, morador do céu, que é o verdadeiro Bete-Semes. Mas estes doze bois estavam tão longe de sair, ou ir, ou mugir, quando chegaram a Cristo que mesmo então eles foram muito mais rápidos e mugiram muito mais alto, de forma que agora "por toda a terra se faz ouvir a sua voz, e as suas palavras, até aos confins do mundo" (ARA). E neles Deus pôs Bete-Semes, que significa, uma casa ou "tenda para o sol". Como o sol material sai das mais longínquas regiões para percorrer o seu caminho repetidamente, assim o sol espiritual — o Sol da Justiça — circula pelos doze apóstolos pelo mundo todo, para que Ele não só fosse a "glória de teu povo Israel", mas também a "luz para alumiar as nações" (Lc 2.32), e para que vissem "todos os confins da terra [...] a salvação do nosso Deus" (Is 52.10). — *Thomas Playfere*

vv. 4 a 6: Parece-me muito provável que o Espírito Santo, nestas expressões que Ele prontamente usa sobre a subida do sol, tem em vista a subida do Sol da Justiça da sepultura, e que as expressões que o Espírito Santo usa aqui estão de acordo com tal propósito. Os tempos do Antigo Testamento são tempos de noite em comparação com o dia do Evangelho, segundo a representação feita pela Bíblia. A aproximação do dia da dispensação do Novo Testamento com o nascimento de Jesus é chamada de *o sol nascente das alturas*: "Graças à entranhável misericórdia de nosso Deus, pela qual nos visitará o sol nascente das alturas" (Lc 1.78, ARA). O começo da dispensação do Evangelho que foi inicializado por Jesus chama-se o nascimento do Sol da Justiça (Ml 4.2).

Mas esta dispensação do Evangelho começa com a ressurreição de Jesus. Nesse sentido, o Sol da Justiça nasce surgindo debaixo da terra, como o sol aparentemente faz pela manhã, e sai como noivo. Ele subiu como o noivo feliz e glorioso da igreja, pois Jesus, especialmente como o ressurreto, é o próprio noivo ou marido da igreja, como ensina o apóstolo: "Assim, meus irmãos, também vós estais mortos para a lei pelo corpo de Cristo, para que sejais doutro, daquele que ressuscitou de entre os mortos, a fim de que demos fruto para Deus" (Rm 7.4). Aquele que foi coberto de desprezo e inundado por um dilúvio de tristeza comprou e conquistou o coração do seu cônjuge, porque Ele "amou a igreja e a si mesmo se entregou por ela" para que a apresentasse para si mesmo (Ef 5.25,27). Agora, Jesus sai como noivo para levar para casa a cônjuge comprada por Ele em casamento espiritual, como logo depois fez na conversão de tais multidões, tornando o povo desejoso no dia do seu poder, e desde então tem feito muitas vezes e fará em grau ainda mais glorioso. Como o sol quando sobe como noivo gloriosamente adornado, assim Jesus na ressurreição entrou no estado de glória. Depois do estado de sofrimento, Ele ressuscitou para brilhar em glória inefável como o Rei dos céus e da terra, para que pudesse ser um noivo glorioso em quem a igreja pudesse ser indescritivelmente feliz. O salmista diz que Deus "pôs uma tenda para o sol" nos céus (v. 4). Assim Deus Pai preparara um lugar nos céus para Jesus Cristo. Ele lhe estabelecera um trono para o qual subisse depois de ressuscitado. O sol depois de levantado sobe até ao meio do céu para então descer à terra ao fim do percurso. Assim Jesus, quando subiu da sepultura, ascendeu às alturas dos céus e muito acima de todos os céus, mas ao término do dia do Evangelho descerá para a terra. Aqui diz que o sol que subiu "se alegra como um herói a correr o seu caminho" (v. 5).

Assim Jesus, quando ressuscitou, ressuscitou como homem de guerra, como o Senhor forte e poderoso, o Senhor poderoso na batalha. Ele ressuscitou para conquistar os inimigos e mostrar o seu poder glorioso em subjugar todas as coisas a si mesmo, durante esse caminho que tinha de correr, que é o da ressurreição até ao fim do mundo, quando Jesus voltar à terra. [...] O Espírito Santo aqui tem um significado figurado e diz respeito à luz do Sol da Justiça, e não somente à luz do sol natural, fato confirmado pelos versículos que se seguem, nos quais o salmista os aplica à Palavra de Deus, que é a luz desse Sol, a luz de Jesus Cristo, que revelou a Palavra de Deus. Basta checarmos as palavras que vêm imediatamente a seguir: "A lei do Senhor é perfeita..." — *Jonathan Edwards, 1703-1758*

v. 5: "que é qual noivo que sai do seu tálamo e se alegra como um herói a correr o seu caminho". O salmista descreve o sol como um noivo que sai do tálamo, vestido e preparado, e como um herói alegrando-se por correr a corrida. Mas ainda que o sol esteja preparado, vestido e pronto, se o Senhor enviar um escrito e proibição ao sol para manter-se no tálamo, ele não sai, o curso é impedido. Assim também Ele detém o homem nas mais cuidadosas preparações para qualquer ação. Se o Senhor agir, quem o impedirá? (Is 43.13, ARA), quer dizer, não há poder no céu ou na terra que o impeça. Mas se o Senhor impedir, quem agirá? Nem o sol, nem as estrelas, nem os homens, nem os demônios podem agir, se Ele os proíbe. O ponto está cheio de consolações. — *Joseph Caryl*

v. 5: "Que é qual noivo que sai do seu tálamo e se alegra como um herói a correr o seu caminho". Bernard distinguiu habilmente a vinda do Sol da Justiça em três partes: *venit ad homines, venit in homines, venit contra homines*, significa que, no passado, Ele veio aos homens neste dia,* no presente, Ele entra no espírito humano diariamente, e no futuro, virá contra os homens no último dia. A saída aqui mencionada é a vinda na carne — porque é assim que normalmente explicam o texto —, Jesus saiu do ventre da virgem, "qual noivo que sai do seu tálamo". Como noivo, pois o Rei dos céus neste momento santo fez um grande casamento para o seu Filho (Mt 22). Jesus é o noivo, a natureza do homem a noiva, a conjunção e união santa de ambos em uma pessoa é o casamento. O melhor modo de reconciliar duas famílias

* O Salmo 19 é um texto "apropriado para ser lido" no dia de Natal.

discordantes é fazer um casamento entre elas. Mesmo assim, a Palavra se tornou carne e habitou entre nós no mundo para que fizesse a nossa paz por este meio, reconciliando Deus com o homem e o homem com Deus. Por esta união feliz, o Filho de Deus se tornou o Filho do Homem, carne da nossa carne e ossos dos nossos ossos, e os filhos dos homens foram feitos filhos de Deus, "da sua carne e dos seus ossos", como disse Paulo em Efésios 5.30 (KJV). De forma que agora a igreja, sendo a própria cônjuge de Cristo, disse: "Eu sou do meu amado, e o meu amado é meu" (Ct 6.3). O meu pecado é o seu pecado, e a sua justiça é a minha justiça. Aquele que não conheceu pecado, foi feito pecado por mim. Eu, por outro lado, não tendo nenhuma coisa boa, fui feita a justiça de Deus nele (cf. 2 Co 5.21). Eu que sou "morena" pela perseguição e "morena escura" por natureza (Ct 1.5, NTLH), tão imunda como a porca que se revolve de lama, pelo seu favor sou agradável, sem mancha ou ruga, tão alva quanto a neve, como o lírio entre os espinhos, a mais formosa entre as mulheres (Ct 1.8, 2.2). Este casamento feliz é "a consolação de Israel" (Lc 2.25) e o consolo do coração de Jerusalém. Jesus, nosso marido realmente se ausentou de nós no corpo durante um tempo, mas quando ascendeu ao céu levou consigo o nosso penhor, isto é, a sua carne, e Ele nos deu o seu penhor, isto é, o seu Espírito, assegurando-nos que um dia, quando o mundo terminar, entraremos com Ele no tálamo de núpcias, festejaremos e desfrutaremos eternamente da sua companhia santa. — *John Boys*

v. 6: "E nada se furta ao seu calor". As coisas são literalmente assim. A terra recebe o calor do sol e, por condução, uma parte penetra na crosta do globo. Por convecção, outra parte é levada à atmosfera que esquenta. Outra parte é irradiada pelo espaço, de acordo com leis ainda imperfeitamente entendidas, mas que estão evidentemente relacionadas com a cor, composição química e estrutura mecânica das partes da superfície terrestre.

Ao mesmo tempo, o estado ordinário do ar, formado por gases e vapor, modifica os raios do calor e previne o chamuscamento. Assim, o calor solar é igualado pelo ar. Nada na terra ou no ar se esconde do calor do sol. [...] Até mesmo a cor de alguns corpos muda pelo calor. [...] O calor também está nos corpos em um estado que não é sentido, o qual se chama calor latente ou calor de fluidez, porque se considera como a causa da fluidez em matérias de peso substancial. Pode fundir toda matéria e não se desintegra abaixo do ponto de fusão, como no caso da madeira. Todo gás pode ser considerado como formado de calor e de alguma base de matéria de peso substancial, cuja coesão vence, gerando a tendência à grande expansão, quando nenhum obstáculo externo o impedir e esta tendência expansiva for a sua elasticidade ou tensão. Certos gases são liquidificados sob grande pressão e frio extremo. O calor também a certas temperaturas causa a elasticidade dos vapores para vencer a pressão atmosférica que já não os pode conter. Um exemplo disso é o ponto de ebulição da água, e, de fato, em todo caso o verdadeiro exemplo é o ponto de ebulição. Os filósofos estão de acordo que a afinidade do calor de qualquer matéria de peso substancial é superior a todas as outras forças que agem nela. Não há matéria de peso substancial que se combine sem perda de calor. [...] A mesma coisa ocorre com toda pressão mecânica e condensação de um corpo. Em todos estes casos e em muitos outros, há evidências semelhantes da presença e influência de calor. Mas hoje os fatos já adiantados são suficientes para mostrar a força da expressão que, nas coisas terrestres, nada está escondido ou pode fugir da agência do calor. — *Edwin Sidney, Mestre em Ciências Humanas, "Conversations on the Bible and Science" [Conversas sobre a Bíblia e a Ciência], 1866*

v. 6: "E nada se furta ao seu calor", nada da luz de Cristo. Não é somente no cume das montanhas que Ele brilha como nos dias antes de ressuscitar, quando os raios, embora não vistos pelo restante do mundo, formaram uma glória em volta da cabeça dos profetas que o viram, enquanto para a principal parte da humanidade Jesus estava ainda abaixo do horizonte. Agora, porém, que Ele ressuscitou, derrama luz pelo vale, como também por cima das montanhas. Não há ninguém, pelo menos nessas regiões, que não tenha tido alguns dos vislumbres dessa luz, exceto os que escavam e se escondem nas cavernas escuras do pecado. Mas não é só luz que Jesus derrama do tabernáculo divino. Levando em conta que nada se furta à sua luz, nenhuma coisa se furta do seu calor. Ele não só ilumina o entendimento, de forma a ver e conhecer a verdade, mas também amolece, derrete e esquenta o coração, de forma a amar a verdade, produzir frutos e amadurecer os frutos produzidos. Tudo isso acontece na planta mais humilde que rasteja pelo chão, como também na árvore mais alta. [...]

Enquanto estava na terra, Jesus tinha o pleno poder de dar todo presente terreno. Mas, para que pudesse dar presentes divinos com o mesmo poder que cura tudo, era necessário que Ele entrasse nos céus. Quando fizera isso, quando ascendera ao tabernáculo nos céus, então Ele promete aos discípulos que enviaria o Espírito Santo de Deus, que traria dons divinos, que entraria nos seus corações e faria que produzissem todos os frutos do Espírito em abundância. Ele os faria abundar em amor, gozo, paz, longanimidade, benignidade, bondade, fé, mansidão, temperança (cf. Gl 5.22). Estes são os brilhantes raios divinos que, por assim dizer, compõem a pura luz de Cristo. É deste calor que nada se furta. Até o coração mais duro se derrete pela ação desse calor, até os mais imundos podem ser purificados. — *Julius Charles Hare, Mestre em Ciências Humanas, 1841*

v. 7: "A lei do Senhor é perfeita e refrigera a alma". Para o homem caído, a Lei só convence do pecado e o obriga legalmente à morte, sendo nada mais que uma letra que mata. Mas o Evangelho, acompanhado pelo poder do Espírito, traz vida. "A lei do Senhor é perfeita e refrigera a alma", será, então, que a Lei também pode ser uma palavra de salvação para os homens? Respondo que por Lei não se, quer dizer, apenas a parte da Palavra que chamamos a aliança por obras, contudo diz respeito à palavra inteira, à totalidade da doutrina da aliança da vida e salvação, como diz o Salmo 1.2: "Antes, tem o seu prazer na lei do Senhor, e na sua lei medita de dia e de noite". Se você tomar no sentido mais estrito, então a Lei converte a alma por acidente, visto que é unida com o Evangelho, que é o ministério da vida e justiça, mas em si mesma é a lei do pecado e da morte. Como algo tomado sozinho, seria venenosa e mortal em si mesma, mas quando está misturada com outros medicamentos saudáveis, é de grande serventia, sendo excelente ingrediente físico. A Lei é de grande utilidade quando unida com o Evangelho para despertar o pecador, para mostrar-lhe o dever, convencê-lo do pecado e do juízo. Mas é o Evangelho que propriamente atrai o coração. — *Thomas Manton*

v. 7: "A lei" ou doutrina, um modo de instrução em ordem, uma instituição ou disposição chamada em hebraico de *torah*, o que denota um preceito e uma disposição doutrinária em ordem. Onde um profeta, em relação às palavras de Davi, disse "o costume [ou lei] dos homens" (2 Sm 7.19), outro disse "o costume [ou curso] dos homens" (1 Cr 17.17) ou situação ordeira. O Espírito Santo, em grego, chama *Nomos*, "leis" (Hb 8.10, citando Jr 31.33). Este nome é comumente atribuído aos preceitos dados por Moisés no monte Sinai (Dt 32.4; Ml 4.4; Jo 1.17; 7.19), sendo também usado em grande parte a todos os seus escritos. A história de Gênesis é chamada de Lei (Gl 4.21, citando Gn 16). Embora a Lei seja, às vezes, diferenciada dos salmos e profetas (Lc 16.16; 24), livros os dos outros profetas são chamados de Lei (1 Co 14.21). Há um salmo que é chamado de Lei (Sl 78.1), e muitos ramos da doutrina mosaica, como a Lei da expiação do pecado (Lv 6.25). De modo geral, a palavra "lei" é usada para referir-se a qualquer doutrina, como a Lei das obras, a Lei da fé (Rm 3.27). — *Henry Ainsworth v. 7:* "E refrigera a alma". Esta versão transmite o sentido bom e verdadeiro, mas não está de acordo com o propósito do salmista, que é expressar a Lei divina nos sentimentos e emoções dos homens bons. O termo hebraico significa literalmente "trazer o espírito de volta", quando está deprimido por adversidade, refrigerando e consolando-o. É como os alimentos que restabelecem os fracos e dão vigor aos desconsolados. — *William Walford, 1837*

v. 7: "E refrigera a alma". O coração do homem é o mais imune e difícil de trabalhar, causar impressão e marcar. Este coração é muito duro, tão empedernido e adamantino, "firme como a mó de baixo", como ensina a Bíblia (Jó 41.24). Forçar este livre-arbítrio, este *Domina sui actus*, "a rainha na alma", a imperatriz, só com o poder divino, com a mão que é Onipotente. Mas os ministros o fazem pela Palavra — eles molificam, ferem e quebram o coração; inclinam, dobram e atraem o livre-arbítrio ao qual o espírito ouve. Clemente de Alexandria não tem medo de dizer que se as fábulas de Orfeu e Anfião fossem verdadeiras, elas atrairiam aves, animais e pedras com a música encantada. Contudo, a harmonia da Palavra é maior, que translada os homens de Helicon para Sião, que amolece o coração duro do homem obstinado contra a verdade, que "mesmo destas pedras [incrédulos, segundo ele interpreta e chama de pedras e pedaços de madeira, que põem a confiança em pedras e pedaços de madeira, cf. Jr 3.9] Deus pode suscitar filhos a Abraão" (Mt 3.9), que transforma homens que são como animais, aves selvagens por sua leveza e vaidade, serpentes pela sua astúcia e sutileza, leões pela sua ira e crueldade, porcos pela sua voluptuosidade e luxúria, e os encanta de forma que de animais selvagens tornam-se em homens obedientes, que faz as pedras vivas (como fez outras) irem de comum acordo edificar os muros de Jerusalém (como ele de Tebas), edificar um templo vivo para o Deus que vive para sempre. Este é um encanto verdadeiramente persuasivo. — *John Stoughton, "Choice Sermons" [Sermões Escolhidos], 1640*

v. 7: "E dá sabedoria aos símplices". Em Efésios 1.8, o apóstolo Paulo expressa a conversão e a obra feita inerentemente em nós, tornando o homem sábio. É habitual na Bíblia e você já chegou a ler sobre a conversão da alma e a doação de sabedoria aos símplices. O começo da conversão e, durante todo o tempo, o aumento de toda a graça até ao fim são expressos pela sabedoria que entra no coração do homem. "Porquanto a sabedoria entrará no teu coração" (Pv 2.10a), e assim continuará cada vez mais.

Entra não apenas na tua cabeça — o homem pode ter tudo e ser um tolo no fim —, mas quando entra no coração, atrai todos os afetos juntamente com ele, "e o conhecimento será suave à tua alma" (Pv 2.10b). Então o homem se converte. Quando Deus quebra o coração do homem e faz a sabedoria entrar, ela torna o homem sábio. — *Thomas Goodwin*

v. 7: "A lei do SENHOR é perfeita e refrigera a alma; o testemunho do SENHOR é fiel e dá sabedoria aos símplices". No hebraico, este e os dois versículos imediatamente a seguir, que falam sobre a Lei de Deus, estão escritos cada um deles com dez palavras, de acordo com o número dos Dez Mandamentos que são chamados as dez palavras (Êx 34.28). — *Henry Ainsworth*

vv. 7 e 8: "o mandamento do SENHOR é puro e alumia os olhos", revelando o objeto e enobrecendo o órgão. — *Richard Stock*

vv. 7 a 11: Todos nós somos por natureza filhos da ira. A alma é como os cinco alpendres de Betesda (Jo 5.2), os quais abrigavam "grande multidão de enfermos: cegos, coxos e paralíticos". A Bíblia é como o tanque de Betesda, no qual todo aquele que entrava, depois que o Espírito Santo de Deus movimentava as águas, "sarava de qualquer enfermidade que tivesse". Aquele que tem o furor da raiva, sendo tão furioso quanto o leão, entrando no tanque, ficará tão manso quanto um cordeiro. Aquele que tem a cegueira da intemperança, lavando-se neste tanque, perceberá a própria loucura. Aquele que tem o mofo da inveja, a lepra da avareza, a paralisia da concupiscência, terá meios e medicamentos para sarar dessas doenças. A Palavra de Deus é como o remédio universal, que serve para todas as purgações, e como a panaceia medicinal que é boa para todas as doenças. O homem está triste? "Os preceitos do Senhor [...] alegram o coração". O homem está em necessidade? "Os juízos do Senhor [...] mais desejáveis são que o ouro, sim, que muito ouro fino, [...] e em os guardar há grande recompensa". O homem é ignorante? "O testemunho do Senhor [...] dá sabedoria aos símplices", quer dizer, aos que são pequenos tanto em posição quanto em entendimento. Em posição, como o pequeno Daniel, o pequeno evangelista João, o pequeno Timóteo, aos pequenos de entendimento, pois os grandes filósofos, que eram os feiticeiros do mundo por não conhecerem a Lei de Deus, tornaram-se loucos enquanto se diziam sábios (Rm 1.22). Mas o profeta disse: "Tenho mais entendimento do que todos os meus mestres, porque medito nos teus testemunhos" e os estudo (Sl 119.99). Para concluir, independente da nossa natureza corrupta, a Lei de Deus nos converte, fazendo-nos falar em novas línguas, entoar novas canções ao Senhor e ser novos homens e novas criaturas em Cristo (2 Co 5.17). — *John Boys*

v. 8: "Os preceitos". Muitos teólogos e críticos, e Castalio em particular, têm se empenhado em fixar uma nuança de significado nas palavras "lei", "testemunho", "preceitos", "mandamento", "temor" e "juízos" que ocorrem neste contexto. Entendem que a palavra תּוֹרָה, "a Lei", denota a parte perceptiva da revelação. Restringem a palavra עֵדוּת, "o testemunho", à parte doutrinária. Consideram que a palavra פִּקּוּדִים, "os estatutos", diz respeito às coisas que foram dadas em depósito. Vêm que a palavra מִצְוָה, "o mandamento", expressa o corpo geral da Lei e doutrina divina. Pensam que as palavras יִרְאָה, "o temor", e מִשְׁפָּטִים, "os juízos", são os estatutos civis da Lei mosaica, mais particularmente as sanções penais. — *John Morison*

v. 8: "Os preceitos do Senhor são retos e alegram o coração". Como é odiosa a profanação dos cristãos que negligenciam as Santas Escrituras e se entregam a ler outros livros! Quantas horas preciosas muitos gastam — não só em dias de trabalho, mas em dias de folga — lendo em romances tolos, histórias fabulosas, poemas lascivos! E tudo para quê, senão para alegrarem-se e rirem, quando a alegria completa só se tem nos livros santos. Infelizmente, a alegria que você encontra nesses livros diversos é talvez perniciosa, a ponto de divertir a concupiscência e promover a maldade contemplativa. Na melhor das hipóteses é vã, visto que somente agrada a imaginação e infecta a inteligência. Por outro lado, os Santos Escritos são (para usar a expressão de Davi) "retos e alegram o coração". Não há muitos que mais vivem pela ética de Plutarco, pelas epístolas de Sêneca e outros livros semelhantes que pelas Santas Escrituras? É verdade, amado, há excelentes verdades nesses livros morais dos ímpios, mas estão muito aquém dos livros sagrados. Aqueles podem dar consolo em alguma dificuldade externa, mas não acalmam os medos interiores. Podem alegrar a mente, mas não aquietar a consciência. Podem acender umas faíscas de alegria, mas não podem aquecer a alma com o fogo duradouro de consolações sólidas. Verdadeiramente, irmãos, se Deus der a vocês ouvidos espirituais para julgar as coisas corretamente, vocês reconhecerão que não há campainhas como as de Arão, harpa como a de Davi, trombeta como a de Isaías, flauta como a dos apóstolos. Vocês admitirão com Pedro Damião que os escritos de oradores, filósofos e poetas pagãos que antigamente eram tão bons, atualmente são tediosos e irritantes em comparação às consolações das Escrituras. — *Nathanael Hardy, Doutor em Teologia, 1618-1670*

v. 10: "Mais doces do que o mel e o licor dos favos". "Oh! Quanto amo a tua lei!" (Sl 119.97). "Senhor", disse Agostinho, "que as Santas Escrituras sejam a minha pura delícia." Crisóstomo compara a Bíblia a um jardim, sendo que toda verdade é uma flor cheirosa que devemos usar, não em nosso úbere, mas em nosso coração. Davi estimou as Escrituras “mais doces do que o mel e o licor dos favos”. Há na Bíblia aquilo que pode gerar deleite. Mostra-nos o caminho para as riquezas: Deuteronômio 28.5, Provérbios 3.10; à vida longa: Salmo 34.12; a um reino: Hebreus 12.28. Consideremos extremamente doces as horas que gastamos lendo as Santas Escrituras. Digamos juntamente com o profeta: “Achando-se as tuas palavras, logo as comi, e a tua palavra foi para mim o gozo e alegria do meu coração” (Jr 15.16). — *Thomas Watson*

v. 10: “Mais doces do que o mel e o licor dos favos”. Para nós em termos de iguaria, não há diferença entre o mel no favo e o mel que já foi tirado do favo. Segundo informações de Halle acerca da dieta dos mouros berberes, sabemos que eles consideram o mel como um desjejum muito saudável, “e o mais delicioso que está no favo com as abelhas jovens antes de saírem dos casulos, enquanto ainda têm a aparência branco-leitosa” (*Miscellanea Curiosa*, vol. III, p. 382). A diferenciação feita pelo salmista é perfeitamente justa e compatível pelo costume e prática, pelo menos segundo tempos mais modernos e provavelmente também segundo tempos antigos. — *Samuel Burder, Mestre em Ciências Humanas, “Oriental Customs” [Costumes Orientais], 1812*

v. 11: “Também por eles é admoestado o teu servo”. Certo judeu formara o desígnio de envenenar Lutero, mas fora logrado por um amigo fiel que enviou para Lutero um retrato do homem que tinha uma advertência contra ele. Com isso, Lutero reconheceu o assassino e escapou das suas mãos. Assim a Palavra de Deus, cristão, te mostra a face das concupiscências que Satanás usa para destruir as suas consolações e envenenar a sua alma. — *G. S. Bowes, Bacharel em Humanidades, “Illustrative Gatherings for Preachers and Teachers” [Coletâneas Ilustrativas para Pregadores e Professores], 1860*

v. 11: “E em os guardar há grande recompensa”. Este “em os guardar” indica grande cuidado em conhecer, lembrar e observar. A “recompensa” (lit., “o fim”) é muito maior que a expectativa. — *W. Wilson*

v. 11: “E em os guardar há grande recompensa”. Não só por guardá-los, mas em guardá-los há grande recompensa. A alegria, o descanso, o refrigério, a consolação, a alegria, o contentamento, o sorriso, a renda que os santos desfrutam hoje nos caminhos de Deus são tão preciosos e gloriosos aos olhos deles, que não os trocariam por dez mil mundos. Se gratificações e bonificações são agradáveis e excelentes antes do dia do pagamento, qual será a glória com que Cristo coroará os santos por manterem-se fiéis em servi-lo em face de todas as dificuldades, quando Ele dirá ao Pai: “Eis-me aqui, com os filhos que me deu o SENHOR” (Is 8.18). Se há tanto a se ter no deserto, o quanto se terá no paraíso! — *Thomas Brooks*

v. 11: “E em os guardar há grande recompensa”. Não só por guardá-los, mas em guardá-los há grande recompensa. Como toda flor tem sua doce fragrância, assim toda boa ação tem a sua doce reflexão na alma. Como disse Girolamo Cardano, cientista e matemático, toda pedra preciosa tem certa virtude notória. O mesmo se dá aqui, a justiça é própria recompensa, embora poucos homens pensem assim e ajam de acordo. Apesar disso, a principal recompensa só ocorre no último lance, quando chegarmos ao céu. A palavra hebraica traduzida por “recompensa” significa “calcanhar”, e, por metáfora, denota o fim de um trabalho e a recompensa que ocorre somente no fim. — *John Trapp*

v. 11: “recompensa”. Não servimos a Deus por recompensa, mas teremos recompensa pelo serviço. Chegará o tempo em que as maldades serão processadas pela justiça tanto quanto em tempos passados em que a piedade sofria perseguição por causa da injustiça. A recompensa não é por boas obras, mas teremos as boas obras recompensadas. O melhor dos homens (sendo eles, na melhor das hipóteses, servos improdutivos) não merecem nada das mãos de Deus, mas podem merecer muito das mãos dos homens. — *Ralph Venning, 1820-1673*

v. 12: "Quem pode entender os próprios erros?" Depois desta pesquisa sobre as obras e a Palavra de Deus, o salmista passa a ler o terceiro livro: a sua consciência. É um livro que os ímpios mantêm fechado e obviamente não gostam de olhar o conteúdo. Contudo, virá o dia em que será aberto no grande tribunal à visão do mundo inteiro, para a justificação de Deus quando julgar e para a confusão eterna dos pecadores impenitentes. O que se encontra aqui? Uma cópia imunda e borrada que o salmista fica confuso ao ler: "Quem", diz ele, "pode entender os próprios erros?" Essas noções que Deus com as próprias mãos imprimira na consciência em letras legíveis são, em parte, deformadas e borradas com os rabiscos e entrelinhas de "erros [...] ocultos" ou pecados secretos e, em parte, apagadas e rasuradas com pecados capitais e pecados da "soberba". Esse "escrito à mão" não pode ser abusado assim, mas dará evidência a Deus.

Não há argumento no mundo que possa com mais força extorquir o reconhecimento de Deus da consciência do homem que a própria convicção de culpa que o denuncia. Porque não há como o pecador deixar de saber que transgrediu uma lei, a qual encontra dentro de si, caso não lhe falte o sentimento e entendimento de que, embora ele no momento ande pelos caminhos do coração e pela vista dos olhos (como o sábio ironicamente aconselha o jovem a fazer), ele sabe (como o mesmo sábio fala por experiência própria) que por todas essas coisas Deus lhe trará a juízo (Ec 11.9). A consciência sendo assim convencida do pecado, onde há sentimento de verdadeira devoção, a alma, com Davi aqui, se dirige a Deus em busca de perdão para ser expurgada dos erros ocultos, e, pela graça, por suas restrições, inibições e assistências, guardada da soberba (v. 13), e caso seja infelizmente presa, para que seja livre pelo menos do senhorio da soberba: "Também da soberba guarda o teu servo, para que se não assenhoreie de mim" (v. 13a). — *Adam Littleton*

v. 12: O profeta disse: "Quem pode entender os próprios erros?" Nenhum homem pode, mas Deus pode. Portanto, argumentemos desta maneira, como disse Bernard: Conheço e sou conhecido. Conheço apenas em parte, mas Deus me conhece e me conhece completamente. O que sei, sei somente em parte. Assim o apóstolo argumenta: "em nada me sinto culpado; mas nem por isso me considero justificado" (1 Co 4.4).

Reconhece que você guarda tão livremente e renova o seu arrependimento tão diariamente que nada sabe por si mesmo, mas observa o que o apóstolo acrescenta: "Porque em nada me sinto culpado; mas nem por isso me considero justificado, pois quem me julga é o Senhor" (1 Co 4.4).

Essa é a situação de todos os homens. AquEle que é infinito os conhece, portanto, eles não deveriam ousar julgar a si mesmos, mas juntamente com o profeta Davi, no Salmo 19, pedir ao Senhor que os expurgue dos seus pecados ocultos. — *Richard Stock*

v. 12: "Quem pode entender os próprios erros?" Ninguém pode entendê-los a fundo. Nesta pergunta há dois pontos importantes: uma concessão e uma confissão. Ele concede que a nossa vida esteja cheia de erros. A Bíblia diz o mesmo, quando afirma que, "todos nós andamos desgarrados como ovelhas" (Is 53.6); "Desgarrei-me como a ovelha perdida" (Sl 119.176); que a "casa de Israel [tenha] ovelhas perdidas" (Mt 10.6). Não preciso citar os pormenores, como os erros de nosso sentimento, entendimento, consciência, julgamento, vontade, emoção, desejo e ação. O homem em natureza é como a árvore arrancada pela raiz que produz frutos bichados. O homem todo em vida é como um instrumento desafinado que chia em cada toque. — *Robert Abbot, 1646*

v. 12: "Quem pode entender os próprios erros?" Se o homem não se arrepender até confessar todos os pecados aos ouvidos do padre, se o homem não pode ter a absolvição dos pecados até que os pecados sejam narrados e enumerados aos ouvidos do padre. Nisso, como Davi disse, ninguém pode entender, muito menos declarar todos os seus pecados: *Delicta quis intelligat?* "Quem pode entender os próprios pecados?" Neste ponto o próprio Davi lamenta em outro lugar da seguinte forma: "As minhas iniquidades ultrapassam a minha cabeça; como carga pesada são demais para as minhas forças" (Sl 38.4). Infelizmente, não devem os homens por esta doutrina serem devidamente induzidos ao arrependimento? Embora tivessem empreendido fazer curativos para as feridas, confissão ou fricção para amenizar a dor, ordenando os homens a ter boa esperança pela contrição, embora não estivesse tão cheia quanto necessária, e acerca da confissão, eles não enumeraram todos os pecados, pois se tivessem eles teriam constatado que têm muitos. Prezado leitor, não há ninguém que não seja culpado e você crê que este curativo não é como sal para olhos doloridos? Sim, é lógico, quando eles fizeram tudo que podem para satisfazer a consciência nestes pontos, o resumo é este: Devemos ter boa esperança, mas uma esperança que nos deixe hesitando e duvidando de terem sido os nossos pecados perdoados. Acreditar em *remissionem peccatorum*, que é ter certeza do "perdão de pecados", como o nosso credo nos ensina, é considerado por eles como presunção. Que abominação não somente neste ponto, mas em toda a penitência conforme eles a descrevem. — *John Bradford (Mártir), 1510-1555*

v. 12: "Quem pode entender os próprios erros?" Por "erros" o salmista quer dizer os enganos inconscientes e imprudentes. Há pecados que são cometidos quando o sol brilha, ou seja, à plena luz e conhecimento, e, como vemos as cores quando o sol brilha, assim podemos ver os pecados. Desta forma, o homem pode ver, saber e confessar que estes são particularmente transgressões. Há outros pecados que são cometidos ou em tempos de ignorância ou (se há conhecimento) sem que se deem conta. Qualquer um destes pecados pode ser computado no número particular de pecados tanto quanto o homem faz quando os comete sem ter tido conhecimento deles. Agora, se o homem pegar a vela mais forte para vasculhar todos os registros da alma, muitos deles lhe escapariam. Na verdade, faz grande parte de nossa penúria o fato de não podermos entender todas as nossas dívidas. Vemos muitas facilmente, no entanto há muitas mais que estão, por assim dizer, mortas e fora de vista. Pecar é uma grande miséria, mas esquecer dos nossos pecados também é uma desgraça. Se em arrependimento pudéssemos nos dispor em ordem de batalha, apontar a todo pecado em tempos reais e particulares de agir e reagir, o nosso coração ficaria muito mais despedaçado pela vergonha e tristeza, e adoraríamos mais a riqueza do tesouro da misericórdia, que é abundante em si para perdoar a multidão dos nossos erros e pecados infindos. Mas este é o consolo. Embora não possamos entender todos os pecados em particular ou o tempo do pecado, se formos ativos em procurar e vasculhar os livros, se ficarmos sinceramente aflitos pelos pecados que acharmos se por verdadeiro arrependimento nos afastarmos deles para irmos a Deus e pela fé no sangue de Jesus Cristo, afirmo que Deus, que conhece os nossos pecados melhor que nós e que entende as verdadeiras intenções e disposições do coração — o qual se visse os pecados desconhecidos seria adequadamente levado contra eles —, Deus por sua misericórdia os perdoará e também não se lembrará deles. Não obstante, Davi disse: "Quem pode entender os próprios erros?", como também disse o profeta Jeremias: "Enganoso é o coração, mais do que todas as coisas, e perverso; quem o conhecerá?" (Jr 17.9), mas temos de nos dirigir aos céus para recebermos cada vez mais luz divina, para descobrirmos cada vez mais os nossos pecados. Assim o Senhor investiga o coração. Mesmo que jamais descubramos todos os pecados que cometemos, é próprio e benéfico descobrirmos mais pecados que já sabemos. Você verificará que esta é a sua experiência: que assim que a graça entra no coração, você observa o pecado de outro modo. Quanto mais a graça avança e aumenta na alma mais descobertas plenas são feitas de nossos pecados. Mostra, por assim dizer, novos pecados, novos pecados não quanto à sua existência, não como se eles já não estivessem no coração e na vida, mas no que tange à sua evidência e à nossa percepção. Vemos agora que tais salários e inclinações são pecaminosos, as quais antes não pensávamos que eram. Como o remédio torna os humores já existentes mais sensíveis ao paciente, ou como o sol expõe as partículas de pó as quais já estavam no quarto, assim a luz da Palavra revela mais corrupção. — *Obadiah Sedgwick*

v. 12: "Quem pode entender os próprios erros?" Quem pode contar quantas vezes peca? Ninguém. Podemos contar os cabelos da cabeça do homem, as estrelas aparecem em multidões, e alguns empreenderam computá-las. Mas não há aritmética que numere os nossos pecados. Antes de chegarmos a mil já teremos cometido mais dez mil. É preferível multiplicar por adição a dividir por subtração. Não há possibilidade de numeração. Como a cabeça de Hidra, enquanto estivermos cortando vinte por arrependimento, descobriremos mais cem crescendo. É, então, que as tristezas infindas seguirão os pecados infindos. — *Thomas Adams*

v. 12: "Expurga-me tu dos que me são ocultos". Quem é santo tem desejo de ser limpo, não só dos pecados públicos, mas também dos pecados privados e secretos: "Miserável homem que eu sou!", disse Paulo, "Quem me livrará do corpo desta morte?" (Rm 7.24). Por que, bendito apóstolo? O que é que te prende? O que é que te molesta? A tua vida, tu dizes, era irrepreensível antes e depois da conversão (Fp 3). Tu te exercitas para sempre teres uma consciência sem ofensa diante de Deus e dos homens (At 24.16). Contudo, clamas: "Homem miserável", e lamentas: "Quem me livrará?" Verdadeiramente, irmãos, não eram pecados públicos, mas particulares. Não eram pecados exteriores, mas desta vez pecados interiores. Não era Paulo pecar com homem, mas Paulo pecar com Paulo. A lei dos seus membros guerreava secretamente dentro dele contra a lei da sua mente (cf. Rm 7.23). Foi *isso* que fez esse homem santo clamar e lamentar desse jeito. Rebeca estava cansada da vida, não por alguma desinquietação com estranhos, mas por causa de dificuldades domésticas: As "filhas de Hete" dentro de casa a deixaram enfadada da vida (cf. Gn 27.46). Semelhantemente, o nascimento privado e secreto da corrupção interior de Paulo — as suas operações —, era a causa da sua dificuldade, era a razão das suas exclamações e desejos: "Quem me livrará?" Lembro que o mesmo Paulo admoestou os crentes efésios que, "quanto ao trato passado", se despojassem "do velho homem" para se renovarem "no espírito do vosso sentido" (Ef 4.22,23), dando a entender que há pecados que se escondem interiormente como também pecados que andam exteriormente, e que os verdadeiros cristãos não só têm de varrer a porta, mas lavar o quarto. A minha explicação é que os verdadeiros cristãos não só se desprendem de pecados que surgem nas relações interpessoais, mas também labutam para serem limpos de pecaminosidades que permanecem secretos e escondidos no espírito e na disposição interior. — *Obadiah Sedgwick*

v. 12: "Expurga-me tu dos que me são ocultos". Aprenda a ver as manchas pecaminosas. Muitos têm pecados desconhecidos, como o homem que tem um sinal de nascença nas costas e nunca o soube. Senhor, expurga-me dos pecados secretos. Mas não temos manchas das quais não somos ignorantes? Às vezes, nas doenças, a natureza é forte e produz manchas. Por meio destas declarações exteriores, ela está nos avisando que estamos doentes. Às vezes, a apenas somos avisados pela força de medicamentos. Às vezes, a própria consciência nos mostra os nossos pecados. Às vezes, somente por meio de argumentos que nos convencem da Palavra Santa. Alguns podem ver, mas não verão, como Balaão. Outros veriam, mas não podem, como o eunuco. Uns nem veem nem podem, como faraó. Outros veem e podem, como Davi. [...] Temos muitas manchas que Deus nunca nos ouve falar, porque não as vemos em nós mesmos. Quem reconhecerá o erro, do qual não se conhece culpado? Ver os pecados é uma grande felicidade, pois leva a uma confissão franca. — *Thomas Adams*

v. 12: "Expurga-me tu dos que me são ocultos". A Lei do Senhor é tão santa que se deve pedir perdão, até mesmo dos pecados escondidos. (Nota: Este foi o principal texto dos reformadores contra a confissão auricular dos católicos romanos.) — *T. C. Barth, "Bible Manual" [Manual Bíblico], 1865*

v. 12: "Erros [...] ocultos". Podemos dizer que os pecados são "ocultos": (1) Quando são caracterizados e disfarçados. Disseminam-se, ainda que não com esse nome, contudo com ornamentos têm certa semelhança com virtudes. Cipriano se queixa de tais enganos na Segunda Carta a Donato. (2) Quando são repelidos do estágio do mundo. São como a fumaça das chaminés. Mesmo que não vejamos, o fogo está aceso na lareira. Como nos dias de Ezequiel, há muitas pessoas que cometem abominações em segredo, ou seja, longe dos olhos públicos. O homem é pecador e age com a maior vileza. Toda a diferença entre os outros pecadores e este é que ele é — e os outros dizem que é — pecador. Semelhantemente, a diferença entre um livro fechado e um livro aberto é que o fechado tem as mesmas linhas e palavras, mas o outro, estando aberto, pode ser visto e lido pelos homens. (3) Quando são escondidos não só dos olhos públicos, mas dos olhos mortais, quer dizer, os olhos carnais daqueles que cometem os pecados. Mesmo as pessoas com quem mantém relações e as quais altamente recomendam-lhe a postura de vida, não conseguem ver-lhe os raciocínios e atos secretos do pecado na mente e no coração. Irmãos, nem todas as ações do pecado são exteriores e visíveis. Há certas ações mais perigosas na alma onde a corrupção jaz como fonte e raiz. O coração do homem é um sistema de iniquidade. O homem diz no coração o que ele não ousa dizer com a língua, e o pensamento fará o que as mãos não ousam executar. Podemos chamar o pecado de "oculto" quando é pecado e age como pecado, mesmo onde nada e nem ninguém, senão Deus e a consciência podem ver. Acredito que o pecado é como uma vela em uma lanterna, onde o brilho é primeiramente interior para depois se arrojar pelas janelas. Ou é como os males e humores ulcerosos que primeiro são crostas e escorbuto, primeiro por dentro da pele para depois saírem à vista de todos. Assim é com o pecado. É um humour maligno e uma lepra irritante, espalhando-se primeiramente em vários atos ocultos e operações secretas da mente, para depois irromperem e ousarem aventurar a prática de si mesmo aos olhos do mundo. Seja como for talvez nunca veja a luz, sendo como uma criança nascida e enterrada no útero. Como essa criança é um homem, um verdadeiro homem encerrado na estrutura oculta da natureza, assim o pecado é verdadeiramente pecado, embora nunca saia do útero que o concebeu e alimentou. — *Obadiah Sedgwick*

v. 12: "Erros [...] ocultos". Em certos aspectos, os pecados secretos são mais perigosos que os pecados abertos. O homem, pela astúcia do pecado, se priva da ajuda da sua pecaminosidade. Aquele que mantém a ferida coberta ou que tem uma hemorragia interna, a ajuda não lhe vem porque o perigo não é visto nem conhecido claramente. Se o pecado do homem surge de repente há um ministro por perto, um amigo próximo e outros para reprovar, advertir, orientar. Mas quando ele é o artífice das próprias concupiscências, se exclui de todo o remédio público, recebe ordens expressas e toma muito cuidado em condenar a alma, cobrindo os pecados secretos com um verniz plausível que gere boa opinião nos outros acerca do seu comportamento. O homem pelo segredo dá rédeas à corrupção. A mente é alimentada o dia todo com contemplações ou planos pecaminosos, de forma que a própria força da alma se exaure e se corrompe. As ações ocultas aquecem e inflamam a corrupção natural. Em um lugar apinhado de gente, quando um sai pela porta, dois ou três estão prontos a imitá-lo. Semelhantemente, quando o homem libera o coração para agir um pecado secreto, isso gera uma chama forte, presente e instantânea na corrupção para repetir, amontoar e multiplicar os atos. Atos pecaminosos não só são frutos do pecado, mas também o apoiam e o fortalecem, tornando todos os pecados ávidos por mais pecados, tanto nos efeitos quanto na causa. A fonte e a causa do pecado ficarão mais desvairados e insolentes, tornando-os mais corruptos. Sendo isso verdade, o coração que abre caminho para o pecado logo estará pronto para o próximo. O coração que se entregou uma vez para produzir pecados ao prazer do Diabo se entregará duas vezes por iniciativa própria. O homem pelos pecados secretos lustra e alinha a hipocrisia do coração. Ele se esforça para ser um hipócrita diligente. Quanto mais esperto o homem é em disfarçar os pecados, mais perfeito ele é na hipocrisia. — *Obadiah Sedgwick*

v. 12: "Erros [...] ocultos". Cuidado para não cometer atos que tenham de ser ocultados. Hood escreveu um poema singular chamado "O Sonho de Eugene Aram", extremamente notável, que ilustra o ponto o qual estamos estudando. Aram tinha assassinado um homem e lançado o corpo no rio — "água parada, preta como carvão, cuja profundidade era muito grande". Na manhã seguinte, ele visitou a cena do crime:

E vasculhou o negro lago amaldiçoado
Com olhos de medo desvairado
E viu o morto no leito do rio
Pois a água desleal secara-se

Imediatamente, cobriu o cadáver com montes de folhas, mas um vento forte passou pelos galhos e deixou o segredo exposto ao sol:

Então, me prostrei com o rosto em terra
E primeiro comecei a chorar
Porquanto sabia que o meu segredo era algo
Que a terra se recusava a guardar
Estivesse na terra ou no mar
A dezoito mil metros de profundidade

Em notas melancólicas, ele profetiza a própria descoberta. Enterrou a vítima num buraco e colocou em cima uma pilha de pedras. Mas quando os anos percorreram o círculo infatigável, a ação asquerosa foi descoberta e o assassino morto.

A culpa é um "camarista severo", mesmo quando os dedos não estão manchados de sangue. Pecados secretos ocasionam olhos febris e noites sem sono até que os homens queimem a consciência e se tornem material próprio para o inferno. A hipocrisia é um jogo duro de jogar, pois é um enganador contra muitos observadores. É com certeza uma ocupação sórdida que no fim, como seu clímax certo, ocasionará uma tremenda bancarrota. Vós que pecastes sem terem sido descobertos, "sabei que o vosso pecado vos há de achar" (Nm 32.23, ARA), e considerai que bem logo vós sereis descoberto.

O pecado, como o assassinato, se revelará. Os homens até nos sonhos contarão fábulas sobre si mesmos. Deus faz os homens se sentirem de consciência tão pesada que são forçados a apresentarem-se para confessar a verdade. Pecador oculto! Se você quer ter o antegosto da danação na terra, continue praticando os seus pecados ocultos, pois não há homem mais miserável que aquele que peca secretamente e ainda tenta manter as aparências. O antílope, perseguido pelos cães de caça famintos, com bocas abertas, é muito mais feliz que o homem que é procurado pelos seus pecados. O pássaro, apanhado na rede do caçador e que está lutando para escapar, é muito mais feliz que aquele que se emaranhou na teia do engano e luta para fugir, prendendo-se a cada dia mais nas labutas e tornando a teia mais forte. A sordidez dos pecados ocultos! Façamos este pedido: "Expurga-me tu dos que me são ocultos". C. H. S., "Pecados Secretos", in: "Spurgeon's Sermons" [Sermões de Spurgeon], n.º 116

v. 12: O pecado por ignorância (שְׁגָגָה) é o mesmo que está na oração de Davi neste salmo: "Quem pode entender os próprios erros (שְׁגִיאוֹת)? Expurga-me tu dos que me são ocultos". Não são pecados de omissão, mas atos cometidos pela pessoa que, na ocasião, não supunha que o que fazia era pecado. Embora tenha feito a coisa deliberadamente, não percebeu a pecaminosidade do ato. O pecado é tão enganoso que podemos estar cometendo a coisa abominável que lançou os anjos em um inferno imediato e eterno, e mesmo assim estarmos inconscientes que estamos fazendo! Falta de conhecimento da verdade, e tão pouca sensibilidade de consciência para escondê-la de nós. A dureza de coração e a natureza corrupta nos levam a pecar sem perceber. Mas eis que surge o Filho do Homem! O Senhor, Deus de Israel, institui sacrifícios pelos pecados cometidos por ignorância, e assim revela o próprio coração compassivo e ponderado que surge no nosso Sumo Sacerdote que pode "compadecer-se ternamente dos ignorantes e errados" (Hb 5.2). Entre os tipos deste tabernáculo, reconhecemos a presença de Jesus — é a sua voz que sacode as cortinas e fala aos ouvidos de Moisés: "Quando uma alma pecar por erro". "Jesus Cristo é o mesmo ontem, e hoje e eternamente" (Hb 13.8). — *Andrew A. Bonar, "Commentary on Leviticus" [Comentário de Levítico], Levítico 4.2.*

v. 12: "Expurga-me tu dos que me são ocultos". Esta é diferença singular entre a santidade farisaica e a real. É curioso olhar nos outros e não ver nada em si mesmo. O fariseu condenou o publicano, não vendo nada em si digno de culpa. Mas o publicano olhou cuidadosamente em si mesmo e vasculhou os cantos secretos, até o próprio espírito da mente. Foi o que fez o bom Davi quando orou: "Expurga-me tu dos que me são ocultos". — *Nathanael Hardy*

v. 12: "Quem pode entender os próprios erros? Expurga-me tu dos que me são ocultos". As nossas corrupções nos tornaram material combustível que dificilmente um dardo é lançado em nós sem nos acertar. Quando Satanás nos tenta, é como jogar fogo a uma substância altamente inflamável, que num instante nos atinge. O nosso coração se infama com a menor faísca. É como um recipiente que está cheio de água até a borda, que com o menor balanço, derrama. Fôssemos verdadeiros conosco mesmos, ainda que o Diabo batesse a porta para nos tentar, ele nunca entraria arrombando as portas eternas de nosso coração por força ou violência. Mas infelizmente, não somos todos de um só coração e de uma só mente. Satanás ganhou um lugar forte dentro de nós para que, assim que ele bate, seja lhe aberta a porta e seja recebido. Por conseguinte, é por isso que muitas vezes tentações leves e oportunidades muito insignificantes promovem grandes corrupções. A garrafa que está cheia de licor novo, com a menor abertura, faz o licor trabalhar produzindo espuma e cheiro. Assim o nosso coração, quase todas as vezes em que sofre tentação leve e trivial faz a corrupção natural que nele está avolumar-se e ferver, transbordando espuma e sujeira abundante de nossa vida e relações. — *Ezekiel Hopkins*

v. 12: "Quem pode entender os próprios erros? Expurga-me tu dos que me são ocultos". Os pecados estão muitas vezes ocultos dos olhos do homem piedoso, pois, embora os cometa, não é diligente e minucioso em fazer uma busca em si mesmo e um estudo imparcial dos próprios caminhos. Se algum pecado for ocultado, como Saul que estava entre a bagagem (1 Sm 10.22), a menos que o homem seja muito cuidadoso em procurar, pensará que não há pecado onde há. É por isso que a Bíblia tão comumente nos ordena o dever de procurar e provar, de examinar e consultar o nosso coração. Agora qual é a necessidade deste dever, senão a suposição de que há muitos segredos e concupiscências sutis que espreitam o nosso coração, dos quais não temos nenhum conhecimento? Para que os tementes a Deus descubram concupiscências ocultas e saibam de pecados que ainda não sabem, eles têm de julgar a si mesmos imparcialmente.

Não devem fazê-lo de modo superficial e ligeiro, mas investigar real e laboriosamente todos os cantos e recantos como procurariam ladrões. Têm de olhar e examinar este e aquele canto escuro do coração, como a mulher procurou a dracma perdida (Lc 15.8,9). Esta autoanálise e autojulgamento, este crivo e seleção que fazemos em nós mesmos é o único modo de saber o que é palha e o que é trigo, o que é mero refugo e o que é duradouro. — *Anthony Burgess*

v. 12: "Quem pode entender os próprios erros? Expurga-me tu dos que me são ocultos". É da natureza do pecado aumentar e avançar. O seu curso e progresso ordinário é da fraqueza para a teimosia, da ignorância para a soberba. A nuvem que o homem de Elias viu não era, a princípio, maior que a largura de uma mão, e de forma alguma era ameaça de tempestade geral. Mas no fim, a nuvem encheu totalmente o céu. Semelhantemente, o pecado que a princípio surge na alma é como uma nuvem pequena de difícil percepção. Mas se não for desfeita pelo fôlego da oração, acabará se espalhando pela vida da pessoa e ficando muito tempestuosa e furiosa. Davi, como experimentado na falsidade do pecado, digere e sistematiza a oração: primeiro, contra pecados secretos e menos importantes, e, depois, contra pecados mais brutos e notórios. Ele sabe que um tipo provém e resulta do outro. Senhor, "Expurga-me tu dos que me são ocultos". Este será um dos meios mais eficazes de preservar e guardar o teu servo dos pecados da soberba. — *Ezekiel Hopkins*

vv. 12 e 13: "Quem pode entender os próprios erros? Expurga-me tu dos que me são ocultos". Não há como negar que existe uma diferença entre *fraquezas* e *soberbas*, pois está expressamente exposta nas Santas Escrituras. Os papistas dizem que o homem que comete um pecado mortal não está no estado da graça. Mas quanto aos pecados veniais, o homem pode se entregar (na sua teologia), pois quem pode dizer quantos e ainda permanecer em Cristo durante todos eles? Espero que não haja tal significado em nossa teologia a ponto de prender a consciência dos homens e insistir na diferenciação de pecados, visto que está fora da inteligência humana fixar um ponto distinto entre os pecados mortais e os pecados veniais. Levando em conta que é questão impossível fixar pontualmente segundo o entendimento humano o que é e o que não é pecado venial, eles têm de me desculpar por dar a menor avaliação dessa teologia que deixa a consciência humana desconcertada e confusa. Descobri que a natureza das fraquezas depende das circunstâncias. O que é fraqueza em um homem é pecado bruto em outro. Alguns se defendem, dizendo que as coisas que fazem não passam de fraquezas. Aquele que deseja pecar, quando peca, dirá — não para consolar a alma contra Satanás, mas para gabar-se no pecado — que não passa de fraqueza. Todavia, ele pode ir para o inferno pelas fraquezas que comete. Além disso, se é boa teologia que o homem que está no estado da graça pode cometer fraquezas, mas não pecados mortais, então haveria o homem que se esforçaria em achar alguma regra da palavra, pela qual o pecador se acharia pelo seu pecado, quando ele está em Cristo e quando está fora de Cristo. Qual é a medida do pecado — onde está o ponto e parada matemática em que o homem pode dizer: "Até aqui posso ir, pois ainda estou na graça. Porém se eu der mais um passo, então deixo de ser de Cristo"? Todos sabemos que os pecados têm excessiva liberdade. Fazer o homem apoiar a consciência em uma distinção que não tem regra definida quanto à diferença de tipos de pecados, não é absolutamente teologia segura. A consciência em extremo sofrimento não aceitará e seguirá formas e pontos triviais. A melhor e mais segura maneira de aquietar o coração do homem é dizer que é pecado *o pecado por fraqueza*, quando nos esforçamos e lutamos, mas no fim nos entregamos; ou, que é pecado *o pecado de precipitação*, quando somos levados, como aquele que disse na sua precipitação: "Todo homem é mentira" (Sl 116.11); ou, que é pecado o mero pecado mortal em questão, como por exemplo, o pecado da soberba. Não cuidemos em negar que o homem piedoso enquanto é homem piedoso pode cometer pecados mortais e soberbos. Quanto aos pecados por fraqueza, se os permitimos e gostamos daqueles que sabemos que são pecados, então não os resistimos. O homem que se permite em um é culpado de todos, e não pertence a Cristo. Seja qual for o pecado, Tiago não faz distinção. Se a Lei não diferencia, não devemos diferenciar. Não estou falando de cometer pecado, mas de permitir, pois o homem pode fazê-lo e, ainda assim, não permiti-lo, como disse Paulo: "Mas o que aborreço, isso faço" (Rm 7.15,16), e aquele que não permite o pecado, resiste-o. Portanto, o homem pode resisti-lo, odiá-lo e, mesmo assim, cometê-lo. Toda a diferença que sei é esta: (1) O homem depois da conversão pode viver todos os dias e jamais cometer um pecado mortal. Por pecado mortal também quero dizer os pecados da soberba. Davi não disse "expurga-me", mas "guarda o teu servo" dos pecados "da soberba". Podemos, então, ser guardados desse tipo de pecado. Não digo que todos os pecados são desse tipo, mas alguns são. Então, em essência, todos podem ser. (2) Quanto aos pecados menores, menos importantes, "erros [...] ocultos", não podemos viver sem cometê-los — fazem incursões diárias quase que de hora em hora. Mas temos de ser expurgados deles, como fala Davi. Diariamente receba perdão. Há perdão, claro, para eles. Em geral, não atrapalham e infestam a consciência, mas não devemos vê-los nem permiti-los. Se o fizermos, nosso caso será de ter pena, não pertencemos a Cristo. (3) Os grandes e gritantes pecados o homem normalmente não pode deixar de cometê-los, mas Ele os permitirá. O versículo 13 diz: "Também da soberba guarda o teu servo, para que se não assenhoreie de mim", dando a entender que a menos que sejamos guardados deles, eles terão domínio sobre nós. A conclusão é: "então, serei sincero", de forma que o homem em quem os pecados mortais ou da soberba não têm domínio é um homem sincero. — *Richard Capel*

vv. 12 e 13: "Quem pode entender os próprios erros? Expurga-me tu dos que me são ocultos. Também da soberba guarda o teu servo, para que se não assenhoreie de mim; então, serei sincero e ficarei limpo de grande transgressão". O salmista era sensível à força e poder do pecado. Ele estava cansado do domínio do pecado, então clama a Deus para livrá-lo do reinado de todos os pecados que ele sabe. Os pecados que eram secretos e lhe estavam ocultos da visão, Davi roga que seja convencido deles para ser totalmente expurgado. O Senhor pode virar de vez o coração humano para odiar o pecado que era mais amado de todos. A força do pecado acaba assim que é odiado. À medida que o ódio fica cada vez mais forte, o pecado se torna diariamente cada vez mais fraco. — *Nathaniel Vincent, 1695*

v. 13: "Também da soberba guarda o teu servo, para que se não assenhoreie de mim; então, serei sincero e ficarei limpo de grande transgressão". Ele deseja ser guardado totalmente dos pecados da "soberba". Em seguida, por via de suposição e discrição, o salmista acrescenta que não seja guardado por causa do seu coração desobediente, mas que eles não tenham poder e domínio total sobre ele. — *Thomas Manton*

v. 13: "Guarda o teu servo". É a cruz do homem mau ser restringido, e a alegria do homem bom ser guardado do pecado. Quando o pecado avança, o homem mau está avançando de mãos dadas com o pecado. Mas quando o pecado avança, o homem bom está avançando de mãos dadas com o céu. Se ele percebe que o coração está se entregando, clama: "guarda o teu servo". O homem mau é guardado do pecado, como o amigo do amigo, como o amado da amada, com fortes sentimentos e projetos de encontro. Mas o homem bom é guardado do pecado, como o homem do inimigo mortal, cuja presença odeia e com desejos de arruiná-lo e destruí-lo. É sofrimento para o homem bom que ainda tenha um coração para ser mais assenhoreado e dominado. É vergonha e descontentamento para o homem mau que ainda ou a qualquer momento tenha de ser contido por cordas ou rédeas. Vemos, assim, o que Davi almeja ao ser guardado dos pecados da soberba, isto é, não a mera suspensão, mas a mortificação, não a simples ação, mas a subjugação da sua tendência , e não por certo tempo, mas para sempre. — *Obadiah Sedgwick*

v. 13: "Também da soberba guarda o teu servo, para que se não assenhoreie de mim; então, serei sincero e ficarei limpo de grande transgressão". Até o povo de Deus, não fosse ele guardado pela graça e poder divinos, seria a todo momento liquidado na alma e no corpo. Não é a nossa graça, a nossa oração, a nossa vigilância que nos guarda, mas é o poder de Deus, o seu braço direito que nos sustenta. Vemos Davi orando a Deus para que fosse guardado em ambos estes aspectos dos perigos temporais (Sl 17.8,9, "guarda-me"), onde ele não só ora para ser guardado, mas mostra como Deus é cuidadoso em guardar o seu povo e como é preciosa a consideração que Ele dá à segurança do seu povo, quando diz a "menina do olho" (Sl 17.8), e roga frequentemente pela conservação espiritual. Embora Davi seja o "servo" de Deus, ele, como cavalo selvagem, correria alucinadamente para os pecados da soberba, caso Deus não o guardasse. Ele ora para que Deus guarde cada parte do corpo para que ele não peque: "Põe, ó Senhor, uma guarda à minha boca; guarda a porta dos meus lábios" (Sl 141.3). Ele pede que Deus guarde os "lábios" e ponha um guarda à sua boca, como se não fosse suficientemente capaz de manter guarda. Assim muito mais devemos pedir que Deus guarde o nosso coração, mente, vontade, sentimento, porque eles são mais imperiosos. — *Anthony Burgess*

v. 13: "Guarda o teu servo". Deus guarda os seus servos do pecado: (1) Pela graça que previne, isto é, a infusão de tal natureza que é como a inclinação de uma tigela, puxando-a para o outro lado. (2) Pela graça que ajuda, isto é, o adicionamento de outra força à natureza da santidade primeiramente implantada, que é como a mão que segura uma criança que a contém. (3) Pela graça que vivifica, isto é, quando Deus estimula as nossas graças para manifestarem-se em verdadeira oposição, de forma que a alma não se rende, mas se priva de gozar o pecado. (4) Pela graça que orienta, isto é, quando Deus confere essa sabedoria eficaz à mente, ternura à consciência, vigilância ao coração, para que os seus servos se tornem extremamente solícitos da honra divina, escrupulosamente ciumentos da própria força e devidamente atenciosos da honra da santa confissão que postulam. (5) Pela graça que faz, isto é, quando Deus eficazmente inclina o coração dos seus servos aos lugares e caminhos de refúgio, segurança e conservação contra o pecado, aumentando o espírito de súplica e moldando o coração ao uso reverente e afetuoso das ordenações divinas. — *Condensado de Obadiah Sedgwick*

v. 13: "O teu servo", como se ele tivesse dito: "Ó Deus, tu és o meu Senhor, eu te escolhi, a quem prestarei obediência. Tu és aquEle a quem seguirei. Eu te dou tudo que sou. Agora, o Senhor ajudará o servo contra o inimigo, que para o serviço do Senhor é o inimigo do servo. Ó meu Senhor, ajuda-me! Não tenho força própria para me sustentar, mas tu és Todo-Suficiente". "Da soberba guarda o teu servo." [...] Amados, é muito bom termos estreitas relações com Deus. É muito bom suplicarmos por elas com Deus, tanto mais que relações mais estreitas têm mais força que todas. O servo pode fazer mais que o estranho, o filho mais que o servo e a esposa mais que o filho. [...] Há muitas razões contra o pecado. [...] Agora isso também pode entrar em conta, isto é, a especialidade da nossa relação com Deus, que somos os seus filhos e Ele é o nosso Pai. Somos os seus servos e Ele é o nosso Senhor. Embora as obrigações comuns sejam muitas e suficientes, as relações especiais também são um elo adicional: quanto mais próximo a pessoa se chega a Deus, mais cuidadosa ela deveria ser de não pecar contra Ele. — *Obadiah Sedgwick*

v. 13: "Soberba". Os rabinos diferenciam os pecados em pecados cometidos "por ignorância", בשוגג, e pecados cometidos "por soberba", מזיד. — *Benjamin Kennicott, Doutor em Teologia, 1718-1783 v. 13: "Soberba". Quando o pecado passa do ato* para o prazer, do prazer para novos atos, da repetição de atos pecadores à entrega viciosa, ao hábito, costume e segunda natureza, de forma que tudo que toca nele é doloroso e fere o coração do homem. Quando a soberba entra no lugar de Deus e exige ser amada com toda força, ela manda a graça embora, requer que os outros vícios lhe prestem homenagem, ordena que todos os interesses sejam sacrificados a ela e que seja servida com a reputação, fortuna, talento, corpo e alma do homem com a perda irreparável do tempo e da eternidade — esta é a extensão do seu senhorio. Então o pecado se torna "excessivamente maligno" (Rm 7.13), e tem de fazer alterações estranhas e tristes no estado dos próprios santos, e ser grande obstáculo a eles no caminho para o céu, tendo-os levado tão perto do inferno. — *Adam Littleton*

v. 13: "Soberba". A distribuição de pecados em pecados por ignorância, por fraqueza e por soberba é muito comum, útil e suficientemente completa sem a adição (como fazem alguns) de um quarto tipo de pecado, a saber, pecados de negligência ou de inadvertência, sendo todos esses pecados facilmente encaixados em um dos três tipos anteriores. A razão para a classificação está na alma do homem, onde há três faculdades principais, das quais emanam todas as nossas ações — o entendimento, a vontade e o apetite ou emoção sensual. [...] Quando o pecado é cometido, devemos investigar onde o erro ocorre mais. Por isso tem de haver a denominação certa. (1) Se o entendimento está mais em falta, não percebendo que bem há ou não de forma que vale à pena, o pecado é cometido. Embora haja certa fraqueza e soberba, ainda é apropriadamente pecado por ignorância. (2) Se a falta principal está no sentimento, por meio de certa emoção súbita ou perturbação mental, cegando ou corrompendo, ou apenas ultrapassando o julgamento — como medo, raiva, desejo, alegria ou qualquer um dos demais —, o pecado surge, embora talvez unido com certa ignorância ou soberba, ainda é apropriadamente pecado por fraqueza. Mas se o entendimento foi competentemente informado pelo conhecimento, e não muito cegado ou extasiado pela incursão de algum imprevisto ou pela violência de alguma perturbação veemente, assim a maior culpa tem de permanecer na constância da vontade, resolutamente inclinada para o mal, o pecado que surge de tal teimosia, embora talvez não livre de toda mistura de ignorância e fraqueza, ainda é apropriadamente uma soberba pertinaz, o pecado da soberba que estamos agora estudando. Regras são facilmente aprendidas e mais bem lembradas quando ilustradas com exemplos apropriados. O rico depósito da Bíblia nos oferece exemplos de cada tipo com suficiente variedade e escolha, de onde nos bastará propor apenas um exemplo eminente de cada tipo. Os homens, todos eles por sua santidade, de renome singular e digno: Davi, Pedro e Paulo. Os pecados, todos eles por assunto, da maior magnitude: assassinar o inocente, negar a Cristo, perseguir a igreja. A perseguição de Paulo é um pecado grave, mais é um pecado por ignorância. A negação de Pedro é um pecado grave, mas é um pecado por fraqueza. O assassinato de Davi é um pecado mais grave que os outros dois, porque é um pecado por soberba.

Paulo, antes da conversão, quando ainda se chamava Saulo, perseguia e matava a igreja de Deus ao máximo que podia. Causava ruína aos seguidores de Cristo, entrava nas casas para arrastar de lá para a prisão homens e mulheres e recebia cartas de lugares remotos para cometer todo dano que pudesse, indo a todos os lugares com grande fúria, como se estivesse enlouquecido. Respirava por onde quer que fosse nada mais que ameaças e morte contra os discípulos do Senhor. O seu sentimento não estava fixo contra eles por provocação pessoal, mas somente por zelo da Lei. Com certeza, este zelo teria sido bom se não fosse cego. Nem a sua vontade encontrou por acaso o seu julgamento, mas foi levado por ela, como ele mesmo explica: "Bem tinha eu imaginado que contra o nome de Jesus, o Nazareno, devia eu praticar muitos atos" (At 26.9). De fato, a sua vontade teria sido boa caso não tivesse sido enganosa. Mas o erro estava no seu entendimento, o julgamento não tendo sido devidamente convencido da verdade da religião cristã. Ele estava plenamente persuadido de que Jesus era um impostor, e o cristianismo uma seita pestilenta levantada por Satanás para desgraçar e lesar Moisés e a Lei. Se estas coisas realmente tivessem sido assim, como ele as temia, o sentimento e a vontade, ao procurarem desarraigar tal seita, não só teriam sido inculpáveis, mas recomendáveis. Foi o seu julgamento errôneo que envenenou tudo, e fez o que teria sido zelo se tornasse perseguição. No entanto por mais que a primeira obliquidade discernível esteja no entendimento, essa perseguição foi um pecado por ignorância, assim chamada e condenada por ele sob esse nome (1 Tm 1.13).

Mas o mesmo não se aplica à negação de Pedro do seu Mestre. Ele sabia muito bem quem era Jesus, depois de ter convivido com Ele por tanto tempo, e tendo-o, muito antes, confessado tão amplamente. Ele também sabia que não devia, por nada deste mundo, tê-lo negado. Isso o deixou tão confiante de que não o faria, porque ele estava plenamente convencido de que não o devia. É evidente que não faltava a Pedro conhecimento, quer da pessoa do Mestre ou do seu próprio dever. Assim não lhe cabia defesa por ignorância, quer *facti* quer *juris*. Nem o erro estava tanto na sua vontade a ponto de torná-lo apropriadamente pecado por soberba. Ainda que tivesse de fato negado a Jesus quando posto à prova — e com juramentos e maldições horríveis —, não o fizera com apostasia premeditada ou por desígnio. Pelo contrário, cometera o ato com resolução contrária, pois ainda honrava o Mestre no coração, mesmo quando o negou com a língua. Tão logo a senha lhe foi dada pelo segundo cantar do galo para que ele avaliasse o ato cometido, afligiu-o dolorosamente o que cometera, fazendo-o chorar amargamente. Não encontramos circunstância nessa relação que demonstre obstinação profunda na sua vontade. Mas encontramos no seu sentimento! Infelizmente, lá estava o erro! Um súbito golpe de medo surpreendeu-lhe a alma quando viu o Mestre tão acintosamente maltratado na sua presença (fato que o deixou apreensivo de ser alvo de possíveis maus-tratos caso estivesse lá e fosse reconhecido), tirando-lhe por certo tempo o benefício e uso da razão e assim atraindo-lhe todos os pensamentos a este único ponto — como escapar do presente perigo —, de modo que ele jamais pensou tanto em liberdade quanto em consultar a razão, fosse pecado ou não. Portanto, procedendo de tal súbita perturbação de sentimento, a negação de Pedro foi apropriadamente um pecado por fraqueza.

Entretanto, o pecado de Davi, maquinar a morte de Urias, foi um lance muito mais alto e de nuança muito mais profunda que os dois primeiros analisados. Ele não desconhecia a Lei de Deus a ponto de não saber que o assassinato deliberado de um inocente, como ele sabia que Urias era, tratava-se de um pecado extremamente gritante. Está perfeitamente claro que não foi apenas um pecado por ignorância. Não foi apropriadamente um pecado por fraqueza, pois estaria factível da circunstância atenuante de ter sido feito no ímpeto da raiva, como a impureza com Bate-Seba foi cometida no calor da concupiscência, embora esse atenuante não se aplique, exceto apenas *em tanto* e como comparação com este crime mais tremendo e sujo. Mas tendo condições e tempo livre suficiente para refletir sobre o que estava a ponto de fazer, o salmista faz a sangue frio e com toda deliberação cautelosa, tramando e maquinando de um jeito e de outro para aperfeiçoar o desígnio. Ele estava decidido a fazê-lo. A esse respeito, a decisão firme da sua vontade, este pecado de Davi foi um alto pecado da soberba. — *Robert Sanderson (bispo de Lincoln), 1587-1662-3*

v. 13: "Soberba". Davi ora para que Deus o guarde dos pecados da "soberba", de pecados conhecidos e evidentes, que procedem da escolha da vontade perversa contra a mente iluminada, que estão comprometidos com deliberação, desígnio, decisão e desejo contra as coibições da consciência e os movimentos do Espírito de Deus. Esses pecados são rebelião direta contra Deus, um menosprezo aos seus mandamentos e provocação aos seus olhos puros. — *Alexander Cruden v. 13:* "Então, serei sincero e ficarei limpo de grande transgressão". É nos movimentos da alma tentada ao pecado, como nos movimentos da pedra que cai do cume de uma montanha. É facilmente detida a princípio, mas assim que inicia o movimento, quem a deterá? É a maior sabedoria do mundo observar os primeiros movimentos do coração, checá-los e detê-los. — *G. H. Salter*

v. 13: "Grande transgressão". Vigie com muito afinco contra todo pecado. Mas acima de tudo, dê atenção especial aos pecados que estão perto do pecado contra o Espírito Santo. São eles: a hipocrisia, considerando apenas a confissão externa da religião e, assim, dissimulando e escarnecendo de Deus; os pecados voluntariosos contra a convicção da consciência e contra a grande luz e conhecimento, pecando de forma arrogante, com mão levantada. Esses pecados, ainda que nenhum deles seja o pecado direto contra o Espírito Santo, estão muito perto disso. Preste atenção especial a eles para que, com o tempo, não o levem a cometer o pecado imperdoável. — *Robert Russel, 1705*

v. 13: "Para que se não assenhoreie de mim". Todo pequeno pecado pode tomar o controle do pecador e, com o tempo, dominá-lo. Depois disso, assim que ele fica acostumado ao pecado por hábito longo, fica-lhe difícil livrar-se do jugo e safar-se da sua tirania. Vemos essa experiência muitas vezes e com muita evidência nos praguejadores e bêbedos. Esse tipo de pecado, na maioria, começa pouco a pouco, mina furtivamente o trono e não exerce domínio sobre a alma escravizada até que obtenha força por meio de muitos e multiplicados atos. Mas o pecado da soberba opera grande alteração no estado da alma imediatamente e por um único ato maravilhosamente promovido, debilitando o espírito e dando grande vantagem à carne, até correr o perigo de uma conquista completa. — *Robert Sanderson*

v. 13: "Também da soberba guarda o teu servo, para que se não assenhoreie de mim; então, serei sincero e ficarei limpo de grande transgressão". O pecado por soberba é o passo mais ousado. Na história de Davi, primeiro ele ora: "Deus, guarda-me dos erros ocultos", os quais ele torna pecados por ignorância e depois ora contra os pecados por "soberba". Estes, como a oposição mostra, são pecados contra o conhecimento, pois diz: "Se eles se assenhorearem de mim, não ficarei limpo dessa grande transgressão", quer dizer, o pecado que nunca será perdoado. Mas o salmista está perto, bastando dar só mais um passo. Para cometer esse pecado bastam duas coisas: luz na mente e maldade no coração. Não só maldade, a menos que haja luz, pois então o apóstolo o teria pecado, visto que o conhecimento é o pai disto, é "depois de termos recebido o conhecimento da verdade" (Hb 10.26-28). — *Thomas Goodwin*

v. 13: "Também da soberba guarda o teu servo, para que se não assenhoreie de mim; então, serei sincero e ficarei limpo de grande transgressão". Felizes os que, sob o sentimento de paz pelo sangue de Jesus, oram todos os dias para serem guardados pela graça do Espírito. Os tais verdadeiramente se conhecem, veem o perigo de cair, não dissimularão, não ousarão dissimular ou repreender a natureza odiosa e a deformidade horrenda do pecado. Eles não darão um nome mais agradável ao pecado do que merece, para que não depreciem o valor infinito do sangue precioso que Jesus derramou para expiar a culpa. Longe estão de lisonjearem a si mesmos nutrindo a noção enganosa de que são perfeitos e não têm pecado. O Espírito da verdade os livra de tais erros. Ele os ensina como pobres pecadores a olhar o Salvador para pedir que os guarde das paixões obstinadas, das luxúrias incontroláveis, das concupiscências más que habitam na natureza pecaminosa. Infelizmente, o santo mais exaltado, o crente mais estabelecido, se ficar sozinho, logo os crimes mais perversos, os pecados mais soberbos se assenhoreiam dele! Davi teve terrível experiência disso por certo tempo. Ele ora movido pelo sentimento sincero da desgraça passada e pelo medo do perigo futuro, descobrindo a bênção da promessa da aliança: "O pecado não terá domínio sobre vós, pois não estais debaixo da lei, mas debaixo da graça" (Rm 6.14). — *William Mason (1719-1791), "A Spiritual Treasury for the Children of God" [Um Tesouro Espiritual para os Filhos de Deus]*

v. 14: "Sejam agradáveis as palavras da minha boca e a meditação do meu coração perante a tua face, Senhor", era a oração de Davi. O salmista não queria que uma palavra ou pensamento seu deixasse de ser agradável a Deus. Não lhe agradava que as ações fossem bem testemunhadas para os homens na terra, a menos que os mesmos pensamentos fossem testemunhados pelo Senhor no céu. — *Joseph Caryl*

v. 14: "Sejam agradáveis as palavras da minha boca e a meditação do meu coração perante a tua face, Senhor, rocha minha e libertador meu!" O melhor dos homens tinha suas falhas. O cristão sincero pode ser fraco, entretanto por mais que seja fraco, a bondade e sinceridade do coração o habilita a fazer a petição constante neste versículo, que nenhum hipócrita ou enganador esperto jamais pode fazer. — *Thomas Sherlock (Bispo), 1676-1761*

v. 14: "Sejam agradáveis as palavras da minha boca e a meditação do meu coração perante a tua face, Senhor, rocha minha e libertador meu!" Jejum e oração. Senhor, jejuo e oro por mim, pois para qual finalidade retenho o sustento do corpo senão para alegrar a alma? A minha alma faminta, a minha alma sedenta? Mas do pão, da água da vida, os quais não encontro em nenhum lugar senão na tua Palavra, eu não participo exceto exercitando a minha alma nela. É o que começo a fazer, e de bom grado o faria bem, mas em vão tentarei, a menos que tu me abençoes. Abençoa-me, ó Senhor. Abençoa cada parte de mim, pois tudo é teu e eu não reteria nenhuma parte de ti. Não o meu corpo; ponho a língua em trabalho para falar de ti. Não a minha alma, exercito o meu coração a pensar em ti. Eu os uniria em devoção que tu uniste na criação. Sim, Senhor, como eles conspiraram para pecar contra ti, assim agora eles se consorciam para cumprir o dever a ti. A minha língua está pronta, o meu coração está pronto. Eu pensaria e falaria, pensaria em ti e falaria contigo. Mas, Senhor, quais são as minhas palavras? Quais são os meus pensamentos? Tu conheces os pensamentos dos homens, que são completamente vãos, e as nossas palavras não passam de rajada de tais pensamentos, que são vis. Seria melhor que não existissem mais. Ambos são maus, o meu coração é uma fonte corrupta e a minha língua um rio imundo. Levarei tais sacrifícios a Deus? Os coxos, os mancos, os cegos, embora sejam animais limpos, são sacrifícios abomináveis a Deus. Quanto mais se lhe oferecermos os animais que são imundos? Senhor, o meu sacrifício não é melhor que isso, pois são palavras hesitantes, pensamentos vagantes, nenhum deles é apresentável a ti.

Quantos menos os pensamentos maus e as palavras ociosas? Mas estes são o melhor que há em mim. Qual é o remédio? Se houver, é em ti, ó Senhor, que tenho de achá-lo e por ora busco em ti. Só tu, ó Senhor, podes consagrar a minha língua e consagrar o meu coração para que a minha língua fale e o meu coração pense sobre aquilo que pode ser agradável a ti, aquilo que seja o teu prazer. Não estou esbanjando? Não seria o bastante que Deus suportasse, para que Ele não punisse os defeitos das minhas palavras, dos meus pensamentos? Posso presumir que Deus se agradará de mim? Não somente isso, mas que Ele tivesse prazer em mim? Esqueço quem é o Senhor? Qual é a majestade? Qual é a felicidade? Pode estar com a sua majestade conceder a aceitação? Com a sua felicidade contentar-se com as palavras de um verme? Com os pensamentos de um infeliz? Senhor, não estou nenhum um pouco orgulhoso de ter me vilipendiado tão pouco e de não ter te enaltecido mais. Mas vê para onde o desejo do teu servo o leva. Vê como, desejando agradar, não considero difícil que pó e cinza agradem a Deus, que façam aquilo que Deus fique contente. Deus é meu, e não posso deixar de ir Ele.

Seja eu fraco, mas Deus é forte. Ó Senhor, tu é a "rocha minha". Seja eu escravo do pecar, pois Deus é o "libertador meu". Ó Senhor, tu és o "libertador meu". Tu me redimiste de todo lugar horrível onde Adão me jogou. Tu me edificaste sobre uma rocha, forte e segura, de modo que as portas do inferno jamais prevalecerão contra mim. Não temo chegar à tua presença. Presumo que a minha devoção te deixe contente. Que os teus olhos nunca sejam olhos que veem tudo, então serei ousado em apresentar o meu homem interior, o meu homem exterior diante de ti, senão fugirei com Adão para esconder a minha nudez de ti, porque posso ficar onde estou. Vendo que sou sustentado pelo meu Senhor, não duvido, mas provo ser um verdadeiro israelita, e prevaleço com Deus. Por toda a minha aflição, por todos os meus pecados, não recuarei. Pelo contrário, me aproximarei, me aproximarei de ti, pois tu és "libertador meu". Quanto mais próximo chego de ti, quanto mais livre sou do pecado e da aflição. Oh, bem-aventurado estado do homem que é tão fraco e tão forte, tão miserável e tão feliz. Fraco em si mesmo, forte em Deus. Muito feliz em Deus, embora em si seja um infeliz pecador. Agora, alma minha, seja devota. Sacrifique a Deus as suas palavras, sacrifique a Deus os seus pensamentos, seja um holocausto. Não duvide que será agradável a Ele, que contentará até os mais gloriosos, mais santos olhos de Deus. Construa as suas palavras, construa os seus pensamentos sobre a Rocha. Eles não serão abalados. Liberte as suas palavras, liberte os seus pensamentos (pensamentos e palavras escravizados ao pecado) por seu Libertador, e o seu sacrifício será agradável. Assim, permita-me construir sobre ti, permite-me ser aumentado por ti, em alma, em corpo, para que "sejam agradáveis as palavras da minha boca e a meditação do meu coração perante a tua face, SENHOR, rocha minha e libertador meu!" — *Arthur Lake (Bispo), "Divine Meditations" [Meditações Celestiais], 1629*

SUGESTÕES AOS PREGADORES

v. 1. Os *"Astronomical Discourses" [Discursos Astronômicos]*, de Thomas Chalmers sugerem ao pregador muitos modos de lidar com este tema. O poder, a sabedoria, a bondade, a pontualidade, a fidelidade, a grandeza e a glória de Deus são muito visíveis nos céus.

vv. 1 a 5. Paralelo entre os céus e a revelação da Bíblia, enfatizando Cristo como o Sol central da Bíblia.

v. 1. "Os céus manifestam a glória de Deus." Podemos nos unir nesta obra: a nobreza, o prazer, a utilidade e o dever de tal serviço.

v. 2. Vozes do dia e da noite. Pensamentos do dia e da noite.

v. 3. Este versículo combinado com o versículo 4 sugere a eloquência de uma vida recatada e discreta — silenciosa, mas ouvida.

v. 4. Em que sentido Deus é revelado a todas as pessoas.

vv. 4 a 6. O Sol da Justiça: (1) A sua tenda. (2) A sua saída como noivo. (3) A sua alegria como herói. (4) O seu circuito e influência.

v. 5. "e se alegra como um herói a correr o seu caminho." A alegria da força, a alegria da obra santa, a alegria da recompensa antecipada.

v. 6. O poder penetrante do Evangelho.

v. 7. "A lei do SENHOR é perfeita e refrigera a alma." A Santa Bíblia: (1) O que é a Bíblia: "lei". (2) De quem é a Bíblia: "do Senhor". (3) Qual é o caráter da Bíblia: "perfeita". (4) Qual é o resultado que a Bíblia dá: "refrigera a alma" ("Restaura a alma", ARA).

v. 7. "o testemunho do SENHOR é fiel e dá sabedoria aos símplices." (1) Os estudantes. (2) O livro de chamada. (3) O professor. (4) O progresso.

vv. 7 a 9. O Hexapla (ver Notas Explicativas e Declarações Importantes, acima).

v. 7. "e dá sabedoria aos símplices." A sabedoria de uma fé simples.

v. 8. “Os preceitos do Senhor são retos e alegram o coração.” O poder da Palavra em alegrar o coração: (1) Fundamentado na sua retidão. (2) Verdadeiro na sua qualidade. (3) Constante na sua operação.

v. 8. “o mandamento do Senhor é puro e alumia os olhos.” Excelente colírio.

v. 9. A pureza e permanência da verdadeira religião, e a verdade e justiça dos princípios sobre os quais ela está fundamentada.

v. 10. Dois argumentos para amar os preceitos de Deus: Proveito e prazer.

v. 10. As delícias inexprimíveis da meditação na Bíblia.

v. 11. “Também por eles é admoestado o teu servo.” (1) O quê? “admoestado.” (2) Como? “por eles.” (3) Quem? “o teu servo.” (4) Quando? “é” (hoje; tempo presente do verbo).

v. 11. “e em os guardar há grande recompensa.” Recompensas evangélicas: “em” e não *por* guardá-los.

v. 12. Título sugestivo: “Pecados Secretos”, in: *“Spurgeon’s Sermons” [Sermões de Spurgeon], n.º 116.*

vv. 12 e 13. Os três graus do pecado: pecados ocultos, pecados soberbos, pecados imperdoáveis.

v. 13. “Pecados da Soberba”, in: *“Spurgeon’s Sermons” [Sermões de Spurgeon], n.º 135.*

v. 13. “grande transgressão.” O que não é. O que pode ser. O que diz respeito. O que sugere.

v. 14. Uma oração acerca de nossas coisas santas.

v. 14. Todos desejam agradar. Alguns agradam a si mesmos. Outros agradam às pessoas. Uns procuram agradar a Deus. Davi era um destes. (1) A oração mostra a sua humildade. (2) A oração mostra o seu sentimento. (3) A oração mostra a consciência do dever. (4) A oração mostra a consideração pelo interesse próprio. — *William Jay*

v. 14. A harmonia entre o coração e a boca é necessária para sermos agradáveis.

SALMO 20

TÍTULO

Temos diante de nós um hino nacional adequado para ser cantado na declaração de guerra, quando o monarca cinge a espada para a batalha. Se Davi não tivesse sido fustigado por guerras, talvez nunca teríamos sido agraciados com salmos como este. As provações dos santos são necessárias para fornecerem consolação a outros que estejam sofrendo. O povo feliz roga pelo soberano amado e, com coração cheio de amor, clama ao Senhor: “Viva o rei”. Deduzimos que era para ser cantado em público, não só pelo tema, mas também pela dedicatória: “Para o cantor-mor”. Sabemos que o autor foi o mavioso cantor de Israel pelo título curto: “Salmo de Davi”. Seria mera tolice imaginar a ocasião específica que o sugeriu, porque Israel quase sempre estava em guerra nos dias de Davi. A espada pode ter sido amassada, entretanto nunca ficou enferrujada. Kimchi entende que o título é *relativo a Davi* ou *para Davi*, pois é claro que o rei é o assunto como também o compositor do cântico. Basta um momento de reflexão para perceber que este hino de oração é profético em relação ao nosso Senhor Jesus. É o brado da antiga igreja a favor do seu Senhor, enquanto ela o vê suportando grande combate de aflição a favor da noiva. O povo militante de Deus, com o grande Capitão da salvação à frente, tranquiliza-se suplicando fervorosamente que o prazer do Senhor prospere no que ele fizer. Durante a nossa breve exposição, procuraremos conservar em mente essa visão do assunto, mas não restringiremos as observações totalmente a ela.

DIVISÃO

Os versículos 1 a 4 são uma oração pelo sucesso do rei. Os versículo 5, 6 e 7 expressam a confiança inabalável em Deus e no seu Ungido. O versículo 8 declara a derrota do inimigo, e o versículo 9 é uma súplica final ao Senhor.

EXPOSIÇÃO

1 *O Senhor te ouça no dia da angústia; o nome do Deus de Jacó te proteja.*
2 *Envie-te socorro desde o seu santuário e te sustenha desde Sião.*
3 *Lembre-se de todas as tuas ofertas e aceite os teus holocaustos. (Selá)*
4 *Conceda-te conforme o teu coração e cumpra todo o teu desígnio.*

1. *"O Senhor te ouça no dia da angústia."* Todos os súditos leais oram pelo rei. Com certeza, os cidadãos de Sião têm bons motivos para orar pelo Príncipe da Paz. Em tempos de conflito, súditos amorosos redobram as súplicas e, obviamente, nas tristezas de nosso Senhor a igreja não pode deixar de ser fervorosa. Todos os dias do Salvador foram dias de angústia, e Ele também fez deles dias de oração. A igreja se une na intercessão com o seu Senhor, e roga que Ele seja ouvido sobre o que clamar e chorar. A agonia no jardim do Getsêmani foi uma ocasião especialmente tenebrosa, porém Ele foi ouvido quanto ao que temia. Jesus sabia que o Pai sempre o ouvia, mas naquela hora tumultuosa não lhe veio resposta senão depois de ter caído três vezes rosto em terra no jardim. Então, recebeu força suficiente em resposta à oração, e saiu vencedor do conflito. Na cruz a oração também não ficou sem resposta, pois em Salmos 22.21 Ele conta: "Sim, ouve-me desde as pontas dos unicórnios". A igreja neste versículo indica que o seu Senhor seria dado à oração. Neste ponto, Jesus é o nosso exemplo, ensinando-nos que para sermos beneficiados pelas orações dos outros, temos de primeiro orar por nós mesmos. Que misericórdia podermos orar no dia da angústia! E que privilégio ainda mais santo o fato de nenhuma angústia poder impedir o Senhor de nos ouvir. As angústias vociferam como trovão, mas a voz do crente é ouvida no meio da tempestade. Ó Jesus, quando tu rogares por nós em nossa hora da angústia, o Senhor Jeová te ouvirá. Esta é a confiança mais refrigerante, à qual podemos nos entregar sem medo.

"O nome do Deus de Jacó te proteja", ou como alguns estudiosos interpretam: *"O nome do Deus de Jacó te eleve em segurança"* (ARA). Por "o nome", quer dizer, o caráter revelado e a Palavra de Deus. Não precisamos adorar "o Deus desconhecido", todavia temos de procurar conhecer o Deus da aliança de Jacó, que se agradou em revelar o seu nome e atributos ao povo. Pode haver muito em um nome da realeza, ou em um nome da erudição, ou em um nome de respeito, mas será um tema para a erudição bíblica descobrir tudo que esteja contido no nome divino. O glorioso poder de Deus defendeu e protegeu o Senhor Jesus ao longo da batalha da sua vida e morte, e o elevou de todos os inimigos. A sua guerra hoje foi consumada na sua própria pessoa. No entanto no seu corpo místico, a igreja, Ele ainda é atacado por perigos, e só o braço eterno de nosso Deus da aliança defende os soldados da cruz e os coloca no alto fora do alcance dos inimigos. O dia da angústia não terminou. O suplicante Salvador não está calado. O nome do Deus de Israel ainda é a defesa do crente. O nome, "Deus de Jacó", é sugestivo. Jacó teve dias de angústia. Ele lutou, foi ouvido, defendido e, no devido tempo, colocado no alto. O seu Deus ainda é o nosso Deus, o mesmo Deus a todos os Jacós lutadores. O versículo é uma bênção adequada que o coração gracioso pronuncia ao filho, amigo ou ministro, em prospecto das provações. Inclui proteção temporal e espiritual, e dirige a mente à grande Fonte de todo o bem. Como é aprazível crer que o nosso Pai celestial a pronuncia sobre nossa cabeça favorecida.

2. *"Envie-te socorro desde o seu santuário."* O anjo veio do santuário do céu para fortalecer o nosso Senhor. Quando estava na cruz, o Senhor se reanimou ao relembrar as preciosas ações de Deus no santuário. Não há socorro como o que Deus envia, e nem livramento como o que vem do santuário. O santuário para nós é a pessoa de nosso bendito Senhor, que foi tipificado pelo templo e é o verdadeiro santuário que Deus edificou e não o homem. Corramos para a cruz em busca de abrigo em todos

os tempos de necessidade, e será enviado socorro para nós. Os homens do mundo menosprezam o socorro do santuário, mas o nosso coração aprendeu a prezá-lo acima de todo socorro material. Eles buscam o socorro do arsenal, ou da tesouraria, ou da despensa, mas nós nos voltamos para o santuário.

"E te sustenha desde Sião." Das assembleias dos santos suplicantes, que por anos têm orado ao seu Senhor, o socorro é o resultado para o sofredor menosprezado, pois o fôlego da oração nunca é gasto em vão. Para o corpo místico do Senhor, o bem mais rico vem em resposta das súplicas dos santos reunidos para adoração santa como em Sião. Certos anunciantes recomendam um emplastro fortificante, porém não há nada que mais fortaleça os lombos dos santos do que esperar em Deus nas assembleias do seu povo. Este versículo é uma bênção adequada para a manhã de sábado, podendo ser a saudação do pastor à congregação ou da igreja ao ministro. Deus no santuário da pessoa do seu Filho querido e na cidade da sua igreja escolhida é o tema certo das orações do povo, e baseando-se em tal reputação eles olham confiantemente para Ele em busca do socorro prometido.

3. *"Lembre-se de todas as tuas ofertas e aceite os teus holocaustos. (Selá)."* Antes de sair para a guerra, os reis ofereciam sacrifícios, de cuja aceitação eles dependiam o sucesso. O nosso Senhor bendito apresentou-se como vítima e foi um cheiro suave ao Altíssimo, que então atacou e derrotou as legiões combatentes do inferno. O cheiro do holocausto ainda perfuma os pátios celestiais, e por ele são recebidas as ofertas do povo como sacrifícios e oblações. Em nossos conflitos espirituais, tenhamos os olhos no sacrifício de Jesus. Nunca arrisquemos guerrear até que o Senhor nos dê sinal de sucesso no altar da cruz, onde a fé vê o Senhor ensanguentado.

"Selá." É bom fazermos uma pausa na cruz antes de marcharmos para a batalha, e com o salmista clamar: "Selá". Estamos com muita pressa. Uma pequena pausa contribui grandemente para a marcha. Pare, bom homem, a pressa às vezes serve de impedimento. Descanse um pouco, medite no holocausto e corrija o coração para a boa obra que está à sua frente.

4. *"Conceda-te conforme o teu coração e cumpra todo o teu desígnio."* O desejo e desígnio de Jesus foram determinados para a salvação do seu povo. A igreja de antigamente lhe desejava prosperidade no desígnio, e a igreja destes últimos dias, deseja de todo o coração o cumprimento completo do seu propósito. Em Cristo Jesus, as almas santificadas se apropriam deste versículo como promessa. Serão bem-sucedidos no desejo e plano de glorificar o Mestre. Faremos a nossa vontade quando a nossa vontade for a de Deus. Era o que sempre sucedia com o nosso Senhor, que disse: "Não seja como eu quero, mas como tu queres" (Mt 26.39). Como precisamos ser submissos. Se foi necessário para Ele, quanto mais para nós!

5 *Nós nos alegraremos pela tua salvação e, em nome do nosso Deus, arvoraremos pendões; satisfaça o SENHOR todas as tuas petições.*

6 *Agora sei que o SENHOR salva o seu ungido; ele o ouvirá desde o seu santo céu com a força salvadora da sua destra.*

7 *Uns confiam em carros, e outros, em cavalos, mas nós faremos menção do nome do SENHOR, nosso Deus.*

5. *"Nós nos alegraremos pela tua salvação."* Em Jesus, há salvação e a salvação pertence a Ele. Por conseguinte, chama-se "tua salvação". Mas é nossa para recebermos e nossa para alegrar-nos. Determinemos que independente da situação, nós nos alegraremos nos braços salvadores do Senhor Jesus. O povo neste salmo, antes de o rei ir para a batalha, sentia vitória certa e então passava a alegrar-se por antecipação. Quanto mais devemos nos alegrar, pois vimos a vitória ganha! A incredulidade começa a chorar no funeral antes de haver o morto. Por que a fé não deveria assobiar antes do começo da dança da vitória? Botões de flor são bonitos, e

promessas ainda por cumprir são dignas de admiração. Se a alegria fosse unânime entre o povo do Senhor, Deus seria mais glorificado entre os homens. A felicidade dos súditos é a honra do soberano.

"E, em nome do nosso Deus, arvoraremos pendões." Erguemos o padrão do desafio diante do inimigo, e agitemos os pendões ou bandeiras da vitória em cima do adversário caído. Uns proclamam guerra em nome de um rei e outros em nome de outro rei, mas o crente entra para a guerra no nome de Jesus, o nome do Deus encarnado, Emanuel, Deus conosco. Os tempos são maus atualmente, mas contanto que Jesus viva e reine na igreja não precisamos enrolar as bandeiras com medo, todavia desfraldá-las com santa ousadia.

O tremendo nome de Jesus
Põe todos os nossos inimigos em fuga
O manso Jesus, o Cordeiro irado
O leão está na briga

A igreja não pode esquecer que Jesus é o seu defensor diante do trono. Portanto, ela resume os desejos expressos na curta oração: "Satisfaça o Senhor todas as tuas petições". Nunca esqueça que entre essas petições está a do escolhido: "Pai, aqueles que me deste quero que, onde eu estiver, também eles estejam comigo" (Jo 17.24).

6. *"Agora sei que o Senhor salva o seu ungido."* Vivemos e aprendemos, e o que aprendemos não temos vergonha de reconhecer. Aquele que pensa que sabe de tudo perderá a alegria de descobrir novas verdades. Ele nunca poderá dizer: "Agora sei". Pessoas conscientes da ignorância serão ensinadas pelo Senhor, e se alegram enquanto aprendem. Oração fervorosa leva à confiança segura. A igreja suplicou que o Senhor Jesus ganhasse a vitória na grande luta que travou. Agora pela fé ela o vê salvo pelo braço onipotente. Claro que ela tem agradável prazer no título fragrante de "ungido". Ela o imagina em ordem de batalha diante de todos os mundos para enfronhar-se no trabalho, estando dotado das qualificações necessárias pela unção do Espírito do Senhor. Este sempre é o estímulo preferido dos crentes, ou seja, que o próprio Jeová ungiu Jesus para ser Príncipe e Salvador, e que o nosso escudo é o próprio ungido do Senhor.

"Ele o ouvirá desde o seu santo céu com a força salvadora da sua destra." Estas palavras afirmam confiantemente que a santidade e o poder de Deus viriam para o salvamento do Cristo na sua luta. Com certeza estes dois atributos gloriosos trabalharam analogamente para responder os clamores do sofredor. Considerando que Jesus foi ouvido, nós seremos. Deus está no céu, mas as nossas orações escalam as alturas gloriosas. O céu é santo, mas Jesus purifica as nossas orações para que ganhem acesso. A necessidade é grande, mas o braço divino é forte, pois a sua força é "força salvadora". Essa força está na mão que é mais prontamente — a "destra". Quanto encorajamento há para os santos suplicantes!

7. Os contrastes têm o poder de colocar a verdade de modo brilhante. A igreja apresenta a confiança que os homens carnais têm nas coisas criadas em contraste com a confiança que ela tem no Príncipe Emanuel e no Senhor invisível.

"Uns confiam em carros, e outros, em cavalos." Carros e cavalos fazem um espetáculo imponente. O sacolejo, pó e aparelhamento dos cavalos fazem grande figura a ponto de engabelar homens vãos. Mas os olhos perspicazes da fé veem mais em um Deus invisível do que em tudo isso. A máquina de guerra mais temida nos dias de Davi era o carro de guerra, armado com foices que cortavam os homens como grama. Esta era a ostentação e glória das nações vizinhas, mas os santos consideravam o nome do Senhor uma defesa muito melhor. Levando em conta que os israelitas não podiam ter cavalos, era natural eles verem a cavalaria do inimigo com um medo maior do que o habitual. Trata-se da maior evidência de fé o ato ousado do poeta em desdenhar os

cavalos do Egito em comparação com os exércitos do Senhor. Infelizmente, quantos em nossos dias que professam pertencer ao Senhor são tão humilhantemente dependentes dos seus semelhantes ou do braço de carne de alguma forma ou de outra, como se nunca tivessem conhecido o nome do Senhor. Jesus sê tu a nossa única rocha e refúgio, e jamais permitas que arruinemos a simplicidade da nossa fé.

"Mas nós faremos menção do nome do Senhor, nosso Deus." O *"nosso Deus"* na aliança, que nos escolheu e a quem escolhemos. Este Deus é o nosso Deus. O nome do nosso Deus é Senhor, e jamais nos esqueçamos disso. O Autoexistente, Independente, Imutável, Onipresente, Todo-Poderoso EU SOU. Adoremos esse nome inigualável, e jamais o desonremos por desconfiança ou por confiar no homem. Leitor, você tem de conhecê-lo antes de poder fazer menção do nome dEle. Que o Espírito bendito o revele graciosamente para a sua alma!

8 *Uns encurvam-se e caem, mas nós nos levantamos e estamos de pé.*
9 *Salva-nos, SENHOR! Ouça-nos o Rei quando clamarmos.*

8. *"Uns encurvam-se e caem, mas nós nos levantamos e estamos de pé."* Como é diferente o fim daqueles cuja confiança é diferente! No princípio, os inimigos de Deus estão de pé, contudo logo são encurvados à força ou caem de comum acordo. A fundação está podre, por isso cede quando se firmam sobre ela. Os carros são queimados no fogo e os cavalos morrem de peste, e onde está a força que ostentavam? Quanto àqueles que confiam no Senhor, eles são derrubados já no primeiro ataque, mas o braço Todo-Poderoso os levanta e eles alegremente ficam de pé. A vitória de Jesus é a herança do seu povo. O mundo, a morte, Satanás e o pecado serão pisoteados sob os pés dos defensores da fé, ao passo que os que confiam no braço de carne serão para sempre envergonhados e confundidos.

9. *"Salva-nos, Senhor! Ouça-nos o Rei quando clamarmos."* O salmo é recapitulado neste versículo. O desejo duplo do salmo é que o próprio Jesus seja liberto e então, como nosso Rei, nos ouça. O primeiro pedido é concedido. O segundo é certo para toda a semente. Portanto, encerremos o salmo com o brado sincero: "Deus salve o Rei. Deus salve o Rei Jesus, e que Ele venha logo reinar".

NOTAS EXPLICATIVAS E DECLARAÇÕES IMPORTANTES

O Salmo: Este salmo é a oração que a igreja faria caso todos os remidos estivessem junto à cruz ou no jardim do Getsêmani, tendo plena consciência do que estava acontecendo ali. O Messias, lendo estas palavras, sabia que tinha em outro lugar a solidariedade que desejava, quando disse aos três discípulos: "Ficai aqui e vigiai comigo" (Mt 26.38). É um cântico agradável o cantor sagrado de Israel expõe os sentimentos dos remidos através da Cabeça do corpo, quer nos sofrimentos, quer na glória que havia de se seguir. — *Andrew A. Bonar*

O Salmo: Há rastros de organização litúrgica em muitos salmos. Há uma adaptação às circunstâncias de culto público. Quando a igreja judaica desejava celebrar o grande ato do Messias, o Sumo Sacerdote, fazendo o sacrifício pelo povo no dia da expiação, como está apresentado no Salmo 22, um assunto tão solene, grandioso e comovente, não começava sem o preparo adequado, mas primeiro buscava-se um tempo próprio, escolhia-se os personagens certos e dispunha-se uma cena em certa medida apropriada ao grande evento para que fosse aceito. Os sacerdotes e levitas se empenhavam em estimular a mente dos adoradores a um tom exaltado de fé reverente. A majestade e o poder de Deus, todos os atributos que elevam os pensamentos, são convocados para encher a alma dos adoradores com a mais intensa emoção. Quando os sentimentos são fixados ao mais elevado grau, ocorre uma impressão terrível e espantosa, quando as palavras são cantadas lentamente:

"Deus meu, Deus meu, por que me desamparaste?" (Sl 22.1). Temos de supor, então, que a série dos Salmos 20 ao 24 era usada como culto ou ofício na adoração pública da igreja judaica.[1] *R. H. Ryland, Mestre em Ciências Humanas, "The Psalms Restored to Messiah" [Os Salmos Restaurados ao Messias], 1853*

O Salmo: Bons desejos são realmente boas coisas, que deveriam ser expressos em palavras e ações. O salmo ensina essa lição. A simpatia cristã é um grande ramo do dever cristão. Pode haver muita bondade prestativa no que nos custa pouco. — *William S. Plumer*

v. 1: "O Senhor te ouça no dia da angústia". Todos os dias de Jesus foram dias da angústia. Ele era irmão nascido para a adversidade, homem de dores e sabia o que era aflição. [...] Contudo particularmente era o "dia da angústia", quando Ele estava no jardim do Getsêmani, abatido e muitíssimo estupefato e o suor era, por assim dizer, gotas de sangue que caiam no chão e a alma estava excessivamente triste até a morte. Entretanto especificamente, este quadro dizia respeito ao período em que Ele estava na cruz, [...] quando levou todos os pecados do povo, suportou a ira do Pai e foi abandonado por Ele. Neste "dia da angústia", quando Jesus estava no jardim e na cruz, Ele orou ao Pai, como estava acostumado a fazer em outros casos e em outros tempos. A igreja ora para que Deus ouça e lhe responda, como Ele respondeu. — *Condensado de John Gill*

v. 1: "O nome". Quando eles dizem: "O nome do Deus de Jacó", querem dizer o próprio Deus. Falam assim de Deus porque todo o conhecimento que temos dEle surge do conhecimento do seu nome. Para esse propósito, Ele se deu na Bíblia vários nomes para que soubéssemos não só o que Ele é, na medida em que nos é adequado saber, mas também especificamente o que Ele é para nós. Assim por esses nomes nós sabemos o que Deus é para si e para nós. [...] Deste conhecimento do nome de Deus surge à confiança na oração, como quando o conhecem. Aqui o chamam o "Deus de Jacó", que significa, aquEle que fez uma aliança de misericórdia com Jacó e a sua posteridade para que Ele fosse o seu Deus e eles o seu povo. Desta forma, eles têm a ousadia de correr a Deus em busca de socorro, e a confiança para invocá-lo no dia da angústia a fim de serem ouvidos e socorridos, quando o invocarem.

Quanto mais conhecem o nome de Deus, quer dizer, a sua bondade, misericórdia, verdade, poder, sabedoria, justiça, mais oram com ousadia, não duvidando que Ele será respondível ao seu nome. [...] Como ocorre entre os homens, de acordo com o bom nome que tenham por liberalidade e compaixão, assim as pessoas estarão prontos para recorrer a eles em períodos de necessidade. Os pobres dirão: "Irei à casa de fulano, porque ele tem um bom nome e é contado bom para os pobres além de ser misericordioso, pois todos os homens falam bem dele por conta da sua liberalidade". O nome de indivíduos assim encoraja as pessoas recorrerem a eles com ousadia e frequência. Quando conhecemos Deus pelo nome, ficamos ousados para ir a Ele em oração. [...] Ou se o homem for muito misericordioso, mas as pessoas não o souberem, sendo ignorantes do seu bom nome, as pessoas não têm a boa esperança de ir a ele, porque não sabem quem é este homem. Nunca ouviram falar nada sobre ele. Assim quando, por incredulidade, mal concebemos que haja Deus e que Ele é bom. Ou, por falta de conhecimento, ignoramos o seu bom nome, toda a sua misericórdia, a verdade, piedade e compaixão que há nEle, e não conhecemos o seu grande e glorioso nome, temos pouca ou nenhuma vontade de recorrer a Deus na angústia e buscá-lo em oração para sermos socorridos, como estes fizeram aqui. Isso torna as pessoas tão ousadas na oração, que elas ficam muito familiarizadas com o nome de Deus a ponto de não duvidarem de serem

---

[1] Não há o menor fundamento nesta declaração, mas é menos improvável que muitas outras afirmações de comentaristas que têm uma causa a defender. — *C. H. S.*

ouvidas, ao passo que outras são muito tímidas, pois não sabem nada do nome dEle. — *Nicholas Bownd, 1604*

v. 1: "O nome do Deus de Jacó te proteja". Esta é excelente alusão à história do patriarca Jacó. O Senhor aparecera a Jacó quando este fugia do irmão Esaú, em Betel. Anos mais tarde, Jacó disse à sua casa: "E levantemo-nos e subamos a Betel; e ali farei um altar ao Deus que me respondeu no dia da minha angústia e que foi comigo no caminho que tenho andado" (Gn 35.3). — *John Morison*

v. 1: "O nome do Deus de Jacó te proteja". Em hebraico é: "te coloque em um lugar alto" (cf. ARA), como é o nome de Deus. "Para ela correrá o justo e estará em alto retiro" (Pv 18.10), como a uma torre de bronze ou uma cidadela de guerra. Por "nome do Deus" o significado é: *Deus nominatissimus*, que sifinifica, "o Deus mais renomado", segundo Junius, e "que é digno de louvor", como consta em Salmos 18.3. Segundo outro estudioso, Deus é chamado o Deus de Jacó, em primeiro lugar porque Jacó passou por angústia semelhante (Gn 32.6,7). Em segundo lugar, porque ele orou por propósito igual (Gn 35.3). Em terceiro lugar, porque ele prevaleceu com Deus como príncipe, "e ali falou conosco" (Os 12.4). Em quarto lugar, porque o Deus de Jacó é o mesmo que o "Deus de Israel", sendo invocada a aliança. — *John Trapp*

v. 1: "O nome do Deus de Jacó te proteja". Há a garantia de proteção, de segurança em meio a dez mil inimigos e de perseverança até ao fim. Mas você dirá: Como o nome do Deus de Jacó me protege? Experimente. Eu já experimentei inúmeras vezes. Portanto, falo do que sei e testemunho do que vi: "O nome do Deus de Jacó te proteja". Certa vez fui provocado por um papista irlandês, que me disse, na sua completa ignorância e fanatismo, que se um padre lhe desse uma gota de água benta e fizesse um círculo com ela em volta de um campo cheio de animais selvagens, eles não o feririam. Retirei-me enojado com o artifício abominável de tal vilão, refletindo que bobo fui por não pôr minha confiança em Deus como este homem iludido pôs no padre e numa gota de água benta. Decidi experimentar o que "o nome do Deus de Jacó" faria, tendo os decretos fixos do Pai, a responsabilidade inalterável do Filho e a graça e operação invencível do Espírito Santo ao meu redor. Experimentei e senti a minha confiança se fortalecer. Irmãos envolvam-se com os deveres da aliança, o sangue da aliança, a graça da aliança, a promessa da aliança e a garantia da aliança. Então, o Senhor os ouvirá no dia da angústia e o nome do Deus de Jacó os protegerá. — *Joseph Irons*

v. 1: O mais agradável desejo ou a mais consoladora oração pelo filho de dores jamais foi feita pelos homens: "O SENHOR te ouça no dia da angústia; o nome do Deus de Jacó te proteja". Quem há entre os filhos dos homens a quem o "dia da angústia" não venha, cujo caminho não fique escuro às vezes ou com quem é sol sem nuvens do berço à sepultura? "Poucas plantas", diz o velho Jacomb, "têm o sol da manhã e da tarde". Alguém muito mais velho disse: "O homem nasce para o trabalho" (Jó 5.7). O "dia da angústia" é a herança de todos os filhos de Adão. Como é agradável, dizia eu, como é agradável o desejo: "O SENHOR te ouça no dia da angústia; o nome do Deus de Jacó te proteja". Esta é a oração de alguém em benefício de uma pessoa que está angustiada, ao mesmo tempo em que indica que a pessoa angustiada também orara: "O SENHOR te ouça", ouça e responda a tua própria oração! — *Barton Bouchier*

vv. 1 e 2: A cena apresentada aos olhos da fé é profundamente comovente. O Messias está derramando o coração em oração no dia da angústia. A noiva ouve aleatoriamente os gemidos agonizantes. Ela é movida com a mais terna simpatia por Ele. Ela mistura as suas orações com as dEle. A igreja pede que Jesus seja protegido e sustentado. [...] Talvez possamos dizer que Ele está fora do alcance da angústia, que Ele foi altamente exaltado, que Ele não quer a nossa simpatia ou orações. Mas ainda podemos orar por Jesus: "Em verdade vos digo que, quando o fizestes a um destes meus pequeninos irmãos, a mim o fizestes" (Mt 25.40). Podemos orar por

Ele nos seus membros. Desta forma, cumpre-se o que está escrito no Salmo 72.15: "Viverá, e se lhe dará do ouro de Sabá, e continuamente se fará por ele oração [quer dizer, nos membros do seu sofrimento], e todos os dias o bendirão [que significa, na sua própria pessoa admirável]". — *Hamilton Verschoyle, 1843*

vv. 1 a 5: Estas são palavras de súditos que falam com Deus em prol do rei. Assim fizeram como Davi desejava, isto é, oraram por ele. Se assim orassem por ele, tendo sido desejado e fosse o dever deles, teriam consciência disto e teria sido grande erro os súditos não orarem. Por conseguinte, concluímos que sempre que nossos irmãos ou irmãs em Cristo desejarem este dever de nós, precisamos ser cuidadosos em fazê-lo. Seria indesculpável de nossa parte, tanto para com Deus quanto para com eles, se fracassássemos. Não devemos pensar que quando homens e mulheres devotos ao despedirem-se, desejam as nossas orações, dizendo: "Peço que você ore por mim", ou: "Lembre-se de mim nas suas orações", que estas sejam palavras ocas (embora, não nego, muitos as usam assim e, com isso, tomem o nome de Deus em vão). Porém devemos nos convencer de que eles falam da abundância do sentimento das próprias necessidades, desejosos de que as nossas orações os ajudem a supri-las. Devíamos orar por eles, sobretudo quando nos informam da situação que estão, como aqui Davi fez ao povo, dando-os a entender que ele estava ou poderia estar em grande perigo. Era o "dia da angústia", como ele o chamou. [...] Acima de tudo, este dever da oração tem de ser cumprido cuidadosamente quando o prometemos para alguém ao soubermos da situação. Assim como devemos cumprir tudo que prometemos, apesar dos estorvos que nos cause, assim muito maior é a nossa obrigação para com as pessoas em suas dificuldades. É a mesma coisa quando alguém nos pede que falemos por ele com alguma pessoa de posição, e o prometêssemos e a pessoa contasse com isso, esperando que seremos tão bons quanto as nossas palavras. Seríamos falsos ao extremo por enganá-lo, frustrando-lhe a expectativa. Quando as pessoas nos pedem que falemos por elas com Deus, e se consolam com a nossa promessa, se por negligência as ludibriarmos, estaríamos em falta séria. É isso que o Senhor requer de nossas mãos, mesmo que essas pessoas nunca saibam de nosso descaso. Portanto, como devemos orar voluntariamente uns pelos outros todos os dias, conforme o nosso Salvador Jesus Cristo nos ensinou: "Pai nosso, que estás nos céus" (Mt 6.9-13), assim especificamente e por nome devemos orar por quem pediu que orássemos. Os pais especialmente não devem se esquecer dos filhos nas orações diárias, pedindo para abençoá-los e esperando serem abençoados por Deus através das orações deles. Além disso, se negligenciarmos orar por quem pediu, como teremos esperança de que os outros, a quem pedimos que orassem, cumpram esse dever por nós? Não recearíamos que eles justamente se esquecessem completamente de orar por nós, vendo que nós nos esquecemos de orar por eles? Não seria justo Deus nos punir de acordo com a declaração de nosso Salvador Jesus Cristo: "Com a medida com que tiverdes medido vos hão de medir a vós" (Mt 7.2)? Lembro-me de que esta era a resposta de certo reverendo padre da igreja, que hoje já dorme no Senhor, quando as pessoas lhe pediam que orasse por elas (como muitas pediram e mais do que qualquer pessoa que eu conheça), ele dizia a cada uma delas: "Peço que você ore por mim, e oro para que eu me lembre de você. Então espero não me esquecer de você". Portanto, se queremos que as pessoas orem por nós, devemos orar por elas. — *Nicholas Bownd*

vv. 1 e 5: No versículo 1, o salmista diz: "O Senhor te ouça no dia da angústia" e no versículo 5, diz: "Satisfaça o Senhor todas as tuas petições". Nestes dois textos ele está se referindo à mesma ocasião? As orações mencionadas no versículo 1 são feitas "no dia da angústia", nos dias da carne. As petições às quais ele se refere no versículo 4 também são feitas nos dias da carne? Muitos pensam que não. Antes de nosso santo Salvador partir deste mundo, Ele orou ao Pai por aqueles a quem lhe tinham sido dados, para que o Pai os guardasse do mal do mundo e para que eles fossem um, como Ele era um com o Pai. Jesus também orou pelos que o assassinavam. Depois da ascensão aos céus, Ele assentou-se à mão direita do Pai, onde "intercede por nós" (Rm 8.26). "Se alguém pecar, temos um Advogado para com o Pai, Jesus Cristo, o Justo" (1 Jo 2.1). É a isso, como muitos estudiosos pensam, que o profeta se refere, quando diz: "Satisfaça o SENHOR todas as tuas petições" — à intercessão que Jesus está fazendo continuamente por nós. — *F. H. Dunwell*

v. 2: "Envie-te socorro desde o seu santuário". Esta é a natureza da verdadeira fé, que nos leva a ver e buscar o socorro dos céus quando não há nada em vista na terra. Esta é a diferença entre fé e incredulidade, para que os próprios incrédulos identifiquem razões para pedir socorro, enquanto ainda têm meios de socorrerem a si mesmos. Mas se fracassam, não podem ver nada, sendo como os que são quase cegos, que só vem o que está perto. Mas a fé vê ao longe, até o céu, de forma que esta é "a prova das coisas que se não veem" (Hb 11.1). Ela olha o poder de Deus, que tem todos os meios disponíveis ou pode trabalhar sem eles, pois fez tudo do nada e "chama as coisas que não são como se já fossem" (Rm 4.17). Foi o que aconteceu com o mártir Estêvão, que, quando os inimigos estavam enfurecidos e rangiam os dentes contra ele, olhou firmemente para o céu e viu Jesus Cristo em pé à mão direita de Deus pronto para defendê-lo. A fé nas promessas da palavra vê o socorro do céu pronto para nós, quando não há meios na terra. — *Nicholas Bownd*

v. 2: "Envie-te socorro desde o seu santuário". Por que "do santuário"? Porque o Senhor se manifestava ali como no propiciatório! O santuário estava em Sião, o propiciatório estava no santuário, o Senhor estava no propiciatório. Nas suas manifestações Deus disse que habitava ali. Dali eles oram e oram com fé em busca de socorro e força. — *Davis Clarkson*

v. 2: "E te sustenha desde Sião", quer dizer, do lugar onde os santos se reúnem para orar fervorosamente pelo teu bem-estar. — *John Trapp*

v. 3: "Lembre-se de todas as tuas ofertas e aceite os teus holocaustos". "Todas as tuas ofertas": a humilhação que o trouxe do céu a terra; o Paciente fazer-se carne no ventre da virgem santa; a natividade pobre; a manjedoura dura; o boi e o jumento para os cortesãos; a fuga para o Egito; a casa pobre em Nazaré; o fazer todo bem e o suportar todo mal; os milagres, os sermões, os ensinos; o ser chamado de comilão e beberrão, amigo de publicanos e pecadores; a atribuição das ações maravilhosas a Belzebu.

"E aceite os teus holocaustos". Como o sacrifício inteiro era consumido no holocausto, assim que parte do corpo, que sentimento do nosso querido Senhor não agonizou na sua paixão? A coroa de espinhos na cabeça; os cravos nas mãos e nos pés; os escárnios que lhe enchiam os ouvidos; a multidão alegre pelo sofrimento daquEle que a olhava com olhos moribundos; o vinho misturado com fel; o mau cheiro do monte da morte e corrupção. Os lavradores lhe araram as costas e fizeram sulcos muito longos e profundos. O rosto santíssimo foi duramente esbofeteado com a palma da mão e a cabeça foi golpeada com a cana. O que mais Jesus podia ter feito pela vinha que Ele não fez? (Is 5.4). Assim, o que mais Ele podia ter suportado pela vinha que — a Vinha — não suportou? Lembra-te, agora, ó Pai, leva em conta por nós pecadores, pecadores miseráveis, e por nossa salvação todas estas ofertas. Aceita, em vez de nosso castigo eterno que é culpado, o holocausto daquEle que "não cometeu pecado, nem na sua boca se achou engano" (1 Pe 2.22). — *Dionísio e Gerhohus (1093-1169), citado por John Mason Neale*

v. 3: Em hebraico, "aceite" significa "vire cinzas" pelo fogo do céu, em sinal de aceitação como era habitual. — *Matthew Poole*

v. 3: "E aceite os teus holocaustos", quer dizer, que os teus holocaustos sejam gordos, abundantes, frutíferos e cheios. Mas temos de entender este holocausto da forma como entendemos o sacrifício, em sentido espiritual, como já comentamos.

Cristo se entregou inteiramente na cruz para ser consumido pelo fogo do amor. "Os teus holocaustos" pode ser traduzido por "a totalidade dos holocaustos", mesmo que *holocausto* signifique que a oferta toda é queimada pelo fogo. Pelo gemido do Espírito, Ele mostra e ensina os justos para que orem e esperem que os sofrimentos por que passam não sejam em vão, mas que todos sejam extremamente agradáveis, pertinentemente lembrados e devidamente aceitos por Deus. — *Martinho Lutero*

v. 3: "Selá". Esta palavra, na opinião dos estudiosos, é *vox optantis*, a voz daquele que deseja, equivalente ao "amém"; ou *vox admirantis*, a voz daquele que admira, denotando um assunto especial; ou *vox affirmantis*, a voz daquele que afirma, sustentado aquilo que diz; ou *vox meditantis*, a voz daquele que medita, exigindo consideração do que diz. Mas, além disso, é uma pausa na música. Jerônimo disse que é *commutatio metri* ou *vicissitudo canendi*. — *Edward Marbury*

v. 4: "Conceda-te conforme o teu coração e cumpra todo o teu desígnio". Prestemos atenção ao desejo zeloso e sério do Redentor em realizar a sua obra: "Importa, porém, que eu seja batizado com um certo batismo, e como me angustio até que venha a cumprir-se!" (Lc 12.50). "Desejei muito comer convosco esta Páscoa, antes que padeça" (Lc 22.15), para que Ele deixe um memorial dos seus sofrimentos e morte, para o fortalecimento e refrigério da alma do seu povo. Estes desejos sérios e expectativas importantes satisfazem o Pai, como de alguém com quem Ele estava muito contente. — *W. Wilson*

v. 4: "E cumpra todo o teu desígnio", tudo que foi concordado no desígnio e aliança de paz entre Jesus e o Pai pertinente à sua glória e à salvação do povo. — *John Gill*

v. 4: "E cumpra todo o teu desígnio". Responda-te, *ad cardinem desiderii*, como expressa Agostinho. Seja feito para ti como tu queres. Às vezes, Deus não só atende a oração do homem, mas cumpre-lhe o desígnio, que significa, daquele mesmo jeito e por aquele mesmo meio que o julgamento escolheu os pensamentos. — *John Trapp*

v. 5: "Nós nos alegraremos pela tua salvação". Todo aquele que participa dos súditos de Cristo na angústia, também terão parte com eles na alegria da libertação. Portanto, está escrito: "Nós nos ale*graremos pela tua salvação"*. — *Davi Dickson*

v. 5: "Em nome do nosso Deus". Como aqueles que exclamaram: "Espada do Senhor e de Gideão" (Jz 7.20), e como lemos em Josué 6.20: "Gritou o povo com grande grita; e o muro caiu abaixo". O rei Abias, clamando com os seus homens do mesmo jeito, matou quinhentos mil dos filhos de Israel (cf. 2 Cr 13.13-17). Hoje também, de acordo com o costume militar de nossos dias, os soldados se gloriam no nome e honra do general para encorajarem-se contra os inimigos. É este o costume que o versículo está nos ensinando, só que de maneira religiosa e espiritual. — *Martinho Lutero*

v. 5: "Em nome do nosso Deus, arvoraremos pendões". Antigamente, as bandeiras ("pendões") faziam parte da equipagem militar, sendo muito usadas em tempos de guerra para reunir, orientar, distinguir e motivar as tropas. Eram usadas possivelmente também para outros propósitos. Ocasiões alegres, procissões esplêndidas e especialmente a habitação real eram nitidamente destacadas deste modo. As palavras do salmista podem ser figurativas. Mas se as entendermos literalmente, a alusão de erguer uma bandeira (arvorar um pendão) em nome do Senhor, reconhecendo a glória e implorando bênçãos, é explicada como prática existente. O certo é que temos este costume prevalecente segundo este mesmo princípio em outros lugares, o qual talvez tenha tido origem na Judeia. Samuel Turner declara: "Dizem que era costume com o Soobah subir a montanha todos os meses, quando ele ergue uma bandeira branca e realiza cerimônias religiosas para conciliar o favor de um dewta, ou ser invisível, o gênio do lugar, acerca do qual dizem que paira sobre o cume dispensando à vontade o bem e o mal as todas as coisas ao redor" ("Embassy to Thibet" [Embaixada do Tibete], p. 31). — *Samuel Burder, Mestre em Ciências Humanas, "Oriental Customs" [Costumes Orientais], 1812*

v. 5: "Em nome do nosso Deus, arvoraremos pendões". Em todas as procissões religiosas e bélicas as pessoas levam pendões, ou seja, bandeiras. Por conseguinte, nos pináculos dos carros sagrados, nas cúpulas ou portais dos templos e no telhado de uma casa nova se via a bandeira da casta ou seita tremulando ao vento. Dizem que Siva, o Supremo, também usa uma bandeira no mundo celestial. — *Joseph Roberts, "Oriental Illustrations" [Ilustrações do Oriente]*

v. 5: "Em nome do nosso Deus, arvoraremos pendões". (1) Empreenderemos guerra em nome do nosso Deus, veremos que a nossa causa é boa e faremos da sua glória o nosso alvo em toda expedição. Pediremos o desígnio da sua boca e o levaremos junto conosco. Seguiremos a sua conduta, imploraremos a sua ajuda, dependeremos disso e reportaremos o assunto a Ele. Davi foi contra Golias "em nome do SENHOR dos Exércitos" (1 Sm 17.45). (2) Comemoraremos as nossas vitórias em nome do nosso Deus. Quando arvorarmos pendões em triunfo e colocarmos os nossos troféus, o faremos "em nome do nosso Deus". Ele receberá toda a glória do nosso sucesso, e nenhum instrumento terá parte alguma da honra que lhe é devido. — *Matthew Henry*

v. 5: "Em nome do nosso Deus, arvoraremos pendões". Confessar a Jesus como o único nome por meio do qual somos salvos é a bandeira que caracteriza o povo crente. Que esta confissão seja mais distinta, mais pura, mais zelosa naqueles que são seus seguidores, para que eles sejam mais unidos, mais ousados na confissão da religião, mais prósperos na causa de Cristo, formidáveis "como um exército com bandeiras" (Ct 6.4). — *W. Wilson*

v. 5: "Pendões" ou bandeiras. Você conhece o mastro, as cores e a bandeira ou flâmula deste emblema? O mastro é a cruz, as cores são o sangue e a água e a flâmula é o Evangelho ou a pregação do Evangelho ao mundo. O mastro que tinha as cores era antigamente do formato de cruz, havia uma travessa perto do topo na qual era pendurada a bandeira ou flâmula. Deste modo, estava prefigurando que todas as multidões e exércitos das nações seriam um dia reunidos sob a bandeira da cruz, para a qual os soldados iriam diariamente de todas as nações e reinos da terra. — *Mark Frank, 1613-1664*

v. 5: "Satisfaça o SENHOR todas as tuas petições", para ti e para os outros, agora que tu estás assentado à direita do Pai, suplicando por nós e mostrando o teu apoio e as tuas feridas. — *Dionísio, citado por Isaac Williams*

v. 6: "Agora sei". Mudança súbita de número, falando na primeira pessoa do singular. Com essa mudança observemos a unidade e consentimento das pessoas a esta oração, como se elas tivessem sido um e proferido tudo com uma boca.

"O SENHOR salva o seu ungido", quer dizer, o seu rei a quem estabeleceu (ver Sl 2.2; 18.50).

"Ele o ouvirá [ver versículo 1] desde o seu santo céu." Outra versão tradutória dessas palavras é: "dos céus da sua santidade", dando a entender desde o céu onde a santidade divina habita. — *Thomas Wilcocks*

v. 6: "Ele o ouvirá". Eu me alegrarei com as orações de todas as igrejas de Cristo. Ó que não houvesse um santo na terra que não citasse meu nome na oração matinal e vespertina (seja quem for que esteja lendo estas linhas, peço que ores por mim). Mas acima de tudo, deixe-me ter uma propriedade nessas orações e intercessões que são apropriadas somente a Cristo. Estou certo de que eu nunca fracassaria: As orações de Cristo são celestiais, gloriosas e muito eficazes. — *Isaac Ambrose, 1592-1674.*

v. 6: "O seu ungido". Como sacerdotes e às vezes reis e profetas eram entre os judeus ungidos para as suas funções, assim o nosso Salvador foi ungido como Profeta para anunciar as Boas-Novas aos mansos, como Sacerdote para sarar o coração partido e como Rei para libertar os cativos. Levando em conta que unção significa nomeação e ordenação, ela é aplicada corretamente à pessoa divina do Mediador. A Bíblia diz que, como Deus, Ele foi ungido com óleo de alegria, mais do que a seus companheiros (Hb 1.8,9).Mas considerando que a natureza humana é tomada em uma subsistência na pessoa divina, podemos afirmar com a devida correção que Jesus foi ungido na sua Pessoa. A Bíblia dá grande ênfase na unção de nosso Redentor. Portanto, lemos: "Todo aquele que crê que Jesus é o Cristo é nascido de Deus"; "Quem é o mentiroso, senão aquele que nega que Jesus é o Cristo?" (1 Jo 5.1; 2.22). Os inimigos de nosso Salvador tinham consciência disso, quando deram a ordem que "se alguém confessasse ser ele o Cristo, fosse expulso da sinagoga" (Jo 9.22). A unção do nosso Salvador era superior à unção de qualquer outra pessoa e mais excelente à obra à qual Ele foi consagrado. Os apóstolos e outros que foram seus seguidores tiveram o Espírito por medida, mas para Cristo não tinha medida. Ele é "mais formoso do que os filhos dos homens" (Sl 45.2), teve glória "como a glória do Unigênito do Pai, cheio de graça e de verdade" (Jo 1.14,16) e da sua plenitude os apóstolos e todos os outros recebem. A unção de Cristo explica a unção de Arão, o seu tipo. O precioso unguento que foi derramado sobre a cabeça de Arão, desceu à orla das suas vestes (Sl 133.2).

Nosso Salvador foi ungido para encher tudo em todas as coisas (Ef 1.23). Ele encheu todos os membros e todas as suas faculdades com todas essas medidas do Espírito, as quais eles sempre recebem. — *Condensado de John Hurrion, 1675-1731*

v. 7: "Uns confiam em carros, e outros, em cavalos, mas nós faremos menção do nome do Senhor, nosso Deus". Acerca da festa de São Miguel, a 29 de setembro, eu estava em extrema necessidade, e tendo saído com tempo muito bom, contemplei os céus cerúleos e o meu coração foi fortalecido por tamanha fé (o que não atribuo à minha capacidade, mas somente à graça de Deus), que pensei com meus botões: "Que coisa excelente é quando não temos nada e não podemos confiar em nada, mas conhecemos o Deus vivo que fez os céus e a terra e colocamos a nossa confiança somente nEle, que nos capacita a estar muito tranquilos até nas necessidades!" Embora eu estivesse plenamente ciente de que a minha necessidade naquele dia era grande, o meu coração estava tão forte na fé que me alegrei e estava de bom ânimo.

Voltando para casa, imediatamente chegou o capataz dos trabalhadores e pedreiros que, como era sábado, queria dinheiro para pagar-lhes o salário. Ele esperava que eu já tivesse o dinheiro para ele fazer os pagamentos, por isso inquiriu. "Recebeu algo?", perguntou-me. Respondi: "Não, mas tenho fé em Deus". Mal havia proferido as palavras quando me disseram que havia um aluno lá fora que queria falar comigo. Assim que saí, ele me entregou trinta dólares de alguém, cujo nome ele não mencionaria. Voltei imediatamente à sala, e perguntei ao capataz de quanto era que precisava desta vez para o salário dos trabalhadores. Ele respondeu-me: "Trinta dólares". "Aqui estão", disse-lhe, perguntando ao mesmo tempo: "E se precisar de mais?" Respondeu-me: "Não", o que muito fortaleceu a fé de nós dois, visto que vimos claramente à mão milagrosa de Deus que enviou no momento exato o montante certo do que precisávamos. — *Augustus Herman Franke, 1663-1727*

v. 7: "Uns confiam em carros, e outros, em cavalos, mas nós faremos menção do nome do Senhor, nosso Deus". É vã a confiança em todas as maldades. Na guerra, confiam-se em carros, cavalos, navios, números, disciplina, sucessos anteriores. Mas a batalha não é para os fortes. "A providência favorece os batalhões fortes" é expressão que soa bem aos ouvidos dos mundanos, porém não é o que a Providência ou a Bíblia ensina. Em tempos de paz, confiam-se em riquezas, amigos, navios, bens, apólices, mas nada disso pode ajudar ou salvar. "Aquele que se gloria, glorie-se no Senhor" (1 Co 1.31). — *William S. Plumer*

v. 7: "Mas nós faremos menção do nome do Senhor, nosso Deus". Entende-se em geral que o "nome do Senhor" nas Santas Escrituras são as propriedades e atributos de Deus. Estas propriedades e atributos formam e constituem o nome de Deus, como disse Salomão: "Torre forte é o nome do Senhor; para ela correrá o justo e estará em alto retiro" (Pv 18.10). Lembrando, refletindo, meditando neste nome de Deus, o salmista apresenta-se confortado ou fortalecido, sejam quais forem os deveres aos quais ele foi chamado, ou os perigos aos quais foi exposto. Outros procuram outras fontes de segurança e força. "Uns confiam em carros, e outros, em cavalos", contudo o salmista sempre se fixava em fazer "menção do nome do Senhor, nosso Deus". E fazia isso continuamente com satisfação e sucesso. Esta é a peculiaridade da passagem a qual desejamos entender e da qual esperamos extrair lições e verdades importantes. O salmista mantinha em mente o nome do Senhor, seu Deus — não alguma propriedade ou atributo de Deus, mas a combinação total das perfeições divinas. E Davi fazia menção desse nome. A expressão denota não um pensamento passageiro, mas meditação — consideração. O resultado dessa lembrança é alegria e confiança. — *Henry Melvill*

v. 7: É fácil persuadir os papistas a confiarem em padres e santos, em trapos velhos e quadros pintados — em qualquer ídolo. Mas é difícil fazer com que um protestante confie no Deus vivo. — *William Arnot, 1858*

v. 7: Os homens fracos só têm a opção de ter certa confiança em outras coisas em caso de dificuldades aparentes, e os homens naturais olham primeiro para as coisas terrenas em que confiar. "Uns confiam em carros, e outros, em cavalos", uns em uma criatura, outros em outra. O crente tem de abandonar a confiança nessas coisas quer as tenhamos ou desejemos ter. Precisamos confiar no que Deus promete fazer para nós na Palavra. "Mas nós faremos menção do nome do Senhor, nosso Deus". — *David Dickson*

v. 7: Os que "confiam em carros, e outros, em cavalos", não terão outro rei senão César. Mas "os exércitos que há no céu" (Ap 19.14), que te seguem não têm braço nem força senão para te seguir. — *Isaac Williams*

v. 7: Quando Numa estava oferecendo sacrifícios, foi-lhe informado que os inimigos estavam chegando para atacá-lo. Por isso, pensou que para a sua segurança era suficiente dizer: Estou ocupado a serviço do meu Deus. Quando Josafá havia estabelecido um ministério de pregação em todas as cidades de Judá, então, e somente então, e não antes, caiu o temor do Senhor nas nações circunvizinhas, e não fizeram guerra (2 Cr 17.9,10) — muito embora, ele tivesse anteriormente colocado exércitos em todas as cidades muradas. — *Charles Bradbury*

v. 7:

Uns ostentam cavalos de guerra
Outros na multidão de carros preparados
Mas a nossa confiança proclamamos
No nome do nosso Deus Senhor
— *Richard Mant*

v. 8: "Uns encurvam-se e caem" dos cavalos e carros nos quais confiaram. Eles "encurvaram-se", porque não conseguem ficar em pé em virtude das feridas mortais recebidas (cf. Jz 5.27).

"E estamos de pé." Estar firme sobre as pernas e guardar o campo, como os conquistadores costumam fazer. — *Matthew Poole*

SUGESTÕES AOS PREGADORES

Este salmo tem sido muito usado para solenidades de coroação, cultos de agradecimento e sermões breves. Capelães fajutos da igreja mundana agregam uma infinidade de tolices e bajulações repugnantes ao texto sacro.

Se os reis tivessem sido demônios, alguns destes teriam elogiado os chifres e cascos, porque mesmo que alguns tivessem sido servos muito obedientes do príncipe das trevas, esses falsos profetas os intitularam de “soberanos muito graciosos”, e ficaram tão deslumbrados na presença deles como se nunca tivessem tido a visão beatífica. — *C. H. S.*

O Salmo. Um cântico e oração leal pelos súditos do Rei Jesus.

v. 1. Duas grandes misericórdias em tempos de grande angústia — a audição e a defesa do trono.

vv. 1 e 2. (1) A angústia do Senhor em sua natureza e causa. (2) Como o Senhor se comportou na angústia. (3) Não devemos ser espectadores impassíveis da angústia de Jesus. — *Hamilton Verschoyle*

vv. 1 a 3. Um modelo de saudações aos nossos amigos. (1) Incluem devoção pessoal. A pessoa de quem se fala ora, vai ao santuário e oferece sacrifícios. Temos de desejar graça aos nossos amigos. (2) Apontam para cima. As bênçãos são reconhecidas destacadamente como divinas. (3) Não excluem a angústia. (4) São eminentemente espirituais. Aceitação.

v. 2. O socorro que vem do santuário — tópico sugestivo.

v. 3. O respeito incessante de Deus pelo sacrifício de Jesus.

vv. 3 e 4. O grande privilégio desta aceitação quádrupla no Amado.

v. 5. A alegria na salvação para ser decidida e praticada.

v. 5. “Arvoraremos pendões.” Confissão clara de submissão, declaração de guerra, indicador de perseverança, reivindicação de posse, sinal de triunfo.

v. 5. “Satisfaça o Senhor todas as tuas petições.” A prevalência da intercessão de nosso Senhor, e a satisfação de nossas orações através dEle.

v. 6. “O seu ungido.” O nosso Senhor como o ungido. Quando? Com que unção? Como? Para quais funções?

v. 6. “Ele o ouvirá.” Este é o Intercessor que sempre prevalece.

v. 6. “A força salvadora” de Deus. A força da sua mão mais usada e mais hábil.

v. 6. “Agora sei.” O momento em que a fé em Jesus enche a alma. A hora em que a garantia é dada. O período em que a verdade brilha na alma.

v. 7. A confiança da criatura: Visivelmente forte, bem adaptada, vistosa e ruidosa. A confiança do fiel: Silenciosa, espiritual, divina.

v. 7. O “nome do Senhor, nosso Deus”. Reflexões confortáveis provenientes do nome e caráter do verdadeiro Deus.

v. 8. A virada das mesas.

v. 9. “Salva-nos, Senhor!” Uma das orações mais curtas e expressivas da Bíblia.

v. 9. “Ouça-nos o Rei quando clamarmos.” (1) A quem nos dirigimos e o que acontece. Ao “Rei”. (2) Como nos dirigimos e o que significa: “Clamarmos”. (3) O que ansiamos e o que implica: “Ouça-nos”.

SALMO 21

TÍTULO

O título pouco nos informa, pois diz apenas *"Salmo de Davi para o cantor-mor"*. Foi escrito por Davi, cantado por Davi, relativo a Davi e concebido por Davi para aludir ao Deus de Davi no seu mais amplo alcance de significado. É evidentemente o parceiro adequado ao Salmo 20, e está na posição apropriada, vindo logo em seguida. O Salmo 20 antecipa o que este considera como já realizado. Se hoje orarmos por uma bênção e a recebermos, devemos, antes que o sol de ponha, louvar a Deus por tal misericórdia ou, da próxima vez, seremos dignos de receber um *não*. O salmo já foi chamado de cântico triunfante de Davi. Podemos nos lembrar dele como *A Ode Triunfal do Rei*. O "rei" é personagem de muito destaque ao longo do salmo, e o leremos com real proveito se durante a leitura a nossa meditação for agradável. Temos de coroá-lo com a glória da nossa salvação, cantando sobre o seu amor e louvando o seu poder. O próximo salmo nos levará ao pé da cruz. Este nos mostra os degraus do trono.

DIVISÃO

Esta divisão atenderá a todos os propósitos. Os versículos 1 a 6 apresentam uma ação de graças pela vitória, e os versículos 7 a 13 mostram a confiança de mais sucesso.

EXPOSIÇÃO

1 *O rei se alegra em tua força, Senhor; e na tua salvação grandemente se regozija.*
2 *Cumpriste-lhe o desejo do seu coração e não desatendeste as súplicas dos seus lábios. (Selá)*
3 *Pois o provês das bênçãos de bondade; pões na sua cabeça uma coroa de ouro fino.*
4 *Vida te pediu, e lha deste, mesmo longura de dias para sempre e eternamente.*

5 *Grande é a sua glória pela tua salvação; de honra e de majestade o revestiste.*
6 *Pois o abençoaste para sempre; tu o enches de gozo com a tua face.*

1. *"O rei se alegra em tua força, Senhor."* Jesus é o personagem da realeza. A pergunta: "Logo tu és rei?", teve a resposta completa dos lábios do Salvador: "Tu dizes que eu sou rei. Eu para isso nasci e para isso vim ao mundo, a fim de dar testemunho da verdade" (Jo 18.37). Ele não é meramente *um* rei, mas é *o* Rei. Rei sobre mentes e corações, reinando com um domínio de amor, diante do qual todos os outros regentes são mera força bruta. Ele foi proclamado Rei até mesmo na cruz, pois lá, de fato, aos olhos da fé, Ele reinou como em um trono, abençoando com mais que munificência imperial os filhos necessitados da terra. Jesus realizou a salvação do seu povo, mas como homem Ele achou força no Senhor, seu Deus, a quem Ele se dirigiu em oração na encosta solitária do monte e na escuridão solitária do jardim do Getsêmani. Essa força tão copiosamente dada é aqui reconhecida com gratidão e tornada tema de alegria. O homem de dores foi ungido com o óleo de alegria mais que a seus companheiros (Is 53.3; Sl 45.7). Tendo voltado com triunfo da peleja contra todos os seus inimigos, Ele oferece o seu arrebatador hino de ação de graças (*Te Deum*) no templo dos céus e se alegra no poder do Senhor. Neste particular, todos os súditos do Rei Jesus devem imitá-lo. Confiemos na força do Senhor, alegremo-nos nela pela fé fundamentada, exultemos nela em nossos cânticos de agradecimento. Jesus não só se alegra hoje, mas também se alegrará ao ver o poder da graça divina extraindo dos esconderijos pecadores os comprados pelo trabalho da sua alma (Is 53.11). Nós também nos alegraremos cada vez mais à medida que mais e mais aprendermos por experiência a força do braço do Deus da aliança. A nossa fraqueza desenfia as nossas harpas, mas a sua força as afina. Se não pudermos cantar uma nota sequer em honra a Deus segundo a nossa força, de qualquer forma podemos nos alegrar em nosso Deus onipotente.

"E na tua salvação grandemente se regozija." Tudo é atribuído a Deus: a fonte é a sua força e o rio é a sua salvação. O Senhor planejou e ordenou, trabalha e coroa, sendo, portanto a sua salvação. O regozijo mencionado aqui merece uma nota de exclamação e uma palavra de admiração: "Grandemente!" O regozijo de nosso Senhor ressurreto deve, como a sua agonia, ser indescritível. Se as montanhas do regozijo sobem em proporção à profundidade dos vales da aflição, então a bem-aventurança sagrada é tão elevada quanto o sétimo céu. Pelo gozo que lhe estava proposto, Ele suportou a cruz, desprezando a afronta. Hoje esse gozo aumenta a cada dia, porque Jesus descansa no seu amor e regozija-se nos remidos com canto, à medida que, na devida ordem, eles são levados a achar a salvação que há no sangue dEle. Regozijemo-nos com o nosso Senhor na salvação, pois ela vem de Deus, vem para nós, estende-se aos outros e logo abarca todas as terras. Não tenhamos medo de regozijo em demasia sob esse aspecto. Esta fundação sólida sustentará o mais alto edifício do regozijo. Os brados dos antigos metodistas na empolgação do regozijo eram mais perdoáveis que a nossa mornidão. O nosso regozijo tem de ter certo tipo de inexpressividade.

2. *"Cumpriste-lhe o desejo do seu coração."* Esse desejo Jesus ardentemente buscou, quando estava na terra, através da oração, ações e sofrimento. Ele manifestou que o coração desejava resgatar o povo. Hoje nos céus o seu desejo foi concedido, porque Jesus vê o amado chegando para estar com Ele onde está. Os desejos do Senhor Jesus vinham do seu coração e o Deus os ouviu. Se o nosso coração estiver em uma relação certa com Deus, Ele também "cumprirá o desejo dos que o temem" (Sl 145.19).

"E não desatendeste as súplicas dos seus lábios." O que há no poço do coração com certeza sai pelos baldes dos lábios. Estas são as únicas e verdadeiras orações, quando o desejo do coração vem em primeiro lugar e o pedido dos lábios vem em seguida. Jesus orou vocalmente como também mentalmente. A fala é de grande ajuda ao pensamento. Há pessoas que sentem que quando estão sozinhas têm

mais facilidade para reunir os pensamentos ao orarem em voz alta. Os pedidos do Salvador não foram negados. Ele era e ainda é um Defensor prevalecente. O nosso Advogado nas alturas não volta vazio do trono da graça. Ele intercedeu pelos eleitos na câmara do conselho eterno, pediu bênçãos para eles para o presente, pediu glória para eles para o futuro e os pedidos foram concedidos. Ele está pronto para interceder por nós no propiciatório. Tudo isso não nos dá vontade de enviar agora mesmo um pedido ao Pai por meio do Salvador? Não sejamos relapsos em usar o nosso Intercessor desejoso, amoroso e prevalecente em todas as coisas.

"Selá." Temos aqui a inserção muito correta de uma pausa para que admiremos o sucesso santo das orações do rei, e para que preparemos os nossos próprios pedidos a fim de serem apresentados por intermédio dEle. Seria proveitoso se fizéssemos mais pausas tranquilas, se tivéssemos mais alguns selás em nossa adoração pública.

3. *"Pois o provês das bênçãos de bondade."* A palavra hebraica traduzida por "provês" significa "preceder", "vir antes de" ou "ir antes". O Senhor precedeu o Filho com bênçãos. Antes que Ele morresse, os santos eram salvos pelo mérito antecipado da sua morte. Antes que Jesus viesse, os crentes viam o dia e alegravam-se, e Ele mesmo tinha prazer com os filhos dos homens. O Pai gosta tanto de dar bênçãos pelo Filho que, em vez de se sentir constrangido a conceder graça, Ele ultrapassa a marcha mediadora da misericórdia. "Não vos digo que eu rogarei por vós ao Pai, pois o mesmo Pai vos ama" (Jo 16.26,27). Antes de Jesus clamar, o Pai responde; com Ele ainda falando, Ele ouve. Podemos comprar misericórdia com sangue, mas ela também é dada livremente. O amor do Senhor não é causado pelo sacrifício do Redentor, mas esse amor, com as bênçãos da bondade, precedeu a grande expiação e a proveu para a nossa salvação. Leitor será uma felicidade para você se, como o teu Senhor, você puder ver a providência e a graça precedendo, prevendo as suas necessidades e preparando o seu caminho. A misericórdia, no caso de muitos de nós, vem antes dos nossos desejos e orações, sempre correndo mais rápido que os nossos esforços e expectativas e até deixando para trás as nossas esperanças. A graça preventiva merece uma canção. Podemos fazer uma canção desta frase, basta que tentemos. Todas as nossas misericórdias serão vistas como "bênçãos", presentes de um Deus bendito, designadas a nos tornar santos. São "bênçãos de bondade", não de mérito, mas de favor imerecido. Elas chegam até nós de modo preventivo, o modo da provisão prudente, como só o amor providente poderia ter organizado. Sob esta luz, o versículo é um soneto!

"Pões na sua cabeça uma coroa de ouro fino." Jesus usou a coroa de espinhos, mas hoje usa a coroa de glória. É uma "coroa", indicando natureza real, poder imperial, honra merecida, conquista gloriosa e governo divino. A coroa é da ordem mais rica, mais rara, mais resplandecente e mais duradoura — "ouro". O ouro é do tipo mais refinado e precioso — "ouro fino", para indicar a excelência do seu domínio. Esta coroa é colocada firmemente na sua cabeça. Enquanto os outros monarcas têm os diademas ajustados livremente, o seu é colocado de forma que nenhum poder tem a capacidade de movê-lo, pois foi o próprio Deus que o colocou na testa. Napoleão coroou a si mesmo, mas Deus coroou o Senhor Jesus. O império de um desmoronou em uma hora, mas o do outro tem domínio permanente. Algumas versões dizem: "uma coroa de pedras preciosas", o que nos faz lembrar os amados que serão como joias na coroa do Senhor, de quem Ele disse: "E eles serão meus [...] naquele dia que farei, serão para mim particular tesouro" (Ml 3.17). Que sejamos postos no diadema dourado da glória do Redentor para adornar-lhe a cabeça para sempre!

4. *"Vida te pediu, e lha deste, mesmo longura de dias para sempre e eternamente."* As primeiras palavras se ajustam ao rei Davi, mas a longura de dias se refere para sempre e eternamente só ao Rei Messias. Jesus, como homem, orou pela ressurreição e a recebeu, e agora a possui na imortalidade. Ele morreu uma vez, contudo tendo levantado dos mortos não morre mais. "Porque eu vivo, e vós vivereis" (Jo 14.19),

é a intimação afável que o Salvador nos dá para que sejamos participantes da sua vida eterna. Nunca teríamos achado esta joia preciosa, se Ele não tivesse tirado a pedra que a encobria.

5. *"Grande é a sua glória pela tua salvação."* Emanuel foi vitorioso; Ele suportou a cruz. O Pai glorificou o Filho, de forma que não há glória como a que o envolve. Vejamos essa pessoa conforme João a descreve no Apocalipse. Vejamos o seu domínio como um domínio que se estende de mar a mar. Vejamos o seu resplendor quando é revelado em fogo abrasador. "Senhor, quem é como tu?" (Sl 35.10). Salomão em toda a sua glória não se comparava a ti, tu outrora menosprezado Homem de Nazaré! Observe, leitor: a salvação é atribuída a Deus. Assim o Filho, como nosso Salvador, glorifica o Pai. Mas a glória do Filho também é vista grandemente, pois o Pai glorifica o Filho.

"De honra e de majestade o revestiste." A leitura de John Parkhurst é "de esplendor e de beleza". Estas qualidades foram revestidas em Jesus, como correntes de ouro, estrelas e símbolos de honra são colocados nos príncipes e homens de destaque. Como a madeira do Tabernáculo era revestida de ouro puro, assim Jesus é coberto de glória e honra. Se há um peso muito mais excedente e eterno de glória para os seus seguidores humildes, o que haverá para o próprio Senhor? O peso total do pecado foi posto sobre Ele. É para contrabalançar que a medida total da glória de carregar o pecado tem de ser posta na mesma pessoa amada. Ele receberá uma glória proporcional à vergonha, pois Ele ganhou essa glória. Nunca é demais honrarmos Jesus. O que o nosso Deus tem prazer em fazer, façamo-lo ao máximo de nossas forças e possibilidades. Novas coroas para a cabeça sublime que outrora foi ferida com espinhos!

Coroado seja Ele com majestade
Que inclinou a cabeça e morreu
E que a sua honra seja anunciada altamente
Por tudo que tenham fôlego

6. *"Pois o abençoaste para sempre."* Ele é muito abençoado em si mesmo, porque Ele é Deus acima de tudo, bendito para sempre. Mas isso diz respeito a Jesus como nosso Mediador no qual a bem-aventurança de capacidade é dada a Ele como recompensa. Outra versão diz: "Pois o puseste por bênção para sempre" (ARA). Ele é uma fonte transbordante de bênçãos para os outros, um sol que enche o universo de luz. Segundo o Senhor declarou a Abraão, a semente prometida é fonte perpétua de bênçãos para todas as nações da terra. Para isso Ele foi estabelecido, ordenado, nomeado. Foi feito carne para este mesmo desígnio, a fim de abençoar os filhos dos homens. Que os pecadores tivessem suficiente sensibilidade para usar o Salvador com a finalidade à qual Ele é nomeado, a saber, ser o Salvador das almas perdidas e culpadas.

"Tu o enches de gozo com a tua face." Aquele que é uma bênção para as pessoas não pode deixar de ter gozo em si mesmo. A boa obra ilimitada de Jesus lhe garante alegria ilimitada. O favor amoroso do Pai, a face de Deus dá a Jesus gozo excedente. Esta é a mais pura água para beber. Jesus não escolhe outra. O gozo é completo. A fonte é divina. A continuação é eterna. A medida excede todos os limites. A face de Deus alegra o Príncipe do Céu. Como é importante buscarmos a face divina e sermos cuidadosos para que não o provoquemos com os nossos pecados e Ele esconda de nós a face! As nossas expectativas alegremente correm para o momento em que o gozo do nosso Senhor será derramado em todos os santos, e a face do Senhor brilhará em todos os comprados pelo sangue. Então, "entra no gozo do teu senhor" (Mt 25.21).

Até este ponto, tudo diz respeito a "o clamor daqueles que triunfam, a canção daqueles que festejam". Clamemos e cantemos com eles, pois Jesus é o nosso Rei e teremos parte nos seus triunfos.

7 *Porque o rei confia no Senhor e pela misericórdia do Altíssimo nunca vacilará.*
8 *A tua mão alcançará todos os teus inimigos; a tua mão direita alcançará aqueles que te aborrecem.*
9 *Tu os farás como um forno aceso quando te manifestares; o Senhor os devorará na sua indignação, e o fogo os consumirá.*
10 *Seu fruto destruirás da terra e a sua descendência, dentre os filhos dos homens.*
11 *Porque intentaram o mal contra ti; maquinaram um ardil, mas não prevalecerão.*
12 *Portanto, tu lhes farás voltar as costas; e com tuas flechas postas nas cordas lhes apontarás ao rosto.*
13 *Exalta-te, Senhor, na tua força; então, cantaremos e louvaremos o teu poder.*

7. *"Porque o rei confia no Senhor."* O nosso Senhor, como verdadeiro Rei e líder, era mestre no uso das armas. Ele sabia lidar muito bem com o escudo da fé, porque nos deu exemplo brilhante de confiança inabalável em Deus. Jesus se sentia seguro no cuidado do Pai até que chegou a hora, Ele sabia que sempre era ouvido no céu. Jesus entregou a causa àquEle que julga retamente, e nos últimos momentos entregou o espírito às mesmas mãos. A alegria expressada nos versículos anteriores era a alegria da fé. A vitória alcançada se devia à mesma graça preciosa. Uma confiança santa no Senhor é a verdadeira mãe das vitórias. Este salmo de triunfo foi composto muito antes do início do conflito de nosso Senhor. Mas a fé omite os limites do tempo, e canta a canção de triunfo, enquanto ainda canta a canção de guerra.

"E pela misericórdia do Altíssimo nunca vacilará." A misericórdia eterna garante o trono mediador de Jesus. AquEle que é o Altíssimo em todos os sentidos engaja todas as suas perfeições infinitas, para manter o trono da graça no qual reina o nosso Rei em Sião. Ele não foi dissuadido do seu propósito, nem nos sofrimentos, nem pelos inimigos, nem será demovido de concluir os seus desígnios. Ele "é o mesmo ontem, e hoje, e eternamente" (Hb 13.8). Os outros impérios se desmantelam pelo lapso dos anos, mas a misericórdia eterna mantém o domínio crescente para sempre. Reis caem porque confiam em braços de carne, mas o nosso monarca reina em esplendor porque confia no Senhor. É grandiosa exibição de misericórdia divina aos homens que o trono do Rei Jesus ainda esteja entre eles. Nada senão a misericórdia divina sustenta o trono, pois a maldade humana o destruiria em vinte e quatro horas se pudesse. Confiemos em Deus para a promoção do reino do Redentor, pois no Senhor o próprio Rei confia. Todos os métodos incrédulos de ação e, sobretudo, toda a confiança na mera habilidade humana seriam descartados para sempre de um reino onde o monarca dá o exemplo de andar pela fé em Deus.

8. *"A tua mão alcançará todos os teus inimigos; a tua mão direita alcançará aqueles que te aborrecem."* A destruição dos ímpios é um tema adequado para a alegria dos amigos da justiça. Por conseguinte, neste e na maioria dos cânticos bíblicos, é musicado com sereno agradecimento. "Depôs dos tronos os poderosos" é nota musical da mesma canção que canta "e elevou os humildes" (Lc 1.52). Temos compaixão dos perdidos porque eles são homens, mas não podemos ter compaixão deles como inimigos de Cristo. Ninguém escapa da ira do Rei vitorioso, nem é desejável que o façam. Sem procurar os inimigos fujões Ele os achará com a mão, pois a sua presença está perto e em volta deles. Em vão há esperança de fuga, Ele alcançará a todos e castigará a todos, e isso também com a facilidade e rapidez pertencentes à mão direita do guerreiro. Os achados relacionam-se, pensamos, não só à descoberta dos esconderijos dos inimigos de Deus, mas ao toque feito nos pontos mais sensíveis deles para causar-lhes o mais severo sofrimento. Quando Jesus vier para julgar, o coração duro do mundo será subjugado em terror, e o espírito orgulhoso será humilhado em vergonha. Aquele que tem a chave da natureza humana pode tocar em todas as fontes da vontade e descobrir o meio de colocar a mais extrema confusão e terror sobre os que outrora orgulhosamente o odiavam.

9. *"Tu os farás como um forno aceso quando te manifestares."* Eles mesmos serão um forno para si, sendo atormentadores de si mesmos. Os que queimam de raiva contra ti serão queimados pela tua raiva. O fogo da ira virá logo depois do fogo do pecado. Como a fumaça de Sodoma e Gomorra subia ao céu, assim serão os inimigos do Senhor Jesus total e terrivelmente consumidos. Certos estudiosos entendem assim: "Tu os tornarás como em fornalha ardente" (cf. ARA). Como lenha lançada no fogo eles queimarão furiosamente sob a ira do Senhor: "E lançá-los-ão na fornalha de fogo; ali, haverá pranto e ranger de dentes" (Mt 13.42). Estas são palavras terríveis, e esses mestres não se dão bem, pois se esforçam por raciocínios sofísticos a debilitar a própria força. Leitor, jamais tolere pensamentos superficiais sobre o inferno, ou logo você estará pensando em pecados medonhos. O inferno dos pecadores tem de ser terrível além de toda a concepção ou a Bíblia não usaria tal linguagem. Quem teria o Filho de Deus como inimigo quando tamanha destruição espera os seus inimigos? A expressão: "Quando te manifestares", nos faz pensar que assim como hoje é o tempo da graça, assim haverá um tempo determinado para a ira. O juiz mantém sessões periódicas no tribunal sempre em tempos determinados. Há o dia da vingança de nosso Deus. Aqueles que menosprezam o dia da graça não devem esquecer-se do dia da ira.

"O Senhor os devorará na sua indignação, e o fogo os consumirá." O próprio Deus visitará com a sua ira os inimigos do seu Filho. O Senhor Jesus, por assim dizer, julgará por comissão recebida de Deus, cujo consentimento e cooperação solene estarão com Ele nas sentenças dadas aos pecadores impenitentes. Aqui está em vista a destruição absoluta da alma e do corpo, de forma que ambos serão consumidos na miséria e devorados na angústia. A ira por vir! A ira futura! Quem pode suportá-la? Senhor, salva-nos dela por amor de Jesus.

10. *"Seu fruto destruirás da terra."* O trabalho da vida dos inimigos será um fracasso e o resultado da labuta será um desapontamento. Aquilo em que eles se orgulhavam será esquecido. Até os seus nomes serão exterminados por serem abomináveis, "e a sua descendência, dentre os filhos dos homens". A sua posteridade seguindo-lhes os passos encontrará destruição semelhante até que, por fim, a raça se acabe. Indubitavelmente, as bênçãos de Deus são passadas do justo aos filhos, quase como uma relíquia de família, ao passo que o pecador agonizante passa maldições aos descendentes. Se os homens odeiam o Filho de Deus, eles não devem ficar admirados se os seus filhos não tiverem benefícios.

11. *"Porque intentaram o mal contra ti."* Deus toma conhecimento das intenções. Aquele que faria, mas não podia é tão culpado quanto aquele que fez. A igreja e a causa de Cristo não só são atacadas por quem não as entende, mas há muitos que têm a luz e mesmo assim as odeiam. O mal intencional tem um vírus em si que não se acha nos pecados por ignorância. Considerando que os descrentes premeditadamente atacam o Evangelho de Cristo, o crime é grande e o castigo será proporcional. As palavras "contra ti" nos mostram que quem intenta o mal contra os crentes mais pobres tenciona o mal ao próprio Rei. Que os perseguidores tomem cuidado.

"maquinaram um ardil, mas não prevalecerão." Falta de poder é o peso no pé dos que odeiam o Senhor Jesus. Eles têm a maldade de imaginar, a astúcia de inventar e a malícia de delinear o dano, mas bendito seja Deus, eles não têm habilidade. Eles serão julgados de acordo com o coração, sendo a vontade considerada como ação no grande dia da prestação de contas. Quando hoje lemos as ameaças arrogantes dos inimigos do Evangelho, podemos encerrar a leitura alegremente repetindo: "mas não prevalecerão". A serpente pode sibilar, mas a cabeça será esmagada. O leão pode atacar, mas não abaterá. A tempestade pode trovejar, mas não cair. O velho papa gigantesco pode assustar os peregrinos, mas não pode detê-los como antigamente. Murmurando um horroroso *non possumus* ("não podemos"), o Diabo e todos os seus aliados se afastam desanimados dos muros de Sião, pois o Senhor está ali.

12. *"Portanto, tu lhes farás voltar as costas; e com tuas flechas postas nas cordas lhes apontarás ao rosto."* Durante um tempo, os inimigos de Deus fazem ousados avanços e ameaçam destruir tudo, mas basta alguns tique-taques do relógio para alterar a face dos seus assuntos. A princípio, avançam com bastante insolência, mas o Senhor lhes atinge os dentes. Uma amostra dos severos julgamentos de Deus os faz fugir correndo de medo e pavor. Neste ponto, o original hebraico tem o pensamento de o ímpio ser colocado como alvo para Deus atirar, um alvo para a sua ira apontar. Que situação terrível! Como ilustração em grande escala, lembremos de Jerusalém durante o cerco. Como exemplo de um indivíduo, leiamos a história da Francis Spira no leito de morte. Deus faz pontaria certa — quem seria o alvo? As flechas são afiadas e perfuram o coração — quem desejaria ser ferido por elas? Ah, vós, inimigos de Deus, as vossas jactâncias terminarão assim que as setas de Deus começarem a ser disparadas!

13. *"Exalta-te, Senhor, na tua força."* Doce versículo final. O nosso coração se unirá Ele. Sempre é certo louvarmos ao Senhor quando lembramos que Ele foi bondoso para com o Filho e exterminou os inimigos. A exaltação do nome de Deus precisa ser o dever de todo cristão. Mas, visto que falhamos nas coisas pequenas para honrá-lo como Ele é digno, podemos invocar o seu poder para nos ajudar. Exalta-te, ó Deus, mas mantém a tua sublimidade através da tua onipotência, pois não há outro poder que o faça meritoriamente.

"Então, cantaremos e louvaremos o teu poder." Por certo tempo, os santos choram, todavia o aparecimento glorioso do Ajudante divino desperta a sua alegria. A alegria sempre flui no canal do louvor. Todos os atributos de Deus são temas apropriados para serem celebrados pela música de nosso coração e voz. Quando observarmos uma exibição do seu poder, temos de exaltá-lo. Só Deus fez o nosso livramento e só Ele terá o nosso louvor.

NOTAS EXPLICATIVAS E DECLARAÇÕES IMPORTANTES

O Salmo: O Salmo 20 era uma litania feita antes de o rei sair para a batalha. O Salmo 21 é um *Te Deum* (hino de ação de graças) que fala sobre a sua volta. — *J. J. Stewart Perowne, Bacharel em Teologia, "Book of Psalms: a New Translation, with Introductions and Notes" [Livro dos Salmos: uma Nova Tradução, com Introduções e Notas], 1864.*

O Salmo: A oração que a igreja oferece na conclusão do Salmo 20 agora sobe em um hino de louvor, sendo o resultado de uma visão crente da glória que se seguirá, quando os sofrimentos do Messias terminarem. Esta é uma das muitas e belas canções que achamos na Bíblia, preparadas pelo Espírito Santo, para despertar e estimular a esperança e expectativa da igreja, enquanto ela aguarda pelo Senhor e expressa a alegria na hora em que Ele chega. O tema é a exaltação e a glória do Messias. O tempo escolhido para o seu livramento é exatamente o momento em que a escuridão cobriu a terra, e toda a natureza parecia prestes a morrer com o seu Senhor que expirava. A Bíblia trata das coisas na maioria das vezes fazendo contrastes. É adequado para a mente humana ir de um extremo ao outro. O homem suporta mudanças, por mais violentas e contraditórias que sejam, mas a continuação longa, a uniformidade de alegria ou de tristeza causa um efeito debilitante e deprimente. — *R. H. Ryland*

O Salmo: Podemos considerar que esta declaração: "Depois destas coisas, [...] eis que um trono estava posto no céu, e um assentado sobre o trono" (Ap 4.1,2), é a descrição do Salmo 21 depois da oração do Salmo 20. "Aquele por quem foi orado no Salmo 20", diz Jerônimo, "como tendo tido adotado a forma de servo, no Salmo 21 é o Rei dos reis e Senhor dos senhores". — *Isaac Williams*

O Salmo: Estou persuadido de que não há ninguém que consente em aplicar o Salmo 20 a Cristo na sua angústia, que não reconheça no Salmo 21, Jesus no seu triunfo. No Salmo 20, Jesus estava no vale escuro, no vale de Acor. No Salmo 21, Ele está no monte Sião. Naquele, Jesus estava passando por tristezas e dificuldades. Neste, Ele não se lembra mais da angústia pela alegria que uma semente espiritual nasce no mundo. Naquele, Jesus foi atacado por inimigos mortais que o cercaram por todos os lados. Neste, Ele entrou no que está escrito em Salmo 78.65,66: "Então, o Senhor despertou como de um sono, como um valente que o vinho excitasse. E feriu os seus adversários, que fugiram, e os pôs em perpétuo desprezo". — *Hamilton Verschoyle*

O Salmo: Como você já notou, o título do salmo diz que foi composto por Davi. Ele escreveu sobre si mesmo na terceira pessoa do singular e como "rei". Ele escreveu o salmo, não tanto para uso próprio quanto para uso do povo. É, na verdade, um hino nacional em celebração da majestade e glória de Davi, mas atribuindo-as a Deus — expressando a confiança no futuro de Davi, mas construindo essa confiança somente em Deus. — *Samuel Martin, "Westminster Chapel Pulpit" [Púlpito da Capela de Westminster], 1860*

v. 1: "Tua força [...] tua salvação". Temos duas palavras: "*virtus*" e "*salus*", que significam "força" e "salvação". Note bem, por não é *virtus* sem *salus*, nem *salus* sem *virtus*. Um sem o outro não é completo, nem ambos sem *Tua Domine. In virtute* está bem, por isso a tem *in salute* depois dela. Pois não só na força há a questão da alegria, de todas as maneiras consideradas. Não, não na força de Deus, se não tem salvação depois dela. Força, não para nos atacar, mas força para livrar. Este é o lado da alegria. Agora vire do outro lado. Como força, se termina na salvação, é somente causa de alegria, assim a salvação, se for com força, torna a alegria ainda mais exultante, pois se torna uma salvação forte, um livramento poderoso. — *Launcelot Andrews (bispo), 1555-1626, "Conspiracie of the Gowries" [A Conspiração dos Gowries]*

v. 1: "e na tua salvação grandemente se regozija". É bom nos regozijar na força do braço que nunca secará, e na sombra das asas que nunca ficará sem penas! Regozijemo-nos nEle que não é ontem ali e hoje aqui, mas é "o mesmo ontem, e hoje, e eternamente" (Hb 13.8). Pois como Ele é, assim será o regozijo. — *Launcelot Andrews*

v. 2: "Cumpriste-lhe o desejo do seu coração". Jesus desejou comer a páscoa e entregar a vida, pois Ele a tomaria e a tomou de volta. E tu a deste para Ele: "E não desatendeste as súplicas dos seus lábios". "A minha paz", disse ele, "vos dou" (Jo 14.27) e foi dada. — *Agostinho, in loc.*

v. 2: "Cumpriste-lhe o desejo do seu coração". Os homens bons têm certeza de terem as orações respondidas, recebendo exatamente o que pediram ou alguma coisa melhor. — *John Trapp*

v. 2: "Selá"

v. 3: "Pois o provês das bênçãos de bondade; pões na sua cabeça uma coroa de ouro fino". O Filho de Deus não podia estar mais disposto em pedir as bênçãos da bondade divina que o Pai em dá-las. A sua disposição é a mesma para todos os seus filhos adotados. Jesus, como Rei e Sacerdote, tinha uma coroa de glória, representada pelo mais puro e mais resplandecente dos metais — o ouro. Ele se agrada em estimar os santos, sobrepujando em virtudes diferentes, como os rubis, as safiras e as esmeraldas que embelezam e adornam a coroa. Quem não teria a ambição de obter um lugar nela? — *George Home*

v. 3: "Pois o provês das bênçãos de bondade". Como se o salmista dissesse: "Deus, nunca pedi um reino, nunca pensei em um reino, mas tu me proveste das bênçãos da tua bondade". [...] De onde tomo esta nota ou doutrina, que é agradável e merecedora de todo o nosso reconhecimento grato para sermos providos das bênçãos da bondade de Deus ou das boas bênçãos de Deus. [...] Não é coisa nova para Deus andar de modo a prover amor e misericórdia aos filhos dos homens. Assim Ele sempre tem feito, faz e fará. Assim Ele sempre trata o mundo, as nações do mundo, as cidades e lugares importantes, as famílias e cada pessoa em particular. [...] Quanto às pessoas, você sabe o que aconteceu com Mateus, o publicano, quando estava sentado na alfândega. "Segue-me", disse Jesus; provendo-o (Mt 9.9). Sabe também o que aconteceu com Paulo. "Fui blasfemo, e perseguidor, e opressor; mas alcancei misericórdia" (1 Tm 1.13). Como assim? Ele buscou primeiro? "Não", diz ele, "eu respirava ameaças contra o povo de Deus, mas Deus me encontrou e me fez cair do cavalo. Deus me proveu da sua graça e misericórdia". E me diga o que você acha do capítulo 15 de Lucas? Há três parábolas: da dracma perdida, da ovelha perdida e do filho perdido. A mulher perdeu a dracma, e varreu a casa até encontrá-la. Mas a dracma buscou primeiro a mulher ou a mulher buscou primeiro a dracma? O pastor perdeu a ovelha. Mas a ovelha buscou primeiro o pastor ou o pastor buscou primeiro a ovelha? Lemos realmente que o filho perdido tomou primeiro a resolução: "Levantar-me-ei, e irei ter com meu pai". Mas quando o pai o viu de longe, correu ao encontro dele, abraçou-o e deu-lhe as boas-vindas em casa (Lc 15.18,20). Por quê? Para mostrar que a obra da graça e misericórdia será desde o princípio feita de modo a prover amor. — *Condensado de William Bridge, 1600-1670*

v. 3: "Pois o provês das bênçãos de bondade". Porque Ele tinha saboreado a bênção da bondade de Deus, o fel dos nossos pecados não o feriu. — *Agostinho*

v. 3: "Pois o provês". Em hebraico, a palavra "provês" significa comumente "ir antes de", "ir perante". Tu vais diante dEle com as bênçãos da tua bondade como pioneiro, para corrigir os caminhos tortuosos e aplainar os lugares ásperos. Ou como alguém que espalha flores no caminho dos outros para tornar o caminho bonito aos olhos e agradável aos passos. — *Samuel Martin*

v. 3: "Pois o provês das bênçãos de bondade". O texto é um reconhecimento da bondade de Deus. Deus antecipara os desejos de Davi, que escreve: "Pois o provês das [tu foste antes com as] bênçãos de bondade". As palavras "bênçãos de bondade" sugerem que os presentes de Deus são o amor de Deus personificado e expresso. Isso aumenta grandemente o valor das nossas bênçãos — que são taças tão cheias de Deus e da sua bondade, bem como de felicidade e bem-aventurança. — *Samuel Martin*

v. 3: "Pois o provês das bênçãos de bondade". Grande porção de nossas bênçãos nos é dada antes que peçamos ou busquemos. Existência, razão, intelecto, nascimento em terra cristã, a chamada da nação ao conhecimento de Jesus e o próprio Jesus — com muitas outras coisas — não são procurados, mas dados aos homens, como o direito de Davi ao trono lhe foi entregue. Ninguém jamais pediu um Salvador até que Deus por iniciativa própria prometeu a semente da mulher (Gn 3.15). — *William S. Plumer*

v. 3: "Pões na sua cabeça uma coroa de ouro fino". Podemos dizer que Jesus Cristo tem uma glória ou coroa quádrupla. (1) Como Deus coessencial com o Pai. O resplendor da glória do Pai e a expressa imagem da sua pessoa (Hb 1.2,3). (2) Jesus tem uma coroa e glória como Mediador em relação ao poder, autoridade e glória com os quais Ele é investido como o grande representante de Deus e ungido no monte Sião, tendo poder e uma vara de ferro, até mesmo em referência aos inimigos. (3) Jesus tem uma coroa e glória em relação à manifestação da sua grandeza ao exercer os ofícios, quando Ele torna visível o poder mediador em determinados passos. Por isso, está escrito que Ele toma sobre si o seu grande poder (Ap 11.17) e é coroado quando o cavalo branco do Evangelho cavalga em triunfo (Ap 6.2). O último passo desta glória será dado no dia do julgamento. Em suma, isso diz respeito ao exercício do seu poder anterior entregue a Jesus como Mediador. (4) Há uma coroa e glória que de certa forma são postas em Jesus por determinados crentes, quando Ele é glorificado, não acrescentando nada à sua glória infinita, mas reconhecendo-o como tal. — *James Durham, 1622-1658*

v. 3: A "coroa de puro ouro" diz respeito à exaltação de Jesus à mão direita de Deus, onde Ele é coroado com glória e honra. O fato de a "coroa" ser de "puro ouro" denota a pureza, glória, solidez e perpetuidade do reino. — *John Gill*

v. 4: "Vida te pediu, e lha deste, mesmo longura de dias para sempre e eternamente". A glória de Deus está relacionada à vida de Jesus para sempre. (1) A glória da fidelidade de Jesus, pois a vida e bem-aventurança eterna foram prometidas ao Emanuel na aliança como recompensa da sua obra (Sl 110.1-4; Is 9.6,7). Foi nessa expectativa e esperança confiante que Ele "suportou a cruz, desprezando a afronta" (Hb 12.2; Sl 16.8-11). (2) A glória da justiça de Jesus. A justiça de Deus foi honrada e plenamente satisfeita em todos os requisitos justos pela morte de Cristo. A sua vida subsequente é a expressão por parte de Deus dessa satisfação. A sua vida eterna é a declaração permanente que nEle e na sua obra consumada a justiça eterna do Senhor permanece para sempre. "A morte não mais terá domínio sobre ele" (Rm 6.9), pois infligir novamente à penalidade seria violar a justiça. (3) A glória da graça de Jesus. Hoje, Ele vive para promover ativamente a glória desta graça (Jo 17.2). Por viver para sempre à mão direita de Deus, Jesus aparece como memorial eterno do amor de Deus, sendo dEle o nosso Mediador e Substituto — o nosso Salvador do pecado e da ira. O seu aparecimento permanente fará com que o céu jamais se esqueça de que pela graça de Deus, eles são o que são, devendo tudo à misericórdia soberana de Deus por Jesus Cristo. Ele aparecerá como o canal santo pelo qual todos os presentes e alegrias da salvação fluirão eternamente para os culpados. Assim, o poder de Deus e todos os seus atributos morais asseguram a perpetuidade da vida do Salvador ressurreto e exaltado. — *Ralph Wardlaw, Doutor em Teologia*

v. 4: "Vida te pediu, e lha deste". Jesus pediu uma ressurreição, dizendo: "Pai, [...] glorifica a teu Filho" (Jo 17.1), e tu lhe deste, "mesmo longura de dias para sempre e eternamente". As longas eras deste mundo que a igreja tinha de ter e, depois delas, a eternidade, um mundo sem fim. — *Agostinho*

v. 4: "Vida te pediu, e lha deste, mesmo longura de dias para sempre e eternamente". Deus é melhor ao seu povo que as orações que eles fazem. Quando pedem uma bênção, Ele responde como Naamã a Geazi, não com uma, porém com duas bênçãos. Ezequias pediu vida, e Deus lhe deu quinze anos, os quais consideramos duas vidas e muito mais. Ele dá liberalmente. Como fez Alexandre, o Grande, quando deu ao mendigo pobre uma cidade, e quando enviou ao professor um navio cheio de incenso, ordenando-lhe que sacrificasse livremente. — *John Trapp*

vv. 4 a 8: Se Davi estava sem o símbolo da dignidade real, isto é, o diadema, agora ele estava mais que justificado em louvar a bondade de Deus, a qual transferira o diadema da cabeça de um inimigo para a dele. — *Augustus F. Tholuck*

v 5: "Grande é a sua glória pela tua salvação". Lembro de uma mulher que estava muito doente e ouvia os discursos de Jesus Cristo. "Oh", disse-me ela, "fale mais. Gostaria de ouvir mais sobre isso. Não se canse de anunciar os louvores de Jesus. Desejo vê-lo, que mais me resta fazer senão ouvir falar sobre Ele?" Com certeza jamais falarei demais sobre Jesus Cristo. Ninguém, sobre este assunto santo, consegue exagerar na descrição dos fatos. Tivesse eu as línguas dos homens e dos anjos, e mesmo assim não conseguiria esgotar totalmente o tema Jesus Cristo. Trata-se de uma contradição eterna a criatura chegar a compreender a fundo o Criador. Suponhamos que todos os grãos da areia da praia, que todas as flores, plantas, folhas, ramos de árvores nos bosques e florestas, que todas as estrelas do céu fossem todas criaturas racionais e tivessem a sabedoria e línguas dos anjos para falar do encanto, beleza, glória e excelência de Cristo, que foi para o céu e assentou-se à mão direita do Pai, eles ficariam, em todas as suas expressões, milhões de quilômetros distantes do que é Jesus Cristo. Que encanto, beleza e glória é o seu semblante! Posso falar ou você pode ouvir falar de tal Cristo? Não estamos todos em amor ardente, em amor seráfico ou pelo menos em amor conjugal? Ó meu coração, como é que você não está enfermo de amor? Como é que não conjura as filhas de Jerusalém como o consorte conjurou? "Conjuro-vos, ó filhas de Jerusalém, que, se achardes o meu amado, lhe digais que estou enferma de amor" (Ct 5.8). — *Isaac Ambrose*

v. 5: "de honra e de majestade o revestiste". Se alguém perguntasse de acordo com qual natureza — humana ou divina? — Jesus foi exaltado à sua glória e dignidade, eu responderia que foi de acordo com ambas. De acordo com a divindade, não como a consideramos em si mesma, mas quando a sua divindade — a qual do nascimento à morte muito pouco se mostrou — depois da ressurreição manifestou-se na sua humanidade. Como disse o apóstolo: "Declarado Filho de Deus em poder [...] pela ressurreição dos mortos" (Rm 1.4), até mesmo pela ressurreição e depois da ressurreição dos mortos, as pessoas pensavam que Ele era somente homem, manifestou-se claramente ser igualmente Deus. No tocante à sua humanidade, Ele foi exaltado a mais sublime majestade nas regiões celestiais, não só livrando-se de todas as fraquezas da natureza humana, mas também sendo embelezado e adornado com todas as qualidades da glória, tanto na alma quanto no corpo, de forma que Jesus ainda retivesse as propriedades de um verdadeiro corpo, pois mesmo quando era homem, Ele foi colocado à mão direita do Pai para reger e reinar sobre todos, até que todos os inimigos fossem destruídos e colocados debaixo dos seus pés. Para resumir tudo em uma palavra, Jesus, Deus e Homem, depois da ressurreição, foi coroado com glória e honra, de modo a mostrar claramente que Ele era Deus e foi colocado no trono de Deus para reger e reinar como Senhor e Rei soberano, até entrar nas nuvens para julgar os vivos e os mortos. Aqui é questão de conforto e consolação para os tementes a Deus e, igualmente, de medo e surpresa para os ímpios e descrentes. — *Henry Airay, 1560-1616*

v. 5: "de honra e de majestade o revestiste". Jesus era "homem de dores" (Is 53.3) na terra, mas está cheio de alegria no céu. Aquele que limpa toda lágrima dos olhos do seu povo (cf. Ap 21.4), com certeza não tem lágrimas. Houve uma alegria que lhe foi proposta antes de Ele sofrer, e não há que duvidar que lhe foi dada quando se assentou à mão direita de Deus. Podemos considerar que a última situação é a verdadeira doação da primeira. A alegria que Jesus teve em prospecto quando sofreu, Ele tomou posse quando chegou ao trono. Este é o dia de receber a aprovação pública do Pai e os símbolos do seu amor diante da assembleia divina, que deve ser questão de grande alegria para aquEle que estimava e tinha prazer no amor do Pai. — *John Hurrion, 1675-1731*

v. 5: "Grande é a sua glória pela tua salvação; de honra e de majestade o revestiste". Feliz aquele que tem ossos ou braços para pôr a coroa na cabeça de nosso Rei altíssimo, cujo carro é revestido de carinho. Houvesse dez bilhões de céus criados acima desses céus altíssimos, e tantos outros acima e abaixo desses, até que os anjos ficassem cansados de contar, ainda seria uma posição muito humilde para pôr o magnífico trono do Senhor Jesus (de quem vós sois) acima de todos eles. — *Samuel Rutherford*

v. 6: "Tu o enches de gozo com a tua face", literalmente, "tu o iluminas", possivelmente em alusão ao brilho da face de Moisés. — *Dalman Hapstone, Mestre em Ciências Humanas, "The Ancient Psalms: A Literal Translation and Notes" [Os Salmos Antigos: Uma Tradução Literal e Notas], 1867*

v. 6: "Tu o enches de gozo com a tua face". Embora a expressão seja usada metaforicamente para referir-se a "favor", ela não é totalmente metafórica e isso os cristãos experientes lhe dirão. — *Zachary Bogan, "The Mirth of a Christian Life" [A Alegria de uma Vida Cristã], 1653 v. 6:* "Pois o abençoaste para sempre". Literalmente: "Pois tu o puseste para ser bênção para sempre" (cf. ARA). Esta é uma declaração verdadeira acerca do Rei em quem todas as nações da terra serão benditas. — *Richard Mant*

v. 8: "A tua mão alcançará todos os teus inimigos; a tua mão direita alcançará aqueles que te aborrecem". Por certo tipo de clímax na forma da expressão, "mão" é acompanhada por "mão direita", um sinal muito mais enfático de força ativa. "Alcançará", neste contexto, inclui as ideias de descobrir e alcançar (cf. 1 Sm 23.17; Is 10.10). Nesta última referência, o verbo hebraico é conjugado com uma preposição (לְ), como ocorre na primeira frase do versículo que estamos estudando, ao passo que na outra referência a preposição rege o substantivo diretamente. Se teve em vista alguma diferença de significado, provavelmente não é maior que há entre *achar* e *alcançar*. — *Joseph Addison Alexander*

v. 8: "A tua mão alcançará todos os teus inimigos; a tua mão direita alcançará aqueles que te aborrecem". Saul matou-se por medo de cair nas mãos dos inimigos, julgando a morte menos terrível que a vergonha que teria de suportar vendo-se no poder deles. O que será, então, "cair nas mãos do Deus vivo" (Hb 10.31), de um Deus ofendido, de um Deus imutavelmente determinado a vingar-se? "E quem subsistirá diante do ardor da sua ira?", diz o profeta (Na 1.6). Quem ousará olhar para Ele? Quem ousará mostra-se? "Quem suportará o dia da sua vinda" (Ml 3.2) sem estremecer e desfalecer de medo? Se os irmãos de José estavam tão apavorados que "não lhe puderam responder", quando dissera: "Eu sou José, vosso irmão" (Gn 45.3,4), como será com os pecadores, quando ouvirem a voz do Filho de Deus, quando triunfar sobre eles na sua ira e disser-lhes-lhes: "Sou eu" aquEle a quem vós menosprezastes, "sou eu" aquEle a quem vós ofendestes, "sou eu" aquEle a quem vós crucificastes? Se estas palavras: "Sou eu", derrubou os soldados no jardim do Getsêmani (Jo 18.6), ainda que faladas com bondade extrema, como será quando a sua indignação irromper, quando ela cair sobre os inimigos como um raio e os reduzir a pó? Então, clamarão de terror e dirão às montanhas: "Caí sobre nós e escondei-nos do rosto daquele que está assentado sobre o trono e da ira do Cordeiro" (Ap 6.16). — *James Nouet*

v. 8: "A tua mão alcançará todos os teus inimigos; a tua mão direita alcançará aqueles que te aborrecem". O significado não é apenas achar uma pessoa (embora seja verdade que o Senhor achará todos os que são seus inimigos), mas a sua mão os alcançará, isto é, os tomará, os agarrará e os prenderá. "A tua mão alcançará todos os teus inimigos", todos, ainda que estejam perto e encobertos. Não só os inimigos abertos, mas também os inimigos enrustidos; não só os que o minam, como também os que o atacam. — *Joseph Caryl*

v. 9: "Tu os farás como um forno aceso quando te manifestares; o Senhor os devorará na sua indignação, e o fogo os consumirá". O que acontecerá então com os pecadores, quando, afinal de contas, vir o fogo geral tantas vezes predito, o qual ou cairá do céu ou subirá do inferno, ou (segundo Alberto Magno) procederá de ambos, e devorará e consumirá tudo que encontrar? Para onde o miserável fugirá, quando o rio de chamas, ou melhor, dizendo, a inundação e dilúvio de fogo os cercar de modo a não haver lugar seguro? Quando nada poderá ajudá-los senão uma vida santa? Quando tudo o mais perecerá naquela ruína universal do mundo inteiro? Quantas lamentações houve em Roma, quando ficou queimando por sete dias inteiros! Quantos berros e gritos esganiçados se ouviu em Troia, quando foi completamente consumida pelas chamas! Quantos urros e assombros se deram em Pentápolis, quando essas cinco cidades foram destruídas com fogo do céu! Quantos choros houve em Jerusalém, quando a população viu a casa de Deus, a glória do reino, a maravilha do mundo, envolta em fogo e fumaça! Imagine o que essas pessoas sentiram, quando viram as casas e os bens em chamas sem possibilidade de salvá-los. Quando o marido ouviu os prantos e gritos estridentes da esposa agonizante, ou o pai, os dos seus filhinhos, ao mesmo tempo em que não se davam conta de que estavam sendo cercados pelas chamas, de modo que não podiam salvar nem os queridos, nem a si mesmos. Qual será o proveito então das coisas deste mundo, ter ricas peças de ouro e prata, bordados raros, tapeçarias preciosas, jardins agradáveis, palácios suntuosos e tudo o que o mundo hoje estima importante, quando olhando com os próprios olhos, contemplarem os caríssimos palácios totalmente queimados, as peças ricas e raras de ouro derretidas e os pomares frutíferos e viçosos consumidos pelo fogo, sem poder para salvá-los ou salvar a si mesmos? Tudo será queimado e, com isso, o mundo e toda a memória e fama que o pecador tiver morrerá. Aquilo que os mortais pensavam ser imortais acabará e perecerá. — *Jeremy Taylor*

v. 9: "Tu os farás como um forno aceso quando te manifestares; o SENHOR os devorará na sua indignação, e o fogo os consumirá". O Senhor não só os lançará na fornalha de fogo (Mt 13.42), mas também fará com que cada um deles seja um forno ou fornalha ardente, tornando eles mesmos os atormentadores de si mesmos, pois as reflexões e terrores das próprias consciências serão o inferno deles. Aqueles que poderiam ter tido Jesus como Regente e Salvador, mas o rejeitaram e lutaram contra Ele, até mesmo a recordação disso bastará para torná-la para eles uma fornalha ardente pela eternidade. — *Matthew Henry*

v. 9: "Tu os farás como um forno aceso". Tu os colocarás em chamas por dentro, fazendo com que se conscientizem interiormente da própria pecaminosidade. E ocorrerá "quando te manifestares", no tempo da tua manifestação. — Agostinho

v. 9: "Como um forno aceso", onde a combustão é extremamente forte e quente, atacando o calor de todos os lados — de cima, debaixo e dos lados — vindo de todas as direções. A porta estará fechada para impedir que alguém saia ou que entre algum frescor por mais leve que seja. — *David Dickson*

v. 9: "Como um forno aceso". Ele os fará como uma abóbada de fogo, literalmente, "forno" ou "fornalha de fogo". O bispo Horsley faz a seguinte observação: "Trata-se da descrição da fumaça dos inimigos do Messias que estão perecendo pelo fogo, subindo como a fumaça de uma fornalha. 'E a fumaça do seu tormento sobe para todo o sempre' (Ap 14.11)". Como é terrivelmente avassaladora a descrição da ruína das cidades da campina, quando o panorama entrou no campo de visão de Abraão na manhã fatal da destruição: "E olhou para Sodoma e Gomorra e para toda a terra da campina; e viu, e eis que a fumaça da terra subia, como a fumaça duma fornalha" (Gn 19.28). Milton diz assim:

Perto dali se erguia uma alta serra
Cujo medonho tope vomitava
Rolos de fumo e borbotões de fogo
— *Richard Mant*

v. 9: A versão aramaica diz: "O fogo da geena ou inferno". — *John Morison*

v. 9: "Na sua indignação". Se Deus quer derramar o seu extremo desgosto naqueles que o desagradam, o que pode impedir o seu braço poderoso de agir? As criaturas podem mesmo indignar-se, mas, muitas vezes, como o zangão sem ferrão, não machucam. São como canhões carregados de pólvora sem bala que só fazem barulho, ou como os sermões papais que ameaçam muitos, mas não ferem ninguém, senão aqueles cuja consciência está escravizada. Saul estava indignado com Davi, mas não o encontrou. Contudo, ninguém pode se esconder dos olhos penetrantes de Deus. Satanás quis matar Jó, e Jonas ficou indignado até a morte por Nínive ter sido poupada.

Mas Deus pôs um freio na boca dos dois, visto que se Ele está indignado, nada pode resistir ao seu poder. Príncipes, caso sejam levados em cativeiro, podem ser libertos, como foi Ló do rei de Sodoma, ou comprados por preço, como foi José dos ismaelitas. Mas não há poder nem resgate que nos salve da ira de Deus, senão o sangue de Jesus. Estando a vontade de Deus em ação, todos os seus atributos o seguem. Se a sua vontade diz: Ire-se, os seus olhos procuram o objeto da sua ira e o encontram. A sua sabedoria mistura a taça, as suas mãos afiam a espada, o seu braço dá o golpe. Vemos então que há um tempo da ira de Deus pelo pecado, porque Ele o tratará. — *John Cragge*

v. 9: "E o fogo os consumirá". Estando angustiados pela vingança do Senhor, depois da acusação da consciência, eles serão entregues ao fogo eterno para serem devorados. — *Agostinho*

v. 9: "Tu os farás como um forno aceso quando te manifestares; o Senhor os devorará na sua indignação, e o fogo os consumirá". Li certa vez que o olhar de censura e desaprovação da rainha Elizabeth matou *sir* Christopher Hatton, o juiz supremo da Inglaterra. O que fará o olhar de censura e desaprovação do Rei das nações? Se as rochas fendem, as montanhas derretem e as fundações da terra tremem sob a ira divina, o que acontecerá com os pecadores e descrentes quando Ele vier em toda a sua glória real para tomar vingança de todos os que não o conheceram e não obedeceram ao seu Evangelho glorioso? — *Charles Bradbury*

v. 10: "Seu fruto destruirás da terra e a sua descendência, dentre os filhos dos homens". Está chegando o dia em todos os frutos do pecado, produzidos pelos pecadores por meio das palavras, escritos e ações, serão destruídos. A própria árvore que os produziu será desarraigada e lançada no fogo. A "descendência" e posteridade dos ímpios, caso continuem no caminho trilhado pelos antepassados, serão castigados como eles foram. Os pais devem considerar que segundo os princípios e práticas vividos, depende a salvação ou a perdição de multidões depois deles. O caso dos judeus, diariamente perante dos seus olhos, deveria fazê-los tremer. — *George Home*

v. 11: "Intentaram". No original hebraico, é "entortaram", "dobraram", "distorceram" ou "estiraram", "esticaram", "ampliaram". É símile retirada do trabalho dos tecedores, que entortam o estame para tecerem, ou dos arqueiros que, quando dobram o arco e põem a flecha, fazem pontaria. — *John Diodati*

v. 12: "Portanto, tu lhes farás voltar as costas [ou, tu os fixarás como alvo]; e com tuas flechas postas nas cordas lhes apontarás ao rosto". As flechas são os julgamentos de Deus, pois são afiadas, velozes, certeiras e mortais. Que situação terrível ser o centro do alvo ao quais as flechas são apontadas! Veja Jerusalém cercada pelos exércitos romanos por fora e sendo despedaçada pela hostilidade de facções perigosíssimas e cruéis por dentro. Não é necessário mais comentários sobre este versículo. — *George Home*

SUGESTÕES AOS PREGADORES

v. 1. A alegria de Jesus e do seu povo na força e salvação do Senhor.

vv. 1 e 2. Analisemos a doutrina da ressurreição de Jesus Cristo contida no texto sob três aspectos: (1) Como resposta à oração. (2) A alegria de Jesus até na ressurreição. (3) Como suplemento necessário — o nosso interesse individual na glória e alegria de Jesus. — *Hamilton Verschoyle*

v. 2. O advogado de sucesso.

v. 3. "Pois o provês das bênçãos de bondade." As misericórdias da provisão.

v. 3. "Pois o provês das bênçãos de bondade." Deus indo à nossa frente ou Deus antecipando as nossas necessidades por meio de suas dispensações misericordiosas. Deus nos provê das bênçãos da sua bondade: (1) Quando entramos no mundo. (2) Quando nos tornamos transgressores. (3) Quando assumimos os deveres e responsabilidades da vida madura. (4) Quando, no curso geral da vida, entramos em novos caminhos. (5) Quando estamos no escuro "vale da sombra da morte" (Sl 23.4). (6) Dando-nos muitas misericórdias sem que as peçamos. Desta forma, Ele gera oportunidades não para a oração, mas para o louvor somente. (7) Abrindo--nos a porta dos céus e abastecendo o céu com todas as provisões para nossa a bem-aventurança. — *Samuel Martin*

v. 3. "Pões na sua cabeça uma coroa de ouro fino." Jesus coroado. (1) Os seus trabalhos anteriores. (2) O domínio concedido. (3) O caráter da coroa. (4) O coroamento divino.

v. 4. Jesus eternamente vivo.

v. 5. A glória do Mediador.

v. 6. As bênçãos de Jesus.

v. 7. Jesus, o exemplo de fé e dos resultados da fé.

v. 8. O pecador secreto revelado e privado de toda esperança de encobrimento.

vv. 8 e 9. A certeza e o terror do castigo dos ímpios.

vv. 11 e 12. A culpa e o castigo das más intenções.

v. 12. A retirada do grandioso exército do inferno.

v. 13. Uma doxologia devota. (1) Deus exaltado. (2) Só Deus exaltado. (3) Deus exaltado pela sua força. (4) O povo de Deus cantando os louvores de Deus.

SALMO 22

TÍTULO

"Salmo de Davi para o cantor-mor, sobre Aijelete-Hás-Saar." Esta ode de excelência singular foi consignada ao mais excelente dos cantores do templo: o chefe entre dez mil é digno de ser exaltado pelo cantor-mor. Não foi um mero cantor que foi encarregado de compor tal melodia. Cuidemos para usar ao máximo as nossas habilidades quando Jesus for o tema do louvor. O termo Aijelete-Hás-Saar é enigmático e o significado, incerto. Alguns estudiosos dizem que se refere a um instrumento musical usado em situações tristes, mas a maioria prefere esta tradução: "De acordo com a melodia *A Corça da Manhã*" (NVI). Esta interpretação é tema de muito debate e investigação. Antonio Agostinho Calmet opina que o salmo foi enviado ao mestre de música (o cantor-mor) que regia a banda chamada "A Corça da Manhã". Adam Clarke pensa que esta é a mais provável de todas as interpretações conjeturais, embora esteja inclinado a aceitar que não se deva dar nenhuma interpretação e julgue que se trata de um título meramente arbitrário e sem significado, segundo o costume que os povos do Oriente têm de anexar nomes às suas canções. O nosso Senhor Jesus é tantas vezes comparado a uma corça e os procedimentos cruéis dos seus caçadores são tantas vezes descritos neste salmo comovente que não podemos deixar de crer que o título diz respeito ao Senhor Jesus conforme certa metáfora poética bem conhecida. Em todo caso, Jesus é a corça da manhã sobre a qual Davi canta.

ASSUNTO

Acima de todos os outros salmos, este é *O Salmo da Cruz*. O nosso Senhor pode mesmo tê-lo repetido palavra por palavra quando estava pendurado na cruz. Seria muita ousadia afirmar que foi assim, mas até o leitor casual vê que poderia ter sido. Começa com: "Deus meu, Deus meu, por que me desamparaste?", e, de acordo com certos estudiosos, termina no original hebraico com

"Está consumado". Quanto às expressões melancólicas que surgem de profundidades indescritíveis de angústia podemos dizer que não há outro salmo semelhante. É a fotografia das horas mais tristes de nosso Senhor, o registro das suas palavras ao morrer, o lacrimatório das suas últimas lágrimas, o comemorativo das suas alegrias expirantes. Davi e as suas aflições podem estar aqui em um sentido muito modificado, mas, como a estrela é escondida pela luz do sol, aquele que vê Jesus não vê nem se interessa em ver Davi. Temos diante de nós uma descrição tanto da escuridão quanto da glória da cruz, tanto dos sofrimentos de Jesus quanto da glória que se seguirá. Que graça preciosa temos por nos aproximar e assistir esta grande visão! Leiamos com reverência, descalçando os pés como Moisés descalçou junto à sarça ardente, pois se na Bíblia há terra santa é neste salmo.

DIVISÃO

Os versículos 1 ao 21 são um clamor extremamente lamentável em busca de ajuda, e os versículos 21 ao 31 são um antegosto muito precioso do livramento. Podemos subdividir a primeira divisão no versículo 10, dizendo que os versículos 1 ao 10 são uma súplica fundamentada na relação da aliança, e os versículos 10 a 21 são uma argumentação igualmente intensa derivada da iminência do seu risco de morte.

EXPOSIÇÃO

1 *Deus meu, Deus meu, por que me desamparaste? Por que te alongas das palavras do meu bramido e não me auxilias?*
2 *Deus meu, eu clamo de dia, e tu não me ouves; de noite, e não tenho sossego.*
3 *Porém tu és Santo, o que habitas entre os louvores de Israel.*
4 *Em ti confiaram nossos pais; confiaram, e tu os livraste.*
5 *A ti clamaram e escaparam; em ti confiaram e não foram confundidos.*
6 *Mas eu sou verme, e não homem, opróbrio dos homens e desprezado do povo.*
7 *Todos os que me veem zombam de mim, estendem os beiços e meneiam a cabeça, dizendo:*
8 *Confiou no SENHOR, que o livre; livre-o, pois nele tem prazer.*
9 *Mas tu és o que me tiraste do ventre; o que me preservaste estando ainda aos seios de minha mãe.*
10 *Sobre ti fui lançado desde a madre; tu és o meu Deus desde o ventre de minha mãe.*

1. *"Deus meu, Deus meu, por que me desamparaste?"* Este foi o clamor impressionante do Gólgota: "Eli, Eli, lemá sabactâni" (Mt 27.46). Os judeus o desdenharam, mas os anjos o adoraram quando Jesus deu este brado excedente e amargo. Pregado à cruz, vemos o nosso grande Redentor em situação desesperadora e aflitiva. O que vemos? Tendo ouvidos para ouvir, ouçamos, e tendo olhos para ver, vejamos. Contemplemos com santa admiração, e observemos os raios de luz entre a escuridão terrível daquela meia-noite no meio-dia. Primeiramente, a fé do nosso Senhor brilha e merece a nossa imitação reverente. Ele se agarra a Deus com as mãos e clama duas vezes: "Deus meu, Deus meu"! O espírito de adoção era forte no Filho do Homem sofredor, não tendo dúvidas quanto ao seu interesse no Senhor. Sejamos imitadores deste apego a um Deus aflito! Nem o sofredor desconfia do poder de Deus para sustentá-lo, pois o título usado — *El* — significa "força", sendo o nome do Deus Poderoso. Ele sabe que o Senhor é o sustento e socorro todo-suficiente do seu espírito, e então lhe dirige súplicas na agonia da aflição, mas não na miséria da

dúvida. Ele se contentaria em saber por que foi desamparado ou abandonado, faz a pergunta e a repete, mas não desconfia nem do poder nem da fidelidade de Deus. Que questionamento temos diante de nós! "Por que me desamparaste?" Temos de enfatizar cada palavra desta mais triste de todas as declarações.

"Por que"? Qual foi a causa deste fato estranho a ponto de Deus abandonar o próprio Filho em tal momento e em tal apuro? A causa não estava nEle, então por que foi abandonado?

"Tu" (pronome oculto). Posso entender por que o traidor Judas e o tímido Pedro me teriam abandonado, mas tu, meu Deus, meu amigo fiel, como pudeste me abandonar? Isso é o pior de tudo, pior que todas as coisas juntas. O próprio inferno reserva as chamas mais vorazes para as pessoas que se separam de Deus.

"Me" O teu Filho inocente, obediente e sofredor, por que tu me deixas perecer?

"Desamparaste." Se tu tivesses me castigado, eu suportaria, porque a tua face estaria brilhando. Mas me abandonar completamente, por quê? A ação foi consumada. O Salvador estava sentindo os efeitos terríveis do abandono quando fez a pergunta. Ocorreu de fato, mas como é misterioso! Não foi a ameaça de abandono que fez a grande segurança clamar em voz alta, pois Ele verdadeiramente foi abandonado. Uma visão do eu, vista pela penitência, e de Jesus na cruz, vista pela fé, esclarecerá melhor a questão. Jesus foi abandonado porque os nossos pecados fizeram separação entre nós e o nosso Deus.

"Por que te alongas das palavras do meu bramido e não me auxilias?" O homem de dores orara até ficar sem voz, só podendo agora emitir suspiros e gemidos, como fazem os homens quando estão extremamente doentes, e uivos e bramidos, como fazem os animais mortalmente feridos. A que extremo de aflição o nosso Mestre foi levado! Que clamores e lágrimas fortes foram esses que o deixaram muito rouco para falar! Como deve ter sido angustiante descobrir o seu amado e confiável Pai em posição longínqua, não auxiliando nem ouvindo a oração. Este era bom motivo para fazer com que Jesus bramisse. Mas havia uma razão para tudo isso, como sabem muito os que confiam em Jesus como o seu Substituto.

2. *"Deus meu, eu clamo de dia, e tu não me ouves; de noite, e não tenho sossego".* O fato de as nossas orações não serem ouvidas não é algo novo, pois Jesus já passou por isso antes de nós. Observemos que Ele ainda manteve a crença em Deus e ainda clamou: "Deus meu". Por outro lado, a fé não o deixou menos inoportuno, pois em meio à pressão e horror daquele dia tenebroso Jesus continuou a clamar, da mesma forma que no jardim do Getsêmani Ele agonizara ao longo da noite escura. O nosso Senhor continuou orando mesmo que a resposta consoladora não vinha. Ele nos deu o exemplo de obediência às próprias palavras: "O dever de orar sempre e nunca desfalecer" (Lc 18.1). Não há luz do dia que seja excessivamente brilhante e nem meia-noite que seja muito escura para orar. Da mesma forma, não há demora ou negação por mais dolorosa que seja que nos leve a reprimir a súplica inoportuna.

3. *"Porém tu és Santo, o que habitas entre os louvores de Israel."* Por mais que as coisas estejam más, não há mal em ti, ó Deus! Somos muito propensos a pensar e falar duramente de Deus quando estamos sob a sua mão aflitiva, contudo este não é o procedimento do Filho obediente. Ele conhece muito bem a bondade do Pai para permitir que as circunstâncias exteriores caluniem o caráter divino. Não há injustiça com o Deus de Jacó, Ele não merece reprimenda. Que Ele faça o que fizer, Ele será louvado e reinará entronizado entre os cânticos do seu povo escolhido. Se a oração ficar sem resposta não é porque Deus é infiel, mas por algum outro bem e razão importante. Se não pudermos identificar a razão para a demora, temos de deixar o enigma sem solução, mas não devemos insultar a

Deus a fim de forjar uma resposta. Enquanto a santidade de Deus está no grau mais alto reconhecido e adorado, o orador aflito neste versículo se maravilha que o Senhor pudesse abandoná-lo e ficar calado aos seus clamores. O argumento é: "Tu és Santo". Por que é que tu desconsideras o teu Santo nesta hora de angústia? Podemos não questionar a santidade de Deus, mas podemos discuti-la e usá-la como argumento em nossas petições.

4. *"Em ti confiaram nossos pais; confiaram, e tu os livraste."* Esta é a regra de vida com toda a família escolhida. Três vezes é mencionado que eles confiaram, confiaram e confiaram (vv. 3, 4), nunca deixando de confiar, pois isso fazia parte da própria vida. Eles venceram, pois "tu os livraste". Por todos os seus dilemas, dificuldades e desgraças, a fé lhes trouxe salvamento clamando ao seu Deus. Mas no caso de nosso Senhor, era como se a fé não trouxesse ajuda do céu, só Ele de todos os que confiaram tinha de ficar sem livramento. A experiência dos outros santos pode nos servir de grande consolação quando estivermos em águas profundas, se a fé estiver segura de que o livramento obtido por eles também será nosso. Mas quando sentimos que estamos afundando, é pouco consolador saber que os outros estão nadando. O nosso Senhor apela aos antigos procedimentos de Deus com o seu povo como razão para Ele não ser deixado só. Este é mais um exemplo para nós do uso hábil da arma de toda oração. O emprego do pronome plural "nossos" mostra como Jesus era um com o seu povo até mesmo quando estava na cruz. Nós dizemos: "Pai nosso, que estás nos céus" (Mt 6.9), e Ele evoca os "nossos pais" por quem entramos no mundo, embora quanto à carne Ele não tivesse pai.

5. *"A ti clamaram e escaparam; em ti confiaram e não foram confundidos."* É como se Jesus tivesse dito: "Como é que eu sou deixado sem socorro em minhas aflições extremas, enquanto todos os outros são ajudados?" Podemos lembrar ao Senhor as beneficências que Ele fez ao povo, e suplicar que faça o mesmo conosco. Esta é uma verdadeira luta; aprendamos a arte. Observemos que os santos de antigamente clamaram e confiaram, e que nas nossas dificuldades temos de fazer o mesmo. O resultado invariável era que eles não foram envergonhados pela esperança, pois o livramento veio no devido tempo. Esta mesma porção feliz também será a nossa. A oração da fé faz a ação quando nada mais faz. Maravilhemo-nos quando vemos Jesus usando os mesmos argumentos que nós, e imerso em aflições muito mais tremendas que as nossas.

6. *"Mas eu sou verme, e não homem."* Este versículo é um milagre em linguagem. Como pôde o Senhor da glória ser levado a tal humilhação a ponto de ser mais baixo não só em relação aos anjos, mas também em relação aos homens? Que contraste entre "EU SOU" e "eu sou verme"! Contudo, essa natureza dupla se achava na pessoa de nosso Senhor Jesus ao sangrar na cruz. Ele se sentia comparável a um verme fraco, impotente e indefeso, passivo ao ser esmagado e despercebido e menosprezado por aqueles que pisam nEle. Ele escolhe a mais fraca das criaturas, que é totalmente carne, e se torna, quando pisado, em carne deformada e tremente, completamente destituída de força exceto para sofrer. Esta é uma verdadeira semelhança a Ele quando o corpo e a alma se tornaram uma massa de miséria — a própria essência da agonia — nas dores lancinantes e agonizantes da crucificação. O homem por natureza não passa de verme, mas o nosso Senhor se põe até mesmo debaixo do homem, por causa do desprezo de que foi alvo e da fraqueza que sentiu, acrescentando: "e não homem". Os privilégios e bênçãos que pertenciam aos pais Ele não podia obter enquanto estivesse abandonado por Deus, e atos comuns de humanidade não lhe foram permitidos, porque foi rejeitado pelos homens. Ele foi proscrito da sociedade da terra e excluído do sorriso do céu. Como o Salvador se esvaziou completamente de toda a glória, e tornou-se sem reputação por nossa causa!

"Opróbrio dos homens." O alvo e gracejo comum dos homens. Um apelido pejorativo para eles: o divertimento da populaça e o desdém dos governantes. O poder cáustico do opróbrio para aqueles que o suportam com paciência, ainda que cause dor!

"E desprezado do povo." A voz do povo era contra Jesus. O próprio povo que outrora o teria coroado agora o desprezava, e aqueles que foram beneficiados por curas zombavam dEle nas aflições que sofria. O pecado é digno de toda repreensão e desprezo, e por isso Jesus, o portador dos pecados, foi entregue para ser tratado assim de forma indigna e vergonhosa.

7 e 8. *"Todos os que me veem zombam de mim."* Leia a narrativa evangelística do ridículo suportado pelo crucificado, e depois considere, à luz desta expressão, como Ele foi afligido. O ferro entrou-lhe na alma. O escárnio tem por descrição distintiva a crueldade. Os escárnios suportados pelo nosso Senhor eram do tipo mais cruel. O ridículo desdenhoso de nosso Senhor foi universal. Todos os tipos de homens eram unânimes na risada insignificante, competindo entre si nos insultos. O sacerdote e o povo, judeus e gentios, soldados e civis uniram-se na zombaria, exatamente no momento em que Ele estava prostrado em fraqueza e prestes a morrer. Com o que ficaremos mais maravilhados: a crueldade dos homens ou o amor do Salvador que sangrava? Como podemos reclamar de ridículo depois desse ato de amor?

"Estendem os beiços e meneiam a cabeça." Estes eram gestos de desprezo. O nosso Senhor paciente suportou arquejos, risadas, balanços de cabeça, estendimentos de língua e outros modos de derrisão. Os homens faziam caretas para aquEle diante de quem os anjos inclinam o rosto e adoram. Os sinais mais baixos de desgraça que o desdém poderia inventar foram lançados maldosamente contra Jesus. Fizeram trocadilhos com as suas orações, tema de risada com os seus sofrimentos e o desdenharam totalmente. Herbert canta sobre o nosso Senhor, dizendo:

Lágrimas de vergonha minha alma, meu corpo muitas feridas
Cravos afiados o perfuram, todavia mais afiados do que confundem
Repreensões que são livres, enquanto estou preso
Já houve dor como a minha?

"Dizendo: Confiou no Senhor, que o livre; livre-o, pois nele tem prazer." O insulto é cruelmente apontado para a fé do sofredor em Deus, que é o ponto mais delicado da alma do homem bom, a própria menina dos olhos. Eles devem ter aprendido a arte diabólica do próprio Satanás, porque tinham rara pericia nisso. De acordo com Mateus 27.39-44, houve cinco formas de insulto lançadas contra o Senhor Jesus. Este escárnio em especial é mencionado neste salmo, porque é o mais amargo de todos. Tem uma ironia mordaz e sarcástica que lhe dá um veneno peculiar. Deve ter atormentado o Homem de dores até a medula. Quando passarmos por tormento semelhante, lembremo-nos dEle que suportou tal contradição de pecadores contra si mesmo, e seremos consolados. Lendo estes versículos, estamos prontos, como Trapp, a perguntar: Esta é uma profecia ou uma história? Pois a descrição é muito exata. Não percamos de vista a verdade que foi involuntariamente proferida pelos zombadores judeus. Eles mesmos são testemunhas de que Jesus de Nazaré confiou em Deus. Então, por que lhe foi permitido morrer? O Senhor outrora livrara os que colocaram os seus fardos nEle. Então, por que este homem foi abandonado? Oh que eles tivessem entendido a resposta!

Note também que o gracejo irônico: "pois nele tem prazer", era verdade. O Senhor tinha prazer no seu Filho querido. Quando Jesus foi achado na forma de homem e foi obediente até a morte, Deus ainda tinha prazer nEle. O Senhor tem prazer nEle, mas, mesmo assim, o fere. Ele lhe é muito agradável, mas o mata.

9. *"Mas tu és o que me tiraste do ventre."* A providência bondosa preocupa-se com a cirurgia da ternura em cada nascimento humano. O Filho do Homem, que foi maravilhosamente gerado pelo Espírito Santo, foi de maneira especial assistido pelo Senhor quando nasceu de Maria. A pobreza de José e Maria, longe dos amigos e de casa, os levou a ver a mão carinhosa de Deus no parto seguro da mãe e no nascimento feliz do filho. Esse Filho que agora luta a grande batalha da vida usa a misericórdia da sua natividade como argumento com Deus. A fé encontra armas em todos os lugares. Para àquele que deseja crer nunca faltará razões.

"O que me preservaste estando ainda aos seios de minha mãe." Foi o nosso Senhor crente desde nenezinho? Ele foi um desses bebês e lactantes de cuja boca foi ordenado força? É o que parece. Neste caso, que argumento a favor de ajuda! Todo crente nos dá consolo peculiar em nossas provações, pois aquEle que nos amou quando éramos crianças é mais que fiel para não nos abandonar em nossa vida de adulto. Certos estudiosos dão ao texto o sentido de "o que me deste motivo para confiar, guardando--me". Com certeza, houve uma providência especial que guardou a infância do nosso Senhor da fúria de Herodes, dos perigos da viagem e dos males da pobreza.

10. *"Sobre ti fui lançado desde a madre."* Ele foi recebido primeiro nos braços do Todo-Poderoso, como nos braços de um pai amoroso. Este é um doce pensamento. Deus começa a cuidar de nós desde os primeiros instantes de vida. Somos balançados sobre o joelho da misericórdia, e afagados no colo da bondade. No berço, somos cobertos pelo amor divino, e os nossos primeiros passos são guiados pelo seu cuidado.

"Tu és o meu Deus desde o ventre de minha mãe." O salmo começa com "Deus meu, Deus meu", e neste versículo o clamor é repetido, insistindo nos seus primeiros dias. Que nobre perseverança de fé, pois continua suplicando com santa ingenuidade de argumento! O nosso nascimento foi o período mais fraco e mais perigoso da nossa existência. Se fomos guardados pela ternura onipotente, não temos motivo para suspeitar que a bondade divina venha nos falhar agora. AquEle que foi o nosso Deus quando saímos de nossa mãe, estará conosco até que voltemos à terra-mãe e impedirá que morramos na barriga do inferno.

11 *Não te alongues de mim, pois a angústia está perto, e não há quem ajude.*
12 *Muitos touros me cercaram; fortes touros de Basã me rodearam.*
13 *Abriram contra mim suas bocas, como um leão que despedaça e que ruge.*
14 *Como água me derramei, e todos os meus ossos se desconjuntaram; o meu coração é como cera e derreteu-se dentro de mim.*
15 *A minha força se secou como um caco, e a língua se me pega ao paladar; e me puseste no pó da morte.*
16 *Pois me rodearam cães; o ajuntamento de malfeitores me cercou; traspassaram--me as mãos e os pés.*
17 *Poderia contar todos os meus ossos; eles veem e me contemplam.*
18 *Repartem entre si as minhas vestes e lançam sortes sobre a minha túnica.*
19 *Mas tu, SENHOR, não te alongues de mim; força minha, apressa-te em socorrer-me.*
20 *Livra a minha alma da espada e a minha predileta, da força do cão.*
21 *Salva-me da boca do leão; sim, ouve-me desde as pontas dos unicórnios.*

O crucificado Filho de Davi continua derramando a sua petição e oração. Precisamos de muita graça para que, enquanto lemos, tenhamos participação nos seus sofrimentos. Que o Espírito bendito nos conduza a uma visão clara e comovente das aflições de nosso Redentor.

11. *"Não te alongues de mim."* Esta é a petição pela qual Ele usava tantos e variados argumentos fortes. A sua grande aflição era que Deus o abandonara, e a

sua grande oração é que Ele estivesse perto. Um senso vívido da presença divina é uma firmeza poderosa para o coração em tempos de angústia.

"Pois a angústia está perto, e não há quem ajude." Há dois "pois" (o segundo foi traduzido por "e"; no original hebraico, "pois" e "e" é a mesma palavra), como se a fé estivesse dando duas batidas na porta da misericórdia. Esta é uma oração poderosa que está cheia de razões santas e argumentos ponderados. A proximidade da angústia é forte motivo para buscarmos a ajuda divina. Isso move o coração do nosso Pai celestial, trazendo a sua ajuda. É glória sua Ele ser a nossa ajuda bem presente nas tribulações. O nosso Substituto teve angústia no mais profundo do seu coração, porque Ele disse: "As águas entraram até à minha alma" (Sl 69.1). Então, poderia muito bem dizer: "Não te alongues de mim". A ausência de todas as outras ajudas é outro argumento revelador. No caso de nosso Senhor, ninguém poderia ou iria ajudá-lo, pois era necessário que ele pisasse sozinho no lagar (cf. Is 63.3). Foi um agravamento doloroso ver que todos os seus discípulos o abandonaram, e que aqueles que o amavam e lhe tinham amizade ficassem longe dEle. Há certa terribilidade na falta absoluta de amigos que tiraniza a mente humana, porque o homem não foi feito para estar só, sendo como um membro amputado quando tem de suportar a solidão de coração.

12. *"Muitos touros me cercaram; fortes touros de Basã me rodearam."* Os poderosos na multidão são destacados pelos olhos chorosos das vítimas. Os sacerdotes, anciãos, escribas, fariseus, reis e capitães vociferavam em volta da cruz como animais selvagens, alimentavam-se nas pastagens ricas e solitárias de Basã, plenos de força e fúria. Andavam com passos pesados e espumavam de raiva ao redor do inocente, querendo escorná-lo até a morte com crueldade. Imagine o Senhor Jesus como homem desamparado, desarmado e nu, lançado no meio de uma manada de bois selvagens enfurecidos. Eram brutais como touros, muitos e fortes, e o menosprezado estava totalmente só e pendurado nu em uma cruz. A sua posição lança grande força na petição séria: "Não te alongues de mim".

13. *"Abriram contra mim suas bocas, como um leão que despedaça e que ruge."* Como canibais famintos, eles abriam a boca blasfema como se estivessem a ponto de tragar o homem a quem detestavam. A raiva não saía suficientemente rápido pela abertura comum da boca, por isso escancaravam a porta dos lábios como àqueles que bocejam. Como leões que rugem, eles uivavam a fúria, querendo despedaçar o Salvador, como os animais selvagens comem vorazmente a presa. A fé de nosso Senhor deve ter passado o mais severo conflito quando Ele se achou abandonado às misericórdias cuidadosas dos maus, contudo saiu vitoriosa por intermédio da oração. Os mesmos perigos aos quais Ele foi exposto foram usados para dar superioridade às suas petições.

14. Dissuadido-se dos inimigos, o nosso Senhor descreve a sua condição pessoal em linguajar que faz verter lágrimas em todos os olhos amorosos. *"Como água me derramei."* Ele foi totalmente consumido, como água derramada na terra. O coração falhou e não era mais firmeza que água corrente. O seu ser foi feito um sacrifício, como uma libação derramada diante do Senhor. Há muito Ele fora uma fonte de lágrimas. No jardim do Getsêmani, do seu coração verteu suor, e na cruz Ele irrompeu sangue. Jesus derramou a força e o espírito, de forma que foi reduzido ao mais fraco e exaurido estado.

"E todos os meus ossos se desconjuntaram", como se Ele estivesse estendido no suplício da roda. Não é mais provável que a fixação das mãos e pés, e o rangido ocasionado pela fixação da cruz na terra podem ter deslocado os ossos do Senhor crucificado? Se a referência não é a isso, temos de recorrer à expressão da fraqueza extrema que ocasionaria o relaxamento dos músculos e uma sensação geral de separação por todo o sistema.

"O meu coração é como cera e derreteu-se dentro de mim." A debilidade excessiva e a dor intensa fizeram-lhe que se comparasse com a cera derretida pelo calor. A liturgia grega usa a expressão "os teus sofrimentos desconhecidos", e faz sentido. O fogo da ira do Todo-Poderoso teria consumido nossa alma para sempre no inferno. Não era fácil suportar como Substituto o calor de uma ira tão justamente terrível. Gill observa sabiamente: "Se o coração de Cristo, o Leão da Tribo de Judá, derreteu--se, que coração pode suportar ou ser forte quando Deus, irado, lida com ele?"

15. *"A minha força se secou como um caco."* O texto descreve a mais completa debilidade. Jesus se compara a um pedaço quebrado de cerâmica ou vaso, cozido no fogo até a última partícula de umidade ser expelida do barro. Não há dúvida de que um alto grau de queimação febril afligiu o corpo de nosso Senhor. Toda a sua força se secou nas tremendas chamas da justiça vingadora, exatamente como o cordeiro pascal era assado no fogo.

"E a língua se me pega ao paladar." Sede e febre colaram-lhe a língua no céu da boca. Secura e uma viscosidade horrível lhe atormentaram a boca, de forma que Ele mal podia falar.

"E me puseste no pó da morte." Atormentado desta maneira em cada parte do corpo a ponto de sentir-se dissolvido em átomos e cada átomo cheio de aflição, o preço total da nossa redenção foi pago. Nenhuma parte do corpo ou da alma do nosso Fiador escapou da sua parcela de agonia. As palavras podem apresentar Jesus como tendo lutado com a morte até que rolou no pó com o antagonista. Vejam a humilhação do Filho de Deus! O Senhor da glória baixa-se ao pó da morte. Entre as relíquias podres da mortalidade Jesus deixa-se rebaixar e hospeda-se!

A versão do bispo Mant dos dois versículos precedentes é convincente e exata:

Derramado como água está a minha constituição física
Os meus ossos começam a separar-se
Como cera que sente a chama penetrante
Dentro de mim derrete o meu coração
Os meus tendões secos atrofiam-se fracos
Como caco de louça secos e mortos
Cola-se aos maxilares a minha língua ardente
O pó da morte é a minha cama

16. Temos de entender que cada item dessa descrição triste é o Senhor Jesus fazendo súplica insistente por ajuda divina. Assim teremos uma ideia bastante clara da perseverança na oração.

"Pois me rodearam cães." Ele destaca a multidão mais ignóbil que, ainda que menos forte que os líderes brutais, não era menos feroz, pois uivavam e latiam como cães imundos e famintos. É comum os caçadores cercarem a caça, fechando gradualmente o círculo em torno dela em um anel cada vez mais estreito de cães e homens. Este é o quadro que temos diante de nós. No centro temos, não um antílope ofegante, mas um homem que está perdendo sangue e desfalecendo, e ao redor estão os desgraçados enfurecidos e inclementes que o acossam para matá-lo. Temos aqui "A Corça da Manhã" de quem o salmo tão lastimosamente canta, caçado por cães sanguinários ávidos para devorá-lo.

"O ajuntamento de malfeitores me cercou." Assim o povo judeu foi excomungado. O que se chamava o ajuntamento de justos foi, exatamente pelos seus pecados, marcado na testa como o ajuntamento de malfeitores. Esta não é a única ocasião em que confessas igrejas de Deus se tornaram sinagogas de Satanás, perseguindo o Santo e Justo.

"Traspassaram-me as mãos e os pés." De forma alguma estas palavras se referem a Davi ou a quem quer que seja, senão a Jesus de Nazaré, o outrora crucificado, mas hoje o exaltado Filho de Deus. Faça uma pausa, querido leitor, para ver as feridas do teu Redentor.

17. Jesus estava tão magro por conta dos jejuns e sofrimentos que disse: *"Poderia contar todos os meus ossos"*. Podia contar e recontá-los. A postura do corpo na cruz, segundo pensa o bispo Home, faz a carne e a pele incharem tanto a ponto de tornar os ossos visíveis, de forma que podiam ser enumerados. O zelo da casa do Pai o devorou (cf. Sl 69.9). Como bom soldado Ele suportara as dificuldades. Que cuidemos menos do prazer e comodidade do corpo e mais dos negócios do Pai! É melhor contar os ossos de um corpo emagrecido que ocasionar magreza à alma.

"Eles veem e me contemplam." Olhos profanos contemplaram de forma insultante a nudez do Salvador, e chocaram a sensibilidade sacra da sua alma santa. A visão do corpo agonizante deveria ter gerado a simpatia das multidões, mas só aumentou a hilaridade selvagem, enquanto observavam com satisfação cruel e perversa a desgraça do crucificado. Envergonhemo-nos da natureza humana e choremos em solidariedade com a vergonha do nosso Redentor. O primeiro Adão nos deixou a todos nus, mas o segundo Adão ficou nu para que vestisse a nossa alma nua.

18. *"Repartem entre si as minhas vestes e lançam sortes sobre a minha túnica."* As roupas dos executados eram na maioria dos casos gratificações dadas aos executores, mas não era frequente eles lançarem sortes sobre a divisão do espólio. Este incidente mostra a clareza com que Davi em visão viu o dia de Cristo, e confirma que o Homem de Nazaré é a pessoa de quem os profetas falaram: "Os soldados, *pois*, fizeram essas coisas" (Jo 19.24, grifo meu). Aquele que deu o sangue para nos limpar, deu as roupas para nos vestir. Como diz Ness Christopher: "Este precioso Cordeiro de Deus entregou o tosão de ouro por nós". Cada detalhe das aflições de Jesus está registrado aqui no tesouro da inspiração, e embalsamado no âmbar do cântico sagrado. Temos de aprender a estar muito atentos de tudo que diz respeito ao nosso Amado, e pensar muito sobre tudo que tem ligação com Ele. Notemos que o vício de jogar é de todos o que mais deturpa, pois os homens o praticavam até mesmo ao pé da cruz enquanto eram borrifados com o sangue do crucificado. Não há cristão que suporte o chocalho dos dados quando pensa nisso.

19. *"Mas tu, Senhor, não te alongues de mim."* A fé invencível retorna à carga e usa o mesmo expediente, a saber, a oração inoportuna. Ele repete a petição tão comoventemente feita. Ele não quer nada mais que o seu Deus, mesmo nessa situação extremamente baixa. Ele não pede a presença mais confortável ou mais próxima de Deus, pois se contenta em Ele não estar longe. Os humildes pedem pressa diante do trono.

"Força minha, apressa-te em socorrer-me." Casos difíceis precisam de ajuda oportuna. Quando a necessidade o justifica podemos ser urgentes com Deus quanto ao tempo e clamar: "Apressa-te". Mas não o façamos por má-intenção. Observe como no último grau de fraqueza pessoal ele chama o Senhor de "força minha". Seguindo este paradigma, o crente pode cantar: "Porque, quando estou fraco, então, sou forte" (2 Co 12.10).

20. *"Livra a minha alma da espada."* Por espada Jesus quer dizer a ruína que, como homem, Ele temia. Ou talvez buscasse ser salvo dos inimigos que o cercavam, que empunhavam uma espada afiada e mortal contra Ele. O Senhor dissera: "Ó espada, ergue-te" (Zc 13.7). E agora pelo terror dessa espada, o Pastor de bom grado seria liberto assim que a justiça visse adequado.

"E a minha predileta, da força do cão." Por "predileta" queria dizer a alma, a vida que é muito querida para todo homem. No original hebraico consta: "A minha única",

sendo a nossa alma querida, porque é a nossa única alma. Fizessem todos os homens da sua alma a predileta! Mas muitos a tratam como se não valesse tanto quanto o lodo das ruas. O cão pode significar Satanás, esse Cérbero, esse vira-lata maldito e amaldiçoado. Ou então se trata do grupo dos inimigos de Cristo que, embora numerosos, eram tão unânimes como se fossem um, e de comum acordo procuravam despedaçá-lo. Se Jesus clamou por ajuda contra o cão do inferno, muito mais nós. *Cave canem*, que significa "cuidado com o cão", pois o seu poder é grande, e só Deus pode nos livrar. Quando Ele sacudir a cauda para nós, não nos coloquemos ao seu alcance. Quando uivar contra nós, lembremos que Deus o segura com correntes.

21. *"Salva-me da boca do leão; sim, ouve-me desde as pontas dos unicórnios."* Tendo experimentado o livramento no passado de grandes inimigos que eram fortes como unicórnios, o Redentor profere o último clamor por salvamento da morte, o qual é impetuoso e feroz como o leão. Esta oração foi ouvida, e a escuridão da cruz saiu. A fé, por mais que seja extremamente açoitada e até mesmo lançada para baixo dos pés do inimigo, no final das contas recebe a vitória. Foi assim com a Cabeça e assim será com cada um dos membros. Temos vencido o unicórnio, derrotaremos o leão e tomaremos do leão e do unicórnio a coroa.

22 *Então, declararei o teu nome aos meus irmãos; louvar-te-ei no meio da congregação.*
23 *Vós que temeis ao SENHOR, louvai-o; todos vós, descendência de Jacó, glorificai-o; e temei-o todos vós, descendência de Israel.*
24 *Porque não desprezou nem abominou a aflição do aflito, nem escondeu dele o seu rosto; antes, quando ele clamou, o ouviu.*
25 *O meu louvor virá de ti na grande congregação; pagarei os meus votos perante os que o temem.*
26 *Os mansos comerão e se fartarão; louvarão ao SENHOR os que o buscam; o vosso coração viverá eternamente.*
27 *Todos os limites da terra se lembrarão e se converterão ao SENHOR; e todas as gerações das nações adorarão perante a tua face.*
28 *Porque o reino é do SENHOR, e ele domina entre as nações.*
29 *Todos os grandes da terra comerão e adorarão, e todos os que descem ao pó se prostrarão perante ele; como também os que não podem reter a sua vida.*
30 *Uma semente o servirá; falará do Senhor de geração em geração.*
31 *Chegarão e anunciarão a sua justiça ao povo que nascer, porquanto ele o fez.*

A transição é muito marcante. De uma tempestade horrível tudo muda para uma calmaria agradável. A escuridão do Calvário por fim desapareceu da face da natureza e da alma do Redentor. Vendo a luz triunfal e o resultado futuro o Salvador sorriu. Nós o seguimos pela escuridão, vamos acompanhá-lo com a volta da luz. Será bom considerarmos as palavras como parte do monólogo de nosso Senhor na cruz, que Ele proferiu mentalmente durante os últimos momentos antes da morte.

22. *"Então, declararei o teu nome aos meus irmãos".* O prazer de Jesus sempre está com a igreja. Por conseguinte, depois de muita distração, os pensamentos voltam no primeiro momento de alívio ao canal habitual. Ele forma novos desígnios para o benefício dos amados. Ele não se envergonha de chamá-los irmãos: "Dizendo: Anunciarei o teu nome a meus irmãos, cantar-te-ei louvores no meio da congregação" (Hb 2.12). Entre as primeiras palavras ditas depois da ressurreição estavam estas: "Vai para meus irmãos" (Jo 20.17). No versículo que estamos analisando, Jesus prevê a felicidade de ter comunicação com o povo. O seu desejo é ser mestre e ministro deles. Ele fixa a mente no tema do discurso. O "nome", ou seja, o caráter e conduta de Deus são proclamados pelo Evangelho de Jesus Cristo a toda a fraternidade santa.

Eles veem a plenitude da divindade que habita corporalmente nEle, alegrando-se muito ao constatar todas as perfeições infinitas manifestadas em alguém que é osso dos seus ossos e carne da sua carne. Que tema precioso é o nome do nosso Deus! É o único digno do Unigênito, cuja comida e bebida era fazer a vontade do Pai. Com esta decisão do nosso Senhor, aprendemos que uma das maneiras mais excelentes de mostrar a nossa gratidão pelos livramentos tidos é contar aos nossos irmãos o que o Senhor fez por nós. Mencionamos os nossos problemas sem pestanejar. Por que somos lentos em declarar os nossos livramentos?

"louvar-te-ei no meio da congregação." O nosso Senhor decide proclamar o amor do Pai não apenas nas pequenas reuniões domésticas, mas também nas grandes reuniões dos santos e na assembleia universal e igreja dos primogênitos. É o que o Senhor Jesus sempre está fazendo pelos seus representantes que são os arautos da salvação e labutam para louvar a Deus. Na grande igreja universal, Jesus é o Mestre autorizado e todos os outros, contanto que sejam dignos de serem chamados mestres, não passam de ecos da sua voz. Jesus, nesta segunda frase, revela o objetivo em declarar o nome divino: é para que Deus seja louvado. A igreja continuamente exalta o Senhor por manifestar-se na pessoa de Jesus, e o próprio Jesus lidera o cântico, sendo o dirigente do coro e o pregador da igreja. São deliciosas as ocasiões em que Jesus comunga com o nosso coração acerca da verdade divina. O louvor alegre é o resultado certo.

23. *"Vós que temeis ao Senhor, louvai-o."* O leitor tem de imaginar o Salvador discursando para a congregação dos santos. Ele exorta os crentes a unir-se a Ele em ação de graças. A descrição de temer ao Senhor é muito frequente e muito instrutiva. É o começo da sabedoria, sendo sinal da graça. "Eu sou hebreu e temo ao Senhor" (Jn 1.9), foi a confissão de fé do profeta. O temor a Deus é preparação tão necessária para louvá-lo que ninguém está apto para cantar em honra dEle senão como reverência à sua Palavra. Mas este temor é consistente com a alegria mais sublime, não sendo confundido com a escravidão legal, que é o medo que o amor perfeito lança fora. O santo temor sempre deve manter o tom afinado dos congregantes que cantam. Onde Jesus dá o tom ninguém que não tenha lábios santos ousa cantar.

"Todos vós, descendência de Jacó, glorificai-o." A sabedoria do Evangelho é louvor. Judeus e gentios salvos pela graça soberana têm de estar interessadíssimos na santa obra de glorificar o Deus da nossa salvação. Todos os santos devem unir-se nos cânticos, nenhuma língua pode estar calada, nenhum coração pode permanecer frio. Jesus nos chama a glorificar a Deus — podemos recusar?

"E temei-o todos vós, descendência de Israel." Todo o Israel espiritual teme ao Senhor, e virá o dia em que o Israel segundo a carne será levado à mesma mentalidade. Quanto mais louvamos a Deus mais reverentemente o tememos, e quanto mais profunda for a reverência, mais desfrutável será a canção. Tanto mais Jesus preza o louvor que temos aqui debaixo da sua mão ferida e sela para que todos os santos tenham de glorificar ao Senhor.

24. *"Porque não desprezou nem abominou a aflição do aflito."* Este é um bom tema e motivo de louvor. A experiência da Cabeça e Representante da aliança deveria encorajar todos nós a bendizer ao Deus da graça. Nunca um homem foi tão afligido quanto o nosso Salvador em corpo e alma por amigos e inimigos, pelo céu e pelo inferno, na vida e na morte. Ele foi o primeiro na categoria dos afligidos, mas todas essas aflições foram enviadas em amor, e não porque o Pai o menosprezou e o abominou. É verdade que a justiça exigia que Jesus levasse o fardo que, como Substituto, Ele se dispôs a levar, mas o Senhor sempre o amou, e, em amor, pôs essa carga nEle com vistas à glória e à realização do mais querido desejo do seu

coração. Sob todas as aflições, o nosso Senhor foi honorável e ilustre aos olhos do Pai, a joia sem igual do coração do Senhor.

"Nem escondeu dele o seu rosto", quer dizer, o escondimento era apenas temporário, pois logo acabou. Não era final e eterno.

"antes, quando ele clamou, o ouviu." Jesus "foi ouvido quanto ao que temia" (Hb 5.7). Ele clamou *in extremis* e *de profundis*, mas logo recebeu a resposta. Ele ordena o povo a unir-se a Ele cantando um *Gloria in excelsis*.

Todo filho de Deus deve buscar refrigério para a fé neste testemunho do Homem de dores. O que Jesus testemunha é tão verdadeiro hoje quanto era quando foi escrito. Nunca se dirá que a aflição ou pobreza do homem impediu que Ele fosse um suplicante aceito ao trono da graça do Senhor. O mais miserável suplicante é bem-vindo à porta da misericórdia:

Ninguém que se aproxima do trono
Encontrará um Deus infiel ou inclemente

25. *"O meu louvor virá de ti na grande congregação."* O tema único da canção do nosso Mestre é só o Senhor. O Senhor e só o Senhor é o tema que o crente trata quando se entrega a imitar Jesus em louvor. A palavra no original hebraico é "proveniente de ti" — o verdadeiro louvor é de origem celestial. As mais raras melodias musicais não são nada a menos que sejam consagradas sinceramente a Deus por corações santificados pelo Espírito. O regente diz ao coral: "Cantemos para o louvor e glória de Deus", mas na maioria das vezes os coralistas cantam para o louvor e glória deles mesmos. Quando será que o nosso serviço de música será uma oferta pura? Observemos neste versículo como Jesus ama que os santos o louvem publicamente, e tem muito prazer na grande congregação. Seria maldade de nossa parte menosprezar os duetos e os trios. Mas por outro lado, não permitamos que pequenos grupos resmunguem nas grandes reuniões como se fossem necessariamente menos puros e menos aprovados, pois Jesus ama o louvor da grande congregação.

"Pagarei os meus votos perante os que o temem." Jesus se dedica novamente a cumprir o propósito divino pagando os votos feitos na angústia. Quando ascendeu aos céus, o nosso Senhor proclamou entre os remidos na glória a bondade do Senhor? E qual era o voto que estava em vista aqui? Indubitavelmente, a publicação do Evangelho é o cumprimento constante dos compromissos da aliança feitos pelo nosso Fiador nos conselhos da eternidade. O Messias jurou edificar um templo espiritual para o Senhor, e com certeza Ele manterá a palavra.

26. *"Os mansos comerão e se fartarão."* Observemos como o Amado expirante de nossas almas se consola com o resultado da sua morte. Os espiritualmente pobres acham um banquete em Jesus, eles se alimentam dEle até ficarem com o coração satisfeito. Estavam famintos até que Jesus se deu por eles, mas agora estão cheios de finas iguarias reais. Pensar que o seu povo se alegraria confortou o nosso Senhor que morria na cruz. Note o tipo de pessoas que participam dos benefícios da sua paixão: "os mansos", os submissos, os humildes. Senhor, faze-nos assim. Note também a certeza que as provisões do Evangelho não serão frustradas: "comerão", e o resultado certo de tal comer será: "e se fartarão".

"Louvarão ao Senhor os que o buscam." Durante certo tempo eles farão um jejum, mas os dias de ação de graças virão e virão com certeza.

"O vosso coração viverá eternamente." O teu espírito não falhará durante as provações. Tu não morrerás de aflição. As alegrias imortais serão a tua porção. Assim, até da cruz Jesus fala com os que o buscam, os atribulados. Se as palavras ditas por Jesus enquanto morria são tão certas, que consolo temos na verdade

de que Ele vive sempre para interceder por nós! Os que comem à mesa de Jesus recebem o cumprimento da promessa: "Se alguém comer desse pão, viverá para sempre" (Jo 6.51).

27. Lendo este versículo, o leitor fica impressionado com o espírito missionário do Messias. É o seu grande e evidente consolo que o Senhor seja conhecido por todos os lugares do seu domínio.

"Todos os limites da terra se lembrarão e se converterão ao Senhor." Fora do círculo interno da atual igreja, a bênção tem de propagar-se em poder crescente até que as mais remotas regiões da terra se envergonhem dos ídolos, por estarem cientes do verdadeiro Deus, penitentes dos pecados e unanimemente desejosos da reconciliação com o Senhor. Então, a falsa adoração acabará, "e todas as gerações das nações adorarão perante a tua face", ó tu, que és o único Deus vivo e verdadeiro. Esta esperança que era a recompensa de Jesus é um estímulo aos que combatem as batalhas santas.

É bom marcar a ordem da conversão conforme está apresentada aqui. Eles *"se lembrarão"* do Senhor (trata-se de reflexão, como o filho pródigo que caiu em si, Lucas 15.17), "se converterão ao Senhor" (trata-se de arrependimento, como Manassés que abandonou os ídolos, 2 Crônicas 33.11-16) e "adorarão" perante a face do Senhor (trata-se de serviço santo, como Paulo que adorou a Jesus a quem outrora detestava).

28. *"Porque o reino é do Senhor."* Como Filho obediente, o Redentor na cruz alegrou-se em saber que os interesses do Pai prosperariam pelas dores que suportava. "O Senhor reina" (Sl 93.1) era a sua canção como é a nossa. Aquele que pelo próprio poder reina supremamente sobre os domínios da criação e providência, estabeleceu um reino da graça. Este reino, pelo poder conquistador da cruz, se estenderá até que todos os povos estejam sob a sua influência e proclamem que "Ele domina entre as nações". Entre os tumultos e desastres do presente, o Senhor reina, mas nos calmos dias de paz os frutos ricos do seu domínio serão visíveis a todos os olhos. Grande Pastor venha o teu reino glorioso.

29. *"Todos os grandes da terra."* Os ricos e os grandes não estão excluídos. Hoje, a graça acha a maioria das joias entre os pobres, mas nos últimos dias os poderosos da terra "comerão", provarão da graça redentora e do amor expirante, e "adorarão" de todo o coração o Deus que nos trata com tanta generosidade em Cristo Jesus. Os que estiverem espiritualmente "opulentos" (cf. ARA) com a prosperidade serão cheios com o tutano da comunhão, e "adorarão" ao Senhor com fervor peculiar. Na aliança da graça, Jesus forneceu boa alegria para a nossa elevada situação, e teve igual preocupação em nos consolar em nossa humilhação, porque a frase seguinte diz: "todos os que descem ao pó se prostrarão perante ele". Há alívio e consolo em nos prostrar diante de Deus quando o nosso caso é dos piores. Até mesmo entre o pó da morte a oração acende a lâmpada da esperança.

Enquanto todos os que se dirigirem a Deus por meio de Jesus Cristo estiverem sendo abençoados desta maneira, quer sejam ricos ou pobres, nenhum dos que o menosprezam terão chance de receber bênçãos. "os que não podem reter a sua vida." Esta é a contraparte inflexível da mensagem do Evangelho que diz para "olhar e viver". Não há salvação fora de Cristo. Temos de reter a vida e tê-la como presente de Jesus ou morreremos para sempre. Esta doutrina Evangélica é muito sólida, devendo ser proclamada em todos os cantos da terra para que, como um grande martelo, despedace toda a autoconfiança.

30. *"Uma semente o servirá."* A posteridade perpetuará a adoração ao Altíssimo. O reino da verdade na terra nunca falha. Quando uma geração é chamada para descansar, outra se levanta em seu lugar. Não precisamos ter medo para que não deixe de haver a verdadeira sucessão apostólica; ela é suficientemente forte.

"Falará do Senhor de geração em geração." Ele contará as eras segundo a sucessão dos santos, e fixará as contas de acordo com as famílias dos crentes. As gerações dos pecadores não entram na genealogia dos céus. O registro da família de Deus não é para estranhos, mas somente para os filhos.

31. *"Chegarão."* A graça soberana extrairá dentre os homens os comprados pelo sangue. Nada frustrará o propósito divino. Os eleitos chegarão à vida, à fé, ao perdão, ao céu. Neste ponto, o Salvador na cruz desfrutará de satisfação sagrada. Infatigáveis servos de Deus alegrem-se com o pensamento de que o propósito eterno de Deus não sofrerá impedimentos nem permitirá obstáculos.

"E anunciarão a sua justiça ao povo que nascer." Nem um dos que forem levados a Deus pela atração irresistível da cruz ficará mudo. Anunciarão a justiça do Senhor, de forma que as gerações futuras venham a conhecer a verdade. Os pais a ensinarão aos filhos, que a transmitirão aos filhos deles. O tema da história sempre será "porquanto ele o fez", ou aquele "está consumado" (Jo 19.30). A obra gloriosa de salvação foi concluída, há paz na terra e glória nas alturas. "Está consumado." Estas foram as últimas palavras do Senhor Jesus antes de expirar, como são as últimas palavras deste salmo. Que pela fé viva sejamos capacitados a ver a nossa salvação que foi consumada pela morte de Jesus!

NOTAS EXPLICATIVAS E DECLARAÇÕES IMPORTANTES

O Título: O título do Salmo 22 é Aijelete-Hás-Saar, que significa "A Corça da Manhã". O salmo se refere a Cristo, contendo muitos dados que não podem ser aplicados a outra pessoa: a partilha das vestes, o lançamento de sortes sobre a túnica. Há textos que o descrevem como um Filho dos corços Bondoso, Submisso e Bonito, avistado pelos caçadores ao amanhecer do dia. Herodes começou a caçar Jesus assim que Ele apareceu. A pobreza, o ódio dos homens e a tentação de Satanás uniram-se na perseguição. Sempre havia um "cão", ou "touro", ou "unicórnio" pronto para atacá-lo. Depois do primeiro sermão, os caçadores o cercaram, mas Ele era muito ligeiro de pés e escapou. Há muito que a igreja vira o Messias "semelhante ao gamo ou ao filho dos corços sobre os montes", ouvira "a voz do [seu] Amado" e clamara: "Ei-lo aí, que já vem saltando sobre os montes, pulando sobre os outeiros" (Ct 2.8,9,17). Às vezes, Ele era avistado com o amanhecer do dia até mesmo nas vizinhanças do templo e nas cercanias dos vinhedos. A igreja pediu para vê-lo "sobre os montes de Beter" e "sobre os montes dos aromas" (Ct 2.17; 8.14). O primeiro monte significa o lugar dos sofrimentos, e o último, as ladeiras sublimes da luz, glória e honra onde o "Filho dos corços" não será mais caçado. Mas à tarde, os caçadores que desde manhã cedo perseguiam o "Filho dos corços", eram bem-sucedidos em impeli-lo aos montes de Beter. Jesus achou o Calvário um monte escabroso, duro e temeroso — "o monte da divisão". Aqui Ele foi impelido pelos caçadores à beira de precipícios terríveis escancarando destruição, enquanto era rodeado e mantido à distância por todos os animais de rapina e monstros da floresta infernal. Os "unicórnios" e os "touros de Basã" o escorneavam com os chifres. O grande "leão" rugia contra Ele e os "cães" o cercavam. Mas Jesus os destroçou a todos. No tempo certo, Ele inclinou a cabeça e entregou o espírito. Foi enterrado em uma sepultura nova. Os que o atacaram reconheceram que foram derrotados. Eles não tinham levado em consideração que Jesus era como a "corça da manhã". Com certeza, no momento estipulado, Ele escapou da rede do caçador, e se colocou nos montes de Israel vivo, pois nunca mais morrerá. Agora está com Maria no jardim, dando prova da própria ressurreição. Em um momento, Ele está na estrada de Emaús, encorajando discípulos muito tímidos e confusos. Nem lhe é custoso ir dali à Galileia, ao encontro dos seus amigos, e voltar ao monte das Oliveiras, aos "montes dos aromas", levando consigo o amanhecer do dia, trajado com vida e beleza para sempre. — *Christmas Evans, 1766-1838*

O Título: A corça, como muito prontamente se reconhece, é uma ilustração muito apropriada do justo sofredor e perseguido, o qual encontramos neste salmo. [....] A corça é, acima de dúvida, uma expressão figurativa significativa da inocência sofredora pelo fato de que os ímpios e perseguidores neste salmo, cuja fisionomia peculiar é marcada por ilustrações retiradas da criação bruta, estão projetados pelos termos cães, leões, touros, etc. — *E. W. Hengstenberg*

O Título: "A corça." Os antigos escritores evocaram e agruparam em torno da corça um simbolismo muito extraordinário. De acordo com a interessante história natural, existe uma inimizade mortal entre o cervo e a serpente. O cervo por sua respiração morna atrai as serpentes para fora das tocas para devorá-las. Os antigos gramáticos derivaram a palavra *elaphas* ou "cervo", de *elaunein tous opheis*, isto é, "de expulsar serpentes". Dizem que até mesmo a queima dos chifres dos cervos afugenta as cobras. Se uma cobra fugisse depois de ser atraída pela respiração do cervo, dizem que ficava muito mais venenosa que antes. Atribuíam a timidez do cervo ao tamanho grande do coração, no qual pensavam que havia um osso na forma de cruz. — *J. G. Wood, "Bible Animals" (Animais da Bíblia), condensado por C. H. S.*

O Salmo: Este é um tipo de pedra preciosa entre os salmos, sendo peculiarmente excelente e notável. Contém os fortes, intensos e sublimes sofrimentos de Cristo, enquanto morria no meio dos terrores e angústias mortais da ira divina e morte, que excedem todo pensamento e entendimento humano. Não sei se outro salmo ao longo do livro contém assunto mais importante, ou no qual os corações dos tementes a Deus podem perceber tão verdadeiramente os suspiros e gemidos, inexprimíveis pelos homens, os quais o Senhor e Cabeça, Jesus Cristo, expressou ao estar em conflito por nós no meio da morte e no meio das dores e terrores do inferno. Portanto, este salmo tem de ser altamente estimado por todos os que já sofreram tentações por causa da fé e passaram por conflitos espirituais. — *Martinho Lutero*

O Salmo: Este salmo, tendo em vista que especifica por completo os sofrimentos de Jesus, assim também delimita os seus três grandes ofícios. Os seus sofrimentos estão descritos abundantemente dos versículos 1 ao 22. O ofício profético de Cristo está nos versículos 22 ao 25. Aquilo que é predito sobre os seus votos (v. 25) diz respeito à função sacerdotal. Nos demais versículos do salmo está em vista o ofício real de Cristo. — *William Gouge, Doutor em Teologia (1575-1653), "A Commentary on the whole Epistle to the Hebrews"*[1] *[Um Comentário Geral sobre a Epístola aos Hebreus]*

O Salmo: Este salmo é menos profecia que história. — Cassiodoro

O Salmo: Este salmo deve ser exposto, palavra por palavra, inteiramente e sob todos os aspectos, de Cristo somente, sem alegoria, tropo ou anagogia. — *Báquio, citado por F. Delitzsch, Doutor em Teologia, sobre Hebreus 2.12.*

O Salmo: Esta é uma profecia sobre a paixão de Cristo e a vocação dos gentios. — *Eusébio de Cesareia*

v. 1: "Deus meu, Deus meu, por que me desamparaste?" Contrastamos esta frase com João 16.32, que diz: "Não estou só, porque o Pai está comigo". Não há verdadeiro crente que não saiba que estas palavras em Davi não estavam contrariando as palavras de Jesus. Contudo, como combinam com as palavras de nosso Senhor registradas em João! Resposta: Uma coisa é falar da verdadeira sensação do sofrimento, outra coisa é

[1] Reimpresso na Série de Comentários de Nichol.

estar confiante em uma deidade que nunca se separa. A situação de Jesus em relação ao seu estado humano (não o divino) se mostra em todas as aparências externas, como ocorre conosco. Vemos, às vezes, que a situação dos santos é muito lamentável, como se Deus tivesse se afastado para sempre. Jesus (para nos ensinar a clamar a Deus Pai, como o bebê chora pela mãe que, por ausentar-se momentaneamente, o faz acreditar que ela foi embora para sempre) mostra nos próprios sofrimentos o tanto que Ele está consciente dos nossos. Quanto à natureza divina, Ele e o Pai jamais podem se separar. Desta forma, em nenhum momento Jesus está só, pois o Pai sempre está com Ele. — *William Streat, "The Dividing of the Hoof" [A Divisão do Casco], 1654*

v. 1: "Deus meu, Deus meu, por que me desamparaste?" Há uma tradição que diz que o nosso Senhor, pendurado na cruz, começou, como sabemos pelos Evangelhos, a citar este salmo. A recitação deste e dos salmos que se seguem deixaram o seu espírito mais abençoado quando Ele chegou ao versículo 5 do Salmo 31. Por mais que seja assim, tomando estas primeiras palavras nos lábios Jesus marcou o salmo como pertencente a Ele. — *Ludolfo, o Cartuxo (c. 1350), citado por John Mason Neale*

v. 1: "Deus meu, Deus meu, por que me desamparaste?" Era aflição tão lancinante e tão extrema para a alma de Cristo, que fez com que aquEle que era manso como um cordeiro sob todos os outros sofrimentos, rugisse como um leão neste sofrimento. É o que significam essas palavras de Cristo: "Deus meu, Deus meu, por que me desamparaste? Por que te alongas das palavras do meu bramido e não me auxilias?" Vem de uma raiz que significa uivar ou rugir como leão, significando exatamente o barulho feito por um animal selvagem que a voz de um homem. É como se Jesus tivesse dito: Ó meu Deus, não há palavras que expressem a minha angústia. Não falarei, mas rugirei, uivarei as minhas petições. Derramo em salvas de gemidos. Rujo como leão. Não é pouca coisa que faz essa criatura majestosa rugir. Com certeza, tão grande espírito como é Cristo não teria rugido sob um fardo leve.

Deus realmente desamparou ou abandonou Jesus Cristo na cruz? Então, com o abandono de Jesus vem a consolação singular para o povo de Deus. Sim, consolação múltipla. Apoia-se principalmente nestes dois aspectos apresentados mais adiante, visto que impede que sejamos abandonados no final e é um padrão de consolação para nós em nossos atuais abandonos tristes.

(1) Jesus foi abandonado para impedir que fôssemos abandonados. Ele foi abandonado por certo tempo para que nós não fôssemos abandonados nunca. Ele foi abandonado em nosso lugar. É de todos os modos para o querido Filho de Deus, um bom prazer a sua alma ser abandonada por Deus durante certo tempo, para que tal coisa pobre e sem importância como nós não sejamos rejeitados pela eternidade. Esta situação sendo equivalente e suportada em nosso lugar tem de nos dar a mais certa e sublime segurança do mundo de que Deus jamais se afastará de nós.

(2) O fato de Jesus ter sido abandonado se torna um padrão de consolação para as pobres almas abandonadas em diversos aspectos. O dever de tais almas, nestas ocasiões, é considerá-lo com fé. Embora Deus abandonasse Jesus, ao mesmo tempo Ele o sustentou com poder. Os braços onipotentes estavam por baixo dEle, embora a face sorridente estivesse escondida. Não teve o sorriso, mas teve o sustento. Cristão, assim será contigo. O seu Deus pode virar o rosto, mas não deixará de sustentá-lo com os seus braços. Quando alguém perguntou ao Baines como estava a sua alma, ele respondeu: "Tenho sustento, embora me falte alívio". O nosso Pai às vezes lida conosco como temos de lidar com um filho teimoso e rebelde. Nós o mandamos que saia e fique fora de nossa vista, e ele funga e chora. Mas para humilhá-lo, por ora não o deixamos entrar em casa e ganhar favor. Mas ordenamos que pelo menos os criados lhe levem água e comida. Este é o cuidado e sustento paternal, embora não haja sorriso ou alegria manifesta. [...] Embora Deus abandonasse Jesus, naquele

momento Ele poderia justificar Deus. Lemos: "Deus meu", disse Ele, "eu clamo de dia, e tu não me ouves; de noite, e não tenho sossego. Porém tu és Santo" (vv. 2, 3a). Eu fui abandonado, mas não injustiçado. Não há um pingo de injustiça em todo o mar das minhas angústias. Embora Ele me condene, quero e devo justificá-lo. Isso também é ser semelhante a Jesus. — *John Flavel*

v. 1: "Deus meu, Deus meu". A repetição denota desejo fervente. "Deus meu", em sentido especial, como nas palavras que Ele disse depois da ressurreição para Maria Madalena: "Eu subo para [...] meu Deus e vosso Deus" (Jo 20.17). "Deus meu", não apenas como o Filho de Deus, mas na natureza que assumiu, como o Filho amado em quem o Pai se compraz, que é amado do Pai e que ama o Pai mais que o universo inteiro. Observemos que esta expressão: "Deus meu", é repetida três vezes. — *Dionísio, citado por Isaac Williams*

v. 1: "Deus meu". Era possível que Jesus pela fé soubesse que era amado de Deus. Mas Ele sabia mesmo que era amado de Deus, embora no que dizia respeito às emoções e sentimentos Ele provasse a ira de Deus. A fé e a falta de sentimentos não são incompatíveis. Pode não haver sensação do amor de Deus. Não somente isso, mas pode haver um sentimento presente da ira divina e ao mesmo tempo haver fé. — *John Row, "Emmanuel" [Emanuel], 1680*

v. 1: Este termo "Deus meu", contém muito mais que todos os filósofos do mundo poderiam extrair. — *Alexander Wedderburn, 1701*

v. 1: Existe certa força, significado e sentimento singular nestas palavras. Esta constatação se deve ao fato de os evangelistas serem persistentes em nos dar este versículo nas mesmas palavras do original hebraico a fim de mostrarem a força enfática que elas contêm. Além disso, não me lembro de outro texto bíblico onde haja a repetição: *Eli, Eli.* — *Martinho Lutero*

v. 1: "Por que?" Não o "por que" da impaciência ou desespero, não o questionamento pecaminoso de alguém cujo coração se rebela contra o castigo recebido, mas, antes, o choro de um filho perdido que não pode entender por que o pai o deixou, e que deseja ver-lhe a face novamente. — *J. J. Stewart Perowne*

v. 1: "meu bramido". A palavra hebraica שְׁאָג denota primariamente o rugido de leão. Mas, quando aplicada a seres inteligentes, expressa em geral a profunda angústia mental emanada em esforços audíveis e até mesmo veementes (Sl 38.9; Jó 3.24). Assim, o Messias sofredor extravasou forte clamor e copiosas lágrimas para aquEle que podia salvá-lo da morte (Hb 5.7). — *John Morison*

v. 1: "Deus meu, Deus meu, por que me desamparaste?" Quando Jesus lamenta ter sido abandonado por Deus, não devemos entender que foi abandonado pela Primeira Pessoa, ou que houve uma dissolução da união hipostática, ou que Ele perdeu o favor e a afeição do Pai. Jesus quer nos dizer que Deus permitiu que a natureza humana de Jesus sofresse esses tormentos terríveis e tivesse uma morte infame, dos quais Ele podia, se quisesse, facilmente livrá-lo. Nem tais lamentos procederam de impaciência ou ignorância, como se Jesus desconhecesse a causa do sofrimento, ou não estivesse muito disposto a suportar tal abandono no sofrimento. Tais lamentos eram apenas a declaração dos seus sofrimentos mais amargos.

Levando em conta que, durante o transcurso total da paixão o nosso Senhor sofreu com tamanha paciência, a ponto de não deixar escapar um único gemido ou suspiro, então agora clama para que os observadores não acreditassem de pronto que Ele foi feito impassível por algum poder superior. Quando os últimos momentos estavam chegando, Jesus protesta que é verdadeiro homem, verdadeiramente passível, pois foi abandonado pelo Pai nos sofrimentos, cuja amargura e acuidade Ele intimamente sentiu. — *Robert Bellarmine [Cardeal], 1542-1621 v. 1:* "Deus meu, Deus meu, por que me desamparaste?" Os teólogos estão comumente inclinados a dizer que Jesus, desde o momento da concepção, teve a visão de Deus, pois a alma humana foi unida imediatamente à deidade no momento da concepção. Agora para o nosso Salvador, que conhecera por experiência como é doce o consolo da face do Pai, vivera todos os dias sob os raios luminosos e influências agradáveis da divindade e tivera a alma desde o início refrigerada com a sensação da presença divina, para Ele ser deixado naquele horror e escuridão a ponto de não sentir mais o sabor do conforto, sem o vislumbre da divindade irrompendo na alma humana, como deve ter sido grande a sua aflição! — *John Row*

v. 1: O abandono em si não é pecado, pois Jesus suportou a amargura do pecado. Ele foi tão imerso nisso, que quando morreu, disse: "Deus meu, Deus meu, por que me desamparaste?" O abandono total não é nosso. O abandono parcial é o melhor que temos tido e temos. Deus vira o rosto, o próprio Davi está preocupado: "O justo, pela sua fé, viverá" (Hc 2.4), e não pelo sentimento. — *Richard Capel*

v. 1: "Deus meu, Deus meu, por que me desamparaste? Por que te alongas das palavras do meu bramido e não me auxilias?" Como o nosso coração se derrete de amor quando lembramos que fomos afligidos por nossos pecados contra Ele. Foi assim que Jesus passou pelas maiores angústias por nós? Temos tido fel e absinto, contudo Ele provou uma taça mais amarga. A ira de Deus secou o nosso espírito, mas Jesus foi chamuscado com a mais ardente ira. Ele estava sob dor violenta no jardim e na cruz. A tristeza que Jesus sentiu é inefável, sendo abandonado pelo Pai, abandonado pelos discípulos, afrontado e reprovado pelos inimigos e sob maldição por nós. Este Sol estava em eclipse dolorosa. A este Senhor vivo agradou morrer e a morte estava sob o olhar de reprovação e censura de um Deus irado. A face foi escondida daquEle que sempre lhe sorrira antes. A alma sentiu o horror e a escuridão nunca antes sentida. Por não haver separação entre as naturezas divina e humana, Jesus sofreu dores iguais às que merecíamos para sempre no inferno. Deus suspendeu a eficácia da graça a ponto de a graça, nesta hora, não exibir em Jesus nada da sua força e virtude. Ele não recebeu consolo do céu, nem dos anjos, nem dos amigos, nem mesmo naquela hora triste quando mais precisava de consolo. Como leão ferido na floresta, assim Jesus rugiu e clamou, embora não houvesse desespero nEle. Mesmo abandonado, ainda havia confiança e esperança nestas palavras: "Deus meu, Deus meu". — *Timothy Rogers*

v. 1: "Deus meu, Deus meu, por que me desamparaste? Por que te alongas das palavras do meu bramido e não me auxilias?" Aqui está o consolo para quem é abandonado hoje. O próprio Jesus foi abandonado. Se você for abandonado, Deus não lida diferente contigo do que lidou com Jesus. Você pode ser amado de Deus e não sentir. Foi o que aconteceu com Jesus. Ele era amado do Pai e não tinha a sensação e o sentimento do seu amor. Este é um grande consolo para os santos que estão sob a interrupção dessas consolações e manifestações, as quais eles sentiam antes. O próprio Jesus passou por essa interrupção, portanto tal interrupção de consolo divino pode compor-se de amor divino.

Você pode concluir: "Sou hipócrita, por isso Deus me abandonou", que é a queixa de alguns cristãos que duvidam. "Sou hipócrita, por isso Deus me abandonou", mas você não tem motivo para chegar a essa conclusão. Não houve falha na obediência de Cristo, mas Ele foi abandonado no que tange ao consolo. O abandono, no que diz respeito ao consolo, pode ser formado pela verdade da graça, na medida mais alta da graça. Foi o que ocorreu com o nosso Salvador. — *John Row*

v. 1: Senhor, tu sabes o que é ser abandonado, pois foi o que aconteceu quando tu clamaste: "Deus meu, Deus meu, por que me desamparaste?" Ó meu Senhor, tu tiveste o sustento divino, mas não tiveste (ao que parece) a alegria interior que em outros tempos te enchia. Agora tu estás na tua glória, pobre e miserável verme sou que chora e deseja a ti mais que todas as coisas. Senhor, tu pagaste caro para o meu bem, então que o bem venha sobre mim. — *Joseph Symonds, 1658*

v. 1: Este versículo expressa uma espécie de sofrimento que nunca foi sentido, em qualquer tempo neste mundo, e jamais será sentido — a vingança do Todo-Poderoso sofrida no seu Filho: "Deus meu, Deus meu, por que me desamparaste?" — *R. H. Ryland*

v. 2: "Deus meu, eu clamo de dia, e tu não me ouves; de noite, e não tenho sossego". Como é semelhante esta censura à do filho humano ao seu Pai terreno! Baseia-se na relação: "Eu sou teu. Clamo dia e noite, mas tu não me ouves. Tu és o meu Deus, contudo tu não fazes nada para me silenciar. Ao longo do dia da minha vida, clamo; neste período noturno da minha morte, suplico. No jardim do Getsêmani enchi a noite de orações. Com brados ininterruptos, passei esta manhã significativa. Ó meu Deus, tu ainda não me ouviste, por isso ainda não estou em silêncio. Não posso parar até que receba a tua resposta". Jesus apresenta a queixa de modo que só um coração filial adota. O Filho sabe que o Pai se enternece por Ele. A importunação é fortalecida pela confiança no amor paterno. Ele não se mantém em silêncio, nem lhe dá descanso, porque confia no seu poder e boa vontade em conceder o alívio desejado. Isso é natural. É o argumento do coração, o apelo aos anseios interiores da nossa natureza. Também é bíblico, sendo declarado assim: "Pois, se vós, sendo maus, sabeis dar boas dádivas aos vossos filhos, quanto mais dará o Pai celestial o Espírito Santo àqueles que lho pedirem?" (Lc 11.13). — *John Stevenson, "Christ on the Cross" [Cristo na Cruz], 1842*

v. 2: O profeta magnífico diz: "Senhor, eu clamo a ti de dia, mas tu não me ouves; também de noite, mas não se deve pensar que seja loucura da minha parte" (Septuaginta). Certos estudiosos pensam que é tremenda loucura o homem clamar e invocar aquEle que tampa os ouvidos e parece não ouvir. Não obstante, esta loucura do crente é mais sábia que toda a sabedoria do mundo. Porque sabemos muito bem que por mais que Deus pareça a princípio não ouvir, o Senhor é um alto refúgio no devido tempo — na aflição (Sl 9.9). — *Thomas Prayfere*

vv. 2 e 3: "Deus meu, eu clamo de dia, e tu não me ouves; de noite, e não tenho sossego". Deus o ouvia, mas agora não ouve nada quanto ao livramento suplicado? Não há murmuração contra os procedimentos de Deus. Pelo contrário, Ele ouve, porque justifica e louva a Deus: "Porém tu és Santo, o que habitas entre os louvores de Israel". Repara se tu não podes pegar algo da maneira de Deus negar o pedido feito, que suavize as coisas para ti! Talvez tu descubras que ele negue a ti, mas negue com a face sorridente, e o anuncie com expressões de graça e favor que te garantam que a negação que ele dá não procede do desprazer. Como você faria com um amigo querido que, digamos, venha pedir-lhe emprestado uma soma de dinheiro. Você não ousa emprestar, porque vê claramente que não é para o bem dele. Mas ao dar-lhe a negação, para que ele não o interprete mal, como procedendo da falta de amor e respeito, você o prefacia com algumas palavras que mostrem o seu afeto cordial por, que o amas, e então lhe nega o pedido e estará pronto a fazer por ele mais que isso significa. Assim Deus às vezes envolve as negações com essas doces intimações de amor, enquanto evita que surjam suspeitas no coração do povo. — *William Gurnall*

vv. 2 e 3: "Deus meu, eu clamo de dia, e tu não me ouves; de noite, e não tenho sossego. Porém tu és Santo, o que habitas entre os louvores de Israel". Quem tem água encanada em casa, se não há água, não conclui que a fonte secou, mas que os canos estão obstruídos ou quebrados. Se a oração não for logo respondida, estejamos certos de que a falta não está em Deus, mas em nós mesmos. Quando estivermos maduros para a misericórdia, Ele estará pronto para oferecê-la; a espera tem esse propósito. — *John Trapp v. 3:* "Porém tu és Santo". Este é o triunfo da fé — o Salvador permaneceu como uma rocha no oceano aberto da tentação. Como as ondas se erguem alto, assim a fé. É semelhante aos rochedos formados por corais que ficam maiores e mais fortes até formar uma ilha de salvação para a alma náufraga. É como se Ele tivesse dito: "Não importa o que eu sofra. As tempestades podem uivar sobre mim, os homens me desdenhar, os demônios me tentar, as circunstâncias me dominar e o próprio Deus me abandonar, mas Deus é santo. Não há injustiça nEle". — *John Stevenson*

v. 3: "Porém tu és Santo". Não é estranho que o coração na escuridão e tristeza encontre consolo neste atributo de Deus? Não, pois a santidade de Deus é apenas outro aspecto da fidelidade e misericórdia. Com esse nome notável: "O Santo de Israel" (Sl 89.18), aprendemos que aquEle que é o Deus "santo" também é o Deus que fez aliança com o seu eleito. Seria impossível o israelita pensar na santidade de Deus sem pensar na relação da aliança. "Santos sereis, porque eu, o SENHOR, vosso Deus, sou santo", foram as palavras na qual Israel tinha de lembrar-se da sua relação com Deus (cf. Lv 19.2). Vemos algo deste sentimento em passagens como Salmo 89.16-19; 99.5-9; Oseias 11.8,9; Isaías 41.14; 47.4. — *J. J. Stewart Perowne*

v. 3: Não fossem as tentações tão medonhas, a fé não ouviria uma palavra má falada contra Deus, mas sempre justificaria a Deus. — *David Dickson*

vv. 4 e 5: "Em ti confiaram nossos pais; confiaram, e tu os livraste. A ti clamaram e escaparam; em ti confiaram e não foram confundidos". Os que consideram que este salmo tem referência primária ao Rei de Israel atribuem grande beleza a estas palavras. Conjeturam muito pertinentemente que Davi estava, quando o compôs, residindo temporariamente em Maanaim, onde Jacó, na sua angústia, lutou com o anjo e obteve bênçãos muito notáveis. Conjeturam também que, em um lugar tão consagrado por associações do passado, ele deve ter feito súplicas ao Deus dos seus pais, algo que era semelhante ao ditame de sentimento e religião patriarcal. — *John Morison, Doutor em Teologia, "Morning Meditations" [Meditações Matutinas]*

v. 5: "A ti clamaram e escaparam", mas tu não me livrarás. Não somente isso, mas porque tu os livraste, tu não me livrarás. — *Gerhohus*

v. 6: "Mas eu sou verme, e não homem". Quando o pescador pesca no rio, não lança o anzol sem a isca. Por isso, esconde o anzol com um verme ou outra isca, para que o peixe, abocanhando o verme, seja pego pelo anzol. Assim Jesus, falando sobre si mesmo, disse: *Ego vermis et non homo.* Ele, vindo a fazer a grande obra de nossa redenção, cobriu-se e escondeu a sua divindade em um verme da natureza humana. A grande Serpente D'água, o Leviatã, o Diabo, pensando que engolia o verme da humanidade de Jesus, foi pego no anzol da divindade. Este anzol prendeu-se nas mandíbulas e o rasgou com muita dor. Pensando que destruía Jesus, destruiu o próprio reino e perdeu o próprio poder para sempre. — *Lancelot Andrews*

v. 6: "eu sou verme". Jesus se chama de "verme" [...] por causa da opinião que os homens do mundo tinham dEle. [...] Os judeus estimavam Jesus como verme, e o tratavam como tal. Tinham repugnância e ódio dEle. Todos o calcavam e pisavam nEle como as pessoas fazem com os vermes. [...] A paráfrase da versão aramaica diz "verme fraco". Jesus é o Deus poderoso e também é o Filho do homem, a quem Deus o fortaleceu para si mesmo. Contudo, havia uma fraqueza na natureza humana, e Ele foi crucificado por isso (2 Co 13.4). Certos estudiosos observam que a palavra תּוֹלַעַת, usada aqui, significa o verme escarlate, ou o verme do grão ou da baga com o que é tingido de escarlata. O nosso Senhor parecia como este verme escarlate, quando por via de escárnio foi vestido com uma capa escarlate

(Mt 27.28), e sobretudo quando apareceu com as vestes manchadas de vermelho, como aquEle que pisa a gordura do vinho, quando o corpo foi coberto de sangue enquanto estava pendurado na cruz — sangue que foi derramado para tornar os pecados carmesins e escarlates tão alvos quanto a neve. — *John Gill*

v. 6: "eu sou verme". A alma humilde é esvaziada de todos os pensamentos soberbos de si mesma. Bernardo chama a humildade de autoaniquilação: "E Deus salvará ao humilde" (Jó 22.29), que em hebraico é: "Aquele que é de olhos baixos". O humilde tem pensamentos mais baixos de si mesmo que os outros pensam dele. Davi, embora rei, via-se como "verme". "Eu sou verme, e não homem." O mártir Bradford se assinava "pecador". "E se for justo, não levantarei a cabeça" (Jó 10.15), como a violeta que é uma flor de doce fragrância, mas pende a cabeça. — *Thomas Watson*

v. 6: "verme". Assim calcado sob os pés, pisoteado, maltratado, esbofeteado, cuspido, escarnecido e atormentado, de modo a parecer mais como verme que homem. Vejam que grande desprezo suportou o Senhor da Majestade, que a sua confusão seja para a nossa glória, que o seu castigo seja para a nossa felicidade divina! Impacta sem cessar este espetáculo, ó crente, em sua alma! — *Dionísio citado por Isaac Williams*

v. 6: "eu sou verme". Entre os hindus, quando o homem reclama e se detesta, ele pergunta: "O que sou? Um verme! Um verme!" "Ah, o homem orgulhoso! Ele me considerou como verme, bem que gostaria de lhe dizer: 'Todos nós somos vermes'." "Vermes, rastejem fora da minha presença." — *Joseph Roberts*

v. 7: "Todos os que me veem zombam de mim, estendem os beiços e meneiam a cabeça". Imagine esta cena terrível. Veja a multidão variegada de ricos e pobres, de judeus e gentios! Alguns em pequenos grupos olhando. Outros sentados à vontade olhando fixamente. Uns se movimentam a esmo em certo prazer inquieto pelo que está acontecendo. Há um olhar de satisfação em todo semblante. Ninguém está calado. A velocidade da fala parece atrasada. O tema é demasiadamente importante para uma pessoa só proferir. Todos os lábios, cabeças e dedos formam agora uma língua. Os rústicos soldados também estão ocupados no desempenho das suas funções rudes. O trabalho que envolvia sangue terminou. Refrigério se tornou necessário. A bebida habitual de vinagre e água foi fornecida para eles. Quando estão individualmente saciados, eles se dirigem à cruz, oferecem a bebida ao Salvador, ordenando-lhe que beba (Lc 23.36). Eles sabem que Jesus deve estar sentindo sede intensa, e a agravam com o escárnio da bebida. Romanos cruéis! E vós, judeus regicidas! Não bastava a morte? Tinham de acrescentar escárnio e desprezo? Neste dia triste, Jesus fez de vocês realmente um! Terrível unidade — que constituiu vocês os zombadores e assassinos em comum do Senhor da glória! — *John Stevenson*

v. 7: "Todos os que me veem zombam de mim, estendem os beiços e meneiam a cabeça". Houve em nossos dias pessoas cujos crimes excitaram tamanho ódio e abominação que a populaça as teria feito em pedaços antes e até mesmo depois do julgamento, se pudesse tê-las nas mãos. Quando estas pessoas muito detestáveis foram executadas de acordo com a sentença, se, talvez, não houvesse um espectador que desejasse que escapassem, nenhum se achou ter perdido a sensibilidade a ponto de insultá-los nos momentos em que morriam. Mas quando Jesus sofre, todos os que o veem zombam dEle, estendem os beiços e meneiam a cabeça. Insultam-lhe o caráter e a esperança. — *John Newton*

v. 7: "estendem os beiços". O ato de protrair o lábio inferior é, no oriente, considerado uma indicação muito forte de desprezo. O seu emprego é limitado principalmente às pessoas da mais baixa laia. — *"Illustrated Commentary" [Comentário Ilustrado] vv. 7 e 8:* "Todos os que me veem zombam de mim, estendem os beiços e meneiam a cabeça, dizendo: Confiou no Senhor, que o livre; livre-o, pois nele tem prazer". Foi depois da crucificação e durante as horas em que Ele ficou pendurado na cruz, que os sofrimentos de Jesus neste modo — o tormento de ver e ouvir o desprezo e escárnio que eram feitos da verdade da sua pessoa e doutrina — sumamente abundantes e nestes e em tantos tipos de escárnio e insulto que alguns consideram que este foi a mais importante dor e tristeza que Ele suportou na sua paixão mais sagrada. Quanto a essas coisas que em geral são consideradas as mais dolorosas de suportar das quais somos muito sensíveis, assim parece a essas pessoas que sofrimentos deste tipo contêm mais causa para sentir que qualquer outro sofrimento. Todos os tormentos do Senhor eram muito grandes, de forma que cada um parecia maior que o outro, e nenhuma comparação podia ser feita entre eles. Contudo, este tipo de sofrimento era o mais doloroso. Porque em outras dificuldades, não só a dor e o sofrimento que causam, mas as próprias dificuldades podem ser desejadas por nós, quando sofremos pela causa do amor para por elas evidenciar esse amor. Portanto, as chicotadas, a coroa de espinhos, as bofetadas, a cruz, o fel, o vinagre e outros tormentos físicos, além dos que atormentam o corpo, são meios de promover a honra divina que mantém a estima acima de tudo o mais. Mas blasfemar de Deus, desmentir as verdades eternas, deformar as demonstrações supremas da divindade e majestade do Filho de Deus (embora Deus saiba como extrair destas coisas o bem que Ele pretende) são, por sua natureza, coisas que, embora possam ser, por considerações justas, suportadas, nunca podem ser desejadas por quem quer que seja, mas devem ser detestáveis a todos. O nosso Senhor sendo de todos o mais zeloso da honra divina, pela qual morreu, achou neste tipo de sofrimento, mais que em todos os outros muito para detestar e nada que desejar. Portanto, com razão podemos afirmar que é o maior sofrimento de todos, e que nEle, mais que em todos os outros, Jesus mostrou o maior sofrimento e paciência. — *Fra Thome de Jesu, "The Sufferings of Jesus" [Os Sofrimentos de Jesus], 1869*

vv. 7, 8 e 9: "Todos os que me veem zombam de mim; afrouxam os lábios e meneiam a cabeça: Confiou no Senhor! Livre-o ele; salve-o, pois nele tem prazer. Contudo, tu és quem me fez nascer; e me preservaste, estando eu ainda ao seio de minha mãe". — *"The Psalter of David in English, truly translated out of Latyn" (O Saltério de Davi em Inglês, verdadeiramente traduzido do Latim), in: "Devout Psalms" [Salmos Devotos], de E. Whitchurche, 1547*

v. 8: "Confiou no Senhor, que o livre; livre-o, pois nele tem prazer". Aqui estão registradas algumas das próprias palavras pelas quais os perseguidores de nosso Senhor expressaram escárnio e desprezo. Como é surpreendente achá-las em um salmo composto há tantas centenas de anos antes do fato! — *John Stevenson*

vv. 9 e 10: A fé é muito fortalecida por evidências constantes das bênçãos de Deus. Foi com isso que Ele sustentou a fé que disse a Deus: "Mas tu és o que me tiraste do ventre; o que me preservaste estando ainda aos seios de minha mãe. Sobre ti fui lançado desde a madre; tu és o meu Deus desde o ventre de minha mãe". "Tu és a minha confiança desde a minha mocidade. Por ti tenho sido sustentado desde o ventre; tu és aquele que me tiraste do ventre de minha mãe; o meu louvor será para ti constantemente" (Sl 71.5,6). Não foi somente a disposição de Obadias para com Deus, mas também a evidência de que assim ele teve o afeto de Deus, que o fez afirmar com confiança a Elias: "Porém eu, teu servo, temo ao Senhor desde a minha mocidade" (1 Rs 18.12). Por meio da permanência contínua da benevolência antiga, muitas demonstrações são dadas acerca de uma benevolência firme, fixa e irremovível. Se, por causa das provações, uma ou mais evidências forem questionadas, outras permanecem para sustentar a fé e impedi-la de ter um colapso absoluto e queda total. A casa que é sustentada por muitos pilares, mesmo ficando sem alguns, permanece de pé pelo apoio dos que permaneceram. — *William Gouge*

vv. 9 e 10: Davi reconhece as misericórdias antigas, as misericórdias que lhe tinham sido dadas há muito tempo ainda estavam frescas e novas na memória. Este é o afeto e a disposição de um coração agradecido — lembrar-se das misericórdias que outros teriam esquecido ou nunca pensado nelas. É o que Davi faz. As misericórdias da infância, meninice, juventude que os outros teriam imaginado que agora na idade avançada ficariam totalmente esquecidas, estas ele mesmo se incita em lembrar-se e trazer aos pensamentos.

"tu és o que me tiraste do ventre." Quando aconteceu isso? Pode ter sido sessenta anos atrás quando Davi escreveu os salmos. Ele pensa nas misericórdias que Deus lhe concedeu quando não era capaz de pensar, nem avaliar o que lhe foi dado. Assim, somos ensinados a fazer, em imitação do exemplo santo que está diante de nós. As misericórdias que Deus dá em nossa menoridade têm de ser lembradas e reconhecidas por nós em nossos anos de adulto. — *Thomas Horton*

vv. 9 e 10: "Mas tu és o que me tiraste do ventre; o que me preservaste estando ainda aos seios de minha mãe. Sobre ti fui lançado desde a madre; tu és o meu Deus desde o ventre de minha mãe". Aqui a tribulação começa a ficar mais leve e a esperança se inclina à vitória. Um sustento, ainda que pequeno e buscado com profunda ansiedade, se acha agora. Depois de ter sentido que ele tinha sofrido sem qualquer paralelo ou exemplo, de forma que as obras maravilhosas de Deus mostradas aos pais não lhe foram de ajuda, o salmista chega às obras maravilhosos de Deus feitas a favor dele, e nestas acha a benevolência de Deus voltada para ele e que foi exibida exclusivamente de modo tão singular. — *Martinho Lutero*

vv. 9 e 10: A amarga severidade dos insultos com que os inimigos atacaram o nosso Senhor não teve outro efeito senão levar o Salvador a fazer uma súplica direta ao Pai. [...] Essa súplica é colocada diante de nós nestes dois versículos. É de natureza incomum e extraordinária. O argumento no qual se fundamenta é muito forçoso e conclusivo. Ao mesmo tempo, é o mais oportuno e apropriado que podemos recomendar. Podemos parafrasear os versículos assim: "Sou levado agora como homem em meu mais alto grau de sofrimento. Dizem que Deus me desconhece; mas não pode. Desde o meu primeiro momento de existência Ele ternamente cuidou de mim. Quando eu nem podia pedir ou pensar na sua bondade, Ele a deu para mim. Se, pelo seu bom prazer, Deus me trouxe à vida no princípio, então Ele não me abandonará quando eu estiver saindo dela. Em oposição a todos os insultos, posso e suplicarei a Deus. Os meus inimigos declaram, ó Deus, que tu me lançaste fora, "mas tu és o que me tiraste do ventre". Eles afirmam que não confio nem preciso confiar em ti, mas tu "me preservaste [ou, guardaste em segurança] estando ainda aos seios de minha mãe". Eles insinuam que tu não me reconheces como Filho, mas "sobre ti fui lançado desde a madre; tu és o meu Deus desde o ventre de minha mãe". — *John Stevenson*

v. 10: "Sobre ti fui lançado desde a madre; tu és o meu Deus desde o ventre de minha mãe". Eusébio escreveu uma passagem nobre na qual mostra a ligação entre a encarnação e a paixão de nosso Senhor: Ele se consolava devidamente quando estava pendurado na cruz, mantendo em mente que o seu corpo, que então "estava mui desfigurado, mais do que o [...] dos outros filhos dos homens" (Is 52.14, ARA), era exatamente o mesmo que fora glorificado pelo Pai com tamanha honra singular, quando o Espírito Santo envolveu Maria e o poder do Altíssimo a cobriu com a sua sombra (cf. Lc 1.35). Portanto, este corpo, ainda que hoje esteja tão desgastado e lacerado, como outrora fora uma maravilha, assim seria para sempre a alegria dos anjos; e tendo sido revestido da imortalidade, seria o sustento para o povo fiel até o fim dos tempos. — *John Mason Neale, in loc.*

v. 10: "Sobre ti fui lançado desde a madre; tu és o meu Deus desde o ventre de minha mãe". Eu era como um abandonado pelo Pai e completamente lançado à providência. Não tive pai na terra e a minha mãe era pobre e desamparada. — *Matthew Poole*

v. 11: "Não te alongues de mim, pois a angústia está perto", e assim está na hora de tu estenderes uma mão ajudadora. Certo intérprete disse: *Hominibus profanis mirabilis videtur hoc ratio*, que significa "para profanar pessoas, esta parece ser uma razão estranha". Mas é uma excelente razão, como soube este profeta, que faz então a súplica. — *John Trapp*

v. 12: "Muitos touros me cercaram". Estes animais são notáveis pela forma imponente, feroz e taciturna em que exercem grande força. Era assim que os perseguidores atacavam o nosso Senhor. Eram primeiramente inimigos humanos e, secundariamente, inimigos espirituais. Ambos eram da mesma forma distinguidos pela forma imponente, feroz e taciturna em que o atacavam. — *John Stevenson*

vv. 12 e 13: "Basã" era uma região fértil (Nm 32.4), e os rebanhos que pastavam ali eram gordos e fortes (Dt 32.14). Como eles, os judeus naquela boa terra engordaram e deram coices, ficaram orgulhosos e rebelaram-se; abandonaram a Deus, que os fez, e desprezaram a Rocha da salvação (Dt 32.15). — *George Home*

v. 13: "Abriram contra mim suas bocas, como um leão que despedaça e que ruge". O filhote indefeso ou o cordeiro inofensivo cercado por touros furiosos e leões famintos, representava adequadamente o Salvador cercado por perseguidores insultantes e sangrentos. — *Thomas Scott, 1747-1881*

v. 14: "Como água me derramei, e todos os meus ossos se desconjuntaram; o meu coração é como cera e derreteu-se dentro de mim". Ele estava enfraquecido. Sobreveio tamanho sentimento de langor e fraqueza que a linguagem não o expressa, tendo de empregar a figura da "água derramada" para representá-lo. Enquanto a água estiver caindo do copo ao chão, repare como as partículas se separam cada vez mais umas das outras. A velocidade aumenta enquanto cai. Não tem força para parar a meio caminho, muito menos para voltar de onde saiu. É o mesmo quadro de fraqueza absoluta. Era como se sentia o nosso Senhor quando estava pendurado na cruz. Ele estava desfalecido de fraqueza. As sensações experimentadas quando o desmaio está prestes a ocorrer são muito devastadoras. Para a nossa consciência parece que é só uma fraqueza, como água derramada. Todos os nossos ossos se sentem relaxados e desconjuntados; parece que não temos nenhum. A força dos ossos acaba, o ligamento das juntas se solta e o vigor muscular foge. Uma tontura doentia nos vence. Não temos poder para suportar. Todo o coração está perdido. A força desaparece como cera, como cera derretida, que cai em volta dos objetos circunvizinhos e se perde. Daniel descreve o que sentiu quando teve a grande visão: "Não ficou força em mim; e transmudou-se em mim a minha formosura em desmaio, e não retive força alguma" (Dn 10.8). Em relação ao desfalecimento que o nosso Senhor experimentou, notemos esta circunstância adicional e notável: Ele não desfaleceu completamente. Ele recusou tomar a bebida que aliviaria a sensibilidade. Quando a consciência cessa, termina necessária e imediatamente toda percepção de dor. Mas o nosso Senhor reteve plena consciência ao longo desta cena terrível, e pacientemente suportou por nós, durante um período considerável, as sensações insuportáveis que precedem o desmaio. — *John Stevenson*

v. 14: "Como água me derramei", quer dizer, na opinião dos meus inimigos estou completamente arruinado. "Porque certamente morreremos e seremos como águas derramadas na terra, que não se ajuntam mais" (2 Sm 14.14). "Como é maravilhoso", diz Bernardo, "que o nome do Noivo fosse como unguento derramado, quando Ele, pela grandeza do seu amor, foi derramado como água!" — *John Mason Neale*

v. 14: "Como água me derramei", que significa, estou quase fora do limite de recuperação, como água derramada no chão. — *John Trapp*

v. 14: "e todos os meus ossos se desconjuntaram". O suplício da roda foi inventado como o sofrimento mais intenso, tocando as raias do terror. A cruz é uma roda sobre a qual Jesus foi esticado, pois, diz o salmo, "todos os meus ossos se desconjuntaram". Ficando, quando estava pendurado, três longas horas seguro apenas pelos braços, já ouvi alguns declararem que se trata de uma dor dificilmente acreditável. Mas as mãos e os pés (regiões extremamente sensíveis, por causa da abundância de textura dos tendões) sendo tão cruelmente pregados, torna a dor imensamente mais aguda. Não foi à toa que, disse certo pagão: *dolores acerrimi dicuntur cruciatus*, que significa "as dores mais agudas e amargas recebem o nome desde episódio e se chamam *cruciatus*" — dores como as da cruz. Havia um significado para lhe darem, como recepção à cruz, uma taça misturada com fel ou mirra e, como despedida, uma esponja de vinagre: mostrar por uma a amargura e pela outra a agudez das dores desta morte dolorosa. — *Lancelot Andrewes*

v. 14: "e todos os meus ossos se desconjuntaram". Sabemos que a maior e mais intolerável dor que o corpo pode suportar é a que surge de um osso fora de lugar ou de uma junta deslocada. Quando o Senhor foi colocado na cruz e o corpo sagrado ficou pendurado pelos cravos, todas as juntas começaram a ceder, de forma que os ossos se separaram tão visivelmente uns dos outros que, de fato (como Davi profetizara), eles poderiam ser contados (v. 17). Assim, ao longo do corpo, Ele suportou tortura lancinante. Enquanto o nosso Senhor sofria estes tormentos, os inimigos, que tão avidamente tinham desejado crucificá-lo, longe de ter pena dEle, estavam cheios de prazer, como se celebrassem uma vitória. — *Fra Thome de Jesu*

v. 15: "A minha força se secou como um caco, e a língua se me pega ao paladar; e me puseste no pó da morte". A inflamação deve ter começado cedo e de modo violento nos membros feridos do corpo, tendo em seguida passado aos membros que estavam cansados e terminado em febre altíssima pelo corpo todo. Então, os humores orgânicos se secariam, e as partículas de água no sangue seriam absorvidas. A pele ressecada pelo sol causticante do meio-dia seria incapaz de fornecer ou absorver umidade. A perda de sangue pelas mãos e pés aceleraria o dessecamento. Por conseguinte, o nosso Senhor diz: "A minha força se secou como um caco, e a língua se me pega ao paladar". A febre devoraria a pequena força restante. A sede, que é a mais intolerável de todas as privações físicas, seria devastadora. O corpo lhe deu a sensação de ser um caco de cerâmica carbonizado no forno do oleiro. Parecia não lhe ter restado força nem firmeza. Ele deve ter ficado tão fraco, sedento e seco que a viscosidade da boca, um dos precursores da morte imediata, já tomara conta dele: "A língua se me pega ao paladar; e me puseste no pó da morte". — *John Stevenson*

v. 15: "A minha força se secou", não como na prova do ouro e da prata, mas como um caco de cerâmica, como o vaso de barro ressecado pelo calor, falado em humilhação. — *Isaac Williams, in loc.*

v.15: "um caco". A palavra חֶרֶשׂ, traduzida por "caco", denota um caco de louça em estado quebrado. Como empregado no versículo sob estudo, deriva da palavra correspondente em árabe que expressa aspereza de pele e transmite a ideia da aparência física de alguém em quem a umidade dos humores orgânicos se secara pelo excesso de aflição. — *John Morison*

v.15: "A minha força se secou como um caco, e a língua se me pega ao paladar; e me puseste no pó da morte". É perigoso definir naquela hora quais eram os seus sentimentos. Não os sabemos. Podemos ser muito ousados em determiná-los. Para muito bom propósito, era o que os antigos pais da igreja grega, na liturgia, depois de contarem todas as dores particulares, visto estarem na paixão, encerravam pedindo misericórdia por todos e cada um deles, dizendo: Δι αγνωστων κοπῶν κὶ βασάνων ελέησον κὶ σῶσον ἡμᾶς, que significa: "Por tuas dificuldades e sofrimentos desconhecidos, sentidos por ti, mas não distintamente conhecidos por nós, tem misericórdia de nós e salva-nos". — *Lancelot Andrewes*

v. 16: "Pois me rodearam cães". A malignidade mostrada pelos inimigos de nosso Senhor era tão grande e variada, que as características combinadas de duas espécies de animais ferozes não foram suficientes para representá-la. Outra figura emblemática teve de ser introduzida. "O ajuntamento de malfeitores" é comparado ao de "cães" que infestam as cidades, perambulam por todos os cantos, rosnam em cima de carne putrefata e a devoram com ganância — como "cães", com os latidos selvagens em franca perseguição, com o faro infalível que localiza a vítima, com os olhos vigilantes de todos os movimentos e com a determinação de que nada pode fracassar, eles a perseguem até à morte. O modo oriental de caçar, tanto antigamente quanto dos dias atuais, é sanguinário e impiedoso ao extremo. Marcam um círculo de vários quilômetros de circunferência. Os homens, impelindo tudo que estiver diante deles e estreitando à medida que avançam, cercam as presas de todos os lados. Tendo-as prendido, os caçadores cruéis passam a matar à vontade. Assim fizeram os inimigos de nosso Senhor. Muito antes da crucificação está registrado que eles se serviram dos planos mais traiçoeiros para tê-lo nas mãos. — *John Stevenson*

v. 16: "Pois me rodearam cães". Para caçar um leão, chamam um distrito de pessoas, as quais, formando primeiro um círculo, cercam um espaço de seis ou oito quilômetros, de acordo com o número de pessoas e o tipo de terreno, que é demarcado para a cena de ação. Os criados vão na frente, atacando as moitas com os cães e lanças para assustar a caça. Enquanto isso, os cavaleiros, ficando um pouco atrás, sempre estão prontos para atacar os animais selvagens que arrancam repentinamente. Procedem desta maneira, fechando o círculo cada vez mais, até que todas as pessoas se reúnam ou encontrem outra caça para diverti-los. — *"Dr. Shaw's Travels" [Viagens do Dr. Shaw], citado por George Paxton, "Illustrations of Scripture" [Ilustrações Bíblicas]*

v. 16: "traspassaram-me as mãos e os pés", isto é, quando pregaram Jesus à cruz (Mt 27.35; Jo 20.25). Se me permitem simular, disse certo homem instruído, a gradação do orador: *Facinus vincire civem Romanum*, etc. Era muito para o Filho de Deus ser amarrado, muito mais ser surrado e muito mais ainda ser morto. *Quid dicam in crucem tolle?* Mas o que direi por Jesus ter sido crucificado? Este foi o ato mais vil e infame, como também o tipo mais cruel e maldito de morte, o qual Ele não recusou. Temos aqui um testemunho claro da cruz de Cristo. — *John Trapp*

v. 16: "traspassaram-me as mãos e os pés". De todos os castigos sanguinolentos, os pertinentes à crucificação são um dos mais terríveis — nenhum órgão vital é imediatamente afetado. As mãos e os pés, que possuem os órgãos mais numerosos e sensíveis, são perfurados com cravos que necessariamente têm de ser de tamanho adequado para o propósito planejado. O rasgo das fibras sensíveis das mãos e dos pés, o dilaceramento de tantos nervos e o estouro de tantos vasos sanguíneos devem produzir intensa agonia. Os nervos das mãos e dos pés estão intimamente ligados pelos braços e pelas pernas com os nervos do corpo inteiro. A dilaceração desses nervos deve ser sentida por toda a estrutura física. Testemunhe o resultado melancólico do furo de uma agulha em um dos mais remotos nervos. Não é raro o espasmo ser produzido nos músculos do rosto que prendem firmemente os maxilares. Quando as mãos e os pés do nosso Senhor foram perfurados com os cravos, Ele deve ter sentido as mais lancinantes e agudas dores que viajaram por todas as partes do corpo. Sustentado apenas pelos membros dilacerados, e suspenso pelas mãos perfuradas, o nosso Senhor teve de suportar quase seis horas de tormento. — *John Stevenson*

v. 16: "traspassaram-me as mãos e os pés". O profeta evangélico testemunha: "Eis que, na palma das minhas mãos, te tenho gravado" (Is 49.16). Não estávamos nós gravados lá quando as mãos foram traspassadas por nós? "Traspassaram-me as mãos e os pés", e traspassaram tão profundamente, que as próprias cicatrizes permaneceram depois da ressurreição, as quais serviram de evidência, pois os dedos de outras pessoas podiam tocar nelas. Há quem pense que essas cicatrizes ainda permanecem no corpo glorioso para serem mostradas na segunda vinda: "E olharão para mim, a quem traspassaram" (Zc 12.10). É improvável, mas é certo: ainda permanecem as marcas nas mãos e no coração de Jesus, o selo e o uso dos eleitos lá como joias preciosas. — *Thomas Adams*

v. 17: "Poderia contar todos os meus ossos; eles veem e me contemplam". A pele e a carne se dilataram por causa da postura do corpo na cruz, de modo que os ossos, como que por um véu tênue, ficaram visíveis e poderiam ser contados. — *George Home*

v. 17: "Poderia contar todos os meus ossos". Como o primeiro Adão, antes da queda, perdeu a capa da inocência e, daí em diante, precisava de outras peças de roupa, assim o segundo Adão condescendeu ser privado das vestes terrenas para, daqui por diante, se poder dizer a nós: "Trazei depressa a melhor roupa" (Lc 15.22). — *Gerhohus, citado por John Mason Neale*

v. 17: "eles veem e me contemplam". Sensitivamente cônscio da sua situação na cruz, os sentimentos sensíveis do Salvador santo foram extremamente magoados pelo olhar da multidão. Olhavam para Ele descaradamente. Se estivessem andando, paravam para vê-lo melhor. Com insolência deliberada, reuniam-se em grupos e faziam observações uns aos outros sobre a postura e aparência dEle. Escarnecendo do corpo nu, emagrecido e tremente, "eles veem e me contemplam". — *John Stevenson*

v. 17: "eles veem e me contemplam". Como é diferente o olhar que o pecador despertado dirige ao Calvário, quando a fé ergue os olhos àquEle que agonizou, sangrou e morreu pelos culpados! E que gratidão sentiram os homens malditos, pois daquEle que está pendurado na cruz maldita se ouve o som convidativo: "Olhai para mim e sereis salvos, vós, todos os termos da terra; porque eu sou Deus, e não há outro" (Is 45.22). — *John Morison*

v. 18: "Repartem entre si as minhas vestes e lançam sortes sobre a minha túnica". Os crucificados ficavam completamente nus na cruz, e os executores ficavam com as roupas deles. Não cabe supor que houvesse sequer um pano em torno dos lombos. As roupas tornavam-se propriedade dos soldados, segundo o costume romano. As vestes exteriores foram divididas em quatro, rasgando-as pela costura. Quatro soldados eram destacados como guarda, pelo código romano. A roupa usada por baixo das outras não podia ser dividida, pois era tecida. Esse fato levou os soldados a lançar sortes. — *J. P. Lange, Doutor em Teologia, comentando sobre Mateus 27.35.*

v. 18: "Repartem entre si as minhas vestes e lançam sortes sobre a minha túnica". Não havia falta de motivos para crucificar Jesus, não fossem pelas suas vestes velhas, e estas de pouco valor. Por estas vestes os soldados o crucificam, embora as recebessem por recompensa. Jesus submeteu-se a sofrer nu por nós para nos ensinar que:

(1) Toda a carne está realmente nua diante de Deus por causa do pecado (Êx 32.25; 2 Cr 28.19). Portanto, convinha que o nosso Fiador sofresse nu.

(2) Ele entregou-se como verdadeiro cativo nos sofrimentos para que satisfizesse completamente a justiça, colocando-se sob o poder dos inimigos, até que se resgatou por mão forte depois de ter pago o preço total. Por isso, submeteu-se a ser despido, como os conquistadores costumam fazer com os prisioneiros.

(3) Por ter sofrido nu, Jesus expiaria o mal uso que fazemos da roupa e nos compraria a liberdade de usar roupas adequadas e pertinentes à nossa situação.

(4) Por ter sofrido nu, Jesus compraria para aqueles que correm para Ele o direito de serem cobertos com justiça e glória, e andarem com Ele para sempre de branco, e mostraria a nudez daqueles que, não sendo achados vestidos com a justiça que Ele lhes comprou, não serão vestidos de imortalidade e glória (2 Co 5.2,3).

(5) Por ter sofrido nu, Jesus mostraria a todos os seus seguidores a encarar a nudez como parte do que significa segui-lo e ser conformado à Cabeça (1 Jo 4.17; Rm 8.35; Hb 11.37), e que não deveriam dar muita importância às roupas quando as tivessem. — *George Hutcheson, 1657*

v. 18: "e lançam sortes sobre a minha túnica". Por mais que pareça insignificante o lançamento de sortes sobre a túnica de nosso Senhor, é ato muito significativo. Contém duas lições: Mostra-nos o alto valor que davam a essa peça de roupa sem costura, e o baixo valor que davam a quem a pertencia. É como se dissessem que esta peça de roupa era mais valiosa que o dono. Como está escrito acerca das trinta peças de prata: "Esse belo preço em que fui avaliado por eles" (Zc 11.13), assim podemos dizer acerca do lançamento de sortes: "Como Cristo foi avaliado por tão pouco!" — *John Stevenson*

v. 20: "A minha predileta". Esta expressão teria sido mais bem traduzida por "a minha única" ou "a minha solitária", porque Ele quer dizer que a sua alma estava só e foi abandonada por todos, e que não havia ninguém que o buscasse como amigo, ou que se importasse com Ele, ou que o confortasse. É como está escrito: "Olhei para a minha direita e vi; mas não havia quem me conhecesse; refúgio me faltou; ninguém cuidou da minha alma" (Sl 142.4), quer dizer, a solidão é por si mesma uma cruz, sobretudo em grandes tormentos, que ficam mais dolorosos por não haver um exemplo ou uma companhia. Não obstante, em tal estado, cada um de nós tem de passar por um sofrimento ou outro, e especialmente pela morte, quando então devemos ser levados a clamar as palavras do Salmo 25.16: "Olha para mim e tem piedade de mim, porque estou solitário e aflito". — *Martinho Lutero*

v. 20: "cão". É muito difícil um europeu formar uma ideia da perturbação intolerável ocasionada nas aldeias e cidades do Oriente, pela multidão de cães que infestam as ruas. Os habitantes locais, acostumados desde pequeno com o aborrecimento, agem sem se preocupar-se com isso. Mas para o estrangeiro, estas criaturas são a maior praga à qual ele tem de se sujeitar. Levando em conta que ninguém permite que os cães entrem em casa, não constituindo propriedade de quem quer que seja, eles não têm os hábitos que as espécies de cães conhecidas entre nós são suscetíveis, não possuindo nenhuma das qualidades sociais que fazem do cachorro o amigo fiel e afeiçoado ao homem. [...] A raça parece completamente degenerada nas regiões quentes do Oriente, aproximando-se do caráter dos animais de rapina, visto que em termos de disposição eles são ferozes, espertos, sanguinários e possessos da mais insaciável voracidade. Até no corpo há algo de repulsivo. As características severas e selvagens, os olhos semelhantes a lobos, as orelhas longas e suspensas, a cauda reta e pontuda, a forma delgada e emagrecida, quase sem barriga, lhes dão a aparência de miséria e degradação, que fica em triste contraste com a condição e qualidades gerais da raça na Europa. [...] Estes animais horrorosos, temidos pelas pessoas pela sua ferocidade, ou evitados por elas como inúteis e tenebrosas, são obrigados a rondar a esmo em todos lugares na busca de uma existência precária. [...] Em geral, andam em bandos. A ferocidade natural, inflamada pela fome, e a consciência de força fazem deles os visitantes mais problemáticos e perigosos para o estranho que inesperadamente se achar próximo deles, visto que não hesitam em agarrar tudo que possa estar levando e até mesmo, no caso de queda e estando desamparado, atacá-lo e devorá-lo. [...] Estes animais, movidos pela fome, gananciosamente devoram tudo o que encontram pelo caminho. Fartam-se das substâncias mais pútridas e repugnantes que são jogadas pela cidade, não havendo nada de que mais gostem do que a carne humana, uma refeição que a brutalidade dos países despóticos da Ásia os supre, uma vez que os corpos dos criminosos mortos por assassinato, traição ou violência, raramente são enterrados, ficando expostos até que os fragmentos mutilados são levados pelos cães. — *George Paxton, Professor e Doutor em Teologia, "Illustrations of Scripture" [Ilustrações da Bíblia], revisto e ampliado por Robert Jamieson, 1843*

v. 21: "Salva-me da boca do leão". Satanás é chamado leão, e muito adequadamente, pois ele tem todas as características deste animal: é tão corajoso quanto o leão, tão forte, tão furioso e tão terrível quanto o rugido do leão. É até pior: ao leão falta sutileza e desconfiança; nisto o Diabo é mais que o leão. O leão poupará o prostrado, o Diabo não poupa ninguém. O leão está saciado e se abstém, o Diabo está saciado e devora mais. Ele busca a todos. O simples não deve dizer: Ele não notará em mim; nem o sagaz: Ele não pode me vencer; nem o nobre: Ele não se atreverá em intrometer-se comigo; nem o rico: Ele não ousará concorrer comigo; porque ele procura devorar a todos. Ele é o nosso adversário comum, então cessemos de todas as disputas entre nós e lutemos todos contra ele. — *Thomas Adams*

v. 21: "Salva-me [...] desde as pontas dos unicórnios". Aqueles que estão em grandes dificuldades por conta do poder ou crueldade dos outros, clamam aos seus deuses: "Ah, salva-me do dente do elefante, da boca do tigre e das presas do javali. Salva-me, salva-me!" "Quem me salvará dos chifres do Kondam?" Este animal hoje está extinto nestas regiões, não sendo fácil determinar o que era. A palavra em sathur (língua indiana), *agarathe*, é traduzida por "vaca das selvas". — *Joseph Roberts*

v. 21: "as pontas dos unicórnios". Consultando as Escrituras judaicas encontramos que a palavra רְאֵם é traduzida por "búfalo", e não há dúvida de que esta é a tradução quase correta. Quase todos os naturalistas atualmente concordam que a palavra *reem* do Antigo Testamento deve ter sido o hoje extinto uro (touro selvagem). [...] A presença destes chifres dispõe confirmação notável de uma conhecida passagem do famoso "Comentários", de Júlio César. "Os uros são de tamanho pouco inferior a elefantes [*magnitudine paulo infra elephantos*], mas são de natureza, cor e aparência dos touros. São animais fortes e velozes. Não poupam homem ou animal quando os notam repentinamente". — *J. G. Wood, Mestre em Ciências Humanas, F.L.S., "Bible Animals" [Animais da Bíblia], 1869*

v. 22: "Então, declararei o teu nome aos meus irmãos". Tendo obtido alívio da escuridão opressiva, e recuperado a posse consciente da alegria e luz do semblante do Pai, os pensamentos e desejos do Redentor fluem no seu canal costumeiro. A glória de Deus na salvação da igreja. — *John Stevenson*

v. 22: "meus irmãos". Esta expressão mostra a baixa condescendência do Filho de Deus, bem como a alta exaltação dos filhos dos homens. O Filho de Deus ser irmão dos filhos dos homens é um extremo grau de humilhação, e os filhos dos homens serem feitos irmãos do Filho de Deus é um elevado grau de exaltação. Neste aspecto, os irmãos de Jesus são filhos de Deus, herdeiros dos céus ou reis, não terrenos, mas divinos, não temporários, mas eternos. [...] Este respeito de Cristo para com os seus irmãos é um grande encorajamento e consolação para quem é menosprezado e desprezado pelos homens deste mundo por aqueles confessarem a Cristo. — *William Gouge*

v. 24: "Porque não desprezou nem abominou a aflição do aflito, nem escondeu dele o seu rosto; antes, quando ele clamou, o ouviu". Aquele que deseja ser da semente de Israel e alegrar-se na graça do Evangelho fica pobre, pois esta é uma verdade fixa, o nosso Deus é alguém que tem respeito pelos aflitos! Observe a integridade e diligência do profeta. Ele não se contentou em dizer "não menosprezou", mas acrescenta: "nem abominou". Da mesma forma, não se conteve em dizer: "Nem escondeu dele o seu rosto", pois adiciona: "o ouviu". Em seguida, cita um exemplo, dizendo: "Quando ele clamou". É como se ele tivesse dito: "Vede e aprendei pelo meu exemplo. Fui feito o mais vil dos homens e enumerado entre os ímpios, quando então fui menosprezado, expulso, rejeitado. Mas vede! Fui reputado na mais alta estima, abraçado e ouvido. Não permita que este estado de coisas, já que você sabe agora do meu exemplo encorajador, os amedronte. O Evangelho exige que o homem seja de tal caráter antes de salvá-lo". Digo estas coisas, porque a nossa fraqueza requer tamanha exortação, que não pode temer ser humilhada, nem desesperar-se quando humilhada, para então poder, depois do ato da cruz, receber a salvação. — *Martinho Lutero*

v. 25: "O meu louvor virá de ti na grande congregação; pagarei os meus votos perante os que o temem". A alegria e gratidão de nosso Senhor adorável se elevam a tamanha altura por causa deste grande livramento, que o seu coração transborda com nova e santificada consciência da proximidade do Pai celestial, fazendo-o extravasar a expressão do seu louvor. Pela repetição, Jesus nos ensina que este não é um arrombo temporário de gratidão, mas uma determinação firme, uma resolução plena e segura. — *John Stevenson*

v. 25: "na grande congregação". Os santos são testemunhas muito adequadas dos deveres sagrados. Aquilo que no Salmo 116.14 está implícito nesta partícula restritiva "seu": "Na presença de todo o seu povo", está mais expressamente notado no Salmo 22.25 por uma descrição mais evidente: "pagarei os meus votos perante os que o temem". Ninguém senão os verdadeiros santos temem a Deus verdadeiramente.

(1) Esta característica do povo de Deus — temor ao Senhor — mostra que eles farão o melhor uso dos deveres sagrados e solenes feitos na presença deles. Eles glorificarão a Deus por este zelo, unirão o espírito com o espírito dEle neste franco cumprimento do dever. Eles se tornarão seguidores e aprenderão a fazer e pagar os votos feitos ao Senhor, e o farão de modo franco e público.

(2) Quanto aos outros, não são melhores que porcos e cães que não são dignos de terem pérolas preciosas e coisas santas, pois as pisoteiam com os pés. — *William Gouge*

v. 26: "Os mansos comerão e se fartarão; louvarão ao SENHOR os que o buscam; o vosso coração viverá eternamente". Um banquete espiritual está preparado na igreja para os "mansos" e humildes de coração. A morte de Jesus foi o sacrifício pelo pecado; a sua carne verdadeiramente é comida e o seu sangue verdadeiramente é bebida (cf. Jo 6.55). Os pobres de espírito se alimentam desta provisão no coração pela fé e ficam satisfeitos. Enquanto buscam ao Senhor, eles também o louvam, e o coração (ou alma) é conservado para a vida eterna. — *"Practical Illustrations of the Book of Psalms" [lustrações Práticas do Livro dos Salmos], 1836*

v. 26: "Os mansos". Bonaventura gravou no seu gabinete de estudo esta doce declaração de nosso Senhor: "Aprendei de mim, que sou manso e humilde de coração" (Mt 11.29). Que esta declaração seja gravada em todas as testas e em todos os corações! — *Charles Bradbury*

v. 26: "louvarão ao Senhor os que o buscam; o vosso coração viverá eternamente". Seria de bom grado conhecer o homem que já empreendeu formar leis que prendam o coração dos homens ou preparem recompensas que alcancem a alma e consciência dos homens! Na verdade, se o homem mortal fizesse uma lei ordenando que os seus súditos o amassem de todo o coração e alma, e não ousassem, sob risco da maior indignação, tramar um pensamento traiçoeiro contra a pessoa real, mas que em seguida o confessassem a ele, se não seriam castigados, tais pessoas mereceriam ser ridicularizadas mais pelo orgulho e loucura que Xerxes por acorrentar Helesponto para prender as ondas à sua obediência. Ou mais que Calígula que ameaçou o ar, caso ousasse chover quando ele estava desfrutando dos seus passatempos, fazendo com que ninguém se atrevesse a sequer olhar no ar quando trovejava. Certamente o hospício seria o lugar mais adequado para tal pessoa que o trono, que até agora perdeu a razão a ponto de pensar que os pensamentos e corações dos homens estão dentro da sua jurisdição. — *William Gurnall*

v. 26: "o vosso coração", que significa, não o homem exterior, mas o homem oculto no coração (Ez 36.26). O novo homem que é criado segundo a imagem de Deus, em verdadeira justiça e santidade, "viverá eternamente". A vida que o inspira é a vida do Espírito de Deus. — *John Stevenson*

v. 27: "Todos os limites da terra se lembrarão e se converterão ao Senhor; e todas as gerações das nações adorarão perante a tua face". Esta passagem é uma predição da conversão dos gentios. Fornece duas ideias interessantes: a natureza da verdadeira conversão e a extensão da conversão sob o reinado ou o reino do Messias.

(1) A natureza da verdadeira conversão. É o lembrar-se do Senhor, converter-se a Ele e adorá-lo perante a sua face. Este é um processo claro e simples. Talvez o primeiro exercício religioso mental do qual temos consciência seja a reflexão. O estado de não regeneração é o estado de esquecimento. Os pecadores esquecem-se de Deus. Perdem todo o senso da glória, autoridade, misericórdia e julgamento divinos, vivendo como se não Deus não existisse, ou como se pensassem que não existisse. Mas sempre que somos levados a ser os sujeitos da verdadeira conversão, seremos levados a lembrar-nos destas coisas. Esta mudança divina está adequadamente expressa no caso do filho pródigo, onde diz que ele caiu em si ou chegou à lucidez (Lc 15.17). Mas a verdadeira conversão não consiste só em nos lembrar, mas também em nos converter ao Senhor. Esta parte da passagem é expressiva da renúncia sincera aos nossos ídolos, o que quer que tenham sido, e uma aquiescência ao caminho do Evangelho da salvação unicamente por Cristo. Mais uma vez, a verdadeira conversão a Cristo será acompanhada pela adoração a Ele. A adoração, como exercício religioso, é a homenagem do coração, apresentada a Deus de acordo com a sua vontade revelada. [...]

(2) A extensão da conversão sob o reinado ou o reino do Messias. Foi adequado que a ascensão dos gentios fosse reservada para o dia do Evangelho, a fim de adornar o triunfo de Jesus sobre os inimigos e mostrar qual é "o trabalho da sua alma" (Is 53.11). Este grande e bom trabalho, começado nos dias dos apóstolos, tem de

continuar e crescer (cf. Jo 3.30), até que "todos os limites da terra" se lembrem e se convertam e "todas as gerações das nações" adorem perante a face dEle. O trabalho de conversão tem sido individual. Deus tem reunido os pecadores um por um. Assim é atualmente conosco, mas não será assim para sempre. As pessoas se reunirão em Sião como pombas às janelas. Além disso, até aqui o trabalho de conversão tem se limitado a certas partes do mundo. Mas chegará o tempo em que "todas as gerações da terra" adorarão. Esta esperança não é a fuga de uma imaginação ardente. Está fundamentada nas verdadeiras declarações de Deus. Por fim, enquanto estamos no mundo, não nos esqueçamos de nossa alma. Pois, se o mundo inteiro for salvo e nós nos perdemos, que proveito teremos? — *Condensado de Andrew Fuller*

v. 27: "Todos os limites da terra se lembrarão". Esta é uma expressão extraordinária. Indica que o homem se esqueceu de Deus. Representa todas as gerações sucessivas do mundo, exceto uma. Por isso, mostra essa única geração, como se tivesse estado outrora no paraíso, de repente se lembrasse do Senhor a quem conheceu, mas tinha se esquecido por muito tempo. [...] Este versículo ensina que as nações convertidas não só obterão recordação da perda passada, mas também serão cheias do conhecimento do dever presente. — *John Stevenson*

v. 27: "Todos os limites da terra [יִזְכְּרוּ, *yizkᵉrû*, a mesma raiz hebraica de אַזְכִּיר, *'azkîr*] se lembrarão". Por quê? O que é isso? Do que se lembrarão? Disso: eles se converterão ao Senhor e o adorarão, no seu nome, nas suas ordenações, como está explicado nas palavras que se seguem no próprio versículo: "e todas as gerações das nações [וְיִשְׁתַּחֲווּ, *wᵉyishtaḥăwû*, "se curvarão", "se inclinarão", ou] adoração perante a tua face". Assim diz o Salmo 86.9: "Todas as nações que fizeste virão [וְיִשְׁתַּחֲווּ, *wᵉyishtaḥăwû*] e se prostrarão perante a tua face". Como o farão? Até mesmo registrando, lembrando-se e fazendo menção da glória do teu nome, como nas palavras que concluem o versículo: "[וִיכַבְּדוּ לִשְׁמֶךָ, *wîkabbᵉdû lishmekā*] e glorificarão o teu nome". — *William Strong, "Saint's Communion with God" [A Comunhão dos Santos com Deus], 1656*

vv. 27 e 28: O único objetivo constante do Filho era a glória do Pai: Jesus veio para fazer a sua vontade, e Ele a cumpriu com toda a intensidade invariável do mais celeste afeto. Qual não será, então, a alegria exuberante do seu coração, quando no reino glorioso Ele vir o Pai glorificado além de toda a medida? [...] O louvor, a honra e a bênção que serão rendidas ao Pai naquele dia por Jesus, de forma que Deus será tudo em todos, farão com que Ele sinta que o sofrimento não foi demasiado em comparação com fim precioso. [...] Toda nota de ação de graças que sobe ao Pai — quer das aves do céu, dos animais do campo, dos peixes do mar, ou dos montes, das montanhas, das árvores da floresta, dos rios do vale — alegrará o seu coração como algo agradável aos ouvidos de Deus, por causa daquEle que os redimiu da maldição e restabeleceu para eles uma melodia mais musical que a eclosão no dia do nascimento da criação!

E o homem, renovado e regenerado, por cuja alma o sangue foi derramado e pela redenção de cujo corpo a morte foi vencida, como o coro da sua ação de graças, em seus aleluias inteligentes e articulados, será o incenso que o Salvador ainda gostará de apresentar ao Pai, um cheiro suave por intermédio de Jesus, para que santificasse o povo pelo seu sangue, Ele sofreu fora do acampamento. Como os canais neste mundo mau estão bloqueados ou estragados, pelos quais os louvores e a glória de nosso Deus deveriam fluir como um rio! Como Cristo então testemunhará, para o prazer da sua alma, que todos estão limpos e restaurados! Não há coração frio ou língua gaguejante nos louvores do seu Pai! Não há entendimento entorpecido ou olhos fracos na compreensão da sua glória! Não há mão despreparada ou pé trôpego no cumprimento dos mandamentos divinos. Deus é a glória das suas criaturas: a sua glória é o serviço e o amor deles — e tudo isso é a recompensa de Jesus por ter sofrido. — *C. J. Goodhart, Mestre em Ciências Humanas, "Bloomsbury Lent Lectures" [Conferências dadas durante a Quaresma em Bloomsbury], 1848*

v. 29: "e todos os que descem ao pó se prostrarão perante ele; como também os que não podem reter a sua vida", que significa, cuja alma não viverá, que, por um hebraísmo, expressa que aquele que é de condição mais desesperadora, não tendo esperança de vida e salvação, os pecados são tão notórios, que também comerá neste banquete e se voltará a Deus para adorar e servi-lo, sendo arrancado das garras da morte e destruição eterna que, por assim dizer, estavam prontas para agarrá-lo. A tradução: "Ninguém pode manter viva a própria alma", visto que não concorda com o hebraico, torna o sentido mais confuso. Por "todos os que descem ao pó se prostrarão perante Ele; como também os que não podem reter a sua vida", alguns estudiosos entendem os mais miseravelmente pobres, os que não têm nada para comer, não têm algo pelo qual a vida possa ser retida, mas que se alimentarão neste banquete junto com os ricos e louvarão a Deus. Ainsworth entende que são os espiritualmente pobres e miseráveis, por causa dos excessivamente ímpios ou materialmente pobres. Há uma exposição de Basílio que diz lhe é indiferente se são os ricos, os ricos na fé e na graça, ou os propriamente ricos. Mas porque está escrito: "Os grandes da terra", prefiro a primeira opção, que explica melhor o final do versículo em relação à primeira parte; a última opção vai melhor com "todos os que descem ao pó", pois entendo os miseravelmente pobres. De forma que há uma generalidade de conforto para todos, tanto para os mais ricos quanto para os mais pobres, se forem súditos do reino da graça de Deus: as almas dos ricos e dos pobres serão igualmente alimentadas e salvas por Ele. — *John Mayer*

v. 29: "todos os que descem ao pó", quer sejam os que tremem por estarem à beira da sepultura, ou os que ocupam as atividades humildes e isoladas da vida. Como a primeira frase, quer dizer, os grandes e opulentos da terra, não é de forma alguma antinatural supor que a imagem de descer ao pó represente os pobres e miseráveis da humanidade, que não podem se sustentar e prover as suas múltiplas necessidades. Se a referência for à sepultura, como pensam muitos teólogos eminentes, o sentimento bonito do versículo será que multidões de pecadores agonizantes serão levados a adorar ao Senhor, e aqueles que não podem se salvar ou se libertar buscarão o abrigo que ninguém pode achar, a não os que se chegam ao trono da graça. "Ricos e pobres", como observa o bispo Home, "são convidados a adorar a Deus. Está chegando a hora em que toda a raça de Adão, tantos quantos dormem no 'pó' da terra, incapazes de levantarem-se sozinhos, serão despertados e chamados pela voz do Filho do Homem, e terão de dobrar os joelhos perante o Messias Rei". — *John Morison*

v. 29: "descem ao pó". Em primeiro lugar, descer ao pó é a circunlocução ou descrição da morte: "Porventura, te louvará o pó? Anunciará ele a tua verdade?" (Sl 30.9b). Em outras palavras, eu te louvarei quando eu estiver entre os mortos? "Que proveito há no meu sangue, quando desço à cova?" (Sl 30.9a). Não aquele proveito, obviamente, que não posso levar a ti no tributo de louvor quando a minha vida acabar. Em segundo lugar, descer ao pó é a descrição de uma situação miserável e pobre. "Todos os grandes [quer dizer, os ricos e poderosos] da terra comerão e adorarão, e todos os que descem ao pó [quer dizer, os maus e ímpios] se prostrarão perante ele". É como se o salmista tivesse dito que os ricos e pobres, os grandes e pequenos, o rei e o mendigo têm necessidade igual de salvação por Jesus Cristo, tendo de submeter-se a Ele para que possam ser salvos, pois, como conclui o versículo: "como também os que não podem reter a sua vida". O cativeiro dos judeus na Babilônia é expresso sob os termos da morte e da habitação no pó (Is 26.19), para mostrar como é fundo que nenhum poder senão o dEle pode levantar os mortos e realizar o livramento. — *Joseph Caryl v. 29:* "Até aquele que não pode preservar a própria vida" (ARA). Rememoramos a nossa conversão, as agonias do ardor, os sentimentos de dependência profunda e desamparada — de Jesus ser absolutamente a nossa necessidade diária e de hora em hora, o provedor, como um algo passado, uma fase da vida espiritual que acabou. Ficamos satisfeitos em ter as coisas assim. O Espírito de Deus se moveu sobre a nossa morte, e soprou em nós o fôlego da vida. A minha vida se tornou alma vivente. Mas isso bastava? A palavra de Deus responde: Não, pois ninguém pode preservar a própria alma. O meu coração responde: Não. A verdade sempre tem de responder com a verdade. Não posso (ah, por acaso não tentei e falhei?), não posso preservar a minha própria alma. Ninguém pode sustentar a própria vida. A vida física é preservada pela provisão de ar, comida, calor. Assim é a vida espiritual. Jesus dá e nos alimenta dia a dia, caso contrário a vida feneceria e morreria. Ninguém "pode preservar a própria vida". Não basta ter sido feito alma vivente. Tenho de ser alimentado, guiado, ensinado e preservado na vida. Mãe, que trouxe um filho ao mundo, o seu trabalho terminou? Você não o amamentará, alimentará e cuidará dele para que continue vivo? Senhor, eu sou esse filho. Estou vivo realmente, porque suplico e choro. Não me deixes, ó meu Salvador. Não abandones o trabalho das tuas mãos. Eu vivo em ti. Abraça-me, carrega-me, alimenta-me, deixa-me habitar em ti: "Porque o reino é do Senhor, e ele domina entre as nações. Todos os grandes da terra comerão e adorarão, e todos os que descem ao pó se prostrarão perante ele; como também os que não podem reter a sua vida" (vv. 28, 29). Em nosso trabalho para Deus, precisamos nos lembrar disto. Não é a conversão, o despertamento dos pecadores, os grandes e com muitos o alvo exclusivo de trabalhar para Deus? Deveria ser assim? Pensemos neste outro trabalho. Ajudemos a preservar a vida. Talvez seja menos sublime, como é menos sublime alimentar uma criança faminta que salvar um homem que está se afogando. Mas andemos menos pela vista e mais pela fé. Não negligenciemos chamar à vida os que estão espiritualmente mortos. Mas cuidemos das necessidades mais ocultas dos vivos — as almas fracas, sofredoras e desfalecentes que ainda podem andar e falar, e supramos as suas faltas e carências. Sejamos cooperadores de Deus em todo o seu trabalho. E com um profundo sentimento interior da necessidade de constantes suprimentos de vida dos céus, tentemos com que frequência, com que liberdade podemos ser feitos os canais destes rios da "água da vida", pois ninguém "pode preservar a própria vida". *— Mary B. M. Duncan, "Bible Hours" [Momentos Bíblicos], 1866*

v. 29: "Todos os grandes da terra comerão e adorarão, e todos os que descem ao pó se prostrarão perante ele; como também os que não podem reter a sua vida". Tendo considerado a imensidade e glória do prospecto, o nosso Senhor contempla a realidade e minuciosidade da sua realização. Ele coloca diante de si os casos individuais e os fatos particulares. Ele parece olhar no quadro futuro como fazemos quando olhamos uma grandiosa pintura histórica do passado. Parece-lhe natural contemplar com admiração silenciosa o quadro como um todo, para então fixar a atenção em determinados grupos e confirmar o nosso senso de excelência geral, discorrendo detalhadamente sobre a verdade e beleza das várias partes. *— John Stevenson*

v. 30: "Uma semente o servirá". Esta expressão figurativa significa Jesus e o seu povo que prestam verdadeira obediência a Deus — eles são chamados por este nome em sentido espiritual e figurativo, contudo mais apropriado. A ideia vem das funções do lavrador que todos os anos reserva cuidadosamente uma porção dos grãos para fazer sementes. Embora pequenas comparadas com todo o produto da colheita, ele as computa em alta conta e as estima pelo valor da colheita que pode render no outono seguinte. Ele também não olha apenas a quantidade, pois dá importância particular à qualidade das sementes. Ele reserva só as melhores, pondo de lado as deterioradas. A quantidade muito menor das sementes realmente boas é, para ele, objeto de grande desejo. Se a perda da colheita for excessivamente grande, e ele ficar somente com uma única semente, ele a aceita com gratidão, guardando-a com todo cuidado para no tempo certo plantá-la na terra mais favorável. Esta é a fonte da qual a metáfora foi tirada. — *John Stevenson*

v. 31: "e anunciarão a sua justiça". A ocupação da semente é anunciar, declarar, testemunhar da própria experiência, do próprio conhecimento e convicções do grande tema, lição ou assunto principal eles aprenderam. [...] Eles anunciarão a justiça do Deus Espírito Santo sobre a convicção do pecado, a reprovação da consciência, o abandono do impenitente e a habitação do crente. De maneira especial, eles anunciarão a justiça do Deus Filho, durante a sua vida terrena, nos sofrimentos e morte, como a garantia do homem, pelo qual ele engrandeceu a lei e a fez gloriosa (Is 42.21, ARA), e por cuja causa eles podem tratá-lo por este nome: "O Senhor, Justiça Nossa" (Jr 23.6). — *John Stevenson*

v. 31: "ao povo que nascer". O que é isso? Que povo há que já não tenha nascido? De acordo com o meu entendimento, está escrito porque o povo de outros reis são formados por leis e costumes, pelos quais jamais levaremos o homem à verdadeira justiça. É somente uma fábula da justiça e mera cena ou representação teatral. Até mesmo a Lei de Moisés poderia formar o povo judeu em nada mais que uma hipocrisia. Mas o povo deste Rei não é formado por Leis a fim de compor uma aparência externa, mas são gerados pela água e pelo Espírito em uma nova criatura da verdade. — *Martinho Lutero*

SUGESTÕES AOS PREGADORES

O Salmo. O livro intitulado *"Christ on the Cross" [Cristo na Cruz]*, de John Stevenson, apresenta um sermão sobre cada versículo e/ou grupo de versículos deste salmo. Daremos os títulos por serem sugestivos. Versículo 1: O Brado. Versículo 2: A Queixa. Versículo 3: A Confissão. Versículos 4 a 6: O Contraste. Versículo 6: A Censura. Versículo 7: A Zombaria. Versículo 8: O Insulto. Versículos 9 e 10: O Apelo. Versículo 11: A Súplica. Versículos 12 e 13: O Ataque. Versículo 14: O Desfalecimento. Versículo 15: A Exaustão. Versículo 16: A Perfuração. Versículo 17: O Definhamento. Versículo 17: O Olhar Ultrajante. Versículo 18: A Partição das Vestes e o Lançamento de Sortes. Versículos 19 a 21: A Importunidade. Versículo 21: O Livramento. Versículo 22: A Gratidão. Versículo 23: O Convite. Versículo 24: O Testemunho. Versículo 25: O Voto. Versículo 26: A Satisfação dos Mansos. Os que Buscam a Deus o Louvam. A Vida Eterna. Versículo 27: A Conversão do Mundo. Versículo 28: A Entronização. Versículo 29: O Autor da Fé. Versículo 30: A Semente. Versículo 31: O Tema e a Ocupação Eternos. A Consumação da Fé.

v. 1. O brado do Salvador que morria.

v. 2. A Oração sem Resposta: (1) Investigue as causas. (2) Encoraje a esperança a esse respeito. (3) Insista na continuação da importunidade.

v. 3. Seja o que for que Deus faça, temos de manter em mente que Ele é santo e tem de ser louvado.

v. 4. A fidelidade de Deus em tempos passados é argumento para o presente.

vv. 4 e 5. Os santos de antigamente: (1) Sua vida: "Confiaram". (2) Sua prática: "Clamaram". (3) Sua experiência: "Não foram confundidos". (4) Sua voz para nós.

vv. 6 a 18. Trecho repleto de enunciados notáveis sobre os sofrimentos de nosso Senhor.

v. 11. As angústias dos santos e os seus argumentos na oração.

v. 20. "A minha predileta." A alma do homem lhe é muito preciosa.

v. 21. "Salva-me da boca do leão." A boca do leão são: (1) Os homens da crueldade. (2) O Diabo. (3) O pecado. (4) A morte. (5) O inferno.

v. 22. Jesus como irmão, pregador e preceptor.

v. 22. Este versículo apresenta: (1) Um assunto agradável. (2) Um pregador glorioso. (3) Uma relação amorosa. (4) Um exercício celestial.

v. 23. Um dever triplo: "louvai-o", "glorificai-o", "temei-o", em relação a um objetivo, "o SENHOR", por meio de três tipos de caráter: "Vós que temeis ao SENHOR", "descendência de Jacó", "descendência de Israel", que são apenas uma pessoa.

v. 23. Glória a Deus — o fruto da cruz na qual Jesus morreu.

v. 24. Um fato consolador na história comprovado pela experiência universal.

v. 24. "Porque não desprezou nem abominou a aflição do aflito." Um medo comum desfeito.

v. 25. Louvor Público: (1) Um exercício prazeroso: "Louvor". (2) Uma participação pessoal: "O meu louvor". (3) Um objetivo adequado: "De ti". (4) Uma fonte especial: "De ti". (5) Um lugar apropriado: "Na grande congregação".

v. 25. "Pagarei os meus votos perante os que o temem." Votos: (1) Que votos fazer. (2) Quando fazer votos. (3) Como fazer votos. (4) A importância de pagar os votos.

v. 26. O banquete espiritual: (1) Os convidados. (2) A comida. (3) O anfitrião. (4) A saciação.

v. 26. "Louvarão ao SENHOR os que o buscam." Os que buscam serão os que cantam: (1) Quem são? (2) O que farão? (3) Quando farão? (4) Qual é a razão para esperar que o façam?

v. 27. "E todas as gerações das nações adorarão perante a tua face." Vida eterna: O que vive? Fonte da vida. Modo de vida. Por que para sempre? Qual é a ocupação? Qual é o consolo que derivamos disso?

v. 27. A natureza de verdadeira conversão e extensão sob o reinado do Messias. — Andrew Fuller

v. 27. O triunfo universal do cristianismo é certo.

v. 27. A ordem da conversão (ver Exposição).

v. 28. O império do Rei dos reis como é e como será.

v. 29. Graça para os ricos, graça para os pobres, mas todos estão perdidos sem ela.

v. 29. "Como também os que não podem reter a sua vida." Texto importante sobre a vaidade da autoconfiança.

v. 30. A perpetuidade da igreja.

v. 30. "Falará do Senhor de geração em geração." A história da igreja é a essência de todas as outras histórias.

v. 31. Perspectivas futuras para a igreja: (1) Conversões certas. (2) Pregadores prometidos. (3) Sucessivas gerações abençoadas. (4) O Evangelho publicado. (5) Jesus exaltado.

SALMO 23

TÍTULO

Este salmo não tem título inspirado. Nem é preciso. Não registra nenhum acontecimento especial e não requer outra tonalidade senão aquela que todo crente encontra no próprio peito. É o *Poema Pastoril e Celeste* de Davi, uma excelente ode que nenhuma outra peça musical pode sobrepujar. A trombeta da guerra dá lugar à flauta da paz. Aquele que tão recentemente deplorou as aflições do Pastor recita melodiosamente as alegrias do rebanho. Sentado sob uma árvore frondosa, com o rebanho ao redor, como o pastorzinho de Bunyan no Vale da Humilhação, visualizamos Davi cantando este incomparável poema pastoril com o coração tão cheio de alegria. Ou se o salmo é o produto dos anos da velhice, temos certeza de que a alma voltou em contemplação aos solitários ribeiros de água que corriam entre os pastos do deserto, onde na mocidade Davi estava habituado a morar. Esta é a pérola dos salmos, cujo brilho suave e puro deleita os olhos. É uma pérola da qual Helicon não precisa se envergonhar, ainda que o Jordão a reivindique. Sobre este cântico podemos afirmar que a devoção e a poesia são iguais, que a doçura e a espiritualidade são insuperáveis.

A posição do salmo é digna de nota. Vem depois do Salmo 22, que é peculiarmente o Salmo da Cruz. Não há verdes pastos, nem águas tranquilas junto ao Salmo 22. Só depois de lermos: "Deus meu, Deus meu, por que me desamparaste?", é que chegamos a: "O Senhor é o meu pastor". Temos de conhecer por experiência o valor do sangue derramado e ver a espada levantada contra o Pastor, antes que verdadeiramente conhecermos a doçura do cuidado do bom Pastor.

Já se disse que o que o rouxinol é entre os pássaros, esta obra poética divina é entre os salmos, pois tem sido docemente cantado aos ouvidos de muitos enlutados na noite de pranto e choro, instilando neles a esperança de uma manhã de alegria. Aventuro-me também a compará-lo à cotovia que canta enquanto sobe e sobe enquanto canta, até estar fora de vista, mas, mesmo assim, não estar fora do alcance de nossa audição. Repare nas últimas palavras do salmo: "e habitarei na Casa do SENHOR por longos dias". Estas são notas celestiais, mais adequadas às mansões eternas que aos lugares de habitação sob as nuvens. Entremos no espírito do salmo enquanto o lermos, e então teremos a experiência dos dias do céu na terra!

EXPOSIÇÃO

1 *O SENHOR é o meu pastor; nada me faltará.*
2 *Deitar-me faz em verdes pastos, guia-me mansamente a águas tranquilas.*
3 *Refrigera a minha alma; guia-me pelas veredas da justiça por amor do seu nome.*
4 *Ainda que eu andasse pelo vale da sombra da morte, não temeria mal algum, porque tu estás comigo; a tua vara e o teu cajado me consolam.*
5 *Preparas uma mesa perante mim na presença dos meus inimigos, unges a minha cabeça com óleo, o meu cálice trasborda.*
6 *Certamente que a bondade e a misericórdia me seguirão todos os dias da minha vida; e habitarei na Casa do SENHOR por longos dias.*

1. *"O Senhor é o meu pastor."* Que condescendência é esta que o Deus Infinito assume para com o seu povo o ofício e caráter de pastor! É motivo de grata admiração o grande Deus se deixar ser comparado a algo que mostre o seu grande amor e cuidado pelo seu povo. O próprio Davi fora guarda de ovelhas, e compreendia as necessidades das ovelhas e os muitos cuidados do pastor. Ele se compara a uma criatura fraca, indefesa e tola, tomando Deus por seu Provedor, Protetor, Diretor e, na verdade, o seu tudo. Nenhum homem tem o direito de considerar-se ovelha do Senhor, a menos que a sua natureza seja regenerada, pois a descrição que a Bíblia faz dos homens inconversos não é de ovelhas, mas de lobos ou bodes. A ovelha é um objeto de propriedade e não um animal selvagem. O dono lhe dá muito valor, comprando-a muitas vezes a elevado preço. É bom saber, tão certamente quanto Davi sabia, que pertencemos ao Senhor. Há um tom nobre de confiança nesta frase. Não há "se" nem "mas", nem mesmo "espero que", pois ele afirma com firmeza: "O SENHOR é o meu pastor". Temos de cultivar o espírito de dependência firme em nosso Pai celestial. A mais doce palavra de todas estas é o monossílabo: "Meu". Ele não diz: "O Senhor é o pastor do mundo em geral, e apascenta a multidão como o seu rebanho", mas afirma categoricamente: "O SENHOR é o meu pastor". Se Ele não é o Pastor de mais ninguém, Ele é o Pastor para mim. Ele cuida de mim, me guarda e me protege. As palavras estão no tempo presente. Seja qual for a posição do crente, ele está agora mesmo sob o cuidado pastoral do Senhor.

As próximas palavras são um tipo de conclusão da primeira declaração — são sentenciosas e positivas: "nada me faltará". Alguma coisa pode me faltar, mas quando o Senhor é o meu Pastor Ele atende as minhas necessidades. Ele está inclinado a fazê-lo, pois o seu coração está cheio de amor. Portanto, "nada me faltará". Não terei falta das coisas temporais. Não alimenta Ele os corvos e faz os lírios crescer? Então, como pode Deus deixar os seus filhos morrer de fome? Não terei falta das coisas espirituais. Sei que a sua graça me será suficiente. Descansando nEle, Ele me dirá: "Como é o seu dia assim será a tua força". Posso não ter tudo o que desejo, mas "nada me faltará". Os outros, muito mais ricos e sábios que eu, podem ter falta, mas a mim "nada me faltará". "Os filhos dos leões necessitam e sofrem fome, mas aqueles que buscam ao SENHOR de nada têm falta" (Sl 34.10). Não é apenas "nada me *falta*", mas "nada me *faltará*". Venha o que vier, quer a fome devaste a terra, ou a calamidade destrua a cidade, "nada me faltará". A velhice com as suas fragilidades não me trará necessidades, e até a morte com a sua escuridão não me achará privado de recursos. Tenho todas as coisas e as tenho em abundância. Não porque eu tenha um saldo gordo no banco, nem porque eu tenha capacidade e inteligência para ganhar a subsistência, mas porque "o Senhor é o meu pastor". Os ímpios sempre têm falta, mas os justos jamais. O coração do pecador está longe de ficar satisfeito, mas o espírito gracioso habita no palácio do contentamento.

2. *"Deitar-me faz em verdes pastos, guia-me mansamente a águas tranquilas."* A vida cristã tem dois elementos: o meditativo e o ativo, sendo ambos ricamente supridos.

Primeiro, o elemento meditativo: *"Deitar-me faz em verdes pastos".* O que são esses "verdes pastos" senão a Escritura da Verdade — sempre nova e rica e nunca vazia? Não há medo de os pastos rarearem, pois são suficientemente abundantes e longos a ponto de permitir que o rebanho se deite em cima. As doutrinas do Evangelho são saborosas e copiosas; comida certa para a alma, como o pasto tenro é nutrição natural para as ovelhas. Quando pela fé conseguimos descansar nas promessas, somos como a ovelha que se deita no meio do pasto. Encontramos no mesmo instante mantimento e paz, descanso e refrigério, serenidade e satisfação. Mas observemos: "Deitar-me faz". É o Senhor que com graça nos faz perceber a preciosidade da verdade para que nos alimentemos dela. Como devemos ser gratos pelo poder para nos apropriar das promessas! Há pessoas confusas que dariam tudo por isso. Elas conhecem a bem-aventurança, mas não podem dizer se esta bem-aventurança lhes pertence. Conhecem os "verdes pastos", mas não se deitam neles. Os crentes que durante anos têm desfrutado da "inteira certeza de fé" (Hb 10.22) devem bendizer ao seu Deus gracioso.

A segunda parte da vida do cristão vigoroso consiste em atividade graciosa. Não só pensamos, mas agimos. Nem sempre estamos deitados nos alimentando, mas estamos viajando para frente em direção à perfeição. Por conseguinte, lemos: "Guia--me mansamente a águas tranquilas". O que são estas "águas tranquilas" senão as influências e graças do seu santo Espírito? O seu Espírito nos ajuda em diversas atividades, como as águas (no plural) servem para limpar, refrescar, fertilizar, apreciar. São "águas tranquilas", pois o Espírito Santo ama a paz e não soa a trombeta da ostentação naquilo que faz. Ele flui para a nossa alma, mas não para a alma de quem esteja perto de nós. Por isso, quem está perto pode não perceber a presença divina. Ainda que o santo Espírito esteja derramando bênçãos em um coração, aquele que está próximo ao favorecido pode não sentir nada.

Em silêncio sagrado da mente
O meu céu, e lá o meu Deus eu acho

"Águas tranquilas" correm profundamente. Nada mais ruidoso que um tambor vazio. Esse silêncio é realmente precioso naqueles em que o Espírito Santo satisfaz a alma dos santos. Não para as ondas furiosas da discussão, mas para as correntes calmas do amor santo o Espírito de Deus guia as ovelhas escolhidas. Ele é uma pomba, não uma águia, o orvalho, não o furacão. O nosso Senhor nos guia "mansamente" a essas "águas tranquilas". Não vamos a elas sozinhos ou por vontade própria. Precisamos da orientação divina, pois diz: "Guia-me". Ele não nos empurra. Moisés nos dirige pela Lei, mas Jesus nos guia pelo exemplo e pelas atrações suaves do amor.

3. *"Refrigera a minha alma."* Quando a alma fica triste, o Senhor a refrigera. Quando é pecadora, Ele a santifica. Quando é fraca, Ele a fortalece. É Ele que faz. Os seus ministros não podem fazer se Ele não fizer. A sua Palavra não tem eficácia por si só. "Refrigera a minha alma". Alguém está com pouca graça? Estamos sentindo que a nossa espiritualidade está em seu ponto mais baixo? AquEle que transforma a maré baixa em inundação pode refrigerar a nossa alma, restaurando-a. Ore a Deus e, então, pela bênção: "Refrigera-me tu, Pastor da minha alma".

"Guia-me pelas veredas da justiça por amor do seu nome." O crente tem prazer em ser obediente, mas é a obediência do amor, à qual Ele é constrangido pelo exemplo do Mestre: "Guia-me". O crente não é obediente a alguns mandamentos e descuidado com outros. Ele não fica escolhendo, mas se entrega a todos. Observemos o uso do plural: "veredas da justiça". Seja o que for que Deus nos dê para fazer, façamos, guiados pelo amor. Certos cristãos negligenciam a bênção da santificação, mas para o coração regenerado este é um dos mais doces presentes da aliança. Se pudéssemos ser salvos da ira e, ao mesmo tempo, permanecer pecadores impenitentes e não regenerados, não seríamos salvos como desejamos, visto que anelamos acima de tudo ser salvos do pecado e guiados pela vereda (ou caminho) da santidade. Tudo isso é feito pela pura graça livre: "por amor do seu nome". É para a honra do nosso grande Pastor que somos povo santo, andando no caminho estreito da justiça. Se assim formos levados e guiados, não deixaremos de respeitar o cuidado de nosso Pastor celestial.

4. *"Ainda que eu andasse pelo vale da sombra da morte, não temeria mal algum, porque tu estás comigo; a tua vara e o teu cajado me consolam."* Este versículo inacreditavelmente delicioso tem sido cantado em muitas camas de doentes terminais, e ajudado a tornar o vale escuro em tempos de luz para a mente. Cada palavra deste versículo possui uma riqueza de significado.

"Ainda que eu andasse pelo vale da sombra da morte", como se o crente não apresasse o passo quando chega a hora da morte, mas continua andando calmamente com Deus. Andar indica o avanço permanente da alma que conhece o caminho, sabe o fim, decide seguir o caminho, sente-se bastante seguro e está perfeitamente calmo e sereno. O santo doente não está alvoroçado, não corre como se estivesse alarmado, nem fica parado como se não tivesse mais como avançar. Não está confuso nem envergonhado. Por isso, mantém no passo de sempre. Observemos que ele não está andando *no* vale, mas *pelo* vale. Passamos pelo túnel escuro da morte e emergimos na luz da imortalidade. Não morremos, mas dormimos para acordar na glória. A morte não é a casa, mas a varanda, não o fim, mas a passagem. O trecho da agonia é chamado de vale. A tempestade açoita nas montanhas, mas o vale é o lugar da quietude. Assim, não raro, os últimos dias do crente são os mais calmos da carreira. As montanhas estão gélidas e desertas, mas o vale está repleto de feixes de cereais. Muitos santos colhem mais alegria e conhecimento quando a morte está se aproximando que jamais colheram enquanto viviam. E não é o "vale da morte", mas o "vale da sombra da morte", pois a morte em sua essência foi afastada, permanecendo só a sombra. Uns dizem que quando há sombra tem de haver luz em algum lugar, e eles estão certos. A morte fica ao lado do caminho no qual temos de viajar, e a luz do céu que brilha nela lança sombra em nosso caminho. Alegremo-nos porque há luz do outro lado. Ninguém tem medo de sombra, pois a sombra não pode deter o caminho do homem nem sequer por um momento. A sombra de um cachorro não pode nos morder; a sombra de uma espada não pode nos ferir; a sombra da morte não pode nos matar. Não tenhamos medo.

"Não temeria mal algum." Ele não está dizendo que não haverá mal algum. Ele tem a mais sublime segurança, pois soube que Jesus destruiu todo o mal. Mas ele "não temeria mal algum", pois até mesmo os medos, essas sombras do mal, acabariam para sempre. Os piores males da vida são os que existem somente em nossa imaginação. Se não tivéssemos problemas, exceto os verdadeiros problemas, não teríamos a décima parte de nossas tristezas. Sentimos mil mortes temendo uma, mas o salmista estava curado da doença do medo. "Não temeria mal algum", nem mesmo o próprio Maligno. Não terei medo do último inimigo, olharei para ele como um inimigo conquistado, um inimigo a ser destruído: "Porque tu estás comigo". Esta é a alegria do cristão: "tu estás comigo". O bebê a bordo do navio em meio à tempestade

não fica com medo como os outros passageiros, pois está dormindo no colo da mãe. Basta-lhe que a sua mãe esteja com ele. Deve bastar para o crente saber que Jesus está com ele. "tu estás comigo. Eu tenho a ti, portanto tenho tudo. Eu tenho consolo perfeito e segurança absoluta, pois tu estás comigo."

"A tua vara e o teu cajado" são os meios pelos quais tu diriges e guias o rebanho. São as insígnias da tua soberania e do teu cuidado bondoso — eles "me consolam". Eu crerei que tu ainda reinas. A vara de Jessé ainda estará sobre mim como o socorro soberano da minha alma. Muitos confessam receber grande consolo da esperança de que eles não morrerão. Certamente haverá quem esteja vivo quando o Senhor voltar, mas haverá tanta vantagem em fugir da morte a ponto de ser o objetivo primordial do cristão? Entre os dois, o sábio poderia preferir morrer, pois os que não tiverem morrido, mas forem arrebatados ao encontro do Senhor nos ares (cf. 1 Ts 4.17), serão os perdedores e não os ganhadores. Eles perderão esse companheirismo com Cristo na tumba que os santos que morrem têm, e sabemos categoricamente que eles não terão preferência acima dos que estiverem dormindo. Sejamos da opinião de Paulo, quando disse que "morrer é ganho", e pensemos em "partir e estar com Cristo, porque isto é ainda muito melhor" (Fp 1.21,23). Este salmo não está desatualizado, pois é tão doce aos ouvidos do crente hoje quanto era nos dias de Davi, pouco importando o que digam os que buscam novidades.

5. *"Preparas uma mesa perante mim na presença dos meus inimigos."* O homem bom tem inimigos. Ele não seria como o seu Senhor se não tivesse. Se não tivéssemos inimigos poderíamos temer não ser amigos de Deus, pois "a amizade do mundo é inimizade contra Deus" (Tg 4.4). Note a quietude do homem piedoso apesar e tendo em vista os inimigos. Como é reanimador essa coragem tranquila! "Preparas uma mesa perante mim." Quando o soldado está na presença dos inimigos, come uma refeição ligeira para correr para a batalha. Mas observemos: "Preparas uma mesa", da mesma maneira que a empregada faz quando estende a toalha de linho e dispõe os utensílios do banquete em tempos de paz. Nada é feito às pressas, não há confusão, nem perturbação. O inimigo está à porta, mas Deus prepara uma mesa, e o cristão se senta e come tudo em perfeita paz. A paz que o Senhor dá ao seu povo, até mesmo no meio das circunstâncias mais difíceis!

Que a terra inteira esteja em armas,
Mas eles habitam em perfeita paz

"Unges a minha cabeça com óleo." Vivamos no prazer diário desta bênção, recebendo uma nova unção para os deveres diários. Todo cristão é sacerdote, mas não pode exercer o ofício sacerdotal sem unção. Por conseguinte, temos de ir dia a dia ao Deus Espírito Santo para que a nossa cabeça seja ungida com óleo. O sacerdote sem óleo perde a principal qualificação para o ofício. O sacerdote cristão fica sem a principal aptidão para o serviço quando é privado da nova graça que vem do alto.

"O meu cálice trasborda." Ele tinha não só o suficiente, um cálice cheio, todavia mais que suficiente, um cálice transbordante. Os pobres podem dizer isso como também os que estão em melhores circunstâncias. "Como? Tudo isso e Jesus Cristo também?". Disse uma trabalhadora rural pobre enquanto partia um pedaço de pão e enchia o copo de água fria. Por mais que o homem seja rico, se ele está descontente, o seu cálice não pode transbordar. O cálice está rachado e vaza. O contentamento é a pedra de esquina que transforma em ouro tudo o que toca. Feliz é aquele que a achou. O contentamento é mais que um reino, pois é outra palavra para a felicidade.

6. *"Certamente que a bondade e a misericórdia me seguirão todos os dias da minha vida."* Este é um fato tão indisputável quanto encorajador, sendo, portanto,

um "em verdade em verdade" celestial ou um "certamente" que funciona como um selo. Podemos ler a frase assim: "*Somente* a bondade e a misericórdia", pois haverá misericórdia genuína em nossa história. Essas duas irmãs gêmeas sempre estarão comigo às minhas costas e à minha disposição. Da mesma maneira que quando grandes príncipes vão ao estrangeiro, eles não devem ir desacompanhados, assim é com o crente. A bondade e a misericórdia sempre o seguem — todos os dias da sua vida, os dias negros como também os dias brilhantes, os dias de jejum como também os dias de banquete, os dias sombrios de inverno como também os dias luminosos de verão. A bondade atende as nossas necessidades, e a misericórdia destrói os nossos pecados.

"E habitarei na Casa do Senhor por longos dias." "Ora, o servo não fica para sempre em casa; o Filho fica para sempre" (Jo 8.35). Enquanto eu estiver aqui, serei filho na casa com o meu Deus. O mundo será a sua casa para mim. Quando eu subir ao quarto superior, não mudarei de companhia, nem mesmo mudarei de casa. Só irei habitar para sempre no pavimento superior da casa do Senhor.

Que Deus nos conceda a graça de habitar na atmosfera serena deste abençoadíssimo salmo!

NOTAS EXPLICATIVAS E DECLARAÇÕES IMPORTANTES

O Salmo: Davi não deixou salmo mais doce que o Salmo 23. É apenas a abertura momentânea da alma. É como alguém, andando na rua em dias de inverno, vê pela porta aberta, a luz vermelha brilhar um momento mais, as formas de crianças alegres correrem para cumprimentar a pessoa que está chegando e a música festiva soar. Embora a porta seja fechada, deixando a noite escura, ela não pode apagar tudo o que os olhos, os ouvidos, o coração e a imaginação viram. Assim é com este salmo. Embora seja apenas a abertura momentânea da alma, são verdades emitidas de paz e consolo que nunca estarão ausentes do mundo. O Salmo 23 é o rouxinol dos salmos. É pequeno, de constituição simples, cantado timidamente na obscuridade. Mas enche o ar do mundo inteiro de alegria melodiosa, mais que o coração pode imaginar. Bendito seja o dia em que este salmo nasceu! O que você diria de um peregrino comissionado por Deus para viajar por todos os cantos da terra cantando uma melodia estranha, a qual, quando as pessoas ouvem, as faz esquecer-se de qualquer tristeza? Assim o anjo cantor vai por todas as terras, cantando no idioma de cada nação e afugentando as dificuldades pela vibração do ar que a língua move com o poder divino. Vejam tal pessoa! Este peregrino que Deus enviou para falar em todas as línguas do globo.

Tem aquietado mais aflições que todas as filosofias do mundo. Tem recolocado no calabouço mais pensamentos criminosos, mais dúvidas, mais tristezas saqueadoras que há areia na praia. Tem consolado a nobre multidão de pobres. Tem cantado coragem ao exército dos desanimados. Tem derramado bálsamo e consolação no coração dos doentes, dos encarcerados, das viúvas nas suas aflições sufocantes, dos órfãos na sua solidão. Soldados moribundos têm morrido mais tranquilamente enquanto o salmo é lido para eles. Hospitais medonhos têm sido iluminados. Tem visitado prisioneiros, arrombado cadeias e, como o anjo de Pedro, os conduzido de volta para casa. Tem tornado o escravo cristão agonizante mais livre que o seu senhor. Tem consolado aqueles que choram, os quais, morrendo, Jesus deixou para trás, não tanto por Ele ter morrido quanto por terem ficado para trás e não poderem ir também. Mas a obra do salmo não terminou. Ele irá cantando para os seus filhos e os meus filhos, e para os filhos destes por todas as gerações do tempo. Nem dobrará as asas até que o último peregrino esteja seguro e o tempo termine. Então voltará voando ao seio de Deus, de onde saiu e soou entrosado com todos os sons da alegria celestial, que tornam o céu para sempre musical. — *Henry Ward Beecher, "Life Thoughts" [Reflexões da Vida]*

O Salmo: Podemos nomear este salmo de poema bucólico ou pastoral de Davi, pois ele tangeu as cordas com muita delicadeza ao longo do hino. *Est Psalmus honorabilis*, disse Aben-Ezra. É um salmo nobre, escrito e cantado por Davi, não quando fugiu para o bosque de Herete (1 Sm 22.5), como consta em alguns textos hebraicos, mas quando, tendo vencido todos os inimigos e estabelecido o reino, o salmista desfrutava de grande paz e calma, e estava com um pé, por assim dizer, nos parapeitos dos céus. Até hoje os judeus costumam na maioria das vezes citar este salmo assim que se sentam para comer. — *John Trapp*

O Salmo: Agostinho contou ter visto em sonho o Salmo 119 subindo diante dele como uma árvore da vida no meio do paraíso de Deus. Podemos comparar o Salmo 23 às mais belas flores que crescem ao redor da árvore. O Salmo 119 já foi comparado ao sol entre as estrelas, sendo seguramente como a mais rica das constelações, até mesmo as próprias Plêiades! — *John Stoughton, "The Songs of Christ's Flock" [Os Cânticos do Rebanho de Cristo], 1860*

O Salmo: Certos crentes se preocupam por não poderem, em todo o tempo ou na maioria das vezes, usar, em sua significação jovial, a linguagem deste salmo. Eles deveriam considerar que Davi, embora tivesse vivido muitos anos, nunca escreveu senão um Salmo 23. É verdade que algumas das suas composições poéticas expressam uma fé tão viva como esta, e a fé pode andar no escuro. No entanto onde mais acharíamos um salmo que expressasse, do princípio ao fim, uma confiança, alegria e triunfo pessoal? O povo de Deus tem períodos de trevas e períodos de luz, de tristeza e de alegria. — *William S. Plumer*

v. 1: "O Senhor é o meu pastor; nada me faltará". Que digam o que quiserem: "As minhas terras me sustentarão; nada me faltará. Os meus negócios serão a minha provisão; nada me faltará". Que o soldado confie nas armas e o lavrador na sua lavoura. Que o artífice diga para a sua obra de arte, o negociante para o seu comércio e o estudante para os seus livros: "Estes me sustentarão; nada me faltará". Digamos juntamente com a igreja, assim como dizemos e cantamos: "O Senhor é quem me guarda; nada me faltará". Quem puder verdadeiramente fazer essa afirmação, desdenha as demais coisas. Quem deseja mais que Deus, não pode verdadeiramente dizer que o Senhor é seu, que o Senhor é o seu pastor, governante e chefe, e que, por isso, nada lhe faltará. — *John Hull, Bacharel em Teologia, "Lectures on Lamentations" [Conferências sobre Lamentações], 1617*

v. 1: O Senhor é o meu pastor; nada me faltará". Este versículo pode ser traduzido igualmente bem por: "O Senhor é o meu pastor; não quero mais nada", embora a tradução habitual esteja no tempo futuro. — *J. R. Macduff, Doutor em Teologia, "The Shepherd and his Flock" [O Pastor e o seu Rebanho], 1866*

v. 1: "O Senhor é o meu pastor". Em geral, podemos aprender da metáfora, que é a característica de um coração cheio de graça extrair um ou outro uso espiritual da sua situação anterior. O próprio Davi tendo sido pastor, como ele confirma quando lhe foi dito: "Eu te tomei da malhada, de detrás das ovelhas, para que fosses o chefe sobre o meu povo, sobre Israel" (2 Sm 7.8). Tudo o que Davi foi para as ovelhas — vigilante e cuidadoso para defendê-las do leão e do urso, ou de qualquer coisa que as perturbasse, atento e meticuloso com as pastagens e águas para elas —, o mesmo e muito mais espera do Senhor para ele. Paulo declara: "Dantes, fui blasfemo, e perseguidor, e opressor; mas alcancei misericórdia [do Senhor]" (1 Tm 1.13). A mesma coisa vemos no velho e bom Jacó: "Com meu cajado", disse ele, "passei este Jordão", e agora Deus o tinha abençoado e multiplicado muitíssimo (Gn 32.10).

A doutrina é clara. As razões são, em primeiro lugar, porque a verdadeira graça não faz objeção indevida para deduzir ensinamentos preciosos. Não se prende à objeção, para que o coração seja agraciado, pois nunca falta assunto a trabalhar. Em segundo lugar, tem de ser assim, pois os tais são guiados pelo Espírito de Deus e, portanto, são direcionados ao uso espiritual de todas as coisas. — *Samuel Smith, "Chiefe Shepheard" [Pastor Principal], 1625*

v. 1: "Pastor". Que este doce título convença Jafé a habitar nas tendas de Sem. O meu significado é que aqueles que até agora nunca souberam o que era ser abraçado por Jesus, que até agora nunca foram cordeiros nem ovelhas de Cristo, considerem a doçura deste Pastor e entrem no aprisco. Satanás trata aparentemente com doçura para que o faça pecar, mas no fim ele será realmente amargo para com você. Cristo é aparentemente amargo para guardar-lo de pecar, cercando o caminho com espinhos. Mas Ele será doce se você entrar para o seu rebanho, a despeito dos seus pecados. Você olha ao aprisco de Cristo e o vê guarnecido e cercado por todos os lados para dete-lo de pecar, e isso o impede de entrar. Mas não deixes de entrar. Cristo não quer que nem uma das suas ovelhas se perca, e se elas também não querem, tanto melhor. Se fugirem, Ele irá buscá-las, mesmo que seja com o cão do pastor (um pouco de aflição), mas Ele mesmo não as molestará. De forma alguma. Ele é e será doce. Agora Satanás sorri, e é agradável quando você peca, mas ele será amargo no fim. Aquele que agora tem o canto da sereia, depois devorará como o leão. Ele o atormentará e o irritará, e será veemente e amargo para com você. Entra ao aprisco de Jesus Cristo e permite que Ele seja o pastor da sua alma. Ele será doce no empenho de guardá-lo do pecado antes que você o cometa; e Ele será doce em livrá-lo do pecado depois o cometeres. Que o pensamento de que Jesus Cristo é doce na postura com todo o rebanho e com cada membro em particular, especialmente com os que pecam, convença o coração dos pecadores fazendo-os entrar no aprisco. — *John Durant, 1652*

v. 1: "O SENHOR é o meu pastor". Ele me alimenta, ou é o meu alimentador, o meu pastor. A palavra hebraica abrange todos os deveres de um bom rebanho, como reunir, alimentar, guiar, conduzir e defender o rebanho. — *Henry Ainsworth*

v. 1: "O SENHOR é o meu pastor". Em minha opinião, estas são as razões desta semelhança.

Primeiro, um bom pastor tem de ter a habilidade de conhecer e avaliar corretamente as ovelhas. Por conseguinte, é habitual colocar uma marca nas ovelhas, pois se elas se desgarrarem (entre todos os animais, a ovelha é que tem mais propensão a se desgarrar), o pastor as busca e as leva para casa. A mesma coisa é afirmada acerca de Cristo, ou melhor, o próprio Cristo afirmou a mesma coisa acerca de si mesmo: "Eu conheço-as, e elas me seguem" (Jo 10.27). Indubitavelmente, aquEle que enumerou as estrelas e as chama pelo nome, sabendo até mesmo quantos fios de cabelo há em nossa cabeça, dá atenção especial aos seus próprios filhos — as "ovelhas do seu pasto" (Sl 100.3) —, para que sejam alimentados e protegidos de todo perigo.

Segundo, um bom pastor tem de ter a habilidade de pastorear as ovelhas, levando-as a terras férteis, onde podem movimentar-se e crescer. Um bom pastor não permite que as ovelhas se alimentem em terras de má qualidade, mas em pastos saudáveis. [...]

Terceiro, um bom pastor, conhecedor da natureza das ovelhas em desgarrar-se, é tanto mais diligente em cuidar delas. Se em algum momento elas se desgarrarem, ele as busca. Este é o procedimento misericordioso do Senhor para com os que se desviam. [...]

Quarto, um bom pastor tem de desejar alimentar as ovelhas de acordo com a sua habilidade. O Senhor de todos tem grande desejo de alimentar as suas ovelhas.

Como Jesus foi energético com Pedro para que este alimentasse as suas ovelhas, pois o exortou três vezes.

Quinto, um bom pastor está preparado para defender o rebanho. [...] O Senhor está precavido de todos os modos para guardar e defender as ovelhas, como Davi confessou neste salmo: "A tua vara e o teu cajado me consolam" (v. 4). E outra vez: "Tomei para mim duas varas", disse Deus, "a uma chamei Suavidade, e à outra chamei Laços; e apascentei as ovelhas" (Zc 11.7).

Sexto, um bom pastor tem de levar nos braços as ovelhas fracas ou os cordeirinhos, para lhes proporcionar segurança e restabelecimento. O Senhor não está em falta conosco quanto a esse respeito (Is 40.11).

Em sétimo e último lugar, um bom pastor tem de alegrar-se quando a ovelha perdida é levada de volta ao aprisco. O Senhor se alegra com a conversão de um pecador (Lc 15.7). — *Samuel Smith*

v. 1: "O Senhor é o meu pastor". Noto que algumas ovelhas do rebanho ficam perto do pastor, e o seguem aonde quer que ele vá sem a menor hesitação, ao passo que outras perambulam para qualquer lado ou ficam muito atrás. Repetidas vezes ele se vira e ralha com elas proferindo palavras ríspidas e duras, ou joga uma pedra atrás delas. Acabo de o ver aleijar uma delas. Não é completamente diferente do bom Pastor. Na verdade, nunca ando pelos montes, cercado de rebanhos, sem meditar neste tema delicioso. O nosso Salvador diz que o bom pastor, quando solta as ovelhas do aprisco, vai diante delas e elas o seguem (Jo 10.4). Esta descrição é exata. Elas foram muito bem domesticadas e adestradas para seguir o guarda com docilidade extrema. Ele as conduz para fora do aprisco ou das casas para irem às aldeias, só onde lhe agrada. Levando em conta que há muitos rebanhos em lugares como este, cada um toma um caminho diferente com o objetivo de achar pasto para elas. É necessário que elas sejam ensinadas a seguir, e a não se desviarem pelos campos sem cerca de plantação de trigo que estão tentadoramente bem perto. Toda ovelha que vagueia assim certamente entrará em dificuldades. O pastor as chama fortemente de vez em quando para que se lembrem da presença dele. Elas conhecem a sua voz e o seguem. Se um estranho as chamar, elas param abruptamente e erguem a cabeça alarmadas. Se o chamado se repetir, elas dão meia volta e fogem, porque não conhecem a voz do estranho. Esta não é a imaginação fantasiosa de uma parábola, mas é fato simples. Fiz a experiência repetidas vezes. O pastor vai à frente, não apenas para mostrar o caminho, mas para ver se é praticável e seguro. Ele está armado para defender a posição, sendo muito corajoso. Muitas aventuras com animais selvagens acontecem, não diferentes do que Davi contou (1 Sm 17.34-36), e nestes mesmos montes, ainda que não haja mais leão, há lobos em abundância. E leopardos e panteras, excessivamente ferozes, rondam pelas ravinas. Dificilmente atacam o rebanho na presença do pastor, que tem de estar pronto para lutar de um momento para o outro. Ouvi com intenso interesse as vívidas descrições de lutas diretas e desesperadas com estes animais selvagens. Quando o ladrão e roubador vem (e ele vem), o pastor fiel tem de ariscar a vida para defender o rebanho. Soube mais de um caso em que ele teve de literalmente entregá-la na competição. Ano passado, um pobre e fiel pastor, entre Tiberíades e Tabor, em vez de fugir, lutou com três ladrões de Bedawin até ser atingido por golpes de adaga e morrer entre as ovelhas que estava defendendo. Algumas ovelhas sempre se mantêm perto do pastor, e são as suas favoritas especiais. Cada uma tem um nome ao qual responde com alegria. O pastor amável sempre dá a estas, certas porções escolhidas que ele junta para esse fim. Estas são as contentes e felizes. Não correm perigo de perder-se ou ferir-se, nem animais selvagens ou ladrões chegam perto delas. Muitas das ovelhas, porém, gostam das coisas mundanas, concentrando-se nos seus meros prazeres ou interesses egoístas. Correm de arbusto em arbusto, procurando variedade ou iguarias, e só de vez em quando erguem a cabeça para ver onde está o pastor, ou, mais exatamente, onde o rebanho está, para que não fiquem tão longe a ponto de chamarem a atenção ou sterem repreendidas pelo pastor. Outras são inquietas e descontentes, entrando em todos os campos, subindo em arbustos e até mesmo em árvores inclinadas, de onde caem e quebram os membros. Estas causam ao bom pastor dificuldades incessantes. — *W. M. Thomson, Doutor em Teologia, "The Land and the Book" [A Terra e a Bíblia]*

v. 1: "Pastor". Enquanto estávamos sentados, as ladeiras silenciosas à nossa volta ficaram de um momento para o outro cheio de vida e som. Os pastores conduziram os rebanhos vindo das portas da cidade. Estavam plenamente visíveis, e os observávamos e ouvíamos os sons com muito interesse. Havia milhares de ovelhas e bodes, agrupados bem juntos uns dos outros, sem nenhuma ordem. Os pastores ficaram juntos até que todas saíssem. Então se separaram, cada pastor tomando um caminho diferente, dando, enquanto andavam, um assobio peculiar e estridente. As ovelhas os ouviram. A princípio, os grupos tremeram e se moveram devagar, como que sacudidos por certo impulso interior. Então algumas se puseram a caminho na direção tomada pelos pastores. Pareciam pontos que ficavam cada vez mais compridos até que os grupos desordenados viraram linhas compridas e vivas, seguindo os líderes. Não era a primeira vez que eu via isso, mas ainda não havia deixado de ser interessante. Era talvez uma das ilustrações mais vívidas que os olhos humanos podiam testemunhar do discurso bonito de nosso Senhor registrado por João: "As ovelhas ouvem a sua voz, e chama pelo nome às suas ovelhas e as traz para fora. E, quando tira para fora as suas ovelhas, vai adiante delas, e as ovelhas o seguem, porque conhecem a sua voz. Mas, de modo nenhum, seguirão o estranho; antes, fugirão dele, porque não conhecem a voz dos estranhos" (Jo 10.3-5). Os próprios pastores não tinham nada daquele aspecto calmo e plácido que geralmente é associado com a vida e hábitos pastoris. Pareciam mais como guerreiros que marcham para o campo de batalha — uma arma longa atirada sobre o ombro, um punhal e pistolas pesadas no cinto, uma leve acha de armas ou um cassetete com ponta de ferro na mão. Eram esses os equipamentos. Os olhos flamejantes e ferozes e o semblante carrancudo mostravam muito claramente que eles estavam preparados para usar as armas a qualquer momento. — *J. L. Porter, Mestre em Ciências Humanas, "The Giants Cities of Bashan" [As Cidades Gigantescas de Basã], 1867*

v. 1: "nada me faltará". Temos de distinguir entre ausência e indigência. Ausência é quando alguma coisa não está presente. Indigência ou falta, é quando um bem necessário não está presente. Se um homem fosse andar e não tivesse cajado, diríamos que algo está ausente. Se um homem fosse andar e tivesse só uma perna, eis algo do qual ele era indigente ou lhe faltava. Admite-se que há muitas coisas boas que estão ausentes de uma pessoa boa, mas não lhe falta nenhuma coisa boa que seja necessário. Se algo bom estiver ausente e eu não precisar dele, não se trata de algo que esteja me faltando. Quem anda sem casaco, anda bem, porque não precisa disso. Contanto que eu ande com cuidado e alegria em minhas ocupações gerais ou particulares, ainda que eu não tenha os itens acessórios como os outros têm, nada me falta, pois o meu pouco me basta e cumpre os objetivos. [...] As nossas depravações ainda são extremamente desejosas e sempre irregulares, podendo descobrir mais coisas que faltam que Deus precisa supri-las. Como dizem dos tolos, eles podem fazer mais perguntas que vinte sábios podem responder. Podem pedir explicações, mas não recebem nenhuma (Tg 4.3). Tiago apresenta duas razões para isso: (1) Este pedir não passa de cobiça: "Cobiçais e nada tendes" (Tg 4.2). (2) Além disso, pedem para gastarem nos deleites (Tg 4.3). Deus cuidará para que o seu povo não tenha necessidades. Mas também, Ele nunca se esforçará para satisfazer as suas depravações, embora se empenhe na provisão das suas condições. Uma coisa é o que o doente necessita, outra é o que a doença necessita. A sua ignorância, descontentamento, orgulho, coração ingrato podem fazer você acreditar que mora em uma terra estéril, muito longe das misericórdias (como a depressão faz a pessoa imaginar que está se afogando ou se matando, etc.), ao passo que se Deus lhe abrisse os olhos como abriu os de Agar, você veria fontes e rios, misericórdias e bênçãos suficientes. Ainda que não muitas, bastariam; ainda que não tão ricas, adequadas e de todos os modos convenientes para o seu bem e conforto. Portanto, você tem o verdadeiro senso para julgar a afirmação de Davi: "nada me faltar*á"*. — *Obadiah Sedgwick*

v. 1: "nada me faltará". Somente aquele que pode ter necessidade, não tem; e aquele que não pode ter necessidade, tem. Você me fala que o justo precisa destas e daquelas coisas que o ímpio tem. Mas digo que ele não pode dizer que essas coisas lhe faltam, não mais que podemos dizer que um açougueiro precisa de Homero ou de outra coisa, porque a sua disposição é tal que ele não usa dessas coisas que você normalmente usa. Mas estas são coisas necessárias que lhe faltam, e as quais não são muitas. No entanto uma coisa é necessária, e essa ele a escolheu, isto é, a melhor parte. Se ele não tiver nada de todas as outras coisas, nada lhe falta, nem há qualquer coisa faltando que poderia deixá-lo suficientemente rico, ou por cuja falta se poderia dizer que as suas riquezas são deficientes ou estão em falta. Um corpo não é mutilado a menos que perca uma parte importante. Só os defeitos privativos desaprovam uma coisa, e não os que são negativos. Quando dizemos que não falta nada para certa pessoa ou coisa que o homem fez, queremos dizer que ela tem tudo que lhe seja necessariamente pertinente. Não estamos falando de coisas que podem ser acrescentadas por elogios ou ornamentos ou coisas semelhantes, como normalmente são as coisas em que os ímpios superam os justos. Mesmo assim, é quando dizemos que nada falta a um justo. Pois quanto ao que diz respeito aos bens desnecessários, nada lhe falta, mas no que tange às outras coisas é como se ele possuísse todas as coisas. Nada lhe falta que seja necessário para glorificar a Deus (podendo fazer o melhor nas aflições e por meio delas), ou para Deus elogiá--lo, tornando-o feliz, tendo o próprio Deus por sua porção e provisão que lhe falta, o qual é abundantemente suficiente em todos os tempos, para todas as pessoas e em todas as condições. — *Zachary Bogan*

v. 1: "Nada me faltará". Sermos elevados acima do medo de termos necessidade, entregando-nos ao cuidado do bom Pastor ou colocando a confiança em bens materiais são duas coisas diferentes e amplamente opostas. No primeiro caso, a confiança para o homem natural é dura e difícil, se não irracional e impossível. No segundo caso, é natural, fácil e consistente. Não há necessidade de muitos argumentos para provar que aquele que confia na promessa de Deus para a provisão das necessidades materiais, possui uma segurança infinitamente maior que o indivíduo que confia nas suas riquezas acumuladas. Os financistas mais aptos preconizam que devemos juntar à maioria dos investimentos que escolhemos esta condição percebida ou expressa: "Na medida em que as questões humanas estejam asseguradas". [...] Levando em conta que não há garantia absoluta contra as necessidades na terra, conclui-se necessariamente que aquele que confia em Deus é o homem mais sábio e prudente. Quem ousar negar que a promessa do Deus vivo é uma garantia absoluta? — *John Stevenson*

v. 1: "Nada me faltará". As ovelhas de Cristo podem mudar de pasto, mas nunca terão falta de pasto: "Não é a vida mais do que o mantimento, e o corpo, mais do que a vestimenta?" (Mt 6.25). Se Ele nos dá as coisas grandes, desconfiaremos das coisas pequenas? AquEle que nos dá os seres celestiais, também nos dará as bênçãos terrenas. O grande Lavrador nunca superlotou as próprias terras. — *William Secker v. 1:* "Nada me faltará". Desde que fiquei sabendo da sua doença e da misericórdia do Senhor em sustentar e curar, desejo escrever para bendizer ao Senhor com a minha muito querida irmã, e ouvir algumas palavras para fortalecer a minha fé, contando detalhadamente sobre o seu cálice ter transbordado na hora da necessidade. Não é, de fato, o balido das ovelhas do Messias: "Nada me faltará"? Nada faltará, porque o Senhor é o nosso Pastor! O nosso Pastor é o Todo-Poderoso! Nada se une a Ele. Nada se mescla com Ele. Nada se acrescenta à sua natureza satisfatória. Nada se diminui da sua plenitude. Há paz e expressão plena nesta pequena frase, conhecida somente pelas ovelhas. O restante do salmo é um esboço deste: "Nada me faltará". Em seu desdobramento, encontramos descanso, refrigério, misericórdia restaurada, direção, paz na morte, triunfo, transbordamento de bênçãos; confiança futura, segurança eterna na vida ou na morte, coisas espirituais ou temporais, na prosperidade ou na adversidade, no tempo ou na eternidade. Não podemos dizer: "O SENHOR é o meu pastor"? Pois estamos sobre a fundação segura do Salmo 23. Como podemos ter necessidades, quando unidos a Ele temos o direito de usar todas as suas riquezas? A nossa riqueza são as suas riquezas e glória. A vida eterna é nossa, com a promessa de que todas as demais coisas nos serão acrescentadas. O nosso Pastor conhece por experiência as necessidades das ovelhas, pois Ele mesmo "foi levado como a ovelha para o matadouro" (At 8.32). Esta expressão, ditada pelo Espírito, indica uma promessa completa, quando ligada com outras das suas palavras: "[Eu] conheço as minhas ovelhas" (Jo 10.14). Por qual disciplina dolorosa foi Ele instruído neste conhecimento, sujeitou-se às necessidades de cada ovelha, de cada cordeiro do aprisco, para que pudesse ser tocado com o sentimento das fraquezas delas? As ovelhas tímidas não têm nada a temer. Não temem as necessidades, não temem as tribulações, não temem os sofrimentos. Não temam, pois de acordo com a necessidade será a provisão: "A minha porção é o SENHOR, diz a minha alma; portanto, esperarei nele" (Lm 3.24). — *Theodosia A. Howard, Viscondessa de Powerscourt (1830), "Letters" [Cartas], editado por Robert Daly, Doutor em Teologia, 1861*

v. 1: "Nada me faltará". Um dos pobres membros do rebanho de Cristo foi levado a circunstâncias da maior pobreza na velhice, mas nunca murmurou. "Você deve estar sem dinheiro", disse-lhe um vizinho bondoso quando se encontraram na rua, "e em péssima situação. Não sei como um homem da sua idade pode sustentar a si e à sua esposa, e sempre estar alegre!" "Nada disso", respondeu ele, "não estamos sem dinheiro. Tenho um Pai rico, e Ele não me permite que nada me falte." "Como? O seu pai ainda vive? Ele deve ser muito velho!" "O meu Pai", disse ele, "nunca morre. Ele sempre cuida de mim!" Este cristão idoso era um pensionista diário da providência do seu Deus. Todos conheciam as dificuldades e pobreza desse cristão, que declarava que nunca lhe faltava nada que era absolutamente necessário. Os dias dos seus maiores apuros eram os dias dos seus mais extraordinários e oportunos livramentos. Quando a velhice paralisou a mão da atividade, o Senhor lhe estendeu a mão da caridade. Muitas vezes ele se levantava da mesa do parco café da manhã, não sabendo de qual fonte terrena viria a próxima refeição. Mas junto com Davi ele podia confiar nos cuidados do Pastor, e dizer: "Nada me faltará". Tão certo quanto confiou em Deus, tão certo foi de maneira inesperada a sua necessidade suprida. — *John Stevenson*

v. 1: "O SENHOR é o meu pastor; nada me faltará". No capítulo 10 do Evangelho de João, temos seis características das ovelhas de Cristo: (1) As ovelhas conhecem o Pastor. (2) As ovelhas conhecem a voz do Pastor. (3) As ovelhas ouvem o Pastor chamando-as cada uma pelo nome. (4) As ovelhas amam o Pastor. (5) As ovelhas confiam no Pastor. (6) As ovelhas seguem ao Pastor. — *Mrs. Rogers, "The Shepherd King" [O Pastor-Rei], in: "The Folded Lamb" [O Cordeiro no Aprisco], 1856*

vv. 1 a 4: Desçam ao rio. Há algo que está acontecendo que vale a pena ver. O pastor está a ponto de fazer o rebanho atravessar o rio. Como o nosso Senhor fala sobre o bom Pastor — você observa que Ele vai adiante e as ovelhas o seguem. Não todas da mesma maneira, porém. Algumas entram corajosamente no rio e atravessam imediatamente. Estas são as amadas do rebanho, que seguem de perto as pisadas do pastor, quer estejam saracoteando por prados verdejantes ao lado de águas tranquilas, ou alimentando-se nos montes, ou descansando ao meio-dia sob a sombra de grandes pedras. Agora entram as outras, mas com dúvida e temor. Longe do guia, elas erram o vau e são levadas rio abaixo, umas mais, outras menos. Mas, uma por uma, elas lutam e corrigem o erro, conseguindo atravessar. Note os cordeirinhos. Eles não querem entrar no rio, tendo de ser forçados a entrar pelo cão do pastor, mencionado por Jó na sua parábola. Coitadinhos! Como pulam, mergulham e tremem de medo! Aquele ali é fraco e foi engolfado pelas águas. Ele irá morrer. Mas não. O próprio pastor pula no rio e o ergue, sustentando o cordeirinho até a margem. Agora que todas estão em segurança, como estão felizes. Os cordeiros brincam e dão pulinhos a torto e a direito com bom humor, enquanto as ovelhas mais velhas se reúnem em volta do guia fiel, olhando para ele com gratidão branda, mas expressiva. Você consegue ver tal cena e não pensar no Pastor que guiou José como um rebanho? Ou não pensar que haverá outros rios que todas as ovelhas terão de atravessar? Ele também vai adiante e, como aconteceu com este rebanho, aquelas que se mantiverem perto dEle não temerão mal algum (cf. v. 4). Elas ouvem a doce voz, afirmando: "Quando passares pelas águas, estarei contigo, e, quando pelos rios, eles não te submergirão" (Is 43.2). Com os olhos fixos nEle, elas nem veem o rio ou sentem as ondas frias e ameaçadoras. — *W. M. Thomson*

v. 2: "Deitar-me faz em verdes pastos, guia-me mansamente a águas tranquilas". Ele tem não só "verdes pastos" para onde me guiar, o que mostra a sua habilidade, mas também me guia a eles, o que mostra a sua bondade. Ele não me guia a pastos murchos e secos, os quais me causariam desgosto antes de os provar. Mas Ele me guia a "verdes pastos" para me agradar os olhos com o verdor como também o estômago com a pastagem. Ele me convida, por assim dizer, a comer apresentando os alimentos na sua melhor aparência. Mesmo que o alimento seja extremamente saudável, se não parecer atrativo, acaba com o apetite. Mas quando, além de saudável, tiver também boa aparência, abre vantajosamente o apetite e alegra antes de saciar. Mas a bondade não está totalmente no verdor. Infelizmente, o verde é apenas uma cor, e cores são coisas enganosas. Poderiam ser folhas verdes, ou cálamos verdes, ou caniços verdes, e que bem me seria tal verdor? Não, alma minha, a bondade está em ser "verdes pastos", pois cumprem tudo quanto prometem. Sendo "verdes", deram-me conforto assim que eu os vi, e sendo "verdes pastos" me darão refrigério assim que eu os provar. Considerando que são agradáveis para olhar, são saudáveis para comer: como são doces ao serem ingeridos e fáceis de serem digeridos. Parece que estou em uma espécie de paraíso e não quero nada menos que, talvez, um pouco de água para, de vez em quando, lavar a boca e, no máximo às vezes, tomar um gole. Ainda que as ovelhas não bebam muito e os pastos, sendo verdes e cheios de seiva, tornam a água menos necessária, um pouco de água elas têm de tomar. Repare na grande bondade deste Pastor e que justa causa há em depender da sua providência, porque ele não deixa faltar nada para as ovelhas. Ele as guia "mansamente a águas tranquilas", não a águas de correntes fortes e barulhentas, que assustariam as ovelhas medrosas, mas a águas "tranquilas" e calmas. Ainda que bebam pouco, podem beber esse pouco sem medo. E não posso dizer agora com justiça: "O Senhor é o meu pastor; nada me faltará"? Haverá, talvez, algo que falta em tudo isso, pois não basta Ele guiá-las a verdes pastos e mansamente a águas tranquilas? Não pode Ele guiá-las até ali e fazê-las sair antes que as barrigas estejam meio cheias, e assim em vez de torná-las felizes, torná-las mais insatisfeitas? Despertar-lhes o desejo com a visão para depois frustrá-las? Não, alma minha, a medida da bondade deste Pastor é bem maior. Ele não só as guia a verdes pastos, mas as faz deitar neles. Ele não só as leva a ficar em volta do alimento, como se fossem comer a refeição pascal e tivessem de levá-la pelo caminho, mas Ele as faz deitar em verdes pastos para que comam e se alimentem sem pressa. Depois de comerem, deitam-se e ficam descansando para que depois a agradecimento seja tão agradável quanto a refeição. — *Sir Richard Baker*

v. 2: "Guia-me". O nosso guia tem de ser manso e suave, pois o seu estilo não pode ser afugentar e impulsionar, mas guiar. *Leni spiritu non dura manu* — mais exatamente, temos de ser guiados por doce influência interior que por grande violência exterior, sendo forçados a andar. [...] Tocando todo tipo de gado, para propósito muito bom, Jacó, hábil pastor, respondeu a Esaú (que queria que Jacó e os seus rebanhos o acompanhassem no passo da sua caça): Não, assim não, disse Jacó, o rebanho que está sob os meus cuidados é jovem e deve ser guiado suavemente para que suporte a viagem. Se o afadigarmos somente um dia, o rebanho inteiro morrerá ou terá de descansar por muitos dias (Gn 33.13). — *Lancelot Andrewes*

v. 2: "Guia-me mansamente a águas tranquilas". Em circunstâncias comuns, o pastor alimenta o rebanho conduzindo e guiando as ovelhas a lugares onde elas possam pastar sozinhas. Mas há ocasiões em que ocorre o inverso. No fim do outono, quando os pastos estão secos, e no inverno, em regiões cobertas pela neve, ele tem de fornecer comida para elas a fim de que não morram. Nos vastos bosques de carvalhos ao longo do lado oriental do Líbano, entre a cidade de Baalbek e os cedros, há inumeráveis rebanhos reunidos e os pastores ficam o dia todo entre as árvores fechadas, cortando galhos que tenham folhas verdes e ramos tenros para as ovelhas e bodes terem o devido sustento. O mesmo acontece em todos os distritos montanhosos, pois florestas grandes são preservadas para esse fim. — *W. M. Thomson*

v. 2: "Deitar-me faz... guia-me". A Maria sentada e a Marta atarefada são emblemas de contemplação e ação. E visto que ambas moram na mesma casa, estes dois emblemas devem estar em um coração. — *Nathanael Hardy*

v. 2: Nas catacumbas de Roma, vemos muitas vezes este epitáfio curto mas comovente: *In Christo, in pace*, que significa: "Em Cristo, em paz". Perceba a presença constante do Pastor da paz. "Deitar-me faz!" "guia-me!" — *J. R. Macduff, Doutor em Teologia*

v. 2: "Guia-me mansamente a águas tranquilas". "Guia-me mansamente" ou "guia-me confortavelmente". Repare que é um estilo de apascentamento macio e suave, com sustento das fraquezas. — *Henry Ainsworth*

v. 2: "Verdes pastos". Há muitos pastos, e pastos ricos de forma que nunca ficam desfolhados. Há muitos rios, e rios tão fundos e largos que nunca secam. As ovelhas têm comido destes pastos desde que Jesus fundou a igreja na terra, e sempre estão muito cheios de relva. As ovelhas têm bebido dessas águas desde Adão, e ainda hoje são abundantes. Os pastos e as águas continuarão assim até que as ovelhas não precisem mais deles nos céus! — *Ralph Robinson, 1656*

v. 2: "Verdes pastos... mansamente a águas tranquilas". Do cume do montículo [de Arbã, em Khabour], a vista alcança uma região plana e resplandecente com flores, e pontilhada com tendas pretas e inumeráveis rebanhos de ovelhas e camelos. Durante a nossa permanência em Arbã, a cor destas vastas planícies estava passando por uma mudança ininterrupta. Depois de ser durante alguns dias de um amarelo dourado, uma nova família de flores brotava, e quase em uma noite viraria em um vermelho vivo, que de repente apresentava o mais escuro azul. Então os prados eram mosqueados com diversas cores, ou vestiam o verde esmeralda do mais viçoso dos pastos. As descrições exuberantes que tantas vezes ouvi os beduínos contarem sobre a beleza e fertilidade das margens do Khabour ficaram mais que evidentes. Os árabes se gloriam que os prados dão três safras de relva durante o ano. As tribos nômades consideram os campos arborizados e as relvas constantemente verdes como um paraíso durante os meses de verão, quando o homem pode desfrutar de uma sombra refrescante e os animais podem achar erva fresca e tenra, enquanto que ao redor tudo está amarelado, tostado e sem vida. — *Austin H. Layard, 1853*

v. 2: Em direção aos "verdes pastos", o salmista acertadamente associa proteção com "águas tranquilas". Considerando que só podemos nos apropriar da Palavra pelo Espírito, assim de forma geral receberemos o Espírito pela Palavra, não apenas ouvindo-a, não apenas lendo-a, não apenas refletindo nela. O Espírito de Deus, que é o agente mais livre e que é a própria fonte da liberdade, entrará no coração do crente quando quiser, como quiser e quanto quiser. Mas o efeito da sua vinda sempre será o cumprimento de alguma promessa, o reconhecimento de algum princípio, a obtenção de certa graça, a compreensão de algum mistério que já está na palavra e que assim acharemos, com uma impressão mais profunda e com um desenvolvimento mais completo, esclarecido com poder ao coração. — *Thomas Dale, Mestre em Ciências Humanas, "The Good Shepherd" [O Bom Pastor], 1847*

v. 2: "Águas tranquilas", que são o oposto dos rios volumosos que assustam as ovelhas com o barulho e as expõe ao perigo de serem levadas pelas correntezas fortes e violentas, enquanto estão bebendo. — *Matthew Poole*

v. 2: "Águas tranquilas", em hebraico é "águas de descanso" (cf. ARA), *ex quibus diligunt oves bibere*, disse Kimchi, "das quais as ovelhas gostam de beber", porque exalam um ar refrescante e não as expõe ao perigo. Os clérigos papistas são chamados de habitantes do mar (cf. Ap 12.12), porque vertem doutrina grosseira, perturbadora, repulsiva e azeda, que antes produz aridez no coração e corrói as entranhas do que mata a sede ou refresca do calor. A doutrina do Evangelho, como as águas de Siloé (Is 8.6), flui suavemente e tem gosto agradável. — *John Trapp*

v. 3: "Refrigera a minha alma; guia-me pelas veredas da justiça por amor do seu nome". Os assuntos experimentalmente tratados neste versículo são, em primeiro lugar, a tendência do crente em cair ou divergir até mesmo dentro do aprisco da igreja, pois de que ele precisaria ser refrigerado? Em segundo lugar, a prontidão do bom Pastor em interpor-se para o refrigério: "[Ele] refrigera a minha alma." Em terceiro lugar, o cuidado subsequente de Jesus: "[Ele] guia-me pelas veredas da justiça". E por último, a razão nomeada pela qual Ele o fará — solucionando tudo na espontaneidade, na supremacia, na onipotência da graça. Ele fará tudo, "por amor do seu nome". — *Thomas Dale*

v. 3: "Refrigera a minha alma". A mesma mão que nos salvou da ruína, nos restaura de todos os nossos desvios subsequentes. O castigo está misturado com ternura. A voz que censura, dizendo: "Porquanto perverteram o seu caminho e se esqueceram do Senhor, seu Deus", faz o convite amável: "Voltai, ó filhos rebeldes, eu curarei as vossas rebeliões". A voz não fica sem ser ouvida e a chamada sem resposta ou sem ser sentida: "Eis-nos aqui, vimos a ti; porque tu és o Senhor, nosso Deus" (Jr 3.21,22). "Quando tu disseste: Buscai o meu rosto, o meu coração te disse a ti: O teu rosto, Senhor, buscarei" (Sl 27.8). — *J. Thornton, "Shepherd of Israel" (O Pastor de Israel), 1826*

v. 3: "Refrigera a minha alma". Ele refrigera a alma, restaurando-a a sua pureza original, que agora ficara imunda e escura pelo pecado. Que bem haveria em pastos *verdes* e uma alma *escura*? Ele a refrigera, restaurando-a ao seu temperamento natural em afetos que ficaram desordenados pela violência dos sentimentos. Que bem haveria em ter águas *tranquilas* e espírito *turbulento*? Ele a refrigera, restaurando-a a vida que crescia a qual estava até certo ponto quase morta. Quem poderia refrigerar a minha alma, restaurando-a a vida, senão aquEle que é o bom Pastor e que deu a vida pela ovelha? — *Sir Richard Baker*

v. 3: "Refrigera a minha alma". Não me afaste só do pecado e da ignorância, mas de toda falsa confiança e de todo refúgio enganoso.

"Guia-me pelas veredas da justiça", pelos caminhos da justiça imputada que sempre estão adornadas com as árvores da santidade, sempre estão regadas com as fontes da consolação e sempre terminam no descanso eterno. Alguém pode perguntar: Por que dou este sentido à passagem? Por que não pode significar os caminhos do dever e o caminho da nossa obediência? Porque tais efeitos são aqui mencionados como nunca resultam e nunca poderão resultar de qualquer dever nosso. Estes não são "verdes pastos", mas um matagal árido e acidentado. Estas não são "águas tranquilas", mas um rio tumultuoso e desordenado. Nem podem falar de paz ou dar consolo quando atravessamos o vale e a sombra da morte. É o ofício exaltado de Jesus dar estas bênçãos, sendo prerrogativa exclusiva da sua obediência a Ele. — *James Hervey*

v. 3: "Refrigera a minha alma", no original hebraico é: "Traz a minha alma de volta", ou (1) Dos seus erros ou desvios; ou (2) Para o corpo do qual estava saindo e desfalecendo. Ele me reaviva ou me consola. — *Matthew Poole*

v. 3: "Veredas da justiça". Ó Senhor, estas "veredas da justiça" têm sido percorridas por tão poucas pessoas, que a trilha do caminho está quase apagada. Esta é uma questão difícil achar onde estão as veredas, se podemos achá-las, pois são tão estreitas e estão tão cheias de buracos que sem ajuda especial é impossível as pessoas não caírem ou não se perderem. Até os anjos e os que não maus, não conseguem acertar estas "veredas da justiça", pois por falta de liderança, desviam-se e perecem. Tu, ó grande Pastor da minha alma, visto que te agradas por tua graça em me guiar nessas veredas, concede-me a tua graça para me guiar nelas, pois ainda que sejam as "veredas da justiça", para mim serão as veredas do erro se tu não te dignares em me guiar não só até elas, mas também nelas. — *Sir Richard Baker*

v. 3: "Veredas". Nos desertos e regiões inóspitas não há caminhos destacados, e os que há são somente trilhas. Às vezes, há seis ou oito veredas que correm desigualmente lado a lado. Não há dúvida de que este é o significado figurativo de: "Guia-me pelas veredas da justiça", tudo levando a um ponto. — *John Gadsby*

v. 3: "Por amor do seu nome". Considerando que Jesus tomou sobre si o nome de "bom Pastor", Ele desempenhará as funções ligadas ao dever, sejam quais forem as ovelhas. Não é por serem más ovelhas que faz com Jesus seja "bom Pastor". Ele será "bom", e manterá a honra do "seu nome" apesar da maldade das ovelhas. Não há benefícios que elas recebam disso, mas haverá glória atribuída a Ele por causa disso, e o "seu nome" será engrandecido e exaltado. — *Sir Richard Baker*

v. 4: "Ainda que eu andasse pelo vale da sombra da morte, não temeria mal algum". Por não temer mal algum, estar no "vale da sombra da morte" é um grande privilégio aberto a todo crente verdadeiro! A morte não lhe será morte, mas a própria libertação da morte, de todas as dores, cuidados, tristezas, desgraças e misérias deste mundo. É a própria entrada no descanso e o começo da alegria eterna. É a degustação dos prazeres celestiais, tão grande que a língua não pode expressar, nem os olhos verem, nem os ouvidos ouvirem, nem o coração do homem imaginar. [...] Para consolar todos os cristãos, as Santas Escrituras chamam a morte física de sono. Nesse período, os sentidos humanos são, por assim dizer, suspensos por certo tempo. Quando ele acordar, estará mais renovado que quando se deitou na cama. [...] A morte física é a porta ou entrada na vida. Portanto, não deve ser temida, se for devidamente considerada, tanto quanto é consoladora. Não é um dano, mas a solução para todo dano. Não é uma inimiga, mas uma amiga. Não é uma tirana cruel, mas um guia gentil que nos orienta, não à mortalidade, mas à imortalidade, não à tristeza e dor, mas à alegria e prazer, algo que durará para sempre! — *"Homily against the Fear of Death" [Sermão contra o Medo da Morte], 1547*

v. 4: "Ainda que eu andasse pelo vale da sombra da morte, não temeria mal algum". Ainda que eu tivesse tal visão como a visão de Ezequiel, um vale cheio dos ossos de mortos, e o rei dos terrores cavalgasse em tremenda pompa pelas ruas, matando montões sobre montões, e milhares caíssem ao meu lado e dez milhares à minha direita, eu "não temeria mal algum". Ainda que ele apontasse as setas fatais ao pequeno círculo dos membros da minha família, afastasse para longe de mim as pessoas que amo e mantenho amizade, e colocasse na escuridão os meus conhecidos, eu "não temeria mal algum". Ainda que eu sentisse a sua seta fincando firmemente em mim, o veneno tomando conta do meu espírito e, por causa desse ataque fatal, eu adoecesse e definhasse, tendo todos os sintomas da chegada da decomposição, eu "não temeria mal algum". A natureza pode se assustar e tremer, mas eu confio que aquEle que sabe que a carne é fraca, se compadecerá e perdoará este conflito inicial. Posso ter medo das agonias da morte, mas não temerei mal algum na morte. O veneno do ferrão foi retirado. A ponta da seta foi embotada de forma que não pode penetrar mais fundo que o corpo. A minha alma é invulnerável. Posso sorrir diante da agitação da lança, mostrar-me impassível com as devastações que o destruidor implacável está fazendo no meu tabernáculo e ansiar pelo período feliz quando ele terá sido feito uma brecha suficientemente larga para o meu espírito anelante do céu voar e achar descanso. — *Samuel Lavington*

v. 4: "Ainda que eu andasse pelo vale da sombra da morte, não temeria mal algum". "Quero falar com você sobre o céu", disse um pai[1] moribundo a um membro da família. "Talvez não fiquemos muito tempo separados uns dos outros. Podemos nos encontrar ao redor do trono da glória, formando uma família no céu!" Emocionada diante deste pensamento, a filha amada exclamou: "Claro que não há perigo, não é?" Calma e belamente, ele respondeu: "Perigo, minha querida! Não use essa palavra! Não pode haver perigo para o cristão, aconteça o que acontecer! Tudo está bem! Tudo está certo! Deus é amor! Tudo está bem! Tudo está bem para sempre! Para sempre!" — *John Stevenson*

v. 4: "Ainda que eu andasse pelo vale da sombra da morte, não temeria mal algum". Não temeria o quê? Que amigo há que continue apoiando você, que fique em sua companhia nessa região escura? Logo o amigo lhe dirá que Deus estava com ele, e por esses métodos evasivos apoiou-se no cajado, sendo este o refrigério que impediu que o seu coração desfalecesse. Desafio todos os cavaleiros do mundo, de todas as sociedades alegres e joviais, a achar um grupo de pessoas alegres e felizes como são os amigos de Deus. Não é a relação, mas a falta da relação com Deus que entristece. Você não sabe quais são as suas consolações, e os estranhos não se intrometem com a sua alegria. Você pensa que eles não podem ser alegres quando o semblante é tão sério. Mas eles estão certos de que você não pode ser verdadeiramente alegre quando sorrir com uma maldição na alma. Eles sabem que Ele falou a sentença que não pode estar equivocada: "Até no riso terá dor o coração, e o fim da alegria é tristeza" (Pv 14.13). Então, diga que a tua animação, o teu canto e a tua risada são felicidade, mas o Espírito de Deus diz que é loucura (Ec 2.2). Quando o coração do homem carnal está pronto a morrer contigo e com Nabal, tornar-se como pedra,

[1] O finado reverendo Hugh Stowell, reitor de Ballaugh, um vilarejo da Ilha de Man.

então como é alegre a aparência dos que têm Deus por amigo. Quem dos valorosos do mundo pode enfrentar a morte, olhar com alegria para a eternidade? Quem entre eles pode segurar dardos inflamados, abraçar as chamas? Este santo pode, e muito mais, pois ele pode olhar diretamente nas justiças infinitas com um coração jubiloso, ouvir sobre o inferno com alegria e gratidão, pensar no dia do julgamento com grande prazer e segurança. Desafio o mundo inteiro a produzir uma de todas essas pessoas, alguém que satisfaça tudo isso. Vem, junta todas as suas pessoas alegres. Convoca as suas harpas e violas; faze um concerto completo. Traze os seus vinhos mais finos. Vem, reúne os mais inteligentes entre vós, e investiga o que ainda pode ser feito para que você seja consolado. Então, o que aconteceu? Agora, deixa, pecador, pois esta noite a tua alma terá de comparecer diante de Deus. E agora, o que você diz, homem? Como? A sua coragem o deixa? Chama, agora, os seus companheiros alegres para que alegrem o seu coração. Pede por um copo de bebida, uma prostituta. Não fica com medo, homem. Uma das suas coragens não desdenhou as ameaças do Deus Todo-Poderoso? O que seria tão benéfico e alegre agora, senão engolir o que disse? Esta é, de fato, uma mudança súbita. Onde estão os seus companheiros alegres, pergunto novamente? Todos fugiram? Onde estão os seus queridos prazeres? Todos o abandonaram? Por que estás tão abatido. Temos um homem pobre em trapos que está sorrindo? Como? Você está totalmente privado de todo conforto? Qual é o problema? O que está havendo? Há uma pergunta que de todo o meu coração tenho de fazer ao homem que comparecerá diante de Deus amanhã de manhã. Pelo visto, o seu coração lhe dá medo e incerteza. O que você dirá das alegrias e prazeres? Todos eles se importarão com você? Ali está alguém que agora está com o coração tão confortado quanto antes. Os mesmos pensamentos da eternidade, que tanto amedrontam a sua alma, o levantam e animam! Sabe qual é a razão? Ele sabe que vai para o seu Amigo. Não somente isso, mas o seu Amigo lhe fará companhia durante esta travessia tempestuosa. Vê como é bom e agradável que Deus e a alma estejam juntos em unidade! É o que significa ter Deus por amigo: "Bem-aventurado o povo a quem assim sucede! Bem-aventurado é o povo cujo Deus é o Senhor!" (Sl 144.15). — *James Janeway*

v. 4: "Ainda que eu andasse pelo vale da sombra da morte". Toda escuridão é má, no entanto a escuridão e a sombra da morte são o extremo dos males. Davi apresentou o pior dos seus casos e a melhor da sua fé quando disse: "Ainda que eu andasse pelo vale da sombra da morte, não temeria mal algum", quer dizer, no maior mal, não temerei mal algum. [...] Estar à sombra de uma coisa, é estar sob o poder dessa coisa. [...] Estar à sombra da morte, é estar sob o poder ou alcance da morte, pois a morte pode tomar o homem e apoderar-se dele quando desejar. "Ainda que eu andasse pelo vale da sombra da morte", isto é, ainda que estivesse tão próximo da morte, a ponto de as pessoas terem a impressão de que a morte pode a qualquer momento me pegar, e todas as aparências e probabilidades indicassem perigo extremo e impossibilidade de, de certo modo, fugir da morte, eu "não temeria mal algum". — *Joseph Caryl*

v. 4: "Vale da sombra da morte". Vale é um lugar baixo, com montes em ambos os lados. Os inimigos se postam nesses montes para atirar flechas aos viajantes, como sempre ocorria no oriente. Mas eles têm de atravessá-lo. O salmista disse que "não temeria mal algum", nem mesmo os dardos inflamados de Satanás, pois o Senhor estava com ele. A ilustração não é primariamente, como às vezes supomos, os nossos momentos agonizantes, ainda que essa explicação seja devidamente compatível. Mas é o vale cercado de inimigos postados nas colinas. Davi não só foi protegido naquele vale, mas até mesmo na presença dos inimigos, pois a sua mesa foi generosamente posta (v. 5). Os beduínos, hoje em dia, postam-se nos montes para molestar os viajantes que passam pelos vales. — *John Gadsby v. 4:* "Não temeria mal algum". Segundo um provérbio antigo, quando o homem fazia algo grande com extrema dificuldade, dizia-se que "ele pegara um leão pela barba". Quando o leão está morto, fica fácil até mesmo para uma criancinha. Como meninos, quando veem um urso, um leão ou um lobo morto nas ruas, eles os puxam pelos pêlos, os insultam e lidam com eles como quiserem. Eles pisoteiam o corpo desses animais mortos, fazendo com eles o que não ousam arriscar-se a fazer quando estão vivos. O animal está morto: o animal feroz, o leão bramidor, o lobo voraz, o *helluo generis humani* (o comedor da humanidade). Mas Jesus, que se entregou por completo, teve a morte das mortes para que os filhos de Deus triunfem sobre ela. Os refinados no minério da igreja, os mártires dos tempos primitivos alegremente se ofereceram à fogueira, à espada e à violência desses animais famintos. Tendo se divertido com ele, ao mesmo tempo em que o desprezavam e zombavam, para que pela fé eles tivessem a vida de Jesus, que o sujeitou a si mesmo (1 Co 15). — *Martin Day, 1660*

v. 4: "Tu estás comigo". Você conhece a doçura, a segurança, a força das palavras: "tu estás comigo"? Quando estiver esperando a solene hora da morte, quando a alma está pronta para parar e perguntar: Como será, então? Você pode se voltar em afeto de alma ao seu Deus e dizer: "Não há nada na morte que me faça dano, enquanto o teu amor estiver em mim"? Você pode dizer: "Onde está, ó morte, o teu aguilhão?" (1 Co 15.55). Dizem que quando uma abelha deixa o ferrão, não tem mais poder para ferir. A morte deixou o ferrão na humanidade de Jesus, não tendo mais poder para ferir os seus filhos. A vitória de Jesus sobre a sepultura é a vitória do seu povo. "Nesse momento, eu estou contigo", sussurra Jesus. "É o mesmo braço que você viu que era forte e fiel durante todo o caminho pelo deserto — o braço que nunca falhou, embora você fosse forçado a apoiar-se nele em todas as suas fraquezas." "Neste braço", responde o crente, "sinto-me à vontade. Com alma confiante, ponho a minha confiança no meu Amado, pois Ele me sustentou ao longo de tantas dificuldades, as quais, só de ver, estremeci. Ele atravessou circunstâncias tão difíceis que sei que o seu braço é o braço do amor". Como pode ser escura essa travessia, se o filho de Deus realizou o desejo ardente da sua vida? Como pode ser escuro entrar em contato com a luz da vida? É "a tua vara e o teu cajado", portanto eles "me consolam". Prova-o, prova-o agora, crente! É privilégio seu. Será precioso para Ele sustentar a sua fraqueza. Faça prova que, quando você está fraco, então está forte, pois é para a sua segurança, que a sua força se aperfeiçoa na sua plena fraqueza. O amor onipotente tem de primeiro fracassar para que uma das ovelhas pereçam, pois Jesus diz: "Nunca hão de perecer, e ninguém as arrebatará das minhas mãos", e: "Eu e o Pai somos um" (Jo 10.28,30). É por isso que podemos dizer com ousadia: "Ainda que eu andasse pelo vale da sombra da morte, não temeria mal algum, porque tu estás comigo". — *Viscondessa de Powerscourt*

v. 4: "A tua vara". Há três usos para a vara pastoril: (1) Reconhecer ou contar as ovelhas. É neste sentido que está escrito: "De tudo o que passar debaixo da vara" (Lv 27.32), ou seja, o pastor as conta uma por uma. Mesmo assim, o povo de Deus é chamado de "a vara da sua herança" (Jr 10.16), conforme ele presta atenção ou consideração especial. Observe as palavras neste sentido: "A tua vara [...] me [consola]" — ela me guarda bem. "Ainda que eu esteja em grandes e eminentes perigos por causa dos homens maus, este é o meu consolo — não sou negligenciado por ti. Tu não permites que eu pereça. Tu tens consideração especial por mim, pois me observas e tomas conta de mim. O teu cuidado especial me protege". (2) Estimular as ovelhas. Quando as ovelhas são preguiçosas e lentas para seguir ou andar, o pastor usa a vara para que elas acelerarem o passo. Neste sentido, Davi também disse muito acertadamente: "A tua vara [...] me [consola]", pois é um trabalho que gera muita alegria e consolo no coração do povo de Deus, quando Deus os tira de um andar preguiçoso, frio e formal para, de um modo ou de outro, fazer com que acertem o passo, fiquem mais ativas e fervorosas no culto e adoração a Ele. (3) Chamar as ovelhas. Às vezes, as ovelhas são petulantes e divagantes, afastando-se à toa e um pouco do rebanho, pastando sozinhas e perambulando em outros pastos, não fazendo conta dos perigos que correm pelo afastamento e desvio. Por isso, o pastor as golpeia com a vara e as coloca de volta ao rebanho, desta forma restaurando-as. Também neste sentido Davi poderia dizer: "A tua vara [...] me [consola]", pois é um grande consolo o Senhor não deixar as ovelhas nos caminhos do desconsolo, mas ir buscá-las das andanças e perambulações pecaminosas que sempre as expõem a maiores perigos e dificuldades. Desta forma, as palavras indicam uma parte singular do governo ou providência cuidadosa de Deus pelo rebanho. — *Obadiah Sedgwick*

v. 4: "Vara" e "cajado". O pastor sempre carrega consigo um cajado ou uma vara quando vai alimentar o rebanho. É um instrumento de ponta curvada que deu origem ao gancho do pastor na mão do bispo cristão. Com este cajado, ele leva e guia as ovelhas a verdes pastos e as defende dos inimigos. Com ele também as corrige quando são desobedientes, e as traz de volta quando se desgarram. Este cajado está associado tão inseparavelmente ao pastor quanto o arado ao lavrador. — *W. M. Thomson*

v. 4: O salmista confiará mesmo que tudo o mais seja desconhecido. É o que ele diz: "Ainda que eu andasse pelo vale da sombra da morte, não temeria mal algum". Esta é a mais absoluta confiança. Temos medo do desconhecido muito mais do que aquilo vemos. Um pequeno barulho no escuro dá medo, ainda que perigos maiores e visíveis não metam medo. O desconhecido, com o seu mistério e incerteza enche o coração de ansiedade, se não com mal presságio e melancolia. Aqui o salmista toma a forma mais alta do desconhecido, cujo aspecto é terribilíssimo para o homem, e diz que mesmo em meio a isso ele confiará. O que poderia estar tão fora do alcance da experiência, ou especulação, ou imaginação humana que o "vale da sombra da morte", com tudo que lhe diz respeito? Mas o salmista não faz ressalvas contra isso. Ele confiará onde não possa ver. Quantas vezes ficamos terrificados com o desconhecido, exatamente como os discípulos ficaram: "E entrando eles na nuvem, temeram" (Lc 9.34). Quantas vezes a incerteza do futuro é a mais dura provação para a fé que o estresse de algum mal presente. Muitos queridos filhos de Deus confiam nEle em todos os males conhecidos, mas por que esses medos, pressentimentos e desfalecimentos de coração, se eles confiam igualmente em Deus no que tange ao desconhecido? Quantas vezes ficamos abaixo do verdadeiro caráter dos filhos de Deus nesta questão do desconhecido? Um menino age de acordo com a declaração de Jesus: "Basta a cada dia o seu mal" (Mt 6.34), nós, neste aspecto muito menos sábios que ele, povoamos o desconhecido com fantasmas e especulações, muitas vezes nos esquecendo da nossa confiança em Deus. — *Philip Bennett Power*

v. 4: "Ainda que eu andasse pelo vale da sombra da morte, não temeria mal algum, porque tu estás comigo; a tua vara e o teu cajado me consolam". Considerando que tu estás comigo, em cujo poder e vontade todas as dificuldades vão e vêm, não há como não obter vitória e domínio sobre elas, por mais numerosas e perigosas que sejam, pois a tua vara me castiga quando me desvio e o teu cajado me apoia quando caio — duas coisas que me são muito necessárias, bom Senhor. Uma serve para me chamar das minhas faltas e erros, e a outra para me manter na verdade e realidade. O que pode ser mais abençoado que ser sustentado e guardado de cair pelo cajado e força do Altíssimo? O que pode ser mais lucrativo que ser açoitado com a sua vara misericordiosa quando nos desviamos? "Porque o Senhor corrige o que ama e açoita a qualquer que recebe [a santa confissão]" (Hb 12.6). Todavia, enquanto estivermos nesta vida, Ele nos alimenta com pastos doces das ervas salutares da sua santa

Palavra até chegarmos à vida eterna. Quando despirmos este corpo, entrarmos no céu e conhecermos o santo gozo e as riquezas do reino, então não só seremos as suas ovelhas, mas também os convidados do banquete eterno. Nesse banquete, Senhor, tu te colocas diante de todos aqueles que te amam neste mundo e, assim, unges e alegras a nossa mente com o teu Espírito Santo para que nenhuma adversidade ou dificuldade nos entristeça. Nesta sexta parte, o profeta declara o antigo enunciado entre os sábios: "Não requer menos perícia manter algo que ganhá-lo, do que foi para ganhá-lo". O rei Davi percebe a mesma coisa. Como ele já disse no salmo, o Senhor o tomou e o guiou a pastos agradáveis onde a virtude e as justiças reinam, "por amor do seu nome" (v. 3) e não por justiça própria. Assim ele diz agora que ser guiado aos pastos da verdade e aos benefícios do Todo-Poderoso, e ser considerado e reputado por só uma das suas ovelhas, é só Deus que o mantém e o guarda no mesmo estado, condição e graça. Porque Davi não poderia passar pelas dificuldades e sombra da morte, como ele e todo povo eleito de Deus passa, se não fosse pela ajuda de Deus. Por isso, o salmista afirma que passa por todo perigo, porque estava com o Salvador. — *John Hooper (Mártir), 1495-1555*

v. 4: "Ainda que eu andasse pelo vale da sombra da morte". A propósito, noto que Davi entre os verdes pastos, onde não lhe faltava nada, e na mais alta tranquilidade e excelência, registrou que o vale da miséria e sombra da morte poderia lhe sobrevir, caso fosse da vontade de Deus. Além disso, considera que o seu porto seguro e descanso certo estão unicamente em Deus. É ser verdadeiramente sábio precaver-se nos tempos bons para os tempos ruins. Na saúde pensar na doença. Na prosperidade, paz e tranquilidade prever o pior. Juntar, como a formiga sábia, no verão para ter no inverno. O estado dos descrentes é cheio de dificuldades, e a condição dos crentes é mais cheia ainda. Os pecadores devem ser corrigidos e os filhos, castigados, não há dúvida. A arca foi construída para as águas, o navio para o mar. Feliz é o marinheiro que sabe onde lançar âncora, mas bem-aventurado é o homem que corre para o refúgio certo, e sabe onde confiar e em quem confiar no dia da necessidade.

"Não temeria mal algum, porque tu estás comigo." Neste salmo, entendo que não é certo que era isso que o profeta sempre fazia, mas era o que por obrigação tinha de ser feito. Entendo também que era o propósito de Davi esforçar-se para os dias que viriam. Depois de tantas promessas da bondade infinita de Deus, e pela orientação da vara e pela restrição do cajado, segundo a vontade de Deus, Davi não temeria, sendo esta a base da promessa. Pedro, no Evangelho de nosso Salvador, por causa da fraqueza do medo que o levou a negar o Mestre, é conclamado depois da conversão pelo aspecto favorável de nosso Salvador, a confirmar os seus irmãos e ensiná-los na constância. É verdade que Deus requer mentes firmes, homens resolutos e irmãos confirmados.

Assim, em ocasiões passadas, Davi comprovou que não fora abandonado em qualquer momento. Então confessou que durante o tempo por vir ele, o servo do Senhor, não seria como certa flor que abre com o sol e fecha com o orvalho — alguém que o serve em tempos tranquilos, mas em tempos de necessidade, abandona tudo, retirando-se e recuando com medo e sem fé. Vocês, pessoas boas, com todas as imperfeições cruéis, observem, peço, que aqueles que têm medo da névoa ou da neblina que surge — que são como a amoreira que nunca brota ou se mostra até que os tempos difíceis passem —, que, como testemunhas, espectadores, neutros e residentes, e como Metius Suffetius, não ousam aventurar, nem entrar, nem empreender qualquer ação boa do maior dever a Deus, príncipe ou país, até que tudo esteja seguro de um lado — são totalmente reprovados por este exemplo. — *John Prime, 1588*

v. 4: "Ainda que eu andasse pelo vale da sombra da morte, não temeria mal algum, porque tu estás comigo; a tua vara e o teu cajado me consolam". A morte dos que estão sob o pecado é como a execução de um criminoso. Quando ele é julgado e justamente condenado, um arranca-lhe obstinadamente o chapéu, outro o cinto, um terceiro amarra-lhe as mãos às costas. O homem, dominado pela aflição e temor, morre antes de morrer.

Mas olho para a morte do justo, e o fim pacífico, que o homem honesto será como ir para a cama. Os seus criados com respeito lhe tiram as roupas e as colocam em ordem. A boa consciência então entra em ação e coloca tudo em ordem, de forma que isso lhe confirma e aumenta a paz. Diz boa noite para a fé, a esperança e as outras graças e dons que encontra pelo caminho — quando chegarmos ao lar celestial não haverá serventia para eles —, mas se dirige ao amor, paz, alegria e outras graças do lar celestial, para que, como eles nos conduziram pelo caminho, assim eles nos assistam na morte e entrem nos céus conosco. — *William Struther*

v. 4: O Senhor deseja que no dia de nossas dificuldades o invoquemos, acrescentando esta promessa: Ele nos livrará. O profeta Davi confiou muito nisso, sentindo essa verdade consoladora em numerosas ocasiões e em muitas e perigosas situações, que se convenceu (todo medo acabou) de passar por um perigo doloroso ou outro qualquer. Se tivesse de andar pelo vale da sombra da morte, ele não teria motivos para temer, consolando-se com a declaração (que foi a promessa de Deus feita para todos): "porque tu estás comigo; a tua vara e o teu cajado me consolam". Será o cajado de Deus tão mole que não ousamos nos apoiar nele para que não se quebre? Ou é tão inconstante que não estará conosco nas dificuldades de acordo com o que prometeu? Não nos dará Ele o seu "cajado" para nos deter e estenderá as mãos para nos levantar, como está habituado a fazer? Não há dúvida de que Deus em toda situação difícil estará pronto para nos ajudar de acordo com a sua promessa. "Mas, agora, assim diz o SENHOR que te criou, ó Jacó, e que te formou, ó Israel: Não temas, porque eu te remi; chamei-te pelo teu nome; tu és meu" (Is 43.1). — *Thomas Tymme*

v. 4: "Ainda que eu andasse pelo vale da sombra da morte, não temeria mal algum, porque tu estás comigo; a tua vara e o teu cajado me consolam". Não muito tempo antes de morrer, o salmista bendisse a Deus pela segurança do amor divino, dizendo: Agora posso tão facilmente morrer quanto fechar os olhos. E acrescentou: Aqui estou desejando estar em silêncio no pó e desfrutando Jesus na glória. Desejo estar nos braços de Jesus. Não vale a pena que chorem por mim. Depois, lembrando como o Diabo estivera ocupado com ele, Davi ficou sumamente grato a Deus por ter sido bondoso em repreender o inimigo. — *Memória de James Janeway*

v. 4: "Ainda que eu andasse pelo vale da sombra da morte, não temeria mal algum, porque tu estás comigo; a tua vara e o teu cajado me consolam". Em Bombaim, quando a esposa do missionário Hervey estava morrendo, um amigo disse que esperava que o Salvador estivesse com ela nesse percurso pelo vale escuro da sombra da morte. "Se este", disse ela, "for o vale escuro, porque não tem nada de escuro aqui. Tudo é muito claro." Durante a maior parte da sua doença, ela teve visões grandiosas das perfeições de Deus. "A sua santidade impressionante", observou ela, "parece que é o mais belo de todos os seus atributos." Certa vez, a esposa do missionário disse que desejava ter palavras para expressar as visões da glória e majestade de Cristo. "Parece", disse ela, "que se todas as outras glórias acabassem e não sobrasse nada menos que Ele mesmo já seria suficiente. Seria um universo de glória!"

vv. 4 e 5: A prontidão de espírito para sofrer dá ao cristão verdadeiro o prazer da vida. [...] O cristão que tem esta preparação do coração nunca experimenta mais doçura nos prazeres desta vida que quando molha estes bocados na meditação da morte e eternidade. Não lhe causa mais aflição ao coração pensar na remoção destes que abrem caminho para aqueles prazeres muito mais doces, que seria para alguém em um banquete ter o primeiro prato tirado, depois de sentir-se bem servido, para que venha o segundo prato de todos os doces raros e iguarias festivas, o qual não vem sem a retirada do primeiro. O santo Davi, neste lugar, traz, por assim dizer, a cabeça da morte com o banquete. Quase no mesmo fôlego, ele fala da morte (v. 4) e do banquete rico que agora participava pela generosidade de Deus (v. 5). Ele não estava preso a isso, pois se Deus que lhe deu esta alegria o chamasse para encarar a morte, Davi o faria e não temeria mal algum quando estivesse no vale da sombra da morte. O que diremos do santo apóstolo Pedro? Você não acha que ele sentiu o verdadeiro prazer da vida, quando pôde dormir tão profundamente numa prisão (lugar indesejável), acorrentado entre dois soldados (postura desconfortável) e na noite imediatamente antes de Herodes o mandar buscar para executá-lo? Que hora imprópria, pensaria alguém, para descansar. Mas foi assim, dormindo um sono gostoso, que o anjo, enviado para tirá-lo da prisão, o encontrou quando o tocou para acordá-lo (At 12.6,7). Duvido que o próprio Herodes tenha dormido tão bem naquela noite quanto este prisioneiro. Qual foi a poção que fez esse santo homem descansar tão profundamente? Não há dúvida de que foi a preparação do Evangelho da paz — ele estava pronto para morrer e essa prontidão o capacitou a dormir. Por que isso interromperia o seu descanso neste mundo, pois caso tivesse sido efetuada o teria levado ao seu descanso eterno no outro mundo? — *William Gurnall*

vv. 4 e 6: O salmista expressa muita confiança no meio da maior das dificuldades e tribulações inexprimíveis. Ele se supõe andando pelo vale da sombra da morte. Como a "morte" é o pior dos males e abrange todos eles, assim a "sombra" da morte é a representação mais tenebrosa desses males para a alma, e o "vale" dessa sombra é o fundo mais terrível dessa representação. O profeta, então, supôs que ele poderia ser levado a isso. Essa condição poderia tê-lo enchido de receios tristes da vinda de uma confluência de todos os tipos de males — e não por um curto período, mas o salmista pode ter sido forçado a andar neles, o que denota um estado de certa continuação, um conflito com os males mais funestos, e por sua própria natureza, tendente à morte — está no âmbito das hipóteses. O que, então, Davi faria se fosse levado a essa situação? Ele disse: "Mesmo nessa condição, na angústia em que estou em minha opinião e na dos outros, desesperado, desamparado e perdido, eu 'não temeria mal algum'." Nobre resolução, se há suficiente base e fundamento, não pode ser considerada precipitação e confiança infundada, mas a verdadeira coragem espiritual e decisão santa. Ele disse: "É porque o Senhor está comigo". Mas, e se agora o Senhor o abandonar nesta condição e o entregar ao poder dos teus inimigos, e permitir, pela força das tentações com as quais é atacado, que você se afaste totalmente dEle? Com certeza, você seria tragado para sempre. As águas viriam sobre a sua alma, e para sempre cairia prostrado na sombra da morte. "É verdade", diria ele, "mas tenho a garantia do contrário: 'A bondade e a misericórdia me seguirão todos os dias da minha vida'." — *John Owen*

v. 5: "Preparas uma mesa perante mim na presença dos meus inimigos". Deus não depende absolutamente dos ímpios para abençoar os seus servos. Eles não concorrem com o Senhor, nem *per modum principii*, porque só Ele é a causa, nem *per modum auxilii*, porque Deus sem os ímpios pode abençoar todos os seus. A sua maldosa renitência de espírito ou a tentação contra Deus abençoar o seu povo é muito fraca para frustrar o intento e prazer do Pai. O impedimento eficaz não só tem de ser antagônico, mas também superior. Uma gota de água não pode apagar o fogo. Embora seja de natureza contrária, não tem poder maior. A perversidade e ideias dos homens maus são muito limitadas e fracas para obstar a intenção divina de abençoar, que é acompanhada pelo braço poderoso. Os homens maus não passam de homens, e Deus é Deus. Sendo apenas homens, não podem fazer mais que os homens fazem.

O Senhor deixará claro para o mundo que Ele governa a terra e que o seu conselho é firme (cf. Is 46.10); que o homem a quem ele abençoa, esse será abençoado, e o homem a quem Ele amaldiçoa, esse será amaldiçoado; que as criaturas não podem fazer nem bem nem mal; que o seu povo é a geração do seu cuidado e amor, ainda que ele viva no meio de inimigos mortais. — *Condensado de Obadiah Sedgwick*

v. 5: "Na presença dos meus inimigos", eles vendo, invejando e irritando-se com isso, mas não podendo impedi-lo. — *Matthew Poole*

v. 5: "Unges a minha cabeça com óleo, o meu cálice trasborda". No Oriente, as pessoas ungem os visitantes com perfume muito forte e lhes dão um cálice ou copo de vinho excelente, o qual têm o cuidado de encher até derramar. O primeiro visa mostrar amor e respeito; o último indica que enquanto eles permanecerem naquele lugar terão abundância de todas as coisas. Nesta passagem, o salmista alude a alguma coisa deste tipo. — *Samuel Burder*

v. 5: "Unges a minha cabeça com óleo". Ungir a cabeça com óleo dá um grande refrigério. Há três qualidades de óleo: levor, nitor e odor, respectivamente suavidade ao toque, brilho à visão, fragrância ao cheiro. Desta forma, satisfaz os sentidos, tendo de causar prazer a quem é ungido com esse óleo. Salomão alude ao óleo quando, tentando convencer a uma vida alegre, diz: "Nunca falte o óleo sobre a tua cabeça" (Ec 9.8). Como isto representa devidamente a unção do Espírito, o único que alegra e recreia a alma! É chamado de "óleo de alegria" (Sl 45.7) e "gozo do Espírito Santo" (1 Ts 1.6). — *Nathanael Hardy*

v. 5: "Unges a minha cabeça com óleo". Trata-se de ato de grande respeito derramar óleo perfumado sobre a cabeça de convidados distintos. A mulher no Evangelho manifestou respeito pelo Salvador derramando "unguento de grande valor" na cabeça dEle (Mt 26.7). Uma senhora inglesa embarcou em um navio árabe que aportou em Trincomalee (Sri Lanka), com a finalidade de checar o equipamento do navio e fazer pequenas compras. Depois que ela já estava algum tempo no camarote, uma mulher árabe entrou e derramou óleo perfumado sobre a cabeça dela. — *Joseph Roberts*

v. 5: "Unges a minha cabeça com óleo". No Oriente, não havia entretenimento sem essa prática e servia, como em outros lugares serve o banho, para refrescar o corpo. Aqui, porém, temos de entender que se trata do óleo espiritual da alegria. — *T. C. Barth*

v. 5: "Unges a minha cabeça com óleo". Tu não limitaste a tua generosidade meramente às coisas necessárias da vida, mas também me proveste de itens supérfluos. — *"A Plain Explanation of Difficult Passages in the Psalms" [Uma Explicação Clara de Passagens Difíceis dos Salmos], 1831*

v. 5: "Unges a minha cabeça com óleo". Os unguentos do Egito evitam a decomposição do corpo morto, assegurando uma duração longa nas sombras medonhas do sepulcro. Mas, ó Senhor, o precioso óleo perfumado da tua graça que misteriosamente derramas sobre a nossa alma, purifica-a, adorna-a, fortalece-a, semeia a imortalidade e, assim, não só a protege de uma decomposição transitória, mas a levanta dessa casa da servidão para a bem-aventurança eterna em teu seio. — *Jean Baptiste Massillon, 1663-1742*

v. 5: "O meu cálice trasborda". Ele teve não só uma completude de abundância, mas também de excesso. Os que têm esta felicidade têm de manter o cálice erguido, e cuidar para que transborde nos recipientes vazios dos irmãos pobres. — *John Trapp*

v. 5: "O meu cálice trasborda". Para que o Senhor faz o seu cálice transbordar, senão para que os lábios dos outros homens provem a bebida? As chuvas que caem nas montanhas mais altas escorrem até aos mais baixos vales. "Dai, e ser-vos-á dado" (Lc 6.38), é uma máxima que poucos creem. — *William Secker*

v. 5: "O meu cálice trasborda". Ou como está na Vulgata: "E o meu cálice inebriante, como excelente é!" Com este cálice os mártires foram embriagados, quando, indo para o martírio, não estimaram os que lhes pertenciam — nem a esposa chorona, nem os filhos, nem os parentes —, enquanto davam graças e diziam: "Tomarei o cálice da salvação" (Sl 116.13). — *Agostinho*

v. 6: "E habitarei na Casa do Senhor por longos dias". Os ímpios podem entrar na casa de Deus e fazer suas orações, mas o profeta (e todos os justos) habitarão lá para sempre. A sua alma sempre está junto ao trono da graça. O ímpio ora enquanto o galo canta. O galo canta e para. Canta mais uma vez e para mais uma vez, e não pensa em cantar até cantar de novo. Assim o ímpio ora e para, ora e para, ora e para, repetidamente. A mente nunca se ocupa em pensar se as orações são ouvidas ou não. Por isso, toma como certo que as suas orações foram ouvidas, embora, na verdade, Deus nunca lhe ouve, nem os respeita mais que respeita o mugido dos bois ou o guincho dos porcos. — *William Fenner, Bacharel em Teologia (1600-1640), "The Sacrifice of the Faithful" [O Sacrifício do Crente]*

v. 6: "E habitarei na Casa do Senhor por longos dias". Esta deveria ser imediatamente a coroa de todas as nossas esperanças para o futuro, e uma grande lição que aprendemos por meio de todas as vicissitudes da vida. As tristezas e as alegrias, as viagens e os descansos, o repouso temporário e as lutas frequentes devem nos deixar seguros de que haverá um fim que explicará tudo isso. É um fim ao qual todos eles apontam e para o qual todos eles preparam. Aqui, chegamos à mesa no deserto. É como quando o filho de um grande rei volta da terra estrangeira aos domínios do pai, sendo bem recebido em cada etapa da viagem à capital com pompa de grande festa e mensageiros do trono, até finalmente entrar na casa do palácio, quando então tira a capa manchada da viagem e se senta com o pai à mesa. — *Alexander Maclaren, 1863*

v. 6: Note a certeza de Davi, e verifique como ele chegou a isso, ou seja, pela experiência do favor de Deus em diversas ocasiões e de muitas maneiras. Antes de tomar esta resolução, ele enumerou os muitos e variados benefícios recebidos do Senhor. Ele o alimentou em verdes pastos e o guiou às águas tranquilas da Palavra. Ele o refrigerou e o guiou às veredas da justiça. Ele o fortaleceu durante os grandes perigos, até mesmo o risco da morte, e o guardou. Apesar dos inimigos, Ele o enriqueceu com muitos benefícios. Por meio de todas estas misericórdias de Deus a ele concedidas, Davi se convenceu da permanência do favor de Deus. — *William Perkins*

SUGESTÕES AOS PREGADORES

v. 1. Trabalhe a similitude do pastor e suas ovelhas. Ele as pastoreia, guia, alimenta e protege. Elas o seguem, obedecem, amam e confiam nele. Investigue se somos ovelhas. Mostre o destino dos bodes que pastam lado a lado das ovelhas.

v. 1. "Nada me faltará." O homem que está fora do alcance das necessidades do hoje e da eternidade.

v. 2. "Deitar-me faz em verdes pastos." O descanso do crente: (1) Vem de Deus: "[Ele] faz". (2) É fundo e profundo: "Deitar-me". (3) Tem sustento sólido: "Verdes pastos". (4) É assunto para louvor constante.

v. 2. Há o elemento pensativo e o elemento ativo.

v. 2. O frescor e a riqueza das Santas Escrituras.

v. 2. "Guia-me mansamente a águas tranquilas." Para frente: (1) O Líder. (2) O caminho. (3) Os confortos da estrada. (4) Os viajantes.

v. 3. O refrigério da graça, a orientação santa e os motivos divinos.

v. 4. O silêncio suave da obra do Espírito.

v. 4. A presença de Deus é o único apoio seguro na morte.

v. 4. Vida na morte e luz na escuridão.

v. 4. "Não temeria mal algum." A calma e a quietude do homem bom quando está no fim desta vida.

v. 4. "A tua vara e o teu cajado me consolam." Os símbolos do governo divino — a consolação dos obedientes.

v. 5. O banquete do guerreiro, a unção do sacerdote, a satisfação do convidado.

v. 5. "O meu cálice trasborda." Os meios e usos das unções continuadas do Espírito Santo.

v. 5. Superabundâncias providenciais e qual é o nosso dever a esse respeito.

v. 6. "Certamente que a bondade e a misericórdia me seguirão todos os dias da minha vida." A bem-aventurança do contentamento.

v. 6. No caminho e em casa, ou os servos divinos e as mansões divinas.

SALMO 24

TÍTULO

"Salmo de Davi." Pelo título, nada depreendemos senão a autoria. Esta informação é interessante e nos leva a observar as operações maravilhosas do Espírito na mente do maravilhoso cantor de Israel, capacitando-o a tocar as cordas tristes do Salmo 22, a despejar as suaves notas de paz no Salmo 23 e a emitir melodias majestosas e triunfantes neste salmo. Podemos fazer ou cantar todas as coisas quando o Senhor nos fortalece.

Este hino sacro foi escrito para ser cantado quando a arca da aliança foi tirada da casa de Obede-Edom para ser colocada atrás das cortinas no monte Sião. As palavras são adequadas para a dança sagrada da alegria, na qual Davi conduziu a séquito naquela ocasião jubilosa. Os olhos do salmista olhavam, porém, para mais que a subida típica da arca — olhavam a ascensão sublime do Rei da Glória. Chamaremos o salmo de *O Cântico da Ascensão.*

DIVISÃO

Este salmo faz par com o Salmo 15. Consiste em três partes. A primeira glorifica o verdadeiro Deus e canta o seu domínio universal. A segunda descreve o verdadeiro Israel, que pode comungar com Ele. E a terceira descreve a ascensão do verdadeiro Redentor, que abriu as portas dos céus para a entrada dos eleitos.

EXPOSIÇÃO

1 *Do* S*ENHOR* *é a terra e a sua plenitude, o mundo e aqueles que nele habitam.*

2 *Porque ele a fundou sobre os mares e a firmou sobre os rios.*

1. Como esta declaração do versículo 1 é muito diferente da ignorante noção judaica de Deus prevalecente nos dias de nosso Salvador. Os judeus diziam: "A terra santa é de Deus, e a semente

de Abraão é o seu único povo". Mas o grande Monarca há muito tempo os ensinara que: "Do SENHOR é a terra e a sua plenitude". O mundo inteiro é declarado ser do Senhor, "e aqueles que nele habitam" são os seus súditos. Quando consideramos o fanatismo dos judeus na época de Cristo, e como ficaram irados com o nosso Senhor por dizer que havia muitas viúvas em Israel, mas a nenhuma delas o profeta foi enviado, somente à viúva de Sarepta, e que havia muitos leprosos em Israel, mas nenhum deles foi curado exceto o siro Naamã (Lc 4.15-28) — quando lembramos também como ficaram irados com a menção de Paulo ser sido enviado aos gentios —, ficamos pasmos que eles tivessem permanecido em tal cegueira e ainda cantassem este salmo que mostra muito claramente que Deus é não só o Deus dos judeus, mas também dos gentios. Que repreensão é este versículo para os sabichões que falam de membros de outras raças como se não fossem cuidados pelo Deus dos céus! Se o homem sendo somente homem, o Senhor o reivindica quem ousa categorizá-lo como mera mercadoria? O pior dos homens é habitante do mundo. Portanto, pertence ao Senhor. O Senhor Jesus Cristo acabou com a exclusividade de nacionalidades. Não há bárbaro, cita, servo ou livre, mas todos são um em Cristo Jesus (cf. Cl 3.11).

O homem habita na terra, e distribui os territórios entre os reis e autocratas mímicos. Mas a terra não é do homem. Ele é um locatário à vontade do locador, um arrendatário em precaríssimo direito de posse, sujeito ao despejo imediato. O grande Dono de terras e o verdadeiro Proprietário tem fórum acima das nuvens e ri da escritura de imóveis dos vermes do pó. O imposto ilimitado de transferência de propriedade não está com o dono das terras arrendadas, nem com o dono das propriedades livres e alodiais, mas com o Criador. A "plenitude" da terra pode abranger também as colheitas, riquezas, vida ou adoração. Em todos estes sentidos, o Senhor Altíssimo é o Possuidor de tudo. A terra está cheia de Deus. Ele a encheu e a mantém cheia, a despeito de todas as retiradas necessárias que as criaturas vivas fazem dos depósitos. O mar está cheio, apesar da evaporação das águas. O ar está cheio, apesar de todos os seres vivos que o respiram. A terra está cheia, apesar das milhões de plantas que obtêm dela a nutrição. Sob as mãos instruídas dos homens, o mundo está chegando a uma plenitude ainda maior, mas tudo é do Senhor. Os campos, os frutos, a terra e todas as suas maravilhas são do dEle. Almejamos também uma plenitude mais sublime, quando o verdadeiro ideal de um mundo para Deus terá sido alcançado nas glórias milenares, e então claramente a terra e a sua plenitude serão do Senhor. Estas palavras hoje estão no Royal Exchange de Londres, um dia serão escritas em letras de luz pelo céu.

O termo "mundo" indica as regiões habitáveis, nas quais o Senhor será especialmente reconhecido como Soberano. AquEle que domina sobre os peixes do mar e as aves do céu não deve ser desobedecido pelo homem, a sua criatura mais nobre. O Senhor é o Rei Universal, todas as nações estão sob o seu controle: o verdadeiro Autocrata de todas as nações, os imperadores e czares não passam de seus escravos. Os homens não são de si mesmos, nem podem afirmar que os seus lábios, coração ou bens lhes pertencem. São servos legítimos do Senhor. Esta reivindicação se aplica especialmente a nós que nascemos do céu. Não pertencemos ao mundo ou a Satanás, mas pela criação e redenção somos a porção peculiar do Senhor.

Paulo cita este versículo duas vezes para mostrar que nenhum alimento é imundo, e que não há nada que seja realmente da propriedade dos falsos deuses. Todas as coisas são de Deus. Não há algo que esteja proibido a julgar pelas aparências, nada é comum ou imundo. O mundo é totalmente do Senhor, e os alimentos que são vendidos no matadouro são santificados por serem do meu Pai, não havendo necessidade de termos escrúpulos para comê-los.

2. Este versículo apresenta a razão por que o mundo pertence a Deus, ou seja, porque Ele o criou, fato que é um título indisputável: *"Porque ele a fundou sobre os mares"*. É Deus que ergue a terra do mar, de forma que a terra seca, que de um momento para o outro pode ser submersa, como aconteceu nos dias de Noé, seja guardada das inundações. As mandíbulas famintas do oceano devorariam a terra seca se não houvesse uma ordem constante da Onipotência para protegê-la.

"E a firmou sobre os rios." O mundo é do Senhor, porque de geração em geração Ele o conserva e sustenta, tendo estabelecido as suas fundações. A providência e a criação são os dois selos legais colocados nos títulos de propriedade do grande Dono de todas as coisas. AquEle que construiu a casa e sustenta a fundação tem certamente o primeiro direito de propriedade. Observemos, porém, em que fundações inseguras as coisas terrenas foram fundadas. Fundadas nos mares! Firmadas sobre os rios! Bendito seja Deus, pois o crente tem outro mundo a aguardar ansiosamente, e depositar a esperança em uma fundação mais estável que este mundo pobre dispõe. Os que confiam nas coisas mundanas edificam sobre o mar. Mas nós pomos a esperança, pela graça de Deus, em Jesus Cristo — a Rocha dos séculos. Descansamos na promessa de um Deus imutável, dependemos da constância de um Redentor fiel. Vós, mundanos, que construís castelos de confiança, palácios de riqueza e casas de verão sobre os mares e os firmou sobre os rios. Em pouco tempo as suas estruturas infundadas se desfarão, como a espuma das ondas do mar! As areias já são bastante traiçoeiras, mas o que diremos dos mares ainda mais instáveis?

3 *Quem subirá ao monte do Senhor ou quem estará no seu lugar santo?*
4 *Aquele que é limpo de mãos e puro de coração, que não entrega a sua alma à vaidade, nem jura enganosamente.*
5 *Este receberá a bênção do Senhor e a justiça do Deus da sua salvação.*
6 *Esta é a geração daqueles que buscam, daqueles que buscam a tua face, ó Deus de Jacó. (Selá)*

Esta é descrição do verdadeiro Israel. Os homens que serão como bajuladores no palácio do Deus vivo não têm a distinção de raça, mas de caráter. Não são só judeus, nem só gentios, nem de certo ramo da humanidade peculiarmente, mas um povo purificado e adequado para habitar no santo monte do Senhor.

3. *"Quem subirá ao monte do Senhor"* É um trabalho para cima para que a criatura alcance o Criador. Onde está o escalador forte que pode galgar as maiores alturas? Não é só altura; é glória também. Os olhos de quem verá o Rei na sua beleza e habitará no seu palácio? No céu, Ele reina gloriosamente, então quem terá a permissão de entrar na presença da sua realeza? Deus fez a todos, mas Ele não salvará a todos. Há um grupo escolhido que terá a honra singular de habitar com no alto domicílio. Estes escolhidos desejam comungar com Deus, e o desejo lhes será concedido. A inquirição solene do texto é repetida de outra forma. Quem poderá estar ou permanecer lá? Ele expulsará os ímpios, então quem pode habitar na sua casa? Quem é aquele que pode contemplar o Santo, e suportar a chama da sua glória? Certamente ninguém pode se aventurar a comungar com Deus baseando-se na Lei, mas a graça pode nos tornar aptos para ver a presença divina. A pergunta que estudamos é uma que todos devem fazer para si mesmos, e ninguém deve sossegar até receber uma resposta de paz. Com autoexame minucioso, perguntemos: "Senhor, serei eu?"

4. *"Aquele que é limpo de mãos."* A santidade exterior e prática é a marca preciosa da graça. Lavar com água como Pilatos fez não é nada, mas lavar com inocência é importantíssimo. É temível que muitos mestres tenham pervertido de tal modo a doutrina da justificação pela fé, a ponto de tratar as boas obras com desprezo.

Neste caso, eles receberão desprezo perpétuo no último grande dia. É inútil tagarelar de experiências interiores a menos que a vida diária esteja livre de impureza, desonestidade, violência e exploração. Os que se aproximam de Deus têm de ter as mãos limpas. Que monarca aceitaria servos com mãos sujas para servi-lo à mesa? Os que eram cerimonialmente imundos não podiam entrar na casa do Senhor que fora feita com mãos, muito menos os moralmente imundos ter a permissão de desfrutar a comunhão espiritual com um Deus santo. Se as nossas mãos estão sujas, vamos lavá-las no precioso sangue de Jesus. Assim, oremos a Deus, levantando mãos puras. Todavia mãos limpas não bastam, a menos que estejam associadas com um coração puro. A verdadeira religião é trabalhada no coração. Podemos lavar o copo e o prato por fora tanto quanto quisermos, mas se por dentro estiverem sujos, somos imundos aos olhos de Deus, porque o nosso coração é mais genuinamente nós, que as nossas mãos. Podemos viver sem mãos, mas não sem o coração. A própria existência de nosso ser está na natureza interior, e, por conseguinte, a necessidade imperativa de pureza interior. Tem de haver uma obra da graça no cerne do coração como também na palma das mãos, caso contrário, a nossa religião não passa de ilusão. Que Deus conceda que as nossas faculdades interiores sejam limpas pelo Espírito santificador, de forma que amemos a santidade e detestemos todo pecado. Os puros de coração verão a Deus, todos os outros são morcegos cegos. A cegueira dos olhos surge da dureza do coração. A sujeira do coração lança pó nos olhos.

A alma tem ser liberta do prazer que há nas ninharias rastejantes da terra. O homem que nasce para o céu "não entrega a sua alma à vaidade". Todos os homens têm alegrias pelas quais a alma se entrega. Os mundanos entregam a alma aos prazeres carnais que são meras vaidades sem conteúdo. Mas os santos amam coisas mais significativas. Como Josafá, eles se entregam aos caminhos do Senhor. Aqueles que se contentam com as sobras serão contados entre os porcos. Se mamamos o consolo dos peitos do mundo, provamos para nós mesmos que somos seus filhos legítimos. O mundo te satisfaz? Então, terás recompensa e parte nesta vida. Aproveita bem, porque não conhecerás outra alegria.

"Nem jura enganosamente." Os santos ainda são os homens de palavra. A palavra do cristão é o seu único juramento. Mas é tão bom quanto vinte juramentos dos outros homens. As palavras falsas fecham o céu para o homem, pois o mentiroso não entrará na casa de Deus, sejam quais forem as suas confissões ou ações. Deus não terá nada a fazer com os mentirosos, exceto lançá-los no lago de fogo. Todo mentiroso é filho do Diabo, e será enviado à casa do seu pai. A declaração falsa, a expressão fraudulenta, a história forjada, a difamação, a mentira podem ser adequadas nas reuniões dos descrentes, mas são detestadas entre os verdadeiros santos. Como poderiam ter comunhão com o Deus da verdade, se não odiassem todo caminho falso?

5. Não devemos supor que as pessoas que são descritas pela santidade interior e exterior sejam salvas pelo mérito das obras. Mas as obras são as evidências pelas quais conhecemos essas pessoas. O versículo mostra que nos santos a graça reina e reina absoluta. Tais homens usam a vestimenta caracteristicamente santa do grande Rei, porque foi Ele que os vestiu por amor e livre escolha. Os verdadeiros santos usam as vestes de casamento, mas possuem as que o Senhor das bodas lhes forneceu, sem dinheiro e sem preço. *"Este receberá a bênção do SENHOR e a justiça do Deus da sua salvação."* Já que os santos precisam de salvação, eles recebem justiça, e "a bênção" é um benefício do Deus, seu Salvador. Eles não sobem ao monte do Senhor como doadores, mas como recebedores. Não usam méritos próprios, mas a justiça que receberam. A vida santa assegura a bênção como recompensa do Santíssimo, mas é em si uma bênção da nova aliança e um fruto delicioso do Espírito. Deus nos dá primeiro as boas obras, e depois nos recompensa por elas.

A graça não é obscurecida pela ordem de Deus por santidade, porém é altamente exaltada quando a vemos adornando os santos com joias e vestindo-os de linho fino branco. Toda esta vestimenta suntuosa é um dom livre da misericórdia.

6. *"Esta é a geração daqueles que buscam, daqueles que buscam a tua face, ó Deus de Jacó."* Estes são a regeneração. Estes estão na linhagem da graça. Estes são a semente legítima. Contudo, eles são apenas os buscadores. Por conseguinte, aprendamos que os verdadeiros buscadores são muito queridos na estima de Deus, e estão inscritos no seu registro. Até mesmo o ato de buscar tem uma influência santificadora. Que poder consagrador tem de haver em achar e desfrutar a face e favor do Senhor! Desejar comunhão com Deus é algo purificador. Que tenhamos fome e sede cada vez mais da visão clara da face de Deus. Essa visão nos levará a nos purificar de toda impureza e a andar com circunspeção divina. Aquele que deseja ver o amigo quando passa em frente de casa, cuida para limpar a janela embaciada, para que de jeito nenhum o amigo passe sem ser percebido. As pessoas realmente despertadas buscam ao Senhor acima de tudo, e visto que este não é o desejo habitual da humanidade, elas formam por si só uma geração — um povo menosprezado pelos homens, contudo amado por Deus. A expressão "Deus de Jacó" pode significar que seja verdade que o Deus de Jacó aqui consente em ser chamado de Jacó, tomando sobre si o nome do povo escolhido.

Os versículos precedentes corrigem as jactâncias exageradas dos judeus que se vangloriavam de ser os preferidos dos céus. São informados que o seu Deus é o Deus de toda a terra, que Ele é santo e não admitirá ninguém à sua presença a não ser aquele que for santo. Que os meros mestres ao lerem estes versículos deem ouvidos à voz que diz que sem santificação ninguém verá o Senhor (Hb 12.14).

"Selá." Apanhem a harpa e ergam a voz, pois uma canção mais sublime está chegando — é a canção do nosso Amado.

7 *Levantai, ó portas, as vossas cabeças; levantai-vos, ó entradas eternas, e entrará o Rei da Glória.*

8 *Quem é este Rei da Glória? O Senhor forte e poderoso, o Senhor poderoso na guerra.*

9 *Levantai, ó portas, as vossas cabeças; levantai-vos, ó entradas eternas, e entrará o Rei da Glória.*

10 *Quem é este Rei da Glória? O Senhor dos Exércitos; ele é o Rei da Glória. (Selá)*

Estes versículos revelam o grande Homem representativo que satisfez na totalidade o caráter apresentado aqui. Então, por direito próprio Ele subiu ao monte santo de Sião. Jesus Cristo pode subir ao monte do Senhor, porque tinha mãos limpas e coração puro. Se nós, pela fé, formos moldados à sua imagem, também entraremos. Este é um quadro da ascensão gloriosa de nosso Senhor. Nós o vemos subindo dentre o pequeno grupo no monte das Oliveiras, e, enquanto as nuvens o recebem, os anjos reverentemente o escoltam as portas dos céus.

7. As antigas portas do templo eterno são personificadas e dirigidas em canção pelo grupo assistente dos espíritos alegres.

Eis que o seu carro triunfal espera
E os anjos cantam a solene canção:
"Levantai, ó portas, as vossas cabeças
Levantai-vos, ó entradas eternas"

As portas são conclamadas a levantar as cabeças, como se com toda a sua glória elas não fossem suficientemente grandiosas para o Rei Todo-Glorioso. Que todas as coisas façam o máximo para honrar tão grande Príncipe. Que o céu altíssimo se vista de exaltação incomum em honra do "Rei da Glória". Aquele que, recém saído da cruz e da sepultura, entra cavalgando pelas portas da Nova Jerusalém é mais sublime que os céus. Grandes e eternas como são, essas portas de pérola são totalmente indignas daquEle diante de quem os céus não são puros, e que "nos seus anjos encontra loucura" (Jó 4.18). "Levantai, ó portas, as vossas cabeças."

8. Os guardas da porta ouvem a canção, examinam as ameias e perguntam: *"Quem é este Rei da Glória?"* Pergunta cheia de significado e digna das meditações da eternidade. Quem é Ele em termos de pessoa, natureza, caráter, ofício e trabalho? Qual é a sua linhagem? Qual é o seu posto e qual a sua carreira? A resposta dada em uma vigorosa onda musical é: "O SENHOR forte e poderoso, o SENHOR poderoso na guerra". Conhecemos o poder de Jesus pelas batalhas quando Ele lutou, as vitórias que ganhou sobre o pecado, a morte e o inferno, e aplaudimos quando o vemos levando o cativeiro na majestade da sua força. Que honra o nosso coração cantar louvores a Ele! Guerreiro poderoso sê tu coroado Rei dos reis e Senhor dos senhores para sempre.

9. *"Levantai, ó portas, as vossas cabeças; levantai-vos, ó entradas eternas, e entrará o Rei da Glória."* As palavras são repetidas com variação agradável. Há momentos de sentimento profundo e intenso quando as repetições não são vãs, mas cheias de força. As portas eram tiradas das dobradiças quando os habitantes do Oriente queriam dar as boas-vindas a um convidado. Algumas portas subiam e desciam como uma porta corrediça, podendo ter ficado, quando abertas, com uma ponta que se sobressaía do topo. Assim, se explica literalmente as cabeças das portas. O quadro é altamente poético. Mostra o que aconteceu com a porta larga dos céus por conta da ascensão de nosso Senhor. Bendito seja Deus, pois as portas jamais se fecharam desde então. As portas abertas dos céus convidam o mais fraco crente a entrar.

Querido leitor, é possível que você esteja dizendo: "Nunca entrarei no céu de Deus, porque não tenho mãos limpas nem coração puro". Olha então para Jesus que já subiu ao monte santo. Ele entrou como precursor dos que confiam nEle. Siga os seus passos e descanse no seu mérito. Ele cavalga triunfalmente no céu, e você também cavalgará se confiares nEle. "Mas como posso obter o caráter descrito neste salmo?", você falará. O Espírito de Deus o dará. Ele criará em você um coração novo e um espírito reto. A fé em Jesus é a obra do Espírito Santo, e todas as virtudes estão envoltas nela. A fé ensanguentada fica junto à fonte e, enquanto se lava, lhe são dadas mãos limpas e coração puro, alma santa e língua verdadeira.

10. *"Quem é este Rei da Glória? O Senhor dos Exércitos; ele é o Rei da Glória. (Selá)"* A nota final é inexprimivelmente forte. O Senhor dos Exércitos, o Senhor dos homens e dos anjos, o Senhor do universo, o Senhor dos mundos é o Rei da Glória. Toda verdadeira glória está concentrada no verdadeiro Deus, pois todas as outras glórias são apenas um desfile passageiro, a pompa maquilada de uma hora. O versículo declara que o Salvador ascendido é a Cabeça e a Coroa do universo, o Rei da Glória. Hinos são entoados ao nosso Emanuel nas mais sublimes notas musicais. Jesus de Nazaré é o Jeová Sabaoth.

NOTAS EXPLICATIVAS E DECLARAÇÕES IMPORTANTES

O Salmo: Veremos que este salmo foi escrito para ser cantado em partes responsivas, com dois coros. Para compreendê-lo devidamente, temos de entender que Jerusalém, como a cidade de Deus, era considerada pelos judeus um tipo de céu. É o que ocorre no Apocalipse, de onde o adotamos em nossas aspirações poéticas e devotas. O átrio do tabernáculo era a cena da mais imediata residência do Senhor — o tabernáculo era o seu palácio, e a arca, o seu trono. Com esta ideia principal em mente, o leitor mais superficial — se é que há leitores superficiais da Bíblia — não pode deixar de ficar impressionado com a beleza e sublimidade desta composição, e a adequação primorosa à ocasião. O cantor-mor, que neste caso era o rei, iniciou a canção sagrada com um recital solene e sonoro destas frases: "Do Senhor é a terra e a sua plenitude, o mundo e aqueles que nele habitam. Porque ele a fundou sobre os mares e a firmou sobre os rios".

O coro da música vocal tomou a canção e cantou as mesmas palavras em uma harmonia mais melodiosa e elaborada. Os instrumentos e o coro do povo entraram com eles, elevando a declaração poderosa aos céus. Temos fortes razões para pensar que os integrantes do coro, ou um grande número deles, estavam qualificados ou eram instruídos para tomar parte neste grande cerimonial. O texto histórico diz: "Davi e toda a casa de Israel alegravam-se perante o Senhor, com toda sorte de instrumentos de madeira de faia, com harpas, e com saltérios, e com tamboris, e com pandeiros, e com címbalos" (2 Sm 6.5). Podemos presumir que o coro se dividiu, cada um cantando por sua vez e ambos cantando juntos no final: "Porque ele a fundou sobre os mares e a firmou sobre os rios". Temos de supor que esta parte da música durava até a procissão chegar ao pé do monte Sião ou até que fosse visto o que, pela natureza das imediações, só pode ser quando chegaram bem perto. O rei deve ter dado um passo à frente e começado novamente, em tom solene e sério, a dizer: "Quem subirá ao monte do Senhor ou quem estará no seu lugar santo?" Ao qual o primeiro coro responde: "Aquele que é limpo de mãos e puro de coração, que não entrega a sua alma à vaidade, nem jura enganosamente". Então o segundo coro fala: "Este receberá a bênção do Senhor e a justiça do Deus da sua salvação".

Podemos deduzir que esta parte do cântico sagrado durou, de certa forma, até que chegassem à porta da cidade, quando então o rei começou de novo esta melodia grandiosa e exaltada: "Levantai, ó portas, as vossas cabeças; levantai-vos, ó entradas eternas, e entrará o Rei da Glória", repetido então, da mesma maneira que antes, pelo coro geral. As pessoas responsáveis pelas portas nesta ocasião solene perguntam: "Quem é este Rei da Glória?", ao que o primeiro coro responde: "O Senhor forte e poderoso, o Senhor poderoso na guerra", quando, então, o segundo coro repete, quase semelhantemente que antes, encerrando com o grande coro geral: "Ele é o Rei da Glória. Ele é o Rei da Glória".

Presumimos agora que os instrumentos tangem as mesmas notas, continuando até a entrada do átrio do tabernáculo. Ali, o rei começa novamente: "Levantai, ó portas, as vossas cabeças; levantai-vos, ó entradas eternas, e entrará o Rei da Glória". Como antes, a resposta é imediata — todos terminando, os instrumentos soando, o coro cantando, o povo clamando: "Ele é o Rei da Glória". — *John Kitto, "Daily Bible Illustrations"[Ilustrações Bíblicas Diárias]*

O Salmo: A chegada do Senhor da glória, as altas exigências impostas sobre o povo por conta desse evento, a necessidade absoluta de preparação digna para a chegada constituem o tema deste salmo. — *E. W. Hengstenberg*

O Salmo: Os rabinos ensinam que este era um dos salmos que eram cantados no desempenho do culto judaico em cada dia da semana:

O Salmo 24 no primeiro dia, domingo, o dia do Senhor.
O Salmo 48 no segundo dia, segunda-feira.
O Salmo 82 no terceiro dia, terça-feira.
O Salmo 94 no quarto dia, quarta-feira.
O Salmo 81 no quinto dia, quinta-feira.
O Salmo 93 no sexto dia, sexta feira.
O Salmo 92 no sétimo dia, sábado, o sábado judaico.

Este salmo, apropriado para o dia do Senhor, o domingo, tinha o propósito de celebrar a ressurreição e ascensão do Messias aos céus, onde se assentou como sacerdote no trono de Deus e de onde derrama bênçãos e misericórdias sobre o seu povo. — *R. H. Ryland*

O Salmo: Hino de louvor, cantado quando as cabeças das portas de Jerusalém foram levantadas para receber a arca. Só os israelitas que estavam cerimonialmente limpos tinham permissão de acompanhá-lo na entrada do átrio do tabernáculo. Salmo de Davi. Versículos 1 e 2: coro. Versículo 3: primeira voz. Versículos 4 e 5: segunda voz. Versículo 6: coro. Versículo 7: Semi-coro que acompanha a arca. Versículo 8: voz de dentro das portas. Versículo 8: coro de sacerdotes que acompanham a arca. Versículo 9: coro de sacerdotes e do povo com a arca. Versículo 10: voz de dentro das portas. Versículo 10: grande coro. — *Mary Anne Schimmelpenninck, "The Psalms, with Prefatory Titles" [Os Salmos, com Títulos Prefaciais], in: "Port Royal Authors" [Autores de Port Royal], 1825*

O Salmo: Como os outros podem pensar sobre este ponto, não posso dizer, nem fingir descrever, mas da minha parte, não tenho noção de ouvir, ou de um homem ter jamais visto ou ouvido algo tão grande, tão solene, tão celestial deste lado das portas celestiais. — *Patrick Delany, Doutor em Teologia, 1686-1768*

v. 1: "Do SENHOR é a terra", ou seja, de Jesus que é o "SENHOR DOS SENHORES" (Ap 19.16), pois o mundo inteiro e todas as coisas que nele há são dEle por duplo título. Em primeiro lugar, por doação do Deus Pai, tendo "todo o poder no céu e na terra" (Mt 28.18), e até todas as outras coisas que o Pai tenha são dele (Jo 16.15). Por conseguinte, "constituiu herdeiro de tudo" (Hb 1.2). Em segundo lugar, a terra é de Jesus e tudo que nela há por força da criação, "porque ele a fundou", diz o nosso profeta, e a fundou de maneira maravilhosa: "sobre os mares e [...] sobre os rios" (Sl 24.2). [...] Todas as coisas são de Jesus, no que diz respeito à criação: "Todas *as coisas* foram feitas por ele" (Jo 1.3), no que diz respeito à sustentação, visto que sustenta "todas as coisas pela palavra do seu poder" (Hb 1.3), no que diz respeito à administração, já que se estende de "uma extremidade do mundo à outra e governa todas as coisas com felicidade" (Sabedoria 8.1).

Em suma: "Dele, e por ele, e para ele são todas as coisas" (Rm 11.36). Disso aprendemos: (1) Que Jesus é o "Rei da Glória", o "SENHOR dos Exércitos", até mesmo o Deus Todo-Poderoso. Porque aquEle que fez todas as coisas é "o Senhor de todos" (Rm 10.12). AquEle que é o Criador dos céus e da terra é o Todo-Poderoso (diz o credo), capaz de fazer o que desejar e quiser — mais pelo seu poder absoluto que Ele deseja pelo seu poder efetivo — "pode suscitar filhos a Abraão" (Mt 3.9) até das pedras da rua, embora na verdade não gere tal geração. A sua capacidade de fazer todas as coisas prova evidentemente que Ele é Deus, e o ato de ter fundado o mundo prova a sua capacidade de fazer todas as coisas, pois "os deuses que não fizeram os céus e a terra desaparecerão da terra e de debaixo deste céu" (Jr 10.11). (2) Que, levando em conta que a abrangência do mundo e de tudo o que nele há são do Senhor, fica claro que a igreja não está restrita aos limites de uma região ou colada, por assim dizer, a um só lugar. Os donatistas dos tempos antigos prenderiam a igreja apenas a Mostaganem, na África, os papistas de nossos dias, a Roma, na Itália, mas as Escrituras afirmam claramente que os castiçais de ouro são mudados de um lugar para o outro, e que o reino de Deus é tomado de uma nação e dado a outra que produza frutos. Aquele que, em qualquer nação, teme a Deus e faz o que é justo, esse lhe é agradável (cf. At 10.35). — *John Boys*

v. 1: "Do SENHOR é a terra". O objetivo do começo do salmo é mostrar que os judeus não tinham nada de si mesmos que lhes desse o direito de ficar mais perto ou mais íntimo de Deus que ao gentios. Assim como Deus pela sua providência preserva o mundo, o poder do seu governo é semelhantemente estendido a todos para que Ele seja adorado por todos, exatamente como Deus mostra a todos os homens, sem exceção, o cuidado paternal que tem por eles. — *João Calvino*

v. 1: "Do Senhor é a terra". É de Jesus pela criação (v. 2; Jo 1.1,2), pela ressurreição (Mt 28.18) e pela ascensão gloriosa aos céus, onde Ele foi entronizado o Rei do mundo na sua natureza humana. Este salmo tem a linguagem do primeiro Salmo da Ascensão, o Salmo 8. — Christopher Wordsworth, Doutor em Teologia, in loc.

v. 1: Crisóstomo, que foi perseguido durante o reinado da imperatriz Eudóxia, conta ao amigo Ciríaco como se preparava de antemão: ϵἰ μέν βούλϵται ἡ βασίλισσα ἐ ξορίσαι μέ etc. "Pensei, será que ela me deportará? 'Do Senhor é a terra e a sua plenitude.' Tirará os meus bens? 'Nu saí do ventre de minha mãe e nu tornarei para lá' (Jó 1.21). Ela me apedrejará? Lembrei--me de Estêvão. Ela me mandará decapitar? João Batista ocorreu-me à mente." Assim deveria ser com todos os que esperam viver e morrer confortavelmente. Eles devem, como dizemos, armazenar algo para os dias chuvosos. Têm de abastecer-se de graças, entesourar promessas e prover-se de experiências da bondade de Deus para com os outros e para consigo mesmos também, a fim de que, quando o dia mau chegar, eles tenham muita coisa vindo por meio disso. — *John Spencer*

v. 1: "Do Senhor é a terra". Quando Davi, na juventude, apascentava rebanhos nas planícies férteis de Belém, o Espírito do Senhor veio sobre ele, abriu-lhe os sentidos e iluminou-lhe a compreensão, de forma que podia entender as canções da noite. Os céus proclamaram a glória de Deus, as estrelas brilhantes formaram o grande coral, a melodia harmoniosa ressoou pela terra e a doce sonoridade das vozes vibrou a limites extremos.

"A luz é a face do Eterno", cantou o pôr do sol: "Eu sou a bainha das suas vestes", respondeu o crepúsculo suave e róseo. As nuvens se reuniram e disseram: "Nós somos a tenda noturna". As águas nas nuvens e as vozes vazadas dos trovões se uniram ao coro eminente: "A voz do Senhor ouve-se sobre as águas; o Deus da glória troveja; o Senhor está sobre as muitas águas" (Sl 29.3).

"Ele voa em minhas asas", sussurraram os ventos e o ar suave acrescentou: "Eu sou o hálito de Deus, as aspirações da sua presença benigna". "Ouvimos as canções de louvor", disse a terra tostada. "Tudo ao redor é louvor. Só eu estou triste e silenciosa." Então o orvalho resplandecente respondeu: "Eu te alimentarei, de forma que sejas refrescada e te alegres, vindo os teus filhos a florescer como a rosa nova". "Alegremente florescemos", cantaram os prados refrescados. As espigas cheias de trigo ondularam enquanto cantavam: "Somos a bênção de Deus, os exércitos de Deus contra a fome".

"Nós te abençoamos de acima", disse a lua gentil. "Nós também te abençoamos", responderam as estrelas. O gafanhoto jovial cricrilou: "Eu, também. Ele abençoa na gota de orvalho perolada". "Ele matou a minha sede", disse a corça. "E me refrescou", continuou o antílope. "E nos dá comida", disse os animais da floresta. "E veste os meus cordeiros", gratamente acrescentou a ovelha.

"Ele me ouviu", grasnou o corvo, "quando fui desamparado e abandonado". "Ele me ouviu", disse a cabra selvagem das rochas, "quando chegou a hora e nasci." A pomba arrulhou, e a andorinha e outros pássaros uniram-se na canção: "Achamos os nossos ninhos, as nossas casas, habitamos no altar do Senhor e dormimos sob a sombra das suas asas em tranquilidade e paz". "E paz", replicou a noite, o eco prolongando o som, quando o galo despertou o amanhecer e cantou de alegria: "Abri as portas, escancarai as portas do mundo! O Rei da glória se aproxima. Acordai! Levantai, vós, filhos dos homens, dai louvores e graças ao Senhor, pois o Rei da Glória se aproxima".

O sol se levantou, e Davi despertou do seu arroubo melodioso. Mas enquanto viveu, a melodia da ordem da criação permaneceu na alma, lembrando-se dela diariamente nas cordas da harpa. — *"Lenda das Canções da Noite", in: "Talmude", citado por F. A. Cox, Doutor em Teologia e Doutor em Direito, "Biblical Antiquities" [Antiguidades Bíblicas], 1852*

v. 1: "Do Senhor é a terra e a sua plenitude, o mundo e aqueles que nele habitam". A mente piedosa vê todas as coisas em Deus e Deus em todas as coisas. — *Ingram Cobbin, 1839*

v. 2: "Porque ele a fundou sobre os mares e a firmou sobre os rios". Esta fundação da terra sobre os mares e o seu estabelecimento sobre os rios são tão maravilhosamente grandiosos que o Deus Todo-Poderoso perguntou ao seu servo Jó: "Sobre que estão fundadas as suas bases"? (Jó 38.6). Xerxes ordenou que os soldados acorrentassem as águas do Helesponto. Assim Deus prendeu, por assim dizer, os rios em correntes, como Basílio claramente diz: *Ligatum est mare preecepto Creatoris quasi compedibus.* Ele diz para o mar: "Até aqui virás, e não mais adiante, e aqui se quebrarão as tuas ondas empoladas?" "Ele ajunta as águas do mar como num montão; põe os abismos em tesouros" (Jó 38.11; Sl 33.7). De forma que, sem a sua permissão, nem uma gota cai na terra. — *John Boys*

v. 2: "Fundou-a ele sobre os mares e sobre as correntes a estabeleceu" (ARA). A referência é, sem dúvida, à narrativa da criação registrada em Gênesis, a terra seca tendo emergido das águas e vindo a descansar sobre elas (cf. Sl 136.6; Pv 8.29). Seria, porém, quase fora de lugar supor que com tal linguajar temos a expressão de alguma teoria, quer popular ou científica, a respeito da estrutura da superfície da terra. Jó diz que Deus "suspende a terra sobre o nada" (Jó 26.7). Tais expressões são manifestadamente poéticas (ver Jó 38.6). — *J. J. Stewart Perowne*

v. 2: "Sobre os mares", quer dizer, sobre o grande abismo das águas que está sob a terra, enclausurado em grandes lugares ocos, de onde as nascentes dos rios e outras águas borbulham da terra. — *John Diodati*

v. 2: "E a firmou sobre os rios". Ambas as palavras hebraicas עַל (*'al*) nas duas frases deste versículo significam "sobre", como foi traduzido, e se refere a Gênesis 1.9,10, denotando que o Senhor chamou a terra seca do meio dos mares e a estabeleceu sobre os rios, fixando um limite para que as águas nunca avançassem e a alagassem (ver Jó 38.8; Sl 104 cronologicamente Sl 7.9). Ou significam "por" ou "em", visto que as duas palavras hebraicas denotam e dizem respeito ao mesmo assunto da onipotência de Deus em relação às mesmas passagens citadas. Embora o nosso globo esteja situado pelos rios ou nos rios, estando rodeado de águas fortes cuja uma única onda poderia enterrá-lo para sempre, o Senhor o firmou de modo que isso nunca venha a acontecer. Esta é uma forte razão por que a terra e a sua plenitude e habitantes pertencem ao Senhor. — *Benjamin Weiss*

v. 2: "ele a fundou sobre os mares e a firmou sobre os rios". Desta forma, Deus fundou a igreja sobre as águas da adversidade para que, por mais alta que se eleve, seja mantida imóvel sobre elas em segurança e eternamente. Ou o sentido pode ser que Ele tomará todas as nações para serem dEle em graça, visto que todas as criaturas são dEle. Inicialmente, Deus as fez tão admirável habitação e ainda a sustenta, mostrando assim o quanto as considera. Agora, então, Ele lhes estenderá os favores, tomando-as para ser o seu povo. — *Agostinho, citado por John Mayer*

v. 3: "Quem subirá"? Se ninguém subirá senão aquele que é limpo, puro, não tem vaidade e engano, a pergunta é logo respondida: Ninguém, pois não há nenhuma pessoa assim. O pó é a nossa matéria, portanto não é limpa. A nossa natureza está contaminada, portanto não é pura. O mais leve é o mais pesado de nós que a vaidade e o melhor de nós é enganoso na balança, não subindo mais alto que qualquer um de nós. Mas hoje sabemos de Alguém que ressuscitou e ascendeu às alturas, qualificando-se conforme o padrão apresentado pelo salmista. Ele é totalmente limpo, puro, sem vaidade e não se acha engano na sua boca (1 Pe 2.22). Mas foi apenas Um que se qualificou? E quanto aos demais? Sim, mais ou menos isso. Ele é a nossa Cabeça, e se a Cabeça ressuscitou e ascendeu, os membros do corpo o seguirão não muito tempo depois. — *Mark Frank*

v. 3: "monte do Senhor" só pode ser o monte da glória. O seu lugar santo não é nada menos que o mesmo lugar e centro da glória. Sendo assim, não dá de imaginar que seja difícil de passar, pois as glórias muito insignificantes do mundo são assim. Este é o monte da glória, difícil de escalar, difícil de subir, escarpado, excessivamente inclinado, sem superfícies planas, e o caminho fácil e largo conduz para algum outro lugar (Mt 7.13). O caminho é estreito (Mt 7.14). É áspero e problemático. Não é fácil ser um dos verdadeiros e fiéis servos de Cristo. É uma luta, uma disputa, uma guerra ininterrupta. Jejuns, vigílias, frio, nudez, fome, sede, armadilhas, prisões, perigos, angústias, infâmia, censura, tribulações, perseguições, o ódio do mundo e a negligência de nossos amigos — tudo que chamamos de duro ou difícil encontramos no caminho que temos de ir. O homem não pode abandonar a concupiscência, afastar-se das más companhias, deixar o curso do pecado, entrar no caminho da virtude, professar ou defender a religião, subir ao monte espiritual, pois encontrará uma ou outra destas dificuldades com que competir e lutar. Mas não é só subir; é também estar no lugar santo. Permanecer em um lugar tão alto, ser constante na verdade e piedade de forma que será realmente difíc*il e trará mais dificuldades com que lutar.* — *Mark Frank*

vv. 3 e 4: O salmo começa com uma pergunta solícita, anexa uma resposta satisfatória e encerra com uma apóstrofe extremamente pertinente e arrebatadora. Esta é a pergunta: "Quem subirá ao monte do Senhor ou quem estará no seu lugar santo?" Esta é a resposta: "Aquele que é limpo de mãos e puro de coração". "Este receberá a bênção [do perdão plenário] do Senhor e a justiça do Deus da sua salvação." Até mesmo a justiça perfeita que não é adquirida pelo homem, mas dada pelo Senhor, não é executada pelo santo, mas recebida pelo pecador, é a única base sólida para apoiarmos a esperança de felicidade, o único argumento válido para sermos admitidos nas mansões da alegria. Depois vem a apóstrofe: o profeta prevê a ascensão de Cristo e dos seus santos no reino dos céus. Ele vê o Senhor marchando à frente do mundo remido, conduzindo-o às regiões da honra e alegria. Adequadamente a tal visão e na mais bela melodia poética, ele se dirige às portas celestiais. "Levantai, ó portas, as vossas cabeças; levantai-vos, ó entradas eternas, e entrará o Rei da Glória", com todos os herdeiros da sua graça e justiça, fará a entrada triunfal e nunca mais sairá. — *James Hervey*

vv. 3 e 4: Não é aquele que canta tão bem ou tantos salmos, nem aquele que jejua ou vigia tantos dias, nem aquele que divide os seus bens entre os pobres, nem aquele que ora pelos outros, nem aquele que vive quieto, amável e amigavelmente. Também não é aquele que conhece todas as ciências e línguas, nem é virtuoso e faz todas as boas obras que jamais alguém falou ou leu a respeito, mas é só aquele que é puro por dentro e por fora. — *Martinho Lutero*

v. 4: "Aquele que é limpo de mãos e puro de coração". Tenho de perguntar-lhe, então, quem é o homem moral aos olhos de Deus? É aquele que se curva à Lei divina como a suprema lei de direito, que é influenciado por uma consideração administrativa a Deus em todas as suas ações. É aquele que obedece aos outros mandamentos espontaneamente, porque já obedeceu ao primeiro e grande mandamento: "Dai-me o teu coração". A sua conduta não é conformada a hábitos ou conveniência, mas a padrão de conduta consistente e invariável. Leve este homem aos tribunais, chame-o para testemunhar e ele não dará falsos testemunhos. Dê--lhe a guarda de tesouros não contados, ele não roubará. Confie a ele as coisas que sejam mais queridas a você ou família, e você estará seguro, porque ele tem no peito um princípio vivo de verdade e integridade. Ele é tão digno de confiança no escuro quanto à luz do meio-dia. Ele é homem moral, não porque a reputação ou o interesse lhe exige que aja assim, não porque os olhos da observação pública estão fixos nele, mas porque o amor e o temor de Deus têm predominância no seu coração. — *Ebenezer Porter, Doutor em Teologia, 1834*

v. 4: Estas condições se ajustam unicamente em Jesus [Belarmino]. "Aquele que é limpo de mãos", de cujas mãos saem virtude e cura. Mãos sempre levantadas em oração a Deus ou para abençoar os homens. Mãos estendidas na cruz para purificar o mundo inteiro. — *Isaac Williams, in loc.*

v. 4: "Aquele [...] que não entrega a sua alma à vaidade" tem esta interpretação de Benito Arias Montano: "Aquele que não recebeu a sua alma em vão". Quantos que recebem a alma em vão, fazendo não mais uso dela que os porcos, de quem o filósofo observa: *cujus anima pro sale*, as suas almas são apenas para o sal a fim de impedir que o corpo feda. Quem não ficaria aflito em pensar que tal escolha seria empregada em uso tão vão! — *George Swinnock*

v. 4: "nem jura enganosamente" ou acostumou a língua a qualquer outro tipo de linguagem da comunicação podre do inferno, para desonrar Deus ou enganar as pessoas. O perjúrio está exemplificado pelos demais, como um dos mais odiosos. Mas William Peraldus reconheceu vinte e quatro pecados da língua, todos os quais os cidadãos da Nova Jerusalém têm cuidado de evitar por considerarem a conversa fiada do Diabo, não sendo de forma alguma digno dos lábios puros. — *John Trapp*

v. 4: Chegamos agora às quatro condições necessárias para tornar tal subida possível. (1) Abstinência de fazer o mal: "Aquele que é limpo de mãos". (2) Abstinência de pensar no mal: "e puro de coração". (3) Aquele que cumpre o dever ao qual foi enviado ao mundo para fazer: "Aquele [...] que não entrega a sua alma à vaidade"; ou, como está na Vulgata: "Aquele que não recebeu a sua alma em vão". (4) Aquele que se lembra dos votos pelos quais está ligado a Deus: "nem jura enganosamente".

No mais pleno sentido, havia somente Um em quem todas estas coisas se cumpriram, de forma que a resposta à pergunta: "Quem subirá ao monte do SENHOR"? Bem poderia ser: "Ora, ninguém subiu ao céu, senão o que desceu do céu, o Filho do Homem, que está no céu" (Jo 3.13). "Está, portanto, bem escrito", diz Bernardo, "que tal Sumo Sacerdote se tornou um de nós, porque Ele conhece a dificuldade dessa ascensão ao monte, Ele conhece a fraqueza de cada um nós que temos de ascender". — *Lorinus e Bernardo, citado por John Mason Neale*

v. 4: O céu não é ganho com palavras boas e uma confissão bonita. O crente que faz é o homem que permanecerá, enquanto que o fanfarrão vazio da sua fé cairá. Os que mais falam de religião são os que menos fazem. A religião é vã daquele cuja confissão não traz cartas de recomendação de uma vida santa. — *William Gurnall*

v. 5: "Este receberá a bênção", como antes: "Pois o abençoaste para sempre" (Sl 21.6). O seu nome nunca está sem bênçãos. Nele serão benditas todas as nações da terra. No monte das bem-aventuranças, no monte Sião celestial, coroado como "Filho do Deus Bendito" (Mc 14.61).

"Do SENHOR", até mesmo do "Deus e Pai de nosso Senhor Jesus Cristo" (Ef 1.3). — *Isaac Williams*

v. 5: "Este receberá [...] a justiça". Quanto à justiça própria que temos sem Ele, Isaías declara que é um "trapo da imundícia" (Is 64.6), e Paulo fala que é "esterco" (Fp 3.8). Duas comparações muito feias, mas são do próprio Espírito Santo. Porém nada é tão feio como no original hebraico, onde são tão repugnantes quanto a que modo de trapo de imundícia ou a que tipo de esterco não ousamos traduzir. Já que a nossa justiça não é nada melhor, somos forçados a buscá-la em outro lugar. "Este receberá [...] a justiça [...] do Senhor", diz o profeta, e o "dom da justiça", diz o apóstolo (Fp 3.8,9; Rm 5.17). É então outra justiça que nos é dada e tem de recebida por nós, a qual temos de buscar. E onde iremos buscar? Somente Jó destrincha este ponto. Não devemos buscá-la nos céus ou nas estrelas, os quais são impuros aos olhos divinos. Nem nos santos, em quem Ele não confia. Nem nos anjos, em quem Ele encontra loucura (Jó 15.15; 4.18; 25.5). Se nada disso serve, identificamos uma razão necessária por que o Senhor tem de fazer parte deste nome: "O Senhor, Justiça Nossa" (Jr 23.6). — *Lancelot Andrewes*

v. 6: "Esta é a geração daqueles que buscam, daqueles que buscam a tua face". Os cristãos têm de ser aqueles que buscam. Para que a humanidade vá para o céu ela tem de ser uma geração de buscadores. O céu é uma geração de descobridores, possuidores, desfrutadores e buscadores de Deus. Mas aqui somos uma geração de buscadores. Queremos de certa forma o que temos de buscar. Quando estamos em condições favoráveis, queremos a concretização de nossa felicidade. É um estado de busca, porque é um estado de falta. Sempre precisamos de algo. Entretanto diz respeito mais particularmente a esta busca da face de Deus ou da sua presença. [...] A presença de Deus referida aqui é a presença que Ele mostra nos tempos de necessidade e nas suas ordenanças. Ele mostra uma presença nas necessidades e adversidades, quer dizer, uma presença gloriosa para os seus filhos, uma face benevolente. Na falta de direção, Ele mostra a sua presença de luz para guiá-los, na fraqueza, Ele mostra força, na dificuldade e perplexidade, Ele mostra a sua presença gloriosa para consolá-los. Na perplexidade, Ele mostra a sua presença para tornar o coração como um todo respondível à necessidade. Na necessidade, Deus está presente com os seus filhos para dirigi-los, consolá-los, fortalecê-los caso precisem. — *Richard Sibbes*

v. 6: "Esta é a geração". Pelo pronome demonstrativo "esta", o salmista apaga do catálogo dos servos de Deus todos os israelitas falsos, os quais, confiando somente na circuncisão e sacrifício de animais, não se preocupam em oferecer a si mesmos a Deus. Ao mesmo tempo, eles ainda se enfiam estouvadamente na igreja. — *João Calvino*

v. 6: "a tua face, ó Deus de Jacó". Em Provérbios 7.15 e 29.26, temos a expressão *buscar a face de* no sentido de "buscar o favor de" ou "mostrar o prazer de". O prazer não está em Esaú, que obteve "as gorduras da terra" (Gn 27.39) como porção. Certos escritores podem ter razão em considerar Jacó como outro nome para o Messias, a quem pertence o verdadeiro direito de primogenitura e a verdadeira bênção. — *Andrew A. Bonar*

v. 6: " A tua face, ó [...] Jacó". Ele é a "descendência de Jacó" (Sl 22.23), o "Santo de Israel" (Sl 71.18, 22). "O rosto do teu ungido" (Sl 84.9) é a face daquEle que é Deus e Homem, "porque assim como é o veremos" (1 Jo 3.2). — Isaac Williams

v. 6: "Ó Deus de Jacó". Como a igreja é chamada de *Cristo* (1 Co 12.12), assim Deus é chamado de *Jacó*. Existe essa união próxima entre Ele e o seu povo. Ou este é Jacó. Assim são adequadamente chamados os verdadeiros buscadores, em primeiro lugar, porque são verdadeiros israelitas (Jo 1.47; Rm 9.6). Em segundo lugar, porque veem a Deus face a face, como Jacó viu em Peniel (Gn 32.24-30). Em terceiro lugar, porque eles também, como Ele, ganham uma bênção (Os 12.4), até mesmo "a justiça do Deus da sua salvação" (Sl 24.5). — *John Trapp*

v. 7: "Levantai, ó portas, as vossas cabeças". Como foram realmente descritas, as portas do templo eram muito altas e magníficas, proporcionais às dimensões gigantescas daquele edifício extraordinário. Mas a frase: "Levantai, ó portas, as vossas cabeças", não se refere tanto à altura quanto à parte superior fabricada para ser levantada, enquanto que a parte inferior abria em portas dobradiças. — *Robert Jamieson, citado em George Paxton, "Illustrations of Scripture" [Ilustrações Bíblicas]*

v. 7: "Levantai, ó portas, as vossas cabeças". No castelo de Banias, na Síria, estão os destroços de uma porta antiga, a qual era disposta, como uma veneziana, a porta ajustando-se nos encaixes. Isso explica o termo devidamente. — *John Gadsby*

v. 7: "Levantai". Frase ou termo tirado dos arcos triunfais ou grandes pórticos, montados ou embelezados e adornados para a entrada de grandes, vitoriosos e triunfantes capitães. — *John Diodati*

v. 7: "Levantai, ó portas, as vossas cabeças; levantai-vos, ó entradas eternas, e entrará o Rei da Glória". Certos intérpretes dizem que as portas são as do coração, de acordo com Apocalipse 3.20: "Eis que estou à porta e bato; se alguém ouvir a minha voz e abrir a porta, entrarei em sua casa e com ele cearei, e ele, comigo". Na história do Evangelho, identificamos que Jesus teve uma aceitação quádrupla entre os homens. Alguns o receberam em casa, mas não no coração, como o fariseu Simão (Lc 7.44), que não o beijou nem lhe lavou os pés. Outros o receberam no coração, mas não em casa, como o centurião fiel (Mt 8.8), que se considerou indigno de Jesus entrar debaixo do seu telhado. Uns não o receberam nem em casa nem no coração, como os gadarenos incrédulos (Mt 8.34). No entanto outros o receberam em casa e no coração, como Lázaro, Maria e Marta (Jo 3.15; Lc 10.38). Agora que Cristo habita em nosso coração pela fé e que o nosso corpo é o templo do Espírito Santo, devemos, como o profeta exorta neste salmo, levantar a alma, que significa, nas palavras de Paulo, fixar o nosso afeto "nas coisas que são de cima e não nas que são da terra" (Cl 3.2). Se desejamos levantar o coração à verdade de Cristo, podemos não levantá-lo à vaidade do mundo. Em outras palavras, não firmemos o amor demasiadamente nas coisas desta vida, mas nos prazeres que há à mão direita de Deus, os quais são eternos, pois assim como trouxemos a imagem do primeiro Adão, que era terreno, assim traremos também a imagem do segundo Adão, que é celestial (1 Co 15.49). O mundanismo profano canta para Jesus um *Nunc dimittis*, dizendo como os demônios: "Ah! Que temos contigo, Jesus Nazareno?" (Mc 1.24). Como Jó registra as palavras: "Retira-te de nós; porque não desejamos ter conhecimento dos teus caminhos" (Jó 21.14). Pelo contrário, o crente piedoso, desfrutando a posse do Salvador, canta um *Magnificat* alegre e um *Te Deum* agradável, dizendo para Jesus, como Rute disse para Noemi: "Não me instes para que te deixe e me afaste de ti" (Rt 1.16). Nem a própria morte nos separará, pois quando sou liberto da prisão do meu corpo, espero estar com Cristo. Como Itai disse a Davi, digo a Jesus: "Vive o Senhor, e vive o rei, meu senhor, que no lugar em que estiver o rei, meu senhor, seja para morte seja para vida, aí certamente estará também o teu servidor" (2 Sm 15.21). Ó Senhor, que és o Deus da minha salvação, levanto a ti o meu coração, desejoso de te buscar, tanto no *urbi* direito — onde tu estás — como no *quando* direito —, enquanto posso de te achar (Sl 25.1). Abri os meus ouvidos surdos e o meu coração duro para que o teu Filho, meu Salvador, entre e habite em mim. Concede-me a graça para que ouça quando Ele chamar, abra quando Ele bater à porta e segure-o quando eu o tiver; para que suba ao teu monte e esteja no teu lugar santo; para que eu não só me hospede no teu tabernáculo, mas também descanse e habite no monte da tua santidade. — *John Boys*

v. 7: "entradas eternas". As portas dos céus são chamadas de "eternas", porque permanecerão para sempre ou porque são as portas para a vida que é eterna. — *John Boys*

v. 7: Seja o que for que pensemos sobre estas coisas, Davi considerou adequado dar tal boas vindas ao mensageiro, e abrir o coração para receber o seu Deus. Ouçamos o que ele diz ao seu coração e ao dos outros: "Levantai, ó portas, as vossas cabeças; levantai-vos, ó entradas eternas, e entrará o Rei da Glória". E porque a porta do coração dos homens está fechada, trancada e aferrolhada, e os homens estão em um sono profundo, eles não ouvirão a batida na porta, por mais forte que seja, ainda que seja o rei. Por isso, Davi bate novamente: "Levantai-vos, ó entradas eternas". Ora, qual é a pressa, diz o pecador? Quão é a pressa? É que o Rei está às tuas portas, e Ele não é um rei comum. É um Rei glorioso que vai honrá-lo se você abrir logo. Todavia a alma para tudo isso não abriu, pois ainda está questionando, como se fosse um inimigo em vez de um amigo que estivesse lá fora, e pergunta: "Quem é este Rei da Glória?" Quem? Ele responde novamente: "O Senhor dos Exércitos". Se você não abrir logo e também com gratidão, Ele pode destruir a sua casa facilmente por não lhe atender. Ele é o Senhor dos Exércitos, o Rei que tem um exército poderoso sempre ao seu comando, que está pronto às suas ordens. Portanto, você deve saber quem é que poderia ter tido por amigo. "Levantai, ó portas, as vossas cabeças." Abre depressa, o que você prefere ter Deus por amigo ou por inimigo. Por que a alma de todo pecador não deveria clamar: Senhor, a porta está fechada e tu tens a chave? Tenho feito o que posso, mas a fechadura está tão enferrujada que a chave não gira. Mas, Senhor, tira a porta das dobradiças, faze qualquer coisa para que tu entres e habites aqui. Vem, ó Deus poderoso, arrebenta as portas de ferro e as barras de bronze, e abre caminho pelo teu amor e poder. Vem, Deus, e fica à vontade. Tudo o que tenho está a teu serviço. Ajusta a minha alma para te receber! — *James Janeway*

v. 7: Jesus nos deixou o desejo do Espírito e tirou de nós o desejo da nossa carne, a qual levou aos céus como garantia de que a totalidade depois virá. — *Tertuliano*

v. 7*:* Jesus foi para o céu como vencedor, levando o pecado, Satanás, a morte, o inferno e todos os inimigos em triunfo ao suplício da roda. Venceu os inimigos não só por si mesmo, mas por todo o seu povo, a quem Ele tornará vencedores, sim, "mais do que vencedores" (Rm 8.37). Como Ele venceu, assim eles também vencerão. Como Jesus foi para o céu vencedor, assim eles o seguirão em triunfo. Ele está no céu como Salvador. Quando Ele veio do céu, veio na qualidade de Salvador. Quando esteve na terra, obteve a salvação eterna. No céu, Jesus vive como Salvador. Quando vier novamente do céu, Ele virá como Salvador. Quando voltar, voltará como Salvador. Ele também foi para o céu como herdeiro legítimo. Jesus não foi para o céu como hóspede, mas como "herdeiro de todas as coisas" (Hb 1.2). Ele é o herdeiro da glória e felicidade celestiais, e os crentes são "herdeiros de Deus e coerdeiros de Cristo" (Rm 8.17). — *Henry Pendlebury, 1626-1695*

v. 7: "Levantai, ó portas, as vossas cabeças; levantai-vos, ó entradas eternas, e entrará o Rei da Glória". Em o Salmo 47.1,5, diz: "Aplaudi com as mãos, todos os povos; cantai a Deus com voz de triunfo. Deus subiu com júbilo, o Senhor subiu ao som da trombeta". Esta arca, que salvou o mundo da destruição, depois de flutuar em um dilúvio de sangue, por fim descansou no monte. Este inocente José, cuja virtude fora tiranizada pela sinagoga, foi tirado do calabouço para receber uma coroa. Este Sansão invencível arrebentou as portas do inferno, e entrou triunfalmente nos montes eternos. Este Josué vitorioso atravessou o rio Jordão com a arca da aliança, e tomou posse da terra dos viventes. Este Sol da justiça, que tinha andado dez graus, volta ao lugar que já tinha passado. AquEle que fora "um verme" ao nascer, um Cordeiro ao morrer e um Leão ao ressuscitar, agora ascende como Águia ao céu e nos encoraja a segui-lo. Este dia, o céu aprende a suportar a presença do homem e os homens de caminhar sobre as estrelas. A Jerusalém celestial recebe o seu legítimo Rei, a igreja o seu Sumo Sacerdote, a casa de Deus o seu Herdeiro, o mundo o seu Regente: "Cantai louvores a Deus, cantai louvores; cantai louvores ao nosso Rei, cantai louvores. [...] Deus reina sobre as nações; Deus se assenta sobre o trono. [...] Os príncipes dos povos se congregam para serem o povo do Deus de Abraão; [...] ele está muito elevado!" (Sl 47.6,8 e 9). — *James Nouet, "The Life of Jesus Christ in Glory" [A Vida de Jesus Cristo em Glória], traduzido do francês*

vv. 7 e 8: Cristo tendo chegado às portas do céu, os espíritos celestiais que o acompanharam começaram a dizer: "Levantai, ó portas, as vossas cabeças; levantai-vos, ó entradas eternas, e entrará o Rei da Glória". A quem alguns dos anjos que estavam dentro, não desconhecedores da pessoa que chegava, mas admirando-lhe a majestade e a glória, perguntaram: "Quem é este Rei da Glória?" A resposta que receberam foi esta: "O SENHOR forte e poderoso, o SENHOR poderoso na guerra". Imediatamente, as doze portas da cidade santa, da nova Jerusalém, abriram-se e Jesus Cristo, com todos os seus espíritos ministradores, entraram. Ó minha alma, como realça a sua alegria e aumenta o seu consolo o fato de Jesus ter sido recebido na glória? Toda visão de Jesus é gloriosa, e em toda visão você espera que o Senhor Jesus Cristo faça alguma manifestação gloriosa de si mesmo. Vem, vive à altura deste grande mistério. Vê Jesus entrando na glória e encontrará as mesmas faíscas de glória no seu coração. Esta visão é transformadora: "Mas todos nós, com cara descoberta, refletindo, como um espelho, a glória do Senhor, somos transformados de glória em glória, na mesma imagem, como pelo Espírito do Senhor" (2 Co 3.18). — *Isaac Ambrose*

vv. 7 e 8: "Levantai, ó portas, as vossas cabeças; levantai-vos, ó entradas eternas, e entrará o Rei da Glória. Quem é este Rei da Glória? O SENHOR forte e poderoso, o SENHOR poderoso na guerra". Vós que sois os templos vivos do Senhor e recebestes o seu Espírito santificador em vós, já levantastes o vosso coração no uso das santas ordenanças pela fé, no desejo alegre e esperança segura dEle. Levantai-vos ricamente pela fé no uso dos meios santos, vós que sois são a habitação eterna de um Deus eterno, com um alegre e seguro bem-vindo a Ele. Assim convidarás e indubitavelmente receberás o alto e poderoso Potentado, o Senhor Jesus em vossa alma, com a manifestação gloriosa e operação impressionante do seu amor, benefício e graça. Sabei, todos vós crentes fieis e obedientes, para a vossa coragem e consolo, de que qualidade este glorioso Rei, o Senhor Jesus, é, a quem o mundo menospreza, mas vós honrais. Ora, Ele é o Deus Todo-Poderoso, tem poder todo-suficiente para guardar e defender o seu povo e a igreja que, confiando nEle, o ama e o serve, contra toda a força e poder dos homens e demônios que difamem ou se oponham contra eles, e os destruam, como nós, Israel na letra, tivemos a experiência para o vosso ensino e confirmação que são o seu povo em espírito. — *George Abbot, "Brief Notes upon the whole Book of Psalms" [Breves Notas sobre o Livro dos Salmos],1651*

vv. 7 a 10: Que língua do mais alto arcanjo celestial pode expressar a tua recepção, ó Rei da Glória, nas benditas regiões da imortalidade? Com certeza, o céu empíreo nunca ressoou com tanta alegria: Deus ascendeu com júbilo, e o Senhor com o som da trombeta. Não cabe a nós, criaturas fracas e finitas, desejar imaginar as congratulações incompreensíveis, espirituais e divinas que a Trindade gloriosa deu à natureza humana vitoriosa e agora glorificada. Se, quando introduziu o Filho Unigênito ao mundo, Ele disse: "E todos os anjos de Deus o adorem" (Hb 1.6), muito mais agora que, "subindo ao alto, levou cativo o cativeiro" e "lhe deu um nome que é sobre todo o nome, para que ao nome de Jesus se dobre todo joelho" (Ef 4.8; Fp 2.9,10). Se os anjos santos cantaram alegremente quando Jesus nasceu, na entrada a esse estado de humilhação e fraqueza, com que triunfo o receberam agora voltando da realização perfeita da redenção do homem? Se, quando Davi matou Golias e levou a cabeça a Jerusalém, as donzelas vieram encontrá-lo com danças e adufes, como pensaremos que esses espíritos angelicais triunfaram no encontro do grande Conquistador do inferno e da morte? Como cantaram: "Levantai, ó portas, as vossas cabeças; levantai--vos, ó entradas eternas, e entrará o Rei da Glória". Certamente como virá, assim Ele foi: "Eis que é vindo o Senhor com milhares de seus santos", "milhares de milhares o serviam, e milhões de milhões estavam diante dele" (Jd 14; Dn 7.10). De todos eles, parece que ouço o louvor bendito: "Digno é o Cordeiro, que foi morto, de receber o poder, e riquezas, e sabedoria, e força, e honra, e glória, e ações de graças [...] Ao que está assentado sobre o trono e ao Cordeiro sejam dadas ações de graças, e honra, e glória, e poder para todo o sempre" (Ap 5.12,13). Por que, ó minha alma, não toma parte nesse alegre coral do céu? Por que não enleva do meu úbere um êxtase de alegria por ver esta nossa natureza humana exaltada acima de todos os poderes dos céus adorada por anjos, arcanjos, querubins, serafins e todos os espíritos poderosos e gloriosos, e sentada lá coroada com glória infinita e majestade? — *Joseph Hall*

vv. 7 a 10: No Salmo 24, temos uma narrativa da entrada de Jesus no céu. Quando o Rei da Inglaterra deseja entrar na cidade de Londres, passando pelo Temple Bar, estando as portas fechadas, o arauto pede entrada. "Abram as portas". De dentro ouve-se uma voz: "Quem é?" O arauto responde: "O Rei da Inglaterra!" As portas são imediatamente abertas e o rei passa, em meio a aclamações joviais do seu povo. Trata-se de um costume antigo, cuja alusão está neste salmo. "O Senhor ascendeu com um brado" e, aproximando-se do portal divino, o arauto da escolta exigiu a entrada: "Levantai, ó portas, as vossas cabeças; levantai-vos, ó entradas eternas, e entrará o Rei da Glória". De dentro, os guardas celestiais perguntam: "Quem é este Rei da Glória?" O arauto respondeu: "O Senhor forte e poderoso, o Senhor poderoso na guerra". Depois que a pergunta e a resposta foram repetidas mais uma vez, as portas levantam a cabeça e as entradas eternas se levantam. O Príncipe entra no palácio do Pai, é saudado com aclamações dos céus, cujos habitantes todos se unem em um brado de inefável de alegria: "O Senhor dos Exércitos; ele é o Rei da Glória". — *Christmas Evans*

vv. 7 a 10: Se seguirmos nosso Redentor na sua ascensão e sessão à mão direita de Deus, onde Ele foi constituído Senhor de todos — anjos, principados e poderes tendo sido sujeitos a Jesus — e onde Ele está assentado até que os inimigos lhe sejam feitos de escabelo, observaremos a maré da bem-aventurança celestial subir cada vez mais. O retorno de um grande e amado príncipe, o qual só arriscando a vida salvou o país, deixaria a nação extremamente empolgada. As conversas em todas as companhias girariam em torno dele, e todos os pensamentos e alegrias se concentram nele. Vede o Rei dos reis, depois de ter abolido a morte pela morte, trazido a vida e a imortalidade pela luz, espoliado os poderes das trevas e arruinado todos os seus esquemas. Vede-o voltando em triunfo! Havia algo de triunfo quando Ele entrou em Jerusalém. Toda a cidade ficou alvoroçada, dizendo: "Quem é este?" E a multidão respondeu: "Este é Jesus, o Profeta de Nazaré". E os meninos cantavam: "Hosana ao Filho de Davi! Bendito o que vem em nome do Senhor! Hosana nas alturas!" (Mt 21.9-11,15). Quanto maior será o triunfo da entrada na Jerusalém celestial! Todas as cidades não ficarão alvoroçadas neste caso, dizendo: "Que é este?" Vede milhares de anjos servindo-o, e milhares de milhares chegando para encontrá-lo! A entrada da arca na cidade de Davi não passou de sombra disto, e as melodias responsivas que foram cantadas naquela ocasião foram muito mais aplicáveis. — *Andrew Fuller*

vv. 7 a 10: Por que a canção é repetida? Por que as portas eternas são convidadas a levantar as cabeças uma segunda vez? Podemos supor que conhecemos todos os significados dos salmos divinos. Mas, e se a repetição deste versículo tiver o propósito de nos fazer lembrar que a ascensão de nosso Salvador também será repetida? Ele jamais morrerá outra vez. A morte não pode mais ter domínio sobre Ele, pois "já não resta mais sacrifício pelos pecados" (Hb 10.26). Claro que também não pode mais ressuscitar. No entanto, considerando que Ele voltará no fim do mundo para julgar os vivos e os mortos, assim depois dessa descida Jesus terá de subir novamente. Afirmo que o salmista quis mencionar esta segunda ascensão quando convocou as portas eternas a levantar as cabeças uma segunda vez e abrir caminho para o Rei da Glória. Agora observe a resposta dada nesta segunda vez: "Quem é este Rei da Glória? O SENHOR forte e poderoso, o SENHOR poderoso na guerra. Levantai, ó portas, as vossas cabeças; levantai-vos, ó entradas eternas, e entrará o Rei da Glória. Quem é este Rei da Glória? O SENHOR dos Exércitos; ele é o Rei da Glória". Antes a resposta foi: "O SENHOR forte e poderoso, o SENHOR poderoso na guerra", agora é: "O SENHOR dos Exércitos". Jesus, ascendendo na primeira vez para interceder por nós à mão direita do Pai, é chamado de "o SENHOR poderoso na guerra". Mas Jesus, ascendendo na segunda vez, depois de o mundo ter sido julgado e os bons e os maus separados para sempre, é chamado de "o SENHOR dos Exércitos". Por que esta diferença de títulos divinos? Podemos respeitosamente supor que para nós significa a diferença entre a primeira e segunda descida a terra, a primeira e a segunda ascensão ao céu. Quanto aos outros aspectos, a primeira vinda foi em grande humildade, assim Ele veio, em toda a aparência, sozinho. Os anjos estavam realmente acompanhando-o, mas não visivelmente, não em glória. Ele sozinho pisou no lagar, e dos povos ninguém se achava com ele (cf. Is 63.3). Ele sozinho lutou com a morte, o inferno e Satanás. Ele sozinho se levantou dos mortos. Ele sozinho, até onde o homem pôde ver, subiu ao céu. Desta forma, Jesus se mostrou "o SENHOR poderoso na guerra", poderoso naquela peleja única que, como o nosso combatente, o nosso Davi, vitoriosamente manteve contra o nosso grande inimigo. Mas quando Jesus descer e subir pela segunda vez, se mostrará "o SENHOR dos Exércitos". Em vez de descer sozinho em silêncio misterioso, como na encarnação maravilhosa, Ele será acompanhado por todos os exércitos dos céus: "Então, virá o SENHOR, meu Deus, e todos os santos contigo" (Zc 14.5). "Eis que é vindo o Senhor com milhares de seus santos" (Jd 14). "O Filho do Homem virá na glória de seu Pai, com os seus anjos" (Mt 16.27). "Milhares de milhares o serviam, e milhões de milhões estavam diante dele" (Dn 7.10). Em vez do silêncio daquele lugar tranquilo em Nazaré e do ventre da virgem santa, haverá a voz do arcanjo e o trunfo de Deus que o acompanha. Portanto, Jesus descerá como o SENHOR dos Exércitos, e subirá novamente ao Pai como o SENHOR dos Exércitos. Depois do julgamento, Ele passará de novo pelas portas eternas com um grupo maior que antes, pois levará junto consigo à habitação celeste todos os que terão sido levantados das sepulturas e achados dignos. Vede como é incrível a descrição da visão feita por alguém que indubitavelmente terá uma alta posição naquele dia perto do Juiz. Paulo, o grande apóstolo e profeta diz: "O mesmo Senhor descerá do céu com alarido, e com voz de arcanjo, e com a trombeta de Deus; e os que morreram em Cristo ressuscitarão primeiro; depois, nós, os que ficarmos vivos, seremos arrebatados juntamente com eles nas nuvens, a encontrar o Senhor nos ares, e assim estaremos sempre com o Senhor" (1 Ts 4.16,17). — *John Keble, Mestre em Ciências Humanas*

vv. 7 a 10:

Na sua vida bendita
Vejo o caminho, e na sua morte, o preço
E na sua grande ascensão, a prova suprema
Da imortalidade. E Ele se levantou?

Ouvi, ó nações! Ouvi, ó mortos!
Ele ressuscitou! Ele ressuscitou! Arrebentou as barras da morte
Levantai as vossas cabeças, vós, entradas eternas!
E dai entrada ao Rei da Glória
Quem é este Rei da Glória? É aquEle que trocou
O trono da glória pelas angústias da morte
Levantai as vossas cabeças, vós, entradas eternas!
E dai entrada ao Rei da Glória
Quem é o Rei da Glória? AquEle que matou
O inimigo voraz que devorou toda a raça humana
O Rei da Glória é aquEle cuja glória encheu
O céu de espanto pelo seu amor aos homens
E com desvanecimento divino viu
Os poderes mais iluminados confundidos no enredo
— *Edward Young*

vv. 7 a 10:

Levantai, ó portas, as vossas cabeças e, preparai-vos
Vós, orbes vivos, as vossas entradas eternas
O Rei da Glória vem!
Que Rei da Glória? AquEle cujo poder grandioso
Subjugou o Abadom e os poderes infernais
Das trevas presas em cadeias adamantinas
AquEle que, envolto em glória, com o Pai reina
Onipotente, imortal, infinito!
— *James Scott*

v. 8: "Quem é este Rei da Glória?" Jesus em dois aspectos é "o Rei da Glória". (1) Pois toda honra e glória pertencem devidamente a Ele. É dEle "o Reino, e o poder, e a glória" (Mt 6.13), sendo sob este aspecto chamado de o "Senhor da glória" (1 Co 2.8). (2) Pois esse Jesus nos fez participantes da sua glória, sendo sob este aspecto chamado de "nosso Senhor Jesus Cristo, Senhor da glória" (Tg 2.1). Se o Senhor dos Exércitos, forte e poderoso na guerra, é o Rei da Glória, então Jesus (tendo conquistado todos os inimigos e feito deles o escabelo dos seus pés, triunfando sobre a morte, o Diabo que é o fundador da morte, o pecado que é o aguilhão da morte, a sepultura que é a prisão da morte e o inferno que é o próprio domínio do Diabo e da morte) é indubitavelmente "o Rei da Glória". Portanto, considerando que Ele morreu pelos nossos pecados, ressuscitou para a nossa justificação e ascendeu ao céu para dar dons aos homens — nesta vida, a graça, e na outra, a glória —, Ele é nada menos que o "Rei da Glória" para nós, de quem e por quem nós, que lutamos as suas guerras, somos libertos das mãos de todos os que nos odeiam e nos tornamos vencedores (1 Co 15.57), sim, "mais do que vencedores" (Rm 8.37). — *John Boys*

v. 8: "O Senhor forte e poderoso". Ele é "forte e poderoso" para vencer todos os adversários e para vencer a morte e o Diabo que detinham o poder da morte. — *Ludolfo da Saxônia , citado por Isaac Williams*

v. 10: "O Senhor dos Exércitos", ou, como consta no original hebraico, *Jeová Tsebaoth*, pois assim a palavra é usada pelos apóstolos, que não foi traduzida no grego, *Sabaoth* (Rm 9.29). Significa "hostes" ou "exércitos" que se dispõem prontos em ordem marcial e em ordem de batalha, e abrangem todas as criaturas dos céus e da terra, as quais são pressionadas a fazer a vontade de Deus. — *Henry Ainsworth*

SUGESTÕES AOS PREGADORES

v. 1. O grande Proprietário e as suas propriedades, servos e direitos.

v. 1. "Do SENHOR é a terra": (1) Mencione outros pretendentes: ídolos — papa, homem, Diabo, outros. (2) Julgue a causa. (3) Execute o veredicto. Use a nossa matéria, pregue em todos lugares, reivindique todas as coisas para Deus. (4) Veja como fica gloriosa a terra quando ela leva o nome do Mestre.

v. 1. "e a sua plenitude, o mundo e aqueles que nele habitam." Todos os homens pertencem a Deus. Os seus filhos ou os seus súditos, os seus servos ou os seus escravos, as suas ovelhas ou os seus bodes.

v. 2. Propósitos divinos realizados por meios singulares.

v. 2. "e a firmou sobre os rios." A instabilidade das coisas terrenas.

v. 3. A pergunta importantíssima.

v. 4. "Aquele que é limpo de mãos e puro de coração." A ligação entre a moralidade externa e a pureza interna.

v. 4. "Aquele [...] que não entrega a sua alma à vaidade." Homens julgados pelos seus prazeres.

v. 4. "limpo de mãos": (1) Como limpá-las. (2) Como mantê-las limpas. (3) Como sujá-las. (4) Como limpá-las de novo.

vv. 4 e 5. O caráter manifestado e o favor recebido.

v. 5. "Este receberá [...] a justiça do Deus da sua salvação." O homem bom recebe justiça e precisa de salvação, ou o significado evangélico de passagens aparentemente jurídicas.

v. 6. Aqueles que verdadeiramente buscam a comunhão com Deus.

v. 7. Adaptar o texto à entrada de Jesus Cristo em nosso coração: (1) Há obstáculos: "portas", "entradas". (2) Temos de tirá-los: "levantai". (3) A graça tem de nos capacitar: "levantai-vos". (4) O nosso Senhor entrará. (5) Ele entra como "Rei" e "Rei da Glória".

v. 7. A ascensão e os seus ensinos.

vv. 7 a 10. (1) O seu título: "O SENHOR dos Exércitos". (2) As suas vitórias, implícitas na expressão: "O SENHOR forte e poderoso [...] na guerra". (3) O seu título mediador: "O Rei da Glória". (4) A sua entrada com autoridade no lugar santo. — *John Newton, "Messiah" (Messias)*

v. 8. O Valente poderoso: (1) A sua linhagem. (2) O seu poder. (3) As suas guerras. (4) As suas vitórias.

v. 10. A soberania e a glória de Deus em Cristo Jesus.

SALMO 25

TÍTULO

"Salmo de Davi." Este salmo descreve Davi como em uma miniatura fiel. A santa confiança, os muitos conflitos, as grandes transgressões, o amargo arrependimento e as profundas angústias estão todos presentes aqui, de forma que vemos o coração do homem segundo o coração de Deus (At 13.22).

É uma composição de Davi feita na velhice, porque ele menciona os pecados da juventude. A julgar pelas referências dolorosas às artimanhas e crueldade dos muitos inimigos, não será muito especulativa a teoria de atribuir o salmo ao período em que Absalão encabeçou a grande rebelião contra ele. Este é o segundo dos sete Salmos Penitenciais. É marca do verdadeiro santo as tristezas lhe fazerem lembrar dos pecados e a tristeza pelo pecado o fazer voltar-se a Deus.

ASSUNTO E DIVISÃO

Os vinte e dois versículos deste salmo começam no original com as letras do alfabeto hebraico na ordem sequencial. É o primeiro exemplo que temos de um acróstico inspirado ou cântico alfabético. Este método foi, talvez, adotado pelo escritor para ajudar a memória. O Espírito Santo empregou este expediente para mostrar que a beleza de estilo e a arte da poesia podem ser legitimamente usadas ao serviço santo.

Por que a inteligência e a criatividade do homem não podem ser santificadas para fins mais nobres sendo oferecidas no altar de Deus? Pela singularidade estrutural do salmo, não é fácil descobrir marcas de divisão. Há grandes mudanças de pensamento, mas não variação de assunto. A disposição mental do escritor são duas: oração e meditação. Levando em conta que estas ocorrem alternadamente, distribuiremos os versículos assim: Oração (vv. 1-7); meditação (vv. 8-10); oração (v. 11); meditação (vv. 12-15); oração (vv. 16-22).

EXPOSIÇÃO

1 *A ti, SENHOR, levanto a minha alma.*
2 *Deus meu, em ti confio; não me deixes confundido, nem que os meus inimigos triunfem sobre mim.*
3 *Na verdade, não serão confundidos os que esperam em ti; confundidos serão os que transgridem sem causa.*
4 *Faze-me saber os teus caminhos, SENHOR; ensina-me as tuas veredas.*
5 *Guia-me na tua verdade e ensina-me, pois tu és o Deus da minha salvação; por ti estou esperando todo o dia.*
6 *Lembra-te, SENHOR, das tuas misericórdias e das tuas benignidades, porque são desde a eternidade.*
7 *Não te lembres dos pecados da minha mocidade nem das minhas transgressões; mas, segundo a tua misericórdia, lembra-te de mim, por tua bondade, SENHOR.*

1. *"A ti, Senhor."* Veja como a alma santa corre para Deus como a pomba para a gaiola. Quando as rajadas de ventos assolam, os vasos do Senhor mudam de direção e dirigem-se ao bem lembrado porto de refúgio. Como o Senhor é misericordioso em ouvir os nossos clamores nos tempos de dificuldade, embora possamos quase tê-lo esquecido nos tempos de suposta prosperidade.

"A ti, Senhor, levanto a minha alma." Não passa de zombaria levantar as mãos e os olhos a menos que a alma também esteja em nossa devoção. Podemos dizer que a verdadeira oração ocorre quando a alma sobe da terra para ter comunhão com o céu. É fazer uma viagem na escada de Jacó, deixando os nossos cuidados e medos ao pé e encontrando-nos com o Deus da aliança no topo. Muitas vezes a alma não pode subir, porque perdeu as asas, está pesada e presa a terra. Mais semelhante a uma toupeira que escava a uma águia que plana. Em tais períodos sombrios, não desistamos da oração, mas, pela ajuda de Deus, façamos tudo o que pudermos para levantar o nosso coração. Seja a fé a alavanca e a graça o braço, e até o que estiver ferrenhamente imóvel se mexe. Com esforço e luta temos sido totalmente derrotados, até que a pedra-ímã celestial do amor do nosso Salvador mostre a sua força de atração. Então, o coração sobe para o nosso Amado como labaredas de fogo que aumentam cada vez mais.

2. *"Deus meu."* Este título é mais querido e íntimo que o nome *Senhor* usado no primeiro versículo. O doce cantor já está mais próximo do seu Ajudante celestial, porque ousa agarrá-lo com as mãos da posse segura, chamando-o de *Deus meu.* Que música mais que celestial há nestas palavras: "Deus meu!".

Observemos que o salmista não nega expressar os sentimentos graciosos com que Deus o favorecera. Ele não cai na falsa modéstia repugnante, mas tendo na alma o desejo de buscar ao Senhor, ele o declara. Crendo que tinha interesse legítimo no Senhor, ele o afirma, e sabendo que tinha confiança no seu Deus, o professa: "Deus meu, em ti confio". A fé é o cabo que prende o barco a terra, e puxando-o somos levados a terra. A fé nos une a Deus, e depois nos leva para mais perto dEle. Contanto que a âncora da fé se mantenha ali, não há medo na pior tempestade. Se ela nos faltar não nos resta esperança. Temos de cuidar para que a nossa fé seja sã e forte, caso contrário, a oração não prevalece com Deus. Ai do guerreiro que não usa o escudo. Que defesa pode haver para quem não acha defesa em Deus?

"Não me deixes confundido." Não permitas que as minhas esperanças frustradas me façam sentir vergonha dos testemunhos dados anteriormente por mim acerca da tua fidelidade. Muitos estavam à espreita disso. O melhor dos homens tem inimigos, estando sob a obrigação de orar para que eles não vejam os seus maus desejos realizados.

"Nem que os meus inimigos triunfem sobre mim." Não deixes que as bocas malignas deem risadas blasfemas das minhas angústias, perguntando: "Onde está o teu Deus?" (Sl 42.3). Os crentes têm muito ciúme da honra de Deus, não podendo suportar que os incrédulos os escarneçam pelo fracasso das suas expectativas no Deus da sua salvação. Todas as outras confianças acabarão em decepção e vergonha eterna, mas a nossa confiança nunca será confundida.

3. *"Na verdade, não serão confundidos os que esperam em ti."* O sofrimento faz o coração aumentar, gerando o poder de compartilhar sentimentos. Se oramos avidamente por nós mesmos, não podemos nos esquecer por muito tempo de nossos semelhantes sofredores. Ninguém tem piedade dos pobres como os que foram ou ainda são pobres, nem tem tamanha ternura pelos doentes como os que já foram doentes. Temos de ser gratos pelas tribulações, porque elas nos guardam da desumanidade crônica. Entre todos os sofrimentos, um coração insensível é o pior, sendo uma praga ao seu possuidor e um tormento aos que estão junto com ele. Quando a oração vem do ensino do Espírito Santo, nunca é egoísta. O crente não requer direitos exclusivos para si, mas deseja que todos que estejam em situação semelhante tomem parte da misericórdia divina. Podemos ver a oração como uma promessa. O nosso Pai celestial nunca permitirá que os filhos que nEle confiam o achem infiel ou insensível. Ele sempre zela pela sua aliança.

"Confundidos serão os que transgridem sem causa." Davi não provocara os inimigos. O ódio que tinham era gratuito. Os pecadores não têm razão justificável ou desculpa válida para transgredir. Eles não trazem benefícios a ninguém, nem mesmo a si mesmos pelos pecados. A Lei contra a qual transgridem não é severa ou injusta. Deus não é um regente tirânico, a providência não é uma escravidão. Os homens pecam porque desejam pecar, não porque seja lucrativo ou sensato pecar. Por conseguinte, a vergonha é a recompensa adequada. Tomados fiquem de vergonha penitencial, ou não poderão escapar do desprezo perpétuo e da vergonha amarga que são a promoção dos tolos no outro mundo.

4. *"Faze-me saber os teus caminhos, Senhor."* A natureza não santificada brada pelos próprios caminhos, mas o espírito bondoso clama: "Não se faça a minha vontade, mas a tua" (Lc 22.42). Não conseguimos discernir todas as vezes o caminho do dever. Nestas ocasiões, seremos sábios em nos dirigir ao próprio Senhor. Os procedimentos de Deus para conosco são misteriosos. Por isso, podemos recorrer a Ele como o nosso intérprete e, no devido tempo, o nosso Senhor deixará todas as coisas claras. As formas morais, providenciais e mentais de orientação são presentes preciosos de um Deus benevolente a um povo receptivo ao ensino.

A segunda petição: "ensina-me as tuas veredas", significa ao que parece, mais que a primeira. Podemos ilustrá-la pelo caso do filho que diz ao pai: "Pai, primeiro me mostre qual é o caminho, e depois ensine os meus pequeninos pés trementes a andar nele". Como somos fracos e dependentes! Como clamamos ao Forte em busca de força!

5. *"Guia-me na tua verdade e ensina-me."* É o mesmo pedido feito no versículo anterior. O menino tendo começado a andar, pede ainda que seja guiado progressivamente pela mão ajudadora do pai e receba mais ensinamentos sobre a verdade. O ensino experimental é o encargo desta oração. Guia-me de acordo com a tua verdade, e mostra-te fiel. Guia-me na verdade para que conheça a sua preciosidade, guia-me no caminho da verdade para que manifeste o seu espírito. Davi sabia muitas coisas, mas sentiu a ignorância e desejou ainda estar na escola do Senhor. Quatro vezes nestes dois versículos ele solicita uma vaga na universidade da graça. Seria bom para muitos professores se, em vez de seguirem os próprios esquemas e idealizarem novos caminhos de pensamento, investigassem os bons e antigos caminhos da verdade

de Deus e pedissem ao Espírito Santo que lhes desse entendimento santificado e espírito receptivo ao ensino.

"Pois tu és o Deus da minha salvação." O Senhor três em um é o Autor e Aperfeiçoador da salvação para o seu povo. Leitor, Ele é o Deus da tua salvação? Você encontra na eleição do Pai, na expiação do Filho e na vivificação do Espírito todas as razões para as suas esperanças eternas? Neste caso, você pode usar isso como argumento para obter mais bênçãos. Se o Senhor ordenou salvá-lo, com certeza Ele não recusará ensinar-lhe nos seus caminhos. É muito bom quando podemos nos dirigir ao Senhor com a confiança que Davi manifestou aqui. É algo que nos oferece muito poder na oração e grande consolo na provação.

"Por ti estou esperando todo o dia." A paciência é a bela criada e filha da fé. Nós esperamos com alegria quando temos certeza de que não estamos esperando em vão. É nosso dever e privilégio esperar no Senhor no serviço, na adoração, na expectativa, na confiança em todos os dias da nossa vida. A nossa fé tem de ser uma fé provada. Se for uma fé de boa qualidade, suportará a adversidade contínua sem se render. Não ficaremos cansados de esperar em Deus, se nos lembrarmos de quanto tempo e com que bondade Ele outrora esperou por nós.

6. *"Lembra-te, Senhor, das tuas misericórdias e das tuas benignidades."* Em tempos de tribulação, somos propensos a temer que o nosso Deus esqueceu-se de nós ou da sua bondade habitual para conosco. Consequentemente, a alma por assim dizer lembra ao Senhor, e pede que se lembre das ações de amor que outrora fizera. Há uma ousadia santa que se arrisca a lidar assim com o Altíssimo — dediquemo-nos a isso. Mas também há uma incredulidade profana que supõe os nossos medos — lutemos contra isso com toda força. Que pedras preciosas são essas duas palavras: "misericórdias" e "benignidades". São o mel virgem da linguagem. Não há palavras que expressem a doçura ou descrevam os benefícios da graça que elas propõem.

Quando todas as tuas misericórdias, ó meu Deus
A minha alma ascendente inspecionar
Transportada pela visão, estarei perdido
Em maravilha, amor e louvor

Se no futuro o Senhor fizer a nós como fez no passado, ficaremos muito contentes. Não buscamos mudança na ação divina, só almejamos que o rio da graça jamais deixe de fluir.

"Porque são desde a eternidade." A tradução está correta. Davi era um crente legítimo na doutrina do amor eterno de Deus. As benignidades do Senhor não são nenhuma novidade. Quando suplicamos que Ele no-las dê, podemos argumentar o uso e costume do tipo mais antigo. Nos tribunais, os homens se aproveitam dos precedentes. Nós também podemos recorrer a precedentes junto ao trono da graça. "A fé", disse David Dickson, "tem de servir-se das experiências e lê-las para Deus do princípio ao fim segundo o registro de uma memória santificada, como um gravador para aquEle que não esquece." Com um Deus imutável é argumento extremamente eficaz fazê-lo lembrar-se das suas antigas misericórdias e do seu amor eterno. Determinando tudo que desfrutamos à nascente do amor perpétuo, muito alegraremos o nosso coração, e todos que tentam nos dissuadir de meditar na eleição e tópicos aparentados fazem um serviço inútil.

7. *"Não te lembres dos pecados da minha mocidade."* O pecado é a pedra de tropeço. É algo que tem de ser retirado. Senhor, oferece uma anistia geral a todos os meus pecados, especialmente às loucuras libertinas e audaciosas dos anos da minha juventude. Os pecados dos quais nos lembramos com arrependimento, Deus

esquece, mas se os esquecermos, a justiça os exporá ao castigo. O mundo tolera os pecados dos jovens, porém tais pecados não tão pequenos. Os ossos dos banquetes da nossa mocidade à mesa de Satanás ficarão presos dolorosamente na nossa garganta quando formos velhos. Aquele que se entrega a liberdades na mocidade está envenenando a velhice. Quantas lágrimas molhariam esta página assim que alguns de nós refletissem sobre o passado!

"Nem das minhas transgressões." Outra palavra para os mesmos males. Os penitentes sinceros não podem fazer todas as suas confissões de uma vez só. Eles são constrangidos a usar muitas expressões de lamento, pois os seus pecados aglomerantes os golpeiam com aflições inumeráveis. O sentimento doloroso do pecado provoca no crente o arrependimento de todo o montante das iniquidades cometidas. Nada mais que o perdão pleno e claro satisfará a consciência completamente despertada. Davi queria que os pecados fossem não só perdoados, mas também esquecidos.

"Mas, segundo a tua misericórdia, lembra-te de mim, por tua bondade, Senhor." Davi e o ladrão na cruz exalaram a mesma oração. Indubitavelmente, eles a fundamentaram no mesmo argumento, a saber, a graça livre e a bondade imerecida do Senhor. Não ousamos pedir ter a nossa porção medida na balança da justiça, contudo oramos para sermos tratados pelas mãos da misericórdia.

8 *Bom e reto é o* SENHOR; *pelo que ensinará o caminho aos pecadores.*
9 *Guiará os mansos retamente; e aos mansos ensinará o seu caminho.*
10 *Todas as veredas do* SENHOR *são misericórdia e verdade para aqueles que guardam o seu concerto e os seus testemunhos.*

Estes três versículos são uma meditação sobre os atributos e atos do Senhor. Aquele que trabalha no restolhal da oração deveria fazer pausas ocasionais para, por certo tempo, revigorar-se com o alimento da meditação.

8. *"Bom e reto é o* SENHOR; *pelo que ensinará o caminho aos pecadores."* Vemos em união oportuna a bondade e a retidão do caráter divino. Aquele que as vê unidas em laços de amizade perfeita tem de se pôr ao pé da cruz e vê-las misturadas no sacrifício do Senhor Jesus. Não é menos verdadeiro que maravilhoso que a justiça de Deus, pela expiação, pleiteia tão fortemente quanto a graça pela salvação dos pecadores, por quem Jesus morreu para salvar. Além disso, como o homem bom naturalmente se empenha em fazer os outros gostarem dele, assim o Senhor nosso Deus, na sua compaixão, guia os pecadores no caminho da santidade e os conforma à sua própria imagem. Assim a bondade de nosso Deus nos leva a esperar a regeneração dos pecadores. Podemos não inferir da bondade de Deus que Ele venha salvar todos os pecadores que continuam trilhando os próprios caminhos, mas estejamos certos de que Deus regenerará o coração dos transgressores e os guiará no caminho da santidade. Os que desejam ser libertos do pecado se consolam com isso. O próprio Deus condescenderá em ser o professor dos pecadores. Que escola difícil é esta para Ele ensinar! O ensino de Deus é prático. Ele ensina aos pecadores não só a doutrina, mas também o caminho.

9. *"Guiará os mansos retamente."* Os mansos gozam das boas graças com o Pai do manso e humilde Jesus, porque Deus vê neles a imagem do seu Unigênito. Eles sabem que precisam de orientação, estando então prontos a submeter o próprio entendimento à vontade divina. O Senhor condescende em ser o guia para eles. Os humildes neste versículo são dotados de uma herança rica. Animem-se! As dificuldades deixam os mansos perplexos, sem saberem o que fazer, forçando-os a agir sem discrição. Mas a graça vem em socorro, ilumina lhes a mente para seguirem o que é justo e ajuda-os a discernir o caminho no qual o Senhor quer que trilhem. Os tolos, orgulhosos da

própria sabedoria, não aprenderão e, portanto, erram o caminho para o céu. Mas os corações humildes se sentam aos pés de Jesus e encontram a porta da glória, pois "aos mansos ensinará o seu caminho". Bendito mestre! Estimado professor! Divina lição! Alma minha, familiarize-se com o todo.

10. *"Todas as veredas do Senhor são misericórdia e verdade para aqueles que guardam o seu concerto e os seus testemunhos."* Esta regra não tem exceção. Deus é bom aos que são bons. Misericórdia e fidelidade abundarão para aqueles que, pela misericórdia, são feitos fiéis. Seja qual for a aparência exterior que nos ameace, determinemos firmemente em nossa mente que, enquanto a graça nos capacitar a obedecer à vontade do Senhor, não precisamos temer que a providência nos cause alguma perda real. Haverá misericórdia em toda situação desagradável, e fidelidade em cada momento doloroso. Não deixemos que o coração se inquiete, mas descansemos pela fé na aliança imutável do Senhor, a qual é ordenada em todas as coisas e certa. Esta não é uma verdade geral para ser pisada pelos porcos, mas é uma pérola para os filhos usarem no pescoço. Aqueles que têm a graça descansam pela fé na obra consumada do Senhor Jesus, guardam o concerto do Senhor e, sendo santificados pelo Espírito Santo, andam nos seus testemunhos. Estes descobrirão que todas as coisas cooperam para o seu bem, mas para os pecadores não há tal promessa. Os que guardam o concerto serão guardados pelo concerto. Os que seguem os mandamentos do Senhor descobrirão que a misericórdia de Deus os segue.

11 *Por amor do teu nome, SENHOR, perdoa a minha iniquidade, pois é grande.*

11. Esta frase da oração pareceria fora de lugar não fosse o fato de que a oração sempre está no lugar certo, quer a tempo ou fora de tempo. Tendo a meditação dado refrigério ao salmista, ele se entrega novamente ao trabalho pesado e luta com Deus pela remissão do seu pecado.

"Por amor do teu nome, Senhor." Este é um apelo abençoado e inquestionável. Não por amor de nós ou pelos nossos méritos, mas para glorificar a tua misericórdia e mostrar a glória dos teus atributos divinos.

"Perdoa a minha iniquidade." Foi confessada, é detestada e está consumindo o meu coração com aflição. Senhor, perdoe-a. Pronunciem os teus próprios lábios a minha absolvição.

"Pois é grande." Pesa tanto em mim que oro para que tu removas a minha iniquidade. O fato de ser grande não te causa dificuldade, pois és um Deus grande. Mas a desgraça que ela me causa é o meu argumento para contigo a fim de que eu seja perdoado sem demora. Senhor, o paciente está extremamente doente, então, sara-o. Perdoar um grande pecador trará grande glória para ti. Então, por amor do teu nome, perdoa-me. Observemos como este versículo ilustra a lógica da fé, que é totalmente contrária à lógica do espírito legalista. A fé não procura mérito na criatura, mas leva em consideração a bondade do Criador. Em vez de se abalar pelos deméritos do pecado, olha para o precioso sangue e roga ainda com mais vigor por causa da urgência do caso.

12 *Qual é o homem que teme ao SENHOR? Ele o ensinará no caminho que deve escolher.*
13 *A sua alma pousará no bem, e a sua descendência herdará a terra.*
14 *O segredo do SENHOR é para os que o temem; e ele lhes fará saber o seu concerto.*
15 *Os meus olhos estão continuamente no SENHOR, pois ele tirará os meus pés da rede.*

12. *"Qual é o homem que teme ao Senhor?"* Que a pergunta provoque um autoexame nos que a ouvirem. Os privilégios do Evangelho não são para os fingidores. Tu és ou não da semente real?

"Ele o ensinará no caminho que deve escolher." Os que têm coração reto não errarão por falta de direção divina. Quando Deus santifica o coração, Ele ilumina a cabeça. Todos nós desejamos escolher o nosso caminho. Mas que misericórdia é quando o Senhor dirige essa escolha, e torna a livre vontade (o livre-arbítrio) em boa vontade! Se tornarmos a nossa vontade na vontade de Deus, Ele nos permitirá ter a nossa vontade. Deus não viola a nossa vontade, mas deixa à nossa escolha. Não obstante, Ele ensina a nossa vontade, e assim escolhemos o que é agradável aos seus olhos. A vontade deve estar sujeita à Lei. Há um caminho que temos de escolher, mas somos tão ignorantes que precisamos ser ensinados e tão teimosos que ninguém senão o próprio Deus pode nos ensinar eficazmente.

13. Aquele que teme a Deus não tem nada mais a temer: *"A sua alma pousará no bem"*. Ele se hospedará no quarto do contentamento. Pode dormir tão profundamente numa cama estreita e dura quanto em uma cama larga e macia. Não é a abundância, mas o contentamento que dá o verdadeiro conforto. Mesmo aqui, tendo aprendido pela graça a ter em abundância quanto a padecer necessidade, o crente pousa no bem. Mas como será profundo para sempre o descanso da alma! Lá ele desfrutará do *otium cum dignitate*, que significa "a tranquilidade e a glória estarão juntas". Como um guerreiro cujas batalhas terminaram, ou um lavrador cujos celeiros estão cheios, "a sua alma pousará no bem" e para sempre se alegrará.

"E a sua descendência herdará a terra." Deus se lembra de Isaque por amor de Abraão e de Jacó por amor de Isaque. Os filhos dos homens bons têm uma porção considerável com que começar no mundo, mas infelizmente muitos deles tornam as bênçãos do Pai em maldição. A promessa não é quebrada, porque em certas ocasiões os homens deliberadamente se recusam a recebê-la. Além disso, é no significado espiritual que ela se valida. A nossa semente espiritual herda tudo que diz respeito a "terra" ou Canaã. Eles recebem a bênção do novo concerto. Que o Senhor nos faça pais alegres de muitos filhos espirituais, e não teremos medo quanto a sustentá-los, pois o Senhor fará de cada um deles príncipes em toda a terra.

14. *"O segredo do Senhor é para os que o temem."* Certos intérpretes entendem que a palavra hebraica traduzida por "segredo" é "amizade". Significa relacionamento familiar, intimidade confidencial (cf. ARA) e companheirismo seleto. Este é um grande segredo. A mente carnal não pode adivinhar qual é o propósito disso, e nem sequer os crentes conseguem explicar em palavras, pois tem de ser sentido para ser conhecido. A vida espiritual superior é necessariamente um caminho que os olhos da águia não conhecem, e que o filhote do leão não trilhou. Nem a sabedoria nem a força natural podem forçar a entrada a esta câmara interior. Os santos têm a chave dos hieróglifos do céu. Podem decifrar os enigmas celestiais. São iniciados no companheirismo dos céus. Ouvem palavras que não são possíveis de serem repetidas aos seus companheiros.

"E ele lhes fará saber o seu concerto." A sua antiguidade, segurança, justiça, plenitude, generosidade e excelência são reveladas ao coração e entendimento dos tementes a Deus. Acima de tudo, a parte deles no concerto lhes será marcada na alma pelo testemunho do Espírito Santo. Os desígnios de amor que o Senhor tem para com o seu povo no concerto da graça, Ele se agradou em mostrar aos crentes no Livro da Inspiração, e, pelo Espírito, Deus nos guia nos mistérios, até mesmo no mistério oculto da redenção. Aquele que não sabe o significado deste versículo, nunca o aprenderá de um comentário. É na cruz que ele encontrará a revelação do segredo que jaz aqui.

15. *"Os meus olhos estão continuamente no Senhor."* O escritor declara que está firme na confiança e constante na esperança. Ele olha com confiança e aguarda com esperança. Podemos acrescentar a este olhar de fé e esperança o olhar obediente do serviço, o olhar humilde da reverência, o olhar admirado da maravilha, o olhar

estudioso da meditação e o olhar terno do afeto. Felizes são aqueles cujos olhos nunca se afastam do Senhor. "Os olhos", diz Salomão, "não se fartam de ver" (Ec 1.8), porém esta visão é a que mais satisfaz em todo o mundo.

"Pois ele tirará os meus pés da rede." Observemos a situação conflituosa na qual a alma benevolente pode ser colocada: os olhos estão no céu, mas os pés, às vezes, estão na rede. A sua natureza mais nobre não deixa de ver as glórias de Deus, ao mesmo tempo em que o seu lado mais básico está suportando as desgraças do mundo. Rede é a metáfora comum para provação. O Senhor na maioria das vezes impede que o seu povo caia nela, e se cair, Ele o salva. A palavra "tirará" é uma palavra dura. Os santos que caíram em pecado sabem que o meio da restauração nem sempre é fácil para a carne. O Senhor nos arranca com força para nos fazer sentir que o pecado é excessivamente amargo. Mas que misericórdia temos aqui! Crente, louve agradecidamente por isso. O Senhor nos livrará dos esquemas astutos do inimigo cruel. Até mesmo se por fraqueza cairmos em pecado, Ele não permitirá que sejamos totalmente arruinados, mas nos tirará de nosso estado perigoso. Embora os pés estejam na rede, se os olhos estiverem em Deus, a misericórdia interferirá certamente.

16 *Olha para mim e tem piedade de mim, porque estou solitário e aflito.*
17 *As ânsias do meu coração se têm multiplicado; tira-me dos meus apertos.*
18 *Olha para a minha aflição e para a minha dor e perdoa todos os meus pecados.*
19 *Olha para os meus inimigos, pois se vão multiplicando e me aborrecem com ódio cruel.*
20 *Guarda a minha alma e livra-me; não me deixes confundido, porquanto confio em ti.*
21 *Guardem-me a sinceridade e a retidão, porquanto espero em ti.*
22 *Redime, ó Deus, a Israel de todas as suas angústias.*

16. Os olhos estavam fixos em Deus, mas o salmista temia que o Senhor, irado, lhe tivesse virado o rosto. A incredulidade sugere por vezes que Deus nos virou as costas. Se sabemos que nos voltamos para Deus, não precisamos temer que Ele se afaste de nós, entretanto clamemos com ousadia: "Olha para mim". A base da disputa sempre está em nós. Quando ela é tirada não há nada que impeça que tenhamos o pleno gozo da comunhão com Deus.

"E tem piedade de mim." Os santos têm de permanecer firmes no fundamento da misericórdia. A despeito de toda experiência, eles não podem ir além da oração do publicano: "Ó Deus, tem misericórdia de mim" (Lc 18.13), "porque estou solitário e aflito". Ele estava só e prostrado. Nos dias da carne, Jesus estava exatamente em tal situação. Ninguém podia entrar nas profundezas secretas das suas tristezas. Por isso, Ele sozinho pisou o lagar (cf. Is 63.3), e consequentemente pode socorrer no mais pleno sentido os que andam no caminho solitário.

Jesus não me guia por lugares mais escuros
Do que Ele já passou
Aquele que entra no reino de Deus
Tem de passar por esta porta

17. *"As ânsias do meu coração se têm multiplicado."* Quando as ânsias tomam conta do coração é realmente angustiante. No caso que estudamos, o coração estava inchado de aflição como um lago sobrecarregado de água por cota de inundações constantes. Esta argumentação é usada como argumento para o livramento, e é força. Quando chega a hora mais escura da noite, sabemos que o amanhecer está perto. Quando o mar está no nível mais baixo, sabemos que a maré tem de vir. Quando as tribulações se multiplicarem atingindo o maior grau, oremos com esperança: "tira-me dos meus apertos".

18. *"Olha para a minha aflição e para a minha dor."* Notemos as muitas provações dos santos. Nos versículos 16 a 18, encontramos não menos que seis termos descritivos de angústias: solitário, aflito, ânsias multiplicadas, apertos, aflição e dor. Mas notemos também o espírito submisso e crente do verdadeiro santo. Tudo que ele pede é: Senhor, olha para a minha situação difícil. Ele não apresenta ou expressa uma reclamação. Um olhar de Deus o contentará. Sendo-lhe isso concedido não pede mais nada. Ainda mais notável é o modo no qual o crente sob aflição descobre a verdadeira fonte de todos os males, pondo o machado à raiz. "perdoa todos os meus pecados", é o grito da alma que está mais doente pelo pecado que pela dor, e tão logo é perdoado, é curado. Bendito é o homem a quem o pecado é mais insuportável que a doença, pois não tardará para o Senhor lhe perdoar a iniquidade e lhe curar a doença. Os homens são lentos em ver a ligação íntima entre pecado e tristeza, pois só o coração ensinado pela graça consegue sentir.

19. *"Olha para os meus inimigos [vê-os, avalia-os, refreia-os, derrota-os], pois se vão multiplicando."* Para vê-los, são necessários os olhos de Argos, e para competir com eles, os braços de Hercules, no entanto o Senhor é mais que poderoso para vencê-los. Os demônios do inferno e os males da terra são todos derrotados quando o Senhor desnuda o braço.

"E me aborrecem com ódio cruel." É característica da semente da serpente odiar. O seu progenitor era alguém que odiava. Por conseguinte, seus filhos têm de imitá-lo. Não há ódio tão cruel quanto o que é irracional e injusto. O homem pode perdoar alguém que o prejudicou, mas aquele a quem ele prejudicou odeia implacavelmente. "Eis que vos envio como ovelhas ao meio de lobos" (Mt 10.16), ainda é a palavra do Mestre para nós.

20. *"Guarda a minha alma [do mal] e livra-me [quando eu cair no mal]."* Esta é outra versão da oração: "E não nos induzas à tentação, mas livra-nos do mal;" (Mt 6.13).

"Não me deixes confundido." Este é o medo que assombrava a mente do salmista. O seu temor era que a fé se tornasse tema de chacota por conta da penúria da sua aflição. O coração nobre suporta qualquer coisa, menos a vergonha. Davi tinha tal espírito cortês, de modo que aturava qualquer tormento para não ser alvo de afronta.

"Porquanto confio em ti." Portanto, o nome de Deus ficaria comprometido se os seus servos fossem desertados. Eis algo que o coração crente não suporta de jeito nenhum.

21. *"Guardem-me a sinceridade e a retidão."* Que melhores proteções práticas o homem pode querer? Se não prosperarmos tendo a sinceridade e a retidão como guias, é melhor padecermos adversidade. Até mesmo o mundo descrente reconhece que "a honestidade é a melhor política". Os herdeiros dos céus tornam a garantia duplamente certa, pois além da retidão da vida pública, eles recrutam o cuidado protetor dos céus na oração secreta: "porquanto espero em ti". Fingir esperar em Deus sem santidade de vida é hipocrisia religiosa. Confiar na própria integridade sem invocar a Deus é ateísmo presunçoso. Talvez a sinceridade e a retidão citadas se referiram aos justos atributos de Deus, nos quais a fé se apoia como garantia de que o Senhor não faltará à Palavra.

22. *"Redime, ó Deus, a Israel de todas as suas angústias."* Esta oração muito abrangente, incluindo todos os crentes e todas as provações. A tristeza ensinara solidariedade ao salmista, e lhe dera comunhão com o povo sofrido de Deus. Ele se lembra deles nas suas orações. Israel, o sofredor, o lutador, o valente conquistador é o representante perfeito de todos os santos. Israel no Egito, no deserto, nas guerras com os cananeus, no cativeiro é o exemplo perfeito da igreja militante na terra. Jesus é o Redentor das angústias como também do pecado. Ele é um Redentor completo que, de todo o mal, salvará todos os santos. A redenção pelo sangue está consumada. Ó Deus, envia-nos a redenção pelo poder. Amém e Amém.

NOTAS EXPLICATIVAS E DECLARAÇÕES IMPORTANTES

O Salmo: Este é o primeiro dos sete Salmos Alfabéticos. Os outros são o Salmo 34, 37, 111, 112, 119 e 145. São exemplos do modo acróstico de escrever que, pelo visto, estava em voga entre os judeus, como confirmam as numerosas ocorrências de tal composição nas suas obras literárias. Outros artifícios poéticos foram igualmente adotados. Temos muitos exemplos de poemas que foram construídos assim, de forma que não era raro um tema de oração ou um sentimento em particular ser expresso pelas letras iniciais dos versículos (ver *Bartolocci*, "Bibliotheca Rabbinica", vol. II, p. 260, onde há exemplos de tais artifícios literários). — *George Phillips, Bacharel em Teologia, "The Psalms in Hebrew with a Commentary" [Os Salmos em Hebraico com um Comentário], 1846*

O Salmo: Este é o primeiro salmo completamente alfabético. [...] Esta é a única lição que o uso da forma alfabética pode ensinar: O Espírito Santo queria lançar as palavras em todas as formas de pensamento e linguagem humana. Seja qual for a engenhosidade que o homem exiba em termos de proeza intelectual, ele deveria consagrar esta ao seu Senhor, tornando-a "o Alfa e o Ômega" dos seus empreendimentos. — *Andrew A. Bonar*

O Salmo: A graça salvadora é o segredo que ninguém sabe senão os eleitos e os eleitos não podem conhecê-la sem iluminação especial: (1) Demonstração especial: "Faze-me saber os teus caminhos, SENHOR", disse Davi (v. 4). (2) Não basta a mera demonstração, pois tem de haver um ensino especial: "ensina-me as tuas veredas" (v.4). (3) O ensino em si também serve, pois tem de haver um ensino inculcador especial: "ensinará o caminho aos pecadores" (v. 8). (4) O ensino inculcador também não realizará o intento, pois tem de haver um ensino diretivo especial: "aos mansos ensinará o seu caminho" (v. 9). (5) O ensino diretivo também não será suficiente, pois tem de haver um ensino manidutivo especial: "Guia-me na tua verdade e ensina-me" (v. 5). (6) O ensino manidutivo não será eficaz, pois tem de haver um ensino especial e seleto, uma determinação da própria vontade, um ensino eletivo: "Ele o ensinará no caminho que deve escolher" (v.12). Que segredo é este? Não é a graça comum, pois este não é o segredo dos eleitos, mas a graça especial e peculiar: (a) A graça especial da oração: "A ti, SENHOR, levanto a minha alma" (v.1). (b) A graça especial da fé: "Deus meu, em ti confio" (v. 2). (c) A graça especial do arrependimento: "Não te lembres dos pecados da minha mocidade nem das minhas transgressões" (v. 7). (d) A graça especial da esperança: "porquanto espero em ti" (v. 21). (e) A graça especial da vida ininterrupta aos olhos de Deus e da sua dependência em Deus: "Os meus olhos estão continuamente no SENHOR" (v. 15). (f) Qual é a raiz de toda bênção e misericórdia especial e eterna de Deus: "Lembra-te, SENHOR, das tuas misericórdias e das tuas benignidades, porque são desde a eternidade" (v.6), até mesmo da misericórdia especial de Deus para ele em particular: "Por amor do teu nome, SENHOR, perdoa a minha iniquidade, pois é grande" (v. 11). — *William Fenner, "Hidden Manna" [Maná Escondido], 1626*

O Salmo: Nestes quatro salmos que ocorrem sequencialmente temos a alma de Davi apresentada em todas as posturas da devoção: deitado, de pé, sentado e de joelho. No Salmo 22, ele está deitado o tempo todo, prostrado de rosto em terra, rebaixado humildemente, quase entrando em desespero. Falando de si mesmo na história de Cristo no mistério: "Deus meu, Deus meu, por que me desamparaste?" (Sl 22.1). No Salmo 23, o salmista está de pé e, pela benevolência de Deus e a despeito dos inimigos, pisoteando e triunfando sobre toda oposição: "O SENHOR é o meu pastor; nada me faltará" (Sl 23.1). No Salmo 24, ele está sentando, como um doutor na cátedra ou um mestre no cargo, fazendo uma conferência sobre teologia e descrevendo o caráter desse homem — como tem de ser perfeito —, "Quem subirá ao monte [...] santo" (Sl 24.3) e daqui por diante será participante da felicidade. No Salmo 25, Davi está de joelho, com as mãos e a voz levantadas a Deus. O salmo todo gira em torno destas duas articulações: uma é a súplica sincera pela misericórdia de Deus, a outra o lamento humilde do sofrimento do salmista. — *Thomas Fuller*

v. 1: "A ti, Senhor, levanto a minha alma". O levantamento do coração pressupõe o abatimento anterior da alma. A alma do homem pressionada pelos pecados e cuidados deste mundo, os quais, como os chumbos fazem com a rede, a puxem para baixo. Não podem subir até que Deus envie orações espirituais, as quais, como as cortiças fazem com a rede, ajudam a alma subir. Essas orações surgem da fé, como as labaredas saem do fogo, e devem ser livres dos cuidados seculares e de todas as coisas que puxam para baixo. Isso nos mostra que o mundanismo não pode orar mais que uma toupeira pode voar. Mas os cristãos são como águias que se movem para cima. Vendo, então, que o coração do homem é por natureza fixo nas coisas da terra, ele de si mesmo não pode subir mais que uma pedra que está no chão, até que Deus a levante pelo seu poder, Palavra e obreiros. A nossa principal petição ao Senhor deve ser que se agrade em nos puxar para que corramos após Ele. Que Deus se agrade em exaltar e levantar os nossos corações ao céu, para que eles não fiquem atolados no lamaçal desta terra. — *Archibald Symson*

v. 1: "A ti, Senhor, levanto a minha alma". O homem piedoso ora como um construtor. O construtor coloca primeiramente a fundação. Pelo fato de não poder ter terminado em um dia, ele vem no segundo dia e encontra a estrutura do jeito que deixou. E conclui o segundo dia de trabalho. Depois, vem no terceiro dia e encontra a obra feita dos dois primeiros dias. Passa, então, a fazer o terceiro dia de trabalho e levanta as paredes. Continua assim até que a construção termine. Deste modo, a oração é a construção da alma até alcançar o céu. O coração piedoso ora, avança cada vez mais alto em oração até que, por fim, as orações cheguem a Deus. — *William Fenner*

v. 1: "A ti, Senhor, levanto a minha alma". "A ti", na plenitude dos teus méritos. "A ti", nas riquezas da tua graça. "A ti", nos abraços do teu amor e nas consolações do teu Espírito. "A ti", para que os teus espinhos sejam a minha coroa, o teu sangue o meu bálsamo, a tua maldição a minha bênção, a tua morte a minha vida, a tua cruz o meu triunfo. Assim, a minha "vida está escondida com Cristo em Deus" (Cl 3.3). Neste caso, onde estaria a minha alma senão onde está a minha vida? Por isso, "a ti, Senhor, levanto a minha alma". [...] Demonstra o teu nome, Senhor, para mim. Como Senhor, repreende Satanás e retém todos os afetos terrenos e carnais para que eles não ousem sussurrar uma tentação à minha alma, sequer uma distração aos meus pensamentos, enquanto estou em comunhão contigo, em oração em tua ordenação santa. Tu, como Senhor, reina em mim por meio da tua graça, governa-me pelo teu Espírito, defende-me pelo teu poder e coroa-me com a tua salvação. Tu, Senhor, o guarda dos céus e da terra, "abres a mão e satisfazes os desejos de todos os viventes" (Sl 145.16). Abre, agora, as tuas mãos, o teu seio, a tua generosidade, o teu amor e satisfaze os desejos da minha alma ardente, a qual aqui "a ti [...] levanto". — *Robert Mossom, 1657*

v. 1: "A ti, Senhor, levanto a minha alma". Cipriano, nos tempos primitivos, disse que o ministro tinha o hábito de preparar a mente das pessoas à oração, prefaciando: *Sursum corda*, que significa "levantai os vossos corações". Até hoje, os judeus escrevem nas paredes das sinagogas estas palavras: *Tephillah belo cavannah ceguph belo neshamah*, que quer dizer, "a oração sem a intenção do sentimento é como o corpo sem alma". Contudo, a sua devoção é mera aparência, disse alguém — uma cabeça sem cérebro e um corpo sem alma: "Este povo se aproxima de mim e, com a boca e com os lábios, me honra, mas o seu coração se afasta para longe de mim" (Is 29.13). O homem carnal tão pouco pode levantar o coração em oração quanto uma toupeira pode voar. Davi acha essa tarefa difícil, visto que o coração é pesado e, naturalmente, puxa para baixo, como o contrapeso do relógio, como o chumbo da rede. Desembaracemo-nos "de todo peso e do pecado que tenazmente nos assedia" (Hb 12.1, ARA) e oremos a Deus para que nos puxe para Ele, como a pedra-ímã atrai o ferro. — *John Trapp*

v. 1: "A ti, Senhor, levanto a minha alma". Estas palavras são uma consequência natural do sublime apelo que há no salmo precedente para que as portas dos céus levantassem as cabeças para receber a Cristo, o Senhor dos Exércitos e o Rei da glória, que estava subindo aos céus. Como expressa a pequena Oração que se diz no dia da Ascensão: "Concede, ó Senhor, que como cremos que o teu Filho Unigênito, o nosso Senhor Jesus, ascendeu aos céus, assim também possamos ascender no coração e na mente". E no domingo depois da Ascensão: "Ó Deus, que exaltaste o teu único Filho com grande triunfo ao teu reino nos céus, envia o teu Espírito Santo para nos consolar e nos exaltar ao mesmo lugar, para onde o nosso Salvador Cristo foi". — *Christopher Wordsworth, in loc.*

v. 1: "A ti, Senhor, levanto a minha alma", aludindo aos sacrifícios que eram comuns serem levantados. Por conseguinte, dizemos que as orações não respondidas, não aceitas, param de subir (Lm 3.44). Quando encontramos tais expressões no Antigo Testamento relativas à oração, ainda temos de entendê-las que são alusões aos sacrifícios, porque os sacrifícios eram levantados e subiam. — *Joseph Caryl*

v. 1: "A minha alma". Mas como direi que a alma é minha, vendo que é tua por tê-la comprado com o teu sangue? Não é o teu cônjuge com quem tu te casaste pelo teu Espírito mediante a fé? Este sacramento santo não são as bodas do casamento? Neste caso, com certeza, meu Jesus, eu estava perdido em mim mesmo até ser encontrado em ti. Portanto, a minha alma é agora, e somente agora, verdadeiramente minha, sendo completamente tua, de forma que posso dizer com confiança: "A ti, Senhor, levanto a minha alma". — *Robert Mossom*

vv. 2 e 3: Davi orou: "Deus meu, em ti confio; não me deixes confundido". No versículo seguinte, como que ciente de que as orações eram muito restritivas, tacanhas e mesquinhas, ele amplia os limites e os edifica em uma base mais larga: "Na verdade, não serão confundidos os que esperam em ti". É essa caridade no meio de nossas devoções religiosas que têm de ter *rehoboth* (espaço suficiente para discorrer em detalhes). As nossas petições não devem estar contidas ou limitadas ao nosso bem particular, mas estendidas ao benefício de todos os servos de Deus, seja qual for a situação em que estejam. —*Thomas Fuller*

v. 3: "Na verdade, não serão confundidos os que esperam em ti". Quer dizer, nem pelas decepções deles, nem pelas minhas. Certos estudiosos acrescentariam este último quesito, porque se o salmista abandonasse as suas esperanças, seria um grande desestímulo para os outros. — *Arthur Jackson, Mestre em Ciências Humanas, 1593-1666*

v. 3: "Confundidos serão os que transgridem sem causa". Todas as pessoas que transgridem, o fazem, de certo modo, sem causa, visto que não podem desculpar ou justificar a conduta. Deus é tão amável e excelente em toda parte do seu grande nome, que merece a nossa reverência e amor constantes. A sua Lei é tão santa, justa, boa, e todos os seus preceitos relativos a todas as coisas são tão justas e calculadas para nos fazer feliz, que a boca dos transgressores se cala. Por conseguinte, todos devemos ser cobertos de vergonha, se tratados de acordo com o que merecemos, pois todos pecamos. Mas, visto que Deus prometeu ser misericordioso com os que verdadeiramente se arrependem e sinceramente creem no Evangelho, a vergonha será a porção daqueles que acintosamente persistem na maldade e recusam-se a voltar-se para Deus por Jesus Cristo. Estas são as pessoas de quem o salmista fala que transgrediram sem causa, e indubitavelmente estas não têm pretexto para o pecado. — *William Richardson, 1825*

v. 3: "confundidos serão os que transgridem sem causa". Seja a vergonha enviada ao dono certo, aos que negociam deslealmente, sem provocação da minha parte. E assim foi, pois Aitofel se enforcou e Absalão ficou enroscado pela mão de Deus e foi morto por Joabe. As pessoas que junto com ele conspiraram, umas pereceram pela espada e outras fugiram de casa com muita vergonha do que fizeram. Este é o poder da oração! O que os santos não podem pedir? — *John Trapp*

vv. 4 e 5: "Faze-me saber os teus caminhos, Senhor". Há os "caminhos" dos homens e os "caminhos" de Deus, os "caminhos" do pecado e os "caminhos" da justiça. Há "os teus caminhos" e há os meus caminhos. Teus são os caminhos da verdade, meus são os caminhos do erro. Os teus são bons aos teus olhos e os meus são bons aos meus olhos. Os teus são caminhos que levam ao céu, os meus são caminhos que levam ao inferno. Portanto, "Faze-me saber os teus caminhos, Senhor; ensina-me as tuas veredas", para que eu não confunda os meus caminhos com os teus. "Guia-me na tua verdade", para que eu não transforme os teus caminhos em meus: "Faze-me saber os teus caminhos, Senhor [pelo ministério da tua palavra]; ensina-me as tuas veredas [pela orientação do teu Espírito]. Guia-me na tua verdade [pela ajuda da tua graça]". — *Robert Mossom*

vv. 4 e 5 e 9: Faça o que você sabe e Deus o ensinará o que fazer. Faça o que você sabe que é o seu dever hoje, e Deus o instruirá no seu dever futuro à medida que Ele se tornar presente. Assume a responsabilidade de evitar as omissões conhecidas, e Deus o guardará de comissões temidas. Esta regra é de suma importância. Por isso, a entrego por meio da Escritura expressa. "Faze-me saber os teus caminhos, Senhor", ou seja, os caminhos nos quais não posso errar. "ensina-me as tuas veredas" (v. 4), ou seja, o caminho estreito que é muito comumente desconhecido, os mandamentos que são muito rígidos e difíceis. "Guia-me na tua verdade e ensina-me", ou seja, ensina-me claramente para que eu não seja enganado.

"Ensina-me" para que eu não só conheça a tua vontade, mas a faça. Esta é a oração, mas que razões Davi tinha para esperar ser ouvido? "pois tu és o Deus da minha salvação", ou seja, tu, Senhor, me salvarás, portanto, tu não recusas ensinar-me. "por ti estou esperando todo o dia" (v. 5), ou seja, o dia inteiro e diariamente. Os versículos seguintes expressam outros argumentos, mas qual é a resposta? "Guiará os mansos retamente; e aos mansos ensinará o seu caminho" (v. 9), ou seja, aqueles que submetem o pescoço ao jugo do Senhor, aqueles que não são arrogantes em pensar que podem guiar a si mesmos. Em assuntos necessários, grandes e importantes eles não errarão. — *Samuel Annesley, Doutor em Teologia, (1620-1696), "Morning Exercises at Cripplegate" [Exercícios Matinais em Cripplegate]*

v. 5: "Guia-me na tua verdade e ensina-me". A alma que é insaciável na oração, prossegue, aproxima-se de Deus, ganha algo, estimula o coração cada vez mais. É como o filho que vê que a mãe tem uma maçã na mão e, querendo comê-la, puxará a mão da mãe. Ela abre um dedo, mas ainda a segura. Ele puxa novamente e ela abre outro dedo, ainda segurando-a. Ele puxa mais uma vez, e não deixará de puxar e chorar até ganhá-la da mãe. Assim o filho de Deus, vendo que todas as graças estão em Deus, aproxima-se do trono da graça para pedi-las, e, pelas orações fiéis e fervorosas, ele abre para si as mãos do Senhor. Deus, agindo como pai aos filhos, segura as graças por algum tempo. Não é que Deus não as queira dar, mas deseja que os filhos sejam mais determinados e cuidadosos; e que eles se aproximem mais dEle. — *William Fenner*

v. 5: "Por ti estou esperando todo o dia". Temos de esperar todo o dia. (1) Embora seja um dia longo e fiquemos esperando por muito tempo, quase totalmente fora de nossos cálculos. Embora, tendo já esperado muito tempo, tenhamos de esperar muito mais, e recebamos a ordem, como deu o servo do profeta, de ir mais sete vezes (1 Rs 18.43) para percebermos a vinda do menor sinal de misericórdia. [...] (2) Embora seja um dia escuro, esperemos em Deus "todo o dia". Embora sejamos mantidos na espera que Deus fará, somos mantidos no escuro no que tange ao que Ele está fazendo e ao que é melhor para nós fazermos, estejamos contentes em esperar no escuro. Embora não vejamos os nossos sinais, não há ninguém para nos falar quanto tempo, decidamos esperar, por tanto tempo que for. Embora agora não saibamos o que Deus está fazendo, depois saberemos quando o mistério de Deus se revelar. [...] (3) Embora seja um dia tempestuoso, temos de esperar em Deus "todo o dia". Somos não apenas acalmados e retidos, mas o vento também nos é contrário e nos empurra para trás. Embora esteja tumultuoso e a igreja seja acossada com tempestades, prestes a afundar, temos de esperar pelo melhor, tendo de aguentar a tempestade pela paciência. Há certo consolo em saber que Jesus está no barco. A causa da igreja é a causa de Cristo, Ele a desposou e a possuirá. Ele está no mesmo barco com o seu povo. Então, por que você está com medo? [...]

"Por ti estou esperando." Esperar por Deus: (1) É viver uma vida de desejo para com Deus. Esperar por Ele como o mendigo espera pelo benfeitor, com o desejo ardente de receber um benefício. É semelhante aos doentes e feridos que junto ao tanque de Betesda esperavam pela agitação das águas, e ficavam nos pórticos desejando serem ajudados a entrar no tanque para serem curados. [...] (2) É viver uma vida de prazer em Deus, como o amado espera pela amada. Desejo é amor em movimento, como o pássaro em pleno voo. Prazer é amor em repouso, como o pássaro que está pousado. Levando em conta que este tem de ser o nosso desejo para com o Pai, de forma a desejarmos mais de Deus, o nosso prazer tem de ser nEle para que desejemos somente a Deus. [...] (3) É viver uma vida de dependência em Deus, como o filho espera pelo pai, em quem tem confiança e sobre quem lança todos os cuidados. Esperar em Deus é esperar que dEle nos venha todo o bem, na função de trabalhador de todo o bem para nós e em nós, de doador de todo o bem para nós e de protetor nosso de todos os males. Assim Davi se explica: "Ó minha alma, espera somente em Deus, [e continua fazendo assim], porque dele vem a minha esperança" (Sl 62.5). [...] (4) É viver uma vida de devoção a Deus, como o servo espera pelo seu senhor, pronto para satisfazer-lhe os desejos e realizar o seu trabalho, em tudo consultando a sua honra e interesse. Esperar em Deus é de forma completa e sem reservas recorrer às suas orientações e disposições sábias e santas, e alegremente consentir com elas, obedecendo-as. O servo que espera pelo seu senhor, não faz as coisas como quer, mas segue o senhor passo a passo. Assim temos de esperar em Deus como aqueles que não têm vontade própria, mas que estão plenamente decididos a fazer-lhe a vontade. — *Condensado de Matthew Henry, "Communion with God" (Comunhão com Deus)*

v. 5: "Por ti estou esperando todo o dia". "por ti", cujas mãos generosas, cujo peito amoroso, cujas entranhas misericordiosas não apenas se abriram, mas aumentaram para todos os penitentes humildes. "por ti estou esperando." Estou esperando ouvir a voz secreta do teu Espírito, falando de paz à minha consciência. Estou esperando sentir o vigor da tua graça, impulsionando a minha obediência. Estou esperando ver o poder dominante do teu Espírito Santo que subjuga o meu pecado rebelde. Estou esperando sentir a virtude confortadora das tuas consolações divinas, refrigerando-me a alma angustiada. Estou esperando por todas estas bênçãos, pois "tu és o Deus da minha salvação; por ti estou esperando todo o dia", ficando satisfeito com a tua bondade, mas não a ponto de não desejar a tua satisfação divina com mais avidez. Refrigera agora os meus desânimos, não extingas os meus desejos. Quanto mais livremente deres, mais avidamente desejarei. Quanto mais doce for a tua misericórdia, mais ávidos serão os meus desejos para que a minha vida na terra seja um anseio ininterrupto do companheirismo e comunhão eterna contigo no céu. Por isso, me deixa esperando, mesmo que leve a vida inteira, "todo o dia". — *Robert Mossom*

v. 6: "Das tuas misericórdias". Como um clamor profundo invoca outro! A profundidade das minhas misérias multiplicadas invoca, clama em voz alta, a profundidade das tuas múltiplas misericórdias. Até mesmo a misericórdia por meio da qual tu perdoaste os meus pecados e curaste as minhas enfermidades. A misericórdia por meio da qual tu me santificaste pela tua graça e me consolaste pelo teu Espírito. A misericórdia por meio da qual tu me livraste do inferno e me recebeste no céu. "Lembra-te, Senhor, das tuas misericórdias", as tuas misericórdias que "são desde a eternidade." — *Robert Mossom*

v. 6: "Das tuas misericórdias e das tuas benignidades, porque são desde a eternidade [ou desde a antiguidade]". A antiguidade do amor divino deve levar o nosso coração a ter uma estima mais profunda e sincera do amor. Peças de antiguidade, embora de material comum e de pouca serventia ou valor, são preciosas para os entendidos! Como as pessoas são cuidadosas em conservar escrituras antigas, ainda que contenham privilégios temporários e sejam, às vezes, de importância trivial! A grande Escritura do céu, muito mais velha que o mundo, deve ser mantida em lembrança perpétua, pois as suas palavras nos são muito preciosas. Ao nos deitar e ao nos levantar, todos os dias e o dia todo ela nos acompanha! [...] AquEle que é desde a eternidade será até a eternidade. Se a raiz é eterna, assim são os ramos. [...] O amor divino é uma fonte eterna que nunca acaba enquanto houver um vaso vazio ou lugar para encher mais. Mantém-se aberta a todos que chegam a ela. Portanto, vinde todos. Se vós não tendes o suficiente, ide e pedi vasos emprestados, vasos vazios, não poucos, pagai a vossa dívida e vivei do resto (2 Rs 4.3,7) até a eternidade. — *Elisha Coles, "God's Sovereignty" [A Soberania de Deus], 1678*

v. 7: "Não te lembres dos pecados da minha mocidade nem das minhas transgressões". Em primeiro lugar, considerando que Davi começara a cometer pecados não só recentemente, mas que viera amontoando por muito tempo pecado sobre pecado, ele se curva, por assim dizer, sob o peso da carga. Em segundo lugar, o salmista dá a entender que se Deus o tratasse de acordo com o rigor da Lei, não só os pecados de ontem ou de alguns dias entrariam em julgamento contra ele, mas todas as vezes que pecara contando até mesmo desde a infância, seriam agora com justiça apresentadas contra ele. Todas as vezes que Deus nos aterrorizar com os seus julgamentos e símbolos da sua ira, lembremo-nos não só dos pecados cometidos recentemente, mas também de todas as transgressões cometidas em nossos primeiros anos, que nos mostram a razão de sentirmos vergonha de novo e de chorarmos de novo. — *João Calvino*

v. 7: "Não te lembres dos pecados da minha mocidade". À primeira vista, temos a impressão de ser uma oração supérflua de Davi. É que podemos e devemos presumir que, tendo ele há muito implorado o perdão pelos pecados cometidos em sua juventude, Deus o concedera e que, tendo-lhe concedido, jamais o revogara. Que necessidade tinha agora de apresentar esta petição por perdão de pecados antigos — pecados há muito cometidos por ele e há muito perdoados por Deus? A esta objeção, formo uma resposta dividida em quatro partes.

Em primeiro lugar, embora não haja dúvida de que há muito Davi se arrependera verdadeiramente dos pecados cometidos na mocidade, ele tinha consciência de que se Deus fosse rigoroso em marcar o que fora feito erradamente, ainda que tivesse se arrependido, pecara naquilo que se arrependeu.

Em segundo lugar, embora Deus perdoara os pecados de Davi a ponto de livrá-lo da punição eterna, ele não o dispensara das aflições temporais que possivelmente o pressionavam neste momento. Por isso, ele ora neste salmo para que sejam removidas ou abrandadas. O sentido das palavras seria este: "Não te lembres dos pecados da minha mocidade", ou seja, Senhor, alivia e suavize as aflições que estão em mim nesta minha velhice, justamente infligidas em mim pelos pecados que cometi quando jovem.

Em terceiro lugar, o perdão de Deus pelos pecados do passado sempre são concedidos com esta condição, para que dali em diante a parte perdoada esteja presa ao bom comportamento. Se houver um deslize, ela merece no rigor da justiça perder o benefício do perdão. Davi foi posteriormente culpado na grande transgressão referente a Bate-Seba e Urias, fato que pode na severidade da justiça ter feito com que todos os pecados cometidos na mocidade fossem castigados mais uma vez.

Em quarto e último lugar, considerando que Davi certamente foi perdoado dos pecados da mocidade, os servos de Deus podem orar pelas bênçãos que estão em posse, não para obterem o que já têm — isso é desnecessário —, mas para manterem o que obtiveram — isso é necessário. Deus se agrada muito de tais orações dos santos, e as interpreta como louvores a Ele. Então, as palavras: "Não te lembres dos pecados da minha mocidade", têm este efeito: bendita seja a tua bondade preciosa que me perdoou os pecados da mocidade. — *Thomas Fuller*

v. 7: "Não te lembres dos pecados da minha mocidade". Davi, depois que foi chamado pelo poder da Palavra, clamou: "[Deus,] não te lembres dos pecados da minha mocidade", os quais embaraçavam e arranhavam a consciência do salmista, os pecados da mocidade cometidos antes da chamada. Amado, os pecados da sua mocidade, embora sejam convertidos como Jó, eles trarão grande inquietação e muito horror quando envelhecer. Os desejos da mocidade, as vaidades da juventude e os prazeres sensuais dos dias da mocidade porão uma fundação de tristeza, quando os seus cabelos ficarem grisalhos. "Os seus ossos estão cheios do vigor da sua juventude, mas deitar-se-ão com ele no pó" (Jó 20.11). — *Christopher Love, 1654*

v. 7: "Não te lembres dos pecados da minha mocidade". Não levem os pecados da minha mocidade a castigar-me ou vingar-se de mim. Quando se trata de homens, quando eles se lembram do agravo sofrido, procuram vingar-se de quem o cometeu. — *William Greenhill*

v. 7: "Não te lembres dos pecados da minha mocidade". Não é bom e seguro estar em desacordo com o "ancião de dias" (cf. Dn 7.9). — *John Trapp*

v. 7: "Dos pecados da minha mocidade". Antes de irmos ao ponto principal, temos de tirar do texto o impedimento de duas objeções. A primeira objeção é esta: De acordo com certos estudiosos, é muito improvável que Davi ainda tivesse algum pecado da mocidade, se considerarmos importantes fatos que pautaram esse período da sua vida.

Em primeiro lugar, a pobreza. Lemos que o seu pai Jessé foi tomado por homem velho, não lemos que ele foi tomado por homem rico. É provável que os sete filhos constituíssem a parte principal da sua riqueza.

Em segundo lugar, o trabalho. Davi, embora, o caçula, não era o filho querido, mas aquele que fazia os trabalhos mais difíceis. Ainda muito jovem, foi enviado pelo pai para apascentar as ovelhas. Foi onde aprendeu inocência e simplicidade com as ovelhas que cuidava.

Em terceiro lugar, a devoção: "Tu és a minha esperança, Senhor Deus; tu és a minha confiança desde a minha mocidade" (Sl 71.5). E no versículo 17 do mesmo salmo: "Ensinaste-me, ó Deus, desde a minha mocidade". Desde pequeno, Davi começou a ser bom, um jovem santo, não tendo mau gênio. E ainda mais, ele estava constantemente na fornalha da aflição: "Estou aflito e prestes a morrer, desde a minha mocidade; quando sofro os teus terrores, fico perturbado" (Sl 88.15). A pergunta então será esta: Como a água podia ficar contaminada já que era purificada diariamente? Como o aço podia formar ferrugem já que era polido todos os dias? Como a alma de Davi podia ficar coberta de fuligem pelos pecados da mocidade já que era constantemente polido pelo sofrimento? A resposta é fácil. Levando em conta que Davi era na maior parte um homem segundo o coração de Deus (a melhor cópia da melhor cópia), ele, especialmente na mocidade, teve faltas, fraquezas, pecados e transgressões. As Escrituras não mencionam nenhum grande pecado cometido na mocidade, e o assunto com Bate-Seba foi corretamente atribuído à velhice de Davi. Não deduzirei que o salmista fosse devasso por conta da aparência ruiva. É dedução tão ofensiva dizer que todos os bonitos são maus, tanto quanto é consequência falsa e lisonjeira dizer que todos os feios são honestos. Podemos, então, deduzir que Davi era culpado de libertinagem por ter tantas esposas e concubinas? Mas o que estou a ponto de fazer? Não esperem que descreva os seus pecados, quando ele mesmo não sabia dizer quais eram: "Quem pode entender os próprios erros?" Ou como posso saber quais eram os pecados de Davi, visto que ele mesmo confessa que lhe eram desconhecidos? "Expurga-me tu dos que me são ocultos" (Sl 19.12). Mas para silenciar a nossa curiosidade, que diga a nossa consciência: Se a mocidade de Davi, que foi pobre, trabalhosa e piedosa era culpada de pecados, o que diremos daqueles cuja educação é rica, devassa e ímpia? E informo que os demais agem com vergonha, tristeza e silêncio na consciência de todo homem. — Thomas Fuller

v. 7: "Dos pecados da minha mocidade". Dois discípulos idosos, um deles de oitenta e sete anos, conversavam. Perguntou o mais novo ao amigo peregrino: "Quanto tempo faz que você se interessa pelas coisas espirituais"? "Cinquenta anos", foi a resposta. "Você já se arrependeu de ter começado ainda jovem a dedicar-se às coisas espirituais?" "Não!", disse ele, e lágrimas escorreram-lhe pelas bochechas enrugadas. "Eu choro quando penso nos pecados da minha juventude. É do que me arrependo hoje". — K. Arvine, "Cyclopaedia of Moral and Religious Anecdotes" (Enciclopédia de Historietas Morais e Religiosas), 1859

v. 7: "Segundo a tua misericórdia", não a minha, porque eu abandonei as misericórdias que tu me fizeste minhas (Jn 2.8; Sl 59.10,17), sendo cruel comigo mesmo pelo meu pecado, por desconfiança da tua promessa e na suposição da tua misericórdia. Seja "por tua bondade", não pela minha, pois "em mim, isto é, na minha carne, não habita bem algum" (Rm 7.18). Seja a tua bondade o motivo, e a tua misericórdia a regra de toda essa graça e de todas essas bênçãos que tu concedes para a minha alma. — Robert Mossom

v. 7: "Segundo a tua misericórdia". Moisés foi o primeiro que citou esta expressão afortunada: "Segundo a tua misericórdia" (Êx 34.6,7; desconheço se foi usada por mais outro homem), quer dizer, de acordo com a misericórdia infinita que está no teu coração e natureza. Davi a usou em seguida (Sl 25.7), e no grande caso do seu pecado e adultério: "Apaga as minhas transgressões, segundo a multidão das tuas misericórdias" (Sl 51.1). Considerando que ele precisava de todas as misericórdias em Deus, confessou o pecado da sua natureza e recorreu às misericórdias da natureza de Deus. Mas é o Salmo 25.7 que escolho. Ele não se contenta só com esta expressão: "segundo a tua misericórdia", mas acrescenta outra frase: "por tua bondade". Sobre esta coerência, Simon de Muis observa: "Bom e reto é o Senhor" (v. 8), para que ele se centralize na sua natureza. Tu tens uma natureza misericordiosa. Trata comigo de acordo com ela e por meio dela: "segundo a tua misericórdia" e "por tua bondade". A meditação desse atributo era o fundamento da sua fé e oração. Quando o fez, ele se referiu a Moisés: "Por amor do teu nome, Senhor, perdoa a minha iniquidade, pois é grande" (v. 11). Ele alude ao nome proclamado por Moisés anteriormente (Êx 34.6,7). Mas você dirá: Como as expressões "segundo a tua misericórdia", "por tua bondade" e "por amor do teu nome" indicam igualmente "por ele mesmo", "por amor a ele"? Como elas envolvem a divindade? Olhe Isaías 43.25: "Eu, eu mesmo, sou o que apaga as tuas transgressões por amor de mim", quer dizer, por mim. Veja também Isaías 48.11: "Por amor de mim, por amor de mim, o farei", onde a expressão ocorre duas vezes no mesmo versículo. Aquilo que é "segundo a tua misericórdia" em um texto é "Por amor de mim" em outro. Note que Sou Eu, Eu mesmo, como Eu Sou Deus, que o faço. O que é isso, senão "Senhor, Senhor, Deus misericordioso"? — *Thomas Goodwin*

v. 8: "Bom e reto é o Senhor; pelo que ensinará o caminho aos pecadores". Levando em conta que a eleição é o efeito da soberania de Deus, o nosso perdão o fruto da sua misericórdia, o nosso conhecimento o fluxo da sua sabedoria, a nossa força a impressão do seu poder, a nossa pureza é a viga da sua santidade. Como a retidão da criatura na primeira criação foi o efeito da santidade divina, assim a pureza da criatura pela nova criação é o esboço da mesma perfeição. Ele é chamado o Santo de Israel mais vezes em Isaías que no profeta evangélico, ao erigir Sião e formar um povo para si mesmo, que na Bíblia inteira. — *Stephen Charnock*

v. 8: "Bom e reto é o Senhor; pelo que ensinará o caminho aos pecadores". Não será o Senhor, que é bom, benevolente com os seus inimigos tanto quanto Ele exige que sejamos com os nossos? Está na Lei: "Se encontrares o boi do teu inimigo ou o seu jumento, desgarrado, sem falta lho reconduzirás" (Êx 23.4). Deus nos reconhece como pecadores, e todos os pecadores são em si seus inimigos. Ele nos encontra vagando como animais sem entendimento. O quê? Deus não nos levará a Ele, o único proprietário, pelo direito primeiro de criação e pelo direito mais firme de redenção? — *Robert Mossom*

v. 9: "Guiará os mansos retamente", ou os pobres (isto é, de espírito), Ele fará andar em julgamento, caminhar corretamente, agir sensatamente, comportar-se sabiamente, como Davi (1 Sm 24), de forma que Saul o temeu. A consciência natural não pode senão inclinar-se à imagem de Deus, brilhando no coração e na vida dos verdadeiramente justos. — *John Trapp*

v. 9: "Guiará os mansos retamente". Eles foram feitos mansos, ou seja, desejosos de serem ensinados e orando para o serem. Mas, sentindo a indignidade, eles temem que Deus não os ensine. Isso pode acontecer com os outros pecadores, mas não com eles. Por isso, são informados de que esperem o ensino, e que até mesmo o desejem e orem por ele. — *John Berridge, 1716-1793*

v. 9: "Guiará os mansos retamente". Jamais esta mansidão é encontrada no homem, até que o coração, que é naturalmente soberbo e cheio de orgulho, seja humilhado e subjugado. Considerando que a palavra hebraica denota os mansos, ou pobres, ou aflitos, e é empregada em sentido metafórico para conotar os submissos e humildes, é provável que Davi, com este termo, inclua as aflições que servem para conter e subjugar a petulância da carne, como também a graça da própria humildade. É como se o salmista tivesse dito: Quando Deus primeiro os humilha, então bondosamente estende a mão para eles, conduzindo-os e guiando-os ao longo do curso da vida. — *João Calvino v. 9:* "Guiará os mansos retamente". O orgulho e a ira não tem lugar na escola de Cristo. O próprio Mestre é "manso e humilde de coração" (Mt 11.29). Muito mais, seguramente, devem os discípulos seguirem o seu exemplo. Aquele que não tem senso da própria ignorância, não pode ter desejo ou capacidade de conhecimento, quer humano ou divino. — *George Horne*

v. 9: "e aos mansos ensinará o seu caminho". O Senhor ensinará aos mansos ou humildes os segredos. Ele não ensinará aos estudiosos orgulhosos. — *Thomas Goodwin*

v. 9: "e aos mansos ensinará o seu caminho". Os mansos prostram-se aos pés do Senhor e dizem: "Fala, porque o teu servo ouve" (1 Sm 3.10), pois têm coração flexível, tenro, tratável e receptivo ao ensino, de forma que um menino pequeno pode guiá-los (Is 11.6). Austin era assim. Disse ele: "Aqui estou, um velho, pronto a aprender de um jovem, meu assistente de ministério, que acaba de iniciar sua carreira ministerial". — *John Trapp*

v. 10: "Todas as veredas do Senhor". A palavra אָרְחוֹת (*'ārḥôt*) significa as trilhas ou sulcos feitos pelas rodas dos carros por passarem muitas vezes no mesmo lugar. A misericórdia e a verdade são as veredas, os caminhos nos quais Deus constantemente anda em relação aos filhos dos homens. E tantas vezes lhes mostra misericórdia, e tantas vezes cumpre com a verdade que os seus caminhos são facilmente discerníveis. Como são frequentes, como têm propósitos profundos e como são multiplicadas essas trilhas para toda família e cada pessoa! Onde quer que vamos, notamos que a misericórdia e a verdade de Deus passaram por ali pelos rastos fundos que deixaram. Mas Ele é infinitamente mais misericordioso para com os que guardam o concerto e os testemunhos, ou seja, para os que são conformados não só à letra, mas também ao espírito da verdadeira religião. — *Adam Clarke*

v. 10: "Todas as veredas do Senhor são misericórdia e verdade". Como a sua natureza é amor e verdade, assim todas as suas veredas são misericórdia e verdade. É misericórdia em relação a querer o nosso bem, e verdade em relação a cumprir as promessas e comportamento fiel a nós. Tudo que acontece, embora seja claramente contrário ao que você esperava, interprete em amor. Muitas ações dos homens são tais a ponto de não se poder dar uma interpretação boa, nem se fazer algo construtivo a respeito. Os intérpretes restringem essas declarações de amor, que o amor acredita em tudo, quer dizer, *credibilia*, que "todas as coisas são acreditáveis", de outra forma pôr tudo na caridade, dilapida a caridade. Mas nenhuma das veredas de Deus é assim, pois o amor e a fé podem escolher um significado bom destas veredas. *A bono Deo nil nisi bonum*, que significa "de um Deus bom só vem o que é bom". Diz Jó: "Ainda que ele me mate, nele esperarei" (Jó 13.15). Se esforce em descobrir algum propósito que Ele tenha para o bem presente, mas, se nada conjetural ocorrer, apele à fé e faça o melhor que puder. — *Thomas Goodwin*

v. 10: "para aqueles que guardam o seu concerto e os seus testemunhos". Para estes, Ele nunca está fora da vereda da misericórdia. — *Thomas Goodwin*

v. 11: "Por amor do teu nome, Senhor, perdoa a minha iniquidade, pois é grande". Não posso fazer melhor que citar um dos belos textos do grande e aclamado Antonio Vieira, que lhe deu o caráter de grande pregador da sua época: "Confesso, meu Deus, que é assim, que todos somos pecadores no mais elevado grau". Faz parte da pregação feita em um período de jejum na ocasião em que os holandeses ameaçavam acabar com o domínio português no Brasil. "Mas tão longe estou de considerar que isto é razão para eu interromper com a minha petição, que vejo nisso argumento novo e convincente que pode influenciar a tua bondade. Tudo que já disse não se baseia em outro fundamento senão a glória e honra do teu nome santíssimo. *Propter Nomen tuum.* E que motivo posso dar mais glorioso a esse mesmo Nome que o motivo de os nossos pecados serem muitos e grandes? 'Por amor do teu nome, SENHOR, perdoa a minha iniquidade, pois é grande.' Peço, disse Davi, que perdoes não os pecados de todos os dias, mas os grandes e numerosos pecados: *multum est enim*. Ó motivo digno! Ó consequência que só pode ter força quando se relaciona com a bondade suprema! Desta forma, para obter o perdão dos pecados, o pecador alega a Deus que eles são muitos e grandes. Verdadeiramente é assim. Não por amor do pecador nem por amor do pecado, mas por amor da honra e glória de Deus. Essa glória, quanto maiores e numerosos forem os pecados que Ele perdoa, tanto mais ela se enobrece e se exalta. O próprio Davi distingue na misericórdia de Deus a grandeza e a multidão. A grandeza: *secundum magnam misericordiam tuam*, a multidão: *el secundum multitudinem miserationum tuarum*. E como a grandeza da misericórdia divina é imensa, e a multidão da sua bondade infinita, e tanto mais que o imenso não pode ser medido, nem o infinito contado, para que um e o outro possa de certa maneira ter um material proporcional de glória, é necessário para a própria grandeza da misericórdia que os pecados a serem perdoados sejam grandes e necessários para a própria multidão da bondade que sejam muitos. *Multum est enim*. Tenho razão, então, ó Senhor, para não ficar consternado, porque os nossos pecados são muitos e grandes. Não tenho também razão para exigir de ti a razão de tu não te apressares em perdoá-los?" — *Antonio Vieira, citado por John Mason Neale*

v. 11: "Por amor do teu nome, SENHOR, perdoa a minha iniquidade". É noção muito comum por "nome" entender a honra e a glória. Quando Deus diz para Davi: "Fiz para ti um grande nome, como o nome dos grandes que há na terra" (2 Sm 7.9), quando a igreja diz para Deus: "Assim te adquiriste nome, como hoje se vê", é manifesto que por *nome* se, quer dizer, *glória*. Pertinente a isto é que, em hebraico, os homens famosos são chamados de אַנְשֵׁי הַשֵּׁם (Gn 6.4), e em latim, *viri nominum*, que significa "homens de nome", em cujo sentido o poeta o adornou com este título: *Magnum et memorabile nomen*, ou seja, "grande e memorável nome". Quando Deus perdoa o pecado, o faz por amor do seu nome, ou seja, para a sua honra e glória. A própria glória de Deus é o fim último de todas as suas ações. Como Deus é o primeiro, assim Ele é o último — o motivo principal e a causa final. Nem há algo feito por Ele que não seja para Ele. O fim das nossas ações deve ser a glória de Deus, porque o nosso ser e agir são dEle. Mas o fim da sua obra é a sua própria glória. Entre todas as obras divinas, não há nenhuma que mais mostre a sua glória que o perdão. O pecado, cometendo-o, traz muito desonra a Deus. Perdoando-o, Deus levanta para si muita honra. É glória do homem, e muito mais de Deus, "passar sobre a transgressão" (Pv 19.11). Como os atos do poder, assim os atos da graça são excelentemente honoráveis. Os atributos da graça, misericórdia, bondade e clemência de Deus não brilham tanto quanto o perdão de pecados. Paulo fala das riquezas da benignidade que assistem à paciência de Deus (cf. Rm 2.4). Quanto tem de ser maiores as riquezas no perdão! Deus assim ordena o caminho do perdão, que não apenas a glória da sua misericórdia, mas também a justiça da sua sabedoria na mistura maravilhosa de ambas seja muito ilustre. *Nomen quasi notamen, quia notificat*, que significa, "o nome é aquilo que se faz conhecido". Pelo perdão dos pecados, Deus faz conhecido os seus atributos escolhidos e gloriosos. Para este propósito é que Ele o concede. Trata-se de uma consideração que pode ser nossa consolação. Levando em conta que Deus perdoa o pecado por amor do seu nome, Ele estará pronto a perdoar muitos pecados. Quanto mais e maiores forem os nossos pecados, maior é o perdão. Por conseguinte, maior é a glória de Deus. Davi, neste aspecto do nome e da glória de Deus, torna a grandeza da sua iniquidade um motivo para o perdão. Sair cometendo pecados medonhos para que Deus se glorifique perdoando-os, é uma audácia odiosa. Mas esperar que os pecados medonhos que cometemos podem e serão perdoados por Deus, estando nós verdadeiramente arrependidos, por amor do seu nome, é uma expectativa bem fundamentada e pode sustentar o nosso espírito contra as mais fortes tentações ao desespero. — *Nathanael Hardy*

v. 11: "Perdoa a minha iniquidade, pois é grande". Ele apela para a grandeza e não para a pequenez do seu pecado. Ele reforça a oração com esta consideração: que os seus pecados são muito odiosos. Mas como podia ele tornar esta consideração um argumento a favor do perdão? Respondo: Porque quanto maior fosse a iniquidade, mais ele precisaria de perdão. É como se o salmista tivesse dito: Perdoa a minha iniquidade, pois é tão grande que não posso suportar o castigo. O meu pecado é tão grande que estou em necessidade de perdão. O meu caso ficará extremamente ruim, a menos que tu te agrades em perdoar-me. Ele faz uso da grandeza do seu pecado para reforçar o apelo por perdão, como o homem faria uso da grandeza da calamidade para implorar alívio. Quando o mendigo pede pão, alega pobreza e miséria. Quando o homem em agonia clama por piedade, que argumento mais adequado pode usar que a penúria do seu caso? Deus aceita tal argumento como este, porque Ele é movido a ser misericordioso conosco por nada mais, nada menos que a desgraça do nosso caso. Ele não tem pena dos pecadores, porque mereçam, mas porque precisam da piedade divina. [...] Nisso se fundamenta em grande parte a glória da graça pela redenção de Cristo, ou seja, em sua suficiência para o perdão dos maiores pecadores. O principal plano do caminho da salvação é para este fim: glorificar a graça de Deus. Desde toda a eternidade, Deus teve no coração o propósito de glorificar este atributo. Foi quando concebeu a salvação aos pecadores por meio de Cristo. A grandeza da graça divina surge no fato de Deus por intermédio de Cristo salvar os maiores pecadores. Quanto maior a culpa do pecador, mais gloriosa e maravilhosa é a graça manifestada no perdão: "Veio, porém, a lei para que a ofensa abundasse; mas, onde o pecado abundou, superabundou a graça" (Rm 5.20). O apóstolo, ao contar que grande pecador fora, chama a atenção para a abundância da graça no perdão, do qual a sua grande culpa foi o motivo: "A mim, que, dantes, fui blasfemo, e perseguidor, e opressor; mas alcancei misericórdia, porque o fiz ignorantemente, na incredulidade. E a graça de nosso Senhor superabundou com a fé e o amor que há em Jesus Cristo" (1 Tm 1.13,14). O Redentor é glorificado no que diz respeito a mostrar-se apto para redimir aqueles que são excessivos pecadores e ao seu sangue ser eficaz para tirar as maiores culpas. Ele também é glorificado no poder de salvar até o último homem, redimindo-o ainda que da maior miséria e desgraça. É a glória de Cristo salvar os maiores pecadores, quando eles o buscam, assim como é a honra do médico curar as doenças e feridas mais mortais. Não há dúvida de que Jesus se prontificará a salvar os maiores pecadores, se eles o buscarem, porque Ele não será relutante em glorificar a si mesmo e recomendar o valor e virtude do seu sangue. Tendo em vista que Jesus se dispôs a resgatar os pecadores, não deixará de mostrar que pode resgatar até o último deles. — *Jonathan Edwards*

v. 11: "Perdoa a minha iniquidade, pois é grande". O homem é miserável? O seu estado de miséria é grande? São sofrimentos espirituais e temporais? Indubitavelmente, se essa situação o humilhar, vendo-se indigno de misericórdia, ainda assim há a certeza da indulgência. Embora haja males espirituais, quando o homem se vê miserável e perdido, quanto mais pesada lhe for a iniquidade, maior lhe será a esperança da misericórdia. A misericórdia do Senhor está sobre todas as suas obras, portanto Ele é muito mais misericordioso àqueles. Se o homem tem o sentimento das suas misérias e indignidade, então pode usar este argumento em busca de misericórdia: A minha situação miserável é grande. Assim como Davi fez: "Tem misericórdia de mim, ó Senhor, e perdoa a minha iniquidade, pois é grande". Quanto mais os homens percebem que são miseráveis, mais adequados são para Deus mostrar-lhes misericórdia. Foi o que aconteceu com o publicano e com o filho pródigo. Portanto, nunca duvide, ainda que as suas iniquidades sejam extremamente grandes, há um mar de misericórdia em Deus. Bernardo observa bem a diferença entre justiça e misericórdia. A justiça requer que haja merecimento, mas a misericórdia olha para aqueles que são miseráveis. E, continua Bernardo, a verdadeira misericórdia afeta a triste miséria. A misericórdia não se apoia na investigação judicial, mas se alegra em achar meios de se mostrar. — *Richard Stock*

v. 11: "A minha iniquidade [...] é grande". Aqueles que vão a Deus para receber o perdão dos pecados, veem-se como grandes pecados: "perdoa a minha iniquidade, pois é grande". No original hebraico, a palavra significa "muitos" e "grandes". "Os meus pecados são grandes e muitos." Pecados muito grandes estão sobre mim. Perdoa-os, Senhor. [...] No início deste ponto principal, mostrarei por que aqueles que buscam da maneira certa o perdão consideram os seus pecados como grandes pecados.

Os pecadores que vão a Deus para serem perdoados consideram os seus pecados como grandes: (1) Porque os pecados foram cometidos contra um grande Deus — grande em poder, grande em justiça e grande em santidade. Sou verme e ainda peco, e peco ousadamente contra um Deus grandíssimo. O fato de um verme levantar-se contra um Deus grande e infinito torna todo pecado pequeno grande, exigindo grande vingança de tão grande Deus. (2) Porque os pecadores pecaram contra a grande tolerância, menosprezando a benignidade, a paciência e longanimidade de Deus, que se chama "entesouramento de ira" (Rm 2.4,5). [...] (3) Porque os pecados foram cometidos contra a grande misericórdia. Contra quantas misericórdias e bondades os pecadores pecam, transformando todas as misericórdias de Deus em pecado? [...] (4) Porque os pecadores pecaram contra a grande luz — a luz da consciência. Isso aumenta o pecado excessivamente, sobretudo para os que estão em meio aos recursos do Evangelho. Este é verdadeiramente o pecado de todos nesta nação, não havendo nada mais humilhante para a alma — nada que torne mais difícil crer no perdão, quando humilhada desta maneira. [...] (5) Porque os pecadores se converteram muito tarde na vida (Sl 68.21). Acrescentei pecado sobre pecado, diz uma pobre alma, desperdiçando o tempo seleto da minha mocidade em pecado, quando poderia ter adquirido o conhecimento de Jesus Cristo e honrado a Deus. Este pensamento está perto das palavras de Davi como mostra o versículo 7: "Não te lembres dos pecados da minha mocidade". Contudo, não encontramos provas de que a mocidade de Davi fosse notoriamente pecadora. Mas levando em conta que ele não passou a mocidade adquirindo conhecimento e servindo ao Senhor inteiramente, foi o seu fardo e lamento diante de Deus. Muito maior é o fardo e lamento aqueles cuja mocidade foi gasta em nada mais que vaidade, vulgaridade, mentira, xingamento, jogo, ócio, baderna e coisas semelhantes. Quando Deus lhes tocar a consciência, sentirão dor e vergonha na alma. [...]

(6) Porque multidões de pecados fizeram Davi clamar pela multidão das misericórdias (Sl 51.1; 40.12). [...] (7) Porque era contra o propósito e resolução que eles tinham de abandonar tais e tais pecados. Contudo, todo propósito e resolução foi quebrado, às vezes, contra votos solenes, às vezes, contra orações. [...] (8) Porque o pecado estava reinando: "O pecado reinou na morte" (Rm 5.21). Diz o humilhado e pobre pecador: Eu não só cometi pecados, mas era servo e escravo do pecado. [...] (9) Porque a fonte torna os pecados grandes. É como se diz, há mais água na fonte que nos lagos e rios. [...] Como ocorre na natureza, assim se dá no coração, o qual, como fonte, contém mais que nas manifestações do homem exterior. [...] (10) Porque foram levados cativos pelo Diabo, a cuja vontade estão presos. [...] (11) Porque grande é a ira de Deus contra o pecado (Rm 2.5). (12) Porque foi grande o preço e resgate pagos para a salvação dos seus pecados, ou seja, o preço do sangue do

eterno Filho de Deus. [...] (13) E por último, porque, tendo em vista que os pecadores atraíram e tentaram outros a pecarem com eles, sobretudo quando viveram com mais liberdade e futilidade, este fato pesa duramente em suas pobres almas depois que foram convencidos do pecado. — *Anthony Palmer (1678), "The Gospel New-creature" [A Nova Criatura do Evangelho]*

v. 11: "Por amor do teu nome, Senhor, perdoa a minha iniquidade, pois é grande". Não alego, Senhor, os meus méritos, visto que sou menos que a menor das tuas misericórdias. Já que não olho os meus méritos, assim não vejas o meu demérito. Não me vejo digno, portanto não vejas a minha indignidade. Tu que és chamado o Deus das misericórdias, sejas para comigo o que tu és chamado. Confirma a glória do teu nome sendo misericordioso com a minha iniquidade, sobre a qual não posso dizer como disse Ló de Zoar: "Não é pequena?" (Gn 19.20). Não, é grande, pois é contra ti, tão grande e tão bom Deus para mim. É grande, pois o meu lugar, a minha chamada, o meu ofício é grande. Quanto mais alto o sol está, menor parece. Mas acerca dos meus pecados, quanto mais sou pecador, maiores são, aos teus olhos e aos olhos dos outros. — *Robert Mossom*

v. 11: Alegamos a grandeza dos nossos pecados não para nos afastar da misericórdia, mas para prevalecer nela: "Perdoa a minha iniquidade". Por quê? "Pois é grande." "Sara a minha alma, porque pequei contra ti" (Sl 41.4). "Opera tu por amor do teu nome; porque as nossas rebeldias se multiplicaram; contra ti pecamos" (Jr 14.7). Este é um forte argumento, quando sinceramente feito por um espírito humilde e arrependido. Este procedimento glorifica a Deus como aquEle que é abundante em bondade e rico em misericórdia — alguém com quem o perdão e a redenção são fartos. Isso honra Jesus como infinito em misericórdia. Por conseguinte, também o próprio Senhor, quando se levanta para escolher atos de misericórdia para com o seu pobre povo, primeiro agrava-lhes os pecados ao máximo para depois expressar o ato real da graça por eles. É o que diz Isaías 43.22-25: "Tu não me invocaste a mim, ó Jacó, mas te cansaste de mim, ó Israel. Não [...] me honraste com os teus sacrifícios; [...] mas me deste trabalho com os teus pecados e me cansaste com as tuas maldades. Eu, eu mesmo, sou o que apaga as tuas transgressões por amor de mim e dos teus pecados não me lembro". —*Thomas Cobbet, 1608-1686*

v. 11: "Por amor do teu nome, Senhor, perdoa a minha iniquidade, pois é grande". O faraó disse: "Tire de mim estas rãs imundas e estes trovões terríveis!" (cf. Êx 8.8; 9.28). Mas o que disse o Davi santo? "Senhor, tira a iniquidade do seu servo!" Um ficou livre do castigo, do efeito do pecado, o outro do pecado, da causa do castigo. É bem verdade que o verdadeiro cristão se preocupa mais com o pecado que com rãs e trovões. Ele vê mais imundície no pecado que em rãs e sapos, mais horror do em trovões e raios. — *Jeremiah Dyke, "Worthy Communicant" [O Comungante Digno], 1645*

v. 11: "Por amor do teu nome, Senhor, perdoa a minha iniquidade, pois é grande". Faraó lamentou mais os duros golpes que recebia que o duro coração que tinha. Esaú não chorou porque vendeu o direito de primogenitura, que foi o seu pecado, mas porque perdeu a bênção, que foi o seu castigo. É como chorar quando cortamos cebola. Os olhos derramam lágrimas porque ardem. O marinheiro lança o carregamento do navio ao mar durante a tempestade, do qual ele corteja o retorno quando os ventos abrandam. Muitos lamentam mais as tristezas para as quais nascem, que os pecados com que nasceram. Tremem mais da vingança do pecado que do veneno do pecado. Um os deleita, o outro os assusta. — *William Secker*

vv. 12 e 13: "Qual é o homem que teme ao Senhor?" Bem-aventurado é aquele que: (1) Tem o conhecimento sagrado da vontade de Jesus: "Ele o ensinará no caminho que deve escolher". (2) Tem a paz silenciosa de uma boa consciência: "A sua alma pousará no bem".(3) Tem o consolo presente de uma progênie esperançosa: "e a sua descendência herdará a terra". — *Robert Mossom*

v. 12: "Qual é o homem que teme ao Senhor?" Não há nada tão eficaz para retermos que a graça de sempre nos achar diante de Deus. Você será feliz se o seu coração se encher de três temores: O temor da graça recebida, o temor maior da graça perdida, o temor maior ainda da recuperação da graça. — *Bernardo*

v. 12: "o homem que teme ao Senhor". O temor de hoje gera a segurança do amanhã. Temei a Deus, o qual é sobre todos, não precisareis temer homem algum. — *Agostinho*

v. 12: "Ele o ensinará no caminho que deve escolher", ou seja, o caminho que o homem bom escolherá. Deus o dirigirá em todos os procedimentos para que faça uma escolha boa e lhe dará bom êxito. Isso não está no poder do homem fazer (Jr 10.23). — *John Trapp*

v. 13: "A sua alma pousará no bem, e a sua descendência herdará a terra". O temor santo de Deus acabará com todos os receios dos homens, assim como a serpente de Moisés devorou todas as serpentes dos magos. O temor de Deus causa este bom efeito, fazendo com que as outras coisas não sejam temidas. Desta forma, a alma que teme ao Senhor pousa no bem tanto quanto na bondade, na paz tanto quanto na paciência até que este momento do tempo seja engolido pela plenitude da eternidade, e ele mude a pousada terrena pela mansão divina, e a paz espiritual pela bem-aventurança perpétua. — *Robert Mossom*

v. 13: "A sua alma pousará no bem". Ou, segundo diz a Vulgata Latina: "A sua alma permanecerá nas coisas boas" (cf. "na prosperidade repousará a sua alma", ARA). É o oposto da alma de Adão que, tendo possuído as delícias do paraíso, permaneceu nessas coisas boas apenas alguns dias ou horas. — *Gerhohus, citado por John Mason Neale*

v. 13: "A sua alma pousará no bem". O salmista expressa com grande suavidade a delícia espiritual, quando diz: "A sua alma permanecerá nas coisas boas" (Vulgata). Tudo que é carnalmente doce gera, sem dúvida, um prazer por estar desfrutando-o. Porém, não permanece por muito tempo, porque, ainda que o gosto abra o apetite, pela sua passagem engana o desejo. Mas as delícias espirituais, que não passam quando são experimentadas, nem diminuem quando refrigeram, nem empanturram quando saciam permanecem para sempre com quem as possua. — *Hugo Victorinus (1130), citado por John Mason Neale*

v. 13: "A sua alma pousará no bem". No recebimento dos dons de Deus, eles não os consomem avidamente sem sentir a doçura, mas realmente os apreciam. Desta forma, a menor competência é mais eficaz em satisfazê-los que a maior abundância é em satisfazer os descrentes. Na medida em que o homem está satisfeito com a sua condição e alegremente aprecia um espírito de paciência e tranquilidade, dizemos que a sua alma pousa no bem. — *João Calvino*

v. 13: "Aterra", a saber, Canaã, que foi prometida e dada como penhor da aliança da graça e de todas as suas promessas, estando, por sinédoque, no lugar de todas estas. O sentido é este: a sua semente será abençoada. — *Matthew Pool*

v. 14: "O segredo do Senhor é para os que o temem; e ele lhes fará saber o seu concerto". É o justo que é o amigo de Deus. É a ele que Deus se une em uma convivência de amor. É a ele que Deus revela o seu segredo, contando-lhe que sofrimentos e tormentos reserva para os que, pela maldade, progridem no mundo. O Senhor não odeia mais os ímpios que ama os justos. Se Ele se mantém longe dos rebeldes, por lhe serem uma abominação, o seu maior segredo será para os justos, como seus mais queridos amigos. É uma honra para aquele a quem um segredo lhe é confiado, e uma honra maior para aquele a quem o Rei confia o seu segredo. Mas como é honrado aquele a quem Deus confia o seu segredo? Onde está o segredo de Deus, ali está o seu coração e ali está Ele mesmo. Assim foi o seu segredo com João, sobre quem Bernardo disse, por ocasião do começo de seu Evangelho: "Não te parece que ele mergulhou nas entranhas da Palavra divina e, dos segredos do seu interior, extraiu uma essência sagrada de sabedoria oculta?" Assim foi o segredo divino com Paulo, que disse: "Mas falamos a sabedoria de Deus, oculta em mistério, a qual Deus ordenou antes dos séculos para nossa glória; a qual nenhum dos príncipes deste mundo conheceu" (1 Co 2.7,8). Quanto ao segredo de Deus, Gregório aceita como consta no latim vulgar: *sermocinatio Dei*, "a comunicação de Deus é com o justo". Mas depois acrescenta: *Dei sermocinari est per illustrationem suae praesentiae humanis mentibus arcana revelare*, "a comunicação de Deus é, pelo esboço da sua presença, para revelar os segredos à mente dos homens". Todavia para considerarmos as palavras um tanto quanto mais geralmente, não há menos segredo na religião que há em qualquer outro comércio ou profissão. Muitos têm um ofício ou ocupação profissional, mas não prosperam, porque lhes faltam o segredo e mistério dessa atividade. Muitos professam a religião, mas são poucos melhores do que isso, porque carecem do verdadeiro segredo. Ele o tem com quem Deus está em segredo no seu coração. Aquele que é justo no segredo, onde nenhum homem o vê, esse é o justo com quem está o segredo do Senhor. — *Michael Jermin, Doutor em Teologia, 1591-1659*

v. 14: "O segredo do Senhor é para os que o temem; e ele lhes fará saber o seu concerto". Há um sentido vital no qual "o homem natural não compreende as coisas do Espírito de Deus" (1 Co 2.14), e no qual todas as realidades da experiência cristã lhe estão totalmente ocultas da percepção. Falar com ele sobre a comunhão com Deus, o sentido do perdão, a expectativa viva do céu, o testemunho do Espírito Santo, as lutas da vida espiritual seria como debater com um cego sobre cores ou com um surdo sobre harmonia musical. — *John Morison*

v. 14: "O segredo do Senhor é para os que o temem; e ele lhes fará saber o seu concerto". Embora o concerto do Senhor com a igreja visível esteja em vigor e clara a todos os homens em todos os artigos, é um mistério saber a doce comunhão que a alma pode ter com Deus em virtude desta aliança. O homem que teme a Deus saberá este mistério, quando só os que fazem a aliança na letra permanecem ignorantes. Esta promessa é feita apenas para os tementes a Deus — para eles o Senhor "lhes fará saber o seu concerto". — *David Dickson*

v. 14: "O segredo do Senhor é para os que o temem". O Evangelho, embora proclamado por todo o mundo, é intitulado um mistério — um mistério oculto, pois ninguém o conhece senão os santos que são ensinados por Deus e são seus aprendizes (Jo 6.45). Este texto mostra que deve haver um ensinamento secreto dado por Deus e um aprendizado secreto: "Se é que o tendes ouvido e nele fostes ensinados" (Ef 4.21). Deus só ensina os santos, pois todos que são ensinados vão a Ele: "Portanto, todo aquele que do Pai ouviu e aprendeu vem a mim" (Jo 6.45). Mas você dirá: Muitos homens carnais não conhecem o Evangelho? E não discorrem das coisas que nele há por força do estudo ou por outro motivo? Respondo com o texto sagrado de Colossenses 1.26,27. Ainda que conheçam as coisas que o Evangelho revela, desconhecem as riquezas da glória, que é o rico conhecimento falado na Palavra que eles querem e não conhecem. É como um menino e um joalheiro que olham uma pérola, ambos vendo-a e identificando-a pelo mesmo nome. Mas o menino ainda não conhece a pérola no que tange a valor e riqueza como conhece o joalheiro. Desta forma, não podemos dizer que o menino conheça a pérola. Em Mateus 13.45, o cristão é comparado a um mercador que acha uma pérola de grande preço, ou seja, descobrindo que era valiosa, ele vende tudo que tem por ela, porque conhece o valor que tem. Mas você dirá: Os homens carnais não conhecem o valor das coisas do Evangelho? Não podem eles discorrer da rica graça de Cristo e do seu valor? Respondo que sim, da mesma forma que alguém que conhece um estoque de cor e os preços de cada item, mas nunca foi levado ao cofre e tesouro para ver todas as joias, o vestiário da graça e a justiça de Cristo, contemplando-lhes a glória, pois todas estas coisas "se discernem espiritualmente", como diz expressamente o apóstolo em 1 Coríntios 2.14. — *Thomas Goodwin*

v. 14: "O segredo do SENHOR é para os que o temem". A verdade e sinceridade de Deus para o seu povo se mostram na franqueza e simplicidade do seu coração por eles. O amigo que é fechado e reservado, merecidamente entra na nuvem dos pensamentos do amigo. Mas aquele que leva, por assim dizer, uma janela de cristal no peito, pela qual o amigo lê que pensamentos estão sendo escritos no coração, livra-se da menor suspeita de infidelidade.

Verdadeiramente assim tem Deus o coração aberto para os santos: "O segredo do SENHOR é para os que o temem". Ele nos dá a chave para termos acesso ao seu coração e conhecermos pessoalmente como os seus pensamentos são, sim, como eram para conosco antes que a pedra de fundação fosse posta no mundo, que é exatamente o seu Espírito, que conhece "as profundezas de Deus" (1 Co 2.10,11), porque Deus estava à mesa do conselho no céu onde tudo foi deliberado. Este, o seu Espírito, Deus empregou para apresentar e publicar nas Escrituras, escritas por Ele, a essência dessas deliberações de amor que passara entre as pessoas da trindade para a nossa salvação. E, para que nada faltasse para a nossa satisfação, Ele designou que o mesmo Espírito Santo habitasse nos santos. Assim, como Cristo no céu apresenta os nossos desejos, assim Ele pode interpretar a sua mente pela sua Palavra para nós. A Palavra responde o coração de Deus como o rosto reflete o rosto no espelho. — *William Gurnall*

v. 14: "O segredo do SENHOR". Este segredo é chamado de segredo de três maneiras.

(1) Segredo para os olhos da natureza somente. Este não é significado, pois assim a graça de Cristo é segredo somente para os descrentes e para quem são cegos como eles. Os cristãos comuns conhecem o segredo, a saber, a aparência do segredo. (2) Segredo para os olhos da natureza ensinada. Este também não é o significado, pois assim a graça de Cristo é segredo apenas para o tipo ignorante de cristãos. Muitos pregadores carnais que fazem parte de um bom ministério conhecem o segredo, a saber, o aspecto do segredo.

(3) Segredo para os olhos da natureza iluminada. Este é o significado, pois assim a graça de Cristo é segredo para todos os que não são santificados, quer cultos ou não, a saber, o âmago do segredo. Embora mestres importantes, estudiosos sagazes e ministros intensamente versados não convertidos conheçam a doutrina da graça e a verdade da graça, debatam a graça e discorram sobre a glória da graça, experimentem um pouco da boa Palavra da graça e entendam a graça de modo geral tão bem quanto Paulo e Pedro, como Judas entendeu, o conhecimento especial e espiritual, no que concerne à sua iluminação dogmática, é segredo para eles. — *William Fenner*

v. 14: "e ele lhes fará saber o seu concerto". O verbo foi traduzido no tempo futuro, porque se pensa que o infinitivo foi posto no tempo futuro do indicativo, como ocorre em Eclesiastes 3.14,15,18; e em Oseias 9.13; 12.3. "Ele lhes fará saber o seu concerto", ou seja, Deus fará com que o entendam claramente, tanto os deveres ou termos quanto as bênçãos ou privilégios. Nada disso os descrentes entendem corretamente. Ou Deus lhes fará saber o concerto por experiência ou por torná-lo bom para eles, visto que Deus, pelo contrário, ameaça fazer os descrentes saberem a quebra da promessa (Nm 14.34). Ou Deus se comprometeu pela promessa ou pelo concerto para lhes fazer saber o seu segredo. Em outras palavras, o Senhor manifestará a sua Palavra ou o seu favor por eles. — *Matthew Pool*

v. 14: "O segredo do Senhor é para os que o temem; e ele lhes fará saber o seu concerto". Não é o ensinamento nem o esforço que mostra os segredos de Deus, os Arcana imperii: "Os mistérios do Reino dos céus" (Mt 13.11); "a mente de Cristo" (1 Co 2.16). Estas coisas vêm por revelação e não pelo discurso da razão, devendo ser obtidas pela oração. Aqueles que diligentemente o buscam farão parte do seu conselho de ministros, saberão os segredos da sua alma e serão aceitos a uma familiaridade e amizade preciosa: "Já vos não chamarei servos, porque o servo não sabe o que faz o seu senhor, mas tenho-vos chamado amigos, porque tudo quanto ouvi de meu Pai vos tenho feito conhecer" (Jo 15.15). — *John Trapp*

v. 14: Andar com Deus é a melhor maneira de conhecer a mente de Deus. Amigos que andam juntos dividem segredos mútuos: "O segredo do Senhor é para os que o temem". Noé andava com Deus, e o Senhor lhe revelou um grande segredo: a destruição do mundo antigo e o salvamento dele pela arca. Abraão andava com Deus, e o Senhor o tornou um dos integrantes do seu conselho particular: "Ocultarei eu a Abraão o que faço" (Gn 18.17; 24.40). Deus, às vezes, docemente se revela para a alma na oração e na santa ceia, como Jesus se fez conhecido aos discípulos no partir do pão (Lc 24.35). — *Thomas Watson*

v. 15: "Os meus olhos estão continuamente no Senhor". Embora não o vejamos por razão de nossa atual distância e escuridão, temos de olhar para Ele, ao lugar onde a glória habita, como aqueles que desejam conhecer a Deus e à sua vontade, e dirigem tudo para a glória dEle como alvo ao miramos com todo empenho, "quer presentes, quer ausentes, para lhe sermos agradáveis" (2 Co 5.9, ARA). — *Matthew Henry*

v. 15: "Os meus olhos". Levando em conta que o sentido da visão é muito ágil e exerce influência total sobre o corpo, não é incomum para termos todos os afetos conotados pelo vocábulo "olhos". — *João Calvino*

v. 15: "pois ele tirará os meus pés da rede". Uma pomba infeliz, cujos pés ficaram presos na armadilha do caçador, é excelente símbolo da alma, emaranhada pelos cuidados ou prazeres do mundo. Disso ela deseja, pelo poder da graça, voar e achar descanso com o seu Redentor glorificado. — *George Horne*

v. 17: "As ânsias do meu coração se têm multiplicado". Não fique o homem bom surpreso porque a aflição lhe é grande demais e de caráter incompreensível. Sempre foi assim com o povo de Deus. O caminho para o céu está encharcado de lágrimas e sangue dos santos. — *William S. Plumer*

v. 17: "tira-me dos meus apertos". Não podemos reclamar de Deus, mas podemos reclamar para Deus. Com submissão à sua Santa vontade podemos clamar fervorosamente por ajuda e livramento. — *William S. Plumer*

v. 18: "Olha para a minha aflição e para a minha dor e perdoa todos os meus pecados". Observemos que doenças e enfermidades físicas vêm do pecado e são fruto do pecado. Alguns estão fracos, outros estão doentes "por causa disso" (1 Co 11.30). Não preciso me aprofundar muito nesta questão, pois a prova está disposta em capítulos inteiros, como em Deuteronômio 28.27 em diante, e em muitos salmos, como o Salmo 107. É por causa da doença da alma que Deus visita com a doença do corpo. Ele objetiva a cura da alma com o toque do corpo. Neste caso, quando Deus nos visitar com doença, pensemos que a nossa lida é mais no céu com Deus que com homens ou remédios.

Comecemos primeiro com a alma. Davi, até que acertasse as coisas francamente com Deus, sem nenhum tipo de segundas intenções e confessasse os pecados, ele urrava. O seu humor se tornou em sequidão de estio. Mas quando tratou direta e claramente com Deus, confessando os pecados, Deus o perdoou e lhe curou o corpo também (Sl 32.4,5). O melhor a fazermos quando Deus nos visita dessa maneira, é pensar que temos de lidar com Ele. Comece a cura por aí, com a alma. Quando Deus visita o corpo, é por causa da alma: "Por causa disso, há entre vós muitos fracos e doentes" (1 Co 11.30). — *Richard Sibbes*

v. 18: "Olha para a minha aflição e para a minha dor". Quando estiveres fisicamente fraco, confia em Jesus, pois Ele é tão poderoso e está tão pronto para nos ajudar agora quanto era e estava para ajudar as pessoas nos dias da sua carne. Todas as coisas nos são possíveis se crermos. Basta uma palavra para Deus repreender todas as tempestades e tormentas. Não façamos como Asa, confiando somente nos médicos ou em expedientes secundários, mas nos conscientizemos de que todos os recursos medicinais não valem nada sem Ele (2 Cr 16.12). Portanto, tendo tais recursos, corramos para Jesus para que Ele opere através deles, e venhamos a reconhecer que virtude e força vêm por Ele para abençoar ou amaldiçoar todo tipo de recurso. — *Richard Sibbes*

v. 19: "Olha para os meus inimigos, pois se vão multiplicando e me aborrecem com ódio cruel". Olhar para os inimigos com outro tipo de olhar, como quando Deus, pela coluna de fogo, olhou para os egípcios e os confundiu com um olhar de ira e vingança (Êx 14.24). Os argumentos usados aqui foram tirados tanto da quantidade quanto da qualidade dos inimigos — o número e a natureza —, "pois se vão multiplicando". O coração do povo de Israel pendia, em geral, para Absalão (2 Sm 15.12,13).

Os inimigos espirituais do povo do Senhor são muitos: pecados e depravações, Satanás e seus principados e potestades, e os homens deste mundo. "E me aborrecem com ódio cruel", como o ódio de Simeão e Levi (Gn 49.7). Esse ódio se deflagrou de maneira cruel, em atos de força e brutalidade. Era o mais cruel, tendo em vista que era sem causa. Tamanho é o ódio de Satanás e dos seus emissários contra os seguidores de Cristo, que respiram crueldade, têm sede de sangue e se embriagam com isso. Até mesmo as suas ternas misericórdias são cruéis, o que dizer do ódio. — *John Gill*

v. 19: "Olha para os meus inimigos". Deus não precisa acossar os animais para castigar o homem, pois usa os próprios homens para isso. Não há criatura tão danosa a si mesma quanto o homem. Há animais que ferem outras espécies e poupam a própria, mas o ser humano em todos os tipos de dano destrói a si mesmo.

Homem contra homem é mais astucioso que a raposa, mais cruel que o tigre e mais feroz que o leão. Em uma palavra, se ele for deixado à vontade, o homem contra homem é um demônio. — *William Struther, "Christian Observations" [Observações Cristãs], 1629*

vv. 19 a 20: "Olha para os meus inimigos. [...] Guarda a minha alma e livra-me". Sobre a concupiscência original, fortalecida e realçada pelas transgressões habituais, podemos dizer que o seu nome é legião, pois são muitas. Como a Hidra de Lerna, é um corpo com muitas cabeças.

Quando se corta uma cabeça, que tremenda impiedade, eis que brota outra de natureza monstruosa, como culpa venenosa. Provém do útero o pecado original e o costume pecador, como proveio da barriga do cavalo de Troia um exército completo de concupiscências imundas para cercar a alma com todas as suas faculdades e o corpo também com todos os seus membros. — *Robert Mossom*

v. 20: "não me deixes confundido, porquanto confio em ti". Quando Davi alcança este versículo, lembramos de Coriolano que se dirigiu ao átrio do rei Attius Tullus, onde se sentou como um estranho desamparado, pedindo a hospitalidade do rei, embora estivesse ciente de que merecia morrer às suas mãos. O salmista se lança nas compaixões de um Deus ferido com sentimentos semelhantes: "porquanto confio em ti". — *Andrew A. Bonar*

v. 21: "porquanto espero [ou confio] em ti". Tendo em vista que a manutenção é uma criação continuada, assim a espera é uma confiança continuada, pois o que confia crê pela fé, espera pela esperança. Assim, a confiança é uma combinação de ambas. — *Robert Mossom*

v. 22: "Redime, ó Deus, a Israel de todas as suas angústias". Se tu não tiveres piedade e não me ajudares, pelo menos poupa o teu povo que sofre por amor de mim e em meus sofrimentos. — *Matthew Pool*

v. 22: "Redime, ó Deus, a Israel de todas as suas angústias". O rabino David escreveu: *In vita vel post mortem meam*, que significa, "ou enquanto eu vivo ou depois da minha morte". Este é o cuidado e a oração de todo homem bom. Ninguém passa a orar pela igreja que não tenha primeiro feito a paz com Deus. — *John Trapp*

v. 22: Este mais belo dos "salmos, e hinos, e cânticos espirituais" (Ef 5.19) se encerra com uma súplica doce. Trata-se de um pedido que cada um que faz parte do verdadeiro Israel de Deus deseja pronunciar com a própria boca: "Redime, ó Deus, a Israel de todas as suas angústias". O enunciado sai junto com a mesma exalação santa do idoso Simeão: "Agora, Senhor, podes despedir em paz o teu servo, segundo a tua palavra" (Lc 2.29). — *Barton Bouchier*

SUGESTÕES PARA OS PREGADORES

v. 1. Maquinário celestial para levantar a alma que está presa a terra.

v. 1. Devoção genuína descrita e recomendada.

v. 2. A alma ancorada e as duas rochas das quais seria liberta.

v. 3. Confusão fora de lugar e no lugar certo.

v. 4. (1) A divindade prática é o melhor ensino. (2) Deus é o melhor professor. (3) A oração é o modo de entrar na escola.

v. 4 e 5. Três classes na escola da graça: (1) "Faze-me saber". (2) "Ensina-me". (3) "Guia-me".

v. 5. (1) Santificação desejada. (2) Conhecimento buscado. (3) Garantia desfrutada. (4) Paciência exercida.

v. 5. "tu és o Deus da minha salvação." Um texto rico e transbordante.

v. 5. "por ti estou esperando todo o dia." Como passar o dia com Deus. — *Matthew Henry*

v. 6. A eternidade da misericórdia.

vv. 6 e 7. Três coisas relacionadas a lembrar-se.

v. 7. "Não te lembres dos pecados." A melhor anistia geral. — *Thomas Fuller*

v. 7. Esquecimento desejado e lembrança pedida. Repare em "minha" e "tua".

v. 8. Atributos opostos trabalhando juntos. Deus ensinando os pecadores — uma grande maravilha.

v. 9. "aos mansos": (1) Quem são? (2) Quais são os seus privilégios? (3) Como ser como eles?

v. 9. "Guiará os mansos retamente." A pureza moral necessária para um julgamento bem equilibrado.

v. 10. A misericórdia e a verdade de Deus na providência. As pessoas que disso podem obter consolo.

v. 11. Uma oração-modelo: (1) Confissão. (2) Argumento. (3) Petição.

v. 11. A grande culpa não é obstáculo para o perdão do pecador que volta. — *Jonathan Edwards*

v. 12. A santidade é a melhor segurança para uma vida bem ordenada. Livre-arbítrio na escola, questionado e ensinado.

v. 13. O homem que pousa no bem para a atualidade e para a eternidade.

v. 14. (1) Um segredo e quem o conhece. (2) Uma maravilha e quem a vê.

v. 15. (1) Somos semelhantes a quê? A um pássaro tolo. (2) Qual é o perigo? A rede. (3) Quem é o nosso amigo? O Senhor. (4) Qual é a nossa sabedoria? "Os meus olhos estão continuamente no SENHOR, pois ele tirará os meus pés da rede."

v. 16. A alma solitária busca a companhia divina e o espírito aflito clama por misericórdia divina. O nosso Deus é o bálsamo para todas as nossas feridas.

vv. 16 a 18. Davi é um requerente como também um sofredor. As tribulações nunca nos prejudicarão, pois nos levam a nos aproximar de Deus. O salmista ora por três coisas: (1) Livramento. Somos convocados a desejá-lo sempre com resignação à vontade divina. (2) Atenção. Um olhar de bondade da parte de Deus é desejável em qualquer momento, sob qualquer circunstância. Mas em tempos de aflição e sofrimento, é como vida dentre os mortos. (3) Perdão. As provações são aptas para reavivar um sentimento de culpa. — *William Jay*

v. 17. Tempos especiais de dificuldades e recurso especial à oração em busca de livramento especial.

v. 18. Duas coisas que nos são ensinadas: (1) Em períodos de tribulação, é muito desejável um olhar de amor da parte de Deus: (a) É um olhar de observação especial. (b) É um olhar de compaixão terna. (c) É um olhar de apoio e ajuda (quando se trata de Deus, o poder e a compaixão estão juntos). (2) Em períodos de tribulação, o revigorante mais doce é a certeza do perdão divino: (a) Porque o problema nos faz lembrar os nossos pecados. (b) Porque o sentimento de perdão remove em grande parte o medo estressante da morte e do julgamento. Melhoria: (1) Adoremos a bondade de Deus por alguém tão grande e glorioso olhar favoravelmente alguém da nossa raça pecadora. (2) O benefício que recebemos do Senhor por ter olhado para nós durante as outras aflições por que passamos nos motiva a orar e nos encoraja a esperar que agora Ele olhe para nós de novo. (3) Se um olhar de Deus é tão consolador, o que será o céu! — *Samuel Lavington*

v. 18. É bom: (1) Quando as nossas tristezas nos fazem lembrar nossos pecados. (2) Quando nos empenhamos tanto em sermos perdoados quanto em sermos livrados. (3) Quando levamos os dois temas ao lugar certo em oração. (4) Quando somos submissos a respeito de nossas tristezas: "Olha para a minha aflição e para a minha dor", mas explícitos a respeito de nossos pecados: "perdoa todos os meus pecados".

v. 19. Os inimigos espirituais dos santos: (1) A quantidade. (2) A maldade. (3) A astúcia. (4) O poder.

v. 20. A preservação da alma: (1) O caráter duplo: "Guarda" e "livra". (2) A alternativa terrível: "não me deixes confundido". (3) A garantia eficaz: "porquanto confio em ti".

v. 20. (1) A guarda sobre-humano. (2) O medo natural. (3) A confiança espiritual.

v. 21. (1) O caminho aberto da segurança na ação. (2) O caminho secreto da segurança na devoção.

v. 22. A vida de Jacó, como típica da nossa, ilustra esta oração.

v. 22. A oração para a igreja militante.

SALMO 26

TÍTULO

"Salmo de Davi." Neste salmo, o doce cantor de Israel aparece diante de nós como alguém que está sendo acusado. Neste aspecto, ele é tipo do grande Filho de Davi e exemplo encorajador para levarmos o fardo da difamação ao trono da graça. É suposição engenhosa dizer que este apelo ao céu foi escrito por Davi na ocasião em que Baaná e Recabe assassinaram Isbosete, para protestar inocência de toda e qualquer participação naquela morte traiçoeira. O caráter do salmo concorda mesmo com a ocasião proposta, mas com indicação tão tênue que não é possível ir além de conjetura.

DIVISÃO

A unidade do assunto é mantida com tanta união que não há divisões claras. David Dickson fez um resumo admirável com estas palavras: "Ele apela a Deus, o Juiz supremo, no testemunho de uma boa consciência, confirmando-lhe três procedimentos. Em primeiro lugar, o empenho em andar retamente como crente (vv.1-3). Em segundo lugar, o afastamento do contágio dos maus conselhos, condutas pecaminosas e exemplo dos ímpios (vv.4, 5). Em terceiro lugar, o desígnio de comportar-se de modo santo e justo, por amor ao compartilhamento dos privilégios públicos do povo do Senhor na congregação (vv. 6-8). Em consequência disso, o salmista ora para ser livre do julgamento que vem sobre os ímpios (vv. 9, 10), de acordo com o seu propósito de fugir dos pecados deles (v. 11), e finaliza a oração com o consolo e a certeza de ser ouvido (v. 12).

EXPOSIÇÃO

1 *Julga-me, Senhor, pois tenho andado em minha sinceridade; tenho confiado também no Senhor; não vacilarei.*

2 *Examina-me, Senhor, e prova-me; esquadrinha a minha mente e o meu coração.*

3 *Porque a tua benignidade está diante dos meus olhos; e tenho andado na tua verdade.*

1. *"Julga-me, Senhor."* O apelo solene ao tribunal justo do Deus examinador das intenções do coração, autorizado pelas circunstâncias do escritor, no que tange a determinados pecados com que fora injustamente acusado. Preocupado e exaurido pela injustiça dos homens, o espírito inocente foge dos seus falsos acusadores e recorre ao trono da justiça eterna. A pessoa tem de ter um caso ganho para ousar levar o processo judicial ao tribunal do Rei celestial. Um apelo como este não deve ser feito estouvadamente e em qualquer ocasião. E quanto à totalidade de nossos procedimentos e relações, nunca deve ser feito, exceto quando estivermos justificados em Cristo Jesus. Uma oração extremamente adequada para o mortal pecador fazer é esta petição: "Não entres em juízo com o teu servo" (Sl 143.2).

"Pois tenho andado em minha sinceridade", ou: "pois tenho andado na minha integridade" (ARA). O salmista pautava a integridade como um princípio e andava nela como uma prática. Davi não se servira de expediente traiçoeiro ou injusto para ganhar a coroa ou para mantê-la. Ele estava cônscio de ter sido guiado pelos mais nobres princípios da honra em todas as suas ações com respeito a Saul e sua família. Que consolo é termos a aprovação da própria consciência! Se há paz na alma, as tempestades estrondosas da difamação que açoitam ao redor nos são de pouca monta. Quando o passarinho em meu peito canta feliz, pouco importa se mil corujas piam ao redor.

"Tenho confiado também no Senhor." A fé é a raiz e a seiva da integridade. Aquele que confia no Senhor seguramente anda na retidão. Davi sabia que a aliança de Deus lhe dera a coroa e, portanto, não se serviu de meios indiretos ou ilegais para garanti-la. Não matou o inimigo na caverna, nem permitiu que os seus soldados o ferissem enquanto dormia desprotegido no campo. A fé trabalha duro para o Senhor e da maneira dEle, e se recusa tanto quanto a levantar um dedo para fazer operar os artimanhas da astúcia injusta. Rebeca representou para cumprir o decreto do Senhor a favor de Jacó — isto é incredulidade. Mas Abraão deixou que o Senhor cumprisse os seus propósitos, e levou o punhal para matar o filho — isso é fé. A fé confia em Deus para realizar os decretos divinos. Por que deveria roubar quando Deus prometeu prover as minhas necessidades? Por que deveria me vingar quando sei que o Senhor assumiu a minha causa? A confiança em Deus é a segurança mais eficaz contra o pecado.

"Não vacilarei." O caminho em que ando é escorregadio o perigoso. Mas a fé impede que os meus pés vacilem. Assim, prossigo. O caminho duvidoso da política mais cedo ou mais tarde com certeza faz as pessoas caírem. Mas o caminho da honestidade, ainda que muitas vezes pedregoso e acidentado, sempre é seguro. Não podemos confiar em Deus se andamos desonestamente. Mas o caminho reto e a fé levam o peregrino com muita alegria ao fim da jornada.

2. Este texto propõe três modos de prova, os quais no original se referem à prova pelo toque, pelo cheiro e pelo fogo. O salmista estava tão limpo da acusação feita contra ele, que se submeteu incondicionalmente a qualquer tipo de exame que o Senhor julgasse apropriado utilizar.

"Examina-me, Senhor." Olha tudo. Faze uma inspeção minuciosa. Interroga-me, contra-investiga as minhas evidências.

"E prova-me." Ponde-me de novo para depor. Vê se sigo os maus conselhos que os meus inimigos imputam contra mim.

"Esquadrinha a minha mente e o meu coração." Experimenta-me como o metal é experimentado na fornalha. Experimenta-me até ao íntimo do meu ser onde os meus sentimentos estão no centro das atenções. Vê, ó Deus, se amo ou não o assassinato, a

traição e o engano. Tudo isso é um apelo extremamente ousado, feito por um homem como Davi que temia ao Senhor tremendamente. Manifesta a mais solene e completa crença de inocência. As expressões usadas aqui nos ensinam a eficácia do julgamento divino e a necessidade de sermos em todas as coisas profundamente sinceros, para que no fim não sejamos achados em falta. Os nossos inimigos são severos conosco com a austeridade do rancor, a qual este homem valente suporta sem medo. Mas a severidade de Deus é de direito inabalável, quem conseguirá opor-se a tal prova? Já que o doce cantor pergunta: "Quem pode resistir ao seu frio?" (Sl 147.17), nós podemos muito bem indagar: Quem pode resistir ao calor da sua justiça?

3. *"Porque a tua benignidade está diante dos meus olhos."* Eis um objeto de memória e uma base de esperança. Um senso de misericórdia recebida estabelece um prospecto justo diante da mente fiel na sua mais sombria situação, pois produz visões das misericórdias ainda por vir — visões não devaneadoras, mas reais. Caro leitor, medite nesta palavra celestial: "benignidade". Tem um sabor do céu. Não é uma palavra inigualável, insuperável e incomparável? A bondade do Senhor por nós tem de estar diante dos nossos olhos como a força motriz que movimenta a nossa conduta. Não estamos sob a escravidão da Lei, mas sob os doces constrangimentos da graça que é mais poderosa, ainda que mais suave. Os homens pecam com a Lei diante dos olhos, mas o amor divino quando claramente visto, santifica as relações sociais. Se não fôssemos tão esquecidos do caminho da misericórdia, no qual Deus anda por nós, teríamos mais cuidado para andar no caminho da obediência a Ele.

"E tenho andado na tua verdade." O salmista foi guardado do pecado por ter a certeza da veracidade da promessa de Deus, cuja verdade ele se esforçara em imitar como também crer. Observemos deste versículo que a experiência do amor divino se mostra por uma consequência prática da verdade divina. Aqueles que negligenciam as partes doutrinais ou as partes práticas da verdade não devem ficar imaginando por que perderam o prazer experimental da verdade. Alguns falam *da* verdade, mas é melhor andar *na* verdade. Outros prometem fazer o bem no futuro, mas as decisões não dão em nada. Só o regenerado pode dizer: "[Eu] tenho andado na tua verdade".

4 *Não me tenho assentado com homens vãos, nem converso com os homens dissimulados.*

5 *Tenho aborrecido a congregação de malfeitores; não me ajunto com os ímpios.*

Longe de se ser um franco transgressor das Leis de Deus, o salmista nem mesmo se associara com os amantes do mal. Ele mantivera distância dos homens de Belial. O homem é conhecido pelas pessoas com quem anda. Se nos mantivermos afastados dos ímpios, sempre será evidência de nosso caráter. Aquele que nunca entrou na loja não é provável que tenha lhe roubado algum item. Aquele que nunca embarcou no navio não é claramente o indivíduo que o afundou fazendo-lhe pequenos furos no casco.

4. *"Não me tenho assentado com homens vãos."* Os verdadeiros cidadãos não têm relações com traidores. Davi não se assentou no parlamento dos levianos. Não eram seus alegres companheiros em festas e banquetes, nem seus conselheiros nas reuniões, nem seus amigos nas conversas. Temos necessidade de ver, falar e negociar com as pessoas do mundo, mas não devemos em hipótese alguma achar descanso e consolo na sociedade vazia. Evitemos não só os homens profanos, mas também os vãos. Todos os que vivem só para esta vida são homens vãos, imprestáveis e superficiais, totalmente indignos da amizade do cristão. Além disso, como esta futilidade está aliada com a falsidade, faz bem nos salvaguardar totalmente desta geração desfavorável, para que não sejamos levados de mal a pior — de tolerar os homens vãos, venhamos a admirar os ímpios.

"Nem converso com os homens dissimulados." Considerando que sei que devoção hipócrita é iniquidade dupla, deixarei de ter relações com os fingidores. Se preciso andar pela mesma rua, não entrarei pela mesma porta e passarei meu tempo em companhia deles. A congregação dos hipócritas não é com a qual temos de cultivar a amizade. O seu encontro final se dará nas mais baixas regiões do inferno. Paremos de nos relacionar com eles agora, para não os desejarmos depois. Andam de rosário no pescoço e levam o Diabo no coração. Esta frase pode ser traduzida no tempo futuro, indicando assim que o escritor não sentia desejo de começar uma relação com pessoas que até então tinha evitado. Temos de manter caminhos separados cada vez com mais cuidado à medida que vemos o grande dia da redenção se aproximando. Aqueles que serão transfigurados com Jesus, não devem ser desfigurados pela conformidade ao mundo. A resolução do salmista sugere que até mesmo entre os seguidores professos da verdade temos que fazer distinções. Assim como há pessoas vãs fora da igreja, há pessoas dissimiladas dentro da igreja, e temos de evitar com determinação escrupulosa estes dois tipos de pessoas.

5. *"Tenho aborrecido a congregação de malfeitores."* Declaração dura, mas nem tanto. O homem que não odeia o mal extremamente, não ama o bem entusiasticamente. Sempre temos de amar as pessoas, porque o nosso dever é amar ao próximo. Mas os malfeitores, na qualidade de malfeitores, são traidores do grande Rei, e nenhum súdito leal pode amá-los. Temos de odiar o que Deus odeia. A congregação ou reunião de malfeitores significa homens violentos em aliança e conclave para a subversão dos inocentes. Temos de ter aversão contra tais sinagogas de Satanás. Que reflexão triste haver congregação de malfeitores como também congregação de retos, igreja de Satanás como também igreja de Deus, semente da serpente como também semente da mulher, velha Babilônia como também nova Jerusalém, a grande prostituta que está assentada sobre muitas águas para ser julgada com ira como também a noiva pura do Cordeiro para ser coroada na sua vinda.

"Não me ajunto com os ímpios." Os santos se sentam a outra mesa, e jamais deixam que as finas iguarias do Rei sirvam de folhelho para o cocho dos porcos. Melhor nos sentar com os cegos, coxos e paralíticos à mesa da misericórdia que com os ímpios nos banquetes da maldade. Melhor nos sentar no monturo de Jó que no trono de faraó. Que cada leitor veja bem com quem anda, pois aqueles com quem nos associamos neste mundo, provavelmente nos associaremos no outro.

6 *Lavo as minhas mãos na inocência; e assim andarei,* Senhor, *ao redor do teu altar,*
7 *para publicar com voz de louvor e contar todas as tuas maravilhas.*
8 Senhor, *eu tenho amado a habitação da tua casa e o lugar onde permanece a tua glória.*

6. *"Lavo as minhas mãos na inocência."* O salmista se declarara publicamente inocente das acusações levantadas contra ele. Se alguma falta em outros assuntos puder ser verdadeiramente aventada contra Davi, ele no futuro se absterá de tal recurso. O lavar das mãos é ação significativa para mostrar que não temos relação com a ação, como dizemos: "Lavo as mãos a esse respeito". Davi não está falando nada sobre a inocência pura, mas declara inocência dos crimes dos quais é caluniosamente acusado. Há, porém, um sentido no qual podemos ser lavados na inocência absoluta, pois o sangue expiatório nos limpa de todo pecado. Jamais devemos nos satisfazer exceto com a plena certeza de termos sido totalmente limpos pelo sangue precioso de Jesus.

"E assim andarei, Senhor, ao redor do teu altar." Os sacerdotes de Deus têm de tomar grande cuidado para serem pessoalmente limpos. A pia de bronze era tão

necessária quanto o altar de ouro. A adoração a Deus exige que sejamos santos na vida. Quem é injusto para os homens não pode ser aceitavelmente devoto a Deus. Não devemos levar as nossas ofertas de gratidão com as mãos sujas de culpa. Amar a justiça e a pureza é mais aceitável a Deus que dez milhares de gordura de animais cevados. Com este versículo, percebemos que aqueles que têm mente santa se deliciam na adoração ao Senhor, obtendo o mais pleno e doce consolo no altar. Percebemos também que se preocupam em extremo para jamais entrarem em algum curso de ação que os torne inapropriados a mais sagrada comunhão com Deus. Os nossos olhos devem estar no altar que santifica o ofertante e a oferta. Ao mesmo tempo, jamais devemos fazer do sacrifício expiatório uma desculpa para o pecado, mas achar nele o argumento mais convincente a favor da santidade.

7. *"Para publicar com voz de louvor."* Até aqui, Davi foi instruído a não mencionar a oferta típica, mas a discernir, conforme estava em vista, a oferta espiritual, não os mugidos dos bois, mas as canções de gratidão que os adoradores espirituais apresentam. Manifestar publicamente os louvores dignos do Deus de toda a graça tem de ser o dever de todos os dias do pecador perdoado. Caluniem-nos os homens como quiserem, mas não privemos do Senhor os seus louvores. Latem os cães, mas brilhemos como a lua.

"E contar todas as tuas maravilhas." O povo de Deus não deve ter a língua presa. As maravilhas da graça divina são suficientes para fazer a língua dos mudos cantar. As obras do amor de Deus são maravilhosas tendo em vista a indignidade das pessoas, o dispêndio do método e a glória do resultado. Como os homens gostam muito de discorrer sobre coisas extraordinárias e surpreendentes, assim os santos se alegram muito em contar as grandes coisas que o Senhor tem feito para eles.

8. *"Senhor, eu tenho amado a habitação da tua casa."* O salmista não entrava nas casas do pecado, mas há muito que amara e ainda amava a casa de Deus. Seríamos filhos tristes se não amássemos a habitação do nosso Pai. Embora não possuamos edifícios sagrados, a igreja é a casa de Deus, e os verdadeiros cristãos têm prazer nas suas ordenanças, serviços e reuniões. Que todos os nossos dias fossem sábados de descanso!

"E o lugar onde permanece a tua glória." O lugar é na sua igreja, onde Deus é tido em glória em todo tempo, onde se revela na glória da sua graça e onde é proclamado pelo povo como o Senhor de todos. Não nos reunimos como povo do Senhor para dar honra ao pregador, mas para dar glória a Deus. Tal ocupação é a mais prazerosa para os santos do Altíssimo. O que são essas reuniões onde Deus não é glorificado, senão uma ofensa aos seus olhos puros e santos? Não são elas uma deplorável pedra de tropeço para o povo de Deus? Não nos traz lágrimas quentes a escorrer pelo rosto quando ouvimos sermões nos quais a glória de Deus está longe de ser o objetivo do pregador? Quase dá de imaginar que o pregador adorou a dignidade da humanidade, pensando mais nela que na majestade infinita de Deus.

9 *Não colhas a minha alma com a dos pecadores, nem a minha vida com a dos homens sanguinolentos,*

10 *em cujas mãos há malefício, e cuja mão direita está cheia de subornos.*

9. *"Não colhas a minha alma com a dos pecadores."* Senhor, quando eu, como fruto, tenho de ser colhido, não me ponhas na mesma cesta com os melhores pecadores, muito menos com os piores. A companhia dos pecadores nos é tão desagradável neste mundo, que não suportamos o pensamento de sermos amarrados no mesmo lote com eles por toda a eternidade. O nosso consolo é que o grande Lavrador discerne o joio do trigo, e achará lugares separados para pessoas diferentes. Nos

versículos anteriores, vemos que o salmista se manteve longe dos profanos, e este fato tem ser entendido como razão para Davi não ser reunido com eles no último dia. Pensemos por um momento no destino dos ímpios, e imediatamente a oração do texto subirá aos nossos lábios. Nesse ínterim, ao nos conscientizarmos da regra do julgamento pela qual o igual é juntado ao seu igual, nós, que já passamos da morte para a vida, não temos nada a temer.

"Nem a minha vida com a dos homens sanguinolentos." A nossa alma fica doente ao ouvi-los falar. A presteza cruel com que tratam dos assassinatos dos seus semelhantes como esporte raro, nos é horrorosa. Senhor, não permitas que sejamos aprisionamos na mesma cela que eles.

10. *"Em cujas mãos há malefício."* Os homens sanguinolentos têm as mãos cheias de malefício, tramando e pondo-o em ação.

"E cuja mão direita", com a qual são muito hábeis, "está cheio de subornos", como ladrões que roubam com impunidade, levam consigo calmantes para os cães da justiça. Aquele que dá subornos é de todos os ângulos tão culpado quanto aquele que os recebe. No que diz respeito às nossas eleições parlamentares, o patife rico que dá subornos é sem dúvida o pior. O suborno, de todo tipo ou jeito, deveria ser tão detestável para os cristãos quanto carne putrefata é para as pombas ou lixo para os cordeiros. Aqueles cujas mãos sujas gostam de subornos têm de lembrar-se de que nem a morte nem o Diabo podem ser subornados para livrá-los do destino que bem merecem.

11 *Mas eu ando na minha sinceridade; livra-me e tem piedade de mim.*

11. *"Mas eu ando na minha sinceridade [ou "integridade", ARA]; livra-me e tem piedade de mim."* Aqui, aquele que ama a Deus levanta um protesto pessoal contra o ganho injusto. Ele é um não-conformista, pronto a permanecer sozinho na sua não-conformidade. Como um peixe vivo, ele nada contra a correnteza. Confiando em Deus, o salmista decide escolher o caminho claro da justiça, e quem quiser pode preferir os caminhos tortuosos da violência e do engano. Mas de forma alguma ele é um falador metido a santo ou fanfarrão arrogante da própria força, pois ele clama por salvação e roga por piedade. A nossa integridade não é absoluta nem inerente. É obra da graça em nós e é arruinada pela fraqueza humana. Temos de recorrer ao sangue redentor e ao trono da misericórdia, confessando que embora sejamos santos entre os homens, temos de nos prostrar como pecadores diante de Deus.

12 *O meu pé está posto em caminho plano; nas congregações louvarei ao* SENHOR.

12. *"O meu pé está posto em caminho plano; nas congregações louvarei ao Senhor."* O cântico começou em tom menor, mas agora alcança o tom maior. Os santos cantam na felicidade. O caminho plano no qual os nossos pés são postos é a firme fidelidade à aliança, a promessa eterna e o juramento imutável do Senhor dos Exércitos. Não há medo de cairmos desta base sólida, ou de sê-la retirada de debaixo de nós. Firmados em Cristo Jesus, estando vitalmente unidos a Ele, não temos nada mais a ocupar os nossos pensamentos senão os louvores do nosso Deus.

Não deixemos de nos reunir e, quando reunidos, não sejamos lentos em contribuir com a nossa parcela de ação de graças. Cada santo é testemunha da fidelidade divina, devendo sempre estar pronto com o seu testemunho. Quanto aos caluniadores, que fiquem uivando do lado de fora da porta enquanto as crianças cantam do lado de dentro.

NOTAS EXPLICATIVAS E DECLARAÇÕES IMPORTANTES

O Salmo: Este salmo está unido ao cântico antecedente por intermédio de pensamentos e palavras. No fim do antecedente, o salmista tinha orado por *integridade* (Sl 25.21, "sinceridade"). A menos que o Salmo 26 seja considerado como sequência do Salmo 25, parecerá que houve vanglória.

Mas, quando combinado com as admissões penitenciais de pecado, com as súplicas fervorosas por perdão e graça, e com a confissão sincera de fé que Deus lhe ouviu a oração — fatos que exalam no salmo precedente —, veremos que as declarações de integridade que o salmista faz agora não são afirmações de mérito humano, mas reconhecimentos da misericórdia divina. Como disse Agostinho: *Non merita mea, sed misericordia tua, ante oculos meos est. — Christopher Wordsworth*

v. 1: "Julga-me, Senhor, pois tenho andado em minha sinceridade". Uma boa causa, uma boa consciência e um bom comportamento são boas razões de súplica a Deus. — *Ingram Cobbin*

v. 1: "Julga-me, Senhor". Nada é mais agradável aos retos que ter certeza que Deus sabe que eles o são. Como é questão de pouca monta para os sinceros o fato de serem condenados pelos homens, assim não é muito serem louvados ou aprovados por eles. De fato, nem é "quem a si mesmo se louva", como fala o apóstolo, nem quem é louvado pelos outros que é aprovado, "mas, sim, aquele a quem o Senhor louva" (2 Co 10.18). O testemunho ou cartas de recomendação de todos os homens no mundo não nos farão bem, a menos que Deus nos dê as dEle também. — *Joseph Caryl*

v. 1: "Julga-me, Senhor". Como exemplo de súplica aos céus, citamos George Whitefield, o príncipe dos pregadores ao ar livre. "Alguns me consideram um charlatão e entusiasta, alguém cujo interesse exclusivo é fazer metodicamente com que as pessoas não se sintam bem. Podem vomitar injúrias contra mim, pois quem me conhece é Cristo. Ele sabe o que está acontecendo. Entrego a Jesus a defesa da minha causa, pois Ele é um Mestre benevolente. Sei que Ele é assim, e estou certo de que continuará sendo. A Deus pertence a vingança, e Ele tomará as medidas cabíveis". — *George Whitefield, 1714-1770*

v. 1: "Sinceridade" ("integridade", ARA). No original hebraico, a palavra תֹּם, ou תָּמִים, é usada para referir-se a tudo que esteja incólume, ileso ou livre de mancha ou marca. Por conseguinte, encontramos o termo aplicado a um animal puro oferecido em sacrifício (Lv 1.3; 3.9). — *George Phillips*

v. 1: "Minha sinceridade". Há força no pronome possessivo "minha", fato que devemos prestar atenção. O salmista dá a entender que ele procedera firmemente em certo curso uniforme, a despeito de todas as artimanhas dos inimigos. — *W. Wilson, Doutor em Teologia*

v. 1: "Tenho confiado também no Senhor". A confiança em Deus é a fonte da "sinceridade" (ou "integridade", ARA). Quem coloca a esperança em Deus não precisa promover os seus interesses mundanos, violando o dever para com o seu semelhante. Ele espera todas as coisas de cima, estando, ao mesmo tempo, sempre certo de que não será privado das bênçãos do Pai celestial apesar de eventuais fraquezas. — *E. W. Hengstenberg*

v. 1: "Não vacilarei". É palavra notável, tão devidamente expressiva da plena proteção de Deus e da certeza da sua mão sustentadora quanto o linguajar do salmista sobre a integridade do seu andar e confiança em Deus. Não é como consta na versão do livro de orações: "Não cairei", mas é: "Sequer vacilarei", sequer darei um passo em falso ou tropeçarei. — *Barton Bouchier v. 2:* O salmista usa três verbos, "examinar", "provar" e "esquadrinhar". Estas palavras têm o desígnio de abranger todos os métodos nos quais a realidade das coisas é provada. Juntas indicam que Davi desejou que fosse feita a mais completa investigação. Ele não evitou nenhum teste. —*Albert Barnes*

v. 2: "Examina", "prova" e "esquadrinha". Como o ouro, pelo fogo, é desunido e separado das impurezas, assim a sinceridade de coração e a verdadeira simplicidade cristã são mais bem vistas e se tornam muito evidentes nas dificuldades e aflições. Na prosperidade, todo homem parece temente a Deus. Mas as aflições tiram do coração o que esteja lá, quer seja bom ou quer seja ruim. — *Robert Cawdray*

v. 2: "Prova-me". A operação da consciência nos prova. Deus colocou uma lâmpada em nós, a qual, quando acendida pela Palavra, deixa o nosso interior cheio de luz. O homem fiel e temente a Deus gosta desta sensibilidade e dinâmica. Extraindo da Palavra de Deus, ele fala a favor de todo dever e contra todo pecado. Vemos que Davi tinha essa prontidão, quando lemos: "O coração doeu a Davi" (1 Sm 24.5). O texto de 1 João 3.20 diz: "Se o nosso coração nos condena, maior é Deus do que o nosso coração". Se em seu interior, você verificou que pecou de um modo e de outro, Deus vê muito mais. Ele prova a sua integridade. Você deseja ter uma consciência sensível e uma consciência informada? Gosta de ouvir o que fala claramente a Palavra de Deus? Quer seja paz ou dever? Isso é consolador. Mas por outro lado, se você for um homem que se rebela contra a luz, não tem prazer com o que ela revela, não se alegra por senti-la viva em seu interior, então você tem motivo de suspeitar de si mesmo. Receio que há muitos que se entregam aos desejos e prazeres carnais, de modo a pôr uma névoa obscura entre eles e a consciência. Outros trabalham arduamente no mundo, labutando para se tornarem insensíveis, de forma a causar um eclipse desta luz pela interposição da terra. Outros correm atrás de heresias condenáveis, negando a Bíblia, Deus, o céu, o inferno, e defendendo uma salvação universal de todos. O que é tudo isso senão refúgios de consciências culpadas? Temos de estabelecer a distinção entre a concupiscência carnal e a consciência, entre as imaginações fantasiosas e a consciência, entre a consciência errônea e escrupulosa e a consciência bem instruída e devidamente informada. Quando fizermos isso, temos de seguir a consciência até onde ela segue a Palavra. — *Anthony Burgess*

v. 2: "Mente... coração". A mente, como o lugar onde estão os mais baixos sentimentos carnais. O coração, como abrangendo não só os mais altos sentimentos, mas também a vontade e a consciência. Ele não deseja restringir nada. Ele se submeterá à chama perscrutadora do grande Refinador para que toda impureza do engano seja purgada. — *J. J. Stewart Perowne*

vv. 3 a 5: "Tenho andado na tua verdade. Não me tenho assentado com homens vãos" (vv. 3, 4). Seja tão cuidadoso quanto puder para que as pessoas que escolher por companheiros sejam as que temem a Deus. O Evangelho relata a história do homem que era possesso por demônios, morava entre os sepulcros e se relacionava com sepulturas e cadáveres. Você está longe de andar segundo o bom Espírito, se prefere relacionar-se com sepulcros abertos — com os que estão mortos em delitos e pecados. Deus não dará um aperto de mão nos ímpios, como diz a Vulgata em Jó 8.20, nem devem os justos fazê-lo. Davi prova a sinceridade do seu caso pelo cuidado de evitar tal associação: "tenho andado na tua verdade. Não me tenho assentado com homens vãos". Há duas verdades aqui. (1) A verdade da doutrina. A tua Lei é a verdade, livre de toda impureza da corrupção e falsidade do erro. (2) A verdade do sentimento ou do íntimo. Podemos dizer que esta verdade é a "tua verdade" ou a verdade de Deus, embora o homem seja o alvo dela, em parte porque provém dEle, em parte porque lhe é muito agradável. É a esse respeito que o espírito quebrantado é chamado de "sacrifícios para Deus" (Sl 51.6,17).

É como se Ele tivesse dito: Eu não poderia ter andado no poder da religião e na sinceridade, se tivesse me associado com pessoas ímpias e vãs. Eu nunca poderia ter andado nos teus preceitos se me tivesse "assentado com homens vãos". Observemos a frase: "Não me tenho assentado com homens vãos" (v. 4). (1) Sentar--se é postura de escolha. Está no querer do homem sentar-se ou ficar de pé. (2) Sentar-se é postura de prazer.

As pessoas se sentam para descansar, e com prazer. Por isso, está escrito que os glorificados se sentam "nos lugares celestiais" (Ef 2.6). (3) Sentar-se é postura. Ficar de pé é postura de movimento, mas sentar-se é de parada. Sobre os bem-aventurados, que estarão para sempre com o Senhor e os eleitos, está escrito que eles "assentar-se-ão à mesa com Abraão, e Isaque, e Jacó, no Reino dos céus" (Mt 8.11). Em nenhum destes sentidos Davi se atreve a sentar-se com pessoas vãs. Ele pode, se a ocasião exigir, servir-se da companhia dessas pessoas, mas não ousa escolher tal companhia conscientemente. Não pode ser objeto da sua escolha quem não foi objeto do seu afeto. "Tenho aborrecido a congregação de malfeitores", disse ele (v. 5). Considerando que sentar--se é postura de prazer, o salmista não se sentou com homens vãos. Às vezes, Davi estava entre eles para a sua tristeza, mas não para o seu consolo. Eram para ele, como os cananeus foram para os israelitas, por espinhos nos olhos e aguilhões nas costas (Nm 33.55). "Ai de mim, que peregrino em Meseque, e habito nas tendas de Quedar" (Sl 120.5). Causava-lhe tristeza e não alegria ser forçado a estar entre os profanos. — *George Swinnock*

v. 3: "Porque a tua benignidade está diante dos meus olhos; e tenho andado na tua verdade". Vemos neste texto o efeito prático da benignidade divina. Tendo em vista que a principal coisa comunicada por Deus é a natureza divina, pela qual somos feitos semelhantes a Ele, assim as promessas de Deus fixadas na alma é o meio da comunicação. São o leite e o mel da Bíblia, os quais não alimentam o velho homem, todavia sustentam o novo. Não são travesseiros para a preguiça pecadora, todavia esporas para a diligência santa. As promessas de graça estimulam a alma ao dever. Quando vemos assim a benignidade do Senhor, somos incentivados a nos sujeitar ao seu governo. —*Timothy Cruso*

v. 4: "Não me tenho assentado com homens vãos". Há o comércio necessário com as pessoas, comprando e vendendo, pois, de outra forma, como diz o apóstolo, "vos seria necessário sair do mundo". Porém, não escolha voluntariamente a companhia dos ímpios: "Mas, agora, escrevi que não vos associeis com..." (1 Co 5.10,11). Não fique muito íntimo com eles. O que fazem as pombas de Cristo entre as aves de rapina? O que fazem as virgens entre as meretrizes? A companhia dos ímpios é muito contaminante, é como andar entre pessoas que têm peste. "Antes, se misturaram com as nações e aprenderam as suas obras" (Sl 106.35). Se você coloca a armadura polida junto com a enferrujada, a armadura polida não clareará a enferrujada, mas a armadura enferrujada deteriorará a polida. Faraó ensinou José a jurar, mas José não ensinou faraó a orar. — *Thomas Watson*

v. 4: "Nem converso com os homens dissimulados". A Versão Aramaica diz: "Nem entro com aqueles que se escondem para fazer o mal". A maldade é insincera e gosta de esconder-se, ao passo que a verdade e a justiça são francas e buscam escrutínio (Jó 24.13-17; Jo 3.20,21). Ninguém negará que o homem sincero tenha menos dificuldades com a sua conduta que o desonesto e enganoso. O justo evita o ímpio por causa do pecado e da desgraça que são os caminhos deste. — *William S. Plumer*

v. 4: "Dissimulados". Os hipócritas são um anjo por fora, mas um demônio por dentro. Suas palavras são fingidas e as obras, destrutivas. Falam muito e fazem pouco. São um monte de estrume fedorento coberto de neve, um moinho com muita folga no eixo, que faz muito barulho, mas não mói os grãos, uma galinha que, estando no ninho, cacareja mas não pôs nenhum ovo. — *Thomas Adams*

v. 4: "Dissimulados". Talvez quando o raio do sol de começo de primavera tiver vestido a natureza com roupas sorridentes, você tiver apanhado cestinhas para ir buscar maços de violetas de doce perfume e achado flores semelhantes a elas, em forma e cor, você, sendo enganado, avidamente colha o seu prêmio. Mas faltou o doce cheiro que deveria ter perfumado o vento forte, e denunciou a violeta de flores púrpuras e amarelas. Este é um símbolo perfeito daqueles que, "tendo aparência de piedade", negam "a eficácia dela" (2 Tm 3.5). — *Mrs. Rogers, "The Shepherd King" [O Rei Pastor]*

vv. 4 e 5: Como as maçãs podres estragam as sãs que as tocam e ficam perto delas, assim os maus costumes e as más condições dos descrentes infectam aqueles que ficam na sua companhia. — *Robert Cawdray*

vv. 4 e 5: Disse certo escritor talentoso: "É difícil até mesmo para um milagre guardar os mandamentos de Deus e, ao mesmo tempo, afastar-se da companhia dos ímpios". Quantas vezes depois de momentos de refrigério de alma no quarto da oração você perdeu todo o calor e fervor espirituais, obtidos ali, sendo imediatamente esfriado por sair no ar frio e corrupto? Quando o santo no quarto da oração esteve em particular êxtase com o amor de Deus e a alegria do céu, e depois se encontra com pessoas que não falam nem podem falar uma palavra de tal assunto, que desânimo você sente! É como se o Espírito de Deus, por assim dizer, fosse extinto em você! Não é verdade o que alguém disse que "o povo de Deus perde em geral mais por meio de homens mundanos, com os quais mantêm relações inocentes, do que perde por homens maus e profanos?". — *Lewis Stuckley*

vv. 4 e 5; 9: Aquele que não se acharia entre pecadores no outro mundo, tem de prestar atenção para não frequentar a companhia deles neste. Aqueles a quem o guarda acha andando com vagabundos, pode ser enviado com eles para a casa de correção. "Senhor", disse uma boa mulher, na cama da morte, quando estava em dúvida da salvação, "não me mandes para o inferno entre homens maus, pois tu sabes que nunca gostei da companhia deles em todos os anos da minha vida." Davi menospreza o futuro destino deles pela mesma razão, e apresenta este argumento como sinal da sua sinceridade: "Não me tenho assentado com homens vãos, nem converso com os homens dissimulados. Tenho aborrecido a congregação de malfeitores; não me ajunto com os ímpios. Não colhas a minha alma com a dos pecadores". Senhor, não amei os ímpios a ponto de sentar-me com eles por um pouquinho, e agora viverei com eles para sempre? Não me coloco entre eles na terra, e agora tu colherás a minha alma com essas varas para o fogo do inferno que nunca se apagará? Senhor, nem de longe gosto da companhia deles, pois tu sabes que detesto a congregação dos malfeitores. Não odeio eu aqueles que tu odeias? Eu os odeio com ódio cabal, e os teus amigos se darão bem como os teus inimigos? Apelo à tua Majestade para que o meu grande consolo esteja em teus escolhidos. A minha alegria é estar entre os teus filhos aqui, e serei excluído da companhia deles no futuro? "Não colhas a minha alma com a dos pecadores" para ir ao lagar da tua ira eterna! Marcião, o herege, vendo Policarpo, desejou saber se ele não o estava reconhecendo. "Não me reconheces, Policarpo?" "Reconheço", disse Policarpo. "*Scio te esse primogenitum diaboli*, que significa: "Eu sei que tu és o primogênito de Satanás". E assim o menosprezou. — *George Swinnock*

v. 5: "Tenho aborrecido a congregação de malfeitores; não me ajunto com os ímpios". O ódio dos inimigos de Deus, na qualidade dos seus inimigos — "sim, eu os odeio visceralmente". Esta atitude é tão inteiramente oposta ao indiferentismo dos dias atuas, mas sempre foi marca distintiva dos antigos servos de Deus. Fineias testifica: "E isto lhe foi imputado por justiça, de geração em geração, para sempre" (Sl 106.31). Temos também o exemplo de Samuel com Agague, de Elias com os sacerdotes de Baal. E note o elogio dado ao anjo de Éfeso: "Que não podes sofrer os maus" (Ap 2.2). — *John Mason Neale*

v. 5: "Tenho aborrecido a congregação de malfeitores". Nós os consideramos inimigos de Deus. Então, os odiamos. Odiamos não a pessoa, todavia o mal, pois este, como definiu Agostinho, é o *odium perfectum*, "ódio perfeito". É realmente o ódio que Deus tem dos seus inimigos, pois "do céu se manifesta a ira de Deus sobre toda impiedade e injustiça dos homens" (Rm 1.18). A ira não é contra a pessoa, que é obra das suas mãos e traz de certo modo a imagem divina, ainda que muito desfigurada, mas contra a impiedade e injustiça dos homens, pelas quais a pessoa se torna odiosa ao desprazer divino. Assim descubro que os santos de Deus triunfam sobre os ímpios, como Israel sobre faraó e os gileaditas sobre os filhos de Amom, não se alegrando com a destruição das criaturas, mas dos inimigos de Deus. E, junto com Débora e Baraque, desejam: "Assim, ó Senhor, pereçam todos os teus inimigos!" (Jz 5.31). tudo isso não passa de ovação ao julgamento de Deus e celebração da sua justiça. — *Edward Marbury*

v. 5: "Tenho aborrecido a congregação de malfeitores; não me ajunto com os ímpios". Tenhamos em mente que não pode haver verdadeira amizade entre o justo e o ímpio. Portanto, cabe a você ser mais cauteloso nas escolhas. Aquele que nas discórdias cobiça o poder, nas amizades cobiça a virtude. A amizade, de acordo com os filósofos, é uma alma em dois corpos. Mas como podem ser de uma alma quando são tão diferentes quanto o ar e a terra, e tão opostos quanto o fogo e a água? Todo verdadeiro amor é *motus animi ad fruendum Deo propter ipsum; se et proximo propter Deum*, que quer dizer "o movimento da alma em direção ao prazer de Deus por si mesmo, e o seu próximo pelo amor de Deus". Desta forma, ele jamais pode amar verdadeiramente o homem que não ama o Criador do homem. Deus é o único fundamento sobre o qual podemos construir a amizade. Os que vivem sem Ele, não podem nos amar nEle. Esse edifício é instável, e sem este fundamento não pode permanecer por muito tempo. Os ímpios podem dizer que esta declaração que eles fazem para o irmão chama-se amor, mas os descrentes nos informam que só a virtude é a mão que manuseia as cordas de amor. As outras combinações não passam de confederação, e todas as demais são associações em hipocrisia. — *George Swinnock*

v. 5: "Tenho aborrecido a congregação de malfeitores; não me ajunto com os ímpios". Em qualquer lugar que vemos as pessoas cultuando a Deus verdadeiramente segundo a sua Palavra, temos certeza de que se trata da igreja de Cristo, à qual devemos nos associar e, junto com o profeta Davi, desejar louvar a Deus no meio dessa congregação. Mas se pela iniquidade do tempo virmos congregações se tornarem em falsa religião, em oposição ao que a Palavra de Deus ensina, devemos então, se tivermos de ser seus companheiros, dizer como Davi: "Tenho aborrecido a congregação de malfeitores; não me ajunto com os ímpios". No Apocalipse, a igreja de Éfeso é altamente elogiada, porque provou aqueles que se diziam apóstolos e não eram, não aceitando, então, a companhia deles. Além disso, Deus ordenou, pela boca do profeta Amós, que o povo não deveria buscar a Betel, nem ir a Gilgal, onde imperava a idolatria (Am 5.5). — *John Philpot (Mártir), "Burnt at Smithfield" (Morto na Fogueira em Smithfield), 1555 v. 5:* "Tenho aborrecido a congregação de malfeitores; não me ajunto com os ímpios". Como são poucos os que percebem que endurecem os ímpios por terem certo relacionamento próximo com eles, ao passo que se afastassem deles poderia ser um meio para fazer com que se sentissem envergonhados! Enquanto formos alegres e sorridentes com eles, fazemos com que creiam que a situação deles não é deplorável, que o perigo não é grande. Contudo, se os evitássemos, como evitamos uma parede prestes a cair, enquanto permanecem inimigos do Senhor, este comportamento poderia fazer bem para eles, pois estaríamos assustando-os e empurrando-os a sair da segurança infeliz e ilusão em que estão presos.— *Lewis Stuckley*

v. 6: "Lavo as minhas mãos na inocência". Há duas purificações importantes no Evangelho. A primeira, o banho de Cristo, uma lavação quente, *lavacrum sanguinis*, a do sangue de Cristo. A segunda, a nossa, uma lavação fria, *lavacrum lachrimarum*, a do arrependimento. Estas duas purificações misturadas revelam uma forte composição, elaborada primeiramente por Jesus quando suou água e sangue. A primeira é como o tanque de Betesda, no qual todo aquele que entrava com fé, era curado. O sangue de Jesus é a verdadeira expurgação, uma fonte aberta para Judá e Jerusalém se lavarem: "O sangue de Jesus Cristo, seu Filho, nos purifica de todo pecado" (1 Jo 1.7). Interpretamos por amor as mães alimentarem com o próprio leite os seus filhos. Como é maravilhoso o amor de Jesus, que nos lava e nos alimenta com o seu sangue! Imediatamente após nascermos em Cristo, mas exatamente como ocorre com a nossa mãe, o sangue de Jesus se transforma em leite, nutrindo-nos para a salvação eterna. O que é *calamus benjamini*, ou estoraque, ou mil rios de óleo para nos limpar, se não for o Senhor que nos purifica e nos purga? É este sangue "que fala melhor do que o de Abel" (Hb 12.24). "Àquele que nos ama, e em seu sangue nos lavou dos nossos pecados, e nos fez reis e sacerdotes para Deus e seu Pai, a ele, glória e poder para todo o sempre. Amém!" (Ap 1.5,6). Mas esta é a segunda lavação, a do arrependimento, que tem de aplicar e fazer a primeira entrar em ação. Esta lavação do arrependimento de Maria Madalena é uma limpeza, dando força e efeito à primeira. Indica um ato em três partes: Primeiramente, ferir o coração pela contrição; depois, expor as feridas abertas pela confissão a Deus; e por último, lavar as mãos na inocência pela satisfação aos homens. [...] Lavemos agora e lavemos tudo. Do topo da cabeça à sola do pé não há nada em nós senão feridas e úlceras. Mas, acima de tudo, há algo aqui no qual Davi lavou as mãos. Não basta termos os olhos molhados de lágrimas, se estamos com as mãos sujas quando vamos sacrificar. Os gentios não fariam assim. Contrição e confissão a Deus não completam o arrependimento sem a satisfação aos homens. As palavras de Agostinho: *Non remittitur peccatum nisi restituatur ablatum*, são tão verdadeiras quanto antigas. Na interpretação do antigo pregador Hugh Latimer, significa: "Ou tem de haver restituição, aberta ou secreta, ou então o inferno". Quem não corrige o erro, alegra-se com o pecado (Pv 2.14). Onde não há satisfação: *Non agitur sed fingitur peanitentia*, disse Agostinho. Quem não restaura tudo, não lava bem as mãos, imergido somente as pontas dos dedos. Extorsão, roubo, suborno são pecados das mãos (pecados tão próprios aos judeus, que podem supor que estão fazendo o que o Diabo todas as noites lhes coloca nas mãos, sendo este o motivo que os torna tão preocupados em lavá-las). Mas quanto a nós, cristãos, a menos que estas víboras sejam sacudidas das nossas mãos, ainda que cubramos o altar do Senhor com lágrimas, lamento e clamor, se continuarmos em nossas contaminações, Deus não aceitará as nossas ofertas, nem as receberá com boa vontade das nossas mãos (Mt 2.13). — *Isaac Bargrave, "Sermon before the House of Commons"[Discurso na Câmara dos Comuns], 1623 v. 6:* "Lavo as minhas mãos na inocência; e assim andarei, Senhor, ao redor do teu altar". Se a dignidade pudesse isentar alguém da impureza, Davi seria essa pessoa, pois ele era rei. Se a graça da alma pudesse livrar alguém da terra do pecado, Davi seria essa pessoa, pois ele era um homem segundo o coração de Deus (At 13.22). Mas que os grandes homens não ponham muita confiança na sua dignidade. Quanto mais comprido o manto, mais sujo fica de terra. O grande poder é a mãe da grande danação. Quanto à pureza, há uma geração que diz que não há pecado, mas eles se enganam. Não há verdade neles. Seja o que for que os fisiólogos de Roma aventem a favor do poder da natureza e do livre-arbítrio, nós, miseráveis pecadores, somos ensinados a ter uma ideia mais verdadeira das nossas fraquezas. O apóstolo de Cristo, o robusto Tomé, falhou em crer na ressurreição. Pedro (cuja cadeira hoje é o pretenso lugar da infalibilidade) negou o Mestre. Davi, que era homem segundo o coração de Deus, teve necessidade de lavar. E quem pode dizer: Sou puro aos olhos do Senhor? Com certeza, Senhor, nenhuma carne é justa diante dos teus olhos. Esta é a melhor razão para a felicidade cristã, se, como Davi, tivermos uma opinião mais realista dos nossos pecados; se, como o publicano, batermos no peito, e, não como o fariseu, lançarmos os olhos nas faltas dos outros. Por que nós, como os alfaiates, medimos todos os homens menos a nós mesmos? Veja como Davi se propõe a prestar contas dos próprios pecados: "Eu conheço as minhas transgressões, e o meu pecado está sempre diante de mim" (Sl 51.3). Este é o grande efeito da devoção cristã, quando, pelo ato refletivo da compreensão, a ciência é transformada em consciência, e o conhecimento é o espelho da nossa própria imperfeição, o espelho em que a visão dos nossos pecados nos envia para Deus, como aconteceu com Davi aqui, que faz esta prestação de contas somente entre a sua alma e Deus: "Eu e o Senhor".

Primeiro, ele alça voo da humildade e visão dos próprios pecados e, pelas asas da fé, ganha altura rapidamente ao trono da misericórdia de Deus: "Eu e o Senhor". Vê com os próprios olhos, e não só com os óculos da igreja ou do sacerdote. Ele é a sua própria penitenciária e confessor. Aqui não há intercessão pelos santos, nem missa, méritos, indulgências, elegias, cantos. Tudo é feito entre Deus e ele: "Eu e o Senhor". Com os olhos da humildade, ele olha para si mesmo e sua desgraça. Depois, com os olhos da fé, olha para Deus e sua misericórdia. E destes dois olhares resulta a terceira virtude do arrependimento no ato de preparação, lavando a terra do pecado na purificação da tristeza: "Lavo as minhas mãos na inocência; e assim andarei, Senhor, ao redor do teu altar". — *Isaac Bargrave*

v. 6: "Lavo as minhas mãos na inocência". Encaminhando estas palavras ao uso habitual dos sacrifícios, o salmista faz distinção entre ele e os que dizem oferecer a mesma adoração divina e se lançam nos serviços do santuário, como se só eles tivessem o direito exclusivo de fazê-los. Levando em conta que Davi e estes hipócritas eram unânimes a esse respeito, pois entravam no santuário e juntos andavam ao redor do altar sagrado, ele passa a mostrar que era um verdadeiro adorador. Ele declara que prestava atenção diligentemente não só aos ritos externos, mas cultuava a Deus com devoção sincera. É óbvio Davi aludir ao rito solene de lavar-se que era praticado sob a Lei. Por conseguinte, reprova a superstição grosseira dos hipócritas que, interessados apenas na purificação da água, menosprezavam a verdadeira purificação. O propósito de Deus, na designação do sinal externo, era fazer os homens verem que eram interiormente impuros, desta forma encorajando-os ao arrependimento. A lavação externa, em vez de beneficiar os hipócritas, mantinha-os em maior distância de Deus. Portanto, quando o salmista diz: "Lavo as minhas mãos na inocência", ele dá a entender que os hipócritas só juntam mais contaminação e impureza por essas lavações. A palavra hebraica נִקָּיוֹן (*niqqāyôn*) significa a limpeza de qualquer coisa, sendo figurativamente usada para referir-se à “inocência”. Vemos assim que, como os hipócritas não ganham pureza moral pelas suas lavações, Davi ridiculariza o trabalho duro ao qual eles vaidosamente se entregam e se atormentam na execução de tais ritos. — *João Calvino*

v. 6: “Lavo as minhas mãos na inocência; e assim andarei, SENHOR, ao redor do teu altar”. Davi, desejoso de expressar a sua ida com um coração puro para orar a Deus, serve-se da similitude de um sacerdote. Como o sacerdote lava as mãos para oferecer ofertas e sacrifícios, assim ele fora constante em juntar pureza e devoção. — *Henry Hammond*

v. 6: “na inocência”. A própria ἀκμὴ e coroa de toda a nossa preparação, a mais pura água em que podemos nos lavar é a inocência. A inocência é uma virtude do coração como também das mãos: “Limpai as mãos, pecadores; e, vós de duplo ânimo, purificai o coração” (Tg 4.8). Eu desejaria que a nossa lavação fosse como o batismo de Cipriano, *ad tincturam*, até sermos tingidos com o arrependimento e o sangue de Cristo. Que a quantidade dos seus pecados seja a medida do seu arrependimento. Primeiro, ofereça a sua inocência, e depois o seu sacrifício. Não basta que você chegue a esse dia por mandamento, você tem de chegar com inocência. Deus exige o cumprimento da segunda tábua dos mandamentos, bem como da primeira. Ele detesta o ato externo da devoção onde Ele não encontra a consciência e prática da inocência. — *Isaac Bargrave*

v. 6: “Lavo as minhas mãos na inocência”. Certa manhã, quando Gotthold estava derramando água em uma bacia, lembrou-se da Bíblia: “Lavo as minhas mãos na inocência”. É um texto que mostra a aplicação com que o profeta régio se empenhou em levar uma vida inocente e andar habitualmente no temor de Deus. Meditou sobre isso e disse: Daqui em diante, meu Deus, toda vez que eu derramar água para me lavar, me lembrarei de que é o meu dever limpar as mãos das más ações, a boca das más palavras e o coração dos maus desejos e anseios. Assim, poderei levantar mãos santas a ti e, com lábios e coração imaculados, te adorar ao extremo das minhas habilidades. De que me servirá me esforçar em obter pureza exterior, se o meu coração estiver imundo e for abominável aos teus olhos? Podem os alimentos me sustentar com o que ganhei com mãos contaminadas, ou me apoderei com violência e injustiça, ou comi com insensibilidade e ingratidão? Não, meu Deus. Longe de mim estejam tais tipos de alimento. O meu primeiro cuidado será manter um andar inocente. O passo seguinte, quando impensadamente tiver me contaminado, limparei e lavarei a mancha, e retira a minha iniquidade dos teus olhos: “Purifica-me com hissopo, e ficarei puro; lava-me, e ficarei mais alvo do que a neve” (Sl 51.7). — *Christian Scriver (1629-1693), “Gotthold’s Emblems” [Os Emblemas de Gotthold]*

v. 6: “e assim andarei, SENHOR, ao redor do teu altar”. No dia imediatamente após a festa [a festa dos Tabernáculos], as pessoas andavam ao redor do altar sete vezes com ramos de palmeiras nas mãos para relembrar a destruição de Jericó. [...] Não só os ramos, mas todos os dias desta festa eram chamados de *Hosannoth*, derivado da aclamação habitual do povo enquanto levava os ramos para cima e para baixo. — *Thomas Godwyn, Bacharel em Teologia (1587-1643), “Moses e Aaron” [Moisés e Arão]*

v. 6: Com a frase “andarei [...] ao redor do teu altar”, Davi está aludindo a algum costume levítico de ficar por perto do altar, como os sacerdotes ficavam na oferenda dos sacrifícios. Desta forma, o povo, sobretudo quem era mais devoto e zeloso, que possivelmente mudava de lugar em lugar, mas só dentro do pátio que lhe era apropriado, via e compreendia o que era feito perto do altar, tornando-se mais sensível com isso. Ou o salmista queria dizer que oferecia muitos sacrifícios um após o outro, tendo de empregar os sacerdotes ao redor do altar. — *Matthew Pool*

v. 8: "Senhor, eu tenho amado a habitação da tua casa e o lugar onde permanece a tua glória". "Tenho em minha congregação", disse certo venerável ministro do Evangelho, "uma mulher digna e idosa que por muitos anos era totalmente surda. Mesmo assim, ela sempre era uma das primeiras pessoas a chegar aos cultos. Quando lhe perguntei a razão da frequência constante (visto que era impossível ela ouvir a minha voz), ela respondeu: 'Ainda que eu não ouça nada, venho para a casa do Senhor porque a amo e desejo ser achada nos seus caminhos. Ele me dá tantos pensamentos maravilhosos sobre o texto quando me são mostrados. Outra razão é porque lá estou na melhor companhia, na presença mais imediata de Deus e entre os santos, os honoráveis da terra. Não me satisfaço em servir a Deus em particular. É meu dever e privilégio regularmente honrá-lo em público". Que reprimenda para quem tem boa audição, e sempre chega tarde aos cultos — isso quando vai! — *K. Arvine*

v. 9: "Não colhas a minha alma com a dos pecadores". Hoje é o tempo certo para as pessoas cuidarem e preocuparem-se para que no outro mundo a alma não seja colhida com a dos pecadores. Discursando sobre esta doutrina, devemos: (1) Considerar algumas coisas implícitas neste tema. (2) Mostrar quem são os pecadores para que tenhamos horror de, no outro mundo, a nossa alma ser colhida com a deles. (3) Salientar o que é para a alma ser colhida com a dos pecadores, no outro mundo. (4) Refletir sobre este cuidado e preocupação, ou ressaltar o que está implícito neste pedido sério: "Não colhas a minha alma com a dos pecadores". (5) Apresentar razões para termos tal cuidado e preocupação. (6) Fazer a aplicação.

A morte é o tempo de colheita que o salmista tem em vista no texto. Vós tendes um tempo aqui que chamais de tempo de ajuntamento, durante o qual os servos vão embora e vós reunis as ovelhas perdidas para que cada um receba o que lhe pertença. A morte é a hora da colheita de Deus em que Ele resgata as almas que lhe pertençam e o Diabo as que lhe pertençam. Por muito tempo estiveram juntas, mas agora são separadas. Os santos são levados para casa, à congregação dos santos, e os pecadores, à congregação dos pecadores. E nos interessa dizer: "Não colhas a minha alma com a dos pecadores". Seja quem for o nosso povo aqui, o povo Deus ou o povo do Diabo, a morte colherá a nossa alma com eles.

Pensar em nossa alma ser colhida com a deles faz eriçar os nossos cabelos. Muitos hoje gostam de estar no ajuntamento dos pecadores. É o maior prazer ao coração, deixando-os alegres e audazes aos próprios olhos. Causa-lhes extrema dor ficarem juntos com os santos, serem detidos diante do Senhor no sábado. Serem colhidos com eles no outro mundo é um horror inominável.

(1) Os santos têm horror a isso, como mostra o texto. Para eles, pensarem em ser colocados na companhia dos pecadores no outro mundo já é um inferno por si mesmo. Davi nunca sentiu tal horror pela companhia dos doentes, dos perseguidos, etc., quanto dos pecadores. Ele fica contente em ser colhido ou reunir-se com os santos de qualquer tipo. Mas Senhor, diz ele, "não colhas a minha alma com a dos pecadores". (2) Os ímpios têm horror a isso. "A minha alma morra da morte dos justos", disse o mau Balaão, "e seja o meu fim como o seu" (Nm 23.10). Embora fiquem contentes em viver com os eles ou estar com eles em vida, a consciência testifica que têm horror de estar com ímpios na morte. Eles viveriam com pecadores, mas morreriam com santos. Este é um pensamento mesquinho, irracional e autocondenatório. — *Thomas Boston*

v. 9: "Não colhas a minha alma com a dos pecadores". Não me amarres no mesmo feixe com os pecadores, como joio para o fogo (Mt 13.30). Vemos o contraste disso no salmo seguinte: "Quando meu pai e minha mãe me desampararem, o Senhor me recolherá [literalmente, "me juntará ao seu aprisco"]" (Sl 27.10). — *Christopher Wordsworth v. 9:* "Não colhas a minha alma com a dos pecadores". O Senhor tem o tempo da colheita e também o tempo da respiga. Este foi estabelecido para cortar e unir, na comunhão dos julgamentos, os inimigos de Deus, os quais seguiram o mesmo curso do pecado. Aqui, temos de entender que Deus colherá as almas e não deixará nenhuma fugir. — *David Dickson*

v. 9: "Não colhas a minha alma com a dos pecadores". Afinal de contas, podemos objetar que esta preocupação é comum a santos e pecadores. Até mesmo o mau Balaão disse: "A minha alma morra da morte dos justos, e seja o meu fim como o seu" (Nm 23.10). Notemos algumas diferenças entre eles sobre este assunto. (1) É a separação de Cristo que faz os santos ter horror a serem colhidos com os pecadores no outro mundo. Estar separado de Cristo é o principal motivo desse horror. Mas se as outras coisas estivessem certas com o pecador no outro mundo, seria fácil sob a separação de Cristo. (2) Os crentes têm horror a serem colhidos com os pecadores por causa da impureza. Mas o que preocupa os pecadores é o prospecto do castigo. Não há dúvida de que o princípio da autopreservação tem de tornar o castigo assustador a todos. Mas, além disso, os santos se preocupam em não ser colhidos com os pecadores no outro mundo por conta da falta de santidade e pureza. "Quem está sujo suje-se ainda" (Ap 22.11) basta para fazer os santos detestarem a sorte dos pecadores na vida por vir. (3) A preocupação dos santos causa enorme influência sobre si mesmos para fazê-los examinar a santidade aqui neste mundo. Mas os pecadores vivem de forma não santa para se preocuparem. "E qualquer que nele tem esta esperança purifica-se a si mesmo, como também ele é puro" (1 Jo 3.3). Que esperança? A esperança de ver Jesus como é Ele e de ser perfeito como Ele, sendo separado dos pecadores. (4) Por último, a preocupação dos santos é tamanha que assumem de coração o propósito de sair dentre os pecadores deste mundo. Mas os pecadores não se preocupam em serem separados dos pecadores aqui. Balaão desejou morrer a morte dos justos, mas não teve a mínima preocupação em viver a vida dos justos e ser separado dos pecadores aqui. — *James Scot, 1773*

vv. 9 a 12: Davi ora a Deus: "Não colhas a minha alma com a dos pecadores, [...] cuja mão direita está cheia de subornos", como se, por interesse, ele fosse subornado a pecar, a cujo grupo ímpio se opunha. "Mas eu ando na minha sinceridade" (v. 11), onde ele nos conta o que o guardou de ser corrompido e seduzido, por assim dizer, contra Deus — foi a sua integridade. A pessoa que anda na sua integridade não aceita suborno dos homens nem peca contra si mesma. Então, diz: "O meu pé está posto em caminho plano" (v. 12), ou, como interpretam certos estudiosos: "O meu pé está posto na retidão". — *William Gurnall*

v. 10: "cuja mão direita está cheia de subornos". Se os grandes homens na Turquia usassem a religião de Maomé para vender, como os nossos benfeitores comumente vendem as possessões da igreja (o ofício da pregação, o ofício da salvação), seria considerado como coisa intolerável. Os turcos não o permitiriam na comunidade. Os benfeitores têm o encargo de desempenhar o ofício, e não buscar o lucro e o ganho por esse meio. Havia um benfeitor na Inglaterra que teve um benefício eclesiástico que lhe caiu nas mãos. Um bom irmão meu foi até ele para lhe oferecer trinta maçãs em um prato, entregando-as ao seu criado para dá-las ao seu senhor. Como ele deu uma ao criado pelo trabalho, para compensar o ganho, havia trinta e uma maçãs. O criado dirigiu-se ao seu senhor e apresentou-lhe o prato de maçãs, dizendo: "Senhor, um homem lhe enviou um prato de frutas, desejando que o senhor fosse bom para ele por tal benfeitoria". "Ora, ora", falou ele, "não é questão de maçãs. Não quero essas maçãs. Tenho em meu pomar maçãs tão boas quanto estas (ou quaisquer outras que ele tenha)". O criado voltou ao padre e lhe contou o que o seu senhor dissera. "Neste caso", disse o padre, "desejo que ele prove uma delas por amor de mim, pois as achará muito melhores do que parecem". Ele cortou uma, e achou dez moedas de ouro. "De fato", disse o benfeitor, "esta é uma boa maçã". O padre que não estava muito longe, ouvindo o que o cavalheiro dissera, erguendo a voz, respondeu: "Todas estas maçãs são únicas, garanto-lhe, senhor. São frutos de uma só árvore e todas têm o mesmo gosto". "Neste caso, ele é uma boa pessoa, que as tenha", falou o benfeitor. Faça um enxerto desta árvore, e lhe garanto que lhe será mais vantajoso que todos os ensinos de Paulo. — *Hugh Latimer*

v. 10: "subornos". Aqueles que veem mais profundamente a Lei e discernem claramente a causa da justiça, se permitirem que o pó do suborno seja lançado aos seus olhos, os olhos lacrimejarão e piscarão, fazendo, por fim, cegar a conivência. É alarmante quando se faz da justiça um cavalo de aluguel para ser usado por dinheiro e vestido com esporas de ouro, mesmo que seja para acabar com o dano e a iniquidade. Longe esteja de nossa alma a maldade dos ouvidos, abertos a reclamações, sejam tapados com o cerume da parcialidade. Coitada da verdade, pois agora ela tem de sujeitar-se aos serviços de um precioso instrumento para remover o cerume dos ouvidos, ou ela não será ouvida! — *Thomas Adams*

v. 10:

O que torna todas as doutrinas lúcidas e claras?
Cerca de duzentas libras por ano
E aquilo que era verdadeiro antes
Agora é falso? Mais duzentas libras
— *Samuel Butler (1600-1680), "Hudibras", Parte III, Canto I*

v. 12: "O meu pé está posto em caminho plano". O pé do homem reto "está posto em caminho plano". Ele não anda a duras penas e de modo impróprio, como os que andam por caminho de terreno irregular e manquejam aqui e acolá, ou como aqueles cujos pés e pernas não são do mesmo tamanho, conforme disse Salomão: "As pernas do coxo [...] pendem frouxas [ou "não são iguais"]" (Pv 26.7), não podendo se firmar em lugar plano, porque uma é comprida e a outra curta. Os pés do homem sincero são iguais e as pernas de comprimento igual. O seu cuidado é igualmente consciencioso à vontade plena de Deus. O hipócrita, como o texugo, tem um pé mais curto que o outro; ou, como cavalo manco, não fica de pé direito nas quatro patas. Você percebe que ele alivia pelo menos um pé, aquele que se nega a ficar no chão. — *William Gurnall*

v. 12: "em caminho plano". Como o homem cujos pés estão firmemente fixos em terreno plano cuida para não cair, assim os adoradores piedosos do Senhor não temem que, por fim, os adversários triunfem sobre eles. — *William Walford*

SUGESTÕES PARA OS PREGADORES

v. 1. (1) Duas companhias inseparáveis: a fé e a santidade. (2) A bem-aventurança do homem que as possui. Ele não precisa temer o julgamento, nem o perigo do caminho. (3) O único meio de obtê-las.

v. 1. "não vacilarei." O poder sustentador da confiança em Deus.

v. 2. A investigação divina: (1) A variedade. (2) A severidade. (3) A natureza minuciosa. (4) A exatidão. (5) A certeza. (6) Quando desejá-la. (7) Quando temê-la.

v. 3. Prazer para os olhos e segurança para os pés. Ou a doce contemplação e a prática santa do homem bom. Ou a combinação divina da piedade — motivação e movimento, desfrute e ação, amor e verdade, graça livre e boas obras.

v. 3. "Porque a tua benignidade está diante dos meus olhos." É bom imitar Davi e manter a benignidade de Deus diante dos nossos olhos. Devemos fazer isso de quatro maneiras: (1) Como tema de contemplação. (2) Como fonte de encorajamento. (3) Como estímulo ao louvor. (4) Como exemplo a imitar. — *William Jay*

v. 4. "Homens vãos": (1) Quem são. (2) Por que devem ser evitados. (3) O que acontecerá com eles. "homens dissimulados": (1) Descreva esta numerosa família. (2) Mostre quais são os seus objetivos. (3) O dano causado ao crente pela astúcia dessas pessoas. (4) A necessidade de afastar-se dessas pessoas. (5) O fim terrível dessas pessoas.

v. 5. As más companhias: (1) Causas dos seus maus resultados. (2) Justificativas dadas por elas. (3) Avisos dados. (4) Motivos propostos para abandoná-las.

v. 6. A necessidade de santidade pessoal para a prestação de culto aceitável.

v. 7. (1) A vocação do crente: publicador. (2) O autor selecionado e a qualidade das suas obras: "as tuas maravilhas". (3) O modo de publicar: "voz de louvor", "contar".

v. 8. A casa de Deus: (1) Por que a amamos. (2) O que amamos este lugar. (3) Como mostramos o nosso amor. (4) Como o nosso amor será recompensado.

v. 9. Título sugestivo: "O Horror que os Santos têm do Inferno dos Pecadores", in: "Spurgeon's Sermons"[Sermões de Spurgeon], n.º 524.

v. 11. Os melhores homens necessitam de redenção e misericórdia. Ou o andar externo diante dos homens e o andar secreto com Deus.

v. 12. (1) Situação segura. (2) Posição honrada. (3) Louvor grato.

v. 12. "Nas congregações louvarei ao Senhor." Salmodia congregacional e a nossa parte pessoal nela.

SALMO 27

TÍTULO E ASSUNTO

Não podemos extrair nada do título para saber quando este Salmo foi escrito, pois o título — *"Salmo de Davi"* — é comum a muitos outros Salmos. Mas a julgar pelo assunto do cântico, o escritor estava sendo perseguido por inimigos (vv. 2, 3), fora excluído da casa do Senhor (v. 4), acabara de separar-se do pai e da mãe (v. 10) e era alvo de difamação (v. 12). E tudo isso não ocorreu quando Doegue, o edomita, falou contra ele para Saul? Trata-se de uma canção de esperança alegre, devidamente adequada aos que estão passando por provações, que aprenderam a confiar no braço do Todo-Poderoso. Podemos ler o Salmo proveitosamente de três modos: como palavras de Davi, da igreja e do Senhor Jesus. Desta forma, a plenitude da Bíblia se mostra ainda mais maravilhosa.

DIVISÃO

Primeiro, o poeta proclama a firme confiança no seu Deus (vv. 1-3) e o amor de comunhão com Ele (vv. 4 - 6). Depois, o salmista recorre à oração (vv. 7-12), e conclui com o reconhecimento do poder sustentador da fé para o seu caso e com a exortação para que os outros lhe sigam o exemplo (vv. 13, 14).

EXPOSIÇÃO

1 *O Senhor é a minha luz e a minha salvação; a quem temerei? O Senhor é a força da minha vida; de quem me recearei?*

2 *Quando os malvados, meus adversários e meus inimigos, investiram contra mim, para comerem as minhas carnes, tropeçaram e caíram.*

3 *Ainda que um exército me cercasse, o meu coração não temeria; ainda que a guerra se levantasse contra mim, nele confiaria.*

1. *"O Senhor é a minha luz e a minha salvação"*. Estes são o interesse pessoal: "minha luz", "minha salvação". A alma é assegurada

destas coisas, por isso a declara ousadamente. "Minha luz." No novo nascimento, a luz divina é derramada na alma como precursora da salvação. Onde não há suficiente luz para vermos a nossa escuridão e desejarmos o Senhor Jesus, não há evidência de salvação. A salvação nos acha na escuridão, mas não nos deixa ali. Ela dá luz aos que estão sentados no vale da sombra da morte. Depois da conversão, o nosso Deus é a nossa alegria, consolo, guia, mestre e, em todos os sentidos, luz. Ele é luz interior, luz ao redor, luz refletida de nós e luz para ser revelada em nós. Notemos que o texto não diz meramente que o Senhor *dá* luz, mas que Ele *é* luz. Também não diz que Ele *dá* salvação, mas que Ele *é* salvação. Aquele que pela fé se agarra em Deus tem em posse todas as bênçãos da aliança. Todas as luzes não são o sol, mas o sol é o pai de todas as luzes.

Tendo certeza disso como fato, o argumento extraído é posto na forma de pergunta: "a quem temerei?" Trata-se de pergunta que tem a própria resposta. Não devemos temer as potestades das trevas, pois o Senhor, a nossa luz, as destrói. Não há por que recearmos a danação do inferno, pois o Senhor é a nossa salvação. Este é um desafio muito diferente em relação ao orgulhoso Golias, pois se firma em uma fundamentação muito diferente. Não se baseia no vigor convincente do braço de carne, mas no verdadeiro poder do onipotente EU SOU.

"O Senhor é a força da minha vida." Este é um terceiro epíteto brilhante: mostrar que a esperança do escritor estava amarrada com um cordão de três dobras que não pode ser rebentado. Podemos amontoar termos de louvor quando o Senhor esbanja ações de graça. A nossa vida deriva toda a força dEle que é o criador dela. Se Deus se digna em nos fazer fortes, então nem todas as maquinações do adversário podem nos debilitar.

"De quem me recearei?" A pergunta ousada olha para o futuro como também para o presente. "Se Deus é por nós, quem será contra nós", hoje ou amanhã? (Rm 8.31).

2. Este versículo registra um livramento ocorrido no passado, sendo exemplo do modo no qual a experiência deve ser empregada para alimentar a fé em tempos de dificuldades. Cada palavra é instrutiva.

"Quando os malvados." É sinal esperançoso para nós quando os malvados nos odeiam. Se os nossos adversários fossem os crentes seria uma tristeza pesarosa, mas no que diz respeito aos descrentes o seu ódio é melhor que o amor.

"Meus adversários e meus inimigos." Havia muitos deles. Eram de diferentes tipos, mas unânimes no dano e genuínos no ódio.

"Investiram contra mim", avançaram ao ataque, saltando sobre a vítima como o leão sobre a presa.

"Para comerem as minhas carnes." Como canibais, eles dariam um fim completo do homem, despedaçando-o membro por membro e fazendo um banquete para a sua malícia. Os inimigos da nossa alma não são deficientes na ferocidade, não mostram clemência e não dão nada em troca. Vejam o perigo que Davi corria no domínio e aperto de inimigos numerosos, poderosos e cruéis. Por outro lado, observem a segurança perfeita do salmista e a derrota absoluta dos inimigos!

"Tropeçaram e caíram." O sopro de Deus os atingiu nas pernas. Havia pedras no caminho que eles nunca imaginaram, os quais fizeram com que levassem um tombo humilhante. Foi literalmente o que aconteceu no episódio de nosso Senhor no jardim do Getsêmani, quando a turba que foi prendê-lo retrocedeu e caiu ao chão. Neste ponto, Ele foi representante profético de todos os crentes lutadores, os quais, levantando-se dos joelhos, lançarão, pelo poder da fé, os inimigos rosto em terra.

3. *"Ainda que um exército me cercasse, o meu coração não temeria."* Antes do conflito, enquanto a batalha ainda não começou, o coração do guerreiro, sendo mantido em expectativa, fica muito passível de bater irregularmente. O exército

acampado inspira maior medo que o mesmo exército guerreando. Edward Young fala de alguns "que sentem mil mortes temendo uma". Indubitavelmente, a sombra da dificuldade antecipada é, para os medrosos, uma fonte de tristeza mais prolífica que a própria dificuldade. A fé, porém, põe um emplastro fortalecedor nas costas da coragem, e joga pela janela as sobras da taça do tremor.

"Ainda que a guerra se levantasse contra mim, nele confiaria." Quando chega a hora da investida da lança, o escudo da fé repele o golpe. Se a primeira escaramuça for o começo da guerra, as bandeiras da fé tremularão apesar dos inimigos. Embora haja batalha após batalha e uma campanha militar se suceda a outra, o crente não fica desanimado com o comprimento do conflito. Leitor, este terceiro versículo é a dedução consoladora e lógica do segundo: a confiança é filha da experiência. Você foi livrado de grandes perigos? Então, levante a bandeira e espere em roda da fogueira do acampamento, pois o inimigo não poderá fazer grande mal.

4 *Uma coisa pedi ao Senhor e a buscarei: que possa morar na Casa do Senhor todos os dias da minha vida, para contemplar a formosura do Senhor e aprender no seu templo.*

5 *Porque no dia da adversidade me esconderá no seu pavilhão; no oculto do seu tabernáculo me esconderá; por-me-á sobre uma rocha.*

6 *Também a minha cabeça será exaltada sobre os meus inimigos que estão ao redor de mim; pelo que oferecerei sacrifício de júbilo no seu tabernáculo; cantarei, sim, cantarei louvores ao Senhor.*

4. *"Uma coisa."* Alvos divididos tendem à distração, fraqueza, desapontamento. O homem de um só livro é distinto. O homem de um só pedido tem êxito. Sejam todos os nossos sentimentos reunidos a um só, e tal sentimento esteja fixo nas coisas do céu.

"Pedi." O que não podemos obter de uma vez, é melhor pedir. Deus nos julga muito pelos pedidos que fazemos, pois mostra o que o nosso coração deseja. Quem anda com cavalo manco não é culpado pelo seu senhor por falta de velocidade, se faz as coisas o mais rápido que pode, e faria mais se pudesse. Deus, em relação aos seus filhos, leva em conta o desejo no lugar da ação.

"Ao Senhor." Este é o alvo certo para os pedidos desejados, o poço no qual devemos lançar os nossos baldes, a porta para batermos, o banco para sacarmos. É o desejo dos homens e está no monturo com Lázaro. É o desejo do Senhor e é levado pelos anjos ao seio de Abraão. Os nossos desejos para com o Senhor devem ser santificados, humildes, constantes, submissos e fervorosos. Além disso, faz bem se, como fez o salmista, todos eles fossem fundidos em somente uma coisa. Sob as circunstâncias dolorosas de Davi, poderíamos esperar que ele pedisse repouso, segurança e mil outras coisas boas. Mas não foi o que pediu. Ele fixou o coração unicamente na pérola, abandonando todas as demais coisas.

"E a buscarei." Desejos santos têm de levar à ação resoluta. Diz o antigo provérbio: "Desejos não enchem sacos". Desejos são sementes que devem ser semeadas na boa terra da atividade para que produzam colheita. Descobriremos que os nossos desejos são como nuvens sem chuva, a menos que sejam acompanhadas por esforços práticos.

"Que possa morar na Casa do Senhor todos os dias da minha vida." Por causa da comunhão com o Rei, Davi pediu para morar para sempre no palácio. Longe de ficar cansado com os serviços relacionados ao tabernáculo, seu desejo era estar constantemente ocupado com eles, como o prazer da sua existência. Acima de tudo, ele desejava ser um dos membros da casa de Deus, um filho nascido na família e vivendo em casa com o Pai. Este é o nosso desejo mais predileto, extensivo

unicamente aos dias da nossa vida imortal que ainda não amanheceu. Anelamos a casa do nosso Pai no céu, o lar da nossa alma. Se moraremos lá para sempre, pouco nos importaremos com os bens ou males desta vida medíocre aqui. A nova Jerusalém é a meta exclusiva dos desejos do nosso coração.

"Para contemplar a formosura do Senhor." Eis um exercício para adoradores terrenos e divinos. Não entremos nas reuniões dos santos para ver e ser visto, ou somente para ouvir a pregação do ministro. Temos de nos dirigir aos ajuntamentos dos justos com o firme e benevolente propósito de aprender mais do Pai amoroso, mais do Jesus glorificado, mais do Espírito misterioso, para que mais amorosamente admiremos e mais reverentemente adoremos ao nosso Deus glorioso. Que maravilhosas palavras são estas: "a formosura do Senhor"! Pense nelas, querido leitor! Ou melhor, contemple-as pela fé! Que visão será quando todo seguidor fiel de Jesus contemplar "o Rei na sua formosura" (Is 33.17). Que visão infinitamente santa!

"E aprender no seu templo." Façamos das nossas visitas à casa do Senhor reuniões de aprendizes. Não só os pecadores, mas os santos convictos também devem ser aprendizes. Temos de aprender sobre a vontade de Deus e como fazê-la, sobre a nossa participação na cidade celestial e como nos assegurar mais deste fato. Não precisaremos aprender no céu, pois conheceremos como também somos conhecidos. Mas neste ínterim, sentemo-nos aos pés de Jesus e despertemos todas as nossas faculdades para aprender dEle.

5. Este versículo apresenta uma excelente razão para o salmista pedir a comunhão com Deus, qual seja, ele foi guardado na hora do perigo.

"Porque no dia da adversidade", no tempo das necessidades, no período em que os outros me abandonarem, Deus "me esconderá no seu pavilhão". Ele me dará o melhor abrigo no pior perigo. O pavilhão real era erguido no centro do acampamento militar. Em torno do pavilhão, todos os homens valentes mantinham a guarda em todas as horas do dia e da noite. Assim, nessa soberania divina, que o poder do Todo-Poderoso promete guardar, o crente é pacificamente escondido, não escondido por si mesmo furtivamente, mas pelo Rei que hospitaleiramente o recebe.

"No oculto do seu tabernáculo me esconderá." O sacrifício ajuda a soberania a proteger os eleitos do mal. Antigamente ninguém ousava entrar no lugar santíssimo sob pena de morte. Se o Senhor esconde o seu povo ali, que inimigo se arrisca a molestá-los?

"Por-me-á sobre uma rocha." A imutabilidade, eternidade e poder infinito vêm ajudar a soberania e o sacrifício. Como é bendita a posição do homem a quem o próprio Deus posiciona no alto, acima dos inimigos, em uma rocha inconquistável, a qual jamais pode ser atacada! Isso nos desperta o desejo de morar com o Senhor que eficazmente protege o seu povo.

6. *"Também a minha cabeça será exaltada sobre os meus inimigos que estão ao redor de mim."* O salmista tem plena certeza disso. Os piedosos de antigamente oravam com fé, sem vacilar, e falavam da resposta às orações como algo certo. Davi estava pela fé tão seguro da vitória gloriosa sobre todos os que o atacavam, que ele dispôs no próprio coração o que faria quando os inimigos caíssem prostrados diante dele. Essa disposição atuava como sugestão de agradecimento.

"Pelo que oferecerei sacrifício de júbilo no seu tabernáculo." Esse lugar ao qual, durante o conflito, ele almejava, veria a alegria grata da volta triunfante. Ele não fala de celebrações a serem oferecidas no palácio e de festas nos salões de banquete, mas opta pela felicidade santa como a mais adequada por tão divina libertação.

"Cantarei." Este é o modo mais natural de expressar gratidão.

"Sim, cantarei louvores ao Senhor." A promessa é confirmada pela repetição e explicada pela adição, cuja adição promete todos os louvores ao Senhor. Enquanto alguns ficam calados quando as orações são ouvidas, os crentes fazem com que

os seus louvores também sejam ouvidos. Enquanto alguns cantam as vaidades do mundo, os crentes reservam a sua música exclusivamente ao Senhor.

7 *Ouve, Senhor, a minha voz quando clamo; tem também piedade de mim e responde-me.*
8 *Quando tu disseste: Buscai o meu rosto, o meu coração te disse a ti: O teu rosto, Senhor, buscarei.*
9 *Não escondas de mim a tua face e não rejeites ao teu servo com ira; tu foste a minha ajuda; não me deixes, nem me desampares, ó Deus da minha salvação.*
10 *Porque, quando meu pai e minha mãe me desampararem, o Senhor me recolherá.*
11 *Ensina-me, Senhor, o teu caminho e guia-me pela vereda direita, por causa dos que me andam espiando.*
12 *Não me entregues à vontade dos meus adversários, pois se levantaram falsas testemunhas contra mim, e os que respiram crueldade.*

7. *"Ouve, Senhor, a minha voz quando clamo."* O pêndulo da espiritualidade balança da oração ao louvor. A voz que no versículo anterior estava afinada com a música, neste torna-se clamor. Como bom soldado, Davi sabia manejar armas. Ele se sentia muito à vontade com a arma de "toda oração" (Ef 6.18). Notemos a ansiedade em ser ouvido. Os fariseus não dão a mínima se o Senhor os ouve, contando que os homens os ouçam ou que eles mesmos massageiem o orgulho com as suas devoções. Mas para o homem genuíno, o Senhor ouvir é tudo. Podemos usar a voz com proveito na oração em particular, pois ainda que seja desnecessária, é útil e ajuda a prevenir distrações.

"Tem também piedade de mim." A piedade ou misericórdia é a esperança dos pecadores e o refúgio dos santos. Todos os solicitantes aceitáveis se servem muitas vezes deste atributo.

"E responde-me." Esperemos que as orações sejam respondidas, pois não é natural a ausência de resposta. Assim como não é natural escrevermos uma carta a um amigo sobre um assunto importante e não recebermos resposta.

8. Neste versículo, aprendemos que se ansiamos que o Senhor ouça a nossa voz, temos de cuidar para nós respondermos à sua voz. O verdadeiro coração ecoa a vontade de Deus como as rochas entre os Alpes repetem, na mais agradável melodia, as notas do garrido do camponês. Observemos que o mandamento está no plural, sendo para todos os santos: "buscai". Mas o homem de Deus o colocou no singular para aplicação pessoal: *"O teu rosto, Senhor, buscarei"*. A voz do Senhor é muito eficaz onde todas as outras vozes falham: "Quando tu disseste", então o meu "coração", a minha natureza interior foi movido a uma resposta de obediência. Notemos a prontidão da resposta — imediatamente depois que foi feita. Assim que Deus disse: "buscai", o coração disse: "buscarei". Que tenhamos sempre esta prontidão santa! Quisera Deus que fôssemos mais maleáveis à mão divina, mais sensíveis ao toque do Espírito de Deus.

9. *"Não escondas de mim a tua face."* O mais leve escondimento da face do Senhor já é extremamente aflitivo para o crente. O mandamento para buscar o rosto do Senhor seria doloroso se Ele, retirando-se, tornasse impossível o buscador encontrá-lo.

"E não rejeites ao teu servo com ira." Outros servos foram abandonados quando se mostraram infiéis, como por exemplo, o seu antecessor, Saul. Este fato deixou Davi, ainda que cônscio de muitas faltas, bastante ansioso para que a longanimidade divina continuasse favorecendo-o. Esta oração nos é muito apropriada quando estivermos sob sentimento semelhante de indignidade.

"Tu foste a minha ajuda." Como esta declaração é real para nós. Durante muitos anos, em circunstâncias de provações diversas, temos sido sustentados pelo nosso

Deus. Este fato nos faz confessar a nossa dívida. Dizem que "a ingratidão é natural para os homens caídos", mas para os homens espirituais é antinatural e detestável.

"Não me deixes, nem me desampares." É uma oração para o futuro e uma dedução do passado. Se fosse intenção do Senhor nos deixar, por que começou conosco? A ajuda recebida no passado é um desperdício de esforço, se a alma for desamparada agora. A primeira parte da petição: "não me deixes", pode se referir a ausências temporárias, e a segunda à retirada final da graça, ambas as quais o salmista ora para que não se repitam. E acerca da segunda parte da petição, temos promessas imutáveis a lembrar com insistência.

"Ó Deus da minha salvação." Um título doce digno de muita meditação.

10. *"Porque, quando meu pai e minha mãe me desampararem."* Essas queridas relações serão as últimas a me abandonarem, mas se o leite da bondade humana secar dos seios há um Pai que nunca esquece. Alguns dos maiores santos foram expulsos pelas próprias famílias e perseguidos por causa da justiça.

"O Senhor me recolherá." Ele esposará a minha causa, me enaltecerá a partir das minhas aflições, me carregará nos braços, me elevará acima dos meus inimigos e, por fim, me receberá na sua habitação eterna.

11. *"Ensina-me, Senhor, o teu caminho."* Ele não ora para ser favorecido do seu jeito, mas para ser informado quanto ao caminho no qual o justo Senhor quer que ele ande. Esta oração evidencia um senso humilde de ignorância pessoal, grande aptidão de espírito para aprender e obediência alegre de coração.

"E guia-me pela vereda direita." O salmista busca ajuda e também direção. Precisamos não apenas de um mapa do caminho, mas também de um guia para nos ajudar na viagem. O caminho desejado tem de ser aberto, honrado e reto, em oposição ao caminho da astúcia, que é complicado, tortuoso e perigoso. Os homens bons raramente têm sucesso em especulações requintadas e cursos duvidosos. A simplicidade clara é o melhor espírito para os herdeiros do céu. Deixemos os truques desonestos e as conveniências políticas para os cidadãos do mundo, pois a Nova Jerusalém possui homens íntegros por cidadãos. Esaú era perito caçador, ao passo que Jacó era homem simples, morando em tendas.

"Por causa dos que me andam espiando." Estes nos pegam se puderem, mas o caminho da honestidade manifesta e simples é livre do seu furor. É maravilhoso observarmos como a simplicidade honesta confunde e burla a astúcia da maldade. A verdade é sábia. "A honestidade é a melhor política."

12. *"Não me entregues à vontade dos meus adversários"*, ou serei como vítima lançada aos leões para ser despedaçado e totalmente devorado. Deus seja louvado porque os nossos adversários não podem fazer o que quiserem contra nós, ou Smithfield logo estaria em chamas outra vez.

"Pois se levantaram falsas testemunhas contra mim." A difamação é uma arma antiquada do arsenal do inferno, mas ainda está em pleno uso. Pouco importa o quanto uma pessoa seja santa, sempre haverá quem a difame. "Ter fama e deitar-se na cama. Uma vez que se tenha má fama, é difícil livrar-se dela." Mas glória a Deus, a má fama levantada contra o povo do Senhor não o prejudica.

"E os que respiram crueldade." O ar vital respirado por essas pessoas é odiar os bons. Não podem falar sem amaldiçoá-los. Paulo era assim antes da conversão. Os que respiram crueldade podem ter a certeza de que serão enviados a respirar o seu ar nativo no inferno. Os perseguidores que se cuidem!

13 *Pereceria sem dúvida, se não cresse que veria os bens do* S*ENHOR na terra dos viventes.*

13. *"Pereceria sem dúvida, se não cresse que veria os bens do Senhor na terra dos viventes."* A fraqueza de coração é uma enfermidade comum. Mesmo aquele que matou Golias esteve sujeito aos seus ataques. A fé refresca a alma, desta forma evitando-lhe a morte. A esperança é o bálsamo do céu para a tristeza de hoje. Nesta terra dos mortos, é a nossa bem-aventurança olhar e desejar a nossa porção justa na terra dos viventes, de onde a bondade de Deus baniu a maldade dos homens, e onde os espíritos santificados cativam com a sua sociedade os santos perseguidos que foram vilipendiados e menosprezados entre os homens. Temos de crer para ver, e não ver para crer. Temos de esperar o tempo certo, e acalmar a nossa alma faminta com antegozos da bondade eterna do Senhor, que logo será o nosso banquete e a nossa canção.

14 *Espera no Senhor, anima-te, e ele fortalecerá o teu coração; espera, pois, no Senhor.*

14. *"Espera no Senhor."* Espera à porta do Senhor com oração. Espera aos seus pés com humildade. Espera à sua mesa com serviço. Espera à sua janela com expectativa. Com frequência, os litigantes ganham nada mais que o ombro frio dos defensores terrenos depois de espera longa e servil. A causa anda mais depressa para aqueles cujo defensor está nos céus.

"Anima-te." Este é o lema do soldado. Seja o meu também. Sempre precisamos de ânimo e, para o seu exercício, temos tanta razão quanto necessidade, se formos soldados do Rei Jesus.

"E ele fortalecerá o teu coração." Ele coloca o emplastro exatamente no lugar fraco. Sendo o coração fortalecido, o mecanismo inteiro da humanidade estará cheio de poder. O coração forte torna o braço forte. Que força é esta que o próprio Deus dá ao coração? Leia "O Livro dos Mártires", de John Fox (CPAD), e interesse-se das ações gloriosas de coragem. Mas antes vá a Deus para receber tal poder.

"Espera, pois, no Senhor." Na palavra "pois", Davi coloca o seu selo particular nas palavras que, como homem inspirado, ele fora movido a escrever. É o seu testemunho como também o mandamento de Deus. De fato, este que escreve estas notas parcas descobriu por experiência que estas palavras são tão doces, tão reanimadoras, tão proveitosas para aproximar-se de Deus que por conta própria ele também se sente preso a escrever: "Espera, pois, no Senhor".

NOTAS EXPLICATIVAS E DECLARAÇÕES IMPORTANTES

v. 1: "O Senhor é a minha luz e a minha salvação; a quem temerei?" A mártir Alice Driver, durante seu julgamento, calou a todos os doutores, de forma que não tiveram uma palavra sequer a dizer e ficaram olhando uns aos outros. Então ela disse: "Não tendes mais nada a dizer? Deus seja louvado! Vós não podeis resistir ao Espírito de Deus que habita em mim, uma pobre mulher. Sou filha de um homem pobre e honesto, e nunca estive na universidade como vós. Mas lavrei a terra muitas vezes com o meu pai, graças a Deus. Contudo, na defesa da verdade de Deus e na causa do meu Mestre, Cristo, pela sua graça estou em pé de igualdade com qualquer um de vós na manutenção e defesa do mesmo. Se eu tivesse mil vidas elas iriam em pagamento desse privilégio". Assim, o chanceler a sentenciou, e ela voltou à prisão alegremente. — *Charles Bradbury*

v. 1: "O Senhor é a minha luz e a minha salvação; a quem temerei? O Senhor é a força da minha vida; de quem me recearei?" O apóstolo João fala que em Jesus "estava a vida e a vida era a luz dos homens", e acrescenta: "A luz resplandece nas trevas, e as trevas não a compreenderam" (Jo 1.4,5). Há grande diferença entre a luz e os olhos que a veem. O cego pode saber muita coisa sobre o brilho do sol, mas o sol não brilha para ele — não lhe dá luz. Assim, saber que "Deus é luz" é uma coisa (1 Jo 1.5), e dizer: "O SENHOR é a minha luz", é totalmente outra. O Senhor tem de ser a luz pela qual o caminho da vida nos é iluminado, a luz pela qual possamos ver para andar nesse caminho, a luz que expõe a escuridão do pecado, a luz pela qual possamos descobrir os pecados ocultos do nosso coração. Quando Deus é a nossa luz, também é a nossa salvação. Deus está empenhado em nos guiar, não só para nos mostrar o pecado, mas para nos salvar deste, não só para nos fazer ver que Ele odeia o pecado e o amaldiçoa, mas também para nos atrair ao seu amor e acabar com a maldição. Tendo o Senhor a iluminar ao longo do caminho da salvação, quem ou o quê temeremos? A nossa "vida está escondida com Cristo em Deus" (Cl 3.3). Somos fracos, muito fracos, mas o seu "poder se aperfeiçoa na fraqueza" (2 Co 12.9). Com o próprio Senhor empenhado em ser a força da nossa vida, de quem me recearei? — *"From Sacramental Meditations on the Twenty-seventh Psalm" [De Meditações Sacramentais sobre o Salmo 27], 1843*

v. 1: "O SENHOR é a minha luz". A luz, que torna todas as coisas visíveis, foi a primeira coisa criada entre todas as coisas visíveis que Ele fez. Se Deus a criou ou não para nosso exemplo não sei. Mas desde então, imitando este procedimento de Deus, a primeira coisa que fazemos quando queremos fazer algo é conseguir "luz". — *Sir Richard Baker*

v. 1: "O SENHOR é a minha luz". Adorável Sol, bradou Bernardo, não posso andar sem ti. Ilumina os meus passos, e concede à minha mente estéril e ignorante pensamentos dignos de ti. Adorável plenitude de luz e calor sê tu o verdadeiro meio-dia da minha alma. Extermina a escuridão, dispersa as nuvens. Queima, seca e consome toda sujeira e impureza. Sol divino levanta-te em minha mente e jamais te ponhas. — *Jean Baptiste Elias Avrillon, 1652-1729*

v. 1: "a quem temerei?" Nem os valentes espirituais nem os valetes militares fazem façanhas por meio da covardia. A coragem é uma virtude necessária. No Senhor está a melhor intrepidez possível, a qual não vacila. — *William S. Plumer*

v. 1: "de quem me recearei?" Não é minha intenção fazer uma confissão tímida e insincera de Jesus. Tais mestres e pregadores são como um rato que brinca de esconde-esconde, pondo a cabeça por um buraco para ver se a área está limpa para então arriscar-se a sair. Caso algo lhe pareça ameaçador, ele se esquiva furtivamente. Não podemos ser honestos com Jesus a menos que sejamos corajosos por Ele. Ou Jesus é digno de tudo que podemos perder por amor a Ele, ou Jesus não vale nada. — *H. G. Salter, Mestre em Ciências Humanas, "The Book of Illustrations" [O Livro das Ilustrações], 1840*

v. 2: "Quando os malvados, meus adversários e meus inimigos, investiram contra mim, para comerem as minhas carnes, tropeçaram e caíram". Não há prato mais preferido para o gosto dos malvados que a carne dos inimigos. Engolem sem mastigar, e devoram vorazmente como glutões. Mas ainda que a maldade tenha um estômago insaciável, ela sofre de má digestão. Embora os dentes sejam afiados, os pés são mancos, ao menos propensos a tropeçar. Esta condição foi favorável a Davi, pois quando os inimigos investiram contra ele para comer-lhe as carnes, "tropeçaram e caíram", porque tinham os pés da maldade. A pessoa pode tropeçar e não cair. Tropeçar e também cair é tropeço próprio dos "malvados", sobretudo dos impiamente malvados. Ao que parece, o tropeço dos inimigos de Davi foi deste tipo, porque os inimigos eram assim. E não duvido que seja esse o tropeço dos meus inimigos, porque eles são assim. Portanto, do que ou de quem terei medo? — *Sir Richard Baker*

v. 2: "os malvados... meus inimigos..." Os maus odeiam os bons. Há inimizade entre a semente da mulher e a serpente (Gn 3.15). Como na natureza há antipatia entre a videira e o loureiro, o elefante e o lagarto. Os urubus têm aversão a bons cheiros. Assim há nos maus uma antipatia contra o povo de Deus. Eles odeiam o bom perfume da graça que emana dessa gente. É verdade que os santos têm fraquezas. Mas não é por causa disso que os maus os odeiam, senão pela santidade que mostram. Nasce desse ódio uma violência aberta. O ladrão odeia a luz, por isso a apaga. — *Thomas Watson*

v. 2: meus adversários e meus inimigos". Há muita sabedoria nesta oração de John Wesley: "Senhor, se tenho de lutar, não permitas que seja contra o teu povo". Quando temos por adversários e inimigos os que odeiam os homens bons, temos pelo menos este consolo: Deus não está do lado deles e, por conseguinte, são essencialmente fracos. — *William S. Plumer*

v. 3: O salmista apresenta o caso segundo o maior perigo que possa haver: "Ainda que um exército me cercasse, o meu coração não temeria; ainda que a guerra se levantasse contra mim, nele confiaria". Trata-se de muita coragem para o tempo por vir. A esperança gera experiência e confiança. A coragem de Davi não vinha dele mesmo, mas por experiência anterior do consolo e ajuda recebidos de Deus. A fé surgiu como fogo da fumaça, ou como o sol das nuvens. Embora eu tenha passado por esta e aquela perplexidade, para o futuro tenho tamanha confiança e experiência da bondade de Deus que não temerei. Aquele que vê Deus pelo espírito da fé na sua grandeza e poder, vê que todas as outras coisas são menos que nada. Portanto, ele não se preocupa com o futuro no que tange à hostilidade, nem mesmo de um exército. "Se Deus é por nós, quem será contra nós?" (Rm 8.31). Ele viu Deus em grande poder. Então, olhando de Deus para a criatura, quem era ele? Como Miqueias, quando tinha visto Deus sentado no trono, o que era Acabe, já que ele acabara de ver Deus? Portanto, já que o profeta Davi tinha visto Deus, ainda que um exército o cercasse, o seu coração não temeria; ainda que a guerra se levantasse, nesse Deus ele confiaria. — *Richard Sibbes*

v. 3: "Ainda que um exército me cercasse, o meu coração não temeria; ainda que a guerra se levantasse contra mim, nele confiaria". Se amo o meu Deus e o amo com um amor de espírito nobre, todos os meus inimigos lutarão contra mim em vão. Jamais os temerei, e nem o mundo inteiro pode me causar dano. O amor não pode ser ofendido, porque Ele não se ofende. Inimigos, invejosos, caluniadores, perseguidores, eu os desafio. Se amo, triunfarei sobre os vossos ataques. Podeis tomar os meus bens, mas se o meu amor tiver um espírito generoso, sempre serei suficientemente rico. Vós não podereis tomar o meu amor, o qual compõe todas as minhas riquezas e tesouros. Podeis denegrir a minha reputação, mas como vos considero desprezíveis para retirar toda homenagem de louvor e aplauso, eu, de todo o meu coração, vos dou toda licença para criticar e difamar. Felizmente para mim, vós não podereis me difamar diante do meu Deus, pois a avaliação que Ele faz de mim já basta para me corrigir e me recompensar de todo o vosso desprezo. Podeis perseguir o meu corpo, mas nisso eu vos ajudo com os meus próprios martírios. Quanto mais cedo o corpo perecer, mais cedo estarei livre deste inimigo doméstico, que é um fardo para mim. Que dano, então, vós podeis me causar? Se estou decidido a sofrer tudo e se penso que mereço todas as afrontas que possais me fazer, vós só estareis dando superioridade de espírito ao meu amor e mais brilho à minha coroa. — *Jean Baptiste Elias Avrillon*

v. 3: "Ainda que um exército me cercasse, o meu coração não temeria; ainda que a guerra se levantasse contra mim, nele confiaria". Os que estão dispostos a ser combatentes para Deus, também serão mais que vencedores por Deus. Ninguém é tão verdadeiramente corajoso quanto os que são verdadeiramente tementes a Deus. Se o cristão vive, ele sabe por qual poder está de pé. Se morre, sabe por amor de quem ele cai. Onde não há confiança em Deus, não haverá continuação com Deus. Quando o vento da fé deixa de inflar as velas, o navio da obediência deixa de trilhar os mares. Os insultos de Ismael nunca farão Isaque desdenhar a herança.— *William Secker*

vv. 3 e 4: "Ainda que um exército me cercasse, o meu coração não temeria; ainda que a guerra se levantasse contra mim, nele confiaria. Uma coisa pedi ao Senhor e a buscarei: que possa morar na Casa do Senhor todos os dias da minha vida, para contemplar a formosura do Senhor e aprender no seu templo". Os prediletos se engrandecem pelos muitos benefícios, presentes, joias e ofícios que o príncipe lhes dá. Os crentes se enriquecem com experiências que usam como pulseiras e guardam como joias riquíssimas. Ele chama um de *Ebenezer*: "Até aqui nos ajudou o Senhor"; outro de Naftali: "Com lutas de Deus, tenho lutado"; outro de Gérson: "Fui [...] estranho"; outro de José: "O senhor me acrescente outro filho"; e outro de Peniel: "Tenho visto a Deus face a face" (1 Sm 7.12; Gn 30.8; Êx 2.22; Gn 30.24; 32.30). Fui livrado do leão, então serei livrado do urso. Fui livrado do leão e do urso, então serei livrado dos filisteus.

Fui livrado do filisteu, então serei livrado de Saul. Fui livrado de Saul, então "o Senhor me livrará de toda má obra e guardar-me-á para o seu Reino celestial" (2 Tm 4.18). — *John Sheffield*

v. 4: "Uma coisa pedi ao Senhor e a buscarei: que possa morar na Casa do Senhor todos os dias da minha vida, para contemplar a formosura do Senhor e aprender no seu templo". Há intérpretes que divergem a respeito do que o salmista quis falar. Entendendo muito geralmente, está claro que ele quer dizer comunhão e companheirismo com Deus, os quais são a "coisa" que, se o cristão tivesse, não precisaria de nada mais. Desejemos todos, desejemos cada vez mais e estejamos em amor, pois isso basta para nos satisfazer: o gozo de Deus, vendo-o nas suas ordenanças no templo, para termos concordância, companheirismo e comunhão com Ele. Trata-se de algo tão infinitamente doce e aprazível que constituía o desejo único do salmista, que era a suma de todos os seus desejos. Portanto, muito maior é o nosso desejo pelo tabernáculo do céu que compõe a completude e perfeição de toda a nossa felicidade. — *John Stoughton*

v. 4: "Uma coisa pedi ao Senhor e a buscarei: que possa morar na Casa do Senhor todos os dias da minha vida, para contemplar a formosura do Senhor e aprender no seu templo". Já que Davi fez apenas um pedido a Deus, por que não fez um pedido maior? Que pedido medíocre é desejar morar na casa de Deus! E para fazer o que lá? Somente para contemplar? E contemplar o quê? Só a formosura, algo que desvanece, e no máximo para aprender. E aprender o quê? Só para ouvir. E por qual causa, em qualquer uma destas, Davi faria o seu pedido a Deus? Mas nota, ó minha alma, o que combina com tudo isso! Tomemos em geral: "Para contemplar a formosura do Senhor e aprender no seu templo". Agora, dize-me, se há, se pode haver um pedido maior a se fazer? Uma causa mais importante que esta? Embora a formosura deste mundo seja algo que desvanece, "a formosura do Senhor" continuará quando o mundo passar. Ainda que o aprendizado seja uma fantasia vã, aprender no templo de Deus é o meio de aprender que não há coisa nova debaixo do sol. Foi o que Salomão aprendeu que "tudo é vaidade" (Ec 1.2). Realmente, esta "uma coisa" que Davi deseja é *unum necessarium* que Jesus fala no Evangelho, a qual Maria escolheu lá e Davi aqui. — *Sir Richard Baker*

v. 4: A mente celestial se concentra em um desejo e nada mais: "Uma coisa pedi ao Senhor e a buscarei: que possa morar na Casa do Senhor todos os dias da minha vida, para contemplar a formosura do Senhor e aprender no seu templo".

Concede-me a ti mesmo, ó Senhor, e não pedirei nada mais. A nova criatura não pede nada de Deus, exceto desfrutar Deus. Dá-me isso, ó Senhor, e quanto ao resto, que Ziba fica com tudo. Eu me desfarei de tudo para comprar esta pérola, as riquezas da graça divina. — *Jeremy Taylor*

v. 4: "Uma coisa". A primeira coisa, então, é a escolha de Davi, sumariamente descrita nas palavras "uma coisa". Assim Jesus confirma a palavra do profeta ao dizer que a escolha de Maria era "uma só [coisa]" (Lc 10.42; cf. ARA). Há três razões para este argumento.

Em primeiro lugar, porque não é um bem comum, mas um bem principal. Se há um bem acima deste, já não é o bem principal. Se há um bem igual a deste, já não é único.

Em segundo lugar, porque é o fim último ao que desejamos desfrutar para sempre. Se há um fim acima deste, já não é o último, mas um entre eles e de graus diferentes. Todos os meios e fins são usados para esse fim, o qual é buscado por si mesmo e, então, tem de ser apenas um.

Em terceiro lugar, é o centro ao qual todos os espíritos racionais são atraídos. Como todas as retas de um círculo convergem para o centro, assim todo aquele que busca felicidade a encontra devidamente no bem principal, como a única coisa que eles desejam e, então, tem de ser um. — *William Struther, "True Happiness, or King David's Choice" [A Verdadeira Felicidade ou a Escolha do Rei Davi], 1633*

v. 4: "Uma coisa". Mudanças, grandes mudanças e muitas perdas ocorreram em minha vida. Fui esvaziado de recipiente em recipiente. Mas uma coisa nunca faltou — uma coisa que me faz sentir que a minha vida é uma. Sossegou as minhas alegrias, acalmou as minhas tristezas, guiou-me nas dificuldades, fortaleceu-me nas fraquezas. É a presença de Deus — um Deus fiel e amoroso. Sim, irmãos, a presença de Deus não é só luz, é também unidade. Dá unidade ao coração que crê nela — unidade à vida que é conformada com ela. Foi a presença de Deus na alma de Davi que o habilitou a dizer: "Uma coisa pedi ao Senhor". Foi a presença de Deus na vida de Paulo que o habilitou a dizer: "Uma coisa faço" (Fp 3.13). — *George Wagner, "Wanderings of the Children of Israel" [As Peregrinações dos Filhos de Israel], 1862*

v. 4: "Uma coisa".

Uma paixão-mestre no peito
Como a serpente de Arão, engoliu as demais
— *Alexander Pope*

v. 4: "Que possa morar na Casa do Senhor todos os dias da minha vida". Não há dúvida de que o significado é aproximar-se continuamente do templo para residir lá permanentemente. É morar, habitar para sempre e não ir por um ímpeto ou acesso temporário. [...] Assim morou Ana, filha de Fanuel, sobre quem está escrito em Lucas 2.36,37 por período de 84 anos sem ter saído do templo. Não que ela estivesse permanentemente lá, mas frequentemente, como observaram Lira e o venerável Bede. Não que ela nunca se ausentasse sequer por uma hora, mas que ela estava muitas vezes no templo. O mesmo Lucas, falando sobre os discípulos de nosso Senhor, depois de o terem visto ascender ao céu, "tornaram com grande júbilo para Jerusalém. E estavam sempre no templo, louvando e bendizendo a Deus" (Lc 24.52,53). Na época da mãe de Agostinho também se disse que ela morou na casa de Deus, para onde ia tão própria e verdadeiramente duas vezes por dia. "Que ela, nas tuas Escrituras", disse Agostinho, "possa ouvir, ó Deus, o que tu lhe disseste, e que tu, nas orações dela, o que ela te disse". Em outras palavras, como os cristãos diziam, o mesmo Agostinho fala em outro lugar e tempo, a quem ele chama de as formigas de Deus. "Observem as formigas de Deus", disse ele, "levantam-se cedo diariamente, correm para a igreja, oram, ouvem a leitura da lição, cantam um

Salmo, ruminam no que foi ouvido, meditam e entesouram para si os grãos preciosos juntados daquele celeiro". — *John Day, "David's Desire to go to Church" [O Desejo de Davi ir à Igreja], 1609*

v. 4: "Que possa morar na Casa do SENHOR todos os dias da minha vida". No começo do Salmo, Davi faz uma auditoria das contas da sua alma, lançando os grandes rendas e tesouros duradouros da generosidade, graça e misericórdia de Deus. A soma de tudo é esta: O Senhor é a minha luz e a minha vida, a minha força e a minha salvação. Onde Davi projetará a sua presença, senão onde a luz está? Onde ele desejará a sua pessoa, senão onde a sua força está? Onde ele quererá a sua alma, senão onde a sua vida está? Onde ele fixará habitação, senão onde a sua salvação está? Na comunhão com o seu Deus, e, especialmente, na santa adoração do seu santuário. Não admira que acima de todas as coisas o salmista pede e busca esta "uma coisa", "morar na Casa do SENHOR todos os dias da minha vida, para contemplar a formosura do SENHOR e aprender no seu templo". — *Robert Mossom*

v. 4: "Casa do SENHOR". [O tabernáculo, ou o santuário] é chamado de a casa de Deus, porque Ele está presente ali, como as pessoas têm prazer de estar em casa. É o lugar onde encontramos Deus. É como encontramos as pessoas em casa, onde elas recebem visitas, onde elas revelam segredos. As pessoas descansam, deitam-se e alojam-se em casa. Onde mais as pessoas são conhecidas quanto na sua casa? Em que outro lugar elas têm o cuidado de proteger e prover de alimentos quanto a sua casa? Elas guardam os seus tesouros e joias na sua casa. Assim Deus guarda todos os tesouros da graça e consolo na igreja visível. Na igreja, Ele tem de ser tratado como as pessoas são tratadas em suas casas. É onde Ele nos oferece reuniões aprazíveis. A casa das pessoas é, por assim dizer, o seu castelo, o lugar que elas protegem e proveem de alimentos. Deus com certeza protegerá e proverá de alimentos a sua igreja. Davi chama a igreja de Deus, isto é, o tabernáculo (que era a igreja daquela época), a casa de Deus. Se aplicarmos isso aos nossos dias, aquilo que corresponde ao tabernáculo de hoje são as igrejas particulares e visíveis sob a responsabilidade de pastores particulares, onde são apresentados os meios de salvação. As igrejas particulares e visíveis são hoje o tabernáculo de Deus. A igreja dos judeus era uma igreja nacional. Havia apenas uma igreja, somente um lugar e um único tabernáculo. Hoje Deus ergue tabernáculos particulares. Cada igreja e congregação em particular está sob a responsabilidade de um pastor. A sua reunião é a igreja de Deus, mesmo sendo diversas igrejas independentes. — *Richard Sibbes*

v. 4: "Para contemplar a formosura do SENHOR". Este era um objetivo do seu pedido: morar na casa de Deus, não para alimentar os olhos com especulações e visões agradáveis (como realmente havia no tabernáculo coisas agradáveis de serem vistas). Nada disso. Ele tinha uma visão mais espiritual que isso. Ele via a formosura espiritual das coisas espirituais. O outro objetivo era contemplar as coisas segundo a aparência, como o apóstolo as chama (cf. 2 Co 10.7). Peço morar na casa do Senhor "para contemplar a formosura do SENHOR", sobretudo a formosura interior do Senhor. — *Richard Sibbes*

v. 4: "A formosura do SENHOR" (ou "a beleza do SENHOR", ARA). Com relação a estas palavras, mostraremos que o caráter de Deus é atraente e sob medida para nos inspirar de amor por Ele, e para nos fazer, por assim dizer, correr atrás dEle. Dividiremos a argumentação do nosso assunto em três partes.

(1) Alguns elementos da beleza do Senhor. Deus é Espírito. Por conseguinte, a sua beleza é espiritual, e podemos buscar os seus elementos na perfeição espiritual.

(a) Um dos elementos desta beleza é a santidade. (b) Mas os elementos da beleza divina, os quais queremos enfatizar neste momento são os que estão inclusos na descrição geral da misericórdia e graça de Deus. As pessoas em nossa condição caída percebem facilmente a atratividade destes elementos e sentem a sua influência mais cedo. É principalmente por causa destes elementos que os pecadores são persuadidos da sua inimizade contra Deus, e que o Espírito Santo derrama o amor do Pai em nossos corações. (c) Outra coisa que podemos chamar de elemento da beleza de Deus é a combinação dos seus diversos atributos em um todo harmonioso. As cores do arco-íris são bonitas quando consideradas uma por uma. Mas há uma beleza no arco-íris que surge não de uma matiz somente. Há uma beleza que não existiria se as cores fossem presumidas em sequência — uma beleza que é o resultado da reunião e ordem, e que consiste na mistura do seu brilho. De certa forma, é como agem as diversas perfeições, que coexistem e se unem na natureza de Deus, produzem uma beleza gloriosa. A santidade é bonita, a misericórdia é bonita, a verdade é bonita. Mas, acima de tudo, há certa beleza que pertence a tais combinações e harmonias como o salmista descreve, quando ele nos conta: "A misericórdia e a verdade se encontraram; a justiça e a paz se beijaram"; "A tua misericórdia, SENHOR, está nos céus, e a tua fidelidade chega até às mais excelsas nuvens. A tua justiça é como as grandes montanhas; os teus juízos são um grande abismo" (Sl 85.10; 36.5,6).

(2) Onde podemos contemplar a beleza do Senhor. Podemos vê-la no mundo natural. O trono da natureza, embora em certos aspectos nuvens e escuridão o envolvam, não fica sem o arco-íris da beleza. O mesmo ocorre com o trono da graça. Podemos ver a beleza do Senhor na Lei moral. Na Lei? Isso mesmo! Na Lei inflexível, com seu anátema terrível, brilham a beleza e a amabilidade. A Lei está cheia de amor. Os deveres da Lei são deveres do amor. O amor é o cumprimento da Lei. A maldição da Lei é projetada e empregada para a manutenção do amor. A obediência à Lei e o reinado do amor não passam de aspectos diferentes do mesmo estado de coisas. Uma das mais sublimes lições da Lei é o fato de que Deus é amor. Podemos ver a beleza do Senhor no Evangelho. Nós a vemos, por assim dizer, nos reflexos na Lei. No Evangelho, nós a vemos diretamente. A Lei nos mostra o coração dos homens, conforme Deus o vê. O Evangelho nos mostra o próprio coração de Deus. Podemos ver a beleza do Senhor em Cristo. Nós a vemos em Cristo, porque Ele é o brilho e a glória do Pai, sendo a imagem expressa da sua Pessoa. Aquele que viu Cristo, viu o Pai. Vemos a beleza do Senhor em Cristo, quando o consideramos como o presente do Pai e quando examinamos os seus ofícios e o seu caráter. O caráter de Cristo era o mais belo espetáculo da beleza moral na qual os homens ou os anjos jamais puseram os olhos.

(3) Características peculiares da beleza do Senhor. (a) Nunca engana. (b) Nunca desvanece. (c) Nunca perde o poder. (d)Nunca desaponta. — Condensado de Andrew Gray, 1805-1861, "Gospel Contrasts and Parallels" [Contrastes e Paralelos do Evangelho]

v. 4: "A beleza do SENHOR" (ARA). A beleza do Senhor, vista na sua casa, não é a beleza da sua essência, pois nenhum homem pode ver a Deus e viver (Êx 33.18,20), e os anjos cobrem os rostos com as asas diante desta beleza gloriosa (Is 6.1,2). Trata-se da beleza das suas ordenanças, em que Deus revela aos olhos da mente dos homens, iluminados pelo Espírito, a beleza aprazível da sua bondade, justiça, amor e misericórdia em Jesus Cristo. — *Thomas Pierson, Mestre em Ciências Humanas, 1570-1633*

v. 4: "A beleza do SENHOR" (ARA). Beleza é uma palavra muito particular para expressar a plenitude do Espírito Santo e a afabilidade de Deus. Tomemos a palavra em sentido geral, segundo o entendimento comum. Pode ser o objeto de todos os sentidos, interiores e exteriores. Deus nas suas ordenanças não só é beleza para os olhos da alma, mas perfume para o olfato e doçura para o paladar, e de modo geral para todas as faculdades da alma. Deus em Cristo é aprazível e doce. [...] "a beleza do SENHOR" (ARA) são especialmente as coisas amáveis de Deus, que são a sua misericórdia e amor, que tornam todas as outras coisas que estejam na igreja bonitas. — *Richard Sibbes*

v. 4: "E aprender no seu templo". Quanto mais graça, mais serviço vós vereis que tendes com Deus nas suas ordenanças. Pouca graça tem pouco a fazer. Muita graça tem muito a fazer. Ele sempre tem serviços a prestar a Deus, serviços especiais e importantes: "para contemplar a formosura do SENHOR e aprender no seu templo". Tenho algo a aprender. Tenho de fazer algo por este dever, por isso não posso perder tempo. Aquele que visita o amigo por cortesia, fala, anda, gasta o tempo com coisas sem importância e volta para casa. Mas aquele que vai a negócios, tem muito a tratar. É semelhante ao servo honesto e fiel de Abraão: "Depois, puseram de comer diante dele. Ele, porém, disse: Não comerei, até que tenha dito as minhas palavras. E ele disse: Fala" (Gn 24.33). Tenho importantes negócios com o Senhor a respeito da igreja e da minha alma. Não comerei, nem falarei, nem pensarei, nem me demorarei com seja o que for até ter cumprido a minha missão, ou ter recebido a missão do meu Criador para mim. Para este fim, é algo raro sempre levar alguma coisa no espírito para apresentar diante de Deus, um coração fecundo de um pedido ou assunto necessário para tratar com Deus (Sl 45.1). — *Richard Steele, "Antidote against Distractions" [Antídoto contra Distrações], 1673* v. *4:* Tratava-se de oração sincera: "Uma coisa pedi ao SENHOR e a buscarei: que possa morar na Casa do SENHOR todos os dias da minha vida, para contemplar a formosura do SENHOR e aprender no seu templo". Há muitos que oram as palavras de Davi, mas não com o coração de Davi. *Unum petii*, "uma coisa que desejo", *de praeterito*,"desde o tempo passado"; *et hoc requiram*, "isto ainda buscarei", *de futuro*, "para o tempo futuro". Há muito que tenho pedido, e continuarei insistindo até obtê-lo. O quê? Morar em uma das casas de Deus todos os dias da minha vida, e deixá-la aos meus filhos depois de mim. Não para servi-lo com a minha devoção, mas fazer do lugar a minha própria possessão? Esses amam a casa de Deus muito bem. Amam tê-la e mantê-la. Mas porque a transferência é feita pelo advogado e não pelo ministro, a escritura não valerá nada no fim. Se não houver um *nisi prius* para impedi-los, contudo no grande dia da auditoria universal, o Juiz de todo o mundo os condenará. A propósito, quanto mais próximo da igreja, mais longe de Deus. Se amamos o Senhor, então somos frequentadores da habitação da sua casa e do lugar onde permanece a sua glória (Sl 26.8). Sendo, então, frequentadores humildes do templo na terra, seremos feitos nobres santos da sua casa no céu — o reino glorioso de Jesus Cristo. — *Thomas Adams*

v. 4: "Uma coisa pedi ao SENHOR e a buscarei: que possa morar na Casa do SENHOR todos os dias da minha vida, para contemplar a formosura do SENHOR e aprender no seu templo". Estando Davi nesta situação segura, sobre o que ele pensa ou olha como principal finalidade? Não como Pirro, rei de Épiro, para sentar-se quieto e alegrar-se, quando tinha vencido os romanos e todos os seus inimigos, como ele disse um dia ao filósofo Cineia, mas para melhorar o seu descanso na devoção perpétua, indo cada dia à casa de Deus, como consta que Ana fez (Lc 2.36).

Em primeiro lugar, para o consolo da alma, vendo a beleza do santuário.

Em segundo lugar, para ser guiado corretamente e estar seguro.

Em terceiro lugar, para ser exaltado altamente na glória da realeza.

Em quarto lugar, para, acima de tudo, como ele teve bons motivos, sacrificar e cantar Salmos a Deus sem cessar. Compare com os versículos 5 e 6: "Porque no dia da adversidade me esconderá no seu pavilhão; no oculto do seu tabernáculo me esconderá; por-me-á sobre uma rocha. Também a minha cabeça será exaltada sobre os meus inimigos que estão ao redor de mim; pelo que oferecerei sacrifício de júbilo no seu tabernáculo; cantarei, sim, cantarei louvores ao SENHOR". — *John Mayer*

v. 4: "Uma coisa pedi ao Senhor e a buscarei: que possa morar na Casa do Senhor todos os dias da minha vida, para contemplar a formosura do Senhor e aprender no seu templo". Ó minha alma, que visões vi na casa de Deus! Que provisões experimentei! Que ocasiões festivas tive! Que amplificações na oração e respostas a ela! Que impressões sob a Palavra! Que hospitalidade à mesa, pois às vezes Ele me levou à casa do banquete e a sua bandeira sobre mim era o amor! Embora eu não possa, talvez, dizer tanto sobre isso quanto os outros, o que descobri, não posso deixar de lembrar com gratidão e de desejar mais. E tendo em vista que isso aconteceu na casa de Deus, aqui desejo morar. — *Daniel Wilcox, 1676-1733*

v. 5: "No dia da adversidade". Embora Deus nem sempre livre o seu povo da adversidade, Ele os livra do mal da adversidade, do desespero da adversidade sustentando o espírito. Não somente isso, mas Ele livra pela adversidade, porque Deus santifica a adversidade para curar as almas, e pelas adversidades menores livra das maiores. — *Extraído de um Objeto de Vidro no Museu Britânico, obsoleto: Londres, estampado para D.M., 1678*

v. 5: "[O Senhor] me esconderá". A palavra hebraica usada aqui significa "esconder", "segregar", "separar", e daí "defender" ou "proteger". Seria corretamente aplicada a alguém que fugiu da tirania ou de algum mal iminente, e que seria escondido em uma casa ou caverna para ficar protegido dos perseguidores ou do mal ameaçador. — *Albert Barnes*

v. 5: A palavra "pavilhão" vem de *papilio*, que significa, "borboleta". Significa uma tenda feita de pano estendido e fixado em estacas que, na forma, relembra em certa medida o inseto supracitado. — *Adam Clarke*

v. 5: "No oculto do seu tabernáculo me esconderá". O salmista alude ao costume antigo dos criminosos, que fugiam para o tabernáculo ou altar onde se sentiam seguros (1 Rs 2.28). — *Matthew Pool*

v. 5: "No oculto do seu tabernáculo". Não houvesse outro lugar, Deus me colocaria no santo dos santos, de forma que o inimigo não ousaria aproximar-se de mim. — *Adam Clarke*

v. 6: "Também a minha cabeça será exaltada sobre os meus inimigos que estão ao redor de mim". A pessoa não se afoga contanto que mantenha a cabeça acima da água. É a função apropriada da esperança fazer o mesmo para os cristãos em tempos de perigo: "Ora, quando essas coisas começarem a acontecer, olhai para cima e levantai a vossa cabeça, porque a vossa redenção está próxima" (Lc 21.28). Tempo estranho, alguém pensaria, para Jesus ordenar que os discípulos erguessem a cabeça, quando vissem o coração dos homens tremendo de medo, e buscassem as coisas que estão sobrevindo à terra (Lc 21.26). Hoje é o tempo de o sol dos discípulos se levantar, enquanto o sol dos outros está se pondo e a escuridão está se abatendo sobre eles. É porque agora a festa dos cristãos está chegando, por cuja esperança poupou o estômago por tanto tempo: "a vossa redenção está próxima". Há duas coisas que fazem a cabeça pender — o medo e a vergonha. A esperança livra o coração dos cristãos destas duas coisas, proibindo-os de darem sinal de desespero por intermédio de um semblante abatido. — *William Gurnall*

v. 6: "Pelo que oferecerei sacrifício de júbilo no seu tabernáculo". "Com certeza", dirão alguns, "o salmista poderia ter invocado Deus fora dos limites do templo. Onde quer que peregrinasse como exílio, Davi levava consigo a promessa preciosa de Deus, de forma que não precisava dar tão grande valor no fato de ver o edifício externo. Ao que parece, servindo-nos de ousada imaginação, ele supôs que Deus poderia estar confinado na madeira e pedras". Mas se examinarmos as palavras mais cuidadosamente, será fácil perceber que o objetivo era totalmente diferente de meramente ver o edifício nobre e seus ornamentos, ainda que fossem preciosos. De fato, Davi fala do templo, mas coloca essa beleza não tanto na suntuosidade que era para ser vista pelos olhos quanto no fato de ser o padrão celestial que foi mostrado para Moisés, conforme está escrito em Êxodo 25.40: "Atenta, pois, que o faças conforme o seu modelo, que te foi mostrado no monte". Levando em conta que o modelo do templo não foi elaborado de acordo com a sabedoria humana, mas era uma imagem das coisas espirituais, o profeta dirigiu os olhos e todos os sentimentos a este objeto. É verdadeiramente detestável a loucura de quem deturpa este lugar em favor de quadros e imagens, os quais, em vez de merecerem ser enumerados entre os ornamentos do templo, são mais exatamente como esterco e sujeira, contaminando toda a pureza das coisas santas. — *João Calvino*

v. 8: "Quando tu disseste: Buscai o meu rosto, o meu coração te disse a ti: O teu rosto, SENHOR, buscarei". No versículo anterior, Davi começa uma oração a Deus: "Ouve, SENHOR, a minha voz quando clamo; tem também piedade de mim e responde-me". Este versículo é o motivo desta oração: "Buscai o meu rosto", disse Deus. O coração responde: "O teu rosto, SENHOR, buscarei". Portanto, fui motivado a orar a ti. Nas palavras, estão contidas a ordem de Deus e a obediência de Davi. A autoridade de Deus e a ação respondível de Davi — a voz e o eco. A voz: "Buscai o meu rosto", e o eco de um coração benevolente: "O teu rosto, SENHOR, buscarei". "Quando tu disseste." Esta expressão não consta no original. Apenas abre caminho para o sentido. Os discursos apaixonados são normalmente abruptos: "Buscai o meu rosto", "O teu rosto, SENHOR, buscarei". Deus quer ser conhecido. Ele está disposto a abrir-se e revelar-se. Deus não tem prazer em esconder-se. Deus não defende sua posição, como insistem certos imperadores, pensando que a sua presença diminui o respeito. Deus não é assim, mas pode ser buscado. Se descobrirmos alguma fraqueza no homem, logo podemos investigar a profundidade da sua excelência. Mas com Deus é claramente o contrário. Quanto mais o conhecermos, mais o admiraremos. Ninguém o admira mais que os anjos santificados, os quais o veem muito, e os espíritos santificados, que têm comunhão íntima com Ele. Portanto, Deus não se esconde, mas deseja ser conhecido.

Todos os que têm o seu Espírito desejam fazê-lo conhecido. Os que suprimem o conhecimento de Deus na vontade dEle, o que Ele faz para os homens e o que Ele exige deles, são inimigos de Deus e do povo de Deus. Eles suprimem a abertura de Deus, totalmente contrário ao intento de dEle: "Buscai o meu rosto". O meu desejo é me fazer conhecido e me abrir para ti. A propósito, observemos que quando estamos em situação penosa, quando o cristão não tem os raios de Deus brilhando sobre si, que ele não ponha a culpa em Deus, como se Ele fosse um Deus que gostasse de esconder-se. Não! Não é o seu prazer. Ele não ama a estranheza para as suas pobres criaturas. Não é um ponto da sua política. Ele é grande demais para amar ou escolher coisas tão medíocres. Não. A falta está inteiramente em nós. Não andamos de modo digno de tal presença. Precisamos de humildade e preparação. Se há escuridão na criatura, se Deus não brilha mais nela como em tempos anteriores, indubitavelmente a causa está na criatura, pois Deus disse: "Buscai o meu rosto". Ele deseja revelar-se. — *Richard Sibbes*

v. 8: Todos os movimentos do Espírito são no tempo certo, não devendo ser protelados, pois a demora é um tipo de negação e cheira a tamanho desprezo ingrato a ponto de lhe ser extremamente desagradável. "Quando tu disseste: Buscai o meu rosto, o meu coração te disse a ti: O teu rosto, SENHOR, buscarei". Deus não só espera tal resposta, mas a espera imediatamente após ordená-la. Sempre que Ele sopra com o vento, espera que façamos velas. Se recusarmos a ajuda oferecida, podemos merecidamente não tê-la quando desejarmos. Cristo se afastou da sua esposa, porque ela o deixou batendo por muito tempo na porta do coração e demorou muito para abrir, esgotando lhe a paciência amorosa com desculpas vãs e frívolas (Ct 5.2-6). Mas como não devemos omitir a obediência pronta a qualquer ordem que Ele nos der, não devemos reprimir as suas influências, cansando-nos dos deveres com os quais nos ajuda. Se não melhorarmos as ajudas extraordinárias mantendo-as por mais tempo, nós fazemos com que Deus se afaste. — *Timothy Cruso*

v. 8: "Quando tu disseste: Buscai o meu rosto, o meu coração te disse a ti: O teu rosto, Senhor, buscarei". Este versículo mostra claramente que Deus tem de começar conosco para que fechemos com Ele. Deus tem de nos buscar para que então o busquemos. Deus tem de desejar para que então nos aproximemos dEle, para que por nossos particulares nos acheguemos a Deus. "Tu disseste: Buscai o meu rosto", e então, e só então, "o meu coração te disse a ti: O teu rosto, Senhor, buscarei". — *Thomas Horton*

v. 8: "Quando tu disseste: Buscai o meu rosto, o meu coração te disse a ti: O teu rosto, Senhor, buscarei". Deus fala ao coração para orar quando Ele impõe o dever, dizendo à consciência: É o que tu deves fazer. Ele também fala ao coração para orar quando o seu falar é como a sua ordem no princípio da criação do mundo, quando Ele disse: "Haja luz. E houve luz" (Gn 1.3). Assim, Deus fala: Haja oração. E há oração, quer dizer, Ele derrama no homem o espírito de graça e súplica, uma disposição à oração. Ele instala motivos, sugere argumentos e apelos a Deus. Tudo que te vem prontamente e por si mesmo. Tudo que vem semelhantemente com um impulso motivador e aumento de afeto, juntamente com persistência, anseio e inquietude de espírito para ficar sozinho, derramar a alma diante de Deus, desabafar e formar esses movimentos e sugestões na oração, até que você os reúna a todos para fazer uma oração com eles. Este é um falar ao coração. Observa tais ocasiões quando Deus agir assim e não as negligencie, para que você malhe o ferro enquanto ainda está quente. Você terá então os seus ouvidos, a sua atenção. Será uma oportunidade especial para essa atividade, algo que jamais poderá voltar a acontecer. Nos tribunais, os requerentes observam o *molissima fandi tempora*, ou seja, o tempo certo de fazer pedidos quando os reis estão de bom humor, quando então têm certeza de que obterão o que pedirem. A certeza é maior especialmente quando o rei começa a falar sobre o assunto que eles querem tratar. Certos estudiosos compreendem que as palavras: "Confortarás o seu coração; os teus ouvidos estarão abertos para eles" (Sl 10.17), significa que Deus prepara o coração dos crentes e faz com que os ouvidos dEle os ouçam, que significa, Ele molda o coração e o integra em uma estrutura de oração. E certamente é grande sinal que Deus quer nos ouvir quando Ele próprio compõe a petição. — *Thomas Goodwin*

v. 8: "Quando tu disseste: Buscai o meu rosto, o meu coração te disse a ti: O teu rosto, Senhor, buscarei". Podemos defender que Deus não age assim para nos mover e nos fortalecer a buscá-lo, mas quando Ele deseja que o achemos. "Senhor, tu ouviste os desejos dos mansos; confortarás o seu coração; os teus ouvidos estarão abertos para eles" (Sl 10.17). "E buscar-me-eis e me achareis quando me buscardes de todo o vosso coração" (Jr 29.13). Deus argumenta consigo mesmo, em que se Ele disser aos crentes interiormente como também exteriormente: "Buscai o meu rosto", Ele que fala a justiça não pode falar assim e frustrar lhes as orações, pois estaria ordenando que buscassem o seu rosto em vão: "Não disse à descendência de Jacó: Buscai-me em vão; eu sou o Senhor, que falo a justiça e anuncio coisas retas" (Is 45.19). Se Assuero ordenou que a sua esposa pedisse, seguramente ele não falharia em lhe conceder o pedido (Et 7.2). O mesmo ocorre aqui. Quando Jesus chamou o cego para ir até Ele e lhe contar a queixa, verdadeiramente disseram-lhe: "Tem bom ânimo; levanta-te, que ele te chama" (Mc 10.49). Assim se dá neste caso. — *Thomas Cobbett*

v. 8: "o meu coração te disse a ti". O coração está entre Deus e a nossa obediência, como um embaixador. Recebe de Deus o que Ele quer fazer e então espalha a ordem pelo homem todo. O coração e a consciência do homem são, em parte, divinos, em parte, humanos. O coração tem certa divindade, sobretudo se o homem é um homem santo. Deus fala e o coração fala. Deus fala com o coração e o coração fala conosco. Muitas vezes, quando ouvimos a consciência falando conosco, não fazemos caso. Como disse Agostinho sobre si mesmo: "Deus falou frequentemente comigo, mas o ignorei".

Quando não há autoridade na palavra em que o coração pensa diretamente (como muitos homens profanos e descuidados dificilmente têm uma Bíblia em casa), Deus fala com eles assim. A consciência fala com eles alguma ordem que eles souberam contra a vontade. Eles não lhe dão ouvidos, mas Davi não fez assim. Deus disse: "Buscai o meu rosto", e o coração responde: "O teu rosto, SENHOR, buscarei". O coração olha para cima, para Deus, e depois olha para si mesmo: "o meu coração te disse a ti". O coração diz para ti e depois para si mesmo. Primeiro, o coração disse para Deus: "Senhor, tu tens me animado. Tu ordenaste que eu buscasse o teu rosto". Assim o coração olhou para Deus. Mas agora Davi fala consigo mesmo: "O teu rosto, SENHOR, buscarei". Olha primeiro para Deus, e depois para todas as coisas que vêm de si mesmas. — *Richard Sibbes*

v. 8: Há muitas coisas a considerarmos nesta resposta e obediência de Davi em relação à ordem ou convite de Deus.

Em primeiro lugar, a resposta foi propícia e no tempo certo. Neste instante, Davi retorna: "O teu rosto, SENHOR, buscarei". Estas são a dignidade e disposição de todo crente sábio e prudente, aceder logo nas primeiras oportunidades do convite de Deus.

Em segundo lugar, a resposta, tendo sido oportuna e vigente, também foi completa. O cumprimento foi proporcional à injunção. Há certo tipo de pessoas no mundo que Deus ordena-lhes fazer uma coisa e elas farão exatamente o contrário, ou, pelo menos, não farão tanto quanto deveriam fazer, fazendo pela metade. Mas Davi retorna a Deus na plena extensão e proporção da obediência. Deus disse: "Buscai o meu rosto", e ele respondeu: "O teu rosto, SENHOR, buscarei".

Em terceiro lugar, a resposta foi real e sincera: "o meu coração te disse a ti". Uma coisa é dizer com a boca, outra coisa é dizer com o coração. Com a boca é fácil e comum, sendo nada mais que habitual. Senhor, a tua face buscaremos, sobretudo nas dificuldades ou calamidades que nos são relacionadas. Mas o coração dizer isso já não é tão frequente.

Em quarto lugar, a resposta foi decidida e peremptória: "O teu rosto, SENHOR, buscarei". Não há nada que me impeça de fazer isso ou que me afaste desse alvo, pois o farei contra toda a oposição.

Em quinto e último lugar, esta afirmação de Davi foi absoluta, indefinida e ilimitada: "O teu rosto, SENHOR, buscarei", sem prescrição de tempo, lugar ou condição. Não somente agora, mas daqui por diante. Não só por certo tempo, mas para sempre, em todas as oportunidades, em todas as situações, em todas as circunstâncias eu permanecerei firme nisso, a fim de manter a minha comunhão contigo. Somos, de fato, cristãos, quando somos tão imutáveis, irreversíveis e independentes das opiniões ou práticas das outras pessoas. — *Condensado de Thomas Horton*

v. 8: Deus promete bênçãos e, então, o seu povo pode buscar tais bênçãos. Ele ordena que o seu povo lhe busque as bênçãos para então Ele buscá-las. É uma loucura imprudente, durante a suspensão do favor de Deus, deixarmos de ser filhos, deixarmos de ser povo, ou seja, negarmos a graça e a relação espiritual existentes entre nós e Deus. Não é desta maneira que obteremos o favor divino, pois quando desfazemos a nossa relação de filhos estamos nos excluindo da expectativa desse favor. Não, a maneira mais sábia e segura é buscarmos a renovação da face amorosa de Deus, para que a nossa incredulidade não nos afaste dEle. — *Obadiah Sedgwick, "The Doubting Believer" [O Crente Duvidoso], 1653*

v. 9: "Não escondas de mim a tua face". Quando eu buscar a tua face, concede, ó Deus, não esconderes a tua face de mim, pois para que eu a buscaria se não puder achá-la? E que esperança há de achá-la, se tu estás propenso a escondêla? — *Sir Richard Baker*

v. 9: "E não rejeites ao teu servo com ira". Deus rejeita muitos com ira pela suposta bondade que demonstram, mas de forma alguma rejeita alguém pela maldade que este confessar. — *John Trapp*

v. 9: "Teu servo". É algo santificado e feliz ser o servo de Deus. Considere o que a rainha de Sabá disse sobre os servos de Salomão: "Bem-aventurados estes teus servos que estão sempre diante de ti, que ouvem a tua sabedoria!" (1 Rs 10.8). Cristo Jesus é maior que Salomão, sendo então um senhor melhor (Mt 12.42). Os bons senhores terrenos honram os bons servos: "O que vela pelo seu senhor será honrado"; "O servo prudente dominará sobre o filho que procede indignamente; e entre os irmãos repartirá a herança" (Pv 27.18; 17.2). Ainda que alguns senhores terrenos sejam Nabais e Labãos, Deus não será assim: "Onde eu estiver, ali estará também o meu servo. E, se alguém me servir, meu Pai o honrar" (Jo12.26; cf. Lc 12.37). Os servos vigilantes são bem-aventurados. O seu senhor os fará sentar-se para comer, e virá para servi-los: "Bem está, servo bom e fiel. Sobre o pouco foste fiel, sobre muito te colocarei; entra no gozo do teu senhor" (Mt 25.21,23). — *Thomas Pierson*

v. 9: "Tu foste a minha ajuda; não me deixes, nem me desampares, ó Deus da minha salvação". Um ato de misericórdia engaja Deus a outro. Os homens raciocinam assim: Eu já lhe mostrei bondade, então não me aborreça mais. Mas porque Deus mostrou misericórdia Ele está pronto a mostrar ainda mais misericórdia. A sua misericórdia na eleição o faz justificar, adotar e glorificar. — *Tho mas Watson*

v. 9: "Não me deixes", ou mais exatamente, "não me recuses" (ARA). "Não retires a tua influência de mim." Este é o significado apropriado do verbo hebraico נָטַשׁ, "pôr uma coisa livre", "deixar ir", "libertar", "abandonar". — *Samuel Horsley*

v. 10: "Quando meu pai e minha mãe me desampararem". Como parece difícil supor que os pais do salmista o tivessem desamparado, poderíamos dizer que eles o "deixaram" (como conjetura Simon de Muis), que significa, eles o deixaram para trás, como se estivesse morto. — *James Merrick, Mestre em Ciências Humanas, 1720-1769*

v. 10: "Quando meu pai e minha mãe me desampararem". Faz parte da natureza dos animais, embora nunca tão carinhosos com os filhotes, quando atingem a maturidade da idade e força, afastarem-se deles para que se arranjem sozinhos. Até mesmo um pai e uma mãe, por mais amorosos que sejam, têm um pouco desta natureza comum. Enquanto os filhos são pequenos, eles os conduzem pela mão, mas quando crescem, permitem que saiam correndo; se caírem, deixam que se levantem como puderem. Mas Deus leva os filhos no colo, porque sabe do que são feitos. Ele sabe que a força deles tem de ser apoiada tanto quanto como a fraqueza tem de ser amparada. Ele sabe que eles devem ser levantados quando caem tanto quanto sustentados quando estão de pé. — *Sir Richard Baker*

v. 10: "Meu pai e minha mãe".

(1) Quem são eles? Correta e principalmente são os nossos pais naturais, de quem fomos gerados e nascemos. A quem (sob a autoridade de Deus) devemos a nossa existência e criação. Não apenas eles, mas por sinédoque todos outros parentes, vizinhos, amigos, conhecidos ou, ainda mais em geral, todos os tipos de auxílios, sustentos e arrimos mundanos. (2) Por que os pais foram citados, e os demais têm

de ser inclusos nestes? Porque prometemos a nós mesmos mais ajuda deles que dos outros. Temos uma relação mais próxima e um interesse maior neles do que em quem quer que seja. Os pais, dentre todos os outros, são os mais improváveis de nos desamparar. Os animais mais selvagens não desamparam os filhotinhos.

(3) Por que os dois — pai e mãe — são citados? Em parte, porque quase não se imagina que ambos desamparem os filhos, pois acontece de um ou outro ser cruel. Em parte, porque o amor do pai está mais comumente relacionado com a providência, e o amor da mãe mais com o carinho. Juntos ambos expressam melhor o amor abundante de Deus por nós, que nos é infinitamente querido, acima do cuidado do mais providente pai e acima do afeto da mais carinhosa mãe.

(4) Quando podemos dizer que eles nos desampararam? Quando, em qualquer tempo, eles nos privam da ajuda de que estamos precisando, quer seja por escolha, quando não se prontificam em nos ajudar, embora possam, quer seja por necessidade, quando não podem nos ajudar, embora ajudariam se pudessem. — *Robert Sanderson*

v. 10: "O SENHOR me recolherá ["acolherá", ARA]". Mas *dictum factum*: estas não passam de palavras: Há ações produzíveis para confirmar isso? Na verdade, há — e nas próprias Escrituras. Quando a mãe de Ismael, desesperando-se da vida, o desamparou e o deixou respirando com dificuldade (o último suspiro, pois convinha que soubesse ou pudesse fazer algo para ajudar) no deserto, o Senhor o acolheu (ARA). Ele abriu uma nova fonte de água e abriu os olhos de Agar para que a visse. Assim o menino foi salvo (Gn 21). Quando os pais de Moisés também o desampararam (porque não se atreveram a ficar com ele por mais tempo) e o colocaram entre os juncos, o Senhor também o acolheu. Ele lhe providenciou um salvador, a própria filha do rei, e uma ama de leite, a própria mãe do menino. Assim, ele também foi salvo (Êx 2.6-9). Tomemos apenas mais dois exemplos, um de cada um dos Testamentos. Davi e Paulo, ambos desamparados pelos homens, ambos acolhidos por Deus. O Salmo 142.4 conta como Davi foi abandonado: ele olhou para a direita e não viu ninguém que o conhecesse; ele não tinha para onde fugir e ninguém se importava com a sua alma. Mas em todo o tempo *Dominus ad dextris*, "havia alguém à sua mão direita" (embora, no princípio, não estivesse ciente disso) pronto para acolhê-lo. O Salmo 142.5 nos informa: "A ti, ó SENHOR, clamei; eu disse: tu és o meu refúgio e a minha porção na terra dos viventes". Segunda Timóteo 4.16 conta como Paulo foi abandonado e acolhido: "Ninguém me assistiu na minha primeira defesa; antes, todos me desampararam". Era um caso difícil, e teria ficado muito mais difícil não tivesse estado com ele alguém pronto para tomar o seu partido, como informa o versículo seguinte: "Mas o Senhor assistiu-me e fortaleceu-me". Que necessidade há de mais testemunhas? *In ore duorum*, "pela boca de duas testemunhas" a questão será suficientemente estabelecida. Mas você ainda dirá que estas duas pessoas testemunharam o que elas já tinham encontrado *post factum*. Contudo, Davi, no texto, o pronuncia *de futuro*, "de antemão", e de certo modo confiantemente: "o SENHOR me recolherá". Como ele também afirmou em outro lugar: "Sei que o SENHOR sustentará a causa do oprimido e o direito do necessitado" (Sl 140.12). Mas há razão para isso? Indubitavelmente há. Duas razões, uma na natureza e outra na promessa de Deus. Na sua natureza, há quatro qualidades (tomamos licença para falar assim, segundo o nosso pouco entendimento, pois na divindade não há propriamente qualidades). Chamemos de qualidades, ou atributos, ou o que mais preferir. Há quatro perfeições em Deus em oposição aos defeitos que em nossos pais terrenos achamos que são as causas principais para eles tantas vezes nos desampararem. Essas perfeições nos dão a plena garantia de que Ele nos acolherá quando todos os outros socorros fracassarem. São o seu amor, sabedoria, poder e eternidade, e todas na sua natureza. A essas quatro, adicionemos a promessa, e teremos a plenitude de toda a garantia que podemos desejar. — *Robert Sanderson*

v. 10: "o Senhor me recolherá". No original hebraico é "me ajuntará" (cf. ARA), ou seja, me tomará aos seus cuidados e guarda. No Direito Civil, há provisão feita para os proscritos e pessoas sem amigos. São casas de saúde para acolhê-los, certas liberdades para consolá-los e compensar-lhes as dificuldades. É certo que em Deus os abandonados e órfãos acham misericórdia. — *John Trapp*

v. 11: "Ensina-me, Senhor". Tendo se comparado a uma criança abandonada e desertada, que agora foi adotada por Deus, imediatamente o salmista pede que lhe mostre como andar. Ele pede a graça de poder guardar todos os mandamentos santos, o que ele nunca perde de vista ao longo dos cento e cinquenta Salmos. O que mais lhe restava fazer? Quando era o único caminho para a casa celestial de Deus, o que há pouco ele declarara ser o desejo e anseio exclusivo do seu coração. — *Robert Bellarmine (Cardeal), 1542-1621*

v. 11: "e guia-me pela vereda direita, por causa dos que me andam espiando". Se uma pessoa, trafegando pela rodovia do rei, for roubada entre o alvorecer e o pôr do sol, cabe-lhe indenização do município onde o roubo ocorreu. Mas se estiver viajando à noite, sendo ocasião inoportuna, então é por sua conta e risco, tendo de aceitar o que vier ocorrer. Desta forma, se a pessoa se mantiver nos caminhos de Deus, estará certa da proteção divina. Mas se por acaso se desviar, ela se expõe ao perigo. — *Robert Skinner (Bispo), 1636*

v. 11: "por causa dos que me andam espiando". Assim que o indivíduo gradua-se como professor, os olhos de todos se voltam para ele. E com razão, pois a sua profissão *no* mundo é uma separação *do* mundo. O justo Davi viu muitos que estavam espiando para triunfar nos enganos que ele cometia. Por conseguinte, quanto mais observavam, mais ele pedia: "Ensina-me, Senhor, o teu caminho e guia-me pela vereda direita, por causa dos que me andam espiando". Cristão, se você habita na tenda ao ar livre da licenciosidade, os ímpios não caminharão para trás, como fizeram os modestos Sem e Jafé, para cobrir a tua vergonha. Mas eles caminharão para frente, como o amaldiçoado Cam, para divulgá-la. Eles usam a sua fraqueza como argumento para a maldade. Os homens são impiedosos nas censuras aos cristãos. Não têm compaixão pela fraqueza deles, ao passo que Deus os pesa em balanças mais justas, dizendo: "O espírito está pronto, mas a carne é fraca" (Mt 26.41). Enquanto os santos são uma pomba aos olhos de Deus, os ímpios são apenas um corvo na avaliação dos pecadores. — *William Secker*

v. 13: "Pereceria sem dúvida, se não cresse que veria os bens do Senhor na terra dos viventes". Estudemos a toda suficiência, o poder, a bondade e a imutabilidade de Deus. (1) A toda suficiência de Deus. Que plenitude há nEle para compensar tudo você perder por Ele. Que refrigério há nEle para adocicar tudo você sofrer por Ele. Que plenitude! Você pode também duvidar que todas as águas do oceano não podem encher uma colher, como a plenitude divina não pode ser o bastante para você, se não lhe restar nada neste mundo; pois todas as águas que cobrem o mar não bastam para encher uma colher, em comparação com a plenitude ilimitada e infinita da toda suficiência. Que refrigérios há nEle! Uma gota da doçura divina basta para fazer com que o indivíduo na própria agonia da morte mais cruel brade com alegria: "A angústia da morte passou". Em Deus agora não há somente gotas, mas rios, não uma aspersão escassa, mas uma plenitude infinita. (2) Observemos o poder de Deus, como pode suportar sob a cruz, o que pode acontecer para você pela cruz. Não há cruz que seja tão lancinante e dolorosa que Ele não possa torná--la agradável e confortável. Não há cruz que seja tão pesada e intolerável que Ele não possa torná-la leve e fácil. Não há cruz que seja tão infame e vergonhosa que Ele não possa torná-la para a sua honra. Não há cruz que esteja tão encalacrada em você que Deus não possa removê-la facilmente. (3) A bondade de Deus. A toda suficiência e o poder tornam Deus apto, e a bondade lhe deixa propenso a fazer pelo seu povo sob a cruz o que a toda suficiência e o grandioso poder dispõem. A bondade põe o grandioso poder em ação a favor dos santos sofredores. A bondade abre a toda suficiência e a plenitude para eles, de forma que correm neles livremente — e jamais tão livremente quando eles estão sob a cruz. "Pereceria sem dúvida, se não cresse que veria os bens [ou "a bondade", ARA] do Senhor na terra dos viventes." O que é que deixa você prestes a perecer sob a cruz, ou por pensar nela ou por prevê--la? Olhe para a bondade de Deus, pois há apoio. — *Condensado de David Clarkson*

v. 13: "Pereceria sem dúvida". Estas palavras estão em itálico, porque foram acrescentadas pelos tradutores. Longe de serem necessárias, elas prejudicam o sentido. Exclua as palavras *pereceria sem dúvida* e deixe um intervalo depois do versículo, assim o caráter elegante do salmista será preservado: "Se não cresse que veria os bens do Senhor na terra dos viventes" (cf. "Eu creio que verei a bondade do Senhor na terra dos viventes", ARA). O quê? O que foi que fizeram de mim? — *Adam Clarke*

v. 13: "se não cresse que veria os bens do Senhor na terra dos viventes". No original hebraico, este versículo é elíptico, como Calvino o traduz. Na versão francesa, ele fornece a elipse, acrescentando ao final do versículo as palavras: *"C'estoit fait de moy"*, "eu pereceria". Na versão inglesa, são acrescentadas no começo do versículo as palavras: "eu desfaleceria", como um suplemento do versículo. O suplemento de Calvino tanto quanto o da versão inglesa são substancialmente o mesmo, explicando indubitavelmente o significado da passagem. Mas isso destrói a forma abrupta e elegante da expressão usada pelo salmista, que interrompe o meio do discurso sem completar a oração, embora o que ele quisesse dizer esteja muito evidente. —*"Editorial Note to Calvin" (Nota Editorial a Calvino), in loc.*

v. 13: Em meio a dificuldades e aflições dolorosas, empenhe-se em exercer uma fé viva e forte. Esta foi a decisão nobre e heroica do santo homem Jó, sob o sofrimento das suas provações singulares: "Ainda que ele me mate, nele esperarei" (Jó 13.15), como se ele tivesse dito: Por mais que os meus sofrimentos sejam extremamente angustiantes e violentos, não deixarei de me apegar à sua Palavra e promessas, não destruirei as fundações da minha esperança. Foi assim que o salmista evitou ser esmagado sob os fardos pesados: "Pereceria sem dúvida, se não cresse que veria os bens do Senhor na terra dos viventes". [...] A fé traz nova força e suprimentos auxiliares da graça do céu, quando a provisão anterior se acaba. Esta foi a agradável experiência de Davi. Como Deus planta e ativa a graça na alma, assim Ele se agrada de entrar com suprimentos oportunos e reforços para as graças fracas e deterioradas do seu povo, à altura das exigências e necessidade atuais. Assim Deus alimenta de tempos em tempos a lâmpada do crente com óleo fresco, dando mais fé, mais amor, mais esperança e mais desejos. Por este meio, Deus dá poder aos fracos e fortalece as coisas que permanecem quando estão prestes a perecer. — *John Willison*

v. 13: "Pereceria sem dúvida, se não cresse que veria os bens do Senhor na terra dos viventes". É um tônico composto de três ingredientes soberanos — a esperança de ver, ver os bens (ou "a bondade", ARA) do Senhor, e a bondade do Senhor na terra dos viventes. — *Sir Richard Baker*

v. 13: "terra dos viventes". E que terra dos viventes é esta, na qual há mais mortos que vivos, mais os que estão debaixo da terra que sobre ela. Terra dos viventes, onde a terra está mais cheia de sepulturas que de casas, onde a vida jaz trêmula sob a mão da morte e onde a morte tem poder para tiranizar a vida! Não, alma minha. Só lá é que é a terra dos viventes, onde não há senão seres viventes, onde há uma igreja, não militante, mas triunfante. É só na terra dos viventes que há uma igreja de fato, mas não um cemitério de igreja, porque lá não há mortos, ninguém pode morrer.

Na terra dos viventes, a vida não é passiva, nem a morte ativa. É um lugar onde a vida se assenta coroada e onde a morte é tragada pela vitória. — *Sir Richard Baker*

v. 14: "Espera no Senhor, anima-te". Consola-te, segura com firmeza (como diz no grego), porta-te vigorosamente ou deixa-te como homem, cuja palavra o apóstolo Paulo usou em 1 Coríntios 16.13. Estas são palavras de encorajamento contra o desleixo, o medo, o desânimo de coração ou outras fraquezas. — *Henry Ainsworth*
v. 14: "Espera no Senhor, anima-te".

Fica firme na tua posição, pois os teus inimigos irreais fugirão
O inferno treme quando os olhos estão dirigidos ao céu
Escolhe, antes, defender que atacar
A autoconfiança falhará no conflito
Quando tu fores desafiado encontrarás perigos
A verdadeira coragem é um impulso fixo e não súbito
Sempre é humilde e vive com falta de autoconfiança
E não se impelirá ao perigo
Devota-te a Deus, e tu terás
Deus lutando as batalhas de uma vontade resignada
Ame a Jesus! O amor não suportará o medo vil
Ame a Jesus! E será certa a vitória
— *Thomas Ken (Bispo), 1637-1710-11*

v. 14: "Espera no Senhor, anima-te, e ele fortalecerá o teu coração; espera, pois, no Senhor". Não pense que o governo está fora das mãos de Jesus, quando os homens estão fazendo muitas coisas tristes e dando muitos golpes pesados na obra de Deus. Não, nada disso. Os homens são as mãos de Jesus. São as mãos de Deus que de forma justa está pesadamente sobre o seu povo. Olhe acima dos homens, então. Você não tem nada a ver com eles. Há uma mudança de assunto da mesma maneira que Ele se agrada de virar a mão. — *Ralph Erskine, 1685-1752*

SUGESTÕES AOS PREGADORES

v. 1. "O Senhor é a minha luz e a minha salvação." A relação da iluminação com a salvação, ou a necessidade de luz, caso os homens desejem ser salvos.

v. 1. O valente cristão e as fontes secretas da sua valentia.

v. 1. O desafio destemido do crente.

v. 2. O caráter, o número, o poder e a crueldade dos inimigos da igreja, e o modo misterioso como têm sido derrotados.

v.3. A paz cristã: (1) Mostrada na previsão tranquila da dificuldade. (2) Demonstrada na persistência confiante da aflição. (3) Sustentada pelo auxílio divino e pela experiência do passado (vv. 1, 2). (4) Produtora dos mais ricos resultados, de glória para Deus.

v. 4. Modelo de vida cristã: (1) Unidade de desejo. (2) Seriedade de ação. (3) Intimidade de comunhão. (4) Beleza de contemplação. (5) Progresso na educação divina.

v. 4. O afeto da estima moral para com Deus. — *Thomas Chalmers*

v. 4. O anelo para com Deus. — *Sermão de Richard Sibbes*

v. 4. "para contemplar a formosura do Senhor e aprender no seu templo." Ocupações para o domingo e deleites celestiais.

v. 4. "e aprender no seu templo." Assuntos para aprender no templo de antigamente estão abertos à luz do Novo Testamento.

v. 5. As três partes do abrigo (ver Exposição).

v. 6. O triunfo atual dos santos sobre os inimigos espirituais, a gratidão prática e os louvores.

v. 7. Oração: (1) A quem é dirigida? (2) Como é feita? "Clamo." (3) Quando é feita? Deixada indefinida. (4) No que se baseia? "Piedade" (misericórdia). (5) O que precisa? "Ouve", "responde-me".

v. 8. O coração afinado com o coração de Deus. Repare na prontidão, amabilidade, personalidade, franqueza, precisão e resolução da resposta ao preceito.

v. 8. O buscador bem-sucedido. — *Sermão de Richard Sibbes*

v. 8. Título sugestivo: "O eco", *in:* "Spurgeon's Sermons" [Sermões de Spurgeon], n.º 767.

v. 9. (1) Desaprovação contra a deserção em todas as suas formas. (2) Apelo à experiência. (3) Súplica por ajuda divina.

v. 9. O horror dos santos diante do inferno dos pecadores. — *James Scot*

v. 10. A porção dos órfãos, o consolo dos perseguidos e o paraíso dos que partiram.

v. 11. O desejo e a descrição do caminho do homem direito, pois este caminho é divinamente aprovado: "o teu caminho", "vereda direita", e divinamente ensinado: "Ensina-me, SENHOR", "guia-me".

v. 13. Fé: (1) A sua precedência sobre a visão. (2) Os seus objetivos. (3) O seu poder sustentador.

v. 13. Título sugestivo: "Crer para ver", *in:* "Spurgeon's Sermons" [Sermões de Spurgeon], n.º 766.

v. 14. O crente: (1) A sua posição: "Espera". (2) A sua condição: "anima-te". (3) O seu apoio: "Ele fortalecerá o teu coração". (4) A sua perseverança: "espera" (repetida segunda vez). (5) A sua recompensa: "no SENHOR".

SALMO 28

TÍTULO E ASSUNTO

Neste salmo, o título *"Salmo de Davi"*, é geral demais para nos sugerir algo sobre a ocasião em que foi escrito. O fato de vir depois do Salmo 27, dá a impressão de ter sido intencional, pois forma um par bastante apropriado e sequencial àquele. Trata-se de outra das "canções da noite" das quais a pena de Davi era tão prolífica. Segundo os antigos naturalistas, o espinho no peito do rouxinol é que o fazia cantar. As aflições de Davi o fizeram eloquente na salmodia santa. O principal pedido deste Salmo é que o suplicante não seja confundido com os que praticam a iniquidade, a quem ele expressa aversão extrema. Isso convém a qualquer santo caluniado que, sendo mal-entendido pelos homens e tratado por eles como pessoa indigna, está ansioso em levantar-se justamente diante do tribunal de Deus. Podemos ver o Senhor Jesus pleiteando como representante do seu povo.

DIVISÃO

Os versículos 1 e 2 pedem audiência urgente com o Senhor em tempo de emergência extrema. Os versículos 3 a 5 descrevem e protestam contra os ímpios. Nos versículos 6 a 8, o louvor é dado pela misericórdia do Senhor em ter ouvido a oração, e o versículo 9 encerra o Salmo com uma petição geral por todo o exército dos crentes militantes.

EXPOSIÇÃO

1 *A ti clamarei, ó* SENHOR, *rocha minha; não emudeças para comigo; não suceda, calando-te tu a meu respeito, que eu me torne semelhante aos que descem à cova.*

2 *Ouve a voz das minhas súplicas, quando a ti clamar, quando levantar as minhas mãos para o oráculo do teu santuário.*

1. *"A ti clamarei, ó Senhor, rocha minha."* O clamor é expressão natural de tristeza e declaração adequada quando todos os outros

modos de apelo fracassam. Mas o clamor deve ser dirigido somente ao Senhor, pois clamar ao homem é lançar nossas súplicas ao ar. Quando consideramos a prontidão do Senhor em ouvir e a sua capacidade em ajudar, identificamos boas razões para direcionar todas as nossas súplicas imediatamente ao Deus da nossa salvação, quando, então, usaremos linguagem de resolução firme como a do texto: "A ti clamarei". O Senhor imutável é a nossa rocha, a fundação imóvel de todas as nossas esperanças, e o nosso refúgio em tempos de dificuldade. Estamos firmes em nossa determinação de correr para Ele como o nosso lugar seguro durante todas as horas de perigo. Será em vão clamar para as rochas no dia do julgamento, mas a nossa Rocha atende aos nossos clamores.

"Não emudeças para comigo." Os meros formalistas se contentam em ficar sem resposta às suas orações, mas os suplicantes genuínos não. Eles não se satisfazem com os resultados da oração em si, a qual acalma a mente e subjuga a vontade. Precisam e avançam até obter as respostas efetivas do céu; sem isso, não descansam. E essas respostas eles desejam receber imediatamente, se possível. Têm medo até mesmo do menor silêncio de Deus. A voz de Deus é na maioria das vezes tão terrível que sacode extensos territórios. Mas para o suplicante ansioso o silêncio divino também está cheio de temor reverente. Quando parece que Deus tampou os ouvidos, não devemos fechar a boca, mas clamar com mais intensidade e fervor, pois quando ficarmos roucos pela ânsia e aflição, Ele não demorará em nos ouvir. Em que estado terrível ficaríamos se o Senhor ficasse em silêncio para sempre diante das nossas orações! Este pensamento ocorreu a Davi, o qual transformou em argumento, ensinando-nos assim a argumentar com Deus em nossas orações.

"Não suceda, calando-te tu a meu respeito, que eu me torne semelhante aos que descem à cova." Privado do Deus que responde as orações, estaríamos em um apuro mais lastimável que os mortos na sepultura, e logo afundaríamos ao mesmo nível dos perdidos no inferno. Temos de ter respostas à oração. O nosso caso é urgente e de extrema necessidade. Com certeza, o Senhor falará de paz às nossas mentes agitadas, porque o seu coração jamais permitirá que os seus próprios eleitos pereçam.

2. Este versículo tem o mesmo efeito que o primeiro, exceto que se refere às súplicas futuras como também às atuais. Ouve-me! Ouve-me! "Ouve a voz das minhas súplicas." Este é o encargo de ambos os versículos. Não podemos ser pospostos com uma recusa quando estamos em oração. Labutamos, somos importunos e agonizamos em súplicas até sermos ouvidos. A palavra "súplicas", no plural, mostra o número, a continuação e a diversidade das orações do homem bom, enquanto a expressão, "ouve a voz", indica que há um significado interno, ou a voz do coração, com a qual os homens espirituais estão mais preocupados que com as suas expressões vocais externas e audíveis. Uma oração silenciosa pode ter uma voz mais alta que os clamores dos sacerdotes que procuravam despertar Baal a berros.

"Quando levantar as minhas mãos para o oráculo do teu santuário", cujo lugar santo era tipo do nosso Senhor Jesus. Se formos aceitos, sempre temos de nos voltar ao propiciatório aspergido do sangue da sua expiação. Mãos levantadas sempre tem sido uma forma de postura devota, tendo o propósito significativo de alcançar a Deus, demonstrando prontidão e avidez de receber a bênção. Estendemos as mãos vazias, porque somos pedintes. Nós as erguemos, porque buscamos as provisões celestiais. Nós as levantamos ao propiciatório de Jesus, porque ali reside a nossa expectativa. Que sempre que usemos gestos devotos, tenhamos corações arrependidos, para que assim avancemos com Deus.

3 *Não me arremesses com os ímpios e com os que praticam a iniquidade; que falam de paz ao seu próximo, mas têm o mal no seu coração.*

4 *Retribui-lhes segundo as suas obras e segundo a malícia dos seus esforços; dá-lhes conforme a obra das suas mãos; envia-lhes a sua recompensa.*
5 *Porquanto não atentam para as obras do Senhor, nem para o que as suas mãos têm feito; pelo que ele os derribará e não os reedificará.*

3. *"Não me arremesses com os ímpios."* Eles serão arrastados para o inferno como os antigos criminosos eram enviados em bandos para morrer em Tyburn, como lenha jogada ao fogo, como um punhado de paus atirado ao forno. Davi receia ser incluído no mesmo bando, levado ao mesmo fim que eles. O medo é algo apropriado para todo homem piedoso. Com o tempo, os melhores ímpios são companhia perigosa, tornando-se companheiros terríveis pela eternidade. Temos de evitá-los nos seus prazeres para que não sejamos confundidos com eles nas suas desgraças.

"E com os que praticam a iniquidade." Estes são abertamente pecadores, e o julgamento deles é certo. Senhor, não nos faça beber do cálice dessa gente. Há atividade com os ímpios mesmo quando falta para os justos. Sejamos "os que praticam", ou seja, trabalhadores para o Senhor.

"Que falam de paz ao seu próximo, mas têm o mal no seu coração." Eles aprenderam os costumes do lugar ao qual eles estão indo. A perdição é a porção dos mentirosos para sempre, e a mentira é a conversa entabulada durante a viagem para lá. Palavras mansas, untadas com amor fingido, são as armadilhas enganosas da rede infernal na qual Satanás captura a vida preciosa. Muitos dos seus filhos são peritos nessa arte abominável, e pescam com a rede do pai quase tão destramente quanto ele. É sinal seguro de baixeza quando a língua e o coração não tocam a mesma nota. Temos de temer mais os homens enganosos que os animais selvagens. Seria melhor ser fechado em uma cova de serpentes que ser compelido a viver com mentirosos. Aquele que grita "paz" muito estrondosamente, quer vendê-la por preço inflacionado. "Vinho bom não precisa de recomendação", dizem. Se ele fosse tão gente boa não haveria necessidade de dizer. Ele quer causar dano, tenha certeza disso.

4. *"Retribui-lhes segundo as suas obras e segundo a malícia dos seus esforços; dá-lhes conforme a obra das suas mãos; envia-lhes a sua recompensa."* Quando vemos os ímpios apenas como ímpios, e não como nossos semelhantes, a nossa indignação contra o pecado nos leva a concordar devidamente com os atos de justiça divina que punem o mal, e a desejar que a justiça use de poder para conter por seus terrores os cruéis e os injustos. Mas mesmo assim, os desejos apresentados no versículo, como está traduzido, não são prontamente consistentes com o espírito da dispensação cristã, que busca antes a correção que o castigo dos pecadores. Se entendermos que as palavras são proféticas ou se colocarmos os verbos no tempo futuro, declarando um fato, então estamos mais próximos do verdadeiro significado que ao dado na tradução. Leitor descrente, qual será o seu destino quando o Senhor tratar com você de acordo com o seu merecimento e avaliá-lo na ira dEle, não só em proporção ao que você fez, mas conforme o que você teria feito se pudesse? Os nossos "esforços" são tomados como fatos. Deus toma a vontade pela ação, e castiga ou recompensa adequadamente. Não nesta vida, mas certamente na outra, Deus pagará os inimigos pessoalmente, dando-lhes o salário dos pecados que cometeram. Não conforme as palavras bajuladoras que proferiram, mas segundo a medida das ações danosas cometidas, o Senhor distribuirá vingança àqueles que não o conhecem.

5. *"Porquanto não atentam para as obras do Senhor, nem para o que as suas mãos têm feito."* Deus trabalha na criação — a natureza está repleta de provas da sabedoria e bondade divinas, contudo os ateus obtusos recusam vê-lo. Ele trabalha na providência, regendo e dominando, e as suas mãos são muito evidentes na história humana, contudo os descrentes não o discernirão. Ele trabalha na graça — conversões notáveis ainda ocorrem em todas as mãos, contudo os descrentes não

querem ver as operações do Senhor. O que os anjos desejam saber, os homens carnais menosprezam. Deus condescende em ensinar, mas os homens repelem o ensino.

"Pelo que ele os derribará." Deus os fará ver, espantar-se e desaparecer (cf. At 13.41). Se eles não virem a mão do julgamento atuando nos outros, eles a sentirão em si mesmos. A alma e o corpo serão assolados para sempre e sempre com destruição absoluta.

"E não os reedificará." A maldição de Deus é positiva e negativa. A sua espada tem dois gumes, cortando à direita e à esquerda. A herança dos maus evitará que os descrentes recebam o bem. O efa estará por demais cheio de ira para caber um grão de esperança. Eles se tornaram como casas de madeira velhas, podres e deterioradas, inúteis ao dono e abrigo de toda espécie de males. Por isso, o grande Construtor as demolirá totalmente. Os pecadores incorrigíveis podem esperar destruição veloz. Os que não se corrigirem serão jogados fora como coisas sem valor. Sejamos muito atentos a todas as lições da Palavra e obra de Deus, para que não sejamos achados desobedientes à vontade divina e venhamos a sofrer a ira do Senhor.

6 *Bendito seja o SENHOR, porque ouviu a voz das minhas súplicas.*
7 *O SENHOR é a minha força e o meu escudo; nele confiou o meu coração, e fui*
socorrido; pelo que o meu coração salta de prazer, e com o meu canto o louvarei.
8 *O SENHOR é a força do seu povo; também é a força salvadora do seu ungido.*

6. *"Bendito seja o Senhor."* Os santos são cheios de bênçãos. São um povo santificado. Mas eles dão as suas melhores bênçãos, a gordura dos sacrifícios ao Senhor glorioso. Até aqui, o nosso Salmo foi uma oração. De agora em diante, torna-se louvor. Aqueles que oram bem, logo louvarão bem. A oração e o louvor são os dois lábios da alma. São dois sinos que tocam música suave e aceitável aos ouvidos de Deus. São dois anjos para subir a escada de Jacó. São dois altares que queimam incenso. São dois dos lírios de Salomão que exalam mirra de doce perfume. São os filhos gêmeos da gazela, que se apascentam no monte da mirra e no outeiro do incenso.

"Porque ouviu a voz das minhas súplicas." O verdadeiro louvor se fundamenta em razões suficientes e coercitivas. Não é emoção irracional, mas sobe como fonte pura das profundezas da experiência. Orações respondidas devem ser agradecidas. Não é frequente falharmos neste dever? Não motivaria grandemente as pessoas e fortaleceria a nós mesmos se registrássemos a bondade divina fielmente, e fizéssemos dela tema de exaltação com a língua? A misericórdia de Deus não é algo insignificante para arriscarmos recebê-la sem palavras de agradecimento. Evitemos a ingratidão, e vivamos diariamente na atmosfera divina do amor grato.

7. Aqui está a declaração e confissão de fé de Davi, juntas com o testemunho da sua experiência.

"O Senhor é a minha força." O Senhor emprega o seu poder a nosso favor. Além disso, infunde força em nós durante as nossas horas de fraqueza. O salmista, pelo ato de apropriação da fé, toma para si a onipotência do Senhor. Dependência ao Deus invisível gera grande independência de espírito, inspirando-nos com confiança sobrenatural.

"E o meu escudo." Davi achou a espada e o escudo no seu Deus. O Senhor preserva o seu povo de males incalculáveis. O guerreiro cristão, protegido por trás pelo seu Deus, está muito mais seguro que o valente protegido com o escudo de metal ou aço triplo.

"Nele confiou o meu coração, e fui socorrido." O trabalho do coração é trabalho firme e seguro. A confiança do coração nunca é desapontadora. A fé tem de vir antes do socorro, mas o socorro jamais tardará em chegar. Diariamente, o crente

pode dizer: "Fui socorrido", pois o socorro divino nos é dado a todo o momento, caso contrário, estaríamos voltando para a perdição. Quando precisarmos de socorro urgente, basta pormos a fé em exercício e nos será dado.

"Pelo que o meu coração salta de prazer, e com o meu canto o louvarei." O coração é mencionado duas vezes para mostrar a verdade da fé e da alegria. Observemos as palavras "salta de prazer". Não precisamos ter medo de estarmos demasiadamente cheios de alegria ao recordarmos a graça recebida. Servimos a um grande Deus, saltemos, pois, de alegria. Uma canção é o método mais adequado para a alma dar vazão à sua felicidade. Faria bem se fôssemos mais como a cotovia que canta e menos como o corvo que grasna. Quando o coração está ardendo de fervor, os lábios não devem permanecer calados. Quando Deus nos abençoa, devemos bendizê-lo de todo o coração.

8. *"O Senhor é a força do seu povo."* A experiência divina de um crente revela o padrão da vida de todos. Para cada membro da igreja militante, sem exceção, o Senhor é o mesmo como foi com o seu servo Davi: "O mais fraco dentre eles, naquele dia, será como Davi" (Zc 12.8, ARA). Eles precisam da mesma ajuda e a terão, porque são amados com o mesmo amor e escritos no mesmo livro da vida.

"Também é a força salvadora do seu ungido." Vemos aqui o rei Davi como um exemplo de nosso Senhor Jesus, a Cabeça da nossa aliança, o nosso Príncipe ungido, por quem todas as bênçãos nos chegam. Ele obteve a plena salvação para nós e desejamos a força salvadora dEle. Como tomamos parte na unção que lhe é derramada abundantemente, assim esperamos participar da sua salvação. Glória seja dada ao Deus e Pai de nosso Senhor Jesus Cristo, que aumentou o poder da sua graça no seu Filho unigênito, a quem ungiu para ser Príncipe e Salvador para o seu povo.

9 *Salva o teu povo e abençoa a tua herança; apascenta-os e exalta-os para sempre.*

9. Esta é uma oração para a igreja militante, escrita em poucas palavras, mas cheia de significado importante. Devemos orar por toda igreja, e não apenas por nós mesmos.

"Salva o teu povo." Livra-o dos inimigos, guarda-o dos pecados, socorre-o nas dificuldades, salva-o das tentações e afugente dele todos os males. Há um apelo oculto na expressão, "o teu povo", pois podemos deduzir seguramente que o interesse de Deus pela igreja, como a sua própria porção, leva-o a guardá-la da destruição.

"E abençoa a tua herança." Concede bênçãos: paz, abundância, prosperidade e felicidade. Faze que toda a tua herança preciosa e afetuosamente comprada seja consolada pelo teu Espírito. Reaviva, refrigera, aumenta e santifica a tua igreja.

"Apascenta-os." Sê o pastor do teu rebanho, que as suas necessidades físicas e espirituais sejam copiosamente supridas. Pela tua palavra e ordenanças, dirige, reina, sustenta e satisfaz aqueles que são ovelhas da tua mão.

"E exalta-os para sempre." Leva-os em teus braços na terra, e depois os ergue ao teu seio no céu. Eleva a suas mentes e pensamentos, espiritualiza os seus sentimentos, torna-os celestiais, semelhantes a Cristo e cheios de Deus. Ó Senhor, responde esta nossa petição, em nome de Jesus.

NOTAS EXPLICATIVAS E DECLARAÇÕES IMPORTANTES

v. 1: "A ti clamarei, ó Senhor". É da mais extrema importância que tenhamos um objeto definido no qual fixar os pensamentos. O homem, mesmo quando as condições são favoráveis, tem pouco poder para realizar abstrações — muito menos em tempos de dificuldade. Então, ele é fraco e precisa de toda ajuda possível. Se a mente vaga desocupada, logo se cansa e fica prostrada, exaurida. Deus amorosamente cuida para que esta necessidade não ocorra. Ele se manifesta ao homem na sua Palavra, para que o aflito fixe os olhos da mente nEle, como objeto definido da sua fé, esperança e oração. "Clama a mim, e responder-te-ei e anunciar-te-ei coisas grandes e firmes, que não sabes" (Jr 33.3). Foi o que o salmista fez. A precisão de Deus, como objeto da confiança na oração, está definida de forma muito clara. É especialmente grande o privilégio do cristão neste assunto. Ele pode fixar os olhos em Jesus, sem grandes esforços de imaginação pode imaginar o Santo olhando em sua direção, ouvindo-o, tendo compaixão dele, preparando-se para lhe responder. Querido leitor, no tempo das dificuldades, não vagueie. Não dê suspiros em vão. Não deixe os pensamentos voarem, como se estivessem procurando por alguém em quem fixar — por alguém a quem você poderia contar a história das necessidades e angústias do seu coração. Fixe o coração como o salmista fez e diga: "A ti clamarei". [...] Como é feliz o homem que sente e sabe que quando a dificuldade vier, não ficará desnorteado e confundido pelo golpe, pouco importando quão forte seja. Acometido pela tristeza ele será, mas tem o recurso, sabe o que tem e tirará proveito disso. O que o homem tem não é uma teoria vaga da simpatia geral de Deus para com o homem. O que ele tem é um conhecimento de Deus como Deus pessoal e sensível. Ele diz como o salmista: "A ti clamarei". — *Philip Bennett Power*

v. 1: "Rocha minha". Certo dia, uma amiga visitou William Evans, piedoso ministro na Inglaterra, e perguntou-lhe como ele se sentia. "Eu sou a fraqueza em pessoa", respondeu ele, "mas estou firme na Rocha. Não tenho êxtases ou visões que alguns expressam diante da morte. A minha dependência está na misericórdia de Deus em Cristo. Aqui a minha religião começou, e aqui tem de terminar".

v. 1: "Rocha minha". John Rees, pastor da capela Street Crown, no Soho, Londres, já no leito de morte, recebeu a visita de John Leifchild, que muito seriamente pediu-lhe que descrevesse as coisas que lhe passavam pela mente. Este pedido de honrar a religião o despertou e, tanto reacendeu a lâmpada que se apagava, que, erguendo-se ele na cama, olhou o amigo no rosto e, com grande deliberação, energia e dignidade, proferiu as seguintes palavras: "Cristo em sua pessoa, Cristo no amor do seu coração e Cristo no poder do seu braço é a Rocha na qual descanso. E agora [reclinando a cabeça suavemente no travesseiro] que venha a morte!" — *K. Arvine*

v. 1: "Não emudeças para comigo". Observemos o que o coração deseja de Deus. É o que ele fala: "não emudeças para comigo". Sob estas circunstâncias, quando fazemos as nossas orações, desejamos que Deus nos diga que nos ouve, e que apareça para nós para nos dizer que é o nosso Pai. E o que desejamos que Deus diga? Queremos que nos informe que nos ouve. Queremos ouvi-lo falar tão claramente conosco quanto sentimos que falamos com Ele. Queremos saber, não só pela fé, que fomos ouvidos, mas também por Deus ter falado conosco sobre o mesmo assunto que falamos com Ele. Quando nos sentimos seguros que Deus nos ouviu, podemos com a mais absoluta confiança deixar em suas mãos o assunto todo sobre o qual temos orado. Talvez passe muito tempo até termos uma resposta. É possível, nesse entretempo, que as coisas estejam acontecendo de modo contrário ao que esperamos. Pode ser que não haja o menor indício direto de Deus na cena. Contudo, a fé permanecerá e será forte. Haverá consolo no coração proveniente de ter a consciência sentido que Deus ouviu o nosso clamor quanto ao assunto e que Ele nos falou assim. Diremos a nós mesmos: "Deus sabe de tudo. Na verdade, Deus falou comigo a respeito. Então, estou em paz". E que nos baste a informação que Deus nos dá, quando talvez Ele não nos conte nada mais. Não sejamos insistentes em induzi-lo a falar muito, quando a sua vontade é falar pouco. A melhor resposta que podemos ter em determinados tempos é a declaração simples de que "Ele ouviu". Com esta resposta à nossa oração Deus ao mesmo tempo está encorajado e exercitando a nossa fé. "Está escrito", disse Rutherford, falando da demora do Salvador em responder ao pedido da mulher siro-fenícia, que "ele não lhe respondeu palavra" (Mt 15.23), mas não consta que Ele não lhe ouviu. Estes dois estados diferem muito. Jesus ouvia mesmo quando não respondia — o seu silêncio é uma resposta, que diz assim: 'Continue orando, continue insistindo e continue clamando', pois o Senhor está mantendo esta porta fechada, não para você ficar de fora, mas para que bata e bata até ser aberta. — *Philip Bennett Power*

v. 1: "Não suceda [...] que eu me torne semelhante aos que descem à cova". Tu conheces, grande Deus, a minha situação triste. Para mim nada é grande ou desejável na terra senão a felicidade de te servir. Contudo, a desgraça do meu destino e os deveres do meu estado me levam ter relações com homens que consideram a religiosidade como algo a ser censurado e zombado. Com horror secreto, ouço-os blasfemar todos os dias dos dons inefáveis da tua graça, e ridicularizar a fé e o fervor do piedoso como mera imbecilidade da mente. Exposto a tal impiedade, o meu consolo, ó meu Deus, é fazer os meus gritos de angústia subirem ao teu trono. Embora no presente estas blasfêmias sacrílegas só despertem em minha alma sentimentos de horror e piedade, temo que por fim possam me enfraquecer e me seduzir a tomar o curso tortuoso da diplomacia, indigno da tua glória e da gratidão que devo a ti. Receio que, sem perceber, me torne um covarde a ponto de envergonhar-me do teu nome, um pecador a ponto de resistir aos impulsos da tua graça, um traidor a ponto de calar o meu testemunho contra o pecado, um autoiludido a ponto de disfarçar a minha timidez criminosa em nome da prudência. Já sinto este veneno insinuando-se em meu coração, pois ainda que a minha conduta não se assemelhe à dos descrentes que me cercam, sou muito influenciado pelo medo de ofendê-los. Não me atrevo a imitá-los, mas estou quase que dominado pelo terror de irritá-los. Sei que é impossível agradar ao mesmo tempo um mundo corrupto e um Deus santo, mas perco de vista esta verdade, a qual em vez de sustentar-me na decisão só serve para tornar a minha vacilação ainda mais indesculpável. O que me resta a fazer senão implorar a tua ajuda? Fortaleça-me, Senhor, contra estas declinações tão prejudiciais à tua glória, tão fatais à fidelidade que te é devido. Faz-me ouvir a tua voz fortalecedora e encorajadora. Se a voz da tua graça não se levantar em meu espírito, reanimando-me a fé, sinto que há apenas um passo entre mim e o desespero. Estou à beira do precipício, estou prestes a cair em cumplicidade criminal com os que de bom grado me arrastariam com eles ao inferno. — *Jean Baptiste Massillon, 1663-1742, traduzido livremente por C. H. S.*

v. 2: "Quando levantar as minhas mãos para o oráculo do teu santuário". "Santuário", chamado דְּבִיר (*dᵉbîr*), porque ali Deus falava e respondia. Era para esse lugar (tipo de Cristo, a Palavra essencial) que Davi levantava as mãos, para que fosse como uma escada por meio da qual a oração chegasse ao céu. —*John Trapp*

v. 3: "Não me arremesses com os ímpios [...] que falam de paz ao seu próximo, mas têm o mal no seu coração". O temente a Deus detesta a dissimulação para com os homens. O seu coração fala a mesma coisa que a língua. Não consegue lisonjear e odiar, elogiar e criticar. "O amor seja não fingido" (Rm 12.9). O amor dissimulado é pior que o ódio. Fingir amizade não é melhor que mentir (Sl 78.36), pois se trata de simulação. Muitos são como Joabe que, pegando da barba de Amasa para o beijar, feriu-o com a espada na quinta costela e o matou (2 Sm 20.9,10). Há um rio na Espanha onde os peixes parecem de ouro, mas quando pescados, são como os outros peixes. Nem tudo o que brilha é ouro. Há indivíduos que fingem serem muito bons, mas são como grandes veias que têm pouco sangue. Se você se apoia neles são como pernas destroncadas. Quanto a mim, muito questiono a sua verdade para com Deus, a qual lisonjeia e mente para o amigo: "O que encobre o ódio tem lábios falsos, e o que difama é um insensato" (Pv 10.18). — *Thomas Watson*

v. 3: "Não me arremesses com". É alusão, imagino, ao pastor escolher certa porção do rebanho. "Não me contes entre." — *S. Lee (Professor)*

v. 3: "Não me arremesses". No hebraico é אַל־תִּמְשְׁכֵנִי, proveniente de מָשַׁךְ, que significa tanto "puxar", "atrair" quanto e "apreender", "tomar". Aqui, é mais bem traduzido por "não me agarres", como a pessoa que agarra o individuo para levar ou arrastar para a execução. — *Henry Hammond*

v. 4: "Retribui-lhes segundo as suas obras e segundo a malícia dos seus esforços; dá-lhes conforme a obra das suas mãos; envia-lhes a sua recompensa". Temos aqui novamente a questão difícil sobre orar por vingança, a qual, porém, despacharei em poucas palavras. Em primeiro lugar, é inquestionável que se a carne nos move a buscar vingança, o desejo é mau aos olhos de Deus. Ele não só nos proíbe de amaldiçoar os nossos inimigos em vingança a danos particulares, mas, como não poderia deixar de ser, todos os desejos que emanam do ódio têm de ser doentios. O exemplo de Davi não deve ser citado por quem é movido pela própria paixão imoderada a buscar vingança. O profeta santo não está inflamado pela própria tristeza particular para dedicar os inimigos à destruição. Mas colocando de lado o desejo da carne, ele julga o assunto. Antes de denunciar vingança contra os ímpios, o homem deve primeiro livrar-se de todos os sentimentos impróprios da mente. Depois, deve exercer prudência para que a hediondez dos males que nos ofendem não nos leve a zelo imoderado, que foi o que aconteceu com os discípulos de Jesus, quando desejaram trazer fogo do céu para consumir os que recusaram receber o Mestre (Lc 9.54). Alegavam, é verdade, agir de acordo com o exemplo de Elias. Mas Jesus os reprovou severamente, dizendo-lhes que eles não sabiam por qual espírito eles eram movidos. Em particular, temos de observar esta regra geral para que sinceramente desejemos e labutemos pelo bem-estar da raça humana. Assim sucederá que não só abriremos caminho para o exercício da misericórdia de Deus, mas também desejaremos a conversão dos que obstinadamente correm para a própria destruição. Em suma, Davi, estando livre de todo sentimento mau e igualmente dotado com o espírito de discrição e julgamento, pleiteia aqui não tanto a própria causa quanto a causa de Deus. Por esta oração, ele lembra o crente e a si mesmo que embora os ímpios possam soltar as rédeas na contratação de todas as espécies de males com impunidade por certo tempo, no fim eles terão de comparecer perante o tribunal de Deus. — *João Calvino*

v. 4: "Retribui-lhes segundo as suas obras e segundo a malícia dos seus esforços". Grande Deus, visto que desde o princípio tu tens te ocupado somente com a salvação dos homens, é óbvio que tu ferirás com maldição eterna os filhos da iniquidade que, nasceram apenas para perderem-se e destruírem os outros. A tua própria benevolência para com a humanidade deflagra os teus trovões contra estes corruptores da sociedade. Quanto mais tu fazes a favor da raça humana, mais certamente a severidade da tua justiça se revelará na destruição dos desgraçados cuja dedicação exclusiva é contrariar a tua bondade para com a humanidade. Empenham-se incessantemente em afastar os homens de ti, ó meu Deus, e em troca tu os colocarás longe de ti para sempre. Contam grande lucro fazer dos seus semelhantes inimigos teus, portanto terão a consolação irremediável de serem eles mesmos teus inimigos por toda a eternidade. Que castigo mais adequado para os miseráveis, que desejam fazer com que todos os corações se rebelem contra a tua majestade adorável, que estar pela baixeza da natureza deles sob a necessidade eterna e assustadora de te odiar para sempre. — *Jean Baptiste Massillon, 1663-1742, traduzido livremente por C. H. S.*

v. 4: "Retribui-lhes segundo as suas obras". Os egípcios mataram as crianças hebraicas do sexo masculino, e Deus feriu os primogênitos do Egito. Sísera, que achou que destruiria Israel com os seus carros de ferro, foi morto com uma estaca de ferro fincada na fonte. Adoni-Bezeque (Jz 1.5-7). Gideão matou quarenta anciões de Sucote e os seus filhos foram assassinados por Abimeleque. Abimeleque matou setenta filhos de Gideão em uma rocha, e a sua própria cabeça foi quebrada por uma mó lançada por uma mulher. Sansão caiu pela "concupiscência dos olhos" (1 Jo 2.16), e, antes da morte, os filisteus lhe furaram os olhos. Agague (1 Sm 20.33). Saul matou os gibeonitas, e sete dos filhos de Saul foram enforcados diante do Senhor (2 Sm 21.1-9). Acabe, depois de desejar a vinha de Nabote (1 Reis 21.19), cumpriu a profecia de 2 Reis 9.24-26. A mesma mão de Jeroboão que ele estendeu contra o altar ficou seca (1 Rs 13.1-6). Joabe, tendo matado Abner, Amasa e Absalão, foi morto por Salomão. Os acusadores de Daniel foram lançados na cova dos leões que era para Daniel. Hamã foi enforcado no cadafalso construído para enforcar Mardoqueu. Judas comprou o campo de sangue, depois, enforcou-se. O mesmo acontece na história dos últimos dias, Bajazet foi levado por Tamerlão em uma jaula de ferro, como pretendia ter levado Tamerlão. Magêncio construiu uma ponte para apanhar Constantino em uma armadilha e acabou sendo derrotado naquele mesmo lugar. Alexandre VI foi envenenado pelo vinho que preparara para outrem. Carlos IX encheu as ruas de Paris com o sangue dos protestantes, e em seguida o sangue fluiu de todas as partes do seu corpo em suor. O cardeal Beaton condenou George Wishart à morte, e acabou fenecendo de morte violenta. Foi assassinado na cama e o corpo colocado na mesma janela da qual assistira à execução de Wishart. — *G. S. Bowes, "Illustrative Gatherings" [Coletâneas Ilustrativas]*

v. 4: "Envia-lhes a sua recompensa". Reflitamos sobre a justiça de Deus, que não só é da sua vontade, mas também da sua natureza castigar o pecado. Não se trata apenas de possibilidade ou probabilidade de que o pecado possa te arruinar, mas se você não se interessar por Cristo o pecado te destruirá. Deus não pode senão odiar o pecado, porque Ele é santo. Ele não pode senão punir o pecado, porque Ele é justo. Deus não pode privar-se da sua própria natureza para atender aos nossos caprichos. — *Christopher Fowler, 1610-1678, "Morning Exercises" [Exercícios Matinais], 1676*

v. 4: "Retribui-lhes segundo as suas obras e segundo a malícia dos seus esforços; dá-lhes conforme a obra das suas mãos; envia-lhes a sua recompensa". Ele ora contra os inimigos, não por vingança particular, mas sendo conduzido pelo infalível espírito de profecia, vê por estes homens todos os inimigos de Cristo e do seu povo em todas as épocas. — *David Dickson*

vv. 4 e 5: "Retribui-lhes segundo as suas obras e segundo a malícia dos seus esforços; dá-lhes conforme a obra das suas mãos; envia-lhes a sua recompensa. Porquanto não atentam para as obras do Senhor, nem para o que as suas mãos têm feito; pelo que ele os derribará e não os reedificará". Nestes versículos, como na maioria das passagens imprecatórias, os verbos no imperativo e no futuro são usados de forma desordenada: "Retribui-lhes", "dá-lhes", "envia-lhes", "ele os derribará". Se os verbos, em todas estas passagens, fossem uniformemente traduzidos no futuro, toda objeção contra as maldições bíblicas desapareceriam imediatamente e mostrariam o que claramente são, isto é, profecias dos julgamentos divinos, os quais foram então executados contra os judeus e serão executados contra todos os inimigos do Senhor e do seu Cristo — inimigos a quem nem as obras da criação, nem as da redenção podem levar ao arrependimento. — *George Horne*

v. 6: "[Ele] ouviu". A oração é o melhor remédio em uma calamidade. Trata-se de um verdadeiro *catholicum,* um remédio geral para todos os males. Não é como o *catholicum* dos empíricos, que, às vezes, solucionam o problema, porém na maioria das vezes não.

Mas é o que sob evidência certa e experiência constante tem o seu *probatum est,* e é o que o Médico mais sábio, culto, honesto e hábil que já existiu ou possa existir prescreveu — mesmo Ele que nos ensina como suportar o que tem de ser suportado, ou como curar e ajudar o que tem sido suportado. — *William Gouge*

v. 7: "O SENHOR é a minha força". Que doce consolação! Se um homem tiver um fardo, mas ao mesmo tempo lhe for acrescentada força, e o fardo lhe for dobrado, mas a força lhe for triplicada, o fardo não será mais pesado, contudo mais leve que antes na sua força natural. Assim, se as nossas tribulações forem pesadas e clamarmos: Não posso suportá-las! Se não podemos suportá-las pela nossa força, por que não podemos suportá-las pela força de Jesus Cristo? Pensamos que Jesus não pode suportá-las? Ou se não nos atrevemos a pensar que Jesus as suporta, por que não conseguiremos suportá-las? Alguém pode questionar: Podemos ter a força de Jesus? Podemos. Essa mesma força nos é transferida pela fé, como a Bíblia diz em muitas passagens: *O Senhor é a nossa força. Deus é a nossa força. O Senhor Jeová é a nossa força. Jesus é a nossa força* (Sl 28.7; 43.2; 118.14; Is 12.2; Hb 3.19; Cl 1.11). Portanto, a força de Jesus é nossa e nos foi transferida para que possamos suportar tudo que nos venha a acontecer. — *Isaac Ambrose*

v. 7: "O SENHOR é a minha força", interiormente, "e o meu escudo", exteriormente. A fé encontra estas duas coisas no Senhor, e uma sem a outra, pois o que é um escudo sem força ou a força sem escudo?

"Nele confiou o meu coração, e fui socorrido." A ideia da primeira frase é realizada aqui. A ajuda exterior foi concedida na confiança interior. — *William Wilson, Doutor em Teologia*

v. 7: "nele confiou o meu coração, e fui socorrido". A fé substancia as coisas que ainda não são vistas. Ela altera os tempos verbos, disse alguém, pondo o tempo futuro no tempo presente. — *John Trapp*

v. 8: "O SENHOR é a força do seu povo". Ele não é apenas a minha força, mas é a força de todo crente. Notemos que os santos se alegram nas consolações dos seus amigos como também nas deles mesmos. Como não temos o menor benefício pela luz do sol, assim também não temos pela luz do semblante de Deus para que os outros tenham parte, pois estamos certos de que há bastante para todos e bastante para cada um. Este é o nosso ponto de comunhão com todos os santos: Deus é a força deles e nossa; Jesus é o Senhor deles e nosso (1 Co 1.2). Ele é a força deles, a força de todo o Israel, porque Ele "também é a força salvadora do seu ungido", ou seja:

(1) De Davi: Deus, fortalecendo-o para que fosse o rei deles e lutasse as batalhas deles, fortaleceu o reino inteiro. Ele se chama o ungido de Deus, porque foi a unção que o salmista recebera que o expôs à inveja dos inimigos, dando-lhe, portanto, o direito da proteção divina. (2) De Cristo, o seu Ungido, o seu Messias, no antítipo. Deus era a sua "força salvadora", qualificou-o para este empreendimento e ajudou-o a realizá-lo até o fim. — *Matthew Henry*

v. 9: "exalta-os". A palavra hebraica usada aqui pode significar "sustenta-os" ou "apoia-os". Porém, mais corretamente, significa "carrega-os", sendo mais bem expressa pela referência ao fato de que o pastor leva nos braços as ovelhas fracas, as ovelhas doentes e os cordeirinhos do rebanho, ou que ele as ergue quando não conseguem se levantar. — *Albert Barnes*

SUGESTÕES PARA OS PREGADORES

v. 1. "A ti clamarei, ó Senhor, rocha minha." A decisão sábia do pecador na hora do desânimo.

v. 1. O medo que os crentes têm de tornarem-se como os descrentes.

v. 1. O silêncio de Deus e o terror que pode haver nisso.

v. 1. "que eu me torne semelhante aos que descem à cova." Até que ponto a alma pode afundar quando Deus esconde o rosto.

vv. 1, 2. Oração: (1) A sua natureza: "Clamarei". (a) A expressão vocal da vida. (b) A declaração da dor. (c) A súplica do necessitado. (d) A voz da extrema gravidade. (2) O seu objeto: "ó Senhor, rocha minha". Deus é a nossa fundação, refúgio e amigo imutável. (3) O seu alvo: "Ouve", "não emudeças". Esperamos uma resposta, uma resposta clara e manifesta, uma resposta pronta, uma resposta adequada, uma resposta eficaz. (4) O seu instrumento: "para o oráculo do teu santuário". O nosso Senhor Jesus, o verdadeiro propiciatório.

v. 3. (1) Pessoas a serem evitadas. (2) Destruição a ser temida. (3) Graça para nos guardar de ambas.

v. 4. Medida por medida, ou castigo proporcional ao que merece.

Versículo 4. Ressalte a medida do pecado e não o mero resultado. Por conseguinte, alguns são culpados de pecados que não puderam cometer.

v. 5. A persistência constante na negligência acaba perdendo muitas bênçãos e acarretando condenação terrível.

v. 6. Orações respondidas: um retrospecto e um cântico.

v. 7. As possessões do coração: confiança, experiência, alegria e música.

v. 7. Adorando a Deus pelas suas misericórdias. (1) O que Deus é para o crente. (2) Qual deve ser a disposição do nosso coração para com Ele? — *C. Simeon*

v. 8. Todo o poder é dado aos crentes porque eles estão unidos com Jesus.

v. 9. Título sugestivo: "Uma Oração pela Igreja Militante", in: "Spurgeon's Sermons" (Sermões de Spurgeon), n.º 768 (ver Exposição).

SALMO 29

TÍTULO

"Salmo de Davi." O título não nos dá nenhuma informação além do fato de que Davi é o autor deste cântico sublime.

ASSUNTO

É opinião geral dos comentaristas modernos que este Salmo expressa a glória de Deus conforme é ouvida no trovão retumbante e vista na tormenta equinocial. Da mesma maneira que o Salmo 8 deve ser lido sob a luz do luar, quando as estrelas estão brilhantes, o Salmo 19 precisa dos raios do sol nascente para salientar-lhe a beleza, assim este Salmo é mais bem recitado sob as asas escuras da tempestade, no clarão dos relâmpagos ou em meio ao crepúsculo dúbio que prenuncia a guerra dos elementos. Os versículos marcham segundo a melodia dos raios acompanhados de trovão. Em todos os lugares Deus está visível, e toda a terra se cala diante da majestade da presença divina. A palavra de Deus na Lei e no Evangelho também está retratada na majestade de poder. Os verdadeiros ministros são filhos do trovão, e a voz de Deus em Cristo Jesus está cheia de majestade. Assim, temos as obras e a Palavra de Deus reunidas e que nenhum homem as separe pela falsa ideia de que a teologia e a ciência tenham qualquer possibilidade de oporem-se uma à outra. Nós, talvez, por um vislumbre profético, vemos neste Salmo as tempestades terríveis dos últimos dias e a segurança do povo eleito.

DIVISÃO

Os versículos 1 e 2 são uma chamada à adoração. Os versículos 3 a 10 traçam o caminho da tempestade, recitam os atributos da Palavra e engrandecem a Deus em todo o seu poder. O versículo 11 fecha a cena agradavelmente com a promessa de que o Senhor onipotente dará força e paz ao seu povo. Passará o céu e a terra, mas o Senhor seguramente abençoará o seu povo.

EXPOSIÇÃO

1 *Dai ao* Senhor, *ó filhos dos poderosos, dai ao* Senhor *glória e força.*
2 *Dai ao* Senhor *a glória devida ao seu nome; adorai o* Senhor *na beleza da sua santidade.*

1. *"Dai"*, ou seja, atribuí. Nem os homens nem os anjos podem conferir qualquer coisa ao Senhor, senão reconhecendo a sua glória e poder, atribuindo-os a Ele nas suas canções e corações.

"Ao Senhor", e só a Ele, devemos dar honra. As causas naturais, como os homens as chamam, são Deus em ação. Não devemos atribuir a elas poder, senão ao infinito Invisível que é a verdadeira fonte de tudo.

"Ó filhos dos poderosos." Os grandes da terra e do céu, os reis e os anjos se unem na prestação de adoração ao Potentado bendito e único. Vós, senhores entre os homens, precisais ser lembrados disso, pois vós frequentemente falhais onde os mais humildes são fervorosos. No entanto não falheis mais, antes curvai a cabeça imediatamente e prestai lealmente homenagem ao Rei dos reis. Como é comum os nobres e potentados pensarem que está abaixo da dignidades deles temer ao Senhor. Contudo, quando são levados a exaltar o Senhor, a devoção se torna a maior joia da coroa.

"Dai ao Senhor glória e força", ambas as quais os homens são muito inclinados a reivindicar para si, embora sejam prerrogativas exclusivas do Deus autoexistente. Que coroas e espadas reconheçam que são dependentes de Deus. Não deis, ó reis, glória aos seus exércitos, nem olheis a força dos batalhões de guerreiros, pois toda essa pompa não passa de uma flor que murcha, e esse poder é como uma sombra que declina. Quando chegará o dia em que os reis e os príncipes terão prazer em glorificar o seu Deus? "Toda adoração seja a Deus somente", sejam as palavras blasonadas em todo brasão.

2. *"Dai ao Senhor a glória devida ao seu nome."* A advertência é dada pela terceira vez, pois os homens são relutantes em glorificar a Deus, sobretudo os grandes homens, que muitas vezes se incham com a própria glória para absterem-se de oferecer a Deus o seu louvor legítimo, embora nada mais lhes seja pedido que é muito justo e certo. Claro que os homens não deveriam precisar de tanta pressão para dar o que é devido, especialmente quando a recompensa é tão agradável. A incredulidade e a desconfiança, a reclamação e a murmuração roubam de Deus a honra. Neste aspecto, até os santos não dão a glória devida ao Rei.

"Adorai o Senhor", curvai-vos diante dEle com a homenagem devota e o temor sacro, e que a vossa adoração seja como Deus a designa. Dos tempos antigos, a adoração era dificultada com cerimonial, e os homens se reuniam ao redor de um edifício dedicado para isso, cuja pompa solene era simbólica da "beleza da [...] santidade". Mas hoje a nossa adoração é espiritual. A arquitetura da casa e as roupas dos adoradores são questões de pouca importância. A beleza espiritual da pureza interior e da santidade exterior é muito mais preciosa aos olhos de nosso santíssimo Deus. Que, pela graça, a nossa adoração sempre seja feita pelos motivos santos e de maneira santa, como cabe a santos! A chamada à adoração nestes dois versículos concordam com o ribombo alto dos trovões, que é o sino da igreja do universo convocando reis, anjos e todos os filhos da terra às suas devoções.

3 *A voz do* Senhor *ouve-se sobre as águas; o Deus da glória troveja; o* Senhor *está sobre as muitas águas.*
4 *A voz do* Senhor *é poderosa; a voz do* Senhor *é cheia de majestade.*

5 *A voz do SENHOR quebra os cedros; sim, o SENHOR quebra os cedros do Líbano.*
6 *Ele os faz saltar como a um bezerro; ao Líbano e Siriom, como novos unicórnios.*
7 *A voz do SENHOR separa as labaredas do fogo.*
8 *A voz do SENHOR faz tremer o deserto; o SENHOR faz tremer o deserto de Cades.*
9 *A voz do SENHOR faz parir as cervas e desnuda as brenhas. E no seu templo*
cada um diz: Glória!
10 *O SENHOR se assentou sobre o dilúvio; o SENHOR se assenta como Rei perpetuamente.*

3. *"A voz do Senhor ouve-se sobre as águas."* O trovão é chamado poética e educacionalmente de "a voz do SENHOR", visto que soa desde o alto. Ultrapassa todos os outros sons, inspira temor, é completamente independente do homem e tem sido usado em algumas ocasiões como o acompanhamento majestoso da fala de Deus aos filhos de Adão. Há um terror peculiar na tempestade marítima, quando um abismo chama outro abismo, e o mar espumante ecoa ao céu bravio. Não há visão mais alarmante que o clarão do relâmpago em volta do mastro do navio. Não há som mais calculado a inspirar temor reverente que o rugido da tempestade. Os filhos do céu desfrutam muitas vezes o tumulto com alegria humilde peculiar aos santos, e até os que não conhecem a Deus são forçados à reverência involuntária enquanto a tempestade dura.

"O Deus da glória troveja." O trovão não é mero fenômeno elétrico, mas é causado pela interposição do próprio Deus. Até os antigos pagãos falavam de Júpiter Tonante. Mas os entendidos da atualidade querem que acreditemos em leis e forças, e em algo ou nada para que eles se livrem de Deus. A eletricidade sozinha não pode fazer nada. Tem de ser chamada e enviada em sua missão. E até que o Deus Todo-Poderoso a comissione, o seu raio de fogo é inerte e impotente. Tanto quanto uma pedra de granito ou uma barra de ferro pode voar pelo céu, assim o relâmpago sai sem ser enviado pela grande Primeira Causa.

"O Senhor está sobre as muitas águas." O salmista ainda esta ouvindo a voz do Senhor ressoando das águas numerosas e negras do oceano superior das nuvens, e ecoando das inumeráveis ondas do mar agitado. As águas que estão sobre e debaixo do firmamento maravilham-se com a voz eterna. Quando o Espírito Santo faz a promessa divina ser ouvida acima das muitas águas dos problemas da nossa vida, então Deus é tão glorioso no mundo espiritual quanto no universo da matéria. Acima e abaixo de nós tudo é a paz de Deus quando Ele nos dá tranquilidade.

4. *"A voz do Senhor é poderosa."* Um poder irresistível está presente no relâmpago do qual o trovão é o resultado. Em um momento, quando o Senhor deseja, a força da eletricidade produz resultados surpreendentes. Falando sobre este assunto, certo escritor afirma que entre estes resultados incluem-se uma luz da intensidade do sol na sua força, um calor capaz de fundir os metais mais compactos, uma força que em um instante paralisa os músculos dos animais mais poderosos, um poder que suspende a gravidade difusa da terra e uma energia capaz de decompor e recompor as afinidades mais detalhistas das combinações mais íntimas. Thompson fala muito bem sobre "o relâmpago inconquistável", pois é o chefe dos caminhos de Deus nas forças físicas, e nada pode mensurar o seu poder.

Como a voz de Deus na natureza é tão poderosa, assim é na graça. O leitor fará bem em traçar um paralelo, achando muita coisa no Evangelho que pode ser ilustrada pelo trovão do Senhor na tempestade. A sua voz, quer na natureza ou na revelação, sacode a terra e o céu. "Vede que não rejeiteis ao que fala" (Mt 12.25). Se a sua voz é tão poderosa assim, o que se dirá da sua mão! Cuidado para não provocar-lhe um golpe.

"A voz do Senhor é poderosa; a voz do Senhor é cheia de majestade." O Rei dos reis fala como rei. Quando o leão ruge, todos os animais da floresta ficam

quietos. Semelhantemente, a terra é silenciada e emudecida quando o Senhor maravilhosamente troveja.

Este ouvir causa medo e mudez admirável em todos.

Quanto à Palavra escrita de Deus, a sua majestade é evidente no estilo, assunto e poder sobre a mente humana. Bendito seja Deus, é a majestade da misericórdia brandindo o cetro de prata; é de tal majestade que a Palavra da nossa salvação está cheia até transbordar.

5. *"A voz do Senhor quebra os cedros."*

Queimado pelo golpe de cima, o pinheiro em chamas
Jaz um triste tronco quebrado

Árvores nobres caem prostradas atingidas pelo raio misterioso, ou ficam desoladas como souvenires do seu poder. O próprio Líbano não está seguro, por mais alto que esteja e por mais antigas que sejam os seus bosques veneráveis.

"Sim, o Senhor quebra os cedros do Líbano." As maiores e mais respeitáveis árvores ou homens podem não pensar em imunidade quando o Senhor está em ação na sua ira. O Evangelho de Jesus tem igual domínio sobre o mais inacessível dos mortais. Quando o Senhor envia a Palavra, ela quebra corações mais robustos que os cedros.

6. *"Ele os faz saltar como a um bezerro; ao Líbano e Siriom, como novos unicórnios."* Não só as árvores, mas as próprias montanhas se movem como se brincassem e saltassem como touros jovens ou antílopes. Como os poetas mencionariam montes e vales conhecidos por eles, assim o salmista ouve o estrondo e rugido entre as cadeias de montanhas do Líbano, e descreve o tumulto em termos vividos. Assim canta certo poeta inglês:

Entre as montanhas de Carnarvon soam alto
O rugido repercussivo: com o forte estrondo
No abismo flamejante, dos rochedos rudes
De Penmaen Mawr, amontoados horrorosamente aos céus
Caem os precipícios atingidos; e o cume do Snowdon
Dissolvendo-se, imediatamente libera a sua carga invernal
Há muito vista, as montanhas de Cheviot recobertas de vegetação resplandecem
E Thule berra pelas suas ilhas mais distantes

O Evangelho glorioso do Deus bendito tem mais que poder igual sobre a teimosia rochosa e o orgulho montanhoso do homem. A voz de nosso Senhor ao morrer na cruz partiu as rochas e abriu as sepulturas. A sua voz viva ainda opera maravilhas semelhantes. Glória seja dada ao seu nome, os montes dos nossos pecados lançam-se à sepultura e são enterrados no mar vermelho do sangue de Jesus, quando a voz da sua intercessão é ouvida.

7. *"A voz do Senhor separa as labaredas do fogo."* Como quando as faíscas voam da bigorna pelos golpes do pesado martelo, assim os relâmpagos acompanham os golpes trovejantes do Senhor.

A princípio ouvido solenemente pelas beiras do céu
A tempestade rosna; mas à medida que se aproxima
E revolve o seu fardo terrível pelo vento
Os relâmpagos brilham uma curva maior
E o barulho surpreende mais: até que por cima da cabeça uma língua

De fogo lívido se mostra; então se recolhe
E se mostra mais; se recolhe e se mostra ainda mais
Extensamente, envolvendo o éter em uma labareda

O trovão parece dividir um relâmpago do outro, interpondo o seu rugido aprofundado entre o relâmpago que o precede e o seguinte. Os relâmpagos são verdadeiramente chamas de fogo, fato confirmado por caírem em casas, igrejas e outras coisas, envolvendo-as em chamas. Como é fácil o Senhor destruir as suas criaturas rebeldes com os ardentes raios acompanhados de trovões! Como é benevolente a mão que poupa tão grandes pecadores, quando esmagá-los seria tão bem mais simples!

As labaredas de fogo acompanham a voz de Deus no Evangelho, iluminando e derretendo o coração dos homens. Por meio destas, Ele consome as nossas concupiscências e acende em nós uma labareda santa de amor e santidade que sempre nos inspiram. O Pentecostes é o comentário sugestivo para este versículo.

8. Com o avanço da tempestade, ela deflagrou-se no deserto: *"A voz do Senhor faz tremer o deserto; o Senhor faz tremer o deserto de Cades"*. Deus não corteja o aplauso dos homens. As mais importantes ações divinas são realizadas onde o olhar inquisitivo do homem é completamente desconhecido. Onde não se ouvia o som do homem, a voz de Deus era terrivelmente clara. As planícies vastas e silenciosas tremeram de terror. O silêncio prestou homenagem à voz do Todo-Poderoso. As planícies mais baixas têm de ouvir a voz de Deus tanto quanto as montanhas mais altas. Os pobres como também os poderosos têm de reconhecer a glória do Senhor. Os lugares solitários e estéreis têm de ser alegrados pelo som celestial do Evangelho. Que poder tremendo e transformador há na Palavra de Deus! Até o deserto conservador treme quando Deus lhe decreta o progresso.

9. *"A voz do Senhor faz parir as cervas."* Estas criaturas tímidas, por estarem com medo mortal da tempestade, deixam cair os seus fardos de maneira intempestiva. Talvez uma leitura melhor da frase seria esta: "sacode os carvalhos" (NTLH), sobretudo por concordar com a frase seguinte: "e desnuda as brenhas". As sombras densas da floresta são iluminadas com o clarão lúrido do relâmpago, fazendo com que até os recessos mais escuros sejam por um momento revelados.

Os bosques escuros
Começam com o relâmpago e do seu recesso profundo
Iluminam tudo ao redor, agitando os seus ocupantes trêmulos

Os nossos primeiros pais buscaram refúgio entre as árvores, mas a voz do Senhor logo os achou e fez os seus corações tremerem. Não há como esconder-se do olhar de fogo do Todo-Poderoso. Basta um raio dos seus olhos irados para tornar a meia-noite em meio-dia. O Evangelho tem igual poder, pois em um momento ilumina cada canto escuro da maldade do coração e faz a alma tremer perante o Senhor.

"E no seu templo cada um diz: Glória!" Os que estavam no templo adorando foram levados a falar da grandeza do Senhor, quando ouviram as repetidas e fortes trovoadas. O mundo inteiro também é um templo para Deus, e quando Ele cavalga nas asas do vento, todas as coisas são vocais ao louvá-lo. Nós também, os remidos do Senhor, que somos templos vivos para o seu Espírito, quando vemos as maravilhas do seu poder na criação e as sentimos na graça, unimo-nos a exaltar o seu nome. Nenhuma língua pode ficar muda no templo de Deus quando a glória divina é o tema. O original hebraico tem a força de "cada um clama: Glória", como se todas as coisas, movidas por um senso da majestade de Deus, gritassem em êxtase: "Glória, glória". Este é um bom precedente para os nossos amigos metodistas e para os gogoniantes dos gauleses zelosos.

10. *"O Senhor se assentou sobre o dilúvio."* Depois da tempestade vem a inundação, mas o Deus está pronto para a emergência. Não há dilúvio que arruíne a fundação do seu trono. Ele está tranquilo e impassível, por mais que as profundezas rujam e atormentem. O seu governo rege a mais instável e tumultuosa das coisas criadas. No distante deserto selvagem de águas, o Senhor "planta os passos no mar e passeia na tempestade".

"O Senhor se assenta como Rei perpetuamente." Jesus tem o governo sobre os ombros para sempre. Os nossos interesses nos tempos mais tempestuosos estão seguros nas mãos dEle. Satanás não é o rei, mas o Senhor Jesus Cristo é o Rei dos reis. Por isso, adoremos e nos alegremos nEle eternamente.

11 *O Senhor dará força ao seu povo; o Senhor abençoará o seu povo com paz.*

11. *"O Senhor dará força ao seu povo; o Senhor abençoará o seu povo com paz."* Houve manifestações de poder durante o furacão, cujo curso este Salmo tão grandiosamente descreve. Agora, na calmaria serena depois da tempestade, este poder é prometido como a força dos eleitos. AquEle que dá asas aos raios infalíveis, dará aos seus remidos as asas da águia. AquEle que faz a terra tremer com a voz, terrificará os inimigos dos santos e dará paz aos seus filhos. Por que somos fracos quando temos a força divina a recorrer? Por que nos preocupamos quando a própria paz do Senhor é nossa? Jesus, o Deus poderoso, é a nossa paz — que bênção nos é esta para hoje! Que bênção nos será naquele dia do Senhor, que será de escuridão e não de luz para os descrentes!

Querido leitor, não é este um Salmo nobre para ser cantado em tempos tempestuosos? Você consegue cantar entre um trovão e outro? Você estará cantando depois que os últimos trovões soarem, e Jesus julgar os vivos e os mortos? Se você for crente, o último versículo é a sua herança e, com certeza, fará você cantar.

NOTAS EXPLICATIVAS E DECLARAÇÕES IMPORTANTES

O Salmo: Este Salmo celebra a força do Senhor. A exemplificação dessa celebração é tomada evidentemente de um temporal com trovoadas no Líbano. Ao que parece, o Salmo foi dirigido aos anjos (ver Sl 89.7). Começa assim: "Dai ao Senhor, ó filhos dos poderosos, dai ao Senhor glória e força. Dai ao Senhor a glória devida ao seu nome; adorai o Senhor na beleza da sua santidade". Imediatamente vem a descrição do temporal com trovoadas, sobre o qual não é irreal observar a progressão histórica que é usual em tais ocasiões. As primeiras frases narram somente o barulho do trovão, ficando a descrição mais intensa à medida que o estrondo se aproxima: "A voz do Senhor ouve-se sobre as águas; o Deus da glória troveja; o Senhor está sobre as muitas águas. A voz do Senhor é poderosa; a voz do Senhor é cheia de majestade". Mas agora os efeitos se tornam visíveis. O temporal caiu sobre as montanhas e florestas: "A voz do Senhor quebra os cedros; sim, o Senhor quebra os cedros do Líbano. Ele os faz saltar como a um bezerro; ao Líbano e Siriom, como novos unicórnios. A voz do Senhor separa as labaredas do fogo". Das montanhas, o temporal desce até às planícies, onde, porém, os seus efeitos não são tão terríveis quanto nas montanhas. "A voz do Senhor faz tremer o deserto; o Senhor faz tremer o deserto de Cades. A voz do Senhor faz parir as cervas e desnuda as brenhas. E no seu templo cada um diz: Glória!" A descrição causada pela inundação dos rios fecha a cena: "O Senhor se assentou sobre o dilúvio; o Senhor se assenta como Rei perpetuamente". E a moral ou aplicação de tudo é: "O Senhor dará força ao seu povo; o Senhor abençoará o seu povo com paz". — *Robert Murray M'Cheyne, 1813-1843*

O Salmo: Não há fenômeno na natureza tão terrível quanto um temporal com trovoadas, e quase todos os poetas, de Homero e Virgílio a Dante e Milton, ou antes, até Grahame e Pollok a descreveram. Na Bíblia, também temos um temporal com trovoadas, o Salmo 29. Trata-se da descrição de uma tempestade que, subindo do Mediterrâneo e viajando pelo Líbano e ao longo das montanhas do interior, alcança Jerusalém e envia as pessoas aos pórticos do templo em busca de refúgio. Além dessas pitadas de terror, as quais descrevem o progresso geográfico da tempestade, há uma vitalidade e poder sacros que se derivam da presença do Senhor em cada ribombo sucessivo. — *James Hamilton, Doutor em Teologia, "The Literacy Attractions of the Bible" [As Atrações Literárias da Bíblia], 1849*

O Salmo: Este é um glorioso Salmo de louvor cantado durante uma tempestade, cuja majestade sacode a natureza universal, até o ponto em que a grandeza do poder do Senhor é sentida por tudo que há no céu e na terra. Este Senhor é o Deus do seu povo, que os abençoa com força e paz. Para apreciarmos devidamente os sentimentos do bardo, temos de nos inteirar de como é uma tempestade no Oriente, sobretudo nas regiões montanhosas da Palestina, que, acompanhada pelos ecos maravilhosos das montanhas circunjacentes e pelas torrentes de trombas d'águas que formam rios, infunde terror nos homens e nos animais, e espalha destruição nas cidades e nos campos. Wilson, o viajante, descreve tal tempestade nas vizinhanças de Baalbek: "Fui apanhado por uma tempestade, como se as comportas do céu tivessem rompido. Veio de um momento para o outro, e assolou com tamanho poder que sugeria o fim do mundo. Escuridão solene cobriu a terra. A chuva caiu torrencialmente, descendo destrutivamente pelos lados das montanhas, porque pelo poder temeroso da tempestade transmudou em grossas nuvens de névoa". Compare também com a parábola de nosso Senhor, retirada da vida real, registrada em Mateus 7.27. — *Augustus F. Tholuck, in loc.*

v. 1: "Dai ao SENHOR". Dai, dai dai. Esta repetição mostra como somos pouco propensos a dar a Deus o que lhe é de direito, ou a tolerar uma palavra de exortação a esse respeito. — John Trapp

v. 1: "Ó filhos dos poderosos". A Septuaginta traduziu assim: "Ó filhos dos carneiros". Estes carneiros que guiam o rebanho não deveriam empinar o nariz e erguer o topete, porque o pastor colocou um sino neles, mais que nos demais do rebanho. — *John Trapp*

vv.1 e 2: Ha três *dai* nestes dois versículos: "Dai ao SENHOR, ó filhos dos poderosos, dai ao SENHOR glória e força. Dai ao SENHOR a glória devida ao seu nome". Glória é o direito de Deus, e Ele insiste no que é dEle por direito. Sabedores disso, os cristãos sinceros lhe dão o que é de direito, dão-lhe a honra e glória que lhe são devidas. Mas não me entenda mal. Não estou dizendo que por serem verdadeiramente sinceros olham de fato a glória de Cristo em todas as suas ações. Não, nada disso! Esta é uma felicidade desejável na terra, mas nunca será atingida até que cheguemos ao céu. Propósitos secundários e alvos egoístas estarão prontos a insinuarem-se nos melhores corações, mas todos os corações sinceros suspiram e gemem sob essa carga. Eles reclamam ao seu Deus e clamam para que justiça lhes seja feita. É o maior desejo e a razão dos seus esforços diários ficarem livres desses propósitos e alvos. Portanto, eles não lhes serão imputados, nem as coisas boas lhes serão evitadas. Mas agora olhe o cristão sincero em seu curso habitual e costumeiro, e encontrará que os alvos e fins de todas as suas ações e empreendimentos são glorificar

Deus, exaltar Deus e bendizer Deus no mundo. Se o hipócrita tomasse como alvo verdadeiro dar glória a Deus nas coisas que faz, então a glória de Deus tragaria os seus alvos secundários e fins carnais, como a vara de Arão tragou as varas dos magos (Êx 7.10-12). Como o sol apaga a luz do fogo, assim a glória de Deus, quando objetivada, apaga e consume todos os propósitos secundários e alvos egoístas. É fato que aquilo que é o maior objetivo do homem causará efeito nos outros objetivos. Aquele que fixa a glória de Deus como o alvo principal, descobrirá que este alvo principal comerá todos os alvos secundários e egoístas. Como as vacas magras de faraó comeram as gordas (Gn 41.4), assim a glória de Deus comerá todos os alvos gordos e mundanos que se infiltram na alma durante a obra religiosa. Quando a glória de Deus é mantida como o maior objetivo do homem, então todos os propósitos secundários e alvos egoístas são mantidos sob controle. — *Thomas Brooks*

v. 2: "Dai ao Senhor a glória devida ao seu nome". Eis algo que não podemos fazer, pois o nome do Senhor está acima de todo louvor (Sl 148.13), mas temos de ter esse objetivo. Os rabinos observam que o santo nome de Deus é mencionado dezoito vezes neste Salmo. Afirmam que grandes homens podem particularmente dar-lhe a honra devida ao seu nome, para que fiquem em reverência e não em pecado, e levem presentes àquEle que deve ser temido. O mesmo devem fazer os melhores dos melhores, visto que Ele é grande Rei e está muito acima em termos de superioridade em idade (Ml 1.14). — *John Trapp*

v. 2: "Adorai o Senhor". Se perguntássemos: Por que o Senhor tem de ser adorado? Por que Ele tem de receber honras tão sublimes de quem está em posição tão elevada? O que Ele faz no mundo que requer semelhante adoração? Davi responde teologicamente. Ele responde das nuvens: "A voz do Senhor ouve-se sobre as águas; o Deus da glória troveja; o Senhor está sobre as muitas águas. A voz do Senhor é poderosa; a voz do Senhor é cheia de majestade" (vv. 3, 4). É como se ele tivesse dito: O Senhor Jesus Cristo não estabelecerá um reino externo, pomposo e político, como foram os reinos de Ciro, Alexandre e outros. Contudo, pelo ministério do Evangelho, Ele edificará um reino espiritual e reunirá para si mesmo uma igreja que permanecerá para sempre. Essa igreja virá de todas as nações da terra, pois o Evangelho será levado e pregado não só ao povo de Israel, os judeus, mas também aos gentios, por todo o mundo, para que a mente do homem seja iluminada, despertada e movida com essa inusitada doutrina de salvação por meio de Cristo, a qual estivera oculto desde as eras e gerações. — *Joseph Caryl*

v. 3: "A voz do Senhor ouve-se sobre as águas; o Deus da glória troveja; o Senhor está sobre as muitas águas". Sim, grande Deus, estes rios de lágrimas que correm dos meus olhos anunciam a tua presença santa em minha alma. Este meu coração tão seco, tão árido e tão duro, era a pedra que tu feriste uma segunda vez. Agora não te resiste mais, pois dele jorram águas salutares em abundância. A voz de Deus que derruba as montanhas, troveja, ilumina e divide os céus acima do pecador, é a mesma que agora ordena que as nuvens derramem aguaceiros de bênçãos, mudando o deserto da alma em um campo que produz cem vezes mais. É essa voz que ouço. — *Jean Baptiste Massillon*

vv. 3 a 10: "O Senhor". Todas as coisas que comumente dizemos são os efeitos dos poderes naturais da matéria e leis do movimento. São, de fato (se falarmos rigorosa e corretamente), os efeitos da ação de Deus sobre a matéria de forma contínua e a cada momento, quer imediatamente por Ele, ou mediatamente por algum dos seres inteligentes criados. Por conseguinte, não há tal coisa como causas naturais ou o poder da natureza. — *Samuel Clarke, "The Friend and the Disciple of Newton" [O Amigo e o Discípulo de Newton], 1675-1729*

vv. 3 a 10:

A voz do Senhor sobre o oceano é conhecida
O Deus da eternidade troveja
A voz do Senhor das profundezas do seu trono
É terror e poder — toda a natureza se cala reverentemente

A voz do Senhor por intermédio da calma da floresta
Desperta ecos, faz entrar luz nas tocas
O Senhor se assenta como Rei na inundação turbulenta
Os ventos são os seus servos, as suas servas as ondas
— *James Montgomery, 1771-1854*

vv. 3 a 11:

A voz do Messias está nas nuvens
O Deus da glória troveja alto
O Messias anda ao longo das inundações
Ele caminha nas nuvens voadoras
A voz do Messias está cheia de poder
Os seus relâmpagos saem quando as tempestades abaixam
A voz do Messias quebra os cedros
Enquanto a fundação do Líbano treme
A voz do Messias remove os montes
E enche todas as planícies de rios
A voz do seu Deus expirante
Espalhará as rochas
O monte Sião e o monte Siriom
Saltarão juntos com o Líbano
As labaredas de fogo o envolverão
Quando Ele no espaço celeste respirar
A voz do Messias fará a terra tremer
E as sepulturas gemerão ao darem à luz
Dez mil milhares de filhos vivos
Serão o tema dos gemidos
A paz de Deus, o Evangelho soa
A paz de Deus, a terra ressoa
O Evangelho brilha perpetuamente
Uma luz de Deus que nunca declina
Esta é a luz que o Senhor envia
Para abençoar os confins mais remotos do mundo
— *Paráfrase de John Barclay*

v. 4: "A voz do Senhor". As repetições veementes desta expressão se assemelham a uma série de trovoadas. Temos a impressão de ouvir a artilharia terrível do céu disparando salva após salva, enquanto estrondo após estrondo o eco acompanha imediatamente o som. — *C. H. S.*

v. 4: "A voz do Senhor é poderosa". Eu daria a Deus a glória devida ao seu nome, pela transformação admirável que Ele fez em meu coração. Não havia nada a ser achado em mim senão uma dureza incrédula e uma desordem inveterada. Deste estado desesperador, Ele me transformou em um novo homem e fez resplandecente a glória do seu nome e o poder da sua graça. Só Ele pode operar tais prodígios. Os incrédulos que recusam reconhecer a mão de Deus na criação têm, neste caso, de admitir que "isto é o dedo de Deus" (Êx 8.19). Sim, grande Deus, o caos não sabe te resistir, pois ouve a tua voz obedientemente. Mas o coração obstinado te repele, e a tua voz poderosa o chama muitas vezes em vão. Tu não és tão grande e maravilhoso em criar mundos do nada como és quando tu ordenas o coração rebelde a sair do seu abismo de pecado e a correr nos caminhos dos teus mandamentos. Dispersar um caos de crime e ignorância pela majestade de tua Palavra, iluminar a escuridão mais medonha e, pelo Espírito Santo, estabelecer a ordem harmoniosa onde tudo era confusão são fatos que manifestam em medida muito maior a tua onipotência que trazer à tona do primeiro caos as Leis divinas e os sóis celestiais. — *Jean Baptiste Massillon*

v. 4: "A voz do Senhor é poderosa; a voz do Senhor é cheia de majestade". Que o "Boanerges" evangélico faça com que o som glorioso do Evangelho seja ouvido sob este céu para que o mundo volte a ser sensível a essa voz; diante da voz do Filho do Homem, que tantas vezes chama os pecadores ao arrependimento, um dia os chamará ao julgamento. — *George Horne*

v. 4: "A voz do Senhor é poderosa; a voz do Senhor é cheia de majestade". Onde a palavra de um rei está, há poder, mas a que voz imperial compararemos o trovão majestoso do Senhor? — *C. H. S.*

v. 5: "A voz do Senhor". Os filósofos não consideram que tenham debatido com maestria suficiente as causas inferiores, a menos que coloquem Deus para bem longe das suas obras. É uma ciência diabólica que fixa os nossos pensamentos nas obras da natureza e os afaste de Deus. Se todo aquele que desejasse conhecer alguém não olhasse o rosto, mas fixasse a atenção somente nas unhas, nada mais justo que as pessoas lhe zombarem a loucura. Mas muito maior é a loucura desses filósofos que, por causas mediatas e proximais, encobrem-se de véus para não serem forçados a reconhecer a mão de Deus, a qual manifestadamente se mostra nas suas obras. — *João Calvino*

v. 5: "A voz do Senhor quebra os cedros; sim, o Senhor quebra os cedros do Líbano". Como se dá nas tempestades, quando os raios correm depressa e num instante, transtornando montanhas e derrubando árvores altíssimas, assim o Senhor humilha com uma queda súbita os orgulhosos, os arrogantes, os soberbos e os insolentes que se colocam contra Ele e buscam o espólio dos que estão quietos e lhe são tementes. — *Robert Cawdray*

v. 5: "A voz do Senhor quebra os cedros". Os antigos expositores falam que a quebra dos cedros pelo vento é uma figura da renúncia às coisas altas e orgulhosas deste mundo, por intermédio do vento veemente e impetuoso do Espírito Santo dado naquele dia. Confringit cedros Deus, *hoc est humiliat superbos* (Jerônimo e segundo Basílio) — *Christopher Wordsworth*

v. 5: "O Senhor quebra os cedros do Líbano". Que vergonha é então que o nosso duro coração não se quebra e nem se rende, ainda que açoitado pelos raios certeiros das ameaças terríveis proferidas pela boca de Deus! — *John Trapp*

v. 5: "quebra os cedros do Líbano".

Quando o pinheiro fica bastante alto
Curva-se a todo golpe de vento mais rude
O palácio cai pesadíssimo
Quando despenca de altura aérea
E quando do céu os raios fuzilam
Dinamitam os montes que orgulhosamente se elevam
— *Horácio, traduzido para o inglês por Philip Francis, Doutor em Teologia, 1765*

v. 5: "os cedros do Líbano". Estas frondosas árvores de Deus que pelos séculos foram a força da tempestade, mantendo os colossais ramos sempre verdes na região de neves eternas, são os primeiros objetos da fúria do raio, pois sabemos muito bem que este visita primeiro os objetos mais altos. — *Robert Murray M'Cheyne*

v. 6: "Ele os faz saltar como a um bezerro; ao Líbano e Siriom, como novos unicórnios", quer dizer, o Senhor com a sua voz trovejante e poderosa, primeiro, os faz saltar como aterrados de medo e, depois, como reavivados de alegria. Ainda mais: "A voz do SENHOR separa as labaredas do fogo" (v. 7), que significa, ela enviará e repartirá a cada um o Espírito Santo conforme necessitarem (1 Co 12.11). O Espírito Santo é comparado e chamado de fogo (Mt 3.11), e veio como com uma trovoada de vento veemente, acompanhada do surgimento de línguas repartidas como que de fogo que se sentou em cada um dos discípulos (At 2.2,3). Esta voz de trovão, acompanhada de labaredas divididas de fogo, não alcançou somente Jerusalém, como esclarece o versículo 8 do texto sob estudo: "A voz do SENHOR faz tremer o deserto; o SENHOR faz tremer o deserto de Cades", ou seja, o Senhor, pela voz do Evangelho, sairá com poder para os gentios, que são como um deserto, estéreis de bondade e inférteis em assuntos espirituais, embora habitem em cidades muito bem administradas e tenham excelentes princípios morais. Sairá também para os gentios que habitam o deserto desolado e não chegaram ao ponto da civilidade. Estes desertos, a voz trovejando do Senhor fez tremer ontem, faz tremer hoje e ainda fará tremer mais para que a plenitude dos gentios entre. Muitos destes desertos, o Senhor transformou em campos frutíferos e terrenos agradáveis pela voz do Evangelho soando entre eles. Nestes desertos, como diz o versículo 9: "A voz do SENHOR faz parir as cervas", que significa, aqueles que eram selvagens, irracionais e indômitos como as cervas ou outros animais da floresta, Ele leva pelas dores do novo nascimento ao arrependimento e a humilhação do Evangelho. Desta forma, ele (prossegue o salmista no mesmo versículo) "desnuda as brenhas", que significa, abre os corações dos homens que estão tão espessos, maduros e cheiosr de vaidade, orgulho, hipocrisia, amor-próprio e autossuficiência quanto de libertinagem e sensualidade, como as florestas são cobertas de vegetação espessa de árvores e arbustos pelos quais negam passagem até serem abertas com queimadas ou picadas. O Senhor faz tal abertura, tal descoberta nas florestas do coração dos homens pela espada e pelo fogo, ou seja, pela Palavra e pelo Evangelho. Quando tudo isso é feito, a floresta se torna um templo, como conclui o versículo: "E no seu templo cada um diz: Glória!" Se o dilúvio de maldade subir contra este povo, a quem o trovão e o relâmpago do Evangelho subjugaram para Cristo e moldaram em um templo santo, então o salmista nos assegurou: "O SENHOR se assentou sobre o dilúvio", que significa, sob o seu poder, Ele o controla e domina, "o SENHOR se assenta como Rei perpetuamente" (v. 10). Portanto, "o SENHOR dará força ao seu povo; o SENHOR abençoará o seu povo com paz" (v.11). Desta forma, "com a sua voz troveja Deus maravilhosamente" (Jó 37.5), e estas são maravilhas gloriosas que o Senhor troveja. Ele converte os pecadores.

Ainda que eu não seja dado a alegorizar a Bíblia, não duvido que podemos fazer uso lucrativo deste expediente neste e em muitos outros textos bíblicos. Sendo esta uma verdade inegável, a qual é a sua razão — que o Senhor apresenta, por assim dizer, o poder do trovão e do relâmpago na pregação da sua Palavra. Estas são duas coisas que devemos prestar a devida atenção. — *Joseph Caryl*

v. 6: "Ele os faz saltar como a um bezerro", quer dizer, Ele faz as lascas e pedaços quebrados das árvores que foram atingidos com os raios voarem pelo ar, ou quando são sacudidos por ventos, tempestades ou terremotos. — *John Diodati*

v. 6: No original hebraico é: "Ele os faz saltar como um bezerro; o Líbano e o Siriom, como bois selvagens" (ARA). À primeira vista, parece que o salmista ainda está falando dos cedros, e que o Líbano e o Siriom foram usados por metonímia no lugar dos cedros que neles estão. Mas notemos duas coisas.

(1) Nunca ouvimos falar de cedros que crescem no Siriom, ou Senir, ou Hermom, pois o lugar tem todos estes nomes. (2) Há uma passagem paralela onde esta interpretação dificilmente corresponde ao Salmo 114.4. Descrevendo o êxodo de Israel, este texto diz: "Os montes saltaram como carneiros; e os outeiros, como cordeiros". O mesmo verbo usado aqui, que significa "saltar", "dançar", ocorre em Naum 3.2 para aludir ao salto dos carros, e também em Joel 2.5. Em ambos estes exemplos, o significado tencionado é movimento súbito, acompanhado por barulho. Ainda que possamos entender muito bem como descrição altamente figurativa, como indubitavelmente é, dos efeitos habituais de uma tempestade acompanhada de trovões, é interessante comparar esta passagem com a seguinte narração de Constantine F. C. Comte de Volney, que descreve certos fenômenos frequentes que ocorrem no monte Líbano, os quais podem dar novo significado ao "salto das montanhas".

"Quando o viajante", diz ele, "embrenha-se pelo interior destas montanhas, a aspereza das estradas, a declividade das ladeiras e a profundidade dos precipícios causam, em um primeiro momento, um efeito maravilhoso. Mas a sagacidade das mulas que o carregam logo lhe inspira confiança, permitindo-lhe examinar à vontade as cenas pitorescas que se sucedem sequencialmente, quase desnorteando-o. Lá, como nos Alpes, ele viaja às vezes dias inteiros para chegar a um lugar que estava à vista quando partiu. Ele vira, desce, contorna, sobe. Com a mudança constante de posição, ficamos propensos a pensar que a cada passo que damos um poder mágico muda a beleza das paisagens. Às vezes, as aldeias são vistas prestes a, por assim dizer, deslizar para baixo pela declividade extrema, ficando em certa disposição que dão a impressão que os telhados da uma fileira de casas servem de rua para a fileira de cima. Em outro momento, vemos um convento situado em um cone isolado, como Marshaia no vale do Tigre. Aqui, uma rocha foi perfurada por um rio, formando uma cascata natural como em Nahr-el-Leban. Ali, outra rocha assume a aparência de muro natural! Frequentemente em ambos os lados, saliências de pedras, levadas abaixo e deixadas pelas águas, assemelham-se a ruínas dispostas pela arte. Em alguns lugares, o acúmulo de águas em virtude dos terrenos inclinados minou a terra intermediária e formou cavernas, como em Nahr-el-Kelb, perto de Antoura. Em outros lugares, usaram canais subterrâneos pelos quais fluem pequenos regatos durante parte do ano, como em Mar Hama. Por vezes estas circunstâncias pitorescas se tornam trágicas. Pedras soltas ou desestabilizadas por descongelamento ou terremoto são famosas por precipitarem-se nas habitações adjacentes e esmagarem os habitantes. Um acidente deste tipo, cerca de vinte anos atrás, enterrou uma aldeia inteira próxima de Mar Djordos, a ponto de não deixar rastro de sua existência. Mais recentemente e próximo do mesmo local, o solo de um monte plantado de amoreiras e videiras separou-se por súbito descongelamento e, deslizando-se pela superfície da rocha que cobria, como um navio lançado dos picadeiros de carreira, foi parar inteiro no vale abaixo". — *Robert Murray M'Cheyne*

v. 7: "A voz do Senhor separa as labaredas do fogo". Pelo poder de Deus, as labaredas de fogo são separadas e enviadas das nuvens à terra na forma terrível de relâmpago, essa espada afiada e brilhante do Todo-Poderoso que nenhuma matéria pode resistir. O mesmo poder de Deus sai da sua Palavra, "viva, e eficaz, e mais penetrante do que qualquer espada de dois gumes", penetrando, derretendo, iluminando e inflamando o coração dos homens (At 2.3; Hb 4.12). — *George Horne*

v. 7: "A voz do Senhor separa as labaredas do fogo". Segundo o texto, a voz do Senhor separa as labaredas, literalmente, "corta as labaredas", λατομεῖν φλόγας. Na Septuaginta consta διακόπτει φλόγα πυρός. Nas palavras de Wilhelm Gesenius:

"A voz do Senhor corta as chamas do fogo, ou seja, envia chamas divididas de fogo" (cf. ARA). Segundo Teodoreto, estas palavras são muito descritivas da ação divina no Pentecostes, que enviou labaredas divididas como "tela trisulca" nas línguas de fogo que foram divididas de uma fonte celestial ou fonte de labaredas e colocadas na cabeça dos discípulos, enchendo-os do fogo do zelo e amor santo. — *Christopher Wordsworth*

v. 7: "separa [ou "corta"] as labaredas do fogo". A palavra hebraica חָצַב (*ḥātsab*) significa literalmente "cortar", "recortar", "talhar", como, por exemplo, pedras. A alusão aqui é indubitavelmente ao relâmpago. A imagem ou é algo que é cortado ou recortado em línguas e tiras ou, mais provavelmente, alude às nuvens que são cortadas ou recortadas de modo a fazer aberturas ou caminhos para o relâmpago. Os olhos estão evidentemente fixos nas nuvens e no clarão súbito do relâmpago, como se as nuvens tivessem sido rachadas ou abertas para dar passagem a ele. A ideia do salmista é que "a voz do SENHOR" — ou o trovão — dá a impressão de partir ou abrir as nuvens para as labaredas de fogo agirem na tempestade. — *Albert Barnes*

v. 8: "o SENHOR faz tremer o deserto de Cades". Pela posição geográfica do Líbano, pensaríamos, a princípio, embora não necessariamente, que a menção seja a Cades-Naftali. A Síria está em uma região muito propensa a terremotos, por exemplo, o terremoto de Aleppo, em 1822, o qual foi sentido perceptivelmente em Damasco. Mas não é necessário imaginarmos nada mais que os efeitos habituais de uma tempestade com fortes trovoadas. Os carvalhos e florestas do versículo 9 (cf. NTLH), ajustam-se bem com a descrição dada sobre o tipo de vegetação do Líbano, onde há abundância de "bosques de murta, florestas de faia, nogueiras, alfarrobeiras e carvalhos". E as torrentes de chuva mencionadas no versículo 10 são admiravelmente descritivas das súbitas inundações ocasionadas pelos mil riachos que cortam o Líbano. De acordo com os viajantes modernos, o número dos cursos de água que descem do Líbano é enorme. Podemos acrescentar a subitaneidade da elevação do nível desses fluxos de água às contradições nas suas narrativas. Uns descrevem o Nahr-el-Sazib como "um regato, embora cruzado por uma ponte de seis arcos". Outros o chamam de "rio grande". O Damour (o antigo Tamyras) que corre diretamente do Líbano é "um rio", diz Mandrell, "capaz de aumentar de volume com chuvas súbitas. Neste caso, precipita-se das montanhas com grande rapidez, tendo sido fatal para muitos viajantes". Ele menciona certo cavalheiro francês, monsieur Spon, que, há alguns anos, tentando atravessá-lo, foi acolhido pelo rio e morreu no mar. Este é um exemplo de muitos nas montanhas do Líbano, onde o riacho, que é normalmente quase seco, torna-se em rio intransitável de uma vez. Quando Constantine F. C. Comte de Volney examinou os rios da Síria no verão, duvidou que poderiam ser chamados de rios. Mas tivesse ele tido de arriscar-se a atravessá-los depois de uma tempestade acompanhada de trovões, e o seu cepticismo já não teria tido lugar ou tempo para mostrar-se. Então, ele teria sentido a correção da descrição do salmista, quando diz: "O SENHOR se assentou sobre o dilúvio; o SENHOR se assenta como Rei perpetuamente" (v. 10). — *Robert Murray M'Cheyne*

v. 8: "A voz do SENHOR faz tremer o deserto". Grande Deus, tenho labutado para fugir de ti! Busquei refúgio para o meu remorso em uma retiro onde nada me lembrasse do meu Deus. Longe dos socorros da religião, distante de todos os canais que me trazem as águas da graça, à parte de tudo cujos testemunhos reprovadores me refreassem da iniquidade. Mesmo lá, grande Deus, onde acreditei ter achado um esconderijo inacessível à tua misericórdia eterna, onde pudesse pecar com impunidade, mesmo assim, naquele deserto, a tua voz me prendeu e me pôs a teus pés. — *Jean Baptiste Massillon v. 9:* "A voz do Senhor faz parir as cervas". Com relação ao sentido transmitido pela leitura comum, observemos que as cervas dão à luz os filhotes a duras penas e muita dor: "Elas encurvam-se, para terem seus filhos, e lançam de si as suas dores" (Jó 39.3,6). Isso realça a descrição dada sobre o caráter terrível da tempestade acompanhada de trovões. Esta descrição apresenta o trovão, que é chamado de "a voz do Senhor", fazendo, pelo terror que inspira, com que as cervas no estado de prenhez tenham prematuramente os filhotes. Embora, de acordo com as nossas ideias de imagem poética, isso não concorde tão bem com as outras imagens descritas na passagem, nem pareça tão bonito e sublime como a imagem de carvalhos tremendo diante da voz do Senhor. —*João Calvino*

v. 9: "A voz do Senhor faz parir as cervas". O cuidado e a ternura de Deus para com os animais se voltam para o seu louvor, como também o cuidado que Ele tem e a ternura que mostra aos crentes. Como o fato de cuidar dos animais selvagens promove excessivamente a glória de Deus, assim o fato de que Ele tomará conta dos homens contribui excessivamente para fortalecer-lhes a fé. O Senhor cuida das cervas? Então certamente cuida dos que particularmente lhe pertencem. Há certa providência especial de Deus para com estes e outros animais para a geração de filhotes. Ele — se posso falar assim com reverência — mostra suas aptidões obstetrícias ajudando estes animais selvagens quando as dores de parto os acometem. Como o Senhor, de maneira eminente, tira o homem "do ventre" (Sl 22.9), assim, de certa maneira, Ele também tira os animais do útero. "A voz do Senhor faz tremer o deserto; o Senhor faz tremer o deserto de Cades" (v. 8), é a tradução. Mas a palavra hebraica traduzida por "faz tremer" é a mesma que ocorre em Jó 39.2 ("parto"), e significa "nascer". Daí, alguns estudiosos muito instruídos na língua hebraica não traduzem: "A voz do Senhor faz tremer o deserto", mas: "A voz do Senhor faz parir o deserto; o Senhor faz parir o deserto de Cades". Por *parir* não devemos entender as criaturas vegetativas (trata-se de uma verdade, o Senhor faz nascer folhas e frutos nas árvores da floresta), mas o significado é animais ou criaturas viventes. Então, quando o salmista diz: "A voz do Senhor faz parir o deserto", significa, que o Senhor faz parir os animais selvagens do deserto. Este é o sentido claro das palavras, por causa do texto que vem a seguir. Tendo Davi falado de modo geral no versículo 8: "A voz do Senhor faz tremer o deserto", no versículo 9 ele dá o exemplo específico das cervas: "A voz do Senhor faz parir as cervas". — *Joseph Caryl*

v. 9: "A voz do Senhor faz parir as cervas". É com extrema correção, diz um dos antigos, que o Senhor pergunta: "Sabes tu o tempo em que as cabras monteses têm os filhos"? (Jó 39.1), pois considerando que este animal sempre está em fuga e por medo e terror anda constantemente pulando e saltando, ele nunca poderia criar os filhotes até à fase adulta sem tal proteção especial. A providência de Deus é igualmente clara na preservação da cerva e seu filhotinho. Ambos são objetos da compaixão e cuidado afetuoso de Deus. Por conseguinte, o homem aflito não tem razão de culpar o Criador de crueldade, que se digna de tomar conta das cabras e das cervas. É de comum aceitação que as corsas dão à luz os filhotes a duras penas. É o que sugere o versículo: "Elas encurvam-se, para terem seus filhos, e lançam de si as suas dores" (Jó 39.3). Mas se Plínio e outros antigos naturalistas são dignos de crédito, a providência divina agradou-se de providenciar certas ervas que em muito facilitam o nascimento. Por instinto, Ele dirige as cervas a alimentarem-se dessas ervas, quando o tempo da gestação está próximo do fim. Seja qual for a verdade que haja nesta afirmação, sabemos de autoridade mais alta, que a providência promove a parturição das cervas, despertando-lhes o medo e agitando-lhes o corpo pelo trovão retumbante: "A voz do Senhor [frase hebraica comum, denotando trovão] faz parir as cervas". Também não devemos nos admirar que animais tão tímidos como as cervas ficassem tão abalados por essa terrível convulsão atmosférica, quando certos homens extremamente orgulhosos são conhecidos por temer. De acordo com Suetônio, o imperador romano Augusto ficava tão apavorado quando trovejava que cobria o corpo com pele de foca para defender-se dos relâmpagos e escondia-se em algum canto secreto até que a tempestade passasse. O tirano Calígula, que, às vezes, simulou ameaçar o próprio Júpiter, cobria a cabeça ou se escondia debaixo da cama. Horácio confessa que foi curado do ateísmo pelo terror dos trovões e relâmpagos, cujos efeitos descreve com a sua habitual felicidade (Odes, b. i. 34). — *George Paxton, "Illustrations of Scripture" [Ilustrações da Bíblia]*

v. 9: "A voz do SENHOR faz parir as cervas". *Cervi sunt predicatores*, diz Jerônimo, que faz parir almas para Cristo pelo Evangelho que é a voz de Deus.

"E desnuda as brenhas." O desfolhamento das árvores da floresta pela voz do Senhor representa a obra de humilhar os fortes carvalhos e altos cedros do mundo pelo poder do Evangelho, e de despojar as almas da mentalidade mundana dos seus disfarces múltiplos (Basílio). Outros aplicam o texto ao ato dos pregadores da Palavra de Deus em descobrir as moitas espessas dos mistérios divinos nas santas Escrituras por intermédio da luz evangélica produzida pelo Espírito Santo *(Jerônimo). — Christopher Wordsworth*

v. 9: "A voz do SENHOR faz parir as cervas e desnuda as brenhas". A voz do Senhor causa destruição nos carvalhos e desfolha as florestas (cf. NTLH). — *Samuel Horsley*

v. 9: "No seu templo". Certos estudiosos opinam que Davi estipulou este Salmo para ser cantado no templo quando está trovejando, o que não é improvável. Há escritores que fazem Deus ser o caso nominativo do verbo "diz", dando esta tradução: "No seu templo Ele profere toda a sua glória". É tanto quanto dizer que grande parte da sua glória Deus expressa no trovão, mas tudo no seu templo, pois tudo que Ele fala ali com a boca, cumpre com a mão.— *John Trapp*

v. 9: "E no seu templo cada um diz: Glória!" Tendo falado na porção inicial do Salmo sobre os efeitos do trovão natural, perto do fim Davi aplica o Salmo à Palavra de Deus, enquanto diz: "E no seu templo cada um diz: Glória!", quer dizer, a Palavra e ordenanças de Deus, ministradas na igreja ou templo, farão cada um reconhecer e falar do poder glorioso de Deus, até muito mais que o trovão imponente que soa nos nossos ouvidos, ou o relâmpago sutil que brilha aos nossos olhos. Há mais poder da realeza no trovão da Palavra que na palavra do trovão. Este terrifica só para a convicção, mas aquele terrifica para a salvação. Depois que Deus fala terror nas suas ameaças, Ele fala consolo nas promessas. Quando Deus nos amedronta com o sentimento dos nossos pecados e da sua ira que merecemos por causa dos nossos pecados, como na tempestade horrível, agora Ele nos refrigera com os ventos suaves da graça revelada, e com os raios agradáveis e amáveis do sol do seu favor por meio de Jesus Cristo. —*Joseph Caryl*

v. 11: "O SENHOR dará força ao seu povo; o SENHOR abençoará o seu povo com paz", que significa, na guerra Ele é a força, e na paz, a bênção. Na guerra, Ele é o Autor de todo o poder com o qual os homens enfrentaram e venceram os inimigos potentes. Na paz, Ele é o bem verdadeiramente abençoador, tornando, pela sua presença, este povo em um povo verdadeiramente abençoado. —*John Howe*

v. 11: "O SENHOR abençoará o seu povo com paz". Ainda que alguns indivíduos preciosos que se aproximaram de Jesus e aceitaram o Evangelho não foram por ora levados a ter descanso de consciência, mas continuam por um tempo sob certo descontentamento e aborrecimento de espírito, mesmo assim eles têm paz de consciência sob três aspectos: *in pretio*, *in promisso* e *in semine*.

Em primeiro lugar, todo verdadeiro crente tem paz de consciência (*in pretio*). O Evangelho lhe põe esse valor nas mãos que seguramente a compra — é o sangue de Jesus. Dizemos que é ouro o que vale ouro, o que em qualquer lugar podemos trocar por ouro. Trata-se do sangue de Jesus. É a paz de consciência, porque a alma que a tem pode trocá-la por isso. O próprio Deus não pode negar à criatura pobre que ora nestes termos: Senhor, dai-me paz de consciência. Eis o preço: o sangue de Jesus. Aquilo que paga a dívida também obtém o recibo. A paz de consciência é o alvará de soltura sob as ordens de Deus, comprovando que a dívida à justiça divina foi totalmente paga. Se o sangue de Jesus fez o maior para o crente, então faz o menor. Se houvesse uma porção rara que infalivelmente sarasse todos que a tomassem, poderíamos anunciar firmemente que assim que o doente a toma, ele tomou saúde, que agora nele está, ainda que por ora não a sinta. Com o tempo aparecerá.

Em segundo lugar, todo verdadeiro crente tem paz de consciência na promessa (*in promisso*). "O Senhor abençoará o seu povo com paz." Estando Ele decidido em abençoar, quem impedirá? Vale a pena lermos o Salmo inteiro para vermos que peso o Senhor dá a esta doce promessa e sermos encorajados na fé enquanto esperamos o cumprimento. Não há nada mais difícil de entrar no coração de uma pobre criatura (quando no seu interior tudo está em alvoroço e a consciência insiste em ameaçar nada mais que fogo, espada, ira e vingança de Deus pelos pecados cometidos) que pensamentos ou esperanças de paz e consolo. O Salmo se concentra em mostrar as grandes coisas que Deus pode fazer, não lhe tendo a menor dificuldade em dizer uma palavra: "A voz do Senhor é cheia de majestade", "quebra os cedros", "separa as labaredas", "faz tremer o deserto", "faz parir as cervas" (vv. 4-9). Este Deus que faz tudo isso, promete que "abençoará o seu povo com paz", exterior e interior, pois sem esta paz interior, embora Ele lhes dê paz, nunca pode abençoá-los com a paz como lhe promete. Tendo as ruas quietas, mas cortando a garganta em casa não seria uma paz triste? Contudo, é infinitamente mais triste ter paz nas ruas e em casa, mas guerra e sangue na consciência culpada. Que paz pode uma miserável criatura ter ou apreciar, enquanto a espada da ira de Deus está na garganta da consciência? Por isso, Jesus comprou paz de perdão para obter paz de consciência aos seus perdoados, transmitindo-a adequadamente na promessa que lhes fez: "Deixo-vos a paz, a minha paz vos dou" (Jo 14.27). Desta forma, vemos que Ele é o dono do testamento e o testamenteiro da sua própria vontade, distribuindo com as próprias mãos o seu amor para os crentes. Portanto, não há como a sua vontade não venha a ser completamente realizada, visto que Ele mesmo vive para cuidar que seja feita.

Em terceiro lugar, todo verdadeiro crente tem esta paz interior na semente (*in semine*): "A luz semeia-se para o justo, e a alegria, para os retos de coração" (Sl 97.11). Onde é que se semeia, senão no próprio úbere do crente, quando os princípios da graça e santidade foram ali lançados pelo Espírito de Deus? Por conseguinte, é chamado de "fruto pacífico de justiça" (Hb 12.11). Produz tão naturalmente da santidade quanto qualquer fruto segundo a sua espécie produz da sua própria semente. É bem verdade que a semente cresce e amadurece até chegar ao fruto mais cedo em alguns que em outros. Esta colheita espiritual não ocorre no mesmo tempo para todos, não mais que se dá com a colheita natural. Mas temos este consolo: seja quem for que tenha o tempo do plantio da graça passando-lhe pela alma, também terá o tempo da colheita da alegria. — *William Gurnall*

v. 11: "paz". Há três tipos de paz: a externa, a interna e a eterna; paz temporal, espiritual e celestial. Há a paz externa, a bênção; a paz interna, a graça; e a paz eterna, de glória. Como nos palácios imponentes há um pavilhão ou salão que levam aos quartos internos, assim a paz externa é a entrada ou abertura aos alojamentos internos da doce paz de consciência e do descanso eterno no qual a nossa paz no céu será feliz, já que a paz externa nos oferece muitos alojamentos e ajudas para ganhar e obter um e o outro. — *Ephraim Udall, 1642*

SUGESTÕES AOS PREGADORES

v. 1. (1) O dever de atribuir a nossa força e a honra que há nisso a Deus. (2) A penalidade de descuidar de fazê-lo. (3) O prazer de fazê-lo.

v. 1. A glorificação nacional deve ser no Senhor.

v. 2. "Dai ao Senhor a glória devida ao seu nome." (1) Tributos do Rei. (2) O tesouro do Rei. (3) Os súditos leais pagam-lhe o que lhe é devido e o Rei o recebe. (4) Os contrabandistas e os guardas.

v. 2. "adorai o Senhor na beleza da sua santidade." Ritualismo inspirado: (1) O que fazer? "Adorai." (2) A quem? "o Senhor." (3) Como? "na beleza da sua santidade." Ausência de toda alusão a lugar, hora, ordem, palavras, forma e roupas.

v. 3. A voz de Deus é ouvida nas dificuldades e acima das dificuldades, ou em grandes calamidades pessoais e nacionais.

v. 4. O poder e a majestade do Evangelho. Ilustrado pelos versículos que se seguem.

v. 4. "a voz do Senhor é cheia de majestade." Título sugestivo: "A Voz Majestosa", in: "Spurgeon's Sermons" [Sermões de Spurgeon], n.º 87.

v. 5. O poder que o Evangelho tem para quebrar.

v. 6. O poder desestabilizador do Evangelho.

v. 7. O fogo que vai com a Palavra. Este é um assunto amplo.

v. 8. O despertamento e o alarme dos lugares ímpios e irreligiosos ocasionados pela pregação da palavra.

v. 9. O poder revelador da Palavra de Deus nos segredos do coração do homem e a sua força regeneradora.

v. 9. "E no seu templo cada um diz: Glória!" (1) Templo incomparável. (2) Adoração unânime. (3) Motivação impetuosa. (4) Entusiasmo geral: "Glória!" (ver Comentário).

v. 10. O governo sempre presente e imperturbado de Deus.

v. 11. (1) As bênçãos duplas da mesma fonte. (2) A sua conexão. (3) A sua consumação.

v. 11. As duas vontades, as duas bênçãos, um só povo, um só Deus.

SALMO 30

TÍTULO

"Salmo e canção na dedicação da casa. Salmo de Davi", ou melhor, *"Salmo. Canção de Dedicação para a Casa de Davi"*. Trata-se de uma canção de fé, visto que a casa do Senhor, objetivo do Salmo, Davi não viveu para ver. É um Salmo de louvor, uma vez que um doloroso julgamento fora suspenso e um grande pecado, perdoado. Pela tradução, parece que o propósito para a composição do Salmo era ser cantado na edificação da casa de cedro que Davi construiu para si, quando ele não precisava mais esconder-se na caverna de Adulão, mas se tornara grande rei. Sendo este o significado, é bom observarmos que é correto o crente ao mudar-se dedicar a sua nova moradia a Deus. Convidemos os nossos amigos cristãos para mostrar que, onde moramos, Deus mora, e onde temos uma barraca, Deus tem um altar. Contudo tendo em vista que a canção se refere ao templo, para o qual era a alegria de Davi estocar material, e ao terreno que ele comprou já nos últimos anos de vida, a eira de Ornã, precisamos nos contentar em destacar a fé santa que previu o cumprimento da promessa feita a ele com relação à Salomão. A fé pode cantar:

Glória a ti por toda a graça
Que eu ainda não experimentei.

Ao longo do Salmo, há indicações de que Davi estivera passando por aflições, pessoais e familiares, depois de ter presunçosamente imaginado estar tranquilo. Quando os filhos de Deus prosperam de um modo, são geralmente provados de outro, porquanto poucos podem gozar de prosperidade genuína. Até as alegrias da esperança precisam ser misturadas com as dores da experiência, quanto mais quando o conforto gera segurança carnal e autoconfiança. No entanto, o perdão veio imediatamente depois do arrependimento e a misericórdia de Deus foi glorificada. O Salmo é uma canção e não uma reclamação. Devemos lê-lo à luz dos últimos dias de Davi, quando ele havia contado o povo e Deus o castigara, e em seguida misericordiosamente mandara o anjo embainhar a espada. Na eira de Ornã, o poeta recebeu a inspiração que resplandece nesta deliciosa composição poética. É o Salmo da contagem do povo e da dedicação do templo que comemorou a suspensão da praga.

DIVISÃO

Nos versículos de 1 a 3, Davi exalta o Senhor por livrá-lo. Nos versículos 4 e 5, o salmista convida os santos a unirem-se com ele para celebrar a compaixão divina. Nos versículos 6 e 7, Davi confessa a falta pela qual foi castigado, e nos versículos 8 a 10, repete a súplica que ofereceu. Os versículos 11 e 12 encerram o Salmo com a comemoração do seu livramento e a promessa de louvor eterno.

EXPOSIÇÃO

1 *Exaltar-te-ei, ó SENHOR, porque tu me exaltaste; e não fizeste com que meus inimigos se alegrassem sobre mim.*
2 *SENHOR, meu Deus, clamei a ti, e tu me saraste.*
3 *SENHOR, fizeste subir a minha alma da sepultura; conservaste-me a vida para que não descesse ao abismo.*

1. *"Exaltar-te-ei, ó Senhor."* Terei altas e honoráveis concepções de ti, e as expressarei com a minha melhor música. Outros podem esquecer-se de ti, murmurar contra ti, menosprezar-te, blasfemar de ti, mas eu te exaltarei, porque tenho sido favorecido mais que todos eles. Exaltarei o teu nome, o teu caráter, os teus atributos, a tua misericórdia de mim, a tua grande paciência para com o meu povo. Mas, acima de tudo, te bendirei. "Exaltar-te-ei", ó Senhor, pois esta será a minha ocupação alegre e constante.

"Porque tu me exaltaste." Esta é uma antítese: "Exaltar-te-ei, [...] porque tu me exaltaste". Farei de acordo com o benefício recebido. O louvor do salmista era racional. Ele tinha uma razão para dar os louvores que estava no seu coração. Ele fora resgatado como prisioneiro de um calabouço, como José fora da cova, sendo este o motivo de amar quem o resgatara. A graça nos levantou da cova do inferno, do fosso do pecado, do fundo da depressão, do leito de dor, da escravidão das dúvidas e medos. Não temos uma canção a oferecer por tudo isso? Até que altura o nosso Senhor nos levantou? Levantou-nos ao lugar de filhos, para sermos adotados na sua família. Levantou-nos à união com Cristo, "e nos fez assentar nos lugares celestiais [...] juntamente com ele" (Ef 2.6). Exaltemos bem alto o nome do nosso Deus, porque Ele nos exaltou acima das estrelas.

"E não fizeste com que meus inimigos se alegrassem sobre mim." Dos três males, este era o julgamento que Davi mais temia. Ele disse: "Caia eu, pois, nas mãos do SENHOR, porque são muitíssimas as suas misericórdias; mas que eu não caia nas mãos dos homens" (1 Cr 21.13). Seria, de fato, terrível a nossa sorte se fôssemos entregues à vontade de nossos inimigos. Bendito seja o Senhor, pois fomos guardados de tão medonho destino. O Diabo e todos os nossos inimigos espirituais não tiveram a permissão de alegrarem-se sobre nós, pois fomos salvos do laço do passarinheiro. Os nossos companheiros maus que profetizaram que deveríamos voltar aos nossos antigos pecados, ficaram desapontados. Aqueles que ficaram esperando a nossa queda para dizerem com prazer: "Viram só? Eu não disse?", estão esperando em vão até agora. Felizes aqueles a quem o Senhor mantém um caráter tão consistente que os olhos aguçados do mundo não conseguem ver uma falta sequer neles. É o nosso caso? Atribuamos toda glória àquEle que nos sustenta em nossa integridade.

2. *"Senhor, meu Deus, clamei a ti, e tu me saraste."* Davi fez orações por si mesmo e pelo povo quando foi visitado pela praga. Ele foi diretamente ao quartel-general, e não tomou desvios que levam a soluções falíveis. Deus é o melhor médico para as nossas enfermidades físicas. Agimos muito mal e tolamente quando nos esquecemos dEle. Asa pecou quando confiou nos médicos e não em Deus. Se temos de consultar um médico, que seja, mas em primeiro lugar recorramos ao nosso Pai. Acima de tudo, lembremos que não há poder nos remédios para curar, pois a cura tem de fluir da mão divina. Se o meu relógio parar de funcionar, tenho de levá-lo ao relojoeiro. Se o nosso corpo ou a nossa alma estiver em má situação, recorramos àquEle que os criou e tem a capacidade infalível de colocá-los em boas condições. Quanto às nossas doenças espirituais, nada pode curar estes males senão o toque do Senhor Cristo. Se ao menos tocarmos a bainha das suas vestes, seremos curados, ao passo que se abraçarmos todos os outros médicos, eles não nos podem fazer nenhum bem.

"Senhor, meu Deus." Observemos o nome da aliança que a fé usa "meu Deus". É extremamente feliz aquele que pode afirmar que o Senhor lhe pertence. Notemos como a fé de Davi vai subindo. No primeiro versículo, ele cantou "ó Senhor", mas no segundo, "Senhor, meu Deus". A música celestial do coração é algo ascendente, como as colunas de fumaça que subiam do altar de incenso.

"Clamei a ti." Mal dava de orar, mas clamei, derramei a minha alma como uma criancinha que chora quando quer algo. Clamei ao meu Deus. Eu sabia a quem clamar. Não clamei aos meus amigos, ou a qualquer braço de carne. Por conseguinte, o resultado seguro e satisfatório foi: "e tu me saraste". Eu sei. Tenho certeza. Há em mim evidências de saúde espiritual. Glória seja dada ao teu nome! Todos os que humildemente suplicam a Deus na busca de cura da doença do pecado, serão tão bem-sucedidos quanto o salmista, mas os que sequer buscam a cura, não há por que admirarem-se se as feridas putrefazerem e a alma perecer.

3. *"Senhor, fizeste subir a minha alma da sepultura."* Observemos que não diz *espero que*, mas *tu fizeste, tu fizeste, tu fizeste* — mais de três vezes. É indubitável que Davi está certo de que Deus fez grandes coisas em sua vida, pelas quais está extremamente feliz. O salmista descera à beira da sepultura, porém voltou para contar sobre a paciência de Deus. E não é tudo. Ele reconhecia que foi nada mais que a graça que o impedira de ir parar no mais profundo do inferno, fato que o deixou duplamente grato. Ser poupado da sepultura é muito, mas ser livrado do inferno é muito mais. Por conseguinte, há causa crescente de louvor, porquanto ambos os livramentos são rastreáveis unicamente à mão direita gloriosa do Senhor, que é o único que preserva a vida e que redime a nossa alma do inferno.

4 *Cantai ao Senhor, vós que sois seus santos, e celebrai a memória da sua santidade.*
5 *Porque a sua ira dura só um momento; no seu favor está a vida; o choro pode durar uma noite, mas a alegria vem pela manhã.*

4. *"Cantai ao Senhor, vós que sois seus santos."* Uni-vos na minha canção. Ajudai-me a expressar a minha gratidão. Ele sentia que sozinho não podia louvar a Deus o bastante, então recruta o coração dos outros: "Cantai ao Senhor, vós que sois seus santos". Davi não queria encher o coro de pessoas perversas, mas de pessoas santificadas, que cantariam de coração. Ele vos chama povo de Deus, porque vós sois santos. Se os pecadores estão perniciosamente em silêncio, que a vossa santidade vos constranja a cantar. Vós sois os santos do Senhor — escolhidos, comprados pelo sangue, chamados e separados para Deus; santificados para o propósito de oferecerdes o sacrifício diário de louvor. Sedes abundantes neste dever celeste:

"Cantai ao SENHOR". Trata-se de um exercício aprazível. É uma atividade proveitosa. Não há necessidade de serdes estimulados tantas vezes para serviço tão agradável.

"E celebrai." Que as vossas canções sejam canções de celebração nas quais as misericórdias do Senhor revivam na memória jovial. A memória do passado deve afinar as nossas harpas, mesmo que hoje não estejam havendo alegrias.

"A memória da sua santidade." Santidade é um atributo que inspira o temor mais profundo, e requer uma mente reverente. Mesmo assim, celebremos a memória da santidade divina. "Santo, Santo, Santo" é a canção dos serafins e querubins (Is 6.3; Ap 4.8). Unamo-nos nesta atividade, mas não com tristeza, como se tremêssemos diante da santidade de Deus, contudo com alegria, regozijando-nos humildemente.

5. *"Porque a sua ira dura só um momento."* Davi alude às dispensações da providência de Deus que são as punições determinadas no seu governo paternal para com os seus filhos pecadores, como a praga que caiu em Jerusalém por causa dos pecados de Davi. Estes são julgamentos curtos, que passam assim que a verdadeira penitência pede perdão e apresenta o grande e aceitável sacrifício. Que misericórdia é esta, pois se a ira do Senhor ardesse por longo período, a carne se consumiria totalmente diante dEle. Deus recolhe a vara com extrema presteza assim que o seu serviço seja feito. Ele é lento em irar-se, mas pronto para deixar de irar-se. Se a sua ira temporária e paternal é tão severa que precisa ser encurtada, qual deve ser o terror da ira eterna exercida pelo Juiz para com os adversários?

"No seu favor está a vida." Assim que o Senhor olhou favoravelmente para Davi, a cidade sobreviveu e o coração do rei também. Morremos como flores murchas quando o Senhor olha com ira, todavia o seu doce sorriso nos reaviva como o orvalho refresca os campos. O seu favor não só torna agradável e alegra a vida, mas é a própria vida, a própria essência da vida. Quem conhece a vida, que busque o favor do Senhor.

"O choro pode durar uma noite", mas as noites não são eternas. Até no inverno sombrio a estrela d'alva brilha. É adequado que em nossas noites os orvalhos da aflição caiam. Quando a ausência do Noivo torna as coisas escuras, é pertinente que a alma viúva anele ver novamente o Bem-amado.

"Mas a alegria vem pela manhã." Quando vier o Sol da justiça, enxugaremos os nossos olhos e a alegria expulsará a tristeza intrometida. Quem não se alegraria em encontrar Jesus? Os primeiros raios de luz da manhã nos consolam quando Jesus é o amanhecer, e todos os crentes sabem que as coisas são assim. O choro dura só até a manhã. Quando a noite acaba, a escuridão desaparece. Isso é aduzido como razão para o cântico sagrado, e é uma forte razão. Noites curtas e dias alegres pedem o saltério e a harpa.

6 *Eu dizia na minha prosperidade: Não vacilarei jamais.*

7 *Tu, SENHOR, pelo teu favor fizeste forte a minha montanha; tu encobriste o teu rosto, e fiquei perturbado.*

6. *"Na minha prosperidade."* Quando todos os inimigos foram silenciados e o filho rebelde foi morto e enterrado, então era o tempo do perigo. Não são poucos os navios que afundam na calmaria. Não há tentação tão ruim quanto a tranquilidade. "Eu dizia [...]: Não vacilarei jamais." Davi, você disse mais do que era sábio dizer ou até mesmo pensar, pois Deus fundou o mundo sobre as muitas águas para mostrar que mundo pobre, mutável, móvel e inconstante é este. Infelizes os que edificam sobre ele! Estão edificando para si uma masmorra para as suas esperanças. Em vez de imaginar que jamais vacilaremos não nos esqueçamos de que de um momento para o outro a situação muda. Nada é permanente debaixo da lua. Porque sou próspero hoje, não devo supor que continuarei tendo bens amanhã. Como em uma roda, os

raios que estão em cima no tempo devido vão descer e estarão em baixo. O mesmo se dá com as condições humanas. Há um ciclo constante. Muitos que estão no pó hoje serão levantados às alturas amanhã, ao passo que aqueles que agora estão no alto logo estarão amassando barro. É óbvio que a prosperidade virou a cabeça do salmista, ou ele não teria estado tão autoconfiante. Ele estava de pé pela graça, mas se esqueceu de quem era, e acabou caindo. Leitor, não somos todos nós do mesmo jeito orgulhosos de coração? Cuidemos para que as emanações do sucesso intoxicante não nos subam à cabeça, além de nos ridicularizar.

7. *"Tu, Senhor, pelo teu favor fizeste forte a minha montanha."* O salmista atribuiu a sua prosperidade ao favor do Senhor — até aqui tudo bem, pois é bom reconhecermos a mão do Senhor em toda a nossa estabilidade e riqueza. Ele compara a sua situação a uma montanha — um montículo seria mais pertinente, pois nunca temos opinião muito desfavorável sobre nós mesmos. Ele se vangloriou que a sua montanha era forte, mas antes disso, no Salmo 29.6, ele já havia falado que Siriom e o Líbano eram como novos unicórnios. A situação de Davi era mais firme que o Líbano? Que arrogância, algo muito comum a todos nós! Como é fácil a bolha estourar quando o povo de Deus permite que a insolência lhe suba à cabeça, e fantasia que tem de desfrutar a imutabilidade sob as estrelas e a constância neste globo girante. Como Deus corrige de forma comovente e instrutiva este engano do seu servo: "tu encobriste o teu rosto, e fiquei perturbado". Não houve necessidade de golpes, um rosto encoberto já bastou. Isso prova, em primeiro lugar, que Davi era um santo genuíno, porque não há encobrimento do rosto de Deus que aborreça o pecador. Em segundo lugar, que a alegria do santo dependente da presença do seu Senhor. Não há montanha, por mais firme que seja, que nos faça descansar quando a nossa comunhão com Deus está interrompida e o seu rosto encoberto de nós. Em tal situação é correto ficarmos perturbados. A segunda melhor coisa depois de nos aquecer à luz do semblante de Deus é estarmos infelizes quando essa bênção nos é negada.

Senhor, que eu chore por nada mais que o pecado
E por ninguém mais senão por ti
E que eu seja — que eu possa
Ser um chorão constante

8 *A ti, Senhor, clamei, e ao Senhor supliquei.*
9 *Que proveito há no meu sangue, quando desço à cova? Porventura, te louvará o pó? Anunciará ele a tua verdade?*
10 *Ouve, Senhor, e tem piedade de mim; Senhor, sê o meu auxílio.*

8. *"A ti, Senhor, clamei."* A oração é o recurso infalível do povo de Deus. Se eles são levados a uma situação em que não sabem mais o que fazer, ainda podem ir ao propiciatório. Quando um terremoto faz a nossa montanha tremer, o trono da graça ainda permanece firme, e podemos ir a ele. Jamais nos esqueçamos de orar, e jamais duvidemos do sucesso da oração. A mão que fere pode curar. Voltemo-nos àquEle que nos feriu, e façamos-lhe as nossas súplicas. A oração é consolo melhor que a edificação de uma cidade, algo que Caim fez, ou a busca por música, algo que de Saul buscou. Risadas e divertimentos carnais são uma prescrição triste para a mente perturbada e desesperada. A oração terá sucesso onde tudo o mais falhar.

9. Neste versículo, aprendemos a forma e o método como Davi orava. Era um argumento com Deus, uma insistência de razões, uma súplica por sua causa. Não era uma declaração de opiniões doutrinárias, nem uma narrativa de experiências, muito

menos um golpe astuto e sutil dado em outras pessoas sob o pretexto de orar a Deus, embora, em certas reuniões de oração, todas estas coisas e outras piores estejam sendo trocadas pela súplica santa. Ele lutou com o anjo da aliança fazendo alegações veementes, e então prevaleceu. Cabeça e coração, juízo e sentimento, memória e intelecto estavam em ação para apresentar o caso corretamente perante o Deus de amor.

"Que proveito há no meu sangue, quando desço à cova?" Não perderás tu um cantor, um componente do teu coral, alguém que ama te glorificar?

"Porventura, te louvará o pó? Anunciará ele a tua verdade?" Não haverá uma testemunha a menos da tua fidelidade e veracidade? Poupa, então, este pobre e indigno ser por amor do teu nome.

10. *"Ouve, Senhor, e tem piedade de mim."* Um pedido curto e abrangente, acessível em todas as ocasiões, para ser usado sempre. É a oração do publicano; que também seja a nossa. Se Deus ouve a oração, é um grande ato de piedade e misericórdia. As nossas petições não merecem resposta.

"Senhor, sê o meu auxílio." Outra oração compacta, expressiva e sempre adequada. É apropriada para centenas de situações por que passam o povo do Senhor. Também é bastante adequada para o ministro quando prega, para o sofredor no leito, para o trabalhador braçal no campo de serviço, para o crente sob provação, para o homem de Deus nas adversidades. Quando Deus auxilia, as dificuldades desaparecem. Ele é o auxílio do seu povo, um auxílio bem presente nas dificuldades. As duas breves petições neste versículo são recomendadas como brados para os crentes cheios de atividades, que se negam aos períodos mais longos de devoção, os quais são o privilégio raro daqueles cujos dias são gastos em retiro espiritual.

11 *Tornaste o meu pranto em folguedo; tiraste o meu cilício e me cingiste de alegria;*
12 *para que a minha glória te cante louvores e não se cale; SENHOR, Deus meu, eu te louvarei para sempre.*

11. Observemos o contraste, Deus tira o pranto do seu povo e o que dá em troca? Silêncio e paz? Algo muito maior que isso: "Tornaste o meu pranto em folguedo". Ele faz os corações folgarem (ou dançarem, cf. NTLH) ao som do seu nome. Ele tira o cilício (ou pano de saco, cf. ARA). Isso é bom. Que gostoso é ficarmos livres das vestimentas da aflição. Contudo, e depois? Ele nos veste. De quê? Com roupas comuns? Não, mas com roupas de rei que são as vestes dos espíritos glorificados no céu.

"Traste o meu cilício e me cingiste de alegria." Isso é melhor que usar roupas de seda ou tecidos de ouro, adornados com bordados e enfeitados com pedras preciosas. Muitos pobres usam este vestuário celestial em volta do coração, embora as roupas externas não passem de fustões e belbutinas. Os tais não precisam invejar o imperador em toda a sua pompa. Glória seja dada a ti, ó Deus, se, por um senso de perdão total e justificação vigente, tu enriqueceste a minha natureza espiritual e me encheste de toda a plenitude de Deus.

12. *"Para que"*, ou seja, com isso em vista e nessa intenção, "a minha glória", ou seja, a minha língua ou a minha alma, "cante louvores e não se cale". Seria um vergonhoso pecado, se, depois de recebermos as misericórdias de Deus, esquecêssemos de louvá-lo. Deus não deseja que a nossa língua fique inativa enquanto tantos temas de gratidão se espalham por todos os lados. Ele não quer filhos mudos em casa. Todos cantarão no céu. Portanto, todos devem cantar na terra. Cantemos com o poeta:

Começo a música aqui
Assim a minha alma subirá
Por algumas notas celestiais levará

As minhas emoções aos céus
"Senhor, Deus meu, te louvarei para sempre."

O louvarei em vida. O louvarei na morte
O louvarem enquanto Ele me der respiração
Digo que quando o orvalho da morte se esfriar nas minhas sobrancelhas
Se eu já não te amasse, meu Jesus, agora te amaria

NOTAS EXPLICATIVAS E DECLARAÇÕES IMPORTANTES

O Título: "Salmo e canção na dedicação da casa. Salmo de Davi". Pensa-se que quando estas duas palavras *salmo* e *canção* aparecem juntas no título de um Salmo, significa que o som dos instrumentos tinha de acompanhar a voz quando fossem cantados no templo, e que a voz ia antes quando constava *canção* e *salmo*, e ia depois quando constava *salmo* e *canção.* — *John Diodati*

O Título: "Na dedicação da casa". חֲנֻכַּת הַבַּיִת. A palavra חָנַךְ, do original hebraico, significa *initiari*, ἐγκαινίζειν, *rei novae primam usurpationem.* Segundo o teólogo Cocceius, significa "iniciar" ou o primeiro uso que é feito de algo. Era comum, quando a pessoa terminava uma casa e entrasse nela, comemorasse com grande alegria e desse uma festa, para a qual os amigos eram convidados, e fizesse algumas cerimônias religiosas para assegurar a proteção dos céus. Quando o segundo templo foi concluído, os sacerdotes, os levitas e os demais do cativeiro fizeram a dedicação da casa do Senhor com alegria e ofereceram numerosos sacrifícios (Ed 6.16). Lemos no Novo Testamento sobre a festa da dedicação estipulada por Judas Macabeus (Jo 10.22), em memória da purificação e restauração do templo de Jerusalém, depois de ter sido contaminado e quase posto em ruínas por Antíoco Epifânio. Era celebrada anualmente no tempo em que foi destruído por Tito, por meio de sacrifícios solenes, música, canção, hinos — em louvores a Deus —, festas e tudo que desse prazer ao povo por oito dias consecutivos (Flávio Josefo, "Antiguidades Judaicas", i. xii. § 7). Judas ordenou que "os dias da dedicação do altar seriam anualmente celebrados, no seu devido tempo, pelo espaço de oito dias, a partir do dia vinte e cinco do mês de Casleu, com júbilo e alegria" (1 Macabeus 4.59). Isso se tornou habitual, até entre pessoas comuns, fazer um tipo de festa religiosa quando passam a morar em uma casa nova. É o que depreendemos da ordem de Deus em Deuteronômio 20.5, que nenhuma pessoa que tivesse construído uma casa nova deveria ser forçada a entrar no exército, pois "ainda a não consagrou", quer dizer, ainda não tomou posse dela de acordo com as cerimônias habituais praticadas em tais ocasiões. Este costume tem mais ou menos prevalecido entre todas as nações. Os romanos dedicavam os templos, teatros, estátuas, palácios e casas (Suetônio Otávio. c. xliii. § 13; c. xxxi. § 9). — *Samuel Chandler*

O Título: Este Salmo é o único que é chamado de *shir*, ou "canção", "cântico", no Livro I dos Salmos, ou seja, dos Salmos 1 ao 41. Encontramos a palavra hebraica *shir* nos títulos dos Salmos 45, 46, 48, 65 a 68, 75, 83, 87, 88, 92, 108, 120 a 134. O Salmo 18 é intitulado de "*shirah* (ou "canção", "cântico") de livramento dos seus inimigos". Podemos acoplar o *shir* deste Salmo sob estudo com o *shirah* do Salmo 18. — *Christopher Wordsworth*

O Título: Quando ofereciam os primeiros frutos a Deus, eles reconheciam que houve aumento durante o ano. De modo semelhante, ao consagrar as casas a Deus, eles declaravam que eram arrendatários de Deus, confessavam que eram estrangeiros e que era Ele que os hospedava e lhes dava uma habitação para morar. Se ocorria cobrança de impostos para a guerra, era causa justa de isenção quando a pessoa alegava que ainda não tinha dedicado a casa. Além disso, eram ao mesmo tempo admoestados por esta cerimônia para que cada um desfrutasse da sua casa de modo correto e regular, somente quando ele assim a dispunha que era, por assim, dizer, um santuário, e que a verdadeira devoção e a pura adoração a Deus reinavam nela. A Lei hoje cessou, mas ainda temos de nos manter fiéis à doutrina de Paulo, quando ele diz que toda coisa que Deus designa para o nosso uso "é santificada [...] pela palavra de Deus e pela oração" (1 Tm 4.4,5). — *João Calvino*

O Salmo: Augustine Calmet supõe que o Salmo foi composto por Davi na dedicação do lugar que ele construiu na eira de Araúna, depois da dolorosa peste que quase devastou o reino (2 Sm 24.25; 1 Cr 21.26). Todas as partes do Salmo concordam com essa ideia, e concordam tão bem e com nenhuma outra hipótese, que me sinto justificado em modelar meus comentários segundo este princípio único. — *Adam Clarke*

O Salmo: Nos versos apresentados a seguir, esforcei-me em dar o princípio vital do Salmo e em manter as antíteses frequentes.

Eu te exaltarei Senhor dos Exércitos
Pois tu me exaltaste
Visto que tu silenciaste as vanglórias de Satanás
Eu me vangloriarei em ti

Os meus pecados me levaram próximo da sepultura
A sepultura do desespero
Olhei e não havia ninguém que me salvasse
Até que olhei para os céus em oração
Respondendo aos meus clamores comoventes
Da beira do inferno fui trazido
O meu Jesus me viu dos céus
E efetuou rápida salvação

Durante toda a noite chorei completa ferida
Mas a manhã me trouxe alívio
A mão que tinha me quebrado os ossos
Agora quebrou os meus grilhões da aflição

O meu choro Ele tornou em folguedo
Por panos de saco Ele dá alegria
Por um momento, Senhor, a tua ira arde
Mas o teu favor dura muito

Cantai comigo, homens favorecidos
Que há muito conheceis a sua graça
Com gratidão, lembrai-vos das ocasiões quando
Vós também buscastes a sua face
— *C. H. S.*

v. 1: "Exaltar-te-ei, ó SENHOR, porque tu me exaltaste". Eu te erguerei, porque tu me ergueste. — *Adam Clarke*

v. 1: "Tu me exaltaste". דִלִּיתָנִי. O verbo usado denota, em seu sentido original, o movimento alternado dos baldes de um poço, um desce enquanto o outro sobe e vice-versa. Aqui é aplicado com propriedade admirável para mostrar as diversas alternâncias e mudanças da sorte de Davi, conforme estão descritas neste Salmo, quanto à prosperidade e à adversidade. É aplicado particularmente à reviravolta maravilhosa da sua condição aflitiva que ele agora celebra, tendo o Senhor o elevado à grande honra e prosperidade. Após ter construído o palácio, "entendeu Davi que o Senhor o confirmava rei sobre Israel e que exaltara o seu reino por amor do seu povo" (2 Sm 5.12). — *Samuel Chandler*

v. 2: "E tu me saraste". תְּרַפָּאֵנִי. O verbo usado diz respeito à cura de doenças físicas (Sl 103.3) ou denota a alteração feliz de qualquer assunto, quer da vida pública ou particular, pela retirada de qualquer tipo de aflição, pessoal ou nacional (Sl 107.20; Is 19.22). Assim, no texto que estamos estudando: "tu me saraste", significa: Tu me tiraste das minhas angústias, restabeleceste a minha saúde e me deste segurança e prosperidade. Durante o reinado de Saul, era comum Davi correr risco iminente de morte, do qual Deus maravilhosamente o livrava. Este fato ele expressa veementemente, quando disse: "Senhor, fizeste subir a minha alma da sepultura; conservaste-me a vida para que não descesse ao abismo" (v. 3). Pensei que estava perdido, que nada podia evitar a minha destruição e que o livramento que tu me davas não serviria para nada caso não fosse um tipo de restauração dos mortos: "conservaste-me a vida para que não descesse ao abismo". A primeira parte ("conservaste-me a vida") está de acordo com o sentido literal da última parte ("para que não descesse ao abismo"). — *Samuel Chandler*

v. 4: "Cantai ao Senhor, vós que sois seus santos". Se fosse para cantar outra coisa, exigiria que todo o coral das criaturas de Deus se unissem no cântico. Mas como é para cantar a santidade de Deus, o que as vozes profanas fariam neste concerto? Ninguém senão os santos são aptos a cantar a santidade, sobretudo a santidade de Deus e mais, sobretudo ainda com cânticos de santidade. — *Sir Richard Baker*

v. 4: "Cantai ao Senhor, vós que sois seus santos". Levando em conta que Deus exige adoração interior e exterior, assim uma estrutura espiritual para a adoração interior pode ser promovida pela compostura exterior. Olhar a sonolência impede a atividade da alma, mas o temperamento contrário avança e ajuda-a. Cantar convoca a alma em tal postura e, por assim dizer, a desperta. Trata-se de um despertamento que vem do coração. Cantar os louvores de Deus é um trabalho que demanda mais reflexão que qualquer um que fazemos em público. Mantém o coração fixo no que se pronuncia. Orar e ouvir passam rapidamente de uma frase para outra. Cantar permanece muito tempo na frase. A meditação tem de acompanhar a audição da Palavra, e a oração com o ministro, pois novas frases, ainda se sucedendo, não dão liberdade no momento para que haja meditação e reflexão sobre o que está sendo dito. Mas nisso você ora e medita. Deus assim ordenou este dever que, enquanto o utilizamos, estamos nos alimentamos e ruminando ao mesmo tempo. "Higaiom" ou "Meditação" é o título colocado em algumas passagens dos Salmos, como no Salmo 9.16. O mesmo pode ser dito acerca do dever inteiro e de todas as suas partes, isto é, "Meditação". Coloque diante de você alguém na melhor postura para cantar. Os olhos erguidos ao céu denota o desejo de que o coração possa estar lá também. Ele tem diante de si uma estrofe ou verso de oração, lamento, louvor e menção das obras de Deus. Como é certo e conveniente que agora ele derrame o coração na meditação das coisas, enquanto está cantando a respeito! O nosso cântico é medido em tempo dedicado não só para a música como para a meditação. Aquele que não busca, não encontra esta vantagem em cantar os Salmos, pois ainda não aprendeu o que significa. — *John Lightfoot, 1602-1675*

v. 5: "A sua ira". Levando em conta que Deus se ira muitas vezes com os seus servos, que causa tendes vós que o temeis para bendizê-lo por não estar irado convosco e vós não sentirdes o seu desgosto! Ele coloca outros como alvo contra o qual atira flechas. Vós ouvis os outros gemendo por Ele ter partido, mas o vosso coração não está entristecido como o deles. Os vossos olhos podem olhar para o céu com esperança, enquanto os deles estão encobertos com um véu de tristeza. Ele fala asperamente com eles, mas palavras consoladoras para vós. Ele se coloca contra eles como inimigos, ao passo que lida convosco como amigo amoroso. Vós vedes um sorriso animador no seu rosto e eles não podem discernir nada mais que uma carranca permanente e terrível. Admirai-vos e para sempre vos maravilhai diante da graça soberana e distintiva de Deus. Vós que estais em paz sois melhores que muitos do seu povo que agora são lançados na fornalha de fogo? Vós tendes menos impurezas que eles? Eles pecaram, pensais vós, em ritmo muito maior que vós já pecastes? Ele está irado com eles por serem mornos, por se desviarem. O vosso coração sempre ardeu de amor? Os vossos pés sempre se mantiveram no caminho santo e nunca se afastaram? Vós nunca vos desviastes? Nunca virastes para a direita ou para a esquerda? Claro que sim! Neste caso, que misericórdia é Deus não estar irado convosco como está com eles. [...] Não vos vanglorieis por tudo isso. Embora Deus não esteja irado convosco, Ele pode ficar. Este foi o erro de Davi: "Eu dizia na minha prosperidade: Não vacilarei jamais" (v. 6), mas continua imediatamente: "Tu encobriste o teu rosto, e fiquei perturbado" (v. 7). Agora o sol brilha sobre vós, a lâmpada do Senhor refrigera o vosso tabernáculo. Mas podeis encontrar muitas tempestades, nuvens e escuridão antes de chegardes ao fim da jornada. Os discípulos deleitaram-se muito com a glória da transfiguração. Durante a agradável conversa entre Jesus, Moisés e Elias, pensaram que estavam no céu. Mas veio uma nuvem e obscureceu a glória precedente, fazendo com que os pobres homens tivessem medo. É verdade que a ira de Deus dura só um momento, mas só esse momento já é muito triste e terrível. O choro dura uma noite, mas pode ser uma noite muito cruel e pesarosa. É uma noite como a que os egípcios tiveram. Quando se levantaram, viram todos os seus primogênitos mortos, e houve gritos e choros horrorosos por toda a terra. Assim, esta noite da ira do Senhor pode destruir todos os nossos consolos, e fazer o primogênito da nossa força, a confiança e prazer de nossas esperanças morrerem.— *Timothy Rogers*

v. 5: "No seu favor está a vida". Vejamos em que consiste o peso da bênção e maldição das ovelhas e bodes. Não é o dom da vida eterna que é a nossa felicidade no céu, mas, como diz Davi: "no seu favor está a vida". Se uma alma condenada fosse aceita no gozo dos prazeres da vida eterna sem o favor de Deus, o céu seria inferno. Não são as trevas e a horrenda casa da aflição que tornam a alma miserável no inferno, mas o desagrado de Deus, *ite maledicti.* Se a alma eleita fosse lançada ao inferno, ainda retendo o favor de Deus, aquele local seria um céu. Nem todos os demônios do inferno poderiam tirar dela a alegria. A sua noite lhe seria transformada em dia. — *Edward Marbury*

v. 5: Como o aprendiz resiste o trabalho duro e (talvez) suporta maus-tratos durante sete anos seguidos ou mais, e em todo esse período é útil ao seu senhor sem murmurações ou queixas, porque vê que o tempo está passando e que a escravidão não durará para sempre, mas que no fim ele será liberto, assim deve todo aquele que geme sob o peso da cruz ou da aflição, conter os afetos, possuir a alma na paciência e deixar de lado toda murmuração e queixa, refletindo bem consigo mesmo que a vara dos ímpios não dependerá para sempre da sorte dos justos, que "o choro pode durar uma noite, mas a alegria vem pela manhã", e que os problemas terão um fim e não continuarão para sempre. — *John Spencer v. 5:* Quantas vezes já experimentamos a verdade literal deste versículo: "o choro pode durar uma noite, mas a alegria vem pela manhã"? Como nos são pesadas as dificuldades durante a noite! Os nervos e o cérebro cansados parecem incapazes de manterem-se firmes sob pressão. O pulso dispara e o corpo febril e inquieto se recusa a ajudar no trabalho de resistência. Sentimo-nos miseráveis e desamparados. Choramos emocionalmente sob a força do ataque irresistível. Por fim, o sono vem. Problemas, provações e sejam o que for que queiram nos derrotar dão um passo grande demais saltando sobre a sua marca, e por pura força arrastam a nossa pobre humanidade para além do alcance vigente da outra tribulação. Depois de uma noite de luta e o sono pesado da exaustão, acordamos com um vago senso de dificuldade. Os nossos pensamentos se organizam e ficamos a nos perguntar sobre a razão de tanta inquietude à medida que a memória nos volta. O que era tão desesperador, tão obscuro? Por que estávamos tão desesperados e impotentes? As coisas não parecem assim agora — ainda são tristes, mas suportáveis, difíceis, mas possíveis, ruins, mas já não nos desesperamos. "o choro pode durar uma noite, mas a alegria vem pela manhã." Assim, quando a vida com as suas lutas, labutas e pecados, gerando conflito perpétuo para nós, terminar, afinal, na luta feroz da morte, então Deus "dá [...] aos seus amados o sono" (Sl 127.2). Dormem em Jesus e acordam na alegria da manhã que não acabará — a manhã da alegria. O Sol da justiça está brilhando sobre eles. A luz agora ilumina por todo o caminho. Agora, eles se admiram quando recordam o desespero, a escuridão, a labuta e inquietude da sua vida terrena, e dizem, como disseram muitas vezes na terra: "O choro durou só uma noite, mas agora amanheceu e a alegria chegou". As nossas tristezas, as nossas dúvidas, as nossas dificuldades, os nossos olhares anelantes, com o desespero da força duradoura por tão longa noite de provação — onde estão? Talvez nos sentiremos como descrevem as belas palavras deste hino:

> Quando na terra feliz do nosso Pai
> Revermos os nossos entes queridos
> Então dificilmente entenderemos
> Por que choramos tanto
> — *Mary B. M. Duncan, 1825-1865*

v. 5: "O choro pode durar uma noite, mas a alegria vem pela manhã". O choro dura só enquanto a manhã não chega. Deus tornará as noites de inverno em dias de verão, o suspiro em sorriso, a tristeza em alegria, o lamento em música, o amargo em doce, o deserto em paraíso. A vida do cristão está cheia de alternâncias entre doença e saúde, fraqueza e força, necessidade e riqueza, desgraça e honra, cruz e consolação, miséria e misericórdia, alegria e tristeza, gozo e luto. Só ter sucesso nos faria mal; só ter reveses nos arruinaria. Uma combinação de ambos é o melhor método no mundo para mantermos a alma em uma constituição saudável. É o melhor e mais importante método para a saúde da alma que o vento sul da misericórdia e o vento norte da adversidade soprem nela. Ainda que todos os ventos que soprarem forem bons para os santos, certamente os pecados morrem mais e as graças prosperam melhor quando estão sob o vento norte seco e cortante da calamidade, como também sob o vento sul morno e agradável da misericórdia e prosperidade. — *Thomas Brooks*

v. 5: "A alegria vem pela manhã". A alegria dos justos vem pela manhã, quando a alegria dos ímpios vai, pois para estes "a manhã [...] é como sombra de morte" (Jó 24.17). Têm medo não só da reprovação e castigo, mas também se afligem e sofrem, embora ninguém conheça as suas ações, pelos prejuízos, perdas e gastos da sua força, do seu tempo e do seu dinheiro. — *Zachary Bogan*

v. 5: “O choro pode durar uma noite, mas a alegria vem pela manhã”. Nesta segunda metade do versículo, o choro é personificado e representado pela figura de um andarilho, que pela manhã sai do alojamento no qual entrara na noite anterior. Depois dele chega outro convidado, que é a alegria. — *E. W. Hengstenberg*

v. 5: O profeta magnífico diz claramente: “o choro pode durar uma noite, mas a alegria vem pela manhã”. Como os dois anjos que visitaram Ló e foram hospedados por ele durante uma noite e quando cumpriram o que tinham de fazer, foram embora pela manhã, assim se dá com as aflições, que são anjos ou mensageiros de Deus. Deus nos envia aflições com certos propósitos, para nos dizer que nos esquecemos dEle, nos esquecemos de nós mesmos, somos muito orgulhosos, muito convencidos e coisas semelhantes. Quando cumprem as tarefas que vieram realizar, então eles se vão. — *Thomas Playfere*

vv. 5 a 10: Quando o coração do homem está nas criaturas, havendo espinhos em todas elas, então se ele se prende firmemente nelas ou achará muito difícil fazê-lo. Os filhos de Deus são treinados a agir assim, para que o Senhor não os deixe com pecado. Se também forem adulteramente atingidos, eles acharão uma cruz em tal coisa. É o que observamos no Salmo 30, onde vemos o círculo em que Deus entra com os seus filhos. Davi tem muitas aflições, como mostra o versículo 5: Chorei, Deus se voltou para mim e a alegria veio. O que fez Davi, então? Eu dizia comigo mesmo: Não vacilarei jamais (v. 6). O seu coração ficou atrevido, mas Deus não lhe deixaria ir embora assim: Deus encobriu o rosto, e fiquei perturbado (v. 7). Notamos que no versículo 7 ele está em dificuldades outra vez. Davi chora novamente (vv. 8; 10), e Deus lhe transformou o choro em alegria novamente. Verificamos ao longo da Bíblia que este é o procedimento de Deus. Mas pelo fato de encontrarmos este procedimento de forma tão clara neste Salmo, o citei. — *John Preston, Doutor em Teologia, 1587-1628, “The Golden Scepter held forth to the Humble” [O Cetro de Ouro é estendido para os Humildes].*

v. 6: “Eu dizia na minha prosperidade: Não vacilarei jamais”. O início de um serviço especial para Deus ou o recebimento de um favor especial dEle são duas ocasiões solenes que Satanás usa para a tentação. [...] Somos propensos a ficar orgulhosos e descuidados durante ou depois de tais empreendimentos e favores, exatamente como os homens são propensos à dormir ou fartar-se com uma lauta refeição, ou a esquecer-se de quem são quando promovidos a cargos de honra. A grande paz e abundância de Jó lhe deixaram, como ele mesmo confessa, tão confiante, que ele concluiu: “No meu ninho expirarei” (Jó 29.18). O fato de Davi desfrutar o favor de Deus em medida mais que comum, embora as vicissitudes e mudanças fossem muito mais habituais para ele que para a maioria dos homens. Faz com que o salmista tenha a percepção cada vez maior de que jamais vacilará. Mas o salmista reconhece esse engano, registrando-o como experiência necessária para que os outros sejam advertidos. Quando Davi relaxara sob a luz do semblante de Deus, então estava propenso a descuidar-se da segurança. Ao que parece, este comportamento era-lhe habitual em situações semelhantes. Quando estava muito seguro de si pelo que as circunstâncias mostravam, era o momento em que estava mais perto de entrar em dificuldades ou meter-se em apuros. “tu encobriste o teu rosto” — e então, com certeza, o Diabo mostra a cara — “e fiquei perturbado” (v. 7). Os prazeres geram confiança. A confiança promove o descuido. O descuido faz Deus se retirar, dando oportunidade para Satanás trabalhar invisivelmente. Como os exércitos depois da vitória se sentem seguros, sendo muitas vezes surpreendidos, assim somos frequentemente surpreendidos depois que os nossos avanços espirituais caem por terra. — *Richard Gilpin v. 6:* "Na minha prosperidade". בְּשַׁלְוִי. A palavra hebraica denota "paz e tranquilidade, que surgem de uma situação de abundância e prosperidade". Quando Deus o estabelecera calmamente no trono, Davi pensou que todas as dificuldades terminaram e que desfrutaria de felicidade ininterrupta. Pensou também que Deus lhe fizera a montanha tão forte, que jamais vacilaria, ou seja, colocou-o como protegido de todos os perigos como se ele tivesse se refugiado em uma montanha inacessível. Ou tornou a sua prosperidade firme e constante, estando sujeita a alterações tanto quanto uma montanha pode ser removida do lugar. Ou, elevou-o a um eminente grau de honra e prosperidade, pois uma montanha, por sua altura, é representação natural de uma situação muito superior, notável em termos de poder, afluxo e dignidade. Ele tomara a fortaleza do monte Sião, que era corretamente a *sua* montanha, visto que ele fixara residência nela. Era forte por natureza e ficou quase inconquistável pelas fortificações que Davi lhe adicionara. Isso o salmista considerou o efeito do favor de Deus para com ele, prometendo para si mesmo que a paz e a felicidade para o futuro continuariam imperturbadas e inabaláveis como o próprio monte Sião. — *Samuel Chandler*

v. 6: "Na minha prosperidade". A prosperidade nos é mais agradável que lucrativa. Embora na aparência seja como um verão auspicioso, contudo na verdade é um inverno devastador, acabando com todos os frutos que colhemos durante a estação da aflição que santifica. Nunca estamos em maior perigo que ao sol da prosperidade. Ser sempre favorecido por Deus e nunca experimentar dificuldades é sinal do descaso de Deus e não do seu terno amor. — *William Struther*

v. 7: É raro recebermos muito deste mundo e, como o filho pródigo, irmos longe demais. É difícil nos manter perto de Deus na prosperidade, quando temos muito deste mundo para viver e com que nos contentar. Não é fácil depender de Deus, e fazer dEle o nosso contentamento e esteio, como se não tivéssemos outra vida nem sustento senão Ele. Em tal situação, somos muito propensos a contrair um sistema carnal, abandonar a nossa dependência a Deus, nos desabituar ao exercício da fé, enfraquecer e alienar os nossos sentimentos para com Deus. Vejamos como aconteceu com Davi: "Não vacilarei jamais. Tu [...] fizeste forte a minha montanha" (vv. 6, 7). Ele se contentou com esses confortos externos, como se não precisasse de outro apoio, força ou satisfação, e não tivesse medo de mudança. Agora não há o cuidado de fazer Deus a sua constante alegria e esteio, e contar Deus por sua única porção, e de ter de segui-lo com uma cruz, sendo crucificado para o mundo. O que sucede, então? "tu encobriste o teu rosto, e fiquei perturbado", ou seja, porque ele favoreceu demais uma vida de sensações. Crianças que são carregadas pelas babas, quando são colocadas no chão, caem, como se não tivessem pés ou chão para firmarem-se. Ou assim: somos como crianças que brincando sob o sol brilhante e entretidas, afastam-se tanto da casa dos pais que, antes que percebam, a noite as acolhe, estando, por assim dizer, perdidas e cheias de medos, e não sabendo voltar para casa. O mundo rouba Deus de nossos corações, nos dá tão poucas oportunidades para o exercício da vida de fé e vantagens tão grandes para uma vida voltada aos sentimentos. Ele esfria o senso da nossa dependência a Deus e a necessidade disso, de forma que quando somos postos em campo pela aflição, ficamos propensos a falhar antes que recuperemos a arma ou a posição. A fé é o nosso estimulante (Sl 27.13). Se não estivesse à mão (como na saúde, quando não temos necessidade dela, seja para que uso for), desfaleceríamos antes que recuperássemos a sua posse. — *Sermão de Elias Pledger, "The Morning Exercises" [Os Exercícios Matutinos], 1677*

v. 7: "Tu encobriste o teu rosto, e fiquei perturbado". Quem pode ser abandonado e não ficar aflito? Claro que o afastamento divino só pode ser lamentado com a mais extrema aflição, pois a alma preza a presença divina mais que toda alegria terrena. Quando a evidência de salvação fica toldada, a luz do semblante de Deus é obscurecida, as consolações do Espírito são retidas, então os céus não aparecem tão claros, as promessas não têm sabor tão doce, as ordenanças não se mostram tão vivas, as nuvens que pairam sobre a alma ficam escuras, as dúvidas surgem, os medos transbordam, os terrores aumentam, as dificuldades se espalham e a alma se torna languidamente aflita, sofrendo todas as formas de inquietações. —*Robert Mossom*

v. 7: "Tu encobriste o teu rosto, e fiquei perturbado". O crente veste o pano de saco da contrição por ter tirado as vestes da perfeição. Como o pão de açúcar se dissolve e frege quando imerso na água, assim o nosso coração se derrete sob a sensação do amor divino. — *William Secker*

v.7: "Tu encobriste o teu rosto, e fiquei perturbado". Não há versículo que nos ensine mais claramente essa gloriosa e confortante verdade, sobre a qual os escritores medievais gostavam tanto de discorrer, que é Deus olhar ou não para a criatura, constituindo a felicidade ou a miséria desse indivíduo. Essas fontes secretas de alegria que, às vezes, parecem surgir por si mesmas e com as quais um estranho não se intromete, são nada mais que o olhar de Deus direto e imediato em nós, ao passo que a tristeza, para a qual não podemos atribuir nenhuma causa especial — chame de melancolia, ou de mau humor, ou por qualquer outro nome —, é nada mais que a virada do seu rosto de nós. — *John Mason Neale*

v. 7: "Tu encobriste o teu rosto, e fiquei perturbado". A deserção espiritual e o encobrimento da face de Deus são questões de aflição e abatimento para os crentes? Sim. Desanima-lhes o coração, nada conseguindo consolá-los. "tu encobriste o teu rosto, e fiquei perturbado." As aflições externas causam apenas leves escoriações, mas esta fere profundamente deixando em carne viva. Como a chuva, elas caem apenas nos telhados, mas esta ensopa a casa. Jesus, porém, dá aos crentes consolo significativo contra as dificuldades do abandono. Ele próprio foi abandonado por Deus durante um tempo para que nós não fôssemos abandonados para sempre. — *John Flavel*

v. 7: "Tu encobriste o teu rosto, e fiquei perturbado". Se Deus é a sua porção, então não há perda que seja tão dura e tão pesada para você como a perda do seu Deus. Não há perda sob o céu que aflija o homem que tem Deus por sua porção, como a perda do seu Deus. Davi enfrentou muitas perdas, mas nenhuma lhe deixou tão triste e lhe sacudiu tanto o espírito quanto a perda da face de Deus, a perda do favor de Deus: "Eu dizia na minha prosperidade: Não vacilarei jamais. Tu, SENHOR, pelo teu favor fizeste forte a minha montanha; tu encobriste o teu rosto, e fiquei perturbado" (vv. 6, 7). O verbo hebraico בָּהַל (*bāhal*) significa "estar grandemente perturbado", "ser dolorosamente terrificado", como vemos em 1 Samuel 28.21: "Então, veio a mulher a Saul e, vendo que estava tão perturbado". Aqui ocorre a mesma palavra hebraica *bāhal*. Saul ficou tão apavorado, aterrorizado e desanimado com as terríveis notícias que o Demônio na semelhança de Samuel lhe falou, que a sua força lhe falhou e ele caiu em um desfalecimento mortal. O mesmo aconteceu com Davi, quando Deus encobriu o rosto. Ele ficou como uma flor murcha que perdera toda a seiva, vida e vigor, quando Deus se envolvera em uma nuvem. A vida de algumas criaturas está sob a luz e calor do sol. Assim a vida dos santos jaz sob a luz e calor do semblante de Deus. E, como no eclipse do sol, há uma inclinação na estrutura da natureza, de forma que, quando Deus encobre o rosto, as almas graciosas não podem senão inclinar-se, definhar-se e prostrar-se perante Ele. Muitas criaturas insensíveis, algumas se abrindo e fechando-se, como as calêndulas e as tulipas, outras se curvando e inclinando a cabeça, como os girassóis e as malvas são tão sensíveis pela presença e ausência do sol que parece haver tamanha sintonia entre eles que, se o sol pôr-se ou nublar-se, eles se enrolam ou pendem a cabeça, como se estivessem pouco dispostos a serem visto pelos olhos de qualquer pessoa senão daquele que os enche. Foi exatamente o que ocorreu com Davi quando Deus encobrira o rosto em uma nuvem. — *Thomas Brooks*

v. 8: "A ti, Senhor, clamei, e ao Senhor supliquei". Bernardo, segundo a lenda, propôs uma fábula muito merecedora de nossa consideração. Os reis da Babilônia e Jerusalém, significando o estado do mundo e da igreja, sempre guerreiam entre si. Nesses embates, por fim sucedeu que um dos soldados de Jerusalém fugiu para o castelo da Justiça. Cercaram o castelo, entrincheirando-se em volta uma multidão de inimigos. O Medo desistiu de toda a esperança, mas a Prudência ministrou o seu consolo. "Tu não sabias", disse ela, "que o nosso rei é o Rei da Glória, o Senhor forte e poderoso, o Senhor poderoso na guerra? Mandemos um mensageiro para informá-lo sobre as nossas necessidades." O Medo replicou: "Mas quem pode furar o cerco? A Escuridão está sobre a face da terra, os muros estão cercados por uma tropa de homens armados e em estado de alerta, e nós somos completamente inexperientes quanto ao caminho pelo qual percorrer". Diante disso, consultaram a Justiça. "Tende bom ânimo", disse a Justiça, "eu tenho um mensageiro de confiança especial, bem conhecido do Rei e da sua corte. Chama-se Oração, que sabe trafegar por caminhos desconhecidos no maior silêncio da noite até chegar aos segredos e ao quarto do próprio Rei." Ela parte em seguida e, encontrando as portas fechadas, bate com toda a força: "Abri, ó portas da justiça, e permanecei abertas, ó entradas eternas, para que eu entre e fale com o Rei de Jerusalém sobre o nosso caso". Indubitavelmente, o mensageiro mais fiel que temos para enviar é a Oração. Se enviarmos méritos, as estrelas do céu desdenharão que nós que moramos no escabelo dos pés de Deus tenhamos tido tal atrevimento, quando as mais puras criaturas do céu são impuras aos olhos dEle. Se enviarmos medo e desconfiança, o comprimento do caminho os cansará. Eles são tão inertes e indolentes como ponteiros de ferro. Cairão prostrados antes de atingirem a metade do caminho ao trono da salvação. Se enviarmos blasfêmias e maldições, todas as criaturas entre o céu e a terra se unirão contra nós. O sol e a lua choverão sangue. O fogo expelirá brasas ardentes e quentes. O ar deflagrará raios acompanhados de trovões. A oração é, repito, o embaixador mais seguro, a qual nem a monotonia do caminho, nem as dificuldades da passagem podem impedi-la do seu propósito. Ela é veloz, digna de confiança, entendida em sucesso, capaz de subir acima das águias do céu, até ao céu dos céus, levando-nos como carro de fogo ao ponto mais alto, à presença de Deus para buscarmos a sua ajuda. — *John King*

v. 9: "Que proveito há no meu sangue, quando desço à cova?" Dá a entender que Davi morreria de boa vontade, se com isso estivesse prestando um serviço de valor para Deus ou para o seu país (Fp 2.17). Mas ele não viu que bem poderia haver em morrer no leito de enfermidade tanto quanto poderia haver se morresse no leito de honra. Senhor, disse ele, "tu vendes por nada o teu povo e não aumentas a tua riqueza com o seu preço" (Sl 44.12). —*Matthew Henry*

v. 9: "Que proveito há no meu sangue, quando desço à cova?" O pequeno ganho que o Senhor teria negando ao seu povo as misericórdias pedidas, também pode ser usado como argumento na oração. Davi pede pela própria vida a Deus, usando este argumento: "Que proveito há no meu sangue"? Semelhantemente, a igreja cativa argumenta: "Tu vendes por nada o teu povo e não aumentas a tua riqueza com o seu preço" (Sl 44.12). Então, pobres santos de Deus, quando eles vão e contam ao Senhor nas suas orações que Ele realmente pode condená-los, ou confundi-los, ou separá-los, ou rejeitá-los. Ele pode continuar desaprovando-os. Ele pode negar estes ou àqueles pedidos por estas e outras causas justas. Mas o que Deus ganhará com isso? Pode ganhar muitos louvores, ouvindo-os e ajudando-os, mas que bem fará Ele vê-los oprimidos pelos inimigos das suas almas? Ou que prazer haverá para Deus vê-los suspirando, desfalecendo e caindo sob as pressões da tristeza? Este é um argumento autorizado e um jeito de argumentar que é muito próspero. — *Thomas Cobbett*

v. 9: "Porventura, te louvará o pó?" Haverá certa quantidade de pó que seja suficiente para louvar-te? Será que há bocas o suficiente para declarar a tua verdade? Não posso eu ser uma dessas bocas — boca pecadora, eu sei —, mas ainda assim uma dentre tantas, se tu te agradares em me poupar de descer à cova? — *Sir Richard Baker*

v. 9: "Que proveito há no meu sangue, quando desço à cova? Porventura, te louvará o pó? Anunciará ele a tua verdade?" A oração que tem mais força para prevalecer com Deus deve ser argumentativa. — *Thomas Watson*

v. 11: "Tornaste o meu pranto em folguedo; tiraste o meu cilício e me cingiste de alegria". É o que aconteceu com Davi, quando foi livrado da calamidade. É o que aconteceu com Jesus, quando levantou da sepultura. É o que acontece com os penitentes, quando trocam o pano de saco por vestes de salvação. É o que acontecerá com cada um de nós, quando, no último dia, tirarmos as desonras da sepultura para brilhar na glória eterna. — *George Horne*

v. 11: "Tornaste". Faço assim como os pontos altos e baixos nos Salmos. — *Adelaide Newton*

v. 11: "Tiraste o meu cilício e me cingiste de alegria". Digo juntamente com o apóstolo: "Vence o mal com o bem" (Rm 12.21), a tristeza com a alegria. A alegria é o verdadeiro remédio para a tristeza. Nunca houve, nem poderia haver outro. Sempre devemos dar à alma que chora motivos para alegrar-se. Todas as outras consolações são totalmente inúteis. — *Alexander Rodolph Vinet, Doutor em Teologia, 1797-1847*

v. 11: "Tiraste o meu cilício e me cingiste de alegria". O meu cilício era uma roupa solta que eu usava, a qual podia ser tirada facilmente quando quisesse. Mas a minha alegria está cingida em mim para ficar firme e justa, não podendo sair sem que perceba. Pelo menos ninguém poderá tirá-la de mim. — *Sir Richard Baker*

v. 12: "Para que a minha glória te cante louvores e não se cale; SENHOR, Deus meu, eu te louvarei para sempre". Os antigos caldeus mediam o dia natural diferentemente dos israelitas. Eles punham primeiro o dia e depois a noite. Mas os israelitas, de acordo com a ordem que foi observada na criação, faziam o contrário. No princípio, as trevas estavam sobre a face do abismo, e para cada um dos seis dias está acoplada a declaração semelhante: "E foi a tarde e a manhã: o dia primeiro" (Gn 1.5). Assim, os tempos do mundo e da igreja são dispostos diferentemente. O mundo começa o seu tempo antes do dia da prosperidade temporal e termina antes da noite de escuridão e angústia que são eternas. A igreja, pelo contrário, começa o seu tempo antes da noite da adversidade, a qual ela sofre por certo tempo, e o termina no dia da consolação, que ela terá para sempre.

Neste Salmo, o profeta começa com a ira de Deus, mas termina com o seu favor. Como antigamente, quando as pessoas entravam no tabernáculo viam primeiramente coisas desagradáveis, como as facas dos sacrifícios, o sangue e o fogo que queimava no altar consumindo as ofertas. Quando passavam um pouco mais adiante, havia o Lugar Santo, o castiçal de ouro, a mesa da proposição e o altar de ouro no qual ofereciam perfumes. Por fim, havia o Santo dos Santos, onde estava a arca da aliança com o propiciatório e os querubins, que eram chamados a face ou a presença de Deus. — *Timothy Rogers*

v. 12: "eu te louvarei". O que é louvor? É a locação que devemos a Deus. Quanto maior a fazenda, maior o valor da locação. — *G. S. Bowes, 1863*

SUGESTÕES PARA OS PREGADORES

O Título. Dedicação da casa e como organizá-la.

O Salmo. Nesta composição poética, vemos as operações da mente de Davi antes, durante e depois da aflição. (1) Antes da aflição: "Eu dizia na minha prosperidade: Não vacilarei jamais" (v. 6). (2) Durante a aflição: "Tu, Senhor, pelo teu favor fizeste forte a minha montanha; tu encobriste o teu rosto, e fiquei perturbado. A ti, Senhor, clamei, e ao Senhor supliquei. Que proveito há no meu sangue, quando desço à cova? Porventura, te louvará o pó? Anunciará ele a tua verdade? Ouve, Senhor, e tem piedade de mim; Senhor, sê o meu auxílio" (vv. 7-10). (3) Depois da aflição: "Tornaste o meu pranto em folguedo; tiraste o meu cilício e me cingiste de alegria; para que a minha glória te cante louvores e não se cale; Senhor, Deus meu, eu te louvarei para sempre" (vv. 11, 12). — *William Jay*

v. 1. "Exaltar-te-ei, ó Senhor, porque tu me exaltaste." Deus e o seu povo exaltando-se uns aos outros.

v. 1. "e não fizeste com que meus inimigos se alegrassem sobre mim." A felicidade de sermos guardados para não sermos motivo de desprezo dos nossos inimigos

v. 1. As decepções do Diabo.

v. 2. O doente, o médico, a campainha da noite, o remédio e a cura. Ou o Deus da aliança, o santo doente, o coração que clama, a mão que sara.

v. 3. Subir e conservar são duas misericórdias preciosas. São consideradas como as mais ilustres por haver dois males terríveis: a "sepultura" e o "abismo". São rastreáveis ao Senhor: "fizeste".

v. 4. (1) Cantar é um serviço sagrado. (2) Os santos são especialmente chamados para cantar. (3) A santidade divina é um tema excelente a cantar. (4) A memória é uma ajuda admirável no cantar.

v. 5. A ira de Deus em relação ao seu povo.

v. 5. A noite de choro e a manhã da alegria.

v. 5. A vida no favor de Deus.

v. 5. A natureza passageira da aflição do crente e a permanência da alegria.

v. 6. Os perigos peculiares da prosperidade.

vv. 6 a 12. A prosperidade de Davi o tranquilizara, colocando-o em um estado de segurança indevido. Deus lhe enviou esta aflição para despertá-lo. Os estados sucessivos da mente de Davi estão nitidamente identificados aqui. Devemos considerá--los sucessivamente à medida que nos são apresentados: (1) A segurança carnal. (2) O desamparo espiritual. (3) As orações fervorosas. (4) A recuperação veloz. (5) O reconhecimento grato. — *Charles Simeon*

v. 7. "Tu, Senhor, pelo teu favor fizeste forte a minha montanha." A segurança carnal: (1) Suas causas. (2) Seus perigos. (3) Suas curas.

v. 7. "tu encobriste o teu rosto, e fiquei perturbado." Os gemidos e expressões de pesar da alma nas trevas espirituais.

v. 8 (em conexão com o v. 3). A oração é o remédio universal.

v. 9. "Que proveito há no meu sangue, quando desço à cova?" Argumentos com Deus em prol da continuação da vida e da renovação do favor.

v. 9. "Porventura, te louvará o pó? Anunciará ele a tua verdade?" A ressurreição é a ocasião em que o pó louvará a Deus e anunciará a sua verdade.

v. 10. Duas pedras preciosas da oração. Curtas mas completas e necessárias.

v. 10. "Senhor, sê o meu auxílio." Vejo muitos caírem. Eu também cairei a menos que tu me sustentes. Sou fraco e exposto à tentação. O meu coração é enganoso. Os meus inimigos são fortes. Não posso confiar no homem. Não ouso confiar em mim mesmo. A graça que recebi não me guardará sem ti. "Senhor, sê o meu auxílio." Em cada dever, em cada conflito, em cada provação, em cada esforço para promover a causa do Senhor, em cada período de prosperidade, em cada momento que vivemos, esta oração curta e inspirada é satisfatória. Que ela flua de nossos corações, esteja em nossos lábios e seja respondida em nossa experiência. Se o Senhor nos auxilia, não há dever que não possamos cumprir, não há inimigo que não possamos vencer, não há dificuldade que não possamos sobrepujar. — *James Smith, "Daily Remembrancer" [Lembre Diário]*

v. 11. Transformações: "Tornaste". Súbitas e completas; divinas, "tu"; pessoais, "meu", "meu", "me"; graciosas.

v. 11 (NTLH). Dança santa ("folguedo"): fale sobre a metáfora.

v. 11. A mudança das vestes do crente. Ilustre pela vida de José do Egito ou Mardoqueu. Mencione todas as vestes que o crente tem de usar: como enlutado, como pedinte, como criminoso e outros.

v. 12. A nossa "glória", e a sua relação com a glória de Deus.

v. 12. O fim da dispensação da graça.

v. 12. O silêncio — quando se peca.

v. 12. "SENHOR, Deus meu, eu te louvarei para sempre." A promessa do crente e a hora de fazê-lo. Ver o Salmo todo.

SALMO 31

TÍTULO

"Salmo de Davi para o cantor-mor." A dedicação ao cantor-mor prova que esta canção de ritmos entremesclados e tons alternados de aflição e dor foi composta para o cântico público. Este é um golpe mortal na noção de que não devemos cantar nada mais que louvor. É possível que os Salmos que tivessem essa característica teriam sido postos de lado por serem muito tristes para a adoração no templo, caso o Espírito Santo não tivesse tido o cuidado especial de indicá-los para a edificação pública do povo do Senhor. Será que não pode haver em tais Salmos uma referência peculiarmente distinta ao Senhor Jesus? Ele com certeza manifesta-se muito claramente no Salmo 22, o qual contém este título. No versículo 5 do Salmo que ora estudamos, ouvimos com toda nitidez a sua voz moribunda. Em todo lugar, Jesus é o mor e, em todas as canções sacras dos seus santos, ele é o cantor-mor. A conjetura de que Jeremias escreveu este Salmo não precisa de outra resposta senão o fato de que é "Salmo de Davi".

ASSUNTO

O salmista, em extrema aflição, roga com muita confiança e santa importunidade para que o seu Deus o ajude. Não demora muito e a sua mente fica tão fortalecida que ele glorifica ao Senhor pela grande bondade. Certos estudiosos opinam que o período de vida atribulada que ocasionou a composição do Salmo foi a deslealdade dos homens de Queila. Estamos muito inclinados a aceitar essa conjetura. Mas, após refletirmos, parece-nos que o tom muito triste e a alusão à iniquidade demandam uma data mais recente. É mais adequado encaixá-lo no período em que Absalão se rebelara e os cortesãos fugiram, enquanto bocas mentirosas espalhavam mil boatos maldosos sobre ele. Talvez seja até bom não estipularmos um determinado período, pois poderíamos nos preocupar tanto em aplicá-lo ao caso de Davi que nos esqueceríamos de como se ajusta à nossa experiência.

DIVISÃO

Não há linhas visíveis de demarcação. A linha melódica flutua em todo ele, entrando nos vales da lamentação e subindo nos motes da confiança. Entretanto, por conveniência, organizamos o Salmo da seguinte forma: Davi, ao testificar da sua confiança em Deus, implora ajuda (vv. 1 a 6). Expressa gratidão pelas misericórdias recebidas (vv. 7,8). Descreve o seu caso em detalhes (vv. 9 a 13). Roga veementemente por livramento (vv. 14 a 18). Espera a bênção com confiança e gratidão (vv. 19 a 22). E encerra mostrando a relação do seu caso com todo o povo de Deus (vv. 23 e 24).

EXPOSIÇÃO

1 *Em ti, SENHOR, confio; nunca me deixes confundido; livra-me pela tua justiça.*

2 *Inclina para mim os teus ouvidos, livra-me depressa; sê a minha firme rocha, uma casa fortíssima que me salve.*

3 *Porque tu és a minha rocha e a minha fortaleza; pelo que, por amor do teu nome, guia-me e encaminha-me.*

4 *Tira-me da rede que para mim esconderam, pois tu és a minha força.*

5 *Nas tuas mãos encomendo o meu espírito; tu me remiste, SENHOR, Deus da verdade.*

6 *Aborreço aqueles que se entregam a vaidades enganosas; eu, porém, confio no SENHOR.*

1. *"Em ti, Senhor, confio."* Para nenhum outro lugar eu corro em busca de abrigo, por mais que a tempestade assole. O salmista tem um refúgio, e é o melhor. Ele lança a grande âncora mestra da fé nos períodos de tempestade. As outras coisas poderiam estar em dúvida, mas o fato de que ele confia no Senhor, Davi estabelece positivamente. Ele começa assim para que a tensão das provações não o faça esquecer. Essa declaração de fé é o sustentáculo por meio do qual ele se esforça em levantar e tirar as dificuldades. Ele insiste nela como consolo para ele e argumento para com Deus. Não há menção de mérito, pois a fé confia no favor e fidelidade divinas, e só.

"Nunca me deixes confundido." Como Deus pode permitir que o homem, no final das contas, fique confundido (ou envergonhado, cf. ARA) por depender somente dEle? Essa não seria conduta para um Deus da verdade e da graça. Traria desonra ao próprio Deus se, no fim, a fé não fosse recompensada. Seria um dia tremendamente horrendo para a religião quando a confiança em Deus não ocasionasse consolação e auxílio.

"Livra-me pela tua justiça." Tu não és injusto em abandonar a alma que confia ou em quebrar as tuas promessas. Tu defenderás a justiça da tua misteriosa providência e me darás livramento feliz. A fé ousa olhar até mesmo para a espada da justiça em busca de proteção. Enquanto Deus for justo, a fé jamais se mostrará fútil e fanática. Como é doce a declaração de fé deste primeiro versículo se a lermos ao pé da cruz, vendo a promessa do Pai como o sim e o amém pelo Filho, vendo Deus com os olhos da fé como Ele é revelado no Jesus crucificado.

2. *"Inclina para mim os teus ouvidos."* Rebaixa-te até à minha situação difícil. Ouça-me atentamente como alguém que presta atenção em cada palavra. Os céus com as suas glórias transcendentes de harmonia poderiam monopolizar bem os ouvidos divinos, mas o Senhor considera frequentemente os choros e gemidos mais fracos do seu povo mais pobre.

"Livra-me depressa." Não devemos marcar dia e hora, mas humildemente podemos pedir rapidez como também misericórdia segura. As misericórdias de Deus são valorizadas pela ligeireza oportuna a qual Ele usa como quer. Se chegam tarde,

podem estar muito atrasadas, mas Ele monta em um querubim e voa nas asas do vento quando Ele quer o bem do seu amado.

"Sê a minha firme rocha." Sê o meu En-Gedi, o meu Adulão, o refúgio imutável, imóvel, inconquistável e sublime.

"Uma casa fortíssima que me salve", na qual eu possa morar com segurança, não meramente correndo para ti em busca de abrigo temporário, e sim habitando em ti para ter salvação eterna. Como é simples a oração do homem bom, ao mesmo tempo em que está carregada de significado! Ele não usa floreios ornamentais, pois é extremamente sincero, para não ser franco e claro. Faria bem se todos que oram publicamente observassem a mesma regra.

3. *"Porque tu és a minha rocha e a minha fortaleza."* A alma sob provação ainda reafirma a sua confiança total em Deus. As repetições da fé não são vãs. A declaração de nossa confiança em Deus nos tempos de adversidade é um método importante de glorificá-lo. O serviço ativo é bom, mas a confiança passiva de fé não é nem um pingo estimada aos olhos de Deus. As palavras que estamos estudando abraçam e prendem-se ao Senhor com um aperto fiducial que não se afrouxa. Os dois pronomes pessoais, como pregos firmes, fincam-se na fidelidade do Senhor. Quanta graça é termos o coração firmado na crença firme e inabalável em Deus! A figura de uma rocha e uma fortaleza os são atualmente ilustradas pela enorme fortaleza de Gibraltar, a qual já foi sitiada por inimigos muitas vezes, porém nunca arrancada dos seus donos. Os antigos lugares seguros, embora longe de serem inexpugnáveis pelos nossos atuais métodos de guerra, eram igualmente importantes nesses dias mais distantes — quando nos baluartes das montanhas, grupos pequenos e fracos se sentiam seguros. Note o fato singular que Davi pediu que o Senhor fosse a sua rocha (v. 2), porque Ele era a sua rocha. Com isso, aprendamos que podemos orar para desfrutar na experiência o que agarramos pela fé. A fé é a fundação da oração.

"Pelo que, por amor do teu nome, guia-me e encaminha-me." O salmista argumenta como um especialista em lógica, servindo-se constantemente de *se* e *então*. Levando em conta que eu confio em ti sinceramente, diz ele, ó meu Deus, seja o meu diretor. *Guiar* e *encaminhar* são duas ideias muito semelhantes, mas o pensamento paciente detectará nuanças diferentes de significado, sobretudo quando o último pode significar "prover para mim". A palavra em duplicata indica necessidade urgente — precisamos de direção repetida porque somos tolos e o caminho é acidentado. Guia-me como soldado, encaminha-me como viajante! Guia-me como bebê, encaminha-me como homem. Guia-me quando tu estás comigo, porém encaminha-me mesmo se tu estiveres ausente. Guia-me pela tua mão, encaminha-me pela tua palavra. O argumento usado é alguém que foi mandado buscar no arsenal da graça livre: não por amor de mim, mas por amor do teu nome, guia-me. Nosso apelo não é feito a alguma virtude imaginada em nossos nomes, e sim à bondade gloriosa e generosidade que brilha magnificamente no caráter do Deus de Israel. Não é possível que o Senhor permitisse que a sua honra fosse manchada, mas certamente era o que aconteceria se aqueles que confiassem nEle perecessem. Josué usou este argumento: "E, então, que farás ao teu grande nome?" (Js 7.9).

4. *"Tira-me da rede que para mim esconderam."* Os inimigos de Davi eram espertos como também poderosos. Se não pudessem vencê-lo pela força, eles o capturariam pela trapaça. Nossos inimigos espirituais são da mesma espécie — são da ninhada da serpente e buscam nos enlaçar com as suas fraudes. A oração que estamos estudando supõe a possibilidade de o crente ser apanhado como pássaro. Na verdade, somos tão tolos que isso acontece muitas vezes. Assim, com habilidade, o passarinheiro faz o seu trabalho para que os simples logo sejam apanhados. O texto pede que até das malhas da rede o cativo seja livrado. Trata-se de uma petição

cabível, a qual pode ser concedida. Até da boca do leão e do fundo do Inferno o amor eterno pode salvar o santo. Talvez seja necessário um puxão brusco para livrar a alma da rede da tentação, e também um puxão forte para desembaraçar o homem das armadilhas da astúcia maligna, mas o Senhor está à altura de toda emergência. As redes mais habilmente bem armadas do caçador jamais poderão prender os eleitos. Ai daqueles que são tão inteligentes em armar a rede. Aqueles que tentam os outros serão destruídos. Os vilões que armam armadilhas em segredo serão castigados em público.

"Pois tu és a minha força." Que doçura inexprimível há nessas poucas palavras! Com que alegria podemos entrar na batalha, e com que gozo podemos suportar os sofrimentos quando nos apoderamos do poder celestial! O poder divino despedaçará todas as armadilhas do inimigo, confundirá as suas ações políticas e frustrará os seus truques enganosos. Feliz é quem tem tamanho poder inigualável engajado a seu favor. Nossa força é de pouco valor quando está envolvida nas redes da astúcia vil, mas a força do Senhor sempre é eficaz. Temos de apenas invocá-la e, então, descobriremos que está bem perto. Se pela fé dependermos somente da força do Deus forte de Israel, poderemos usar nossa confiança santa como argumento na súplica.

5. *"Nas tuas mãos encomendo o meu espírito."* Essas palavras vivas de Davi foram as palavras expirantes do nosso Senhor. Têm sido usadas frequentemente pelos santos na hora da morte. Estejamos seguros de que são palavras boas, seletas, sábias e solenes. Podemos usá-las agora e na última hora significativa. Observemos que o objeto da solicitude do homem bom na vida e na morte não é o corpo ou os bens, mas sim o espírito. Essa é a sua jóia, o seu tesouro secreto. Estando essa parte assegurada, tudo o mais estará bem. Vejamos o que ele faz com esta pérola! Ele a entrega nas mãos do seu Deus. DEle veio, dEle é, Ele a sustentava antigamente, pode sustentá-la agora, sendo mais do que adequado que Ele a receba. Todas as coisas estão seguras nas mãos do Senhor. O que confiamos ao Senhor estará seguro, tanto agora quanto naquele dia dos dias, para o qual estamos nos dirigindo apressadamente. O homem bom se entrega sem reserva às mãos do seu Pai celestial. Basta-lhe estar lá. É viver com calma e morrer com glória repousar sob os cuidados dos céus. A toda hora, devemos entregar e continuar entregando o nosso tudo aos cuidados sagrados de Jesus. Portanto, ainda que a vida esteja por um fio e as adversidades se multipliquem como as areias do mar, nossa alma viverá tranquila e se deleitará nos silenciosos lugares de descanso.

"Tu me remiste, Senhor, Deus da verdade." A redenção é a base sólida para a confiança. Davi não tinha conhecido o Calvário como o conhecemos, mas a redenção temporal o alegrou. Não nos consolará ainda mais docemente a redenção eterna? Os livramentos passados são fortes argumentos em prol da ajuda presente. O que o Senhor fez Ele fará novamente, porque Ele não muda. Ele é um Deus de veracidade, fiel às suas promessas e benevolente aos seus santos. Ele não se afastará do seu povo.

6. *"Aborreço aqueles que se entregam a vaidades enganosas."* Aqueles que não se apoiarem no verdadeiro braço forte, farão de si mesmos confianças vãs. O homem tem de ter um deus. Se ele não cultua o único Deus vivo e verdadeiro, então ele está enganando a si mesmo, dando atenção supersticiosa a uma mentira e aguardando com ansiosa esperança uma ilusão desprezível. Aqueles que agiam assim não estavam entre os amigos de Davi. Ele teve uma antipatia constante com eles. O verbo no original hebraico inclui o tempo presente como também o tempo passado. Ele os odiava por odiarem Deus. Ele não suportava a presença de idólatras. O seu coração estava fixo contra eles porque eram tolos e maus. Ele não tinha paciência com as observâncias supersticiosas que mantinham, e chamava os seus ídolos de vaidades vazias, nadas não-existentes. O mínimo de cortesia é mais do que os

romanistas e puseístas merecem pelas loucuras que propagam. Os homens que endeusam as riquezas, as pessoas, as aptidões mentais ou quaisquer outras coisas serão marginalizados por aqueles cuja fé repousa em Deus por Cristo Jesus. Longe de serem invejados, serão dignos de pena por dependerem de arrematas vaidades.

"Eu, porém, confio no Senhor." Esse procedimento pode ser muito antiquado, mas o salmista ousou ser singular. Os maus exemplos não devem nos deixar menos decididos em prol da verdade. Quando estivermos em meio a uma debandada generalizada, devemos ficar mais ousados. Esta permanência fiel em confiar no Senhor é o grande argumento empregado desde o princípio do Salmo. Os aflitos correm para os braços do seu Deus e arriscam tudo na fidelidade divina.

7 *Eu me alegrarei e regozijarei na tua benignidade, pois consideraste a minha aflição; conheceste a minha alma nas angústias.*
8 *E não me entregaste nas mãos do inimigo; puseste os meus pés num lugar espaçoso.*

7. *"Eu me alegrarei e regozijarei na tua benignidade."* Pelas benignidades passadas, ele agradece, e pelas benignidades futuras, as quais ele antecipa com fé, ele jubila. Em nossas intercessões mais inoportunas, temos de achar tempo natural para bendizer o Senhor. O louvor jamais é um obstáculo à oração. Antes, é um verdadeiro refrigério. É delicioso ouvir a intervalos as notas dos címbalos altissonantes quando a sambuca triste marca a hora. Esses dois verbos, *alegrar-se* e *regozijar-se*, são uma repetição instrutiva. Não precisamos nos conter em nossos triunfos santos. Podemos beber essa bebida em tigelas sem medo de ingerirmos em excesso.

"Pois consideraste a minha aflição." Tu a viste, a avaliaste, a dirigiste, fixaste um limite para ela e, de todos os meios, a tornaste assunto de agradável consideração. A consideração humana significa o pleno exercício da mente. Qual será a consideração divina?

"Conheceste a minha alma nas angústias." Deus reconhece os santos quando os outros têm vergonha de reconhecê-los. Ele nunca se recusa a conhecer os amigos. Ele não pensa que são as piores pessoas do mundo porque usam trapos e farrapos. Ele não faz mal juízo deles e os rejeita quando os rostos estão emagrecidos pela doença, ou o coração pesado pelo desânimo. O Senhor Jesus nos conhece em nossas angústias, dores e sofrimentos em certo sentido peculiar, pois Ele tem uma profunda empatia por nós no que diz respeito a isso. Quando ninguém mais pode tomar parte em nossas angústias por não entendê-las experimentalmente, Jesus sonda o mais profundo do nosso ser, compreendendo a mais medonha de nossas aflições, porque Ele sentiu o mesmo. Jesus é um médico que conhece todos os casos. Nada é novo para Ele. Quando ficamos tão desnorteados a ponto de não conhecermos nosso estado, Ele nos conhece inteiramente. Ele nos tem conhecido e nos conhecerá. Que maravilhosa graça é conhecê-lo ainda mais! "Homem, conhece-te a ti mesmo", é um bom preceito filosófico, mas: "Homem, tu és conhecido por Deus", é uma consolação superlativa. A palavra *angústia* está no plural porque "muitas são as aflições do justo" (Sl 34.19).

8. *"E não me entregaste nas mãos do inimigo."* Ser entregue nas mãos de alguém é ser entregue totalmente ao seu poder. O crente não está nas mãos da morte ou do Diabo, muito menos está no poder do homem. O inimigo pode obter vantagem temporária sobre nós, mas somos como homens na prisão com as portas abertas. Deus não permite que sejamos trancafiados, pois Ele sempre providencia um meio de fuga.

"Puseste os meus pés num lugar espaçoso." Bendito seja Deus pela liberdade. A liberdade civil é valiosa, a liberdade religiosa é preciosa, a liberdade espiritual é inestimável. Em todos os problemas, podemos louvar a Deus quando estes acabarem. Muitos santos têm maior avanço espiritual quando os negócios estão na maior

dificuldade. A alma alcançou um lugar espaçoso enquanto o corpo está no calabouço ou em algum outro lugar estreito. A graça é a mesma em todas as emergências. Mais do que isso, ela se serve da emergência para mostrar-se.

9 *Tem misericórdia de mim, ó SENHOR, porque estou angustiado; consumidos estão de tristeza os meus olhos, a minha alma e o meu corpo.*
10 *Porque a minha vida está gasta de tristeza, e os meus anos, de suspiros; a minha força descai por causa da minha iniquidade, e os meus ossos se consomem.*
11 *Por causa de todos os meus inimigos, fui o opróbrio dos meus vizinhos e um horror para os meus conhecidos; os que me viam na rua fugiam de mim.*
12 *Estou esquecido no coração deles, como um morto; sou como um vaso quebrado.*
13 *Pois ouvi a murmuração de muitos; temor havia ao redor; porquanto todos se conluiavam contra mim; intentam tirar-me a vida.*

9. *"Tem misericórdia de mim, ó Senhor, porque estou angustiado."* Agora o homem de Deus faz uma descrição particular e minuciosa do seu triste caso. Ele abre o coração, mostra as feridas e expressa a devastação interior. Essa primeira frase abrange, de forma sucinta e vigorosa, todas as outras que vêm a seguir, sendo o texto para o seu discurso de lamentação. A miséria comove a misericórdia, não havendo mais necessidade de argumentações. "Tem misericórdia" é a oração. O argumento é tão prevalecente quanto claro e pessoal: "Estou angustiado".

"Consumidos estão de tristeza os meus olhos." Olheiras e olhos encovados são sinais certos de pouca saúde. As lágrimas tiram o sal da nossa força, e rios de lágrimas podem esgotar a fonte da qual emanam. Deus deseja que lhe contemos os sintomas da nossa doença, não para informá-lo, mas sim para mostrar o nosso senso de necessidade.

"A minha alma e o meu corpo." A alma e o corpo estão tão intimamente unidos que um não entra em decadência sem que o outro sinta. Em nossos dias, não nos é estranho o duplo declínio que Davi descreve. O sofrimento físico tem nos enfraquecido, e a angústia mental nos desalentado. Quando esses dois mares se encontram, é bom que o Piloto no leme se sinta à vontade no meio das inundações para fazer das tempestades o triunfo da sua perícia.

10. *"Porque a minha vida está gasta de tristeza, e os meus anos, de suspiros."* O choro havia se tornado a sua ocupação diária. Ele passara todos os dias no calabouço da angústia. O vigor e a essência da sua existência estavam sendo consumidos como uma vela que vai se consumindo enquanto queima.

As suas adversidades estavam-lhe encurtando os dias e cavando para ele uma sepultura mais cedo. A tristeza é um péssimo mercado para gastarmos as riquezas da nossa vida, mas podemos fazer negócios muito mais lucrativos lá do que na feira da vaidade.

É melhor irmos à casa onde há luto do que à casa onde há festa. Preto é boa cor de roupa. O sal das lágrimas é um remédio saudável. Melhor passar os nossos dias suspirando do que pecando. Os dois integrantes da frase que estamos estudando transmitem a mesma ideia. Mas não há palavra inativa na Bíblia. A repetição é a expressão adequada de fervor e importunidade.

"A minha força descai por causa da minha iniquidade." Davi olha para o fundo da tristeza e descobre o pecado espiando. É lucrativa a dificuldade que nos leva a nos preocupar com a nossa iniquidade. Seria este o pecado mais medonho do salmista que agora lhe corroia o coração e lhe devorava a força? Muito provavelmente era. Os bocados do pecado, ainda que doces na boca, transformam-se em veneno na barriga. Se audaciosamente dermos certa parte de nossa força ao pecado, logo ele

virá buscar o que restar em nós. Perdemos pela iniquidade o vigor físico, mental, moral e espiritual.

"E os meus ossos se consomem." A fraqueza penetrara as partes íntimas do seu sistema, as partes mais firmes da sua constituição física sentiram a decrepitude geral. O homem está em tremendo apuro quando chega a esse ponto.

11. *"Por causa de todos os meus inimigos, fui o opróbrio."* Eles tinham prazer em ter algo para jogar em mim. O meu estado lastimável era música para eles porque maldosamente interpretavam que Deus estava me castigando. O opróbrio é pouco considerado por quem não é chamado para suportá-lo, mas aquele que passa sob as suas chibatadas sabe como fere profundamente. Os melhores homens podem ter os mais implacáveis inimigos e estar sujeitos aos mais cruéis insultos.

"Fui o opróbrio dos meus vizinhos." Quem está mais perto pode apunhalar mais profundamente. Sentimos mais o desprezo daqueles que deveriam ter compaixão de nós. Talvez os amigos de Davi temessem ser identificados com ele nessa hora em que a sorte o abandonava. Por isso, opunham-se contra ele para ganhar a clemência se não o favor dos oponentes. Os interesses egoístas governam a maioria dos homens. Por conta disso, as mais sagradas ligações são prontamente rompidas, e ações da maior maldade são perpetradas sem o menor escrúpulo.

"E um horror para os meus conhecidos." Quanto mais próximos eram antes, mais distantes se tornaram depois. Na hora da necessidade extrema, nosso Senhor foi negado por Pedro, traído por Judas e abandonado por todos. A manada inteira se volta contra um cervo ferido. O leite da bondade humana coalha quando o crente menosprezado for alvo de acusações difamadoras.

"Os que me viam na rua fugiam de mim." Com medo de serem vistos na companhia de um homem tão completamente menosprezado, aqueles que outrora lhe cortejavam a amizade fugiam dele como se ele estivesse sido infetado com peste. Como a difamação é repugnante, pois torna o indivíduo tão eminentemente santo que outrora era a admiração das pessoas, em alvo de piada geral, a aversão universal da humanidade! A que extremo de desonra a inocência pode ser rebaixada!

12. *"Estou esquecido no coração deles, como um morto."* Toda a coragem que Davi mostrara quando jovem agora fazia parte do passado. Ele fora o salvador da pátria, mas os seus serviços caíram no esquecimento. Os homens logo esquecem das obrigações mais importantes. A popularidade é evanescente ao extremo. Aquele que hoje está na boca do povo, amanhã pode ser esquecido por todos. É melhor estar morto do que ser asfixiado pela difamação. Sobre os mortos, só dizemos o que é bom, mas no caso do salmista, eles diziam só o que era mal. Não procuremos a recompensa da filantropia neste lado do céu, porque aos melhores servos os homens pagam salários de miséria e os põem na rua quando querem livrar-se deles.

"Sou como um vaso quebrado", uma coisa inútil, liquidada, imprestável, descartada, esquecida. Triste condição para o rei! Vejamos aqui o retrato do Rei dos reis na sua humilhação, quando Ele aniquilou-se a si mesmo e tomou a forma de servo (Fp 2.7).

13. *"Pois ouvi a murmuração de muitos."* Uma única víbora difamadora é suficiente para acabar com todo bem-estar, o que diremos do veneno de uma ninhada inteira? O que os ouvidos não ouvem, o coração não sente. Mas, no caso de Davi, as vozes acusadoras eram suficientemente altas para roubar-lhe a tranquilidade — as bocas imundas ficaram tão atrevidas a ponto de vomitar mentiras na presença da vítima. Simei era um dessa laia. O seu grito de "Sai, sai, homem de sangue" era a declaração comum de milhares dos filhos de Belial (2 Sm 16.7). O grupo inteiro dos comparsas de Belzebu pode estar bradando contra um homem, e este pode ser o ungido do Senhor.

"Temor havia ao redor." Ele estava cercado de instigações, ameaças, recordações e pressentimentos temerosos. Não havia lugar que estivesse livre de ataques incessantes.

"Porquanto todos se conluiavam contra mim; intentam tirar-me a vida." Os descrentes agem de comum acordo nos ataques violentos contra os excelentes da terra. É de admirar que os pecadores tenham mais facilidade em concordar entre si do que os santos e geralmente se dediquem às más obras com muito mais cuidado e previsão do que mostram os justos nos empreendimentos santos. Observemos a crueldade dos inimigos do homem bom! Eles se contentam com nada menos que o sangue da vítima, por cujo objetivo tramam e maquinam. Melhor cair nas garras do leão do que estar sob o poder de perseguidores malignos. O animal, se estiver alimentado, pode poupar a presa, ao passo que a maldade é inflexível e desapiedada como um lobo. De todos os demônios, o mais cruel é a inveja. Que tremendo risco de morte o salmista correu quando as setas envenenadas de mil arcos estavam apontadas contra a sua vida! No entanto, em tudo isso, a sua fé não vacilou, nem o seu Deus o abandonou. Esse é um exemplo encorajador para cada um de nós.

14 *Mas eu confiei em ti, SENHOR; e disse: Tu és o meu Deus.*
15 *Os meus tempos estão nas tuas mãos; livra-me das mãos dos meus inimigos e dos que me perseguem.*
16 *Faze resplandecer o teu rosto sobre o teu servo; salva-me por tuas misericórdias.*
17 *Não me deixes confundido, SENHOR, porque te tenho invocado; deixa confundidos os ímpios; emudeçam na sepultura.*
18 *Emudeçam os lábios mentirosos que dizem coisas más com arrogância e desprezo contra o justo.*

Nessa seção do Salmo, ele renova as orações, fazendo os mesmos argumentos que fizera inicialmente. Os lutadores determinados lançam mão inúmeras vezes dos mesmos expedientes para chegar ao ponto desejado.

14. *"Mas eu confiei em ti, Senhor."* A despeito de todas as circunstâncias aflitivas, a fé de Davi se manteve firme, não se desviando do objetivo. Que gloriosa frase salvadora é essa! Contanto que a nossa fé, que é o nosso escudo esteja segura, a batalha pode ficar renhida, mas o resultado último não é discutível. Se isso nos fosse tirado, seríamos mortos como foram Saul e Jonatas nos lugares altos do campo.

"E disse: Tu és o meu Deus." Ele proclamou em voz alta a sua firme lealdade ao Senhor. Ele não era crente apenas nos bons tempos, pois mantinha-se firme na fé durante os tempos de frio, envolvendo-se com a fé como a roupa certa para protegê-lo do mal tempo. Aquele que pode dizer o que Davi disse não precisa invejar a eloquência de Cícero. Há mais doçura em "Tu és o meu Deus" do que em qualquer outra expressão que a fala humana possa compor. Notemos que esta fé aderente é mencionada como argumento com Deus para que Ele honre a promessa que fez de enviar livramento veloz.

15. *"Os meus tempos estão nas tuas mãos."* O árbitro soberano do destino mantém em seu poder todos os assuntos da nossa vida. Não somos refugos boiando no oceano do destino. Somos guiados pela sabedoria infinita ao porto desejado. A providência é um travesseiro macio para a cabeça ansiosa, um analgésico para o cuidado, uma sepultura para o desespero.

"Livra-me das mãos dos meus inimigos e dos que me perseguem." É legítimo desejarmos escapar das perseguições se essa for a vontade do Senhor. Quando isso não nos for concedido na forma como desejamos, a graça sustentadora nos dará livramento de outra forma, permitindo-nos rir desdenhosamente de toda a fúria do inimigo.

16. *"Faze resplandecer o teu rosto sobre o teu servo."* Dá-me a luz do sol do céu em minha alma, e desafiarei as tempestades da terra. Permita-me, ó Senhor, desfrutar o senso do teu favor e a consciência de que tu te agradas do meu modo de vida,

e todos os homens podem me censurar e me caluniar como quiserem. Sempre é suficiente para o servo se ele agrada o seu senhor. Os outros senhores podem ficar insatisfeitos, mas ele não é servo deles. Não são eles que lhe pagam o salário, e as suas opiniões não têm nenhum valor para ele.

"Salva-me por tuas misericórdias." O homem bom não sabe apelar senão para a misericórdia. Há quem se sirva de apelos legais, mas Davi jamais sonhou em fazer isso.

17. *"Não me deixes confundido, Senhor, porque te tenho invocado."* Não permitas que minhas orações sejam motivo de vergonha! Não deixes que a boca profana se encha de zombarias por causa da minha confiança em meu Deus.

"Deixa confundidos os ímpios; emudeçam na sepultura." Para consternação deles, faze com que vejam os meus erros corrigidos e fiquem com o orgulho terrivelmente envergonhado. Um espírito mais brando governa nossas orações sob o reinado tranquilo do Príncipe da Paz. Portanto, só podemos usar palavras como essas no sentido profético, sabendo como sabemos muito bem que essa confusão, vergonha e o silêncio da morte são o que os pecadores ímpios merecem. Aquilo que eles desejaram para os crentes menosprezados virá sobre eles por decreto da justiça retribuidora, contra o qual não há contestação: "Visto que amou a maldição, ela lhe sobrevenha" (Sl 109.17).

18. *"Emudeçam os lábios mentirosos."* Essa é uma oração boa e cristã. Quem senão os homens maus dariam aos mentirosos mais licença do que a necessária? Que Deus os silencie quer levando-os ao arrependimento, pondo-os em completa vergonha, quer colocando-os em posições onde o que podem dizer não represente nada.

"Que dizem coisas más com arrogância e desprezo contra o justo." O pecado dos caluniadores está, em parte, na questão da fala. Eles "dizem coisas más", coisas que atingem profundamente os sentimentos dos homens bons, ferindo-os extremamente no lugar sensível — a reputação. O pecado é aumentado pela maneira como falam. Eles falam "com arrogância e desprezo". Falam como se fossem a nata da sociedade e os justos a mera escória da vulgaridade. Pensamentos orgulhosos de si mesmos são geralmente acompanhados por estimativas humilhantes dos outros. Quanto mais lugar tomamos, menos podemos oferecer para nossos semelhantes. Que maldade é que, nas discussões, os indignos sempre falem mais alto que os bons! Os indignos não têm poder para apreciar o valor moral, do qual são totalmente destituídos. Ainda assim, têm o desaforo de assentarem-se no tribunal para julgar homens comparados com os quais eles são tanto quanto a palha. A indignação santa pode nos levar a desejar qualquer coisa que liberte o mundo dessa impertinência insuportável e arrogância detestável.

19 *Oh! Quão grande é a tua bondade, que guardaste para os que te temem, e que tu mostraste àqueles que em ti confiam na presença dos filhos dos homens!*

20 *Tu os esconderás, no secreto da tua presença, das intrigas dos homens; ocultá-los-ás, em um pavilhão, da contenda das línguas.*

21 *Bendito seja o Senhor, pois fez maravilhosa a sua misericórdia para comigo em cidade segura.*

22 *Pois eu dizia na minha pressa: Estou cortado de diante dos teus olhos; não obstante, tu ouviste a voz das minhas súplicas, quando eu a ti clamei.*

Estando cheio de fé, o salmista dá glória a Deus pela misericórdia que ele está certo que será a sua posição.

19. *"Oh! Quão grande é a tua bondade."* Não é esquisito encontrar essa frase alegre em conexão com tanta tristeza? Verdadeiramente, a vida de fé é um milagre.

Quando a fé levou Davi ao seu Deus, imediatamente ela o deixou cantando. Ele não nos diz até que ponto é grande a bondade de Deus porque ele não pode. Não há medida que possa mostrar a bondade imensurável do Senhor, que é a própria bondade. A admiração santa usa interjeições onde adjetivos falham totalmente. Sinais de exclamação nos convêm quando palavras de explicação não servem para nada. Se não podemos medir, podemos nos maravilhar. Ainda que não possamos calcular com precisão, podemos adorar com fervor.

"Que guardaste para os que te temem." O salmista em contemplação divide a bondade em duas partes: uma que está em estoque, e outra que está à mostra. O Senhor estocou para o seu povo suprimentos muito além da conta. Nos cofres da aliança, nos campos da redenção, nos porta-joias das promessas, nos silos da providência, o Senhor abasteceu suprimentos para atender todas as necessidades que possam ocorrer com os seus eleitos. Sempre levemos em conta a bondade estocada de Deus que ainda não foi distribuída para os eleitos, mas já lhes foi provida. Se formos sérios em tais expectativas, seremos levados a sentir gratidão devota, como a que ardia no coração de Davi.

"E que tu mostraste àqueles que em ti confiam na presença dos filhos dos homens!" A misericórdia divina não está totalmente escondida nos celeiros. De mil modos já se revelou em benefício daqueles que são ousados em declarar a confiança em Deus. A bondade do Senhor foi mostrada diante dos semelhantes desses ousados, de modo que uma geração infiel é censurada. Avassaladoras são as provas do favor do Senhor para com os crentes. A história fervilha de exemplos surpreendentes, e nossa própria vida está cheia de prodígios da graça. Servimos a um bom Mestre. Mesmo agora, a fé é grandemente recompensada, mas ela olha para a sua herança completa no futuro. Quem não desejaria receber a sua sorte com os servos de um Senhor cujo amor ilimitado enche todas as mentes santas de agradável surpresa?

20. *"Tu os esconderás, no secreto da tua presença, das intrigas dos homens."* O orgulho é uma arma farpada. A insolência dos orgulhosos é um ferro que penetra na alma. Mas quem confia em Deus é abrigado com segurança no Santo dos Santos, o recinto íntimo no qual nenhum homem ousa intrometer-se. Aqui no domicílio secreto de Deus, a mente dos santos descansa em paz, onde os pés dos orgulhosos não podem incomodar. Os moradores ao pé da cruz de Cristo ficam surdos às zombarias dos arrogantes. As feridas de Jesus destilam um bálsamo que cura todas as cicatrizes que as armas dentadas do desprezo podem nos infligir. De fato, quando estamos armados com a própria mente que estava em Cristo Jesus, o coração fica invulnerável a todos os dardos do orgulho.

"Ocultá-los-ás, em um pavilhão, da contenda das línguas." As línguas são mais temíveis que as feras selvagens. Quando atuam seriamente, é como se uma matilha de lobos tivesse sido solta. Mas os crentes são guardados até deste perigo, pois o pavilhão do Rei dos reis lhes disporá abrigo tranquilo e segurança serena. O tabernáculo secreto do sacrifício e o pavilhão real da soberania proporcionam segurança dupla para o povo de Deus nas piores angústias. Observemos a ação imediata de Deus: "Tu os esconderás", "ocultá-los-ás". O próprio Senhor está pessoalmente presente para o salvamento do aflito.

21. *"Bendito seja o Senhor."* Quando o Senhor nos abençoa, não podemos fazer menos que bendizê-lo.

"Pois fez maravilhosa a sua misericórdia para comigo em cidade segura." Isso aconteceu em Maanaim, onde o Senhor lhe deu vitória sobre os exércitos de Absalão? Ou ele se refere a Rabá dos filhos de Amom, onde ele obteve triunfos extraordinários? Ou, melhor de todos, foi em Jerusalém, a cidade segura, onde ele mais experimentou a bondade surpreendente do seu Deus? A gratidão nunca está

sem assunto. Os Ebenezeres estão tão próximos uns dos outros quanto a confinar entre paredes o caminho para o Céu. Quer em cidades ou em vilarejos, nosso Senhor bendito tem se revelado a nós e nunca nos esqueceremos dos lugares sagrados. O solitário monte Hermom, ou a aldeia de Emaús, ou a rocha de Patmos, ou o deserto de Horebe são semelhantemente renomados quando Deus se manifesta para nós em paramentos de amor.

22. Sempre é apropriado confessar nossas faltas. Quando refletirmos sobre a bondade de Deus, lembremo-nos de nossos próprios erros e pecados.

"Pois eu dizia na minha pressa." Em geral, falamos o que não devemos quando estamos com pressa. Palavras precipitadas duram apenas um momento na língua, mas permanecem por anos na consciência.

"Estou cortado de diante dos teus olhos." Tratavam-se de palavras indignas. A incredulidade tem um canto no coração do crente mais firme, mas desse canto, ventilará muitas coisas rancorosas contra o Senhor caso o curso da providência não seja tão suave quanto a natureza desejar. Nenhum santo nunca foi ou jamais será cortado de diante dos olhos do Senhor. Contudo, não resta dúvida de que muitos pensaram assim e mais de um já falaram assim. Sejam para sempre expulsas tais suspeitas tenebrosas de nossa mente.

"Não obstante, tu ouviste a voz das minhas súplicas, quando eu a ti clamei." Quanta misericórdia, pois se não crermos, Deus permanece fiel, ouvindo a oração mesmo quando estamos lutando com dúvidas que lhe desonram o nome. Se considerarmos os obstáculos no caminho das nossas orações e a maneira ineficiente na qual as apresentamos, é espantoso que elas sempre prevaleçam com o Céu.

23 *Amai ao Senhor, vós todos os que sois seus santos; porque o Senhor guarda os fiéis e retribui com abundância aos soberbos.*

24 *Esforçai-vos, e ele fortalecerá o vosso coração, vós todos os que esperais no Senhor.*

23. *"Amai ao Senhor, vós todos os que sois seus santos."* Exortação extremamente comovente, mostrando claramente o profundo amor do escritor por seu Deus. Há muita beleza na expressão, porque ela revela amor por um Deus apaixonante, amor que as muitas águas não puderam extinguir. Bendizer aquele que o dá é fácil, mas manter-se fiel àquele que o toma é uma obra da graça. Todos os santos são beneficiados pelas misérias santificadas de um, se forem levados por exortações sérias a amar ao seu Senhor o melhor que puderem. Se os santos não amam ao Senhor, quem amará? O amor é a dívida universal de toda a família dos salvos. Quem desejaria ser exonerado do seu pagamento? Davi apresenta razões para amar, pois o amor crente não é cego.

"Porque o Senhor guarda os fiéis." Eles têm de esperar o tempo certo porque a recompensa é certa. Enquanto isso, toda a maldade cruel dos inimigos não pode arruiná-los.

"E retribui com abundância aos soberbos." Esse também é motivo de gratidão. A soberba é tão detestável em seus atos que aquele que a julga na medida justa merece o amor de todas as mentes santas.

24. *"Esforçai-vos."* Não desanimes, não deixes que pensamentos medrosos te embranqueçam o rosto. O medo debilita, a coragem fortalece. A vitória espera nas bandeiras do valente.

"E ele fortalecerá o vosso coração." Poder do alto será dado de maneira mais eficaz administrando força à fonte da vitalidade. Longe de nos deixar, o Senhor mesmo se aproximará de nós em nossas adversidades para pôr o seu próprio poder em nós.

"Vós todos os que esperais no SENHOR." Cada um de vós deve levantar a cabeça e cantar de alegria de coração. Deus é fiel e não falhará com os seus pequeninos que não fazem outra coisa que não seja esperar. Então, por que ter medo?

NOTAS EXPLICATIVAS E DECLARAÇÕES IMPORTANTES

v. 1: "Em ti, SENHOR, confio". Evitemos a desconfiança. A dúvida é morte, a confiança em si é vida. Tenhamos certeza de que confiamos no Senhor, e jamais tenhamos confiança na confiança.

"Nunca me deixes confundido." Se Davi ora para não ficar confundido ou envergonhado, esforcemo-nos no mesmo sentido. Os que amam a Jesus devem ter vergonha de ter vergonha. — *C. H. S.*

v. 1: "Livra-me pela tua justiça". Para sustentar a tua fé, observa bem em que ela pode descansar com segurança: na própria justiça de Deus, como também na sua misericórdia. Baseando-se nisso, o apóstolo esperava com fé a coroa da justiça, porque o Senhor em quem ele esperava é um justo juiz (2 Tm 4.7,8). O salmista é ousado em apelar à justiça de Deus (Sl 35.24). Porque podemos estar certos de que a bondade, a graça e a misericórdia de Deus o moveram a prometer, e a sua verdade, fidelidade e justiça o moverão a cumprir que prometeu. — *William Gouge*

vv. 1 a 3:

As sombras são incrédulas, e as rochas são falsas
Não confia no bronze, não confia nos muros de mármore
Os catres dos pobres são tão seguros quanto os salões dos príncipes

Grande Deus! Não há segurança aqui na terra
Tu és a minha fortaleza, tu que pareces meu inimigo
És tu que aplicas o golpe que tens de defender a pancada

Tu és o meu Deus, por ti eu caio ou permaneço de pé
A tua graça me deu coragem para resistir
Tudo tortura, exceto minha consciência e a tua mão

Eu sei que a tua justiça és tu mesmo; eu sei
Justo Deus, que o teu próprio ser é misericórdia também
Se não para ti, onde, para onde irei?
— *Francis Quarles*

v. 2: "Inclina para mim os teus ouvidos". Escuta a minha reclamação. Aproxima os teus ouvidos aos meus lábios para que tu ouças tudo o que o meu frágil ser é capaz de proferir. Em geral, aproximamos nossos ouvidos dos lábios dos doentes e moribundos para podermos ouvir o que eles dizem. Pelo visto, é o que o texto alude. — *Adam Clarke*

v. 2: "Livra-me depressa". Ao orar para ser livrado depressa, Davi mostrou o tamanho do perigo que ele corria. Era como se ele tivesse dito: Tudo acabará logo com a minha vida, a menos que Deus se apresse em me ajudar. — *João Calvino*

vv. 2 e 3: "Sê a minha firme rocha, uma casa fortíssima que me salve. Porque tu és a minha rocha e a minha fortaleza". Aquilo que o Senhor está comprometido em ser pela aliança, podemos orar e esperar que entre em vigor. "Sê a minha firme rocha", disse ele, "porque tu és a minha rocha". — *David Dickson*

v. 3: "Por amor do teu nome". Se apenas a honra da criatura, o crédito dos ministros ou a glória dos anjos estivessem envolvidos, a salvação do homem seria incerta. Mas cada etapa envolve a honra de Deus. Pleiteamos por amor do seu nome. Se Deus começasse e não continuasse, ou se Ele continuasse mas não terminasse a obra, todos admitiriam que foi por alguma razão que causa reprovação ao Todo-Poderoso. Isso jamais pode ser. Deus foi movido por si mesmo a tomar providências para a salvação do homem. O seu nome glorioso torna certo que a pedra de acabamento será colocada em glória. — *William S. Plumer*

Versículo 3: "Por amor do teu nome". Por causa da fama do teu poder, da tua bondade, da tua verdade.

"Guia-me." Como o pastor que conduz a ovelha desgarrada, como o líder que lidera as tropas militares, ou como alguém que orienta alguém que não conhece o caminho (ver Gênesis 24.27; Neemias 9.12,13; Salmo 23.3; 73.24). Governa as minhas deliberações, os meus afetos e os meus pensamentos. — *Martin Geier, 1614-1681*

v. 4: "Tira-me da rede", dessa *famosa rede*, como diz no original hebraico. — *John Trapp*

v. 4: "Tira-me da rede que para mim esconderam". Por essas palavras, ele dá a entender que os inimigos não só por força pública foram contra ele, mas também por astúcia e política tentaram apanhá-lo em armadilha. Por exemplo, quando, sob instruções de Saul, puseram-no para ser o genro do rei e estabelecendo para este fim 200 prepúcios de filisteus por dote, sob o pretexto de boa vontade, procurando-lhe a ruína. Ou quando também lhe armaram rede para matá-lo em casa. Mas ele confiou em Deus e orou para ser livre, caso houvesse empreendimento igual contra ele dali por diante. — *John Mayer*

v. 4: "Pois tu és a minha força". A onipotência corta a rede que a política arma. Quando nós, seres fracos e pobres, estamos na rede, Deus não está. Segundo a antiga fábula, o rato libertou o leão, e aqui o leão libera o rato. — *C. H. S.*

v. 5: "Nas tuas mãos encomendo o meu espírito". Essas foram as últimas palavras de Policarpo de Esmirna, Bernardo, John Huss, Jerônimo de Praga, Martinho Lutero, Philipp Melancthon e muitos outros. "Bendito aqueles", disse Lutero, "que não só morrem *pelo* Senhor, como mártires, não só *no* Senhor, como todos os crentes, mas também *com o* Senhor, como que expirando a vida nestas palavras: 'Nas tuas mãos encomendo o meu espírito'." — *J. J. Stewart Perowne*

v. 5: "Nas tuas mãos encomendo o meu espírito". Essas palavras, conforme estão na Vulgata, gozavam o mais elevado crédito entre os nossos antepassados. Eles as usavam em todos os perigos, dificuldades e na hora da morte. *Em manus tuas, Domine, commendo spiritum meum* eram palavras que os doentes diziam quando estavam prestes a expirar caso estivessem conscientes. Caso contrário, o padre as diziam ao lado deles. Nas formas de oração pelos doentes e moribundos, essas palavras eram inseridas em latim, embora o restante da oração fosse na língua materna, pois supunham que havia algo de soberano na linguagem em si. Mas não permitamos que o abuso de tais palavras nos impeçam de ver a sua utilidade. Em um brado, não há nada melhor. Quando os tementes a Deus ou os tentados as usam com confiança, nada excede em termos de efeito. — *Adam Clarke*

v. 5: "Nas tuas mãos encomendo o meu espírito; tu me remiste, Senhor, Deus da verdade". Para que os santos encomendam o espírito nas mãos de Deus através de Jesus Cristo?

(1) Para que estejam seguros, ou seja, sejam guardados na passagem para o Céu de todos os inimigos e perigos que há no caminho. Quando os santos morrem, os

poderes das trevas, indubitavelmente, se possível, procuram impedir a ascensão da alma para Deus. Como foram expulsos do céu, enchem-se de ira quando veem alguém do nosso mundo indo para lá. Uma coisa que o santo quer dizer quando encomenda o espírito nas mãos de Deus é que o precioso depósito seja guardado de tudo que queira ou tente arruiná-lo. Eles estão certos de que o poder grandioso pertence a Deus. Se conseguirem estipular isso para serem levados em segurança, ninguém poderá tirá-los das mãos de Deus. O Redentor despojou principados e potestades e o provou pela sua ascensão triunfante para a glória. Ele mantém todos os inimigos seus e dos crentes acorrentados, de forma que os crentes são mais do que vencedores nEle e por Ele. Anjos, segundo as suas categorias, são enviados para ministrar e guardar os crentes. Eles cumprem fielmente a missão até serem levados à presença do Senhor comum de ambos. "Eu sei", disse o apóstolo, "em quem tenho crido e estou certo de que *é* poderoso para guardar o meu depósito até àquele Dia" (2 Tm 1.12).

(2) Para que sejam aceitos para morar com ele, sendo recebidos na sua presença, onde há plenitude de alegria e prazeres eternamente; onde todo o mal é excluído, e todo o bem está presente para satisfazer-lhes os desejos, tendo assunto de louvor para toda a eternidade.

(3) Para que o corpo seja ressuscitado e reunido a eles, e, assim, possam entrar na bem-aventurança preparada para aqueles que o amam. [...]

As razões pelas quais os crentes podem fazer isso com consolo, ou seja, com a viva esperança de serem felizes para sempre, são muitas. Mencionaremos apenas duas:

(1) O interesse de Deus por eles, e sob o mais afetuoso fundamento, qual seja, a redenção: "Nas tuas mãos encomendo o meu espírito; tu me remiste, SENHOR, Deus da verdade". Redima-me do Inferno e da ira por vir, dando o teu Filho para morrer por mim. Senhor, não somente sou apenas tua criatura, mas também tua criatura remida, comprada por preço, disse o santo. Redima-me do poder da minha corrupção interior, do amor que tenho por isso e do prazer que há nisso. Com o meu consentimento, atrai-me para eu ser teu e teu para sempre. Senhor, eu sou teu, salva-me de forma constante.

(2) A fidelidade conhecida de Deus: "Nas tuas mãos encomendo o meu espírito; [...] SENHOR, Deus da verdade". Nas tuas mãos encomendo o meu espírito, pois tu foste o Deus da verdade ao cumprires as promessas feitas a todos os santos que partiram antes de mim deste mundo. Até aqui, tu tens sido para mim o Deus da verdade, e não posso duvidar que continuarás a sê-lo até ao fim. — *Daniel Wilcox*

v. 5: "Nas tuas mãos". Quando essas mãos falharem, então estarei realmente perdido e serei um miserável! Quando me sustentam e me guardam, então estou seguro, exaltado, forte e cheio de todo o bem.

Receba-me, ó Pai Eterno, pelos méritos e palavras do nosso Senhor, porque Ele, pela obediência e morte, merece agora de ti tudo o que eu não mereço de mim. Nas tuas mãos, meu Pai e meu Deus, encomendo o meu espírito, a minha alma, o meu corpo, os meus poderes, os meus desejos. Ofereço tudo às tuas mãos. Nelas, encomendo tudo que tenho sido até aqui para que tu perdoes e restabeleças tudo: minhas feridas para que tu as cures, minha cegueira para que tu a ilumines, minha frieza para que tu a inflames, meus caminhos maus e errados para que tu me coloques no caminho certo e todos os meus males para que tu os arranques da minha alma. Entrego e ofereço às tuas mãos santíssimas, ó meu Deus, o que sou, o qual tu conheces muito melhor do que eu, fraco, miserável, ferido, volúvel, cego, surdo, mudo, pobre, destituído de todo bem, nada, sim, menos do que nada, por causa dos meus muitos pecados e mais miserável do que posso saber ou expressar. Tu, Senhor Deus, recebe-me e faze-me ser o que Ele, o Cordeiro divino, me fez ser. Encomendo, ofereço, entrego-me às tuas mãos divinas todos os meus negócios, meus cuidados, meus sentimentos, meu sucesso, meus consolos, meus labores e tudo o que tu sabes que há em mim. Dirige tudo para a tua honra e glória. Ensina-me em tudo fazer a tua vontade e em tudo reconhecer a obra das tuas mãos divinas, para que nada mais eu busque e só com esta reflexão eu encontre descanso e consolo em tudo.

Ó mãos do Deus Eterno, que fizestes e ainda preservastes os céus e a terra por amor de mim, e que me fizestes para vós mesmas, jamais permitais que eu me desvie de vós. Nessas mãos, apodero-me do meu Cordeiro e de tudo que amo. Nelas também estarei junto com ele. Junto com ele, nestas mãos amorosas, eu dormirei e descansarei em paz, visto que Ele, ao morrer, me deixou esperança nelas e nas suas misericórdias infinitas, colocou-me dentro delas como o meu único e o meu refúgio especial. Considerando que por estas mãos eu vivo e sou o que sou, faze-me viver continuamente por elas e nelas morrer. Nelas viver no amor de nosso Senhor, e delas só desejar e procurar todo o bem, para que delas, afinal, junto com o Senhor, eu receba a coroa. — *Fra Thome de Jesu*

v. 5: "Nas tuas mãos encomendo o meu espírito". Nenhuma forma sombria de destino escuro está diante de Jesus ao término da sua carreira. Embora ele tenha de morrer na cruz, o semblante do Pai brilha sobre ele. Ele não vê a vida fundindo-se nas inundações sombrias da mortalidade. Ele a encomenda nas mãos do Pai. Não é só no espírito geral da humanidade que ele continua vivendo. Ele se manterá vivo na personalidade definida do seu próprio espírito, abraçado pela proteção especial e fidelidade do Pai. Assim, ele não entrega desesperadamente a vida à morte para a destruição, mas com consciência triunfante ao Pai para a ressurreição. Era o centro da sua vontade, a garantia de vida, a entrega da vida às mãos do Pai vivo. Com voz alta, ele exclamou para o mundo que, para sempre e sempre, afunda na consciência bruta da morte, do medo da morte, do desespero da imortalidade e ressurreição, porque, para sempre e sempre, permite que a consciência da personalidade de Deus e da união pessoal com Ele seja obscurecida e borrada. Com o coração de leão, o Cristo moribundo testificou mais uma vez da vida com uma expressão que tinha ligação com a palavra do Salmo do Antigo Testamento, e testemunhou que o Espírito de vida eterna já estava em operação, em antecipação profética, na antiga aliança. Assim, vivendo como sempre, Ele entregou a vida, pela morte, ao que vive eternamente. A sua morte foi o último e mais alto fato, a coroa da sua vida santa. — *J. P. Lange, Doutor em Teologia, "The Life of the Lord Jesus Christ" [A Vida do Senhor Jesus Cristo], 1864*

v. 5: "Nas tuas mãos encomendo o meu espírito". Davi encomendou o espírito a Deus para que ele não morresse, mas Jesus e todos os cristãos depois dEle encomendam o espírito a Deus para que eles vivam para sempre através da morte e depois da morte. Dessa forma, este Salmo está conectado com o Salmo 22. Esses dois Salmos foram usados por Jesus na cruz. Do Salmo 22, Ele derivou essas amargas palavras de angústia: "Eloí, Eloí, lemá sabactâni?" (Mc 15.34). Do Salmo 31, Ele derivou esses duras palavras de amor e confiança que Ele proferiu pouco antes da morte. O livro dos Salmos era o hinário e livro de orações de Jesus. — *Christopher Wordsworth*

v. 6: "Aborreço". Os santos têm emoções fortes, não sendo delicados e caridosos com os malfeitores quanto os liberais em termos de princípios religiosos são persuasivos e lisonjeiros. Quem não aborrece ou odeia o mal não ama o bem. E existe tal coisa como aquele que tem ódio bom. — *C. H. S.*

v. 6: "Aqueles que se entregam a vaidades enganosas". Os católicos simulam milagres dos santos para torná-los, como se supõem, mais gloriosos. Dizem que a casa em que a virgem Maria estava quando o anjo Gabriel lhe apareceu foi, muitas centenas de anos mais tarde, transladada primeiro da Galileia para a Dalmácia, mais de 3.200 quilômetros, e dali por sobre o mar para a Itália, onde também mudou de um lugar para o outro, até finalmente achar um lugar permanente. Muitas curas milagrosas, dizem, foram feitas por ela. Quando a casa chegou, as próprias árvores se curvaram diante dela. Há inúmeras histórias desta natureza, sobretudo nas lendas dos santos, que eles chamam de "Lendas Áureas", um livro tão cheio de flagrantes tolices que Ludovicus Vives, um papista, porém culto e franco, exclamou com grande indignação: "O que pode ser mais detestável do que este livro?" E ficou imaginando por que chamavam as lendas de "áureas", quando aquele que as escreveu era homem "de boca de ferro e de coração de chumbo". Melchior Canus, bispo papista, fez a mesma censura ao livro, queixando-se (como Vives também fizera antes dele) de que Laertes escreveu sobre a vida dos filósofos, e Suetônio sobre a vida dos césares com mais veracidade do que certos escritores escreveram sobre a vida dos santos e mártires.

Eles são muito presunçosos e supersticiosos na honra que dão às relíquias dos santos, no que diz respeito aos cadáveres ou partes deles, aos ossos, carne e cabelos, sim, às roupas que usavam ou outras coisas semelhantes. "Hoje e em todos os lugares", disse Erasmo, "podemos ver com proveito o leite de Maria, que eles honram quase tanto quanto o corpo consagrado de Cristo, o óleo prodigioso, tantos pedaços da madeira da cruz que, se fossem reunidos, encheriam mais de um navio grande. Aqui o capuz de Francisco de Assis para todos verem. Ali a roupa íntima da virgem Maria. Em um lugar, o pente de Ana, em outro, a meia-calça de José, em outro, os sapatos de Tomás Becket, em outro, o prepúcio de Jesus, o qual, ainda que seja uma coisa incerta, eles adoram mais religiosamente do que a pessoa inteira de Jesus. Eles não produzem estas coisas como algo que possa ser tolerado e para agradar as pessoas comuns, mas quase toda a religião é colocada nelas" (*Erasmo*, comentando sobre Mateus 23.5). — *Christopher Cartwright*

v. 6: "Aborreço aqueles que se entregam a vaidades enganosas; eu, porém, confio no SENHOR". O significado é que os pagãos, quando o perigo ou as dificuldades se aproximam, estão solenemente acostumados a recorrer a augúrios e adivinhações e, por meio disso, aos falsos deuses para receberem conselhos e orientações. Contudo, agindo assim e observando as respostas supersticiosamente, eles nada ganham com isso. São esses que Davi detesta. Ele se mantém perto de Deus, esperando ajuda que venha somente dEle. — *Henry Hammond, Doutor em Teologia*

v. 7: "Eu me alegrarei e regozijarei na tua benignidade". No meio das dificuldades, a fé fornecerá motivos de alegria e prometerá para si mesma alegria, sobretudo lembrando as antigas experiências da benignidade de Deus. Como aqui: "Eu me alegrarei e regozijarei na tua benignidade". [...] A razão para a nossa alegria, quando encontramos provas da bondade de Deus para conosco, não deve estar tanto no benefício quanto na fonte do benefício. Assim, temos a esperança de beber novamente das experiências semelhantes da fonte que enviou o benefício. Por isso, Davi diz: "Eu me alegrarei e regozijarei na tua benignidade". — *David Dickson*

v. 7: "Pois consideraste a minha aflição".

O apelo do homem para o homem é que ele nunca mais
Requererá e que ele jamais requereu antes
O apelo do homem para Deus é que ele obteve
Certa petição e então faz outra petição
Como é bom o Deus a quem servimos, pois quando fazemos outra petição
Ele torna as antigas concessões exemplos das novas!
— *Francis Quarles*

v. 7: "Conheceste a minha alma nas angústias". Um dia, certa pessoa que, pelas calamidades da guerra, doença e outras aflições passara do estado da riqueza para a penúria, dirigiu-se em grande angústia a Gotthold. Queixou-se de que tinha acabado de encontrar um dos seus antigos conhecidos, que nem sequer de longe se relacionara com ele, mas que não se dignara em curvar a cabeça, muito menos falar com ele, e virara os olhos, passando por ele como se ele fora um estranho. Ó senhor, exclamou com um suspiro, como me magoou! Senti como se um punhal tivesse me atravessado o coração! Gotthold respondeu: Não estranhe. É o modo de o mundo parecer sublime e passar despercebido por quem é pobre e humilde. Conheço, porém, Alguém que, embora habite nas alturas, curva-se para ver as coisas que estão no céu e na terra (Sl 113.5,6), e de quem o profeta-rei testemunha: "Conheceste a minha alma nas angústias". Ainda que tenhamos perdido os nossos trajes ricos e venhamos a ele vestido com trapos, o nosso corpo se consuma por causa da aflição e se envelheça (Sl 6.7), a doença e a tristeza devorem a nossa beleza como as traças (Sl 39.11), rubores, lágrimas e pó cubram o nosso rosto (Sl 79.7), ele ainda nos reconhece e não se envergonha de nos reconhecer. Consola-te com isto, pois que mal te fará afinal, embora os homens se recusem a reconhecer-te, Deus, o Senhor, não te esqueceu? — *Christian Scriver*

v. 8: "E não me entregaste nas mãos do inimigo; puseste os meus pés num lugar espaçoso". Ele abriu e ninguém fecha. Bendigamos ao Senhor pela porta aberta que nem homens nem demônios podem fechar. Não estamos ainda nas mãos dos homens, porque estamos nas mãos de Deus. Caso contrário, nossos pés teriam estado no tronco, e não no lugar espaçoso da liberdade. Nossos inimigos, se pudessem tanto quanto desejam, há muito teriam nos tratado como os passarinheiros quando apanham os passarinhos com as mãos. — *C. H. S.*

v. 9: "Consumidos estão de tristeza os meus olhos". Essa expressão dá a entender que os olhos verdadeiramente sofrem sob a influência da tristeza. Havia uma antiga noção, que ainda prevalece entre os incultos, que os olhos sob extrema tristeza e com um fluxo profuso e constante de lágrimas, poderia afundar e perecer sob provação. Não há fundamento sólido para essa noção, mas há uma forma muito séria de doença ocular, bem conhecida pelos oculistas pelo nome de glaucoma, o qual é muito influenciado pelas emoções mentais de natureza deprimente. Já vi muitos exemplos notáveis de casos em que houve uma tendência constitucional ao glaucoma, no qual certa tristeza súbita ocasionou ataque violento da doença e induziu cegueira de natureza incurável. Em tais casos, a explicação é mais ou menos essa. É essencial para o desempenho saudável das funções oculares, que deve possuir determinado grau de elasticidade, que é o resultado do equilíbrio exato entre a quantidade de fluido dentro do olho e a cápsula ou bolsa fibrosa externa que o contém ou o inclui. Se esse equilíbrio for perturbado, se o fluido aumentar indevidamente em termos de quantidade e o olho ficar muito duro, dor e inflamação podem ser provocadas de repente no interior do olho e a visão pode acabar rapidamente. Há um conjunto especial de nervos que preside nessa situação física peculiar, mantendo o olho no estado certo de elasticidade. É fato notável que, durante uma vida longa, por via de regra, o olho conserva esse estado de elasticidade. Se, porém, a função desses nervos for prejudicada, como pode ocorrer prontamente sob a influência de tristeza extrema ou de outro agente que o deprima, o olho pode ficar repentinamente duro. Até data comparativamente recente, o glaucoma agudo ou endurecimento súbito do olho acompanhado por dor intensa e inflamação causava cegueira total e incorrigível. Atualmente, há alívio por meio de operação. O efeito da tristeza na causa dessa forma de cegueira é uma explicação do texto: "Consumidos estão de tristeza os meus olhos".*

vv. 9 e 10:

Se vós quereis aprender, não sabendo orar
Adicionai apenas a fé, e dizei como os mendigos dizem
Senhor, eu sou pobre, cego, estou em grande angústia
Com fome, com frio, manco e desconsolado
Ó, socorra este que está coberto de crostas
De dor, de necessidade e não pode se ajudar
Lançai os teus olhos neste infeliz e tende
Piedade de mim, por amor do doce nome de Jesus
Mas espera! Presta atenção para que esta cláusula não seja interposta
Eu nunca pedi antes, nem voltarei a pedir
— *Francis Quarles*

v. 10: "Minha iniquidade". A versão italiana diz "minhas dores" (cf. "minhas aflições", NTLH), porque essa morte e todas as desgraças entraram no mundo por causa do pecado. A Bíblia muitas vezes confunde os nomes da causa e dos efeitos. — *John Diodati*

v. 10: "Porque a minha vida está gasta de tristeza, e os meus anos, de suspiros; a minha força descai por causa da minha iniquidade, e os meus ossos se consomem". Descobri que, quando os santos estão sob provação e são bastante humilhados, os pecados pequenos levantam grandes gritos na consciência. Mas na prosperidade, a consciência é um papa que dá dispensas e excessiva liberdade de ação ou expressão aos nossos corações. A cruz é tão necessária quanto a coroa é gloriosa. — *Samuel Rutherford*

v. 11: "Fui o opróbrio dos meus vizinhos". Se alguém se esforça segundo a paciência e a humildade, é hipócrita. Se ele se entrega aos prazeres deste mundo, é glutão. Se ele busca justiça, é impaciente. Se ele a busca, é tolo. Se ele age com prudência, é parcimonioso. Se ele faz as pessoas felizes, é dissoluto. Se ele se dá à oração, é vanglorioso. Essa é a grande perda da igreja que, por meios como esses, muitos são impedidos de participar da bondade! É sobre isso que o salmista lamenta, dizendo: "Por causa de todos os meus inimigos, fui o opróbrio dos meus vizinhos e um horror para os meus conhecidos; os que me viam na rua fugiam de mim". — *Crisóstomo, 347–407, citado por John Mason Neale*

v. 11: "Os que me viam na rua fugiam de mim". Certa vez, um homem velho do mundo contou um pequeno relato. Ao ouvi-lo, ocorreu-me que serviria de ilustração do que estamos analisando agora. Estando numa reunião pública, ele viu uma pessoa sair da multidão e ficar em um canto do ambiente. Ele se dirigiu até ela, a qual era uma amiga sua de longa data, e cumprimentou-a. Respondendo, ela disse com um suspiro: "Tenho passado por muitos dias de dificuldades desde a última vez que nos vimos". O que o homem do mundo fez? Imediatamente, afastou-se da sua amiga triste e deprimida e embrenhou-se na multidão. Essa é a simpatia do mundo por Jesus ou os seus servos. — *Hamilton Verschoyle*

* Pedindo informações ao Royal London Ophthalmic Hospital sobre o efeito da tristeza sobre os olhos, recebemos este texto juntamente com muitas outras informações valiosas, assinados pelo ilustríssimo doutor George Critchett, oficial médico. A cortesia deste cavalheiro e da secretária daquela nobre instituição merecem menção especial.

v. 12: "Estou esquecido no coração deles, como um morto". Temos no leito de morte de Luís XIV um texto que exemplifica muito bem como os maiores príncipes são esquecidos depois da morte. "O Luís que existiu foi abandonado, tornando-se numa massa de barro nojenta, relegado 'aos pobres e sacerdotes do *Chapelle Ardente*', que se apressaram a pô-lo 'em dois ataúdes de chumbo, derramando abundante quantidade de vinho'. Nesta tarde de verão, o novo Luís com a sua corte estão viajando para Choisy. As lágrimas do rei ainda correm, mas uma palavra mal pronunciada pelo monsenhor d'Artois faz todos rirem e não chorarem mais". — *Thomas Carlyle, "The French Revolution" [A Revolução Francesa].*

v. 12: "Estou esquecido no coração deles, como um morto; sou como um vaso quebrado". Como homem moribundo com a morte selada, cujos amigos não têm mais esperança e evitam olhar. Ou, antes, como homem morto colocado longe da vista e fora da mente, sendo enterrado mais no esquecimento do que na sepultura, quando as notícias eram: "A tua filha já está morta; não incomodes o Mestre" (Lc 8.49). — *Anthony Tuckney, Doutor em Teologia, 1599–1670*

v. 12: "Sou como um vaso quebrado". Como um vaso, por mais proveitoso que tenha sido para o dono e por mais necessário que foi para o seu serviço; contudo, quando está quebrado é jogado fora, não vindo mais em consideração. Exatamente assim é o estado do homem abandonado por aqueles de quem ele fora amigo por tanto tempo quanto pôde ser-lhes útil e oferecer-lhes alguma vantagem. — *Robert Cawdray*

vv. 12 a 15:

Esquecido como os que estão na sepultura
E como vaso quebrado sem conserto
Caluniado por muitos, medo de todos os lados
Que tomam conselhos para enlaçar a minha vida

Mas, Senhor, as minhas esperanças estão postas em ti. Eu disse:
Tu és o meu Deus, os meus dias estão nas tuas mãos
Contra os meus inimigos furiosos oponha-se a tua ajuda
E os que perseguem a minha alma impugna
— *George Sandys*

v. 13: "Pois ouvi a murmuração de muitos". Desde a infância, quando comecei a perceber a importância da alma, fui tomado por certa admiração ao verificar que, em todos os lugares, as pessoas piedosas e religiosas, que cuidam seriamente da salvação dos seus e dos outros homens, se tornavam alvos de espanto e censura do mundo, sobretudo dos homens mais cruéis e malvados, de forma que aqueles que confessavam os mesmos artigos de fé, os mesmos mandamentos de Deus por sua lei e as mesmas petições da oração do Senhor por seu desejo, professando, assim, a mesma religião, em todos os lugares insultam aqueles que se esforçam em viver intensamente o que defendem. Imaginei que se tratava de hipocrisia descarada que os homens descrentes e mundanos tinham, pois consideram aquelas as pessoas mais intoleráveis da terra, as quais estão apenas sendo verdadeiras com o que creem e se empenhando em cumprir o que todos os seus inimigos também juram e prometem. Se a religião é ruim e a nossa fé não é verdadeira, por que estes homens a confessam? Se é verdadeira e boa, por que odeiam e insultam as pessoas que vivem na prática séria dessa fé, se eles mesmos não a praticam? Mas não esperemos que haja razão e lógica quando pecado e sensualidade tornam os homens irracionais.

Mas preciso admitir que, desde que tenho observado o curso do mundo e a harmonia entre a palavra e a providência de Deus, aceitei por prova extraordinária da queda do homem, da verdade da Bíblia e da fonte sobrenatural da verdadeira santificação constatar que há inimizade universal entre os santos e a semente serpentina, que o caso de Caim e Abel é tão ordinariamente exemplificado e que aquele que nasce segundo a carne persegue aquele que nasce segundo o Espírito. Até hoje, creio que é uma grande e visível ajuda para a confirmação da nossa fé cristã. — *Richard Baxter*

v. 13: "Murmuração". Mesmo que tu sejas tão puro quanto o gelo, tão puro quanto a neve, não escaparás da calúnia. — *William Shakespeare*

v. 13: "Todos se conluiavam contra mim; intentam tirar-me a vida". Enquanto lhe mutilavam a reputação, eles o fizeram de tal maneira a ponto de encobrir a maldade com a aparência de procedimento solene e ponderado, consultando entre si para matá-lo como homem que já não deveria ser tolerado na terra. Não é de admirar que a sua mente estivesse ferida por muitas e tantas tentações tão cruéis. — *João Calvino*

v. 14: "Mas eu confiei em ti, SENHOR". A tradução correta é: "E eu tenho confiado em ti". Mas aqui é usada a partícula copulativa hebraica ו (*waw*), "e", em vez da partícula adversativa "contudo" ou "não obstante". Davi, determinando a firmeza da sua fé em oposição às investidas das tentações sobre as quais ele mencionara, nega que ele tivesse alguma vez desanimado. Antes, pelo contrário, ele ficou firme na esperança do livramento de Deus. Nem isso implica que ele se vangloriou em ser tão magnânimo e corajoso a ponto de não poder ser vencido pela fraqueza da carne. Por mais opostas que pareçam umas às outras, essas coisas estão frequentemente unidas como deveriam estar na mesma pessoa, a saber, que ao mesmo tempo que ele se consome de aflição e é privado de todas as forças, ele é apoiado por tão forte esperança que ele não cessa de invocar a Deus. Davi não foi esmagado por tão profunda tristeza e outros sofrimentos medonhos a ponto de a luz escondida da fé não poder brilhar intimamente no seu coração. Nem gemeu ele tanto sob a carga pesada das tentações a ponto de impedi-lo de ser despertado para invocar a Deus. Ele venceu muitos obstáculos para poder fazer a confissão que faz aqui. Em seguida, ele define o estilo da sua fé, isto é, que ele refletiu assim: Deus nunca lhe falharia nem o abandonaria. Observemos a maneira como ele fala: "E disse: Tu és o meu Deus". Com essas palavras, ele dá a entender que estava tão inteiramente persuadido desta verdade, que Deus era o seu Deus, que ele não admitiria sequer a sugestão do contrário. E até que esta persuasão prevaleça de modo a tomar posse de nossa mente, sempre estaremos oscilando na incerteza. Observemos, porém, que essa declaração não só é interior e secreta — feita mais no coração do que com a língua —, mas também é dirigida ao próprio Deus, como aquele que é a única testemunha disso. Nada é mais difícil quando vemos nossa fé zombada pelo mundo inteiro, do que dirigir as nossas palavras ao próprio Deus e descansar satisfeitos com o testemunho que a nossa consciência nos dá, a saber, que Ele é o nosso Deus. É, com certeza, uma prova incontestável de fé genuína, quando, por mais violentas que as ondas batam em nós e por mais dolorosas que sejam as agressões que sofremos, mantemos firmemente como princípio fixo que estamos constantemente sob a proteção de Deus, podendo dizer-lhe livremente: Tu és o nosso Deus. — *João Calvino*

v. 14: "Tu és o meu Deus". O quanto é mais valioso do que 10 mil minas de ouro podermos dizer: Deus é meu! O servo de Deus sabe disso e não vê imperfeição, sendo-lhe completa felicidade. É algo em que ele se deleita e no qual se consola. Como fez um dia desses alguém que era um grande cortesão na corte do rei Ciro e gozava-lhe de elevada estima. Ele tinha de dar a filha em casamento para um homem muito importante, mas ele não tinha grandes recursos. Então alguém lhe perguntou: Senhor, de onde tu terás meios para dar um dote para a tua filha proporcional à posição dela? Onde estão as tuas riquezas? Ele respondeu: Não preciso me preocupar com isso, ὅπου Κυρος μοι φίλος, pois Ciro é meu amigo. Nós podemos dizer muito mais, ὅπου Κυριος μοι φίλος, pois o Senhor é nosso amigo e tem atributos excelentes e gloriosos que não ficam abaixo de quaisquer necessidades ou que não nos façam felizes, sobretudo nós sendo capazes disso e feitos proporcionáveis. — *John Stoughton, "Righteous Man's Plea to True Happiness" (O Argumento dos Justos à Verdadeira Felicidade), 1640*

v. 15: "Os meus tempos estão nas tuas mãos". É observável que, nos últimos anos, quando os homens se cansam da longa e tediosa distância das viagens às Índias Orientais e precisam achar um meio mais curto pela passagem Norte-Oeste, eles sempre são malsucedidos. É por isso que não devemos usar nenhum atalho. Não podemos descuidar do nosso corpo, nem destruir a nossa saúde, nem fazer qualquer coisa para acelerar a morte, porque ganharemos por meio dela. Aquele que se apressa (mesmo deste modo) em ser rico não será inocente, pois nossos tempos estão nas mãos de Deus e, portanto, devemos entregá-los à sua providência santa. Temos muito trabalho a fazer. Não devemos ser mesquinhos no sábado, o nosso descanso, tanto quanto não estar descontentes com os nossos dias úteis, o nosso trabalho. Por conseguinte, trata-se de uma firme decisão do coração, como a do apóstolo Paulo (Fp 1.21), em que ou ficar e trabalhar ou ir e descansar é a melhor disposição mental de todas. — *Edward Reynolds*, em *John Spencer, "Things New and Old" (Coisas Novas e Velhas)*

v. 15: "Os meus tempos". Em minha opinião, ele não usa o número plural sem razão, mas se serve dele para marcar a variedade de desventuras pelas quais a vida do homem é normalmente acossada. — *João Calvino*

v. 15: "Nas tuas mãos". O relógio na parede está trabalhando, e cada tique-taque do relógio é um suspiro e uma consciência. Pobre relógio! Certa feita, convidei para visitar um amigo o médico e o secretário de um dos mais nobres e admiráveis asilos para loucos deste país. A pobre criatura, com inteligência lúcida e brilhante, só um tanto quanto nervoso e esgotado, que, em geral, tinha se ocupado inocentemente em montar e desmontar relógios pouco antes da minha visita, exibiu novos e alarmantes sintomas, atirando com força um relógio depois do outro ao chão de pedra, espatifando-os. Colocado em uma sala mais segura, eu o visitei com o secretário. "Por que você destruiu os seus relógios preferidos, pois você gostava tanto deles, e você é uma pessoa tão tranquila?", perguntou meu amigo. O pobre paciente respondeu em tom de extrema agonia: "Não pude mais suportar o tique-taque contínuo dos relógios, por isso os joguei ao chão". Mas quando o relógio pode se entregar ao fabricante, à mão que segura o relógio e mede os momentos, torna-se uma visão realmente comovente, porém muito bonita, muito sublime. Transferimos a reflexão do relógio para a mão que segura o relógio. "Os meus tempos... nas tuas mãos": o relógio e a hora têm um propósito, o qual não é em vão. Deus dá permissão para o homem ver duas coisas. O homem pode ver o trabalho inteiro, a perfeição do plano, e também pode ver o trabalho mais meticuloso, o primeiro passo para a perfeição do plano. Nada é mais certo, não há nada que os homens não estejam mais indispostos em perceber do que isto. Temos de:

Esperar por uma vida transcendente
Reservada por Deus para vir depois desta
— *Robert Browning*

Para esse fim, o verdadeiro caminho de Deus é composto de todos os caminhos de nossa vida. As suas mãos seguram todos os nossos tempos: "Os meus tempos... nas tuas mãos". Sabemos que algumas vidas diferem grandemente de outras. Mas vejamos também que algumas vidas cumprem a carreira da vida e ganham a coroa da vida — a vida na sua medida. Esta, por outro lado, os outros quase perdem. Contudo, até para a força humana tem de haver um amor dosado para governá-la. Dizem que a Lua controla as marés. Não haveria um poder que controla as almas? Pelo visto, nem sempre é assim nas vidas mais terrenas, mas é assim nas vidas celestiais. Não é mais certo que a lua influencia as marés do que Deus governa as almas. Às vezes, parece que o homem não achou poder externo adequado e se mostra ordenado para ser a lei em sua própria esfera. Mas, mesmo então, os seus tempos estão nas mãos de Deus, como a órbita de uma estrela está nas limitações do seu sistema ou como as rotações de um satélite estão nas forças do seu planeta. Mas assim como eu não faria uma pausa em palavras ou visões de vida mórbidas, assim também não desejo receber ou me encarregar em dar só uma visão do mundo mal-humorada e mórbida, e uma teologia imperfeita; porém muito diferente. "Os meus tempos estão nas tuas mãos" — as mãos do meu Salvador.

Informo como o homem pode ser obra de Deus — tudo é amor, mas tudo é lei
Na divindade busco e acho, e assim será
Um rosto como o meu rosto que te recebe, um Homem semelhante a mim
Tu o amarás e por quem serás amado para sempre, uma mão como esta mão
Escancararão as portas da vida nova para ti: Vê o Cristo está de pé!
(*Robert Browning*)

Agora, Ele é o "restaurador de veredas para morar" (Is 58.12). A mão de Cristo é a mão que governa nossos tempos. Ele regula o nosso relógio da vida. Cristo por nós e Cristo em nós. Os *meus* tempos estão nas mãos *dEle.* Minha vida não pode ser mais em vão do que foi em vão a vida do meu Salvador. — *E. Paxton Hood, "Dark Sayings on a Harp" [Declarações Sombrias em uma Harpa], 1865*

v. 15: "Os meus tempos estão nas tuas mãos; livra-me das mãos dos meus inimigos e dos que me perseguem". Quando Davi teve Saul à sua mercê na caverna, os homens que estavam com ele disseram-lhe: *Eis aqui o dia* em que Deus te livrará. Não, disse Davi, este não é o dia do meu livramento (1 Sm 24.4,5), o qual chegará somente quando for elaborado sem pecado. Esperarei por esse dia, pois é o tempo de Deus, o qual é o melhor tempo. — *Matthew Henry*

v. 16: "Faze resplandecer o teu rosto sobre o teu servo". Quando as nuvens das dificuldades esconderem o favor de Deus, a fé que o conhece brilhará novamente, e então, a oração através das nuvens as dissolverão: "Faze resplandecer o teu rosto sobre o teu servo". — *David Dickson*

v. 18: "Os lábios mentirosos que dizem coisas más com arrogância e desprezo contra o justo". Os perseguidores primitivos desdenhavam os cristãos pela companhia de pessoas más e analfabetas. Por conseguinte, segundo Tertuliano, eles descreviam o Deus dos cristãos com uma cabeça de jumento com um livro nas mãos. O significado é que, embora fingissem que estavam aprendendo, eles eram burros e ignorantes. O bispo John Jewell, no sermão sobre Lucas 11.15, cita essas palavras de Tertuliano e as aplica aos seus tempos. Não fazem os nossos adversários o mesmo, disse ele, contra todos os que professam o evangelho? Quem são esses, dizem eles, que promovem este caminho? Ninguém senão sapateiros, alfaiates, tecelões e outros que jamais frequentaram uma universidade. Estas são as próprias palavras do bispo.

O bispo White disse em julgamento público que os puritanos eram um grupo de teimosos. — *Charles Bradbury*

v. 18: "Os lábios mentirosos que dizem coisas más com arrogância e desprezo contra o justo". Naquele monumento venerável e original da Igreja de Vaudois, intitulado "A Lição de Ouro", datado de 1100, encontramos um verso que foi traduzido assim:

Se há alguém que ama e teme Jesus Cristo
Que não amaldiçoa, nem jura, nem mente
Nem é impudico, nem mata, nem toma o que pertence aos outros
Nem se vinga dos inimigos
Dizem que ele é um valdense e merecedor de castigo

— *Antoine Monastier, "A History of Vaudois Church" [Uma História da Igreja Valdense], 1859*

v. 19: "Oh! Quão grande é a tua bondade, que guardaste para os que te temem". Como o homem previdente regula a liberalidade para com todos os homens de maneira a não defraudar os filhos ou a família, nem empobrecer a própria casa, gastando os seus recursos prodigamente com os outros, assim Deus, de certa forma, ao exercer a beneficência para os estranhos da família, sabe muito bem como guardar para os seus filhos aquilo que pertence a eles, como que por direito hereditário, quer dizer, por terem sido adotados. — *João Calvino*

v. 19: "Oh! Quão grande é a tua bondade, que guardaste para os que te temem". Observemos a frase: "que guardaste para os que". A misericórdia e bondade divinas são para os que temem a Deus, como o pai que reserva certa soma de dinheiro e escreve no saco de moedas: "Esta porção é para tal filho". Mas como pode o cristão ter esse direito para com Deus, e todo esse vasto e incontável tesouro de felicidade que nele está? De fato, eis algo a que devemos dar cuidadosa atenção. É a fé que lhe dá o pleno direito a tudo isso. Aquilo que lhe torna filho, lhe torna herdeiro. É a fé que lhe torna filho de Deus: "Mas a todos quantos o receberam deu-lhes o poder de serem feitos filhos de Deus: aos que crêem no seu nome" (Jo 1.12). Se tu não reivindicares o teu direito de primogenitura que está em questão e não alegares os teus interesses em Cristo e os privilégios gloriosos que vêm juntamente com Ele, na triste disputa na sua alma, então olha para a tua fé. — *William Gurnall*

v. 19: "Oh! Quão grande é a tua bondade, que guardaste para os que te temem". Quando eu reflito sobre as palavras do seu profeta, parece-me que ele quer descrever Deus como um pai que, sem dúvida, mantém os filhos sob disciplina e os sujeita à vara. Mas quem, com todo o empenho e trabalho, ainda objetivam nada mais que guardar para si provisões que contribuam para o seu bem-estar, quando ficarem adultos e peritos no uso prudente desses recursos. Meu Pai, neste mundo, tu escondeste dos teus filhos a tua grande bondade, como se ela não pertencesse a eles. Mas sendo teus filhos, podemos ter a absoluta certeza de que o tesouro celestial não será dado a outrem. Por isto, suportarei minha sorte com paciência. Mas, de vez em quando, sopra em mim um fôlego de ar proveniente da terra celestial para refrigerar meu coração triste. Então, esperarei mais calmamente pela total realização. — *Christian Scriver*

v. 19: "Oh! Quão grande é a tua bondade". Permite-me colocar a coroa na cabeça do dever da meditação, e acrescenta mais uma coisa — que a meditação seja levada à admiração. Não só fiquemos comovidos, mas sejamos também transportados, extasiados e encantados com as belezas e transcendências das coisas celestiais. Leva a meditação à admiração, esforça-te extremamente, chegando o mais perto possível dos mais altos padrões, os padrões dos santos e anjos dos céus, cujas ações são as mais puras, cujos êxtases e enlevos são os mais altos. Assim eram estes tão excelentes artistas na meditação, Davi, eminente ator da admiração na meditação, como vemos muitas vezes nos Salmos: "Ó SENHOR, Senhor nosso, quão admirável é o teu nome em toda a terra" (Sl 8.1,9); "Oh! Quão grande é a tua bondade" (Sl 31.19); "Ó SENHOR, quão variadas são as tuas obras!" (Sl 104.24). Em outros lugares, a meditação e admiração de Davi eram como a sua harpa, bem afinadas e excelentemente tocadas, nas mais raras canções e nas mais sublimes melodias, como o ouro precioso e o brilhante extraordinário, ou como a mais rica pedra e o mais requintado polimento e incrustação. Graças a Deus por Paulo, que foi grande artista na meditação, atuou com sublimidade na admiração, pois a sua alma era muito fervorosa e ardente nessa atividade. Era como uma ave com asas fortes e longas que levanta voo e se eleva às alturas, ficando fora de vista. — *Nathaniel Ranew*

v. 19: "Na presença dos filhos dos homens", ou seja, abertamente. O salmista talvez esteja se referindo às bênçãos temporais conferidas aos piedosos e evidentes a todos. Certos estudiosos, porém, propõem que a referência seja à recompensa dos justos, dada com a maior publicidade no dia do julgamento. Essa opção concorda melhor com a nossa interpretação da primeira parte do versículo. — *Daniel Cresswell, Doutor em Teologia, Membro da Sociedade Real de Londres, 1776–1844, in loc.*

v. 19: Acreditem, senhores, vocês nem imaginam que amigo vocês terão em Deus, se ao menos vocês se deixarem ser convencidos a entrar em aliança com Ele para serem dEle, completamente dEle. Digo-lhes que muitos que às vezes pensaram e agiram como vocês agora, ou seja, foram iluminados por Cristo, odeiam a Deus e não veem encanto nEle, hoje são totalmente de outra mente. Nem por nada deste mundo eles deixam de ter interesse em Deus. Quem ousa dizer que Ele é um Senhor cruel? Quem o conhece dirá que Ele é um amigo insensível? O que as pobres criaturas têm para elas entreterem pensamentos tão rudes e amargos sobre Deus? Como? Elas pensam que não há nada nesta Escritura: "Oh! Quão grande é a tua bondade, que guardaste para os que te temem"? O salmista fala muito ampla e generalizadamente? Ele diz mais do que ele e os outros podem provar? Perguntem-lhe, e ele responderá no versículo 21, onde ele bendiz o Senhor. Essas eram coisas sobre as quais ele podia falar por experiência pessoal. Muitos milhares de pessoas como ele também podiam dizer a mesma coisa, aos quais o Senhor mostrou a sua maravilhosa bondade. Por isso, ele insiste muito entusiasmadamente com o povo de Deus para que o amem e mais elevadamente expressem o sentimento da bondade de Deus, para que o mundo também seja motivado a ter bons pensamentos. — *James Janeway*

v. 19: É muito observável esta expressão do salmista: "Oh! Quão grande é a tua bondade, que guardaste para os que te temem, e que tu mostraste àqueles que em ti confiam na presença dos filhos dos homens!" Na primeira frase, a bondade de Deus guarda; na última, ela se mostra. A bondade é guardada na promessa e mostrada no cumprimento. Essa é a bondade que é mostrada para aqueles que confiam em Deus. Como a fidelidade de Deus nos engaja em crer, assim a nossa fé, por assim dizer, engaja a fidelidade de Deus para cumprir a promessa. — *Nathanael Hardy*

v. 20: "Ocultá-los-ás, em um pavilhão, da contenda das línguas". É o que o nosso Deus amado faz secretamente para que nenhum olho humano possa ver. O descrente não sabe o que o crente é em Deus e que ele está na presença de Deus tão bem protegido, de modo que nem censura ou desprezo, e nem língua briguenta podem lhe causar dano. — *John Arndt, citado por William Wilson, 1860, Doutor em Teologia*

v. 22: "Pois eu dizia na minha pressa: Estou cortado de diante dos teus olhos; não obstante, tu ouviste a voz das minhas súplicas". Quem teria imaginado que as orações teriam tido alguma prevalência aos ouvidos de Deus, as quais estavam misturadas com tanta infidelidade no coração do pedinte? — *William Secker*

v. 22: "Pois eu dizia na minha pressa: Estou cortado de diante dos teus olhos". Não, não, cristão. A oração firmada na fé de acordo com a vontade de Deus não é desperdiçada, ainda que demore. Podemos dizer dela como Davi disse que a espada de Saul e o arco de Jônatas jamais voltariam vazios. Por isso, Davi acrescenta: "Não obstante, tu ouviste a voz das minhas súplicas, quando eu a ti clamei". — *John Flavel*

v. 22: "Pois eu dizia na minha pressa: Estou cortado de diante dos teus olhos; não obstante, tu ouviste a voz das minhas súplicas, quando eu a ti clamei". Junto com quem estava na noite, aperfeiçoemos essa alegria da manhã na que agora brilha sobre nós. Sejamos admiradores ininterruptos da graça e da misericórdia de Deus por nós. Ele nos guardou com a sua bondade, quando não viu nada em nós senão impaciência e incredulidade, quando éramos como Jonas no ventre do Inferno, então as entranhas divinas anelaram por nós, e o seu poder nos levou a um lugar espaçoso. O que fizemos para apressar o livramento ou obter a misericórdia? Se ele só viesse ao nosso auxílio quando visse algo em nós que o atraísse, ainda não teríamos sido auxiliados. Não contribuímos mais para a nossa restauração do que contribuímos para o levante do sol ou a aproximação do dia. Éramos como ossos secos sem movimento e sem força (Ez 37.1-11). E também dissemos que os nossos ossos se secaram e a nossa esperança pereceu. Estávamos cortados, mas Ele fez o espírito entrar em nós e vivemos. Quem é Deus como o nosso Deus, que perdoa a iniquidade, a transgressão e o pecado, que não retém a sua ira para sempre, que é lento para irar-se e tem prazer na misericórdia, que esteve descontente conosco por um momento, mas nos dá a esperança da sua bondade perpétua? Que amor devemos a Cristo, que intercede por nós quando nós mesmos não tínhamos nada a dizer, que nos tirou da cova dos leões e da boca do leão que ruge! Digamos como Sarah Wright disse: "Eu, que pensei que o meu tempo de misericórdia tinha passado para sempre, obtive misericórdia. Eu, que pensei já estar condenada por incredulidade, tenho a esperança do céu. Muitas vezes, eu disse que não há esperança no meu fim e pensei que o vi. Eu estava tão desesperado que não me preocupei com o que me acontecesse. Muitas vezes, estava eu à beira da morte e do Inferno, diante das portas de ambos, mas Jesus as fechou. Eu era como Daniel na cova dos leões, mas Ele fechou a boca dos leões e me livrou. A bondade de Deus é insondável. Quão grande é a excelência da sua majestade, que Ele ainda olhasse em alguém como eu, que Ele me desse paz em meios aos meus terrores e andasse continuamente como entre fogo e enxofre". — *Timothy Rogers*

v. 22: "Pois eu dizia na minha pressa: Estou cortado de diante dos teus olhos", ou seja, tu me abandonaste totalmente, e não devo mais ficar esperando em ser cuidado ou estimado por ti. Um dia, perecerei pelas mãos de Saul, e assim serei cortado de diante dos teus olhos, arruinado enquanto tu olhas (1 Sm 27.1). Segundo entendem certos estudiosos, foi o que ele disse em sua fuga, o que ressalta a angústia dos seus negócios. Saul estava ao seu encalço, pronto para agarrá-lo, o que tornava a tentação forte. "Na sua pressa" (assim entendemos), o que realça a perturbação e descompostura mental, tornando a tentação surpreendente, de forma que o pegou desprevenido. Notemos que é comum falarmos o que não devemos quando falamos com pressa e sem consideração. Temos de nos arrepender sem pressa do que falamos impropriamente em nossa pressa, particularmente o que falamos desconfiadamente acerca de Deus. — *Matthew Henry*

v. 22: "Eu dizia na minha pressa". Às vezes, surge uma emoção súbita, que extravasa em palavras iradas e petulantes, colocando tudo em um alvoroço e tumulto. Pouco tempo depois, o nosso coração nos vem ao controle, e então desejamos: "Tivesse eu mordido a língua para não ter dado tamanha liberdade desenfreada". Às vezes, desabafamos censuras irrefletidas de quem são melhores do que nós, e depois, quando refletimos, ficamos envergonhados com as consequências dos nossos atos tolos, desejando ter julgado a nós mesmos quando estávamos criticando os nossos irmãos. — *Richard Alleine*

v. 22: "Não obstante, tu ouviste a voz das minhas súplicas, quando eu a ti clamei". É como se ele tivesse dito: Quando orei com tão pouca fé, eu, por assim dizer, desfiz a minha própria oração, concluindo que o meu caso era desesperador. Contudo, Deus perdoou o meu espírito precipitado e me deu a misericórdia que eu dificilmente teria fé para esperar. Qual utilidade ele faz dessa experiência, senão aumentar a esperança dos santos nos tempos de necessidade? "Esforçai-vos, e ele fortalecerá o vosso coração, vós todos os que esperais no SENHOR" (v. 24). — *William Gurnall*

v. 22: Davi confessa a grande angústia na qual ele estava, e como estava fraca a fé durante a provação. Para a sua vergonha, é o que ele confessa e também reconhece para dar mais glória a Deus. De tudo isso, aprendemos o seguinte:

(1) A fé do piedoso pode enfraquecer, e, por vezes, a fé mais forte pode mostrar fraqueza: "Pois eu dizia na minha pressa: Estou cortado de diante dos teus olhos".

(2) Ainda que a fé seja sacudida, a raiz está firme, como a árvore açoitada pelo vento estende as raízes mais profundamente. Embora pareça que a fé se renda, ela não falha. Mesmo quando está mais fraca, ela está se expressado em algum ato, como um lutador, pois a expressão da fraqueza de Davi na fé é dirigida a Deus, e a sua oração fervorosa se uniu com ela: "Estou cortado de diante dos teus olhos; não obstante, tu ouviste a voz das minhas súplicas, quando eu a ti clamei".

(3) A fé que ora, por mais fraca que seja, não será desconsiderada por Deus, pois "não obstante", disse Davi: "tu ouviste a voz das minhas súplicas".

(4) Pode haver na alma, ao mesmo tempo, aflição opressora e esperança sustentadora, a escuridão da dificuldade e a luz da fé, a dúvida desesperadora e o agarramento forte da verdade e bondade de Deus, o desfalecimento e o esforço, a aparente rendição na luta e o combate da fé contra toda oposição, a pressa tola e a constância resoluta da fé, como aqui: "Pois eu dizia na minha pressa: Estou cortado de diante dos teus olhos; não obstante, tu ouviste a voz das minhas súplicas, quando eu a ti clamei". — *David Dickson*

v. 22: "Pois eu dizia na minha pressa: Estou cortado de diante dos teus olhos; não obstante, tu ouviste a voz das minhas súplicas, quando eu a ti clamei". Davi desabafa a surpresa diante da condescendência do Senhor em ouvir-lhe a oração. Como ficamos maravilhados pela bondade de um homem mesquinho em atender os nossos desejos! Quanto mais devemos nos maravilhar pela humildade e bondade da mais soberana majestade do céu e da terra. — *Stephen Charnock*

v. 23: "Amai ao SENHOR, vós todos os que sois seus santos". Com essas palavras, o salmista santo, com todo o calor de um zelo afetuoso, incentiva-nos ao amor de Deus, que é o sentimento mais incomparavelmente nobre de uma mente racional, a glória mais luminosa e a felicidade mais primorosa. É, como se mostra pela natureza das coisas e pelo procedimento da revelação divina, o teor abrangente do dever que devemos ao nosso Criador e a própria alma que anima a vida piedosa: "Amarás ao Senhor, teu Deus, de todo o teu coração, e de toda a tua alma, e de todas as tuas forças, e de todo o teu entendimento" (Lc 10.27). — *William Dunlop, Mestre em Ciências Humanas, 1692-1720*

v. 23: "Amai ao SENHOR, vós todos os que sois seus santos; porque o SENHOR guarda os fiéis e retribui com abundância aos soberbos". Algumas poucas palavras são necessárias para explicar o sentido. Os "santos" no texto são ou podem ser "vós todos os que sentis as misericórdias". A palavra "fiéis" é entendida, às vezes, por "pessoas", às vezes, por "coisas". Assim o Senhor preserva os verdadeiros homens e as verdades, bem como os fiéis e as fidelidades.

"Retribui com abundância aos soberbos", ou, o Senhor retribui com abundância; o Senhor, que faz coisas maravilhosas. "Com abundância" é ou *in cumulum, abunde*, ou *in nepotes*, como certos estudiosos preferem. Mas eu prefiro recomendar do que emendar traduções. Meu desejo é que algumas das horas de discussão dos meus irmãos instruídos e cultos sejam gastas em esclarecer os originais, transmitindo, assim, a pura Escritura para a posteridade, do que em escrever às pressas palavras mordazes e em fazer rinhas de púlpitos. — *Hugh Peters, sermão pregado em ambos os Parlamentos, diante do Prefeito e Vereadores da Cidade de Londres e na Assembleia dos Ministros, no último Dia de Ação de Graças, em 2 de abril. Pela recuperação do Ocidente e pelo licenciamento de 5 mil dos Cavaleiros do Rei, etc., 1645*

v. 23: "Retribui com abundância aos soberbos". A próxima pergunta é: Como Deus retribui aos soberbos? E nisso, embora os procedimentos de Deus sejam diversos, os seus caminhos estejam muitas vezes nas nuvens, os seus julgamentos se deem no recesso do coração e as mais insignificantes quantias sejam pagas aos soberbos no grande dia, Ele nos deixou muita coisa da sua mente que até mesmo nesta vida Ele distribui algo para os soberbos. É o que Ele chama de "o dia da recompensa", o qual Ele manifesta comumente nestes pormenores:

(1) Por meio da vingança. Foi por Adoni-Bezeque ter cortado os dedos polegares dos pés e das mãos de setenta reis que os seus polegares foram cortados (Jz 1.7). Da mesma forma, os pobres judeus que gritaram bem alto: "Crucifica-o! Crucifica-o!" (Lc 23.21), foram tantos deles crucificados que, se crermos em Josefo, faltou madeira para fazer cruzes e espaço no lugar habitual para fixar as cruzes que eram feitas. Armadilhas são armadas e covas são cavadas geralmente pelos próprios soberbos, de que a Bíblia dá testemunho abundante ao longo das suas páginas.

(2) Por meio de decepções vergonhosas, raramente colhendo o que semearam, nem comendo o que caçaram, fato que era mais claro no Estado judeu quando Jesus estava entre eles. Judas o traiu por dinheiro, mas não viveu para gastá-lo. Pilatos, para agradar César, recusando todos os conselhos, entrega Jesus a esse assassínio, por cujo ato arruinou a si mesmo e a César. Os sacerdotes judeus, para manter essa dominação e honra (os quais eles pensaram que o filho de José e Maria roubaram deles), clamaram em alta voz pela morte de Jesus, o que foi um sepulcro para eles e sua glória. O pobre povo que crucificou Jesus (por medo de os romanos tomarem a cidade), abriu por essa morte as portas aos romanos, ao próprio César, temendo que, por Jesus estar vivendo entre eles (que hoje põe em operação todo ato de governar) haveria uma grande mudança no governo. Mas essa mudança ocorreu pouco tempo depois, pois o povo judeu não tinha nem coroa nem cetro para ostentar, conforme lemos na história de Tito e Vespasiano. Todos esses procedimentos de Deus para com os soberbos nos são elegantemente apresentados pelo salmista: "Eis que esse está com dores de perversidade; concebeu trabalhos e produzirá mentiras. Cavou um poço, e o fez fundo, e caiu na cova que fez" (Sl 7.14,15). — *Hugh Peters, 1645*

v. 24: "Esforçai-vos", ou "sede fortes" (ARA). Podemos descrever a força ou a coragem cristã dessa forma.

Em primeiro lugar, é a audácia destemida de um coração santificado aventurando-se em dificuldades e suportando sofrimentos por uma boa causa na chamada de Deus. O gênero e a natureza comum disso é uma audácia destemida. Essa animosidade, como alguns expressam, é comum aos homens e a certos animais. O leão é o mais forte entre os animais, que por ninguém torna atrás (Pv 30.30). Há uma descrição elegante do cavalo de guerra em relação à coragem (Jó 39.19). Essa coragem ou força que está nos animais faz parte da mesma coragem ou força que Deus se agrada em dar aos homens. Esta é a promessa do Senhor: "Fiz como diamante a tua fronte, mais forte do que a pederneira" (Ez 3.9). No original hebraico, o termo "mais forte" é o mesmo que está aqui no texto sob estudo — *fortiorem petra* —, a pedra que não tem medo do tempo, verão ou inverno, sol ou chuva, calor ou frio, geada ou neve. Não fica confundida, nem envergonhada, não muda de aparência, mas continua a mesma. É o que a coragem ou a força é na sua natureza comum.

Em segundo lugar, analisemos o objeto. É o coração, o castelo onde a coragem ou a força comanda e exerce a disciplina militar. Devo dizer que está dentro do peito, está na alma do soldado valoroso. Certos estudiosos concebem que a palavra coragem é derivada de *cordis actio*, o próprio agir do coração. A Bíblia descreve que o homem valente é o homem cujo coração é como o coração de leão (2 Sm 17.10). A palavra hebraica original é traduzida por "corajoso", como em Amós 2.16 (ARA), podendo ser corretamente traduzida por "homem de coração". Amado, o valor não consiste em olhos perspicazes, em olhares terríveis, em palavras grandes, mas consiste no ímpeto, no vigor que está no peito. Às vezes, o covarde pode parar diante da indicação da voz rugidora e do semblante duro. Considerando que a verdadeira fortaleza se acha no peito daquele cujo comportamento externo promete pouco ou nada desse tipo.

Em terceiro lugar, notemos a qualificação deste mesmo objeto. Eu disse um coração santificado, porque não estou falando agora da fortaleza como virtude moral, da qual os gentios que não têm Deus são capazes e para a qual muitos entre eles que não são cristãos foram meritoriamente recomendados. Mas estou discursando agora da coragem ou força como virtude teológica, como qualificação benevolente, colocada no povo de Deus por aliança especial. Há três coisas que a caracterizam e que a distinguem da virtude moral da fortaleza.

(1) A raiz, de onde saiu. A raiz, de onde saiu, é o amor a Deus. Todos os santos de Deus que amam ao Senhor são de boa coragem. O amor de Cristo me constrange para fazer estas aventuras corajosas e valorosas, diz o apóstolo Paulo (2 Co 5.14).

(2) A regra, por meio da qual é dirigida. A regra, por meio da qual é dirigida, é a palavra de Deus. É o que o Senhor se agradou em deixar registrado para a orientação cristã nas páginas santas: "O Senhor te dê tão-somente prudência e entendimento e te instrua acerca de Israel; e isso para guardar a Lei do Senhor, teu Deus. Então, prosperarás, se tiveres cuidado de fazer os estatutos e os juízos, que o Senhor mandou a Moisés acerca de Israel; esforça-te, e tem bom ânimo, e não temas, nem tenhas pavor" (1 Cr 22.12,13). Sê um homem de coragem e força, mas que a tua coragem e força seja de acordo com a minha mente, de acordo com esta regra.

(3) O fim, ao qual se refere. O fim, ao qual se refere, é Deus. Todo homem santificado é abnegado e promotor de Deus. O seu Deus é o centro no qual estão as suas ações e empreendimentos. A sua alma não se satisfaz senão em Deus. *— Ash Simeon, sermão pregado diante dos Comandantes das Forças Militares da renomada Cidade de Londres, 1642*

v. 24: "Esforçai-vos", ou "sede fortes" (ARA). Tenho de mencionar alguns deveres importantes que são incumbidos toda a consciência? A obra de mortificação para arrancar os olhos, cortar as mãos, amputar os pés. Você acha que um covarde, um homem que não é homem de um espírito robusto, fará isso? Para o homem, massacrar as concupiscências da carne é, por assim dizer, mutilar e desmembrar o próprio corpo. É para o homem um trabalho doloroso e penoso amputar os próprios pés, cortar as próprias mãos, arrancar os próprios olhos, como expressam Jesus e o apóstolo Paulo. Além disso, há nos cristãos lugares seguros a serem destruídos, fortificações a serem demolidas. Há montes elevados e montanhas altas que têm de ser aplainadas ao chão.

Há trincheiras a serem abertas, vales a serem enchidos. Amados, não posso deixar de citar os montes que estão diante de nós a caminho do Céu, os quais temos de escalar, e os rochedos escarpados que temos de transpor. Claro que sem coragem ou força, o trabalho colocado em nossas mãos não será feito. Há também os muros de Jerusalém a serem reparados e o templo a ser reedificado. Se Neemias não tivesse sido homem de espírito valente, ele nunca teria realizado esse trabalho da igreja, esses serviços pesados e importantes que ele empreendeu. Como isso é aplicável a nós atualmente, o tempo de nossa reforma iniciada, não falo, mas deixo com você em suas considerações. Peço que leia Neemias 4.17,18: "Os que edificavam o muro, e os que traziam as cargas, e os que carregavam, cada um com uma mão fazia a obra e na outra tinha as armas. E os edificadores cada um trazia a sua espada cingida aos lombos, e edificavam; e o que tocava a trombeta estava junto comigo". Enquanto trabalhavam, estavam prontos para a guerra. — *Ash Simeon*

v. 24: "E ele fortalecerá o vosso coração". Coloca-te em posição de aventura corajosa por Deus, e a sua providência será exercida docemente para o teu bem. O comandante digno é muito cuidadoso da espada do valente, o homem que luta na boca do canhão! Ele fica sabendo que o outro teve um osso quebrado? Envia-o ao ortopedista. Ele vai sangrar até à morte? Chama um cirurgião. Que ele o anuncie para evitar esse perigo. Ele fica cada vez mais fraco? Há algo no acampamento que lhe restabeleça o espírito? Não retenhas nada, pois nada é bom demais, caro demais. Ele comeria ouro se tivesse. Assim é com Deus. Quantas letras de louvor Ele dá na manifestação do seu amor para os crentes em Pérgamo por esta mesma razão: "Eu sei as tuas obras, e onde habitas, que é onde está o trono de Satanás; e reténs o meu nome e não negaste a minha fé, ainda nos dias de Antipas, minha fiel testemunha, o qual foi morto entre vós, onde Satanás habita" (Ap 2.13). Tu combateste por Cristo na cova onde o Diabo comandava. Tu permaneceste e compareceste diante dele quando outros homens perderam a coragem e desistiram. Eis o homem a quem Deus reconhecerá. Tal homem terá o coração e a mão de Deus para honrá-lo e receber consolo. Portanto, apelo para a tua consciência: não vale a pena ter esta coragem? Não vale a pena buscá-la? — *Ash Simeon*

SUGESTÕES AOS PREGADORES

v. 1. Fé expressada, confusão desaprovada, livramento buscado.

v. 1. "Em ti, Senhor, confio." Confissão pública de fé: (1) Deveres que precedem a confissão, autoexame. (2) Modos de fazer a confissão. (3) Conduta encarregada aos que fizeram a confissão.

v. 1. "Livra-me pela tua justiça." Até onde a justiça de Deus está envolvida na salvação do crente.

v. 2. "Inclina para mim os teus ouvidos." É uma grande condescendência Deus ouvir a oração.

v. 2. "Livra-me depressa." Até onde podemos insistir com Deus acerca do tempo.

vv. 2 e 3. "Sê a minha firme rocha, uma casa fortíssima que me salve. Porque tu és a minha rocha e a minha fortaleza." Aquilo que temos podemos ainda buscar mais.

v. 3. Explique a metáfora de Deus como uma fortaleza rochosa da alma.

v. 3. "Pelo que, por amor do teu nome, guia-me e encaminha-me": (1) Uma bênção necessária: "Encaminha-me". (2) Uma bênção alcançável. (3) Um argumento por estar sendo concedido: "Pelo que, por amor do teu nome".

v. 4. O livramento dos enlaçados na rede: (1) Os passarinheiros. (2) A colocação da rede. (3) A captura da ave. (4) O grito da ave apanhada. (5) O livramento.

v. 4. "Tu és a minha força." O fraco cingido com onipotência.

v. 5. (1) Morrer, segundo o relato do santo, é uma obra difícil. (2) Os filhos de Deus, quando percebem que estão próximos da morte, preocupam-se principalmente com o seu espírito imortal que está prestes a partir. (3) Estes, tendo escolhido Deus por seu Deus, gozam de abundante encorajamento ao morrerem quando entregam o espírito nas mãos de Deus, com a esperança de o espírito estar salvo, seguro e feliz para sempre com Ele. — *Daniel Wilcox*

v. 5. O réquiem dos crentes. A redenção é a fundação de nosso descanso em Deus: (1) O que fazemos: nós nos encomendamos a Deus. (2) O que Deus fez: Ele nos redimiu.

v. 6. O ódio santo como virtude discriminada do fanatismo. Ou, o bom aborrecedor.

v. 7. (1) A alegria de um atributo afetuoso. (2) A narrativa de uma experiência interessante. (3) O deleite de um favor diretamente pessoal de Deus.

v. 7. "Pois consideraste a minha aflição." Consideremos a medida, os efeitos, o tempo, a moderação, o fim e a recompensa.

v. 7. "Conheceste a minha alma nas angústias." A intimidade de Deus com o aflito.

v. 8. O livramento cristão é tema de alegria.

v. 9. O lamento daquele que chora.

v. 9. "Consumidos estão de tristeza os meus olhos, a minha alma e o meu corpo." (1) A tristeza excessiva: seus efeitos prejudiciais no corpo, no entendimento e na natureza espiritual. (2) O pecado da tristeza. (3) A cura da tristeza.

vv. 9 e 10. O gemido do doente é um lembrete para aqueles que gozam de boa saúde.

v. 10. "A minha força descai por causa da minha iniquidade." A influência debilitante do pecado.

v. 11. O homem bom de quem se fala mal.

v. 12. O tratamento que o mundo dá aos seus melhores amigos.

v. 14. Fé peculiarmente gloriosa em tempos de grande provação. O lançamento da âncora mestra durante a tempestade.

v. 15. O crente e o cuidado peculiar da providência.

v. 15. "Os meus tempos estão nas tuas mãos": (1) O caráter da experiência terrena dos santos: "Os meus tempos", quer dizer, as mudanças pelas que eu passarei. (2) A vantagem dessa diversidade: (a) As mudanças revelam os vários aspectos do caráter cristão. (b) As mudanças fortalecem o caráter cristão. (c) As mudanças nos levam a admirar um Deus que não muda. (3) O consolo para todos os tempos: (a) Dá a entender que as mudanças da vida estão sujeitas ao controle divino. (b) Deus sustentará o seu povo durante essas mudanças. (c) Por conseguinte, essas mudanças resultarão abundantemente para o nosso ganho. (4) O comportamento que deve nos caracterizar: (a) Devoção corajosa para com Deus em tempos de perseguição. (b) Resignação e satisfação em tempos de pobreza e sofrimento. (c) Zelo e esperança em tempos de labuta. — Extraído de "Stems and Twigs" (Talos e Ramos), ou "Sermon Framework" (Estrutura para Sermão)

v. 16. A percepção do favor divino: (1) O seu valor. (2) Como perdê-lo. (3) Como renová-lo. (4) Como retê-lo. A melhor recompensa do servo celestial.

v. 16. "Salva-me por tuas misericórdias." Uma oração pelos santos em todas as épocas da vida. Notemos o seu objetivo: "Salva-me", e o seu argumento: "Por tuas misericórdias". É a oração adequada para os penitentes, os doentes, os duvidosos, os experimentados, os crentes avançados, os santos moribundos.

v. 17. A confusão (ou vergonha) e o silêncio dos ímpios na eternidade. O silêncio da sepultura e a sua eloquência séria.

v. 19. Título sugestivo: "A santa admiração de Davi diante da grande bondade do Senhor", in: "Spurgeon's Sermons" (Sermões de Spurgeon), n.º 773.

v. 20. O crente é protegido das zombarias da arrogância pela percepção da presença divina, e guardado da amargura da difamação pela glória do Rei a quem ele serve.

v. 21. Bondade maravilhosa. É maravilhosa por vir a mim de tal modo, em tal tempo, em tal medida por bastante tempo.

v. 21. Eventos memoráveis da vida a serem observados, registrados, meditados, repetidos, tornados temas de gratidão e base de confiança.

v. 22. Incredulidade confessada e fidelidade adorada. O mal que causam as palavras precipitadas.

v. 23. Exortação para amar ao Senhor: (1) O assunto em si: "Amai ao Senhor". (2) A quem se dirige: "Vós todos os que sois seus santos". (3) Por quem é falada. (4) Com que argumentos é sustentada: "Porque o Senhor guarda os fiéis e retribui com abundância aos soberbos".

v. 24. "Esforçai-vos", ou "sede fortes" (ARA). Coragem ou força santa: Suas excelências, dificuldades, encorajamentos e triunfos.

SALMO 32

TÍTULO

"Masquil de Davi." Não é somente esse título que prova que Davi escreveu este salmo gloriosamente evangélico, mas também as palavras do apóstolo Paulo registradas em Romanos 4.6-8: "Assim também Davi declara bem-aventurado o homem a quem Deus imputa a justiça sem as obras, dizendo: Bem-aventurados aqueles cujas maldades são perdoadas, e cujos pecados são cobertos. Bem-aventurado o homem a quem o Senhor não imputa o pecado".

É provável que esse arrependimento profundo do grande pecado que Davi cometeu tenha sido seguido por tamanha paz feliz que ele foi levado a derramar o espírito na música suave dessa canção seleta. Segundo a ordem histórica, este Salmo vem depois do Salmo 51. *Masquil* é um novo título para nós. Indica que este é um Salmo instrutivo ou didático. A experiência do crente oferece instrução preciosa para os outros, revela as pisadas do rebanho e, assim, consola e dirige os fracos. Talvez, neste caso, fosse importante antepor a palavra para que os santos duvidosos não fiquem a imaginar que o Salmo é a expressão peculiar de um indivíduo singular, mas que eles podem apropriar-se dele como lição dada pelo Espírito de Deus. No Salmo 51, Davi prometeu ensinar aos transgressores os caminhos do Senhor. Neste, ele o faz com muita eficiência. Hugo Grócio opina que este Salmo foi composto para ser cantado no dia anual da expiação judaica quando os judeus faziam uma confissão geral de pecados.

DIVISÃO

Em nossa leitura, achamos conveniente destacar a bênção dos perdoados (vv. 1,2), a confissão pessoal de Davi (vv. 3 a 5) e a aplicação do caso para outras pessoas (vv. 6,7). A voz de Deus é ouvida pelo perdoado nos versículos 8 e 9. O Salmo conclui com uma porção para cada uma das duas grandes classes de homens (vv. 10,11).

EXPOSIÇÃO

1 *Bem-aventurado aquele cuja transgressão é perdoada, e cujo pecado é coberto.*
2 *Bem-aventurado o homem a quem o* Senhor *não imputa maldade, e em cujo espírito não há engano.*

1. *"Bem-aventurado."* Como o Sermão do Monte, este Salmo começa com bem-aventuranças. Este é o segundo Salmo da bênção. O Salmo 1 descreve o resultado da bem-aventurança santa, o Salmo 32 detalha a causa. O Salmo 1 mostra a árvore em pleno crescimento, o Salmo 32 a apresenta quando foi plantada e regada. Aquele que no Salmo 1 é um leitor do livro de Deus, no Salmo 32 é um suplicante aceito e ouvido diante do trono de Deus.

"Bem-aventurado aquele cuja transgressão é perdoada." Aquele que agora é bem-aventurado, o será para sempre. Seja ele pobre, ou esteja doente ou triste, ele é bem-aventurado em tudo o que faz. A misericórdia perdoadora é de todas as coisas no mundo algo a ser elevadamente estimado, pois é o único caminho seguro para a felicidade. Ouvir do próprio Espírito de Deus as palavras *absolvo te* é uma alegria indizível. Nesse caso, a bem-aventurança não é atribuída ao homem que é um diligente guardador da lei, pois então ela jamais nos seria dada, mas, antes, ao transgressor da lei, o qual pela mais rica e livre graça foi perdoado. Os fariseus metidos a santos não têm parte nessa bem-aventurança. Para o filho pródigo que voltava, a palavra de boas-vidas é pronunciada aqui, dando início à música e dança. O perdão total, instantâneo e irreversível da transgressão torna o Inferno do pobre pecador em Céu, fazendo do herdeiro da ira um participante da bem-aventurança. O verbo hebraico traduzido por "perdoada" é, no original, "tirada para fora", "retirada", como um fardo que é levantado ou uma barreira que é removida. Que grande levantamento é este. Custou ao Salvador o suor de sangue para levar nossa carga — custou-lhe a vida para retirá-la completamente. Sansão levou as portas de Gaza, mas o que era isso em comparação ao peso que Jesus carregou em nosso favor?

"E cujo pecado é coberto." Coberto por Deus, como a arca era coberta ou tampada pelo propiciatório, ou como Noé foi coberto ou abrigado da inundação, ou como os egípcios foram cobertos ou engolfados pelas profundezas do mar. Que tremenda cobertura é esta que esconde para sempre dos olhos do Deus onisciente todas as impurezas da carne e do espírito! Aquele que outrora viu o pecado na sua deformidade horrível, apreciará a felicidade de não vê-lo mais para sempre. A expiação de Cristo é a propiciação, a cobertura, o encerramento do pecado. Quando isto ocorre e é crido, a alma sabe que agora foi aceita no Amado e desfruta então de uma bem-aventurança consciente, a qual é o antegozo do céu. O texto deixa claro que o homem pode saber que foi perdoado. Onde estaria a bem-aventurança de um perdão do qual não se tomou conhecimento? Claro que é questão de conhecimento, pois esta é a base do consolo.

2. *"Bem-aventurado o homem a quem o Senhor não imputa maldade."* No original hebraico, a palavra "bem-aventurado" está no plural: Bem-aventurados. As alegrias duplicadas, as coletâneas da felicidade, as montanhas da delícia! Notemos as três palavras que são frequentemente usadas para denotar a nossa desobediência: transgressão, pecado e iniquidade (ARA). São o cérbero — o cão de três cabeças, segundo a mitologia grega — que guarda as portas do Inferno. Mas nosso glorioso Senhor silenciou para sempre os latidos desse monstro contra os crentes. A trindade do pecado foi vencida pela trindade do céu. A não-imputação é da mesma essência do perdão. O crente peca, mas o pecado não lhe é considerado, nem levado em conta. Certos teólogos espumam pela boca com fúria contra a justiça imputada. Cabe a

nós vermos nosso pecado não imputado, como Paulo expressa: "Deus imputa a justiça sem as obras" (Rm 4.6). É realmente bem-aventurado aquele que tem um substituto para representá-lo em cuja conta todas as suas dívidas são debitadas.

"E em cujo espírito não há engano." Aquele que foi perdoado é em cada situação ensinado a lidar honestamente consigo mesmo, com o seu pecado e com o seu Deus. O perdão não é uma fraude, e a paz que traz não é causada ludibriando a consciência. A auto-ilusão e a hipocrisia não ocasionam a bem-aventurança. Podem narcotizar a alma no Inferno com sonhos agradáveis, mas no Céu da verdadeira paz, eles não têm ação sobre a vítima. Livre da culpa, livre do engano. Aqueles que são justificados da falta são santificados da falsidade. O mentiroso não é uma alma perdoada. A deslealdade, a falsidade, o engano, a trapaça, a dissimulação são características dos filhos do Diabo. Mas aquele que é lavado do pecado é verdadeiro, honesto, simples e inocente. Não pode haver bem-aventurança para os malandros com os seus esquemas, truques, tramóias e fingimentos. Eles têm muito medo de que alguém descubra que eles estão tranquilos. A sua casa está construída à beira do vulcão, e o seu fim será a destruição eterna. Observemos as três palavras para descrever o pecado e as três palavras para representar o perdão. Analisemos bem e prestemos atenção aos significados (ver nota mais adiante).

3 *Enquanto eu me calei, envelheceram os meus ossos pelo meu bramido em todo o dia.*
4 *Porque de dia e de noite a tua mão pesava sobre mim; o meu humor se tornou em sequidão de estio. (Selá)*
5 *Confessei-te o meu pecado e a minha maldade não encobri; dizia eu: Confessarei ao SENHOR as minhas transgressões; e tu perdoaste a maldade do meu pecado. (Selá)*

Davi nos apresenta a sua própria experiência. Não há instrutor tão eficiente quanto aquele que testemunha do que pessoalmente sabe e sente. Escreve bem aquele que, como a aranha, tece a matéria a partir das próprias entranhas.

3. *"Enquanto eu me calei."* Quando por negligência não confessei ou por desespero não ousei confessar, "os meus ossos", as pilastras sólidas do meu corpo, as partes mais fortes da minha constituição física, "envelheceram", começaram a deteriorar-se com fraqueza, pois a minha aflição era tão intensa a ponto de minar a minha saúde e destruir a minha energia vital. Que coisa mortal é o pecado! É uma doença pestilenta! É um fogo nos ossos! Enquanto sufocamos o pecado, ele se enfurece e, como uma ferida supurada, incha horrivelmente e atormenta terrivelmente.

"Pelo meu bramido em todo o dia." Ele ficou calado quanto à confissão, mas não quanto à tristeza. O horror à sua grande culpa levou Davi a lamentos incessantes até que a voz já não era como a fala articulada do homem, mas estava tão cheia de suspiros e gemidos que se assemelhava ao bramido de um animal ferido. Ninguém conhece as fortes dores da convicção senão aqueles que as experimentaram. Os instrumentos de tortura são fichinha em comparação com o Tofete que a consciência culpada acende dentro do peito. Melhor sofrer todas as doenças passíveis ao corpo humano do que ficar sob o sentimento esmagador da ira do Deus Todo-poderoso. A inquisição espanhola com todos os seus suplícios não é nada diante do inquérito que a consciência mantém no interior do coração.

4. *"Porque de dia e de noite a tua mão pesava sobre mim."* O dedo de Deus pode nos esmagar — o que diremos da sua mão, e esta nos pressionando pesada e continuamente? Sob o terror da consciência, os homens têm pouco descanso à noite, pois os horríveis pensamentos do dia os perseguem no quarto de dormir e assombram os sonhos, ou então eles ficam acordados suando frio de medo. A mão de Deus é muito útil quando enaltece, mas é muito terrível quando oprime.

Melhor suster um mundo nos ombros, como Atlante, do que pesar a mão de Deus no coração, como Davi.

"O meu humor se tornou em sequidão de estio." A seiva da alma se secou, e o corpo, por solidariedade, se mostrou privado dos fluidos necessários. O óleo quase acabou da lâmpada da vida, e a chama tremeluziu como se fosse apagar imediatamente. A transgressão não confessada, como um veneno feroz, secou a fonte da força do homem e o tornou como uma árvore dinamitada por um raio, ou uma planta que murchou pelo calor ardente do sol tropical. Quando a pobre alma toma conhecimento do pecado mas não se lembra do Salvador, passa por dificuldades realmente terríveis.

"Selá." Era hora de mudar o tom, pois as notas estão muito baixas na escala. Em virtude do uso forçado, as cordas da harpa ficaram desafinadas. O próximo versículo fixará outro tom, ou relatará um assunto mais alegre.

5. *"Confessei-te o meu pecado."* Depois de longa espera, o coração quebrantado refletiu sobre o que deveria ter sido feito desde o início e abriu o peito diante do Senhor. O bisturi tem de agir na úlcera supurada antes de haver alívio. A mínima coisa que podemos fazer para sermos perdoados é reconhecer nossa falta. Se formos muito orgulhosos para isso, merecemos duplo castigo.

"E a minha maldade não encobri." Temos de confessar a culpa como também o fato do pecado. É inútil escondê-lo, pois é bem conhecido a Deus. É-nos benéfico reconhecê-lo, pois uma confissão total amolece e humilha o coração. Até onde for possível, temos de desvelar os segredos da alma, desenterrar o tesouro escondido de Acã e, por peso e medida, trazer a lume os nossos pecados.

"Dizia eu." Esta foi a sua decisão firme.

"Confessarei ao Senhor as minhas transgressões." Confessarei não aos meus semelhantes ou ao sumo sacerdote, mas ao Senhor. Mesmo naqueles dias de simbolismo, os fiéis olhavam somente a Deus em busca de libertação da carga intolerável do pecado. Muito mais hoje, quando os tipos e sombras desapareceram com o aparecimento do amanhecer. Quando a alma determina prostrar-se e declara-se culpada, a absolvição está perto. Por conseguinte, lemos: "E tu perdoaste a maldade [ou "iniquidade", ARA] do meu pecado".

Não só o pecado em si foi perdoado, mas a iniquidade dele. O vírus da culpa foi destruído, e de uma vez por todas, assim que foi reconhecido. Os perdões de Deus são profundos e completos. A faca da misericórdia corta a raiz da erva daninha do pecado.

"Selá." Outra pausa foi necessária, pois o assunto não é algo que possa tratado às pressas.

Faze uma pause, alma minha, adora e maravilha-te
Pergunta: Por que tamanho amor por mim?
A graça me pôs como membro
Da família do Salvador
Aleluia!
Obrigado, sou eternamente obrigado a ti

6 *Pelo que todo aquele que é santo orará a ti, a tempo de te poder achar; até no transbordar de muitas águas, estas a ele não chegarão.*

7 *Tu és o lugar em que me escondo; tu me preservas da angústia; tu me cinges de alegres cantos de livramento. (Selá)*

6. *"Pelo que todo aquele que é santo orará a ti, a tempo de te poder achar."* Se o salmista quer dizer que, por causa da misericórdia de Deus, as outras pessoas ficarão esperançosas, o seu testemunho é verdadeiro. Respostas extraordinárias

à oração contribuem muito para a devoção das pessoas tementes a Deus. Onde alguém acha uma pepita de ouro, outros se sentem inclinados a cavar. O benefício da nossa experiência para as outras pessoas deve nos reconciliar a esse respeito. Não há dúvida de que o caso de Davi levou milhares de pessoas a buscarem ao Senhor com esperançosa coragem, as quais, sem este exemplo para incentivá-las, poderiam ter morrido desesperadas. Talvez o salmista quisesse dizer que todos os piedosos buscariam este favor ou outro semelhante. Podemos confirmar mais uma vez o seu testemunho, pois todos se aproximarão de Deus da mesma maneira que ele fez quando a piedade reina no coração. O propiciatório é o caminho para o céu para todos os que jamais iriam para lá. Há, porém, o tempo certo para a oração, fora do qual ela será infrutífera. Entre o momento do pecado e o dia da punição a misericórdia reina nesse período e Deus pode ser achado. Mas assim que sai a sentença, é inútil apelar, pois o Senhor não será achado pela alma condenada. Querido leitor, não desprezes o tempo aceitável, não desperdices o dia da salvação. O crente ora no período em que o Senhor promete responder. O descrente adia a petição até que o Senhor da casa tenha se levantado e fechado a porta. Então, bater à porta será muito tarde. Que bênção é sermos levados a buscar ao Senhor antes que as grandes e destruidoras águas transbordem pelas margens, pois quando surgirem, estaremos seguros.

"Até no transbordar de muitas águas, estas a ele não chegarão." As inundações virão, e as ondas se enfurecerão e se lançarão como os vagalhões do Atlântico. Remoinhos e trombas d'águas estarão por todos os lados, mas o homem de oração estará a distância segura, muito bem guardado de todos os males. Davi estava muito familiarizado com essas grandes inundações que tomavam conta de tudo, com rios caudalosos cujos leitos em outros tempos estavam praticamente secos. Essas águas transbordantes causavam enormes prejuízos e danos, e, como no caso do Quisom, bastavam para destruir exércitos inteiros. De catástrofes súbitas e devastadoras assim apresentadas metaforicamente o verdadeiro suplicante estará guardado. Aquele que é salvo do pecado não tem necessidade de temer nada mais.

7. *"Tu és o lugar em que me escondo."* Esse versículo é formado de frases concisas e curtas, mas que contêm um mundo de significado. Afirmações pessoais calçadas em nosso Deus são a alegria da vida espiritual. Prender-se ao Senhor com o gancho do pronome possessivo pessoal "meu" é totalmente prazeroso (cf. "Tu és o meu esconderijo",(ARA). Observemos que o mesmo homem que, no versículo 4, estava oprimido pela presença de Deus, aqui acha um lugar em que se esconde. É o que fazem a confissão honesta e o perdão completo! O evangelho de substituição faz com que ele seja o nosso esconderijo — ele mesmo que, do contrário, teria sido o nosso *juiz*.

"Tu me preservas da angústia." A angústia não me causará dano quando o Senhor está comigo. Mais exatamente, ela me será muito benéfica, como a lima que tira a ferrugem, mas não destrói o metal. Observemos os três tempos: já notamos o passado triste, a última frase era um presente alegre e esta é um futuro feliz.

"Tu me cinges de alegres cantos de livramento." Que frase de ouro! O homem é cercado com canções e envolvido com misericórdias dançantes, todas proclamando os triunfos da graça. Não há ruptura no círculo, que o cerca completamente em volta. De todos os lados ele ouve música. Diante dele, a esperança soa os címbalos, e atrás, a gratidão bate o adufe. À direita e à esquerda, em cima e em baixo o ar ressoa com alegria. Tudo isso para o mesmo homem que, há algumas semanas, estava bramindo o dia todo. Que grande mudança! Que maravilhas a graça tem feito e muitas mais ainda fará!

"Selá." Houve a necessidade de fazer uma pausa, pois um amor tão surpreendente assim precisa de reflexão, e uma alegria tão grande demanda contemplação silenciosa, visto que as palavras não o expressam.

8 *Instruir-te-ei e ensinar-te-ei o caminho que deves seguir; guiar-te-ei com os meus olhos.*
9 *Não sejais como o cavalo, nem como a mula, que não têm entendimento, cuja boca precisa de cabresto e freio, para que se não atirem a ti.*

8. *"Instruir-te-ei e ensinar-te-ei o caminho que deves seguir."* É o Senhor que está falando, dando ao salmista uma resposta à oração. Nosso Salvador é o nosso instrutor. O próprio Senhor se digna em ensinar os seus filhos a andar no caminho da integridade. A sua palavra santa e as admoestações do Espírito Santo são os diretores das relações sociais diárias do crente.

Não fomos perdoados para vivermos daqui em diante segundo as nossas próprias concupiscências, mas para sermos ensinados na santidade e exercitados para a perfeição. O ensinamento celestial é uma das bênçãos da aliança cuja adoção nos sela: "E todos os teus filhos serão discípulos do Senhor" (Is 54.13). O ensino prático é a melhor instrução. Eles são extremamente felizes, embora nunca tenham se sentado aos pés de Gamaliel e sejam desconhecedores de Aristóteles e dos princípios da ética das escolas. Não obstante, aprenderam a seguir o Cordeiro para onde quer que ele vá.

"Guiar-te-ei com os meus olhos." Como os servos obedecem só com o olhar do senhor, sendo necessário apenas uma piscada ou um leve movimento de cabeça, assim devemos obedecer as mais leves indicações do nosso Senhor, não havendo a necessidade de raios e trovoadas para espantar a nossa incorrigível lentidão, mas sendo controlados por sussurros e toques de amor. O Senhor é o grande supervisor, cujos olhos inspecionam providencialmente tudo. É bom sermos ovelhas do seu pasto, seguindo a orientação da sua sabedoria.

9. *"Não sejais como o cavalo, nem como a mula, que não têm entendimento."* O entendimento separa os homens dos animais. Não ajamos como se fôssemos destituídos de entendimento. Os homens devem trocar ideias e buscar conselhos, sempre dispostos a percorrer o caminho que a sabedoria aponta. Precisamos estar prevenidos contra a estupidez do coração, porque somos muito propensos a cair nesse erro. Nós, que deveríamos ser como anjos, prontamente nos tornamos como animais.

"Cuja boca precisa de cabresto e freio, para que se não atirem a ti." É extremamente lamentável que tantas vezes precisamos ser castigados severamente para que obedeçamos. Devemos ser como uma pena ao vento, flutuando prontamente segundo o sopro do Espírito Santo. Contudo, permanecemos como troncos imóveis, não nos movimentando mesmo com o próprio céu em vista. Essas pequenas aflições cortantes e dolorosas mostram como somos teimosos, duros de boca. As rédeas da fraqueza manifestam nosso jeito obstinado e teimoso. Não seríamos tratados como mulas se não houvesse tantas características de mula em nós. Se formos rebeldes e estourados, temos de esperar sermos contidos com rédeas firmes.

Pela graça, obedeçamos de boa vontade ao Senhor, para que, como o servo teimoso, não sejamos surrados com muitos açoites. Estas palavras: "Para que se não atirem a ti", Calvino traduz assim: "Para que não reajam contra ti", versão mais provável e mais natural. Mas a passagem é reconhecidamente obscura — não, porém, em seu sentido geral.

10 *O ímpio tem muitas dores, mas aquele que confia no Senhor, a misericórdia o cercará.*
11 *Alegrai-vos no Senhor e regozijai-vos, vós, os justos; e cantai alegremente todos vós que sois retos de coração.*

10. *"O ímpio tem muitas dores."* Como cavalos e mulas que recusam submeter-se, os ímpios têm muitas lacerações e contusões. Daqui por diante, a porção dos ímpios é indesejável. As suas alegrias são evanescentes, as suas tristezas se multiplicam

e se aprimoram. Quem semeia pecado colherá dores em grossas gavelas. Dores de consciência, de desapontamento, de terror são a herança certa do pecador no devido tempo e, depois, para sempre, dores de remorso e desespero. Aqueles que hoje se vangloriam das alegrias do pecado não devem se esquecer das dores do futuro. Portanto, considerem-se advertidos.

"Mas aquele que confia no Senhor, a misericórdia o cercará." A fé é colocada como o oposto da maldade, visto que a fé é a fonte da virtude. A fé em Deus é o grande conquistador dos cuidados da vida. Aquele que a possui habita na atmosfera da graça, sendo cercado com o guarda-costas das misericórdias. Que o Senhor em todos os tempos nos faça crer na misericórdia de Deus, mesmo quando não estejamos vendo indícios da sua operação, pois, para o crente, a misericórdia é tão envolvente quanto a onisciência, e ela perfuma todos os pensamentos e atos de Deus. Os ímpios têm uma colmeia de vespas ao redor — as "muitas dores". Mas nós temos um enxame de abelhas que armazenam mel para nós.

11. *"Alegrai-vos."* A felicidade não é apenas o nosso privilégio, mas o nosso dever. É fato que servimos um Deus generoso, visto que ele toma parte na nossa obediência para sermos alegres. Como são pecadoras as nossas murmurações rebeldes! Como é natural que o homem abençoado com o perdão seja alegre! Lemos de alguém que morreu aos pés do patíbulo do enlevo extremamente feliz ao receber o perdão do monarca. Recebemos o perdão do Rei dos reis e agora ficaremos nos consumindo na tristeza indesculpável?

"No Senhor." Esse é o diretório pelo qual a alegria é guardada da leviandade. Não nos alegremos no pecado ou achemos consolo no trigo, no vinho e no óleo, mas em nosso Deus tem de estar o jardim da delícia da nossa alma. Que há um Deus, e um grande Deus, e que Ele é nosso, nosso para sempre, nosso Pai e nosso Senhor reconciliado é assunto suficiente para um Salmo interminável de alegria arrebatadora.

"E regozijai-vos, vós, os justos", redobrai a vossa alegria, ribombo sobre ribombo. Levando em conta que Deus vestiu os coristas com as vestes brancas da santidade, que eles não contenham as vozes joviais, mas que cantem em voz alta e gritem como aqueles que acham grande espólio.

"E cantai alegremente todos vós que sois retos de coração." Devemos demonstrar nossa felicidade. A mesquinhez fria do amor reprime a chama nobre da alegria. Os homens sussurram elogios decorosamente onde uma genuína explosão de cânticos seria mais natural. Há que se temer que a igreja dos dias atuais, por desejo excessivo às boas maneiras, esteja ficando muito artificial, de forma que os gritos dos buscadores e os brados dos crentes seriam silenciados se fossem ouvidos em nossas reuniões. Isso é melhor do que o fanatismo tumultuoso, mas há muito perigo em uma situação tanto quanto na outra. Quanto à nós, somos profundamente tocados pelo excesso pouco sagrado, e quando os piedosos na sua alegria ultrapassam os estreitos limites do decoro, não olhamos para eles, como Mical, filha de Saul, com um coração irônico. Repare como os perdoados são representados como retos, justos e em quem não há engano. Uma pessoa pode ter muitas faltas e ainda assim ser salva, mas o coração falso é a marca incriminadora em todos os pontos. Uma pessoa de modos serpeantes e sagazes, de natureza desonesta e astuciosa, não é salva e, com toda probabilidade, nunca será, pois a terra que produz uma safra quando a graça é semeada, pode estar cheia de ervas daninhas e material supérfluo, mas o nosso Senhor fala que é terra fértil e boa. Nossa observação é que as pessoas que falam dissimuladamente e agem de modo enganador são as menos prováveis de serem salvas. Quando a graça chega, ela restabelece a mente do homem ao seu prumo, e o livra de cair no vício, de ser enredado nas trapaças ou forçado à desonestidade.

Leitor, que Salmo delicioso! Lendo-o com atenção, você pôde avançar e reivindicar muita terra vistosa? Nesse caso, divulgue aos outros o caminho da salvação.

NOTAS EXPLICATIVAS E DECLARAÇÕES IMPORTANTES

O Título: O termo *masquil* consta no título de 13 Salmos. Os tradutores, em sua maioria, não se aventuram em fazer mais no texto do que apenas repetir a palavra em caracteres romanos. A Bíblia de Genebra diz "para dar instrução". Seria ir longe demais afirmar que essa interpretação não está sujeita a dúvidas. Certos bons especialistas em estudos hebraicos fazem objeção a ela, de forma que, talvez, os veneráveis tradutores fazem bem em deixá-la não traduzida. Contudo, sendo essa interpretação a mais antiga, ela é sustentada pela vasta preferência das autoridades. Ela concorda notavelmente bem com o conteúdo do Salmo 32, proporcionando o mais antigo exemplo do seu uso, visto que o Salmo é tremendamente didático. A sua esfera de ação é instruir a alma convicta do pecado a obter a paz com Deus para ser envolta com canções de livramento. — *William Binnie, Doutor em Teologia, "The Psalms: their History, Teachings, and Use" [Os Salmos: a sua História, Ensinos e Uso] 1870*

O Salmo: Este é um Salmo didático, no qual Davi ensina os pecadores a arrependerem-se pela doutrina, que os ensinou a pecar pelo exemplo. Essa ciência é universal e diz respeito a todos os homens, a qual necessariamente todos temos de aprender: príncipes, sacerdotes, pessoas comuns, homens, mulheres, crianças, negociantes. Afirmo que todos temos de frequentar essa escola, sem cuja lição todas as outras são improdutivas. Indo direto ao ponto, essa é a marca característica do verdadeiro penitente: quando ele foi uma pedra de tropeço para as pessoas, ele tem de ser tão cuidadoso em levá-las ao arrependimento quanto ele foi prejudicial a elas pelo exemplo do pecado cometido. Nunca penso que o homem verdadeiramente arrependido tenha vergonha de ensinar, pela experiência do que sofreu, arrependimento aos pecadores. A mulher samaritana, quando foi convertida, deixou o cântaro junto ao poço, entrou na cidade e disse: "Vinde e vede um homem que me disse tudo quanto tenho feito" (Jo 4.29). O nosso Salvador disse a Pedro: "Tu, quando te converteres, confirma teus irmãos" (Lc 22.32). Paulo também, depois da conversão, não se envergonhou de dizer que era o principal de todos os pecadores e de ensinar as pessoas a arrependerem-se dos pecados pelo exemplo do arrependimento aos seus pecados. Feliz, extremamente feliz é o homem que pode edificar sobre aquilo que pôs como fundação. — *Archibald Symson*

O Salmo: Certo dia, perguntaram a Lutero quais de todos os Salmos eram os melhores. Esta foi a resposta que ele deu: "*Psalmi Paulini*". Quando os amigos insistiram para saber quais seriam estes, ele disse: "O Salmo 32, 51, 130 e 143, porque todos ensinam que o perdão dos pecados vem sem a lei e sem as obras àquele que crê. É por isso que os chamo de Salmos Paulinos. Davi canta: 'Contigo está o perdão, para que sejas temido', que é o que Paulo diz: 'Deus encerrou a todos debaixo da desobediência, para com todos usar de misericórdia' (Rm 11.32). Dessa forma, nenhum homem pode se vangloriar da própria justiça. Estas palavras: 'Para que sejas temido', pulveriza todos os méritos, ensinando-nos a descobrir a cabeça diante de Deus e a confessar *gratia est, non meritum: remissio, non satisfactio*, que significa 'é mero perdão, sem nenhum mérito'". — *Martinho Lutero, "Table Talk" [Conversa Informal à Mesa]*

O Salmo: Certos estudiosos afirmam que este Salmo foi composto para ser cantado no dia da expiação. — *Robert Leighton*

O Salmo: "Os Salmos Penitenciais". Quando a inquisição prendeu Galileu em Roma por defender o sistema copernicano, ordenaram-lhe que, como penitência, repetisse os sete Salmos Penitenciais todas as semanas durante três anos. A intenção era arrancar um tipo de confissão da culpa e reconhecer a justiça da sentença que lhe foi dada. É lógico que havia nisso certa esperteza e, de fato, algum humor, por mais que acrescentasse maldade (ou tolice) ao procedimento. Caso contrário, não é fácil entender a noção de tormento ou castigo que os bons pais queriam ligar a um exercício devocional como este, o qual, de qualquer forma, só poderia ter sido agradável e consolador para o prisioneiro. — *M. Montague, "The Seven Penitential Psalms in Verse... with an Appendix and Notes" [Os Sete Salmos Penitenciais em Versos... com Apêndice e Notas], 1844*

v. 1: "Bem-aventurado", ou "bem-aventurado o homem", ou "as felicidades desse homem", para denotar a bem-aventurança mais suprema e perfeita. Como o elefante, para denotar o seu tamanho enorme, fala-se no plural: "Beemote". — *Robert Leighton*

v. 1: Notemos que este é o primeiro Salmo, exceto pelo Salmo 1, que começa com bem-aventurança. No Salmo 1, temos a bênção da inocência ou, mais exatamente, daquele que era apenas inocente. No Salmo 32, temos a bênção do arrependimento como o segundo estado mais feliz depois do da inocência. — *John Lorinus, em John Mason Neale, "Commentary on the Psalms" [Comentário sobre os Salmos]*

v. 1: "Bem-aventurado aquele cuja transgressão é perdoada", por cuja declaração Davi torna o perdão de pecados a verdadeira felicidade. Não há a verdadeira felicidade senão aquela que é desfrutada. E a felicidade não pode ser desfrutada a menos que seja sentida. E ela não pode ser sentida a menos que o homem saiba que a tem. E o homem não pode saber que a tem, se ele duvida que a tem. Portanto, essa dúvida do perdão dos pecados é o oposto da verdadeira felicidade, sendo nada mais do que um tormento de consciência. O homem não pode duvidar que os seus pecados foram perdoados, senão imediatamente, pois se a consciência não estiver cauterizada com ferro quente, o próprio pensamento do pecado lhe dará grande medo, visto que o medo da morte eterna e o horror do julgamento de Deus lhe virão à lembrança, cuja consideração é muito terrível. — *William Perkins, 1558-1602*

v. 1: "Bem-aventurado aquele cuja transgressão é perdoada, e cujo pecado é coberto". Encubra os seus pecados. Há uma cobertura do pecado que na verdade é uma maldição: "O que encobre as suas transgressões nunca prosperará" (Pv 28.13). Há uma cobertura do pecado que é deixando de confessá-lo, ou pior, negando-o — a cobertura de Geazi — a cobertura do pecado pela mentira. Há também a cobertura do pecado que é justificando-nos nele. Eu não fiz esta coisa, ou eu não cometi nenhum mau fazendo essa coisa. Todas estas coberturas são más. Aquele que assim cobre o pecado não prosperará. Mas há uma bem-aventurada cobertura do pecado. O perdão do pecado é escondê-lo da vista, e essa é a bem-aventurança. — *Richard Alleine*

v. 1: "Cuja transgressão é perdoada". Podemos tranquilizar a alma adormecida com as delícias carnais, mas a virtude desse narcótico logo se esgotará. Todas essas alegrias são águas roubadas e pão comido às ocultas — uma paz triste e miserável que não ousa vir à luz para suportar as provações. É uma paz pobre que logo é perturbada por uns poucos pensamentos sérios e sóbrios sobre Deus e o mundo por vir. Mas assim que o pecado é perdoado, você tem a verdadeira e natural alegria: "Filho, tem bom ânimo; perdoados te são os teus pecados" (Mt 9.2). — *Thomas Manton, 1620–1677*

v. 1: "Perdoada". O santo Davi, apresentando este Salmo, mostra em que consiste a verdadeira felicidade: não em beleza, honra, riquezas (a trindade do mundo), mas no perdão de pecado. No original hebraico, a palavra traduzida pelo verbo *perdoar* significa "levar para longe da vista", o que concorda devidamente com Jeremias 50.20: "Naqueles dias e naquele tempo, diz o SENHOR, buscar-se-á a maldade de Israel e não será achada; e os pecados de Judá, mas não se acharão". Essa é uma bênção incompreensível, que serve de fundação para todas as outras misericórdias. Dando apenas uma olhada, farei estas cinco asserções sobre ela.

(1) O perdão é um ato da graça livre de Deus. Em grego, o verbo "perdoar" decifra a fonte do perdão. Não surge de algo inerente em nós, mas é o resultado puro da graça livre: "Eu, eu mesmo, sou o que apaga as tuas transgressões por amor de mim e dos teus pecados me não lembro" (Is 43.25). Quando o credor perdoa o devedor, perdoa-o livremente. Paulo clama: "[Eu] alcancei misericórdia" (1 Tm 1.13). No grego, quer dizer: "Eu fui tido misericórdia". Aquele que foi perdoado, foi todo disseminado com a misericórdia. Quando o Senhor perdoa o pecador, ele não paga uma dívida, mas dá um legado. (2) Quando perdoa o pecado, Deus cancela a culpa e a pena. A culpa clama por justiça. Imediatamente após Adão ter comido o fruto proibido, ele viu a espada flamejante e ouviu a maldição. Mas no perdão, Deus favorece o pecador. É como se ele estivesse dizendo: Embora tu caíste nas mãos da minha justiça e mereças morrer, eu te absolverei. Seja do que for que te acusem, tu serás livre.

(3) O perdão do pecado se dá pelo sangue de Cristo. A graça livre é a causa impulsiva. O sangue de Jesus é a causa meritória: "Sem derramamento de sangue não há remissão" (Hb 9.22). A justiça é vingada ou no pecador ou no fiador. Todo perdão é o preço de sangue. (4) Antes que o pecado seja perdoado tem de haver arrependimento. O arrependimento e o perdão estão unidos: "E, em seu nome, se pregasse o arrependimento e a remissão dos pecados" (Lc 24.47). Não que o arrependimento, segundo o sentido papista, mereça o perdão. O sangue de Jesus tem de lavar as nossas lágrimas.

O arrependimento é uma qualificação, embora não uma causa. Aquele que é humilhado pelo pecado dá mais valor à misericórdia perdoadora. (5) Deus, tendo perdoado o pecado, não o trará mais à lembrança: "Porque perdoarei a sua maldade e nunca mais me lembrarei dos seus pecados" (Jr 31.34). O Senhor faz um ato de compensação, não nos repreendendo por antigas crueldades ou exigindo o pagamento de títulos cancelados: "[Ele] lançará todos os nossos pecados nas profundezas do mar" (Mq 7.19). O pecado não será lançado ao mar como uma cortiça que boia, mas como um chumbo que afunda até às profundezas do mar. Como todos devemos buscar esta bênção da aliança! — *Thomas Watson*

v. 1: "Cujo pecado é coberto". Todo homem tem de ser bem-aventurado, tem de ter algo para esconder e cobrir os pecados aos olhos de Deus. Não há nada no mundo que faça isso, senão Jesus e a sua justiça, tipificados na arca da aliança, cuja tampa ou cobertura era de ouro, chamada de propiciatório.

Assim como essa tampa cobria as tábuas que estavam dentro da arca, assim Deus cobre os nossos pecados, escondendo-os dessas tábuas. A nuvem que cobria os israelitas no deserto significava Deus cobrindo-nos do perigo dos nossos pecados. — *Thomas Taylor, "David's Learning: or the Way to True Happiness" [O Aprendizado de Davi: ou o Caminho para a Verdadeira Felicidade], 1617*

v. 1: "Cujo pecado é coberto". Esta cobertura tem relação a certa nudez e imundícia que deveriam ser cobertas, até o pecado, que nos contamina e nos deixa nus. Por que, disse Moisés para Arão, tu fizeste o povo ficar nu? (cf. Êx 32.25). As vestes de nossos méritos são curtas demais e não nos cobrem devidamente. Somos necessariamente forçados a pedir a Jesus Cristo os seus méritos e o manto da sua justiça para que nos sirvam de roupa — como as vestes de couro que Deus fez para Adão e Eva depois da queda. As roupas são para nos cobrir a nudez, nos defender das variações climáticas e nos adornar. A mediação de nosso Salvador serve para nos cobrir a nudez para que a ira de Deus não nos apanhe. É Jesus as "vestes brancas" com as quais nos vestimos para não aparecer a nossa nudez imunda. É Jesus as "vestes tintas", sendo "poderoso para salvar", com as quais nos defendemos de Satanás. É Jesus a "veste nupcial" com a qual nos trajamos para nos enfeitar. Portanto, "revesti-vos do Senhor Jesus Cristo" (Ap 3.18; Is 63.1; Mt 22.11; Rm 13.14). — *Archibald Symson*

v. 1: O objeto do perdão, sobre o qual está relacionado, é apresentado sob expressões diversas: iniquidade, transgressão e pecado. Como na lei, muitas palavras de importância e significado iguais são formadas e reunidas para tornar a ação e instrumento legal mais abrangente e eficaz. Faço esta observação porque, quando Deus proclama o seu nome, essas mesmas palavras são usadas: "Que perdoa a iniquidade, e a transgressão, e o pecado" (Êx 34.7). Estamos analisado o significado da expressão. Por que o homem santo de Deus ressalta com tanto vigor e veemência: "Bem-aventurado aquele... Bem-aventurado o homem"? (vv. 1, 2). Em parte, com respeito ao seu caso. Davi sabia como era agradável ter o pecado perdoado. Ele sentira a amargura do pecado na própria alma até o sangue secar. Ele expressa o senso de perdão em termos vívidos. Em parte, também, com respeito às pessoas para cujo uso esta instrução foi escrita, a fim de que não a considerassem como algo trivial e de pouca importância, mas se conscientizassem inteiramente do valor de tão grande privilégio. Bem-aventurados, felizes, muito felizes são aqueles que obtiveram o perdão dos pecados e a justificação por Jesus Cristo. — *Thomas Manton*

vv. 1 e 2: Estes versículos mencionam quatro males.

(1) "Transgressão", פֶּשַׁע (*pesha'*), que significa a "passagem por cima de um limite", a "feitura do que é proibido".

(2) "Pecado", חֲטָאָה (*ḥăṭā'â*), que significa o "erro de um alvo", a "não feitura do que foi mandado". É a palavra mais usada para expressar pecaminosidade ou o pecado natural, produzindo transgressão na vida.

(3) "Maldade" ("iniquidade", ARA), עָוֹן (*'āwōn*), que significa "aquilo que é posto para fora do curso ou situação", qualquer coisa moralmente distorcida ou pervertida. Iniquidade é aquilo que é contrário à equidade ou justiça.

(4) "Engano" ("dolo", ARA), רְמִיָּה (*rᵉmiyyâ*), que significa "fraude", "logro", "trapaça".

Para remover esses quatro males, os versículos mencionados três atos: perdoar, cobrir e não imputar.

(1) A "transgressão", פֶּשַׁע (*pesha'*), tem de ser "perdoada", נְשׂוּי (*nᵉśûy*), "levada embora", ou seja, por um sacrifício vicário, pois levar o pecado embora ou tirar o pecado sempre insinua isso.

(2) O "pecado", חֲטָאָה (*ḥăṭā'â*), tem de "ser coberto", כְּסוּי (*kᵉsûy*), "escondido da visão". É odioso e abominável, tendo de ser colocado longe da vista.

(3) A "maldade" ("iniquidade", ARA), עָוֹן (*'āwōn*), aquilo que é "perverso" ou "torcido", não tem de ser imputado, לֹא יַחְשֹׁב (*lō' yaḥshōb*), não tem de "ser computado na sua conta".

(4) O "engano" ("dolo", ARA), רְמִיָּה (*rᵉmiyyâ*), tem de "ser aniquilado da alma".

"Em cujo espírito não há engano." O homem cuja transgressão é perdoada, cujo pecado é escondido, tendo Deus lançado o pecado como uma mó nas profundezas do mar, cuja maldade ou iniquidade e perversão não são computadas na sua conta e cujo engano ou dolo, o coração trapaceiro e desesperadamente mau, é aniquilado, sendo esvaziado do pecado e cheio da justiça, é necessariamente um homem feliz. — *Adam Clarke*

vv. 1 e 2: "Transgressão", tergiversação, prevaricação. Certos estudiosos entendem que são os pecados da omissão e da comissão.

"Pecado." Certos estudiosos propõem que são as inclinações, as concupiscências e os impulsos interiores por meio dos quais a alma se desvia da Lei de Deus, sendo a causa imediata dos pecados exteriores.

"Iniquidade" (ARA). Denota o pecado original, a raiz de tudo.

Levatus, "perdoada", "aliviada" significa "tirada para fora", "carregada", "levada para fora". Há dois verbos na Bíblia que são usados primariamente para denotar remissão ou perdão: "expiar" e "levar ou carregar para fora". Um significa a maneira pela qual é feita, isto é, compensar; a outra, o efeito desta expiação, levar embora. Um assinala a causa meritória; a outra, a consequência.

"Coberto." Diz respeito ao fato de os egípcios terem sido cobertos pelo mar Vermelho. Menóquio opina que alude à maneira de escrever entre os hebreus, a qual ele pensa que é a mesma da dos romanos. Eles escreviam com um pincel fino em uma tabuinha de cera e, quando queriam apagar, alisavam a superfície de cera para escrever em cima da escrita, cobrindo as letras anteriores. É equivalente à expressão "apagar o pecado" (cf. Jr 18.23), como na outra alusão equivale a "lançar o pecado nas profundezas do mar" (cf. Mq 7.9).

"Imputa." Não debitar na conta. Considerando que o pecado é uma deserção da lei, então é perdoado. Considerando que é ofensivo à santidade de Deus, então é coberto. Considerando que é uma dívida envolvendo o homem em uma dívida de castigo, então não é imputado. Todas estas acepções assinalam a certeza, a extensão e a perfeição do perdão. As três palavras que nestes versículos expressam pecado são as mesmas que são usadas por Deus na declaração do seu nome. — *Stephen Charnock*

vv. 1, 2, 6 e 7: Quem é bem-aventurado? Não é aquele que oculta, esconde e não confessa o pecado. Enquanto Davi permaneceu nessa situação, ele foi um miserável. Havia engano no espírito (v. 2), miséria no coração, os próprios ossos envelheceram, o humor se secou como a seca no verão (vv. 3,4). Quem é bem-aventurado? É aquele que está sem pecado, que não peca, que não luta mais contra o pecado, pois este não tem domínio sobre ele. Essa é uma bem-aventurança insuperável, o mais alto elemento, a felicidade do céu. Ser como Deus, prestar obediência implícita, pronta, plena e perfeita, a obediência do coração, de todo o nosso ser. Essa é a bem-aventurança que está acima de todas. Mas entre os que vivem no mundo do pecado, que estão rodeados pelo pecado, que são pecadores, quem é o bem-aventurado? É "aquele cuja transgressão é perdoada, e cujo pecado é coberto". É "a quem o Senhor não imputa maldade [ou "iniquidade", ARA]". É aquele que sente especialmente que as coisas são assim, que pode, em certo grau, entrar no mesmo estado anterior da alma de Davi (vv. 3,4). E em que estado miserável o salmista estava antes desta bem-aventurança! Como o pecado lhe escureceu e enfraqueceu as faculdades espirituais a ponto de ter engano no espírito — ele que em outro Salmo exclamou: "Sonda-me, ó Deus, e conhece o meu coração; prova-me e conhece os meus pensamentos. E vê se há em mim algum caminho mau", algum caminho de dor ou aflição, algum caminho do pecado que leve a estes (Sl 139.23,24). Que condição triste era a sua, pois enquanto ele bramia todos os dias, mantinha silêncio na presença de Deus, não tinha vontade de abrir-lhe o coração, estava mudo diante dele, não em submissão à sua vontade, não em aceitação do castigo da sua iniquidade (Lv 26.46), não em verdadeira confissão e reconhecimento honesto, justo e sincero da sua iniquidade a ele, contra quem ele a cometera.

"Eu me calei", não meramente eu me calei, mas "*enquanto* eu me calei", enquanto me mantive calado resoluta e perseverantemente. Mantive-me calado a despeito da lembrança das misericórdias que recebi no passada, a despeito das repreensões da consciência e da angústia do coração. Mantive-me calado, a despeito da "tua mão [que] pesava sobre mim [...] de dia e de noite", a despeito do "meu humor", de tudo que era espiritual em mim, do meu espírito vital, pois tudo que indicava que havia vida espiritual em minha alma parecia seco e acabado. Sim, meu Senhor, a despeito de tudo isso, eu me calei. Mas veio Natã, o qual tu enviaste. Ele foi para mim um mensageiro cheio de reprovação, cheio de fidelidade, porém cheio de amor. Veio com a tua palavra, e com a palavra do Rei havia poder. Admiti a Ele o meu pecado e não escondi a minha iniquidade, mas foi pouco. Contra ti, contra ti somente pequei e foi a ti que fiz a minha confissão. Reconheci o meu pecado a ti, Senhor. Eu disse solenemente que faria assim e assim fiz. Confessei a minha transgressão a ti, Senhor, "e tu perdoaste a iniquidade do meu pecado" (ARA).

"Bem-aventurado aquele cuja transgressão é perdoada." Eis o homem que é bem-aventurado, bem-aventurado no estado mental, no espírito sincero, no coração arrependido, no fruto do espírito da graça. É bem-aventurado no perdão de um Deus que perdoa. O perdão total, completo e que não falta nada é mostrado pelo pecado "coberto", pela iniquidade não imputada pelo Senhor. É bem-aventurado nas bênçãos que vêm depois do perdão.

"Tu és o lugar em que me escondo; tu me preservas da angústia; tu me cinges de alegres cantos de livramento" (v. 7). Na concha da mão que outrora pesava muito sobre mim, agora repouso. Tu és o lugar em que me escondo, já não tenho medo de ti. Habito em ti como a minha morada, a minha torre alta, o meu abrigo, a minha fortaleza, a minha casa. Estou seguro em teu amor, seja qual for a dificuldade que me ocorra. Pela boca de Natã, teu servo, tu declaras que passarei pela angústia, mas que serei guardado. O teu livramento será tão completo que creio que tu me envolverás com os braços da tua misericórdia, de forma a gerar canções de louvor e gratidão pela tua interposição benevolente.Vejamos a bem-aventurança daquele a quem Deus perdoa! Não admira que o salmista acrescente: "Pelo que todo aquele que é santo orará a ti, a tempo de te poder achar; até no transbordar de muitas águas, estas a ele não chegarão" (v. 6). É como se ele tivesse dito: Claro que depois desta tua conduta benevolente para comigo, todo aquele que verdadeiramente te ama e te teme, "todo aquele que é santo", quando ficar sabendo dos teus procedimentos para comigo, "orará a ti". Encorajado pelo meu exemplo, ele não ficará calado como eu tola e pecaminosamente fiquei, mas confessará e suplicará a ti, visto que tu serás achado. Tu mostras muito maravilhosamente que serás achado por todo aquele que te busca verdadeiramente, visto que há o lugar para te achar quando ponho a mão na vítima e, por essa vítima, olho para aquele que é a Semente prometida, visto que há o tempo de te achar, declarado na tua palavra e manifestado pela atração secreta do meu coração por ti mediante a tua graça, e visto que a má vontade não está em ti, mas na tua criatura pecadora que se chega a ti.

"Pelo que todo aquele que é santo orará a ti", por mais volumosas que sejam as inundações, por mais torrenciais que sejam as chuvas e por mais fortes que sejam as correntezas, elas não chegarão nem perto dele, muito menos o subjugarão. — *James Harrington Evans, Mestre em Ciências Humanas, 1735-1849*

v. 2: "A quem o Senhor não imputa maldade". Aben-Ezra parafraseia assim: "De cujos pecados Deus não pensa", nem os reconhece para serem julgados, considerando-os como se não existissem; οὐ μὴ λογιζεται, "não os conta" ou "não os calcula", não exige por eles a dívida do castigo. Para nós, o perdão é totalmente de graça, tendo o nosso Fiador tomado sobre si a incumbência de pagar o resgate. O seu sofrimento é a nossa impunidade, o seu compromisso a nossa liberdade e o seu castigo a nossa paz. Portanto, o profeta diz: "O castigo que nos traz a paz estava sobre ele, e, pelas suas pisaduras, fomos sarados" (Is 53.5). — *Robert Leighton*

v. 2: "E em cujo espírito não há engano". Durante as dificuldades do santo, a consciência está cheia das Escrituras, sobre as quais ela fundamenta o veredicto, mas de forma muito mal interpretada. Este lugar, diz a pobre alma, está contra mim! "Bem-aventurado o homem a quem o Senhor não imputa maldade, e em cujo espírito não há engano." Esta é, segundo ele, a descrição da alma sincera: ser alguém em cujo espírito não há engano. Mas encontro muito engano em mim, então, não sou sincero. Essa é conclusão muito fraca, além de falsa. Por espírito no qual não há engano, o salmista não quer dizer a pessoa que não tenha a menor falsidade e hipocrisia remanescente no coração. Estar sem pecado e sem engano, neste sentido estrito, são a mesma coisa — uma prerrogativa no território peculiar ao Senhor Jesus: "O qual não cometeu pecado, nem na sua boca se achou engano" (1 Pe 2.22). Quando encontrarmos a mesma frase atribuída aos santos, no que diz respeito a Levi: "A iniquidade não se achou nos seus lábios" (Ml 2.6), e no que tange a Natanael: "Eis aqui um verdadeiro israelita, em quem não há dolo" (Jo 1.47), temos de entendê-la de modo inferior para que se encaixe com o estado imperfeito aqui na terra e não coloquemos aquilo que pertencia exclusivamente à coroa de Cristo na terra e são as vestes dos santos glorificados no céu, nos cristãos fracos ainda que militantes na terra, não só com um demônio por fora mas com um corpo do pecado por dentro. Enxuga os olhos, pobre alma, pois se tu leres tais textos em que o Espírito de Deus fala de modo tão sublime e hiperbólico sobre a graça dos santos, tu saibas que ele não está afirmando a perfeição da graça, livre de toda mistura de pecado, mas está consolando as pobres almas caídas e atormentando os corações apreensivos, os quais, pela presença da hipocrisia, estão prontos a reputar a sinceridade como nada, e expressando a elevada estima pela menor graça que eles tenham, falando como se ela fora perfeita e a hipocrisia absolutamente inexistente. — *William Gurnall*

v. 2: "E em cujo espírito não há engano". Assim que recebem o perdão, os crentes têm a coragem de serem verdadeiros diante de Deus, podendo se dar ao luxo de terem feito com engano no espírito. Quem não declararia todas as suas dívidas quando tivesse a certeza de que elas seriam pagas por outra pessoa? Quem não diria qual é a sua enfermidade quando estivesse certo da cura? A verdadeira fé não só sabe que este engano é impossível diante de Deus, mas também que é desnecessário. Os crentes não têm nada a esconder. Eles se veem na presença de Deus, despojados, expostos e nus. Se aprenderam a ver-se como são, também aprenderam a ver Deus como Ele se revela. Não há engano no espírito de quem é justificado pela fé, porque, no ato da justificação, a verdade se estabeleceu no mais profundo do coração. Não há engano no espírito daqueles que veem a verdade sob à luz da verdade de Deus. A verdade de Deus lhes mostra imediatamente que, em Cristo, eles são perfeitamente justos diante de Deus, e que nEle, eles são os principais pecadores. Os tais sabem que não são de si mesmos, porque foram comprados por preço, tendo, então, de glorificar a Deus. Não há engano no espírito daqueles cujo verdadeiro objetivo é glorificar a Cristo, e não a si mesmos. Mas quando a pessoa não é suficientemente verdadeira a Cristo e não deixou de exaltar-se, pode haver engano, porque ela se ocupará mais com pensamentos sobre si mesma do que com a honra de Cristo. Mas se a verdade, a honra e a glória de Cristo forem temas do seu maior interesse, ela pode se colocar fora de questão e, como Cristo, se entregar "àquele que julga justamente" (1 Pe 2.23). — *J. W. Reeve, Mestre em Ciências Humanas, "Lectures on the Thirty-second Psalm" [Palestras sobre o Salmo 32], 1860*

v. 2: "Não há engano". A sinceridade é a propriedade à qual está anexada a misericórdia perdoadora. É verdade mesmo que Jesus cobre todos os nossos pecados e faltas, mas é só sobre a alma sincera que Ele estende a ourela do seu manto (cf. Ezequiel 16.8). Ninguém duvida que é "bem-aventurado aquele [...] cujo pecado é coberto, [...] o homem a quem o Senhor não imputa maldade". Mas quem é esse homem? As palavras que vêm a seguir nos dizem quem é: "E em cujo espírito não há engano". A justiça de Jesus é a roupa que cobre a nudez e a vergonha da nossa injustiça. A fé é a graça que veste a roupa. Mas qual fé? Nenhuma senão a fé não fingida, como Paulo a chama em 2 Timóteo 1.5. Disse o eunuco: "Eis aqui água; que impede que eu seja batizado?" Observemos a resposta de Felipe: "É lícito, se crês de todo o coração" (At 8.36,37). É como que ele tivesse dito: Nada mais que um coração hipócrita pode te impedir. É só o coração fingido que encontra a porta da misericórdia fechada. — *William Gurnall*

v. 2: "Engano". O engano do espírito é uma corrupção interior na alma humana, por meio da qual ele enganosamente lida consigo mesmo diante de Deus na questão da salvação. — *Thomas Taylor*

v. 3: "Envelheceram os meus ossos". Deus não brinca com os pecados dos eleitos, mas exteriormente trata deles com dureza e os castiga com mais rigor do que trata dos réprobos. Os problemas e sofrimentos de Davi eram, em parte, exteriores, em parte, interiores. Chamo de exteriores os sofrimentos que lhe afligiam o corpo, e de interiores os que lhe afetavam a consciência. Havia no corpo tormentos e vexações, acometendo-lhe por vezes a carne, quando lhe era menos doloroso, e por vezes os ossos, quando lhe era mais doloroso — quase que intolerável, como ensina a experiência. Essa é a justa recompensa de Deus. Quando entregamos a nossa força ao pecado, Deus a abate e nos enfraquece. Sansão gastou a força em Dalila, mas foi a essa fraqueza que ele foi levado! Conscientizemo-nos de que Deus nos deu ossos e a força que eles há para outro uso, ou seja, para servi-lo e não para desperdiçá-los ou esbanjá-los a serviço do Diabo. — *Archibald Symson*

v. 3: "Envelheceram os meus ossos". Por ossos, o salmista quer dizer a força física, a força interior e o vigor da alma. A consciência do pecado e o terror do julgamento quebram o coração do verdadeiro penitente, contanto que ele veja o pecado digno de morte, o juiz pronto para pronunciar a sentença, o Inferno aberto para recebê-lo, por causa do pecado, e os anjos maus, os executores de Deus, a postos para precipitá-lo ao Inferno. — *Samuel Page, "David's Broken Heart" [O Coração Quebrantado de Davi], 1646*

v. 3: "Envelheceram os meus ossos pelo meu bramido em todo o dia". Davi não só chora pelos pecados como homem, mas brama, por assim dizer, como um animal ferido e aflito. Gritar parece mais compatível com o ambiente do deserto do que chorar é com o ambiente do quarto de dormir. Em outros tempos, ele molhava o leito com lágrimas todas as noites (cf. Sl 6.6), mas agora, ele brama todos os dias. Em outros tempos, foi o seu humor que se secou (v. 4), mas agora são os ossos, os pilares do seu corpo que tremem e envelhecem. — *Alexander Carmichael,* 1677

v. 4: "A tua mão". A mão que corrige, pela qual Deus açoita e surra os filhos. O sentido do poder de Deus castigando ou corrigindo é chamado de a mão de Deus, como ocorre em 1 Samuel 5.11. A mão de Deus castigava duramente a Ecrom por causa da arca. Por semelhança, a mão era pesada, porque, quando os homens golpeiam, metem a mão mais pesadamente do que o comum. Por conseguinte, notemos três pontos doutrinários.

(1) Todas as aflições são da mão de Deus.

(2) Deus estende a mão pesadamente sobre os seus filhos queridos.

(3) Deus permanece com a mão pesada sobre eles de noite e de dia. — *Thomas Taylor*

v. 4: "O meu humor se tornou em sequidão de estio". Podemos atribuir outro significado a essas palavras. Podemos supor que o salmista está se referindo à sequidão espiritual. — *Charles H. Bingham, Bacharel em Humanidades, "Lectures on the Thirty-second Psalm" [Palestras sobre o Salmo 32], 1836 v. 4:* "O meu humor se tornou em sequidão de estio". Na região de Israel, o estio ou verão se estende de meados de agosto a meados de novembro. A intensidade do calor é grande e quase intolerável. [...] Até o começo ou meados de setembro, não há pancadas de chuva, sendo tão escassas no verão quanto a neve. [...] A relva seca dos campos às vezes pega fogo e produz incêndios devastadores. A terra torrada se parte e se quebra em grandes torrões. — *John Eadie, Doutor em Teologia e Doutor em Direito, "Biblical Cyclopaedia" [Enciclopédia Bíblica], 1868*

v. 4: "Sequidão de estio". Michael Russell, na sua narrativa sobre o clima de Aleppo, que muito se assemelha ao da Judeia, diz que o verdor da primavera enfraquece antes de meados de maio, e, antes que o mês termine, a região toda fica com aspecto tão tostado e estéril que dificilmente se pensa que possa produzir qualquer coisa, havendo apenas umas poucas plantas com vigor suficiente para resistir ao calor extremo. — *Thomas Harmer, "Observations" [Observações], 1775*

v. 4: "Sequidão de estio". Durante doze anos, de 1846 a 1859, só duas chuvas leves caíram em Jerusalém entre os meses de maio e outubro. Uma ocorreu em julho de 1858 e a outra em junho de 1859. — *Dr. Whitty, "Water Supply of Jerusalem" [Abastecimento de Água de Jerusalém], citado em John Kitto, 1804–1854, "Cyclopaedia" [Enciclopédia]*

v. 4: "Porque de dia e de noite a tua mão pesava sobre mim; o meu humor se tornou em sequidão de estio". Se Deus fere tão duramente aqueles que gozam do seu favor, quanto mais severa e dolorosamente ferirá aqueles a quem Ele não favorece. — *Gregório*

vv. 4 e 5: Se nossos pecados não fossem mosquitos, e sim camelos, nossa tristeza não seria uma gota, e sim um oceano. Pecados escarlates demandam lágrimas sangrentas. Se Pedro pecou odiosamente, ele tem de chorar amargamente. Se a tua vida anterior foi um cordel de iniquidade, trançada com muitos fios, uma escritura cheia de grandes borrões, um percurso pontilhado com muitos e dolorosos pecados, multiplica as confissões e aumenta a humilhação. Duplica os jejuns e triplica as orações. Derrama as lágrimas e arranca suspiros profundos. Em outras palavras, reitera e agrava as tuas confissões. Entretanto, como disse o apóstolo em outro caso, digo neste: "Não vos entristeçais, como os demais, que não têm esperança" (1 Ts 4.13), pois no teu arrependimento sincero e satisfatório, a bondade divina perdoará os teus pecados. — *Nathanael Hardy*

v. 5: "Confessei-te o meu pecado e a minha maldade não encobri". O piedoso é franco em expor os pecados. O hipócrita abafa e sufoca os pecados. Ele não *abscindere peccatum*, mas *abscondere*, como um paciente que tem uma doença física repugnante, ele preferirá morrer a revelar a doença. Mas a sinceridade do piedoso é vista neste ponto — ele confessará e se envergonhará dos pecados: "Eis que eu sou o que pequei e eu o que iniquamente procedi" (2 Sm 24.17). O filho de Deus confessará cada pecado em particular. O cristão falacioso confessará os pecados por atacado. Confessará que, em geral, é pecador, ao passo que Davi, por assim dizer, coloca o dedo bem na ferida: "Fiz o que a teus olhos é mal" (Sl 51.4). Ele não diz que fez mal, mas que fez *determinado* mal. Ele aponta o crime de derramamento de sangue que cometeu. — *Thomas Watson*

v. 5: "Dizia eu: Confessarei ao Senhor as minhas transgressões; e tu perdoaste a maldade do meu pecado". Sê o teu próprio acusador na confissão livre dos teus pecados. *Peccavi pater* (como disse o filho pródigo): "Pai, pequei contra o céu e perante ti" (Lc 15.21). Pois ele não se dá bem no tribunal celestial como se dá nos tribunais terrenos. Para os homens, a livre confissão abre caminho para a condenação. Mas para Deus, quanto mais o pecador lamenta os pecados, mais atenua a ira do Juiz.

O pecado exige justiça, visto que é transgressão contra Deus. Assim que é ferida para a alma, move-o à misericórdia e clemência.

Como Davi tendo decidido confessar os pecados foi abordado logo depois com a absolvição, assim, como disse Agostinho: *Tu agnosce, et Dominus ignoscet*, que quer dizer: "Sê sincero na confissão, e Deus será fiel no perdão" (cf. 1 João 1.9). Só deixa, segundo disse Hilário, que *confessio peccati* seja *professio desinendi*, que significa "a confissão do teu pecado é uma obrigação para deixá-lo". Então, terás base para agir: "O que encobre as suas transgressões nunca prosperará; mas o que as confessa e deixa alcançará misericórdia" (Pv 28.13). — *Isaac Craven, "Sermon at Paul's Cross" [Sermão sobre a Cruz de Paulo], 1630*

v. 5: "Dizia eu: Confessarei ao Senhor as minhas transgressões; e tu perdoaste a maldade do meu pecado". Os justificados, cujos pecados foram perdoados, ainda são obrigados a confessar os pecados a Deus. [...] Há muitas questões a serem resolvidas no tratamento deste ponto. A primeira questão diz respeito a quais são as razões pelas quais os justificados e perdoados ainda são obrigados a fazer confissão de pecados a Deus secretamente? Há seis razões pelas quais os justificados têm de confessar os pecados a Deus.

(1) Porque a confissão santa dá muita paz e santa tranquilidade à mente do pecador. A culpa escondida e favorecida gera horror e medo na consciência.

(2) Porque Deus ama ouvir as queixas e confissões do seu povo. Falar a verdade abertamente é o melhor gesto, e as vestes de lamento a melhor roupa com que Deus se agrada.

(3) Porque a confissão de pecados ajuda a estimular o coração à súplica forte e fervorosa a Deus (ver v. 6). A confissão é para a alma como a pedra de amolar é para a faca, que a afia e lhe dá fio. É o que ocorre com a confissão de pecados. Confessar os males a Deus afia e dá fio às súplicas. A pessoa que confessa os pecados parcamente orará vagamente.

(4) Porque a confissão de pecados operará uma contrição santa e uma tristeza devota no coração (Sl 38.18). A declaração opera a compunção. A confissão de pecados é a causa de o pecado ricochetear na consciência, de modo a causar rubor e vergonha no rosto e aflição no coração.

(5) Porque a confissão secreta de pecados dá muita glória a Deus. Dá glória à justiça de Deus. Eu confesso os pecados e confesso Deus em justiça que pode me condenar pelos meus pecados. Isso dá glória à misericórdia de Deus. Eu confesso os pecados, mas a misericórdia pode me salvar. Isso dá glória à onisciência de Deus. Ao confessar os pecados, confesso que Deus conhece os meus pecados.

(6) Porque a confissão santa de pecados afligirá os pecados e valorizará Cristo a eles, quando a pessoa deixa que os pecados ricocheteiem na consciência através da confissão. — *Condensado de Christopher Love, 1618–1651, "Soul's Cordial" [O Estimulante da Alma], 1683*

v. 5: "Dizia eu: Confessarei... e tu perdoaste..." Permanece como verdade que o perdão está anexado indubitavelmente à confissão. Disse Agostinho: *Tantum valent tres syllabse PEC-CA-VI*, que significa: "de tão grande força são essas três sílabas" em latim, são duas palavras em certos idiomas quando proferidas com um coração arrependido: "Eu pequei". — *Nathanael Hardy*

v. 5: "E tu perdoaste a maldade do meu pecado". É muito provável que esse pecado tenha sido o adultério com Bate-Seba e o assassinato de Urias. Para tornar a misericórdia perdoadora de Deus mais ilustre, Davi disse que Deus não só lhe perdoara o pecado, mas também a maldade do seu pecado. O que significava isso? Claro que é o pior que se poderia dizer sobre isso. O seu pecado complicado é que havia muita hipocrisia, pois ele aflitamente manipulou Deus e os homens a esse respeito. Não duvido em dizer que essa foi a maldade do seu pecado, caracterizando-o mais intensamente do que o sangue que ele derramou. Tenho de chamar a atenção a esse ponto. O próprio Deus, quando especificou a hediondez desse pecado, ressaltou a hipocrisia que havia no fato do que o próprio fato, como se evidencia pelo testemunho dado por este santo homem: "Porquanto Davi tinha feito o que era reto aos olhos do Senhor e não se tinha desviado de tudo o que lhe ordenara em todos os dias da sua vida, senão só no caso de Urias, o heteu" (1 Rs 15.5). Não houve outros passos falsos que Davi deu além deste? O Espírito de Deus, ao fazer essa objeção, aprova tudo o mais que ele fez? Não, pois é lógico que o Espírito de Deus registra outros pecados que tiveram guarida neste servo eminente do Senhor. Mas todos eles estão englobados nesse, sendo esse mencionado como a única mácula da sua vida. Mas por quê? Certamente porque havia menos sinceridade e mais hipocrisia nesse pecado do que em todos os outros juntos. Embora Davi, nesses pecados, estivesse errado no que tange à questão de cometê-los, o coração estava mais correto *na maneira* de cometê-los. Aqui, a sinceridade foi tristemente ferida, ainda que não para a total destruição do hábito, tendo servido para desanimá-lo muito quanto a cometer outros pecados. A ferida, de fato, foi muito profunda quando a graça foi apunhalada, tendo escorrido o sangue da vida de tudo o mais. Vemos, então, que Deus tem razão, pois, embora a sua misericórdia o estimulasse, a sua aliança o obrigava a não deixar o filho morrer dessa ferida, curando-a para que uma cicatriz permanecesse no lugar, uma marca sobre o pecado, por meio da qual as pessoas soubessem como a hipocrisia é odiosa a Deus. — *William Gurnall*

v. 5: "E tu perdoaste a maldade do meu pecado". Façamos algumas observações sobre a questão perdoada e a maneira de perdoar. A questão perdoada é a maldade do seu pecado. É ponto de disputa o significado de maldade: é *culpa* ou *pena*? Certos estudiosos entendem que é *pena*, propondo que essa palavra alude à mensagem de Natã, na qual Deus libera o golpe mais pesado da ira, porém retém certa parte, castigando o menino recém-nascido e permitindo que Absalão se rebele e abuse das concubinas do rei Davi. Assim declara Teodoreto: *Deus non condigna poena Davidem punivit*. Outros estudiosos opinam que é *culpa*, considerando que essa frase é uma extensão daquela, como se essa frase significasse *superbia defendens*, ou *taciturnitas celans*, ou *impietas contra Deum assurgens*, ou alguma grande culpa. Mas como não censuro essas opiniões, as quais podem ter força, penso que essa frase se refere à palavra que estava na confissão. O pecado confessado era פֶּשַׁע, sendo esta apenas uma análise dessa palavra, pois o que é עֲוֹן חַטָּאתִי, palavra por palavra, senão a perversão da minha aberração? A palavra חֲטָאָה significa uma aberração do alvo ou meta para a qual apontamos. Todos os homens apontam para a felicidade, mas muitos se desviam dela porque não são conduzidos pela lei que guia até ela, cuja violação é chamada de חֲטָאָה. Mas alguns se desviam por mera ignorância, e só quebram a lei. Outros, por teimosia, não querem se submeter ao Legislador. O pecado desses homens é chamado de perversão, a qual se diz aqui que Deus perdoa. De forma que Davi não confessou mais contra si mesmo do que Deus inclui no perdão. Deus pode exceder nosso desejo. Ele nunca é insuficiente nas coisas que dizem respeito ao nosso bem espiritual, ao nosso bem eterno. Levando em conta que Ele não exclui nenhum pecador que confessa, Ele jamais isentará o pecado que é confessado. — *Arthur Lake, 1626*

v. 6: "Pelo que todo aquele que é santo orará a ti, a tempo de te poder achar; até no transbordar de muitas águas, estas a ele não chegarão". Vendo que Ele é um Deus assim, quem recusará ou atrasará a sua volta? Claro que todo aquele cuja mente é racional e piedosa, sem demora invocará tão doce e meigo Senhor. "Orará a ti, a tempo de te poder achar", é tradução que expressa devidamente o original hebraico, pois aquele que promete perdão, não promete para amanhã.

Há *tempora fandi*, certos tempos nos quais podemos falar com Ele e determinado dia designado de perdão e de graça, os quais se o homem por tola perversão menosprezar, ou por indolência descuidar, será, sem dúvida e com justiça, dominado pelo poder e destruição eternos, tendo de necessariamente perecer pelo dilúvio da ira divina, visto que ele desdenhou e zombou da arca da salvação que estava preparada e na qual todo aquele que entrar será salvo, enquanto o mundo está perecendo. — *Robert Leighton*

v. 6: "Pelo que todo aquele que é santo orará a ti", disse Davi. "Pelo que" o quê? Por causa dos seus pecados. E quem? Não aquele que é mais ímpio, mas todo aquele que é santo tem, nesse aspecto, motivo para orar. E orar pelo quê? Com certeza, pelo perdão renovado, pelo aumento da graça e pela perfeição da glória. Não podemos dizer que não temos pecado. Oremos como Davi: "Não entres em juízo com o teu servo" (Sl 143.2). Onde há ênfase dupla observável não é *ab hoste*, mas *a servo*. Embora servo de Deus, ele não queria que Deus entrasse em juízo com ele. Novamente, *ne intres*, é a mesma entrada em juízo que ele teme e ora para que não ocorra. Não apenas não julgar, mas nem ainda entrar. — *Nathanael Hardy*

v. 6: "Pelo que todo aquele que é santo orará a ti". Temos um informação que não consta na história de Davi. Supõe-se comumente que, depois da dolorosa queda, até que Natã o repreendesse, ele fora descuidado e alheio. Reputa-se esse comportamento como prova da natureza do endurecimento do pecado. Mas o fato era totalmente o contrário. Durante todo o tempo, a consciência o torturava, mas ele não estava disposto a humilhar-se diante de Deus e condenar-se perante os homens sobre o que deveria ter feito.

Manteve silêncio e empenhou-se em dissimular a angústia com tempo, paliativo e desculpa. Mas a repressão e o encobrimento da angústia roubou-lhe não só a paz, mas também a saúde, pondo em perigo a própria vida. Por fim, ele foi tomado pela mais profunda penitência, lançando-se, por inapta confissão, à compaixão de Deus: "Pelo que todo aquele que é santo orará a ti". Vemos não só que todos os santos oram, mas que cada um deles ora por perdão. Essa é a mesma coisa que nosso Salvador ensina aos discípulos: "Quando orardes, dizei: [...] perdoa-nos os nossos pecados" (Lc 11.2,4). Essa oração diz respeito à manifestação da misericórdia perdoadora, como alguns a esperam, e também à sua prática. — *William Jay*

v. 6: "Santo". O homem santo é como Deus; ele julga como Deus julga. Ele pensa nas coisas como Deus pensa. Ele tem uma disposição divina. Ele participa da natureza divina (2 Pe 1.4). O santo leva o nome e a imagem de Deus: santidade é ser semelhante a Deus. — *Thomas Watson*

v. 6: "Tempo". Há ocasiões que, se levados em conta, suavizam as ações e abrem a porta para o melhor entretenimento: "Como maçãs de ouro em salvas de prata, assim é a palavra dita a seu tempo" (Pv 25.11). No original hebraico, é, literalmente: "Uma palavra falada em cima das suas rodas", significando que os tempos e as estações adequados são rodas que as palavras levam vantajosamente. O mesmo se dá com as ações. Quando as coisas são feitas no tempo certo, elas são belas e aceitáveis. Quando Deus dá chuva à terra na época certa, quão aceitável é! Quando a árvore frutifica na devida estação, é gratificante. Quando os anjos ou os homens fazem as coisas oportunamente, quão agradável é para o Senhor Jesus Cristo! Há tempos certos que, se perdermos, as ações são desagradáveis e perdem o objetivo. "Pelo que todo aquele que é santo orará a ti, a tempo de te poder achar." Há tempo que, se tivermos a sabedoria para discerni-lo, a oração será oportuna, aceitável e eficaz. — *William Greenhill, 1591-1677 v. 6:* "Até no transbordar de muitas águas, estas a ele não chegarão". Até agora, os efeitos da oração têm sido maravilhosos. A oração enviou pedras de granizo do céu para derrotar cinco reis com os seus exércitos. A oração fechou as janelas do céu para que não chovesse, e depois as abriu para que a terra desse a sua produção. A oração deteve o rápido curso do sol e o fez voltar 15 graus. A oração segurou as mãos de Deus para que Ele não ferisse quando Ele estava prestes a infestar o povo. A oração sem outra ajuda ou expediente jogou ao chão os fortes muros de Jericó. A oração dividiu o mar para que as suas inundações não chegassem perto dos israelitas. No texto que estamos estudando, a oração livra o homem fiel de todos os perigos deste mundo: "Até no transbordar de muitas águas, estas a ele não chegarão".

A suma é esta: Não há calamidade deste mundo, nem dificuldade desta vida, nem terror da morte, nem culpa do pecado que seja tão grande a ponto de o santo, pela fé e felicidade em Cristo, não os atravesse perfeitamente bem. Seja como for que as outras coisas se deem, ele ainda terá tamanho consolo na alma, tamanho estímulo na consciência, tamanho céu no coração, sabendo que está reconciliado com Deus e justificado pela fé, que "até no transbordar de muitas águas, estas a ele não chegarão". Sobre isso, para melhor transparência, desejo observar duas coisas: o perigo e o livramento. O perigo está nestas palavras: "No transbordar de muitas águas", que é comparação das tribulações às quais o santo está sujeito nesta vida. Primeiro, sujeito às águas; depois, às muitas águas; e em seguida, ao trasbordamento de muitas águas.

O livramento está nestas palavras: "Estas a ele não chegarão", que mostram que o livramento do santo também tem três fases. Primeiro, "estas a ele *não chegarão*"; depois, "estas *a ele* não chegarão"; e em seguida, "*estas* a ele não chegarão". — *Thomas Playfere*

v. 6: "No transbordar de muitas águas". As aflições dos crentes são comparadas a águas. O fogo e a água não têm misericórdia. Mas entre esses dois elementos, a água é o pior. O fogo pode ser apagado com água, mas a força da água, se for violenta, não há força humana que resista. Mas essas nossas tribulações que são "águas", são "muitas águas". Dizem que a tristeza não vem só, mas como as águas veem rolando e se avolumando, assim as desgraças desta vida. — *Thomas Playfere*

v. 6: "Transbordar de muitas águas". Não familiarizados com a inundação súbita de rios secos, raramente compreendemos a plena força de uma das ilustrações mais extraordinárias do Antigo e Novo Testamentos. — *W. J. Conybeare e J. S. Howson, "Life and Epistles of St. Paul" [Vida e Epístolas de Paulo], 1856*

v. 6: "Até no transbordar de muitas águas, estas a ele não chegarão". Molhado ele pode ter ficado, como Paulo ficou no naufrágio, mas não afogado por estas inundações de muitas águas. Quando não são muito grandes, são abundantes. — *Joseph Trapp*

v. 6: "Ele". Essa palavra não deve, de forma alguma, ser omitida. Ela nos ajuda a responder uma objeção muito forte. Há quem possa dizer que muitos santos perderam os bens, sofreram sérias enfermidades físicas, tiveram graves problemas mentais. Como é, então, que o transbordamento de muitas águas não chegaram a eles? A palavra "ele" nos ajuda a responder. Os próprios filósofos consideraram que os bens não lhes pertencem mais do que, falo com reverência e respeito, as aparas das unhas. Quando Zenon soube que perdera no mar tudo que tinha, disse: "Tu fazes muito bem, Fortuna, não me deixando nada mais que as roupas do corpo". Outro filósofo, chamado Anaxarco de Abdera, quando o tirano Nicocreon mandou que ele fosse surrado até à morte em um morteiro, falou assim ao executor: "Bata e zurra como quiseres a bolsa ou mochila (assim chamava o seu corpo) de Anaxarco, mas o Anaxarco tu não podes tocar". Estes, fazendo tão pouca conta dos seus bens e corpo, fixaram a mente em elevada consideração. A mente do homem é ele mesmo, afirmaram. É por isso que Júlio César, quando o piloto Amiclas ficou com muito medo da tempestade, disse-lhe: "Por que tu tens tanto medo, ordinário companheiro? Não sabes que tu levas César contigo?" É como se ele tivesse dito que o corpo de César pode afundar como o corpo de qualquer homem, mas a sua mente, a sua magnanimidade, o seu valor, a sua fortaleza jamais afundarão. Até aqui vai a filosofia, mas a divindade vai um pouco mais. A filosofia define *ele*, quer dizer, o homem, pela razão e as virtudes morais da mente. A divindade define o homem cristão pela fé e, com isso, a união com Cristo. Agostinho disse excelentemente: Como acontece que a alma morre? Porque a fé não está na alma. Como acontece que o corpo morre? Porque a alma não está no corpo. Por essa razão, a alma da tua alma é a fé. De forma que, para sabermos quem é crente, temos de defini-lo, não pela alma natural, visto que ele é racional, mas pela alma da sua alma, que é a fé. Então, respondemos facilmente a objeção de que o transbordamento possa chegar aos bens do crente, ao seu corpo e à sua alma racional. É que à sua fé, ou seja, a **ele**, jamais chegará. — *Thomas Playfere*

v. 6: Poucos versículos nos Salmos são mais difíceis de entender do que esse. E nenhum outro deu origem às mais variadas exposições entre os comentaristas. "Pelo que." Certos estudiosos entendem essa expressão assim: encorajados por este exemplo, aqueles que também caírem tão odiosamente, Deus os perdoará muito prontamente. Outros veem assim: "pelo que", ou seja, advertido por esse exemplo, aqueles que são santos farão orações para que serem livrados de cair como Davi caiu. Seja qual for o sentido, eles mostram muito bem que essa passagem fala que o estado de perfeição absoluta e duradoura é impossível ao cristão nesta vida. — *Lorinus e Cajetan, 1469–1534, citado por John Mason Neale*

v. 7: "Tu és o meu esconderijo" (ARA). Davi não diz: "Tu és um esconderijo", como se fosse apenas um lugar entre muitos, ou: "Tu és o esconderijo", como se fosse o único, mas: "Tu és o meu esconderijo". É nesse ponto que está toda a excelência do texto. "Ele é meu. Eu aceito a oferta da sua salvação", diz Davi. "Eu recorro a ele pessoalmente. Eu, como pecador, me abrigo no seu amor e compaixão. Eu me coloco debaixo das suas asas. Eu me cubro com as vestes da sua justiça. Agora estou seguro. "Bem-aventurado aquele cuja transgressão é perdoada, e cujo pecado é coberto" (v. 1). Isso significa fazer parte da questão, tendo o benefício pessoal e individual da obra de expiação do Salvador. Como é diferente a apropriação da fé especulativa! As pessoas dizem que creem na doutrina, que aceitam a verdade, que concordam com o nosso credo. Dizem que declarar a elas o caráter de Cristo como a ajuda e segurança exclusiva do pecador é meramente apresentar-lhes o que elas já sabem. Sigamos a ideia indicada pela ilustração do texto para vermos a loucura e o perigo que as pessoas correm por agir assim. Suponhamos que um viajante em um descampado frio e solitário fique alarmado com a aproximação de uma tempestade. Ele procura por abrigo. Mas se os olhos discernirem um lugar onde ele possa esconder-se da tempestade, será que ele ficará parado e dirá: "Vejo que há um abrigo. Então, vou ficar onde estou"? Ele não se dirigirá a esse abrigo? Ele não correrá para escapar do vento tormentoso e da tempestade? É um esconderijo, mas será o seu esconderijo somente quando ele correr e abrigar-se nele com segurança. Não tivesse ele agido assim, embora pudesse ter sido uma proteção para mil outros viajantes que valeram-se dela, para ele, teria sido como se o lugar não existisse. Quem não entende imediatamente, com esta simples ilustração, que as bênçãos do evangelho são tamanhas somente quando a alma se apropria delas? O médico só pode ajudar se for consultado. O remédio só pode curar se for tomado. O dinheiro só pode enriquecer se for possuído. Na parábola que Jesus contou, o negociante não teria ficado mais rico por encontrar "uma pérola de grande valor" se não tivesse tomado providência para torná-la sua (Mt 13.45,46). A mesma coisa se dá com a salvação do evangelho. Se Jesus é o "bálsamo em Gileade", aplica o remédio. Se Ele é o "lá médico", vai até ele (Jr 8.22). Se Ele é a "pérola de grande valor", vende tudo o que tens e compra-a. Se ele é o "esconderijo", corre e abriga-te nEle com segurança. Não haverá verdadeira alegria e paz de coração até que Ele seja o teu "esconderijo". — *Fountain Elwin, 1842*

v. 7: "Tu és o lugar em que me escondo". Alusão provável à cidade de refúgio. — *Adam Clarke*

v. 7: "Esconderijo" (ARA). Henry Kirke White (1785–1806) compôs um hino bonito com essa palavra. Não temos espaço para citá-lo por inteiro, mas encontra-se no *"Our Own Hymn Book", hino n.º 381.**

v. 7: "Tu me preservas da angústia". Se nos contentarmos com a palavra que os tradutores escolheram "angústia", temos de optar um destes dois sentidos. O primeiro é que Deus armará e dotará aqueles que são dEle com tal constância de modo que as coisas que angustiam os outros não angustiarão a eles. Mas: "Como as aflições de Cristo são abundantes em nós, assim também a nossa consolação sobeja por meio de Cristo". "Como desconhecidos, mas sendo bem conhecidos; como morrendo e eis que vivemos; como castigados e não mortos" (2 Co 1.5; 6.9). Deus usa esses dois modos em benefício dos seus servos. Às vezes, suspende as operações daquilo que deve lhes causar tormento, como Ele suspendeu a ferocidade dos leões para Daniel e o calor do fogo na fornalha ardente para os seus três amigos. Às vezes, imprime uma santa estupefação e insensibilidade na pessoa que sofre. Assim, Lourenço de Roma, o mártir, não só estava calmo, mas também alegre e faceiro enquanto estava sendo queimado na fogueira. Sabemos também que muitos outros mártires comportaram-se do mesmo modo, tendo ficado menos comovidos e menos sensibilizados com os tormentos do que as pessoas que os executavam ou os perseguiam. Aquilo que angustiava os outros jamais os angustiava. O segundo sentido da frase é que, ainda que fiquem angustiados com as dificuldades, que Deus os submeta à condição comum dos homens e que eles sofram terrivelmente com isso, Ele os preservará dessa dificuldade para que nunca os vença, nunca os afunde em abatimento de espírito ou falta de confiança na sua misericórdia! Passarão por tempestades, porém com um navio forte e robusto sob os pés. Sentirão relâmpagos e trovões, porém guirlandas dos louros da vitória os preservarão. Serão pisados na terra com desprezo e desdém, porém como sementes enterradas se multiplicarão muito mais. Dessa forma, a palavra utilizada pelos tradutores ajuda em nossa devoção: "Tu me preservas da angústia", tu me tornas insensível na angústia, ou tu me fazes vitorioso na angústia. — *John Donne, 1573–1631*

v. 7: "Tu me cinges de alegres cantos de livramento". Nessas palavras, o profeta Davi sobe por gradação, indo além do que ele dissera no mesmo versículo sobre a sua confiança em Deus. Primeiro, ele dissera que Deus era o lugar onde ele se escondia. Depois, que Ele o preservaria das angústias. E, finalmente, que o Senhor o faria alegre para triunfar sobre as dificuldades e os inimigos, rodeando-o, em vez de angústias, com misericórdias. [...] Aprende a reconhecer a bondade de Deus para ti mesmo com aplicação particular, como disse Davi: "Tu me cinges de alegres cantos de livramento". Não confesses somente a bondade que Ele demonstrou aos outros, como para com Abraão, Isaque e Jacó, nem apenas o livramento dado, por exemplo, a Noé, Daniel e Ló. Mas também as misericórdias e livramentos que Ele

* **N. do T.:** Diz a estrofe III do referido hino: "É a ele, o Cordeiro, a ele a quem fugimos/ Enquanto a temível tempestade passa por nós/ Deus vê a face do seu Benquisto/ E nos poupa em nosso esconderijo".

te concedeu, como fez Paulo: "Cristo [...] me amou e se entregou a si mesmo por mim" (Gl 2.20, grifos meus). Isso estimula excessivamente a gratidão, ao passo que só reconhecer Deus como bom em si mesmo ou bom para os outros e não para ti mesmo fará com que tu murmures e lamentes. — *Thomas Taylor*

v. 7: "Tu me cinges". Esse termo indica que estamos sitiados por todos os lados com angústias, de forma que estamos cingidos com muitos consolos e livramentos. Conforme a cruz diária se intensifica, assim as consolações aumentam dia a dia. Somos por todos os lados atacados e por todos os lados defendidos. Devemos por todos os lados entoar os louvores de Deus, como disse Davi: "Bendize, ó minha alma, ao Senhor, e tudo o que há em mim bendiga o seu santo nome" (Sl 103.1). — *Archibald Symson*

v. 7: "Cantos de livramento". Nisso, ele expressará contentamento não apenas com a gratidão, mas também a associará com cânticos, deixando-nos ver como estão retesadas as cordas do seu coração, de forma a não poder se conter diante das misericórdias de Deus para com a igreja e diante dos múltiplos livramentos dados a ela. Muitos cantam louvores a Deus com a boca entreaberta. Embora cantem em voz alta músicas mundanas em casa, cantam em voz tão baixa na igreja, garanto-lhes que dificilmente ouvem o som da própria voz. Penso que têm vergonha de proclamar e mostrar os louvores de Deus, ou então temem ensurdecer Deus por cantaram alto. Mas Davi entesou todas as suas forças, interiores e exteriores, para louvar ao seu Deus. — *Archibald Symson*

v. 8: "Instruir-te-ei e ensinar-te-ei o caminho que deves seguir". Ninguém mais senão o próprio Deus pode desempenhar tudo quanto é prometido no texto. Aqui está a fé, uma correção do entendimento: "Instruir-te-ei". No original hebraico, há um pouco mais do que a tradução alcança. Há: Intelligere faciam te, que significa: "Eu te farei entender". O homem pode instruir, mas só Deus pode nos fazer entender. Depois é Faciam te, "eu te farei, te farei" entender. A obra é obra de Deus, mas o entendimento é do homem, pois Deus não trabalha no homem como o Diabo trabalha nos ídolos, pitonisas, ventríloquos e endemoninhados, que não tiveram consentimento voluntário com a ação do Diabo, mas foram somente agentes passivos. Deus trabalha no homem de modo a fazer com que o homem também trabalhe, faciam te, "eu te farei" entender. Aquilo que será feito, será feito por mim, mas em ti, o poder que corrige o ato é de Deus, mas o ato é do homem. Faciam te, diz Deus, "eu te farei, te farei", cada pessoa individualmente (interpretação que deriva dessa palavra singular e distributiva, te, a qual não ameaça exceção nem exclusão), eu tornarei cada pessoa, a quem apresento instrução, capaz de executar essa instrução. Se ele não a recebe, é só por sua e não por minha culpa. Essa primeira parte é uma instrução de credendis, "de tais coisas", como por Deus corrigindo o nosso entendimento que ficamos inclinados a crer. Na segunda parte, ocorre uma instrução mais particular: Docebo, "ensinar-te-ei", e o ensino é in via, "o caminho". Não é apenas de via, ensinar-te qual é o caminho que deves seguir, mas in via, como manter o caminho quando tu estás nele. Ele te ensinará não só ut gradiaris, para andares nele e não dormires, mas quomodo gradieris, para andares nele e não te perderes. Essa segunda parte é uma instituição de agendis, das coisas que, tendo sido o teu entendimento anteriormente corrigido e deduzido em uma crença, tu estás preso a fazer. Nas últimas palavras do versículo: "Guiar-te-ei com os meus olhos", há uma terceira parte, um estabelecimento, uma confirmação através da observância incessante de Deus. Ele nos considerará e nos levará em conta (é o tanto que as palavras no original hebraico significam). Não nos entregará ao acaso, à sorte, nem ainda à sua providência geral, pela qual todas as criaturas estão universalmente na sua proteção e administração, mas Ele nos contemplará, nos ponderará, nos estudará. Fará isso com os olhos, que é o órgão e instrumento mais aguçado e mais sensível, que logo sentem se algo está errado e assim o inclinam a nos corrigir depressa. Essa terceira parte é uma instrução de sperandis, tendo sempre uma relação com o futuro, a constância e a perseverança da bondade de Deus para conosco. Até ao fim e durante o fim, Ele nos guiará com os seus olhos, pois a menos que os olhos de Deus possam ser tirados, poderemos ser tirados da sua visão e cuidado. Portanto, a carga que temos de carregar, ou seja, o que devemos crer concernente a Deus, a viagem que temos de fazer, como orientar e governar o nosso curso, quer dizer, o nosso comportamento e porte na casa dos crentes, e o porto ao qual temos de ir, quer dizer, a nossa garantia de chegar à Jerusalém celestial estão expressos neste quadro, nesta ilustração, neste mapa, nesta instrução, neste texto. — *John Donne*

v. 8: Esta repetição tripla: "Instruir-te-ei", "ensinar-te-ei" e "guiar-te-ei" ensina-nos as três características de um bom professor. Primeiro, fazer as pessoas entenderem o caminho da salvação; depois, ir adiante delas; e por último, observar a elas e os seus caminhos. — *Archibald Symson*

v. 8: "O caminho". Se compararmos esse caminho com todos os outros caminhos, teremos o nosso cuidado mais aguçado para entrar e permanecer nele.

Em primeiro lugar, essa é a estrada do Rei, na qual temos promessa de proteção (Sl 91.11).

Em segundo lugar, os caminhos de Deus são os caminhos mais limpos de todos (2 Sm 22.31).

Em terceiro lugar, os caminhos de Deus são os caminhos mais retos e, sendo os mais retos, são também os mais curtos (Os 14.9).

Em quarto lugar, os caminhos de Deus são os mais luminosos e alegres (Pv 3.17). Portanto, sendo os caminhos de Deus os mais seguros, os mais limpos, os mais retos, os mais curtos e os mais luminosos, temos de ser cuidadosos em andar neles. — *Condensado de Thomas Taylor*

v. 8: "Guiar-te-ei com os meus olhos". A história natural ** nos informa certas características sobre algumas criaturas. Plínio disse: Qui solo oculorum aspectu fovent ova, que significa "que choca os ovos apenas olhando para eles". Sendo assim, o que os olhos de Deus não podem produzir e chocar em nós? Ambrósio escreveu: Plus est quod probatur aspectu, quam quod sermone, que quer dizer "o homem pode elogiar em palavras, e, ao mesmo tempo, mostrar desaprovação no semblante". A sua palavra infunde propósitos bons em nós. Mas se Deus permanece com os olhos em nós, é uma aprovação maior, pois Ele é um Deus de olhos puros que não olhará os ímpios: "Terra de que o Senhor, teu Deus, tem cuidado; os olhos do Senhor, teu Deus, estão sobre ela continuamente, desde o princípio até ao fim do ano" (Dt 11.12).

Que primavera feliz e que outono frutífero goza a alma que sempre tem sobre si os olhos do Senhor! Os olhos do Senhor sobre mim transforma a meia-noite em meio-dia e o solstício de inverno em solstício de verão. Os olhos do Senhor santificam, não, mais do que santificam, eles glorificam todos os reveses da desonra, tornando a melancolia em alegria, a desconfiança em certeza e o ciúme da alma triste em infalibilidade. [...] Este guiar-nos com os olhos se manifesta em dois grandes efeitos: conversão a Ele e união com Ele. O primeiro efeito é que os seus olhos trabalham nos nossos. Os seus olhos fazem com que os nossos olhem para Ele. Também é expressado com um Ecce:

** Certo revisor comentou a respeito da história natural inválida que citamos. Respondemos que alterar seria danificar as citações e que estamos fazendo um livro para homens, não para meninos. Atualmente, não há ninguém em seu juízo perfeito que acredite em fábulas que, em épocas antigas, eram aceitas por fatos.

"Eis que os olhos do Senhor estão sobre os que o temem" (Sl 33.18). Com o "eis", os seus olhos chamam os nossos para vê-los, e depois os nossos olhos invocam os dEle para observar a nossa prontidão alegre. [...] Quando, como um quadro bem feito sempre olha aquele que o olha, esta imagem de Deus em nossa alma se volta para Ele por Ele estar com os olhos sobre nós; é impossível cometermos alguma falta ou qualquer coisa imprópria na sua presença. [...] O outro grande efeito de Ele nos guiar com os olhos é que essa ação nos une a Ele. Quando Ele fixa os olhos sobre nós e aceita a reação dos nossos olhos a Ele, Ele nos guarda como a "menina do seu olho" (Zc 2.8). [...] Esses são os dois grandes efeitos do fato de Ele nos guiar com os olhos: primeiro, os seus olhos giram os nossos para Ele e, depois, Ele nos transforma segundo Ele mesmo. Repetindo, primeiro, os seus olhos fazem com que os nossos se voltem para Ele e, depois, essa ação nos torna a todos um com Ele, a fim de que nossas aflições sejam postas sobre a sua paciência e as nossas desonras lhe sejam infamantes. Não há estado em que estamos mais seguros do que quando somos dEle. E sendo dEle, Ele dirá a quem quer que nos persiga, em tudo que nos diga respeito: Cur me?, que significa "por que me persegues?" (At 9.4). Levando em conta que Ele tem todo o poder para nos defender, aqui Ele se faz de olhos, que é a parte mais delicada e mais sensível de nossas pressões. — *Condensado de John Donne*

v. 8: "Guiar-te-ei com os meus olhos", ou "aconselhar-te-ei, os meus olhos estarão sobre ti", que expressa o sentido do original hebraico, sendo o seu significado literal (cf. "e, sob as minhas vistas, te darei conselho", ARA). Wilhelm de Wette traduz assim: "Os meus olhos serão dirigidos a ti". A ideia é de uma pessoa dizendo a outra que caminho ela tem de tomar para chegar a certo lugar. Ela diz que a observará ou a manterá nos olhos, não deixando que ela erre. — *Albert Barnes*

v. 8: "Os meus olhos". Podemos considerar que as misericórdias são os feixes de luz dos olhos do Todo-Poderoso, quando a luz do seu semblante se levanta para nós, e que esse homem, sendo guiado pelos olhos, as misericórdias o atraem e prendem ao Criador. Se recusarmos ser guiados pelos olhos, tornar-se-á necessário sermos contidos com as mãos. Se abusamos das nossas misericórdias, se esquecemos do seu Autor e não lhe prestarmos com gratidão a homenagem dos nossos afetos, nós o abrigamos, pelo amor que ele tem por nossa alma, a nos dar problemas e dificuldades. Não reclama que haja tantas tristezas em tua vida. Mas considera quantas dessas tristezas tu causaste para ti mesmo deliberadamente. Ouve a voz de Deus: "Instruir-te-ei e ensinar-te-ei o caminho que deves seguir; guiar-te-ei com os meus olhos". Os meus olhos, cujo olhar torna vistoso tudo o que é bonito, cuja luz dispersa toda a escuridão, previnem todo o perigo e difundem toda a felicidade. Por que, então, tu estás extremamente inquieto? Por que é que "o temor, e a cova" vêm tantas vezes sobre ti (Is 24.17), que uma bênção depois da outra desaparece do seu ciclo e que parece que Deus trata contigo como com os perversos e desobedientes, de quem qualquer porção de bondade se perde completamente? Se tu te conscientizares das muitas misericórdias que te deixaram e garantires permanência das que ainda estão contigo, examina como tu tens sido deficiente até aqui e esforça-te para seres mais diligente para o futuro, obedecendo a advertência que implica que devemos ser guiados pelos resplendores delicados dos olhos, caso a nossa teimosia não torne indispensável as restrições severas das rédeas. — *Henry Melvill, 1837*

v. 9: "Não sejais como o cavalo, nem como a mula, que não têm entendimento, cuja boca precisa de cabresto e freio, para que se não atirem a ti". Quantos enlouquecem desta causa: concupiscências exageradas e tempestuosas! O profeta Jeremias compara Israel a uma "dromedária ligeira [...] que anda torcendo os seus caminhos" e também a uma "jumenta montês, acostumada ao deserto e que, conforme o desejo da sua alma, sorve o vento" (Jr 2.23,24). "Não sejais", disse o salmista, "como o cavalo, nem como a mula, que não têm entendimento, cuja boca precisa de cabresto e freio, para que se não atirem a ti". Os homens têm entendimento, os animais não. Contudo, quando o frenesi dos desejos toma conta dos sentidos, reconheçamos a palavra do profeta e a elogiemos: "Todo homem se tornou estúpido e não tem saber" (Jr 10.14,(ARA). Então: "O homem que está em honra, e não tem entendimento, é semelhante aos animais, que perecem" (Sl 49.20). Não tivesse a rédea da providência dominadora de Deus contido a loucura dos homens, eles teriam atirado fora a sela da razão e escoiceado a natureza na cara. — *Thomas Adams*

v. 9: "Não sejais como o cavalo, nem como a mula, que não têm entendimento, cuja boca precisa de cabresto e freio, para que se não atirem a ti". De acordo com a natureza desses dois animais, os pais e outros expositores fizeram várias interpretações e, pelo menos, algumas alusões. Argumentaram que o cavalo e a mula aceitam o cavaleiro ou a carga, sem discrição ou diferença, sem debate ou consideração, nunca perguntando se o cavaleiro é nobre ou vil, nem se a carga é ouro para o tesouro ou raízes para o mercado.

Esses expositores encontram a mesma indiferença no pecador habitual de qualquer tipo de pecado, quer peque por prazer, por lucro ou por companhia, pois ainda se trata de pecado. Fazendo considerações sobre a mula, dizem que um dos seus pais, sendo mais ignóbil que o outro, é provavelmente o pior, pois tem mais do temperamento da mula do que do cavalo. Eles acham em nós que as nossas ações e pensamentos experimentam mais da parte do mais ignóbil da terra do que do céu. Jerônimo entende que a ferocidade e a precipitação estão representados no cavalo, e a indolência está representada na mula. Agostinho leva essas duas qualidades mais longe. Ele opina que, na ferocidade do cavalo, estão representados os gentios, que correram para longe do conhecimento do cristianismo, e na indolência da mula, os judeus, que andam vagarosamente, visto que os auxílios anteriores facilitaram a aceitação de tal conhecimento. E foram longe nessas alusões e aplicações, podendo ter ido muito mais se quisessem. Tinham bastante espaço para comparar um animal e um pecador, concluindo, muitas vezes, por esse processo, que o animal é o melhor homem. — *John Donne*

v. 9: "Não sejais como o cavalo, nem como a mula, que não têm entendimento, cuja boca precisa de cabresto e freio, para que se não atirem a ti". Analisaremos as causas pelas quais uma perna quebrada é incurável no cavalo e facilmente curável no homem. O cavalo é incapaz de seguir a orientação para submeter-se ao ferrador. No caso de lhe fixarem a perna, ele salta, agita-se e perde as estribeiras, desunindo-a violentamente pelo ímpeto mal empregado, pois considera as faixas como correntes e grilhões. Por outro lado, o homem de boa vontade se resigna às ordens do cirurgião, preferindo ser antes um prisioneiro por alguns dias do que um aleijado pelo resto da vida. "Não sejais como o cavalo, nem como a mula, que não têm entendimento", mas "tenha, porém, a paciência a sua obra perfeita" em ti (Tg 1.4). — *Thomas Fuller, 1608–1661*

v. 9: "Cabresto e freio". מֶתֶג־וָרֶסֶן. A Septuaginta traduz a primeira palavra por χαλινῷ, e a segunda por κημῷ. A palavra χαλινός significa o ferro do freio comum que é colocado na boca do cavalo, o bocado do freio ou a barbela. Mas a palavra κημός era algo como uma focinheira que era colocada em cavalos ou mulas indóceis para impedir que mordessem. Xenofonte diz que podiam respirar, mas o artefato mantinha a boca fechada, de forma que não podiam morder. Não conhecendo o termo próprio para descrever esse dispositivo, chamo de focinheira. O verbo קָרַב é um termo militar e significa avançar, como inimigo, para atacar. A frase "para que se não atirem a ti" significa chegar perto para causar dano. A advertência dada pelo salmista aos seus companheiros é submeter-se à instrução e orientação benevolentemente prometida dos céus, e não se assemelhar, no que tange à disposição rebelde, aos potros maldispostos que não se deixam guiar pela rédea simples. Mas, a menos que as mandíbulas sejam limitadas pela focinheira, eles atacam o cavaleiro que ousar montar, ou o cavalariço que os leva ao pasto ou ao estábulo. — *Samuel Horsley*

v. 9: "Para que se não atirem a ti". A versão comum dessa frase seria suficientemente satisfatória quando se falasse de um animal selvagem. Mas, em referência a uma mula ou cavalo, as palavras se ajustam melhor porque não te seguirão ou obedecerão espontaneamente. Animais desse tipo devem constantemente ser coagidos, tanto por compulsão quanto por restrição. — *Joseph Addison Alexander, 1850*

v. 9: "Não sejais como o cavalo ou a mula, que não têm entendimento, e cujos ornamentos são uma rédea e um freio para segurá-los. Eles não irão a ti por si mesmos". — *Charles Carter, "The Book of Psalms" [O Livro de Salmos], 1869 [uma nova tradução]*

v. 10: "Aquele que confia no Senhor, a misericórdia o cercará". Bem no meio da esfera, está o centro, do qual saem as retas que se dirigem à circunferência. O bom cristão tem Deus por circunferência, pois tudo que ele pensa, fala ou faz se dirige a Cristo, de quem ele é envolto. — *Robert Cawdray*

v. 10: "A misericórdia o cercará". Ele será rodeado de misericórdia, como somos rodeados pelo ar ou pela luz solar. Ele achará misericórdia e favor em todos os lugares — em casa e fora de casa, de dia e de noite, na sociedade e na solidão, na doença e na saúde, na vida e na morte, no tempo e na eternidade. Ele andará entre misericórdias, morrerá entre misericórdias, habitará num mundo melhor no meio das misericórdias eternas. — *Albert Barnes*

v. 10: "Observe o texto", disse Richard Adkins ao neto Abel, que estava lendo para ele o Salmo 32. "Marque o texto: 'Aquele que confia no Senhor, a misericórdia o cercará'. Eu o li em minha juventude e cri. Hoje, lendo-o em minha velhice, graças a Deus, sei que é verdade. É uma bem-aventurada coisa no meio das alegrias e tristezas do mundo, Abel, confiar no Senhor". — *"The Christian Treasury" [O Tesouro Cristão], 1848*

v. 11: "Alegrai-vos no Senhor e regozijai-vos, vós, os justos; e cantai alegremente todos vós que sois retos de coração". Essa exortação contém três partes. Primeiramente, ao que ele nos exorta: "Alegrai-vos". Depois, a quem ele exorta: "Vós, os justos; e [...] vós que sois retos de coração". E, por último, a limitação da exortação: "No Senhor". Ele os exorta três vezes: "Alegrai-vos", "regozijai-vos" e "cantai alegremente". Tendo em vista que ele mencionou uma bênção tripla, ele menciona uma alegria tripla. A esse respeito, temos duas observações importantes a fazer.

Em primeiro lugar, o embotamento da nossa natureza, a qual, como cavalos lerdos, precisa de muitas esporas e provocações para interessar-se pelas coisas espirituais, ao passo que somos natural e excessivamente inclinados às coisas carnais, não precisando de estímulos. Pelo contrário, nas coisas espirituais, caímos em sono profundo, dificilmente acordando na primeira chamada. Somos como ébrios que precisam ser arrancados do torpor muitas vezes para verem a luz. Os bêbedos com os prazeres do pecado, como disse Nazianzeno, têm de ser despertados por exortações diversas, como esse mesmo profeta no Salmo subsequente redobrou as exortações para o mesmo fim. Disse o apóstolo aos crentes filipenses: "Regozijai-vos, sempre, no Senhor; outra vez digo: regozijai-vos" (Fp 4.4).

Em segundo lugar, percebamos que essa exortação vai aumentando, pois, no original hebraico, a palavra "alegrai-vos" significa adequadamente uma alegria interior e pura pela presença ou esperança de ao menos uma coisa desejável ou boa. A palavra "regozijai-vos", para expressar a nossa alegria por algum gesto externo, era às vezes usada para referir-se à dança, como em: "Os outeiros cingem-se de alegria" (Sl 65.12). A palavra "cantai alegremente" significa gritar de alegria, como a língua do mudo cantará. Essa gradação nos mostra que essa é a natureza da alegria espiritual. Ela vai aumentando em nós, de grau em grau, até chegar à perfeição de toda a alegria, que está evidenciada pela última palavra, significando, por assim dizer, um triunfo e brado depois da vitória. Portanto, são verdadeiramente penitentes os que venceram o pecado e Satanás no combate espiritual e triunfaram sobre eles como inimigos derrotados. — *Archibald Symson*

v. 11: "Alegrai-vos no Senhor e regozijai-vos, vós, os justos". Não há pessoa que seja mais alegre do que o crente. Tu dirás que os homens têm prazer nos pecados? Ora, essa é a alegria do Diabo. Ou dirás que eles se alegram com celeiros e bolsas cheias? Essa é a alegria dos tolos.

Ou então dirás que eles se alegram no vinho, ou seja, com todas as guloseimas que satisfazem o paladar? Essa é a alegria do tumulto. Leia e creia em Eclesiastes 2.3. Realmente, do versículo 1 ao 11, o livro inteiro, mas especialmente esse capítulo é a filosofia mais celestial que já existiu ou existirá. — *Christopher Fowler, 1610–1678, "Morning Exercises" [Exercícios Matinais]*

v. 11: "E cantai alegremente todos vós que sois retos de coração". Quando o poeta Carpani perguntou ao amigo Haydn o que aconteceu para que a música da igreja tivesse ficado tão alegre, o grande compositor deu uma resposta muito bonita. "Não consigo", disse ele, "fazer diferente. Escrevo de acordo com os pensamentos que sinto. Quando penso em Deus, meu coração fica tão cheio de alegria que as notas dançam e pulam, por assim dizer, da minha pena. Tendo em vista que Deus me deu um coração alegre, me será perdoado se eu o servir com um espírito alegre. — *John Whitecross, "Anecdotes" [Relatos Curtos da Vida Particular]*

v. 11: Os homens carnais, que quiçá aceitariam quando alguém dissesse: "Alegrai-vos", logo em seguida, quando a frase fosse completada com: "no Senhor", deixariam de aceitar. Aqueles que, por causa das ondas e vagalhões do mar problemático deste mundo, não toleram o discurso quando alguém diz: "Alegrai-vos", têm de segurar com toda a firmeza quando a frase inteira é: "Alegrai-vos no Senhor". — *Henry Airay, 1560–1610*

v. 11:
Cantai a este Rei brilhante e glorioso
Louvai ao seu nome, todos os seres vivos
Entoai coração e voz, como sinos de prata
O consolo que este dia traz
— *Kinwellmersh*, citado por *A. Moody Stuart*

v. 11: A respeito de Siracusa, o famoso Tully conta que não há dia durante o ano inteiro tão ventoso e tempestuoso no qual os habitantes não tenham um vislumbre e visão do sol. Podemos fazer a mesma observação sobre todos os Salmos de Davi, nos quais as queixas são muito multiplicadas, e os medos e as pressões mais insistentes. Não há nenhum deles que esteja totalmente obscurecido pela escuridão negra do desespero, mas podemos facilmente discernir que eles foram, aqui e ali, interferidos e riscados com certas expressões consoladoras de fé e esperança em Deus.

Se, no início de um Salmo, encontramos o salmista inquieto nos seus pedidos, assim como a pomba que Noé soltou quando as águas do dilúvio estavam altas, no fim, o veremos como a mesma pomba que volta com um raminho de oliveira no bico e se fixa na arca. Se, em outro Salmo, virmos que ele vacila no meio das angústias por causa da prevalência dos medos carnais, também podemos vê-lo recuperando-se, indo buscar argumentos da fé, cujos tópicos são da maior sublimidade do que ser sacudido pelas sugestões temerosas que surgem da carne. Se, em outro momento, percebermos que ele é como um barco à deriva, quer dizer, sacudido e acossado por ventos inconstantes e ondas violentas, ainda constataremos que todas as suas inquietações e agitações estão levando-o para a terra firme, onde ele, afinal, anda em paz e segurança. — *William Spurstowe, 1666*

SUGESTÕES AOS PREGADORES

v. 1. As bênçãos do evangelho. Junte o Salmo 1 ao Salmo 32 e mostre os elementos doutrinais e práticos harmoniosamente combinados. Ou pegue os Salmos 1, 32 e 41 e mostre como passamos de ler a palavra para sentir o seu poder e, daí, viver bondosamente para com os homens.

v. 1. A bem-aventurança evangélica: (1) A condição original de quem a possui. (2) A natureza do benefício recebido. (3) O canal pelo qual ela veio. (4) O meio pelo qual pode ser obtida por nós.

vv. 1 e 2. A natureza do pecado e as modalidades do perdão.

v. 2. A não-imputação, uma doutrina extraordinária: Prove, explique e melhore.

v. 2. "Não há engano." A honestidade de coração do homem perdoado.

v. 3. A retenção de nossas aflições por nós mesmos: (1) A tendência natural à timidez e desespero. (2) O perigo disso. (3) O meio de falar sobre a aflição. (4) Encorajamentos para agir assim. (5) O bem-aventurado que está pronto para ouvir a confissão. (6) O pranteador silencioso é o maior sofredor.

vv. 3 e 4. Título sugestivo: "Sob convicções terríveis e chamamentos brandos", in: "Spurgeon's Sermons" [Sermões de Spurgeon], n.º 313.

v. 4. As tristezas da alma que está sob convicção de pecado: (1) Todos os dias. (2) Todas as noites. (3) De Deus. (4) Peso. (5) Debilitação. (6) Destruição.

v. 4. "O meu humor se tornou em sequidão de estio." A seca espiritual.

v. 5. Os resultados tremendos de uma confissão completa. Ou a confissão e absolvição biblicamente explicadas.

v. 6. O retrato daquele que é santo desenhado com o lápis da Bíblia. — *Thomas Watson*

v. 6. A experiência de um e o encorajamento de todos.

v. 6. "Pelo que todo aquele que é santo orará a ti, a tempo de te poder achar." O dia da graça e como melhorá-lo.

v. 6. "Pelo que todo aquele que é santo orará a ti, a tempo de te poder achar; até no transbordar de muitas águas, estas a ele não chegarão." O perdão dos pecados é a garantia de que as outras misericórdias serão dadas.

v. 6. "Até no transbordar de muitas águas, estas a ele não chegarão." Dificuldades iminentes e livramentos eminentes.

v. 6. "Até no transbordar de muitas águas, estas a ele não chegarão." A felicidade dos crentes. — *Thomas Playfere*

v. 7. (1) O perigo sentido. (2) O refúgio conhecido. (3) A posse reivindicada. (4) A alegria experimentada.

v. 7. "Tu és o meu esconderijo" (ARA). Jesus, o esconderijo contra o pecado, Satanás e a tristeza na morte e no julgamento.

v. 7. "Tu me preservas da angústia." As angústias das quais os santos são preservados.

v. 7. "E me cercas de alegres cantos de livramento" (RA). Acerca de cantos de livramento: (1) Quem faz a cerca. (2) Qual é a circunferência da cerca. (3) Quem está no centro da cerca.

v. 7. "Cantos de livramento." Da culpa, inferno, morte, inimigos, dúvidas, tentações, acidentes, armadilhas. O professor divino, os alunos, as lições, os castigos e as recompensas.

v. 8. O poder dos olhos (*Henry Melvill*). No qual ele tenta em vão provar o batismo de crianças e o episcopado. Ele reconhece que não são doutrinas ensinadas expressamente na Bíblia, mas declara que foram indicadas como se fossem com os olhos divinos.

v. 9. (1) Os cabrestos e freios de Deus. (2) As mulas que precisam deles. (3) As razões pelas quais não devemos ser uma delas.

v. 9. Até que ponto em nossas ações somos melhores, e até que ponto somos piores que cavalos e mulas.

v. 10. (1) As muitas dores que são o resultado do pecado. (2) A misericórdia que cerca a vida dos crentes até em seus tempos mais tumultuosos. (3) A porção dos ímpios e a sorte dos crentes.

v. 11. A alegria dos crentes: (1) A fonte: "No Senhor". (2) A vivacidade: "Cantai". (3) O decoro: É uma ordem. (4) Os resultados benéficos e as razões abundantes.

v. 11. "Retos de coração", uma descrição instrutiva. Não os horizontais ou rastejantes, nem os curvados, nem os inclinados, mas os retos de coração.

SALMO 33

TÍTULO

Este cântico de louvor não tem título ou indicação de autoria. Tal ausência, como diz Dickson, visa nos ensinar "a olhar a Bíblia como um livro inteiramente inspirado por Deus, e não como um texto para avaliarmos pelos seus respectivos autores.

ASSUNTO E DIVISÕES

O louvor ao Senhor é o assunto desse cântico sagrado. Os retos são exortados a louvá-lo (vv. 1 a 3), por causa da excelência do caráter divino (vv. 4,5) e da majestade na criação (vv. 6,7). Os homens recebem a ordem de temer diante do Senhor porque os propósitos que Ele tem são realizados na providência (vv. 8 a 11). O seu povo recebe a aclamação de ser bem-aventurado (v. 12). A onisciência e onipotência de Deus, bem como o cuidado que Ele tem por seu povo são celebrados em oposição à fraqueza do braço de carne (vv. 13 a 19). O salmo termina com uma expressão fervorosa de confiança (vv. 20,21) e uma oração sincera (v. 22).

EXPOSIÇÃO

1 *Regozijai-vos no Senhor, vós, justos, pois aos retos convém o louvor.*
2 *Louvai ao Senhor com harpa, cantai a ele com saltério de dez cordas.*
3 *Cantai-lhe um cântico novo; tocai bem e com júbilo.*

1. *"Regozijai-vos no Senhor."* A alegria é a alma do louvor. Quando nos deleitamos em Deus, estamos verdadeiramente exaltando-o, mesmo que não saiam notas de cânticos de nossos lábios. O fato de Deus ser e que Ele é esse Deus e nosso Deus, nosso para sempre e sempre, deve despertar em nós uma alegria incessante e transbordante. Alegrarmo-nos no bem-estar temporal é perigoso, alegrarmo-nos em nós mesmos é tolice, alegrarmo-nos no pecado é fatal, mas alegrarmo-nos em Deus é celestial. Aqueles que desejam um Céu duplo têm de começar na terra a alegrarem-se como aqueles que são do céu.

"Vós, justos." Sendo esse peculiarmente o vosso dever, as vossas obrigações são maiores, e a vossa natureza espiritual mais adaptada ao trabalho. Portanto, sede vós os primeiros no serviço alegre. Até os justos nem sempre estão alegres e precisam ser incentivados a desfrutar os seus privilégios.

"Pois aos retos convém o louvor." Deus tem um olho clínico para coisas que são convenientes. Quando os santos usam a beca do coral, parecem justos aos olhos de Deus. A harpa se ajusta às mãos lavadas pelo sangue. Não há joia mais ornamental a um rosto santo do que o louvor sacro. O louvor não convém a cantores profissionais não perdoados. É como uma joia de ouro num focinho de porco. Corações tortos fazem música torta, mas os retos são o deleite do Senhor. O louvor é a veste dos santos no céu, sendo adequado que lhes convenha na terra.

2. *"Louvai ao Senhor com harpa."* Os homens precisam de toda ajuda possível que conseguirem para incentivá-los a louvar. Essa é a lição a ser extraída do uso de instrumentos musicais na antiga dispensação. Israel estava na escola e usava coisas infantis para ajudá-lo a aprender. Mas, atualmente, quando Jesus nos dá a maturidade espiritual, podemos fazer melodia sem instrumentos de cordas e de sopro. Nós que não cremos que essas coisas sejam apropriadas na adoração, para que não lhes estraguemos a simplicidade, não declaramos que sejam ilícitas. Se um George Herbert ou Martinho Lutero pode adorar Deus melhor com a ajuda de instrumentos bem afinados, quem se oporá a esse direito? Não precisamos de instrumentos musicais, pois eles nos atrapalham em nosso louvor. Mas se outros pensam diferente, não estão eles vivendo na liberdade do evangelho?

"Cantai a ele." Essa é a melhor e mais agradável música. Não há instrumento como a voz humana. Como ajuda para os cânticos, os instrumentos musicais são meramente tolerados, pois teclas e cordas não louvam ao Senhor.

"Com saltério de dez cordas." O Senhor tem de ter uma oitava cheia, pois todas as notas são dele e todas as músicas lhe pertencem. Onde há a menção de diversos instrumentos musicais, somos ensinados a louvar a Deus com toda força que tivermos.

3. *"Cantai-lhe um cântico novo."* Todos os cânticos de louvor devem ser entoados a Ele. Cantar por cantar não vale nada. Temos de levar nossos tributos ao Rei, e não lançá-los ao vento. A maioria dos adoradores presta atenção a esse detalhe? Nossas faculdades mentais devem estar atuando quando estivermos glorificando ao Senhor, para que não percamos a concentração. Temos de fazer de todo hino de louvor um cântico novo. Manter o frescor da adoração é importante e, em particular, é indispensável. Não apresentemos louvor velho e gasto, mas coloquemos vida, alma e coração em todo cântico, visto que todos os dias temos novas misericórdias e vemos novas belezas na obra e palavra de nosso Senhor.

"Tocai bem." É horrível quando ouvimos que Deus está sendo louvado de maneira desleixada. Ele merece o melhor que temos. Todo cristão deve se empenhar em cantar de acordo com as normas musicais, para que mantenhamos o compasso e a afinação com a congregação. As mais agradáveis melodias e as mais doces vozes com as mais belas palavras são muito pequenas para o Senhor, nosso Deus. Não lhe ofereçamos rimas discordantes, compostas com melodias irritantes e rosnadas por vozes destoantes.

"E com júbilo." O entusiasmo deve ser característica distinta na adoração divina. Sussurros bem educados são incabíveis e desconceituados aqui. Não é que o Senhor não possa nos ouvir, mas sim que é natural que grandes exultações sejam expressas da mais sublime maneira. As pessoas gritam quando veem os reis. Não devemos nós oferecer as mais altas hosanas ao Filho de Davi?

4 *Porque a palavra do Senhor é reta, e todas as suas obras são fiéis.*
5 *Ele ama a justiça e o juízo; a terra está cheia da bondade do Senhor.*

4. "Porque a palavra do SENHOR é reta." As suas ordenanças são naturais, morais e espirituais, além de serem certas, sobretudo a sua Palavra encarnada, que é o Senhor justiça nossa. Seja o que for que Deus ordene, deve ser bom, justo e excelente. Não há anomalias no universo de Deus, exceto as que o pecado fez. A sua palavra de ordem fez todas as coisas boas. Quando olhamos a sua palavra de promessa e nos lembramos da sua fidelidade, percebemos quantas razões temos para nos alegrar e agradecer!

"E todas as suas obras são fiéis." A sua obra é a efusão da sua palavra, sendo--lhe condizente com o que é. Ele não faz nem diz algo que seja prejudicial ou ruim. Em obra e palavra, Ele concorda consigo mesmo e com a mais pura verdade. Não há mentira na palavra de Deus, nem impostura na sua obra. A verdade genuína é abundante na criação, providência e revelação. Agir em verdade como também proferi-la são condutas divinas. Os filhos de Deus jamais devem abandonar os princípios divinos na prática ou no coração. Que Deus servimos! Quanto mais o conhecemos, mais nossa melhor natureza aprova a sua inigualável excelência. Até as suas obras desoladoras estão de acordo com a sua palavra verdadeira.

Por que reclamar de falta ou angústia
Sofrimento ou dor? Ele não me contou menos
Os herdeiros da salvação, conheço pela sua palavra
Pela muita tribulação eles têm de seguir o seu Senhor

Deus escreve com caneta-tinteiro que nunca borra, fala com língua que nunca comete um lapso verbal, age com mãos que nunca falham. Bendito seja o seu nome!

5. *"Ele ama a justiça e o juízo."* A teoria e a prática dos retos Ele ama intensamente. Não só aprova a verdade e a justiça, mas a sua alma intimamente se deleita nisso. O caráter de Deus é um mar, cada gota do qual deve se tornar um manancial de louvor para o seu povo. A justiça de Jesus é peculiarmente querida ao Pai, e, por sua causa, Ele tem prazer naqueles a quem é imputada. Por outro lado, o pecado é infinitamente detestável ao Senhor. Ai daqueles que morrem no pecado! Se Ele não vir justiça neles, tratará deles com justiça, fazendo com que o juízo seja severo e final.

"A terra está cheia da bondade do SENHOR." Acheguem-se astrônomos, geólogos, naturalistas, botânicos, químicos, mineiros, sim, todos vocês que estudam as obras de Deus, pois tudo o que vocês verdadeiramente reportam confirma essa declaração. Do mosquito sob os raios do sol ao leviatã no oceano, todas as criaturas reconhecem a generosidade do Criador. Até mesmo o deserto intransitável cintila com certa misericórdia não detectada, e as grutas do oceano escondem os tesouros do amor. A terra poderia ter sido cheia de terror tanto quanto de graça, mas, ao invés disso, abunda e transborda de bondade. Aqueles que não veem isso, mas vivem nesse ambiente como os peixes vivem na água, merecem morrer. Se a terra está cheia de misericórdia, o que será o Céu, onde a bondade concentra as suas radiações?

6 *Pela palavra do SENHOR foram feitos os céus; e todo o exército deles, pelo espírito da sua boca.*

7 *Ele ajunta as águas do mar como num montão; põe os abismos em tesouros.*

6. *"Pela palavra do SENHOR foram feitos os céus."* Os céus angelicais, os céus siderais e os céus terrestres, ou o firmamento, foram feitos para entrar em existência *por uma* palavra, ou, mais exatamente, *pela* Palavra: "E sem ele nada do que foi feito se fez" (Jo 1.3). É interessante notar a menção do Espírito na próxima frase: "E todo o exército deles, pelo espírito ["sopro", ARA] da sua boca". As palavras "sopro", "espírito"

ou “Espírito” são traduções da mesma palavra hebraica. Assim, as três pessoas da divindade unem-se na criação de todas as coisas.

Como é fácil para o Senhor criar os mais pesados astros e os mais gloriosos anjos! Uma palavra ou um sopro basta. É tão fácil para Deus criar o universo quanto é para o homem soprar. Não! É muito mais fácil, pois o homem não sopra independentemente, mas se apropria do fôlego das narinas do Criador para soprar. Por esse versículo, entendemos que a constituição de todas as coisas vem da sabedoria infinita, pois a palavra mostra a sua designação e determinação. Uma Palavra sábia e misericordiosa organizou, e um Espírito vivo sustenta toda a criação do Senhor.

7. *“Ele ajunta as águas do mar como num montão.”* Certa feita, as águas foram espalhadas como grãos derramados numa eira. Agora, foram reunidas num lugar como em um montão. Quem mais poderia tê-las ajuntado em um canal senão o grande Senhor, cujas ordens as águas obedecem? O milagre do mar Vermelho é dia a dia repetido na natureza, pois o mar que agora invade a praia sob o impulso do sol e da lua devoraria a terra se limites não tivessem sido estabelecidos pelo decreto divino.

“Põe os abismos em tesouros.” Os abismos do oceano são os grandes celeiros e armazéns de Deus para os elementos tempestuosos. Vastos reservatórios de água estão guardados nas entranhas da terra, de onde emanam as fontes e mananciais de água. Quanta provisão misericordiosa para uma necessidade urgente.

O texto também não estaria se referindo às nuvens e depósitos de granizo, neve e chuva, esses tesouros de riqueza misericordiosa para os campos da terra? Essas massas aquosas não são empilhadas como em locais onde se guarda madeira cortada, e sim em depósitos para uso benéfico futuro. Vemos carinho abundante na previsão de nosso José celestial, cujos silos já estão cheios para o período de necessidade da terra. Esses armazéns poderiam ter sido, como eram outrora, a munição da vingança, mas hoje são parte do sistema de abastecimento da misericórdia.

8 *Tema toda a terra ao Senhor; temam-no todos os moradores do mundo.*

9 *Porque falou, e tudo se fez; mandou, e logo tudo apareceu.*

10 *O Senhor desfaz o conselho das nações; quebranta os intentos dos povos.*

11 *O conselho do Senhor permanece para sempre; os intentos do seu coração, de geração em geração.*

8. *“Tema toda a terra ao Senhor.”* Não só judeus, mas também gentios. O salmista não era homem cego pelo preconceito nacionalista. Não era seu desejo restringir a adoração ao Senhor à semente de Abraão. Ele busca homenagens até de nações longínquas. Se não são suficientemente bem instruídas para louvar, que pelo menos o sejam para temer.

Há certo tipo de adoração inferior no tremor, o qual, involuntariamente, reconhece o poder ilimitado do Senhor esplendoroso. O blasfemador hostil está fora de lugar em um mundo recheado de símbolos do poder divino e da divindade. A terra inteira não dispõe de um lugar apropriado para erigir uma sinagoga do ateísmo, e tampouco dispõe de um homem em quem é conveniente profanar o nome de Deus.

“Temam-no todos os moradores do mundo.” Abandonem os ídolos e, reverentemente, cultuem o único Deus vivo. O que aqui é desejo também pode ser lido como profecia: o culto a Deus ainda será universal.

9. *“Porque falou, e tudo se fez.”* A criação foi o fruto de uma palavra. O Senhor disse: “Haja luz” (Gn 1.3), e houve luz. O atos do Senhor são sublimes em sua naturalidade e instantaneidade. “Que palavra é essa?” Essa era a pergunta que se fazia antigamente (cf. Lucas 4.36), a qual ainda se faz atualmente.

“Mandou, e logo tudo apareceu.” Do nada, a criação saiu e foi confirmada em existência. O mesmo poder que, no princípio, soergueu o universo, agora faz com

que ele permaneça. Ainda que possamos não observar, há exibição de poder sublime na confirmação tanto quanto na criação. Feliz é o homem que aprendeu a confiar tudo na palavra firme e segura daquEle que construiu os céus!

10. *"O SENHOR desfaz o conselho das nações."* Enquanto a sua vontade é feita, Ele cuida para antecipar a má intenção dos inimigos. Antes que entrem em ação, Ele os derrota na câmara do conselho. Quando bem armados com astúcia, eles marcham ao ataque, Ele lhes frustra as patifarias e faz com que as artimanhas promissoras não deem em nada. Não só a loucura, mas também a sabedoria dos pagãos se renderão ao poder da cruz de Jesus. Que consolo para aqueles que têm de batalhar em campos onde o sofisma e a filosofia — assim falsamente chamada — são colocados em oposição à verdade que está em Cristo Jesus.

"Quebranta os intentos dos povos." As perseguições, difamações e falsidades são como bufa-de-lobo arremessados contra uma parede de granito — não produzem o menor resultado. O Senhor prevalece sobre o mal e tira o bem disso. A causa de Deus nunca está em perigo. A artimanha infernal é burlada pela sabedoria infinita, e a maldade satânica mantida sob controle pelo poder ilimitado.

11. *"O conselho do SENHOR permanece para sempre."* O propósito de Deus não muda, o seu decreto não é frustrado, e os seus desígnios são realizados. Deus tem uma predestinação de acordo com o conselho da sua vontade, e não há ardil dos inimigos que possa demover o decreto por um momento sequer. Os propósitos dos homens são lançados para lá e para cá como fios de teia de aranha que ficam flutuando no ar ou como a penugem do cardo, mas os propósitos eternos são mais firmes do que a terra.

"Os intentos do seu coração, de geração em geração." Os homens vêm e vão, os filhos seguem os antepassados para a sepultura, mas a mente imperturbada de Deus se move com serenidade contínua, produzindo resultados ordeiros com certeza infalível. Nenhum homem espera que a sua vontade ou propósito seja feita de geração em geração. A sabedoria de um período é a loucura de outro, mas a sabedoria do Senhor sempre é sábia, e os seus desígnios prosseguem de século em século. O poder de cumprir os propósitos de forma alguma diminui pelo lapso dos anos. Aquele que era absoluto sobre Faraó no Egito não é nem um pouco menos hoje o Rei dos reis e Senhor dos senhores. As rodas do seu carro ainda rodam silenciosamente para a frente em grandeza imperial, ninguém sendo por um momento sequer capaz de resistir à vontade eterna.

12 *Bem-aventurada é a nação cujo Deus é o SENHOR, e o povo que ele escolheu para a sua herança.*

12. *"Bem-aventurada é a nação cujo Deus é o SENHOR."* Israel estava feliz em cultuar o único Deus verdadeiro. Era a bem-aventurança da nação escolhida ter recebido uma revelação do Senhor. Enquanto as outras nações se abaixavam diante dos ídolos, o povo escolhido era elevado por uma religião espiritual que o apresentava ao Deus invisível e o levava a confiar nEle. Todos os que confiam no Senhor são abençoados no maior e mais profundo sentido, e ninguém pode reverter a bênção.

"E o povo que ele escolheu para a sua herança." A eleição está na base de tudo. A escolha divina manda hoje. Ninguém toma o Senhor para ser o seu Deus até que o Senhor o tome como povo. Que escolha enobrecedora! Não somos escolhidos para um estado medíocre e para um propósito desprezível. Somos feitos o domínio e deleite peculiar do Senhor, nosso Deus. Sendo assim bem-aventurados, alegremo-nos na parte que nos cabe e mostremos ao mundo pela nossa vida que servimos um Mestre glorioso.

13 *O Senhor olha desde os céus e está vendo a todos os filhos dos homens;*
14 *da sua morada contempla todos os moradores da terra.*
15 *Ele é que forma o coração de todos eles, que contempla todas as suas obras.*
16 *Não há rei que se salve com a grandeza de um exército, nem o homem valente se livra pela muita força.*
17 *O cavalo é vão para a segurança; não livra ninguém com a sua grande força.*
18 *Eis que os olhos do Senhor estão sobre os que o temem, sobre os que esperam na sua misericórdia,*
19 *para livrar a sua alma da morte e para os conservar vivos na fome.*

13. *"O Senhor olha desde os céus."* Essas palavras mostram que o Senhor habita nos céus e olha para baixo, vendo todas as coisas, mas peculiarmente observando e cuidando daqueles que confiam nEle. É um dos nossos mais seletos privilégios estar sempre sob os olhos do Pai, nunca ficando longe da vista do nosso melhor Amigo. *"E está vendo a todos os filhos dos homens."* Todos os filhos de Adão são tão bem observados como o próprio Adão, o progenitor solitário no jardim do Éden. Estendendo-se do polo congelado ao equador ardente, percorrendo montanhas e vales, parando em cabanas e palácios, os olhos divinos examinam todos os membros da família humana.

14. *"Da sua morada contempla todos os moradores da terra."* O sentimento é repetido. Vale a pena e precisa ser repetido, pois o homem é muito propenso a esquecer. Assim como os homens importantes se sentam próximos de grandes janelas para ver as aglomerações lá embaixo, assim é o Senhor. Ele fita atentamente as criaturas responsáveis e não esquece nada do que vê.

15. *"Ele é que forma o coração de todos eles."* Por essas palavras, o salmista quer dizer que todos os corações são igualmente formados pelo Senhor, tanto o coração dos reis como também o coração dos mendigos. O texto não diz que todos os corações são originalmente criados iguais por Deus. Dificilmente, tal declaração seria verdadeira, visto que há extrema variedade na constituição e disposição dos homens. Todos os homens devem a posse da vida igualmente ao Criador, não tendo razão para gabarem-se. Que razão tem o vaso para glorificar-se na presença do oleiro? *"Que contempla todas as suas obras."* Não é em vão que Deus vê os atos dos homens. Ele pondera e os julga. Ele lê a intenção secreta no comportamento externo e decompõe o bem aparente em seus elementos reais. Essa consideração pressagia o juízo quando os resultados dos pensamentos divinos serão repartidos em doses de felicidade ou desgraça. Considerai os vossos caminhos, ó homens, pois Deus os considera!

16. *"Não há rei que se salve com a grandeza de um exército."* O poder mortal é uma fábula, e os que confiam nisso são tolos. Fileiras cerradas de homens armados fracassam em guardar um império, ou até mesmo salvar a vida do monarca, quando um decreto da corte celestial determina a destruição do império. O Deus que tudo vê guarda os mais pobres do seu povo mesmo que estejam sozinhos e sem amigos, ao passo que dez mil homens armados não conseguem garantir a segurança daqueles a quem Deus entrega à destruição.

"Nem o homem valente se livra pela muita força." Longe de proteger os outros, o veterano valoroso não consegue se livrar. Quando chega a hora da morte, nem a força dos braços, nem a velocidade das pernas pode salvá-lo. O mais fraco crente habita com segurança à sombra do trono do Senhor, enquanto que o pecador mais poderoso está em perigo a toda hora. Por que falamos tanto de exércitos e heróis? Só o Senhor tem força, e só a Ele cabe os louvores.

17. *"O cavalo é vão para a segurança."* A força militar entre os povos do Oriente depende muito de cavalos e carros armados com pontas de lança, mas o salmista

os chama de falsidade, confiança enganosa. É certa a segurança do cavaleiro que vem montado no galante cavalo de batalha, quer por valor ou por fuga? Não é bem assim, pois o cavalo o levará ao perigo ou cairá em cima dele, esmagando-o.

"Não livra ninguém com a sua grande força." As mais fortes defesas são menos que nada quando mais necessárias. Só Deus deve ser confiado e adorado. Senaqueribe, com toda a cavalaria, não é páreo para um anjo do Senhor. Os cavalos e carros de Faraó perseguiram em vão os ungidos do Senhor. Todos os poderes confederados da terra e do Inferno são plenamente derrotados quando se revoltam contra o Senhor e os seus escolhidos.

18. *"Eis."* Vejam, pois essa é uma maravilha maior que exércitos e cavalos, uma confiança mais firme e segura que carros de guerra ou escudos.

"Os olhos do SENHOR estão sobre os que o temem." Esses olhos de cuidado peculiar são a glória e defesa do Senhor. Ninguém pode pegá-los de surpresa, pois o observador celestial prevê os desígnios dos inimigos e prepara-se com antecedência contra eles. Aqueles que temem a Deus não precisam temer mais nada. Fixai os olhos da fé nEle, e os olhos do amor sempre estarão sobre vós.

"Sobre os que esperam na sua misericórdia." Alguém pensaria que essa é a pequena evidência da graça; não obstante, ela é válida. A esperança humilde terá sua parte como também a fé corajosa. Dize, ó minha alma, não é este um encorajamento para ti? Tu não esperas na misericórdia de Deus em Cristo Jesus? Então, os olhos do Pai estão sobre ti tanto quanto no primogênito da família. Essas palavras gentis, como pão macio, foram feitas para os bebês na graça que precisam de comida de criança.

19. *"Para livrar a sua alma da morte."* A mão do Senhor acompanha os seus olhos. Ele guarda soberanamente aqueles a quem Ele observa graciosamente. Salvamentos e restaurações cercam a vida dos santos. A morte não pode tocá-los até que o Rei assine a autorização e dê permissão, e mesmo então, o seu toque não é tão mortal quanto imortal. Ele não nos mata tanto quanto mata a nossa mortalidade.

"Para os conservar vivos na fome." A fome esquelética sabe quem é o seu senhor. Deus tem farinha e óleo em algum lugar para os seus Elias. "E, verdadeiramente, serás alimentado" (Sl 37.3) é a provisão divina para o homem de fé. O Preservador dos homens não permitirá que a alma dos justos passe fome. O poder nas mãos humanas é sobrepujado pela fome, porém Deus é bom em casos de necessidade e mostra liberalidade nas maiores dificuldades financeiras. Crente, espera em teu Deus nas questões temporais da vida. Os olhos do Senhor estão sobre ti, e as suas mãos não demorarão em te abençoar.

20 *A nossa alma espera no SENHOR; ele é o nosso auxílio e o nosso escudo.*
21 *Pois nele se alegra o nosso coração, porquanto temos confiado no seu santo nome.*

20. *"A nossa alma espera no SENHOR."* Aquele que é santo declara a confiança naquEle a quem o salmo exalta. Esperar é uma grande lição. Ser quieto na expectativa, paciente na esperança, genuíno na confiança é uma das brilhantes realizações do cristão. Nossa alma, nossa vida, tem de depender inteiramente de Deus. Não confiemos nEle somente em situações que não tenham importância ou coisas que não tenham valor, mas tudo o que temos e somos.

"Ele é o nosso auxílio e o nosso escudo." É o nosso auxílio nas labutas e o nosso escudo nos perigos. O Senhor respondeu todas as coisas para o seu povo. Ele é o nosso tudo em todas as coisas. Note os três pronomes possessivos nesse versículo (um "nossa" e dois "nosso"). Essas palavras grampeadas são preciosas. As posses pessoais tornam o homem cristão. Tudo o mais é mera conversa.

21. *"Pois nele se alegra o nosso coração."* O dever recomendado e comandado no versículo 1 é apresentado aqui ao Senhor. Nós, que confiamos, não podemos deixar de ter um coração feliz. Nossa natureza interior tem de exultar em nosso Deus fiel. *"Porquanto temos confiado no seu santo nome."* A raiz da fé dá no devido tempo a flor da alegria. Dúvidas geram tristeza, confiança gera alegria.

22 *Seja a tua misericórdia, Senhor, sobre nós, como em ti esperamos.*

22. *"Seja a tua misericórdia, Senhor, sobre nós, como em ti esperamos."* Essa é uma oração geral e abrangente para o encerramento do salmo. Trata-se de uma petição por misericórdia que até mesmo os crentes alegres precisam. É buscada segundo a proporção que o Senhor sancionou. "Seja-vos feito segundo a vossa fé" (Mt 9.29), são as palavras do Mestre, e Ele não ficará abaixo das expectativas que Ele mesmo estabeleceu. Mestre, faze mais do que isso quando a esperança estiver desfalecendo e abençoa-nos muito mais do que pedimos ou pensamos.

NOTAS EXPLICATIVAS E DECLARAÇÕES IMPORTANTES

O Salmo: É uma ação de graças da igreja triunfante nos últimos tempos, por ela ter sido livrada da destruição do Anticristo e dos seus exércitos. — *Samuel Horsley*

O Salmo: Sigamos o homem santo por um momento na sua meditação. O salmo não está composto em forma escolástica, na qual o autor se limita a regras fixas e, seguindo um método meticulosamente filosófico, formula princípios e deduz consequências. Entretanto, ele estabelece princípios, os mais apropriados para nos dar ideias sublimes do Criador. Ele fala com mais precisão das obras e atributos de Deus do que os grandes filósofos.

Como é absurda a maneira como os filósofos têm tratado a origem do mundo! Como são poucos os que argumentam conclusivamente sobre esse assunto importante! Nosso profeta resolve a questão importante através de um princípio simples. E o mais notável, é que esse princípio, que é nobremente expresso, traz consigo a mais clara evidência. O princípio é este: "Pela palavra do Senhor foram feitos os céus; e todo o exército deles, pelo espírito da sua boca" (v. 6). Essa é a narrativa mais racional que já foi dada sobre a criação do mundo. O mundo é a obra de uma vontade autoeficiente, e esse princípio por si explica a criação. Os aspectos mais simples da natureza são suficientes para nos levar a esse princípio. Ou a minha vontade é autoeficiente, ou há outro ser cuja vontade é autoeficiente. O que digo de mim, digo de meus pais. O que afirmo de meus pais, afirmo dos meus antepassados mais remotos e de todas as criaturas finitas de quem eles derivaram a existência. Claro que ou os seres finitos têm uma vontade autoeficiente, algo que é impossível supor, pois uma criatura finita com uma vontade autoeficiente é uma contradição, ou, prestem atenção, uma criatura finita tem uma vontade autoeficiente, ou há uma Causa Primeira que tem uma vontade autoeficiente. A existência de tal Ser é o princípio do salmista: "Pela palavra do Senhor foram feitos os céus; e todo o exército deles, pelo espírito da sua boca".

Se os filósofos têm argumentado inconclusivamente sobre a origem do mundo, então eles têm falado do seu governo com incerteza igual. O salmista determinou esta questão com grande facilidade, através de um princípio simples, que é o resultado do primeiro, e o qual, como o primeiro, traz consigo a sua evidência: "O Senhor olha desde os céus e está vendo a todos os filhos dos homens; da sua morada contempla todos os moradores da terra" (vv. 13,14). Essa é a doutrina da providência. Em que está fundamentada a doutrina da providência? Neste princípio: “[Deus] é que forma o coração de todos eles, que contempla todas as suas obras” (v. 15). Observem, por um momento, a evidência deste raciocínio, meus irmãos. A doutrina da providência expressada nestas palavras: “Deus contempla todas as obras dos moradores da terra”, é uma consequência necessária do seu princípio: “Deus forma o coração de todos eles”. Esse princípio é uma consequência necessária daquilo que o salmista estabelecera para explicar a origem do mundo. Da doutrina de Deus, o Criador dos homens, vem a doutrina de Deus, o supervisor, o diretor, o recompensador e o castigador das ações dos homens. Uma das mais especiosas objeções que já foram levantadas contra a doutrina da providência, é o contraste entre a grandeza de Deus e a baixeza dos homens. Como pode tão insignificante criatura como o homem ser o objeto do cuidado e atenção de tão magnífico ser como Deus? Não há objeção que seja mais especiosa, ou, na aparência, mais invencível. A distância entre o inseto mais desprezível e o monarca mais poderoso, que pisa e esmaga insetos, matando-os, sem ao menos reparar neles, é a própria imagem imperfeita da distância entre Deus e o homem. Aquilo que prova que estaria abaixo da dignidade de um monarca observar os movimentos das formigas, ou dos vermes, e se interessar pelas suas ações para castigá-los ou recompensá-los, demonstra que Deus se degradaria caso observasse, dirigisse, castigasse, recompensasse a humanidade que é infinitamente inferior a Ele. Mas basta um fato para explicar essa objeção especiosa, qual seja, Deus criou o ser humano. Deus se degrada mais em governar do que em criar o ser humano? Quem se convence de que um Ser sábio tenha dado a criaturas inteligentes faculdades capazes de obter conhecimento e virtude, sem desejar que elas se empenhem em adquirir conhecimento e virtude? Ou quem pode imaginar que um Ser sábio, que deseja que as suas criaturas inteligentes adquiram conhecimento e virtude, não as castigue caso menosprezem essas aquisições? A distribuição dos seus benefícios não mostra que Ele aprova os esforços que elas fazem para obtê-las?

Os filósofos ignorantes tratam os atributos de Deus com tanta abstrusidade quanto escrevem os seus trabalhos. Os atributos morais de Deus, como são chamados nas escolas, eram mistérios que eles não puderam destrinchar. Podemos dividi-los em duas classes: atributos da bondade e atributos da justiça. Os filósofos que reconhecem esses atributos em geral aceitam como verdades o que deveriam provar. Reúnem mentalmente todas as perfeições e as reduzem a um objeto que denominam de *um ser perfeito*. Supõem, sem provar, que um ser perfeito existiu, e atribuem a ele, sem prova, tudo que consideram perfeito. O salmista mostra por um método mais seguro que há um Deus supremamente justo e supremamente bom. A fim de convencermos o ser racional da justiça e bondade de Deus, é necessário seguirmos tal método como fazemos para provar a existência divina. Em prova da existência de Deus, diríamos que há criaturas, portanto, há um Criador. De certa forma, quando provamos que um Criador é um ser justo e bom, dizemos que há qualidades de bondade e justiça nas criaturas, portanto Ele, de quem essas criaturas derivam a existência, é um ser justo e bom. Agora, este é o raciocínio do salmista neste salmo: “Ele ama a justiça e o juízo; a terra está cheia da bondade do SENHOR” (v. 5), quer dizer, é impossível considerarmos as obras do Criador sem recebermos a evidência da sua bondade. As obras da natureza que demonstram a bondade de Deus também provam a sua justiça, pois Deus nos criou com tais disposições, de modo que não podemos desfrutar os dons da bondade sem obedecer às leis da justiça. A felicidade de um indivíduo que busca o prazer desobedecendo às leis da equidade é uma felicidade violenta que não pode ser de longa duração. A prosperidade das instituições públicas, quando está fundada na iniquidade, é um edifício que, com a sua base, está afundando e acabará.

O ponto que devemos observar particularmente é que *os excelentes princípios do salmista concernentes a Deus não são meras especulações*, e sim verdades das quais ele deriva conclusões práticas. O seu objetivo é abranger a influência desses princípios a todas as pessoas, inclusive os legisladores e conquistadores. Alguém pensaria, levando em conta a conduta do ser humano, que as consequências extraídas das doutrinas que estamos falando dizem respeito apenas à populaça da sociedade, e que os legisladores e conquistadores têm um plano de moralidade peculiar a eles, estando acima das regras às quais as outras pessoas têm de submeter-se. Nosso profeta tinha outras ideias. Quais são as máximas políticas que ele apresentou? Estão todas inclusas nestas palavras: "Bem-aventurada é a nação cujo Deus é o Senhor, e o povo que ele escolheu para a sua herança" (v. 12). Quais são as máximas militares? Estão todas inclusas nestas palavras: "Não há rei que se salve com a grandeza de um exército, nem o homem valente se livra pela muita força. O cavalo é vão para a segurança; não livra ninguém com a sua grande força" (vv. 16,17). Quem propõe essas máximas? Um ermitão que nunca compareceu no teatro do mundo? Um homem destituído dos talentos necessários para destacar-se nesse campo? Nada disso. Trata-se de um dos reis mais sábios, de um dos generais mais corajosos e capazes. É um homem a quem Deus autoelegeu para reinar sobre o seu povo escolhido e para comandar exércitos que combatem as mais obstinadas batalhas e ganham as mais completas vitórias.

Tivesse eu de passar a explicar o sistema do salmista, eu provaria que, como ele teve o direito de deduzir a doutrina da providência pelas obras da natureza e a doutrina dos atributos morais de Deus pelas obras da criação, assim, pelas doutrinas dos atributos morais de Deus, da providência e das obras da criação, ele teve o direito de concluir que nem conquistadores ou legisladores poderiam ser verdadeiramente felizes, senão aqueles que agem em conformidade com as leis do Supremo justo e bom. — *James Saurin, 1677–1730*

v. 1: "Regozijai-vos no Senhor, vós, justos", ou "Exultai, vós, justos, no Senhor!" O verbo hebraico, de acordo com os etimólogos, significa originalmente "dançar de alegria". É, então, uma expressão muito forte para referir-se à mais viva e energética exultação. — *Joseph Addison Alexander*

v. 1: "Regozijai-vos [...], vós, justos", não em vós mesmos, pois isso não é seguro, mas "no Senhor". — *Agostinho*, 353–429

v. 1: "Pois aos retos convém o louvor". Louvores convêm somente aos piedosos. Profanos apoiando os louvores a Deus são como um monte de estrume apoiando flores. Louvores na boca de pecadores é como oráculos na boca de tolos. Como é inconveniente o louvor a Deus para a pessoa cuja vida é uma desonra a Deus! É tão indecente para os ímpios louvarem a Deus, pois andam em práticas pecaminosas, quanto é para os agiotas falarem de viver pela fé, ou para o Diabo citar as Escrituras. Só aos piedosos cabe serem os coristas nos louvores a Deus. Chama-se "veste de louvor" (Is 61.3) a veste que se ajusta bem apenas nas costas dos santos. — *Thomas Watson*

v. 1: Esse salmo está ligado ao salmo precedente pelo estribilho com o qual se inicia. É uma repetição da exortação com que o salmo precedente termina: "Regozijai-vos no Senhor, vós, justos" e "Cantai alegremente todos vós que sois retos de coração". — *Christopher Wordsworth*

v. 1: Ele agrada a Deus a quem Deus se agrada. — *Agostinho*

v. 2: "Louvai ao Senhor com harpa, cantai a ele com saltério de dez cordas". Essa é a primeira menção a instrumentos musicais nos salmos. Observemos que os pais primitivos quase que unanimemente protestaram contra o uso de instrumentos musicais na igreja. Ainda hoje são proibidos na Igreja Ortodoxa, onde, todos concordam, os cânticos são infinitamente superiores a qualquer coisa que se ouça no Ocidente. — *John Mason Neale*

v. 2: "Harpa... saltério de dez cordas". Nossa igreja não usa instrumentos musicais, como harpas e saltérios, para louvar a Deus para que ela não tenha aspecto judaico. — *Tomás de Aquino, 1224–1274*

v. 2: "Harpa... saltério de dez cordas". Os instrumentos musicais (como os sacrifícios) eram permitidos aos judeus por causa do peso e dureza de coração. Deus cedeu a essa fraqueza, porque fazia pouco tempo que tinham sido arrancados da adoração aos ídolos. Hoje, em vez de órgãos, podemos usar o próprio corpo para louvar ao Senhor. — *Crisóstomo*

v. 2: "Harpa... saltério de dez cordas". O uso de cantar com música instrumental não foi recebido nas igrejas cristãs como se deu entre os judeus no período inicial, mas só o uso de cantochão. — *Justino Mártir*

v. 2: "Cantai a ele com saltério de dez cordas". Está escrito que Davi louvava a Deus com "saltério de dez cordas". Claro que ele nunca teria dito quantas cordas havia, se ele não as usasse. Deus deu a cada um de nós um corpo, por assim dizer, um instrumento de muitas cordas. Podemos pensar que é boa música tanger apenas uma corda, invocá-lo só com a língua? Não, nada disso. Quando se juntam o som sereno do coração através dos pensamentos santos, o som estridente da língua através das palavras santas e o som estrondoso das mãos através das obras piedosas, compõe-se o concerto de Deus, sendo essa a única música que o comove. — *Sir Richard Baker*

v. 3: "Cantai-lhe".

(1) Cantar é a música da natureza. As Escrituras falam que as montanhas cantam (Is 55.12), os vales cantam (Sl 65.13), as árvores cantam (1 Cr 16.33). Os ares são a sala de música dos pássaros, onde cantam as suas notas musicais.

(2) Cantar é a música das ordenanças. Agostinho conta que, quando chegou a Milão e ouviu as pessoas cantando, chorou de alegria na igreja ao ouvir essa melodia prazerosa. Teodoro de Beza confessa que a primeira vez que entrou na congregação e ouviu as pessoas cantarem o Salmo 91 sentiu-se excessivamente consolado e guardou esse som no fundo do coração. Os rabinos falam que os judeus, depois da celebração da Festa da Páscoa, cantavam os Salmos 111 ao 115. Nosso Salvador e os apóstolos cantaram um hino imediatamente depois da Santa Ceia (Mt 26.30).

(3) Cantar é a música dos santos. Cumpriam este dever:(a) Nas grandes multidões (Sl 149.1,2). (b) Nos grandes dilemas (Is 26.19).(c) Nas grandes fugas (Is 42.10,11).(d) Nos grandes livramentos.(e) Nas grandes abundâncias (Is 65.14). Em todas essas situações, cantar era para eles um dever expresso e um prazer declarado. É deveras adequado que os santos e servos de Deus cantem as alegrias e louvores diante do Senhor Todo-poderoso. Cada um dos atributos divinos pode dar o tom e a melodia.

(4) Cantar é a música dos anjos. Jó fala: "As estrelas da alva juntas alegremente cantavam" (Jó 38.7). Essas estrelas da alva, como Pineda nos informa, são os anjos, que a Versão Aramaica parafraseia por "acordos", dando nomes a essas estrelas da alva, *aciem angelorum*, "um exército de anjos". Quando esses exércitos celestiais foram enviados para proclamar o nascimento do nosso queridíssimo Jesus, entregam a mensagem nesse destacado modo de dever (Lc 2.13). Eles estavam αἰνούντες, entregando as mensagens em um cântico laudatório, o grupo todo de anjos fazendo um conjunto musical. No Céu, há a música jovial dos anjos. Ali, eles cantam aleluias ao Altíssimo e ao Cordeiro que está assentado sobre o trono (Ap 5.11).

(5) Cantar é a música dos céus. Os santos e os anjos gloriosos acentuam os louvores desse modo, compondo uma harmonia nesse estado de bem-aventurança. Essa é a música do quarto de núpcias. Os santos que na terra estavam afinando os salmos, nos céus estão cantando aleluias em um tom mais alto e articulando alegrias que aqui não podiam expressar à plena satisfação. Na terra, labutavam com corações sonolentos e línguas vacilantes. Mas, na glória, inexistem tais impedimentos, e não há nada que abale a celebração de alegria. — *John Wells, 1676, "Morning Exercises" [Exercícios Matinais]*

v. 3: "Um cântico novo", ou seja, uma composição nova e recente por conta dos recentes benefícios. Ou quer dizer cânticos constantemente novos, cântico sucedendo-se diariamente a cântico à medida que novo material para louvor divino se oferece ao estudante atento das obras de Deus. Ou significa novo no sentido de sempre ser fresco e cheio de vida, e renovado à medida que novas ocasiões se oferecem. Como disse Jó: "A minha honra se renovava em mim, e o meu arco se reforçava na minha mão" (Jó 29.20). Ou novo, isto é, não comum mas raro e primoroso, como o nome novo em Apocalipse 2.17, e o novo mandamento em João 13.34. Ou diz respeito ao estado do evangelho, em que é uma nova aliança (Hb 8.8), uma nova Jerusalém (Ap 21.2), um novo homem (Ef 2.15) e tudo novo (2 Co 5.17). Novo, porque o seu material é desconhecido aos homens, como em Apocalipse 14.3: "E cantavam um como cântico novo diante do trono e diante dos quatro animais e dos anciãos; e ninguém podia aprender aquele cântico, senão os cento e quarenta e quatro mil que foram comprados da terra". Novo pode ser usado em oposição ao velho. O cântico de Moisés é velho e o do Cordeiro é novo. — *Martin Geier, 1614-1681, "Poli Synopsis Criticorum" [Poli Sinopse dos Críticos]*

v. 3: "Cantai-lhe um cântico novo". Tirai o que é velho, vós sabeis o cântico novo. Um novo homem, um Novo Testamento, um novo cântico. Um cântico novo não pertence a homens que sejam velhos. Ninguém o aprende senão os novos homens, renovados pela graça do que era velho e pertencentes agora ao Novo Testamento, que é o reino dos céus. — *Agostinho*

v. 3: "Um cântico novo", ou seja, cantado com tamanho fervor sentimental quanto as novidades em geral trazem consigo. Ou sempre novo, nunca vendo as graças de Deus envelhecendo. Ou cantado pelo movimento deste novo espírito de graça, que não cuida tanto dos velhos benefícios da criação quanto depois do novo benefício da redenção em Cristo, que renova todas as coisas (Sl 40.3; 96.1; Ap 5.9; 14.3). — *John Diodati*

v. 3: "Cantai-lhe um cântico novo". É uma prova melancólica do declínio da igreja, quando a exortação para cantar um cântico novo já não é atendida. Nesse caso, há necessidade do maior cuidado para que o cântico velho não caia em esquecimento. — *E. W. Hengstenberg*

v. 3: "Tocai bem". Não é fácil louvar a Deus corretamente. Tem de ser feito *corde, ore, opere*, com o melhor do melhor. — *John Trapp*

v. 4: "Porque a palavra do Senhor é reta". A palavra da promessa de Deus dada à igreja. A revelação divina a todos apresentando o que tem de ser crido, esperado e terminado. Os decretos de Deus e os julgamentos penais. O conselho e determinação de Deus na criação e governo do mundo. "É reta", sem defeito ou erro. A palavra *reta* é oposta à *torta*. Significa verdadeira ou certa. — *John de Pineda, 1577–1637; D. H. Mollerus, 1639, e outros, "Synopsis" [Sinopse]*

v. 4: "E todas as suas obras são fiéis".

A fidelidade está em cada flor
Como também nas mais solenes coisas de Deus

A fidelidade é a voz da natureza e do tempo
A fidelidade é a surpreendente monitora em nós
Nada é sem ela, ela vem das estrelas
O sol brilhante e toda brisa que sopra
A fidelidade é Deus! E Deus está em todos os lugares!
— *William Thompson Bacon*

v. 5: "A terra está cheia da bondade do SENHOR". Se nos conscientizarmos do número extraordinário de seres humanos que constantemente recebem comida, roupa e todo prazer que desfrutam da terra-mãe, ficaremos convencidos da grande liberalidade com que a natureza dispensa os seus bens. Não só os seres humanos, mas também uma quantidade inumerável de criaturas vivas — habitantes do ar, da água e da terra — são devedores da natureza para o sustento diário. Esses animais que estão sob os nossos cuidados também estão em dívida com a terra pela sua subsistência, pois a relva que a natureza produz espontaneamente é o principal alimento. Todas as espécies de peixes, exceto as que os homens alimentam para diversão própria, subsistem sem ajuda humana. Os pardais são, talvez, a espécie de pássaros mais menosprezada e a mais numerosa. O que requerem para a sobrevivência é incrível, mas a natureza se preocupa em alimentá-los. São, porém, a menor parte dos produtos da natureza. É tão grande a quantidade de insetos que eras passam até que as espécies e classes sejam conhecidas. Quantos e como diversificados são os tipos de moscas que povoam os ares.

O sangue que certos insetos sugam de nós é alimento inesperado para eles. Podemos supor que onde há um inseto sobrevivendo nessas condições, há milhões que nunca provaram sangue humano ou de outro animal. De que se alimentam todas essas criaturas? Talvez todo punhado de terra contenha insetos vivos. Encontram-se em cada gota de água. Sua proliferação e meios de sustento são incompreensíveis. Enquanto a natureza é tão prolífica em produtos, é também frutífera em meios de subsistência. Ou mais exatamente, é o Deus da natureza que injetou no seu seio esse depósito inesgotável de riquezas. Ele proporciona para cada criatura alimento e morada. Para eles, ele faz a relva e outras ervas crescerem, deixando cada uma escolher o próprio alimento. Por mais asquerosas que muitas criaturas possam nos parecer, ele alimenta e ajuda todas.

Ó, Deus Todo-poderoso, como é evidente a tua grandeza! Tu fazes o que os esforços conjuntos da humanidade inteira não realizem. Tu deste vida, respiração e existência a todas as criaturas que vivem no ar, na água ou na terra. Com certeza, tu farás para o teu povo crente o que tu fazes para os animais e insetos! Quando estivermos com dúvida e medo, consideremos os corvos que o Senhor alimenta quando gritam. Que eles e todas as outras criaturas, dos quais os homens não cuidam, ensinem-nos a arte do contentamento. O grande Autor da natureza conhece cada um dos nossos desejos. Lancemos todos os nossos cuidados sobre Ele, porque Ele cuida de nós. Cheguemos com ousadia ao trono da graça com fé e sinceridade para obtermos misericórdia e acharmos graça a fim de nos ajudar nos tempos de necessidade. — *Christopher Christian Sturm, 1750–1786*

v. 5: "A terra está cheia da bondade do SENHOR". Ouvindo os seus habitantes reclamarem, pensaríamos que Deus dispensou o mal, e não o bem. Examinando a operação das suas mãos, tudo é marcado com misericórdia, não havendo lugar onde a sua bondade não apareça. A bondade transbordante de Deus enche a terra. Até as maldades dos homens raramente são uma impedimento à sua bondade. Ele faz o sol se levantar sobre maus e bons e envia a chuva sobre justos e injustos. — *Adam Clarke v. 5:* "Da bondade do Senhor". Discursando sobre as perfeições gloriosas de Deus, de forma alguma devemos omitir a sua bondade, pois embora todas as suas perfeições sejam a sua glória, essa é chamada particularmente assim. Quando Moisés, o homem Deus, desejou avidamente ver uma grande exibição da glória do Senhor, o Senhor disse, em resposta à petição: "Eu farei passar toda a minha bondade por diante de ti", dando a entender que ele considerou que a sua bondade era a sua glória (Êx 33.19; 34.7), e nela inclui a misericórdia, a graça, a longanimidade e a verdade, que são mencionadas mais tarde. Quando socorre os miseráveis, é misericórdia. Quando favorece os imprestáveis, é graça. Quando suporta os rebeldes provocantes, é longanimidade. Quando confere bênçãos prometidas, é verdade. Quando provê a subsistência dos necessitados, é generosidade. A bondade de Deus é um termo muito abrangente. Abrange todas as formas de bondade mostradas aos homens, quer sejam considerados como criaturas, ou como pecadores, ou como crentes. — *George Burder, 1838*

v. 5: "Da bondade do Senhor". Ele poderia, se quisesse, ter feito com que tudo que provássemos fosse amargo, tudo que víssemos, repugnante, tudo que tocássemos, uma picada, tudo que cheirássemos, um fedor, tudo que ouvíssemos, um barulho. — *William Paley, Doutor em Teologia, 1743–1805*

v. 6: "Pela palavra do Senhor foram feitos os céus; e todo o exército deles, pelo espírito da sua boca". A palavra רוּחַ não é *espírito*, e sim *sopro*, fato evidente pela expressão "da sua boca" (cf. Is 11.4) e pelo paralelismo com "palavra". *Palavra* simples é *sopro* simples. Os dois juntos estão em contraste com esse exercício da força, esse labor, esse uso de meios e instrumentos sem os quais o frágil homem não pode nada perfeitamente. Há as passagens paralelas: "Enquanto em mim houver alento, e o sopro de Deus no meu nariz" (Jó 27.3). "O Espírito de Deus me fez; e a inspiração do Todo-Poderoso me deu vida" (Jó 33.4). "Escondes o teu rosto, e ficam perturbados; se lhes tiras a respiração, morrem e voltam ao próprio pó. Envias o teu Espírito, e são criados" (Sl 104.29,30). Por outro lado, a exposição que interpreta רוּחַ פִּיו, sem referência ao Espírito de Deus, não pode estar correta. Na história da criação, ao qual o versículo sob estudo, como também os versículos 7 e 9 geralmente se referem, a criação é descrita como a obra do Espírito de Deus e da sua Palavra. Primeiro, o Espírito de Deus se movia sobre a face das águas e, depois, Deus disse. Também podemos supor que o Espírito e o poder de Deus estão representados aqui pela figura do sopro, porque, no homem, esse é o primeiro sinal de vida. — *E. W. Hengstenberg*

v. 6: "Pela palavra do Senhor". Podemos entender que diz respeito à Palavra hipostática, como João nos ensina (João 1.1 [*John Cocceius*, 1603-1669]). Essa é uma ilustração da antiga declaração que, enquanto Grócio não acha Cristo em lugar algum, Cocceius acha Cristo em todos os lugares. — *C. H. S.*

v. 6: "Pela palavra do Senhor foram feitos os céus; e todo o exército deles, pelo espírito da sua boca". Aquele que faz um mundo será um deus, disse Agostinho. Por isso é que a igreja põe como primeiro artigo do Credo crer em Deus, Pai Todo-poderoso, Criador dos céus e da terra. — *John Weemse*

vv. 6 e 9: Para Deus, é a mesma coisa fazer quanto dizer, cumprir quanto prometer. É tão fácil, Ele é tão desejoso e tão capaz de fazer tanto um como o outro. Não há distância entre o dizer e o fazer de Deus, como há entre os homens. O seu dizer é o seu fazer: "Porque falou, e tudo se fez; mandou, e logo tudo apareceu" (v. 9). "Pela palavra do Senhor foram feitos os céus" (v. 6). "Os mundos, pela palavra de Deus, foram criados" (Hb 11.3). Há onipotência na sua palavra, tanto de ordem quanto de promessa, por isso se chamou: "palavra do seu poder" (Hb 1.3). Uma palavra sua pode fazer mais em um momento do que os poderes conjuntos dos céus e da terra podem fazer pela eternidade. Essa consideração remove de vez os principais esmorecimentos que impedem as ações vivas da fé. É o que enfraquece a nossa confiança no cumprimento das promessas, porque olhamos o cumprimento como incerto, difícil, futuro e longe! De agora em diante, a fé conclui que o cumprimento é certo, fácil, presente e aqui. — *David Clarkson*

v. 7: "Ele ajunta as águas do mar como num montão; põe os abismos em tesouros". Diz em Gênesis 1.10, que Deus "ao ajuntamento das águas chamou Mares". Esse elemento instável deve, como todos os outros, ser colocado sob a regência da lei e confinado entre limites para que haja uma terra habitável ao homem e outras criaturas. Assim o salmista canta: "Ele ajunta as águas do mar como num montão; põe os abismos em tesouros". O limite era tamanho a ponto de causar admiração nos seus servos. Eles olharam da praia, como nós, e sob a influência de uma lei bem conhecida, as ondas em suas formações pareciam que tocavam o Céu, como se fossem tanto mais altas que a praia, estando em perigo de deixar o dique e espalhar-se pela terra. Essa impressão, nós, com toda a nossa ciência, popularmente temos. Os profetas olharam como nós e tiveram o mesmo tipo de sentimento. Como é maravilhoso, pensam eles, tudo isso! O Senhor usa uma baixa barreira de areia como agente para confinar o abismo: "Não temereis diante de mim, que pus a areia por limite ao mar, por ordenança eterna, que ele não traspassará? Ainda que se levantem as suas ondas, não prevalecerão; ainda que bramem, não a traspassarão" (Jr 5.22). — *John Duns, Doutor em Teologia, "Science and Christian Thought" [A Ciência e o Pensamento Cristão], 1868*

v. 7: "As águas do mar". De todos os objetos que já vi, não há nada que afete minha imaginação tanto quanto o mar ou o oceano. Não posso ver as elevações desse tamanho volume de águas, mesma na calmaria, sem ficar agradavelmente maravilhado.

Mas quando é agitado em uma tempestade, de forma que o horizonte de todos os lados é nada mais que ondas espumantes e montanhas flutuantes, é impossível descrever o horror aprazível que surge de tal cena. Um oceano perturbado, para o homem que veleja nele é, penso, o maior objeto que ele pode ver em movimento. Por conseguinte, dá à imaginação um dos mais sublimes tipos de prazer que podem surgir diante de algo grandioso. Tenho de confessar que é impossível eu inspecionar este mundo de matéria líquida sem pensar na mão que primeiro a despejou e fez um canal apropriado para a sua recepção. Tal objeto naturalmente provoca em meus pensamentos a ideia de um Ser Todo-poderoso e me convence da sua existência tanto quanto uma demonstração metafísica. A imaginação estimula o entendimento e, pela grandeza do objeto perceptível, produz a noção de um Ser que não é circunscrito nem pelo tempo nem pelo espaço. — *"The Spectator" [revista O Espectador]*

v. 7: "Como num montão". O Senhor lida com líquidos como se fossem sólidos, em alusão óbvia a Êxodo 15.8.

"Abismos", volumes de água. O ponto principal da descrição é o modo como Deus lida com esses vastos volumes de água. É semelhante ao modo como os homens lidam com substâncias sólidas de dimensões moderadas. Ele amontoa as ondas e as armazena, como os homens fazem com pedras ou grãos. — *Joseph Addison Alexander*

v. 7: "Ele ajunta as águas do mar como num montão; põe os abismos em tesouros". O imenso volume de águas que cobria a superfície do globo, foi no terceiro dia da criação reunido em área mais limitada, fazendo com que grandes extensões de terra submersa fossem reclamadas e tornadas terra habitável. [...] As águas, em sua maioria, foram congregadas em uma massa aquosa, em vez de ficarem espalhadas universalmente sobre a terra. Essa é a situação que contemplamos agora. Os grandes mares e oceanos constituem na realidade um corpo de água chamado em diferentes regiões por diferentes nomes, como oceano Atlântico, oceano Pacífico, oceano Índico, mares do Sul, etc.. — *George Bush, 1796, em comentário sobre Gênesis 1.9*

v. 8: "Tema toda a terra", pois quem duvida que Deus pode fazer o que quer sobre a terra, visto que Ele dominou a natureza inconquistável do mar? — *Hugo Grócio, 1583–1645*

v. 8: "Tema toda a terra ao Senhor; temam-no todos os moradores do mundo". Não temas outro senão a Ele. O animal selvagem se enfurece? Teme a Deus. A serpente arma o bote? Teme a Deus. O Diabo te odeia? Teme a Deus. O demônio te ataca? Teme a Deus, pois a criação inteira está sob o domínio daquele a quem tu recebeste a ordem de temer. — *Agostinho*

v. 9: "Falou, e tudo se fez". Como dizemos em latim: *Dictum factum*, que significa "dito e feito", sem lapso de tempo entre um e outro. — *Hugo Grócio*

v. 9: "Falou, e tudo se fez", de forma que as criaturas não são emanações da natureza divina, e sim resultados da vontade divina, os frutos da inteligência, desígnio, propósito e conselho. — *William Binnie, Doutor em Teologia*

v. 10: "O Senhor desfaz o conselho das nações; quebranta os intentos dos povos". Quanto mais os fariseus de outrora e os seus sucessores, os prelados de hoje, se opunham à verdade, mais ela predominava. A oposição dos papistas deflagrou grandes impulsos à Reforma na Alemanha. Quando dois reis (entre muitos outros) escreveram contra Lutero, isto é, Henrique VIII da Inglaterra e Ludovico da Hungria, este título real entrou na controvérsia (tornando os homens mais curiosos em examinar o assunto) e provocou uma inclinação geral a favor das opiniões de Lutero. — *Richard Young, "Christian Library" [Biblioteca Cristã], 1655*

v. 11: "O conselho do Senhor". Notemos o contraste entre o conselho das nações, no versículo 10, e o conselho do Senhor, neste. — *C. H. S.*

v. 11: "Os intentos". A mesma palavra ocorre no versículo precedente. — *William de Burgh, 1860, Doutor vem Teologia, in loc.*

v. 11: "O conselho do Senhor permanece para sempre; os intentos do seu coração, de geração em geração". As rodas do mecanismo de um relógio movem-se opostas umas às outras, uma de um modo, outra de outra. Todas cumprem o intento do fabricante: marcar a hora. Assim no mundo, a providência de Deus dá a impressão de topar com as promessas divinas. Um homem faz de uma maneira, outro faz de outra. Os homens bons agem de um modo, os homens maus de outro, mas no fim todos cumprem a vontade e o centro do propósito de Deus, o grande Criador de todas as coisas. — *Richard Sibbes*

v. 11: "Os intentos do seu coração, de geração em geração". Não penseis, irmãos, porque ele disse: "Os intentos do seu coração", que Deus está como que sentado e refletindo no que deve fazer, tomando conselho para fazer alguma coisa ou para não fazer nada. A vós, ó homens, pertencem tal lentidão. — *Agostinho*

v. 12: Bem-aventurado aquele *"que ele escolheu para a sua herança"*. O homem pode ter o nome registrado nas crônicas, mas estar perdido, ou lavrado em mármore durável, mas perecer, ou afixado em um monumento igual ao Colosso, mas ser infame, inscrito nas portas do hospital, mas ir para o Inferno, escrito na frente da própria casa, mas vem outro e a possui. Todos esses exemplos não passam de escrituras no pó ou na água, onde as letras desaparecem assim que são escritas. Não provam que o homem é bem-aventurado, assim como os tolos não provam que Pôncio Pilatos é bem-aventurado, porque o seu nome está escrito no Credo. Mas o verdadeiro consolo é quando o homem sabe com absoluta certeza e do fundo da alma que o seu nome está escrito nas folhas eternas do céu, no livro da eleição de Deus, que nunca será envolto com as folhas tenebrosas das trevas, mas permanecerá legível por toda a eternidade. — *Thomas Adams*

v. 12: "O povo que ele escolheu para a sua herança". Certos expositores entendem assim: O povo a quem ele escolheu. No fim das contas, o sentido é exatamente o mesmo (ver Deuteronômio 26.17–19). — *John Trapp*

v. 12: É extrema felicidade nos importar com alguém maior do que nós. Importar-se com um mendigo não vale nada, porque ele não tem poder. Mas todos os homens procuram se importar com um príncipe, pois está escrito: *"Bem-aventurada é a nação cujo Deus é o Senhor"*. — *Joseph Symonds, 1639*

v. 12: "Bem-aventurada é a nação cujo Deus é o SENHOR, e o povo que ele escolheu para a sua herança". Para que não pensemos que os homens conseguem tão grande bem por esforço próprio e dedicação sincera, Davi nos mostra expressamente que o bem procede da fonte da graça de Deus, elegendo o amor para que sejamos reputados o povo de Deus. — *João Calvino*

v. 12: "Bem-aventurada é a nação cujo Deus é o SENHOR, e o povo que ele escolheu para a sua herança". É meu hábito comparar os grandes homens do mundo e os bons homens do mundo com as consoantes e as vogais do alfabeto. As consoantes são letras maiores e mais numerosas. Ocupam mais espaço e transmitem a maioria dos significados. Mas as vogais, embora menores e menos numerosas, são letras mais úteis. São elas que dão os sons mais importantes de todos. Não há pronúncia sem vogais. Ó, amados, embora os grandes homens do mundo ocupem maior espaço e apareçam mais que os outros, são consoantes, um grupo de consoantes na maior parte mudas e tolas. Os bons homens são vogais, que são de maior uso e de mais importância a todo tempo. Um bom homem para ajudar com orações. Um bom homem para dar conselhos. Um bom homem para interpor com autoridade. Essa é a perda que lamentamos, perdemos um bom homem. A morte apagou uma vogal. Temo que haverá muito silêncio onde ele estiver ausente. Silêncio na cama, silêncio na casa, silêncio na loja, silêncio na igreja, silêncio na paróquia, pois, em quaisquer lugares, ele era uma vogal, um bom homem sob todos os aspectos. — *Sermão fúnebre proferido por John Kitchen, Mestre em Ciências Humanas, 1660*

v. 15: "Ele é que forma o coração de todos eles". Como ilustração dessa passagem, anexamos as seguintes palavras: "Toda circunstância concorre para provar que os seres humanos não são formados de espécies essencialmente diferentes uns dos outros. Pelo contrário, havia originalmente apenas uma espécie que, depois de multiplicar-se e espalhar-se pela face da terra, sofreu mudanças pela influência do clima, alimentação, modo de viver, doença e mescla com indivíduos dissimilares. Prova também que, no princípio, essas mudanças não eram tão evidentes e produziam variedades apenas individuais. Mais tarde, essas variedades se tornaram mais específicas, porque foram ficando mais gerais, mais fortemente destacadas e mais permanentes pela ação ininterrupta das mesmas causas. E essas variedades são transmitidas de geração em geração". — *Georges-Louis Leclerc*, Comte de Buffon, *1707–1788*

v. 15: O Criador de todas as coisas *"forma o coração de todos eles"*. A palavra hebraica יַחַד, que significa "junto imediatamente", dando a entender que os corações de todos os homens, embora separados uns dos outros por tão vasto abismo de tempo ou lugar, são tão exatamente semelhantes em relação às inclinações originais, como se todos tivessem sido formados ao mesmo tempo. A adoração a um deus e, portanto, certo tipo de religião são elementos que nos são necessários, dos quais não podemos nos livrar. — *William Pinke, 1631*

v. 15: Dois homens estão dando esmolas aos pobres, um busca a recompensa nos céus, e o outro, o elogio dos homens. Nos dois homens tu vês uma coisa, mas Deus contempla duas. Porque Ele contempla o que está no interior e sabe o que há ali. Ele vê o fim e as intenções básicas dos homens: Ele "contempla todas as suas obras". — *Agostinho*

v. 16: "Não há rei que se salve com a grandeza de um exército". Na batalha de Gaugamela, os exércitos persas contavam entre 500 mil e 1 milhão de homens, mas foram totalmente derrotados pelo grupo de 50 mil homens de Alexandre, o Grande. O outrora poderoso Dario foi derrotado em pouco tempo. Napoleão comandou mais de meio milhão de homens para a Rússia.

Não era tão terrível a quantidade, nem o exército de soldados
Liderados pelo Bren do norte ou o cita Tamerlão

Mas o inverno terrível deixou o exército em completa destruição, e o líder logo se tornou prisioneiro na solitária ilha de Santa Helena. Desde o começo da história da humanidade, esse versículo tem sido confirmado. Os batalhões mais fortes se derretem como flocos de neve quando Deus está contra eles. — *C. H. S.*

v. 16: "O homem valente", ou o gigante, por exemplo, Golias. Como os mais hábeis nadadores às vezes se afogam, o mesmo se dá aqui. — *John Trapp*

vv. 16 e 17:

Não são do comandante as lanças perfiladas
Não é a força que defende o valente
Totalmente em vão o cavalo de guerra se empina
É fraca a sua força para salvar o seu cavaleiro
— *Richard Mant*

vv. 16 e 17: Essa é a fraqueza e insuficiência de todo o poder humano, por maior que seja, como está diante de todo o intelecto humano. — *J. J. Stewart Perowne*

vv. 16 e 17: "Não há rei que se salve com a grandeza de um exército, nem o homem valente se livra pela muita força. O cavalo é vão para a segurança; não livra ninguém com a sua grande força". Como o viajante na tempestade que, em busca de abrigo contra a chuva, sai do caminho e se dirige a um carvalho frondoso, fica debaixo dos ramos, com as costas perto do tronco e encontra bom alívio por certo tempo, até que, por fim, uma rajada súbita de vento arranca um galho grande, o qual que cai sobre o pobre viajante, machucando ou aleijando aquele que recorreu a ele em busca de socorro. Assim acontece com não poucos, os quais, encontrando no mundo muitas dificuldades e múltiplos tormentos, saem do caminho, e muitas vezes dos caminhos de Deus, para ficar sob as asas de algum grande e ganhar, quem sabe, ajuda e abrigo por determinado tempo. Mas pouco depois, aquele grande descendo impetuosamente e caindo da alta posição do seu favor ou honra, ele também é posto em dúvida e cai junto com aquele que poderia ter estado o tempo todo sobre as próprias pernas, se não tivesse confiado em tal braço de carne, tal ramo quebrado que o enganou. — *Thomas Gataker, 1574–1654 v. 17:* "O cavalo". A força dos cavalos vem de Deus ou é o seu presente (Jó 39.19). Então, não confieis na força dos cavalos. Usai a força dos cavalos, mas não confieis na força dos cavalos. Se vós confieis na força que Deus deu aos cavalos, então vós fazer disso o vosso deus. Quantas vezes Deus proíbe confiarmos na força dos cavalos, pois Ele sabe que somos propensos a confiar em qualquer coisa que seja forte, ainda que seja um animal. "O cavalo é vão para a segurança; não livra ninguém com a sua grande força." É como se Deus tivesse dito: Vós achais que um cavalo pode vos salvar, mas sabei que ele é vão para essa finalidade. Quando o salmista disse: "O cavalo é vão", ele não quis dizer um cavalo fraco, e sim um cavalo da maior força imaginável. Esse cavalo é vão para salvar o homem, nem pode livrar ninguém pela sua força. Portanto, o Senhor, quando prometeu grandes livramentos para o seu povo, para que não esperassem pela força dos cavalos, disse: "E os salvarei pelo SENHOR, seu Deus; pois não os salvarei pelo arco, nem pela espada, nem pela guerra, nem pelos cavalos, nem pelos cavaleiros" (Os 1.7). É como se ele lhes tivesse dito para não procurem a força da criatura a fim de serem salvos. O cavalo será inútil para salvá-los, mas eu posso salvá-los eficazmente sem cavalos, e os salvarei. — *Joseph Caryl*

vv. 17 a 20: O homem sente a falta de bênçãos terrenas e nunca deixará, com extremo cuidado, diligência e inquietação, de buscá-las até que se certifique que Deus lhe proverá a subsistência. Quando alguém tem grandes amigos que são conhecidos por dar apoio, dizemos que ele não precisa se preocupar, porque ele sabe que sicrano ou fulano cuidará dele. Por outro lado, vá àquele que só conhece luta de labuta sem fim e pergunta-lhe: Por que tu te fatigas tanto? Ele responderá: Preciso, porque não tenho em quem confiar. Assim, Jesus segue o cuidado que Ele tem pelos discípulos até chegar a esta porta: a incredulidade, a qual não deixou que eles considerassem que o nosso Pai celestial cuidava deles. Não há bens, por mais numerosos e maiores que sejam, que livrem o coração da perturbação, porque essas coisas estão sujeitas a deterioração e desaparecimento. Nunca tiraremos o fardo do cuidado dos nossos ombros até que, pela fé, aprendamos a lançá-lo ao Senhor Jesus, cujos olhos estão sobre nós continuamente. Nunca renunciaremos os apoios carnais até que façamos de Deus o apoio da alma para as coisas exteriores. Enquanto estivermos confiando na abundância de riquezas, sabedoria, amigos ou força, não faremos de Deus a nossa força. O coração do homem, estando ciente de que é inepto para sustentar-se se ele não for contra a tendência geral, procurará sustento verdadeiro ou falso, sadio ou podre para apoiar-se. Essa pessoa descerá ao Egito em busca de ajuda, e confiará em cavalos e carros de guerra, porque são muitos, e em cavaleiros, porque são muito fortes, e não olhará ao Santo de Israel e não buscará ao Senhor. — *John Ball*

v. 18: "Eis que os olhos do SENHOR estão sobre os que o temem, sobre os que esperam na sua misericórdia". Até aqui, ele deu provas da providência de Deus para com todos os homens, mas agora ele passa a dar uma prova mais particular: o cuidado de Deus pela igreja. Dentro desse cuidado, Ele a guia maravilhosamente, defende e protege-a em todos os perigos e ataques. Para chamar a atenção a esse ponto importante, ele começa com: "Eis". — *Adam Clarke*

v. 18: "Eis que os olhos do SENHOR estão sobre os que o temem, sobre os que esperam na sua misericórdia". Olha para o sol, quando lança luz e calor ao mundo em seu curso geral e brilha sobre os bons e os maus com influência igual. Mas concentremos os seus raios com uma lente de aumento em um objeto, e este pegará fogo, passando para todos os objetos que estiverem perto. Assim Deus, na criação, olha todas as suas obras com um amor geral, *erant omnia valde bona*, "eles lhe agradaram muito bem". Mas quando lhe agrada lançar os raios do seu amor, fazendo-os brilhar sobre os eleitos através de Cristo, então os corações queimam interiormente e os afetos se inflamam, ao passo que os outros é como se tivessem sido esquentados parcialmente, tendo pouco brilho da graça comum lançado sobre eles. — *Richard Holdsworth, 1651*

v. 18: "Eis que os olhos do Senhor estão sobre os que o temem, sobre os que esperam na sua misericórdia". Esse é um caráter muito encorajador. Aqueles que não podem reivindicar as mais altas distinções no campo da religião seguramente sabem que temem a Deus e esperam na sua misericórdia. Há quem questione a combinação, supondo que as qualidades são incompatíveis entre si. Mas os primeiros cristãos estavam "andando no temor do Senhor e na consolação do Espírito Santo" (At 9.31). Pensam que o temor prejudica a esperança, ou a esperança o medo. Mas estes são até mesmo mutuamente úteis. São não só extremamente belos, mas elevadamente influentes quando estão em conjunto. O temor promove a esperança pela evidência que dá, e por nos guardar de andar livre e descuidadamente, o que sempre afeta a nossa paz e satisfação. A esperança favorece o temor consideravelmente. Deus nunca é visto de forma tão gloriosa e tão digna de nossa total devoção como quando esperamos na sua misericórdia. Quanto mais certos estivermos do seu cuidado, mais perguntaremos: Senhor, o que queres que eu faça? Quanto mais temermos só de pensar em ofendê-lo e afligi-lo, mais continuaremos de joelhos, orando: "Sejam agradáveis as palavras da minha boca e a meditação do meu coração perante a tua face, Senhor, rocha minha e libertador meu!" (Sl 19.14). Chama-se "uma viva esperança" (1 Pe 1.3), e os cristãos sabem, por experiência, que, em todos os seus princípios e deveres, ela exerce a mesma influência, como a Fonte exerce nos campos e jardins. — *William Jay*

v. 18: "Os que esperam na sua misericórdia". Quando não puderes ter certeza, melhora ao máximo as razões sobre as quais tu edificas a esperança da salvação. Sejam quais forem as prováveis razões que tu tenhas, não te separes delas por nada deste mundo. Se o teu coração não estiver cheio de alegria por sentires o amor de Deus, contudo os teus olhos estarão cheios de lágrimas e a tua alma cheia de tristeza por sentires o teu pecado.

Tu não mudarias a tua situação com qualquer hipócrita, com o mais rico homem que não tem a graça? Eu não teria te satisfeito com uma probabilidade, mas bendito seja Deus pela probabilidade da salvação. Não é nada que alguém que com certeza merece o Inferno teria a probabilidade de escapar? Não seria este um tipo de alívio no tormento dos malditos, caso tivessem a forte probabilidade de serem salvos? Mas não há esperança que torna isso forte.

Quando tu estás doente, tu consultas um médico. Qual é o diagnóstico, doutor? Viverei ou morrerei? Se ele responder que não é certo, mas há boa esperança, é provável que tu vivas e passes bem. Trata-se de um tipo de apoio para ti em tua doença. — *Thomas Doolittle, Mestre em Ciências Humanas, 1630–1707, "Morning Exercises" [Exercícios Matinais]*

v. 18: "Eis que os olhos do Senhor estão sobre os que o temem, sobre os que esperam na sua misericórdia". O mais fraco crente, o menor dos santos tem motivos para esperar. O evangelho é tão ordeiro, a aliança é tão sistematizada, Deus faz tão ampla provisão que toda pessoa pode ter "boa esperança, pela graça" (1 Ts 2.16, ARA). Todos os que têm esse caráter recebem a permissão, a ousadia, não, a ordem de esperar. A esperança deles dá tão grande prazer para Deus quanto consolo para eles. — *Samuel Doolittle, "Righteous Man's Hope in Death" [A Esperança dos Justos na Morte], 1693*

vv. 18 e 19: "Eis que os olhos do SENHOR estão sobre os que o temem, sobre os que esperam na sua misericórdia, para livrar a sua alma da morte e para os conservar vivos na fome". Durante o cerco de Rochelle [porto da França], o qual foi suportado com coragem sem precedentes durante quase 15 meses, os habitantes foram degradados pela fome à miséria de serem obrigados a recorrer à carne de cavalos, asnos, mulas, cachorros, gatos, ratos e camundongos. Dizem que um simples punhado de milho era vendido por soma equivalente a aproximadamente 25 libras esterlinas pelo nosso dinheiro dos dias de hoje. Houve numerosos exemplos de generosidade grande e liberal entre os habitantes. Alguns fizeram atos de caridade tão secretamente que os nomes nunca foram descobertos. Entre os demais, narra-se o seguinte caso:

"O Sieur de la Goute, advogado do honorável rei, tinha uma irmã, que era viúva de um comerciante chamado Prosni. Sendo mulher muito religiosa e benevolente, quando a fome ficou mais severa, ajudou de bom grado os pobres com o que lhe sobrava. A sua cunhada, a esposa do irmão dela, De la Goute, sendo de inclinação diferente, reprovou-a por essa conduta, perguntando-lhe iradamente, o que ela faria quando tudo acabasse? A resposta foi: 'Minha irmã, o Senhor proverá para mim'. O cerco continuou e a fome aumentou, causando tremendas devastações. A pobre viúva Prosni, que tinha quatro filhos, se achou em grande apuro — todo o estoque de provisões acabara. Ela dirigiu-se à irmã em busca de alívio que, no lugar de consolo, reprovou-lhe a imprudência. E acrescentou de forma zombeteira que, como ela tinha agido sumamente bem para ser tão degradada assim com toda essa grande fé e palavras bonitas, agora 'o Senhor proveria para ela', pois, na hora certa, ele poderia prover para ela.

"Ferida profundamente por essas palavras, a pobre viúva Prosni voltou para casa angustiada e triste, determinando, não obstante, encontrar a morte pacientemente. Ao chegar a casa, os filhos a receberam com o coração alegre e o rosto feliz, contando-lhe que um homem, para eles um completo estranho, batera à porta, sendo tarde. Quando abriram, ele empurrou para dentro uma saca de 60 quilos de trigo. Em seguida, sem dizer uma palavra, foi embora repentinamente.

"A viúva Prosni, quase não acreditando no que via, com o coração exuberante e grato pelo benfeitor piedoso, correu imediatamente à cunhada tão depressa quanto lhe permitia a condição faminta. Ao vê-la, exclamou em voz alta: 'Minha irmã, o Senhor *proveu* para mim'. E sem dizer nada mais, voltou para casa.

"Por meio desse socorro inesperado, dado a ela tão oportunamente, ela pôde sustentar a si mesma e à família até ao fim do cerco. Ela nunca soube com quem ela ficou instrumentalmente em dívida por essa ajuda oportuna e misericordiosa". — *"The Biblical Treasury" [O Tesouro Bíblico], Vol. IX*

v. 20: "A nossa alma espera no SENHOR". No original hebraico, há ênfase na palavra *alma*, fato que devemos prestar atenção. Embora esse seja um modo comum de falar entre os hebreus, expressa forte sentimento, como se os crentes devessem dizer: Nós confiamos sinceramente em Deus de todo o coração, reputando-o por nosso escudo e auxílio. — *João Calvino*

v. 20: "A nossa alma". Não as *nossas* almas, mas a *nossa* alma, como se todos eles tivessem só uma. Qual é a linguagem de Deus mostrada pelo profeta? "E lhes darei um mesmo coração, e um mesmo caminho" (Jr 32.39).

Os dois discípulos a caminho de Emaús, exclamaram, quando fizeram a surpreende descoberta: "Porventura, não ardia em nós o nosso coração"? (Lc 24.32). Consta no começo do evangelho a seguinte declaração: "Era um o coração e a alma da multidão dos que criam" (At 4.32). Vimos diversas gotas de água sobre a mesa, sendo, pelo toque umas com as outras, reunidas em uma coisa só. Se os cristãos conhecessem mais uns aos outros, interagindo entre si, eles se uniriam facilmente. — *William Jay*

v. 20: "Ele é o nosso auxílio". Antígono, rei da Síria, estando pronto para guerrear perto da ilha de Andreos, enviou uma tropa de soldados para vigiar os movimentos e descobrir a força militar dos inimigos. Quando voltaram, reportaram que eles tinham mais navios e tripulação mais bem preparada que ele. "Como?", disse Antígono, "não pode ser; *quam multis meipsum opponis* (que significa "pois quantos tu me consideras?")", dando a entender que a dignidade de um general pesava muito mais que os outros, sobretudo quando pesado com valor e experiência. Onde está o valor, onde encontraremos a experiência senão em Deus? Ele é o Senhor dos Exércitos. Só com Ele está a força e o poder para livrar Israel de todas as dificuldades. Ele poderia fazê-lo, Ele pode fazê-lo, Ele o fará. Ele é sábio de coração e grande em força. Fora dEle, não há Salvador, nem libertador. Ele é o escudo para os justos, a força para os fracos, o refúgio para os oprimidos. Ele é *instar omnium* ("tudo em todos"), e quem é como Ele em todo o mundo? — *John Spencer*

v. 20: "A nossa alma espera no Senhor; ele é o nosso auxílio e o nosso escudo". Há a excelente história de um rapaz que estava no mar durante uma tempestade extremamente intensa. Quando todos os passageiros não sabiam mais o que fazer por medo, só ele estava alegre. Quando lhe perguntaram a razão da alegria, ele respondeu: "O piloto do navio é meu pai. E eu sei que o meu pai vai cuidar de mim". O grande e sábio Deus, que é o nosso Pai, decretou desde a eternidade qual será o resultado de todas as guerras, qual será o fim de todas as dificuldades. Ele é o nosso piloto e se senta à popa. Ainda que o navio da igreja ou do estado esteja prestes a afundar, tende bom ânimo, pois o nosso Piloto está cuidando de nós. Não há nada feito na casa baixa da terra que não tenha sido decretado primeiro na casa alta do céu. Todas as rodas inferiores são ordenadas e regidas pelas superiores. "Não se vendem cinco passarinhos", disse Jesus, "por dois ceitis?" (Lc 12.6). Um pardal não vale um ceitil. Não há homem que falha um ceitil de prejuízo além do que Deus decretou desde toda a eternidade. — *Edmund Calamy, 1600–1666*

v. 22: "Como em ti esperamos", e não de acordo com mérito de outrem, mas de acordo com a medida da graça, da graça da esperança que Deus lhes concedeu e os incentivou a exercer nele, em expectativa de achar graça e misericórdia com ele. — *John Gill*

SUGESTÕES AOS PREGADORES

O Salmo. Este salmo é eucarístico, contendo: (1) Uma exortação para louvarmos a Deus (vv. 1 a 3). (2) Argumentos para reforçar o nosso dever (vv. 4 a 19). (3) A confiança do povo de Deus no seu nome, felicidade e petição (vv. 20 a 22). — *Adam Clarke*

v. 1. (1) O regozijo: a alma do louvor. (2) O Senhor: a fonte da alegria. (3) O caráter: indispensável para o verdadeiro prazer.

v. 1. *"Pois aos retos convém o louvor."* O louvor conveniente: (1) Qual? É o louvor vocal, meditativo e habitual. (2) Por quê? É conveniente como asas para os anjos, subimos com ele; como flores para as árvores, é o nosso fruto; como paramentos para os sacerdotes, é o nosso ofício; como cabelos compridos para as mulheres, é a nossa beleza; como coroa para os reis, é a nossa maior honra. (3) Quando? Em todas as ocasiões, mas principalmente em meio à blasfêmia, perseguição, doença, pobreza e morte. (4) A quem? Não aos descrentes, hipócritas ou irrefletidos. Viver sem louvor é perder o adorno que mais nos convém.

v. 2. Música instrumental. É lícita? É apropriada? Neste caso, quais são os seus usos, limites e leis. Fazer um sermão para melhorar a música congregacional.

v. 3. *"Cantai-lhe um cântico novo."* O dever de manter o frescor das nossas devoções. O frescor, a capacidade e o entusiasmo têm de estar combinados em nossa prática de cantar salmos e hinos na congregação.

v. 4. A palavra e as obras de Deus, a sua retidão e fidelidade, e a nossa visão de ambas.

v. 4. *"Porque a palavra do SENHOR é reta."* A palavra doutrinal, didática, histórica, profética, promissória e experimental é sempre reta, ou seja, livre do erro ou do mal.

v. 4. *"E todas as suas obras são fiéis."* A obra de Deus na criação, providência e graça sempre está em conformidade com a fidelidade. O ódio que ele tem de tudo é como um pretexto.

vv. 4 e 5. Quatro argumentos em prol do louvor, extraídos da: (1) Retidão de Deus: "Porque a palavra do SENHOR é reta". (2) Fidelidade de Deus: "E todas as suas obras são fiéis". (3) Justiça de Deus: "Ele ama a justiça e o juízo". (4) Bondade de Deus: "A terra está cheia da bondade do SENHOR". — *Adam Clarke*

v. 5. A justiça e a bondade são igualmente visíveis e distintas na ação divina.

v. 5. *"A terra está cheia da bondade do SENHOR."* Um tema inigualável para os olhos observadores e a língua eloquente.

v. 6. O poder da Palavra e do Espírito na velha e na nova criação.

v. 7. O controle que Deus tem sobre as agências destrutivas e reconstrutivas.

v. 7. Os armazéns e silos do grande Lavrador.

v. 8. O culto universal: (1) Razões. (2) Obstáculos. (3) Prospectos futuros. (4) O nosso dever relacionado.

v. 8. *"Temam-no todos os moradores do mundo."* O temor reverente é a alma da adoração a Deus.

v. 9. A palavra irresistível do Senhor: (1) Na criação. (2) Na chamada do seu povo. (3) Na consolação e livramento do seu povo. (4) Na entrada do seu povo na glória.

v. 10. Os descrentes cultos e filosóficos estão ao alcance das missões evangelísticas.

vv. 10 e 11. Os conselhos opostos.

v. 11. A eternidade, imutabilidade, eficiência e sabedoria dos decretos divinos. Os propósitos de Deus: "os intentos do seu coração", por conseguinte a sabedoria e, mais ainda, o amor desses intentos.

v. 12. (1) Duas eleições feitas por um povo bem-aventurado e um Deus benevolente, e o resultado feliz deles. (2) A felicidade da igreja de Deus. (3) O deleite de Deus em seu povo e o deleite deste povo nesse Deus.

v. 13. A onisciência e as suas lições.

vv. 13 a 15. A doutrina da providência.

v. 15. A familiaridade que Deus tem com o coração dos homens, e a avaliação que Ele faz das ações deles. A semelhança da natureza humana.

vv. 16 a 18. A falácia da confiança humana e a segurança da fé em Deus.

v. 18. A espera na misericórdia de Deus — formas falsas e verdadeiras distinguidas.

v. 18. (1) Os olhos do conhecimento de Deus estão sobre eles. (2) Os olhos do afeto de Deus estão sobre eles. (3) Os olhos da providência de Deus estão sobre eles. — *William Jay*

v. 19. A vida em tempos de fome natural e espiritual, sobretudo a fome de esperança interior e a satisfação legal.

v. 20. *"A nossa alma espera no SENHOR."* Esperar no Senhor inclui: (1) Convicção: estar convicto de que o Senhor é o bem supremo. (2) Desejo: é expresso pela fome e sede de justiça. (3) Esperança. (4) Paciência: Deus nunca é descuidado quanto ao que promete. — *William Jay*

v. 20. *"A nossa alma espera no Senhor."* Essa é a posição de hora em hora dos crentes.

v. 21. A alegria é o fluxo da fé.

v. 22. Só os crentes podem fazer esta oração.

v. 22. Medida por medida ou misericórdia proporcional à fé.

SALMO 34

TÍTULO

"Salmo de Davi, quando mudou o seu semblante perante Abimeleque, que o expulsou, e ele se foi." Sobre este episódio, que não lança crítica no que sabemos de Davi, temos um breve relato em 1 Samuel 21.10-15. Embora a gratidão do salmista o levasse a registrar reconhecidamente a bondade do Senhor em lhe conceder um livramento imerecido, ele não entremeia nenhum dos incidentes da fuga na narrativa, mas só enfatiza o fato principal de ter sido ele ouvido na hora do perigo. Com o seu exemplo, aprendemos a não desfilar nossos pecados perante os outros, como certos mestres vangloriosos estão acostumados a fazer. Essas pessoas mostram-se tão orgulhosas dos seus pecados como os antigos pensionistas militares se orgulhavam das batalhas e ferimentos de guerra. Davi desempenhou o papel de louco com singular destreza, mas não foi um verdadeiro louco a ponto de cantar as próprias façanhas da loucura. No original hebraico, o título não nos ensina que o salmista compôs esse poema na ocasião em que fugiu de Aquis ou Abimeleque, rei de Gate, mas tem o propósito de comemorar esse fato que sugeriu a composição do cântico. É bom registrarmos as misericórdias recebidas com monumentos comemorativos esmeradamente esculpidos. Deus merece o melhor de nossos esforços. Em virtude do perigo especial do qual foi livre, Davi esforçou-se notadamente neste salmo, escrevendo-o com extraordinária simetria, em concordância quase exata com as letras do alfabeto hebraico. Este é o segundo salmo alfabético. O primeiro é o Salmo 25.

DIVISÃO

O salmo é dividido em duas grandes porções. Ao final do versículo 10, o salmista termina de expressar louvores a Deus e, do versículo 11 em diante, ele se volta em discurso direto aos homens. Os primeiros dez versículos são *um hino*, e os últimos 12, *um sermão*. Para ajudar o leitor, subdividiremos o salmo. Nos versículos 1 a 3,

Davi promete bendizer ao Senhor e convida as pessoas a louvarem também. Nos versículos 4 a 7, ele relata a sua experiência e, nos versículos 8 a 10, exorta os piedosos à constância da fé. Nos versículos 11 a 14, ele faz exortações diretas e, nos versículos 15 ao 22, apresenta ensinos didáticos.

EXPOSIÇÃO

1 *Louvarei ao* Senhor *em todo o tempo; o seu louvor estará continuamente na minha boca.*
2 *A minha alma se gloriará no* Senhor*; os mansos o ouvirão e se alegrarão.*
3 *Engrandecei ao* Senhor *comigo, e juntos exaltemos o seu nome.*

1. *"Louvarei ao Senhor em todo o tempo."* Davi está resoluto e decidido, pois está pessoalmente e por si mesmo determinado, pouco importando o que as pessoas queiram fazer. Ele é mentalmente inteligente e sentimentalmente inflamado, visto que ele sabe a quem o louvor é devido, o que é devido, pelo que é devido e quando é devido. Nossa gratidão tem de ser dada ao Senhor, e não a causas segundas. O Senhor, por direito, tem monopólio nos louvores das criaturas. Mesmo quando a misericórdia nos faça lembrar das nossas faltas em relação ao darmos louvor, como seguramente ocorreu neste caso em que Davi foi livre do monarca filisteu, não devemos roubar Deus da sua legítima honra, porque a nossa consciência merece a justa reprimenda por nossa participação no episódio. Ainda que o anzol estivesse enferrujado, Deus enviou o peixe, e nós lhe agradecemos por isso.

"Em todo o tempo", em toda situação, sob toda circunstância, antes, durante e depois das tribulações, nos dias radiantes da alegria e nas noites escuras do medo. Ele nunca para de louvar porque nunca se satisfaz em louvar, sempre sentindo que ficou aquém de ser digno do Senhor. Felizes aqueles cujos dedos sempre estão a dedilhar a harpa. Aqueles que louvam a Deus pelas misericórdias recebidas jamais faltarão a eles misericórdias pelas quais louvar. Bendizer ao Senhor nunca é impróprio ou fora de época.

"O seu louvor estará continuamente na minha boca", não somente no meu coração, mas na minha boca também. Nossa gratidão não deve ficar calada. Tem de ser uma das filhas da música. A língua é a nossa glória, a qual deve revelar a glória de Deus. Que bendito bocado é o louvor a Deus! Como é doce, purificador e perfumado! Se a boca dos homens sempre estivesse cheia de louvores, não haveria queixa contra Deus ou difamação contra o próximo. Se rolássemos continuamente esse bocado delicioso para debaixo da língua, a amargura da aflição diária seria tragada pela alegria. Deus é digno de louvores com o coração e de exaltações com a boca — bons pensamentos no quarto e boas palavras no mundo.

2. *"A minha alma se gloriará no Senhor."* Gloriar-se em si mesmo é tendência humana muito natural. Mas, nesse caso, quanto mais nos entregarmos a essa atividade, melhor. A exultação declarada nesse versículo não é mera vanglória dita pela língua, pois tem a participação da alma. A vanglória tem um propósito e é sentida antes de ser expressa. Que extensa esfera de ação há para a vanglória santa no Senhor! A sua pessoa, atributos, aliança, promessas, obras e mil outras coisas são incomparáveis, inigualáveis e singulares. Podemos glorificá-los abertamente como quisermos, mas nunca seremos condenados de estarmos dizendo palavras vãs e vazias. Aquele que escreve as palavras deste comentário não tem absolutamente nada do que se gloriar, mas, sim, muito do que chorar. Enquanto ele viver, não haverá nada que o detenha de gloriar-se em Deus.

"Os mansos o ouvirão e se alegrarão." Em geral, os mansos se afligem quando ouvem as pessoas se gloriando em si mesmas. Eles se afastam de manifestações

vangloriosas e discursos arrogantes; mas gloriarem-se no Senhor é outra coisa. É o que consola e motiva os humildes. As expressões confiantes dos crentes experimentados são um consolo rico para os irmãos de menos experiência. Temos de falar da bondade do Senhor intencionalmente para que os outros sejam confirmados na confiança que depositam no Deus fiel.

3. *"Engrandecei ao Senhor comigo."* Esse pedido é dirigido aos humildes mencionados no versículo 2 (cf. (ARA)? Neste caso, é muito adequado. Quem pode engrandecer a Deus senão os que se sentem pequenos? Ele os convoca a ajudá-lo a tornar a fama do Senhor maior entre os filhos dos homens. Sendo o Senhor infinito, não há como torná-lo maior, mas o seu nome aumenta em glória manifesta quando Deus é apresentado às suas criaturas. É por isso que Davi disse: "engrandecei". É bom quando a alma sente a própria inaptidão em glorificar adequadamente ao Senhor, pois, então, ela conclama outras ao trabalho benevolente. É bom tanto para o homem quanto para os seus companheiros. Não há louvor que supere aquilo que nos põe prostrados sob o senso de nossa própria insignificância, enquanto a graça divina, como uma montanha imensamente alta, surge diante dos nossos olhos e nos mergulha cada vez mais no temor santo.

"E juntos exaltemos o seu nome." A adoração social e congregacional é o desdobramento de um dos instintos naturais da nova vida. No céu, ela é desfrutada plenamente, e a terra fica mais semelhante ao céu onde a adoração é abundante.

4 *Busquei ao SENHOR, e ele me respondeu; livrou-me de todos os meus temores.*
5 *Olharam para ele, e foram iluminados; e os seus rostos não ficarão confundidos.*
6 *Clamou este pobre, e o SENHOR o ouviu; e o salvou de todas as suas angústias.*
7 *O anjo do SENHOR acampa-se ao redor dos que o temem, e os livra.*

4. *"Busquei ao Senhor, e ele me respondeu."* Davi deve ter orado de maneira um tanto quanto confusa, e deve ter havido muita auto-suficiência na oração, ou ele não teria recorrido a métodos de moralidade tão duvidosa a ponto de fingir estar louco e comportar-se como um lunático. Contudo, a sua pobre e claudicante oração teve aceitação e lhe trouxe socorro. Essa é mais outra razão para aqueles que celebram a misericórdia abundante do Senhor. Podemos buscar a Deus até quando pecamos. Se o pecado bloqueasse o acesso ao trono da misericórdia, tudo estaria acabado para nós. Mas a misericórdia é que há dons até para os rebeldes e um defensor para os homens que pecam.

"Livrou-me de todos os meus temores." Deus faz uma obra perfeita. Ele elimina os medos e as causas — todos sem exceção. Glória seja dada ao seu nome, pois a oração percorre o campo, mata todos os inimigos e até enterra os ossos. Notemos o egoísmo apresentado nesse versículo e nos precedentes. Não precisamos nos envergonhar de falar de nós mesmos quando o nosso objetivo honesto for glorificar a Deus e não exaltar a nós mesmos. Certos crentes são tolamente melindrosos nesse ponto, mas eles precisam saber que, quando a modéstia rouba Deus, ela já se tornou a maior imodéstia.

5. *"Olharam para ele, e foram iluminados."* O salmista declara que o seu caso não era nem um pouco peculiar, pois se igualava com a vida de todos os crentes. Eles também, ao olharem para o Senhor, foram iluminados, pois o rosto de cada um começou a brilhar, e o espírito de todos eles se enalteceu. Quantas bênçãos há no olhar direcionado ao Senhor! Há vida, luz, liberdade, amor — tudo, na verdade, em um olhar ao crucificado. Jamais um coração ferido olhou em vão para o bom Médico. Nunca a alma agonizante voltou os olhos entristecidos à serpente de bronze e descobriu que o poder acabara.

"E os seus rostos não ficarão confundidos." Os rostos ficaram cobertos de alegria, mas não de vergonha (cf. "vexame", (ARA). Quem confia em Deus não precisa se envergonhar daquilo em que confia, pois o tempo e a eternidade lhe justificarão a confiança.

6. *"Clamou este pobre."* Aqui, ele volta ao seu caso. Ele era realmente pobre e estava completamente sem amigos a ponto de estar correndo perigo de morte. Mas, no coração, ele clamou ao protetor do seu povo e encontrou alívio. A oração foi um brado pela brevidade e amargura, pela seriedade e simplicidade, pela naturalidade e aflição. Era um pobre que clamava, mas não foi menos eficiente com o céu, pois "o Senhor o ouviu", e ser ouvido por Deus é o livramento. Por isso, o texto complementa que o Senhor "o salvou de todas as suas angústias". De uma vez e completamente, Davi ficou livre de todas as suas aflições. O Senhor acaba com nossas dores assim como os homens destroem um vespeiro ou como os ventos dispersam a neblina. A oração nos tira das dificuldades tão facilmente quanto o Senhor livrou o Egito da praga das rãs e das moscas quando Moisés pediu. Esse versículo é o testemunho pessoal do salmista. Ele estava morto, mas ainda falava. Leitor aflito, tem esperança e bom ânimo.

7. *"O anjo do Senhor."* O anjo da aliança, o Senhor Jesus, à frente de todas as hostes celestiais, cerca com o seu exército as habitações dos santos. Como tropas entrincheiradas, assim os espíritos ministradores se acampam ao redor dos eleitos do Senhor para servir, socorrer, defender e consolar.

"Acampa-se ao redor dos que o temem." Por todos os lados, a vigilância é mantida por guerreiros de olhos insones. O Capitão dos exércitos é alguém cuja coragem ninguém pode resistir.

"E os livra." Nem imaginamos quantos livramentos providenciais devemos a essas mãos invisíveis que têm o dever de nos sustentar para que não tropecemos o pé em pedra.

8 *Provai e vede que o Senhor é bom; bem-aventurado o homem que nele confia.*

9 *Temei ao Senhor, vós os seus santos, pois não têm falta alguma aqueles que o temem.*

10 *Os filhos dos leões necessitam e sofrem fome, mas aqueles que buscam ao Senhor de nada têm falta.*

8. *"Provai e vede."* Faze uma prova, uma prova interior e experimental da bondade de Deus. Tu não podes ver, exceto provando por ti mesmo. Mas se provares, tu verás, pois isto, como o mel de Jônatas, aclara os olhos.

"Que o Senhor é bom." Tu só podes saber que o Senhor é bom, de fato e pessoalmente, experimentando. Há o banquete com bois e animais cevados, iguarias gordurosas, cheias de tutano, e vinhos na adega de excelente qualidade. Mas essa doçura te será totalmente desconhecida, salvo se tu fizeres das bênçãos da graça as tuas próprias, por participação viva, íntima e vital nelas.

"Bem-aventurado o homem que nele confia." A fé é o paladar da alma. Aqueles que provam o Senhor confiando nEle sempre constatam que Ele é bom e, assim, tornam-se bem-aventurados. A segunda frase do versículo é o argumento em defesa da exortação contida na primeira frase.

9. *"Temei ao Senhor, vós os seus santos."* Dai a Ele a reverência humilde e inocente, andai nas suas leis, tende respeito à sua vontade, tremei em ofendê-lo, apressai-vos em servi-lo. Não temais a ira dos homens, nem sejais tentados a pecar pela virulência das ameaças. Temei a Deus e não tenhais medo de nada mais.

"Pois não têm falta alguma aqueles que o temem." O Senhor não permitirá que os seus servos fiéis passem fome. Ele pode não dar uma vida luxuosa, mas a promessa o obriga a prover as necessidades, e ele não volta atrás no que diz. Muitos caprichos e desejos podem não ser satisfeitos, mas as verdadeiras necessidades serão providas pelo Senhor. O temor do Senhor ou a verdadeira devoção não é somente o dever daqueles que professam ser santos, quer dizer, pessoas separadas e consagradas aos deveres santos, mas é também o caminho da segurança e consolo. A piedade tem a promessa da vida que agora é. Se fôssemos morrer como cães e não houvesse futuro, ainda assim faria bem para nossa felicidade temermos ao Senhor. Os homens buscam um protetor e esperam prosperar. Prospera com certeza aquele que tem o Senhor dos Exércitos por amigo e defensor.

10. *"Os filhos dos leões necessitam e sofrem fome."* Esses animais são ferozes, astutos, fortes, tendo todo o vigor da juventude, mas, às vezes, urram de fome voraz. Semelhantemente, homens astuciosos, insidiosos e tiranos, tendo toda a sagacidade e sendo inescrupulosos, passam necessidades. No entanto, crentes sinceros e simplórios, que não ousam agir como os leões gananciosos da terra, são alimentados com comida adequada para eles. Confiar em Deus é a melhor política que os políticos mais matreiros podem ensinar ou praticar.

"Mas aqueles que buscam ao Senhor de nada têm falta." Não há nada realmente bom que venha a ser negado àqueles cujo alvo primeiro e principal na vida é buscar ao Senhor. Os homens os chamam de tolos, mas o Senhor prova que eles são sábios. Eles ganham onde os sabichões do mundo perdem tudo, recebendo Deus toda a glória.

11 *Vinde, meninos, ouvi-me; eu vos ensinarei o temor do Senhor.*
12 *Quem é o homem que deseja a vida, que quer largos dias para ver o bem?*
13 *Guarda a tua língua do mal e os teus lábios, de falarem enganosamente.*
14 *Aparta-te do mal e faze o bem; procura a paz e segue-a.*

11. *"Vinde, meninos."* Embora guerreiro e rei, o salmista não se envergonhava de ensinar as crianças. Aos mestres e professores da mocidade pertencem a verdadeira nobreza. O seu trabalho é honrável, e a recompensa será gloriosa. Talvez, os meninos e as meninas de Gate tivessem zombado de Davi quando ele representou a sua aparente loucura. Nesse caso, ao ensinar a nova geração, o seu objetivo era desfazer o mal-entendido que ele fizera anteriormente. As crianças são os indivíduos mais promissores para ensinar — os sábios que desejam propagar os seus princípios têm o cuidado de ganhar a atenção dos jovens.

"Ouvi-me; eu vos ensinarei o temor do Senhor." Na medida em que eles sejam ensinados pela palavra da boca ou aprendam pela audição dos ouvidos, devemos comunicar a fé e o temor de Deus, inculcando na geração em formação os princípios e práticas da devoção. Esse versículo pode ser a aula que todo professor da sagrada Escola Dominical pode dar à sua classe, o ensino que todo pai e mãe pode dar aos filhos. Sejamos instruídos na arte de ensinar.

Precisamos ser simpáticos e atrativos com as crianças, chamando-as para virem e não as repelindo com palavras duras e severas. Temos de nos dar bem com elas, afastar os brinquedos e jogos e tentar ocupar a mente delas com atividades melhores, pois não podemos ensiná-las bem enquanto elas estão com a mente cheia de outras coisas. Temos de direcioná-las ao ponto principal sempre, mantendo constantemente no lugar mais alto o temor do Senhor em nossos ensinos. Dessa forma, podemos lançar nossa personalidade discretamente nas aulas narrando nossas próprias experiências e crenças.

12. *"Quem é o homem que deseja a vida, que quer largos dias para ver o bem?"* A vida gasta na felicidade é o desejo de todos. AquEle que pode dar aos jovens a receita

para uma vida feliz merece ser popular entre eles. A mera existência não é vida. A arte da vida, a vida verdadeira, correta e alegre não é dada a conhecer a todos os homens. Ensinar os homens a viver e a morrer é o alvo de toda instrução religiosa útil. As recompensas da virtude são as iscas com as quais os jovens são atraídos à moralidade. Enquanto os ensinamos a terem uma vida santa para com Deus, também devemos discorrer muito longamente sobre a moralidade para com os homens.

13. *"Guarda a tua língua do mal."* Guarda com diligência cuidadosa esse membro perigoso, a língua, para que ela não profira o mal, pois esse mal ricocheteará em ti e arruinará o prazer da tua vida. Os homens não podem cuspir veneno sem sentir um pouco de veneno queimando-lhes a carne.

"E os teus lábios, de falarem enganosamente." O engano tem de ser avidamente evitado por quem deseja a felicidade. O maquinador astucioso vive a vida como espião no acampamento do inimigo, com medo constante de ser descoberto e morto. A conversa limpa e honesta, mantendo a consciência confortavelmente, promove a felicidade. A conversa mentirosa e má enche nosso travesseiro de espinhos, tornando a vida um redemoinho constante de medo e vergonha. Davi tentara a estratégia da dissimulação, mas aqui, ele a denuncia e implora às pessoas que queiram ter uma vida boa e longa a evitar cuidadosamente as artimanhas duvidosas do engano.

14. *"Aparta-te do mal."* Afasta-te para bem longe do mal. Não somente retira as mãos, mas sai tu por inteiro. Não mores perto da casa da peste. Evita a toca do leão, abandona o ninho da víbora. Coloca distância entre tu e a tentação.

"E faze o bem." Sê prático, ativo, enérgico, perseverando no bem. A virtude positiva promove a virtude negativa. Aquele que faz o bem está certo de que evita o mal.

"Procura a paz", não meramente a prefiras, mas, com zelo e cuidado, empenha-te em promovê-la. Busca a paz com Deus, com o teu coração, com o teu semelhante, como o comerciante busca uma pérola preciosa. Não há nada que promova mais eficazmente nossa felicidade do que a paz. A discussão desperta sentimentos que comem o coração com poder corrosivo. A ira é a assassina do próprio ego, como também dos seus objetos.

"E segue-a." Persegue-a, caça-a com desejo ardente. A paz pode ser perdida, não havendo nada mais difícil de ser mantida. Faze o melhor que puderes, e, se a inimizade surgir, que não seja por tua culpa. Vai ao encalço da paz quando ela te escapar. Decide não ser de espírito contencioso. A paz que tu promoves assim voltará ao teu peito e te será uma fonte perene de consolo.

15 *Os olhos do Senhor estão sobre os justos; e os seus ouvidos, atentos ao seu clamor.*

16 *A face do Senhor está contra os que fazem o mal, para desarraigar da terra a memória deles.*

17 *Os justos clamam, e o Senhor os ouve e os livra de todas as suas angústias.*

18 *Perto está o Senhor dos que têm o coração quebrantado e salva os contritos de espírito.*

19 *Muitas são as aflições do justo, mas o Senhor o livra de todas.*

20 *Ele lhe guarda todos os seus ossos; nem sequer um deles se quebra.*

21 *A malícia matará o ímpio, e os que aborrecem o justo serão punidos.*

22 *O Senhor resgata a alma dos seus servos, e nenhum dos que nele confiam será condenado.*

15. *"Os olhos do Senhor estão sobre os justos."* Ele os observa com aprovação e terna consideração. Eles lhe são tão queridos que ele não consegue tirar os olhos deles. Ele olha para cada um deles com tanto cuidado e atenção como se houvesse só essa criatura no universo.

"E os seus ouvidos, atentos ao seu clamor." Os olhos e ouvidos estão dirigidos pelo Senhor aos seus santos. A sua mente está toda ocupada com eles. Se todos os outros os desprezam, Ele não. O clamor Ele ouve imediatamente, assim como a mãe conhece o choro de dor do seu bebê. O choro pode ser entrecortado, lastimoso, triste, fraco, descrente, mas os ouvidos do Pai identificam cada nota de lamento ou súplica, e Ele não tarda em atender a voz dos seus filhos.

16. *"A face do Senhor está contra os que fazem o mal."* Deus não é indiferente com as ações dos pecadores, pois Ele fixa o rosto contra eles, estando, por assim dizer, determinado que eles não terão auxílio nem apoio, mas serão impedidos e derrotados. Ele está determinadamente decidido que os descrentes não prosperarão. Ele se coloca com toda a sua força para destruí-los.

"Para desarraigar da terra a memória deles." Ele apagará o fogo deles, a honra se tornará em vergonha, os nomes serão esquecidos ou amaldiçoados. Completa destruição será a sorte de todos os descrentes.

17. *"Os justos clamam."* Assim como Israel no Egito, eles clamam sob o pesado jugo da opressão, pecado, tentação, cuidado e aflição.

"E o SENHOR os ouve." Ele é como o guarda noturno que, assim que ouve a campainha de alarme, corre para socorrer aqueles que precisam dEle.

"E os livra de todas as suas angústias." Não há rede de dificuldade que nos prenda da qual o Senhor não possa nos livrar. Nossas angústias podem ser numerosas e complicadas, mas a oração nos livra de todas elas, pois o Senhor se mostrará forte por amor de nós.

18. *"Perto está o Senhor dos que têm o coração quebrantado."* Perto em amizade para aceitar e consolar. Os corações quebrantados pensam que Deus está longe, quando, na verdade, Ele está bem pertinho deles. Os olhos estão fechados de forma que não veem o melhor amigo. Mas Ele está com eles e neles, só que eles não sabem. Correm para cá e para lá, buscando paz nas suas atividades, ou experiências, ou propostas e resoluções, enquanto que o Senhor está perto deles, bastando o simples ato de fé para o revelar.

"E salva os contritos de espírito." Que marca definitivamente bendita é o coração arrependido e lamentoso! Exatamente quando o pecador se condena é que o Senhor o perdoa com graça. Se disciplinarmos nosso próprio espírito, o Senhor nos poupará. Ele nunca aplica a vara do julgamento naqueles que já estão doloridos pela vara da convicção. A salvação está ligada com a contrição.

19. *"Muitas são as aflições do justo."* Assim, eles são feitos como Jesus, a Cabeça da aliança. A Bíblia não nos bajula como os livros de história com a ideia de que a bondade nos protegerá das dificuldades. Pelo contrário, somos repetidas vezes advertidos a esperar tribulações enquanto estivermos neste corpo. As aflições vêm de todos os lados, e são tantas e tão atormentadoras quanto os mosquitos das regiões tropicais. Faz parte da porção terrena dos eleitos topar com espinhos e arbustos espinhosos pelo caminho, e até mesmo de deitar-se entre eles, tendo o descanso interrompido e perturbado pela tristeza. Mas — bendito *mas* —, a frase a seguir retira muito bem os espinhos dessa frase!

"Mas o Senhor o livra de todas." Pelo meio das tropas das desgraças, o Senhor conduzirá os redimidos incólumes e triunfantes. Há um fim para as aflições dos crentes — um fim alegre. Nenhuma das provações pode doer tanto quanto um dos seus cabelos, nem a fornalha pode detê-los por um momento a mais depois que o Senhor ordena que eles saiam dali. Dura seria a sorte dos justos se essa promessa, assim como um maço de cânfora, não fosse acoplada a ela, pois ela suaviza tudo. O mesmo Senhor Deus que envia as aflições também as recolhe quando o seu propósito é cumprido, pois Ele nunca permitirá que a mais ferrenha aflição despedace e devore os seus amados.

20. *"Ele lhe guarda todos os seus ossos; nem sequer um deles se quebra."* Davi tinha se livrado com chutes e socos, mas nenhum osso se quebrara. Nenhum ferimento significativo ocorre aos santos. A eternidade curará todas as feridas. O seu verdadeiro ser está a salvo. Eles podem ter ferimentos superficiais, mas nenhuma parte vital do seu ser será atingido. Esse versículo pode se referir às frequentes proteções providenciais concedidas aos santos. Mas, tendo em vista que os homens bons têm ossos quebrados como também os outros, não pode ser aplicado irrestritamente a proteções físicas.

Tem, ao que me parece, de ser aplicado espiritualmente aos grandes danos da alma, os quais são prevenidos para sempre pelo amor divino. Nem mesmo um osso do corpo místico de Cristo foi quebrado, assim como a sua constituição física foi preservada intata. O amor divino cuida de todo crente como cuidou de Jesus. Nenhum dano fatal nos acometerá, nem ficaremos mancos ou mutilados no reino, mas, depois que as provações estiverem terminadas, seremos apresentados sem mancha ou ruga ou algo semelhante, sendo preservados em Cristo Jesus e guardados pelo poder de Deus, mediante a fé, para a salvação.

21. *"A malícia matará o ímpio."* As adversidades dos ímpios serão mortais. Não são remédio, mas veneno. Os descrentes só precisam de bastante corda para enforcarem-se. As suas próprias iniquidades serão o seu castigo. O próprio Inferno está total e maliciosamente desenvolvido, torturando aqueles que nele estão. Felizes aqueles que correm para Jesus em busca de refúgio dos pecados antigos. Esses e somente esses escaparão.

"E os que aborrecem o justo serão punidos." Tendo aborrecido os melhores companheiros, não terão nenhum. Serão abandonados, saqueados, desgraçados, desesperançados. Deus faz com que a víbora se envenene. Que desolação de coração sentem os malditos, e como grandemente o merecem!

22. *"O Senhor resgata a alma dos seus servos"* com preço e com poder, com sangue e com água. Todas as ajudas providenciais são parte da redenção por poder, por conseguinte ainda se diz que o Senhor resgata. Todos os resgatados pertencem àquEle que os comprou — essa é a lei da justiça e o veredicto da gratidão. Com alegria, servimos aquEle que com tanta benevolência nos comprou com o seu sangue e nos livrou pelo seu poder.

"E nenhum dos que nele confiam será condenado." A fé é a marca dos resgatados e, sempre que é vista, embora no menor e pior dos santos, assegura a salvação eterna. Crente, tu nunca serás esquecido, abandonado, entregue à ruína. Deus, esse teu Deus é o teu guardião e amigo, e a felicidade é tua.

NOTAS EXPLICATIVAS E DECLARAÇÕES IMPORTANTES

O Título: O rei de Gate era Abimeleque, o mesmo que Aquis (1 Sm 21.20), ou ele tinha dois nomes, ou Abimeleque era, ao que parece, um nome comum a todos os reis dos filisteus (ver Gn 20.2; 26.8), como Faraó era para os reis egípcios e César para os imperadores romanos. O nome significa "pai-rei", ou "meu pai-rei", ou "pai real", visto que os reis seriam os pais da nação.

Foi na presença dele que Davi mudou de comportamento, gosto, sentido, ou razão. Ele imitou um louco. — *John Gill*

O Salmo: Este salmo é alfabético. Os salmos alfabéticos, os *psalmi abcedarii*, como os pais latinos os chamavam, são de número nove. Não posso deixar de pensar que é uma pena que, salvo pela única exceção do salmo 119, não há indicação nas versões da existência da sequência alfabética. Não ousarei afirmar, com Ewald, que nenhuma versão é fiel quando suprime o acróstico. Mas penso mesmo que deveria haver, de um modo ou de outro, indicação da existência de tão notável estilo de composição, o qual serve de fato para algum propósito útil quando é reproduzido na tradução. Não há dúvida de que há dificuldades no caminho. O alfabeto hebraico difere amplamente dos outros empregados na Europa. Além de diferenças de caráter mais fundamental, o hebraico tem apenas 22 letras, ao passo que os outros idiomas, na maioria, têm 26. E, entre as 22 letras, muitas não têm correspondência com as letras dos outros idiomas. A reprodução exata de um acróstico hebraico em outra língua é, então, impossível. — *William Binnie, Doutor em Teologia*

O Salmo: Hapstone empenhou-se em seguir as letras alfabéticas deste salmo na sua versão métrica. A letra que corresponde a F está faltando, e a última estrofe começa com a letra que corresponde a R. Um verso da sua tradução basta:

Ao Senhor louvarei em todo o tempo
O seu louvor estará continuamente na minha boca
Bem no Senhor a minha alma se gloriará
Os mansos o ouvirão e se alegrarão

v. 1: "Louvarei ao SENHOR em todo o tempo". O mártir Bradford, falando sobre a rainha Mary, de cuja cruel clemência ele dispôs, disse: "Se a rainha se agradar em me libertar, eu lhe agradecerei. Se ela me prender, eu lhe agradecerei. Se ela me mandar para a fogueira, eu lhe agradecerei". Assim declara a alma crente: Que Deus faça comigo o que quiser, pois, seja o que for, eu lhe serei grato. — *Samuel Clarke, "Mirrour" [Espelho]*

v. 1: Se a estrutura da natureza se desorganizar, os amigos e defensores se mostrarem falsos e enganosos, as esperanças e métodos mundanos malograrem, os bens nos forem tirados e a maré de doença, pobreza e desgraça afogar nossa alma com uma onda impetuosa de dificuldades, nós, que amamos a Deus sinceramente, descobriremos que nenhum desses males afeta nossa sorte e o objetivo de nossos desejos ofegantes. Nós nos afastamos desses males e nos dirigimos a Deus como refúgio e esconderijo, onde sentimos que o Salvador é incomparavelmente melhor e mais do que equivalente a tudo que o universo nos ofereça ou nos prive. As suas ternas misericórdias, abundância inesgotada e grande fidelidade nos dão consolo e descanso e nos capacita, nas horas de medo, a pôr a confiança em Deus. Por isso, vemos o santo salmista se expressando: "Louvarei ao SENHOR em todo o tempo; o seu louvor estará continuamente na minha boca". — *William Dunlop*

v. 1: "Louvarei ao SENHOR em todo o tempo; o seu louvor estará continuamente na minha boca". Basílio nos fala que o louvor a Deus, uma vez devidamente impresso na mente como selo, ainda que não seja posto em ação, na verdade nos leva perpetuamente a louvar a Deus. — *John Mason Neale, "Commentary" [Comentário]*

v. 2: "A minha alma se gloriará no Senhor". Não é como o gloriar-se dos fariseus, que é tão odioso aos olhos de Deus e tão ofensivo aos ouvidos dos mansos, pois os mansos podem ouvir esse gloriar-se e ficarem alegres, o que nunca fariam se não fossem conformáveis às regras da humildade. Pode haver maior gloriar-se do que dizer: "Posso todas as coisas"? Nessa autoglorificação, há humildade quando acrescento: "Naquele que me fortalece" (Fp 4.13). Embora Deus não goste de autoglorificação, Ele gosta quando não arrogamos nada para nós mesmos mas designamos tudo para Ele. — *Sir Richard Baker*

vv. 2 a 6: Há algo muito surpreendente e agradável nas súbitas transições e mudanças de pessoa observáveis nesses poucos versículos: "A minha alma se gloriará." "Os mansos o ouvirão." "Busquei ao Senhor." "Olharam para ele." "Clamou este pobre." Há força e elegância nessa falta de ligação entre as expressões, as quais tivessem sido estreitamente relacionadas pelas partículas apropriadas, essa força e elegância teriam se perdido em grande parte. As coisas separadas umas das outras e, contudo, aceleradas, revelam, como observa Longinus, a seriedade e veemência do funcionamento da mente. Embora pareça interromper ou perturbar as frases, essa falta de ligação promove-as e reforça-as. — *Samuel Chandler, Doutor em Teologia*

v. 3: Hermann Venema observa que, depois do episódio com Aquis, conforme registra 1 Samuel 22.1: "Então, Davi se retirou dali e se escapou para a caverna de Adulão; e ouviram-no seus irmãos e toda a casa de seu pai e desceram ali para ele", esses, junto com os que tinham dívidas e estavam descontentes com o reinado de Saul, formaram um grupo de 400 homens. A esses amigos e companheiros, ele relata a história da fuga e ordena-lhes que exaltem ao Senhor unidos de coração e a uma voz. — *C. H. S.*

v. 4: "Busquei ao Senhor, e ele me respondeu". Deus espera ouvir de vós antes que vós espereis ouvir dEle. Se vós retiveres a oração, não admira que a misericórdia prometida seja retida. A meditação é como o estudo que o advogado faz do caso com vistas a fazer apelação no tribunal. Quando tu vires a promessa e ela afetar o teu coração com as suas riquezas, então corre ao trono da graça e derrama-te diante do Senhor. — *William Gurnall*

v. 4: "Livrou-me de todos os meus temores". Ter-me livrado de todas as minhas dificuldades fora uma grande bênção, mas bênção muito maior foi livrar-me de todos os meus temores. Por ter sido livre do mal atual, tenho a garantia de ser livre do mal por vir. Hoje, não só desfruto de tranquilidade, mas também de segurança, um privilégio exclusivo dos piedosos. Os ímpios podem ser livres das dificuldades, mas eles podem ser livres dos temores? Não. Só Deus sabe que eles podem não estar em dificuldades como os outros homens, mas vivem com mais medo do que os outros homens. A culpa da mente ou a mente do mundo nunca os deixa ficar em segurança. Embora, às vezes, sejam livres de acessos de calafrio, nunca estão sem ressentimentos. E, se me permito usar a expressão dos poetas, ainda que nem sempre sintam o chicote de Tisifone, sempre sentem os seus terrores. Tendo em vista que o Senhor fez isso por mim — livrou-me de todos os meus temores —, não tenho motivos, motivos justos para louvá-lo e exaltar o seu nome? — *Sir Richard Baker*

v. 5: "Olharam para ele". Quanto mais pensarmos em nosso Senhor e menos em nós mesmos, melhor. Olhar para aquEle que está assentado à mão direita do Trono de Deus mantém nossa cabeça e, sobretudo, nosso coração firme ao passarmos pelas águas fundas da aflição. Muitas vezes, penso nisso quando cruzo o rio perto do antigo lugar de Langholm. Descobri que, quando olho para as águas, fico tonto. Mas, quando firmo os olhos em um objeto fixo do outro lado, atravesso confortavelmente sem o menor problema. — *David Smith, 1792–1867*

v. 6: "Clamou este pobre". Apresento três razões para clamar.

(1) As necessidades não são motivo de vergonha. A necessidade premente dos santos não está ligada à lei da satisfação com pouco. Sentir fome não significa ter vergonha. Disse Davi: "Lamento-me e rujo" (Sl 55.2), o rei Ezequias: "Como o grou ou a andorinha, assim eu chilreava e gemia como a pomba" (Is 38.14) e o patriarca: "Denegrido ando, mas não do sol; levantando-me na congregação, clamo por socorro" (Jó 30.28).

(2) Deus ouve a oração porque ela é oferecida em Cristo, e não porque seja muito fervorosa. O fervor é um ingrediente celestial na oração. A flecha entesada com toda força voa mais velozmente. Na Bíblia, as orações dos santos são expressas por clamores. "Deus meu, eu clamo de dia, e tu não me ouves" (Sl 22.2). "Ao meio-dia, orarei; e clamarei" (Sl 55.17). "Na angústia, invoquei ao Senhor e clamei ao meu Deus" (Sl 18.6). "Eu, porém, Senhor, clamo a ti" (Sl 88.13). "Das profundezas a ti clamo, ó Senhor!" (Sl 130.1). "Do ventre do inferno gritei" (Jn 2.2). "A ti clamarei, ó Senhor, rocha minha" (Sl 28.1). Na verdade, diz respeito a algo mais do que clamar: "Eis que clamo: Violência! Mas não sou ouvido" (Jó 19.7). "Ainda quando clamo e grito, ele exclui a minha oração" (Lm 3.8). Ensina todos nós a orar, doce Jesus: "O qual, nos dias da sua carne, oferecendo, com grande clamor e lágrimas" (Hb 5.7), ele orou com brados de guerra.

(3) Essas orações são tão prevalecentes que Deus as responde: "Clamou este pobre, e o Senhor o ouviu; e o salvou de todas as suas angústias" (Sl 34.6). "Aos seus ouvidos chegou o meu clamor perante a sua face" (Sl 18.6). O clamor dá asas à oração, como um mensageiro veloz enviado para cortejar sobre a vida e a morte: "A ti clamaram e escaparam" (Sl 22.5). "Os justos clamam, e o Senhor os ouve" (Sl 34.17). — *Samuel Rutherford*

v. 7: "O anjo do Senhor acampa-se ao redor dos que o temem, e os livra". Não me deterei em analisar se os anjos podem assumir deveres por conta própria e se podem subsistir em um lugar e, assim, manterem-se melhor unidos em tão grande número. Também não me darei ao trabalho de examinar se eles estão em determinado lugar materialmente, ou apenas eficaz e operativamente. Mas o temente a Deus pode ter certeza de uma coisa: Em qualquer momento que seja que ele precise que o ajudem, a despeito de portas, trancas e barras, ele o tem imediatamente. Não há impedimento, quer por falta de poder, porque eles são espíritos, quer por falta de boa vontade, porque é o seu dever e porque sentem simpatia por ele. Alegram-se não só quando ele se converte (Lc 15.10), mas, ouso afirmar confiantemente, sempre se dispõem com muita alegria em fazer qualquer coisa para ele. Não posso deixar de citar algumas palavras das que me lembro que Orígenes disse a esse respeito, como as tenho do seu intérprete. Ele faz com que os anjos falem desta maneira: "Se ele [querendo dizer o Filho de Deus] desceu, entrou em um corpo, foi revestido de carne, suportou as fraquezas físicas e morreu pelos homens, o que estamos esperando? Venham! Vamos todos juntos descer do céu". — *Zachary Bogan*

v. 7: "O anjo do Senhor acampa-se ao redor dos que o temem, e os livra". Essa é a primeira vez que, no livro dos Salmos, lemos sobre o ministério dos anjos. Mas muitos pais tomam essa passagem do "Anjo do Grande Conselho", e a aplicam a ele gloriosamente. — *John Mason Neale*

v. 7: "O anjo do Senhor acampa-se ao redor dos que o temem, e os livra". Esse anjo pode ser o Anjo não criado, o Senhor Jesus Cristo, o Anjo da presença de Deus, o Anjo da aliança, o Capitão da salvação, o Líder e Comandante do povo, cuja salvação é como muros e bastiões em volta deles ou como um exército que os cerca. Ou talvez seja um anjo criado, um único, que já basta para guardar uma multidão de santos, visto que um pode destruir grande número de inimigos de uma só vez (2 Rs 19.35). Ou quem sabe um anjo signifique muitos, visto que são uma companhia inumerável que estão ao lado do povo do Senhor e a quem estão unidos. Podemos dizer que eles se acampam ao redor dos tementes a Deus, porque são bandos ou exércitos (ver Gênesis 32.1,2; Lucas 2.13), sendo os guardiões dos santos para defendê-los e protegê-los, bem como para ministrar a eles. — *John Gill v. 7:* Os Salmos 34 e 35 apresentam "o anjo do Senhor" no seu caráter duplo: como anjo da misericórdia (Sl 34.7) e como anjo do julgamento (Sl 35.6). Nesse aspecto, podemos comparar esse par de salmos com o capítulo 12 de Atos dos Apóstolos, onde mostra o anjo do Senhor acampado em roda de Pedro, livrando-o e também como ferindo o perseguidor, Herodes Agripa. — *Christopher Wordsworth, Doutor em Teologia*

v. 7: "Ao redor". Em ilustração desse fato, observemos que, de acordo com Laurent d'Arvieux, os árabes têm o hábito de armar tendas em forma circular. O príncipe fica no centro, e os árabes em volta, deixando uma distância respeitosa entre eles. Melchisedek Thevenot descreveu um acampamento turco perto do Cairo e, tendo notado particularmente a imensidão, decoração e conveniência da tenda ou pavilhão de Bashaw, acrescentou: "Em volta da área cercada da tenda, dentro de um tiro de pistola, havia mais de 200 tendas, armadas de tal maneira que as portas davam para a tenda de Bashaw. Fazem assim para que sempre tenham os olhos na habitação do seu senhor e estejam em prontidão para ajudá-lo, caso ele seja atacado". — *Richard Mant*

v. 8: "Provai e vede que o Senhor é bom". Nossos sentidos ajudam nosso entendimento. Nem pelo discurso mais racional podemos perceber qual é a doçura do mel, mas provemos e tu e eu saberemos: "O seu fruto é doce ao meu paladar" (Ct 2.3). Permaneçamos na luz do Senhor, e a nossa alma sempre se encantará com o seu amor. Tiremos o tutano e a gordura que a nossa porção nos dá. Ao verem a nossa face, que os tolos se deem conta de quão sombrias são as suas chamas ao brilho do nosso dia. — *Richard Alleine, "Heaven Opened" [Céus Abertos], 1665*

v. 8: "Provai e vede que o Senhor é bom; bem-aventurado o homem que nele confia". Não te basta ver a distância e não ter, como fez Dives (nome popularmente dado ao rico da parábola do rico e Lázaro em Lucas 15.19-31), ou ter em ti e não provar, como o leão de Sansão teve em si grande depósito de mel, mas não lhe provou a doçura. Mas tu deves também provar tanto quanto ver, bem como provar quanto ter. "Provai e vede", diz ele, "que o Senhor é bom", pois verdadeiramente Jesus dá à Igreja não só visão mas também um prova da sua doçura. Uma visão é onde ele disse assim: "Desci ao jardim das nogueiras, para ver os novos frutos do vale, a ver se floresciam as vides, se brotavam as romeiras" (Ct 6.11). Há a visão da videira. Uma prova é onde ele diz assim: "Levar-te-ia e te introduziria na casa de minha mãe, e tu me ensinarias; e te daria a beber vinho aromático e do mosto das minhas romãs" (Ct 8.2). Há uma prova do vinho. A igreja não só entra no vinhedo e vê o vinho, mas também vai à adega ("casa de minha mãe") e prova o vinho. — *Thomas Playfere*

v. 8: "Provai e vede". Há certas coisas, sobretudo nas profundezas da vida piedosa, que só podem ser entendidas quando são experimentadas. Mesmo assim, elas são incapazes de serem adequadamente expressas em palavras.

"Provai e vede que o Senhor é bom." O prazer tem de vir antes da iluminação, ou antes o prazer para depois haver a iluminação. Há coisas que devem ser amadas para que saibamos que são dignas de amor, coisas a serem cridas antes que as entendamos que são dignas de crença. Mesmo depois de estarmos devidamente cônscios de uma verdade espiritual, podemos apenas talvez responder, se for preciso explicar, nas palavras do filósofo a quem foi perguntado: "O que é Deus?" "Eu sei, se não me perguntarem". — Sermão de *Thomas Binney, 1869*

v. 8: "Provai e vede". Todas as boas dádivas de Deus não devem ser tragadas sem gosto ou maldosamente esquecidas, mas usa o teu paladar para conhecê-las e considerá-las. — *D. H. Mollerus v. 8:* "Provai e vede". Os céus e a terra estão repletos da bondade de Deus. Esquecemos de abrir a boca e os olhos, pelos quais o salmista deseja que provemos e vejamos. — *Augustus F. Tholuck*

v. 8: O "provai e vede" nos convida, por assim dizer, a provarmos um banquete suntuoso que há muito estava preparado, a vermos uma visão rica totalmente revelada. Os imperativos não são, na realidade, exortativos, mas, sim, persuasivos. — *E. W. Hengstenberg*

v. 8: "Provai". Tudo que os crentes podem obter da consolação espiritual nesta vida é apenas uma prova. — *David Dickson*

v. 8: Provai o Senhor e vede como ele é doce. O homem que confia nEle vive continuamente na bem-aventurança. — *Sir John Davies, 1569–1626*

vv. 8 a 10: Todos esses versículos são belas representações da plenitude, adequabilidade, perfeição e autossuficiência de Deus em Cristo para atender a todas as necessidades do povo. E não vemos uma sublime elegância na comparação feita entre a fome e ganância do leão, até mesmo a impetuosidade dos filhotes de leão, e a paciência e espera silenciosa do crente fiel? A vida de fé encontra comida em tudo porque tudo está fundamentado em Cristo. Os filhotes de leão podem passar e passam fome porque nada lhes satisfaz o apetite voraz senão o que seja de carne. — *Robert Hawker, 1753-1827*

v. 10: "Os filhos dos leões necessitam e sofrem fome". Os leões adultos têm de prover para os filhotes para que tenham o que comer. "Mas aqueles que buscam ao SENHOR de nada têm falta." Como não sentiriam nada de ruim interiormente, assim não lhes faltarão nada que seja bom exteriormente. Ele, que livremente abre as fontes superiores, nunca fechará completamente as fontes inferiores. Não faltará prata na boca da sacola de Benjamim enquanto José o abastecer. A graça não é um visitante pobre e miserável que não paga as próprias despesas. Quando o melhor dos seres é adorado, a melhor das bênçãos é desfrutada. — *William Secker*

v. 10: "Os filhos dos leões necessitam e sofrem fome, mas aqueles que buscam ao SENHOR de nada têm falta". As pessoas são propensas a imaginar que a vida dos animais selvagens é, falando em termos animalescos, muito fácil e que os animais carnívoros e herbívoros, que ainda não foram dominados pelo ser humano, estão em melhor situação do que os quadrúpedes já conhecidos, que gozam uma vida mais tranquila e mais segura ao custo de cuidar dos luxos ou necessidades dos seus senhores humanos. A verdade é exatamente o contrário. A ocupação diária dos animais carnívoros é miserável, mesmo do ponto de vista dos tigres ou leopardos. Sofrem dores de fome fortíssimas e continuadas. Quando encontram alimento, têm de travar uma luta desesperada para o prazer da vítima e depois matá-la. O clamor de quase todo animal selvagem é tão triste e desesperado que causa mais tristeza ao viajante do que medo. Quando surge a oportunidade de vê-los caçando, verificamos que se movimentam furtivamente e cheiram o ar em um comportamento mais semelhante a seres miseráveis, infelizes, abatidos, famintos e desesperados quanto ao que e quando será a próxima refeição do que a "reis da floresta". Padecem horrivelmente de doenças ocasionadas pela dieta suja e abstinência longa. São poucos os que não têm cicatrizes na pele — as marcas de combates terríveis. Se vivem até à velhice, a sua sorte é comovente. Os dentes se desgastaram ou caíram, e as garras estão quebradas ou sem corte. Muitos nesse estado morrem de fome. Nem a metade dos animais selvagens morre de morte natural. A vida, até onde podemos observar, é uma série de privações severas, com lutas renhidas e sangrentas entre eles. — *Extraído do jornal "Daily Telegraph", 1869*

v. 10: "Aqueles que buscam ao Senhor de nada têm falta". Nada faltará para os tais, e aos tais não faltará bem nenhum (cf. ARA), de forma que eles serão os indivíduos a quem a promessa foi feita, e eles também têm de estar certos de que é algum bem para eles a quem foi prometido. Mas, às vezes, não faz bem para o homem ter abundância de bênçãos terrenas, assim como bebida forte não faz bem para cérebros fracos. Se algo está faltando para o homem bom, pode ter certeza de que não é bom para ele. Nesse caso, é melhor que esse algo lhe falte do que ele o desfrute. Que sábio reclamará do que lhe falta, o qual, se ele tivesse, lhe seria mais danoso do que vantajoso? Como a espada para o louco, a faca para a criança, brinde àqueles que têm febre ou hidropisia. "O Senhor [...] não negará bem algum aos que andam na retidão" (Sl 84.11). Portanto, não lhes faltam coisas, as quais para muitos também são um bem — são coisas muito boas. Uma falta ou necessidade santificada é um meio extraordinário de nos levar ao arrependimento, de trabalhar em nós uma melhoria de vida, de nos despertar à oração, de nos desapegar do amor do mundo, de sempre nos manter preparados para o combate espiritual, de mostrar se somos crentes verdadeiros ou hipócritas, de evitar maiores males do pecado e castigo futuro, de nos humilhar, de nos tornar conformáveis a Cristo, nossa Cabeça, de nos aumentar a fé, a alegria, a gratidão, a sabedoria espiritual e, igualmente, a paciência, como mostrei extensivamente em outro tratado. — *Richard Young*, "*Poor's Advocate*" (O Advogado dos Pobres), 1655

v. 10: "Mas aqueles que buscam ao Senhor de nada têm falta". Lembro-me de quando viajei pelo país que havia uma viúva pobre, cujo marido morreu na batalha de Bothwell. Os soldados sangrentos foram saquear a casa, falando para a viúva que levariam tudo que ela tivesse. "Não deixaremos nada para ti", disseram eles, "quer seja alimento ou roupa." "Não me importo", respondeu ela. "Nada me faltará enquanto Deus estiver nos céus." É isso que é ser verdadeiramente crente. — *Sermão de Alexander Peden, 1682*

v. 10: "Mas aqueles que buscam ao Senhor de nada têm falta". Faze um levantamento no céu e na terra e de todas as coisas que neles há, e tudo que te parecer seguramente bom, pede confiantemente a Jesus. O seu amor não te negará. Se fosse bom para ti que houvesse pecado, Diabo, aflição, destruição, o amor de Jesus teria abolido essas coisas instantaneamente. Se possuir todos os reinos do mundo fosse absolutamente bom para os santos, o amor de Jesus os coroaria monarcas desses reinos imediatamente. — *David Clarkson*

v. 10: "Mas aqueles que buscam ao Senhor de nada têm falta". Parte da última tarde de vida de Columba, missionário da Escócia, foi gasta na transcrição dos salmos de Davi. Tendo chegado a essa passagem no Salmo 34, onde está escrito: "Mas aqueles que buscam ao Senhor de nada têm falta", ele disse: "Cheguei ao final da página, onde pararei, pois o versículo seguinte declara: "Vinde, meninos, ouvi-me; eu vos ensinarei o temor do Senhor", será mais adequado para o meu sucessor transcrever do que eu. Eu o deixarei para Baithen". Como sempre, a campainha soou à meia-noite para as orações. Columba foi o primeiro a chegar à igreja. Tendo entrado logo em seguida, Dermid o achou de joelhos em oração, mas evidentemente morrendo. Levantando-o nos braços, apoiou-lhe a cabeça no peito. Os irmãos entravam. Quando viram Columba nessa situação óbvia da agonia da morte, clamaram em voz alta. Columba os ouviu. Abriu os olhos e tentou falar, mas a voz falhou. Ergueu as mãos como se fosse abençoá-los, e imediatamente após, expirou e entregou o espírito. O semblante reteve na morte a expressão que tinha em vida, de forma que parecia que ele estava dormindo. — "*Story of Columba and his Successors*" *(A História de Columba e seus Sucessores", em Christian Treasury [O Tesouro Cristão] de 1848*

v. 11: "Vinde, meninos". Hermann Venema observa essencialmente que Davi, quando falava com os seus amigos na caverna de Adulão, chamava-os de filhos ou meninos porque ele era um tipo de professor para eles, e eles os alunos porque eles eram jovens na flor da idade e, como filhos, seriam os construtores da sua casa, e porque, como líder a cuja disciplina e comando eles estavam sujeitos, ele tinha o direito de dirigir-se a eles por meninos. — *C. H. S.*

v. 11: "Vinde, meninos, ouvi-me; eu vos ensinarei o temor do SENHOR". Tu conheces os teus pais terrenos, mas empenha-te em conhecer o teu Pai celestial. Tu conheces os pais da tua carne, mas esforça-te para conhecer o Pai do teu espírito. Tu és conhecedor, talvez, das odes de Horácio, das éclogas de Virgílio, dos discursos de Cícero, mas labuta para entenderes os salmos de Davi, os provérbios de Salomão e os outros livros comuns do Escrito Santo. O maná tinha de ser colhido pela manhã. A pérola oriental é produzida pelo orvalho da manhã; *aurora musis amica*, que significa "a manhã é uma amiga para as musas". Ó "lembra-te do teu Criador", conheça-o pela manhã da tua infância. Quando Deus criou os céus e a terra, a primeira coisa que fez foi adornar o mundo com luz e separá-la da escuridão. Feliz a criança em quem a luz do conhecimento salvador começa no cedo amanhecer. Deus, na lei, exigia os primogênitos e os primeiros frutos (as primícias). Hoje, ele ainda exige nossos primeiros dias a serem oferecidos para ele. Essas são as palavras da sabedoria: "Os que de madrugada me buscam me acharão" (Pv 8.17). Onde um rabino observa que a letra hebraica נ foi acrescentada ao verbo mais do que habitual, o que em termos numéricos chega a 50. Com essa observação, a busca de madrugada tem uma recompensa de não apenas 20, ou 30, mas de 50 vezes — não, na verdade, é de cem vez mais do que a busca feita. — *Nathanael Hardy*

v. 11: "Vinde, meninos, ouvi-me; eu vos ensinarei o temor do SENHOR". Davi, nessa última parte do salmo, desejar ensinar as crianças. Embora homem de guerra e ungido para ser rei, ele não pensou que era indigno ele ser professor. Embora a cabeça estivesse cheia de cuidados e as mãos de atividades, ele podia achar coração e tempo para dar bons conselhos aos jovens segundo a própria experiência. — *Matthew Henry*

v. 11: Observemos:

(1) O que Davi espera dos meninos: "Ouvi-me", deixai as brincadeiras, ponde de lado os brinquedos e ouvi o que eu tenho a vos dizer. Não apenas me deis atenção, mas observai-me e obedecei-me.

(2) O que Davi empreende ensinar aos meninos: "O temor do SENHOR", incluindo todos os deveres da religião. Davi era um famoso músico, estadista, soldado, mas ele não diz a eles: "Eu vos ensinarei a tocar harpa, ou manejar uma espada ou lança, ou atirar com o arco". Ou "Eu vos ensinarei as máximas da política estatal", mas diz: "Eu vos ensinarei o temor do SENHOR", que é melhor que todas as artes e ciências, melhor que todos os holocaustos e sacrifícios. É isso que devemos ambicionar aprender e, depois, ensinar às nossas crianças. — *Matthew Henry*

v. 11: "Eu vos ensinarei o temor do SENHOR". Essa tradução condiz com a paráfrase do meu velho saltério. É o que prefiro porque creio que há uma referência a esse método muito impróprio e profano de ensinar aos jovens o sistema da mitologia pagã antes que aprendam uma lição sadia da verdadeira divindade, até que, por fim, a mente fique saturada com o paganismo e a conduta viciosa de deuses, deusas e heróis (aqui muito corretamente chamados de *tiranos*), tornando-se modelo próprio para eles. Têm tanto paganismo por fora quanto têm por dentro. — *Adam Clarke*

v. 11: "O temor do SENHOR". O Mestre das Sentenças enfatiza, com esse versículo, quatro tipos de temor: o mundano, o servil, o inicial e o filial. O temor mundano é quando tememos cometer pecado, simplesmente para que não percamos alguma vantagem mundana ou incorramos em certa inconveniência mundana. O temor servil é quando tememos cometer pecado simplesmente por causa dos tormentos do Inferno devidos pelo pecado. O temor inicial é quando tememos cometer pecado, para que não percamos a felicidade do céu. O temor filial é quando tememos cometer pecado, só e inteiramente porque tememos ofender a esse Deus a quem amamos de todo o coração.

"Eu vos ensinarei." Observemos que esse temor não é algo a ser aprendido tudo de uma vez. Precisa de cuidadoso estudo e de um bom professor. Crisóstomo compara a escola do salmista com a frequência dos estudantes pagãos à universidade. Efrém, referindo-se a essa passagem, diz que o próprio temor de Deus é a escola da mente. Escreve Lawrence Justiniani: "É como se ele tivesse proclamado, eu vos ensinarei não as órbitas das estrelas, não a natureza das coisas, não os segredos dos céus, mas o temor do Senhor. O conhecimento de tais assuntos sem temor ensoberbece, mas o temor do Senhor, sem quaisquer desses conhecimentos, pode salvar". Cassiodoro declara: "Aqui não é o temor de ser temido, mas de ser amado. O temor humano é cheio de amargura, o temor divino, de doçura. Um leva para a escravidão, o outro atrai para a liberdade. Um teme a prisão do Geena, o outro abre o reino dos céus". — *John Mason Neale*

v. 11: "O temor do Senhor". Seja esse, bons meninos, o vosso principal cuidado e estudo, pois de que vos aproveitará serdes hábeis em Túlio, Virgílio, Homero e outros escritores profanos se fordes inábeis no livro de Deus? Terdes aprendido grego e latim se não aprendestes o idioma de Canaã? Falardes agradavelmente segundo as normas gramaticais latinas de Prisciano e de Lily, mas terdes a vida e comportamento não condizentes com as normas e leis do cristianismo? Terdes conhecimento das criaturas quando sois ignorantes do Criador? Terdes aprendido pelo que viverdes provisoriamente aqui e negligenciardes pelo que viverdes eternamente depois? Aprendei a temer a Deus, a servir a Deus e, então, Deus vos abençoará, porque Ele "abençoará os que temem ao Senhor, tanto pequenos como grandes" (Sl 115.13). — *Thomas Gataker, "David's Instructor"* [O Instrutor de Davi], 1637

v. 12: "Quem é o homem que deseja a vida, que quer largos dias para ver o bem?" Não é importante viver muito ou viver para sempre tanto quanto é viver com muita alegria. A imprecação leal: "Viva o rei" (em todos os idiomas) implica em um estado de prosperidade. Quando o salmista diz: "Quem é o homem que deseja a vida"?, logo em seguida, ele se explica dizendo "largos dias para ver o bem". Em latim, *vivere* é, às vezes, o mesmo que *valere*, ou seja, viver é tanto quanto estar bem. Nessa consideração é que como, por um lado, a Bíblia chama o estado dos malditos de morte eterna porque a sua vida é mera continuação na miséria, assim, por outro lado, o estado dos santos é uma vida eterna porque é um permanência perpétua na felicidade. — *Nathanael Hardy*

v. 12: "Quem é o homem que deseja a vida, que quer largos dias para ver o bem?" O benefício da vida não está no comprimento da vida, mas no seu uso. Alguns vivem pouco mesmo tendo vivido muito. — *Sêneca*

v. 13: "Guarda a tua língua do mal e os teus lábios, de falarem enganosamente". Ficinus, de acordo com o seu tratado *De sanitate tuenda*, "Para manter boa saúde", e outro "Para recuperar a saúde", e um terceiro, "Para prolongar a vida", pelo fato de todos esses serem insuficientes, acrescentou sabiamente um quarto: "Para apoderar-se da vida eterna", da qual não podemos nos apoderar senão mortificando este membro terreno: a língua solta e lasciva. "Porque por tuas palavras serás justificado e por tuas palavras serás condenado", disse o próprio Juiz (Mt 12.37). Compare Gênesis 49.21 com Deuteronômio 33.23 e ficará evidente que boas palavras agradam Deus tanto quanto os homens. — *John Trapp*

v. 13: "E os teus lábios, de falarem enganosamente". Talvez Davi, advertindo-nos para que não falemos nada com engano, reflete sobre o seu próprio pecado por mudar de comportamento. Aqueles que verdadeiramente se arrependem do que fizeram de errado, advertem as pessoas para também se arrependerem. — *Matthew Henry*

v. 14: "Aparta-te do mal e faze o bem; procura a paz e segue-a". Esse versículo denota que o mal está perto dos homens e se mantêm perto deles, devendo ser recusado e evitado. Diz respeito a todos os tipos de males. Os homens maus e a sua má companhia. As coisas más, as palavras más, as ações más e toda aparência do mal. O temor do Senhor se evidencia em odiar o mal e afastar-se dele (Pv 8.13; 16.6). — *John Gill*

v. 14: "Aparta-te do mal". Os outros preceitos são o dever dos trabalhos, sendo quatro, onde os preceitos das palavras eram apenas dois, porque devemos ser mais ativos nos trabalhos do que nas palavras. São todos afirmativos, pois é contra a natureza de um trabalho estar no negativo, pois trabalhar assim não seria melhor do que a inatividade. Os dois primeiros são gerais, tão gerais quanto o bem e o mal. Se toparmos com qualquer coisa que seja má, cabe a nós nos apartar, pois não há discrição no mal. — *Sir Richard Baker*

v. 14: "Faze o bem". A bondade negativa não é suficiente para nos dar direito ao céu. Há alguns no mundo cuja religião versa sobre elementos negativos. Não são bêbados, não são praguejadores e, por isso, se bendizem. Veja como o fariseu se gaba: "Ó Deus, graças te dou, porque não sou como os demais homens, roubadores, injustos e adúlteros; nem ainda como este publicano" (Lc 18.11). O não ser escandaloso não faz ninguém cristão assim como a cifra não faz nenhuma soma. Recebemos a ordem de não só nos apartar do mal, mas também de fazer o bem. Será um argumento fraco no último dia dizer: Deus, eu me guardei de me manchar com pecados medonhos. Eu não causei danos. Mas que bem há em ti? Não basta o servo da vinha não ter causado danos, não ter quebrado as árvores ou destruído as cercas vivas. Se ele não trabalhou na vinha, não tem direto a pagamento. Não basta dizermos no último dia que não causamos danos, que não cometemos pecados medonhos, mas que bem fizemos para a vinha? Onde está a graça que recebemos? Se não podemos mostrá-la, perderemos o pagamento e perdemos a salvação. — *Thomas Watson*

v. 14: "Procura a paz e segue-a". Faze o bem, e não precisarás seguir a paz. Ela te encontrará sem que tu tenhas de procurá-la. Agostinho disse: *Fiat justitia, et habebis pacem*, que significa "vive com justiça e viverás com paz". A tranquilidade descobrirá a justiça onde quer que ela se aloje. Mas ela detesta a casa do mal. A paz não come enquanto a graça não tiver quebrado o jejum. Abracemos a piedade, e "a paz de Deus, que excede todo o entendimento, guardará os vossos corações e os vossos sentimentos em Cristo Jesus" (Fp 4.7). — *Thomas Adams*

v. 14: "Procura a paz e segue-a". As coisas mais desejáveis não são as mais fáceis de serem obtidas. O que é mais agradável para a imaginação do que a tranquilidade da paz? Mas essa grande bênção não se apresenta voluntariamente. Ela tem de ser procurada. Mesmo quando é procurada, ela ilude quem vai agarrá-la. Ela foge e tem de ser seguida.

(1) O homem de comportamento pacífico tem de ser cauteloso para não ofender quando desnecessário, ou quando pode ser inocentemente evitado.

(2) Outra faceta do caráter do homem pacífico é não ofender, sobretudo em assuntos de pequena monta, que dificilmente são dignos de nota dos sábios.

(3) Se desnecessariamente ofendemos ou fomos ofendidos, devemos nos empenhar em acabar com o ocorrido tão logo for possível. Se uma diferença já começou, esmaga-a agora que está no começo e não permitas que avance mais. — Condensado do sermão de *Daniel Waterland*, em *J. R. Pitman*, "*Course of Sermons on the Psalms*" (Série de Sermões sobre os Salmos), 1846

v. 15: "E os seus ouvidos, [estão] atentos ao seu clamor". A palavra "atentos" não está no original hebraico, mas o significado é que os ouvidos de Deus estão propensos e, de certa forma, inclinados em direção aos clamores dos justos. Como muitas vezes ocorre na Bíblia, a palavra pode seja entendida enfaticamente por certa postura de justiça digna, seleta e excelente. Àqueles que forem verdadeiramente dignos e justos, os ouvidos de Deus, digo, estarão propensos, inclinados e pendentes a eles e suas orações, de acordo com Cantares 2.14: "Faze-me ouvir a tua voz, porque a tua voz é doce". Há um tipo de naturalidade e afabilidade entre os ouvidos de Deus e as orações, petições e clamores de tal homem justo (Jo 15.7). — *John Goodwin*, 1593–1665

v. 15: "E os seus ouvidos, [estão] atentos ao seu clamor". No original hebraico, é: "Estão ao seu clamor", ou, como disse Pedro: "E os seus ouvidos, atentos às suas orações" (1 Pe 3.12, onde a palavra "atentos" também não consta no original grego) para mostrar que, embora as orações sejam tão débeis e fracas a ponto de não entrarem nos ouvidos do Senhor dos Exércitos, ele se curva e inclina os ouvidos às orações, aos suspiros (Lm 3.56). — *John Trapp*

vv. 15 a 17: "Os olhos do Senhor estão sobre os justos; e os seus ouvidos, atentos ao seu clamor". Os estranhos podem uivar e mal notamos o que os molestam, sendo uma especulação se os socorremos ou não. Mas se os nossos filhos choram, estando em grande angústia, corremos para ajudá-los. Nossa relação com Deus fortalece tão bem a nossa esperança, de modo que nossos desejos são ouvidos. Aquele que clama: "Aba, Pai" (Rm 8.15), pode ter certeza absoluta do sucesso da sua petição, pois Deus lida com ele como filho. — *George Swinnock, 1627–1673*

v. 18: "Perto está o Senhor dos que têm o coração quebrantado". Deus está perto deles (falamos com reverência); Deus gosta tanto da companhia deles que Ele não suporta ficar longe deles. Ele tem de tê-los sempre por perto, sempre sob as vistas. Quanto a esses quebrantados, Ele tem o cuidado de não deixá-los por muito tempo, nem de ir longe deles. Ele sempre está por perto para fixar-lhes os ossos e enfaixar-lhes as feridas para que não inflamem. Pode ser que ele lhes cause muita dor antes de aperfeiçoar-lhes a cura, mas é para prevenir dores futuras. É cirurgião cruel e tolo quem, por medo de causar dor ao paciente, nunca examina a ferida, mas a acoberta. O sábio não pensará que o médico é desapiedado por infringir-lhe dor intensa para que a cura seja completa. Assim faz Deus pelos seus pacientes quando o tipo de enfermidade o requer. Contudo, Ele fará com que não esteja distante quando mais precisarem dEle. É possível que pensem que foram esquecidos por Deus, não reconhecendo o Médico quando ele está ao lado deles e tomando o Amigo por inimigo. Podem imaginar que Deus está longe, quando, na verdade, Ele está bem perto. Mas quando os olhos são abertos e a enfermidade desaparece completamente, eles reconhecem, com vergonha e gratidão, o erro que cometeram. Confessam do fundo da alma que não merecem o menor olhar da bondade de Deus, mas ser contados estrangeiros e inimigos. Mas Deus os fará saber que gosta de agir como Ele mesmo, ou seja, como Deus de amor, misericórdia e bondade, e que são eles em quem Ele põe o coração. Ele os carregará no colo, nunca os deixará, nem os abandonará. Ainda que esses contritos se considerem muitas vezes perdidos, Deus os salvará, e eles cantarão uma cântico de gratidão entre os libertos. — *James Janeway*

v. 18: "Perto está o Senhor dos que têm o coração quebrantado e salva os contritos de espírito". Examinemos as vantagens deste coração quebrantado.

(1) Um coração quebrantado é aceitável e muito agradável a Deus: "A um coração quebrantado e contrito não desprezarás, ó Deus" (Sl 51.17).

(2) Um coração quebrantado perdoa e esquece muitos defeitos no desempenho do serviço e deveres: "Os sacrifícios para Deus são o espírito quebrantado" (Sl 51.17).

(3) Um coração quebrantado faz da alma um receptáculo adequado para Deus habitar: "Porque assim diz o Alto e o Sublime, que habita na eternidade e cujo nome é Santo: Em um alto e santo lugar habito e também com o contrito e abatido de espírito, para vivificar o espírito dos abatidos e para vivificar o coração dos contritos" (Is 57.15).

(4) Um coração quebrantado traz Deus perto dos homens: "Perto está o Senhor dos que têm o coração quebrantado e salva os contritos de espírito" (Sl 34.18).

(5) Um coração quebrantado nos expõe à doçura da cura de Jesus: "E a quebrada ligarei, e a enferma fortalecerei" (Ez 34.16). Quem não seria quebrantado para que sentisse a suavidade da mão de cura de Jesus e provasse a doçura desta palavra: "Porque restaurarei a tua saúde e sararei as tuas chagas, diz o Senhor"? (Jr 30.17).

(6) Um coração quebrantado nos coloca na estrada certa para o céu, onde todas as feridas e contusões serão curadas, pois há uma árvore cujas folhas são para a cura das nações (Ap 22.2). Não há queixa de feridas ou contusões, pois todos são perfeitamente curados. — *John Spalding, "Synaxis, Sacra, or a Collection of Sermons"* [Uma Congregação, um Sacrifício ou uma Coletânea de Sermões], 1703

v. 18: "Perto está o Senhor dos que têm o coração quebrantado e salva os contritos de espírito". Temos a propensão a desprezar os homens na proporção em que eles são humilhados para abaixo de nós. Deus os considera nessa proporção. Os vasos de honra são feitos de barro que é "quebrantado" em partes menores. — *George Horne*

v. 18: "Coração quebrantado... contritos de espírito". Essa é a pior das misérias que os ministros mais têm motivos para reclamar: que os homens não estão suficientemente prontos para Jesus Cristo, não estão tão perdidos em si mesmos para precisarem de um Salvador. "Porque, por ti, o órfão alcançará misericórdia" (Os 14.3). Estivéssemos mais desesperados, mais desamparados e mais órfãos, acharíamos mais misericórdia na mão de Jesus Cristo. Que hoje Deus desperte e sacuda a alma que dorme no pecado!

Que essa doutrina assim apresentada seja como um raio acompanhado de trovões para que tu vejas dentro de ti mesmo! Ó pobre pecador, tu tens o fardo insuportável do pecado e da culpa em tua alma, pronto para te forçar para baixo até chegares ao Inferno, mas ainda não o sentiste. Tu tens a ira de Deus pairando sobre a tua cabeça pelo fio retorcido de uma vida curta, da qual tu não estarás livre em um ano — não, talvez em um mês —, mas tu não a percebes. Se tu a percebesses, então tu clamarias como ele fez no campo de batalha de Bosworth: "Um cavalo! Um cavalo! Um reino por um cavalo!"

Assim tu clamarias: Ninguém mais senão Cristo! Nada mais que Cristo! Dez mil mundos por Cristo! — *James Nalton, 1664*

v. 18: "Os contritos de espírito". דַּכְּאֵי־רוּחַ (*dakk*[e]*'ê-rûaḥ*), "o espírito abatido" (cf. "espírito oprimido", ARA). Em ambas as palavras, o martelo está necessariamente implícito, primeiro quebrando em pedaços o minério bruto e, depois, chapeando o metal que foi separado do minério. Isso faz o leitor lembrar as palavras do profeta: "Não é a minha palavra como fogo, diz o Senhor, e como um martelo que esmiúça a penha?" (Jr 23.29). Martelo e penha são palavras metafóricas. O que acontece quando uma mão forte golpeia uma rocha com um martelo grande, assim acontece quando a palavra do Senhor golpeia o coração do pecador pelo poder do Espírito Santo. O coração quebrantado e o espírito contrito são duas características essenciais de verdadeiro arrependimento. — *Adam Clarke*

v. 19: "Muitas são as aflições do justo, mas o Senhor o livra de todas". Quer sejam muitas as nossas dificuldades, de natureza estranha, de medida forte, as misericórdias do Senhor são mais numerosas, a sua sabedoria mais maravilhosa, e o seu poder mais milagroso. Ele nos livra de tudo isso. — *Thomas Adams*

v. 19: "Muitas são as aflições do justo, mas o Senhor o livra de todas". Quando Davi viu as suas dificuldades, como o exército dos siros (2 Rs 6.16), ele olhou para Deus assim como Eliseu fez e avistou alguém com ele mais forte do que todos os que estavam contra ele. Por isso, a respeito das aflições, ele clamou: "Muitas são as aflições do justo", e, a respeito da promessa, ele declarou: "Mas o Senhor o livra de todas". Dessa forma, pela própria experiência, Davi mediu a condição dos justos, dizendo: "Muitas são as aflições do justo", e depois, pela própria cura, ele mostrou como deveriam ser curados, dizendo: "Mas o Senhor o livra de todas". [...] O advogado pode livrar o cliente só da discussão; o médico pode livrar o paciente só da doença; o senhor pode livrar o escravo só da escravidão; mas o Senhor nos livra de tudo. Quando Moisés foi livrar os israelitas, ele não deixou uma unha para trás. Assim, quando o Senhor vai livrar o justo, Ele não deixa uma dificuldade para trás. Aquele que "perdoa todas as tuas iniquidades" também "sara todas as tuas enfermidades" (Sl 103.3). — *Henry Smith, 1560–1591*

v. 20: "Ele lhe guarda todos os seus ossos", que eram muitos. Segundo Abenezra, é possível que Davi tivesse sido açoitado pelos filisteus, mas os ossos não foram quebrados, nem foram os do nosso Salvador (Jo 19.36). — *John Trapp*

v. 20: "Todos os seus ossos". Simon de Muis observa: "Não fala *o seu corpo*, pois ele permite que o corpo seja afligido. Significa que os males dos piedosos são leves e dificilmente penetram até aos ossos". Mas Martin Geier afirma: "É muito sutil, pois os ossos nos lembram das partes essenciais do corpo, por cujo ferimento toda a constituição física corre perigo. É uma forma proverbial de falar como em Mateus 10.30: 'E até mesmo os cabelos da vossa cabeça estão todos contados', expressando a defesa notável oferecida para os justos". Gilbert Genebrard declara: "Por sinédoque, os ossos representam todos os membros do corpo". — Extraído de "*Poli Synopsis*" (Poli Sinopse)

v. 20: O cordeiro pascal, do qual nem um osso era quebrado, prefigurava Jesus, de quem nenhum dos seus ossos foi quebrado (Jo 19.36). Mas, ao mesmo tempo, prefigurava a plena guarda e segurança do corpo de Cristo, a igreja, como está escrito: "Ele lhe guarda todos os seus ossos; nem sequer um deles se quebra" (Sl 34.20). — *Andrew A. Bonar*, "*Commentary on Leviticus*" (Comentário sobre Levítico), 1859

v. 20: "Ele lhe guarda todos os seus ossos; nem sequer um deles se quebra". Os ossos de Jesus eram, por si mesmos, quebráveis, mas, na verdade, não poderiam ser quebrados nem mesmo com toda a violência do mundo, porque Deus pré-decretara: "Nenhum dos seus ossos será quebrado" (Jo 19.36).

v. 20: "Ele lhe guarda todos os seus ossos; nem sequer um deles se quebra". Observemos como ponto de semelhança entre este e o salmo seguinte, a menção dos ossos aqui e no salmo 35.10. — *Christopher Wordsworth*

v. 21: "Malícia". As aflições, embora no plural, não são ruinosas para os justos, pois o Senhor os livra de todas, ao passo que a malícia (no singular) mata os ímpios, mostrando a diferença da economia de Deus para com os justos e os ímpios. Os justos entram em muitas dificuldades, mas os ímpios não passam por tantas assim. Contudo, as muitas aflições que ocorrem aos justos não causam nenhum ferimento, mas contribuem para o bem deles, enquanto que as pouquíssimas que sobreveem aos ímpios, ou talvez uma única aflição da vida, já basta para causar-lhes a completa ruína. — *Henry Hammond*

v. 21:

A própria consciência do culpado o tortura, roendo-o com dores desconhecidas
Pois isso agora o tempo da emenda passou para sempre
E o último arrependimento não encontra perdão nenhum para todos os gemidos
— *Peter Damiano, 988–1072*

v. 21: "Serão punidos" ou serão culpados. Esse é o significado apropriado da palavra no original hebraico, יֶאְשָׁמוּ. Eles são culpados e sujeitos à punição. Esse é o sentido habitual da palavra (ver Levítico 4.13,22). Inclui, em geral, a ideia de culpa e a punição decorrente dela. — *Samuel Chandler, Doutor em Teologia*

v. 22: "O SENHOR resgata a alma dos seus servos, e nenhum dos que nele confiam será condenado". As promessas de Deus para a igreja e as ameaças do pecado registradas no livro vivo da sua palavra não são antiquadas. Não há época que as reforme ou lhes tire a plena força e virtude. E se boas pessoas e boas causas sofrerem opressão? O poeta é excelente nesse caso:

Informes hiemes reducit
Jupiter; idem
Summovet. Non si male nunc, et olim
Sic erit

Depois do mau tempo, vem o bom tempo. Embora, agora, seja mau tempo para nós, não será para sempre. E se os inimigos da religião e os parasitas da comunidade aumentarem e prosperarem e tiverem todas as coisas à vontade, não perturbeis Davi e Jó. Ambos viram um sol radiante ser ofuscado por uma nuvem negra e um mundo de mau tempo se seguir. — *Edward Marbury*

v. 22: Satanás não pode tentar por mais tempo do que Deus lhe permite. Ele nunca permitirá que tu sejas tentado acima de certa medida, pois dará uma saída boa para a tentação. Tu és chamado para lutar sob a bandeira de Cristo Jesus, e, no nome do Senhor, tu serás capacitado a agir valorosamente e vencer. Se Satanás continuar atacando: "A minha graça te basta" (2 Co 12.9). Se as tuas forças acabarem completamente, o poder de Deus aumentará cada vez mais em ti. Ele te humilhou para que tu não confies em ti mesmo, mas, sim, no Senhor vivo, e para que o louvor total da vitória seja designado a Ele. Se ainda te restou forças, não te apóies nelas. Se estão agora deterioradas e acabadas, não há motivo para teres medo, pois o Senhor será a tua ajuda. Nos ataques mais difíceis e nos embates mais cansativos, temos esta exortação: "Fortalecei-vos no Senhor e na força do seu poder" (Ef 6.10). Anima-te, e Deus te concederá uma vitória fácil e feliz. A intenção de Satanás em tentar é tumultuar, desanimar e desconcertar com temores, e então levar ao desespero. Se tiveres coragem de descansares silenciosamente na graça de Deus e correres para o seu nome, tu porás o inimigo em fuga e já ganhaste o dia.

Espera um pouco, e estas névoas escuras e tempestades terríveis serão dispersas. Por meio dessas tentações, o Senhor te ensina a ver a tua fraqueza e a malícia de Satanás, a negar a tua própria sabedoria e a computar o seu favor, a estimar parcamente todas as coisas da terra e a avaliar sublimemente a misericórdia que alcança o perdão de pecados, e a comunhão celestial e companheirismo com Deus. Se essa poção amarga operou de modo tão aprazível para o teu bem espiritual, por que tu te espantarias? "Espera no Senhor, anima-te, e ele fortalecerá o teu coração" (Sl 27.14). "O Senhor resgata a alma dos seus servos, e nenhum dos que nele confiam será condenado". — *John Ball*

SUGESTÕES AOS PREGADORES

v. 1. (1) Firme decisão. (2) Sérias dificuldades para desempenhá-la. (3) Ajudas para realizá-la. (4) Excelentes consequências por tê-la tomado. Seis perguntas: (1) Quem? "[Eu]." (2) O quê? "Louvarei." (3) A quem? "Ao Senhor." (4) Quando? "Em todo o tempo." (5) Como? (6) Por quê?

v. 1. Orientações para fazer o céu abaixar.

v. 2. (1) O glorificador elogiável e a sua audiência gratificada. (2) Podemos nos gloriar do Senhor, nEle mesmo, nas suas manifestações, nas suas relações para conosco, no nosso interesse nEle, nas expectativas que temos dEle. (3) O dever dos crentes é relatar as suas experiências para a edificação dos outros.

v. 3. Convite ao louvor em conjunto.

v. 3. Engrandecer ou tornar grande a obra de Deus é um exercício nobre.

v. 4. Confissões de uma alma livrada: (1) Sê simples. (2) Honra a Deus. (3) Exclui o merecimento. (4) Incentiva os outros a também buscarem.

v. 4. Quatro fases: (1) "Temores." (2) "Busquei." (3) "Respondeu." (4) "Livrou-me."

v. 5. O poder do olhar da fé.

v. 6. (1) A herança dos pobres: "Angústias". (2) O amigo dos pobres. (3) O clamor dos pobres. (4) A salvação dos pobres.

v. 6. (1) A riqueza dos pobres. (2) A posição da oração na economia da graça, ou a história natural da misericórdia na alma.

v. 7. *Castra angelorum, salvatio bonorum.*

v. 7. (1) O ministério dos anjos. (2) Em que sentido Jesus é "o anjo do Senhor".

v. 8. A experiência é o único teste verdadeiro da verdade religiosa.

v. 8. "Provai": (1) O paladar santificado. (2) A provisão buscada. (3) O veredicto satisfeito. (4) A hoste celestial.

v. 9. O estado abençoado do homem temente a Deus.

v. 9. Temor que expele temor. *Similia similibus curantur.*

v. 10. Os leões passam necessidade, mas os filhos são saciados. Ver "*Spurgeon's Sermons*" (Sermões de Spurgeon), n.º 65: (1) A descrição do verdadeiro cristão: São "aqueles que buscam ao Senhor". (2) A promessa apresentada por contraste. (3) A promessa cumprida.

v. 10. "Aos que buscam o Senhor bem nenhum lhes faltará" ((ARA). Qual é o bem?

v. 11. (1) O professor-rei. (2) Os alunos jovens. (3) O modo de ensinar: "Vinde". (4) A matéria escolhida.

v. 11. Trabalho da Escola Dominical.

vv. 12 a 14. Como tirar o melhor proveito dos dois mundos.

v. 13. Os pecados da língua: (1) Os danos. (2) As causas. (3) A cura.

v. 14. "Aparta-te do mal e faze o bem." A relação entre as virtudes negativas e as virtudes positivas.

v. 14. "Procura a paz e segue-a." A caçada do rei: (1) A caça. (2) As dificuldades da caçada. (3) Os caçadores. (4) Os métodos. (5) As recompensas.

v. 15. Nosso Deus observador: os seus olhos e ouvidos estão postos em nós.

v. 16. Os que fazem o mal são derrotados na vida e esquecidos na morte.

v. 17. As angústias e a bênção tríplice: (1) Elas nos fazem orar. (2) Elas nos trazem os ouvidos atentos do Senhor. (3) Elas dão oportunidade para a experiência alegre da libertação.

v. 18. A proximidade de Deus aos corações quebrantados e a certeza de serem salvos.

v. 19. Preto no branco ou ruína e antídoto. Pessoas especiais, aflições especiais, livramentos especiais, fé especial como dever.

v. 20. A verdadeira segurança dos crentes quando estão em grande perigo. São guardados a alma, a vida espiritual, a fé, a esperança, o amor, o interesse por Jesus, a adoção, a justificação.

v. 21. A impiedade, o seu próprio algoz, ilustrada por exemplos bíblicos, pela história, pelos perdidos no Inferno. Lições do fato solene. A condição miserável do homem de espírito malicioso.

vv. 21 e 22. Quem será e quem não será condenado.

v. 22. A redenção nos seus significados diversos. A fé na sua preservação universal. O Senhor na sua glória incomparável na obra da graça.

SALMO 35

TÍTULO

"Salmo de Davi." É tudo que sabemos a respeito deste salmo. Contudo, as evidências internas indicam a data da composição nos tempos turbulentos quando Saul perseguia Davi pelos montes e vales, e quando os que bajulavam o rei cruel caluniavam o objeto inocente da sua ira. Também pode referir-se aos dias inquietos de insurreições frequentes quando Davi já era idoso. O salmo é um apelo aos céus feito por um coração corajoso e uma consciência limpa, irritados desmedidamente pela opressão e malícia. Não há dúvida de que os olhos espirituais veem aqui o Senhor de Davi.

DIVISÃO

O modo mais natural de dividir este salmo é observar a sua característica tripla. A queixa, a oração e a promessa de louvor são repetidas com notável paralelismo três vezes, exatamente como o nosso Senhor no jardim do Getsêmani orou três vezes usando as mesmas palavras. A primeira parte vai do versículo 1 ao 10, a segunda do versículo 11 ao 18, e a última do versículo 19 ao 28. Cada seção termina com uma nota de cântico agradecido.

EXPOSIÇÃO

1 *Pleiteia, SENHOR, com aqueles que pleiteiam comigo; peleja contra os que pelejam contra mim.*
2 *Pega do escudo e da rodela e levanta-te em minha ajuda.*
3 *Tira da lança e obstrui o caminho aos que me perseguem; dize à minha alma: Eu sou a tua salvação.*
4 *Sejam confundidos e envergonhados os que buscam a minha vida; voltem atrás e envergonhem-se os que contra mim intentam o mal.*
5 *Sejam como pragana perante o vento; o anjo do SENHOR os faça fugir.*
6 *Seja o seu caminho tenebroso e escorregadio, e o anjo do Senhor os persiga.*

7 *Porque sem causa encobriram de mim a rede na cova, que sem razão cavaram para a minha alma.*
8 *Sobrevenha-lhes destruição sem o saberem, e prenda-os a rede que ocultaram; caiam eles nessa mesma destruição.*
9 *E a minha alma se alegrará no SENHOR; alegrar-se-á na sua salvação.*
10 *Todos os meus ossos dirão: SENHOR, quem é como tu? Pois livras o pobre daquele que é mais forte do que ele; sim, o pobre e o necessitado, daquele que os rouba.*

1. *"Pleiteia, SENHOR, com aqueles que pleiteiam comigo."* Pleiteia contra aqueles que pleiteiam contra mim. Luta contra os que lutam contra mim. Contenda com os que contendem comigo. Se apresentarem o caso no tribunal de justiça, Senhor, enfrenta-os lá e vence-os com as próprias armas deles. Todo santo de Deus terá este privilégio. O Defensor dos santos enfrentará o acusador dos irmãos.

"Peleja contra os que pelejam contra mim." Se os meus adversários tentam a força como também a fraude, sê páreo para eles. Opõe a tua força contra a força deles. É o que Jesus faz por todos os seus amados. Ele é para eles intercessor e defensor. Seja qual for a ajuda de que precisarem, eles a receberão dEle, e seja de que maneira for que sejam atacados, eles serão eficientemente defendidos. Não sejamos relapsos em deixar nosso caso nas mãos do Senhor. É vã a ajuda do homem, mas sempre é eficaz a interposição dos céus. O que aqui é pedido como benefício, pode ser considerado como promessa para todos os santos. No julgamento, eles terão um advogado divino e, na guerra, uma proteção divina.

2. *"Pega do escudo e da rodela e levanta-te em minha ajuda."* Em vívida metáfora, o salmista descreve o Senhor como apresentando-se armado para a batalha e interpondo-se entre o seu servo e os inimigos do seu servo. As duas armas defensivas ("escudo" e "rodela") representam as proteções maiores e menores da providência, e o levantar do Senhor quer dizer a preservação ativa e zelosa que Ele presta ao seu servo nas horas de perigo. Esta imagem poética mostra como o salmista percebia a existência e o poder de Deus e como pensava nEle como um personagem real e vigente, trabalhando verdadeiramente pelos seus aflitos.

3. *"Tira da lança e obstrui o caminho aos que me perseguem."* Antes que o inimigo chegue muito perto, o Senhor pode afastá-lo como se usasse uma lança comprida. Manter as dificuldades à distância não é ato desprezível da bondade. Como quando guerreiros valorosos bloqueiam com lanças uma passagem estreita entre as montanhas para deter um bando até que os seus irmãos mais fracos tenham sucesso em fugir, assim o Senhor mantém acuado os inimigos do crente até que o homem bom tome fôlego ou seja bem-sucedido em fugir dos inimigos. Com frequência, Ele dá para os inimigos de Sião algum outro trabalho para fazer, proporcionando assim descanso para a Igreja. Que quadro glorioso é imaginar o Senhor bloqueando o caminho dos perseguires, contendo-os pela ponta da lança e dando tempo para o santo perseguido esquivar-se da perseguição!

"Dize à minha alma: Eu sou a tua salvação." Além de manter o inimigo afastado, o Senhor também acalma a mente do seu servo pela garantia expressa da própria boca dizendo que o servo está e estará mais seguro sob as asas do Todo-poderoso. A convicção interior da segurança em Deus é de todas as coisas a mais preciosa na fornalha da perseguição. Uma palavra do Senhor aquieta todos os nossos medos.

4. *"Sejam confundidos e envergonhados os que buscam a minha vida."* Não há nada de mal nessas palavras. O homem caluniado tão-somente almeja por justiça, e a petição é natural e justificável. Guiado pelo bom espírito de Deus, o salmista prediz a confusão e vergonha perpétua de todos os que odeiam os justos. Desapontamento vergonhoso será a porção dos inimigos do evangelho, e nem o cristão mais bondoso

deseja o oposto. Vendo os pecadores como homens, nós os amamos e buscamos o seu bem. Considerando-os inimigos de Deus, só podemos pensar neles com ódio e o desejo sincero de serem as suas artimanhas confundidas. Nenhum súdito leal deseja o bem para os rebeldes. O sentimentalismo melindroso pode levantar objeções sobre a linguagem forte usada pelo salmista, mas, no coração, todos os homens bons desejam confusão e vergonha para os que causam dano.

5. *"Sejam como pragana perante o vento."* Eles foram muito ligeiros no ataque; que sejam ligeiros também na fuga. Que os seus medos e alarmes de consciência os intimidem, de forma que a menor brisa de dificuldade os jogue para cá e para lá. Os descrentes são de caráter desprezível e de comportamento leviano, sendo destituídos de solidez e estabilidade. Nada mais justo que aqueles que se fazem de praganas sejam tratados como praganas. Quando esta maldição se cumpre nos homens malvados, eles descobrem que é terrível estar para sempre sem descanso, sem paz de espírito ou firmeza de alma, inquietados de medo em medo e de miséria em miséria.

"O anjo do Senhor os faça fugir." Os anjos caídos os assombrarão, e os anjos bons os afligirão. Ser perseguido por espíritos vingativos será a sorte dos que gostam de perseguir. Observemos a cena inteira como o salmista a esboça. Primeiro, o furioso inimigo é mantido à distância; depois, forçado a retroceder; em seguida, posto em fuga impetuosa e perseguido por mensageiros ardentes, dos quais não há escapatória enquanto o caminho fica escuro e perigoso, e a destruição avassaladora.

6. *"Seja o seu caminho tenebroso e escorregadio."* Quantos terrores em um lugar só! Sem luz, sem apoio firme para os pés e um vingador feroz no seu encalço! Que destruição é designada para os inimigos de Deus! Eles podem se enfurecer e se enfurecem hoje, mas essa condição mudará completamente!

"E o anjo do Senhor os persiga." Ele irá atrás deles a toda pressa, nunca se desviando, mas, como perseguidor contratado, cumpre o escrito de vingança e os prende em nome da justiça inflexível. Ai, ai, ai daqueles que tocam no povo de Deus. A sua ruína é veloz e certa.

7. Neste versículo, o salmista apresenta o principal ponto da acusação feita contra os servos do diabo.

"Porque sem causa", sem que eu os tivesse prejudicado, atacado ou provocado. Por pura maldade, "encobriram de mim a rede na cova", exatamente como os homens fazem quando caçam com astúcia e engano. Pessoas inocentes têm sido prejudicadas por armadilhas armadas por eles, na qual caíram tão ingenuamente como animais que caem em buracos escondidos e são apanhados em uma rede. Não é pequena coisa sentir que a animosidade que nos assalta é imerecida — não causada por erro pertinaz de nossa parte. Por duas vezes, Davi afirma em um versículo que os adversários conspiravam contra ele "sem causa" ("sem razão"). Confeccionar redes e abrir covas são procedimentos que requerem tempo e trabalho. Os ímpios se dedicarão com alegria a essas ações só para arruinarem o povo de Deus. A guerra justa pertence a homens honráveis, mas os que atacam a igreja de Deus preferem se servir de esquemas vis e métodos mesquinhos, mostrando, dessa forma, o seu caráter e origem. Devemos todos estar de guarda, pois arapucas e armadilhas ainda são as armas prediletas dos poderes do mal.

8. *"Sobrevenha-lhes destruição sem o saberem."* Essa tremenda maldição se cumpre frequentemente. Os julgamentos de Deus são, muitas vezes, súbitos e extraordinários. A morte entra na casa do perseguidor sem parar para bater à porta. Os raios do julgamento se deflagram dos seus esconderijos, e, em um impacto, os ímpios são destruídos para sempre.

"E prenda-os a rede que ocultaram; caiam eles nessa mesma destruição." Há uma lei de talião com Deus que funciona maravilhosamente. Os homens armam

armadilhas e prendem os próprios dedos. Jogam pedras para cima, e elas caem bem em suas cabeças. Quantas vezes Satanás se engana a si mesmo e queima os dedos lidando com o próprio carvão! Esta será indubitavelmente uma das agravações do inferno: os homens se atormentarão com o que outrora eram os esquemas prediletos de mentes rebeldes. Eles amaldiçoam e são amaldiçoados. Dão murro em ponta de faca e se laceram. Exsudam inundações de fogo que os queima por dentro e por fora.

9. *"E a minha alma se alegrará no Senhor."* Assim salvo, Davi atribui toda a honra ao Juiz do direito. Ele não oferece sacrifícios de glorificação ao seu braço valoroso. Afasta-se dos adversários para voltar-se a Deus, encontrando no Senhor uma alegria profunda e contínua. É nessa alegria que o seu espírito se esbanja.

"Alegrar-se-á na sua salvação." Não triunfamos com a destruição dos outros, mas com a salvação dada a nós por Deus. Oração ouvida sempre deve sugerir louvor. Faria bem se fôssemos mais demonstrativos em nossas alegrias santas. Roubamos Deus quando suprimimos os sentimentos de gratidão.

10. Como se a língua não tivesse bastado para bendizer a Deus, Davi dá voz a todos os membros: *"Todos os meus ossos dirão: Senhor, quem é como tu?"* Ele quer que toda a sua anatomia física se ressoe de gratidão. Os ossos que seriam quebrados pelos inimigos agora louvarão a Deus.

Cada um deles levará o seu tributo, designando excelência inigualável ao Senhor, o Salvador do seu povo. Ainda que fosse esfolado e desossado, o seu próprio esqueleto exaltará ao Senhor, "pois livras o pobre daquele que é mais forte do que ele; sim, o pobre e o necessitado, daquele que os rouba". Deus é o defensor, o verdadeiro cavaleiro andante de todos os oprimidos. Onde há tanta condescendência, justiça, bondade, poder e compaixão, os mais sublimes cânticos devem ser entoados. Então, querido leitor, tu foste livre do pecado, de Satanás e da morte, e não bendirás o Redentor? Tu eras pobre e fraco, mas, no devido tempo, Jesus te buscou e te livrou. Enaltece o Senhor agora e bendize o seu nome.

11 *Falsas testemunhas se levantaram; depuseram contra mim coisas que eu não sabia.*
12 *Tornaram-me o mal pelo bem, roubando a minha alma.*
13 *Mas, quanto a mim, quando estavam enfermos, a minha veste era pano de saco; humilhava a minha alma com o jejum, e a minha oração voltava para o meu seio.*
14 *Portava-me com ele como se fora meu irmão ou amigo; andava lamentando e muito encurvado, como quem chora por sua mãe.*
15 *Mas eles com a minha adversidade se alegravam e se congregavam; os abjetos se congregavam contra mim, e eu não o sabia; rasgavam-me e não cessavam.*
16 *Como hipócritas zombadores nas festas, rangiam os dentes contra mim.*
17 *Senhor, até quando verás isto? Resgata a minha alma das suas assolações, e a minha predileta, dos leões.*
18 *Louvar-te-ei na grande congregação; entre muitíssimo povo te celebrarei.*

11. *"Falsas testemunhas se levantaram."* Esse é o velho expediente dos descrentes, e não devemos ficar admirados se for usado contra nós como foi contra o nosso Mestre. Com o propósito de agradar Saul, sempre havia homens maus para acusar Davi.

"Depuseram contra mim coisas que eu não sabia." Nunca lhe passou pela cabeça fazer sedição. Pelo contrário, ele era leal ao extremo. Mesmo assim, eles o acusaram de conspirar contra o ungido do Senhor. Ele não só era inocente, mas também desconhecedor da falta alegada. É bom quando as nossas mãos estão tão limpas que não há nem marca de sujeira.

12. *"Tornaram-me o mal pelo bem."* Isso é diabólico, mas os homens aprenderam bem a lição com o antigo Destruidor e a praticam perfeitamente.

"Roubando a minha alma." Roubaram-lhe o consolo, e até lhe teriam tirado a vida não fosse os livramentos especiais ocasionados pela mão de Deus. Os ímpios despem os justos até à alma. Não sabem o que é ter piedade. Só existe limite para a maldade humana quando o próprio Deus julga adequado colocar.

13. *"Mas, quanto a mim, quando estavam enfermos, a minha veste era pano de saco."* Davi fora um homem solidário. Ele chorara quando Saul estava mal de saúde, vestindo-se com trajes de tristeza por ele como se ele fosse um amigo próximo e querido. O coração entrou em estado de lamentação pelo seu senhor doente.

"Humilhava a minha alma com o jejum." Ele orava pelos inimigos e tornava seu o caso dos doentes, pleiteando e confessando como se ele tivesse pecado e esse pecado tivesse ocasionado o mal. Isso mostrava que Davi tinha um espírito nobre, fato que agravava grandemente a baixeza daqueles que agora tão cruelmente o perseguiam.

"E a minha oração voltava para o meu seio." A oração nunca é perdida. Se não abençoa aqueles a favor de quem a intercessão é feita, abençoa os intercessores. A chuva nem sempre cai no mesmo lugar de onde os vapores subiram, porém deságua em outro lugar. Da mesma forma, as súplicas ocasionam a chuva da misericórdia em algum lugar ou outro. Se a pomba não acha descanso para a planta do pé entre os nossos inimigos, voará de volta ao nosso seio, trazendo no bico um raminho de oliveira. Como é nítido o contraste em todo este salmo entre os justos e os seus inimigos! Devemos ser determinados em manter larga e clara a linha de demarcação.

14. *"Portava-me com ele como se fora meu irmão ou amigo."* Visitei-o assiduamente, consolei-o afetuosamente e solidarizei-me com ele profundamente. Essa pode ser referência aos dias em que Davi tocava harpa para afugentar o espírito maligno de Saul.

"Andava lamentando e muito encurvado, como quem chora por sua mãe." Ele curvava a cabeça como fazem os que choram por estarem de luto. Era tão forte a aflição natural que ele sentia quando eles estavam em dificuldades. A mãe normalmente ganha o mais profundo amor, e a perda que ela tem é sentida agudamente. Era assim a aflição de Davi. Como são poucos os cristãos que hoje têm tais entranhas de compaixão. Mas, no tempo do evangelho, deveria haver amor mais meigo do que durante a lei. Tivéssemos amor mais forte pela humanidade e cuidado leal pelos seus males inumeráveis, seríamos mais úteis. Claro que devemos ser infinitamente mais semelhantes a Cristo. "Pois ora bem quem ama bem", disse Samuel Taylor Coleridge em "*A Balada do Velho Marinheiro*".

15. *"Mas eles com a minha adversidade se alegravam."* Com a minha coxeadura, eles se deleitavam. A minha fraqueza era divertimento para eles. O perigo se aproximava, e eles cantavam canções sobre a minha derrota esperada. Como ficam alegres os ímpios ao verem o homem bom mancar! "Agora", dizem, "ele vai cair."

"E se congregavam", como corvos e urubus em volta da ovelha moribunda. Sentiam uma alegria comum com a minha ruína e um divertimento com a minha tristeza, sendo a razão para se congregarem e darem uma festa. Punham as cabeças juntas para maquinar, e as línguas para enganar.

"Os abjetos se congregavam contra mim." Os que mereciam açoites, cujas solas dos pés estavam precisando de bastonadas, reuniam-se para tramar e mantinham reuniões fechadas e em lugares remotos. Como vira-latas ao redor do leão doente, os miseráveis ignóbeis escarneciam e insultavam aquele cujo nome fora um terror para eles. Os próprios estropiados vinham mancando para se juntar ao bando maldoso. Como são unânimes os poderes do mal. Como são entusiastas os homens que servem ao diabo, pois ninguém recusa o serviço com a justificativa de não estar devidamente capacitado!

"E eu não o sabia." Tudo foi feito nas minhas costas. O mundo pode estar numa tremenda agitação, e o causador de tudo nem mesmo sabe que ofendeu.

"Rasgavam-me e não cessavam." É tão gostoso rasgar em pedaços o caráter do homem bom que, quando os caluniadores o têm em mãos, não querem parar. Um bando de cães despedaçando a presa não é nada comparado com algumas fofocas maliciosas espancando a reputação do homem digno. O fato de os que amam o evangelho não serem atualmente despedaçados e rasgados como eram nos dias da rainha Mary, tem de ser atribuído à providência de Deus, e não à bondade dos homens.

16. *"Como hipócritas zombadores nas festas, rangiam os dentes contra mim."* Como palhaços profissionais que andam pela festa fazendo gracejos para zombarem, assim os hipócritas assumiam o dever de escarnecer do homem bom — não, porém, por alegria, mas, sim, por ódio violento e insaciável. Como homens que zombam em troca de um pedaço de pão, esses cafajestes mercenários perseguiam Davi a fim de encher a barriga na mesa de Saul. Tinham um rancor secreto contra o filho de Jessé porque ele era homem melhor que eles.

Nosso Senhor usou as palavras desses versículos com extrema veemência! Não nos esqueçamos de ver aqui o Menosprezado e Rejeitado dos homens pintado à vida. O calvário e a turba reverente ao redor da cruz surgem diante dos nossos olhos.

17. *"Senhor, até quando verás isto?"* Por que ser um mero espectador? Por que és tão descuidado com o teu servo? Tu és indiferente? Não te importas que pereçamos? Podemos argumentar assim com o Senhor. Ele nos permite essas liberdades. Há um tempo para a nossa salvação, mas, pela nossa impaciência, parece que está vindo muito devagar. A sabedoria determinou a hora, e nada a atrasará.

"Resgata a minha alma das suas assolações." Das suas muitas maquinações, dos seus múltiplos ataques, agrada-te em me resgatar.

"E a minha predileta [a minha alma adorável, única e preciosa, resgata-a] dos leões." Os inimigos eram ferozes, espertos e fortes como leões novos. Já que só Deus podia livrá-la das garras dos inimigos, a Deus ela se dirigia.

18. *"Louvar-te-ei na grande congregação."* Livramentos notáveis devem ser registrados, e a fama proclamada. Todos os santos devem ser informados da bondade do Senhor. O tema é digno de ser apresentado na grande assembleia. A experiência do crente é um assunto perfeito para o povo reunido ouvir. A maioria dos homens publica as suas aflições; os homens bons devem proclamar as suas misericórdias.

"Entre muitíssimo povo te celebrarei." Entre amigos e inimigos, glorificarei o Deus da minha salvação. O louvor — o louvor pessoal, o louvor público, o louvor eterno — deve ser a renda diária do Rei dos céus. Assim, pela segunda vez, a oração de Davi termina em louvor, como, na verdade, deve terminar toda oração.

19 *Não se alegrem de mim os meus inimigos sem razão, nem pisquem os olhos aqueles que me aborrecem sem causa.*

20 *Pois não falam de paz; antes, projetam enganar os quietos da terra.*

21 *Abrem a boca de par em par contra mim e dizem: Ah! Ah! Os nossos olhos o viram!*

22 *Tu, Senhor, o viste, não te cales; Senhor, não te alongues de mim;*

23 *desperta e acorda para o meu julgamento, para a minha causa, Deus meu e Senhor meu!*

24 *Julga-me segundo a tua justiça, Senhor, Deus meu, e não deixes que se alegrem de mim.*

25 *Não digam em seu coração: Eia, sus, alma nossa! Não digam: Nós o havemos devorado!*

26 *Envergonhem-se e confundam-se à uma os que se alegram com o meu mal; vistam-se de vergonha e de confusão os que se engrandecem contra mim.*

27 *Cantem e alegrem-se os que amam a minha justiça, e digam continuamente: O* Senhor, *que ama a prosperidade do seu servo, seja engrandecido.*
28 *E assim a minha língua falará da tua justiça e do teu louvor, todo o dia.*

19. *"Não se alegrem de mim os meus inimigos sem razão."* Ele ora fervorosamente para que, como eles não têm motivo para serem inimigos, não tenham também motivo para triunfarem na insensatez, pecado ou ruína dele.

"Nem pisquem os olhos aqueles que me aborrecem sem causa." O piscar dos olhos era o sinal insolente de congratulação com a ruína da vítima. Também pode ter sido um dos gestos desdenhosos quando contemplavam aqueles a quem eles haviam menosprezado. Provocar raiva é a característica dos ímpios; suportá-la sem causa é a sina dos justos. Deus é o Protetor natural de todos os injustiçados, e Ele é o inimigo de todos os opressores.

20. *"Pois não falam de paz."* Eles não gostam de paz; como podem falar dela? São perturbadores que não podem julgar os outros por serem pacíficos. Da boca sai o que está no coração. Os amotinadores culpam os outros pela amotinação.

"Antes, projetam enganar os quietos da terra." De bom grado, Davi fora um cidadão ordeiro, mas eles se empenhavam em torná-lo um rebelde. Ele fazia as coisas com correção, mas todos os seus procedimentos eram deturpados. Este é um velho truque do inimigo: marcar os homens bons como semeadores de sedição, embora sempre sejam pessoas inofensivas, como ovelhas entre lobos. Quando o objetivo é prejudicar, logo o prejuízo é feito. Sequazes inescrupulosos acusaram Jesus de querer destruir César, muito mais sérias serão as acusações contra os que lhe pertencem. Neste exato momento, os defensores dos direitos da coroa do Rei Jesus são chamados de inimigos da igreja, promotores de heresias, amigos dos ateus, socialistas, republicanos e sabe-se lá o que mais dirão. Billingsgate* e Babilônia estão em liga.

21. *"Abrem a boca de par em par contra mim."* Como se fossem tragá-lo. Proferiam grandes mentiras que requeriam grandes bocas. Não fixavam limite para as acusações infames, mas vomitavam abuso indiscriminado, confiando que, se todas não pegassem, algumas seriam cridas.

"E dizem: Ah! Ah! Os nossos olhos o viram!" Ficaram contentes em descobrir uma falta, ou desdita, ou em jurar que tinham visto mal onde não havia nenhum. A malícia é caolha. É cega de todas as virtudes do seu inimigo. Os olhos geralmente veem o que o coração deseja. O homem com um cisco no olho vê um borrão no sol. Como o homem é igual a um jumento quando zurra nos infortúnios dos outros! Como é semelhante a um demônio quando ri como hiena dos deslizes do homem bom! A malícia é grandemente desatinada, e, quando dá uma festa, os sons e gestos excedem em muito todas as extravagâncias e palhaçadas do senhor do desgoverno.

22. *"Tu, Senhor, o viste."* Esse é o consolo. Nosso Pai celestial conhece todas as nossas tristezas. A onisciência é a lâmpada santa que nunca se apaga. Nenhum pai suporta ver o filho maltratado. Não vingará Deus os seus próprios eleitos?

"Não te cales." Reprove os teus e os meus inimigos, ó Senhor. Um palavra basta. Absolve o meu caráter, consola o meu coração.

"Senhor, não te alongues de mim." Anda comigo na fornalha. Fica ao meu lado no pelourinho. A doce presença de Deus é o tônico celestial dos perseguidos. A dolorosa ausência divina seria a mais desmedida desgraça para eles.

23. *"Desperta."* Levanta-te em minha ajuda. Prova que tu não és testemunha indiferente de toda essa infâmia.

* **N. do T.:** Um mercado perto da porta Billings, em Londres, famoso por peixes e linguagem vulgar.

"Acorda para o meu julgamento." Toma o cetro e convoca o supremo tribunal. Defende a justiça, pune a opressão. Não te demores como os homens que dormem.

"Para a minha causa, Deus meu e Senhor meu!" Ele afirma ter uma intimidade com o seu Deus, ele o segura com as duas mãos. Ele deixa o caso com o justo Juiz. Ele requer que o processo seja trazido, ouvido, julgado e dado o veredicto. É bom quando o homem está com a consciência tão limpa que ele ousa fazer tal apelo.

24. *"Julga-me segundo a tua justiça, Senhor, Deus meu, e não deixes que se alegrem de mim."* O apelo é repetido. O requerente sabe que a alegria dos acusadores é efêmera assim que a justiça imparcial reger. O erro dos opressores, a contumácia dos orgulhosos, o trejeito dos tolos cessarão quando o Senhor justo se assentar no tribunal para julgar.

25. *"Não digam em seu coração: Eia, sus, alma nossa! Não digam: Nós o havemos devorado!"* Quando as bocas estiverem prontas para abocanhar a presa, frustra-os. Os santos são um bocado muito saboroso para os poderes do mal. Deus não entregará as ovelhas para as mandíbulas lobais dos perseguidores. Exatamente quando estiverem afinando os instrumentos musicais para comemorar a vitória, sentirão o desgosto amargo do desapontamento. Todos são muito seguros e muito orgulhosos. Resolvem as coisas sem levar em conta as disposições dos outros. Nem sonham com o fim que serão dados aos seus planos ardilosos. O pássaro escapará da armadilha e será eles que cairão nela. A oração desse texto é uma promessa. Antes mesmo que os lábios dos ímpios moldem algumas palavras de exultação, eles ficarão desapontados. O discurso do coração será antecipado, os desejos frustrados, os truques enganosos expostos.

26. *"Envergonhem-se e confundam-se à uma os que se alegram com o meu mal; vistam-se de vergonha e de confusão os que se engrandecem contra mim."* Esse é o resultado eterno de todas as artimanhas laboriosas e astuciosas dos inimigos de Deus. Deus os tratará com pouco-caso, embora "se engrandecem". Ele os envergonhará por terem envergonhado o seu povo; Ele os levará à confusão por terem confundindo, despirá os seus finos trajes para lhes dar uma roupa pobre de desonra e transformará toda a alegria em choro, lamento e ranger de dentes. Verdadeiramente, os santos podem se dar ao luxo de esperar.

27. *"Cantem e alegrem-se os que amam a minha justiça."* Até mesmo aqueles que não puderam lhe prestar ajuda efetiva, mas de coração o favoreceram, Davi deseja que o Senhor os recompense abundantemente. Homens de coração bondoso são muito valorizados pelos bons desejos e orações do povo do Senhor. Jesus também preza aqueles cujo coração está com a causa dEle. Está chegando o dia em que brados de vitória serão dados por todos os que estão ao lado de Cristo, pois a batalha virará, e os inimigos da verdade serão derrotados.

"E digam continuamente: O Senhor, que ama a prosperidade do seu servo, seja engrandecido." Ele quer que a alegria deles engrosse a glória divina. Não é para eles exclamarem louvores a Davi, mas em honra ao Senhor. Tais aclamações podem continuar adequadamente ao longo do tempo e por toda a eternidade.

"Que ama a prosperidade do seu servo." Eles reconheciam Davi como servo do Senhor e viam com prazer o favor do Senhor para com ele. Para nós, não há título mais nobre do que "servo do Senhor" e recompensa maior do que o Mestre se deleitar com a nossa prosperidade. Nem sempre podemos julgar devidamente qual é a verdadeira prosperidade. Temos de deixar essa questão nas mãos de Jesus. Ele não deixará de dirigir todas as coisas para o nosso bem.

Pois pelos seus santos se reconhece
Que o que ele faz sempre é o melhor

28. *"E assim a minha língua falará da tua justiça e do teu louvor, todo o dia."* O salmista promete louvor incessante ao Deus justo e benevolente. De manhã à noite, a língua grata fala, canta e glorifica ao Senhor. Tomemos todos a mesma decisão!

NOTAS EXPLICATIVAS E DECLARAÇÕES IMPORTANTES

O Salmo: Bonar intitula este salmo de "A declaração terrível do Justo concernente àqueles que o odeiam sem causa". Logo após, ele faz o seguinte comentário: "Ao longo do dia infinito da eternidade, o próprio Senhor Jesus falará do 'louvor' do Pai e enfatizará destacadamente a sua 'justiça' — essa justiça terá sido exibida tanto na destruição daqueles que odeiam o Redentor oferecido quanto na salvação daqueles que o receberam (v. 28). Não há nada em tudo isso em que os que lhe pertencem não possam se unir completamente, sobretudo naquele dia quando as visões da justiça serão muito mais claras e mais abrangentes do que agora. Nesse dia, entenderemos como Samuel pôde despedaçar Agague e como puderam os exércitos santificados de Israel exterminar totalmente os homens, mulheres e crianças de Canaã, sob as ordens de Deus. Então, seremos capazes de não só concordar plenamente com a destruição: 'Sejam confundidos e envergonhados os que buscam a minha vida; voltem atrás e envergonhem-se os que contra mim intentam o mal. Sejam como pragana perante o vento' (vv. 4, 5), mas até mesmo cantar: 'Aleluia!', enquanto a fumaça do tormento sobe para todo o sempre (Ap 19.1-3). Hoje, devemos usar em certa medida cada versículo deste salmo no espírito em que o Juiz o declara, sentindo-nos como seus assessores no julgamento do mundo (1 Co 6.2). Seja como for, nós o usaremos naquele dia quando tudo que estiver escrito aqui se cumprirá". — *Andrew A. Bonar*

v. 1: "Pleiteia, Senhor, com aqueles que pleiteiam comigo".

(1) O mundo te condena pelo teu zelo em servir a Deus? Despreza-te acusativamente pelo teu cuidado em manter boas obras? Não se envergonha de te caluniar com incriminações de meticulosidade, singularidade convencida, hipocrisia farisaica? Mas se a tua consciência não te condena em tudo isso, se ela é corrigida pela Palavra sagrada de Deus, se o teu objeto é a glória dEle ao buscares a tua salvação e não apóias os perturbadores da igreja, prossegue, bom cristão, na prática da devoção. Não desanimes em teus esforços louváveis, mas reafirma com consolo que o Senhor é quem te julga (1 Co 4.4), com um *scio cui crediderim*, "eu sei em quem tenho crido" (2 Tm 1.12).

(2) Tu és injustamente sentenciado nos errôneos tribunais dos homens? A verdade e a justiça têm saído dos seus lugares apropriados? A equidade foi negligenciada e a pobreza encoberta? Tem mais um pouco de paciência e anima-te, há um Deus que contempla a inocência da tua causa, a quem tu tens a liberdade de fazeres o teu último apelo: "Pleiteia, Senhor, com aqueles que pleiteiam comigo; peleja contra os que pelejam contra mim".

(3) Ou tu foste prejudicado pelas mãos de homens maldosos? O estado de penúria te impede de pedir indenização? Um Ninrode te oprime? Um Labão te defrauda? Um proprietário de terras cobiçoso te tiraniza? Não tomes a questão em tuas próprias mãos servindo-te de recursos ilegais. Não te permitas ser o juiz da tua própria causa por falta de reparação presente. Mas lembra-te do que o apóstolo ensinou aos crentes tessalonicenses: "É justo diante de Deus que dê em paga tribulação aos que vos atribulam" (1 Ts 1.6). — *Isaac Craven, "Sermon at Paul's Cross" (Sermão sobre a Cruz de Paulo), 1630*

v. 1: "Pleiteia, Senhor, com aqueles que pleiteiam comigo; peleja contra os que pelejam contra mim". Mais literalmente: "Litiga, Senhor, com aqueles que litigam contra mim, contenda contra aqueles que contendam comigo", quer dizer, vinga-me dos meus adversários. — *Daniel Cresswell*, Doutor em Teologia, Membro da Sociedade Royal de Londres, "*The Psalms of David according to the Book of Common Prayer: with Critical and Explanatory Notes*" (Os Salmos de Davi conforme o Livro de Oração Comum: com Notas Críticas e Explicativas), 1843

v. 2: "Escudo... rodela". A palavra hebraica traduzida por "escudo" é מָגֵן (*māgēn*), que era um escudo pequeno e redondo usado somente para defesa. A palavra hebraica traduzida por "rodela" é צִנָּה (*tsinnâ*), que tinha o dobro do peso do *māgēn* e era levado pela infantaria. Sendo mais leve e mais manejável, o *māgēn* era usado pela cavalaria. Entre os romanos, o *tsinnâ* correspondia ao escudo, e o *māgēn* ao clípeo. A palavra *tsinnâ* significa o tipo de proteção do meio do qual saía uma grande protuberância, encimado por um punhal e que era altamente útil como arma defensiva e ofensiva na guerra de antigamente. — *James Anderson*, 1846, nota para *João Calvino, in loc.*

v. 3: "Tira da lança e obstrui o caminho". A lança nos dias de Saul e Davi era uma arma predileta (ver 1 Cr 11). O valente, defendendo bravamente uma passagem estreita, podia apenas com uma lança retardar um exército em perseguição, dando tempo para os amigos escaparem. Na guerra entre os povos do Oriente, feitos valorosos de tal tipo eram dignos de nota. Davi desejava que o seu Deus se tornasse o seu defensor heróico, fazendo com que os inimigos se atrasassem. — *C. H. S.*

v. 3: "Tira" ou, como está na frase hebraica, "esvazia", isto é, *desembainha* algo semelhante à espada (Êx 15.9; Lv 26.33). — *Henry Ainsworth*

v. 3: "Dize à minha alma: Eu sou a tua salvação".

(1) Os crentes podem ter certeza de salvação. Davi nunca oraria por algo que não se pudesse receber. Nem Pedro nos encarregaria de um dever que fosse impossível de ser feito: "Procurai fazer cada vez mais firme a vossa vocação" (2 Pe 1.10). Para parar com a gritaria de todos os adversários contestadores, Paulo o prova diretamente: "Ou não sabeis, quanto a vós mesmos, que Jesus Cristo está em vós? Se não é que já estais reprovados" (2 Co 13.5). Podemos, então, saber que Cristo está em nós. Se Cristo está em nós, nós estamos em Cristo. Se estamos em Cristo, não podemos ser condenados, pois, "agora, nenhuma condenação há para os que estão em Cristo Jesus" (Rm 8.1). Mas considero esse ponto, que pode ser verificado, como dado por certo. Cabe a nós nos certificarmos disso. Os papistas negam essa possibilidade e ensinam o contrário, que não podemos ter certeza de salvação. Isso faz muito bem para eles, segundo a doutrina fraca e desapiedada que advogam! Se tornam impossível para qualquer um aquilo que Deus tornou fácil para muitos, "no seu secreto conselho, não entre minha alma" (Gn 49.6).

(2) Os melhores santos desejaram ter certeza de salvação. Davi que a tinha, pede que essa certeza se torne cada vez mais firme: "Por isto conheço eu que tu me favoreces" (Sl 41.11). Mas temos aqui, *dic animae*: "Dize à minha alma: Eu sou a tua salvação". O crente pode ter a mais absoluta certeza de que está indo para os céus. — *Thomas Adams*

v. 3: "Dize à minha alma".

(1) Deus fala com a voz, dando, assim, garantia a Abraão: "Não temas, Abrão, eu sou o teu escudo, o teu grandíssimo galardão" (Gn 15.1). Se Deus fala de consolo, que o Inferno ruja de horror.

(2) Deus fala pelas obras. As misericórdias em vigor para nós demonstram que gozamos do seu favor e que não seremos condenados: Por isso, conheço eu que tu me favoreces: que o meu inimigo não triunfa de mim" (Sl 41.11).

(3) Deus fala pelo Filho: "Vinde a mim, todos os que estais cansados e oprimidos, e eu vos aliviarei" (Mt 11.28).

(4) Deus fala pela Bíblia. Essa é a epístola de Deus para nós, e as suas cartas a patenteiam, pelas quais nos são concedidos todos os privilégios da salvação. É um universal *si quis*: "Quem crer e for batizado será salvo" (Mc 16.16).

(5) Deus fala pelos ministros, a quem ele deu "a palavra da reconciliação" (2 Co 5.19).

(6) Deus fala pelo Espírito: Ele "enviou aos nossos corações o Espírito de seu Filho, que clama: Aba, Pai" (Gl 4.6). Por todas essas vozes, Deus fala aos eleitos: "Eu sou a tua salvação". [...]

"Minha." Não há vergonha para a vergonha da alma; assim, também, não há consolação para a consolação da alma. [...] Que isso nos ensine a fazer muito deste "minha". Lutero diz que há grande divindade nos pronomes. A garantia que Deus salvará alguns é um incidente de fé para os demônios. Os próprios malvados podem crer que há o livro da eleição, mas Deus nunca lhes disse que os seus nomes estão escritos lá. O mendigo faminto à porta da casa onde há festa sente o cheiro de boa alegria boa, mas o dono da casa não diz: "Isto foi feito para ti". Não serve de consolo para o infeliz desabrigado atravessar uma cidade bonita e ver muitas construções magníficas se ele não pode dizer: *Haec mea domus*, que significa "eu tenho uma casa aqui". A beleza da excelente cidade de Jerusalém, construída com safiras, esmeraldas, crisólitos e outras pedras preciosas, cujo fundamento e muros são de ouro perfeito (Ap 21.19-21), não consola a alma a menos que ela possa dizer: *Mea civitas*, ou seja, "eu tenho uma mansão nela". Os totalmente suficientes méritos de Cristo não te fazem bem, a menos que *tua pars et portio*, quer dizer, "ele seja o teu Salvador". Feliz a alma que pode dizer com o salmista: "O Senhor é a minha porção" (Sl 119.57). Tenhamos todos azeite em nossas lâmpadas, para que, depois, não tenhamos de comprar, implorar ou pedir emprestado e as portas não nos sejam fechadas por sermos loucos e indignos de entrar.

Oremos: "Senhor, 'dize à minha alma: Eu sou a tua salvação'." [...] Quem? O quê? Para quem? Quando?

Quem? O Senhor! Ao Senhor Davi ora. Ele fez a boa escolha, pois não há salvação em nenhum outro. "A tua ruína, ó Israel, vem de ti, e só de mim, o teu socorro" (Os 13.9, ARA). A palavra falha, a carne fracassa, o diabo mata. Só o Senhor salva.

O quê? A salvação. É uma coisa boa e especial. É o desejo de todo homem. Eu te darei um domínio, disse Deus para Esaú. Eu te darei um reino, disse Deus para Saul. Eu te darei um apostolado, disse Deus para Judas. Mas eu serei a tua salvação, disse Deus para Davi e diz para mais ninguém senão aos santos.

Para quem? A minha salvação. Não a salvação que outros oferecem mas somente "a tua". O homem e o cristão são duas criaturas. Ele é homem que tem razão e bênçãos exteriores. Ele é cristão que tem fé e parte na salvação de Cristo. Deus é salvação abundante, mas não é comum achar um *cui* — para quem. Muitas coisas do céu são perdidas por falta de uma mão para agarrá-las.

Quando? Agora, no presente, "eu sou". *Sum, non suflicit quod ero.* É para consolo de Israel no cativeiro que Deus diz: *Ero tua redemptio,*" eu te resgatarei", mas a garantia que aquieta a consciência é esta: "Eu sou a tua salvação". Como Deus disse para Abraão: "Não temas, porque eu sou contigo" (Gn 26.24). A esperança adiada desanima o coração. Seja o que for que Deus deixe de nos assegurar, oremos para que Ele para não adie esta petição: "Senhor, dize às nossas almas: Eu sou a vossa salvação". — *Condensado de Thomas Adams*

v. 4: "Sejam confundidos e envergonhados". Aqui, Davi começa as suas imprecações, as quais, de acordo com Teodoreto, ele não profere como maldição, mas, sim, como profecia. Se em determinado momento nos encarregamos de imprecar (como agimos em certos casos), temos de prestar atenção a três dados: primeiramente, que a nossa causa é boa, depois, que agimos não por vingança particular, mas somente para a glória de Deus, e, por último, que não proferimos uma sílaba nesse sentido, senão pela orientação do bom Espírito de Deus. — *John Trapp*

vv. 4 a 8 e 26: Como explicar essas orações por vingança? Elas constam principalmente em quatro salmos (Sl 7, 35, 69 e 109), onde as imprecações formam um clímax terrível. No Salmo 119, contamos não menos que 30 anátemas. São meros rompantes de um sentimento passional e não santificado, ou se tratam de expressão legítima de uma indignação justa? Temos de escusá-las por terem sido motivadas pelo "espírito de Elias"? Não é realmente um espírito profano, mas está muito longe da mansidão e bondade de Cristo. Será que são formas estereotipadas pelas quais o espírito de devoção pode se expressar? São judaicas ou também podem ser cristãs? Sabemos que certa meticulosidade destituída de instrução tem feito muitas pessoas deixarem de ler esses salmos. Muitos perceberam a boca hesitar quando tiveram de usar essas palavras na congregação, ou as proferiram com respiração contida e coração duvidoso, ou as interpretaram em certo sentido totalmente discordante com o significado textual. Alguns tentaram reconciliá-las com uma consciência mais iluminada, considerando-as não como a expressão de um desejo, mas como a declaração de uma predição. O hebraico optativo, o qual é bastante diferente do futuro simples, proíbe terminantemente esse expediente. Outros viram nelas expressões que podem ser usadas legitimamente na luta da alma contra os inimigos espirituais. E, por fim, uns as defenderam como manifestações vocais de zelo íntegro pela honra de Deus, ressaltando que, se não nos simpatizamos com este tipo de zelo, pode não ser porque a nossa religião seja mais pura, mas, sim, porque nosso coração está mais frio.

Agora, a verdadeira fonte de dificuldade está em não observarmos e mantermos em mente a diferença essencial entre o Antigo e o Novo Testamento. A antiga dispensação era, sob todos os aspectos, mais dura que a nova. O espírito de Elias, embora não um espírito maligno, não era o espírito de Cristo. "O Filho do Homem não veio para destruir as almas dos homens, mas para salvá-las" (Lc 9.56). Por Ele, os discípulos são feitos participantes do mesmo espírito. Mas esse não era o espírito da economia mais velha. A nação judaica fora treinada em uma escola mais severa. Fora robustecida e endurecida pela disciplina que a engajara em uma guerra de exterminação com os idólatras. Por mais necessária que tal disciplina tivesse sido, não tendeu a nutrir as virtudes mais brandas. É concebível que até mesmo um justo vivendo nessa nação, sentindo que o seu dever sagrado era desarraigar o mal onde quer que o visse e identificando, como fez os seus inimigos com inimigos do Senhor, usasse linguagem que para nós soa desnecessariamente vingativa. Para homens treinados e ensinados dessa forma, o que chamamos de "tolerância religiosa" era uma coisa não só errada, mas também absolutamente inconcebível.

É verdade que o Antigo e o Novo Testamento proíbem terminantemente a vingança como, por exemplo, em Levítico 19.18: "Não te vingarás", mas, mesmo aqui, há uma limitação: "contra os filhos do teu povo". Também não é menos verdadeiro que achamos exemplos de maldição no Novo Testamento, como quando Paulo disse: "Alexandre, o latoeiro, causou-me muitos males; o Senhor lhe pague segundo as suas obras" (2 Tm 4.14), ou quando ele exclama: "Deus te ferirá, parede branqueada!" (At 23.3), ou declara: "Se alguém não ama o Senhor Jesus Cristo, seja anátema; maranata!" (1 Co 16.22). Mas, mesmo essas expressões são muito diferentes dos anátemas detalhados, variados, deliberados e cuidadosamente construídos dos salmos. As denúncias do nosso Senhor, as quais Hengstenberg cita, não são paralelas de jeito nenhum. Não são maldições contra indivíduos, mas, na realidade, expressões solenes de grande verdade: "Se vos não arrependerdes, todos de igual modo perecereis" (Lc 13.3). Mas, afinal de contas, seja o que for que digamos sobre certas passagens, o tom geral que traspassa as duas alianças é inquestionavelmente diferente. Negar isso não é honrar Moisés, mas desonrar Cristo (Mt 5.43; 19.8). Por outro lado, não devemos esquecer que essas maldições não são o desejo passional por vingança pessoal. O cantor vê indubitavelmente nos seus inimigos os inimigos de Deus e da igreja. Aqueles que não estão com ele estão contra Deus. E porque o zelo da casa de Deus até mesmo o consome, ele ora para que todos os obreiros da iniquidade sejam desarraigados. A indignação é justa, ainda que nos pareça injustamente dirigida ou excessiva em sua expressão.

Mais uma vez, o próprio fato de uma nuvem escura esconder o julgamento de Deus no mundo por vir da visão dos santos do Antigo Testamento, pode ser levantado como desculpa para esse desejo de o Senhor vingar-se dos seus inimigos. O problema da justiça de Deus os preocupava excessivamente, fato abundantemente evidente nos numerosos lugares constantes nos salmos. Eles desejavam ver essa justiça manifestada. Podia ser manifestada, pensavam eles, só na exaltação evidente dos justos e na destruição evidente dos ímpios. Por conseguinte, com os olhos sempre fixos na recompensa temporal, podiam desejar e até mesmo orar pela destruição dos descrentes. As coisas terríveis do mundo vindouro estavam, em grande parte, ocultas dos seus olhos. Pudessem tê-las visto, então com certeza a oração não seria: "O anjo do Senhor os persiga", ou: "Sobrevenha-lhes destruição sem o saberem" (v.v 6, 8), mas diriam com aquele que estava pendurado na cruz: "Pai, perdoa-lhes, porque não sabem o que fazem" (Lc 23.34). — *J. J. Stewart Perowne*

vv. 4 a 8 e 26: Davi estava tão destituído de espírito vingativo como qualquer personagem público que podemos nomear. A sua conduta em relação a Saul, da primeira à última, exibia um espírito singularmente nobre, muito longe de qualquer coisa como o desejo de vingança. A mansidão com que ele suportou as repreensões amargas de Simei testifica o mesmo espírito que ele demonstrou depois que ascendeu ao trono.

Quando revisamos a carreira de Davi de modo inteligente e racional, ficamos com a impressão de um homem possuído de temperamento submisso e placável, o qual sempre estava associado com grande força de vontade e emoções fortes. Mesmo no ímpeto do ressentimento súbito, ele não tendia a ser impelido a ações de vingança. Nesse caso, teria sido algo estranho e irresponsável se ele tivesse mostrado menos domínio de espírito nos poemas compostos em períodos de aposentadoria e comunhão com Deus, sobretudo levando em conta que esses mesmos poemas expressam um sentimento incisivo da hediondez do pecado, do que fora encarregado. Ele pôde afirmar a respeito dos seus inimigos implacáveis: "Mas, quanto a mim, quando estavam enfermos, a minha veste era pano de saco; humilhava a minha alma com o jejum, e a minha oração voltava para o meu seio. Portava-me com ele como se fora meu irmão ou amigo; andava lamentando e muito encurvado, como quem chora por sua mãe" (v.v 13, 14). "Senhor, meu Deus, se eu fiz isto, se há perversidade nas minhas mãos, se paguei com o mal àquele que tinha paz comigo (antes, livrei ao que me oprimia sem causa); persiga o inimigo a minha alma e alcance-a; calque aos pés a minha vida sobre a terra e reduza a pó a minha glória" (Sl 7.3-5). Claro que temos de pensar duas vezes antes de dar às imprecações uma interpretação que as tornaria totalmente incongruentes com esses apelos, quase que proferidos de um fôlego só. — *William Binnie, Doutor em Teologia*

v .5: "Como pragana", literalmente, "como franjas na base do cardo". — *John Morison, 1829 v. 6:* "Seja o seu caminho tenebroso e escorregadio". Que caminho horrível! Sendo só tenebroso (ou "escuro", NTLH), quem não sente medo? Sendo só escorregadio, quem não o evita? Em um caminho tenebroso e escorregadio, como tu andarias? Onde firmarias o pé? Esses dois males são os grandes castigos para os homens: a escuridão, a ignorância; um caminho escorregadio, o luxo.

"Seja o seu caminho tenebroso e escorregadio, e o anjo do SENHOR os persiga", para que eles não possam ficar de pé. Todo aquele que está em um caminho tenebroso e escorregadio, quando percebe que se movimentar os pés cairá, e não há luz diante dos pés, talvez resolva esperar até a luz chegar. Mas aqui é o anjo do Senhor que os persegue. — *Agostinho*

v. 6: "Escorregadio", ou mais próximo da literalidade do original hebraico, "escorregadiço", "escapadiço", "falta de estabilidade". Essa é uma circunstância que acrescenta terror à imagem. Não só é um caminho tenebroso, mas também um caminho tornado escorregadio pelas chuvas. É um caminho onde, a todo momento, eles estão em perigo de escorregar e cair em um precipício onde serão destruídos. — *Albert Barnes*

v. 7: "Porque sem causa encobriram de mim a rede na cova". Como se Davi tivesse dito que eles cavaram uma cova, e cobriram e esconderam a abertura com uma rede para que eu pise e caia. — *David Kimchi, 1240*

v. 8: "Sobrevenha-lhes destruição sem o saberem". Ou uma tempestade, como a que ocorre nos países do Oriente causada pelo vento sul, muito súbito, violento e destrutivo. — *John Gill*

v. 8: "E prenda-os a rede que ocultaram; caiam eles nessa mesma destruição". Dando corda para Aitofel, o Senhor guardou Davi de perecer. Quem não admira que Golias fosse morto com a própria espada, e que o orgulhoso Hamã fosse preso no estribo de Mardoqueu e fosse o arauto da sua honra? Os ímpios serão desfeitos pelos próprios feitos. Todas as setas que atiram contra o justo voltará e lhes atingirá a cabeça. Magêncio construiu uma falsa ponte para Constantino cair, mas ele mesmo caiu. Henrique III da França foi apunhalado no mesmo quarto onde ele ajudara a engendrar o massacre cruel dos protestantes franceses. Ao seu irmão, Carlos IX, que se deleitou no sangue dos santos, foi-lhe dado a beber sangue, porque ele merecia. É comum Deus fazer com que os perseguidores caiam nas armadilhas e covas que eles armaram para o povo de Deus, como muitos milhares desta nação já experimentaram. Embora Roma e os seus confederados estejam hoje no processo de armar armadilhas e arapucas e cavar covas para os justos, que preferem morrer na fogueira do que curvar-se ao seu Baal, tão-somente espera e chora, e chora e espera um pouquinho, e tu verás que o Senhor os levará a cair nas mesmas armadilhas e covas que eles armaram e cavaram para o povo santo. — *Condensado de Thomas Brooks*

v. 8: "E prenda-os a rede que ocultaram". Tu, que te opuseste os conselhos do Altíssimo, és tolo. Aquele que inventa males contra os outros, por fim caem na própria cova, e os mais espertos são pegos pelo que prepararam para os outros. Mas a virtude sem a malícia, ereta como a alta palmeira, se eleva com maior vigor quando é pressionada. — *Pietro Metastasio, 1698–1782*

v. 9: "E a minha alma se alegrará no SENHOR; alegrar-se-á na sua salvação". Enquanto alguns atribuem à sorte e outros à própria habilidade o louvor do livramento do perigo, e poucos eventualmente rendem todo o louvor a Deus, Davi declara que ele não esquecerá o favor que Deus lhe dera. A minha alma, diz ele, se alegrará não em um livramento cujo autor é desconhecido, mas na salvação de Deus. A fim de colocar o assunto sob luz ainda mais forte, ele designa aos próprios ossos o ofício de declarar a glória divina. Como se não se contentasse que a língua fosse empregada nessa função, ele encarrega todos os membros do corpo a apresentar louvores a Deus. O estilo de linguagem que ele emprega é hiperbólico, mas, desse modo, ele mostra, sem fingimento, que o seu amor por Deus era tão forte que ele desejou gastar os tendões e ossos no trabalho de declarar a realidade e a verdade da sua devoção. — *João Calvino*

v. 10: "Todos os meus ossos dirão: Senhor, quem é como tu? Pois livras o pobre daquele que é mais forte do que ele; sim, o pobre e o necessitado, daquele que os rouba". Essas palavras contêm a descrição mais vívida do deleite mais alto que, pela alma e pelo corpo, deve ser sentido e abertamente manifestado. Ele menciona a alma (v. 9) e todos os seus ossos (v. 10) como tomando parte na alegria, para indicar o que ele, de todo coração e com o corpo, estava a ponto de alegrar-se, e que a alegria que ele manifestaria não seria de caráter ordinário, mas, sim, da mais sublime ordem, de forma que cada osso cantaria os louvores de Deus. — *Herman Venema, 1697–1787*

v. 10: "Todos os meus ossos". Na Bíblia, as emoções são geralmente atribuídas às vísceras, e os ossos são normalmente considerados passivos. Nesse versículo e no Salmo 51.8 — e só nesses dois versículos —, a alegria exultante é atribuída aos ossos. A experiência comum mostra que os intestinos têm afinidade com o nosso estímulo passional, mas não temos consciência de os ossos se tornarem solidariamente sensíveis. A expressão é altamente poética. Indica que essa alegria é muito maior que o deleite habitual e comum. É tão profunda que até a parte mais calosa da constituição humana participaria dela. É indubitável que a poesia tem uma base de verdade, pois, embora não percebamos, há seguramente uma afinidade verdadeira e real com o estado mental em cada partícula de osso e músculo, como também nos órgãos vitais que são mais aparentemente afetados. — *C. H. S. Pensamentos sugeridos por uma passagem em Franz Delitzsch, "Biblical Psychology" (Psicologia Bíblica)*

v. 10: "Todos os meus ossos", quer dizer, toda a força e vigor que há em mim será gasta celebrando os teus louvores. Ou, embora não reste nada em mim, a não ser pele e ossos, de tão pobre que fiquei, não serei relapso no trabalho. — *John Trapp*

v. 10: "Todos os meus ossos". Os meus ossos estão saindo pela pele, rasgando-a. Mesmo assim, todos os meus ossos estão te louvando. "Lançado estou de diante dos teus olhos; todavia, tornarei a ver o templo da tua santidade" (Jn 2.4). — *Thomas Halyburton, 1674–1711*

v. 11: "Depuseram contra mim coisas que eu não sabia". Tu perguntarás: Por que Deus permite que os maus deponham contra os piedosos coisas das quais eles são inocentes? Deus, se quisesse, não poderia evitar isto e calar a boca dos maus para que não falassem contra os seus filhos? Resposta: Como todas as coisas contribuem para o bem daqueles que amam a Deus, assim isso contribui para o bem do povo de Deus. Deus o permite para o bem do seu povo, e assim ele frustra as esperanças dos maus. Eles intentam o mal contra os piedosos, e Deus o torna em bem. Como disse José aos seus irmãos: "Vós bem intentastes mal contra mim, porém Deus o tornou em bem" (Gn 50.20). Assim podemos dizer aos que difamam o povo de Deus: Vós intentastes o mal contra o povo de Deus, mas Deus o tornou em bem. Há cinco bens que Deus tira do mal para o seu povo.

(1) Deus por esse meio os humilha e os leva a examinar o que está errado. Embora sejam inocentes das coisas que os acusam, eles examinam se não há mais nada de errado entre Deus e eles. Vasculham o coração, andam mais humildemente e apegam-se mais com o Senhor.

(2) Deus, por esse meio, leva-os a joelhar-se para buscá-lo, pleitear a causa e confirmar a inocência. Quantas vezes o profeta fala com Deus quando os maus o acusam falsamente. Quantas vezes ele geme diante do trono da graça de Deus, pedindo-lhe que pleiteie a sua causa e o mantenha firme nos caminhos santos para que os maus não se alegrem com a sua queda. Quando o povo de Deus percebe que é isso que os maus querem, que a alegria deles é ver a queda do piedoso em determinado pecado, então o piedoso ora com mais fervor como Davi: Senhor, conduza-me ao caminho certo por causa daqueles que ficam me observando. Então, o piedoso será mais determinado e específico na oração, pedindo que Deus o guarde de cair naquele pecado que os maus desejam que ele caia. Esse é o segundo bem que advém disso.

(3) Deus usa a repreensão dos maus como preventivo contra aquele pecado que os maus acusam. Os piedosos têm a natureza não regenerada como também regenerada. Se Deus nunca permitisse que fossem humilhados dessa forma e vissem que não podem ser guardiões de si mesmos, eles poderiam cair naquele pecado que os maus o acusam. Todo piedoso e piedosa pode dizer quando for falsamente acusado: É pela misericórdia de Deus que não caí naquele pecado de que me acusam. Deus usa a língua dos maus como advertência contra determinado pecado para que, quando o piedoso vir como os maus se alegram com coisas sem fundamento, ele raciocine: Se os maus se alegram sem causa, o que farão quando se alegrarem com justa causa? Com a ajuda de Deus, esta será para sempre uma advertência contra esse pecado: Daqui em diante, orarei mais em relação a esse pecado em particular e vigiarei mais contra o pecado que cometi. Com a ajuda de Deus, jamais terão a oportunidade de alegrarem-se por causa de mim a esse respeito. Acredito verdadeiramente que muitos filhos de Deus podem dizer por experiência: Eu nunca oraria e vigiaria tanto contra tal pecado se Deus não tivesse usado a língua dos maus como preventivo. Não conheço o meu próprio coração, pois eu poderia ter caído em tal pecado não tivesse Deus, por esse meio, restringido o meu caminho com espinhos. Esse é o terceiro bem que advém disso.

(4) Deus, por esse meio, exercita as graças do seu povo, deixando-os sofrer má fama como também boa fama. Ele prova para ver se serão fiéis a Ele em todas as situações e condições, como consta no Salmo 44.15-17.

(5) Deus, por esse meio, ensina os piedosos a julgar as pessoas quando forem falsamente acusadas. Daqui por diante, os piedosos não aceitarão boatos contra o seu semelhante. Primeiro, investigarão a verdade de algo antes de acreditarem. Sabem consolar os outros que estejam em situação igual. Assim, Deus torna o mal em bem. Assim, Deus faz com que os maus se tornem servos do seu povo exatamente no ponto em que os maus intentaram prejudicá-los mais. Ele usa os maus como vara e açoite para tirar a ferrugem das graças e corrigir-lhes a segurança. Quando a vara cumpre a sua função, ela é lançada ao fogo. Vimos, assim, como Deus torna as falsas acusações dos maus em bem para o seu povo. — Sermão de *Zephaniah Smyth, "The Malignant's Plot" (O Complô dos Mal-Intencionados), 1647*

v. 12: "Tornaram-me o mal pelo bem". Davi fez o bem quando matou Golias e matou os seus dez milhares de filisteus, salvando o rei e a nação, mas Saul e os seus bajuladores o invejaram e procuraram matá-lo. Assim, o nosso Senhor Jesus Cristo, pelo todo o bem que fez aos judeus, curando-lhes o corpo de doenças e pregando-lhes o evangelho em benefício das almas, foi recompensado com repreensões, perseguições e, por fim, a morte vergonhosa da cruz. De forma semelhante ocorre com o seu povo, mas esse é um mal que não ficará impune (ver Provérbios 17.13). — *John Gill*

v. 12: "Roubando a minha alma". Não lhe roubaram do corpo os bens, mas da alma a consolação. Despojaram-lhe a alma (essa é a tradução literal), como a viúva que perde os filhos em quem ela tinha prazer e recebia socorro. Não se contentaram em prejudicar-lhe os bens, mas estavam a fim de arruinar-lhe a própria pessoa por meio da malícia imerecida. Atacaram-lhe o nome e a reputação que eram muito queridos para ele como filhos e filhas, ou até como a própria alma. É eternamente danoso para a alma ser atacada com difamação, pois coloca o homem em atitude de guerra, põe em risco a paz de espírito, ameaça-lhe o prazer da contemplação silenciosa e tende a interromper a comunhão com Deus. Assim, a natureza espiritual é despojada e sofre perda. — *C. H. S.*

v. 13: "E a minha oração voltava [ou era dirigida] para o meu seio". Entre as muitas interpretações dadas a essa passagem, aquela que, na minha opinião, é a mais provável deriva da postura do adorador. Ele está de pé, com a cabeça inclinada para baixo em direção ao próprio peito, com a atenção afastada de todos os objetos externos e proferindo os pedidos tristes e sérios como se fossem dirigidos ao próprio seio. Essa postura devocional está em uso entre os judeus e os maometanos. — *Koehler, "Repertoire Literature Oriental"* e "*Reland Religion Mohammedica*", citado por *William Walford, 1837, in loc.*

v. 13: "E a minha oração voltava para o meu seio". Podemos traduzir assim: "Que a minha oração volte ao meu seio", quer dizer, não desejo males para eles como não desejo para mim; recebo de Deus os bens que orei para eles (ver Salmo 79.12). — *Henry Ainsworth*

v. 14: "Por sua mãe". Por causa da pluralidade de esposas na casa dos povos do oriente, os filhos são muito mais ligados à mãe do que ao pai. Eles compartilham o pai com numeroso grupo de meio-irmãos, de quem invejam ou têm ciúmes. Mas a mãe é só deles; com ela, são criados na infância. Ela toma parte na mocidade, nas numerosas batalhas do harém. Da parte deles, quando se tornam adultos, eles a amam intensamente. Por conseguinte, o luto e o lamento quando elas falecem é do mais amargo tipo. — *C. H. S.*

v. 14: "Sua mãe". Certa vez, perguntaram a Maomé que relação tinha o mais forte direito do nosso sentimento e respeito. Ele respondeu sem pestanejar: "A mãe, a mãe, a mãe".

v. 14: "Como quem chora por sua mãe". Lamentar por sua mãe, prantear no funeral dela. Nesse caso, os sentimentos são muito fortes. Por isso, os sacerdotes tinham permissão para chorar pela mãe (Lv 21.1-3). — *Henry Ainsworth*

v. 15: "Mas eles com a minha adversidade se alegravam e se congregavam; os abjetos se congregavam contra mim, e eu não o sabia; rasgavam-me e não cessavam". Não te glories nas ruínas do teu semelhante. Os vaga-lumes pulam e dançam sob a luz da fogueira. Da mesma forma, muitos homens maus se alegram com os sofrimentos dos outros. Quem se alegra com os sofrimentos dos outros está cheio de doenças malignas, mas o Senhor livra dessas doenças todos os que lhe pertencem. É triste insultar aqueles a quem Deus humilhou. É extrema maldade triunfar sobre aqueles a quem Deus deu a taça da surpresa para beber. Aqueles que fazem das desolações dos seus semelhantes o tema do prazer secreto ou da exultação aberta, podem temer que os mesmos sedimentos da ira divina estejam reservados para eles. É inadequado tocar harpa quando os outros penduraram as harpas nos salgueiros. Não devemos orar com ele na tragédia, nem com o gnóstico Clemente: Dá-me calamidades para que eu possa me gloriar. Não há maior evidência de um coração mau do que o homem alegrar-se porque os outros estão na miséria: "O que se alegra da calamidade [quer dizer, das calamidades dos outros] não ficará impune" (Pv 17.5). Se Deus é Deus, aqueles que se congratularem com as nossas misérias, em vez de condoerem-se delas, serão punidos com a pior das punições, pois não só pecam contra a lei da graça, mas também contra a própria lei da natureza. A lei da natureza ensina os homens a compadecer-se dos que estão na miséria, e não a alegrar-se deles por causa das misérias em que estão. Irmãos, não façais dos lamentos dos outros a vossa música. Não façais das lágrimas dos outros o vosso vinho, para que, no fim, não vos embriagais com o vinho da surpresa. — *Thomas Brooks*

v. 15: "Mas eles com a minha adversidade se alegravam e se congregavam; os abjetos se congregavam contra mim, e eu não o sabia; rasgavam-me e não cessavam". Profecia maravilhosa da cruz! Inferior apenas — se é que é inferior — à profecia do Salmo 22. Ainda mais próximo da história se considerarmos a Vulgata: "Os açoites reuniram-se sobre mim". Mesmo assim, ó Senhor Jesus, os lavradores lavraram as minhas costas e fizeram sulcos muito longos. Sulcos preciosos para nós, onde são semeados a paciência para a vida presente e a glória na vindoura. Sulcos onde são semeados a esperança que não envergonha e o amor que as muitas águas não podem apagar.

"Os abjetos." Até mesmo os piores abjetos que disseram: "Ó Deus, graças te dou, porque não sou como os demais homens" (Lc 18.11), que colocaram a pobre pecadora diante do Senhor, dizendo: "Na lei, nos mandou Moisés que as tais sejam apedrejadas" (Jo 8.5). "Abriram contra mim suas bocas" (Sl 22.13). E não é de admirar que, conhecendo muito bem a profecia, os principais dos sacerdotes e os escribas deveriam tê-la cumprido, como a que foi escrita a respeito deles: "E os que passavam blasfemavam dele, meneando a cabeça" (Mt 27.39)? — *Lewis de Grenada*, 1504–1588

v. 15: "Com a minha adversidade se alegravam". Levando em conta que os homens demonstram piedade ao verem os infortúnios dos inimigos, de forma que deixam de odiar ou perseguir aqueles que já estão miseravelmente desgraçados, era evidência de espírito muito cruel e feroz pelo qual os ex-amigos de Davi foram movidos contra ele, quando, vendo-o deprimido e aflito, eles foram impelidos furiosa e insolentemente a atacá-lo. — *João Calvino*

v. 15: "Os abjetos". "Os próprios abjetos", segundo a versão do Livro de Orações. A palavra hebraica *nechim*, assim traduzida, deriva de um verbo que significa "ser golpeado", "ser batido", "ser atingido". Por conseguinte, na Septuaginta, a palavra foi traduzida por "açoites". Mas também pode ser traduzida, de acordo com Jerônimo, por "batedores", podendo significar "ferido duramente com a língua" (cf. Jr 18.18). Outro dos seus significados é, conforme Buxtorf, "de pernas tortas", "manco", sendo usado assim em 2 Samuel 4.4; 9.3, de onde o apelido que Neco recebeu de ter sido um dos faraós que mancava. Pelo visto, os tradutores entenderam a palavra nesse último sentido, como um termo de desprezo. — *Daniel Cresswell*

v. 15: Davi, tendo mostrado como ele fora compassivo com os inimigos quando passavam por aflições (v. 14), mostra agora como eles foram incompassivos ou barbaramente cruéis quando ele passava por aflições (v. 15). "Abjetos" são pessoas vis, homens atingidos nas suas propriedades e créditos, frequentemente como escravos ou servos maus surrados com porretes ou chicotes. Certo tradutor instruído traduz o salmo assim: "Os surrados duramente se reuniram contra mim", quer dizer, os homens vis que merecem ser açoitados e espancados. — *Joseph Caryl*

v. 16: "Como hipócritas zombadores nas festas". Alguns não conseguem se divertir senão à custa das coisas de Deus. Se querem diversão, os santos têm de ser o assunto das conversas. Desabafam os gracejos profanos na palavra de Deus. Esse é o seu passatempo preferido entre copos de bebida no balcão do bar. Como são ágeis em suas reflexões injuriosas. Aprenderam o dialeto do seu pai, são os acusadores dos irmãos, e o modo de falar revela despropositadamente que são desordeiros. Tu sabes que, no serviço ativo, podemos dizer que a pessoa é compatriota através da fala, tendo quase todo país um idioma peculiar. É o que ocorre aqui. Quando esses zombadores da religião falam a língua do Inferno, entendemos de onde eles são. Têm, talvez, pouca inteligência, a qual eles realçam com certa atitude na repreensão retórica. Como são ágeis e mordazes quando tratam desse assunto! Esses ismaelitas zombadores estão sentados na cadeira do diabo, um pouco acima dos irmãos na iniquidade, como os mais dignos do lugar. Há menos razão para esperar que tais pessoas sejam salvas, pois chegaram tão profundamente no pecado a ponto de ridicularizá-lo e zombar da santidade mais do que as outras pessoas. As pessoas estão bem perto do Inferno quando escarnecem do que é sério e o fazem com prazer. Isso o Senhor visitará no devido tempo, porque Ele sabe quem são eles que tanto o desonram e reprovam aqueles que são dEle. — *Oliver Heywood*, 1629

v. 16: "Hipócritas zombadores nas festas". בְּחַנְפֵי לַעֲגֵי מָעוֹג. Muito difícil. A palavra מָעוֹג, em 1 Reis 17.12, a única outra passagem onde ela ocorre, significa "um bolo". Por conseguinte, Gesenius e outros estudiosos interpretam ל׳ מ׳ por "aproveitadores [ou parasitas] das mesas dos ricos" (lit., "zombadores de bolos") cujo negócio era, por observações espirituosas e palhaçadas, entreter os convidados em troca de uma refeição, como no grego ψωμοκόλακες, κνισοκόλακες, e no latim medieval *buccellarii*. Então, as palavras significariam "entre os mais profanos". — *J. J. Stewart Perowne*

v. 16: "Hipócritas zombadores". Davi agrava o pecado desses companheiros zombeteiros, que lhe fizeram participantes de conversas informais à mesa e não conseguem rir exceto quando temperam o assunto com uma pitada de escárnio contra ele, com isto: eles eram "hipócritas zombadores". Agem com astúcia e envolvem com zombaria de modo que tal linguajar faz as pessoas pensarem, se não estiverem prestando bem a atenção, que eles estão elogiando e aplaudindo. Alguns aprenderam a usar um modo de elogiar quando, na verdade, querem desprezar terminantemente aqueles que eles odeiam profundamente. Esses hipócritas zombadores merecem a cadeira a ser dada a eles de todos os outros escarnecedores. — *William Gurnall*

v. 16: "Zombadores nas festas". Se fosse sabido que, em uma festa, haveria alguém presente ou ausente, a quem o anfitrião desgostava, era costume os convidados ridicularizá-lo e usar linguagem sarcástica a respeito dele. São esses os "hipócritas zombadores nas festas". — *John Gadsby*, 1862

v. 17: Imediatamente após Satanás espiar nossos deslizes, ele corre com uma queixa para Deus, registrando acusações contra nós no tribunal celestial que age arbitrária, cruel e injustamente, onde o caso seria rigorosamente tratado conosco, não fosse o grande Senhor Chanceler da paz, o nosso Advogado Jesus Cristo. Como Deus guarda todas as nossas lágrimas em um odre e registra os gemidos de nossa compaixão santa em um livro, assim Satanás mantém um registro de nossos pecados e pede justiça contra nós. Fosse Deus como o homem, sujeito a paixões ou sensível às propostas do fraudador comum, estaríamos na maior desgraça. Mas ele ouvirá um filho da verdade antes de dez mil pais da mentira. Não importa o que o demandante acuse quando o juiz absolve. Perdemos nossas propriedades por traição, e o Diabo detalhista incorre em petição de princípio. Mas existe alguém que intervém e pleiteia uma concessão dada anteriormente, tanto por promessa quanto por aquisição. "Senhor, [...] resgata a minha alma das suas assolações, e a minha predileta, dos leões". Senhor Jesus, reclama aqueles que são teus. Não permitas que Satanás tome posse por força ou fraude daqueles que tu compraste com o teu sangue. — *Thomas Adams*

v. 17: "A minha predileta". Na Sinopse de Pool, os críticos explicam que esse nome se refere à alma, como a minha única, a minha solitária, devastada, abandonada e destituída de esperança humana. Tal é a alma que está sob extrema aflição (ver Provérbios 22.21).

"Dos leões." Daniel na cova estava literalmente onde Davi estava espiritualmente. Preso entre criaturas ferozes, cruéis e bravas, e ele indefeso, não tendo arma senão a oração, nem ajudante senão o Senhor. O povo de Deus é exposto aos leões do Inferno cujos rugidos o amedrontam terrivelmente. Mas a alma que é a "predileta" também é a querida de Deus, sendo, portanto, salva. — *C. H. S.*

v. 19: "Pisquem os olhos". Mostram prazer nos olhos por causa do meu mal. — *Francis Vatablus*, 1545

v. 19: "Pisquem os olhos". Esse era um sinal que os maliciosos faziam uns aos outros quando o objeto da malícia era ganho, torcendo desdenhosamente os olhos. A palavra hebraica não tem equivalente suficientemente expressivo em outros idiomas. — *Benjamim Weiss*, 1856

v. 21: "Os nossos olhos o viram!" "Olhos", no plural. Podemos dizer que todos os maus são tão unidos que dão a impressão de ter apenas um olho, um coração, uma cabeça. — *John Trapp*

v. 21: "Abrem a boca de par em par contra mim e dizem: Ah! Ah! Os nossos olhos o viram!" Vós, santos, não divulgueis essas coisas aos homens maus. Sussurrai-as suavemente entre vós, com temor e tremor, para que algum infeliz profano ou outro não as escute por acaso e as entenda por palavras de encorajamento, o que só tinha a intenção de serem palavras de aviso. O que é mais comum do que os pecadores mais vis alegarem desculpa ou justificativa para os terríveis fracassos e falhas dos mais queridos santos de Deus? Os bêbados olham para o Noé santo como companheiro de bebida, por quem descobrem a nudez no pior sentido que Cam fez. Os sensualistas imorais citam Davi e o chamam para ser o protetor da sua libertinagem. Se há dor que obscureça as alegrias perfeitas dos santos no céu é quando os seus nomes e exemplos, para a grande desonra de Deus, são apresentados por homens maus e pecadores para estimular os pecados e maldades mais graves e repulsivos. Mas que essas pessoas saibam que Deus estabeleceu estes na igreja para serem monumentos da sua misericórdia, para declararem aos pecadores humildes e penitentes que grandes pecados ele pode perdoar. Contudo, se, depois disso, alguém se animar em pecar, em vez de ser estabelecido como monumento de misericórdia, Deus o colocará como estátua de sal. — *Ezekiel Hopkins* (Bispo), 1633–1690

v. 21: "Abrem a boca de par em par contra mim e dizem: Ah! Ah! Os nossos olhos o viram!" Aquele que se alegra com a queda dos outros se alegra com a vitória do diabo. — *Ambrósio, 340-397, citado em Benjamin Elliott Nicholls, 1858, "Proverbs" (Provérbios)*

vv. 21 e 22:

Eles bocejam e escancaram a boca de modo desdenhoso
E bradam: Que vergonha, que vergonha, vimos com os nossos olhos
Mas tu (ó Senhor!) também viste as ações deles
Então, não fiques em silêncio, nem te afastes de mim
— *Sir John Davies*

v. 23: "Deus meu e Senhor meu". Esse foi o clamor de Tomé quando viu as feridas de Jesus. Se ele não considerou o nosso Senhor divino, Davi também aqui não atribui deidade ao Senhor, pois não há diferença exceto na ordem das palavras e na língua nas quais foram pronunciadas, sendo o significado idêntico. Que palavras são essas, com os olhos vendo o Senhor em dois aspectos, mas como se fosse um, agarrando-o com ambas as mãos no duplo "meu" a um coração, pois a palavra é apenas uma, curvando-se diante dEle com os joelhos para adorá-lo na mais humilde reverência. Na exposição das palavras usadas por Tomé, Nouet foi feliz ao exclamar: "Oh, palavras doces, eu a direi durante toda a minha vida. Eu a direi na hora da morte. Eu a direi na eternidade". — *C. H. S.*

v. 24: "Senhor, Deus meu". Essa é outra expressão preciosa. Ele toma o Senhor para ser o seu Deus em oposição àqueles que fazem dos ídolos, ou das riquezas, ou dos próprios desejos ardentes o seu deus. Ele afirma estar em plena posse de tudo que está no grande EU SOU. Embora o veja como juiz, ele estende a mão da fé ao seu Deus e não vacila nem mesmo diante do fogo da sua justiça. É uma palavra nobre, uma grande declaração de fé. Aquele que pode pronunciar a palavra "meu" do profundo da alma em tal relação pode muito bem rir desdenhosamente de todos os seus inimigos. — *C. H. S.*

v. 25: "Não digam: Nós o havemos devorado!" Mesmo que eles pudessem devorar como a baleia de Jonas, logo ficariam enjoados com o banquete. Os filhos vivos de Deus são mais facilmente devorados do que digeridos pela malícia do Inferno. — *C. H. S.*

v. 27: "Cantem e alegrem-se os que amam a minha justiça, e digam continuamente: O Senhor, que ama a prosperidade do seu servo, seja engrandecido". Note como o coração dos santos foi protegido contra os seus perseguidores. As orações são as armas que, em tempos de perseguição, os santos ainda têm a que recorrer. Quando os romanos estavam em apuros, eles se serviam tão avidamente das armas que não se privavam de tirar as que estivessem nos templos dos seus deuses para lutar contra os inimigos e vencê-los. Portanto, quando o povo de Deus está pressionado por aflições e perseguições, as armas de que se servem são as orações e as lágrimas para com estas vencer os perseguidores. — *Thomas Brooks*

v. 28: "E assim a minha língua falará da tua justiça e do teu louvor, todo o dia". Fiz um sermão um tanto quanto longo. Vós estais cansados. Quem conseguiria louvar a Deus durante o dia todo? Proporei um recurso pelo qual tu podes louvar a Deus o dia inteiro sem desanimar. Seja o que for que tu faças, faze-o bem, e Deus te elogiará. Quando cantas um hino, tu estarás louvando a Deus. Mas o que faz a tua língua, a menos que o coração também o faça? Tu deixaste de cantar hinos e foste descansar? Não sejas bêbado, e estarás louvando a Deus. Foste dormir? Não te levantes para fazeres o mal, e estarás louvando a Deus. Tu negocias? Não erres, e estarás louvando a Deus. Foste cultivar a terra? Não provoque brigas, e estarás louvando a Deus. Na boa intenção dos teus trabalhos, prepara-te para louvares a Deus o dia todo. — *Agostinho*

SUGESTÕES AOS PREGADORES

v. 1. Jesus é nosso Advogado e Defensor, nosso amigo nas cortes celestiais e nas batalhas terrenas.

v. 2. Jesus armado para defender os crentes.

v. 3. (1) Os inimigos são mantidos à distância pelo comprimento de uma arma. (2) Como o Senhor faz isso. (3) As bênçãos que nos advêm por conta disso.

v. 3. "Dize à minha alma: Eu sou a tua salvação." Certeza absoluta. Uma certeza positiva, pessoal, espiritual, presente, divina e completa que vêm pela Palavra de Deus.

v. 3. "Dize à minha alma: Eu sou a tua salvação." O céu está garantido. — Sermão de *Thomas Adams*

v. 4. A eterna confusão do Diabo.

v. 6. A peregrinação horrível dos descrentes.

v. 6. A trindade do perigo no caminho dos maus: (1) O caminho fica tenebroso pela ignorância. (2) O caminho fica escorregadio pela tentação. (3) Enquanto isso, atrás deles, o vingador vem vindo.

v. 8. A destruição súbita é um tema terrível.

v. 9. A alegria em Deus e na sua salvação.

v. 10. (1) Um Deus inigualável e a sua graça inigualável — esses são os temas. (2) Um coração experimentado e plenamente avivado — esse é o cantor. (3) É dessa combinação que vem a música inigualável. (4) A música de uma harpa quebrada.

v. 11. A maldade, crueldade, pecaminosidade e generalidade da difamação.

v. 12. Como a alma pode ser roubada.

v. 13. Compaixão cristã até mesmo pelos intratáveis.

v. 13. "E a minha oração voltava para o meu seio." O benefício pessoal da oração intercessora.

vv. 13 e 14. Compaixão pelos doentes. — *C. Simeon*

v. 15. A conspiração vergonhosa dos homens contra o nosso Senhor Jesus na sua paixão.

v. 17. O limite da paciência divina.

v. 18. O dever, bem-aventurança e conveniência do louvor congregacional.

v. 22. (1) A onisciência apelada. (2) A palavra buscada. (3) A presença pedida. (4) A ação solicitada. (5) A confiança exortada como direito.

v. 25. O prazer dos descrentes e o refúgio dos justos.

v. 26. "Vistam-se de vergonha e de confusão." Esse é o traje de condenado dos maus.

v. 27. "O SENHOR, que ama a prosperidade do seu servo, seja engrandecido." Qual é a prosperidade na qual o Senhor tem prazer?

v. 28. (1) Um tema abençoado. (2) Uma língua apropriada. (3) Um discurso infindo.

SALMO 36

TÍTULO

"Salmo de Davi, servo do S*ENHOR."* Esse título indica que o salmo é especificamente próprio para alguém que considera uma honra ser chamado de servo do Senhor. É *O Cântico para o Culto Feliz,* no qual todos os que levam o jugo suave de Jesus se reúnem. Os ímpios são contrastados com os justos, e o grande Senhor dos piedosos é exaltado de todo o coração. Dessa forma, a obediência a tão bom Mestre é insistido indiretamente, e a rebelião contra Ele é claramente condenada.

"Para o cantor-mor." Quem estava na liderança dos serviços do templo tinha a incumbência de usar esse cântico no culto público. O dever que está na responsabilidade de muita gente nunca é feito. Era bom ter uma pessoa separada especialmente para cuidar do serviço de louvores na casa do Senhor.

DIVISÃO

Dos versículos 1 a 4, Davi descreve os rebeldes. Nos versículos 5 a 9, ele enaltece os vários atributos do Senhor. Nos versículos 10 e 11, ele se dirige ao Senhor em oração. E no versículo 12, a sua fé vê em visão a derrota de todos os obreiros da iniquidade.

EXPOSIÇÃO

1 *A prevaricação do ímpio fala no íntimo do seu coração; não há temor de Deus perante os seus olhos.*

2 *Porque em seus olhos se lisonjeia, até que a sua iniquidade se mostre detestável.*

3 *As palavras da sua boca são malícia e engano; deixou de entender e de fazer o bem.*

4 *Maquina o mal na sua cama; põe-se em caminho que não é bom; não aborrece o mal.*

1. *"A prevaricação do ímpio."* O seu pecado ousado e temerário. A quebra dos limites da lei e da justiça.

"Fala no íntimo do seu coração; não há temor de Deus perante os seus olhos." Os pecados dos homens têm uma voz que os ouvidos dos piedosos ouvem. São o indicador exterior de um mal interior. Está claro que os homens que ousam pecar constante e arrogantemente não podem respeitar o grande Juiz de todos. Apesar do que professam os injustos, quando vemos as suas ações profanas, nosso coração é levado a concluir que eles não têm religião. Profanação é evidência clara de descrença. A impiedade é fruto de uma planta cuja raiz é ateísta. A cabeça sincera pode vir a entender isto claramente através de raciocínio forçoso, mas, para o coração piedoso, isso já está intuitivamente claro. Se Deus está em todos lugares e eu o temo, como posso ousar quebrar as suas leis na sua própria presença? Tem de ser um traidor desesperado aquele que se rebela na sala do trono do próprio monarca. Quaisquer opiniões teóricas que os ímpios esposem, só podem ser classificadas de ateístas, visto que, na prática, é o que são. Os olhos que não têm o temor de Deus diante deles agora terão os terrores do Inferno diante deles para sempre.

2. *"Porque."* Aqui está o argumento para provar a proposição dada no versículo anterior. Davi atropela o processo de argumentação pelo qual ele se convencera de que os ímpios não têm ideia apropriada de Deus ou respeito por Ele. Homens tementes a Deus veem os pecados e os lamentam. Quando ocorre o contrário, podemos estar certos de que não há temor de Deus.

"Em seus olhos se lisonjeia." Considera-se uma boa pessoa, digna de grande respeito. Aquieta a consciência, driblando o próprio julgamento a ponto de reputar-se um padrão de excelência. Se não por moralidade, é por ter bom senso para não ser escravizado por regras que servem de restrição para os outros. Ele é o livre-pensador, homem de espírito forte, inimigo da hipocrisia, filósofo. Os servos de Deus são, na sua opinião, mesquinhos e tacanhos. De todas as lisonjas, essa é a mais absurda e perigosa. Até o passarinho mais tolo não arma armadilhas contra si mesmo. Nem o advogado mais velhaco faz trapaças que o prejudiquem. Atenuar a própria conduta para a própria consciência (que é o significado do original hebraico) é aplainar o próprio caminho para o Inferno. A descida para a ruína eterna é bastante fácil, sem a necessidade de uma pista deslizante da qual se servem os autolisonjeadores.

"Até que a sua iniquidade se mostre detestável." Por fim, ele é desmascarado e detestado, apesar da arrogância. Cedo ou tarde, o cheiro da podridão fica forte demais para ser ignorado. Chega o dia em que a lepra não pode mais ser escondida. No fim, a casa velha não pode mais ser escorada e acaba caindo na cabeça do morador. Semelhantemente, há um limite para a auto-congratulação do homem. Ele é descoberto entre o desprezo geral, não podendo mais manter a farsa que desempenhou tão bem. Se isso não acontecer nesta vida, a mão da morte deixará a luz entrar no caráter oculto e exporá o pecador à vergonha e desprezo.

O processo da autolisonja revela claramente o ateísmo dos pecadores, visto que a mera reflexão que Deus os vê torna tais auto-lisonjas extremamente difíceis, se não impossíveis. A crença em Deus, como a luz, revela, e então o nosso pecado e mal são percebidos. Mas os ímpios estão nas trevas, por isso não podem ver o que está tão claramente dentro e ao redor deles, que os fita bem no rosto.

3. *"As palavras da sua boca são malícia e engano."* Essa dupla de cães do Inferno caçam geralmente juntos, e o que um não consegue pegar, o outro pega. Se a malícia não ganha por opressão, o engano ganha por trapaça. Quando o coração é tão corrupto a ponto de lisonjear a si mesmo, a língua segue o exemplo. O sepulcro aberto da garganta revela a podridão da natureza interior. Os homens tementes a

Deus têm consciência das palavras, e se por fraqueza pecam, eles não inventam desculpas, ou passam a ostentar a maldade. Mas porque os homens maus não têm opinião desfavorável de conversas nocivas e ardilosas, podemos estar certos de que Deus não reina na alma deles. O original hebraico que declara que as palavras dos ímpios são malícia e engano é peculiarmente forte. É como se eles não só fossem de falsa qualidade, mas a própria falsidade.

"Deixou de entender e de fazer o bem." Do bom caminho os ímpios se afastam totalmente. Os homens que temem a Deus procedem de força em força no caminho certo, mas os homens que não temem a Deus logo abandonam o pouco bem que outrora conheceram. Como puderam os homens se apostatar se tinham respeito pelo Juiz supremo? Não é porque eles foram se esquecendo cada vez mais de Deus até que, no devido tempo, eles renunciaram até mesmo a reverência hipócrita, a qual nos primeiros dias eles mantinham a fim de lisonjear a própria alma?

4. *"Maquina o mal na sua cama."* O lugar de descanso se torna lugar de maquinações. A cama do ímpio é incubadora de ervas daninhas venenosas. Os homens tementes a Deus meditam em Deus e em servi-lo. Mas quando os homens direcionam todos os pensamentos e faculdades inventivas para o mal, a sua impiedade se mostra comprovadamente. O ímpio tem o Diabo por companheiro de cama que está deitado e planeja como pecar. Deus está longe dele.

"Põe-se em caminho que não é bom." Quando se levanta, o ímpio, decidida e persistentemente, realiza o dano que planejou. Prefere andar no pior dos caminhos, porque ele ensinou o coração a amar a imundície, tendo se acostumado a divertir-se nessas coisas em sua imaginação.

"Não aborrece o mal." Longe de ter desprezo e aversão ao mal, o ímpio se alegra nisso e o promove. Ele nunca odeia uma coisa errada porque está errada, mas medita nela, defende-a e pratica-a.

Que retrato do homem que não tem a graça de Deus esses poucos versículos nos proporcionam! A vivacidade de consciência, a licenciosidade de palavras, a presteza ao ato pecaminoso, a preferência deliberada e contínua à iniquidade e, também, o coração ateísta são fotografados fielmente segundo o original. Senhor, salva-nos de tais pessoas.

5 *A tua misericórdia, Senhor, está nos céus, e a tua fidelidade chega até às mais excelsas nuvens.*

6 *A tua justiça é como as grandes montanhas; os teus juízos são um grande abismo; Senhor, tu conservas os homens e os animais.*

7 *Quão preciosa é, ó Deus, a tua benignidade! E por isso os filhos dos homens se abrigam à sombra das tuas asas.*

8 *Eles se fartarão da gordura da tua casa, e os farás beber da corrente das tuas delícias;*

9 *porque em ti está o manancial da vida; na tua luz veremos a luz.*

Da baixeza do ímpio, o salmista direciona o olhar para a glória de Deus. Os contrastes são impressionantes.

5. *"A tua misericórdia, Senhor, está nos céus."* Como o azul etéreo que engloba a terra toda, favorecendo a natureza universal, agindo como um pálio para todas as criaturas da terra, sobrepujando os picos mais altos das provocações humanas e elevando-se altamente acima das névoas da transgressão mortal. Os céus limpos estão eternamente acima, e a misericórdia calmamente sorri acima da balbúrdia e fumaça deste mundo miserável. A escuridão e as nuvens são da atmosfera mais baixa da terra. Os céus são eternamente serenos e luminosos com estrelas inumeráveis.

A misericórdia divina habita nessa imensidade de expansão e paciência inigualável, completamente inalteradas pelas rebeliões do homem. Quando pudermos medir os céus, então poderemos confinar a misericórdia do Senhor. Especialmente para com os seus servos, na salvação do Senhor Jesus, Ele mostrou graça mais sublime que o céu dos céus e mais ampla que o universo. Se ao menos os ateus vissem isso, bastaria para que desejassem ardentemente tornar-se servos do Senhor!

"E a tua fidelidade chega até às mais excelsas nuvens." Acima, muito acima de todo entendimento estão a verdade e a fidelidade de Deus. Ele nunca falha, nem esquece, nem hesita, nem descumpre a sua palavra. As aflições são como nuvens, mas a veracidade divina está em tudo que as cerca. Enquanto estivermos sob a nuvem, estaremos na região da fidelidade de Deus. Quando estivermos acima dela, não precisaremos mais de tal garantia. Para cada palavra de ameaça, promessa, profecia ou aliança, o Senhor manteve-se minuciosamente fiel, porque Ele não é homem para mentir, nem filho do homem para arrepender-se.

6. *"A tua justiça é como as grandes montanhas."* É firme, impassível, elevada e sublime. Como os ventos e furacões não sacodem uma montanha alta, assim a justiça de Deus nunca é, de forma alguma, afetada pelas circunstâncias. Sempre é justa. Quem pode subornar o Juiz de toda a terra, ou, ameaçando, pode forçá-lo a perverter o julgamento? Nem para salvar os eleitos, o Senhor deixa de lado a sua justiça. Nenhuma admiração inspirada por paisagem montanhesa pode igualar aquilo que enche a alma quando vê o Filho de Deus morto como vítima para confirmar a justiça do Legislador inflexível. Bem do outro lado do caminho do homem profano que sonha com o Céu, está o elevadíssimo Andes da justiça divina, ao qual nenhum pecador não regenerado pode subir. Entre grandes montanhas, jazem avalanches dormentes, e é ali que os raios novos exercitam voos inexperientes até que a tempestade venha descendo subitamente dos cumes terríveis. Assim, para o grande dia da ira do Senhor, o Senhor nas montanhas da sua justiça armazenou terrível munição de guerra para derrotar os adversários.

"Os teus juízos são um grande abismo." Os procedimentos de Deus para com os homens não são para serem sondados por todo arrogante que exige ver uma razão para toda causa. Não devemos questionar o Senhor a respeito disso ou daquilo. Ele tem razões para tudo, porém prefere não submetê-las às nossas tolas considerações. Amplas, vastas, maravilhosas e atraentes como o oceano são as dispensações providenciais de Deus. Em certos momentos, parecem plenamente calmas quanto um mar de vidro sem ondas. Em outros, agitam-se com tempestades e vendavais, porém eternamente muito gloriosas e cheias de mistério. Quem descobrirá as fontes do mar? Aquele que as descobrir pode ter a esperança de entender a providência do Eterno.

O mar ainda não descoberto!
Nas tuas cavernas escuras, desconhecidas e misteriosas
O segredo assombra impenetravelmente profundo
Afastado de tudo que é visível, ninguém foi
E voltou para contar as maravilhas que há ali

Como o abismo reflete o Céu, assim a misericórdia do Senhor tem de ser vista refletida em todos os arranjos do seu governo na terra. O arco-íris da aliança lança, sobre o abismo profundo, o arco da consolação, pois o Senhor é fiel em tudo o que faz.

"SENHOR, tu conservas os homens e os animais." Todas as miríades de criaturas racionais e irracionais são alimentadas pela mão do Senhor. Os incontáveis animais, os inumeráveis pássaros, as inconcebíveis quantidades de peixes, os infinitos

exércitos de insetos devem a permanência na vida às emanações incessantes do poder divino. Que visão de Deus isso nos apresenta! Que ser aviltante é aquele que não vê rastros de tal Deus e não sente temor dEle!

7. *"Quão preciosa é, ó Deus, a tua benignidade!"* Aqui, entramos no Santo dos Santos. A benevolência, a misericórdia e a justiça estão em todos os lugares, mas a excelência dessa misericórdia conhecem somente aqueles cuja fé ergueu o véu e entrou na presença luminosa do Senhor. Estes veem a excelência da misericórdia de Deus. A palavra traduzida por "preciosa" pode ser traduzida por "excelente". Não há pedra ou pérola preciosa que iguale em valor o senso do amor do Senhor. É algo tão brilhante que os anjos usam. As insígnias da dignidade real são uma amontoado de seixos sem valor quando comparadas com a misericórdia amorosa do Senhor. Davi não pôde avaliá-la. Por isso, depois de fazer uma exclamação, ele deixou que o nosso coração, imaginação e — melhor ainda — experiência a completassem. Ele escreve *quão preciosa!*, porque não consegue nos contar nem a metade.

"E por isso os filhos dos homens se abrigam à sombra das tuas asas." A melhor das razões para a melhor das condutas. A ilustração é muito bonita. O Senhor lança uma sombra sobre o seu povo como a galinha protege a ninhada, ou como a águia cobre os seus filhotes. Nós, como os pequeninos, corremos para baixo do abrigo santo e nos sentimos em descanso. É tão agradável nos esconder debaixo das asas de Deus. Embora o inimigo seja muito mais forte do que nós, não temos medo, porque nos aconchegamos sob as asas do Senhor. Que mais integrantes da raça de Adão conheçam a preciosidade e excelência do abrigo celestial! Jesus chorou ao ver que eles recusaram o abrigo. Nossas lágrimas podem lamentar o mesmo mal.

8. *"Eles se fartarão da gordura da tua casa."* Aqueles que aprendem a pôr a confiança em Deus serão recebidos na casa divina para compartilharem da provisão apresentada. A habitação do Senhor não está limitada a determinado lugar. Por conseguinte, onde quer que moremos, podemos considerar que a nossa habitação, se formos crentes, é um quarto da grande casa do Senhor. Acharemos, na providência e na graça, um depósito que satisfaz a alma providenciado para nós em resultado de vivermos pela fé em proximidade com o Senhor. Se considerarmos que as reuniões dos santos são peculiarmente a casa de Deus, os crentes, de fato, encontrarão nos cultos sacros os mais ricos alimentos espirituais. Feliz a alma que pode se servir dos finos e suntuosos regalos do evangelho, pois nada pode satisfazer tão completamente a alma.

"E os farás beber da corrente das tuas delícias." Como eles têm os frutos ("gordura") do jardim do Éden para alimentarem-se, assim têm os rios ("corrente") do Paraíso para beberem. O amor perpétuo de Deus nos oferece um consolo constante e amplo, do qual a graça nos faz beber pela fé, tornando o nosso prazer da mais rica qualidade. O Senhor não só nos leva, como também nos faz beber desse rio. Vemos nisso a condescendência do amor divino. O Céu, no sentido mais pleno, cumprirá essas palavras, mas aqueles que confiam no Senhor já desfrutam aqui um antegozo. A felicidade dada aos crentes é do próprio Deus. Os espíritos purificados se alegram com a mesma alegria do próprio Senhor: "Para que a minha alegria permaneça em vós, e a vossa alegria seja completa" (Jo 15.11).

9. *"Porque em ti está o manancial da vida."* Esse versículo é feito de palavras simples, mas como o capítulo 1 do evangelho de João, é muito profundo. Do Senhor, como de fonte auto-suficiente e independente, a vida de todas as criaturas procede, por Ele é mantida e só por Ele pode ser aperfeiçoada. A vida está na criatura, mas a fonte da vida está no Criador. Acerca da vida espiritual, essa é uma verdade no

sentido mais enfático: "O espírito é o que vivifica" (Jo 6.63), "já estais mortos, e a vossa vida está escondida com Cristo em Deus" (Cl 3.3).

"Na tua luz veremos a luz." A luz é a glória da vida. A vida na escuridão é miséria, sendo mais morte do que vida. Só o Senhor pode dar vida natural, intelectual e espiritual. Só Ele pode tornar a vida luminosa e lustrosa. Nas coisas espirituais, o conhecimento de Deus lança luz em todos os outros assuntos. Não precisamos de vela para ver o sol, pois o vemos pelo brilho próprio, e então vemos tudo o mais pelo mesmo brilho. Nunca vemos Jesus pela luz de ego, mas o ego à luz de Jesus. Não há inteligência interior de nossa parte que nos leve a receber a luz do Espírito, antes pelo contrário, ajuda a extinguir a viga sagrada. Única e exclusivamente pela sua iluminação, o Espírito Santo ilumina os recessos escuros da nossa incredulidade de coração. Presunçosos são os que procuram o aprendizado e a inteligência humana, pois um raio do trono de Deus é melhor do que o esplendor do meio-dia da sabedoria criada. Senhor, dá-me o sol, e deixa que se deleitem com as velas da superstição e da fosforescência da filosofia corrupta. A fé deriva luz e vida de Deus. Por conseguinte, ela não morre nem se apaga.

10 *Estende a tua benignidade sobre os que te conhecem, e a tua justiça sobre os retos de coração.*

11 *Não venha sobre mim o pé dos soberbos, e não me mova a mão dos ímpios.*

10. *"Estende a tua benignidade sobre os que te conhecem."* Pedimos nada mais que a continuação da misericórdia passada. Senhor, estende esta tua graça para todos os dias de todos os que foram ensinados a conhecer o teu amor fiel, a tua ternura, a tua imutabilidade e onipotência. Como eles foram ensinados pelo Senhor a conhecer o Senhor, assim continua a ensiná-los e aperfeiçoá-los. Essa oração é o coração do crente pedindo exatamente o que o coração do seu Deus está preparado para conceder. É bom quando a petição é o reflexo da promessa.

"E a tua justiça sobre os retos de coração." Como tu nunca falhaste com os justos, assim agi tu da mesma maneira sendo o seu defensor e vingador. A pior coisa que o homem de Deus teme é ser abandonado pelos céus, daí essa oração. Mas o medo é infundado, daí a paz que a fé nos traz. Com esde versículo, aprendamos que, embora a permanência da misericórdia esteja garantida na aliança, devemos torná-la um tema de oração. É por essa coisa boa que a vontade do Senhor será invocada.

11. *"Não venha sobre mim o pé dos soberbos."* Nesse ponto, a oração geral se torna em oração particular e pessoal por si mesmo. O orgulho é o pecado do Diabo. Os homens bons podem ter bem medo dos orgulhosos, pois a semente da serpente nunca deixará de ferir o calcanhar dos piedosos. Com prazer, os zombadores orgulhosos rejeitam os santos ou os pisam com os pés. É contra a maldade dessa gente que a oração ergue a voz. Nenhum pé virá sobre nós, nenhuma mão prevalecerá contra nós, enquanto o Senhor estiver do nosso lado.

"E não me mova a mão dos ímpios." Não permitas que eu seja repelido como fugitivo, nem me arranques do meu lugar como árvore arrancada com raiz e tudo. A violência com mãos e pés, com meios justos e injustos, esforça-se para acabar com o salmista, mas ele recorre ao seu grande Protetor e canta um cântico de triunfo em antecipação da derrota que os inimigos sofrerão.

12 *Ali caem os obreiros da iniquidade; cairão e não se poderão levantar.*

12. *"Ali caem os obreiros da iniquidade."* A fé os vê espalhados pela planície. Lá estão! Perante os nossos olhos o pecado, a morte e o Inferno jazem prostrados. Contempla os inimigos derrotados!

"Cairão." A providência e a graça os derrubaram de suas posições vantajosas. Jesus já lançou rosto em terra todos os inimigos do seu povo, e no devido tempo, todos os pecadores terão o mesmo fim.

"E não se poderão levantar." A derrota dos descrentes e dos poderes do mal é cabal, total e irreversível. Glória seja dada a Deus, por mais alto que os poderes das trevas se elevem atualmente, chegará o tempo em que Deus defenderá os retos e dará aos ímpios tamanha queda a ponto de esmagar as esperanças do Inferno para sempre. Ao passo que aqueles que confiam no Senhor o louvarão eternamente e se alegrarão no seu nome santo.

NOTAS EXPLICATIVAS E DECLARAÇÕES IMPORTANTES

O Título: "Para o cantor-mor" tem dado origem a muitas conjeturas. Na Septuaginta, a palavra hebraica foi traduzida por εἰς τὸ τέλος, "para o fim" ou "em ordem". Um significado tão vago a ponto de desafiar toda conjetura racional. [...] Pelo visto, o significado do termo é este: os salmos nos quais ocorre os autores inspirados encarregaram o músico principal de reger alguma banda musical específica, quer de harpas, saltérios ou instrumentos de sopro. — *John Jebb, Mestre em Ciências Humanas, "A Literal Translation of the Book of Psalms" [Uma Tradução Literal do Livro dos Salmos], 1846*

O Título: "Servo do Senhor". Davi só usa esse título neste e no Salmo 18. Em ambos, ele descreve os procedimentos de Deus para com os justos e os ímpios. É bastante adequado que, já de início, ele assumisse lugar entre os servos do Senhor. — *C. H. S.*

O Salmo: Primeira parte: O caráter do ímpio (v. 1).
(1) Ele chama o bom de mau (v. 2).
(2) Ele persevera nessa conduta.
(3) Ele é hipócrita (v. 3).
(4) Ele é obstinado.
(5) Ele é aplicado na maldade (v. 4).
Segunda parte: A paciência e a misericórdia de Deus (vv. 5, 6).
(1) Para todos, até mesmo todas as criaturas.
(2) Mas particularmente para o seu povo, o qual ele admira. Nelas os crentes:
(a) Confiam.
(b) Estão satisfeitos (vv. 7, 8).
Terceira parte: Davi ora para que esse efeito ocorra:
(1) No povo de Deus (v. 10).
(2) Nele mesmo (v. 11).
(3) A sua aclamação a esse respeito (v. 12). — *William Nicholson (Bispo), 1662*

v. 1: Temos nesse salmo uma descrição do pecado, sobretudo no que diz respeito àqueles que quebraram abertamente o elo com Deus. A introdução é muito interessante: "A prevaricação do ímpio fala no íntimo do seu coração; não há temor de Deus perante os seus olhos". Como pôde a "prevaricação do ímpio" falar dentro do coração daquele que, no título do salmo, se declara servo do Senhor? Em geral, entendemos que essas palavras significam que a conduta externa do pecador, sempre que Davi pensava nisso, naturalmente lhe ocorria esta conclusão: o pecador é destituído de todo o temor de Deus. Mas há talvez outro significado, igualmente pertinente com a leitura literal: "A maldade, fala do ímpio, no íntimo do meu coração". De acordo com essa visão, o salmista quis dizer que, a despeito dos fingimentos externos dos ímpios e de todos os esforços de cobrirem a iniquidade, ele tinha certeza de que eles não tinham um verdadeiro sentimento da presença de Deus e que eles renunciavam a autoridade divina secretamente. Como ele estava tão certo disso? Por comparação da conduta deles com os ditames do próprio coração. Ele não podia mesmo olhar no íntimo do coração deles, mas podia olhar no íntimo do seu coração. Foi ali que ele achou corrupção, e corrupção tão forte que, não fora o temor de Deus no que estava implantado nele, ele seria tão ruim quanto eles. — *John Jamieson, 1758–1838*

v. 1: Não é a imperfeição ou falta no temor de Deus, mas o fato de não ter um pingo de temor que evidencia o homem mau: "Não há temor de Deus perante os seus olhos". — *David Dickson*

v. 1: "Não há temor de Deus perante os seus olhos", algo que se entreteceu nos procedimentos dos tribunais criminais. Quando o homem não tem temor de Deus, ele está preparado para cometer qualquer crime. *Depravação total* não é termo forte demais para descrever a maldade humana. O pecador não tem temor de Deus. Onde há falta de temor, como pode haver devoção? E se não há devoção, tem de haver ausência total de sentimentos e emoções certos. Essa é a própria essência da depravação. — *William S. Plumer*

v. 1: Ousa alguém ridicularizar Deus com floreios e formalidades de religião, se ele o teme? Atreve-se alguém a provocar Deus descaradamente através de maldade franca e real, se ele o teme? Desafia alguém a brincar com os julgamentos de Deus que são executados na sua presença, se ele teme ao Senhor e a sua ira? Atreve-se ele a pecar diante de muitas e preciosas misericórdias, se ele teme ao Senhor e a sua bondade? Ousa alguém lisonjear os outros ou a si mesmo com esperanças de impunidade no pecado, se ele teme ao Senhor e a sua verdade? Desafia alguém a desprezar as próprias promessas, confissões, declarações e juramentos ou designar o emaranhado dos outros por eles, do que se comprometer com eles, se ele teme ao Senhor e a sua fidelidade, o próprio Senhor que cumpre a aliança e a promessa para sempre? Todas essas e muitas outras prevaricações do ímpio (todas essas formas de prevaricação se acham entre os ímpios, então faria bem se nenhuma dessas se achasse entre aqueles que têm nome entre os justos. Escuta: todas essas prevaricações do ímpio) dizem: "Não há temor de Deus perante os seus olhos". — *Joseph Caryl*

v. 1: "A prevaricação do ímpio fala no íntimo do seu coração". O ímpio não tem consideração pelas palavras de Deus. Ele tem uma palavra no próprio coração que dita nada mais nada menos que rebelião. — *Zachary Mudge, 1744*

v. 2: "Porque em seus olhos se lisonjeia". A questão que essa auto-lisonja diz respeito especialmente é o pecado, como mostra a frase seguinte. Ele se engana quanto à natureza, consequências, mal e agravamentos do pecado, e continua "até que a sua iniquidade se mostre detestável", até que seja completamente descoberta e apareça em sua magnitude e circunstâncias cruéis para ele e para os outros, por algum julgamento divino terrível, como o mencionado no último versículo do salmo: "Ali caem os obreiros da iniquidade; cairão e não se poderão levantar". Ele aduz e permanece neste auto-engano, como a ilustrar a verdade do julgamento que ele formara do estado de tal pessoa: "Não há temor de Deus perante os seus olhos. Porque em seus olhos se lisonjeia" (vv. 1,2). É certo que a prova é incontestável. O homem sob escravidão do pecado nunca se lisonjearia em seus olhos, se não fosse que Deus não está diante dos olhos deles. A razão por que ele pensa tão bem acerca de si mesmo é que Deus não está em todos os seus pensamentos (cf. Salmo 10.4). Ele rejeita todo temor acerca de si mesmo, porque ele não tem temor de Deus. — *John Jamieson*

v. 2: "[Ele] se lisonjeia".

(1) Há os que se lisonjeiam com a esperança secreta de que não há outro mundo por vir.

(2) Há os que se lisonjeiam imaginando que a morte está muito longe e que eles têm muitas oportunidades para buscar a salvação.

(3) Há os que se lisonjeiam estimando que levam uma vida moral e ordeira e que, por isso, não serão condenados.

(4) Há os que tornam as vantagens sob as quais vivem em ocasião de auto-lisonja. Lisonjeiam-se acreditando que moram em um lugar onde o evangelho é pregado extensivamente, e entre pessoas tementes a Deus, muitas das quais são convertidas. Supõem que será muito mais fácil eles serem salvos por conta disso.

(5) Há os que se lisonjeiam com os próprios planos. Planejam dar a si mesmos certa liberdade por certo tempo para depois se emendarem.

(6) Há os que se lisonjeiam dizendo que fazem e têm feito muita coisa pela salvação, tendo, então, a esperança de que serão salvos. Mas na verdade, não fazem o que deveriam fazer, nem o que poderiam fazer no atual estado de não regeneração, além de não estarem de forma alguma a caminho de se converterem.

(7) Há os que esperam por esforços próprios obter a salvação sozinhos. Nutrem a imaginação secreta de que devem, por etapas, gerar em si mesmos a tristeza e o arrependimento de pecado e amar a Deus e a Jesus Cristo. Os esforços não são tanto uma busca séria por Deus, quanto um empenho em fazerem eles aquilo que é a obra de Deus.

(8) Há os pecadores que se lisonjeiam presumindo que já estão convertidos. Sentam-se e descansam na falsa esperança, convencendo-se de que todos os seus pecados foram perdoados, que Deus os ama, que eles irão para o céu quando morrerem e que não precisam mais se preocupar com isso. "Rico sou, e estou enriquecido, e de nada tenho falta (e não sabes que és um desgraçado, e miserável, e pobre, e cego, e nu)" (Ap 3.17). — Condensado de *Jonathan Edwards, 1703-1758*

v. 2: "Em seus olhos". Por não ter considerado Deus em santo temor, o ímpio se põe em admiração profana. Aquele que faz pouco caso de Deus faz muito caso de si mesmo. Quem se esquece da adoração cai na adulação. Os olhos têm de ver algo, pois se não admiram Deus, eles lisonjeiam a si mesmos. — *C. H. S.*

v. 2: "Até que a sua iniquidade se mostre detestável", quer dizer, até que o ímpio descubra, por experiência própria, que é coisa mais terrível pecar contra Deus e quebrar os santos mandamentos do que ele imaginava. — *Jonathan Edwards*

v. 2: "Detestável". Odioso a ele, às pessoas e a Deus. — *Gilbert Genebrard, 1537-1597*

v. 3: "Deixou". A pouca luz que ele outrora tinha, ele perdeu, e lançou fora práticas muito boas que, antigamente, na hipocrisia, ele fazia. Também não aprenderá a fazer melhor que isso. — *John Trapp*

v. 3: "Deixou de entender e de fazer o bem". Afastar-se de Deus é realmente desfazer todo o bem que tenhamos feito. É um arrependimento mau totalmente contrário à graça do arrependimento. Como aquele é um arrependimento das obras mortas, assim este é um arrependimento das obras de um tipo melhor: "Deixou de entender e de fazer o bem". É uma perversão para o mal depois de uma aparente conversão. — *Timothy Cruso*

vv. 3 e 4:

Contudo, ele perdeu o sono e ouviu o relógio
Numerou as horas da meia-noite, na cama
Inventando mais danos; e se levantou cedo

E fez refeições muito infernais de nomes de homens bons
De porta em porta tu podias tê-lo visto correndo
Ou parado entre um grupo de tolos boquiabertos
A paz fugiu da vizinhança na qual ele fez
Os seus abrigos; e, como uma peste moral
Diante do seu hálito os brotos e flores saudáveis
Da alegria e felicidade social se deterioraram
Vê-se só os tolos na sua companhia
E os afastados de Deus, e a si mesmos
Entregues. Os prudentes evitaram a ele e a sua casa
Como alguém que tinha uma praga moral mortal
— *Robert Pollock, 1799-1827*

v. 4: "Maquina o mal na sua cama". Como o homem que teme a Deus comunga com o seu coração na cama para que ele não peque nem sequer no seu coração, assim o homem que não teme a Deus trama como delinear e executar o pecado prontamente. — *David Dickson*

v. 4: "Na sua cama". Michael Ayguan, com muita diligência, segue as expressões bíblicas relativas à cama e nos fala que há seis camas da maldade — a cama do luxo, da avareza, da ambição, da ganância, do entorpecimento e da crueldade. Para cada uma, ele ilustra com exemplos da Bíblia. — *John Mason Neale*

v. 4: "Põe-se em caminho que não é bom". Esperar pecar é pecar deliberadamente — é esperar pecar resolutamente. Esse tipo de pecado é excessivamente e pecaminosamente cometido, pois nos determinamos e nos preparamos para cometê-lo. Davi, descrevendo o ímpio, disse: "[Ele] põe-se em caminho que não é bom", quer dizer, em um caminho mau. Ele não só caiu em pecado (algo que pode acontecer com o homem bom), mas ele também toma ou escolhe um caminho mau. Por isso, ele se coloca ou se fixa nesse caminho, determinando não deixá-lo, nem permitir ser tirado à força. Podemos dizer que o pecado espera pelo crente, quer dizer, Satanás espera e espreita o momento certo para tentá-lo ao pecado. Mas o crente não espera nem cuida para pecar. É muito ruim sermos surpreendidos pelo pecado ou por um erro (como o apóstolo fala em Gálatas 6.1). Mas sermos levados ao pecado, e assim esperarmos certo tempo para sermos cheios disso, é tão mau quanto o mal pode ser. — *Joseph Caryl*

v. 4: "Põe-se em caminho que não é bom". Os pecadores orgulhosos têm a mais forte prepotência do que têm direito, pelo menos no que tange à escolha. Satanás os cega para que errem o alvo e o caminho. Na opinião deles, eles estão indo para o Céu, quando, na verdade, estão viajando diretamente para o Inferno. Para esse trajeto, ele lhes oferece amavelmente cavalos descansados. Cavalgam, às vezes, com o cavalo da embriaguez, e tendo percorrido um trecho com este caráter abominável, é a vez do cavalo da volúpia. E para descansarem, mostra-lhes o cavalo da avareza. Se estão enjoados desses cavalos velhos e fracos, ele lhes dá o cavalo da alta ambição, e para torná-los mais fogosos, ele insiste que aceitem o cavalo da disputa inquieta. Ninguém vê as ações investigativas de Satanás. Não há complexidade ou temperamento a qual ele não tenha um cavalo perfeitamente adequado, o qual é a própria característica. A índole predominante de cada homem é um animal de sela e provisão que Satanás dispõe para levar os homens para o Inferno. O caminho é um, o administrador do caminho é um, o qual está em cada uma das suas etapas, montando nos garanhões — os cavalos são de um tipo só, mas não de uma cor só. Feliz o homem a quem Deus retira desse caminho mal, e mais feliz ainda é aquele que aproveita a parada em cada etapa para mudar de curso e ir para o Céu. — *William Struther*

v. 4: "Não aborrece o mal", ou seja, não tem a mínima propensão a rejeitar qualquer instrumento, por mais pecaminoso que seja, para atingir os seus objetivos. — *J. J. Stewart Perowne*

v. 5: "A tua misericórdia, Senhor, está nos céus". Considerando os pensamentos e ações dos incrédulos e a misericórdia de Deus para com eles, Davi profere essa exclamação. Quando os homens pecam tão imprudentemente, quem não admirará a longanimidade divina! — *Sebastian Munster, 1489-1552*

vv. 5 a 7: Este salmo apresenta adequadamente o estado e a condição dos tempos em que a maldade tem aumentado. Na primeira parte do salmo, está a revelação da maldade (v. 3). O que devemos fazer quando há tamanha maldade na terra? "A tua misericórdia, Senhor, está nos céus, e a tua fidelidade chega até às mais excelsas nuvens" (v. 5). Deus está recolhendo para si toda bondade, misericórdia e paz dos homens. Há crueldade, dano e maldade no mundo, contudo há misericórdia, verdade e fidelidade nas nuvens. É bom que a sabedoria, a bondade, a verdade e a justiça deixem o mundo e apeguem-se a Deus, para que assim o sigamos e para que a bondade, a misericórdia, a verdade e a fidelidade que, outrora, desfrutamos no homem, desfrutemos em Deus. Quando a maldade aumenta, a justiça também aumenta. "A tua justiça é como as grandes montanhas" (v. 6), quando o mundo chora e se despedaça, então a justiça de Deus é uma grande montanha. "Os teus juízos são um grande abismo", quando o mundo inteiro se torna um mar de confusão, então os juízos do Senhor são um grande abismo, onde não apenas os homens, mas também os animais podem descansar com segurança. "Tu conservas os homens e os animais." Embora hoje seja tempo de crescimento e espalhamento da maldade no homem, também é tempo da mais prazerosa admiração e amor em Deus. Enquanto os homens que pecam clamam: Ó, homem infeliz!, aqueles que desfrutam Deus clamam: Ó, homem feliz! Embora os homens que vivem na terra exclamem: Ó, miserável! Que tempos são estes? Os homens que vivem no Céu exclamam: "Quão preciosa é, ó Deus, a tua benignidade!" (v. 7). O Senhor faz todas as coisas nuas e patentes para que só nós possamos tê-lo como nossa segurança. — *William Sedgwick, 1609-1668, "The Excellency of the Love of God" [A Excelência do Amor de Deus], um sermão no livro intitulado "Some Flashes of Lightnings of the Son of Man" [Alguns Flashes dos Raios do Filho do Homem], 1648*

vv. 5 a 9:

A tua misericórdia, Senhor, se estende aos céus
A tua fidelidade sobe até às nuvens
A tua justiça é firme como as montanhas
Os teus juízos são profundos como o grande Abismo
As tuas nobres misericórdias salvam todos os seres vivos
Os filhos dos homens se insinuam debaixo das tuas asas
Com a tua grande abundância alimentam-se à vontade
E das correntes do teu prazer eles bebem até se satisfazerem
Pois até a fonte da vida está em ti
E na tua luz gloriosa veremos a luz
— *Sir John Davies*

v. 6: "A tua justiça é como as grandes montanhas", literalmente, "as montanhas de Deus", as quais os homens não plantaram e as quais os homens não podem mover. — *Christopher Wordsworth v. 6:* "Os teus juízos são um grande abismo". Os pecados dos homens são um grande abismo, e os caminhos de Satanás são chamados de abismo. Mas os juízos de Deus, os seus caminhos nas rodas, são os maiores abismos de todos, pois são impenetráveis. — *William Greenhill*

v. 7: "Quão preciosa é, ó Deus, a tua benignidade!" As expressões que aqui denotam a abundância das bênçãos divinas sobre os justos foram, ao que parecem, tiradas do templo, de onde eram emitidas. Sob o abrigo do templo, das asas dos querubins, eles se abrigavam. A riqueza dos sacrifícios, os rios de óleo, vinho, odores e a luz do candelabro de ouro estão claramente referidos. — *Samuel Burder*

v. 7: "E por isso os filhos dos homens se abrigam à sombra das tuas asas". O verbo no original hebraico traduzido por "se abrigam" significa "fugir", "correr", "dirigir-se a um lugar seguro", como os pintinhos em perigo de serem pegos correm para baixo das asas da galinha. "Sob cujas asas te vieste abrigar" (Rt 2.12). O pássaro indefeso perseguido pelo falcão e prestes a ser devorado corre para baixo da sombra da barragem. O mesmo se dá com o pecador quando, aos primeiros sinais de fé, ele teme ser perseguido pela ira e juízo. Ele sabe que, se o agarrarem, ele terá de irremediavelmente perecer. Que triste condição de tal alma! Mas ele vê Jesus abrindo as asas pronto para receber os perdidos pecadores. No evangelho, ele ouve Jesus convidando os pecadores a irem para baixo da sua sombra! Como lhe é doce essa voz! Contudo, na época da insensibilidade, ele a rejeitou! Ele ouve, obedece e corre para Jesus em busca de abrigo, e assim ele está seguro: "Quão preciosa é, ó Deus, a tua benignidade! E por isso os filhos dos homens se abrigam à sombra das tuas asas". — *David Clarkson*

v. 7: "Tuas asas". Essa é uma ilustração comum nos salmos, tomada mais diretamente, em minha opinião, das asas do querubim que faz sombra no propiciatório que cobria a arca. Porém, mais indiretamente, dos pássaros que defendem os filhotes dos raios solares fazendo sombra com as asas. — *Francis Hare (Bispo), 1740*

v. 7:

Na cela solitária, guardado e forte estou
Preso pelo amor de Cristo, para testemunhar da sua verdade
Ainda que as paredes sejam grossas, nenhuma mão possa abrir a porta
Deus é a minha força, o meu consolo e descanso

Poema em carta de Jeroninus Segerson, escrita na prisão da Antuérpia para a sua esposa, chamada Lysken, que também era prisioneira na mesma prisão, 1551

v. 8: "Eles se fartarão da gordura da tua casa, e os farás beber da corrente das tuas delícias". Observemos, em primeiro lugar, a excelência da provisão: a "gordura da tua casa", a "corrente das tuas delícias". Estima-se que o alimento mais gordo é mais bonito e mais excelente. É por isso que, no tempo da lei, os santos receberam a ordem de oferecer a gordura nos sacrifícios. Deus espera o melhor de nós, por isso ele dá o melhor para nós. Foi o que Davi fez, quando ele festejara tão profusamente para cantar tão alegremente. A gordura é o primor, a nata de todas as iguarias espirituais: "A minha alma se fartará, como de tutano e de gordura; e a minha boca te louvará com alegres lábios" (Sl 63.5). Mas, embora Deus mantenha tão nobre casa para satisfazer a fome do seu povo, veja o cuidado especial que Ele toma para matar-lhes a sede: "E os farás beber da corrente das tuas delícias". Ele bebe a eles, e eles bebem a Ele no seu próprio cálice! Têm os filhos motivos — quando o Pai mantém mesa tão rara e cara — para deixar essas iguarias e passar a mendigar pelo país afora em busca de restos e fragmentos? O quanto desgraçam estes a provisão do Pai e a própria sabedoria!

Mas observemos, leitor, em segundo lugar, a abundância como também a preciosidade da provisão. É pura gordura, um rio de delícias, e tanto que aqueles que se servem se satisfazem e se fartam. O rio está correndo e transbordando. Compartilha as águas mas nunca se esgota. É alimentado por fontes e mananciais. Não admira que sempre esteja cheio. Quem tem tal fonte não tem razão para queixar-se de falta. Mas não são apenas rios e gordura, pois acerca do povo de Deus está escrito: "Eles se fartarão". No original hebraico é "se embriagarão". Eles terão uma suficiência e uma redundância das delícias espirituais. O recipiente da alma será cheio até à borda daquele rio cujas correntes alegram a cidade de Deus. Claro que aqueles que têm pão com essa abundância e fartura e, como reserva, na casa do Pai, pão feito de grãos do trigo e da melhor farinha, não precisam desejar a comida simples do mundo. Nosso Pai celestial não mantém uma casa com tanta insuficiência a ponto de os farelos do mundo caírem para nós. — *George Swinnock*

v. 8: "Eles se fartarão da gordura da tua casa". Certa vez, ouvi um pai contar que, quando se mudou com a família para uma nova residência, onde as acomodações eram muito mais amplas, os materiais de melhor qualidade e mais variados do que a residência anterior com a qual estavam acostumados, o filho mais novo, que ainda ceceava, percorreu todas as dependências e correu com os olhos cada item com êxtase, perguntando, admirado, de tudo o que via: "É nosso, papai? É nosso?" O menino não disse "é seu". Observei que enquanto o pai contava a história ele não ficou ofendido com a liberdade. Dava pra ver no brilho dos olhos do pai que a confiança do menino em apropriar-se de tudo o que o pai tinha era um elemento importante na sua satisfação.

Esta, suponho, será a surpresa, a alegria e a confiança apropriadora com que o filho da família do nosso Pai considerará tudo como seu quando ele for removido da situação comparativamente baixa das coisas atuais para entrar no infinito das coisas por vir. Quando as glórias do céu irromperem no seu campo de visão, ele não fica à distância como um estranho dizendo: Deus, estas são tuas. Pelo contrário, ele sai correndo para tocar e provar toda provisão que as mansões santas contenham, exclamando, enquanto olha a face do Pai: Pai, isto e isto é nosso! O filho querido está alegre com todas as riquezas do Pai, e o Pai está mais alegre ainda com o seu filho querido. — *William Arnot, 1858*

v. 8: "Da gordura da tua casa". Se a alusão é ao templo, como pensa Hupfield, então a "gordura" seria os sacrifícios gordos, e os homens seriam considerados como sacerdotes na casa, segundo a analogia de Jeremias 31.14. — *J. J. Stewart Perowne*

v. 8: "Da gordura da tua casa". Os judeus, como entre todas as outras nações da antiguidade, consideravam a gordura como a parte mais preciosa dos animais, tornando-se então sinônimo de: o primeiro, o melhor, o primor de algo. — *Christian D. Ginsberg, 1863, Doutor em Direito, "Kitto's Cyclopedia" (Enciclopédia de Kitto)*

v. 8: "Da tua casa". O termo é enfático e significa aquilo que tu preparas para a tua própria casa, para os teus próprios familiares. O sentido aqui não são as coisas boas preparadas para todos os homens, mas somente para os membros da família de Deus. — *John Piscator, 1516-1620, e D. H. Mollerus*

v. 8: "Delícias". É a mesma palavra hebraica traduzida por "Éden" em Gênesis. A única diferença é que aqui está no plural. — *Dalman Hapstone*, 1867, Mestre em Ciências Humanas

v. 8: Um dos pais disse: Tu me perguntas como é o Céu? Disse alguém: Quando eu te encontrar lá eu te direi. O mundo por vir, dizem os rabinos, é o mundo onde tudo é bom. Li sobre alguém que, de boa vontade, nadaria em um mar de enxofre para ganhar o Céu, pois lá, e só lá, está a perfeição da felicidade. O que são as sedas da Pérsia, os temperos do Egito, o ouro de Ofir e os tesouros de ambas as Índias em comparação com a glória do outro mundo? Agostinho conta que um dia, quando estava a ponto de escrever algo sobre o versículo 8 do Salmo 36: "E os farás beber da corrente das tuas delícias", e quase sendo tragado pela contemplação das alegrias celestiais, alguém o chamou bem alto pelo nome. Perguntando quem era que o chamava, a resposta foi: Sou Jerônimo, com quem em minha vida tu fizeste tantas conferências sobre pontos duvidosos da Bíblia. Agora estou mais bem experimentado para explicar quaisquer dúvidas acerca das alegrias do Céu. Permita-me primeiro te fazer algumas perguntas: Tu és capaz de pôr a terra inteira e todas as águas do mar em uma pequena panela? Podes medir as águas na concha da mão, repartir o céu a palmos, ou pesar as montanhas ou os montes em balanças? Se não, não é possível que o teu entendimento entenda a menor das alegrias do Céu. Com certeza, a menor das alegrias do Céu é inconcebível e inexprimível. — *Thomas Brooks*

v. 9: "Porque em ti está o manancial da vida". Essas são umas das palavras mais maravilhosas do Antigo Testamento. A totalidade do significado não há comentário que possa exaurir. São, de fato, a parte central e a antecipação de grande parte do ensino profundíssimo de João. — *J. J. Stewart Perowne*

v. 9: "Na tua luz veremos a luz". O tema de nossa felicidade eterna chama-se "luz". Não será uma luz deslumbrante e difusa como foi o brilho do rosto de Moisés quando desceu do monte. O povo não podia vê-lo. Não será uma luz surpreendente, como ocorreu no monte durante a transfiguração de nosso Senhor. Os discípulos caíram ao chão, os olhos fracos puderam apenas entrever a glória que brilhava pelo véu de carne. Mas a luz no nosso Céu de felicidade será uma luz fortalecedora e confortante. Ela fortalece e confirma os olhos do nosso entendimento para que a vejamos. Então poderemos como águias jovens ver o Sol da Justiça em seu brilho e glória. O Senhor disse a Moisés: "Homem nenhum verá a minha face e viverá" (Êx 33.20). A visão gloriosa que Daniel teve lhe sugou as forças (Dn 10.8). O objeto estando fora dele, extraiu-lhe todo o ânimo ao vê-lo e admirá-lo, debilitando-o assim. Mas no céu, o nosso Deus, a quem veremos e conheceremos, estará dentro de nós para nos fortalecer. Então viveremos porque vimos a sua face. Também será uma luz confortante, como a luz da manhã para o guarda cansado, que a desejou durante o período da noite. — *William Colvill, 1655*

v. 9: "Na tua luz veremos a luz". Esse é um tipo de luz comparativamente fraca, a qual desfrutamos neste mundo. Enquanto estamos escondidos neste corpo, podemos ver pouco. Mas a casa de nosso Pai acima está cheia de luz: "Então, os justos resplandecerão como o sol, no Reino de seu Pai" (Mateus 13.43). Se a estrela da alva nascer em teu coração, viva na expectativa agradável e alegre do dia perfeito. Porque podemos saber um pouco mais sobre os mistérios do reino, contanto que estejamos no escabelo dos pés de Deus. Saberemos imensa e inconcebivelmente mais no primeiro momento depois que chegarmos ao céu, do que somos capazes de atingir aqui ao longo de todos os nossos dias. — *Timothy Cruso*

v. 9: "Na tua luz veremos a luz". A luz da natureza é como uma faísca, a luz do evangelho é como uma lâmpada, a luz da graça é como uma estrela, mas a luz da glória é como o próprio sol. Quanto mais alto subirmos, maior a luz. Deus "habita na luz inacessível; a quem nenhum dos homens viu nem pode ver" (1 Tm 6.16), ou seja, enquanto o homem tiver sobre si a mortalidade e o pecado. Mas quando essas duas qualidades corruptas e incapazes forem tiradas, então seremos levados a essa luz. Hoje, estamos contentes com o sol e as estrelas sobre as nossas cabeças para dar luz. Que luz e delícia serão quando essas estiverem debaixo dos nossos pés! A luz terá de ir muito além da luminosidade, como hoje vão muito além de nós. Elas só poderão discursar da luz, que a desfrutam, a quem o dia eterno tiver nascido — nem nós que vivemos na sombra humilde da mortalidade e obscuridade natural. Deixo-o então à tua meditação. É uma luz gloriosa que fazemos bem em considerar, considerando para admirar, admirando para amar, amando para desejar, desejando para buscar e achando para desfrutar para sempre. — *Thomas Adams*

v. 9: "Na tua luz veremos a luz". Há grande ostentação de luz no mundo, e há certa razão para isso nas coisas naturais. Mas como antigamente o velho mundo pela sabedoria não conheceu a Deus, assim é atualmente. Se conhecemos Deus, tem de ser por meio da sua palavra. Essa é, na minha opinião, o significado da passagem. O termo "luz" na última frase significa o verdadeiro conhecimento de Deus; e, na primeira frase, significa o verdadeiro meio de atingi-lo, qual seja a revelação divina. Ao que parece, tudo se resume nisto: a Palavra de Deus é o meio principal pelo qual podemos atingir um conhecimento verdadeiro e salvífico de Deus. O que o sol e as estrelas são para as regiões da matéria, essa revelação é para a região da mente (Gn 1.13,17). [...]

Há muitas coisas das quais tu não podes alimentar dúvida, acerca das quais não há como questionar. Mas vamos analisá-las à luz de Deus. Muitos se contentam em vê-las à luz na qual grandes e bons homens as colocam. Mas, embora anjos, não são a verdadeira luz. Todos viram as coisas parcialmente. Se o que dizem for verdade, se a recebermos meramente na sua representação, a nossa fé se firmará na sabedoria de homens, e não no poder de Deus (1 Co 2.5). Esse conhecimento ou fé, que não têm a palavra de Deus por base, não permanecerá no dia da provação. — *Andrew Fuller, 1751-1815*

v. 9: Nesta comunhão de Deus, o que podemos querer? Ora, Deus será tudo e estará em tudo para nós. Ele será a beleza para os nossos olhos, a música para os nossos ouvidos, o doce para a nossa língua, o pleno contentamento e satisfação dos nossos desejos — e tudo isso vem dEle imediatamente. É verdade que Deus está em tudo neste mundo: "Nele vivemos, e nos movemos, e existimos" (At 17.28). Na terra, Ele trabalha por meio das causas secundárias. Ele nos dá vinho que alegra o nosso coração, e azeite e pão que fazem o nosso rosto reluzir (cf. Salmo 104.15). No Céu, são retirados todos os meios intervenientes entre Deus e nós: "Em ti está o manancial da vida; na tua luz veremos a luz", não na luz do sol, ou na luz de uma vela. Não há necessidade disso (Ap 22.5). Na "tua" luz, a luz do próprio Deus, a vida inteira de glória junto com todos os seus acompanhamentos, emana dEle como a fonte exclusiva e original. Como deve ser doce essa felicidade que emana assim! — *Sermão fúnebre proferido por Edmund Pinchbeck, Bacharel em Teologia, "The Fountain of Life" [A Fonte da Vida], 1652*

v. 9: Seja o que for que se ache nas coisas criadas, mesmo quando Deus as abençoa para que os seus filhos as usem, é apenas uma gota do oceano, uma pequena porção de água da fonte em comparação com o que o crente verá e sentirá por estar em Deus, reconciliado por Cristo, pois "em ti está o manancial da vida". — *David Dickson*

v. 10: "Estende a tua benignidade". Quando Deus começa a liberar misericórdia para os seus servos, Ele não para, mas continua. [...] Quando Raquel teve o primeiro filho, ela o chamou de José, que significa "soma" ou "aumento", pois ela disse: "O Senhor me acrescente outro filho" (Gn 30.24). Agora que Deus começou a mostrar benignidade, Ele não só me dará este, mas também me dará outro filho. Quando o Senhor te dá uma misericórdia, tu podes chamá-la de *José, aumento, adição*, pois Deus te dará outra. Abraão teve muitas misericórdias de Deus, uma depois da outra.

Moisés recebeu uma multidão de misericórdias. Ele conversava com Deus face a face, ouvia Deus falar, tinha a presença de Deus que o acompanhava. Ele viu toda a bondade e glória de Deus passar diante dele. Quando as misericórdias saem e chegam até nós, Deus não fecha a porta da misericórdia. "Estende a tua benignidade" é, no original hebraico, "puxar para fora" ou "tirar para fora a tua benignidade", uma metáfora extraída dos tonéis de vinho, os quais, uma vez abertos, rendem não só uma, mas muitas taças. Quando Deus abre o vinho da sua misericórdia, Ele não enche a tua taça uma vez, e sim duas vezes, sete vezes. A metáfora também pode ter sido extraída da mãe que, tendo os seios cheios de leite, coloca-os para fora para o filho, não uma vez, mas muitas vezes. A criança receberá o peito muitas vezes ao dia e muitas vezes à noite. Quando Deus começa a te mostrar misericórdia, Ele coloca para fora os peitos da consolação e te dá misericórdia após misericórdia. Ou a metáfora foi extraída de uma linha estendida, pois assim, Deus, estando no caminho da misericórdia, estenderá a linha de misericórdia e medirá misericórdia após misericórdia para ti. — *William Greenhill*

v. 10: A verdadeira marca dos retos está na conjunção da fé em Deus com o estudo sincero da obediência a Ele, pois eles são os homens que "conhecem" a Deus e são "retos de coração". — *David Dickson*

v. 11: "O pé... a mão". O pé e a mão são citados porque ambos são usados para empreender guerra. — *Simon de Muis*, 1587-1644

v. 12: "Ali caem os obreiros da iniquidade". Está escrito como se o salmista, quando disse, tivesse apontado a determinado lugar com o dedo. O mesmo modo de expressão ocorre no Salmo 14.5. Ou podemos traduzir o versículo assim: "Então [ou seja, quando o justo estiver satisfeito com a gordura da tua casa, sendo recompensado por sinceramente te adorar nisso], eles cairão, todos os que trabalham a iniquidade; eles serão lançados para baixo e não poderão se levantar [como ocorre com as pessoas que são lançadas com violência ao chão duro]". — *Daniel Cresswell*

SUGESTÕES AOS PREGADORES

v. 1. (1) Qual é o temor de Deus? (2) Como opera? (3) Quais são os efeitos da sua ausência? (4) O que aprendemos vendo esses resultados ruins? — Ou o ateísmo dando apoio à transgressão.

v. 2. As artimanhas, as motivações, as ajudas, os resultados e os castigos da auto-lisonja e a descoberta que acaba com ela.

v. 2. As auto-lisonjas. — Sermão de *Jonathan Edwards*

v. 2. Sobre a falsidade do coração com relação à comissão de pecados. — "Two Sermons" [Dois Sermões], *John Jamieson*, em "Sermons on the Heart" [Sermões sobre o Coração]

v. 3. Palavras más. Duas de muitos tipos.

v. 3. "Deixou de entender e de fazer o bem." A relação entre a sabedoria verdadeira e a bondade prática.

v. 4. A diligência em fazer o mal é marca característica de depravação profunda. — *William S. Plumer*

v. 4. O abuso do isolamento para cumprir propósitos maus é uma característica infalível do pecador habitual. — *N. Marshall*

v. 4. O pecador na cama, na conduta, no coração. Acrescentemos a isto: na morte e no destino.

v. 4. "Põe-se em caminho que não é bom." Quais são os caminhos que não são bons.

v. 4. "Não aborrece o mal." A passividade condenada.

vv. 5 e 6. Quatro símiles gloriosos da misericórdia, fidelidade e providência de Deus. O pregador tem aqui uma riqueza sublime e inesgotável de imagens poéticas.

v. 6. A palavra e as obras misteriosas de Deus. — *C. Simeon*

v. 6. "Os teus juízos são um grande abismo." Os juízos de Deus: (1) São incomensuráveis. Não podemos encontrar o fundo ou a causa, e a sua fonte. (2) São seguros para navegar. Os navios nunca batem o casco em pedras quando estão em águas profundas. (3) Escondem grande tesouro. (4) Fazem muito bem. O grande abismo, embora a ignorância pense que seja um completo desperdício, um deserto salgado e estéril, é uma das maiores bênçãos para este globo. (5) Tornam-se um caminho de comunhão com Deus. Hoje, o mar é a grande estrada do mundo.

v. 6. "Senhor, tu conservas os homens e os animais." A bondade de Deus para com os animais como também para com os homens.

vv. 7 e 8. Admiração! Confiança! Expectativa! Realização!

v. 7. O objeto, as razões, a natureza e a experiência da fé.

v. 8. "Eles se fartarão da gordura da tua casa." As provisões da casa do Senhor: (1) Quais são. (2) A sua preciosidade e fartura. (3) Para quem foram feitas.

v. 8. "E os farás beber da corrente das tuas delícias." O rio Hidéquel celestial: (1) A nascente. (2) O fluxo. (3) Os bebedores felizes. (4) Como vieram a beber.

v. 9. "Porque em ti está o manancial da vida." *A vida:* (1) Natural, mental, espiritual, procedente de Deus, é sustentada, restaurada, purificada e aperfeiçoada por Ele. (2) Nele, a vida habita permanentemente. (3) Dele, a vida emana livremente com frescor, profusão e pureza. (4) A Ele a vida deve ser consagrada.

v. 9. "Na tua luz veremos a luz." *A luz*: O que é vê-la. A luz divina: O que é, como é o meio pelo qual vemos outra luz. A experiência aqui descrita e o dever aqui indicado.

v. 10. (1) O caráter dos justos: Eles conhecem a Deus e são retos de coração. (2) O privilégio dos justos: benignidade e justiça. (3) A oração dos justos: contínua.

v. 10. A necessidade de suprimentos diários da graça.

v. 12. Uma visão da destruição dos poderes, princípios e homens maus.

SALMO 37

TÍTULO

"Salmo de Davi." Temos somente essas palavras que dão uma pista da autoria. Não há informação se se trata de um cântico ou meditação. Foi escrito por Davi na velhice (v. 25), e é valiosíssimo como registro de uma experiência muito variada.

ASSUNTO

O grande enigma da prosperidade dos ímpios e do sofrimento dos justos, o qual tem desconcertado tantos, é tratado à luz do futuro. A indignação e a queixa são proibidos de forma extremamente impressionante. É um salmo no qual o Senhor silencia docemente as reclamações muito comum das pessoas e lhes acalma a mente quanto aos seus procedimentos atuais com o seu rebanho escolhido, e os lobos por quem são cercados. Contém oito grandes preceitos, é ilustrado duas vezes por declarações autobiográficas e está repleto de contrastes extraordinários.

DIVISÃO

O salmo quase não dá para ser dividido em seções importantes. Assemelha-se a um capítulo do livro de Provérbios, pois os versículos, em sua maioria, são completos em si mesmos.

É um salmo alfabético, cuja ordem é um tanto quanto descontínua, com as primeiras letras dos versículos seguindo o alfabeto hebraico. Pode não ter sido apenas um recurso poético, mas também uma ajuda para a memória. O leitor deve ler o salmo do começo ao fim, de uma vez só, sem tentar entender para depois se dedicar à nossa exposição.

EXPOSIÇÃO

1 *Não te indignes por causa dos malfeitores, nem tenhas inveja dos que praticam a iniquidade.*

2 *Porque cedo serão ceifados como a erva e murcharão como a verdura.*

1. O salmo começa com o primeiro preceito. Infelizmente, é muito comum os crentes nos tempos de adversidade pensarem que estão sendo tratados severamente quando veem pessoas totalmente destituídas de religião e honestidade, alegrando-se em abundante prosperidade. É de muita necessidade o mandamento: "Não te indignes por causa dos malfeitores". Indignar-se é irritar-se, preocupar-se, aborrecer-se, ressentir-se, encolerizar-se, zangar-se. A natureza é muito hábil em acender o fogo da inveja quando vê transgressores da lei andando a cavalo e súditos obedientes andando no lodo. Trata-se de uma lição que somente a escola da graça ensina quando percebemos as providências mais paradoxais com tranquilidade sincera de quem está certo de que o Senhor é justo em todos os seus atos. Segundo a avaliação carnal, parece injusto que a melhor comida vá para os cães, enquanto os filhos amados definham de fome.

"Nem tenhas inveja dos que praticam a iniquidade." É o mesmo conselho dado, só que em outra forma. Quando somos pobres, menosprezados e estamos sendo ferrenhamente provados, é natural que o nosso velho Adão fique com inveja dos ricos e grandes. Quando estamos cientes de que somos mais justos que eles, o Diabo com certeza estará por perto para sugerir argumentações blasfemas. Tempos tempestuosos podem coalhar até mesmo a nata da humanidade. Em vez de serem invejados, os maus têm de ser vistos com horror e aversão. Mas as suas mesas fartas e decorações afortunadas são muito propensas a fascinar os nossos olhos semiabertos. Quem inveja do boi gordo as fitas e adornos que o decoram quando ele é conduzido ao matadouro? O caso é paralelo, pois os ricos descrentes não passam de animais engordados para a matança.

2. *"Porque cedo serão ceifados como a erva."* A foice da morte está afiada. A grama cresce verde, mas logo vem a foice. A destruição dos descrentes será veloz, súbita, segura, impressionante e irrecuperável. A grama não pode resistir ou fugir do ceifeiro.

"E murcharão como a verdura." A beleza da verdura seca quando fica sob o calor do sol. Semelhantemente, toda a glória dos maus desaparecerá na hora da morte. A morte mata o descrente como a erva, e a ira o murcha como o louro. Ele morre e o nome apodrece. Como será completo o fim do homem cujas ostentações não têm fim! Vale a pena perdermos tempo em nos indignar com um efemeróptero, um inseto que no mesmo dia nasce e morre? Há nos crentes uma semente viva e incorruptível que vive e permanece para sempre. Por que deveriam invejar a mera carne e a sua glória, qual não passam de erva e a sua flor?

3 *Confia no Senhor e faze o bem; habitarás na terra e, verdadeiramente, serás alimentado.*

3. *"Confia no Senhor."* Esse é o segundo preceito, e apropriado para a ocasião. A fé cura a indignação. A visão é estrábica, só vendo as coisas como aparentam ser, o que explica a inveja. A fé tem visão mais clara para ver as coisas como realmente são, o que explica a paz.

"E faze o bem." A verdadeira fé é ativamente obediente. Fazer o bem é um remédio bom para a indignação. Há uma alegria na atividade santa que expulsa a ferrugem do descontentamento.

"Habitarás na terra", que mana leite e mel — a Canaã da aliança. Tu não peregrinarás no deserto da murmuração, mas habitarás na terra prometida da felicidade e descanso: "Nós, os que temos crido, entramos no repouso" (Hb 4.3). Muito de nosso exterior depende do interior, onde há céu no coração haverá céu em casa.

"E, verdadeiramente, serás alimentado" ou pastoreado. Para a integridade e a fé, as coisas necessárias estão garantidas. O pastor bom exercerá o cuidado

pastoral sobre todos os crentes. Na verdade, serão alimentados e alimentados com a verdade. A promessa de Deus será o banquete perpétuo para eles. Não lhes faltará as coisas espirituais nem as temporais. Certos expositores entendem a frase como uma exortação: "Alimentai-vos com a verdade". Claro que essas palavras animam e expulsam para sempre o ressentimento faminto da inveja.

4 *Deleita-te também no Senhor, e ele te concederá o que deseja o teu coração.*

4. Há uma ascensão nesse terceiro preceito. Primeiro, a ordem é para não nos indignarmos. Depois, somos ordenamos a confiar ativamente. E agora, o mandato é dado com o desejo santo para nos deleitarmos em Deus.

"Deleita-te também no Senhor." Faze do Senhor a alegria e o regozijo do teu espírito. Os maus se deleitam nas coisas carnais. Não os invejes se tiverem a permissão de saciarem-se em tais ídolos vãos. Olha para o teu deleite que é melhor e enche-te fartamente com a tua porção que é mais sublime. Em certo sentido, imita os maus. Eles se deliciam nas coisas que lhes pertencem? Preocupa-te, então, em te deliciares nas tuas. Longe de invejá-los, tu terás pena deles. Não há lugar para indignação se sabemos que Deus é nosso, mas há o forte incentivo ao prazer sacro do mais elevado e enlevado tipo. Todo nome, atributo, palavra ou ação do Senhor deve nos ser prazeroso, e meditando nisso, nossa alma deve ficar tão feliz quanto o epicurista quando se alimenta sensivelmente e com extremo prazer das suas iguarias.

"E ele te concederá o que deseja o teu coração." Um dever agradável é recompensado com outro prazer. Os homens que se deleitam em Deus desejam ou pedem somente o que lhe agrada. Por conseguinte, é seguro dar-lhes carta branca. A sua vontade está submissa à de Deus, e agora podem ter o que quiserem. Aqui está falando dos nossos desejos mais secretos, e não dos nossos desejos casuais. Há muitas coisas que a natureza pode desejar, as quais a graça jamais nos permitiria pedir. Esses desejos fortes, santos e pedintes são aos quais a promessa é feita.

5 *Entrega o teu caminho ao Senhor; confia nele, e ele tudo fará.*
6 *E ele fará sobressair a tua justiça como a luz; e o teu juízo, como o meio-dia.*

5. *"Entrega o teu caminho ao Senhor."* Deposita no Senhor o fardo da vida. Deixa com o teu Senhor não só a atual indignação, mas todos os teus cuidados. De fato, submete a Ele toda tendência geral do teu caminho. Lança fora a ansiedade, renuncia a tua vontade, submete o teu julgamento, deixa tudo com o Deus de todos. Esse é o remédio para expelir a inveja! Que grandiosa conquista esse quarto preceito indica! Como deve ser bem-aventurado aquele que vive diariamente em obediência a Ele!

"Confia nele, e ele tudo fará." Nosso destino será alegremente realizado se confiarmos tudo firmemente ao nosso Senhor. Podemos cantar serenamente:

O teu caminho, não o meu, Senhor
Por mais escuro que esteja
Guia-me pela tua mão direita
Escolhe o caminho para mim
Seja plano ou acidentado
Ainda assim será o melhor
Sinuoso ou reto, não importa
Conduz-me ao teu descanso

Não ouso escolher a minha sorte
E nem faria se o pudesse
Mas escolhe tu por mim, ó meu Deus
Assim andarei corretamente

Toma o meu cálice
Enche-o de alegria ou tristeza
Como melhor te pareceres
Escolhe tu o meu bem e o meu mal

O lavrador semeia e ara e depois deixa a colheita para Deus. O que mais ele pode fazer? Ele não pode cobrir os céus de nuvens, ou mandar chuva, ou produzir o sol ou criar o orvalho. Ele faz bem em deixar a questão com Deus. Para todos nós, essa é a mais verdadeira sabedoria: Depois de ter confiado obedientemente em Deus, deixar os resultados nas mãos dEle e esperar uma manifestação santa.

6. *"E ele fará sobressair a tua justiça como a luz."* Na questão da reputação pessoal, podemos nos contentar especialmente em permanecer calados e deixar nossa defesa com o Juiz de toda a terra. Quanto mais nos indignarmos nesse caso, pior para nós. Nossa força está em ficarmos quietos. O Senhor inocentará os caluniados. Se buscarmos a sua honra, Ele cuidará da nossa. Quando a fé aprende a suportar a calúnia com compostura, é maravilhoso constatar que a sujeira não a suja, mas se desprende como bola de neve de uma parede de granito. Até nos piores casos, em que o bom nome é, por certo, tempo obscurecido, a providência enviará um esclarecimento justificativo como "a luz da aurora, que vai brilhando mais e mais até" que o homem censurado seja admirado universalmente (cf. Pv 4.18).

"E o teu juízo, como o meio-dia." Nenhuma sombra de repreensão permanecerá. O homem estará no meridiano do esplendor. A escuridão da sua tristeza e a sua má reputação fugirão dele.

7 *Descansa no* Senhor *e espera nele; não te indignes por causa daquele que prospera em seu caminho, por causa do homem que executa astutos intentos.*

7. *"Descansa no* Senhor.*"* Esse quinto preceito é muito divino e exige muita graça para cumpri-lo. Silenciar o espírito, estar calado perante o Senhor, esperar na paciência santa o tempo para esclarecer as dificuldades da providência são atitudes que todo coração benevolente deve tomar. "Arão calou-se"; "não abro a minha boca, porquanto tu o fizeste" (Lv 10.3; Sl 39.9). Uma língua silenciosa mostra, em muitos casos, não só uma cabeça sábia, mas um coração santo.

"E espera nele." O tempo não é nada para Ele, que também não seja nada para ti. Vale a pena esperar em Deus. "Ele nunca está adiantado, nem nunca está atrasado." Quando lemos uma história, esperamos pelo final para entender o enredo. Não devemos prejulgar o grande drama da vida, e sim ficar até a última cena para ver qual será o grande final.

"Não te indignes por causa daquele que prospera em seu caminho, por causa do homem que executa astutos intentos." Não faz nenhum bem, e sim muito mal preocupar o coração com o sucesso atual dos conspiradores ímpios. Não sejas tentado a fazer julgamentos prematuros — eles desonram a Deus e também cansam a ti. Determina, seja qual for o sucesso que os ímpios tenham, que tu tratarás o assunto com indiferença e nunca permitirás que surja a questão sobre a justiça e a bondade do Senhor. Que importa se as artimanhas dos homens maus forem

bem-sucedidas e os teus planos forem derrotados? Há mais do amor de Deus nas tuas derrotas do que nos sucessos dos ímpios.

8 *Deixa a ira e abandona o furor; não te indignes para fazer o mal.*
9 *Porque os malfeitores serão desarraigados; mas aqueles que esperam no* SENHOR
herdarão a terra.
10 *Pois ainda um pouco, e o ímpio não existirá; olharás para o seu lugar, e não*
aparecerá.
11 *Mas os mansos herdarão a terra e se deleitarão na abundância de paz.*

8. *"Deixa a ira e abandona o furor"*, sobretudo a ira contra os arranjos da providência e a inveja dos prazeres temporários daqueles que, muito em breve, serão banidos de todo o conforto. A ira em qualquer situação é loucura, mas aqui é insanidade agravada. Contudo, levando em conta que a ira tentará nos acompanhar, devemos decididamente abandoná-la de vez.

"Não te indignes para fazer o mal." Por nenhuma razão e de forma alguma, sejas levado a tal atitude. A indignação jaz à beira de grande pecado. Muitos que se entregam a uma disposição murmurante chegam, por fim, a pecar para obter os direitos imaginados. Cuidado com a reclamação dos outros, preocupa-te em seres achado no caminho certo. Já que tu tens pavor dos terríveis pecados exteriores, trema das queixas interiores.

9. *"Porque os malfeitores serão desarraigados [ou cortados]."* A morte será um julgamento penal, não uma remoção suave para um estado melhor, mas, sim, uma execução em que o machado da justiça será usado.

"Mas aqueles que esperam no SENHOR *[aqueles que com fé paciente esperam a sua porção em outra vida] herdarão a terra."* Mesmo nesta vida, eles têm a muitos dos verdadeiros prazeres, e nas eras por vir, a glória e o triunfo.

A Paixão, de acordo com a parábola de Bunyan, tem primeiro as coisas boas, as quais logo terminam. A Paciência tem as coisas boas por último, as quais duram para sempre.

10. *"Pois ainda um pouco, e o ímpio não existirá."* Quando os ímpios alcançam a grandeza, os julgamentos de Deus os exterminam. As suas riquezas derretem, os poderes se deterioram, a felicidade vira miséria. Eles mesmos deixam de ser contados entre os que vivem. A brevidade da vida nos faz ver que o resplendor dos bens dos ímpios não são verdadeiro ouro. Então, ó crente provado, tu invejas aquele que em pouco tempo será menor que o pó?

"Olharás para o seu lugar, e não aparecerá." A casa estará vazia, a cadeira de trabalho, desocupada, a propriedade, sem dono. O ímpio será totalmente eliminado, talvez desarraigado pela própria libertinagem ou levado a um leito de morte da penúria pela própria extravagância. Passou como uma nuvem passageira — esquecido como um sonho. E agora, onde estão as suas jactâncias e vanglórias? Onde está a pompa que fez os pobres mortais pensarem que os pecadores são abençoados?

11. *"Mas os mansos herdarão a terra."* Acima de todos os outros, os mansos desfrutarão da vida. Mesmo que sofram, as consolações sobrepujam as tribulações. Herdar a terra significa obter os privilégios da aliança e a salvação de Deus.

Aqueles que são verdadeiramente humildes terão a sua sorte com os restantes dos herdeiros da graça, a quem todas as coisas boas vêm por sagrado direito inato.

"E se deleitarão na abundância de paz." A paz eles amam e a paz eles terão. Se não têm abundância de ouro, abundância de paz será de longe muito melhor. Há quem se alegre na discórdia. Por isso, surge a miséria no seu devido tempo. Mas a paz leva à paz, e quanto mais o homem a ama, mais ela lhe virá. No período

calmo dos últimos dias, quando a paz universal estiver alegrando a terra, o pleno significado profético de palavras como estas se tornará claro.

12 *O ímpio maquina contra o justo e contra ele range os dentes.*
13 *O Senhor se rirá dele, pois vê que vem chegando o seu dia.*
14 *Os ímpios puxaram da espada e entesaram o arco, para derribarem o pobre e necessitado e para matarem os de reto caminho.*
15 *Mas a sua espada lhes entrará no coração, e os seus arcos se quebrarão.*

Esse é o retrato do opressor orgulhoso armado até aos dentes.

12. *"O ímpio maquina contra o justo."* Por que ele não pode deixar o homem bom em paz? Porque há inimizade entre a semente da serpente e a semente da mulher. Por que não atacá-lo às claras? Por que planejar e maquinar? Porque é de acordo com a natureza da serpente ser muito ardiloso. Uma vida sem dificuldades não se ajusta àqueles que estão a bordo do "Apoliom".

"E contra ele range os dentes." Os ímpios mostram pelos gestos o que eles fariam se pudessem. Se não podem morder, podem ranger. Se não podem lacerar, podem pelo menos latir. É exatamente o que o mundo ímpio fez com "aquele Justo" (At 22.14), o Príncipe da Paz. Contudo, ele não tomou vingança contra eles, mas, como cordeiro que não abriu a boca, ele recebeu as injúrias com paciência.

13. *"O Senhor se rirá dele."* O justo não precisa se preocupar, exceto em deixar que a bem merecida vingança seja dispensada pelo Senhor, que ridicularizará totalmente a malícia dos inimigos do justo. Que o zombador orgulhoso ranja os dentes e espume a boca à vontade. Há alguém com quem ele tem de tratar, que encarará a ele e aos seus delírios com desprezo sereno.

"Pois vê que vem chegando o seu dia." O ímpio não percebe que a destruição está bem ao seu encalço. Ele vangloria-se de esmagar os outros, quando o pé da justiça já está levantado para pisoteá-lo como o lodo das ruas. Os pecadores, nas mãos de um Deus irado, ainda continuam tramando contra os filhos de Deus! Pobres almas que assim fogem à ponta da lança do Senhor.

14. *"Os ímpios puxaram da espada."* Eles mantêm a arma fora da bainha, esperando o tempo certo para usá-la.

"E entesaram o arco." Não basta uma arma, eles carregam outra pronta para a ação. Carregam um arco tão forte que precisam pisar nele para retesá-lo. Não perderão nada por falta de força ou prontidão.

"Para derribarem o pobre e necessitado." São esses os que eles caçam, os objetos da sua maldade amaldiçoada. Tais covardes não atacam os seus iguais, mas perseguem pessoas excelentes que, pela bondade de espírito e pobreza de bens, não podem se defender. Observemos como o nosso Senhor manso e humilde foi atacado por inimigos cruéis, armados com todas as espécies de armas para matá-lo.

"E para matarem os de reto caminho." Nada menos que a ruína e a morte dos justos satisfazem os ímpios. Os sinceros e retos são odiados pelos tramadores astuciosos que se deleitam na injustiça. Notemos, então, os inimigos dos justos duplamente armados e constatemos como são verdadeiras as palavras do nosso Senhor: "Se vós fôsseis do mundo, o mundo amaria o que era seu, mas, porque não sois do mundo, antes eu vos escolhi do mundo, por isso é que o mundo vos aborrece" (Jo 15.19).

15. *"Mas a sua espada lhes entrará no coração."* Como Hamã, eles serão enforcados na forca construída por eles para Mardoqueu. Isso tem ocorrido centenas de vezes. Saul, que procurava matar Davi, caiu na própria espada, e o arco, a sua arma predileta, cujo uso ele ensinou os filhos de Israel, não pôde livrá-lo em Gilboa.

"E os seus arcos se quebrarão." As invenções do mal se tornarão inúteis. A malícia burla a si mesma. Bebe o cálice envenenado que misturou para os outros, e se queima com o fogo que acendeu para o próximo. Por que nos indignar com a prosperidade dos ímpios, quando eles mesmos se arruínam tão laboriosamente enquanto imaginam que estão prejudicando os santos?

Os próximos nove versículos descrevem principalmente o caráter e a bem-aven-turança dos justos. Fazem esclarecimentos com algumas pinceladas tenebrosas descritivas dos ímpios e sua destruição.

16 *Vale mais o pouco que tem o justo do que as riquezas de muitos ímpios.*
17 *Pois os braços dos ímpios se quebrarão, mas o SENHOR sustém os justos.*
18 *O SENHOR conhece os dias dos retos, e a sua herança permanecerá para sempre.*
19 *Não serão envergonhados nos dias maus e nos dias de fome se fartarão.*
20 *Mas os ímpios perecerão, e os inimigos do SENHOR serão como a gordura dos cordeiros; desaparecerão e em fumaça se desfarão.*
21 *O ímpio toma emprestado e não paga; mas o justo se compadece e dá.*
22 *Porque aqueles que ele abençoa herdarão a terra, e aqueles que forem por ele amaldiçoados serão desarraigados.*
23 *Os passos de um homem bom são confirmados pelo SENHOR, e ele deleita-se no seu caminho.*
24 *Ainda que caia, não ficará prostrado, pois o SENHOR o sustém com a sua mão.*

16. *"Vale mais o pouco que tem o justo do que as riquezas de muitos ímpios."* Esse é um provérbio primoroso. O pouco do homem bom é contrastado com as riquezas de muitos homens maus, tornando mais impressionante a expressão. Há mais felicidade no jantar de ervas do piedoso do que no boi cevado dos amotinadores profanos. No original hebraico, há alusão ao barulho de uma multidão, como a indicar o tumulto e alvoroço da riqueza revoltosa e a contrastar essa situação com a tranquilidade da sorte mais humilde do piedoso. Preferiríamos passar fome com João Batista do que nos banquetear com Herodes. Melhor nos alimentar frugalmente com os profetas na cova de Obadias do que abundantemente com os sacerdotes de Baal. A felicidade do homem não consiste nos montes de ouro que ele tem estocado. O contentamento acha *multum in parvo* ("muito em pouco"), ao passo que, para o coração mau, o mundo inteiro é muito pequeno.

17. *"Pois os braços dos ímpios se quebrarão."* O poder de causar dano será eficazmente exterminado, pois os braços que eles levantaram contra Deus serão esmagados até aos ossos. É frequente Deus tornar homens implacáveis em homens incapazes. Que visão é mais desprezível que a maldade sem dentes e a malevolência sem braços!

"Mas o SENHOR sustém os justos." A sua causa e progresso estarão seguros, pois eles estão muito bem guardados. A espada de dois gumes fere os ímpios e defende os justos.

18. *"O SENHOR conhece os dias dos retos."* A presciência divina o faz rir dos orgulhosos, mas quanto aos retos, Ele vê um futuro muito brilhante e os trata como herdeiros da salvação. Seja sempre esse o nosso consolo, pois todos os acontecimentos são conhecidos por nosso Deus, e nada em nosso futuro o pega desprevenido. Nenhuma seta nos acerta por acidente, nenhum punhal nos apunhala em segredo. Nada no tempo nem na eternidade pode nos causar algum mal imprevisto. A futuridade será um desenvolvimento ininterrupto das coisas boas que o Senhor tem reservado para nós.

"E a sua herança permanecerá para sempre." A sua herança não desaparece. É inalienável, de forma que ninguém pode privá-los dela, e também guardada, de forma que ninguém a destruirá. A eternidade é o atributo peculiar do destino dos crentes. O que eles têm na terra está suficientemente protegido, mas o que eles terão no Céu é deles para sempre.

19. *"Não serão envergonhados nos dias maus."* As calamidades virão, mas os livramentos também. Considerando que os justos nunca pensaram em imunidade de problemas, eles não ficarão desapontados quando forem chamados a tomar parte nisso, pois confiarão novamente no seu Deus e experimentarão de novo a sua fidelidade e amor. Deus não é amigo só na felicidade; é também amigo de verdade e amigo na necessidade.

"E nos dias de fome se fartarão." O barril de comida e o tonel de óleo não acabarão nos dias da angústia. Se os corvos não lhes trouxerem pão e carne, o suprimento das necessidades virá de algum outro modo, pois o seu pão lhes será dado. Nosso Senhor se firmou nessa verdade quando teve fome no deserto, e pela fé, expulsou o tentador. Nós também seremos capacitados a não nos indignar seja como for para fazer o mal pela mesma razão. Se a providência de Deus é a nossa herança, não precisamos nos preocupar quanto ao preço do trigo. Mofo, doença e má-formação são fatores que estão nas mãos do Senhor. A incredulidade não pode proteger uma única espiga da ferrugem, mas a fé, se não salva a colheita, faz melhor, qual seja, mantém nossa alegria no Senhor.

20. *"Mas os ímpios perecerão."* Seja qual for a luz ilusória que brilhe no presente, o futuro dos ímpios é negro como noite escura e espessa. A sentença já lhes foi dada, estando aguardando apenas a execução. Que se gabem das roupas de escarlata e linho fino e que se deem bem diariamente com esplendor. A espada de Dâmocles paira sobre a cabeça deles, e se fossem um pouco mais espertos, fariam com que a felicidade se tornasse em miséria.

"E os inimigos do Senhor serão como a gordura dos cordeiros." Como a gordura sacrifical era inteiramente consumida no altar, assim os descrentes desaparecerão totalmente do lugar de honra e orgulho. Como pode ser o contrário? Se o restolho ousa brigar com a chama, qual fim ele terá?

"Desaparecerão." Como madeira seca, como montes de folhas, como brasa eles logo desaparecerão, e desaparecerão completamente, pois "em fumaça se desfarão". *Sic transic gloria mundi.* O fim de todas as suas vanglórias é o vento. A sua fúria termina em fumaça. Eles se fizeram gordos e pereceram na própria gordura. Tentaram ser consumidores do bem, então consumidos serão.

21. *"O ímpio toma emprestado e não paga."* Em parte, porque não quer, mas principalmente porque não pode. A necessidade vem depois do gasto, e as dívidas permanecem não liquidadas. Com frequência, os ímpios ficam extremamente empobrecidos nesta vida. A sua extravagância devassa os leva à porta dos agiotas e ao processo do falência.

"Mas o justo se compadece e dá." Misericórdia lhe foi dada, e então ele dá por misericórdia. Ele é generoso e próspero. Ele não é tomador, mas doador. Até ao ponto em que o homem bom pode fazê-lo, ele presta atenção aos pedidos dos necessitados, e, em vez de ficar empobrecido pelo que dá, ele fica mais rico, podendo dar mais. Ele não dá para encorajar a ociosidade, e sim por verdadeira misericórdia, o que pressupõe verdadeira necessidade. O texto sugere o quanto é melhor geralmente dar do que emprestar. Em geral, emprestar no fim se torna dar, sendo também antecipar o fato, e, por certa liberalidade, evitar o inevitável. Se essas duas frases descrevem o ímpio e o justo, o escritor dessas linhas tem motivos para saber que, na cidade de Londres e arredores, os ímpios são muito numerosos.

22. *"Porque aqueles que ele abençoa herdarão a terra."* A bênção de Deus é, afinal de contas, a verdadeira riqueza. A verdadeira felicidade, que a aliança garante a todos os escolhidos do céu, está envolta no favor divino.

"E aqueles que forem por ele amaldiçoados serão desarraigados." O seu olhar de desagrado é morte — não somente isso, é muito mais, é Inferno.

23. *"Os passos de um homem bom são confirmados pelo Senhor."* Todo o seu curso de vida é benevolamente ordenado, e tudo é determinado, decidido e mantido com benignidade. Não há destino estouvado, nem o acaso inconstante reina sobre nós. Cada um dos nossos passos é tema do decreto divino.

"E ele deleita-se no seu caminho", como os pais se alegram com os passos cambaleantes dos seus filhinhos. Tudo que diz respeito aos santos interessa ao Pai celestial. Deus ama ver os esforços santos da alma que continua avançando energicamente para os céus apesar das dificuldades. Nas provações e nas alegrias dos crentes, Jesus tem comunhão com eles e se deleita em ser-lhes companheiro solidário.

24. *"Ainda que caia."* Desastres e reveses podem derrubar o homem bom. Ele pode, como Jó, ser privado de tudo, ou, como José, ser posto na prisão, ou, como Jonas, ser lançado ao mar.

"Não ficará prostrado." Ele não ficará completamente prostrado. Cairá de joelhos, mas não sobre o rosto. Ou se ficar deitado de barriga para baixo por um momento, logo ele se levantará. Nenhum santo cairá cabal ou fatalmente. A tribulação pode nos levar à terra, e a morte pode nos levar à sepultura, porém mais baixo que isso não podemos ir, e do patamar mais baixo de todos nos levantaremos para o mais alto de todos.

"Pois o Senhor o sustém com a sua mão." Por condescendência, com a própria mão Deus sustenta os santos. Não os deixa à mera agência delegada, pois lhes dispõe de ajuda pessoal. Mesmo em nossas quedas, o Senhor proporciona uma medida de sustento.

Quando a graça não evita a queda, impede que a queda seja maior. No fim, Jó ganhou o dobro das riquezas que tinha inicialmente, José reinou sobre todo o Egito, e Jonas foi desembarcado em segurança. Não é que os santos sejam fortes, ou sábios, ou meritórios que, então, se levantam depois de cada queda. É porque é Deus quem os ajuda e, então, nada nem ninguém pode prevalecer contra eles.

25 *Fui moço e agora sou velho; mas nunca vi desamparado o justo, nem a sua descendência a mendigar o pão.*

26 *Compadece-se sempre, e empresta, e a sua descendência é abençoada.*

25. Esta foi a observação de Davi: *"Fui moço e agora sou velho; mas nunca vi desamparado o justo, nem a sua descendência a mendigar o pão"*. Minha observação não é exatamente essa, visto que já socorri filhos de homens indubitavelmente bons, que me pediram como mendicantes comuns. Mas isso não põe em dúvida a observação de Davi. Ele vivia sob dispensação mais exterior e mais deste mundo do que a atual regência de fé pessoal.

Os justos nunca são abandonados. Essa é uma regra sem exceção. Raramente, a sua descendência mendiga o pão. Embora aconteça ocasionalmente por dissipação, ociosidade ou outras causas semelhantes por parte dos seus filhos, é indubitavelmente algo tão raro que muitos que vivem jamais o viram. Visita o asilo para pobres e vê como são poucos os filhos de pais crentes. Vai à prisão e vê quanto mais raro é o caso. Os filhos de ministros pobres frequentemente ficam ricos. Não sou velho, mas já vi famílias de crentes pobres se tornarem ricas, e vi o Senhor recompensar a fidelidade do pai no sucesso do filho, de forma que já me ocorreu muitas vezes que o melhor modo de favorecer com riquezas a futura geração é ficar pobre por amor de Cristo. Na missão indiana da Sociedade Missionária Batista, esse fato é abundantemente ilustrado.

26. *"Compadece-se sempre, e empresta."* Os justos estão constantemente sob o impulso da generosidade. Não prosperam por parcimônia, e sim por liberalidade.

Como doadores liberais de tudo que é bom, de quem eles são os filhos amados, eles se deleitam em fazer o bem. Como professores parcimoniosos e cobiçosos podem esperar a salvação é algo que causa admiração quem lê versículos como esses na Bíblia.

"E a sua descendência é abençoada." Deus devolve com juros na geração seguinte. Quando os filhos dos justos não são crentes, a razão tem de estar na negligência parental ou deve haver alguma outra causa de culpa? O amigo do pai é o amigo da família. O Deus de Abraão é o Deus de Isaque e de Jacó.

27 *Aparta-te do mal e faze o bem; e terás morada para sempre.*
28 *Porque o Senhor ama o juízo e não desampara os seus santos; eles são preservados para sempre; mas a descendência dos ímpios será desarraigada.*
29 *Os justos herdarão a terra e habitarão nela para sempre.*

Aqui, temos o sétimo preceito, que toma uma forma negativa e positiva e é a quintessência do salmo.

27. *"Aparta-te do mal e faze o bem."* Não invejemos os malfeitores, mas afastemo--nos completamente do seu tipo e exemplo. Como Ló deixou Sodoma sem olhar para trás, assim deixemos o pecado. Não devemos dar trégua nem parlamentar com o pecado, temos de fugir dele sem hesitação e nos pôr, de modo prático, a trabalhar na direção oposta. Quem negligencia em fazer o bem, logo cairá no mal.

"E terás morada para sempre." Obtém uma herança permanente e silenciosa. Efêmeros são os ganhos e prazeres do mal, porém eternas são as recompensas da graça.

28. *"Porque o Senhor ama o juízo."* A premiação de honra para quem a honra é devido é o deleite de Deus, sobretudo quando o justo é infamado pelos seus semelhantes. Deve ser um prazer divino corrigir as injustiças e derrotar as maquinações dos injustos. O grande Árbitro dos destinos humanos é fiel em repartir a medida justa para os ricos e para os pobres, para os bons e para os maus, pois tal julgamento lhe causa prazer.

"E não desampara os seus santos." Isso não seria certo, por conseguinte, jamais será feito. Deus é tão fiel aos objetos do seu amor quanto é justo para com todo o gênero humano.

"Eles são preservados para sempre." Pelos termos da aliança, a segurança é certa, e pelo cumprimento da fiança, a segurança é perfeita. Aconteça o que acontecer, os santos são preservados em Cristo Jesus, e porque Ele vive, eles também viverão. Um rei não perderá as jóias, nem o Senhor perderá o seu povo.

Como o maná no vaso de ouro, que, de outra forma, teria derretido, foi preservado na arca da aliança sob o propiciatório, assim o crente será preservado na aliança pelo poder de Jesus, que é a sua propiciação.

"Mas a descendência dos ímpios será desarraigada", como a casa de Jeroboão e de Acabe, das quais nem um cão foi poupado. Honra e riquezas mal-adquiridas raramente alcançam a terceira geração. A maldição fica madura sem que se passem muitos anos, e cai sobre a casa dos ímpios. Entre os legados dos ímpios, a herança mais certa é a família ser julgada.

29. *"Os justos herdarão a terra."* Como herdeiros com Jesus Cristo, a Canaã de cima, que é o antítipo de terra, será dos justos com todas as bênçãos da aliança.

"E habitarão nela para sempre." As posses diferem, mas nada se compara com a propriedade do Céu que os crentes possuem. Por direito de herança, o paraíso é deles para sempre, e viverão para desfrutá-lo eternamente. Quem não seria um santo sob tais condições? Quem se indignaria com os tesouros passageiros dos descrentes?

30 *A boca do justo fala da sabedoria; a sua língua fala do que é reto.*
31 *A lei do seu Deus está em seu coração; os seus passos não resvalarão.*
32 *O ímpio espreita o justo e procura matá-lo.*
33 *O SENHOR não o deixará em suas mãos, nem o condenará quando for julgado.*

30. *"A boca do justo fala da sabedoria."* No ponto em que o salmo se dedica a descrever os destinos diferentes dos justos e dos ímpios, é adequado fazer um teste pelo qual eles sejam conhecidos. A língua do homem não é má indicação do seu caráter. A boca trai o coração. Os homens bons, por via de regra, falam aquilo que serve para a edificação, usando palavras sadias em conversas puras — consistente com a iluminação divina que eles receberam. Justiça é sabedoria em ação. Por conseguinte, todos os homens bons são, na prática, homens sábios, tendo a grande probabilidade de que as suas conversas discursos também o sejam.

"A sua língua fala do que é reto." Ele defende a justiça, dá um veredicto honesto às coisas e aos homens, e prediz que os juízos de Deus sobrevirão aos ímpios, como nos primeiros dias. As suas palavras não são tolas, obscenas, insípidas ou profanas. Aquilo que falamos traz mais consequências do que os homens imaginam.

31. *"A lei do seu Deus está em seu coração; os seus passos não resvalarão."* A melhor coisa no melhor lugar, produzindo os melhores resultados. As palavras do homem podem ser muito admiráveis quando o coração está bem abastecido. Amar a santidade, ter os motivos e desejos santificados, possuir uma natureza interior que obedece ao Senhor constituem o método mais seguro para tornar o percurso de nossa vida eficaz na realização dos seus grandes objetivos e na segurança dos detalhes, ou seja, guardar nossos passos de algum erro sério. Manter o mesmo tom ao longo do caminho em tempos como esses é dado somente àqueles cujo coração é sadio para com Deus, e que podem, segundo o texto, chamar Deus do seu Deus. A política falha, erra, distorce, muda e, no fim das contas, piora a longo prazo, mas a sinceridade prossegue lenta e penosamente no caminho plano até alcançar a meta.

32. *"O ímpio espreita o justo e procura matá-lo."* Se não fosse pelas leis da terra, logo haveria um massacre dos justos. Jesus era espreitado pelos inimigos que tinham sede do seu sangue. Os discípulos não devem esperar favor quando o Mestre só achou ódio e morte.

33. *"O SENHOR não o deixará em suas mãos."* Deus livra os seus servos. Mas quando não os livra nesta vida quanto ao corpo, dá a eles à alma tamanha alegria e paz que eles elevam-se triunfalmente acima do poder do atormentador. Podemos, por certo tempo, estar nas mãos do inimigo, como Jó esteve, mas não seremos deixados ali.

"Nem o condenará quando for julgado." O tempo reverterá o veredicto da precipitação, ou, então, a eternidade eliminará a condenação do tempo. No devido tempo, os justos serão justificados. As injustiças temporárias são toleradas, por ordem da providência, em vista de propósitos muito sábios. O amargo nem sempre será chamado de doce, nem a luz para sempre será caluniada por escuridão. O certo aparecerá no devido tempo. O fictício e arrogante serão desmascarados, e o verdadeiro e genuíno serão revelados. Se temos agido com fidelidade, podemos apelar dos tribunais insignificantes da sociedade ao supremo tribunal solene do grande dia.

34 *Espera no SENHOR e guarda o seu caminho, e te exaltará para herdares a terra; tu o verás quando os ímpios forem desarraigados.*
35 *Vi o ímpio com grande poder espalhar-se como a árvore verde na terra natal.*
36 *Mas passou e já não é; procurei-o, mas não se pôde encontrar.*
37 *Nota o homem sincero e considera o que é reto, porque o futuro desse homem será de paz.*

38 *Quanto aos transgressores, serão, à uma, destruídos, e as relíquias dos ímpios todas perecerão.*
39 *Mas a salvação dos justos vem do Senhor; ele é a sua fortaleza no tempo da angústia.*
40 *E o Senhor os ajudará e os livrará; ele os livrará dos ímpios e os salvará, porquanto confiam nele.*

34. *"Espera no Senhor."* Temos aqui o oitavo preceito, ao qual é de altíssima eminência alcançar. Permanece no lazer do Senhor. Espera na obediência como servo, na esperança como herdeiro, na expectativa como crente. Essa pequena palavra "espera" é fácil de dizer, mas difícil de fazer; mesmo assim, a fé consegue realizá-la.

"E guarda o seu caminho." Continua no caminho estreito. Não permitas que a ânsia por riquezas ou confortos ocasione a ação profana. Que o teu lema seja: "Perseverar sempre". Nunca indiques ou sonhes em desviar-te, pois "aquele que perseverar até ao fim será salvo" (Mt 24.13).

"E te exaltará para herdares a terra." Tu terás todos os bens terrenos, os quais são realmente bons, e dos bens divinos não haverá limite. A exaltação será a sorte dos excelentes.

"Tu o verás quando os ímpios forem desarraigados." Será uma visão deveras terrível e muito instrutiva! Que tremenda repreensão para a indignação! Que grande incentivo para a gratidão! Minha alma, aquieta-te, ao antevires o fim, o fim terrível dos inimigos do Senhor.

35. Pela segunda vez, Davi se volta para o seu diário. Utilizando-se, desta vez, da imagem poética, ele narra o que observara. Seria bom se nós também tomássemos nota das providências divinas.

"Vi o ímpio com grande poder." O homem era terrível para os outros, reinando com muita autoridade e fazendo as coisas com arrogância. Era um César em termos de poder, um Creso em termos de riqueza.

"Espalhar-se como a árvore verde na terra natal." Juntava casa com casa e campo com campo, aumentando os bens cada vez mais. Tendo a aparência de sempre ser verdejante como o loureiro, ele cresceu como árvore na sua terra natal, da qual nunca fora transplantado.

Nenhuma árvore em particular está em vista aqui, mas uma faia de fácil propagação ou um carvalho de amplo crescimento serve para nos dar uma imagem compreensível. Trata-se de uma coisa da terra, cujas raízes estão no barro; as suas honras são folhas que murcham. Ainda que a sua sombra impeça o crescimento das plantas que estão condenadas a definhar debaixo dela, é algo agonizante, como mostrará o machado do lenhador.

Na árvore nobre, que reivindica ser o rei da floresta, vê a grandeza do descrente hoje. Espera um pouco e maravilha-te com a mudança, quando o tronco for levado embora e a própria raiz arrancada da terra.

36. *"Mas passou."* A árvore e o homem passaram, o filho do homem tanto quanto o filho da floresta. Que limpa varrição a morte causa!

"E já não é." Para a surpresa de todos, o grande homem se foi, as propriedades foram vendidas, o negócio faliu, a casa foi alienada, o nome foi esquecido. Todas essas coisas ocorreram em alguns meses!

"Procurei-o, mas não se pôde encontrar." Por pura curiosidade, se investigarmos os descrentes, verificaremos que eles não deixaram nenhum rastro. Como pássaros de mal presságio, ninguém deseja se lembrar deles. Alguns dos mais humildes crentes foram imortalizados, os seus nomes são de uma fragrância imorredoura na igreja, ao passo que, dos mais habilidosos entre os descrentes e blasfemadores, dificilmente os seus nomes são lembrados por mais que alguns anos. Homens que

apenas ontem estavam na boca de todo mundo, hoje são esquecidos, pois só a virtude é imortal.

37. *"Nota o homem sincero e considera o que é reto."* Depois de teres visto com surpresa a queda dos ímpios, presta atenção ao homem sinceramente reto e repara no contraste santo. Homens bons são homens dignos de nota e merecedores do nosso estudo. Os retos são maravilhas da graça, valendo a pena ver.

"Porque o futuro desse homem será de paz." O homem de paz tem um fim de paz. A paz sem fim vem no fim para o homem de Deus. O seu caminho pode ser acidentado, mas leva para casa. Para os crentes, pode chover de manhã, trovejar ao meio-dia e cair um temporal à tarde, mas o tempo melhora antes que o sol se ponha. A guerra pode durar até à nossa última hora, mas então ocorre a última batalha.

38. *"Quanto aos transgressores, serão, à uma, destruídos."* Uma ruína comum aguarda aqueles que se uniram em rebelião comum.

"E as relíquias dos ímpios todas perecerão." O tempo lhes será encurtado, a felicidade terminará, as esperanças para sempre serão destruídas, pois a execução se apressa em vir. O presente é encurtado pelos pecados. Não viverão a metade dos seus dias. Não têm futuro que valha a pena, ao passo que os justos reputam o futuro como a sua verdadeira herança.

39. *"Mas a salvação dos justos vem do Senhor."* Essa é sã doutrina. A própria essência do evangelho da graça livre. Por salvação se quer dizer livramento de todo tipo. Não só a salvação, que, por fim, nos sobrevirá em glória, mas todos os salvamentos secundários que há ao longo do caminho. Todos esses devem ser atribuídos ao Senhor e só a Ele. Que Ele receba a glória daqueles a quem Ele concede salvação.

"Ele é a sua fortaleza no tempo da angústia." Enquanto a dificuldade subverte os ímpios, direciona os justos ao Ajudante forte que se alegra em sustentá-los.

40. *"E o Senhor os ajudará."* Em todos os dias que virão, o Senhor se levantará pelos escolhidos. Nosso grande Aliado reunirá os exércitos no auge da batalha.

"E os livrará; ele os livrará dos ímpios." Como livrou Daniel dos leões, assim o Senhor guardará o seu amado dos inimigos. Não há por que indignar-se ou desanimar.

"E os salvará, porquanto confiam nele." A fé garante a segurança dos eleitos. É marca característica das ovelhas pela qual elas são separadas dos bodes. Não é o mérito, mas a crença que as distingue. Quem não se sentiria atraído ao andar da fé? Todo aquele que verdadeiramente crê em Deus não fica indignado com as aparentes irregularidades desta vida, pois descansa na certeza de que aquilo que é misterioso é justo, e o que parece severo foi, sem dúvida, ordenado por misericórdia.

Assim, o salmo termina com uma nota que é o toque fúnebre da ansiedade não santificada com que o salmo começou. Felizes aqueles que, nas más situações da vida, cantam as condições benevolentes.

NOTAS EXPLICATIVAS E DECLARAÇÕES IMPORTANTES

O Salmo: Os justos são guardados em Cristo com uma proteção especial e uma segurança peculiar. No Salmo 37, esse ponto é tratado com excelência e, de modo geral, quer tanto por prova direta quanto por resposta a todas as objeções habituais levantadas contra a segurança dos justos.

Os versículos 3, 17, 23, 25 e 32 afirmam que eles são protegidos. As objeções respondidas são muitas.

Objeção 1. Os malfeitores prosperam.

Solução. Os justos jamais devem afligir-se com isso porque os malfeitores "cedo serão ceifados como a erva e murcharão como a verdura" (v. 2).

Objeção 2. Os justos passam por tribulações.

Solução. A noite da adversidade será transformada em luz da prosperidade. Tão certo quanto creem quando é noite que será dia, assim estão persuadidos, enquanto carregam a cruz, de que consolo e livramento virão: "E ele fará sobressair a tua justiça como a luz; e o teu juízo, como o meio-dia" (v. 6).

Objeção 3. Há grandes tramóias elaboradas contra os justos, que são perseguidos com extrema maldade. A ruína que planejam vem quase que na mesma hora.

Solução. O Senhor vê todas as maquinações dos ímpios e ri da maldade rancorosa e tola enquanto estão ocupados em destruir os justos e esperam ter um dia contra eles. O Senhor vê que vem chegando o dia dos ímpios, um dia de destruição, um dia de grande julgamento e eterna miséria. O arco que entesam se quebrará e a espada que sacam entrará no próprio coração. "O ímpio maquina contra o justo e contra ele range os dentes. O Senhor se rirá dele, pois vê que vem chegando o seu dia. Os ímpios puxaram da espada e entesaram o arco, para derribarem o pobre e necessitado e para matarem os de reto caminho. Mas a sua espada lhes entrará no coração, e os seus arcos se quebrarão" (vv. 12-15).

Objeção 4. Os justos têm poucos recursos.

Solução. "Vale mais o pouco que tem o justo do que as riquezas de muitos ímpios. Pois os braços dos ímpios se quebrarão, mas o Senhor sustém os justos" (vv. 16,17).

Objeção 5. É muito provável que tempos de dificuldades se abatam sobre os justos.

Solução. "Não serão envergonhados nos dias maus e nos dias de fome se fartarão" (v. 19).

Objeção 6. Os ímpios ficam cada vez mais gordos e prevalecem em atormentar os justos.

Solução. Versículo 20. De fato, os ímpios são corpulentos, mas trata-se de "gordura dos cordeiros", a sua descendência logo se dissolve. Tendo em vista que eles são como fumaça em atormentar os justos, assim eles são como fumaça que desaparece.

Objeção 7. Os justo caem.

Solução. Ainda que caiam, eles não caem conclusivamente nem totalmente, porque não ficam prostrados. Além disso, há a providência sustentadora de Deus para todas as quedas dos justos (v. 24).

Objeção 8. Vemos ímpios que não caem em adversidade, mas gozam de prosperidade até aos últimos dias de vida.

Solução. Embora gozem, "a descendência dos ímpios será desarraigada" (v. 28).

Objeção 9. Temos notícia de ímpios que são fortes e também têm a descendência espalhada pelo mundo.

Solução. Note que estes que se espalham como árvores verdes, muitas vezes também logo passam. Eles e as suas casas são, às vezes, completamente desarraigados (vv. 34-36).

Objeção 10. Os retos carregam muitas e variadas cruzes.

Solução. Contudo, "o futuro desse homem será de paz" (v. 37).

Objeção 11. Ninguém defende os justos quando eles são interpelados.

Solução. "Mas a salvação dos justos vem do Senhor; ele é a sua fortaleza no tempo da angústia. E o Senhor os ajudará e os livrará; ele os livrará dos ímpios e os salvará, porquanto confiam nele" (vv. 39,40).

Se somos livrados assim, observemos:

(1) Não devemos ingratamente nos indignar com a providência de Deus (v. 1).

(2) Temos de confiar no Senhor e fazer o bem (v. 3).

(3) Temos de nos deleitar no Senhor, e não colocar o nosso contentamento nas coisas terrenas (v. 4).

(4) Temos de entregar o nosso caminho ao Senhor (v. 5).

(5) Temos de ter paciência e sentimentos mansos (vv. 7-11).

(6) Temos de ser de relações retas (v. 14).

(7) Temos de ser misericordiosos (vv. 25,26).

(8) Temos de falar do que é reto e receber a lei em nosso coração (vv. 30,31).

(9) Temos de guardar o nosso caminho, esperar em Deus e não usar métodos insalubres (v. 34). — *Nicholas Byfield, 1579*

O Salmo: Poderíamos intitular este salmo de O Estimulante do Homem Bom em Tempos Ruins: um poderoso curativo para a praga do descontentamento, ou: um antídoto escolhido contra o veneno da impaciência. — Sermão fúnebre proferido por *Nathanael Hardy, 1649*

O Salmo: Este salmo lembra o texto do livro de Provérbios na construção lacônica e concisão expressiva. Não contém oração, nem alusão direta às circunstâncias de perseguição ou aflição de Davi. É a declaração de sabedoria prática e piedade sadia dos lábios da experiência e velhice, como suporíamos que um ancião da igreja ou um pai de família diria quando se assentasse em casa com a família reunida para ouvir suas palavras de admoestação cuidadosa e afetuosa. — *Barton Bouchier*

O Salmo: Este salmo é um dos salmos alfabéticos. É chamado de *Providentiae Speculum* (Tertuliano), *Potio contra murmur* (Isidore), *Vestis piorum* (Lutero). — *Christopher Wordsworth*

v. 1: "Não te indignes", ou não te inflames, não te ardas de raiva ou aflição. — *John Diodati*

v. 1: "Nem tenhas inveja dos que praticam a iniquidade". A rainha Elizabeth, quando estava na prisão, invejava a leiteira. Tivesse ela sabido que reinado glorioso ela teria mais tarde por 44 anos, ela não a teria invejado. Como é desnecessário o justo, ainda que esteja na miséria, invejar os malfeitores que estejam no auge da prosperidade e felicidade, levando em conta o que ele tem em mãos, muito mais do que tem em esperança. — *John Trapp*

v. 1: Não seria considerado loucura o homem que é herdeiro de muitos milhares por ano invejar um ator, trajado com roupas de rei, mas não herdeiro de um palmo de terra? Quem, embora tivesse a aparência, o respeito e as roupas de um rei ou nobre, é, ao mesmo tempo, um mendigo, alguém que não vale nada? Semelhantemente, os malfeitores, embora se vistam com elegância e comam e bebam alimentos deliciosos, não tendo falta de nada e possuindo mais do que o coração pode desejar, são apenas possuidores: o cristão sincero é o herdeiro.

Que bem toda essa prosperidade faz a eles? A única coisa que faz é apressar a ruína, não a recompensa. O boi que trabalha duro vive mais tempo do que o boi que é posto no pasto. O simples fato de estar no pasto apressa a matança. Quando Deus põe os malfeitores em pastos gordos, em lugares de honra e poder, é para apressar a ruína. Não te indignes por causa dos malfeitores, nem tenhas inveja da prosperidade dos ímpios. A vela dos ímpios será colocada em trevas perpétuas. Logo serão ceifados e murcharão como a verdura. — *Ludovic de Carbone*, citado por *John Spencer*

v. 2: "Ceifados como a erva", com uma foice e a um golpe só. — *Thomas Wilcocks, 1586*

v. 2: "Murcharão". Que palavra dura e amarga que faz retinir os ouvidos de quem a ouve! Que frase intolerável, que priva os pecadores de todas as coisas boas e os leva a toda aflição! Certo dia, o Senhor amaldiçoou a figueira, que, imediatamente, não só as folhas, mas também o tronco e a raiz ficaram completamente secas. Da mesma forma, a maldição temerosa do último dia não será menos eficaz. Em quem quer que ela caia, os indivíduos murcharão totalmente a ponto de destituí-los da graça de Deus, não podendo jamais fazer, falar, pensar ou esperar por qualquer coisa boa. — *Thomas Tymme, 1634 v. 2:* "A verdura". Não podemos colher o fruto maduro da paciência de árvores que se encontrem nos arbustos baixos da vida curta do homem. Se o cancro da indignação movida pela inveja da prosperidade dos malfeitores te infestou a mente, uma doença da qual os santos não têm abrigo para se protegerem, compra o antídoto desta farmácia; ou o teu tempo é curto para ver, ou o tempo deles é mais curto para desfrutar: "Certamente, tu os puseste em lugares escorregadios; tu os lanças em destruição" (Sl 73.18); "Na prosperidade gastam os seus dias e num momento descem à sepultura" (Jó 21.13); "Porque cedo serão ceifados como a erva e murcharão como a verdura". — Sermão de *Edmund Layfield* intitulado "The Mappe of Man's Mortality and Vanity" [O Mapa da Mortalidade e Vaidade do Homem], *1630*

v. 2: "Porque cedo serão ceifados como a erva e murcharão como a verdura". Às vezes, os ímpios, como a verdura, murcham quando nascem, caem quando se levantam, perecem no começo dos seus desígnios danosos. Mas se conseguem chegar ao pleno crescimento, amadurecem para a ceifa, a estação própria para serem ceifados. — *Robert Mossom*

v. 3: Notemos bem o preceito duplo: "confia" e "faze". Essa é a ordem certa, os dois preceitos têm de estar juntos, pois um produz e o outro prova. A promessa é para ambos. — *C. H. S.*

v. 3: "Habitarás na terra". Tu terás uma morada, uma morada quieta e uma manutenção, uma manutenção confortável: "E, verdadeiramente, serás alimentado". Alguns estudiosos entendem o original hebraico assim: Tu serás alimentado pela fé, como o justo que vive pela fé, e terás uma boa vida, uma boa provisão de promessas. "E, verdadeiramente, serás alimentado", como Elias no período de fome, com o que é necessário para ti.

O próprio Deus é um pastor, um alimentador para todos os que confiam nEle (Sl 23.1). — *Matthew Henry*

v. 3: "Habitarás na terra e, verdadeiramente, serás alimentado". A terra de Canaã era considerada a essência terrena e o tipo da felicidade celestial. Ser sustentado na terra do Senhor e morar lá sob a sua proteção, próximo das suas ordenanças e entre o seu povo, era tudo que o israelita genuíno mais desejava. — *Thomas Scott, 1747–1821, in loc.*

v. 3: "Serás alimentado". Esse é um modo de falar retirado, com certeza, da alimentação de rebanhos, sob a conduta e manutenção de um bom pastor. — *Henry Ainsworth*

v. 3: "Serás alimentado". Alimentado com abundância. — *Thomas Secker* (Arcebispo), *1693–1768*

v. 3: "Serás alimentado". Alimentado com certeza. — *John Parkhurst, 1728–1707*

v. 4: "Deleita-te também no Senhor, e ele te concederá o que deseja o teu coração". Observa a tua parte e a parte de Deus. Tu: "Deleita-te", e ele: "te concederá". — *C. H. S.*

v. 4: Quanta graça e amor estas palavras inspiram: "Deleita-te também no Senhor". Confiar nEle acabara de ser recomendado, e agora, com esta outra recomendação, como é claro que o objetivo era o seu bem-estar e descanso! É certo receber tanta bondade com negligência? Mas ele se deleita em ti. Falo a quem esta constatação pode ser atribuída. Está escrito indefinidamente: "As minhas delícias [estão] com os filhos dos homens" (Pv 8.31). Pensa no que Ele é e no que tu és, e imediatamente tu te admirarás e te renderás. O que mais tu tens para te deleitares? Que coisa tu citarás que preencha o lugar de DEUS ou te sirva no lugar dele? Além disso, quem se deleitará nele senão tu — os teus amigos, os teus filhos, os da tua própria casa? Pensa que vida e vigor isso infundirá em ti, e que "a alegria do Senhor é a vossa força" (Ne 8.10). Como será agradável quando prosseguires no teu modo de ação e cumprires todos os outros deveres deste teu estado atual! Tu tens de servi-lo. Ousas pensar em livrar-se do jugo dEle? Como é desejável deleitar-me naquEle em quem tenho de servir, que só torna o serviço aceitável para Ele e suave para mim! Esse é um prazer que ninguém pode te privar. Uma alegria que não pode te ser tirada. Outros objetos do teu deleite estão desaparecendo diariamente. Nem homens nem demônios podem te impedir de te deleitares em Deus, se o teu coração tiver essa inclinação. Tu nunca foste levado a te deleitares em uma pessoa ou coisa da qual tu anteriormente tinhas aversão? Alguém que outrora te prejudicara ainda pode te ganhar por atos de bondade. Explica-me por que tu serias mais dificultoso para o Deus bendito que nunca te prejudicou, e cuja maneira de te tratar sempre envolve tanta boa vontade!

Considera também que a tua condição na terra é tamanha que te expõe a muitos sofrimentos e dificuldades, os quais, por não teres te deleitado nEle, nunca estarás seguro de evitar (porque são coisas comuns aos homens), mas que, por teres te deleitado nEle, tu podes facilmente suportar. Além de tudo isso, considera seriamente que tu terás de morrer. Não há o que fazer para evitares isso. Como é facilmente tolerável e agradável, então, pensares em ir para Ele com quem tu já vives em comunhão deliciosa! Como é terrível comparecer diante daquEle a quem o teu próprio coração te acusará de teres sido (contra todas as tuas importunidades e tentações) um completo estranho! — *John Howe*, *"Treatise of Delight in God"* [Tratado sobre o Deleite em Deus]

v. 4: Na primeira parte, falamos sobre o significado das palavras "Deleita-te também no SENHOR", além do que, à primeira vista, elas significam literalmente. Assim, fizemos para que elas não sejam entendidas apenas como a exigir que todo ato simples de deleite esteja pronta e diretamente confinado no próprio Deus, mas que sejam vistas a abranger toda a essência das relações santas e piedosas com Deus, ou seja, como são deleitosas ou como estão temperadas (misturadas e como que salpicadas) com deleite. Por conta disso, abrange também todas as nossas outras relações no ponto em que estejam influenciadas pela religião. E não duvido, para quem terá considerado atentamente o que já foi dito, que se julgará muito racional levar as palavras supracitadas a essa extensão de significado, a partir da qual a própria literalidade do texto (como se pode alegar por outra justificação disso) é mais adequadamente capaz. A partícula hebraica que traduzimos por *em* na palavra "no" Senhor, não tem apenas esse significado. Significa também "com", ou "por", ou "ao lado de", ou "diante de", ou "na presença de". É como se tivesse dito: "Vem e senta-te com Deus, retira-te para Ele e conforta-te nos deleites que se acham na sua presença e relações, andando com Ele e vivendo a vida cotidiana como que na presença e sob as vistas dEle". Como alguém que se deleita com um visitante que se põe debaixo do seu teto e, além das relações sociais, livremente desfruta o prazer de todas as facetas da hospitalidade, comodidade e providência que Ele livremente lhe comunica, tendo a satisfação que uma pessoa sóbria teria ao observar as normas e a ordem de uma casa bem-governada. — *John Howe*

v. 4: "E ele te concederá o que deseja o teu coração". Será para ti mesmo como tu quiseres. Dizem que Lutero podia ter o que quisesse do Deus Todo-poderoso. O que não pode um filho favorito — que tem a realeza do cuidado do príncipe — obter dEle? — *John Trapp*

v. 4: "O que deseja o teu coração". Todos os desejos dessa descendência espiritual são da natureza dessa descendência, ou seja, são significativos e ganham substância. Todos os desejos do homem natural, mesmo segundo Deus, segundo Cristo e segundo a justiça, se queimarão e perecerão com ele (porque não são a verdade, não vêm da verdade e não podem alcançar a verdade). Todos os desejos de homens deste espírito viverão com o Espírito de Deus, em descanso e satisfação para sempre. — *John Pennington, 1656*

v. 4: "O que deseja o teu coração". Os desejos de Deus e os desejos do justo concordam entre si. São de uma só opinião no que desejam. — *John Bunyan, 1628–1688*

v. 5: "Entrega o teu caminho ao Senhor; confia nele, e ele tudo fará". Quando carregamos o fardo dos nossos próprios assuntos, e somos fustigados pela ansiedade e desejo de sucesso, e invejamos os descrentes que prosperam mais do que nós, o melhor remédio é primeiramente cumprir com as nossas obrigações enquanto somos capacitados no uso dos recursos para só depois lançar o cuidado do sucesso em Deus, como o lavrador quando lavra a terra. Deixemos esse fardo em Deus. Não o tiremos dali, mas descansemos, decididos a ter a colheita na parte boa, conforme ele a enviar. — *David Dickson*

v. 5: "Entrega o teu caminho ao Senhor". A Vulgata traduz assim: *Revela viam Domino*, que quer dizer "revela o teu caminho". Ambrósio entendia que se tratava da revelação dos nossos pecados a Deus. Realmente, visto que é impossível cobrir, por que não descobrir os nossos pecados? Não escondas o que Deus já sabe, e faria com que tu o fizesse conhecido. É uma função muito ruim ser o secretário do Diabo. Rompe a tua sociedade com Satanás, revelando os seus segredos — os teus pecados — a Deus. — *Nathanael Hardy*

v. 5: "Entrega o teu caminho ao" é, no original hebraico, "rola o teu caminho ao", como alguém que coloca no ombro de alguém mais forte do que ele um fardo que ele não consegue carregar. — *William de Burgh*, Doutor em Teologia, "*A Commentary on the Book of Psalms*" [Um Comentário sobre o Livro dos Salmos], Dublin: 1860

v. 5: Observemos novamente a dupla: "Entrega" e "confia". — *C. H. S.*

v. 5: "E ele tudo fará". Quando um trabalho difícil é entregue às mãos de um aprendiz para o primeiro exame das suas habilidades, os observadores ficam devidamente temerosos de um malogro nas mãos jovens e inexperientes. Mas quando o trabalhador é mestre na arte, ninguém fica com medo de suas mãos habilidosas agirem novamente o que tantas vezes fez para a satisfação de todos os observadores. Fosse o nosso Senhor um noviço na grandiosa arte de governar o mundo e alimentar a igreja, ou tivesse ele hoje nunca dado prova da sua infinita sabedoria, poder e bondade em tornar os acidentes mais terríveis em bem-estar e alegria para os santos, realmente poderíamos ficar espantados sempre que sentíssemos estar afundando nos perigos em que as práticas de nossos inimigos nos fazem cair de cabeça. Mas o Senhor, tendo dado em tempos passados tantas provas da sua habilidade incontestada e mais certa vontade de viabilizar todos os negócios humanos, quanto à sua própria glória, assim para o verdadeiro bem de todos que o amam, seria em nós uma falta de generosidade incrédula e inescusável suspeitar o fim de qualquer trabalho que ele tenha começado. — Sermão de *Robert Baylie* pregado na Câmara dos Comuns, *1643*

vv. 5 a 7:

A Deus o teu caminho encomendando
Confia naquele cujo braço de poder
Os círculos celestes se curvam
Guia cada estrela corretamente
Os ventos, as nuvens, os raios
Pela sua mão firme são conduzidos

E ele, clareando as sombras escuras
Te mostrará que caminho trilhar

* * *

Embora para fazer Deus hesitar
Os poderes do inferno se associem
Nem um til eles podem alterar
Do seu desígnio sapientíssimo
Todos os projetos e volição
Da sua mente eterna
Apesar de toda oposição
Têm o seu devido cumprimento

Chega de desânimo e tristeza
Tu alma tomada de dores
Até das profundezas da angústia
Cujas ondas se abatem sobre ti
A mão do teu Pai te tirará
Fica na esperança e paciência
E a alegria logo lançará sobre ti
Um raio sempre brilhante

Todos os murmúrios incrédulos partem
Dá-lhes o último boa noite
Não molestam mais a tua alma aflita
Porque as coisas parecem não estar bem
Sabiamente o cetro brandindo
Deus se senta no estado da realeza
Não dando poder para os mortais
Para regular os acontecimentos

Confia com fé incansável
Em teu Rei onisciente
E tu verás admirado
O que ele trará à luz
De todas as tuas aflições, a razão
Por fim aparecerá
Por ora negado por um período
Brilhará em letras límpidas

* * *

Ergue, então, os teus olhos aos céus
Tu que não podes confiar no seu olhar irado
De onde o galardão te será dado
A recompensa e a coroa
O teu Deus a palma vitoriosa
Na tua mão direita plantará
Enquanto tu, em tons gloriosos
Hinos melodiosos cantarás

— *Paul Gerhard, 1606-1676*, poemas traduzidos por *Frances Elizabeth Cox*, "*Hymns from the German*" [Hinos do Alemão], 1864

v. 6: "E ele fará sobressair a tua justiça como a luz; e o teu juízo, como o meio-dia". Se tu fores acusado de seres homem de maus desígnios, não permitas que isso te perturbes. Ainda que a tua fama seja obscurecida por certo tempo mediante calúnias e difamações, como o sol dispersa as névoas e nuvens totalmente, assim a tua integridade surgirá e brilhará tão luminosamente quanto o sol ao meio-dia. — *Symon Patrick*, 1626-1707

v. 7: "Descansa no Senhor e espera nele". Há duas palavras no original hebraico que expressam o privilégio e o dever de descansar em Cristo. Uma indica um estado de aquiescência, como silêncios e clamores de consciência, acalmando a perturbação de espírito. A outra significa o refrigério e descanso de um peregrino cansado, quando ele chega ao término da viagem e se estabelece permanentemente pelo resto da vida em uma habitação segura, espaçosa e abundante. — *James Hervey*, 1713/14-1758

v. 7: "Descansa no Senhor e espera nele". Imagine a situação de alguém que, com uma carga acima das suas forças, labuta em um caminho escarpado e sinuoso, quando de repente sente que alguém, cuja força ele sabe ser mais do que suficiente para a tarefa e em cuja solidariedade ele pode confiar plenamente, tira-lhe a carga para levá-la. Qual seria o seu sentimento senão de descanso perfeito, confiança tranquila e liberdade alegre, enquanto prosseguem juntos pelo caminho? Tal é a bem-aventurança de colocar o nosso cuidado no Senhor — na fraqueza, estamos descansando na força superior, na perplexidade e dúvida estamos descansando na sabedoria superior, nos tempos de provação e serviço duro podemos nos firmar na certeza da sua solidariedade perfeita. O significado literal da palavra hebraica traduzida por "descansa" é "estar calado" para com o Senhor. Com os olhos fixos nEle, todos os pensamentos incrédulos são acalmados, pensamentos como soberba e irritação no espírito queixoso quando só vê as dificuldades e não Deus nelas, por estarem as névoas da terra escondendo da visão as estrelas eternas do céu. Então, como Jacó, diz sombriamente: "Todas estas coisas vieram sobre mim" (Gn 42.36), ou, como Elias, desabafa desanimadamente: "Já basta, ó Senhor; toma agora a minha vida, pois não sou melhor do que meus pais" (1 Rs 19.4), ou, como Jonas, declara irritadamente: "É justo que me enfade a ponto de desejar a morte" (Jn 4.9). Com respeito a todas essas sugestões tenebrosas e incrédulas, o coração deve manter silêncio, ficar quieto e saber que Ele é Deus. Silencioso quanto a murmurar, mas não silencioso quanto a orar, pois, nessa santa quietude meditativa, o coração se volta a comunhão com Ele. O que é "descansa no Senhor" senão o movimento instintivo e o olhar do espírito em direção aos céus para Ele, a entrega de todas as aflições e temores a Ele e o sentimento de fortalecimento, paciência e esperança no ato de assim fazer? Implica na disposição de que Ele escolha por nós, na certeza de que a ordenação de tudo que nos diz respeito está mais seguro nas mãos dEle do que nas nossas.

Faremos, a seguir, algumas observações práticas.

(1) O nosso descanso no Senhor "com paciência" (cf. NVI) aplica-se apenas às provações que Ele envia, e não às dificuldades que os cristãos causam para si mesmos. Há uma diferença entre os fardos que são pertinentes ao caminho do dever e os fardos que são ocasionados pelo nosso vagar em outros caminhos. Aqueles podemos depositar no Senhor, mas estes podem fazer parte do nosso castigo levá-los e ser feridos por levá-los.

(2) O dever aqui ordenado tem de ser cumprido durante toda a nossa vida. Todos admitimos que esperar no Senhor "com paciência" (cf. NVI) é necessário para as

grandes provações da vida, mas talvez não admitamos tão prontamente que também é necessário para as irritações comuns, pequenas e diárias. Mas estas são um teste do princípio cristão tanto quanto as outras.

(3) Este descansar em Deus é um critério do estado espiritual do homem. Requer uma faculdade especial de discernimento, uma nova percepção a ser aberta na alma, antes que a nossa natureza caída possa entender ou desejá-la. — *James D. Burns*, Mestre em Ciências Humanas, *1823-1864*

v. 7: "Descansa no SENHOR e espera nele". "Mantém-te em silêncio", como também pode ser traduzido. Este é o preceito mais difícil dado aos homens, de tal modo que o preceito de ação mais difícil vira em nada quando comparado com este mandamento à inércia. — *Jerônimo*, 331-422

v. 7: "Descansa no SENHOR e espera nele". A palavra hebraica que significa "silêncio" é דּוֹם (*dôm*). O silêncio que este versículo ordena é o oposto à murmuração ou reclamação. — *James Anderson, "Calvin's Commentary"* [Comentário de Calvino]

v. 7: Notemos de novo a dupla de deveres: "descansa" e "espera".

v. 7: "Que executa astutos intentos". Observemos a oposição entre esta execução e a execução que Deus faz apresentada no versículo 5. A razão para a queixa é que os descrentes parecem que atingem os seus objetivos. A razão para o consolo é que nós também atingimos os nossos objetivos, e da melhor maneira pelo próprio Deus. — *C. H. S.*

v. 8: "Deixa a ira", que é a raiva forjada a um grau maior. Deve ser afastada e evitada, por ser muito desagradável ao caráter do homem bom.

"Não te indignes para fazer o mal." Podemos fazer o mal irritando-nos com a prosperidade dos malfeitores, ou imitando-os, fazendo como eles fazem, na esperança de sermos prósperos como eles. — *John Gill*

v. 9: "Herdarão a terra". Ele quer dizer que eles viverão de tal maneira a ponto de a bênção de Deus segui-los até mesmo até a sepultura. — *João Calvino*

v. 10: "Olharás para o seu lugar, e não aparecerá", a saber, porque o ímpio será desenterrado pelas raízes. — *Arthur Jackson, 1593-1666*

v. 10: "O seu lugar... não aparecerá". O terreno que ele ocupava como casa e a denominação honorífica para a qual ele era irrepreensível não são mais "o seu lugar". Passou para outras mãos. Nada de tudo que ele tinha na terra é dele. Ele é tão pobre quanto o ser mais miserável que sobrevive de esmolas. — *William S. Plumer*

v. 10: O pavão, ave imponente, quando vê o gracioso leque e círculo que ele faz com as penas coloridas da cauda, ele se alegra e fica examinando cada detalhe. Mas quando olha os pés e se dá conta de que são pretos e feios, ele, aos poucos e com grande desgosto, abaixa o topete e aparenta tristeza. De certa forma, muitos sabem por experiência que, quando se vêem abundar em riquezas e honras, eles se gloriam e se tornam extremamente convencidos. Elogiam a própria sorte e se admiram. Fazem planos e determinam fazer muitas coisas ao longo dos muitos anos por vir. Este ano, dizem eles, exerceremos este cargo e no ano que vem, outro. Depois, assumiremos o governo de tal província. Em seguida, construiremos um palácio em tal cidade, em torno do qual juntaremos jardins de prazer e vinhedos de delícia. Assim fazem antecipadamente um cálculo muito grande do futuro. Se ao menos dessem uma única olhada aos pés, se apenas pensassem um pouco sobre a brevidade da vida, que é transitória e inconstante, bem logo deixariam cair as penas do orgulho, abandonariam a arrogância e mudariam de opinião, vida e estilo de vida. — *Thomas Tymme v. 11:* "Os mansos herdarão a terra". Enquanto isso, eles, e somente eles, possuem esta terra, à medida que avançam em direção ao Reino dos céus, sendo humildes, alegres e contentes com o que o bom Deus lhes deu. Não têm pensamentos turbulentos, queixosos e inquietantes que dizem merecer melhor sorte. Também não se afligem quando veem os outros possuídos de mais honra ou mais riquezas que o Deus sábio lhes deu como porção desta vida. O que possuem, possuem com tranquilidade submissa e feliz. Essa tranquilidade torna os seus sonhos agradáveis tanto para Deus quanto para eles mesmos. — *Isaac Walton, 1593-1683, "The Complete Angler" [O Pescador Completo]*

v. 11: "Os mansos". "Que é o teu amado mais do que outro amado", perguntam à esposa (Ct 5.9). Assim que é a mansidão mais do que outra virtude? Podemos dizer que este é um tipo de sinédoque, uma parte tomada pelo todo, uma virtude tomada pelas demais. Ou o efeito é colocado no lugar da causa, porque a mansidão é uma das partes principais e mais importantes da santidade. Mas, se me permites conjecturar, talvez o Espírito Santo esteja com esta promessa mostrando a situação da igreja e, ao mesmo tempo, consolando-a.

Porque, sendo atacada duramente de todos os lados, ela precisa desta virtude mais do que de outra para que ajuste e forme a recompensa da virtude, avalie-a e exalte-a em nós com a promessa de algo que está acima da nossa expectativa, exatamente a herança da terra. De fato, que recompensa mais adequada pode haver para a mansidão? O que é mais adequado e justo do que aqueles que foram feitos a bigorna para a qual os danos batem, que foram *viri perpessitii*, como Sêneca fala de Sócrates, homens de grande tolerância, que não só tiveram os bens arrancados pela opressão e injustiça, mas também a reputação foi ferida com a navalha afiada da difamação, suportando o choque de toda *spectantibus similes*, com a paciência de um observador, fossem levantados e confortados com a promessa de que a sua mansidão lhes rendeu espólio e que, pela providência de Deus, que ama contrariar a prática do mundo, eles se tornarão herdeiros exatamente dessas possessões que a mão da violência lhes arrebatou. — *Anthony Farindon, Bacharel em Teologia, 1596-1658*

v. 11: "Os mansos". Não são as pessoas agitadas e ativas e as que estão atarefadas com o mundo que herdarão a terra, mas os mansos, que são jogados para cima e para baixo, de um canto para o outro, e que dificilmente são deixados quietos seja onde for. Esta terra, da qual lhes são privadas tantas coisas, só eles terão e desfrutarão. Depois que o Senhor tornou-a diga de possessão, ninguém mais a terá senão eles.

"Herdarão a terra." A terra é do Senhor. Esstes são os filhos do Senhor, e eles herdarão a terra. Quando o Senhor tomá-a em posse e prazer, eles, por sua vez, toma-la-ão em posse e prazer. É o direito deles, e lhes sobrevirá por direito, por herança. É o direito do Senhor, e pelo Senhor, virá a eles por direito deles. Por ora, eles ainda não podem tê-la, pois o Senhor ainda não a tem. Quando o Senhor a tiver, virá com justiça para eles. Esta terra amaldiçoada eles nunca terão, mas, quando for tomada pelas mãos do Senhor e abençoada pelo Senhor, então será deles, então será herdada pelos filhos da bênção. — *John Pennington*

v. 11: "E se deleitarão na abundância de paz". Claro que, quando a glória do Senhor cobrir a terra, e todos os reinos deste mundo se tornarem reinos do Príncipe da Paz, e os ímpios forem desarraigados, esperaremos como certa a paz abundantemente rica. — *William Wilson*

vv. 12 e 13: "O ímpio maquina contra o justo e contra ele range os dentes. O Senhor se rirá dele, pois vê que vem chegando o seu dia". Notemos como o gesto dos ímpios rangerem os dentes lhes é devolvido com a risada desdenhosa do Senhor às maquinações que engendram. Tais maquinações também são frustradas pela finalização de todas as tramas que o Senhor conhece, embora os ímpios façam questão de ignorar. — *C. H. S.*

v. 13: "O Senhor se rirá dele, pois vê que vem chegando o seu dia". O salmista, ao que parece, consola-nos mui friamente quando estamos tristes, porque ele diz que Deus meramente riu. Mas, se Deus valoriza grandemente a nossa salvação, então por que ele não se dispôs a resistir à fúria dos nossos inimigos e vigorosamente não se opôs a eles? Sabemos que isto, como está escrito no Salmo 2.4, é uma demonstração apropriada de nossa paciência quando Deus não se apresenta de uma vez, armado para vencer os descrentes, mas por um tempo faz de conta que não vê e retém a mão. Para que a carne não murmure e reclame, questionando por que Deus só ri dos ímpios e não se vinga deles, é dada a razão: ele vê que o dia da destruição dos ímpios está perto — "pois vê que vem chegando o seu dia". — *João Calvino*

v. 13: "Pois vê que vem chegando o seu dia". Ele ri dos pobres vermes, que se fazem tão grandes na terra e agem tão soberbamente na sua impotência, vendo que logo o dia acabará com eles. — *Berleb. Bible* [*Bíblia Berleb.*], citado por *E. W. Hengstenberg*

v. 13: "Pois vê que vem chegando o seu dia". O dia da sua escuridão, o dia da sua morte, que também será o dia da sua destruição. — *John Trapp*

vv. 14 e 15: A língua é uma "espada" e um "arco" que atira flechas, palavras amargas contra os humildes e os retos, Jesus e os discípulos. Mas estas não são as únicas armas que foram usadas contra eles. Ninguém desconhece que a maldade dos judeus voltou para a própria cabeça deles, embora poucos ponham este fato no coração e os considere como postos por exemplo. — *George Horne*

vv. 14 e 15: "Os ímpios puxaram da espada e entesaram o arco, para derribarem o pobre e necessitado e para matarem os de reto caminho. Mas a sua espada lhes entrará no coração, e os seus arcos se quebrarão". Quando os ímpios estão bem próximos de causar dano ao povo do Senhor, então o dano está muito perto deles. — *David Dickson*

v. 16: "Vale mais o pouco que tem o justo do que as riquezas de muitos ímpios". Quer dizer: (1) Porque os ímpios se enriquecem por meios ilícitos e, por isso, têm muitos problemas e são muito inquietos, além de entesourarem ira para o dia da ira, ao passo que os justos, com um pouco ganho de forma lícita, têm muita paz de espírito, com a esperança do céu no futuro.

(2) Porque os justos usam bem o que têm e são os melhores para eles, ao passo que os ímpios abusam do que têm de muitas maneiras e são, em muitos aspectos, os piores para eles. (3) Porque os justos se servem de tudo que ganham no mês como dons de Deus. As promessas do amor e cuidado paternal para com eles são para eles como o maná do céu. Dessa forma, desfrutam de consolo extremamente doce e ficam plenamente satisfeitos com o que têm, ao passo que os ímpios não têm nenhuma destas alegrias e nem a satisfação com as riquezas que possuem.

(4) Porque Deus, pelas suas bênçãos, normalmente faz com que o gozo dos justos seja mais eficaz para o bem deles do que é a abundância dos ímpios. Uma refeição frugal deixa-os mais saudáveis e fortes do que os ímpios com toda a sua abundância. (5) Porque os ímpios não desfrutam das suas riquezas tanto tempo quanto desfrutam os justos. De fato, essa opção concorda melhor com as palavras que vêm a seguir. — *Arthur Jackson*

v. 16: Os estranhos a Cristo têm de usar as misericórdias exteriores, mas não podemos dizer adequadamente que têm prazer. Parecem que são mestres das riquezas, mas, na verdade, são seus criados. São donos quanto ao uso exterior, mas escravos no que diz respeito aos sentimentos e emoções interiores. Eles as servem enquanto dão mostras de que se servem delas. Eles não *dominari*, mas *servire* — não têm o comando, mas são escravizados. Nem o seu uso é verdadeiramente consolável. Podem imaginar consolo, mas o consolo não passa de fantasia. Emana de outra fonte que pode ser cavada na terra. Consolo verdadeiro e sólido é porção só daqueles que têm a retidão de Cristo por sua porção. Estes podem considerar todo prazer temporal como sinal do amor eterno, como penhor e fiança da glória eterna. Estes ambos, porque podem recebê-los como a compra do sangue e justiça de Cristo. Esta é a nascente do consolo, a fonte desse consolo que é melhor do que a vida. Que consolo há em provar a doçura do amor de Cristo em cada prazer! Quando podemos dizer: "Cristo me amou e se deu por mim, para que eu possa desfrutar destas bênçãos", como isto aumenta o valor de cada misericórdia comum! A justiça de Cristo que foi feita, a expressão mais alta do seu amor, comprou isto para mim! Por causa disso é que consta esta verdade do salmista: "Vale mais o pouco que tem o justo do que as riquezas de muitos ímpios". Aquele que tem apenas comida e roupa tem neste aspecto mais do que aquele que tem o império turco, ou o ouro das Índias. Esse tem mais razão de consolo no seu pouco do que eles no seu muito. — *David Clarkson*

v. 16: Mesmo que o teu estado fosse pequeno, ele seria perfumado com amor, e esse torrão de açúcar no seu copo, ainda que fosse um torrãozinho, tornaria o licor doce. As águas que descem das montanhas de algumas das ilhas de Moluccas têm gosto de canela e de cravos-da-índia que vicejam por lá. O mesmo se dá com o teu dom. Ainda que não passe de água, tem gosto da benevolência e graça especial do Doador. O teu "pouco" com o temor do Senhor vale mais "do que as riquezas de muitos ímpios". Assim como um pequeno anel com diamante muito caro vale muito mais do que muitos anéis grandes sem diamante, assim se dá com a tua propriedade. Ainda que seja de apenas um centavo, estando unida com a jóia preciosa desse amor que é melhor do que a vida e sendo desfrutada pela promessa especial, é, então, infinitamente de mais valor do que os milhares e milhões de outros valores dados meramente da generosidade comum e desfrutado apenas pela providência geral. — *George Swinnock*

v. 16: É tão possível para um ímpio encher o corpo de ar e o peito de graça quanto é encher a mente de riqueza. Ocorre com os ímpios o mesmo que se dá com um navio; pode estar sobrecarregado de prata e ouro, até mesmo até afundar, ainda que tenha bússola e calado para transportar dez vezes mais carga. Aqui, um infeliz cobiçoso, embora tenha bastante a ponto de arruiná-lo, nunca terá o suficiente para satisfazê-lo. De forma que a conclusão que o salmista mostra é muito digna de ser observada: "Vale mais o pouco que tem o justo do que as riquezas de muitos ímpios". Ele não diz *o muito*, para que jamais pensemos em tantas de todas as riquezas deles, pois o pouco dos justos é melhor em tantos aspectos do que todos os maiores tesouros dos ímpios reunidos. O rei da Espanha é, sem dúvida, o maior príncipe da cristandade. O seu império tem se estendido tão longe que ele verdadeiramente pode dizer que o sol sempre está brilhando em seus domínios. Entretanto, o seu lema é este: *Totus non sufficit orbis*, que significa "O mundo inteiro não é suficiente". Deus, por Salomão, nos fala que "na casa do justo há um grande tesouro" (Pv 15.6), embora, muitas vezes, não haja uma cama boa para deitar-se ou uma cadeira para sentar-se. Com certeza, virá o tempo em que os ímpios mais ricos que já viveram verão claramente que a sua prestação de contas ficaria muito mais limitada e, por conseguinte, a situação por toda a eternidade menos miserável, se eles tivessem sido tão pobres a ponto de mendigar o pão de porta em porta durante toda a vida. Ocorre com as bênçãos desta vida o mesmo com as luvas perfumadas. Quando são ricamente perfumadas, o perfume é muito mais valioso do que o couro da qual são feitas. Assim, não tanto as bênçãos terrenas consideradas em si mesmas quanto o fato de serem perfumadas com o doce amor de Deus em Cristo é que as torna bênçãos de fato, verdadeiramente dignas do nome que têm. Todas as bênçãos daqueles que fizeram a escolha de Maria são perfumadas. Todo pão de cevada que comem, por mais grosseiro que seja nome, todas as roupas que usam, por mais puídas que estejam, com todas as outras bênçãos temporais, procedem do mesmo doce amor de Deus, por meio do qual ele foi movido a dar-lhes Jesus Cristo para salvação (Rm 8.32). — *Sermão de John Glascock, intitulado "Mary's Choice[A Escolha de Maria], 1659*

vv. 16 e 17: "Vale mais o pouco que tem o justo do que as riquezas de muitos ímpios. Pois os braços dos ímpios se quebrarão, mas o SENHOR sustém os justos". Um pouco abençoado é melhor do que um muito amaldiçoado. Um pouco abençoado é melhor do que um mundo desfrutado. Uma libra abençoada é melhor do que mil amaldiçoadas. Uma crosta abençoada é melhor do que um banquete amaldiçoado. Os respingos abençoados são melhores do que a colheita inteira amaldiçoada. Uma gota de misericórdia abençoada é melhor do que um mar de misericórdia amaldiçoada. As migalhas abençoadas de Lázaro eram melhores do que as iguarias amaldiçoadas de Dives. As pequenas bênçãos de Jacó eram melhores do que os grandes bens de Esaú que lhe eram amaldiçoados. Sempre é melhor ter restos e sobras com bênção do que ter maná e codornizes com maldição. Uma mesa parca com bênção sempre é melhor do que uma mesa cheia com maldição. Um casaco puído com bênção é melhor do que um manto púrpura com maldição. Um buraco, uma cova, uma caverna, um celeiro, um canto de chaminé com bênção é melhor do que palácios imponentes com maldição. Um gorro de lã abençoado é melhor do que uma coroa de ouro amaldiçoada. Talvez seja exatamente isso o que o imperador entendeu quando, falando sobre a sua coroa, olhou para ela com lágrimas: "Se tu soubesses os cuidados que estão debaixo desta coroa, tu nunca te inclinarias para tomá-la". Então, por que um cristão não ficaria contente com pouco, vendo que o seu pouco lhe será abençoado? Isaque ara a aterra e semeia a semente, e Deus o abençoa cem vezes mais. Caim ara a terra e semeia a semente, mas a terra lhe é amaldiçoada e tem a ordem de não lhe entregar a força. Portanto, nunca permitas que o cristão murmura, porque ele tem pouco, mas que ele ainda seja uma benção daquele Deus que abençoou o seu pouco, abençoa o seu pouco e que abençoará o seu pouco para ele. — *Thomas Brooks*

v. 17: "Pois os braços dos ímpios se quebrarão, mas o SENHOR sustém [ou apoia, ou calça] os justos". Por "os braços dos ímpios", devemos entender a força, a bravura, o poder, a inteligência, a riqueza, a abundância que são os braços que eles têm para apoiar-se e com que sustentar-se no mundo. Estes braços serão quebrados, e quando estiverem quebrados, exatamente então, Deus apoiará os justos, quer dizer, Deus será uma fonte transbordante e ininterrupta para os justos, de forma que eles nunca terão falta de nada, ainda que todas as fontes dos ímpios se sequem. — *Thomas Brooks*

v. 18: "O SENHOR conhece os dias dos retos". Deposita os seus dias, coloca-os em segurança por eles, pois esta é a ideia original do hebraico יָדַע. — *John Fry*, 1842

v. 18: "O SENHOR conhece os dias dos retos", e tais dias não podem ser encurtados pela maldade dos homens. — *William Wilson*

v. 20: "Como a gordura dos cordeiros". Como a glória das ovelhas gordas, as quais por fim são mortas. — *Targum*

v. 20: "A gordura dos cordeiros". Como a gordura dos sacrifícios era consumida no altar pelo fogo (que era um tipo da vingança justa de Deus contra os pecadores) até desaparecerem em fumaça, assim os ímpios serão os sacrifícios da justiça de Deus e serão destruídos pelo fogo da indignação divina. — *Thomas Scott*

v. 20: "Em fumaça se desfarão". "De que nos aproveitou o orgulho? Ou o que ganhamos em nos orgulhar das nossas riquezas?" São estas coisas que falarão aqueles que estiverem no inferno e que pecaram. Pois a esperança dos descrentes é como a lanugem seca do cardo que é carregada pelo vento, ou a espuma fina esparramada nas ondas, ou como a fumaça que flutua para cá e para lá ao sabor do vento, ou como a lembrança de um dia do homem viajante. — *Wouter of Stoelwyk, 1541*

v. 21: "E não paga", ou seja, não tem em seu poder, pelas dificuldades financeiras, com que pagar o que pediu emprestado (cf. Dt 28.12). Em tal situação, o judeu se tornava escravo dos credores (cf. 2 Rs 4.1). — *Daniel Cresswell*

v. 22: "Porque aqueles que ele abençoa herdarão a terra, e aqueles que forem por ele amaldiçoados serão desarraigados". Deus promete que a descendência do seu povo herdará a terra. O filho de tal inquilino que paga o aluguel em dia, não será posto fora da fazenda. — *John Glascock*

v. 23: "Os passos de um homem bom são confirmados pelo Senhor". Quando este Piloto guia conforme o seu curso, o navio nunca bate em pedras, enrosca em bancos de areia ou faz água a ponto de afundar. Chegará com segurança ao porto. Ele não era cristão; contudo, suponho que ninguém negará que ele falou boa teologia quando disse: "Se o homem escolher Deus por Amigo, ele viajará seguramente pelo deserto mesmo que ali haja muitas feras. Ele atravessará este mundo com segurança, porque ele tem a certeza única de que Deus é o seu guia" (*Aristóteles*, Epist. 27). Ele não fala menos que o próprio Davi (Sl 37.23), que jamais esperava ir para a glória exceto se fosse guiado pelo conselho divino? Ora, se um pobre pagão podia dizer assim, ver boa razão para confiar em Deus e admirar a fidelidade divina como frequentemente fazia (e segundo Sêneca, justificando a fidelidade de Deus em todos os seus procedimentos com os melhores homens em tudo que sofrem e a prosperidade dos ímpios). O que dirá o cristão celestial que já experimentou tanto da fidelidade de Deus na resposta às orações, no cumprimento das promessas e na provisão de todas as exigências? — *James Janeway*

v. 23: "E ele deleita-se no seu caminho". Notemos que no versículo 4, somos ordenados a nos deleitar em Deus, e aqui, no versículo 23, ele se deleita em nós. Como aqui o nosso caminho é a sua delícia, assim no versículo 34 temos de guardar o seu caminho. Estas antíteses são instrutivas. — *C. H. S.*

vv. 23 e 24: "Os passos de um homem bom são confirmados pelo Senhor, e ele deleita-se no seu caminho. Ainda que caia, não ficará prostrado, pois o Senhor o sustém com a sua mão". Estas são palavras estranhas para nós! Os próprios passos são todos confirmados, e confirmados pelo Todo-poderoso, que se deleita-se na bondade do caminho do homem bom. A conclusão tão distintamente a ser feita é que o homem bom pode cair, e que o seu Deus e Guia podia estar por perto, ver e permitir!

Acrescentemos à sugestão destes versículos, duas ou mais referências que podem nos ajudar a estabelecer o princípio em nosso coração de que o filho de Deus pode cair e, mesmo assim, permanecer filho de Deus. Elas podem também nos ajudar a explicar algo da razão por que esta é parte da sorte dos filhos de Deus, quer tenha sido ordenada, ou só permitida, sendo, em todo caso, um passo no "caminho direito", pelo qual Deus os conduz à cidade que devem habitar (Sl 107.7).

Observemos que perto do fim da vida boa e próspera de Ezequias, está escrito que "no negócio dos embaixadores dos príncipes da Babilônia [...] Deus o desamparou, para tentá-lo, para saber tudo o que havia no seu coração" (2 Cr 32.31). Na profecia de Daniel relativa aos últimos dias, encontramos: "E alguns dos sábios cairão para serem provados, e purificados, e embranquecidos, até ao fim do tempo, porque será ainda no tempo determinado" (Dn 11.35). Nestes dois versículos, temos também alguns detalhes valiosos concernentes a tais quedas, como a ajuda com que Deus apoiará os seus filhos, e as lisonjas com que o mundo ainda os atacará e os impedirá de levantarem-se — as dificuldades externas à quais a queda os levará, como que através de uma fornalha. A alta posição (os que instruem a muitos) que não os livrará da provação necessária — o tempo determinado — e o fim em vista. O mesmo ocorre aqui. O reconhecimento da possibilidade da queda do homem bom é acompanhada com a garantia preciosa de que ele "não ficará prostrado". — *Mary B. M. Duncan, "Under the Shadow" [Sob a Sombra], 1867*

v. 24: "Ainda que caia, não ficará prostrado, pois o SENHOR o sustém com a sua mão". O Espírito conforta e responde os pensamentos secretos que todos poderiam ter, dizendo consigo mesmo: Eu, porém, já vi acontecer que o justo é oprimido e a sua causa é pisada no pó pelos ímpios. Ele responde: Nada disso, querido filho, aquele que cai não permanece prostrado e é lançado fora. Ele tem de levantar-se de novo, mesmo que o mundo inteiro duvide, pois Deus o pega pela mão e o levanta. — *Martinho Lutero*

v. 24: "Ainda que caia", quer dizer, como alguém que estivesse com medo, "não ficará prostrado", quer dizer, não totalmente ou para sempre longe de Deus (2 Co 4.9), "pois o SENHOR o sustém com a sua mão", quer dizer, a sua força e poder, a saber, para evitar que caiamos completamente, o que logo aconteceria se Deus não estivesse conosco. — *Thomas Wilcocks*

v. 24: O homem perdoado e justificado pela fé em Cristo, embora possa às vezes cair em pecados asquerosos, nunca prevalece a ponto de reverter o perdão e voltar a um estado de não-justificação. "Ainda que caia, não ficará prostrado, pois o SENHOR o sustém com a sua mão." Ele fala de um homem bom perdoado e justificado poder cair, mas de que ponto? Do perdão, da justificação? Não, pois neste caso ele cairia totalmente e ficaria pressionado pela mão de Deus, e o texto diz que ele não ficará prostrado, pois o Senhor o sustém com a mão. Ou, como Montanus traduz as palavras: O Senhor sustenta com as suas mãos, e não o deixará afundar em tal situação. Se fosse assim, então o pecado teria domínio sobre ele, mas Romanos fala que o pecado não terá domínio sobre nós (Rm 6.14), que os justificados são livres da lei do pecado e da morte (Rm 8.2), que os predestinados, chamados, justificados e glorificados estão tão unidos, que não há como romper a ligação (Rms 8.30). Se pecarem, eles têm "um Advogado para com o Pai, Jesus Cristo, o Justo. E ele é a propiciação pelos nossos pecados" (1 Jo 2.1,2). — *William Greenhill*

v. 25. "Fui moço e agora sou velho; mas nunca vi desamparado o justo". Ele não está dizendo: Em minha experiência, nunca vi o justo aflito, mas: Eu nunca o vi desamparado ou abandonado na aflição.

"Nem a sua descendência a mendigar o pão", ele menciona isto, porque mendigar o pão, sobretudo na comunidade de Israel e no estado dos judeus, era símbolo de total desamparo! Embora Deus lhes tivesse falado que os pobres sempre estariam com eles, ele lhes dera uma lei expressa para que não houvesse mendigo entre eles. Por isso, disse ele, nunca vi o justo abandonado de modo a ser forçado a viver mendigando.

Se alguém disser que o próprio Davi mendigou quando pediu pão para Abimeleque e para Nabal, respondo que é uma boa prática comum que soluciona o caso. Casos transitórios e circunstâncias imprevistas não fazem mendigos. Não devemos dizer que Davi era mendigo ou que mendigou o pão, porque uma vez ele estava em apuros e pediu pão para Abimeleque. E em apuros pela segunda vez, pediu pão para Nabal. Em tais casos inesperados, o homem mais rico do mundo pode ser levado a pedir um pedaço de pão. O homem bom pode cair em tal necessidade, mas os homens bons raramente — para não dizer jamais — são deixados nessa situação. — *Joseph Caryl*

v. 25: "Mas nunca vi desamparado o justo, nem a sua descendência a mendigar o pão". Talvez alguém conteste dizendo que havia muitos pobres justos. Mas o texto fala de um homem caridoso justo, como mostra o versículo seguinte, que diz: "Compadece-se sempre, e empresta, e a sua descendência é abençoada". E quem já viu alguém assim ou a sua descendência ser levado a tal pobreza a ponto de mendigar o pão? Quando o nosso Salvador Cristo multiplicara pão para 4 mil homens com sete pães e uns poucos peixinhos, satisfazendo a todos, foram recolhidas sete cestas cheias de sobras. O comentário de Agostinho sobre isto é : *crescit dum impenditur victus, sic eleemosyna, si indigentibus erogetur*, que significa "os mantimentos para gastar foram aumentados, e assim são as esmolas que são dadas aos pobres". — *Michael Jermin, 1659*

v. 25: "Mas nunca vi desamparado o justo, nem a sua descendência a mendigar o pão". Acredito que essa é uma verdade literal em todas as circunstâncias. Hoje, os meus cabelos são brancos. Tenho viajado para diferentes países e tido muitas oportunidades de ver e conversar com pessoas religiosas em todas as situações da vida. Até agora não vi, ao que me consta, um exemplo do contrário dessa verdade. Nunca vi um justo abandonado, nem um filho do justo mendigando o pão. Deus dá honra a todos que o temem, cuidando também dos seus descendentes. — *Adam Clarke*

v. 25: "Mendigar o pão". Isto não quer dizer uma busca ocasional de alívio em uma necessidade (pois assim o próprio Davi pediu pão para Abimeleque, 1 Samuel 21.3, e ele e os seus soldados pediram alguma provisão de alimentos para Nabal, 1 Samuel 25.8), mas de viver de modo ininterrupto mendigando de porta em porta, o qual é denunciado como maldição aos ímpios: "Sejam errantes e mendigos os seus filhos" (Sl 109.10). Também com isso não se entende que nem o justo, nem os seus descendentes jamais serão levados a esse grau triste de miséria, mas só que acontece tão raramente que Davi, durante a sua vida, nunca tinha visto. — *Arthur Jackson*

v. 25: "Fui moço e agora sou velho; mas nunca vi desamparado o justo, nem a sua descendência a mendigar o pão". Esta observação do salmista é geralmente ratificada. Há exceções realmente, como no caso da família de Eli. Mas foi o resultado da sua falha de caráter como justo. Sabemos que as promessas não se cumprem se há o descaso dos meios necessários para o cumprimento (ver Gênesis 18.19). Mas certos estudiosos opinam que esse versículo dá margem a um suplemento explicativo, traduzindo a última frase assim: "Nem a sua descendência (ainda que abandonada) a mendigar o pão". — *David Davidson, "The Pocket Commentary" [O Comentário de Bolso], 1836*

v. 25: "Fui moço e agora sou velho; mas nunca vi desamparado o justo, nem a sua descendência a mendigar o pão". Essas palavras têm de ser entendidas como observação geral, não sendo absolutamente confirmadas em todos os casos. O fato estrito é: Eu entendo que os descendentes imediatos de pessoas verdadeiramente piedosas são muito raramente (para não dizer jamais) levadas a tais extremos de penúria, a não ser por grande imprudência ou descaso absoluto. — *William Walford*

v. 25: "Fui moço e agora sou velho; mas nunca vi desamparado o justo, nem a sua descendência a mendigar o pão". Aqui ele recorda uma de suas experiências (como a maior parte do Salmo 119 foi composto), e se as experiências dos outros homens não concordam completamente com a dele, não é de admirar. Os reis não costumam prestar atenção a mendigos. — *John Trapp*

vv. 25 e 26: Muitas pessoas ficam aturdidas e preocupadas com o que os seus filhos farão quando elas estiverem mortas. Ao mesmo tempo, não levam em conta como Deus as supriu quando elas eram crianças. Está encurtado o braço do Senhor? Ele te tirou dos seios da tua mãe? Quando os teus pais te abandonaram (como diz o salmista), não se tornou ele o teu Pai? Não pode esta misericórdia experimentada por ti, te persuadir que ele não te abandonará? Não é Jesus Cristo "o mesmo ontem, e hoje, e eternamente"? (Hb 13.8). "Fui moço", disse Davi, "e agora sou velho; mas nunca vi desamparado o justo" — este ponto é certo. Mas há mais: "Nem a sua descendência a mendigar o pão".

Muitos pais receosos preocupam-se tanto com os seus descendentes que, enquanto vivem, passam por privações físicas e arriscam a alma para deixá-los ricos. Para tais pais, diz-se corretamente: *Dives es hoeredi, pauper inopsque libi*, que significa "Como a galinha extremamente bondosa alimenta os pintinhos e passa fome". Se a usura, o logro, a opressão, a extorsão podem torná-los ricos, eles não serão pobres. A sua loucura é ridícula. Cuidam preocupadamente para que os seus filhos não caiam na miséria, mas tomam o único curso para deixá-los com poucos recursos, visto que os deixam herdeiros tantos dos seus bens quanto dos seus males. Herdam certamente os pecados dos pais como as suas terras: "Deus, dizeis vós, guarda a iniquidade do perverso para seus filhos. Mas é a ele que deveria Deus dar o pago, para que o sinta" (Jó 21.19, ARA).

Pelo contrário, o homem bom "compadece-se sempre, e empresta, e a sua descendência é abençoada". O que as pessoas mundanas pensam que tornará a descendência pobre, Deus diz que enriquecerá o homem bom. O preceito dá uma promessa de misericórdia para a obediência, não confinado ao homem obediente, mas estendido à sua descendência, e até por mil gerações (Êx 20.6). Confia, então, os teus filhos a Cristo, quando os amigos faltarem, a usura não tiver data de vencimento, a opressão for condenada ao inferno, tu mesmo estiveres podre no pó, o próprio mundo queimado até virar cinzas, contudo "Jesus Cristo é o mesmo ontem, e hoje, e eternamente" (Hb 13.8). — *Thomas Adams*

v. 26: "Compadece-se sempre, e empresta, e a sua descendência é abençoada". Ele, o homem bom, é misericordioso consigo mesmo, pois a misericórdia, como a caridade, começa em casa. Ele não tem medo de comer uma boa refeição, porque tem filhos. Ele é misericordioso com os outros também porque ele empresta e faz o bem a quem pode, e então a sua descendência faz muito melhor que isso. Observemos que, quanto mais ele dá e empresta fazendo obras de misericórdia, melhor é para os seus filhos, pois estes sempre têm a melhor provisão quando os seus pais mantêm isto em mente — eles preferiram confiar os seus filhos a Deus do que entregar os seus filhos às riquezas, e tornaram esta a sua esperança, pois ainda que morram, Deus vive. Será que algum desses pais ricos e miseráveis (que deveras se submeteram a privações e se consumiram para tornar o filho um cavalheiro) ressuscitou dos mortos para viu o provérbio de Salomão cumprir-se: "E, havendo algum filho, nada fica na sua mão" (Ec 5.14). Estou certo de que a ruminação deste mundo o afligiu na alma tanto quanto um castigo sentido até mesmo no próprio inferno. Considera o que tu agora vives e vês nos outros. Lembra-te também que se os teus bens forem mal adquiridos ou de forma mais grave mantidos, pode ser o caso dos teus filhos, quando tu partires e o sentires, ainda que não o vejas. — *Matthew Griffith, 1633 v. 28:* "Porque o Senhor [...] não desampara os seus santos; eles são preservados para sempre". Como, tendo em vista que eles morrem como os outros morrem? Observemos a antítese, a qual nos dará a resposta: "Eles são preservados para sempre; mas a descendência dos ímpios será desarraigada". Os justos são preservados na sua descendência. Os filhos são os pais multiplicados e os pais continuados. É *nodosa aeternitas*. Quando a vida do pai se esvai no último suspiro, há um nó amarrado e a linhagem ainda continua ligada pelo filho. Confesso que bênçãos temporais, como vida longa e a promessa de uma descendência feliz, são mais visíveis aos olhos daquele dispensação da aliança. Mas Deus continua atendendo as necessidades dos filhos do seu povo. Muitas promessas ainda operam de modo pertencente à administração do evangelho, e o serviço de Deus ainda é a forma mais segura de estabelecer uma família, assim como o pecado é o jeito certo para desarraigá-la. Contudo, nem sempre ocorre em conformidade com isso, ainda que se dê na maioria das vezes. Não somos juízes competentes da dispensação de Deus neste sentido, porque vemos a providência por etapas e não temos a habilidade de juntá-las. Mas, no dia do juízo, quando todas as partes interconectadas do tratamento de Deus estivem diante nós, entenderemos claramente como "os filhos dos teus servos continuarão, e a sua descendência ficará firmada perante ti" (Sl 102.28). — *Thomas Manton*

v. 29: "Os justos herdarão a terra". Há ênfase clara na repetição da mesma promessa nos mesmos termos, que deveriam ter sido traduzidos uniformemente nos versículos 9, 11, 22, 29 e 34. Não duvidemos que haja referência aos novos céus e à nova terra mencionados em Isaías 66.17 e 2 Pedro 3.13. — *William Wilson*

v. 29: "Os justos herdarão a terra e habitarão nela para sempre" (cf. Mt 5.5). Consideremos bem esta verdade bíblica que fala sobre a futura posse exclusiva da terra que os justos terão. O reino milenar fornece a explicação mais completa. — *T. C. Barth, 1865*

v. 31: "A lei do seu Deus está em seu coração; os seus passos não resvalarão". O rebanho de ovelhas que se nega e não quer ser guiado põe-se a marchar em qualquer caminho e direção, uma por este caminho e outra por outro. O mesmo se dá com o coração pertinaz. Um pensa seguir por este caminho e outro por outro, requerendo certa habilidade para guiá-los. Mas o coração disposto, o coração preparado e pronto para toda a boa obra, voa bem alto e se deleita no Senhor. — *Richard Steele*

v. 31: "A lei do seu Deus está em seu coração". Ele tem uma Bíblia na cabeça e outra no coração. Ele tem um bom tesouro dentro de si, de onde tira consequentemente coisas boas. — *John Trapp*

vv. 32 e 33: "O ímpio espreita o justo e procura matá-lo. O Senhor não o deixará em suas mãos, nem o condenará quando for julgado". Os judeus espreitavam o Justo diariamente e de hora em hora. Procuravam matá-lo e conseguiram. Mas o Senhor não o deixou nas mãos deles, pois lhe defendeu a inocência ressuscitando-o dos mortos. — *George Horne*

v. 34: "Espera no Senhor e guarda o seu caminho, e te exaltará para herdares a terra; tu o verás quando os ímpios forem desarraigados". Aqueles que verdadeiramente confiam em Deus esperarão pelo tempo de Deus, usarão os métodos de Deus e andarão no caminho de Deus ainda que esteja indo na direção contrária. Não descuidam da alma por estarem com pressa, pois sabem que haveria mais perda de tempo do que boa velocidade. Nem se desviariam do caminho, o caminho que é santo e justo, embora como o desvio possam evitar uma perda, uma dificuldade e ganhar certa vantagem desejável. A verdadeira fé permanece apoiando-se em Deus, que, então, "guarda o seu caminho".

Aquele que não for liberal em promover e honrar o evangelho, que teme a pobreza ou o sofrimento mais do que o pecado, que tem mais cuidado pelas coisas do mundo do que pela própria alma, que se serve de meios indiretos ou escusos para ganhar, aumentar ou garantir os seus bens, que não fica atento ou precavido para que os cuidados do mundo (quando está muito comprometido) não sejam imoderados — está claro que tal indivíduo não confia os seus bens a Deus. Aquele que não confia os seus bens a Deus, seja o que for que pense ou finja, não confia a própria alma a Deus para a salvação. As suas esperanças de céu e salvação não passam de presunção. — *David Clarkson*

v. 34: "Espera no SENHOR". Não te obrigues por um dia, não despertes o Amado até que ele queira. — *John Trapp*

v. 34: "Espera... guarda". Enquanto estamos esperando, prestemos atenção à hesitação. Não dês um passo fora do caminho de Deus, ainda que um leão esteja no caminho. Não evites que o dever se encaixe com a segurança. Mantém-te no caminho de Deus, o bom e velho caminho (Jr 6.16), o caminho que está pavimentado com a santidade. "E ali haverá um alto caminho, um caminho que se chamará O Caminho Santo" (Is 35.8). Evita o caminho tortuoso, presta atenção para virares à esquerda a fim de que tu não fiques preso à esquerda. O pecado cruza as nossas esperanças, bloqueia o nosso caminho. O homem pode esperar achar o céu no inferno tanto quanto em um caminho pecaminoso. — *Thomas Watson*

v. 35: "Como a árvore verde na terra natal". A Septuaginta traduz כְּאֶזְרָח רַעֲנָן como se fosse כְּאֶזְרָח לְבָנֹן, "Como o cedro do Líbano" (cf. ARA); mas אֶזְרָח רַעֲנָן, de acordo com Delitzsch, significa uma árvore de madeira nobre, uma que, no transcurso de séculos de crescimento, adquire um tronco gigantesco e uma copa sombrosa em forma de cúpula.

v. 35: "A árvore verde na terra natal" é, sem dúvida, a verdadeira tradução. A ideia geralmente formada desta passagem pelo leitor da Bíblia em inglês é que a árvore citada era o louro-cerejo (*Prunus laurocerasus*), ou loureiro-cereja que dá em jardins. Mas esta planta pertence a uma família completamente diferente. Os loureiros e loureiros de Portugal, cujas formas de crescimento e folhas sempre-viva os tornam plantas altamente ornamentais em matagais, pertencem a uma subfamília (*Drupaceae*, tília) da tribo das rosas (*Rosaceae*), mas o próprio loureiro, o qual floresce profusamente no sul da Europa, é a espécie da família dos loureiros (*Lauracex*). Várias circunstâncias tornam improvável que o verdadeiro loureiro represente o *esrüch* hebraico. Não há evidência que tenha sito tão abundante na Palestina a ponto de ser escolhido pelo salmista como ilustração em um poema para uso popular. Já foi encontrado, mas principalmente em localidades perto das fronteiras da costa oriental do Mar Grande. A objeção principal à suposição de que o loureiro foi citado pelo poeta real encontra-se no próprio salmo. Tendo-o mencionado nas linhas acima, ele acrescenta: "Mas passou e já não é; procurei-o, mas não se pôde encontrar" (v. 36). A ideia aqui não é algo que poderia ser representado e ilustrado por uma planta sempre-viva, de crescimento lento e que, na maturidade, alcança uma altura de mais de nove metros. As palavras exigem uma árvore de crescimento rápido, em uma terra mais do que normalmente favorável ao crescimento. Sendo plantada e crescendo na calmaria e sob o sol, clamaria a atenção de todos. Mas quando a tempestade irrompesse, quando o vento forte passasse impetuosamente pelos seus galhos, não permaneceria de pé. Arrancado pela raiz e de madeira comparativamente inútil, como a morte Abraão, seria enterrado fora da vista. É o que acontece com o ímpio. Ele foi procurado, mas não encontrado. — *John Duns, Doutor em Teologia, Membro da Sociedade Real de Edimburgo, "Biblical Natural Science" [Ciência Natural Bíblica)]v. 35:* Não vemos força na observação de John Duns. Na realidade, se não houvesse outras razões para preferir a tradução feita por William Wilson no comentário imediatamente a seguir, veríamos razão para preferirmos o loureiro ainda mais. Era uma árvore de firmeza e verdor de longa continuidade, como parece que os ímpios prósperos são. Dão a impressão de que a felicidade é eterna. Mas, apesar de tudo, aqueles que cuidadosamente notam os procedimentos da providência observam com santa admiração que a justiça encurta essa glória e eles perecem totalmente. — *C. H. S.*

v. 35: "Vi o ímpio com grande [terrível, feroz, violento] poder espalhar-se como a árvore verde na terra natal [uma árvore em sua terra nativa, vigorosa e exuberante, que nunca fora transplantada]". Uma ilustração impressionante dos descrentes no mundo, firmemente arraigados nas coisas terrenas — a sua terra nativa —, ficam orgulhosos e temerários na prosperidade, sem medo ou receio de nada. — *William Wilson*

v. 35: "Como a árvore verde na terra natal" que produz todas as folhas e nada de frutos. — *Matthew Henry*

v. 35: "Vi o ímpio", disse Davi, "com grande poder espalhar-se como a árvore verde na terra natal". Por que como árvore verde? Porque no inverno, quando todas as outras árvores — como a videira, a figueira, a macieira e outras, que são árvores mais lucrativas — estão secas e desfolhadas, a árvore verde continua sempre verde no inverno como no verão. Assim ocorre com os ímpios. Quando os filhos de Deus, nas tempestades das perseguições, tribulações e sofrimentos parecem que estão secos e, por assim dizer, mortos, os ímpios o tempo todo vicejam e parecem que estão verdes aos olhos do mundo. Espojam-se nas riquezas mundanas, mas é para a hora em que serão destruídas. Engordam, mas é para o dia da matança. Foi o que ocorreu com Ofni e Fineias. O Senhor deu-lhes muitas coisas e permitiu que continuassem e prosperassem na maldade. Mas por qual a razão? Porque ele acabaria destruindo-os. — *Sermão de J. Gore na Catedral de São Paulo, 1633*

vv. 35 e 36: "Vi o ímpio com grande poder espalhar-se como a árvore verde na terra natal. Mas passou e já não é; procurei-o, mas não se pôde encontrar". Hoje lhe nascem as folhinhas tenras da esperança; amanhã, ele floresce, carregado ficando de honrarias; mas, no terceiro dia, vem a geada, uma geada mortal, e no momento preciso em que ele — quão simplório e calmo! — crê que sua grandeza está madura, ela a raiz lhe morde, caindo ele tal como agora eu caio. — *William Shakespeare, "Henrique VIII"*

vv. 36 e 37: O falcão voa alto e é altamente valorizado, quando senta no poleiro, preso às pernas uma tira de couro com os sinos soantes do encorajamento e é carregado no punho do seu dono. Porém, assim que morre, é recolhido do poleiro para ser lançado no monte de estrume como algo que não serve para nada. A galinha cisca o chão, não sendo recompensada quando está viva, mas, sendo morta, é levada como prato predileto para a mesa do seu dono. Semelhantemente, os ímpios são comumente reputados em lugares altos e prosperam nesta vida, e os homens bons jazem humilhados com a boca no pó, como os próprios subalternos do mundo. Mas quando morrem, um é lançado no calabouço do inferno e o outro é promovido ao reino dos céus. Um está no seio de Abraão e o outro é atormentado com o diabo e os seus anjos. — *Thomas Westfield, Doutor em Teologia, 1644*

v. 37: "Nota... e considera". Heródoto menciona o costume entre os etíopes de pôr o corpo morto dos amigos em sepultura envidraçada, para que as dimensões ficassem óbvias aos passantes. Por mais desnecessário que esse costume fosse, é não mais do que justo que as características santas da mente daqueles que morrem no Senhor sejam apresentadas no espelho da arte. De fato, o elogio depois da morte é o tributo de uma vida de devoção a Deus. As boas obras são jóias não para serem guardadas em um porta-jóias, mas para serem expostas à visão pública. Se Jesus fez com que o nome de Maria fosse lembrado no evangelho até o fim do mundo por causa de um vidro de unguento derramado na cabeça, não podemos imaginar que Ele faria que muitas ações piedosas e caridosas dos seus servos fossem enterradas no esquecimento. Consulta a Bíblia e verás que dificilmente há um homem temente a Deus posto na sepultura sem um epitáfio de honra. Examina os escritos dos pais e observarás que eles tinham o costume de honrar a morte dos homens bons, concedendo-lhes os merecidos elogios. — *Nathanael Hardy*

v. 37: "O homem sincero [ou perfeito]". Os expositores fazem uma diferenciação exata entre dois tipos de perfeição: perfeição *absoluta* ou perfeição *comparata*. É absolutamente perfeito aquilo ao qual nada (que consideramos verdadeiramente bom) falta. Assim, só é *perfectus* quem é *infactus*. Deus, que fez todas as coisas e sem Ele nada se fez, é o único que desfruta uma perfeição todo-suficiente, em si mesmo e dEle mesmo. É comparativamente perfeito aquilo que, apesar de algumas faltas, há uma plenitude em comparação com os outros. Assim, todo homem santo é perfeito em comparação com os ímpios entre os quais ele vive. A este respeito, está escrito acerca de Noé: "Noé era varão justo e reto [ou perfeito] em suas gerações" (Gn 6.9). A graça que nele havia comparado com a iniquidade do mundo antigo merecia muito bem o nome de perfeição. De fato, todo homem reto é perfeito em comparação com aqueles que são abertamente maus ou apenas abertamente bons — manchados com a iniquidade ou apenas pintados com a santidade. Um homem santo pode ser perfeito em comparação com outro. O cristão forte pode ser perfeito em relação ao fraco, a quem ele sobrepuja em graça e devoção. Paulo tinha tais santos em mente quando disse: "Todavia, falamos sabedoria entre os perfeitos" (1 Co 2.6), quer dizer, esses obtiveram maior medida de graça do que os outros. Acerca de Benaia está escrito: "Dentre os trinta, ele era o mais nobre, porém aos três primeiros não chegou" (2 Sm 23.23). Ainda que nenhum santo jamais chegue à perfeição dos primeiros três, a santíssima Trindade, muitos santos podem ser nobres entre os trinta perfeitos em comparação com aqueles entre quem eles vivem.

Temos também de fazer uma distinção entre uma perfeição dupla: é perfeição *extrinseca* e perfeição *intrinseca*. A perfeição extrínseca, assim chamada porque é por imputação, é aquela que todo crente é participante pela justiça perfeita de Cristo, por meio da qual todas as suas imperfeições são cobertas. Sobre isso, o autor aos Hebreus escreve: "Porque, com uma só oblação, aperfeiçoou para sempre os que são santificados" (Hb 10.14), e Paulo conta aos crentes colossenses que eles estavam "perfeitos nele" (Cl 2.10), querendo dizer Cristo. De fato, *omnia Dei mandata tunc facta deputantur, quando id quod non fit ignoscitur*, que significa "os mandamentos divinos são considerados por Deus cumpridos quando os nossos defeitos são por amor de Cristo perdoados". A perfeição evangélica do cristão não consiste *in perfectione virtutum, sed remissione vitiorum* — "na completude das nossas graças, mas na remissão dos nossos pecados".

A perfeição intrínseca, assim chamada porque é por inerência, não é menos racional do que normalmente assim diferenciada: há *perfectio partium et graduum*. Dizem que ele é perfeito, *cui nihil deest eorum quae statum salutis necessaria*, que significa "que não falta nenhuma das graças que acompanham a salvação". Ou ele é perfeito, *cui nihil deest in gradibus gratiarum et virtutum*, que significa "que não é defeituoso nas medidas dessas graças". Essas duas partes são muitas vezes e adequadamente ilustradas pela semelhança de um menino e um homem. Um tem todos os órgãos essenciais e integrantes de um homem, ao passo que o outro tem o uso e tamanho plenos desses órgãos. — *Nathanael Hardy*

v. 37: "O futuro [ou fim]". Todos os homens sábios atestam que o fim é melhor. Navegar algumas milhas com tempo bom e depois ter de singrar centenas de quilômetros com tempo borrascoso é incômodo, sobretudo quando o fim do trajeto é pior do que o próprio trajeto. Que o começo da viagem seja problemático, o progresso um pouco mais fácil e o fim feliz. Há justas correções de rota: "Nota o homem sincero e considera o que é reto, porque o futuro [ou fim] desse homem será de paz". Nota-o no começo: ele sofre muitas oposições. Nota-o na viagem: ele está cheio de tribulações. Mas nota-o no fim: o futuro desse homem é de paz. — *Thomas Adams*

v. 37: "O futuro [ou fim] desse homem será de paz". Permite-me determinar qual é o futuro, ou fim, isto é, morrer em paz. Morrer em paz como Eutímio é morrer em *pace cogitationis*, em "paz de espírito", que é o oposto da dúvida. Morrer em paz como Cipriano é morrer em *pace securitatis*, em "paz de segurança", que é o oposto da queda final. Morrer em paz como Orígenes é morrer em *pace conscientiae*, em "paz de consciência", que é o oposto do desespero. Morrer em paz como idoso Ireneu é morrer em *pace mortis*, em "paz de morte", que é o oposto da labuta. Morrer em paz é morrer em *pace Dei*, em "paz de Deus", que excede todo entendimento, ou seja, que vai muito além do que os homens podem entender. Morrer em paz é morrer em *pace proximi*, em "paz com os nossos semelhantes", ou seja, quando nenhum clamor ou exclamação nos segue. E por último, morrer em paz é morrer em *pace sui*, em "paz conosco mesmos", ou seja, quando nenhuma distração ou perturbação de espírito nos molesta. — *Richard Parre, 1617-1691*

v. 37: O texto pode ser dividido em duas partes. A propriedade do homem sincero; e o privilégio do homem sincero. A sua propriedade é a sinceridade ou perfeição, e o seu privilégio é a paz. Este é o caráter do santo e a coroa do santo. Ele é caracterizado pela retidão ou sinceridade, e coroado com paz. Este é o caminho do cristão e o seu fim, o movimento e o descanso. O seu caminho é a santidade, o seu fim é a felicidade. O seu movimento é em direção à perfeição e em retidão. O seu descanso é a paz no término da viagem. — *Sermão fúnebre proferido por John Whitlock intitulado "The Upright Man and His Happy End" [O Homem Reto e o seu Final Feliz], 1658*

v. 37: "Nota o homem sincero e considera o que é reto, porque o futuro desse homem será de paz". Faltar-me-ia tempo para contar como os cristãos morrem, nem pode algo, salvo a pena do anjo registrador que tem estado junto ao leito de morte dos cristãos para levá-los ao seio de Abraão, narrar as inumeráveis ocorrências da deliciosa partida deste mundo, que comprovam a verdade da Bíblia. "Eu nunca poderia ter crido", disse um santo moribundo, "se não fosse tão delicioso morrer, ou se não fosse possível ter esta visão do mundo celestial que agora desfruto." O memorável Filipe Melâncton (1497-1560), logo antes de morrer, cantarolou no seu adormecer as palavras: "Não comerei nada daqui até que se cumpra no reino de Deus". Ele parecia inquieto e, ao lhe perguntarem: "Há mais alguma coisa que tu desejas?", respondeu: *Aliud nihil nisi coelum*, "nada mais, a não ser o céu". — *Gardiner Spring*

v. 37: Para morrermos bem é necessário vivermos bem. Não pensemos em ter a morte de Lázaro e a vida de Dives. Como certo personagem em Plutarco que disse que queria viver como Creso, mas morrer como Sócrates. Nada disso. Os desejos de Balaão são tolos e infrutíferos. Para que morrais bem, ó cristãos, tendes de ter o cuidado de viverdes bem: *qualis vita, finis ita*. Se queres morrer quietamente, tens de viver estritamente. Se queres morrer confortavelmente, tens de viver obedientemente. Se queres morrer felizmente, tens de viver santamente. "Nota o homem sincero e considera o que é reto, porque o futuro desse homem será de paz." — *John Kitchen, Mestre em Ciências Humanas, 1660*

v. 38: "As relíquias dos ímpios todas perecerão" ("a descendência dos ímpios será exterminada", ARA). Os ímpios deste mundo prosperam sem dificuldades ou interrupções, muitas vezes com aclamações e aplausos, dando todos os passos brilhantes da honra e promoção. Mas, no topo mais alto, eles encontram a posição mais escorregadia, pois é no ápice da felicidade terrena que está a mais imediata e certa descida para a mais fragorosa queda. Eles montam regiamente aqui na terra e galopam velozmente pelas planícies belas e verdejantes da fartura e prazeres. Mas ao término da corrida, eles são cavalo e cavaleiro vencidos, e caiem de ponta-cabeça na cova da destruição. Eles deslizam suavemente sobre o mar deste mundo a toda velocidade, com muita tranquilidade e serenidade, e ricamente carregados. Mas no sol mais fulgurante e quando menos esperam, afundam de repente e irrecuperavelmente no golfo da escuridão e desolação. — *Robert Bolton, 1572-1631*

v. 40: "E o Senhor os ajudará". Ele ajudará, ajudará, ajudará! Essa é a retórica de Deus! Essa é a segurança dos santos! Essa é a certeza das promessas! — *John Trapp*

Lutero conclui seus comentários sobre o Salmo 37 com as palavras: Envergonhemo-nos da nossa infidelidade, desconfiança e incredulidade vil, por não crermos em tão ricas, grandiosas e consoladoras declarações de Deus e por aceitarmos com tanta prontidão e pouca razão de ofensa todas as palavras que ouvimos nos discursos ímpios dos descrentes. Ajuda-nos, ó Deus, para que, de uma vez por todas, obtenhamos a fé certa. Amém.

SUGESTÕES AOS PREGADORES

v. 1. A arte da tranquilidade. — *W. Jones*

vv. 1 e 2. Uma tentação frequente e um corretivo duplo — a visão dos pecadores na morte e no Inferno.

v. 2. Como e quando os malfeitores perecem.

v. 3. (1) Uma combinação descritiva do viver santo. (2) Uma combinação descritiva do viver feliz.

v. 3. O retrato do crente: (1) O objeto da confiança. (2) O modo de vida. (3) O lugar da habitação. (4) A certeza da provisão.

v. 3. "E, verdadeiramente, serás alimentado." Quatro modos de entender: (1) "Verdadeiramente alimentado" ou a certeza da provisão. (2) "Alimentado na veracidade" ou a suficiência da provisão para a alma e o corpo. (3) "Alimentado com a verdade" ou a espiritualidade da provisão. (4) "Alimenta-te da verdade" ou o dever de escolher tal provisão.

v. 4. Explique o deleite e o desejo do crente e mostre a ligação entre as duas coisas.

vv. 5 e 6. A vida mais sublime: (1) Baseada na resignação sincera. (2) Sustentada pela fé. (3) Desdobrada constantemente pelo Senhor. (4) Consumada no esplendor meridiano.

v. 6. O doce consolo para os santos caluniados: (1) Onde está o caráter agora. (2) Quem o revelará. (3) A maneira gradual, porém segura da revelação. (4) A conclusão gloriosa.

v. 7. "Descansa no Senhor." O quê? Onde? Quando? Por quê? Como?

v. 7. (1) Paz. (2) Paciência. (3) Domínio-próprio.

v. 7. A quietude em Deus. — *Bispo Wilberforce*

v. 7. "Descansa no Senhor": (1) Descansa na vontade de Deus, pois, seja o que for que Ele deseja é para o teu bem, para o teu mais alto bem. (2) Descansa no amor de Deus e medita com frequência nas palavras de Jesus sobre este ponto: "Tens amado a eles como me tens amado a mim" (Jo 17.23). (3) Descansa na misericórdia de Deus. (4) Descansa na Palavra de Deus. (5) Descansa na relação que o teu Deus te proporciona, pois Ele é o Pai. (4) Descansa no Senhor como Ele manifestou-se em Jesus, o teu Deus na aliança. — *James Smith*

v. 8. Um sermão para os indignados: (1) Deixa a ira do presente. É loucura, é pecado. Impede as orações. Desenvolve-se em maldade. Pode levar a coisa pior. (2) Abandona a ira para o futuro.

Arrependa-te dela. Vigia o teu temperamento. Disciplina as tuas emoções. (3) Evita todos os sentimentos semelhantes a indignação, irritação, mau humor, impaciência, inveja, porque eles conduzem ao mal.

v. 9. Como os mansos são os verdadeiros senhores da terra.

v. 10. (1) Considera o que o finado pecador deixou: Posses, alegrias, honras, objetivos, esperanças. (2) Considera para onde ele foi. (3) Considera se tu compartilharás o mesmo destino.

vv. 10 e 11. O terror para os ímpios e o consolo para os crentes. — *Anthony Farindon*

v. 11. O deleite dos mansos ou "a colheita dos olhos tranquilos".

v. 14. A conversa dos retos: (1) O que exclui. O horizontal ou terreno, o tortuoso ou astucioso, o inclinado ou sinistro. (2) O que inclui: Motivo, tema, linguagem, ação. (3) O que alcança: Permanece como um pilar, apoia como uma coluna, sobe como uma torre, adorna como um monumento, ilumina como um farol.

v. 15. A natureza autodestrutiva do mal.

v. 16. Como fazer muito com o pouco.

vv. 16 e 17. (1) O contraste entre os donos. (2) A comparação entre as posses. (3) A doação da preferência. (4) A declaração das razões.

v. 17. "O Senhor sustém os justos": (1) As pessoas favorecidas. (2) A necessidade evidente: serem sustidos ("sustém"). (3) A bem-aventurança singular: sustidos acima da provação, sob provação, depois da provação. (4) O Protetor augusto e respeitável.

v. 18. Os consolos deriváveis de uma consideração sobre o conhecimento divino. A eternidade das possessões dos retos.

v. 18. (1) As pessoas: "Os retos". (2) O período: "Os dias". Estes Deus os conhece: (a) Ele os conhece de forma amável e benevolente. (b) Ele conhece o número deles. (c) Ele conhece a natureza deles. (3) A porção: "A sua herança permanecerá para sempre". — *William Jay*

v. 18. "A sua herança permanecerá para sempre": (1) Qual é. (2) Como a ganham. (3) Por quanto tempo a detêm.

v. 19. Palavras boas para tempos difíceis.

v. 21. As transações monetárias são testes de caráter.

v. 22. A bênção divina é o segredo da felicidade. O desprazer divino é a essência da desgraça.

vv. 23 e 24. (1) A predestinação divina. (2) O deleite divino. (3) O apoio divino.

v. 24. Provações temporárias: (1) Elas virão. (2) Têm limite. (3) Têm resultados. (4) Nosso consolo secreto durante as provações. (5) Quais podem ser. (6) Quais não podem ser. (7) Quais serão.

v. 25. Memorando de um observador idoso.

v. 26. A disposição misericordiosa, a ação generosa e a recompensa rica do justo.

v. 26. A bênção da família do homem bom: qual é e qual não é.

v. 27. (1) O elemento negativo. (2) O elemento positivo. (3) O elemento remunerativo.

v. 28. (1) O Senhor ama a justiça. (2) O Senhor é fiel aos justos. (3) A preservação dos justos é duplamente garantida. (4) O extermínio dos ímpios é certificado.

v. 29. Canaã é um tipo da herança dos justos.

v. 30. Nosso linguajar é um teste de nossa santidade.

v. 31. (1) A melhor coisa. (2) No melhor lugar. (3) Com o melhor dos resultados.

vv. 32 e 33. (1) Nossos inimigos. (2) A sua maldade inveterada. (3) Nossa proteção e justificação.

v. 34. (1) Uma admoestação dividida em duas partes: (a) "Espera no Senhor"; (b) "Guarda o seu caminho." Espera e trabalha, espera e anda, adquire a graça e exercita-a. (2) Uma promessa dividida em duas partes: (a) "E te exaltará para herdares a terra." Deus é a fonte de toda elevação e honra; (b) "Tu o verás quando os ímpios forem desarraigados." Eles serão desarraigados. — *William Jay*

v. 34. (1) Fé paciente. (2) Santidade perseverante. (3) Exaltação prometida.

v. 34. "Tu o verás quando os ímpios forem desarraigados." Emoções causadas nos justos por veem a destruição dos pecadores.

v. 34. "Tu o verás quando os ímpios forem desarraigados." Os ímpios são frequentemente desarraigados: (1) Mesmo em vida, das suas posições, riquezas e expectativas. (2) Na morte, eles são desarraigados de todos os bens e consolações. (3) No último dia, eles serão desarraigados da "ressurreição da vida" (Jo 5.29). — *William Jay*

vv. 35 a 37. Três cenas memoráveis: (1) O espetáculo imponente. (2) O desaparecimento espantoso. (3) A saída deliciosa.

vv. 39 e 40. (1) As doutrinas de graça condensadas. (2) A experiência da graça compendiada. (3) As promessas da graça resumidas. (4) A maior evidência da graça declarada: "Porquanto confiam nele".

SALMO 38

TÍTULO

"Salmo de Davi para lembrança." Davi se sentia esquecido do seu Deus. Isso o levou a recontar as tristezas e clamar fortemente em busca de ajuda. O mesmo título é dado ao Salmo 70, onde, de certa forma, o salmista extravasa a sua queixa perante o Senhor. Seria tolice fazer uma suposição sobre o ponto da história de Davi em que o salmo foi escrito. Pode ser uma comemoração da sua doença e tolerância de crueldade. Por outro lado, pode ter sido composto por ele para o uso dos santos doentes e caluniados, sem referência especial a si mesmo.

DIVISÃO

Davi começa o salmo com uma oração (v. 1), continua com uma longa queixa (vv. 2 a 8), faz uma pausa para lançar um olhar ao céu (v. 9), prossegue fazendo um segundo relato dos sofrimentos (vv. 10 a 14), insere outra palavra de esperança endereçada a Deus (v. 15). Pela terceira vez, derrama uma torrente de infortúnios (vv. 16 a 20) para terminar o salmo como começou, com apelos insistentes e renovados (vv. 21 e 22).

EXPOSIÇÃO

1 *Ó Senhor, não me repreendas na tua ira, nem me castigues no teu furor.*

1. *"Ó Senhor, não me repreendas na tua ira."* Repreendido devo ser, porque sou filho propenso a errar, e tu és Pai cuidadoso, mas não carregues muita ira no tom da tua voz. Trata-me com brandura embora eu tenha pecado de forma grave. Posso suportar a ira dos outros, mas não a tua. Como o teu amor é muito doce ao meu coração, assim o teu furor me corta profundamente a consciência.

"Nem me castigues no teu furor." Castigar-me se quiseres, é uma prerrogativa do Pai. Suportar o castigo obedientemente é um dever do filho. Não transformes a vara em espada, não golpeies para matar. É verdade que meus pecados podem te inflamar, mas que a tua misericórdia e longanimidade apaguem as brasas ardentes da tua ira. Não me trates como inimigo ou lides comigo como rebelde. Lembra-te da tua aliança, da tua paternidade e da minha fragilidade e poupa o teu servo.

2 *Porque as tuas flechas se cravaram em mim, e a tua mão sobre mim desceu.*
3 *Não há coisa sã na minha carne, por causa da tua cólera; nem há paz em meus ossos, por causa do meu pecado.*
4 *Pois já as minhas iniquidades ultrapassam a minha cabeça; como carga pesada são demais para as minhas forças.*
5 *As minhas chagas cheiram mal e estão corruptas, por causa da minha loucura.*
6 *Estou encurvado, estou muito abatido, ando lamentando todo o dia.*
7 *Porque os meus lombos estão cheios de ardor, e não há coisa sã na minha carne.*
8 *Estou fraco e mui quebrantado; tenho rugido por causa do desassossego do meu coração.*

2. *"Porque as tuas flechas se cravaram em mim."* Com essas palavras, ele quer dizer os sofrimentos físicos e espirituais, mas podemos supor que são especialmente os sofrimentos espirituais, pois estes são muito penetrantes e cravam mais firmemente. A Lei de Deus aplicada pelo Espírito à convicção que a alma obtém do pecado fere profundamente e causa dor por muito tempo. É uma flecha que não deve ser removida estouvadamente por tratamento descuidado ou extraída pela mão lisonjeira da justiça própria. O Senhor sabe como atirar de forma que as flechas não só acertem, mas também se fixem. Ele pode fazer com que a convicção penetre no profundo do espírito como flechas fincadas na cabeça. Parece estranho o Senhor atirar flechas em quem Ele ama, mas, na verdade, Ele mira nos pecados, e não nos amados. Aqueles que, nesta vida, sentem essas flechas mortais encravadas nos pecados, não serão mortos pelos raios quentes que Ele dispara no outro mundo.

"E a tua mão sobre mim desceu." O Senhor fora tratar com ele e o pressionou com o peso da mão, de forma que ele não tivesse descanso ou lhe restasse força. Com essas duas expressões, aprendemos que a convicção de pecado é algo perfurante, premente, afiado, dolorido, ardente e esmagador. Aqueles que conhecem por experiência "os terrores de Deus" (Jó 6.4) estão mais bem habilitados a atestar a precisão de tais descrições. Elas são fiéis à realidade.

3. *"Não há coisa sã na minha carne, por causa da tua cólera."* A depressão mental se revela na constituição física. É suficiente para criar e fomentar todo tipo de doença, sendo em si mesma a mais dolorosa de todas as doenças. A doença da alma se denuncia no corpo todo, debilitando-o, fazendo com que a fraqueza física tenha efeito sobre a mente. Uma gota da ira divina faz todo o nosso sangue ferver no sofrimento.

"Nem há paz em meus ossos, por causa do meu pecado." A enfermidade penetra ainda mais profundamente, afetando até os ossos, os elementos mais sólidos do sistema. Falta de saúde e ausência de descanso são duas deficiências tristes. Contudo, estas se afastam conscientemente de toda consciência despertada até que Jesus lhe dê alívio. A ira de Deus é um fogo que seca o próprio tutano e vasculha as regiões secretas do ventre. A pessoa que está com dor nos ossos se vira para lá e para cá à procura de descanso, sem encontrar. Fica exausto pela agonia. Da mesma forma, em muitos casos, um senso de pecado gera na consciência um desassossego horrível, cuja angústia só não é maior que a do próprio Inferno.

4. *"Pois já as minhas iniquidades ultrapassam a minha cabeça."* Como as ondas do alto mar, como o lodo preto no qual a pessoa se atola totalmente. Acima das

minhas esperanças, das minhas forças e da minha própria vida, o meu pecado surge em seu terror. Os pecadores que ainda não foram despertados pensam que os seus pecados são meramente rasos, mas quando a consciência lhes é despertada, eles se dão conta da profundidade da iniquidade.

"Como carga pesada são demais para as minhas forças." É bom quando o pecado é uma carga intolerável, e quando a lembrança dos nossos pecados é algo que vai além do ponto de resistência. Esse versículo é o clamor genuíno de alguém que se sente arruinado pelas próprias transgressões, mas, ainda assim, não vê o grande sacrifício.

5. *"As minhas chagas cheiram mal e estão corruptas, por causa da minha loucura."* Apliquemos essas palavras ao corpo e teremos a triste condição de uma doença. Mas leiamos tendo em vista a alma, e é fiel ao original. A consciência fica fustigando repetidas vezes até que o inchaço se transforme em chaga e pus, e a corrupção interior se torne ofensiva. Que criatura horrível o homem se revela à própria consciência quando a sua depravação e vileza são plenamente expostas pela Lei de Deus e referidas pelo Espírito Santo! É verdade que esse versículo descreve com precisão certas doenças quando estão na fase pior, mas preferimos entender as expressões como instrutivamente figurativas, visto que as palavras "por causa da minha loucura" indicam mais exatamente uma doença moral do que física. Alguns entre nós sabem o que é sentir o próprio fedor ao ponto da repugnância. Nem sequer as doenças mais imundas podem ser tão asquerosas quanto o pecado. Nem úlceras, cânceres ou feridas putrefatas se comparam com a vilania e corrupção indescritíveis da iniquidade. Foi a nossa própria percepção que nos fez sentir isso. Escrevemos do que sabemos e testificamos do que vimos. Mesmo agora, estremecemos em pensar que ainda haja tanta maldade apodrecendo profundamente em nossa natureza.

6. *"Estou encurvado."* Estou enfadado de tanta angústia, contorço-me de dor, sinto dores lancinantes por causa do pecado revelado em mim.

"Estou muito abatido." Estou totalmente prostrado, gravemente debilitado e horrivelmente deprimido. Não há nada que derrube o homem de toda altivez do que uma percepção do pecado e da ira divina a esse respeito.

"Ando lamentando todo o dia." A tristeza de alma do lamentador aumentava sem trégua, mesmo quando ele cuidava de tal assunto à medida que era capaz. Ele saía como pranteador que vai ao sepulcro, e as palavras e procedimentos eram como as lamentações daqueles que compõem um cortejo fúnebre. Podemos entender mais claramente o versículo se descrevermos os pranteadores do Oriente, que se cobriam com pano de saco e cinzas, ajoelhavam-se com o rosto em terra, sentavam-se no meio da sujeira e imundície, faziam torções e contorções para expressar a dor. Este é o pecador que foi despertado, que não está representando exteriormente, mas age verdadeiramente.

7. *"Porque os meus lombos estão cheios de ardor."* Tratava-se de um distúrbio que causava febre, sede e ardor, provavelmente acompanhado por úlceras repugnantes. Espiritualmente, o fogo queima por dentro quando o mal do coração é exposto. Note que as palavras enfáticas no original hebraico denotam que o mal é repugnante e está nos lombos, em muitos pontos entranhados e vitais. Aqueles que já sentiram a convicção do Espírito Santo sabem o que o salmista está dizendo.

"E não há coisa sã na minha carne." Ele já havia dito isso. O Espírito Santo nos traz à memória a verdade humilhante repetidas vezes, despedaça toda base para autoglorificação e nos faz saber que em nós, ou seja, na nossa carne, não habita bem algum.

8. *"Estou fraco."* No original hebraico é "paralisado", "estupefato", tais estranhas incongruências e contradições reúnem-se em uma mente perturbada e um corpo doente, os quais parecem que foram alternadamente tostados com o calor e contraídos com o frio. Como as almas no lendário purgatório papista, lançadas

de fornalhas ardentes para as geleiras espessas, assim os corações atormentados passam apressadamente de um extremo ao outro, com tortura igual. Um calor de medo, um frio de horror, um desejo flamejante, uma insensibilidade horrível são desgraças sequenciais pelas quais o pecador convencido é levado à porta da morte.

"E mui quebrantado." Triturado como em um moinho, esmagado como em um morteiro. O corpo do homem doente lhe dá a sensação de estar desconjuntado e moído como uma massa palpitante, e a alma do desesperado é um caso igualmente miserável. Como a vítima esmagada pelo rolo compressor, tal é a alma sobre cuja consciência as rodas da ira divina abriram à força o seu caminho terrível.

"Tenho rugido por causa do desassossego do meu coração." Profunda e rouca é a voz da tristeza, e muitas vezes inarticulada e terrível. O coração aprende gemidos que não podem ser proferidos, e a voz falha em harmonizar-se e afinar-se à fala humana. Quando nossas orações parecem mais animais do que espirituais, não são menos prevalecentes com o compassivo Pai das misericórdias. Ele ouve o murmúrio do coração e o rugido da alma por causa do pecado e, no devido tempo, Ele vem em socorro do aflito.

Quanto mais minuciosamente o retrato precedente da alma despertada for estudado sob a luz da experiência, mais impressionantemente preciso será. Não pode ser uma descrição de desordem meramente exterior por mais detalhada que seja. Tem uma profundidade e *pathos* aos quais só a agonia misteriosa e terrível da alma consegue se equiparar devidamente.

9 *Senhor, diante de ti está todo o meu desejo, e o meu gemido não te é oculto.*

9. *"Senhor, diante de ti está todo o meu desejo."* Ainda que não exprimido, foi percebido. Bendito seja Deus; Ele lê os desejos do nosso coração. Não podemos esconder nada dEle. O que não conseguimos contar para Ele, Ele entende perfeitamente. O salmista está cônscio de que ele não exagerou. Por isso, suplica aos céus por confirmação das suas palavras. O bom Médico entende os sintomas da doença e vê o mal oculto que eles revelam. Consequentemente, nosso caso está seguro nas suas mãos.

"E o meu gemido não te é oculto."

Ele entende o significado das nossas lágrimas
A linguagem dos nossos gemidos

Tristeza e angústia se escondem da observação humana, mas Deus as enxerga. Ninguém é mais solitário que o pecador que está com o coração quebrantando; contudo, ele tem o Senhor por companheiro.

10 *O meu coração dá voltas, a minha força me falta; quanto à luz dos meus olhos, até essa me deixou.*
11 *Os meus amigos e os meus propínquos afastam-se da minha chaga; e os meus parentes se põem em distância.*
12 *Também os que buscam a minha vida me armam laços, e os que procuram o meu mal dizem coisas que danificam e imaginam astúcias todo o dia.*
13 *Mas eu, como surdo, não ouvia e, como mudo, não abri a boca.*
14 *Assim eu sou como homem que não ouve, e em cuja boca não há reprovação.*

10. *"O meu coração dá voltas."* Nesse ponto, o salmista começa a fazer outra narrativa do sofrimento pelo qual passava. Ele ficou tão completamente magoado pela descortesia dos amigos que o coração estava em estado de palpitação incessante.

As batidas do coração eram impetuosas e rápidas. Ele era como uma corça caçada, cheia de alarmes estressantes e pronta para perder as estribeiras por puro medo. A alma busca solidariedade nas dificuldades, e, caso não a encontre, as doloridas palpitações do coração são incessantes.

"A minha força me falta." Por causa da doença física e perturbação mental, ele se sentia debilitado e a ponto de morrer. O senso do pecado e a percepção clara de que ninguém pode nos ajudar em nossa angústia bastam para levar o homem às portas da morte, sobretudo se não há ninguém que fale uma palavra amável e direcione o espírito quebrantado ao Médico amado.

"Quanto à luz dos meus olhos, até essa me deixou." A agradável luz lhe deixou os olhos físicos, e a consolação lhe desapareceu da alma. Aqueles que eram a própria luz dos olhos o abandonaram. A esperança, a última lâmpada da noite, estava prestes a sair. Em que apuro estava o pobre convicto! Alguns de nós já passaram por esse terreno e teríamos perecido, não tivesse a misericórdia infinita se interposto. Hoje, quando nos lembramos da benignidade do Senhor, vemos como foi bom perdermos as forças, visto que essa falta nos dirigiu ao forte em busca de força. Como foi certo que a nossa luz fosse apagada para que a luz do Senhor brilhasse em nós.

11. *"Os meus amigos e os meus propínquos afastam-se da minha chaga."* Seja qual for o sentimento que fingiram ter, eles o excluíram da companhia, para que, como um navio que afunda leva consigo os barcos, eles não fossem forçados a passar pelas mesmas calamidades. É muito difícil quando aqueles que deveriam ser os primeiros em vir ao nosso socorro são os primeiros a nos abandonar. Em tempos de profunda tribulação de alma, até mesmo os amigos mais afetuosos não podem entrar no caso do sofredor. Por mais aflitos que estejam pela condição do amigo, eles não conseguem cuidar das feridas de uma consciência tenra. Essa é a tremenda solidão da alma que está sob o poder convincente do Espírito Santo!

"E os meus parentes se põem em distância." Como as mulheres e outros dos conhecidos de nosso Senhor contemplavam a cruz de longe, assim a alma ferida pelo pecado vê todo o gênero humano como espectadores distantes, não encontrando ninguém na multidão que a ajude. É comum os parentes atrapalharem os não conversos que buscam a Jesus. Mais comum ainda é eles os verem com despreocupação, raramente se esforçando em levar os penitentes a Jesus.

12. *"Também os que buscam a minha vida me armam laços."* Ai de nós quando, além das aflições interiores, somos atacados pelas tentações exteriores. Os inimigos de Davi se empenhavam vilmente em enlaçá-lo. Se métodos corretos não o derrubassem, métodos ilegais deveriam ser tentados. Este negócio de armar ciladas é odioso. Só os caçadores ilegais que servem ao Diabo se rebaixam a esse nível. Mas a oração a Deus nos livrará, pois a artimanha da escola dos tentadores pode ser enfrentada e superada por aqueles que são conduzidos pelo Espírito.

"E os que procuram o meu mal dizem coisas que danificam." Mentiras e difamações jorravam dessas pessoas como água da bomba d'água municipal. A língua nunca parava de mexer, e o coração sempre ficava inventando mentiras.

"E imaginam astúcias todo o dia." Nunca sossegavam. O forno de planos dissimuladores trabalhava de manhã a noite. Quando não podiam agir, falavam, e quando não podiam falar, imaginavam, maquinavam e tramavam. Inquieta é a atividade da maldade. Os homens maus nunca se satisfazem com o mal. Eles percorrem terra e mar só para prejudicar um santo. Não há trabalho severo demais, nem custo grande demais se assim eles conseguem arruinar de vez os inocentes. Nosso consolo é que o glorioso Jesus, que é a Cabeça, conhece a malignidade pertinaz de nossos inimigos. Ele, no devido tempo, dará um fim a esse processo, assim como hoje Ele coloca um limite a isso.

13. *"Mas eu, como surdo, não ouvia."* Comportamento bom e ousado. Uma indiferença santa às difamações da malevolência é verdadeira coragem e sábia conduta. Faz bem nos comportarmos como se não estivéssemos ouvindo ou vendo. Talvez o salmista quisesse dizer que esta surdez da sua parte era inevitável porque ele não tinha poder para responder os insultos dos cruéis, mas sentia grande parte da verdade dessas acusações mesquinhas.

"E, como mudo, não abri a boca." Davi manteve-se bravamente calado, sendo, nesse ponto, eminentemente típico de nosso Senhor Jesus, cujo silêncio admirável na presença de Pilatos foi mais eloquente que palavras. Abster-se de auto-defesa é mais difícil e, na maioria das vezes, mais sábio.

14. *"Assim eu sou como homem que não ouve, e em cuja boca não há reprovação."* Ele repete o fato do seu silêncio para que possamos notar, admirar e imitar esse procedimento. Temos um advogado. Portanto, não precisamos defender nossa própria causa. O Senhor repreenderá nossos inimigos, pois a vingança pertence a Ele. Esperemos, então, com paciência e conscientizemo-nos de que nossa força está em ficarmos quietos.

15 *Porque em ti, SENHOR, espero; tu, Senhor, meu Deus, me ouvirás.*

15. *"Porque em ti, SENHOR, espero; tu, Senhor, meu Deus, me ouvirás."* Davi se entregou àquele que julga justamente, e assim, com paciência, pôde possuir a própria alma. A esperança na intervenção de Deus e a convicção no poder da oração são dois dos mais abençoados apoios para a alma em tempos de adversidade. Afastando-se imediatamente da criatura para dirigir-se ao Deus soberano de todos, e a Ele como o nosso Deus da aliança, encontraremos o mais rico consolo esperando nEle. A reputação como uma pérola rara pode ser lançada no lodo, mas, no devido tempo, quando o Senhor reunir as suas jóias, o caráter piedoso se destacará com o brilho do maior esplendor. Descansa, então, ó irmão caluniado, e não permitas que a tua alma seja lançada para lá e para cá pela ansiedade.

16 *Porque dizia eu: Ouve-me, para que se não alegrem de mim; quando escorrega o meu pé, eles se engrandecem contra mim.*
17 *Porque estou prestes a coxear; a minha dor está constantemente perante mim.*
18 *Porque eu confessarei a minha iniquidade; afligir-me-ei por causa do meu pecado.*
19 *Mas os meus inimigos estão vivos e são fortes, e os que sem causa me odeiam se engrandecem.*
20 *Os que dão mal pelo bem são meus adversários, porque eu sigo o que é bom.*

16. *"Porque dizia eu: Ouve-me, para que se não alegrem de mim."* O homem bom não era insensível. Ele temia os ataques mordazes da maldade escarnecedora. Ele temia que, ou pela conduta ou pela situação, ele desse chance para o mal triunfar. Os seus desejos ardentes usavam este medo como argumento na oração e como incentivo à oração.

"Quando escorrega o meu pé, eles se engrandecem contra mim." A menor falha que o santo tenha será seguramente notada. Muito tempo antes de alguém cair, o inimigo já começa a cercar. O mais simples passo em falso do pé faz com que todos os cães do Inferno latam. Como devemos ser cuidadosos e como inoportunos em oração para que a graça nos sustente! Não desejamos, como o cego Sansão, servir de passatempo para nossos inimigos. Tenhamos cuidado com a traiçoeira Dalila do pecado, por meio de quem nossos olhos logo podem ser vazados.

17. *"Porque estou prestes a coxear."* Como alguém que é manco ou anda a passos cambaleantes em perigo de cair. Como isto nos beneficia: "Aquele, pois, que cuida estar em pé, olhe que não caia" (1 Co 10.12). Como uma coisa pequena deixa o cristão coxo! Como uma pedra de tropeço insignificante pode levá-lo a cair! Essa passagem se refere à fraqueza causada pela dor e sofrimento. O sofredor estava a ponto de desistir de tudo por estar desesperado. Ele estava tão deprimido de espírito que tropeçou numa palha. Alguns de nós sabem dolorosamente o que é ser como material seco, facilmente inflamado, para as faíscas do sofrimento. Prontos a parar, prontos a lamentar, suspirar e chorar em qualquer hora e por qualquer coisa.

"A minha dor está constantemente perante mim." Ele não precisava olhar pela janela para ver a dor. Ele a sentia interiormente e gemia sob o corpo de pecado, que lhe era como uma praga que se alastrava. A convicção profunda continua irritando a consciência. Não suporta uma paz arrumada, mas declara guerra de vida ou morte até que a inimizade seja morta. Até que o Espírito Santo aplique o precioso sangue de Jesus, o pecador verdadeiramente despertado está coberto de chagas e feridas inflamadas que não podem ser curadas ou enfaixadas e nem mesmo molificadas com unguento.

18. *"Porque eu confessarei a minha iniquidade."* A difamação dos inimigos ele repudia, mas as acusações da consciência ele admite. A confissão aberta faz bem para a alma. Quando o sofrimento conduz ao reconhecimento sincero e penitente do pecado é um sofrimento abençoado, algo para agradecer a Deus com a mais sublime devoção.

"Afligir-me-ei por causa do meu pecado." Regarei a minha confissão com lágrimas salgadas. Faz bem não tanto lamentar nossas dores quanto denunciar os pecados que estão na sua origem. Afligir-se pelo pecado não é fazer expiação por ele, mas é o espírito certo no qual dirigir-se a Jesus, que é a reconciliação e o Salvador. O homem está perto do fim do sofrimento quando ele chega ao fim dos seus pecados.

19. *"Mas os meus inimigos estão vivos e são fortes."* Por mais fraco e lânguido que o justo esteja, os males que se lhe opõem são suficientemente vigorosos. Nem o mundo, nem a carne, nem o Diabo jamais são atormentados com debilidade ou preguiça. Essa trindade de males trabalha com energia sumamente constante para nos derrotar. Se o Diabo adoecer, ou então nossas concupiscências enfraquecer, ou ainda a senhora Impostura enfermar, podemos afrouxar na oração. Mas com esses inimigos saudáveis e fortes, não deixemos de clamar veementemente ao nosso Deus.

"E os que sem causa me odeiam se engrandecem." Esse é outro sofrimento: como não somos páreos para os nossos inimigos em termos de força, assim também eles são de maior número que nós na proporção de cem por um. Por mais errada que seja a causa do mal, ela é popular. O reino das trevas cresce cada vez mais. Que triste vermos os confessos amigos de Jesus abandonando-o, enquanto que os inimigos da cruz e da causa cristã reunindo-se em grupos cada vez maiores!

20. *"Os que dão mal pelo bem são meus adversários."* Os sábios prefeririam que os seus inimigos fossem assim. Por que procuraríamos ser amados por pessoas que não têm a graça? É um argumento perfeito contra nossos inimigos, quando podemos dizer sem injustiça que eles são como o Diabo, cuja natureza é dar o mal pelo bem.

"Porque eu sigo o que é bom." Se os homens nos odeiam porque seguimos o que é bom, alegremo-nos ao suportar essa situação. A ira deles é a homenagem inconsciente que a maldade presta à virtude. Esse versículo não é incompatível com a confissão prévia do escritor. Podemos nos sentir profundamente culpados diante de Deus e, mesmo assim, sermos absolutamente inocentes de qualquer erro por nossos semelhantes. Uma coisa é reconhecer a verdade, outra coisa é submeter-se a ser desmentido. O Senhor com justiça pode me ferir, e, ao mesmo tempo, posso dizer para o meu semelhante: "Por que me feres?" (Jo 18.23).

21 *Não me desampares, SENHOR; meu Deus, não te alongues de mim.*
22 *Apressa-te em meu auxílio, Senhor, minha salvação.*

21. *"Não me desampares, SENHOR."* Agora é o tempo que mais preciso de ti. Quando a doença, a difamação e o pecado atacam o santo, ele pede a ajuda especial dos céus, e a terá. Ele não tem medo de nada enquanto Deus estiver com ele, e Deus está eternamente com ele.

"Meu Deus, não te alongues de mim." Não retenhas a luz do teu amor próximo e querido. Revela-te a mim. Fica a meu lado. Permitas que eu sinta que, embora sem amigos, eu tenha um amigo muito precioso e todo-suficiente em ti.

22. *"Apressa-te em meu auxílio."* A demora comprovaria a destruição. O pobre suplicante estava em péssima situação e prestes a expirar; só a ajuda imediata viria a propósito. Vê como o sofrimento fomenta a importunidade da oração! Esse é um dos resultados agradáveis da aflição, dá vida nova à nossa súplica e nos dirige com avidez ao nosso Deus.

"Senhor, minha salvação." Não só meu Salvador, mas também minha salvação. Aquele que tem o Senhor a seu lado tem a salvação em posse atual. A fé prevê o tema bendito de todas as suas súplicas e, nesse versículo, passa a designar a Deus a glória da misericórdia esperada. Não seremos abandonados pelo Senhor. A sua graça nos socorrerá no tempo certo, e no céu, veremos que não tivemos uma provação a mais, ou um sofrimento muito severo. O senso de pecado se misturará na alegria da salvação. A aflição levará à gratidão, e a gratidão à alegria indizível e cheia de glória.

NOTAS EXPLICATIVAS E DECLARAÇÕES IMPORTANTES

O Título: A primeira palavra hebraica *mizmor,* ou "salmo", é a designação de 44 poemas sacros, 32 dos quais são atribuídos a Davi. O leitor deve levar em conta que essa palavra não é a mesma no original hebraico que forma o título geral do livros dos Salmos, pois esta denota um Hino de Louvor. A palavra *salmo* usada no contexto e nos títulos das composições é invariavelmente *mizmor* no original, termo que define com precisão o caráter poético. Para explicar o significado apropriado, tenho de recorrer à definição bela e acurada dada por Robert Lowth. "A palavra hebraica *mizmor* significa composição que, de maneira peculiar, é recortada em frases curtas e frequentes e medida a intervalos regulares". [...] Ele acrescenta que a palavra hebraica *zamar* significa "cortar" ou "podar", usada para referir-se a tirar os ramos supérfluos das árvores. Depois de mencionar o sentido secundário da palavra, "cantar com a voz ou instrumento", opina que *mizmor* pode ser mais corretamente atribuída ao sentido primário da raiz, significando um poema recortado em frases curtas e podado de toda superfluidade de palavras, que é a característica peculiar da poesia hebraica. — *John Jebb*

O Título: O título que Davi dá a esse salmo é digno de nota: "Salmo de Davi para lembrança". Davi pensava que estava no leito de morte, por isso disse que seria um salmo para lembrança — para lembrar o pecado, confessar a Deus a impureza cometida com Bate-Seba, trazer à memória os erros feitos na vida. Sempre que Deus te traz tribulação, tu estás então na situação certa para confessares o pecado a Deus e lembrares o pecado. — *Christopher Love*

O Título: O salmo é "para lembrança". Ensina-nos que as coisas boas precisam ser mantidas vivas na memória, que temos de ter o hábito de nos sentar, olhar para trás, repassar os fatos e revolver na meditação os episódios passados, para que, em tempo algum, deixemos que qualquer coisa boa caia no esquecimento. Entre as coisas que Davi trouxe à memória, estão:

(1) As tribulações e os livramentos ocorridos.

(2) Mas o ponto principal no salmo de Davi é recordar a depravação de nossa natureza. Não há, talvez, salmo que descreva mais completamente a natureza humana, conforme é vista sob a luz que Deus Espírito Santo lança sobre ela no momento em que Ele nos convence do pecado, do que este. Estou convencido de que essa descrição não combina com qualquer doença física conhecida. É muito semelhante à lepra, mas tem certas características que não se encaixam com lepra, quer descrita por escritores antigos ou modernos. O fato é que se trata de uma lepra espiritual, uma doença interior a qual Davi a colore com a própria vida, e ele quer que nos lembremos disso.

(3) Uma terceira coisa que o salmo nos faz lembrar é dos nossos muitos inimigos. Davi diz que os seus inimigos lhe armavam ciladas, procuravam feri-lo, falavam coisas para prejudicá-lo e inventavam e planejavam enganos o dia todo. "Mas", dirá alguém, "como foi que Davi teve tantos inimigos? O que foi que ele fez para eles? Será que ele não foi imprudente e precipitado, ou talvez intratável?" Não é o que parece que ocorreu em sua vida. Ele fez inimigos por ser escrupulosamente santo. Os inimigos o atacaram, não porque ele fosse mau, mas, como ele mesmo diz nesse salmo, eles eram os seus inimigos porque ele amava as coisas que eram boas. O resultado último da religião de Cristo é efetuar a reconciliação em todos os lugares, mas o resultado inicial é causar divisão.

(4) Por fim, o salmo nos lembra de nosso Deus gracioso. Tudo que nos dirige a Deus é uma bênção. Qualquer coisa que nos desapegue de confiar no braço de carne, sobretudo aquilo que nos impede de tentar ficar só, é um benefício para nós. — *C. H. S.*

O Salmo: As características mais maravilhosas desse salmo são a intensidade da desgraça na qual o salmista mergulha gradualmente nas queixas constantes na primeira parte, o apego súbito no braço da misericórdia e onipotência (v. 8) e a extrema altura de conforto e consolação que nos alcança no fim. — *Benjamim Weiss*

v. 1: "Ó Senhor, não me repreendas na tua ira, nem me castigues no teu furor". Não é absurdo pedir que Deus não me repreenda na sua ira, como se eu pensasse que Ele me repreenderia se não estivesse irado? Não é um pedido insensato orar para Deus não me castigar no seu furor, como se ele fosse me castigar caso não estivesse enfurecido? A natureza mais rebelde e insubordinada será aquietada, contanto que seja agradada. Terei eu tal pensamento do grande e benevolente Deus, que Ele se agradasse mas, mesmo assim, não se aquietasse? Mas, ó minha alma, não é tudo a mesma coisa, repreender na sua ira e repreender quando Ele está irado? Ele pode repreender quando está irado e, ao mesmo tempo, conter e dominar a ira. Mas repreender na sua ira é soltar as rédeas da ira. O que é soltar as rédeas da ira, senão fazê-la ultrapassar a misericórdia? Em que situação triste devo estar por ter a sua ira a atacar-me e não a sua misericórdia pronta a aliviar-me! Ter a sua indignação sobre mim quando a sua bondade não está por perto para tirá-la! Então, "ó Senhor, não me repreendas na tua ira", mas que a tua repreensão aguarde a tua misericórdia. Não me castigues no teu furor, mas que a tua bondade mantenha a guarda da tua vara. — *Sir Richard Baker*

v. 1: "Nem me castigues no teu furor". Ambas as palavras, as quais foram traduzidas por "castigues" e "furor", são palavras de significado forte e veemente. Eles tencionam expressar a eternidade da indignação de Deus, até ao ponto de prender a alma e o corpo nas cadeias eternas das trevas. A primeira palavra *jasar*, significa, nas Escrituras, *vincire*, "ligar", "prender" ou "amarrar" com cordas, com cadeias; "acorrentar", "algemar" ou "mutilar" homens que serão executados, de forma que denota escravidão, servidão durante todo o tempo e destruição no final. É deste modo que a palavra foi usada por Roboão: "Meu pai vos castigou com açoites, porém eu vos castigarei com escorpiões" (1 Rs 12.11). A outra palavra hebraica *chamath*, não só significa "furor", mas também o efeito desse furor de Deus, como indicado pelo profeta Isaías: "Pelo que derramou sobre eles a indignação da sua ira e a força da guerra e lhes pôs labaredas em redor, mas nisso não atentaram; e os queimou, mas não puseram nisso o coração" (Is 42.25). Sendo essas as condições terríveis do furor de Deus, estar numa fornalha e não perceber, estar no hábito do pecado e não saber o que nos conduz em tentação, ser queimado até virar cinzas — não só sem a umidade, sem todas as lágrimas santas, mas até virar cinzas, sem a mínima possibilidade de haver algo de bom que cresça em nós. A palavra *chamath* tem um significado mais forte que isso, pois significa o próprio veneno, a própria destruição, pois assim é levado duas vezes em um versículo: "Têm veneno semelhante ao veneno da serpente" (Sl 58.4), de forma que esse furor é aquele veneno da alma, a obduração aqui e a extensão daquela obduração, uma impenitência final nesta vida e uma impenitabilidade infinita na outra, morrer sem a verdadeira penitência aqui e viver para sempre sem a possibilidade de penitência futura depois. Davi prevê que, se Deus repreende em ira, virá a castigar em furor. Pois o que o deterá? "Pecando, porém, o homem contra o SENHOR, quem rogará por ele?", diz Eli (1 Sm 2.25). "Pleiteia a minha causa", diz Davi (Sl 43.1). Só o Senhor pode ser de conselho para com ele e pleitear por ele. O Senhor é o juiz e a ira também. — *John Donne*

v. 2: "Porque as tuas flechas se cravaram em mim".

Em primeiro lugar, veremos em que sentido Davi as chama de flechas. Elas são *alienae*, são atiradas por outros, não pertencem a ele. Ninguém atira flechas em si mesmo. Elas são *veloces*, de rápida velocidade, não podendo determinar o tempo. Elas são *vix visibiles*, embora não sejam inteiramente invisíveis quando estão em voo, exigem olhos perspicazes e expressa diligência e vigilância para evitá-las. Portanto, são flechas nas mãos de outro, não lhe pertencem. São velozes e invisíveis antes que cheguem.

Em segundo lugar, são muitas flechas. A vitória não está em Davi escapar de uma ou duas.

Em terceiro lugar, as flechas se cravam em Davi. Elas não acham motivo para fincar de novo e marcar sem sentido. Elas se cravam firmemente. Embora o golpe seja sentido e a ferida verificada, não há cura presente, ele não pode livrar-se delas; *infixte sunt*. Então, com tudo isso, elas se cravam firmemente nele, quer dizer, em todo ele, no corpo e na alma. Nele, nos pensamentos e ações. Nele, nos pecados e nas boas obras também; *infixae mihi*. Não há nenhuma parte dele, nenhuma faculdade nele na qual elas não se cravam, pois (esta pode ser outra consideração) a mão que as atira, pressiona-o, acompanha o golpe e desce sobre ele, quer dizer, veementemente. Mas (esta será a nossa conclusão) *sagittae tuae*, "as tuas flechas", e *manus tua*, "a tua mão", essas flechas que são atiradas e essa mão que desce sobre ele são as flechas e a mão de Deus. Primeiro, elas têm de ter o seu efeito, não podem ser desapontadas. Mas elas trazem consigo o consolo, porque são dele, porque nenhuma flecha dele, nenhum aperto da mão dele vem sem esse bálsamo de misericórdia para curar tão prontamente quanto fere. — *John Donne*

v. 2: "As tuas flechas se cravaram em mim". Embora, para Deus, a importunidade seja sempre muito agradável, para nós é muito necessária quando a face alegre de Deus se transforma em olhar de censura e reprovação, e quando há o medo justamente imaginado da continuação da ira. Não tenho motivos justos para temer, por estarem as flechas da sua ira cravadas tão firmemente em mim? Se a intenção fosse fazer-me alvo ao qual atirar as flechas, suponho que Ele logo as tiraria de mim. Mas visto que Ele as deixa cravadas em mim, só posso pensar que Ele pretende me fazer de aljava. Tenho de esperar por muito tempo até que Ele venha arrancá-las de mim. De fato, são flechas cujas penas são a velocidade e cuja cabeça é a agudeza. Para dar-lhes força no voo, elas são atiradas, posso dizer, de uma arma medieval chamada besta. Trata-se, tenho certeza, de uma flecha da cruz, pois nenhuma flecha voa tão rápido nem perfura tão profundamente do que as cruzes e aflições com as quais ele me pega de surpresa. Posso dizer verdadeiramente que me pegou de surpresa, visto que, quando me considerei mais seguro, eu dizia: "Jamais serei abalado" (Sl 30.6, RA). Mesmo assim, as flechas da sua ira me atingiram e se cravaram tão firmemente em minha carne que nenhum braço, senão o dEle que as atirou, poderia tirá-las de mim. Como tu estendeste o teu braço de ira, ó Deus, para atirares estas flechas em mim, assim estende o teu braço de misericórdia para tirá-las de mim. Dessa forma, eu te cantarei hinos em vez de cantos fúnebres, e tu poderás mostrar o teu poder, tanto em perdoar quanto em condenar. — *Sir Richard Baker*

v. 2: "As tuas flechas". Flechas são instrumentos (1) velozes, (2) secretos, (3) aguçados, (4) mortais. São instrumentos que tiram sangue e bebem sangue até ficarem bêbados (Dt 32.42). As aflições são como flechas em todas essas propriedades.

(1) As aflições chegam muito rapidamente, com um vislumbre como que flecha, velozes como um pensamento.

(2) As aflições chegam de repente, inesperadamente. Uma flecha se crava no homem antes que ele perceba; assim se dá com as aflições. Embora Jó tivesse dito que o que ele temia lhe veio (Jó 3.15), ele procurou essa flecha antes que viesse. As aflições são, na maioria das vezes, convidados inesperados, vindo sobre nós quando nem imaginamos.

(3) As aflições chegam fazendo pouco barulho. A flecha é sentida antes ou assim que é ouvida. A flecha voa silenciosa e secretamente, roubando e ferindo o homem, não sendo observada e vista.

(4) Todas as aflições são aguçadas e, por natureza, mortais e fatais. Se alguém recebe o bem delas, é em virtude da graça de Deus, e não pela natureza delas. — *Joseph Caryl*

v. 2: Ninguém deve pensar que estas expressões de penitência (vv. 1 a 4) são exageradas ou forçadas. São as palavras do Espírito Santo de Deus falando pela boca do homem segundo o coração de Deus. Se estivéssemos tão arrependidos quanto Davi, entenderíamos a sua linguagem. Do jeito que está, nossos afetos se esfriam e não fazemos parte das suas palavras. [...] Observarmos como todas as desgraças são mencionadas para os seus próprios fins. O pecado não é lamentado só por causa do efeito ruim causado no culpado, mas por conta do desprezo dado a Deus. O primeiro pensamento do salmista é a ira do Senhor e o seu furor. Não são as flechas que o afligem tanto quanto o fato de serem de Deus. "As *tuas* flechas se cravaram em mim, e a *tua* mão sobre mim desceu" (grifos meus). A razão de não haver saúde na sua carne é por causa do furor de Deus. Esta é a verdadeira contrição: "A tristeza segundo Deus opera arrependimento para a salvação, da qual ninguém se arrepende; mas a tristeza do mundo opera a morte" (2 Co 7.10). — *Extraído de A. P. Forbes [Bispo de Brechin], "A Commentary on the Seven Penitential Psalms, Chiefly from Ancient Sources" [Um Comentário sobre os Sete Salmos Penitenciais, Principalmente de Fontes Antigas], 1857*

v. 2: "E a tua mão sobre mim desceu". Não a mão do Egito ou da Assíria. Fosse, então, mão por mão, um duelo de certa igualdade, corpo a corpo, forças e estratagemas alcançariam a vitória. Mas é a tua mão. O peso do golpe de um homem é fraco, pois é segundo a força e impulso do braço. Os príncipes de Midiã disseram a Gideão, quando ordenou que o seu filho experimentasse a força da espada sobre eles: "Levanta-te tu e acomete-nos; porque, qual o homem, tal a sua valentia" (Jz 8.21). Mas "horrenda coisa é cair nas mãos do Deus vivo" (Hb 10.31). Homero chamou as mãos de Júpiter de χείρες ἄεπτοι, que significa "mãos cujo louvor não pode ser falado exaustivamente". Certos estudiosos entendem que é χείρες ἄαπτοι, que significa "mãos inacessíveis e irresistíveis à força". Todos os deuses do céu não podiam evitar o golpe da mão de Júpiter. Essa mão nunca golpeia senão por causa do pecado; e onde o pecado está, o golpe é pesado. — *Thomas Adams*

v. 3: "Tua cólera... meu pecado". Eu sou como a bigorna para dois martelos: um deles é a tua cólera, o outro é o meu pecado, ambos batendo incessantemente em mim. O martelo da tua cólera batendo em minha carne, deixando-a enferma. O martelo do meu pecado batendo em meus ossos, deixando-os inquietos. Na verdade, os dois batem em ambos. Mas a tua cólera bate mais em minha carne, por ser mais sensível, e o meu pecado bate mais em meus ossos, por serem mais obstinados. A cólera de Deus e o pecado são as duas causas eficientes de toda desgraça. Mas a causa pró-catártica ou estimulante é realmente o pecado. A cólera de Deus, como a casa que Sansão derrubou sobre a própria cabeça, só cai sobre nós quando nós mesmos a derrubamos sobre nós quando pecamos. — *Sir Richard Baker*

v. 3: "Minha carne... meus ossos". Eu sei, pela enfermidade da minha carne, que Deus está irado comigo, pois não fosse pela sua ira, minha carne estaria sã. Mas que saúde pode haver nela quando a ira de Deus fica batendo nela continuamente sem cessar? Eu sei, pela inquietação dos meus ossos, que tenho pecado em meu seio, pois não fosse pelo pecado, meus ossos estariam quietos.

Mas que quietude pode haver neles quando o pecado fica consumindo-os incessantemente com o verme do remorso? Alguém pensaria que meus ossos estavam muito longe e suficientemente escondidos para os pecados causarem-lhes alguma lesão. Observa a natureza detalhista, o veneno pertinaz do pecado que perfura minha carne e gera inquietação em meus ossos. Eu sei que minha carne é culpada de muitas faltas pelas quais merece mesmo ficar enferma.

Mas o que os meus ossos fizeram? Eles não abastecem de combustível às chamas da sensualidade da minha carne. Por que devem ser incomodadas? Não são meus ossos os sustentadores de minha carne? E por causa disso, não são eles pelo menos cúmplices dos erros de minha carne? Como cúmplices, eles estão sujeitos ao mesmo castigo que a própria carne está, que é o principal implicado. — *Sir Richard Baker*

v. 3: "Nem há paz em meus ossos, por causa do meu pecado". Nesta vida, o cristão é como mercúrio, que tem em si mesmo um princípio de movimento, mas não de descanso. Nunca estamos quietos, mas são como a bola na raquete ou o navio nas ondas. Tendo em vista que pecamos, é como o mercúrio. O filho de Deus é cheio de movimento e inquietação. [...] Estamos aqui numa pressa sem fim, em constantes subidas e descidas.

Nossa vida é como a maré, às vezes na vazante, às vezes na enchente. Não há descanso. A razão é porque estamos fora do centro. Tudo está em movimento até chegar ao centro. Cristo é o centro da alma. A agulha da bússola treme até apontar o Polo Norte. — *Thomas Watson*

v. 3: Aprendamos com os mendigos a obter socorro e assistência. Abre as tuas feridas, faze conhecidas as tuas necessidades, revela todas as tuas desgraças, não suaviza o teu caso. Os mendigos sabem, por experiência, que, quanto mais miseráveis parecerem, mais compaixão suscitam, mais são socorridos. As misericórdias dos homens mais misericordiosos não passam de gotas em comparação aos oceanos das misericórdias de Deus. Há, entre os homens, muitos que são como o sacerdote e o levita da Parábola do Bom Samaritano (Lc 10.30-32), que passam de largo por um homem assaltado, ferido e semimorto, não tendo pena dele e nem socorrendo-o. Mas Deus, como o samaritano misericordioso, sempre tem compaixão das pessoas que, sentindo as suas desgraças, são forçadas a clamar e almejar ajuda. Inteiremo-nos de Jó (Jó 6–7), Davi (Sl 38.3), Ezequias (Is 38.10) e outros santos que apresentaram as suas queixas diante do Senhor, e verifiquemos que misericórdia o Senhor lhes mostrou. Teremos, assim, bom padrão de como nos comportar em casos semelhantes e bom encorajamento para imitá-los. É o que Deus espera de nós e ao que Ele deseja nos levar. Ao vermos nossa vacuidade e insuficiência, bem como a impotência e inaptidão dos outros em nos ajudar, corramos com toda a humildade à misericórdia divina. — *William Gouge*

v. 4: "Pois já as minhas iniquidades ultrapassam a minha cabeça; como carga pesada são demais para as minhas forças". Davi passa a falar sobre a razão pela qual a sua oração tem de ser veemente, por que as suas desgraças são violentas e por que a ira de Deus é permanente. Ele descobre que todas essas coisas são assim por causa dos seus pecados. Todas essas qualidades venenosas — a veemência, a violência e a permanência — foram complicadas e envolvidas por ele ter pecado veementemente, no ímpeto da concupiscência, violentamente, no desabafo de sangue, e permanentemente, em uma percepção de segurança longa e sem sentido. Tudo isso está resumido nesse texto em duas formas, que serão as duas partes que controlam essas palavras. Primeiro, o *supergressae super*: "As minhas iniquidades ultrapassam a minha cabeça". Há a multiplicidade, o número, a sequência e, portanto, a continuação do seu pecado. Depois, o *gravatae super*: "Como carga pesada são demais para as minhas forças". Há a grandeza, o peso, a intolerância do seu pecado. Agostinho chama essas duas distinções ou considerações de pecado *ignorantiam, et difficultatem*. Primeiro, Davi era ignorante, pois não viu que a maré subia sobre ele, *abyssus abyssum*, "um abismo chama outro abismo; [....] todas as tuas ondas e vagas têm passado sobre mim" (diz ele no Salmo 42.7). Ele não percebeu que as ondas e vagas estavam indo na direção dele, senão quando já estavam em cima dele. Não discerniu os pecados particulares quando os cometeu, até que chegaram ao *supergressae super*, à altura em que ele foi tomado e rodeado pelas iniquidade até acima da cabeça. Acerca disso, Agostinho observa a *ignorantiam*, a sua inobservância e inconsideração pelo seu próprio caso. Depois, ele observa a *difficultatem*, a dureza de recuperação, porque aquele que está sob a água não tem ar pelo qual possa ver, não tem ar pelo qual possa ouvir, não tem nada para alcançar, não toca no fundo para impulsioná-lo para cima, não sente um ramo para mantê-lo à tona e, dessa maneira, observa *difficultatem*, a dureza da recuperação. Agora Moisés expressa essas duas desgraças juntas: na eliminação dos egípcios; durante o cântico depois da libertação de Israel; e na submersão dos egípcios: "Os abismos os cobriram" (há o *supergressae super*, as suas iniquidades, no castigo das suas iniquidades, ficaram acima das suas cabeças), e depois, continua Moisés em Êxodo 15.5, eles "desceram às profundezas como pedra" (há o *gravatae super*, eles deprimiram, oprimiram, suprimiram as iniquidades, elas estavam debaixo deles e lá têm de ficar). Os egípcios tiveram, Davi teve e nós temos muitos pecados para nadar acima das águas, e pecados muito grandes para ficar acima das águas quando formos afundados. — *John Donne*

v. 4: "Como carga pesada são demais para as minhas forças". Nenhuma força é tão grande que não seja vencida. Sansão levou facilmente às costas as portas de Gaza. Mas quando uma casa inteira caiu em cima dele, ele foi mortalmente esmagado. O mesmo me acontece. Desde que nasci, tenho pecado como se tivesse uma carga sobre mim. Eu carrego essa carga muito facilmente como Sansão carregou as portas de Gaza. Mas agora que eu puxei uma casa inteira de pecado sobre mim, que escolha tenho senão ser esmagado até à morte por tão grande peso? Esmagada, ó minha alma, tu realmente serias, se Deus mesmo com tanta ira não tivesse tido um pouco de compaixão de ti, e mesmo em extremo furor, ele não tivesse retido a mão para não te castigar mais. — *Sir Richard Baker*

v. 4: "Pois já as minhas iniquidades ultrapassam minha cabeça; como carga pesada são demais para as minhas forças". É-nos de uso singular que as precipitações dos homens santos de Deus estejam registradas no Escrito Santo. As manchas não são mais desagradáveis do que quando são vistas em um rosto muito bonito ou numa roupa muito limpa. É vantajoso termos um conhecimento perfeito da podridão do pecado. Com ele, também aprendemos a ter uma opinião humilde sobre nós mesmos, a depender da graça de Deus, a manter uma vigilância mais rígida em nós mesmos, para que, talvez, não caiamos nos mesmos ou extremamente dolorosos pecados (Gl 6.1). — *Hermann Witsius, Doutor em Teologia, 1636-1708*

vv. 4 e 5: É somente quando podemos entender tudo o que está implícito aqui é que começamos a ver a nossa pecaminosidade excessiva. Há certo sentimento de pecado que não interfere com o nosso orgulho e respeito-próprio. Podemos ter esse tipo de sentimento e dizer com toda seriedade: "Pois já as minhas iniquidades ultrapassam a minha cabeça; como carga pesada são demais para as minhas forças". Mas é diferente quando nos conhecemos melhor e nos sentimos repugnantes em nossa maldade. Quando a nossa loucura, maldade e ingratidão nos oprimem e começamos a nos detestar é que podemos entender o versículo 5. Nossas chagas, outrora objeto de auto-piedade e algo em que suscitávamos a simpatia e cura de nossos amigos, tornaram-se "corruptas" por causa da maldade e loucura que sentimos estar em nós. Agora as escondemos, pois, se fossem vistas, nossos amigos e propínquos não se afastariam da nossa chaga? (cf. v. 11). Por isso, ficamos calados exceto para com Deus: "Porque em ti, SENHOR, espero; tu, Senhor, meu Deus, me ouvirás" (v. 15). Ó, amor de Deus que não abandona! Ó, bendito Jesus, que não rejeitaste o leproso que caiu rosto em terra e disse: "Senhor, se quiseres, podes tornar-me limpo", antes estendeste a mão e o tocaste, dizendo: "Quero; sê limpo" (Mt 8.2,3). Senhor, para quem iremos nós senão a ti? (cf. Jo 6.68). — *Mary B. M. Duncan*

v. 5: "As minhas chagas cheiram mal e estão corruptas, por causa da minha loucura". Essas expressões, ao que parece, são, em grande medida, figurativas e significativas mais em relação ao estado doentio da mente do que do corpo. — *William Walford*

v. 5: "As minhas chagas cheiram mal e estão corruptas". Eu sei, ó Senhor, que agi tolamente em demorar tanto tempo em buscar ajuda para as minhas chagas. Agora, "as minhas chagas cheiram mal e estão corruptas", como ficou o corpo de Lázaro depois de quatro dias enterrado, o suficiente para fazer desesperar o homem que não te conhece como eu. Porquanto não sei eu que *nullum tempus occurrit tibi*; não sei eu que tu tens tanta sabedoria para curar minha loucura quanto poder para curar minhas chagas? Pôde o sepulcro reter Lázaro quando tu abriste a boca para chamá-lo? A corrupção de minhas chagas também não é obstáculo para serem curadas quando o teu prazer é que elas sejam curadas. Embora por liberdade de ação eu tenha me portado mal em adiar me cuidar, eu não serei injusto com o teu poder em me desesperar da tua cura. Por que devo me desesperar, visto que sei que tu és tão poderoso quanto és misericordioso? Ou antes direi que tu és tão misericordioso quanto és poderoso! — *Sir Richard Baker v. 5:* "As minhas chagas cheiram mal e estão corruptas". Podemos entender que as chagas eram literais. Havia no seu corpo (como as palavras no versículo seguinte também podem significar) chagas, que ele as considerava como pústulas ou tumores túrgidos (como denota a palavra hebraica no original), causados na carne pela vara de Deus, ou se tratavam das feridas causadas pelas flechas sobre as quais ele falara no versículo 2: "Porque as tuas flechas se cravaram em mim". Ou então as chagas eram figurativas, referentes a quaisquer outras desgraças que Deus lhe trouxera, comparando-as a feridas fedorentas e inflamadas. Ou as chagas indicavam a longa permanência dessas desgraças, ou as dores agudas e tristezas que ele sentia por causa disso. Mas sei que certos estudiosos entendem que as chagas significam a vergonha que os pecados cometidos lhe causara. — *Arthur Jackson*

vv. 5 e 6: O sentimento espiritual do pecado é indispensável para o sentimento da salvação. Um senso da doença sempre tem de preceder e preparar a alma para o recebimento crente e a compreensão devida do remédio. Onde quer que Deus queira revelar o seu Filho com poder, onde quer que Ele queira fazer do evangelho "o som festivo" (Sl 89.15), Ele faz a consciência sentir e gemer sob o fardo do pecado. É certo que, quando o homem está labutando sob o fardo do pecado, ele está cheio de reclamações. A Bíblia registra centenas das reclamações do povo de Deus sob o fardo do pecado.

"As minhas chagas cheiram mal e estão corruptas", grita alguém, "por causa da minha loucura. Estou encurvado, estou muito abatido, ando lamentando todo o dia." "A minha alma", brada outro, "está cheia de angústias, e a minha vida se aproxima da sepultura" (Sl 88.3). "Ele me levou", geme uma terceira pessoa, "e me fez andar em trevas e não na luz" (Lm 3.2). O homem que vive precisar clamar sob tais circunstâncias. Ele não pode levar o fardo sem reclamar do peso. Ele não pode sentir a flecha que lhe crava na consciência sem gemer de dor. Ele não pode ter os vermes comendo-lhe os órgãos vitais sem reclamar dos dentes venenosos. Ele não pode sentir que Deus está enraivecido contra ele sem reclamar amargamente que o Senhor é o seu inimigo. A queixa espiritual é uma marca da vida espiritual, e é algo que Deus reconhece como tal. "Bem ouvi eu que Efraim se queixava" (Jr 31.18). Isso mostra que ele tem algo a lamentar, algo para fazê-lo gemer ao ser sobrecarregado. Mostra que esse pecado lhe foi aberto em sua malignidade odiosa. Mostra que lhe é uma dificuldade e aflição para a alma. Mostra que ele não pode fazer o que quiser disso como uma coisa doce que lhe está na boca. Mas mostra que foi descoberto pelos olhos penetrantes e castigado pela mão disciplinadora de Deus. — *J. C. Philpot, 1842*

v. 6: "Estou encurvado", ou: "Eu me contorço de dor". Esse é o sentido certo do original, que significa "virar para fora de sua própria situação ou curso", por conseguinte ser "torcido", "contorcido", como alguém que sente dor. A tradução "encurvado" e a palavra "contorcido" são as que expressam corretamente o original hebraico. — *Richard Mant*

v. 6: "Ando lamentando todo o dia". Era eu tanto um fardo quanto um terror para mim, eu jamais soube, como eu não entendia o que era estar cansado da vida e, ao mesmo tempo, ter medo da morte. Como eu teria sido feliz se eu tivesse sido outra pessoa que não eu! Qualquer coisa exceto o homem! E em qualquer condição senão a minha! Pois não havia nada que mais frequentemente me passava pela mente do que a impossibilidade de me ser perdoada a transgressão e eu ser salvo da ira vindoura. — *John Bunyan, "Grace Abounding" [Graça Abundante]*

v. 6: "Estou encurvado, estou muito abatido, ando lamentando todo o dia". Que o homem se veja e se sinta sob os laços da culpa, em perigo do Inferno, sob o poder das concupiscências, em inimizade contra Deus e Deus um estranho para ele. Que a percepção dessa condição esteja no coração e que ele prossiga em sua alegria se puder. Que criatura miserável o homem se vê agora. Ele inveja a felicidade dos animais, que é plena, e brinca nos seus pastos. Ouvimos falar daquele que, quando viu um sapo, ficou se lamentando, porque Deus o fizera homem, tão excelente criatura, e não sapo, tão abominável criatura. A bondade de Deus, ao que parece, quando ele a entendeu, o fez lamentar. Mas esse homem encontra um sapo e também se lamenta. Por quê? Porque ele é um homem que pensa que a sua situação é infinitamente pior que a situação de um sapo. Se lhe fosse possível, ele trocaria de situação com o sapo que não tem culpa de pecado, não teme a ira de Deus, não está sob o poder de concupiscências ou outras criaturas. Deus não é inimigo do sapo, o qual é o seu estado miserável. — *Giles Firmin, 1617–1697*

v. 7: "Porque os meus lombos estão cheios de ardor". A palavra hebraica usada aqui, de acordo com Gesenius ("Lexicon"), denota adequadamente os músculos internos dos lombos, perto dos rins, aos quais a gordura se adere. A palavra hebraica traduzida por "ardor" é derivada de קָלָה (*qālâ*), que significa "assar", "tostar", "ressecar", como frutas, grãos. Na forma usada aqui, significa chamuscado, ressecado, queimado, por conseguinte, queimação ou inflamação. A frase seria sinônima de "inflamação dos rins". A palavra hebraica usada aqui não denota que havia erupção ou úlcera, embora o versículo cinco demonstre que se tratava disso e que a inflamação produzira esse efeito. — *Albert Barnes*

v. 7: "Ardor". Em muitas coisas, as nossas avaliações são extravagantes, mas jamais devemos superestimar o mal do pecado. É tão corruptor quanto incriminador. Cobre a alma com marcas de peste, com a lepra (Is 1.5,6). — *William S. Plumer*

v. 8: "Estou fraco", literalmente, "estou estupefato", fiquei mortalmente frio, frio como um cadáver, possivelmente com referência à inflamação ardente citada no versículo anterior, que marcam as alternâncias dos acessos de febre. — *J. J. Stewart Perowne*

v. 8: "Tenho rugido por causa do desassossego do meu coração". Onde o pecado está, jamais deixará de haver desassossego de coração. O coração inquieto sempre produz esses efeitos miseráveis: fragilidade física, abatimento mental e rugido vocal. Mas como o rugido pode estar junto da fragilidade, pois há a necessidade de força de espírito? Então, não é rugido, talvez não tanto em sonoridade quanto em expressão inarticulada? Tendo feito ações mais como animal do que homem, sou forçado a não usar tanto a voz de homem como de animal? Ou quem sabe é um rugido de espírito, que o coração pode dar embora o corpo esteja fraco. Ou mais exatamente, quando é muito fraco, não difere da chama de uma vela, mas depois fica maior quando sai? Seja o que for, uma coisa é certa: o coração é aquele pedaço de terra infeliz que, tendo recebido a semente amaldiçoada do pecado, produz no corpo e na alma do homem esses frutos miseráveis. Como, então, posso ser livre dessas ervas daninhas dos frutos, visto que recebi em mim tão grande medida de semente? Oh, pecado vil, possa eu te evitar tanto quanto possa te ver, ou possa eu facilmente te resistir tanto quanto te odeio mortalmente, não reclamarei, então, da fragilidade do corpo, ou do abatimento da mente, ou do rugido da voz. Antes, desfrutarei perfeitamente essa tranquilidade feliz em todos os meus membros, que tu, ó Deus, graciosamente deste como dote santificado aos nossos primeiros pais quando foram criados. — *Sir Richard Baker*

v. 8: "Tenho rugido por causa do desassossego do meu coração". É difícil para o verdadeiro penitente, na amargura da alma, revisar a vida que ele se arrastou na pecaminosidade, sem gemer e suspirar do fundo do coração. Mas felizes esses choros, felizes esses gemidos, felizes esses soluços, visto que brotam da influência da graça e do sopro do Espírito Santo, que Ele mesmo, de maneira inexprimível, geme em nós e conosco, e que forma esses gemidos em nosso coração através do arrependimento e do amor! Mas como a violência de ambos, ou seja, do arrependimento e do amor, rompe os limites estreitos do coração arrependido, tem de fazer uma abertura para si mesma através dos olhos e da boca. Os olhos derramam lágrimas, e a boca verte suspiros e gemidos que não podem ser contidos, porque são estimulados pelo fogo do amor divino. Assim, essas lamentações se moldam em palavras e frases inteligíveis. — *Jean Baptiste Elias Avrillon, 1652–1729*

v. 8: "Do desassossego do meu coração". Davi sentia dores que se concentravam no coração, e por isso, clamou. O coração é o alvo ao qual Deus aponta principalmente quando o cristão se desvia do curso reto. Os outros membros externos do corpo ele bate e fere profundamente, mas esse é para esburacar o coração, onde está o lugar da fraqueza que principalmente o ofende. O fogo que a consciência acende pode inflamar os olhos, a língua e as mãos, fazendo o homem parecer terrivelmente, falar desesperadamente e agir sangrentamente contra o corpo. Mas o calor do fogo é principalmente interior, na fornalha, no espírito. Bastam apenas algumas faíscas e *flashes* que tu vês saindo dos buracos mais baixos da fornalha, que tu vês nos olhos, palavras e ações de tais homens. — *Nicholas Lockyer, 1612–1684–5*

v. 9: Há em geral, se não sempre, dores com desejos, sobretudo nos desejos segundo a criatura. Por causa disso, há muitas vezes uma frustração dos nossos desejos, ou um prolongamento das coisas, as coisas estão muito longe, difíceis de chegar. Nossos desejos muitas vezes são mudos, não falam; ou as coisas que desejamos não conhecem nossa mente. Nossos desejos segundo Deus sempre falam, estão abertos a Deus, Ele ouve a voz. "Senhor, diante de ti está todo o meu desejo", disse Davi, "e o meu gemido não te é oculto." Portanto, tem de ser doce, quando a alma fica aberta para Deus. Os outros desejos não garantem nem dão segurança ao homem nas coisas que ele deseja. O homem pode desejar isso ou aquilo e ficar sem nada. Mas a alma que deseja segundo Deus está firme no seu desejo, já tem prazer e certamente tem prazer completo em si mesmo. "Ele cumprirá o desejo dos que o temem; ouvirá o seu clamor e os salvará" (Sl 145.19). — *Joseph Symonds*

v. 9: "E o meu gemido não te é oculto". Lágrimas secretas pelos pecados secretos são sinal excelente de um coração santo, e um bálsamo curativo para o espírito quebrantado. Deus entende bem a linguagem de meias palavras entrecortada por suspiros, interpretando-as como o jorro e respiração do coração quebrantado. Como toda a nossa loucura está diante dEle para que Ele a cubra, assim está todo o nosso peso para que Ele o tome. Então, a nossa alma deve louvá-lo e agradá-lo mais do que um boi com chifres e cascos no altar. A lamentação santa exclui a tristeza carnal e produz alegria de espírito. Ela impulsiona o coração do santo a implorar a graça preventiva que nenhum falso coração pode desempenhar sem reservas secretas. Essa tristeza interior evita a vergonha aberta. Deus nunca deixará que tais almas sejam pisoteadas pelos inimigos espirituais, que já são humilhadas por si mesmas. Na humilhação dos santos, há uma porta aberta para a esperança secreta, por causa das promessas preciosas que lhe estão asseguradas, e, sobretudo, por prevenir pecados futuros através da graça fortalecedora. Como o amor de Deus é a fonte de todo o verdadeiro arrependimento, assim é o atrativo de mais rendimentos do amor divino para a alma. — *Samuel Lee, 1625–1691*

v. 10: "O meu coração dá voltas". O verbo hebraico que Davi usa significa "viajar" ou "vagar para lá e para cá", mas aqui é entendido pela agitação ou inquietude que a angústia do coração gera quando não sabemos o que fazer. Na medida em que os homens são inquietados de mente, eles se voltam para todos os lados. Assim, podemos dizer que o seu coração dá voltas ou corre para lá e para cá. — *João Calvino*

v. 11: "Os meus amigos e os meus propínquos afastam-se da minha chaga; e os meus parentes se põem em distância". Sou tão miserável que sou deixado só como alguém que foi abandonado totalmente. Eles são elementos que recuam e voltam correndo ao primeiro som da pólvora. Não é tanto de mim que eles mantêm distância quanto das minhas feridas. Não fosse pela minha chaga, a companhia deles me seria farta. Mas eles não suportam feridas. Os seus olhos são muito delicados para vê-las e, ao mesmo tempo, bastante duros para não tratar delas. Ou eles mantêm distância, quer dizer, até certo ponto estão perto só para mostrar que eles de bom grado as veem, mas, ao mesmo tempo, estão bem longe para mostrar que eles não têm a intenção de aproximarem-se para ajudar. [...]

"Os meus amigos e os meus propínquos afastam-se da minha chaga", como se temessem a minha chaga mais do que a mim; mas "os meus parentes se põem em distância", como se temessem não menos que a minha ferida. Quando os meus amigos e propínquos se afastam, violam a lei da amizade contraída, e quando os meus parentes se põem em distância, violam a lei até mesmo da afeição natural. Não é algo doloroso que a lei da razão, a lei da amizade, a lei da natureza sejam quebradas em lugar de eu ser socorrido e amparado? — *Sir Richard Baker*

v. 11: "Os meus amigos e os meus propínquos [...] se põem em distância". Abandonados por falsos amigos, mas conquistador através de ti, a ti eu corro, pois embora pareças agir o papel de inimigo, nunca mudaste o teu amor, mas para sempre amas aquele a quem tu uma vez amaste. Quando pareces longe, estás perto. Concebo essa tristeza por conta da deslealdade dos falsos amigos e da covardia dos meus parentes, que me são como espinhos penetrantes, e não como rosas agradavelmente perfumadas. A prova dos sentimentos é evidenciada pelas ações. Ouço o nome do parente e amigo, mas não vejo ação. A ti, então, eu corro, cuja palavra é ação, porque eu preciso da tua ajuda. — Extraído do original em latim de *Andrew Rivet, 1572–1051*

v. 13: "Mas eu, como surdo, não ouvia e, como mudo, não abri a boca". Por que eu ouviria quando pretendi não falar? Por que eu falaria quando já sei de antemão que não serei ouvido? Sei, por disputa, que eu os provoco e que os torno mais culpados do que já eram culpados. Pensei que é melhor eu ficar calado do que rugir contra eles e fazer com que se sintam ultrajados. Não há dúvida de que Davi foi muito sábio por saber que agir como surdo e mudo era, nesse caso, o melhor recurso. Mas uma virtude ainda muito maior do que saber era poder fazer. Como seríamos felizes se sempre pudéssemos fazer o que sabemos que é o melhor a ser feito, e se a nossa vontade fosse tão pronta para agir quanto a nossa razão é para ordenar. Então desviaríamos de muitas pedras sobre as quais topamos e evitaríamos muitos erros nos quais caímos. Ser surdo e mudo são realmente grandes incapacidades e defeitos, quando são naturais. Mas quando são voluntários e, digamos, artificiais, são grandes capacidades ou, antes, perfeições. — *Sir Richard Baker*

v. 13: "Mas eu, como surdo, não ouvia". O escritor inspirado se compara a um mudo e surdo por duas razões. Em primeiro lugar, ele dá a entender que ficou extremamente devastado pelos julgamentos nocivos e falsos dos inimigos, e que ele não teve sequer a permissão de abrir a boca em defesa própria. Em segundo lugar, ele alega diante de Deus a própria paciência como súplica para induzir Deus a ter piedade dele mais prontamente. Pois essa mansidão e bondade, não só com boa razão, assegura o favor para os aflitos e inocentes, mas também é sinal de verdadeira devoção. — *João Calvino v. 14:* "Assim eu sou como homem que não ouve, e em cuja boca não há reprovação". Tu — que te conheces verdadeiramente, por quem o sofrimento silencioso, a aflição secreta e a alegria oculta estão implícitos, pelo conhecimento da tua própria tristeza não dita, não expressada, por causa dos sentimentos inexprimíveis, pela consciência das profundezas não reveladas da tua própria natureza, os anseios ardentes, mas sempre insatisfeitos do teu espírito — aprendes a reverenciar e amar aqueles que te rodeiam, cuja vida interior jamais pode ser lida completamente, mas a quem tu tens de mostrar solidariedade sacra e consideração terna. Se a aflição secreta estiver corroendo o meu coração, fazendo a minha voz vacilar no cântico de louvor, não podem os olhos abatidos e o coração pesado do meu irmão serem ocasionados por causa semelhante? Devo condená-lo pela sua falta de alegria? Não, mas lembra que "o coração conhece a sua própria amargura, e o estranho não se entremeterá na sua alegria" (Pv 14.10). Os sopros silenciosos do espírito não são para os nossos ouvidos; as lágrimas quentes que caem em secreto não são para os nossos olhos. Pela misericórdia, o véu foi envolto em cada coração, mas pela memória sagrada de nossa própria tristeza, que a nossa voz seja suave, o nosso olhar terno, o nosso passo silencioso quando passamos por entre os murmuradores. — *Jesse Coombs, "Thoughts for the Inner Life" [Pensamentos para a Vida Interior], 1867*

v. 15: "Porque em ti, Senhor, espero; tu, Senhor, meu Deus, me ouvirás". O homem que tem de descer a um buraco fundo não se lança de ponta-cabeça ou pula para o que der e vier; antes amarra uma corda em um tronco ou lugar firme e assim desce aos poucos. Assim age tu quando considerares o teu pecado, pendurando-te em Cristo. Quando tiveres descido tanto que não possas suportar mais, e quando estiveres prestes a ser tomado pelo horror e trevas da tua condição miserável, não fiques muito tempo às portas do Inferno, para que o Diabo não te puxe para dentro. Reanima-te por atos renovados de fé, e corre em busca do refúgio na esperança proposta diante de ti (Hb 6.18). — *Thomas Cole, 1627–1697, "Morning Exercises" [Exercícios Matinais]*

v. 17: "Porque estou prestes a coxear", a mostrar minha fraqueza nas provações e aflições, como Jacó mancava depois de lutar com Deus (Gn 32.31). Na versão grega, é "estou pronto para os açoites", quer dizer, para ser corrigido e castigado pelos meus pecados, como diz a versão caldaica: "para a calamidade". — *Henry Ainsworth*

v. 18: Plínio escreveu sobre algumas famílias que tinham marcas peculiares no corpo, características de determinada linhagem. Todo ser humano tem, por assim dizer, um pecado peculiar que é adequadamente chamado de seu. Mas, se quisermos confessar todos os nossos pecados, não devemos nos esquecer desse pecado. Não somente isso, mas também a nossa principal indignação tem de estar direcionada contra tal pecado, de acordo com a decisão de Davi: "Porque eu confessarei a minha iniquidade; afligir-me-ei por causa do meu pecado". [...] Davi não só diz: "Eu confessarei", mas também acrescenta: "Afligir-me-ei por causa do meu pecado". No dia da confissão, o povo de Deus não só disseram: "Pecamos", mas também "tiraram água, e a derramaram perante o Senhor" em símbolo de contrição (1 Sm 7.6). Devemos, ao confessar o pecado, ter o coração tão sensibilizado que os nossos olhos, como os de Jó, "se desfazem em lágrimas diante de Deus" (Jó 16.20), ou como disse Davi: "Rios de águas correm dos meus olhos" (Sl 119.136). Tenhamos o mesmo desejo que Jeremias, quando declarou: "Prouvera a Deus a minha cabeça se tornasse em águas, e os meus olhos, numa fonte de lágrimas!" (Jr 9.1). Mas *nonne stillabit oculus noster*? Se não pudermos derramar lágrimas, não verteremos uma lágrima? Ou pelo menos, se não podemos verter uma lágrima, demos um suspiro pelos nossos pecados. Só o coração quebrantado por tristeza piedosa é que faz a verdadeira confissão. — *Nathanael Hardy*

v. 20: "Os que dão mal pelo bem são meus adversários, porque eu sigo o que é bom". Trata-se de ousada provocação cutucar Satanás no seu ninho. Se nos conformarmos aos homens deste mundo, teremos paz com eles. Eles não discordarão de nós contanto que sigamos os seus caminhos. Mas envergonhá-los com a nossa vida piedosa é uma afronta que eles não digerirão. Reprovar-lhes o pecado é colocar nas mãos deles tudo que o Satanás frustrado ou a corrupção provocada pode inventar. O cachorro dormente está quieto, mas sendo provocado, transforma-se em latidos e mordidas. Não fazer o que fazem já basta para ficarem irados. Mas repreendê-los é, segundo a avaliação deles, o mais alto grau da desgraça. Tudo o que odeiam, aquilo que eles devem atribuir a Satanás e aos seus instrumentos, é dirigido contra Deus na pessoa dos seus servos reprovadores e regenerados. Essa ira que, em remorso, deveria arder contra o pecado deles é direcionada em quem os reprova. — *William Struther*

v. 22: "Senhor, minha salvação". A fé suplicante é agora transformada em fé triunfante. — *Franz Delitzsch*, 1869

SUGESTÕES AOS PREGADORES

O Título. A perícia da memória. As coisas santas e dignas de serem lembradas. A utilidade das recordações sacras.

v. 1. A ira de Deus repreende: (1) Repreensão ricamente merecida. (2) Repreensão racionalmente temida. (3) Repreensão fervorosamente implorada. — *B. Davies*

v. 1. As más consequências do pecado neste mundo. — *J. J. Blunt*

v. 1. (1) A mais amarga das amarguras: "Tua ira". (2) Por que é protestada. (3) Como é evitada.

v. 2. Deus castiga severamente muitos dos seus filhos. Mesmo assim, jamais os ama menos, nem lhes sonega em bons tempos a sua misericórdia. — *Thomas Wilcocks*

v. 3. "Nem há paz em meus ossos, por causa do meu pecado." O pecado causa desassossego. Só aquele que cura o desassossego dá sossego. Enfatizar ambos os fatos.

v. 4. "Pois já as minhas iniquidades ultrapassam a minha cabeça." O pecado em suas relações conosco: (1) Aos olhos, é agradável. (2) Ao coração, é decepcionante. (3) Aos ossos, é atormentador. (4) Sobre a cabeça, é esmagador.

v. 4. A confissão de um pecador despertado.

v. 4. "Como carga pesada são demais para as minhas forças." O pecado é: (1) Pesado: "carga". (2) Muito pesado: "carga pesada". (3) Excessivamente pesado: "carga pesada [...] demais para as minhas forças". (4) Não é imóvel, pois, embora seja excessivamente pesado para mim, Jesus o carregou.

v. 5. "Loucura." A loucura do pecado. Tudo o que o homem tem a ver com o pecado mostra a sua loucura: (1) Flertando com o pecado. (2) Cometendo-o. (3) Permanecendo nele. (4) Escondendo-o. (5) Dissimulando-o. — *B. Davies*

V. 6. A convicção do pecado demonstrada em três partes: (1) A dor do pecado. (2) A profundidade do pecado. (3) A continuação do pecado.

v. 6. "Ando lamentando": (1) Razões ilegítimas para o lamento. (2) Temas legítimos para a tristeza. (3) Alívios valiosos da aflição.

v. 9. Os muitos desejos dos filhos de Deus: (1) O fato de que Deus conhece os desejos, mesmo quando não são expressos. (2) A certeza de que Ele os concederá.

v. 9. A onisciência é uma fonte de consolação para os desesperados.

v. 13. A sabedoria, a dignidade, o poder e a dificuldade do silêncio.

v. 15. A oração é a descendência da esperança. A esperança fortalecida pela confiança na oração respondida por Deus.

v. 17. Aquele que coxeia: (1) A sua linhagem e enfermidade. (2) As muletas e a cura. (3) A história e partida segura.

v. 18. A excelência da confissão penitente.

v. 18. As filhas gêmeas da graça: confissão e contrição; a sua revelação e reação mútuas.

v. 18. "Afligir-me-ei por causa do meu pecado." Há bons motivos para tal aflição: (1) Deus fica muito contente com ela. (2) Ela beneficia o lamentador.

v. 19. A terrível energia e assiduidade dos poderes do mal.

v. 22. A fé provada, a fé tremente, a fé chorosa, a fé ávida, a fé conquistadora.

SALMO 39

TÍTULO

"Para o cantor-mor, para Jedutum." O nome de Jedutum, que significa "louvor" ou "celebração", era muito apropriado para um líder da salmodia sacra. Ele foi um dos ordenados pelo rei Davi "para o canto da Casa do SENHOR, com saltérios, e alaúdes e harpas" (1 Cr 25.6). Depois dele, os filhos permaneceram no mesmo serviço sagrado, até data tão recente quanto os dias de Neemias. Ter um nome e um lugar em Sião não é pequena honra, e manter esse lugar por longa ordem de transmissão por herança da graça é uma bênção indizível. Que nunca falte em nossa casa uma pessoa que esteja perante o Senhor Deus de Israel para servi-lo. Davi deixou essa ode um tanto quanto triste nas mãos de Jedutum, ou porque o considerou extremamente capaz para musicá-lo, ou então porque ele distribuiria a honra sagrada do cântico entre todos os músicos que, cada um por sua vez, regeriam o coro.

"Salmo de Davi." Tal como a sua vida cheia de altos e baixos certamente produziria, este salmo é um desabafo perfeito para um homem que foi tentado como ele, alguém tão forte nas suas emoções e, ao mesmo tempo, tão firme na fé.

DIVISÃO

O salmista, encurvado pela doença e tristeza, ficou sobrecarregado por pensamentos de incredulidade, os quais ele resolve abafar para que nenhum mal lhe sobrevenha ao serem exteriorizados (vv. 1, 2). Mas o silêncio cria uma aflição insuportável que, por fim, exige que ele os exteriorize, como vemos na oração dos versículos 3 a 6, que são quase uma queixa e um anseio pela morte, ou, na melhor das hipóteses, um retrato muito desesperador da vida humana. Nos versículos 7 a 13, o tom é mais dócil, e o reconhecimento da mão divina mais distinto. É claro que a nuvem passou, e o coração do queixoso está aliviado.

EXPOSIÇÃO

1 *Eu disse: Guardarei os meus caminhos para não delinquir com a minha língua; enfrearei a minha boca enquanto o ímpio estiver diante de mim.*
2 *Com o silêncio fiquei como mudo; calava-me mesmo acerca do bem; mas a minha dor se agravou.*

1. *"Eu disse."* Decidi e registrei firmemente uma determinação. Na sua grande perplexidade, o maior medo era pecar. Por isso, serviu-se do método mais provável para não pecar, determinando ficar calado. É excelentemente certo quando o homem pode se fortalecer em uma boa conduta recordando uma decisão acertada e sabiamente tomada. "O que escrevi escrevi" (Jo 19.22), ou o que falei farei é um bom reforço para o homem que está em uma conduta de direito fixa.

"Guardarei os meus caminhos." Para evitar o pecado, temos de ser muito circunspetos e guardar as ações como quem usa um guarda ou uma guarnição militar. Caminhos sem guarda são geralmente caminhos profanos. Falta de cuidado é outro termo para falta de graça. Em tempos de doença ou outra dificuldade, temos de vigiar contra os pecados peculiares a tais provações, sobretudo contra a murmuração e a queixa.

"Para não delinquir com a minha língua." Os pecados da língua são grandes pecados. Como faíscas de fogo, as más palavras se espalham e causam grande dano. Se os crentes expressarem palavras duras sobre Deus em tempos de depressão, os descrentes as tomarão e usarão como justificativa para os procedimentos pecaminosos. Se os próprios filhos do homem o criticam, não admira que a boca dos inimigos esteja cheia de insultos. Nossa língua sempre requer vigilância, pois é inquieta como um cavalo violento. Mas é importantíssimo que a refreemos quando as pancadas doloridas da vara do Senhor excita-a à rebelião.

"Enfrearei a minha boca", ou mais precisamente, "porei mordaça [ou focinheira] à minha boca" (ARA). O original hebraico não significa tanto uma rédea para refrear a língua quanto uma focinheira para prendê-la completamente. Davi não era tão sábio quanto a tradução o faz. Se ele tivesse decido ser extremamente cuidadoso no que diz, também teria sido altamente recomendável. Mas quando ele foi tão longe quanto condenar-se ao silêncio total, "mesmo acerca do bem" (v. 2), deve ter havido ao menos certa rabugice na atitude. Ao tentar evitar um erro, ele caiu em outro. Usar a língua contra Deus é pecado de comissão, mas não usá-la de modo algum, envolve claro pecado de omissão. Virtudes recomendáveis podem ser seguidas tão ferrenhamente que podemos cair em tendência habitual condenável. Para evitarmos um perigo damos de cara com outro.

"Enquanto o ímpio estiver diante de mim." Isso delimita o silêncio e quase o protege de crítica, pois é tão certo que os homens maus abusem das nossas mais santas palavras, que faz bem não lançarmos nenhuma de nossas pérolas aos porcos. Mas se o salmista quis dizer: "Eu fiquei calado enquanto mantive a prosperidade dos ímpios em meus pensamentos", então vemos o descontentamento e o questionamento da sua mente, e a boca amordaçada indica muito daquilo que não deve ser recomendado. Contudo, se criticamos temos também de elogiar, pois a mais alta sabedoria sugere que, quando homens bons estiverem confusos com pensamentos céticos, eles não devem apressar-se em pô-los em ação, mas combater a batalha interior no seu próprio campo de batalha. Os mais firmes crentes são treinados com a incredulidade e estariam fazendo a obra do Diabo plenamente se divulgassem todos os seus questionamentos e suspeitas. Se eu estiver com febre, não há porquê avisar os meus vizinhos. Se algo a bordo do navio da minha alma

estiver doente, porei o meu coração em quarentena e não permitirei que nada desembarque em terra firme pelo barco das palavras até que eu tenha um atestado de saúde que comprove a ausência de doenças.

2. *"Com o silêncio fiquei como mudo."* Ele ficou tão absolutamente mudo quanto se tivesse ficado sem língua — nem uma única palavra lhe escapou. Ficou tão silencioso quanto o mudo.

"Calava-me mesmo acerca do bem." Nem palavras más nem palavras boas lhe escapavam dos lábios. Talvez ele temesse que se abrisse a boca, acabaria falando algo de errado, e, por isso, absteve-se totalmente. Era um modo fácil, seguro e eficaz de evitar o pecado se não envolvesse o descaso do dever que ele tinha com Deus para falar bem do seu nome. Nosso Senhor divino ficou calado diante dos ímpios, mas não completamente, pois, na presença de Pôncio Pilatos, Ele fez a boa confissão e confirmou o seu Reino. Um curso de ação sadio pode ser levado ao extremo e se tornar um erro.

"Mas a minha dor se agravou." A aflição interior trabalhou e fermentou por falta de vazão. Os fluxos retidos causaram inchaço e agitação. A expressão vocal é a vazão natural para a angústia do coração, e o silêncio é, então, o agravamento do mal e um obstáculo à cura. Em tal caso, a decisão de calar-se precisa de forte apoio, mas até isso pode ser insuficiente quando a aflição toma de assalto a alma. Antes que a inundação se avolume em força e se escoe pelas comportas, os diques mais fortes serão provavelmente destruídos. A natureza pode fazer o possível para silenciar a expressão de descontentamento, mas, a menos que a graça vá ao seu socorro, ela com certeza sucumbirá.

3 *Incendeu-se dentro de mim o meu coração; enquanto eu meditava se acendeu um fogo: então falei com a minha língua. Disse:*

4 *Faze-me conhecer,* SENHOR, *o meu fim, e a medida dos meus dias qual é, para que eu sinta quanto sou frágil.*

5 *Eis que fizeste os meus dias como a palmos; o tempo da minha vida é como nada diante de ti; na verdade, todo homem, por mais firme que esteja, é totalmente vaidade. (Selá)*

6 *Na verdade, todo homem anda como uma sombra; na verdade, em vão se inquietam; amontoam riquezas e não sabem quem as levará.*

3. *"Incendeu-se dentro de mim o meu coração."* A fricção dos pensamentos produziu intenso calor mental. A porta do coração estava fechada, e com a chama da tristeza queimando por dentro, a câmara da alma ficou insuportável em virtude do calor. O silêncio é uma coisa terrível para o sofredor, e é o método mais seguro para gerar loucura. Lamentador, conta a tua tristeza. Conta primeiro tudo para Deus, mas até mesmo extravasar os seus sentimentos para um amigo crente e sábio não é de forma alguma jogar palavras ao vento.

"Enquanto eu meditava se acendeu um fogo." Enquanto ele refletia sobre o bem-estar dos ímpios e sobre a própria aflição diária, ele não pôde desvendar o mistério da providência. Isso o deixou muito agitado. À medida em que o coração meditava, ia se fundindo, pois o assunto era confuso. Foi ficando cada vez mais difícil permanecer quieto. A sua alma vulcânica foi sacudida por um oceano de fogo interior e arremessada para lá e para cá por um terremoto mental. A erupção era iminente, a lava ardente tinha de sair em um jato de fogo.

"Então falei com a minha língua." O original hebraico é impressionantemente lacônico.

"Disse." A língua amordaçada rompeu todos os laços. A mordaça foi jogada fora. A desgraça, como o assassinato, se tornará pública. Tu podes silenciar o louvor, mas a angústia é clamorosa. Decidir ou não fazer decidir, cuidar ou não cuidar,

pecar ou não pecar, a torrente impetuosa encontrou à força uma passagem de saída e destruiu toda restrição.

4. *"Senhor."* Foi bom que o desabafo da alma fosse dirigida a Deus e não ao homem. Se o meu coração inchado tem de falar, Senhor, que seja contigo. Mesmo que haja muita fúria natural no que digo, tu serás mais paciente comigo do que o homem. Minhas palavras não lançam mancha na tua pureza, ao passo que, se eu falar com os meus companheiros, eles podem me repreender severamente ou entender mal a minha petulância.

"Faze-me conhecer, Senhor, o meu fim." Será que ele quis dizer o mesmo que Elias quando estava angustiado: "Não sou melhor do que meus pais"? (1 Rs 19.4). Talvez. De qualquer modo, ele imprudente e petulantemente desejou saber o fim da sua vida miserável, para que ele começasse a contar os dias até que a morte desse fim à aflição. A impaciência se mete entre as folhas dobradas. Como se não houvesse outro consolo para ele, a incredulidade se esconderia de bom grado na sepultura e dormiria no esquecimento. Davi não era o primeiro nem o último que falara precipitadamente na oração. Há um significado melhor: o salmista desejava saber mais sobre a brevidade da vida para que ele pudesse suportar melhor os males passageiros. Nesse sentido, nos ajoelhamos com ele e proferimos a mesma petição. Saber que não há um fim para a desgraça é o inferno do inferno. Mas saber que há um fim para a tristeza da vida é a esperança de todos os que alimentam a esperança além-túmulo. Deus é o melhor professor da filosofia divina que olha para um fim esperado. Aqueles que veem a morte pelos olhos do Senhor têm a visão correta que os faz esquecer dos males desta vida por preverem o fim da vida.

"E a medida dos meus dias qual é." Davi desejava ter a certeza de que os seus dias terminariam logo e, com eles, as provações. Mais uma vez, ele seria ensinado que a vida nos é repartida por sabedoria e não por casualidade. Como o comerciante mede o tecido por metros e centímetros, assim com precisão minuciosa a vida é repartida para os homens.

"Para que eu sinta quanto sou frágil", ou quando eu deixar de existir. Pobre natureza humana, preciosa como a vida, o homem briga com Deus de tal modo que, assim que deixa de existir, confirma a designação de Deus. Que santo impertinente! Mas esperemos até estarmos em situação semelhante, e verificaremos que não nos sairemos melhor. O navio em construção imagina que o casco faz água, mas quando está em alto-mar, admira-se de que o madeiramento resista nas grandes tormentas. O caso de Davi não está registrado para nossa imitação, mas para nossa aprendizagem.

5. *"Eis que fizeste os meus dias como a palmos."* Diante dessas considerações, o salmista não vê sentido em lamentar pelo resto da vida, exceto a sua brevidade. Como somos inconstantes! Em um momento, clamamos para nos ver livres da existência, e no momento seguinte, imploramos que ela nos seja prolongada! A largura de uma mão é uma das medidas naturais mais curtas, pois é igual à largura de quatro dedos. Essa é a brevidade da vida, segundo a designação divina. Foi assim que Deus fez, determinando o período com sabedoria. O "eis" nos chama a atenção. Para alguns, pensar sobre a rapidez da vida ocasiona a mais aguda dor, para outros a mais solene gravidade. Como precisamos viver uma vida boa já que temos de viver tão pouco! A minha peregrinação terrena é curtíssima? Então, cuidarei de cada uma de suas pequenas etapas, para que, nesse pouco tempo, haja muita graça.

"O tempo da minha vida é como nada diante de ti." A vida é tão curta a ponto de não chegar a ser uma entidade. Pensemos na eternidade, e um anjo será como um bebê recém-nascido, o mundo uma bolha de sabão soprada, o sol uma faísca que acaba de saltar do fogo e o homem uma nulidade. Diante do Eterno, todo o tempo do homem frágil é menos que um tique-taque de um relógio.

"Na verdade, todo homem, por mais firme que esteja, é totalmente vaidade. (Selá)" Essa é a verdade mais certa: nada sobre o homem é certo ou verdadeiro. Tomemos o homem no que ele tem de melhor, e ele continua sendo apenas homem. O homem é mero sopro, insubstancial como o vento. O homem pode ser firme, mas, por decreto divino, está firme que ele não será firme. Ele só é constante na inconstância. A vaidade é a única verdade a respeito dele. O que ele tem de melhor, no qual ele é vão, é apenas vão. Essa é a verdade acerca de todo homem, que tudo que diz respeito a ele é, de todas as maneiras, transitório. Essas são as más notícias para aqueles cujo tesouro está em baixo da lua, aqueles, cuja glória está em si mesmos, podem descer a bandeira a meio mastro. Mas aqueles cuja melhor propriedade está fixado neles em Cristo Jesus na terra de flores imarcescíveis, podem se alegrar no fato de que não é coisa vã na qual eles confiam.

6. *"Na verdade, todo homem anda como uma sombra."* A vida é apenas um transcurso passageiro. Só uma coisa é verdadeira: que não há nada verdadeiro. Ao nosso redor, as sombras nos escarnecem. Andamos entre elas, e muitos vivem por elas como se as imagens zombeteiras fossem a realidade. Reagem a elas com dedicação própria apenas para a realidade, e se perdem nos fantasmas desta cena transitória. Os homens mundanos andam como viajantes em uma miragem, iludidos, enganados e ludibriados, para logo receberam total decepção e desespero.

"Na verdade, em vão se inquietam." Os homens irritam-se, enfurecem-se e preocupam-se, e tudo por um mero nada. São sombras perseguindo sombras, enquanto a morte os persegue. Aquele que se fadiga com trabalho árduo e faz altos planos, e se cansa por ouro, fama, posição, mesmo que alcance o que deseja, percebe no final que tudo foi trabalho perdido.

Como o tesouro no sonho dos avarentos, tudo desaparece quando eles despertam no mundo da realidade. Lê o texto com atenção, e depois escuta o barulho da feira, o zunido das compras e vendas, o estrondo das ruas da cidade e lembra-te de que todo esse *barulho* (que é o que significa a palavra hebraica), esta quebra de silêncio, é formado de vaidades quase irreais e passageiras. Descanso interrompido, medo ansioso, cérebro esfalfado, mente falha, loucura — essas são etapas no processo de desinquietação para muitos, e tudo para serem ricos ou, em outras palavras, carregarem-se a si mesmos de penhores (cf. Hc 2.6, ARA). Penhores que também o homem logo tem de deixar.

"Amontoam riquezas e não sabem quem as levará." O homem perde frequentemente o resultado das suas aventuras, pois muita coisa pode acontecer até ao final do processo. O trigo é enfeixado, mas um ladrão intrometido o leva — como ocorre muitas vezes com o lavrador pobre no oriente. Ou o trigo chega a ser armazenado, mas o invasor se regala com ele. Muitos trabalham para pessoas completamente desconhecidas para eles. Esse versículo se refere de modo específico aos ajuntadores, que, no devido tempo, dão vez aos espalhadores, que espalham riquezas tão profusamente quanto os seus antepassados as juntaram parcimoniosamente. Não conhecemos nossos herdeiros, pois nossos filhos morrem e estranhos ocupam os antigos salões hereditários.

As propriedades mudam de mãos, e a herança inalienável, ainda que fixada com mil laços, se rende ao poder roedor do tempo. Os homens levantam-se cedo e deitam-se tarde para construir uma casa. Depois, o estranho anda ruidosamente pelos seus corredores, gargalha em suas dependências e, sem consideração pelo primeiro construtor, diz que tudo é seu. Esse é um dos males debaixo do sol para o qual não há remédio.

7 *Agora, pois, Senhor, que espero eu? A minha esperança está em ti.*
8 *Livra-me de todas as minhas transgressões; não me faças o opróbrio dos loucos.*

9 *Emudeci; não abro a minha boca, porquanto tu o fizeste.*
10 *Tira de sobre mim a tua praga; estou desfalecido pelo golpe da tua mão.*
11 *Se com repreensões castigas alguém, por causa da iniquidade, logo destróis,*
como traça, a sua beleza; de sorte que todo homem é vaidade. (Selá)
12 *Ouve, Senhor, a minha oração, e inclina os teus ouvidos ao meu clamor; não*
te cales perante as minhas lágrimas, porque sou para contigo como um estranho, e
peregrino como todos os meus pais.
13 *Poupa-me, até que tome alento, antes que me vá e não seja mais.*

7. *"Agora, pois, Senhor, que espero eu?"* O que há nestes fantasmas que me encantam? Por que perder tempo com algo cuja perspectiva é tão sem graça e cujo presente é tão penoso? Seria pior do que a vaidade perder tempo nas moradas da tristeza para ganhar uma herança de vento. O salmista, então, se volta ao seu Deus por aversão de todas as outras coisas. Ele pensou no mundo e em todas as coisas que nele há, e ficou aliviado ao verificar que essas coisas vãs são todas passageiras. Ele cortou todas as cordas que o prendiam à terra, e está pronto a anunciar que está na hora de partir.

"A minha esperança está em ti." O Senhor é auto-existente e verdadeiro, sendo então digno da confiança dos homens. Ele continua vivendo depois que todas as criaturas morrem. A sua abundância permanece mesmo depois que todas as causas segundas se exaurem. A Ele, então, direcionemos a nossa expectativa, e nEle, pois, coloquemos a nossa confiança. Todo construtor sábio abandona a areia e usa a rocha, pois se não for hoje, muito em breve virá a tempestade diante da qual nada ficará de pé, senão aquele que tem o elemento duradouro da fé em Deus para fortificar-se. Davi tinha apenas uma esperança, e essa esperança penetrou até ao interior do véu. Por conseguinte, ele levou o navio ao porto seguro e, depois de pequena deriva, tudo era paz.

8. *"Livra-me de todas as minhas transgressões."* É bom sinal quando o salmista já não faz cavalo de batalha quando está triste, mas pede para ser livre dos pecados! O que é a tristeza quando comparada com o pecado? Que o veneno do pecado se esgote do cálice, e não precisamos ter mais medo do seu fel, pois esse amargor agirá medicinalmente. Ninguém pode livrar o homem das suas transgressões senão o Abençoado que é se chama Jesus, porque Ele salva o seu povo dos pecados deles. Quando Ele opera definitivamente este grande livramento para o homem no que diz respeito à causa, as consequências logo desaparecerão. A limpeza completa que desejamos é digna de nota: sermos salvo de algumas transgressões traz pouco proveito; precisamos do livramento total e perfeito.

"Não me faças o opróbrio dos loucos." Há um propósito para os ímpios serem chamados de loucos. Eles sempre estão espreitando as faltas dos santos, e imediatamente fazem deles tema de ridículo. É algo terrível o homem ser sujeito a fazer-se alvo de desprezo profano pela apostasia do caminho certo. Quantos que dessa forma têm se exposto à repreensão bem merecida! O pecado e a vergonha sempre estão juntos e de ambos Davi seria guardado de bom grado.

9. *"Emudeci; não abro a minha boca, porquanto tu o fizeste"*, ou: "Emudeço, não abro os lábios". Esse é um silêncio mais nobre, purgado de toda a rabugice e adocicado pela submissão. A natureza não amordaçou a boca, mas a graça fez o trabalho da maneira mais digna. Como duas coisas de aparência semelhante podem parecer duas coisas diferentes! Silêncio sempre é silêncio, mas pode ser pecaminoso num caso e santo noutro. Excelente razão para silenciar todo pensamento murmurante é a reflexão: "porquanto tu o fizeste". Ele tem o direito de fazer o que quiser, e Ele sempre faz o que é mais sábio e mais amável. Por que

eu consideraria incorretos ou improcedentes os seus procedimentos? Não, sendo o Senhor, que Ele faça o que lhe parecer bem.

10. *"Tira de sobre mim a tua praga."* O silêncio de toda a queixa não calou a voz da oração, que nunca deve cessar. Com toda a probabilidade, o Senhor atenderia à petição do salmista, porque Ele normalmente retira a aflição quando nos resignamos a ela. Se aceitamos o castigo sem reclamar, nosso Pai sempre o suspende. Quando paramos de reclamar, o castigo logo para. É bastante consistente com a resignação orar pela remoção da provação. Davi estava totalmente condescendente com a vontade divina, mas ainda achou lugar no coração para orar pelo livramento. De fato, ainda há pouco, ele estava rebelde deixando de orar sobre a sua provação. Foi só quando ele ficou submisso que ele rogou por misericórdia.

"Estou desfalecido pelo golpe da tua mão." Encontramos bons argumentos em nossa fraqueza e angústia. Faz bem mostrar ao nosso Pai as feridas que o açoite dEle fez, pois quem sabe a compaixão paternal amarrará as mãos e o moverá a nos consolar no seu seio. Não é para consumir a nós, mas para consumir nossos pecados que o Senhor almeja ao nos castigar.

11. *"Se com repreensões castigas alguém, por causa da iniquidade."* Deus não brinca com a vara. Ele a usa por causa do pecado e com vistas a nos afastar de pecar. Por conseguinte, Ele quer que os golpes sejam sentidos e sentidos são.

"Logo destróis, como traça, a sua beleza." Como a traça corrói o material do tecido, arruína toda a beleza e o deixa estragado e imprestável, assim os castigos de Deus mostram nossa loucura, fraqueza e insignificância, e nos fazem sentir como roupas velhas e usadas, sem valor e serventia. A beleza é uma coisa medíocre, visto que a traça a consume e a repreensão a arruína. Todos os nossos desejos e delícias são coisas desprezíveis corroídas pelas traças quando o Senhor nos visita na sua ira.

"De sorte que todo homem é vaidade." Ele é, como disse Trapp argutamente, "um quadro curioso de nada". Ele é insubstancial como a própria respiração, um vapor que aparece por um pouco para então desaparecer.

"(Selá)" Que essa verdade nos leve a fazer uma pausa, como o corpo morto de Amasa que, caído no caminho, fazia os exércitos de Joabe parar.

12. *"Ouve, SENHOR, a minha oração."* Não abafes minhas súplicas com o som dos teus golpes. Tu ouviste o clamor dos meus pecados, Senhor, ouve os lamentos das minhas orações.

"E inclina os teus ouvidos ao meu clamor." Esse é um aumento de intensidade. Um clamor é mais veemente, patético e comovente que uma oração. O ponto principal era ter o ouvido e o coração do Senhor.

"Não te cales perante as minhas lágrimas." Esse é um grau mais elevado de súplica inoportuna. Quem pode resistir a lágrimas, as quais são as armas irresistíveis da fraqueza? Quantas vezes mulheres, crianças, mendigos e pecadores têm recorrido às lágrimas como último recurso e ganhado o desejo do coração? Esse aguaceiro de água, deflagrado pela tempestade da alma, não cai em vão. Lágrimas falam mais eloquentemente que 10 mil palavras.

Agem como chaves dos compartimentos dos corações ternos, e a misericórdia não lhes nega nada, pois, através delas, o chorão olha para gotas mais ricas, até mesmo para o sangue de Jesus. Quando os nossos problemas levantam as eclusas dos nossos olhos, Deus não demora em interpor-se para transformar nossa dor em alegria. Ele pode ficar quieto por muito tempo, como se Ele não se importasse, mas a hora da libertação virá e virá como a manhã quando as gotas de orvalho são abundantes.

"Porque sou para contigo como um estranho." Para contigo, meu Deus, sou um estrangeiro entre os filhos dos homens, um estranho da parte dos filhos de minha mãe. Deus fez o mundo, sustenta-o e reconhece-o, mas os homens o tratam como se

ele fosse um intruso estrangeiro. Como tratam o Mestre, assim lidam com os servos. Não admira que sejamos desconhecidos. Essas palavras também podem significar: "Eu compartilho a hospitalidade de Deus", como um estrangeiro entretido por um grupo de pessoas de boa família. Israel recebeu a ordem de tratar com gentileza os estrangeiros, e o Deus de Israel compassivamente tem tratado a nós, pobres estrangeiros, com liberalidade ilimitada.

"E peregrino como todos os meus pais." Eles sabiam que não era aqui o lugar onde descansariam. Passaram pela vida à maneira de peregrinos, usaram o mundo como os viajantes usam uma hospedaria, e a mesma coisa faço eu. Por que sonhar em descansar na terra, quando os sepulcros de nossos pais estão diante dos nossos olhos? Se tivessem sido imortais, os filhos teriam tido uma cidade permanente deste lado do túmulo. Mas como os antepassados eram mortais, assim a descendência deve morrer. Todos de nossa linhagem, sem exceção, eram peregrinos em trânsito, e o mesmo somos nós. Davi usa a natureza passageira de nossa vida como súplica pela misericórdia do Senhor, e é assim que Deus a considera. Mostramos compaixão aos pobres peregrinos, e assim mostra o Senhor.

13. *"Poupa-me."* Guarda a tua vara. Vira o teu rosto irado. Dá-me tempo para tomar um fôlego. Não me mates.

"Até que tome alento." Deixa-me ter cessação suficiente de dor para que eu possa repousar e alimentar-me, e assim, revigora a minha desgastada constituição física. Ele espera morrer logo, porém implora um pequeno alívio do sofrimento para poder se refazer e, mais uma vez, desfrutar da vida antes do fim.

"Antes que me vá e não seja mais." No que diz respeito a este mundo, a morte é uma não existência. Esse estado nos espera. Estamos avançando para essa direção. Que o curto intervalo que se interpõe entre ela e nós seja brilhante pela luz solar do amor do nosso Pai celestial. É triste ser um inválido do berço à sepultura. Muito pior é estar sob o castigo e punição do Senhor por um mês. Mas o que são estas duas situações em comparação com o sofrimento do castigo sem fim sujeito àqueles que morrem nos seus pecados?

NOTAS EXPLICATIVAS E DECLARAÇÕES IMPORTANTES

O Título: "Para Jedutum". Levita da família de Merari e também um dos grandes mestres do templo da música. O departamento superintendido por Jedutum e seus colegas no serviço do templo dizia respeito aos "instrumentos de música de Deus" (1 Cr 16.42), que eram o *nabla* ou saltério, o *kinnor* ou harpa e os *metsiltaim* ou címbalos. Em 2 Crônicas 35.15, Jedutum é chamado de "vidente do rei", o que mostra que ele era um vaso de orientação divina para Davi. O nome ocorre no título dos Salmos 39, 62 e 77, onde certos teólogos pensam que indica algum tipo de composição especial, e outros, algum instrumento de música, porém sem razão. — *William Lindsay Alexander, 1862, "Kitto's Cyclopaedia" [Enciclopédia de John Kitto]*

O Salmo: Este é o mais belo de todas as elegias do livro dos Salmos. — *Henrich Ewald*

v. 1: "Eu disse". Foi para si mesmo que ele disse. É impossível para quem quer que seja provar que é bom ou sábio, sem muito deste tipo de fala consigo mesmo. É uma das faculdades mais excelentes e características da criatura racional. Está muito acima da fala vocal, pois nela, alguns pássaros podem nos imitar. Mas nem as aves nem os animais têm algo que se assemelhe a este tipo de linguagem: de refletir ou discursar consigo mesmo. É uma brutalidade maravilhosa em quase todos os homens, que são tão poucos versados nesse tipo de fala, sendo moldados e preparados para isto, e o que não só é por si mesmo excelente, mas de uso e vantagem ininterruptos. É, porém, um mal comum entre os homens perderem o juízo, fora de si mesmos, o que é uma loucura e uma verdadeira perturbação mental. É verdade, o homem precisa ter uma mente bem ajuizada quando fala consigo mesmo, pois, caso contrário, ele pode ser companhia pior para si mesmo do que se estivesse com outras pessoas. Mas ele deve empenhar-se para ter alguém melhor com ele, chamando Deus para o seu coração a fim de morar com Ele. Se assim fizermos, descobriremos que é agradável falar conosco mesmos, mesclando aqui e ali as nossas palavras com os discursos a Deus. Por falta disto, a maioria não só perde tempo em coisas vãs, nas conversas com outras pessoas, mas leva essas coisas vãs de montão, estocando-as nos próprios corações e conversando com elas em segredo, o que é a maior e mais profunda loucura do mundo. — *Robert Leighton*

v. 1: Não há lição mais difícil a aprendermos que o domínio sábio e discreto da língua. Davi prometeu um cuidado singular com o uso da língua: "Eu disse: Guardarei os meus caminhos para não delinquir com a minha língua; enfrearei a minha boca enquanto o ímpio estiver diante de mim". Sócrates informa que certo Pambo, homem honesto e bem conhecido, pediu ao seu amigo que o ensinasse um dos salmos de Davi, lendo para ele exatamente esse versículo. Ele respondeu: "Basta que eu aprenda bem este único versículo". Dezenove anos mais tarde, ele declarou que, tendo decorrido todo esse tempo, ele ainda não aprendera bem esse versículo. — *Samuel Page*

v. 1: "Para não delinquir com a minha língua". A boca dos homens, ainda que seja apenas um pequeno buraco, contém um mundo cheio de pecado. Não há pecado proibido na lei ou no evangelho que não seja falado pela língua, como também pensado no coração ou feito na vida. Não é, então, quase tão difícil dominar a língua quanto dominar o mundo? — *Edward Reyner, 1600–1670*

v. 1: "Eu manterei uma focinheira em minha boca, enquanto o homem mau estiver diante de mim". — Charles Carter, "New Translation" [Nova Tradução]

v. 1: "Enquanto o ímpio estiver diante de mim". É um tormento ser obrigado a ouvir tanta conversa tola e impertinente no mundo, mas útil ser apto para discerni-la e detestá-la. É admirável que os homens possam jogar fora tanta conversa. Quanto mais têm para falar, mais esbanjadores são das palavras e da paciência dos outros, sendo descuidados na sua própria opinião. Se cressem em prestar contas de cada palavra ociosa que dissessem, eles seriam mais econômicos com as conversas fúteis. Gosto de estar calado ou falar o que pode edificar.

À mesa ou em reuniões, não posso calar a boca dos outros, ainda que possa fechar os meus ouvidos, e, mediante uma conversa celestial em minha alma com Deus, desviar a minha mente das palavras infrutíferas. Embora eu esteja entre eles, participo tão pouco do seu palavrório quanto eles da minha meditação. — *William Struther*

v. 2: "Com o silêncio fiquei como mudo; calava-me mesmo acerca do bem; mas a minha dor se agravou". Quer dizer, por um tempo, fiz o que eu decidi. Fiquei calado por tanto tempo que, de certa forma, eu era mudo e não sabia falar.

"Calava-me mesmo acerca do bem", quer dizer, eu me reprimi de falar para eu falasse bem e legitimamente, como que alegando algo que eu pudesse ter dito em defesa própria, ou apresentando minha queixa a Deus, ou então desejando justiça às suas mãos e coisas semelhantes; quer dizer, para que, aos poucos, eu não fosse levado a proferir algo que fosse mau, ao passo que meu propósito era falar apenas o que era bom, e alguma palavra imprópria me escapulisse; ou para que os meus inimigos não interpretassem mal algo que eu falasse. — *Arthur Jackson v. 2:* "Com o silêncio fiquei como mudo". Investigaremos que tipo de mudez ou silêncio era este do salmista, a que ele é aconselhado e o que nos convém fazer quando sentimos a dor das pancadas da vara de Deus. Então a doutrina será, em grande medida, evidente por luz própria. Faremos nossa investigação negativamente para evitar os enganos, e positivamente para mostrar o que significa.

Em primeiro lugar, negativamente.

(1) Tal silêncio não significa que o profeta fora levado a esse estado a ponto de não ter nada a dizer a Deus pela oração e súplica. Ele não ficou tão mudo de modo que não pudesse orar e clamar (vv. 8,10,11).

(2) Ele não ficou tão mudo de modo que não pudesse compor a confissão e lamento dos seus pecados.

(3) Não se tratava de silêncio proveniente de estupidez e insensibilidade. Não indica que, em certa medida, ele chegou a essa situação de modo a não se preocupar ou não se importar com a aflição, mas ele endureceu o coração contra a sua má sorte. Não, ele gemeu diante de Deus, e, enquanto sentia a dor, lamentou sob o senso da mão divina que o afligia.

(4) Ele não ficou tão mudo de modo que não pudesse responder a voz de Deus na vara que o fustigava.

(5) Muito menos ele ficou mudo e se manteve em silêncio como ficaram as pessoas sobre quem Amós fala, que, na sua desgraça, tomaram a resolução de não mencionar mais o nome do Senhor, em quem, outrora, tinham se gloriado (Am 6.10).

Em segundo lugar, afirmativamente.

(1) Ele ficou mudo no que diz respeito a não reclamar, nem questionar a providência de Deus, nem entreter maus pensamentos a respeito dEle. Reclamar com Deus ele reclamou, mas não se atreveu a reclamar dEle.

(2) Ele não se atreveu a questionar ou brigar com o método da santidade em relação a todos os seus sofrimentos, algo a que somos naturalmente propensos.

(3) Ele ficou mudo no que diz respeito a não se defender ou justificar os seus caminhos diante de Deus, como se eles fossem justos e ele não merecesse o que sofreu.

(4) Ele ficou mudo no que diz respeito a ouvir a voz da vara. Em outro lugar, ele disse: "Escutarei o que Deus, o Senhor, disser" (Sl 85.8). O homem não pode ouvir outra pessoa enquanto ele está conversando e discursando consigo mesmo.

(5) Por fim, o profeta ficou mudo, ou seja, consentiu e ficou satisfeito com a dispensação de Deus, não só na teoria, como também na prática. — *Condensado de um sermão fúnebre proferido por Thomas Burroughs, Bacharel em Teologia, intitulado "A Soveraign Remedy for all kindes of Grief" [Um Remédio Poderoso para todos os Tipos de Aflição], 1657*

v. 2: "Calava-me". Perguntaram a certo cristão que fruto ele teve por Jesus Cristo. Não é o fruto, respondeu ele, de não ficar agravado pelas suas repreensões? Em casos dessa natureza, temos de reportar tudo a Deus. *Si tu tacueris, Deus loquitur*, que significa "se tu te calares, Deus fala contigo". Se Deus fala conosco, é melhor do que falar conosco mesmos. Davi disse: *Obmutui, quia tu fecisti.* "calava-me, porque era a tua obra". — *Christopher Sutton, Bacharel em Teologia, 1629, "Disce Vivere"*

vv. 2 a 9: Certo inválido, que recebera a prescrição médica de tomar dois comprimidos, agiu sem a menor lógica, pois, em lugar de engoli-los imediatamente, passou-os pela boca, triturou-os em pedaços e sentiu o amargo do remédio. Gotthold, presenciando a cena, fez uma reflexão. Os insultos e calúnias do caluniador e adversário são comprimidos amargos, e nem todos conhecem o segredo de engoli-los sem mastigar. Para o cristão, insultos e calúnias são saudáveis de muitas formas. Lembram-no da culpa, testam-lhe a mansidão e paciência, mostram-lhe contra o que ele precisa se prevenir e, por fim, contribuem para a sua honra e glória em vista daquele por amor de quem eles têm de sofrer. Com relação aos comprimidos da difamação, porém, como também de outros tipos, é aconselhável não ficar passado-os e repassado-os continuamente pela mente, nem julgá-los de acordo com a carne e a opinião do mundo. Essa prática só aumenta a amargura, espalha o sabor pela língua e enche o coração de inimizade proporcional. A maneira mais certa é engolir, manter silêncio e esquecer. Temos de engolir nossa aflição interior e dizer: "Emudeci; não abro a minha boca, porquanto tu o fizeste" (v. 9). Os melhores antídotos para a amargura da difamação são as doces promessas e consolações da Bíblia, entre as quais nem a menos importante é esta: "Bem-aventurados sois vós quando vos injuriarem, e perseguirem, e, mentindo, disserem todo o mal contra vós, por minha causa. Exultai e alegrai-vos, porque é grande o vosso galardão nos céus; porque assim perseguiram os profetas que foram antes de vós" (Mt 5.11,12). Meu Deus! Como é difícil engolir os comprimidos dos que me insultam, abençoar aqueles que me amaldiçoam, fazer bem aos que me odeiam e orar por aqueles que despeitosamente me usam! Mas, Senhor, como tu o terás assim, dá-o como tu o terás, pois é assunto no qual, sem a tua graça, nada posso fazer. — *Christian Scriver*

v. 3: "Incendeu-se dentro de mim o meu coração; enquanto eu meditava se acendeu um fogo". Dizem que quando a pedra-ímã (essa maravilha da natureza) perde, ou por descuido em conservá-la, ou por acidente, a sua propriedade, basta colocá-la por bom espaço de tempo junto das limalhas de aço, que ela a recuperará. Quando o espírito do cristão, por não estar olhando firmemente para os céus, perde o calor e vivacidade celestial, o modo de recuperá-lo é deixá-lo inerte nessa meditação aquecedora e vivificante. Como é ardente e reluzente o espírito do santo salmista Davi enquanto medita! A meditação o aqueceu, fazendo-lhe o coração arder calorosamente. Muitas vezes, no começo de um salmo, verificamos que o coração do salmista está deprimido e desanimado. Mas, à medida que se dedica a meditar cada vez mais, o espírito vai ficando mais quente até incendiar tudo em uma labareda que alcança o mais alto pico do calor divino. Todos os praticantes conscienciosos da meditação experimentam sempre e oportunamente esses calores felizes e divinos e as amplificações do coração. Se todos os tão gloriosos vivificadores do coração dos santos fossem reunidos, que rico colar de pérolas, pérolas de experiências raras, comporiam as eficácias agradáveis da meditação. — *Nathanael Ranew*

v. 3: "Eu meditava". Que privilégio (ou direi dever) bendito é a oração! A meditação é um auxílio à oração. Gérson chama-a de pajem da oração. A meditação é como óleo para a lâmpada. A lâmpada da oração logo se apaga, a menos que a meditação cuide dela e a sustente. A meditação e a oração são como duas tartarugas, se uma for separada, a outra morre. O pescador habilidoso observa o tempo e a estação certa quando os peixes mordem a isca mais facilmente. Então, lança o anzol. Quando o coração está aquecido pela meditação, é o melhor momento de lançar o anzol da oração para pescar misericórdia. Depois de Isaque ter estado no campo a meditar, foi que ele estava pronto para orar quando chegasse a casa. Quando a arma está carregada é que ela está mais bem preparada para disparar. Quando a mente está cheia de bons pensamentos, o cristão está mais bem preparado pela oração para cumprir seus deveres. Agora, ele envia salvas de suspiros e gemidos aos céus. A meditação tem um benefício duplo: enche e derrama. Primeiro faz a mente ter bons pensamentos, e depois injeta esses pensamentos na oração. A meditação primeiro fornece o tema da oração, e depois o abastece com um coração para orar. "Eu meditava", disse Davi, e as próximas palavras são uma oração: "Faze-me conhecer,

Senhor, o meu fim" (v. 4). Medito nas obras das tuas mãos, e estendo as mãos para ti. A meditação da cabeça abriu caminho para as mãos se estenderem em oração. Quando Jesus estava no monte, ele orou. Quando a alma está no monte da meditação, está afinada com a oração. A oração é a filha da meditação. A meditação vai na vanguarda, e a oração fecha a retaguarda. — *Thomas Watson*

v. 3: "Eu meditava". A meditação é a oração em barra de ouro. A oração no estado bruto logo se derrete e se choca com os desejos santos. A nuvem carregada logo derrama gotas de chuva. O pedaço escolhido explode quando é posto no fogo. A alma que medita está *in proxima potentia* com a oração. Essa foi uma oração exclamatória feita pela alma quando na companhia dos ímpios. — *William Gurnall*

v. 3: "Se acendeu um fogo". Os meus pensamentos acenderam as minhas emoções. — *Matthew Pool*

v. 3: "Se acendeu um fogo". Continua meditando até que o teu coração se aqueça nesse dever. Se alguém está com frio, tu perguntas até quando ele deve permanecer perto do fogo? Claro que não. Ele deve se aquecer até que se torne apto para o trabalho. Cristão, o teu coração está frio. Jamais deixes por um dia, nem no dia mais quente de verão, que ele se esfrie. Agora fica perto do fogo da meditação até que os teus afetos se aqueçam, e tu estejas apto para o serviço espiritual. Davi meditou até que o coração ficasse quente. Concluirei com a excelente declaração de Bernardo: "Senhor, eu jamais me separarei de ti sem ti". Seja essa a decisão do cristão não deixar de meditar em Deus até que ele ache algo de Deus nele. O coração de alguns se estremecem por amor a Deus, ao passo que o coração de outros queimam de amor (cf. Ct 5.4). — *Thomas Watson*

v. 3: "Incendeu-se dentro de mim o meu coração; enquanto eu meditava se acendeu um fogo". A companhia era ruim, mas os pensamentos eram bons. Mesmo enquanto o ímpio estava diante dele, incendeu-se dentro dele o seu coração; enquanto ele meditava se acendeu um fogo. Os pensamentos inflamam os sentimentos com zelo santo. Esse fogo santo, como por antiperístase, queimou muito mais fortemente, levando ao congelamento da contrariedade amaldiçoada com que se ocupava. Quando os magistrados ou oficiais cuidadosos de uma cidade arrombavam uma casa suspeita durante a noite, a grande pergunta era: Que companhia tu tens aqui? Quando Deus arromba nosso coração escuro, a pergunta é: Que pensamentos tu tens aqui? "Por que sobem tais pensamentos ao vosso coração?" "Não vos fizestes juízes de maus pensamentos?" (Lc 24.38; Tg 2.4). — *"Faithful Teat" [Teta Fiel], 1656*

v. 3: "Então falei com a minha língua". É deveras uma circunstância feliz quando o silêncio que foi por muito tempo guardado é quebrado na presença do Senhor. — *John Morison*

v. 4: "Faze-me conhecer, Senhor, o meu fim, e a medida dos meus dias qual é, para que eu sinta quanto sou frágil". Mas Davi não sabia disso? Sim, ele sabia, porém queria mais outra confirmação. É muito bom quando pedimos que Deus nos faça saber as coisas que já sabemos. Ou seja, o que sabemos apenas por saber, podemos saber espiritual e proveitosamente. Se há alguma medida desse conhecimento, ela pode ser aumentada e vir a crescer mais. [...] Sabemos que temos de morrer, e que não há extensão maior ao período total de vida. Contudo, o nosso coração pouco sabe acerca desse conhecimento. — *Robert Leighton*

v. 4: "Faze-me conhecer, Senhor, o meu fim". Davi conheceria o seu fim, não tanto a morte — o fim consumidor — quanto Cristo, o Senhor da vida, que é o fim e a perfeição de todos os nossos desejos. Ou conhecê-lo, não por vã ciência, mas por experiência sentir a recompensa da paciência. Embora o castigo seja rigoroso, será curto, e dessa maneira doce. Tu jazerias e repousarias; dormirias e haveria repouso para ti (Jó 3.13,17-19). Por mais que sejam poucos e maus os teus dias no mundo, por paciência e chegando-te a Deus, eles te serão longos e bons. — *Edmund Layfield*

v. 4: "Faze-me conhecer, SENHOR, o meu fim, e a medida dos meus dias qual é, para que eu sinta quanto sou frágil". Tendo em vista que tanto a tristeza quanto a alegria pode te matar, e que a tua vida está suspensa por um fio tão fino, a ponto de o menor mosquito poder te asfixiar, como asfixiou o papa de Roma, ou um pequeno cabelo no leite poder te estrangular, como ocorreu com certo conselheiro em Roma, ou um caroço de uvas secas pare a tua respiração, como se deu com a respiração de Anacreonte, não ponhas o dia mau longe de ti, o qual a ordenação de Deus colocou tão perto. "Lembra-te do teu Criador nos dias da tua mocidade, antes que venham os maus dias, e cheguem os anos dos quais venhas a dizer: Não tenho neles contentamento" (Ec 12.1). Não andes com o rosto sempre voltado para o leste. Olha de vez em quando para o oeste, ao lugar em que o sol se põe. Não sentes sempre na proa do navio. Senta-te vez ou outra na popa. Sobre a torre de vigia esteja em pé continuamente de dia, como fazem as criaturas (Rm 8.19; cf. Is 21.8), e espera pela hora do livramento. Abastece os teus exércitos antes que o terrível rei chegue para lutar contra ti com as maiores forças que ele tenha. Põe em ordem a tua casa antes de morrer, quer dizer, dá destino ao teu corpo e alma, e a todas as coisas ligadas a ambos. Não deixes que os teus olhos andem a esmo em busca de prazer, ou que os teus ouvidos cocem segundo os boatos, ou que a tua mente vagueie pelos campos, quando a morte está em tua casa. O teu corpo não é de metal, nem a tua força é a força das pedras, nem a tua vida é a herança, nem a tua respiração é mais do que o vapor e a fumaça da chaminé nas tuas narinas, ou como um estranho dentro das tuas portas, que entra e sai repetidamente, para não voltar mais até o dia da redenção final. — *John King*

v. 4: "Faze-me conhecer, Senhor, o meu fim, e a medida dos meus dias qual é, para que eu sinta quanto sou frágil". É digno de atenção a passagem que lemos na Bíblia em 1 Samuel 10.2. Samuel, depois de ungir o rei Saul e de o povo tê-lo escolhido, que sinal ele lhe deu para confirmar a unção? Era para ir ao sepulcro de Raquel. A razão é que ele poderia não estar satisfeito com a nomeação e honra que estava recebendo.

Os imperadores de Constantinopla, nas inaugurações, nos dias de coroação, recebiam um pedreiro que lhes mostrava várias pedras de mármore. Ele lhes pedia que escolhessem uma para ser preparada para a lápide. É o que lemos sobre José de Arimateia, que tinha o sepulcro no jardim para refrear os prazeres do lugar. — *Christopher Love*

v. 4: "Quanto sou frágil". Entre as cidades de Walsall e Iretsy, na região de Cheshire, Inglaterra, encontra-se uma casa construída em 1636, feita de robusta estrutura de carvalho, preenchida de tijolos. Em cima da janela da taverna, ainda está legível, talhada no carvalho, a seguinte inscrição em latim: *Fleres si scires unum tua tempora mensem; rides cum non scis si sit forsitan una dies*, cujo significado é: "Tu chorarias se soubesses que a vida estava limitada a um mês, contudo ris não sabendo que pode estar limitada a um dia".

Que pensamento triste que, mesmo com este alerta silencioso, com este sermão verdadeiro diante dos olhos, muitos se divertem na embriaguez destrutiva da alma! Não obstante, esta é apenas uma semelhança do que vemos constantemente à nossa volta. — Citado em um *periódico mensal*

v. 5: "Os meus dias". A vida do homem é estruturada por dias, porque não nos é dada em grandes quantidades de meses e anos, e sim em pequenas parcelas de dias, horas, minutos, momentos, como que a controlar nossa curiosidade de querer saber quanto tempo ainda temos para viver (v. 4). Acostumando-nos com a brevidade da vida, aprendemos a depender da generosidade de Deus quanto ao empréstimo da vida, a empregá-la para a sua glória e a nos preparar diariamente para o Noivo, Cristo. — *Edmund Layfield*

v. 5: "Os meus dias como a palmos". Essa é uma das medidas mais curtas. Não precisamos de grandes medidores para medir a vida. Cada pessoa traz consigo uma medida própria, a mão. Essa é a medida mais longa e mais completa. Não é tanto quanto um palmo, que poderia ter sido a medida de antiga era na infância do mundo, mas foi contraído à largura de quatro dedos, a qual é a maior extensão dos dias do homem. Mas quantos ficam aquém disso! Muitos não atingem a largura de um dedo. Multidões passam direto do útero para a sepultura. Quantos terminam o trajeto de vida ainda na infância. — *Robert Leighton*

v. 5: "Eis que fizeste os meus dias como a palmos". A medida que mede a nossa vida é feita de linha grossa e fina.

(1) É medida por si mesma e notável pela própria fragilidade. O comprimento justo é de um palmo.

(2) Levando em conta a eternidade, é como nada: "O tempo da minha vida é como nada diante de ti". [...] Um palmo, e é tudo? É o que Ele diz que mede exatamente tudo, e tudo o mais que foi criado pela sua própria mão. Um palmo é um tipo de medida menor. Há uma vara, um cúbito e um palmo ou a largura de uma mão, das quais há dois tipos, o maior e o menor. O palmo maior é o espaço entre a ponta do dedo polegar e a ponta do mindinho, quando a mão está estendida, chamada de palmo, que perfaz uns 30 centímetros. O palmo menor, em um significado mais próprio e exato, é a largura justa dos quatro dedos da mão estendidos e juntos. Esta é interpretação que melhor concorda com o original e mais se ajusta à intenção do salmista, segundo o consentimento unânime de intérpretes seletos. — *Edmund Layfield*

v. 5: "O tempo da minha vida é como nada diante de ti".

(1) Davi poderia ter dito: O tempo da minha vida é curto em relação a Matusalém. Os dias de Matusalém foram de 969 anos. Os dias de Davi, pelo cálculo do tempo quando começou a reinar e por quanto tempo reinou, não foram muito mais que 70 anos, de forma que ele viveu algumas dezenas de anos, ao passo que Matusalém viveu algumas centenas.

(2) Davi poderia ter dito: O tempo da minha vida é curto em comparação com a idade do mundo. Paulo disse que a aparência deste macrocosmo passa (1 Co 7.31). Mas a idade do microcosmo, o homem, passa muito mais rápido.

(3) Davi poderia ter dito: O tempo da minha vida neste mundo é excessivamente pouco em comparação com a duração do outro mundo.

(4) Davi poderia ter dito: O tempo da minha vida não é nada levando em conta os anjos, cuja duração começou com o começo deste mundo e continuará pelo mundo por vir. É coevo com ambos os mundos. Mas todos estes ficam muito aquém da comparação que ele faz do seu tempo de vida com Deus, que é eterno, tanto *a parte ante* quanto *a parte post*, de eternidade a eternidade. — *Nathanael Hardy*

v. 5: "Como nada". Se o homem é criatura tão diminuta, comparada com a estrutura do grande mundo, e o próprio mundo é tão pequeno que não pode conter o Senhor, tão pequeno e leve que ele não sente o peso na ponta do dedo, o homem merece muito bem o nome de "nada" quando for colocado perante o Senhor. O barco da vida do homem está carregado com mais vaidade do que com verdade e realidade, se o sondador dos rins e coração entra a bordo para inspecionar. Dez mil de nossos dias não fazem para Deus um ano, e mil de nossos anos são, aos olhos dele, "como o dia de ontem que passou, e como a vigília da noite" (Sl 90.4). Como as gotas de chuva vão para o mar, e como o pedregulho é em comparação à areia, assim são mil anos aos dias da eternidade. — *Edmund Layfield*

v. 5: "Na verdade, todo homem, por mais firme que esteja, é totalmente vaidade". Em outros textos bíblicos, o Espírito Santo se agrada em falar mais frugalmente, por assim dizer, a favor do homem. Ele descobre a nudez do ser humano, mas depois se aproxima dele de costas para lançar sobre ele uma roupa de clemência, cobrindo, de certo modo, a sua vergonha. O homem é semelhante à vaidade (Sl 144.4), os seus dias se consomem na vaidade (Sl 78.33), de sorte que todo homem é vaidade (Sl 39.11). Mas aqui abertamente e em termos desvelados cheios de ênfase, ele proclama que todo homem é vaidade abstrata. E como se não bastasse, acrescenta: ele é totalmente vaidade; mera vaidade, de toda maneira vaidade, pura vaidade; nada mais, nada menos; sim, um tanto quanto mais que vaidade, mais leve do que a vaidade (Sl 62.9); e "vaidade de vaidades!" (Ec 1.2). E para que não haja lugar para dúvida, ele injeta a doutrina ao nosso coração com forte asseveração: "na verdade", seguramente, sem toda a controvérsia, o homem "é totalmente vaidade". — *Edmund Layfield*

v. 5: "Na verdade, todo homem, por mais firme que esteja, é totalmente vaidade". Bythner expõe esse versículo assim: "Todo homem no seu melhor estado é pura vaidade", *hoc est omni ex parte, ita ut vanitas et miseria quae per creaturas frustratim spargitur in uno homine aggregata videatur: sic homo evadit compendium omnium vanitatum quae in creaturis extant*, que quer dizer, "ele é o antro e centro de todas as vaidades no mundo; ele é como se fosse o universo da vaidade". — Citado no sermão fúnebre do honorável *Francis Pierrepont* proferido por *William Reynolds*, 1657

v. 5: "Todo Adão que está de pé é todo Abel". Ver o texto hebraico.

v. 5: "Selá". Uma palavra pequena, contudo de não pouca dificuldade para explicar. Omitida da Bíblia pelos tradutores vulgares, como se fosse impertinente, eles devem considerar bem se não se enquadram na maldição registrada em Apocalipse 22.19. Os antigos intérpretes não se intrometeram muito com essa palavra, e as edições a apresentam sem interpretação. Mas tendo em vista que "tudo que dantes foi escrito para nosso ensino foi escrito, para que, pela paciência e consolação das Escrituras, tenhamos esperança" (Rm 15.4), e "até que o céu e a terra passem, nem um jota ou um til se omitirá da lei sem que tudo seja cumprido" (Mt 5.18), temos autoridade suficiente pelo exemplo dos entendidos e incentivo próprio para investigarmos a mente do Espírito Santo, sobre aquilo que Ele ordenou que fosse escrito e ordenou a nós. Nesse sentido, como vidro cristalino, farei uma apresentação sobre a verdadeira face da antiguidade, em vez de usar alguma feição ou pintura minha recentemente desenvolvida.

Selá é mencionado 74 vezes na Bíblia, 71 das quais no livro dos Salmos e três vezes no profeta Habacuque, que é composto ao estilo sálmico. É sempre colocado no fim do salmo ou versículo, exceto em apenas quatro lugares, onde, como o sol no meio dos planetas, se posiciona para unir as palavras precedentes com as subsequentes e comunicar esplendor a ambas. Antigamente, essa palavra era usada de três formas: a primeira se relacionava com a música, a segunda com o assunto tratado, ao qual era afixado, e a terceira com as pessoas ou a congregação reunida no templo do Senhor. A segunda e a terceira formas de uso ainda têm lugar entre nós cristãos, que fomos enxertados no tronco-Cristo, de onde os judeus foram cortados. Mas, quanto à primeira forma de uso, não podemos extrair adequadamente tal nutrição como outrora eles fizeram.

Em primeiro lugar, o uso de *selá* no que diz respeito à música. Os coralistas do rei (1 Cr 25.1-6; Sl 62, Ἐπιγραφή; 1 Cr 16.41) aprenderam cinco coisas acerca da palavra *selá*.

(1) Eles tinham de fazer uma pequena pausa, parada ou espera, quando chegavam à palavra *selá* para meditar um pouco sobre o assunto antecedente.

(2) Eles sabiam por essa cessação e intervalo que o rei Davi, enquanto estava profetizando ao povo e louvando a Deus nos címbalos altissonantes, achava-se naquele momento inspirado e ensinava uma nova lição. Quando alguém está fazendo um discurso sério e, subitamente, todos ouvem um barulho, fazem imediatamente silêncio para ouvir melhor, dizendo: "Escutem! Vejam! Olhem!", assim o coração de Davi, ao ser atingido pela voz do Espírito de Deus, a música cessava, parava, e ele se examinava, como a dizer: "Fala, Senhor, porque o teu servo ouve" (1 Sm 3.9).

(3) *Selá* significa a mudança e variação da música em algumas melodias, ou da métrica, ou sentido, ou disjunção da rima, ou cessação de um tipo de música, o que de qualquer forma Jerônimo levanta certa dúvida. A Septuaginta, sempre que encontra um *selá* no texto hebraico, traduz a palavra na versão grega por "mudança de canção".

(4) *Selá* dirigia os coralistas a cantarem o mesmo versículo novamente, desde o começo, ao qual a palavra estava anexado. Nessa última vez, a instrução era elevar e erguer a voz, louvando a Deus com vozes altíssimas e címbalos altissonantes. *Selá* os chamava a tons mais altos de música e estridência de voz. Mas vendo que a harmonia judaica e a doce melodia foram esmagadas nas ruínas do templo glorioso, permanecemos sem instrução sobre as notas musicais, fato que obscurece nossas anotações sobre este ponto. Basta sobre o uso de *selá* no que diz respeito à música.

Em segundo lugar, o uso de *selá* no que diz respeito ao texto bíblico, ou ao assunto tratado. Falaremos em cinco pontos.

(1) Certos estudiosos opinam que *selá* é apenas um ornamento do discurso para enfeitar as palavras com uma ênfase suave. Dizem também que pode ser uma palavra sem significado para completar a harmonia, a fim de que o versículo não pare por falta de base métrica. Mas essa conjetura é fraca, e está muito distante da verdade.

(2) *Selá* não é apenas uma adoração discursiva, mas significa um fim do versículo, assunto ou salmo, no ponto em que se encontra, a qual sempre está no final do salmo e versículo, exceto por estes quatro lugares que se isentaram desta regra: Salmo 55.19; 57.3; Habacuque 3.3,9. Como escrevemos *fim* ao término de um livro, canção, poema, assim os judeus subscrevem "selá", "salomé" ou "amém" ao final ou término de qualquer cântico ou obra. Os judeus modernos até hoje, seguindo a opinião de Abenezra, consideram que *selá* é o mesmo que *amém*, usando-o ao término dos epitáfios e orações duas ou três vezes indiferentemente. Assim: "Amém, selá, amém, selá", recebe algum crédito disso, pois os determinados salmos terminam com *selá* (Sl 3.8) e os livros dos Salmos com *amém*. O livro dos Salmos é dividido em cinco livros, quatro deles terminando com *amém* — assim seja —, como podemos verificar no Salmo 41.13, o fim do primeiro livro, no Salmo 72.19, o fim do segundo livro, no Salmo 89.52, o fim do terceiro livro, e no Salmo 106.48, o fim do quarto livro.

(3) *Selá* é uma hipérbole ou ilustração da verdade com o objetivo de promovê-la e realçá-la, para tornar a verdade e o sentido mais claros e evidentes, como se disséssemos: "Que maravilhoso!" ou "Excelente!" Às vezes, também tem o objetivo de agravamento, por exemplo: "Que monstruoso!", "É intolerável!", "Horrível!" "Deus veio de Temã, e o Santo, do monte de Parã" (Hb 3.3). *Selá*. Deus veio com grande dignidade, excelência e ampla majestade. "Muitos dizem da minha alma: Não há salvação para ele em Deus" (Sl 3.2). *Selá*, como se ele tivesse dito: Oh, blasfêmia monstruosa e horrível excomungar um filho do favor do Pai celestial, e limitar a sua misericórdia, cuja mão é onipotente para aliviar todos os que confiam nEle.

(4) *Selá* serve para declarar a eternidade da verdade revelada naquele salmo ou versículo, embora talvez só começasse a ser manifesta para a igreja, ou mais completamente neste tempo do que em eras anteriores. De qualquer forma, as pessoas

para quem foi anunciada, ou as pessoas para quem foi enviada, ficaram convencidas já no primeiro anúncio. Trata-se de uma verdade que é desde a eternidade e que continuará para sempre, por exemplo Salmo 3.8: "A salvação vem do SENHOR; sobre o teu povo seja a tua bênção. (Selá)". É como se ele tivesse dito: "Esta é uma verdade que está acima de toda disputa, que Deus já livrou e abençoará o seu povo para sempre". Essa doutrina é sempiterna e durável, porque a benignidade do Senhor é para sempre (Sl 136).

(5) *Selá* os instruía a meditar seriamente nos temas onde ocorria a palavra *selá*, por conter assunto digno de observação, meditação e recordação singular. Tem relação a Cristo: "Quem é este Rei da Glória? O SENHOR dos Exércitos; ele é o Rei da Glória. (Selá)" (Sl 24.10). Fala sobre os mistérios da graça: "O SENHOR dos Exércitos está conosco; o Deus de Jacó é o nosso refúgio. (Selá)" (Sl 46.7). Toca no dever do homem (Sl 4.4; 32.5), ou na fragilidade do homem (Sl 9.20; 32.4). Como o diamante é de maior valor que as outras pedras preciosas, e o sol é mais glorioso que os planetas, assim essas frases são mais resplandecentes que outros trechos bíblicos. À primeira vista, nem sempre é assim, pois, no Escrito Santo, há outros textos mais excelentes (caso fosse pertinente fazermos uma comparação), onde não consta a palavra *selá*. Contudo, se nos embrenharmos na ocasião, extensão e natureza da frase, aceitaremos mais de boa vontade quando levarmos em conta que é um costume do Espírito Santo, objetivando nosso ensino e benefício singular, propor coisas de uma natureza comum e inferior para nossa meditação mais profunda. Por exemplo: "O SENHOR é conhecido pelo juízo que fez; enlaçado ficou o ímpio nos seus próprios feitos" (Sl 9.16), que é concluído com "Higaiom; Selá" — meditação *selá* —, como se ele tivesse dito que esse é um tema digno de observação e meditação constante. O justo jamais deve esquecer que os ímpios perecem nos próprios conselhos e são apanhados na própria rede. Essa é uma observação digna de ser esculpida no peito de quem teme a Deus: Deus, vez ou outra, será conhecido entre os ímpios pelos julgamentos mais severos que Ele faz sobre eles, ainda que nunca aprendam pela paciência e misericórdia divina a aceitá-lo como seu Senhor. Já chega sobre o uso de *selá* no que diz respeito ao assunto tratado.

Em terceiro lugar, resta-nos, como conclusão, desdobrar o uso de *selá* no que diz respeito às instruções que a palavra dispunha à congregação. São seis.

(1) *Selá* servia como lembrete de atenção e desatenção ao que era cantado ou dito (Sl 3.2-8), para que sempre que vissem a palavra *selá*, imaginassem que ouviram a voz do Senhor desde os céus a dizer: "Ouvi isto, vós todos os povos; inclinai os ouvidos, todos os moradores do mundo, quer humildes quer grandes, tanto ricos como pobres" (Sl 49.1,2). E também, tendo em vista que eles cantavam os cânticos com voz mais alta, tanto mais elevassem o coração e o sentimento, a fim de que a voz e o coração estando afinados, a harmonia congregacional fosse agradável aos ouvidos do Senhor. (2) *Selá* era uma marca de afirmação, por meio da qual eles declaravam o consentimento e aprovação à verdade entregue, como fazemos quando aprovamos o discurso de outrem: "Muito bem", "exatamente", "é verdade", "com certeza". *Selá* era muito semelhante a "verdade", "certo", "excelente". Por exemplo: "Com a minha voz clamei ao SENHOR; ele ouviu-me desde o seu santo monte. (Selá)" (Sl 3.4), ou seja, é muito certo que o Senhor conhece os segredos do nosso coração, é o juiz dos vivos e dos mortos e nos julgará com justiça, retribuindo a cada um de acordo com as ações feitas na carne, quer boas quer más. "Tu amas mais o mal do que o bem; e mais a mentira do que o falar conforme a retidão. (Selá)" (Sl 52.3), quer dizer, é inegável, todos reconhecemos, que a experiência e o sofrimento nos fazem saber que aqueles que não têm o temor de Deus diante dos olhos gostam de falar e causar todo dano possível contra o povo de Deus para prejudicá-los em vez

de ajudá-los, manchar-lhes a reputação inocente em lugar de preservá-la. (3) *Selá* tratava-se de um brado de devoção proferido pelo coração e alma a Deus, desejando e almejando a realização do que foi falado ou prometido. Por exemplo: "Tu saíste para salvamento do teu povo, para salvamento do teu ungido; tu feriste a cabeça da casa do ímpio, descobrindo os fundamentos até ao pescoço. (Selá)" (Hc 3.13).

É como se ele tivesse dito: Senhor, peço-te, que sempre saias assim para livrar o teu ungido. "De tarde, e de manhã, e ao meio-dia, orarei; e clamarei, e ele ouvirá a minha voz. Livrou em paz a minha alma da guerra que me moviam; pois eram muitos contra mim. Deus ouvirá; e os afligirá aquele que preside desde a antiguidade (Selá)" (Sl 55.17-19), noutras palavras, ó Senhor, peço-te, que sempre inclines o teu ouvido ao meu humilde pedido e te levantes contra aqueles que se levantam contra mim.

(4) *Selá* denotava a admiração de alguma repercussão estranha e incomum, quer na obra de Deus ou na maldade do homem. Por exemplo, "Ele dos céus enviará seu auxílio e me salvará do desprezo daquele que procurava devorar-me (Selá)" (Sl 57.3), noutras palavras, ó bondade maravilhosa e admirável de Deus, que, às vezes, se agrada em enviar o seu anjo dos céus, sempre envias a sua misericórdia e verdade para livrar os seus pobres e confusos servos daqueles são muito fortes e poderosos para eles. "Porque estranhos se levantam contra mim, e tiranos procuram a minha vida; não põem a Deus perante os seus olhos. (Selá)" (Sl 54.3), quer dizer, ó impiedade e crueldade horrível, que caças a vida dos santos e te esqueces do Deus da vida, sequer lembrando-te de que Ele existe.(5) *Selá* aludia a humilhação e consternação mental quando o leitor se dava conta da majestade incompreensível de Deus e da própria fragilidade e miséria. Por exemplo: "Ele domina eternamente pelo seu poder; os seus olhos estão sobre as nações; não se exaltem os rebeldes. (Selá)" (Sl 66.7), quer dizer, essa é questão de humilhação perante o Rei de todo o mundo.

"Ó Deus! Quando saías adiante do teu povo, quando caminhavas pelo deserto, (Selá)" (Sl 68.7,8), noutras palavras, o meu coração tremeu ao considerar, tremi ao refletir sobre a majestade diante de quem "a terra abalava-se, e os céus destilavam perante a face de Deus; o próprio Sinai tremeu na presença de Deus, do Deus de Israel". "Se com repreensões castigas alguém, por causa da iniquidade, logo destróis, como traça, a sua beleza; de sorte que todo homem é vaidade. (Selá)" (Sl 39.11), como se ele tivesse dito que isso pode humilhar o coração mais orgulhoso do mundo e lançá-lo à terra. (6) *Selá* era um lembrete de doxologia e louvor a Deus de maneira especial, não muito diferente ou o mesmo que "porque teu é o Reino, e o poder, e a glória, para sempre". Por exemplo, "Toda a terra te adorará, e te cantará louvores, e cantará o teu nome. (Selá)" (Sl 66.4). "Em Deus nos gloriamos todo o dia e louvamos o teu nome eternamente. (Selá)" (Sl 44.8). "Bendito seja o Senhor Deus, o Deus de Israel, que só ele faz maravilhas. E bendito seja para sempre o seu nome glorioso; e encha-se toda a terra da sua glória! Amém e amém!" (Sl 72.18,19). — *Edmund Layfield*

v. 6: "Todo homem anda como uma sombra". Percebo que nós que vivemos somos nada mais que imagens e uma sombra vã. — *Sófocles*

v. 6: "Na verdade, todo homem anda como uma sombra". Quando na eleição de Bristol, o concorrente morreu, Burke disse: "Que sombras somos e que sombras perseguimos". — *William S. Plumer*

v. 6: Todo homem carnal anda como sombra e como é vã a sombra da vaidade! Ele se inquieta em vão e é só vaidade que o inquieta. Ele trabalha a vida inteira pelo lucro das riquezas, mas na morte as riquezas não lhe dão lucro. Quem vê um boi pastando em campo de pastos verdejantes, conclui que ele está sendo preparado para o dia da matança. — *William Secker*

v. 6: "Amontoam riquezas". Trata-se de uma grande tolice e desassossego, sobretudo na velhice, que, quanto menos caminho o homem tem de percorrer, mais provisão faz. Quando as mãos estão rígidas e incapazes para o trabalho, elas estão em condições e preparadas para serem descartadas. — *Robert Leighton*

v. 6: "Amontoam riquezas". A palavra hebraica traduzida por "amontoam", significa "ajuntar", "trabalhar com ancinho". Há alusão ao ato de o lavrador amontoar os grãos antes de levá-los ao celeiro. A metáfora é elegante, denotando a precariedade da vida humana e a vaidade das aquisições humanas, as quais ainda que sejam amontoadas como grãos por uma pessoa, logo podem se tornar possessão de outra. — *Samuel Burder*

v. 6: "Na verdade, todo homem anda como uma sombra; na verdade, em vão se inquietam; amontoam riquezas e não sabem quem as levará". Amanhã, amanhã, amanhã... o futuro avança pouco a pouco, dia após dia, até à última sílaba recordada do tempo. Todos os nossos ontens iluminaram o caminho da morte, cheio de pó, para os mortos. A nossa vela, só nossa, dura pouco. A vida não passa de uma sombra que caminha, um pobre ator que se pavoneia ou se queixa durante a sua hora sobre o palco e, logo em seguida, não o escuta mais. É uma história contada por um idiota, cheia de sons e fúria, que não significa nada. — *William Shakespeare*

v. 6: "Na verdade, todo homem anda como uma sombra; na verdade, em vão se inquietam; amontoam riquezas e não sabem quem as levará". As copiosas lágrimas que vertem nossos olhos quando saímos do útero e quando chegamos perto do sepulcro são testemunhas fiéis da vaidade humana. Damos "bom dia" com dor e "boa noite" com gemido. — *Edmund Layfield*

v. 7: "Agora, pois, Senhor, que espero eu?"

nicialmente ela estima a terra mãe
E abraça o mundo e as coisas terrenas
Ela voa rente ao chão e paira por aqui
E não sobe com as asas celestiais

Mas sob os céus ela não consegue pousar
No que a sua natureza celestial aceite
Ela não pode descansar, ela não pode fixar o pensamento
Ela não pode neste mudo estar contente

Então como uma abelha que entre ervas daninhas cai
Que parecem flores doces com resplendor fresco e alegre
Ela paira sobre esta e aquela, e prova tudo
Mas não gosta de nada, então sobe e voa bem alto

Assim, quando a alma não acha aqui o verdadeiro contentamento
E como a pomba de Noé não acha onde pôr o pé
Ela retorna de onde foi enviada
E voa para aquele que fez as asas para ela
— *Sir John Davies*

v. 7:

Ó solta este corpo, desprende este nó de homem
Para que a minha alma livre use as asas
Que agora estão amarradas com a mortalidade

Como uma coisa emaranhada e obstruída
O que deixei para que eu fique e gema?
A maior parte de mim fugiu para o céu
Os meus pensamentos e alegrias todos se prepararam e se foram
E para o seu velho conhecido imploram
— *George Herbert, 1593-1632*

v. 7: "A minha esperança está em ti". Doce é que nossa esperança descanse naquEle que nunca se abala, permaneça naquEle que nunca muda, nos prenda naquEle que pode nos segurar firmes nEle, pois só Ele é a satisfação plena da alma. E doce é que entremos, por assim dizer, nEle, visto que nEle temos a nossa existência (cf. At 17.28), que é o amor. — *E. B. Pusey, Doutor em Teologia, 1853*

v. 8: "Não me faças o opróbrio dos loucos". Não deixes que a prosperidade deles e a miséria minha lhes dê oportunidade de zombar de mim e reprovar-me pelo culto que presto a ti e pela confiança que deposito em ti por tão pouca coisa. — *Matthew Pool*

v. 8: "Não me faças o opróbrio dos loucos". Não duvides de que de toda agonia profunda que será a porção da alma perdida neste: "Apartai-vos de mim, malditos" (Mt 25.41), nem a menor parte será as amargas repreensões e derrisão dos espíritos malignos que a seduziram à ruína. "Por um prato de comida vendeste o teu direito de primogenitura! Pelos prazeres carnais de alguns dias permutaste a tua jóia eterna! Por um punhado de ocra amarela perdeste a cidade, cujas ruas são de ouro e cujas portas são de pérola! Ó tolo, acima de toda tolice! Ó louco, acima de toda loucura! Verdadeiramente temos de orar com todo fervor: 'Não me faças o opróbrio dos loucos'." — *Orígenes*, citado por *John Mason Neale*

v. 9: "Emudeci; não abro a minha boca, porquanto tu o fizeste". Vê o comportamento de Davi. Era uma paciência não constrangida, porém provinha da satisfação de espírito. Ele viu amor na aflição, e isso lhe adocicou a alma. — *Joseph Symonds*

v. 9: "Emudeci; não abro a minha boca, porquanto tu o fizeste". Deus está ensinando os seus filhos. Esse é o verdadeiro caráter dos seus procedimentos para com eles. Treinar os santos é o objeto que Ele tem em vista. Está ensinando para o Reino; está treinando para a eternidade. [...] É a disciplina do amor. Cada etapa desse ensino é de bondade. Não há ira nem vingança em qualquer parte do processo. A disciplina escolar pode ser severa e dura, mas a familiar é de amor. Temos certeza disso. A consolação que disso emana é indescritível. O amor não vai nos prejudicar. Não haverá sofrimento desnecessário. Fosse isso lembrado e haveria menos pensamentos duros acerca de Deus entre os homens, mesmo quando os golpes divinos fossem muito severos. Não conheço ilustração melhor de quais sentimentos o santo deva ter na hora da amargura do que o caso do pai de Richard Cameron. O santo velho estava na prisão "por causa da palavra de Deus e pelo testemunho de Jesus Cristo" (Ap 1.9). A cabeça ensanguentada do filho martirizado lhe foi trazida pelos perseguidores insensíveis, que lhe perguntaram zombeteiramente se ele sabia de quem era. "Eu sei, eu sei", respondeu o pai, enquanto beijava a testa mutilada do filho de cabelos louros, "é a cabeça do meu filho, do meu filho querido! É o Senhor! Boa é a vontade do Senhor, que não faz algo de ruim para mim ou para os meus, mas faz com que a bondade e a misericórdia nos sigam todos os nossos dias". — *Horatius Bonar, "The Night of Weeping" [A Noite das Lamentações], 1847*

v. 9: "Porquanto tu o fizeste". Por essa época, o santo homem não estava bem física e espiritualmente. Ele estava doente e triste. Mas se lembra daquele cuja mão recebeu o golpe. Tu, Senhor, o fizeste. Tu, a quem amo ternamente, por isso recebo o golpe amavelmente. Tu, a quem ofendi, por isso recebo o golpe pacientemente. Tu bem poderias ter me lançado ao leito de chamas em vez do meu leito de enfermidade. Portanto, aceito gratamente a tua correção. Dessa forma, o salmista recebe o golpe sem devolvê-lo a Deus através de palavras de desacordo e descontentamento. — *William Gurnall*

v. 9: "Porquanto tu o fizeste". Não suportamos que nosso semelhante nos ataque, mas quando o golpe vem do nosso rei, podemos suportar com paciência. Se o Rei dos reis nos castiga, fechemos a boca, amados. Estou certo de que foi isso que fez a boca de Davi parar de desabafar palavras irritáveis. "Eu refreei a língua e não disse nada." Por que agiste assim, Davi? "Porquanto tu, Senhor, o fizeste". Deus dá esse testemunho de tal pessoa: "O que for prudente guardará silêncio naquele tempo, porque o tempo será mau" (Am 5.13). — *Nicholas Estwick, Bacharel em Teologia, 1644*

v. 9: "Emudeci; não abro a minha boca, porquanto tu o fizeste". William Perkins, no livro "Salve for a Sick Man" [Remédio para os Doentes], registra as "últimas palavras" de muitos homens santos, entre eles, Calvino: "Refreei minha língua, porque tu, Senhor, o fizeste. Lamentei como pomba, Senhor, porque tu me trituraste até ao pó. Mas me satisfaço com isso, porque é a tua mão".

v. 9: "Emudeci; não abro a minha boca, porquanto tu o fizeste". Questionei a providência e chamei a providência branca de preta e injusta, por eu ter sido retido em uma cidade onde nenhuma alma aceitará Cristo através de mim. Mas a providência tem outra aparência aos olhos de Deus do que aos meus olhos turvos. Eu me proclamo um corpo cego, que não distingue o preto do branco no estranho curso da providência divina. Suponhamos que Cristo colocasse o Inferno onde o Céu está e os demônios na glória junto dos anjos eleitos (o que é impossível). Nesse caso, gostaria de ter um coração que concordasse com a maneira que Ele age, sem outros questionamentos. Percebo que a sabedoria infinita é a mãe dos julgamentos de Cristo, e que os seus métodos são reveladores. Não posso aprender, mas desejo aprender a levar os meus pensamentos, vontade e concupiscências aos pés de Cristo para serem pisoteados por ele. Mas infelizmente ainda estou do lado errado de Cristo. — *Samuel Rutherford*

v. 9: "Emudeci; não abro a minha boca, porquanto tu o fizeste". Uma garotinha, segundo a providência de Deus, nasceu surda e muda. Ela foi aceita e ensinada em uma instituição própria para pessoas com essas deficiências. Certo dia, pediram a um visitante que examinasse essas crianças tristemente separadas das alegrias comuns da infância. Fez muitas perguntas e recebeu respostas imediatas por meio de uma ardósia e lápis. Por fim, o cavalheiro escreveu: "Por que você nasceu surda e muda?" Um olhar de angústia nublou por um momento o rosto cheio de energia da garotinha. Mas passou depressa, quando ela tomou a ardósia e escreveu: "Sim, ó Pai, porque assim te aprouve" (Mt 11.26). — *Sra. Rogers, "The Shepherd King" [O Pastor-Rei], 1856*

v. 10: "Tira de sobre mim a tua praga", a tua praga e a minha praga, porque é tua por aflição e minha por paixão. É tua porque tu a enviaste, mas é minha porque eu a sofro. É tua, porque vem da tua justiça, é minha, porque corresponde à minha injustiça. Remite o que eu fiz e remove o que tu fizeste. Mas todo aquele que a infligir, o Senhor a tirará. — *Thomas Adams*

v. 10: "Tira de sobre mim a tua praga". Tendo orado primeiro para que o seu pecado fosse tirado, agora ele ora para que a sua dor seja tirada, embora o afligisse menos. Por comodidade, ele torna ao Senhor, que sara, como também fere (Os 6.1). — *John Trapp v. 11:* "Logo destróis, como traça, a sua beleza". O significado pode ser: Como a traça é esmigalhada até ao pó sob a mais leve pressão ou o mais suave toque, assim o homem se dissolve com facilidade e desaparece nas trevas sob o dedo do Todo-Poderoso. — *George Paxton, "Illustrations of Scripture" [Ilustrações Bíblicas]*

v. 11: "Logo destróis, como traça, a sua beleza". Não posso deixar de citar as traças. Vi facas cuja empunhadura se dizia ter sido meio consumida por traças. Também vi os restos de um sofá cujo assento de pêlos fora meio devorado por eles. Não é incomum vestidos serem consumidos em uma única noite. Em Isaías 51.6, que fala que a terra "se envelhecerá", refere-se à roupa que é corroída pelas traças. No Salmo 6.7 e 31.9, "consumidos" quer dizer comidos pelas traças. O mesmo se dá no Salmo 39.11. — *John Gadsby*

v. 11: "Como traça". As traças no Oriente são muito grandes e bonitas, mas têm vida curta. Depois da chuva, esses insetos esplêndidos aparecem esvoaçando em toda brisa. Mas o tempo seco e os numerosos inimigos logo os consignam ao destino comum. Assim, a beleza do homem acaba como se dá com esses vagueadores alegres, vestidos com roupas púrpuras, escarlatas e verdes. — *John Kitto*

v. 11: O corpo do homem é uma roupa para a alma. Nessa roupa, o pecado alojou uma traça que, aos poucos, corrói e destrói, primeiro, a beleza, depois, a força e, por fim, a estrutura das suas partes. Quem já viu o progresso da corrosão, ou de qualquer outra desordem prolongada, e até as devastações lentas e silenciosas decorrentes unicamente do tempo na constituição humana, não precisará de outra ilustração dessa similitude exata e comovente. Mas discernirá imediatamente a justeza da reflexão que se conclui disso: "De sorte que todo homem é vaidade". — *George Horne*

v. 11: "De sorte que todo homem é vaidade". Qual é a grandeza? Podemos predizê-la acerca do homem, independentemente das suas qualidades como ser imortal? Ou acerca das suas ações, independentemente dos princípios e motivos? Então o resplendor da nobreza não é superior à plumagem do pavão, nem o valor de Alexandre à fúria de um tigre, nem os prazeres sensuais de Epicuro aos de um animal que perambula pela floresta. — *Ebenezer Porter, Doutor em Teologia, "Lectures on Homiletics" [Conferências sobre Homilética], 1834*

v. 12: "Ouve, Senhor, a minha oração, e inclina os teus ouvidos ao meu clamor; não te cales perante as minhas lágrimas, porque sou para contigo como um estranho, e peregrino como todos os meus pais". Identificamos nessa oração de Davi três qualificações importantes de toda oração aceitável.

A primeira é a humildade. Ele confessa humildemente os pecados, a sua própria fraqueza e indignidade. Não temos de assumir um ar de estoicismo e insensibilidade durante a aflição a fim de evitarmos a aparência de lamúria e reclamação, pois podemos incorrer em outro mal, a saber, menosprezar a mão de Deus. Temos de humilhar nosso coração orgulhoso e quebrar as emoções incontroláveis. [...]

A segunda qualificação da oração aceitável é o fervor e importunidade, que se evidencia na gradação elegante das palavras: "Ouve [...] a minha oração", ou seja, as minhas palavras. Se não "inclina os teus ouvidos ao meu clamor", que já é algo mais alto que palavras. E se não der certo, "não te cales perante as minhas lágrimas", que estão em um patamar mais alto de todos. Davi, em outro salmo, chama isto de "a voz do meu lamento" (Sl 6.8). [...]

A terceira qualificação é a fé: "É necessário que aquele que se aproxima de Deus creia que ele existe e que é galardoador dos que o buscam" (Hb 11.6). Claro que, como aquele que se aproxima de Deus tem de crer, assim aquele que crê não pode deixar de aproximar-se de Deus. Se ele não recebe uma resposta imediata, aquele que crê não tem pressa, pois decide pacientemente esperar pelo Senhor e por ninguém mais. — Condensado de *Robert Leighton*

v. 12: "Não te cales perante as minhas lágrimas". Podemos, com toda humildade, pleitear nossas dores e choros no sentido de falta das misericórdias que almejamos, e nossos arquejos e desmaios pelo mesmo propósito. — *Thomas Cobbett*

v. 12: "Porque sou para contigo como um estranho, e peregrino como todos os meus pais", segundo o teu julgamento manifesto (Lv 25.23) e de acordo com a própria opinião deles (Hb 11.13). Por conta disso, tu tomaste cuidado especial deles e, por conseguinte, de mim também. — *Matthew Pool*

v. 12: "Porque sou para contigo como um estranho". Por mais firme que esteja a situação dos santos na terra, esse é o seu estado comum — considerarem-se estranhos ou estrangeiros. Todos os homens são realmente estrangeiros e peregrinos, mas os santos fazem bem em discernir e livremente reconhecer essa condição.

Os ímpios não têm habitação firme na terra, mas isso vai de encontro às suas intenções. Seus pensamentos e desejos são que eles permanecem para sempre. São estrangeiros contra a sua vontade, a sua moradia é incerta no mundo e não podem evitá-lo. Notemos que há duas palavras distintas usadas neste caso: "estranhos" e "peregrinos". Um estranho é aquele que mora em um país estrangeiro, que não é nativo e cidadão do lugar, embora resida ali, sendo, em oposição aos nativos, chamado de estranho ou estrangeiro.

Se um francês for morar na Inglaterra, ele é um estrangeiro. O peregrino é aquele que não quer se estabelecer, mas só está passando por um lugar, estando em viagem para casa. Assim, os filhos de Deus em relação ao seu país que está em outro lugar, ou seja, o céu, são estrangeiros naturalizados lá, mas estranhos no mundo. São peregrinos e estrangeiros no que diz respeito a estarem em movimento e de viagem ao seu país. — *Thomas Manton*

v. 12: "Um estranho".

(1) O estranho ou estrangeiro é alguém que está ausente da sua pátria e da casa do seu pai. É o que ocorre conosco, o céu é a nossa pátria, Deus está lá e Cristo está lá.

(2) O estranho em um país estrangeiro não é conhecido, nem estimado de acordo com o nascimento e a criação. Assim, os santos andam por todo canto do mundo como príncipes mascarados.

(3) O estranho está sujeito a inconveniências, como está no mundo aquele que teme a Deus. A religião, disse Tertuliano, é como uma planta estranha trazida de um país estrangeiro, que não se dá com a qualidade da terra e, por isso, não viceja.

(4) O estranho é paciente, não se importando com maus-tratos e contentando-se com a comida e hospedagem próprias de peregrinos. Hoje, estamos no estrangeiro, portanto as dificuldades virão.

(5) O estranho é cauteloso para não ofender nem incorrer no ódio e desprezo do nativo.

(6) O estranho é grato pelo menor favor. Assim, devemos estar gratamente contentes com as coisas que Deus nos concedeu. Qualquer coisa em um país estrangeiro é muito.

(7) O estranho, que tem uma viagem a fazer, parte assim que possível. Assim nós, que temos uma viagem ao céu, desejamos partir logo.

(8) O estranho não compra coisas que não possa levar. Ele não compra árvores, casa, utensílios domésticos, mas jóias e pérolas, pois tais coisas são portáteis. Nosso maior cuidado deve ser obter as jóias da aliança, as graças do Espírito de Deus, essas coisas que permanecerão conosco.

(9) O coração do estranho está na sua pátria. Assim está o coração do santo.

(10) O estranho procura informar-se acerca do caminho, para não tomar um caminho errado. Assim é com o cristão.

(11) O estranho se abastece para a volta, como o comerciante, a fim de voltar carregado com ricas coisas. Assim temos de comparecer diante de Deus em Sião. Que tipo de pessoa devemos ser? Voltemos de viagem com abundantes provisões. — Condensado de *Thomas Manton*

v. 13: "Poupa-me, até que tome alento, antes que me vá e não seja mais". O homem, no estado de corrupção, é como Nabucodonosor, que tem um coração de animal, que almeja não mais que a satisfação do apetite carnal. Mas quando é renovado pela graça, a compreensão lhe volta, capacitando-o a orar pelas coisas temporais, a fim de elevar os seus desejos a um propósito mais nobre. Davi ora para que mais tempo lhe seja acrescentado à vida temporal? Não é por amar excessivamente este mundo, mas com vistas a preparar-se melhor para o outro. Ele é consolado com a esperança de uma permanência mais longa aqui? Não são estes prazeres carnais do mundo que acendem esta alegria no seu peito, mas é a vantagem que ele terá por louvar a Deus na terra dos viventes. [...]

"Poupa-me, até que tome alento." Como vemos, Davi ainda não se recuperara do pecado que lhe abatera tanto (vv. 10, 11). O homem bom não pode pensar em morrer voluntariamente até que o coração esteja em uma disposição mais santa, no que tange à paz do evangelho, à serenidade de consciência e à alegria interior. Toda falta de santidade é como o veneno para quem o bebe. — *William Gurnall*

v. 13: "Poupa-me, até que tome alento, antes que me vá e não seja mais".

O apego à vida, sentimento apreciado pelo salmista quando suplicou ao Soberano do universo, varia de caráter segundo o motivo e o sentimento pelos quais é evocado e confirmado. Demos uma olhada e o pronunciaremos criminoso. Olhemos de novo, e o pronunciaremos inocente. Olhemos uma terceira vez, e o pronunciaremos louvável.

(1) A vida pode inspirar um apego criminal, autorizando a nossa censura. Quanto mais óbvio e grave for o caso no qual o apego tem a sua fundamentação nas oportunidades que a vida oferece de obter "o prêmio da injustiça" (2 Pe 2.15) e "o gozo do pecado" (Hb 11.25).

(2) A vida pode inspirar um apego inocente, despertando nossa simpatia. [...] A vida é um cenário no qual avistamos um lugar viçoso e exuberante, repleto de saúde, bem-estar, harmonia e alegria. Vemos maridos e mulheres cujos interesses entrelaçados têm, de ano em ano, suavizado todas as aflições e realçado todos os privilégios. Vemos pais e filhos cuja amizade e companheirismo lhes oferece, nos tempos de mudança, um banquete diário. Há professores relaxados e criados fiéis. Certos bairros são calmos e silenciosos.

Existem sociedades cristãs que são perfeitamente atraentes. Aqui e ali nos relacionamos com indivíduos em quem vemos as belezas do mais elevado caráter irradiadas pelos raios da prosperidade geral. Tu não censurarias o homem que tem relações tão alegres e boas, fosse ele, quando começasse a adoecer, como alguém que estivesse indo "pelo caminho de toda a terra" (Js 23.14), e clamasse: "Poupa-me, até que tome alento, antes que me vá e não seja mais".

(3) A última visão que propusemos dar à vida humana mostra que pode inspirar um apego louvável, desafiando a nossa aprovação e, ao mesmo tempo, exortando-nos a colocar a mente sob sua influência. As palavras que analisamos admitem que ilustremos esse apego louvável como a oração de um penitente, um santo e um filantropo.

(a) É louvável aquele que suplica pela vida como penitente. Não foi há pouco que o Espírito Santo o atingiu com as flechas da convicção? Talvez, ele duvida da fonte, da qualidade e do resultado dos seus fortes sentimentos. Ele sabe que podemos ficar solenemente impressionados sem sermos convertidos. Há muitas considerações que autorizam à opinião favorável aqueles que, não tendo chegado a ver o seu estado moral, que é evidente e encorajador, desejam ardentemente viver até que a graça os leve de vitória em vitória, e os capacite a "fazer cada vez mais firme a [sua] vocação e eleição" (2 Pe 1.10). Até mesmo eles podem cair da firmeza. Estas palavras: "Poupa-me, até que tome alento, antes que me vá e não seja mais", podem proceder dos lábios de um apóstata, que, mais uma vez, se envergonha, treme e suplica que seja restabelecido.

(b) É louvável aquele que suplica pela vida como santo. [...] A função distinta de suplicar, agir e sofrer pelo avanço da honra divina entre os profanos, carnais, formais e mundanos é delegada exclusivamente "aos santos que estão na terra" (Sl 16.3). Claro que aquele cujo apego à vida é grandemente fortalecido pela comissão que o sentencia à contradição dos pecadores e lhe adia a "abundância de alegrias" (Sl 16.11), é um santo muito magnânimo e dedicado, pois expõe as expressões de uma devoção que os próprios anjos são compelidos a venerar.

(c) É louvável aquele que suplica pela vida como filantropo. Refiro-me ao benfeitor generoso, ao homem cuja intenção é fazer o bem. Também citaria o pai carinhoso. Agora me referiria ao "pregoeiro da justiça" (2 Pe 2.5), ao "bom ministro de Jesus Cristo" (1 Tm 4.6). — Esboço de um sermão intitulado "Attachment to Life" [O Apego à Vida], pregado por *Joseph Hughes*, Mestre em Ciências Humanas, como sermão fúnebre a *John Owen*, Mestre em Ciências Humanas, 1822

v. 13: Não podem os próprios eleitos e fiéis temerem o dia do juízo, e estarem longe de obter consolo disso? Respondo, podem. Primeiramente, na conversão e, logo em seguida, antes de estarem plenamente convictos do perdão dos pecados. Depois, no abandono espiritual, quando parece que o Senhor os entregou a si mesmos, como fez com Davi e outros santos, eles podem temer pensar assim. E, por último, quando caem em grande pecado depois de estarem fortes em Cristo, eles podem temer a morte e o julgamento, sendo constrangidos a orar com Jó e Davi: "Poupa-me, até que tome alento, antes que me vá e não seja mais". — Sermão de *John Barlow, 1618*

SUGESTÕES AOS PREGADORES

vv. 1 e 2. "Com o silêncio fiquei como mudo": (1) Há tempo para ficar em silêncio. Ele foi capacitado a agir assim quando foi repreendido e injustamente acusado pelas pessoas. Ele agiu para o bem. Outros podem atribuir esse comportamento ao mau humor, orgulho, timidez ou culpa consciente. Mas ele agiu para o bem. Embace um espelho e logo ele secará e ficará mais brilhante que antes. Tente secar com um pano e a marca permanecerá.

(2) Há tempo para meditar em silêncio. Quanto maior o silêncio, quase sempre maior é a comoção interior. "Incendeu-se dentro de mim o meu coração" (v. 3). Quanto mais ele pensava, mais quente ficava. O fogo da piedade e compaixão, o fogo do amor, o fogo do zelo santo lhe queimava interiormente.

(3) Há tempo para falar: "Eu disse". O tempo para falar é quando a verdade está clara e forte na mente, e o sentimento da verdade está ardendo no coração. As emoções explodem como um vulcão (Jr 20.8,9). A língua sempre deve ser a representação fiel da mente e do coração. — *George Rogers*, professor do Metropolitan Tabernacle College.

v. 2. O silêncio em sete partes: (1) O silêncio estóico. (2) O silêncio astuto. (3) O silêncio tolo. (4) O silêncio obstinado. (5) O silêncio forçado. (6) O silêncio desesperado. (7) O silêncio prudente, santo e gracioso. — *Thomas Brooks*, "Mute Christian" [O Cristão Mudo]

v. 4. *"Faze-me conhecer, Senhor, o meu fim"*: (1) O que podemos desejar conhecer o nosso fim. Não a data, o lugar, as circunstâncias, mas: (a) A natureza. Será o fim de um santo ou de um pecador? (b) A certeza. (c) A proximidade. (d) Os problemas. (e) As exigências. Na forma de atenção, preparação e passaporte. (2) Por que pedir que Deus nos faça conhecer o nosso fim? Porque o conhecimento é importante, difícil de conseguir e pode ser eficazmente dado apenas pelo Senhor. — *W. Jackson*

v. 4. Davi ora: (1) Para que ele seja capacitado a manter em vista sempre o fim da vida. Todas as coisas serão julgadas pelo seu fim: "Então, entendi eu o fim deles" (Sl 73.17). A vida aqui pode ser honrosa, alegre e virtuosa, mas qual será o fim? (2) Para que ele seja diligente no cumprimento de todos os deveres desta vida. A extensão dos dias, como é curta, quantas coisas há para serem feitas, como é pouco o tempo para fazê-las! (3) Para que ele aprenda muitas coisas e se beneficie por conta da fragilidade da vida: "Para que eu sinta quanto sou frágil". Minha fragilidade pode me tornar mais humilde, mais diligente, enquanto sou capaz para o serviço ativo, mais dependente da força divina, mais paciente e submisso à vontade divina, mais maduro para o Céu. — *George Rogers*

v. 5. *"Na verdade, todo homem, por mais firme que esteja, é totalmente vaidade."* O homem é vaidade, ou seja, ele é mortal, é mutável. Observemos o quanto essa verdade é expressada enfaticamente aqui. (1) Todo homem é vaidade, sem exceção, os grandes e os pequenos, os ricos e os pobres. (2) Todo homem é vaidade no seu melhor estado, quando é jovem, forte e são, na riqueza e na honra. (3) Todo homem é totalmente vaidade, tão vão quanto possas imaginar. (4) Verdadeiramente, todo homem é vaidade. (5) O termo "Selá" foi anexado como lembrete para que seja observado. — *Matthew Henry*

v. 6. A vaidade do homem, como mortal, é exemplificada aqui em três coisas, e a vaidade de cada coisa é demonstrada: (1) A vaidade das nossas alegrias e honras: "Na verdade, todo homem anda como uma sombra". (2) A vaidade das nossas aflições e medos: "Na verdade, em vão se inquietam". (3) A vaidade dos nossos cuidados e labutas: "Amontoam riquezas e não sabem quem as levará". — *Matthew Henry*

v. 6. A trindade do mundo consiste em: (1) Em honras infrutíferas. O que lhes parece honras significativas não passam de "sombra". (2) Em cuidados desnecessários: "Em vão se inquietam". Os cuidados imaginários são trocados pelos cuidados reais. (3) Em riquezas inúteis, como as que não trazem satisfação duradoura para eles, ou quando passam para os outros. — *George Rogers*

v. 7. "Agora, pois, Senhor, que espero eu?" (1) Por qual salvação como pecador? Das obras ou da graça, proveniente do Sinai ou do Calvário? (2) Por qual consolação como sofredor? Humana ou divina? (3) Por qual provisão como suplicante? Escassa ou abundante? Presente ou futura? (4) Por qual comunicação como servo? Milagrosa ou comum? Agradável ou inaceitável? (5) Por qual ensino como aluno? Mental ou espiritual? Elevada ou humilhante? Ornamental ou útil? (6) Por qual herança como herdeiro? Terrena ou celestial? — *W. Jackson*

v. 7. (1) Um momento urgente: "Agora, pois, Senhor". Há situações que devem nos levar a olhar especialmente para Deus e dizer: "Agora, pois, Senhor". "Pai, é chegada a hora" (Jo 17.1). (2) Uma exclamação devota: "Agora, pois, Senhor, que espero eu?" Onde está a minha esperança? Onde está a minha confiança? A quem olharei? Eu não sou nada, o mundo não é nada, todas as fontes terrenas de confiança e consolação falham: "Que espero eu?" Na vida, na morte, num mundo agonizante, num julgamento vindouro, numa eternidade próxima. Do que eu preciso? — *George Rogers*

v. 8. (1) A oração deve ser geral: "Livra-me de todas as minhas transgressões". Precisamos repetir sempre: "Ó Deus, tem misericórdia de mim, pecador!" (Lc 18.13). As aflições devem nos lembrar dos nossos pecados. Se orarmos para ser livres de todas as transgressões, com certeza seremos livres daquela transgressão por cuja causa a aflição foi enviada. (2) A oração deve ser particular: "Não me faças o opróbrio dos loucos". Não me deixes falar ou mostrar impaciência na aflição de modo que até os loucos venham a blasfemar. O pensamento de que muitos observam o nosso coxear deve nos levar a evitar o pecado. — *George Rogers*

v. 9. (1) A ocasião referida: "Emudeci". Não somos informados de qual era o problema em particular, para que cada um de nós o aplique à própria aflição, e para que todos os problemas sejam vistos sob a mesma luz. (2) A conduta do salmista nessa determinada ocasião: "Não abro a minha boca". (a) Não com ira e rebelião contra Deus em murmurações ou reclamações. (b) Não com impaciência, ou queixas, ou sentimentos irados contra os homens. (3) A razão que ele dá para esta conduta: "Porquanto tu o fizeste". — *George Rogers*

v. 10. (1) As aflições são enviadas por Deus: "A tua praga". São pragas ou flagelos (cf. RA) da mão de Deus, não da vara da lei, mas da vara do pastor. Cada aflição é a praga de Deus. (2) As aflições são tiradas por Deus: "Tira". Ele não está pedindo um milagre, mas que Deus à sua maneira, no uso dos recursos naturais, interfira em prol da sua libertação. Devemos buscar a bênção divina nos recursos que nós e outras pessoas empregamos para o nosso livramento. (3) As aflições têm um propósito dado por Deus: "Estou desfalecido pelo golpe da tua mão". Deus tem uma controvérsia com o seu povo. É um conflito entre a vontade dEle e a vontade deles. O salmista confessa que foi conquistado e vencido na luta. Devemos desejar mais que esse propósito se cumpra do que a aflição seja tirada, pois, quando o propósito se cumprir, a aflição será tirada. — *George Rogers*

v. 11. (1) A causa das nossas provações: "Por causa da iniquidade". Essa tribulação acabou com o teu bem-estar, a minha paz de espírito e o favor divino? Não, todas essas coisas têm o propósito de tirar o teu pecado — o pecado, nada mais que o pecado, a escória —, deixando o ouro. (2) O efeito das nossas provações. Tudo que tu consideraste desejável nesta vida, mas que não era para o teu bem, foi consumido. As tuas roupas, que são bonitas segundo a estimativa humana, foram corroídas pelas traças, mas as vestes da justiça que cobrem a tua alma não apodrecem. (3) O desígnio das nossas provações. Não são castigos penais, e sim repreensões amigáveis e correções paternas. Em Cristo, nosso fiador, foram postas as consequências penais, e sobre nós somente os castigos paternais. (4) A racionalidade das nossas provações: "De sorte que todo homem é vaidade". Como em um mundo como este alguém espera estar isento de provações! O mundo é o mesmo para o cristão como antes da conversão, e o seu corpo é o mesmo. Ele tem uma alma convertida em um corpo não convertido, e como pode escapar dos males exteriores da vida? — *George Rogers*

v. 12. Davi apela para as boas impressões causadas nele pela aflição: (1) Fez com que ele pranteasse. (2) Fez com que ele orasse. (3) Fez com que ele se desapegasse do mundo. — *Matthew Henry*

v. 12. "Porque sou para contigo como um estranho, e peregrino como todos os meus pais." Sou um estranho e peregrino para com Deus? Entendamos e exemplifiquemos a condição: (1) Examinemos o tratamento que tais pessoas comumente recebem. (2) Claro que, se alguém da minha nacionalidade estiver perto de mim, eu me tornarei achegado a ele. (3) Não nos emaranhemos com os negócios desta vida. (4) Coloquemos nosso sentimento nas coisas que são de cima, e que nossas relações sejam sempre com os céus. (5) Não sejamos impacientes em ir para a nossa pátria, mas a valorizemos. — *William Jay*

v. 13. (1) O assunto da petição: Não era que ele escapasse da morte e vivesse para sempre nesta vida, porque ele sabe que tem de partir deste mundo, mas que: (a) ele se recuperasse das suas aflições e (b) continuasse por muito mais tempo nesta vida. Oração como esta é legítima quando feita em submissão à vontade de Deus. (2) As razões da petição: (a) Para que ele não tenha na vida futura as calúnias que agora estavam amontoadas sobre ele. (b) Para que ele tenha provas mais concretas do seu interesse no favor divino. (c) Para que ele se torne uma bênção para as pessoas, a família e a nação. (d) Para que ele tenha mais paz e consolo na morte. (e) Para que ele receba amplamente uma "entrada no Reino eterno de nosso Senhor e Salvador Jesus Cristo" (2 Pe 1.11). — *George Rogers*

SALMO 40

TÍTULO

"Salmo de Davi." Essas palavras são conclusivas quanto à autoria: elevado pelo Espírito Santo à região da profecia, Davi foi honrado ao escrever sobre alguém muito maior que ele.

"Para o cantor-mor." Foi muito bom que um salmo tão sumamente precioso fosse entregue especialmente ao mais qualificado dos músicos sacros. A mais nobre música deve se tornar tributária de assunto tão incomparável.

A dedicatória mostra que o cântico foi composto para o culto público, e não era um hino meramente pessoal, como o fato de estar na primeira pessoa do singular nos leva a supor.

ASSUNTO

Jesus está evidentemente aqui. Ainda que não seja uma distorção de linguagem ver Davi e o seu Senhor, Cristo e a igreja, o comentário duplo pode envolver certa obscuridade. Por isso, deixaremos o sol brilhar, ainda que assim as estrelas não apareçam. Mesmo que o Novo Testamento não fosse tão claro a respeito, teríamos concluído que Davi falou de nosso Senhor nos versículos 6 a 9. Mas o autor do livro de Hebreus, no capítulo 10.5-9, obsta toda conjetura e confina o significado àquele que veio ao mundo para fazer a vontade do Pai.

DIVISÃO

Dos versículos 1 a 3, é uma ação de graças pessoal, seguida por uma declaração geral sobre a bondade do Senhor para com os santos (vv. 4,5). Nos versículos 6 a 10, temos uma declaração de dedicação à vontade do Senhor. Os versículos 11 a 17 contêm uma oração pelo livramento da dificuldade premente e pela derrota dos inimigos.

EXPOSIÇÃO

1 *Esperei com paciência no* Senhor, *e ele se inclinou para mim, e ouviu o meu clamor.*
2 *Tirou-me de um lago horrível, de um charco de lodo; pôs os meus pés sobre uma rocha, firmou os meus passos;*
3 *e pôs um novo cântico na minha boca, um hino ao nosso Deus; muitos o verão, e temerão, e confiarão no* Senhor.

1. *"Esperei com paciência no* Senhor." A espera paciente em Deus era uma característica especial de nosso Senhor Jesus. A impaciência nunca teve lugar no seu coração, muito menos lhe escapou dos lábios. Durante a agonia no jardim do Getsêmani, o julgamento em meio às zombarias cruéis perante Herodes e Pilatos, e a paixão na cruz, Ele sempre esperou na onipotência da paciência. Nenhum olhar de ira, nenhuma palavra de murmuração, nenhuma ação de vingança partiu do paciente Cordeiro de Deus. Ele esperou e esperou. Foi paciente, e paciente até à perfeição, superando de longe todos os outros que, segundo avaliações próprias, glorificaram a Deus nas provações de fogos. Jó no monturo não se iguala a Jesus na cruz. O Cristo de Deus usa a coroa imperial entre os que são pacientes. Se o Unigênito esperou, seremos nós petulantes e rebeldes?

"E ele se inclinou para mim, e ouviu o meu clamor." Nem Jesus que é a cabeça, nem qualquer um dos membros do seu corpo jamais esperam no Senhor em vão. Observe a ilustração da inclinação, como se o suplicante clamasse da mais baixa depressão, e o amor condescendente se inclinasse para ouvir os gemidos fracos. Que maravilha é que o nosso Senhor tivesse de clamar como nós, esperar como nós, para receber a ajuda do Pai segundo o mesmo processo de fé e súplica que cada um de nós deve passar!

As orações do Salvador entre as montanhas da meia-noite e no jardim do Getsêmani expõem esse versículo. O Filho de Davi foi levado ao mais baixo nível, mas dali Ele ressurgiu para a vitória. Aqui, Ele nos ensina como administrar nossos conflitos para termos sucesso segundo o mesmo padrão glorioso de triunfo. Armemo-nos com a mesma mentalidade e, equipados com a paciência, preparados com a oração e cingidos com a fé, travemos a Guerra Santa.

2. *"Tirou-me de um lago horrível."* Quando o nosso Senhor tomou sobre a sua pessoa a maldição terrível que era devido ao pecado, ele foi abatido e humilhado para ser como um prisioneiro em um calabouço fundo, escuro e horrendo, no meio de trevas tenebrosas onde o cativo ouvia um barulho como que de torrentes impetuosas, enquanto ressoava o passo pesado de inimigos furiosos.

Nosso Senhor, na sua angústia, era como cativo na masmorra, esquecido de todas as pessoas, murado entre o horror, a escuridão e a desolação. Contudo, o Senhor Jeová o fez subir de toda essa degradação. Ele retrocedeu-lhe os passos daquele profundo inferno de angústia no qual Ele fora lançado como nosso substituto. Aquele que libertou o nosso fiador *in extremis* não deixará de nos libertar de nossas aflições muito mais leves.

"De um charco de lodo." O sofredor era como alguém que não conseguia achar um lugar firme, mas escorregava e afundava. A ilustração não só indica completa desgraça como na ilustração anterior, mas também a ausência de consolo firme pelo qual a tristeza se tornaria suportável. Assim que o homem consegue uma boa posição firme, o fardo fica extremamente leve, mas receber um fardo e ser colocado em um lugar lamacento e escorregadio é ser tentado duplas vezes. Leitor, com gratidão humilde, adora o querido Redentor que, por tua causa, foi privado de todo consolo enquanto estava rodeado de toda forma de miséria.

Observa como Ele ficou grato ao ser elevado entre as labutas árduas e sofrimentos cruéis, e se tu também experimentaste a ajuda divina, assegura-te em unir-te ao teu Senhor nesta canção.

"Pôs os meus pés sobre uma rocha, firmou os meus passos." A obra do Redentor terminou. Ele descansa no terreno firme dos compromissos realizados. Ele jamais pode sofrer outra vez. Para sempre, Ele reina em glória. Que consolo saber que Jesus, nosso Senhor e Salvador, está numa base sólida em tudo que é e faz por nós. Os seus passos em amor não estão sujeitos a serem encurtados por erro nos anos vindouros, pois Deus o sustenta com firmeza. Ele é para sempre e eternamente capaz de salvar até o maior pecador entre aqueles que vão a Deus por meio dEle, visto que, nos mais altos céus, Ele vive para sempre para interceder por eles. Jesus é o verdadeiro José tirado da cova para ser Deus de todos. É algo mais do que um "gole de doçura" lembrar que se, como o nosso Senhor, formos lançados na mais profunda cova da vergonha e tristeza, seremos pela fé levantados e colocados na mesma rocha elevada, segura e perpétua do favor e fidelidade divinos.

3. *"E pôs um novo cântico na minha boca, um hino ao nosso Deus."* Na páscoa, antes da paixão, nosso Senhor cantou um dos antigos e sublimes salmos de louvor. Mas qual é a música do seu coração agora no meio dos remidos? Que canção é essa na qual o seu coração feliz rege para sempre o coro dos eleitos? Nem o tamboril de Miriã, nem o cântico de triunfo de Moisés sobre a cavalaria de Mizraim (Egito) pode por um momento competir com este novo e exultante cântico. Justiça engrandecida e graça vitoriosa; Inferno derrotado e Céu glorificado; morte aniquilada e imortalidade estabelecida; pecado destruído e justiça resplandecente. Que tema para um hino naquele dia quando nosso Senhor beber o vinho de novo com todos nós no reino do nosso Pai celestial! Ainda na terra, antes da grande paixão, Ele previu a alegria que estava diante dEle e foi sustentado pelo prospecto.

"Nosso Deus." Deus de Jesus e Deus de Israel, *"meu Deus e vosso Deus"* (Jo 20.17). Como o louvaremos! Jesus será o principal músico que tocará nossos instrumentos de corda. Ele conduzirá o solene *aleluia* que subirá das hostes sacramentais remidas pelo sangue.

"Muitos o verão, e temerão, e confiarão no SENHOR." Multidões que ninguém pode contar verão as aflições e triunfos de Jesus, tremerão porque o rejeitaram, mas, pela graça, receberão fé e se tornarão pessoas que confiam no Senhor. Essa é a recompensa de nosso Senhor. Essa é a certeza que torna os pregadores e obreiros ousados em perseverar. Leitor, tu és um entre os muitos? Repara no caminho da salvação: uma visão, um temor, uma confiança! Tu sabes o que essas etapas significam quando a tua alma as possui e pratica? Confiar no Deus é a evidência, não a essência da salvação. Aquele que é um verdadeiro crente é evidentemente remido do domínio do pecado e de Satanás.

4 *Bem-aventurado o homem que põe no SENHOR a sua confiança e que não respeita os soberbos, nem os que se desviam para a mentira.*

5 *Muitas são, SENHOR, meu Deus, as maravilhas que tens operado para conosco, e os teus pensamentos não se podem contar diante de ti; eu quisera anunciá-los e manifestá-los, mas são mais do que se podem contar.*

4. *"Bem-aventurado."* Essa é uma exclamação semelhante à que consta no Salmo 1: "Bem-aventurado o varão". As bênçãos de Deus são enfáticas: "Eu sei que a quem tu abençoares será abençoado" (Nm 22.6), de fato e em verdade.

"O homem que põe no SENHOR a sua confiança." A fé obtém as promessas. A confiança simples e fiel em Deus é o sinal certo da bem-aventurança. O homem pode ser tão

pobre quanto Lázaro, tão odiado quanto Mardoqueu, tão doente quanto Ezequias, tão só quanto Elias, mas enquanto a sua mão de fé puder manter-se agarrada em Deus, não há aflição que o exclua de ser contado entre os bem-aventurados. Mas o homem mais rico e mais próspero que não tem fé é maldito, seja ele quem for.

"E que não respeita os soberbos." Os orgulhosos esperam que todos os homens se curvem e façam reverência a eles, como se a adoração dos bezerros de ouro estivessem em vigor de novo em Israel. Os crentes são muito nobres para honrar meros portadores de dinheiro, ou bajular a dignidade bombástica. Os justos respeitam a bondade humilde em vez de inflamar a arrogância. Nesse aspecto, nosso Senhor Jesus foi exemplo brilhante. Nenhuma palavra de lisonja endereçada a reis e homens de posição jamais saiu da sua boca. Ele não deu honra a homens desonrosos. Os arrogantes nunca foram os seus prediletos.

"Nem os que se desviam para a mentira." Heresias e idolatrias são mentiras, como são a avareza, a mundanalidade e a busca pelo prazer. Ai daqueles que seguem tais erros. Nosso Senhor sempre primava pela verdade e amava a verdade, não tendo parte com o pai da mentira. Jamais prestemos deferência a apóstatas, oportunistas e falsos mestres. Eles são fermento velho, e quanto mais nos purgamos deles, melhor. Bem-aventurados aqueles a quem Deus guarda de todo erro na crença e na prática. Julgado por esse versículo, muitas pessoas aparentemente felizes têm de ser o inverso da bem-aventurança, pois qualquer coisa na forma de bolsa, excelente séquito ou rico estabelecimento demanda reverência, quer o indivíduo seja um libertino ou um santo, um ignorante ou um filósofo. De fato, se o próprio Satanás dos infernos andasse de carruagem puxada por parelha de cavalos e vivesse como um lorde, ele teria milhares de pessoas que lhe cortejariam a amizade.

5. *"Muitas são, Senhor, meu Deus, as maravilhas que tens operado para conosco."* A criação, a providência e a redenção estão enxameadas de maravilhas como o mar é abundante de vida. Essa passagem chama a nossa atenção especial às maravilhas que se agrupam ao redor da cruz e brilham dela. A redenção feita atinge muitos objetivos e cumpre uma variedade de propósitos. Os produtos da expiação não impossíveis de calcular, as influências da cruz vão muito mais longe do que os raios do sol. As maravilhas de graça extrapolam toda numeração alçando voo da cruz. A adoção, o perdão, a justificação e uma longa sequência de milagres de amor divinos procedem dela. Notemos que nosso Senhor se refere ao Senhor como "meu Deus". O homem Jesus Cristo reivindicou para si e para nós uma relação de aliança com o Senhor Jeová. Que o nosso interesse em nosso Deus sempre seja para nós nosso tesouro peculiar.

"E os teus pensamentos não se podem contar diante de ti." Os pensamentos divinos marcham com os atos divinos, pois não condiz com a sabedoria de Deus agir sem deliberação e conselho. Todos os pensamentos de Deus são bons e graciosos para os eleitos. Os pensamentos de amor tidos por Deus são muito numerosos, muito maravilhosos, muito práticos. Aprofunda a tua meditação neles, querido leitor, pois não há assunto mais saboroso a ocupar a tua mente. Os pensamentos de Deus sobre ti são muitos, não sejam poucos os teus sobre Ele.

"Eu quisera anunciá-los e manifestá-los", e com certeza essa seria a ocupação da minha língua em todas as oportunidades propícias, "mas são mais do que se podem contar". Eles se multiplicam muito mais do que toda a aritmética humana. Os pensamentos de toda a eternidade, os pensamentos da minha queda, da minha restauração, da minha redenção, da minha conversão, do meu perdão, do meu sustento, do meu aperfeiçoamento, da minha recompensa eterna. A lista é muito longa para escrever, e o valor das misericórdias muito elevado para estimar. Se não podemos declarar todas as obras do Senhor, não façamos disso desculpa para o

silêncio, pois nosso Senhor, que nisso é o nosso melhor exemplo, frequentemente falava dos pensamentos ternos do grande Pai.

"Mas são mais do que se podem contar." A soma é tão grande a ponto de obstar análise e numeração. A mente humana não consegue mensurar, ou organizar, ou pôr em ordem os caminhos e os pensamentos do Senhor. Sempre será assim, porque Ele disse: "Assim como os céus são mais altos do que a terra, assim são os meus caminhos mais altos do que os vossos caminhos, e os meus pensamentos, mais altos do que os vossos pensamentos" (Is 55.9). Não há confusão em perder-se si em tal labirinto do amor. Como é agradável ser sobrepujado, superado e subjugado pela graça surpreendente do Senhor nosso Deus!

6 *Sacrifício e oferta não quiseste; os meus ouvidos abriste; holocausto e expiação pelo pecado não reclamaste.*
7 *Então disse: Eis aqui venho; no rolo do livro está escrito de mim:*
8 *Deleito-me em fazer a tua vontade, ó Deus meu; sim, a tua lei está dentro do meu coração.*
9 *Preguei a justiça na grande congregação; eis que não retive os meus lábios, SENHOR, tu o sabes.*
10 *Não escondi a tua justiça dentro do meu coração; apregoei a tua fidelidade e a tua salvação; não escondi da grande congregação a tua benignidade e a tua verdade.*

6. Neste ponto, entramos numa das passagens mais maravilhosas de todo o Antigo Testamento, uma passagem na qual o Filho encarnado de Deus não é visto por espelho em enigma, mas, por assim dizer, face a face.

"Sacrifício e oferta não quiseste." Consideradas por si mesmas e levando em conta a finalidade, o Senhor não viu nada de satisfatório nas diversas ofertas da lei cerimonial. Nem a vítima derramando o seu sangue, nem a flor de farinha subindo em fumaça do altar poderiam satisfazer a mente do Senhor. Ele não se importava com a carne de bois ou de bezerros, nem tinha prazer em grão, vinho e azeite. Tipicamente, essas ofertas tinham valor, mas quando Jesus, o Antítipo, veio ao mundo, elas deixaram de ser valorizadas, como velas que não têm utilidade quando o sol se levanta.

"Os meus ouvidos abriste." Nosso Senhor era pronto em ouvir e fazer a vontade do Pai. Os seus ouvidos estacam como que escavados até a alma. Não estavam fechados como os poços de Isaque, os quais os filisteus entulharam, mas eram passagens livres até as fontes da alma. A obediência imediata de nosso Senhor é a primeira ideia. Não há razão para rejeitarmos a noção de que a escavação do ouvido possa dizer respeito à perfuração da orelha do escravo que, por amor ao seu senhor, recusava assumir a liberdade no ano do jubileu. A orelha furada, sinal de serviço perpétuo, é um verdadeiro quadro da fidelidade de nosso Senhor bendito aos negócios do Pai e do seu amor aos filhos do Pai. Jesus se entregou irrevogavelmente para ser o servo dos servos por nossa causa e pela glória de Deus. A Septuaginta, da qual Paulo citou, traduziu esta passagem assim: "Corpo me preparaste" (cf. Hb 10.5). Como surgiu essa tradução não é fácil de explicar. Contudo, visto que a autoridade apostólica sancionou a leitura variante, nós a aceitamos como sem erro e como exemplo de outras leituras variantes igualmente inspiradas. Em todo caso, a passagem apresenta o Unigênito entrando no mundo equipado para o serviço, em um corpo real e material, pela verdadeira vida e morte, pondo de lado todas as sombras da lei mosaica.

"Holocausto e expiação pelo pecado não reclamaste." Duas outras formas de oferta são mencionadas. Dessa feita, são descartados os símbolos de gratidão e os

sacrifícios pelo pecado conforme tipicamente se apresentavam. As ofertas gerais e as ofertas particulares não são mais necessárias. Qual a necessidade de meros emblemas quando a própria substância está presente? Aprendemos com esse versículo que o Senhor valoriza a obediência do coração muito mais do que todas as ações imponentes da adoração ritualista e que a expiação do pecado não nos vem em resultado de um cerimonial elaborado, mas como o efeito da obediência do nosso grande Substituto à vontade do Senhor.

7. *"Então disse"*, quer dizer, quando ficou claro que a desgraça do homem não podia ser remediada por sacrifícios e ofertas. Quando ficou certo que as meras imagens de expiação e os toscos símbolos da propiciação não tinham utilidade, o Senhor Jesus, *in propria persona*, interveio. Ó, que bendito *então disse*! Senhor, concede-nos sempre ouvir e alimentar-nos de palavras vivas como estas, tão peculiar e pessoalmente tuas.

"Eis aqui venho." Vê, ó céu, tu, ó terra, e vós, lugares debaixo da terra! Eis algo merecedor do vosso mais intenso olhar. Sentai-vos e observai com atenção, pois o Deus invisível veio na semelhança da carne pecaminosa, e como bebê, o Infinito mama nos seios da virgem. O Emanuel não enviou mas veio. Veio na própria personalidade. Em tudo que constituía o seu eu essencial, ele veio dos palácios de marfim para as moradas da miséria. Ele veio prontamente na hora marcada. Ele veio com vivacidade santa, como alguém que livremente se oferece a si mesmo.

"No rolo do livro está escrito de mim." No decreto eterno assim está registrado. O rolo místico da predestinação que a providência pouco a pouco desenrola, continha em si, ao conhecimento do Salvador, uma aliança escrita que, na plenitude dos tempos, o divino EU desceria à terra para cumprir um propósito que hecatombes de bois e carneiros não podiam cumprir. Que privilégio achar nosso nome escrito no livro da vida, e que honra, visto que o nome de Jesus consta no topo da página! Nosso Senhor respeitou os compromissos com a aliança antiga. Com isso, Ele nos ensina a sermos da mesma forma pontuais e justos em manter a palavra dita. Tendo nós prometido, não estará escrito para memória num livro? Então que jamais sejamos descumpridores do que dissermos.

8. *"Deleito-me em fazer a tua vontade, ó Deus meu."* Só o nosso Senhor bendito podia fazer a vontade de Deus completamente. A lei é ampla demais para pobres criaturas como nós pensarmos em cumpri-la até o último quesito. Mas Jesus não só fez a vontade do Pai, mas também sentiu deleite em fazê-la. Desde a antiga eternidade, Ele tinha desejado o trabalho que estava diante dEle. Durante a sua vida humana, ele foi maltratado até alcançar o batismo de agonia, no qual Ele engrandeceu a lei. Mesmo no jardim do Getsêmani, Ele escolheu fazer a vontade do Pai, pondo de lado a sua própria. Nisso, está a essência da obediência, isto é, na devoção alegre da alma para com Deus. A obediência do nosso Senhor é a nossa justiça, não sendo Ele de forma alguma deficiente desta qualidade excelente. A despeito de suas aflições incomensuráveis, nosso Senhor teve deleite em realizar o trabalho e, "pelo gozo que lhe estava proposto, suportou a cruz, desprezando a afronta" (Hb 12.2).

"Sim, a tua lei está dentro do meu coração." A devoção que Jesus prestou não era externa e formal. O seu coração estava na obra, a santidade era o seu ambiente, a vontade do Pai era a sua comida e bebida. Nesse ponto, cada um de nós deve ser como o nosso Senhor, ou carecemos de evidência de sermos seus discípulos. Onde não há genuíno trabalho, prazer, deleite na Lei de Deus, não pode haver aceitação. Adora, leitor devoto, ao Salvador de maneira espontânea e sincero da mesma forma que Ele fez a grande obra de nossa salvação.

9. *"Preguei a justiça na grande congregação."* Jesus pregou a mais pura moral e a mais sublime santidade. A justiça divina era o seu tema. A vida inteira de nosso

Senhor foi um sermão, incomparavelmente eloquente, sendo ouvido cada dia por milhões e milhões de pessoas. Além disso, Ele jamais se absteve no seu ministério de declarar todo o conselho de Deus. Ele apresentou claramente o grande plano de justiça proposto por Deus. Ensinou publicamente no templo, não se envergonhando de ser uma testemunha fiel e verdadeira. Ele foi o grande evangelista, o mestre dos pregadores itinerantes, o chefe do clã dos missionários ao ar livre. Servos do Senhor, não escondais a vossa luz, mas revelai aos outros o que o vosso Deus vos revelou. E especialmente através da vossa vida, testificai da santidade, sede defensores da justiça, tanto em palavras quanto em obras.

"Eis que não retive os meus lábios, SENHOR, tu o sabes." Nem o amor ao bem-estar, nem o medo dos homens fez a boca do grande Mestre se fechar. Ele instava a tempo e fora de tempo. Os pobres o ouviam, e os príncipes prestavam atenção às repreensões feitas. Os publicanos se alegravam nEle, e os fariseus se enfureceram, mas para ambos, Ele proclamava a verdade do Céu. É bom quando, na provação, o crente pode apelar para Deus e chamá-lo para testemunhar que Ele não teve vergonha de testificar dEle.

É certo que se nós não nos envergonhamos de confessar o nosso Senhor, Ele jamais se envergonhará de nos confessar também. Que maravilha que o Filho de Deus suplique da mesma maneira que nós suplicamos, e use exatamente os mesmos argumentos que convêm à boca dos ministros diligentes! Ele verdadeiramente foi feito "semelhante aos irmãos" (Hb 2.17).

10. *"Não escondi a tua justiça dentro do meu coração."* Pelo contrário, "nunca homem algum falou assim como este homem" (Jo 7.46). O plano divino de Deus tornar os homens justos lhe era bem conhecido, e Ele o ensinou claramente. O que havia no coração do nosso grande Mestre, ele verteu dos lábios em eloquência santa. A doutrina da justiça pela fé Ele falou com grande simplicidade de palavra. A lei e o evangelho igualmente tiveram nele um claro expositor.

"Apregoei a tua fidelidade e a tua salvação." A fidelidade de Jeová às suas promessas e a graça em salvar os crentes foram temas expostos pelo Senhor Jesus em muitas ocasiões, e estão abençoadamente misturados no evangelho que Ele veio pregar. Deus, fiel ao seu caráter, à lei e castigos, ainda salva os pecadores, algo que é uma revelação peculiar do evangelho. Deus, fiel aos salvos para sempre, é a alegria dos seguidores de Jesus Cristo.

"Não escondi da grande congregação a tua benignidade e a tua verdade." Nosso Senhor Jesus desvelou completamente os atributos brandos e severos de Deus. O escondimento estava longe do Apóstolo da nossa confissão. A covardia nunca fez parte dos seus anúncios, a hesitação jamais lhe debilitou as palavras. Aquele que, como menino de 12 anos, falou no templo entre os doutores da lei, e depois pregou para 5 mil em Genesaré e para grandes multidões em Jerusalém naquele grande dia, o último dia da festa, estava sempre pronto para proclamar o nome do Senhor, jamais podendo ser acusado de silêncio profano. Ele poderia calar-se quando a profecia exigisse e a paciência sugerisse.

Mas, pelo contrário, pregar era a sua comida e bebida, e Ele não reteve nada que fosse proveitoso para os discípulos. Esse fato Ele usou no dia da dificuldade, de acordo com este salmo, como argumento na busca de ajuda divina. Ele fora fiel ao seu Deus, e agora suplica que o Senhor lhe seja fiel. Que todo professor mudo e tímido pela vergonha pecaminosa, reflita como será pequena a chance de Ele argumentar dessa maneira no dia da angústia.

11 *Não detenhas para comigo, SENHOR, as tuas misericórdias; guardem-me continuamente a tua benignidade e a tua verdade.*

12 *Porque males sem número me têm rodeado; as minhas iniquidades me prenderam, de modo que não posso olhar para cima; são mais numerosas do que os cabelos da minha cabeça, pelo que desfalece o meu coração.*
13 *Digna-te, Senhor, livrar-me; Senhor, apressa-te em meu auxílio.*
14 *Sejam à uma confundidos e envergonhados os que buscam a minha vida para destruí-la; tornem atrás e confundam-se os que me querem mal.*
15 *Confundidos sejam em troca da sua afronta os que me dizem: Ah! Ah!*
16 *Folguem e alegrem-se em ti os que te buscam; digam constantemente os que amam a tua salvação: Engrandecido seja o Senhor.*
17 *Eu sou pobre e necessitado; mas o Senhor cuida de mim: tu és o meu auxílio e o meu libertador; não te detenhas, ó meu Deus.*

11. *"Não detenhas para comigo, Senhor, as tuas misericórdias."* Essas foram, por algum tempo, detidas pelo nosso Senhor enquanto estava na cruz maldita, mas enquanto estava na grande agonia, Ele quis ser tratado brandamente. A ida do anjo para fortalecê-lo foi resposta clara à oração. Outrora, ele fora abençoado no deserto, e agora, à entrada do vale da sombra da morte, como homem íntegro, fiel e experiente, ele expressa o desejo santo e melancólico de ternura dos céus. Ele não se detivera em testemunhar da verdade de Deus, agora Ele suplica ao Pai que não lhe detenha a compaixão. Esse versículo pode ser mais corretamente lido como declaração da confiança de que a ajuda não seria recusada. Mas quer vejamos esta expressão como brado de oração, ou como declaração de fé, é em ambos os casos instrutivo a nós que tomamos o nosso Senhor sofredor como exemplo, além de nos provar que Ele foi feito completamente semelhante aos irmãos.

"Guardem-me continuamente a tua benignidade e a tua verdade." Ele pregara a benignidade e a verdade. Agora pede a ação dessas duas realidades, para que ele seja guardado no dia mau e salvo dos inimigos e das aflições. Não há nada que torne o nosso Senhor mais estimado por nós do que ouvi-lo suplicar assim com forte choro e lágrimas àquele que pode salvar. Ó, Senhor Jesus, em nossas noites de luta nós nos lembraremos de ti.

12. *"Porque males sem número me têm rodeado."* De todos os lados, ele era atacado por males. Aflições incontáveis envolviam o grande Substituto dos nossos pecados. Os nossos pecados eram inumeráveis, e assim eram as suas aflições. Não havia como fugirmos das nossas iniquidades. Da mesma forma, não havia como ele fugir das aflições que merecemos. De todos os cantos e recantos, os males se acumulavam sobre o Bem-aventurado, embora no coração o mal não achava lugar.

"As minhas iniquidades me prenderam, de modo que não posso olhar para cima." Ele não tinha pecado, mas os pecados foram postos sobre Ele, que os levou como se fossem seus. "[Ele] o fez pecado por nós" (2 Co 5.21). A transferência do pecado para o Salvador foi real, e, como homem, produziu nele o horror que lhe vetava que olhasse na face de Deus, curvando-o com angústia esmagadora e dor intolerável. Ó, minha alma, o que os teus pecados te teriam feito eternamente, caso o Amigo dos pecadores não tivesse condescendido em tomá-los todos sobre ele? Ó, benditas Escrituras! "O Senhor fez cair sobre ele a iniquidade de nós todos" (Is 53.6). Ó, profundidade maravilhosa do amor, que levou o perfeitamente imaculado a tomar o lugar do pecador, e fazer com que ele suportasse o horror do grande estremecimento que o pecado tem de causar naqueles que têm consciência do pecado.

"São mais numerosas do que os cabelos da minha cabeça, pelo que desfalece o meu coração." As dores da penalidade divina estavam acima de computação e a alma do Salvador estava tão sobrecarregada, que Ele ficou infinitamente pasmado e tão triste a ponto de suar sangue. A força se fora, o espírito se abatera, Ele estava em agonia.

Chegou por fim a noite terrível
A vingança com sua vara de ferro
Levantou-se, e com força reunida
Feriu o inocente Cordeiro de Deus
Vê, alma minha, o teu Salvador
Prostra no Getsêmani

Ali o meu Deus carregou toda a minha culpa
É o que pela graça podemos crer
Mas os horrores que ele sentiu
São muito vastos para se imaginar
Ninguém pode passar por ti
Doloroso e escuro Getsêmani

Pecados contra um Deus santo
Pecados contra as suas leis justas
Pecados contra o seu amor, o seu sangue
Pecados contra o seu nome, a sua causa
Pecados imensos como é o mar
Esconde-me, ó Getsêmani

13. *"Digna-te, SENHOR, livrar-me; SENHOR, apressa-te em meu auxílio."* Que tocante! Que humilde! Que plangente! As palavras nos emocionam quando pensamos que, logo após estas coisas, nosso Senhor e Mestre orou. A petição não é tanto que o cálice passe sem que ele o beba, mas que ele seja sustentado enquanto o bebe e livrado do seu poder no primeiro momento apropriado. Ele busca livramento e auxílio. Ele pede que o auxílio não demore em vir. É bastante semelhante ao modo em que fazemos as nossas súplicas, não é? Note, leitor, como o nosso Senhor foi ouvido naquilo que temia, pois houve depois do jardim do Getsêmani uma resignação tranquila que tornou a luta tão gloriosa quanto a vitória.

14. *"Sejam à uma confundidos e envergonhados os que buscam a minha vida para destruí-la."* Não é importante se entendemos esse versículo como oração ou como profecia, pois os poderes do pecado, da morte e do Inferno se envergonham quando veem o resultado da maldade recair para sempre sobre eles mesmos. É para a confusão infinita de Satanás que os seus esforços em destruir o Salvador acabaram destruindo o próprio Satanás. Todos os integrantes do conclave diabólico que tramaram em conselho estão agora envergonhados, pois o Senhor Jesus os derrotou em todos os pontos, e transformou toda essa sabedoria em tolice.

"Tornem atrás e confundam-se os que me querem mal." É exatamente assim. As hostes das trevas foram totalmente derrotadas, tornando-se tema de santo escárnio para sempre e sempre. Como se regozijaram por pensar em esmagar a semente da mulher! Mas o Crucificado venceu, o Nazareno riu deles com desprezo, o agonizante Filho do Homem se tornou a morte da morte e a destruição do Inferno. Para sempre seja louvado o seu nome.

15. *"Confundidos sejam"*, ou fiquem pasmos. Como Jesus ficou desolado na agonia, assim os inimigos fiquem no desespero quando Ele os derrotar. A desolação causada no coração dos espíritos malignos e homens maus por inveja, maldade, pesar, decepção e desespero, será a recompensa certa pela crueldade feita ao Senhor quando ele estava nas mãos deles.

"Em troca da sua afronta os que me dizem: Ah! Ah!" O Diabo sujo insultou nosso Senhor? Eis a vergonha como recompensa! Os ímpios hoje lançam vergonha sobre

o nome do Redentor? A desolação em que ficarão o vingará dos seus adversários! Jesus é o manso Cordeiro a todos que buscam misericórdia pelo seu sangue. Que os desprezadores tomem cuidado, porque Ele é o Leão da Tribo de Judá, e "quem o despertará?" (Gn 49.9). Os príncipes dos judeus exultaram e desdenhosamente disseram: "Ah! Ah!", mas quando as ruas de Jerusalém ficaram cheias de sangue coagulado e o templo foi totalmente consumido, então a sua casa ficou deserta e o sangue do último dos profetas, de acordo com o que desejaram, caiu sobre eles e seus filhos. Ó, leitor descrente, se tal pessoa estiver dando uma olhada por esta página, guarda-te de perseguir Jesus e o seu povo, pois Deus seguramente vinga os eleitos. Os teus "Ah! Ah!" te custarão caro. "Duro é para ti recalcitrar contra os aguilhões" (At 9.5).

16. *"Folguem e alegrem-se em ti os que te buscam."* Acabamos com Ebal e nos voltamos a Gerizim. Aqui, o nosso Senhor abençoa o seu povo. Notemos quem são os indivíduos por quem ele pede que sejam abençoados: não todos, mas alguns — "Eu rogo por eles; não rogo pelo mundo" (Jo 17.9). Ele suplica pelos que buscam a Deus, pelos mais humildes do reino, pelos bebês da família, pelos que têm desejos verdadeiros, fazem orações fervorosas e empreendem esforços consistentes segundo Deus. Que aqueles que o buscam animem-se quando ficarem sabendo disso. Quanta riqueza da graça, nesta hora mais amarga, Jesus se lembrar dos cordeirinhos do rebanho! O que Ele pede para eles? Que eles sejam duplamente alegres, intensamente felizes, enfaticamente joviais, como denota a repetição dos termos no original hebraico. Jesus quer que todos que o buscam sejam felizes por acharem o que buscam e ganharem paz durante as aflições. Assim como a tristeza foi extremamente intensa, assim também a alegria seria extremamente grande. Ele gemeu para que pudéssemos cantar, e foi coberto de suor sangrento para que pudéssemos ser ungidos com óleo de alegria (cf. Salmo 45.7).

"Digam constantemente os que amam a tua salvação: Engrandecido seja o Senhor." Outro resultado da paixão do Redentor foi a promoção da glória de Deus através daqueles que gratamente se deleitam na salvação. O desejo do nosso Senhor tem de ser o nosso guia. Amamos de todo o coração a sua grande salvação. Por conseguinte, que a nossa língua proclame livremente a glória de Deus que, nesse sentido, é resplandecente. Jamais deixemos de lhe dar louvores. Tendo em vista que o coração se aquece pela alegria, que ele estimule a língua a louvar perpetuamente. Se não pudermos fazer o que gostaríamos para a expansão do Reino, pelo menos desejemos e oremos. Seja o nosso desejo fazer da glória de Deus o objetivo final e primordial de todo fôlego e impulso. O Redentor sofredor considerou a consagração do seu povo ao serviço do céu como o principal resultado da sua morte expiatória. Essa é a alegria que estava posta diante dele. O fato de Deus ser glorificado é a recompensa do trabalho do Salvador.

17. *"Eu sou pobre e necessitado."* O homem de dores encerra o salmo com outra petição, fundamentada na sua pobreza e necessidade.

"Mas o Senhor cuida de mim." Como é doce esse consolo para o coração santo do grande sofredor. Os pensamentos do Senhor sobre nós são temas de meditação que nos consolam, porque sempre são amáveis e nunca acabam. Os seus discípulos o abandonaram e os seus amigos o esqueceram, mas Jesus sabia que Jeová jamais afastou o coração dEle. Tal fato o sustentou durante a hora da necessidade.

"Tu és o meu auxílio e o meu libertador." A sua confiança impassível se fixou unicamente em Deus. Todos os crentes devem imitar mais intensamente o grande Apóstolo e Sumo Sacerdote na confiança firme que ele pôs em Deus, mesmo quando as aflições abundavam e a luz se ocultou.

"Não te detenhas, ó meu Deus." O perigo era iminente e a necessidade urgente. O suplicante não podia mais suportar a demora — nem precisava mais esperar, pois o anjo foi enviado para fortalecê-lo, e o coração valente de Jesus se levantou para enfrentar o inimigo.

Senhor Jesus, concede que, em todas as nossas adversidades, possuamos fé igualmente preciosa como a tua, e que em ti sejamos achados mais do que vencedores.

NOTAS EXPLICATIVAS E DECLARAÇÕES IMPORTANTES

O Salmo: "Salmo de Davi", porém, nesse salmo, o nome *Davi* aparece no original hebraico em primeiro lugar, o qual em outros lugares ocorre comumente por último. Ou "Um Salmo relativo a Davi", quer dizer, a Cristo, que é chamado de Davi pelos profetas: Oseias 3.5; Jeremias 30.9; Ezequiel 34.23 e 32.24. Acerca dele, esse salmo trata como o apóstolo ensina em Hebreus 10.5,6. — *Henry Ainsworth*

O Salmo: Está claro, pelos versículos 6 a 8 desse salmo, comparados com Hebreus 10.5, que o profeta está falando na pessoa de Cristo. Nos versículos 1 a 5, Cristo comemora a salvação ganha para o corpo místico, a igreja, pela ressurreição, salvando os seus membros da culpa e domínio do pecado. Para a abolição destes, ele declara a ineficácia dos sacrifícios legais e menciona a sua inclinação em fazer a vontade do Pai (vv. 6 a 8), a fim de anunciar a justiça para o mundo (vv. 9 e 10). Em seguida, ele se apresenta orando durante os sofrimentos por si mesmo e pela salvação do seu povo (vv. 11 a 13). Ele prevê a confusão e desolação dos inimigos (vv. 14 e 15), e a alegria e gratidão dos discípulos e servos (v. 16), por cujo pronto cumprimento, ele profere uma petição (v. 17). — *George Horne*

v. 1: "Esperei com paciência no Senhor, e ele se inclinou para mim, e ouviu o meu clamor". Entendo que, se o Senhor deixar amontoar e retardar o efeito da oração do seu servo, e a princípio não lhe atender o desejo, Ele mesmo assim o ouve. Apresentarei certo argumento, pelo qual tu saibas que o Senhor te ouve, na suposição de que Ele retarde o efeito das tuas orações. Continuas tu em oração? Tens tu esta força dada a ti para perseverares intercedendo? Tu podes ter certeza de que Ele ouve. Esse é argumento firme de que Ele te ouve, pois naturalmente a nossa impaciência nos leva ao desespero. A nossa subitaneidade é tão grande, sobretudo nas dificuldades espirituais, que não podemos continuar orando. Quando tu continuares orando, estejas certo de que esta força é fornecida por Deus e vem do Céu. Se tu tens força, Ele te deixa ver que Ele ouve a tua oração. Suponha que Ele retarde o efeito e força das tuas orações, contudo continue pedindo. Essa doutrina é tão necessária para a consciência preocupada que penso que é a rédea mais apropriada na Bíblia para deter a nossa impaciência. É o freio mais próprio para nos manter no exercício ininterrupto da paciência, pois, se o coração entende que o Senhor rejeitou a nossa oração completamente, não é possível continuar em oração. Já que sabemos que o Senhor nos ouve, ainda que Ele demore, tenhamos paciência para suportar a sua boa vontade. — *Robert Bruce*, 1559–1631

v. 1: "Esperei com paciência no Senhor". Quando o infinito hebraico קַוֹּה é colocado na primeira posição da frase, traz a ação em evidência: *Eu esperei.* Essa forte ênfase na espera tem a força de uma advertência. Ela sugere ao sofredor que tudo depende da espera. — *E. W. Hengstenberg*

v. 1: "Esperei com paciência", em vez de com ansiedade. No original hebraico, consta assim: *Esperando eu esperei*, um hebraísmo que significa anseio veemente. — *Daniel Cresswell v. 1:* "Esperei". O Salvador suportou os sofrimentos com paciência, como bem com esperança e com devoção. Ele esperou no Senhor. Ele esperou a ajuda do Senhor. Ele esperou até que recebeu. — *James Frame, "Christ and his Work: an Exposition of Psalm XL" [Cristo e a sua Obra: uma Exposição do Salmo 40], 1869*

v. 1: "Com paciência". A paciência do nosso Senhor durante o sofrimento foi um elemento de perfeição na sua obra. Tivesse ele ficado impaciente como muitas vezes ficamos, e desanimado, a expiação teria sido invalidada. Alegremo-nos, pois, em meio a todas as tentações suportadas e no mais grosso da batalha contra o pecado e Satanás, Ele permaneceu paciente e desejoso de realizar a obra que o Pai lhe dera para fazer. — *James Frame*

v. 1: "Ouviu o meu clamor". Nosso Salvador suportou os sofrimentos devotamente como também pacientemente. — *James Frame*

v. 2: "Um lago horrível", ou "um poço de perdição" (RA). Alguns dos poços ou covas citadas na Bíblia eram prisões, como vi em Atenas e em Roma. Para essas não havia abertura, exceto um buraco no topo que servia de porta e janela. O fundo dessas covas estava necessariamente em um estado imundo e indignante, às vezes com uma camada de lama profunda.

"Tirou-me de um lago horrível, de um charco de lodo." Uma dessas prisões imundas que o salmista tem em mente é chamada em Isaías 38.17 de "cova da corrupção", ou da putrefação e imundícia. — *John Gadsby*

v. 2: "Um lago horrível", ou, como consta no original hebraico, "uma cova do barulho", assim chamada por causa das águas que, entrando com grande força, fazem um ruído terrível e rugidor; ou por causa dos esforços e gritos que fazem aqueles que estão dentro dela; ou porque, quando uma coisa é lançada em uma cova funda, sempre faz um barulho alto. E onde a pessoa fica atolada firmemente em um "charco de lodo", sem possibilidade aparente de sair. Certos estudiosos entendem que isso se refere à grandeza dos terrores e sofrimentos de Cristo, e ao livramento de ambos. — *Arthur Jackson*

v. 2: Esse versículo declara três coisas.

(1) A ressurreição como o ato de Deus: "Tirou-me de um lago horrível, de um charco de lodo".

(2) A justificação do nome e título do Sofredor: "Pôs os meus pés sobre uma rocha". Jesus foi posto, como vivo dentre os mortos, na base da verdade realizada.

(3) Há a sua ascensão: "Firmou os meus passos". Tendo o Filho de Deus trilhado em graça e obediência auto-renunciante a passagem para a sepultura, agora entra finalmente como Homem no caminho da vida. "Tendo subido ao céu", diz o Espírito (1 Pe 3.22). E mais uma vez: "Subindo ao alto, levou cativo o cativeiro" (Ef 4.8). — *Arthur Pridham, "Notes and Reflections on the Psalms" [Notas e Reflexões sobre os Salmos], 1869*

v. 3: "Um novo cântico". (Ver notas sobre o Salmo 33.3.)

v. 3: "Muitos o verão, e temerão, e confiarão no Senhor". As palavras *temerão* e *confiarão* (ou esperarão) não parecem, à princípio, estarem em harmonia. Mas Davi não as uniu impropriamente, pois nenhum homem entretém a esperança do favor de Deus, senão aquele cuja mente tenha sido primeiramente saturada com o temor de Deus. Entendo que *temor* significa em geral o sentimento de devoção produzido em nós pelo conhecimento do poder, equidade e misericórdia de Deus. — *João Calvino*

v. 3: "Muitos o verão, e temerão, e confiarão no Senhor". Primeiro de tudo, eles "verão". Os olhos estão abertos. Os olhos abertos veem e inspecionam o que são, onde estão, de onde vieram e para onde vão. [...] Quando a atenção dos pecadores é real e decisivamente capturada pela expiação de Jesus, não só os olhos são abertos para as relações morais, não só eles verão, mas também temerão. Eles verão e temerão. [...] A convicção ocorre imediatamente depois da iluminação. [...] Mas enquanto o pecador só vê e teme, ele está na fase inicial de conversão, só em estado de prontidão para fugir da cidade da destruição. Ele pode ter partido em peregrinação, mas ainda não chegou ao Pai para receber o beijo de boas-vindas e perdão. O passo de consumação ainda não foi dado. Ele realmente viu, ele temeu mesmo, mas ainda precisa confiar, confiar no Senhor e banir todos os seus medos. Esse é o ponto culminante da grande mudança. A menos que esse ápice seja alcançado, as outras experiências se extinguirão como uma flor intempestiva, ou só servirão de combustível para o fogo inextinguível. — *James Frame*

v. 5: "Muitas são, Senhor, meu Deus, as maravilhas que tens operado para conosco". Vê Deus na magnificência e sabedoria das obras que as suas mãos fizeram, até mesmo este imenso universo que está cheio da sua glória. Que arte e inventividade! Que regularidade, harmonia e proporção se veem em todas as produções, na estrutura de nosso corpo físico ou de tudo que está à nossa volta! E com que raios de glória majestosa o sol, a lua e as estrelas proclamam como majestoso e maravilhoso em conhecimento é o Criador! E não devem todas essas belezas inumeráveis que abundam no mundo, que a mente de homens inquisitivos está pronta a admirar, levar os nossos pensamentos ao grande Pai de todas as coisas, e inflamar a nossa alma terna de amor por Ele, que é infinitamente mais brilhante e mais belo do que todas elas?

Dá uma olhada pelas nações e medita nos atos poderosos que Ele tem feito, na sabedoria e poder da providência que encanta todas as tuas emoções. Vê a admirável paciência divina, com que piedade Ele olha para os rebeldes obstinados, e como Ele é movido de compaixão quando Ele olha as criaturas contaminadas no próprio sangue e determinadas na própria destruição. O quanto Ele espera para ser gracioso. Como Ele de má vontade desiste dos pecadores e executa a vingança merecida nos inimigos. E depois, com que alegria Ele perdoa, porque "nele há abundante redenção" (Sl 130.7). E o que pode ter mais força do que estes para ganhar a tua estima, e fazer uma conquista completa do teu coração? Dessa forma, toda objeção contra ti é um argumento de amor, e fornece combustível para este fogo sagrado. E se tu vês Deus no firmamento do seu poder, ou no santuário da sua graça, tu não podes deixar de dizer que Ele é "totalmente desejável" (Ct 5.16). — *William Dunlop*

v. 5: "As maravilhas que tens operado para conosco, e os teus pensamentos não se podem contar diante de ti", ou seja, não há ninguém que os compreenda adequadamente. Embora possa ser tentado de acordo com a compreensão e entendimento dos homens, mas não "diante de ti", pois toda tentativa dessa natureza está infinitamente abaixo da tua glória imensurável. — *Victorinus Bythner, 1670, "Lyre of David" [Lira de Davi], traduzido por T. Dee, nova edição de N. L. Benmohel, 1847*

v. 5: "Para conosco". É digno de nota que, enquanto se dirigia ao Pai como Senhor e Deus, nosso Salvador fala dos membros da família humana como seus companheiros. É o que está implícito na expressão "para conosco". Ele se considerava muito intimamente associado com os filhos dos homens. — *James Frame*

v. 5: "Os teus pensamentos não se podem contar diante de ti". Os pensamentos de Deus estão diante dEle. Se pudessem ser contados como verdadeiramente são, eles seriam contados diante de Deus. A mente humana não pode entender o princípio de ordem que os rege, mas há tal princípio.

Quanto mais estudamos as sequências em suas inter-relações, mais nos convencemos de que, quanto ao tempo e espaço, todos os preparativos para a obra medianeira de Cristo, todas as partes da sua realização e todas as consequências divinamente designadas da sua aceitação durante todo o tempo até à eternidade, estão perfeitamente em ordem diante dEle. São ou estão precisamente o quê, onde e quando devem ser ou estar. — *James Frame*

v. 5: "São mais do que se podem contar". Os pulsos da providência são mais rápidos do que os dos nossos pulsos ou templos. A alma de Davi sabia muito bem da sua multiplicidade, mas não podia multiplicá-los corretamente servindo-se de alguma habilidade matemática. Não apenas isso, mas a própria soma ou principais impulsos da bondade divina eram inumeráveis. As suas maravilhas e pensamentos acerca dEle não podiam ser devidamente contados, pois eram mais do que se poderia enumerar. — *Samuel Lee, "The Triumph of Mercy in the Chariot of Praise" [O Triunfo da Misericórdia no Carro do Louvor]*

v. 5: É o discurso de Cristo, sobre quem o salmo é composto, e diz respeito aos propósitos e planos do Pai decididos desde a eternidade, e continuados até enviar Cristo ao mundo para morrer por nós (vv. 6, 7). Assim se conclui, pois, embora os seus pensamentos e propósitos eram, a princípio, um ato individual e nunca se alteraram, eles se tornaram muitos, através de uma reiteração perpétua deles, em cujo fato vemos a constância para Ele. [...] Meus irmãos, se Deus tem tido pensamentos de misericórdia desde a eternidade com aqueles que são seus, que estoque e tesouro tais pensamentos remontam, além daqueles que estão na sua natureza e disposição. Este está nos seus propósitos e intenções atuais, que Ele pensou, pensou, pensou de novo, repetidas vezes, a cada momento.

"Muitas são, Senhor, meu Deus, as maravilhas que tens operado para conosco, e os teus pensamentos não se podem contar diante de ti", disse Jesus Cristo, pois o Salmo 40 é um salmo de Cristo, tendo sido citado pelo apóstolo e aplicado a Cristo em Hebreus 10: "Os teus pensamentos não se podem contar diante de ti" — ele fala em nome da natureza humana —, isto é, por mim e pelos meus. "Eu quisera anunciá-los e manifestá-los, mas são mais do que se podem contar." E por qual razão? Porque Deus tem planejado misericórdias, misericórdias para os seus filhos, desde a eternidade. Então: "As misericórdias do Senhor [...] novas são cada manhã" (Lm 3.22,23), não que as misericórdias sejam novas, mas que Ele pensa nessas misericórdias vezes sem conta, e assim Ele tira do tesouro misericórdias novas e velhas, e as velhas são sempre novas. Que grande estoque, meus irmãos, deve ser! — *Thomas Goodwin*

v. 6: "Sacrifício e oferta... holocausto e expiação pelo pecado". Tanto o salmista quanto o apóstolo especificam quatro tipos de oferta: "sacrifício", זֶבַח (*zebaḥ*), θυσία; "oferta", מִנְחָה (*minḥâ*), προσφορὰ; "holocausto", עוֹלָה (*'ôlâ*), ὁλοκαύτωμα; "expiação pelo pecado", חֲטָאָה (*ḥăṭā'â*), περὶ ἁμαρτίας. Sobre todos esses, podemos dizer com o apóstolo que "é impossível que o sangue dos touros e dos bodes tire pecados" (Hb 10.4). — *Adam Clarke*

v. 6: "Os meus ouvidos abriste". A tradução literal é: "As minhas orelhas furaste [ou perfuraste] completamente", que pode muito bem ser interpretado com o sentido de: "Tu me aceitaste como teu escravo", em alusão ao costume de o senhor perfurar a orelha do escravo que recusara a liberdade oferecida, como sinal de tê-lo retido (Êx 21.6). — *Daniel Cresswell*

v. 6: João Calvino, comentando sobre a interpretação "as minhas orelhas furaste", diz: "Este modo de interpretação parece demasiadamente forçado e refinado".

v. 6: "Os meus ouvidos abriste". Em resposta ao que dizem que, em Hebreus, o autor fez uma leitura variante dessas palavras, digo que não é o que me parece. É verdade que ele tinha uma tradução diferente, porém corrupta (ὠτία, "ouvidos" [ou "orelhas"], como observam os entendidos, tendo mudado para σῶμα, "corpo") na Septuaginta, que era a versão então em uso. Ele foi obrigado a citar o que tinha, sob pena, se o alterasse, de ser acusado de falso citador. Ele usou a tradução como estava, sobretudo porque servia muito bem para ilustrar o argumento. Com essa citação da Septuaginta, o apóstolo argumenta: "[Cristo] tira o primeiro [isto é, os sacrifícios da lei], para estabelecer o segundo [isto é, a obediência à vontade de Deus]" (Hb 10.9), ao se oferecer como sacrifício pelos pecados da humanidade. Portanto, ele deve ter formado um argumento baseado em uma citação do texto hebraico como está hoje. — *Green*, citado em *Samuel Burder, "Scripture Expositor" [Expositor Bíblico]*

v. 6: A leitura variante do apóstolo (Hb 10.5), ainda que muito longe da literalidade do hebraico e em parte da Septuaginta (como suponho que tenha sido originalmente), ainda é a interpretação mais clara do que significa. O corpo de Cristo compreendia os ouvidos, tendo por propósito cumprir o mais alto grau de obediência à vontade de Deus: ser obediente até à morte para ser como o sacerdote. — *Henry Hammond*

v. 6:

Nem sacrifício o teu amor pode ganhar
Nem ofertas da mancha do pecado
O homem detestável limpará
A tua mão o meu corpo mortal prepara
(A tua mão, que traz assinatura)
E abre os meus ouvidos obedientes
— *James Merrick*, Mestre em Ciências Humanas

vv. 6 e 7: Há, nessas palavras, alusão ao costume judaico de furar as orelhas de servos como servos perpétuos, e registrar-lhes o nome em um livro, ou fazer algum instrumento da aliança. "Sacrifício e oferta não quiseste", mas porque eu sou o teu servo declarado, furado com uma sovela e registrado no teu livro, "então disse: Eis aqui venho; no rolo do livro está escrito de mim". Essas palavras do salmo são citadas por Paulo na carta aos Hebreus. A primeira delas é citada com uma diferença muito estranha, pois, considerando que o salmista, de acordo com a veracidade do original hebraico, diz: "Sacrifício e oferta não quiseste; os meus ouvidos abriste [ou furaste]", כָּרִיתָ. Paulo acompanha a Septuaginta, σῶμα κατηρτίσω μοι: "Sacrifício e oferta não quiseste, mas corpo me preparaste [ou formaste]" (Hb 10.5). Que igualdade de significação pode haver entre estas duas variantes? Essa dificuldade é muito maior, porque a maioria dos intérpretes afirma que o sentido da citação está exatamente nas palavras onde há a diferença, ou seja, as palavras "corpo me preparaste" foram citadas pelo apóstolo para provar a encarnação de nosso Salvador, com as quais as palavras no próprio salmo ("os meus ouvidos abriste [ou furaste]"), entendamo-nas como quisermos, não concordam de jeito nenhum. Minha resposta é que o sentido da citação não está nas palavras onde há a diferença; nem pode estar, porque a epístola foi escrita aos hebreus, e, portanto, primeiramente na língua hebraica, onde esta tradução da Septuaginta não pode ter lugar. E se o sentido da citação está nas palavras onde há a diferença, não vejo como reconciliá-las. Tem de estar nas palavras onde não há a diferença, isto é, que Cristo era o sumo sacerdote que veio nos santificar, não com ofertas e sacrifícios da lei, e sim pela sua obediência em fazer como servo dedicado a vontade do Pai. Assim, a alegação não depende das palavras onde há a diferença, dando-nos liberdade para reconciliá-las: "Os meus ouvidos abriste", disse o salmista, ou seja, tu me aceitaste por servo perpétuo, como os senhores, de acordo com a lei, costumam furar as orelhas dos servos que recusam separarem-se deles. Agora a Septuaginta, que foi citada na epístola do apóstolo, pensando talvez que o significado dessas palavras ficaria dúbio para quem não conhecia o costume judaico, escolheu traduzir de modo geral por σῶμα δὲ κατηρτίσω μοι, "corpo me preparaste", isto é, para ser o teu servo da maneira como habitualmente era preparado o corpo dos servos. Assim, o sentido de tudo é um, embora não especificado ao costume judaico de furar as orelhas do servo com uma sovela, mas deixado aplicável indiferentemente ao costume de qualquer nação de marcar e estigmatizar o corpo dos seus servos. — *Joseph Mede, Bacharel em Teologia, 1586-1638*

vv. 6 a 10: Temos aqui em Cristo para o nosso ensino e também em Davi (o seu tipo) para o nosso exemplo.

(1) Um firme propósito de obediência, em uma orelha furada e um coração rendido (v. 6).

(2) Um pronto desempenho dessa obediência: "Eis aqui venho" (v. 7).

(3) Uma observância cuidadosa da palavra escrita: "No rolo do livro está escrito de mim" (v. 7).

(4) Um deleite sincero nessa observância (v. 8).

(5) Uma confissão e comunicação pública da bondade de Deus para com os outros (vv. 9, 10). Devemos nos empenhar em expressar Cristo ao mundo e andar como Ele andou (1 Jo 2.6). Nossa vida deve ser, em algum sentido, paralela com a dEle, como a cópia é com o original. Ele nos deixou uma cópia pela qual escrevemos, disse o apóstolo (1 Pe 2.21). — *John Trapp*

v. 7: "Então disse: Eis aqui venho". Como o seu nome está acima de todo nome, assim esta vinda está acima de toda vinda. Dizemos que nosso nascimento é, confesso, uma vinda ao mundo. Mas estritamente falando, ninguém jamais entrou no mundo exceto Ele.

(1) Só acerca dEle pode-se dizer que vem, visto que Ele existe antes que viesse. Nós não, somente Ele.

(2) Só Ele vem de boa vontade. Nosso choro e luta em nossa entrada no mundo mostra como é de má vontade que vimos. Só Ele é que canta: "Eis aqui venho".

(3) Só vem quem vem de um lugar ou de outro. Não tivemos um lugar de onde vir, senão do útero. Só Ele teve um lugar para estar antes de vir. — *Mark Frank, 1613–1664*

v. 7: "Então disse: Eis aqui venho", a saber, como fiança, para pagar o resgate e fazer a vontade de Deus. Cada palavra tem uma ênfase especial.

(1) O tempo: "então". Assim que percebeu que o Pai lhe preparara o corpo para tal fim, então, Ele veio sem demora. Essa rapidez implica zelo e prontidão. Ele não perderia nenhuma oportunidade.(2) A confissão nesta palavra: "disse". Ele não confessou secretamente, silenciosamente, timidamente, como se tivesse vergonha, mas confessou antecipadamente.

(3) A nota de observação: "eis". Esse é um tipo de chamamento de anjos e homens para testemunhar, e um desejo de que todos saibam da sua intenção e disposição de coração. Tratava-se de tão grande boa vontade quanto alguém poderia ter sobre qualquer coisa.(4) Uma oferta de si mesmo sem coação ou imposição. É o que Ele manifesta com a palavra: "venho".

(5) O momento certo estabelecido no tempo presente: "venho". Ele não protela para um tempo futuro e indeterminado, mas é naquele mesmo momento. Ele disse: "venho". (6) A primeira pessoa consta duas vezes: "[eu] disse", "[eu] venho". Ele não envia outra pessoa, nem um substituto em seu lugar. Ele próprio, em pessoa, vem.

Tudo isso abundantemente evidencia a singular prontidão e boa vontade de Cristo, como nosso fiador, em fazer a vontade do Pai, embora significasse sofrer e tornar-se um sacrifício pelos nossos pecados. — *Thomas Brooks*

v. 7: "Eis aqui venho", ou seja, para comparecer perante ti. É uma frase usada para indicar a chegada de uma pessoa inferior à presença de uma pessoa superior, ou de um servo diante do seu senhor (Nm 22.38; 2 Sm 19.20), como na expressão semelhante: "Vejam, aqui estou", que, em geral, expressa boa vontade e presteza. — *J. J. Stewart Perowne*

v. 7: "Eis aqui venho". A vinda de Cristo no espírito é uma vinda alegre. Penso que: "Eis aqui venho", expressa:

(1) Alegria presente. (2) Alegria certa. O "eis" é uma nota de certeza. A coisa é certa e verdadeira. A sua alegria é certa — certa, verdadeira e concreta. (3) Alegria comunicativa. Ele designa o povo que tomará parte na sua alegria: "Eis aqui venho". A alegria que Cristo tem como Mediador é uma plenitude de alegria designada para uso do seu povo, a fim de que, da sua plenitude, recebamos com graça sobre graça e com alegria sobre alegria (cf. Jo 1.16). Graça que corresponde à graça em Jesus, e alegria que corresponde à alegria nEle.

(4) Alegria solene. Ele vem com solenidade: "Eis aqui venho", de acordo com o conselho da Trindade gloriosa. Agora que o propósito do Céu veio à luz, o decreto irrompeu e a plenitude do tempo chegou, Ele torna o Céu e a terra testemunhas, por assim dizer, da sua marcha solene no cumprimento do dever. Ele diz com um alto "eis" para que todo o mundo dos homens e dos anjos notem: "Eis aqui venho". De fato, todos os anjos eleitos irrompem em alegres cânticos de louvor nesta solenidade. Quando Ele veio em carne, eles cantaram: "Glória a Deus nas alturas, paz na terra, boa vontade para com os homens!" (Lc 2.14). — *Ralph Erskine*

v. 7: "Eis aqui venho", ou entro, a saber, no mundo (Hb 10.5), e particularmente em Jerusalém, para me oferecer em sacrifício pelo pecado. — *Henry Ainsworth*

v. 7: "No rolo do livro". A que livro se refere, se a Bíblia ou o livro da vida, não dá de verificar comprovadamente. Ao que parece diz respeito ao último. — *W. Wilson, Doutor em Teologia*

v. 7: "No rolo do livro". Mas que rolo do livro é este? Claro que se trata de um livro que já existia quando o salmista estava escrevendo. Se o salmista foi o próprio Davi (como o título do salmo afirma), existiam somente algumas partes das Escrituras hebraicas. Claro que a única parte à qual ele poderia se referir era o Pentateuco e, talvez, o livro de Josué. Acima de qualquer dúvida razoável, o κεφαλὶς βιβλίου (סֵפֶר־מְגִלַּת) era o Pentateuco. [...] Entendo que o significado pretendido pelo escritor era que o livro da lei, que prescreve sacrifícios que somente eram σκιαὶ ou παραβολαὶ do grande sacrifício expiatório feito por Cristo, ensinava, pelo uso destes, que algo de natureza superior e melhor tinha de ser buscado do que o rito levítico. Em suma, apontava ao Messias; ou, parte do teor da lei escrita dizia respeito a Ele. — Moses Stuart, 1780–1852, Mestre em Ciências Humanas, "A Commentary on the Epistle to the Hebrews" [Um Comentário sobre a Epístola aos Hebreus], 1851

v. 7: "No rolo do livro está escrito de mim". A primeira vez que analisei Romanos 5.14 e outros textos do Novo Testamento que tornam o primeiro Adão, a sua história antes e depois dele, e o seu pecado ou queda como tipo e sombra viva de Cristo, o segundo Adão, observei semelhantemente que o apóstolo Paulo ficou admirado com a grandeza deste mistério ou tipo místico — que Cristo, o segundo Adão, tivesse tão maravilhoso cumprimento, como em Efésios 5.32, onde ele exclama: "Grande é este mistério", ao qual ele aplica e ajusta algumas passagens de Adão e Eva à Cristo e a igreja. Isso me levou a analisar a interpretação de uma passagem em Hebreus 10.7, que cita o Salmo 40.7, a qual antes eu não só tinha desconsiderado, mas rejeitado completamente por ser entender que era uma glosa. A passagem é que Cristo, "entrando no mundo" para tomar sobre si a nossa natureza, alegou como razão estar cumprindo a Escritura escrita "no princípio do livro de Deus", ἐν κεφαλίδι Βιβλίου, conforme do original as palavras podem e são traduzidas por muitos intérpretes, embora a tradução seja esta: "no princípio do livro está escrito de mim". É verdade que, no Salmo 40, de onde são citadas, as palavras no original hebraico significam não mais do que o que no livro de Deus (o modo de escrever que antigamente era em rolos de pergaminho, enrolados formavam um volume) estava escrito e falado em todos os lugares a respeito de Cristo. Contudo, a palavra κεφαλίς, que, segundo a tradução da Septuaginta, o apóstolo citou, significa, como todos sabemos, o começo de um livro. Identificamos a mesma ênfase dada pelo apóstolo em Efésios 5, na história de Adão que fica no começo de Gênesis, como contendo o mistério, sim, o grande mistério a respeito de Cristo. Isso de certa forma me induziu, ainda que eu não esteja totalmente convencido, a pensar que o Espírito Santo, nessas palavras, tinha um olhar na história de Adão no começo do primeiro livro de Moisés. Além disso, as palavras assim entendidas indicam um induzimento maior e adicional para Cristo assumir a nossa natureza, sendo o âmbito do discurso (Hb 10) dar a razão de tão voluntariamente Ele ter assumido a natureza humana, ou seja, não só porque Deus não gostava de sacrifícios e holocaustos, os quais entraram por ocasião do pecado e depois da queda, e não podem tirar os pecados, mas também porque foi profetizado sobre Cristo e Ele assumir um corpo profeticamente anunciado tanto no Salmo 40 quanto até mesmo pela história de Adão antes da queda, registrada no começo de Gênesis, à qual muitos outros textos bíblicos expressamente se referem. — *Thomas Goodwin*

v. 7: "Deleito-me em fazer a tua vontade, ó Deus meu". A vontade de Deus remir os pecadores pela encarnação e morte de Jesus Cristo, era muito grata ao próprio coração de Cristo. Provérbios 8.31 diz que quando Ele estava folgando no mais doce prazer do seu Pai, enquanto permanecia nesse bendito centro de delícias, o próprio prospecto deste trabalho lhe dava prazer, pois Ele achava as suas "delícias com os filhos dos homens". Quando Ele foi introduzido no mundo, suportou maus-tratos e injúrias até chegar à parte mais difícil da obra: "E como me angustio [disse ele] até que venha a cumprir-se!" (Lc 12.50). Duas coisas chamam nossa atenção fazendo com que os nossos pensamentos se demorem neste ponto.

Em primeiro lugar, a propriedade da obra. Por que tinha de ser assim.

(1) Convinha a Cristo fazer esta obra com alegria e deleite para que Ele desse à sua morte a natureza e formalidade de um sacrifício. Em todos os sacrifícios, verificamos que Deus tinha uma consideração, um respeito especial pela vontade do ofertante (ver Êx 35.5,21; Lv 1.3). (2) Tinha de ser assim em virtude da unidade da vontade de Cristo com a do Pai.

(3) Era necessário que fosse assim para recomendar o amor de Jesus Cristo a nós por quem Ele se entregou. O fato de ter Ele entrado no mundo para morrer por nós é uma misericórdia de primeira magnitude. Mas quando constatamos que Ele veio porque nos ama e de bom grado sofreu todos os sofrimentos por nossa causa, isso se eleva muito acima de todo entendimento.(4) Precisava ser assim para o ajuste de nossa obediência a Deus, segundo esse padrão, pois vendo e fixando esse grande exemplo de obediência para nós, nunca resmungaríamos nem nos queixaríamos de qualquer dever ou sofrimento para o qual Deus nos chamasse.

Em segundo lugar, consideraremos e examinemos como essa obra veio a ser tão agradável e aceitável a Jesus Cristo para que Ele entrasse no mundo e morresse pelos pobres pecadores.

(1) Com os sofrimentos de Cristo, haveria uma demonstração e manifestação gloriosa dos atributos divinos.

(2) Outro prospecto deleitoso que Cristo tinha sobre as consequências dos seus sofrimentos era a recuperação e salvação de todos os eleitos por meio da sua morte. Embora os seus sofrimentos fossem extremamente amargos, as consequências eram sumamente doces.

(3) A glória que os remidos redundariam a Cristo por toda a eternidade, pois será a função perpétua dos santos no Céu designar glória, louvor e honra ao Redentor. Cristo teve prazer na humilhação e tormento, sofrendo e morrendo por mim, e não terei eu prazer em orar, ouvir, meditar e desfrutar dos doces deveres da comunhão com Ele? Ele veio com tanta alegria para morrer por mim, e agora vou com tanto desânimo às orações e cultos para desfrutar da comunhão com Ele? Foi um prazer para Ele derramar o seu sangue, e não me é aplicá-lo e colher os benefícios do seu sacrifício? Que não haja mais reclamações, desculpas preguiçosas, mudanças de dever ou ações desanimadas e desatentas de tais deveres, depois de um exemplo como esse. Estejamos prontos a fazer a vontade de Deus, e prontos também a nos sujeitar a ela. Quanto aos sofrimentos por Cristo, não deveriam eles serem dolorosos aos cristãos que sabem a alegria com que Cristo veio do seio do Pai para morrer por eles. O que temos a deixar ou perder em comparação com Ele? O que são nossos sofrimentos em relação aos de Cristo? Não há comparação. Havia mais crueldade e violência em uma gota dos seus sofrimentos do que em um mar do nosso. Concluindo, nosso deleite e prontidão nos caminhos da obediência são a medida da nossa santificação. — Condensado de *John Flavel*

v. 8: Agora, diz Cristo: "Deleito-me em fazer a tua vontade, ó Deus meu". É a alegria e regozijo do meu coração estar buscando e salvando os pecadores perdidos. Quando Cristo estava faminto, Ele não ia a uma casa que comerciava víveres, e sim ao templo, onde ficava ensinando o povo na maioria parte do dia para mostrar o quanto se deleitava na salvação dos pecadores. Cristo se deleitava tanto e o seu coração estava tão determinado na conversão e salvação dos samaritanos que Ele negligenciou o próprio corpo para salvar-lhes a alma, como vemos claramente em João 4. — *Thomas Brooks*

v. 8: "Fazer". Era Jesus o fazedor do trabalho. O Pai o determinou, mas não o fez. Foi Jesus que o fez, desenvolveu, produziu, que o levou para dentro do véu e, como oferta aceitável e meritória, o pôs aos pés do bem satisfeito Pai. O trabalho foi feito e concluído. Não precisamos tentar fazê-lo. Não podemos fazê-lo. Não podemos fazer o que já está feito. Não podemos fazer mesmo que não tivesse sido feito. Há muitas coisas que o homem pode fazer, mas ele não pode fazer uma expiação. — *James Frame*

v. 8: "A tua vontade". A aliança entre o Pai e o Filho, assim como em outros textos bíblicos, consta claramente aqui: "Eis aqui venho; no rolo do livro está escrito de mim: Deleito-me em fazer a tua vontade, ó Deus meu" (vv. 7, 8, que são citados em Hebreus 10.7). Qual vontade? "Na qual vontade temos sido santificados pela oblação do corpo de Jesus Cristo, feita uma vez" (Hb 10.10).

A vontade de Deus era que Jesus fosse oferecido, e fosse oferecido para que sejamos santificados e salvos. É chamada de "oblação do corpo de Jesus Cristo", em resposta da qual foi dito: "Corpo me preparaste" (Hb 10.5), ou uma natureza humana, por sinédoque.

"A minha vontade", diz Deus Pai, "é que tu tenhas um corpo, e que o teu corpo seja oferecido. Tudo para este fim: que os filhos, os eleitos, sejam santificados." Diz o Filho acerca disto: "Eis aqui venho para fazer a tua vontade". Em outras palavras: "Eu aceito a condição, e me entrego ao cumprimento da tua vontade". — *John Owen, 1616-1683*

v. 8: "A tua lei está dentro do meu coração". A Lei de Deus não deve ser guardada em livros, mas no meio do coração para que a entendamos corretamente, admiremos e observemos. — *Martin Geier*

v. 8: "A tua lei está dentro do meu coração". A vontade de Deus na qual Cristo se deleitava era (como aparece pela coerência e citação de Hebreus 10.5) que Cristo fizesse da sua alma uma oferta pelo pecado, como mais aceitável a Deus que todos os outros holocaustos e ofertas pelo pecado. Essa lei estava "dentro do meu coração", בְּתוֹךְ מֵעָי, no meio das suas entranhas. Ele se deleitava tanto em fazer a vontade de Deus quanto nos deleitamos em seguir as inclinações que a natureza implantou em nosso coração, como comer e beber. Assim Ele o expressa: "A minha comida é fazer a vontade daquele que me enviou e realizar a sua obra" (Jo 4.34). Ele estava tão disposto em verter o sangue e morrer por ti quanto tu estás em comer quando estás com fome. Ele se deleitou tanto em ser açoitado, ferido e crucificado quanto tu te deleitas no mais delicioso alimento. — *David Clarkson*

v. 8: "Dentro do meu coração", ou "dentro das minhas estranhas". Aqui está dizendo que os intestinos ou vísceras são o lugar da mais profunda ocupação espiritual. — *Franz Delitzsch*

v. 9: "Preguei a justiça na grande congregação; eis que não retive os meus lábios, Senhor, tu o sabes". É Jesus que fala e fala de si como pregador. Ele era pregador, e por sinal, grande pregador. Estes são elementos que faziam parte da sua grandeza como pregador.

(1) Jesus era grande em eloquência genuína. Todos os servidores da mais seleta retórica o auxiliavam quando Ele falava. A sua mente tocava a mente dos ouvintes em todos os aspectos.

(2) Jesus era grande em conhecimento. Muitos que têm um surpreendente domínio de palavras, e que usam as palavras com surpreendente destreza retórica, deterioram a influência por falta de conhecimento (cf. Os 4.6). Avançam desbaratadamente quando tentam pensar por si mesmos, ou guiar os ouvintes aos campos do pensamento que não foram trilhados por mentes de ordem pioneira.

(3) Jesus era grande em bondade. Há grandeza na bondade, e a grandeza da bondade é um elemento importante na grandeza do pregador.

(4) Jesus era grande em estado oficial. O estado oficial, quer nas coisas civis, literárias ou sacras, quando outorgado a indivíduos dignos, confere, por sua vez, peso indubitável e autoridade moral. Jesus era o mais alto funcionário do universo. A sua autoridade se estendia a todos os outros portadores de cargo, e o seu ofício excedia todos os outros ofícios. Ele veio "de cima" e era "sobre todos" (Jo 3.31). Ele era Senhor dos senhores e Rei dos reis.

(5) Jesus era grande em dignidade essencial. Ele era Deus como também homem. Assim era Cristo como pregador. Verdadeiramente, Ele era mais que pregador. Era igualmente padrão, sacerdote e propiciador. Como padrão, sacerdote e propiciador, Ele permanece inigualável. Mas Ele era pregador também, e como pregador nunca teve e nunca terá outro igual. — Condensado de *James Frame*

v. 9: "Na grande congregação". A "congregação" aqui referida era grande não só em números, mas também nas necessidades de cada um dos seus membros e grande em corrupção. — *James Frame*

vv. 9 e 10: "Preguei... não retive... Não escondi... apregoei... não escondi". Palavras sobre palavras são amontoadas para expressar a presteza ávida do seu coração que ardia em mostrar gratidão. Nenhuma descrição elaborada poderia ter sido tão habilmente dada sobre a semelhança daquele cuja "vida era uma ação de graças". — *J. J. Stewart Perowne*

vv. 9 e 10: O verdadeiro modo de justificação dos pecadores pela fé é uma jóia tão preciosa e necessária para as pobres almas que não deve ser escondida: "Não escondi a tua justiça dentro do meu coração". Um sermão sobre esse assunto não é suficiente. É necessário esclarecer esse mistério. Como, pela fé em Cristo, o homem que corre para Ele é justificado dos pecados e salvo de acordo com a aliança feita entre o Mediador sofredor e o Deus fiel que fez a promessa — para justificar e salvar de acordo com a sua maneira: "Apregoei a tua fidelidade e a tua salvação." — *David Dickson*

vv. 9 e 10: "Tua". O acréscimo de *tua* a cada uma das qualificações é enfática. Era a *tua* justiça que tive a comissão de declarar, a *tua* fidelidade que tive a ordem de proclamar, a *tua* benignidade que tive o encargo de publicar. Tu estavas tão interessado em tudo o que fiz quanto eu. Serei considerado falso e mentiroso, tu serás considerado injusto e cruel se tudo não se cumprir como falei. Tendo em vista que observei a tua Lei e almejei a tua glória ao declarar isso, não desgraces a ti e a mim recusando a petição de tal suplicante, que crê em minha palavra que anunciei pela tua autoridade. — *Stephen Charnock*

v. 10: "Não escondi". Isso dá a entender que todo aquele que empreende pregar o evangelho de Cristo está em grande tentação de escondê-lo e ocultá-lo, porque deve ser pregado com grande contenção e em face a grande oposição. — *Matthew Henry*

v. 10: "Não escondi a tua justiça dentro do meu coração". O que Deus fez por nós ou pela igreja deve ser posto no nosso coração, mas não devemos trancá-lo no nosso coração. — *Carl Bernhard Moll,* citado em *J. P. Lange, "Bibelwerk" [Obras da Bíblia], 1869*

v. 11: "Não detenhas para comigo, Senhor, as tuas misericórdias". Não impeças as tuas misericórdias de virem caindo abundantemente sobre mim.

"Guardem-me continuamente a tua benignidade e a tua verdade", ou emprega-as para me guardar. — *John Diodati*

v. 12: "Porque males sem número me têm rodeado; as minhas iniquidades me prenderam, de modo que não posso olhar para cima; são mais numerosas do que os cabelos da minha cabeça, pelo que desfalece o meu coração". Nós nos perdemos quando falamos dos pecados de nossa vida. Todo homem respeitado pode ficar surpreso ao tomar nota de quantos pecados ele é culpado em um só dia. Quantos pecados acompanham um único ato. Não somente isso, mas quantos se expõem despropositadamente em um dever religioso. Em qualquer momento que seja que tu fizeste alguma coisa proibida, tu omites o dever daquilo que foi comandado. Sempre que tu negligencias aquilo que é ordenado, a omissão se une com a ação de algo proibido, de forma que o pecado, quer por omissão ou por comissão, sempre é duplo. Não somente isso, mas o apóstolo torna todo pecado décuplo (Tg 2.10). Aquilo que parece um para nós, de acordo com o sentido da lei e a contagem de Deus, é multiplicado por dez. A pessoa quebra todos os mandamentos pecando diretamente contra um, e assim peca dez vezes de uma só vez. Além desse enxame de circunstâncias e agravações pecadoras que cercam todo ato em tal quantidade, como os átomos costumam cercar o teu corpo em um quarto empoeirado, tu podes numerar mais facilmente estes que aqueles. Embora alguns contem estes por frações, por pecados incompletos, até mesmo assim é mais difícil de fazer um cálculo do seu número. E o que é mais surpreendente, escolhe o melhor dever religioso que tu já fizeste, e no seu próprio desempenho, tu encontrarás tantos pecados a ponto de ser impossível enumerá-los. Na melhor oração que tu já apresentaste a Deus, há irreverência, mornidão, incredulidade, orgulho espiritual, egoísmo, hipocrisia, distração e muitas outras coisas que a alma iluminada se aflige e chora. Não obstante, há muitas outras coisas que os olhos puros de Deus discernem que nenhum homem nota. — *David Clarkson*

v. 12: "As minhas iniquidades me prenderam". Elas o agarraram como o sucedâneo do pecador, para lidar com ele quanto à penalidade, de acordo com o merecido castigo do pecador. — *James Frame*

v. 13: Os versículos restantes deste salmo são quase exatamente idênticos ao Salmo 70.

v. 14: "Sejam à uma confundidos e envergonhados os que buscam a minha vida para destruí-la; tornem atrás e confundam-se os que me querem mal". Mesmo essa oração trazia benevolência em seu seio. Buscava do Pai divino a manifestação do que era glorioso e celestial para enfraquecer os braços rebeldes e intimidar os corações rebeldes na turba do traidor. Se cada braço fosse por um pouco enfraquecido, se cada coração fosse por um pouco acovardado, poderia haver tempo para os melhores princípios da natureza surgirem e prenderem a ação do mau desígnio. Sendo esse o alvo benevolente da oração, não há porque admirar-nos de ter saído do mesmo coração que, mais tarde, exclamou: "Pai, perdoa-lhes, porque não sabem o que fazem" (Lc 23.34), nem precisamos maravilhar-nos que foi respondido ao pé da letra, e que assim que ele disse ao bando do traidor: "Sou eu", eles recuassem e caíssem por terra (Jo 18.5,6). — *James Frame*

v. 15: "Ah! Ah!" Essa exclamação ocorre três vezes nos salmos. Em cada caso, é, ao que parece, referência ao escárnio sofrido por Jesus na Paixão. Confere Salmo 35.21 e 70.3, que parecem pertencer à época em que esse salmo foi escrito. — *Christopher Wordsworth*

v. 16: "Folguem e alegrem-se em ti os que te buscam". Assim como cada misericórdia dada a todo crente é uma prova da prontidão de Deus em mostrar misericórdia igual a todos os crentes, quando em necessidade, assim também toda misericórdia mostrada a quem quer que seja, sendo conhecida pelos demais, proporciona o tema e oportunidade para glorificar ao Senhor. — David Dickson

v. 16: "Os que amam a tua salvação". Amar a salvação de Deus é amar o próprio Deus, o Salvador, ou Jesus. — *Martin Geier*

v. 16: "Os que amam a tua salvação". Alguém pensaria que o amor-próprio basta para nos fazer amar a salvação. Mas nós a amamos porque é dEle: "Os que amam a *tua* salvação". Faz parte do caráter cristão amar a salvação em si — não como unicamente sua, mas como de Deus, como do Deus que o salva. — *Thomas Goodwin*

v. 16: "Digam constantemente os que amam a tua salvação: Engrandecido seja o Senhor". Jesus, que nos deu a capacidade de ser feliz e a capacidade de falar, concretizou a relação que ele tinha estabelecido entre ambas. Por conseguinte, orando pelos amigos, ele pediu que, quando estivessem alegres e contentes de alma, eles dissessem: "Engrandecido seja o Senhor". O seu desejo era que eles falassem da felicidade santa que tinham. O seu desejo era que, quando falassem dessa felicidade, falassem em termos de louvação ao Senhor, porque Ele era a fonte. O seu desejo era que eles dissessem continuamente: "Engrandecido seja o Senhor". — *James Frame*

v. 17: Na biografia de Malan, o editor, um dos seus filhos, escreve o seguinte a respeito do seu irmão Jocelyn que, durante alguns anos antes de morrer, passou por sofrimentos extremamente intensos: "Um traço notável do seu caráter era o santo temor que ele tinha de Deus e a reverência à vontade divina. Certo dia, eu estava recitando este versículo dos salmos: 'Eu sou pobre e necessitado; mas o Senhor cuida de mim: tu és o meu auxílio e o meu libertador; não te detenhas, ó meu Deus', quando ele disse: 'Mamãe, eu gosto deste versículo, menos da última parte, porque parece que é uma queixa contra Deus. Deus nunca se deteve no meu caso'.". — Extraído de "The Life, Labours, and Writings of Caesar Malan (1787–1864): By One of his Sons" [A Vida, Labutas e Escritos de César Malan [1787–1864]: Por Um dos seus Filhos], *1689*

v. 17: "Mas o Senhor cuida de mim". A história sagrada deriva dos céus a bondade de Abimeleque por Abraão, de Labão e Esaú por Jacó, de Rute por Noemi, de Boaz por Rute e de Jônatas por Davi. Quando os outros pensam bem de nós, imitemos Davi, é o Senhor que cuida de mim e forma tal bondade no coração dessas pessoas. Isso deveria acalmar nosso espírito quando o coração de antigos amigos se afastar por aceitação precipitada de falsas sugestões, ou quando algum Jônatas fiel expira o espírito no seio de Deus. Não deveria se perder o que Hobson, o nobre e finado carteiro de Cambridge, disse a um estudante que recebeu uma carta com a triste notícia da morte do tio (que o sustentava na universidade) e chorava amargamente. Tomando conhecimento da causa da aflição, ele respondeu: "Quem lhe deu esse amigo?" Essas palavras grandemente o consolaram, servindo-lhe de apoio e encorajamento durante o seu ministério. O Deus Eterno é a porção da fé viva, e nada falta para quem possui tamanha quantidade de recursos. Aquele que, ao seu bel-prazer, inclina o coração dos reis como rios, inclina todos os pequenos riachos do mundo para terras torradas e ressecadas, como lhe apraz (cf. Pv 21.1). — *Samuel Lee*

v. 17: "Mas o Senhor cuida de mim". Há três coisas acerca de Deus cuidar de nós que nos consolam e nos deleitam.

(1) Observemos a *frequência* dos cuidados em termos de pensamento. De fato, os pensamentos são incessantes. Tu tens um amigo, a quem estimas e amas. Tu desejas estar sempre nos seus pensamentos. Tu dizes quando partes e quando escreves: "Pensa em mim". Tu lhe dás, talvez, uma lembrancinha para reavivar-lhe a recordação. Como Selkirk, o marinheiro escocês, na ilha solitária, foi natural ao dizer:

Os meus amigos enviam de vez em quando
Um desejo ou pensamento sobre mim?
Diz-me, ainda tenho um amigo
Embora um amigo eu nunca veja?

Vós, ventos, que me fizeram de brinquedo
Trazei para esta praia deserta
Um relatório sincero e amável
De uma terra que não visitarei mais

Mas a pessoa mais querida do mundo não pode ficar pensando em ti sempre. Na metade do tempo, ela está em estado de inconsciência, e na outra metade está absorta em afazeres! Mas não há descanso nos pensamentos e cuidado de Deus por ti. [...]

(2) Observemos a *sabedoria* dos cuidados em termos de pensamento. Tu tens um filho querido, ausente de ti, e o acompanhas mentalmente. Mas tu não sabes quais são as circunstâncias vigentes. Tu o deixaste em determinado lugar, mas onde ele está agora? Tu o deixaste em certa condição, mas como ele está agora? Talvez, enquanto tu estavas pensando na sua saúde, ele estivesse gemendo por ter machucado a perna ou ter sido acometido de uma doença dolorosa. Talvez, enquanto tu estavas pensando na sua segurança, algum inimigo estivesse tirando proveito

da inocência dele. Talvez, enquanto tu estavas se alegrando na sua prudência, ele estivesse a ponto de dar um passo que o prejudique pelo resto da vida. Mas quando Deus pensa em ti, quando Ele cuida de ti, Ele está perfeitamente familiarizado com a tua situação, perigos, necessidades. Ele conhece todo o teu andar por este grande deserto e pode te oferecer o socorro oportuno que tu precisas.

(3) Observemos a *eficiência* dos cuidados em termos de pensamento. Tu pensas em alguém e ficas ansioso em orientar, ou defender, ou ajudar. Mas em quantos casos tu podes pensar? A solicitude não pode controlar a doença física, não pode dissipar a melancolia mental. Mas com Deus todas as coisas são possíveis. Aquele que pensa em ti é um Deus que está perto e não está longe. Ele tem todos os acontecimentos e fatos sob controle. Ele é o Deus de toda graça. Portanto, se Ele não livra imediatamente, não é porque seja incapaz de socorrer, e sim porque Ele está esperando para ser benevolente. — *William Jay*

SUGESTÕES AOS PREGADORES

v. 1. (1) A minha parte: orar e esperar. (2) A parte de Deus: condescender e responder.

v. 2. (1) A profundidade da bondade de Deus para com o seu povo. Ele os encontra muitas vezes em um lago horrível e charco de lodo. Existe uma aranha que faz um buraco na areia e fica escondida no fundo para apoderar-se dos insetos que caem ali. Assim, os inimigos de Davi tentaram apoderar-se dele. (2) A altura da bondade de Deus. Ele me tirou e pôs os meus pés sobre uma rocha. Essa rocha é Cristo. Esses pés são a fé e a esperança. (3) A largura da bondade de Deus firmou os meus passos, restaurou-me ao lugar onde eu estava no seu amor, mostrando-me também que não deixei de ser dEle durante o tempo da minha situação penosa. Ele foi o mesmo para mim, embora eu não sentisse o mesmo por Ele. Meus passos se referem ao passado e ao futuro. (4) A força da bondade de Deus firmou os meus passos, fazendo-me ficar mais firme depois de cada queda. — *George Rogers*

vv. 2 e 3. A posição do pecador por natureza e o seu salvamento pela graça.

vv. 2 e 3. Por um único ato, o Senhor opera a nossa salvação, a confusão dos nossos inimigos e a edificação da igreja. — *Comentário de J. P. Lange*

v. 3. O novo cântico, o cantor, o professor.

v. 4. "Nem os que se desviam para a mentira": (1) Descubra quem se desvia para a mentira: os ateus, os egoístas, os metidos a santo, os amantes do pecado. (2) Mostre a loucura de afastarem-se de Deus e da verdade e de voltarem-se para as falácias que levam à morte. (3) Exponha como sermos guardados de loucura igual, escolhendo a verdade, as pessoas íntegras e, acima de tudo, o serviço de Deus.

v. 5. (1) Há as maravilhas que Deus opera no seu povo e para o seu povo. Há as maravilhas da criação, da providência e da redenção, e também as maravilhas da graça, operadas neles pelo Espírito e ao redor deles pela providência, como também para eles pelo Filho. (2) As maravilhas são obras maravilhosas. São maravilhosas na diversidade, na ternura, na adaptação à necessidade, na cooperação com os meios externos e no poder.

(3) As maravilhas são o resultado dos pensamentos divinos concernentes a nós. Não vêm por acaso, nem por homens, mas pela mão de Deus. Essa mão é movida pela sua vontade, e essa vontade, pelo seu pensamento com relação a nós. Cada misericórdia, até a menor, representa algum tipo de pensamento que Deus teve a nosso respeito. Deus pensa em cada um do seu povo e a todo momento. (4) As maravilhas são inumeráveis: "Não se podem contar". Pudéssemos ver todas as misericórdias de Deus mostradas a nós e as maravilhas que Ele opera individualmente, elas seriam

incontáveis como a areia. Todas essas misericórdias incontáveis representam pensamentos incontáveis na mente e coração de Deus por cada um do seu povo. — *George Rogers*

v. 5. A multidão dos pensamentos de Deus e as obras da graça, começando na eternidade e continuando para sempre; e lidando com esta vida, o Céu, o Inferno, o pecado, os anjos, os demônios e, de fato, com todas as coisas.

v. 6. Aqui Davi vai além de si mesmo e fala a linguagem do Filho de Davi. É o que indica naturalmente as maravilhas de Deus e os seus inumeráveis pensamentos de amor sobre os homens: (1) *Os sacrifícios que não eram necessários:* Eram os sacrifícios e holocaustos da lei. (a) Quando eram necessários? De Adão até à vinda de Cristo. (b) Quando não eram mais necessários? (c) Por que eram necessários antes? Porque eram como tipos de um método de redenção. (d) Por que não são mais necessários hoje? Porque o grande Antítipo chegou. (2) *O sacrifício que era necessário:* Era o sacrifício feito no Calvário. (a) Foi exigido por Deus pela sua justiça, sabedoria, fidelidade, amor, honra, glória. (b) Foi exigido pelo homem para dar-lhe salvação e confiança nessa salvação. (c) Foi exigido para a honra do governo moral de Deus ao longo de todo o universo. (3) *A pessoa por quem este sacrifício foi oferecido:* "Os meus ouvidos abriste". Essa é a linguagem de Cristo, denotado de forma previdente: (a) Conhecimento do sacrifício necessário. (b) Consagração de si mesmo como servo para esse fim. — *George Rogers*

v. 6. "Os meus ouvidos abriste." Prontidão em ouvir, firmeza de propósito, perfeição de obediência, inteireza de consagração.

vv. 6 a 8. O Deus nos deu ouvidos para ouvir a sua palavra, boca para confessá-la, coração para amá-la e o poder para guardá-la.

v. 7. (1) O tempo da vinda de Cristo: "Então disse". Quando os tipos se exauriram, quando as profecias procuravam o seu cumprimento, quando a sabedoria mundana fizera o seu máximo, quando o mundo estava quase completamente unido sob um império, quando o tempo designado pelo Pai chegara. (2) O desígnio da vinda de Cristo: "No rolo do livro" estava escrito: (a) A constituição da sua pessoa. (b) O seu ensino. (c) O seu modo de vida. (d) O desígnio da sua morte. (e) A sua ressurreição e ascensão. (f) O reino que Ele estabeleceria. (3) A voluntariedade da sua vinda: "Eis aqui venho". Embora enviado pelo Pai, Ele veio por iniciativa própria: "Cristo Jesus veio ao mundo" (1 Tm 1.15). Os homens não vêm, eles são enviados ao mundo. "Eis aqui venho" denota preexistência, predeterminação, pré-operação. — *George Rogers*

v. 8. *"Em fazer a tua vontade, ó Deus"*: (1) A vontade de Deus é vista no fato da salvação. Tem sua origem na vontade de Deus. (2) A vontade de Deus é vista no plano de salvação. Todas as coisas procedem, estão procedendo e procederão de acordo com esse plano. (3) A vontade de Deus é vista na provisão da salvação, na nomeação do seu Filho para tornar-se o mediador, o sacrifício expiatório, o cumpridor da Lei, a cabeça da Igreja que o seu plano exigia. (4) A vontade de Deus é vista na realização da salvação.

v. 9. Referindo-se ao nosso Senhor: (1) Um grande pregador. (2) Um grande tema. (3) Uma grande congregação. (4) A sua grande fidelidade na obra.

v. 10. *"Não escondi a tua justiça dentro do meu coração"*: (1) A justiça possuída por Deus. (2) A justiça receitada prescrita por Deus. (3) A justiça provida por Deus. — *James Frame*

v. 10. (1) O pregador tem de entregar a mensagem toda. (2) O pregador não deve esconde nada: (a) Nada sobre a justiça da lei ou do evangelho. (b) Nada sobre a benignidade da graça. (c) Nada sobre a porção da verdade. Pois omitir: (a) É esconder. (b) Embaralhar com raciocínios humanos. (c) Cobrir com floreios de retórica. (d) Fazer uma apresentação parcial. (e) Pôr uma verdade no lugar de outra. (e) Dar a letra sem o espírito. — *George Rogers*

v. 10. O grande pecado de esconder o que sabemos sobre Deus.

v. 11. O salmista busca enriquecimento e proteção. (1) As verdadeiras riquezas são de Deus, os dons da sua soberania, os frutos da sua misericórdia, marcados com a sua ternura. (2) As melhores proteções são o amor e a fidelidade de Deus.

v. 12. Compare esse versículo com o versículo 5. A quantidade dos nossos pecados e a quantidade dos pensamentos de amor do Senhor.

v. 12. *"As minhas iniquidades me prenderam"*: (1) A alma presa: "me prenderam". (2) A alma desnorteada: "não posso olhar para cima". (3) O único refúgio da alma: a oração (v. 13).

v. 13. (1) A linguagem da oração crente: "livra-me", "apressa-te em meu auxílio", buscando o livramento e o auxílio de Deus somente. (2) A linguagem da oração fervorosa: "apressa-te em meu auxílio". (3) A linguagem da oração submissa: "digna-te", se estiver de acordo com o teu bom prazer. (4) A linguagem da oração consistente: "apressa-te em meu auxílio", o que dá a entender os esforços para o seu próprio livramento, pondo mãos à obra.

vv. 11 a 13. Como exemplo de inventividade clerical, é bom mencionar que Christopher Wordsworth tem um sermão sobre estes versículos no capítulo "The duty of making responses in public prayer" [O dever de dar respostas na oração pública], do livro "Discourses on Public Education" [Discursos sobre o Ensino Público].

v. 14. *Honi soit qui mal y pense*, ou a recompensa da malignidade.

v. 16. *"Engrandecido seja o Senhor."* É uma declaração a ser dita todos os dias: (1) Quem pode dizê-la? (2) O que significa? (3) Por que eles a dizem? (4) Por que dizê-la continuamente?

v. 17. (1) O humilde e crente "mas". (2) O pequeno "eu sou" e o grande "tu és". (3) A oração adequada e apropriada.

v. 17. *"O Senhor cuida de mim."* Admiremos a condescendência e depois analisemos o que é: (1) Uma bênção prometida. (2) Uma bênção prática: Ele cuida de nós para nos prover, proteger, dirigir, santificar. (3) Uma bênção preciosa: Ele cuida de nós de maneira amável, ininterrupta e muito boa. Ele cuida de nós como suas criaturas, com compaixão, como seus filhos, com carinho, como seus amigos, com prazer. (4) Uma bênção presente: Promessas, providências, visitações da graça.

v. 17. (1) Quanto menos pensarmos em nós, mais Deus pensa em nós, cuidando-nos. (2) Quanto menos pusermos a confiança em nós, mais podemos confiar em Deus na busca de auxílio e libertação. (3) Quanto menos adiarmos a oração e os esforços ativos, mais cedo Deus aparecerá para nós.

SALMO 41

TÍTULO

Salmo de Davi para o cantor-mor. Esse título já apareceu muitas vezes e serve para nos fazer lembrar o valor do salmo, visto que não foi entregue a um cantor ruim. Serve também para nos informar sobre o autor que fez da própria experiência a base de um cântico profético, no qual é apresentado alguém muito maior do que Davi. Quantas experiências Davi teve! Quanto poder isso lhe deu para edificar as épocas futuras! E como ele se tornou um tipo completo de nosso Senhor Jesus Cristo! O que lhe era amargo acabou sendo uma fonte de doçura infalível para muitas gerações de crentes.

Jesus Cristo traído por Judas Iscariotes é o grande tema deste salmo, mas não pensamos que o seja exclusivamente. Ele é o antítipo de Davi, e todo o seu povo é, guardadas as proporções, como Ele. Por isso, palavras adequadas ao Grande Representante são mais aplicáveis aos que estão nEle. Aqueles que recebem a maldade por bondade contínua feita aos outros, leem este cântico como um consolo porque constatam que é muito comum o melhor dos homens ser recompensado pela caridade santa com crueldade e desprezo. Quando foram humilhados por caírem em pecado, as pessoas tiraram vantagem dessa situação penosa, esqueceram-se das boas ações praticadas e descarregaram sobre eles o mais vil despeito.

DIVISÃO

Nos versículos 1 a 3, o salmista descreve as misericórdias que são prometidas aos que atendem os pobres. Ele usa essa descrição como prefácio ao argumento pessoal na busca de socorro.

Nos versículos 4 a 9, Davi expõe o caso, no versículo 10, ele passa à oração e nos versículos 11 a 13, finaliza com ação de graças.

EXPOSIÇÃO

1 *Bem-aventurado é aquele que atende ao pobre; o* S*ENHOR* *o livrará no dia do mal.*

2 O Senhor o livrará e o conservará em vida; será abençoado na terra, e tu não o entregarás à vontade de seus inimigos.
3 O Senhor o sustentará no leito da enfermidade; tu renovas a sua cama na doença.

1. *"Bem-aventurado é aquele que atende ao pobre."* Esse é o terceiro salmo que começa com uma bem-aventurança, havendo nesta uma ampliação lógica e sequencial em relação às primeiras. A primeira bem-aventurança é investigar a palavra de Deus. A segunda é o pecado perdoado. E a terceira é o pecador perdoado produzir frutos para Deus, disponibilizando-os para o bem dos outros. A palavra usada é tão enfática quanto nos primeiros casos, sendo igualmente a bênção que a segue. Os pobres são os pobres em bens materiais, fracos em força física, menosprezados em reputação e desanimados de espírito. Estes são principalmente evitados e frequentemente desprezados. O provérbio mundano entrega os menos favorecidos a alguém que não tem misericórdia. Os doentes e os tristes são má companhia, e o mundo os repudia como o amalequita abandonou o seu servo moribundo. Aqueles que foram feitos participantes da graça divina recebem uma natureza mais afável e não são endurecidos contra a própria carne e sangue. Defendem a causa dos oprimidos e dedicam-se seriamente para a promoção do bem-estar dessas pessoas. Não lançam nem uma moedinha para eles e não param de andar, mas investigam os problemas, vasculham a causa, estudam os melhores meios de socorrer e praticamente os salvam. São esses que têm sobre si a marca clara do favor divino, sendo seguramente as ovelhas do pasto do Senhor, como se tivessem em sua testa uma marca. Anos atrás, não eram conhecidos por atender os pobres, mas agora são. A benevolência passada, quando ostentada, revela a sovinice presente. Em primeiro lugar, e muito acima de todos os outros na compaixão terna pelos necessitados está o nosso Senhor Jesus, que tanto se lembrou da nossa situação penosa que, embora rico, por nossa causa se fez pobre. Todos os seus atributos foram encarregados com a tarefa de nos enaltecer. Ele avaliou o nosso caso e veio na plenitude de sabedoria para realizar a maravilhosa obra de misericórdia, pela qual somos redimidos de nossas destruições. A desgraça aguilhoou a sua piedade, a miséria moveu a sua misericórdia e altamente bendito seja Ele tanto pelo seu Deus quanto pelos seus santos, por causa do seu cuidado bondoso e ação sábia para conosco. Ele ainda nos considera. A sua misericórdia sempre está no tempo presente, e assim estejam os nossos louvores.

"O Senhor o livrará no dia do mal." O amante compassivo dos pobres cuidou dos outros e então Deus cuidará dEle. Deus nos mede com a nossa própria medida. Os dias de dificuldade ocorrem até mesmo para os mais generosos. A mais sábia provisão para os dias de privações é feita por aqueles que deram abrigo às pessoas quando os tempos eram melhores para eles. A promessa não é que os santos generosos não têm dificuldade, mas que serão preservados durante a dificuldade, e no devido tempo, tirados dela. Como isso foi verdadeiro para com o nosso Senhor! Jamais houve dificuldade mais intensa, nem triunfo mais brilhante do que o dEle. Glória seja dada ao seu nome, pois Jesus garante a última vitória de todos os comprados pelo seu sangue. Não seriam todos eles mais semelhante a Cristo revestindo-se de entranhas de compaixão pelos pobres? Muita bem-aventurança perde quem restringe as esmolas. A alegria de fazer o bem, a doce reação da felicidade do outro, o sorriso aprovador dos céus ao coração, se não à propriedade, são coisas que a alma mesquinha não conhece. O egoísmo traz em si mesmo uma maldição, é uma ferida no coração, ao passo que a liberalidade é a felicidade e engorda os ossos. Nos dias difíceis, não podemos descansar no suposto mérito dos atos de caridade, mas a música da memória ainda traz consigo consolo não desprezível, quando fala sobre as viúvas e órfãos que temos socorrido, e os prisioneiros e doentes a quem auxiliamos.

2. *"O SENHOR o livrará e o conservará em vida."* A mais nobre vida do salmista será imortal, e até a vida mortal será sagradamente guardada pelo poder do Senhor. Jesus continuou vivendo até que a sua hora chegou, e nem puderam as astutas artimanhas de Herodes tirar-lhe a vida até que a hora aprazada chegasse. Mesmo assim, nenhum homem lhe tirou a vida, mas Ele a deu e a tomou de volta. Essa é a porção de todos os que são feitos semelhantes ao seu Senhor: eles abençoam e serão abençoados, conservam e serão conservados, cuidam da vida dos outros e eles mesmos serão preciosos à vista do Senhor. Os avaros, como os porcos, não servem para nada até que estejam mortos — então que morram. Os justos, como os bois, são de serventia durante a vida — que vivam então.

"Será abençoado na terra." A prosperidade o atenderá. O jarro de óleo não se secará, porque ele alimentou o pobre profeta. Ele cortará o rolo de tecido e descobrirá que está mais comprido em ambas as pontas.

Havia um homem, e alguns o reputavam doido
Quanto mais ele dava mais tinha

Se os ganhos temporais não lhe são dados, os espirituais lhe serão dobrados. O seu pouco será abençoado, pão e água será um banquete para ele. Os liberais são e devem ser abençoados aqui. Eles têm uma porção presente como também futura. A verdadeira bem-aventurança de coração do nosso Senhor na alegria que foi colocada diante deles é um assunto digno de pensamento sério, sobretudo tendo em vista que é o quadro de bênção que todos os santos liberais procuram.

"E tu não o entregarás à vontade de seus inimigos". Ele ajudou os aflitos, agora terá um defensor no seu Deus. O que não fariam os inimigos do homem bom se eles o tivessem à disposição? Melhor estar em uma cova com víboras do que estar à mercê dos perseguidores. Essa frase coloca diante de nós uma agradável negativa. Contudo, não fosse fácil ver como seria verdade em relação ao nosso Senhor Jesus, sabemos que embora Ele foi isentado de muitas bênçãos por ter sido feito maldição por nós, até mesmo Cristo não foi totalmente nem para sempre abandonado por Deus, mas no devido tempo foi exaltado acima de todos os inimigos.

3. "O Senhor o sustentará no leito da enfermidade." Os braços eternos lhe envolverão a alma como mãos amigáveis e travesseiros felpudos envolvem o corpo do doente. Como é terna e compassiva essa imagem! Como ela aproxima o nosso Deus das nossas fraquezas e enfermidades! Quem já ouviu tal coisa do velho e cruel Júpiter ou dos deuses da Índia ou da China? Essa é linguagem peculiar ao Deus de Israel. É Ele que se digna em ser a pajem e o atendente dos homens bons. Se Deus golpeia com uma mão, Ele sustenta com a outra. É um abençoado desmaio quando a pessoa cai nos braços de Deus, sendo assim apoiado por Ele! A graça é o melhor fortificante. O amor divino é o mais valioso estimulante para o paciente desanimado. Torna a alma forte como um gigante, mesmo quando os ossos doloridos estão saindo pela pele, dilacerando-a. Não há médico como o Senhor, não há tônico como a sua promessa, não há balsamo como o seu amor.

"Tu renovas a sua cama na doença." O quê? O Senhor torna-se um tipo de "arrumador" para os seus filhos doentes? Nisso há amor verdadeiro. Quem não atenderia os pobres se fosse prometida essa recompensa? A cama logo fica dura quando o corpo está cansado de virar para lá e para cá, contudo a graça dá paciência e o sorriso de Deus dá paz, e a cama é afofada, porque o coração do homem está contente. Os travesseiros são felpudos, porque a cabeça está calma. Notemos que o Senhor fará uma renovação *completa*, da cabeça aos pés. Que bondade atenciosa e infatigável! O nosso querido e sempre bendito Senhor Jesus, embora sob todos

os aspectos um herdeiro dessa promessa, por nossa causa condescendeu antecipar a bênção, morrendo em uma cruz e não em uma cama. Entretanto mesmo ali, Ele foi por algum tempo sustentado e alegrado pelo Senhor, seu Deus, de forma que morreu em triunfo.

Não devemos imaginar que a bênção pronunciada nesses três versículos pertença a todos que casualmente dão dinheiro aos pobres, ou são generosos, ou contribuam para instituições de caridade. Os tais fazem bem ou agem por mero costume, conforme for, mas o texto não se refere a eles. A bênção é para aqueles cujo hábito é amar ao próximo como a si mesmos, e que por amor a Cristo alimentam os famintos e vestem os nus. Imaginar que o homem é santo, mas não atende aos pobres conforme a sua capacidade é conceber que a figueira infrutífera é aceitável. Muitos mestres serão severamente tratados quanto a esse ponto no dia em que o Rei vier na sua glória.

4 *Eu dizia:* Senhor, *tem piedade de mim; sara a minha alma, porque pequei contra ti.*
5 *Os meus inimigos falam mal de mim, dizendo: Quando morrerá ele, e perecerá o seu nome?*
6 *E, se algum deles vem ver-me, diz coisas vãs; no seu coração amontoa a maldade; em saindo para fora, é disso que fala.*
7 *Todos os que me aborrecem murmuram à uma contra mim; contra mim imaginam o mal, dizendo:*
8 *Uma doença má se lhe pegou; e, pois que está deitado, não se levantará mais.*
9 *Até o meu próprio amigo íntimo, em quem eu tanto confiava, que comia do meu pão, levantou contra mim o seu calcanhar.*

Temos aqui, uma controvérsia entre o suplicante e o seu Deus. Ele fora um amável amigo para os pobres, mas na hora da necessidade a ajuda prometida não chegou. No caso do nosso Senhor, houve uma noite escura e triste na qual argumentos como esses condiziam perfeitamente com a sua situação.

4. *"Eu dizia [dizia em fervorosa oração]:* Senhor, *tem piedade de mim."* Prova agora os teus procedimentos graciosos com a minha alma na adversidade, visto que em tempos passados me deste graça para agir liberalmente na prosperidade. Não há uma súplica por justiça. O suplicante apenas sugere a recompensa prometida, mas é direto em colocar o argumento aos pés da misericórdia. Até que ponto humilhante o nosso Redentor foi levado quando semelhantes petições foram proferidas por sua boca reverente, quando os seus lábios como lírios deixaram de exalar cheiro suave e passaram a desprender mirra amarga!

"Sara a minha alma". O meu tempo de ficar doente chegou. Agora faze como tu disseste, e fortalece-me, especialmente em minha alma. Temos de ser mais fervorosos pela cura da alma do que pelo bem-estar do corpo. Ouvimos muito sobre a cura da alma, mas com frequência nos esquecemos de cuidar dela.

"Porque pequei contra ti." Aqui estava a raiz do problema. O pecado e o sofrimento são companheiros inevitáveis. Observemos que o salmista entendia que o pecado era principalmente mau, porque era dirigido contra Deus. Esta é a essência do verdadeiro arrependimento. O Salvador imaculado jamais poderia ter usado tais palavras, a menos que haja aqui uma referência ao pecado que Ele tomou sobre si por imputação. Quanto a mim, tremo em aplicar palavras que indicam pecado tão manifestadamente pessoal, em vez de pecado imputado. Ao aplicar a súplica a Davi e a outros crentes pecadores, como soa estranhamente evangélico o argumento: Sara-me, não porque sou inocente, mas porque pequei. Como é contrário à súplica de todo aquele que se considera justo aos próprios olhos! Como é consoante com a graça! Como é incompatível com o mérito! Até mesmo o fato de que o professo penitente

tinha se lembrado dos pobres é apenas obliquamente argumentado. Ele faz um apelo direto à misericórdia por causa de grande pecado. Ó leitor trêmulo, esse é um precedente divinamente revelado para ti. Portanto, não sejas indolente em segui-lo.

5. *"Os meus inimigos falam mal de mim."* Fazia parte da natureza de os inimigos fazerem e falarem mal. Era impossível que o filho de Deus escapasse deles. A víbora prendeu-se na mão de Paulo. Quanto melhor o homem, mais provável e mais venenosa a difamação. As línguas más são línguas ativas que nunca se ocupam com a verdade. Jesus foi infamado ao extremo, embora não houve crime nEle.

"Quando morrerá ele, e perecerá o seu nome?" Os inimigos só se contentavam com a morte dele. O mundo não é suficientemente grande para os homens viverem enquanto os justos estão vivos. A presença física dos santos pode ter acabado, mas a sua memória é um insulto para os inimigos. A Inglaterra deixou de ser alegre, dizem eles, desde que os homens passaram a cantar salmos. No caso do Senhor, eles clamaram: "Tira da terra um tal homem, porque não convém que viva!" (At 22.22). Se os perseguidores pudessem fazer o que quisessem, a igreja teria só um pescoço, e este estaria no cadafalso. Os ladrões apagariam de bom grado todas as velas. As luzes do mundo não são prazerosas para o mundo. Pobres morcegos cegos voam para a lamparina na tentativa derrubá-la. Mas o Senhor vive e guarda os santos e os seus nomes.

6. *"E, se algum deles vem ver-me, diz coisas vãs."* As visitas de solidariedade são visitas de escárnio. Quando a raposa aborda o cordeiro doente usa palavras macias, ao mesmo tempo em que lambe os beiços na esperança da carcaça. É trabalho miserável ter espiões rodando frequentemente o dormitório, fazendo visitas a pretexto de bondade, mas com malícia no coração. As conversas fingidas são sempre ofensivas e nauseantes para os honestos, sobretudo para os santos sofredores. O nosso Senhor divino teve muito disso vindo de corações falsos que lhe vigiavam as palavras.

"No seu coração amontoa a maldade", juntando a fome com a vontade de comer. Os pássaros fazem ninho de penas. Das mais doces flores os químicos podem destilar veneno e das mais puras palavras e ações a malícia pode reunir base para relatos caluniosos. É extremamente admirável como o ódio desfia intrigas sem a menor materialidade. Não é pequena provação ter pessoas vis por perto mentindo, só na espera de palavras que possam distorcer para o mal. O Mestre a quem servimos esteve constantemente sujeito a essa aflição.

"Em saindo para fora, é disso que fala." Ele confecciona as mentiras e depois as vende na feira livre. Tão logo sai da casa, a mentira já é de conhecimento público, e isso contra um doente a quem acabara de visitar como amigo — um doente cujas palavras incoerentes e fortuitas deveriam suscitar piedade. Ah, infeliz malvado! Filho do Diabo, sem dúvida. Até que ponto os homens vão para espalhar difamações! Servindo-se de falsidades, anunciariam de bom grado o céu! Uma pequena falta é aumentada ao máximo. Um deslize de língua é uma calúnia, um engano é um crime. Se uma palavra tem dois sentidos, escolhem sempre o pior para lhe atribuírem à autoria. "Não o noticieis em Gate, não o publiqueis nas ruas de Asquelom, para que não se alegrem as filhas [...] dos incircuncisos" (2 Sm 1.20). É atitude ignóbil bater em um homem caído. Contudo, esta é a maldade que a humanidade pratica contra o herói cristão, caso ele esteja, por algum tempo, passando por uma nuvem de dificuldade.

7. *"Todos os que me aborrecem murmuram à uma contra mim."* O espião reúne-se com os seus comparsas e todos ficam cochichando uns com os outros. Por que não falavam em voz alta? Estavam com medo do guerreiro doente? Ou eram os seus desígnios tão traiçoeiros que precisavam ser tramados em secreto? Notemos a unanimidade dos ímpios: "todos". Como entusiasticamente se unem os cães para

caçar o antílope! Quisera Deus que fôssemos tão unidos na obra santa, quanto os perseguidores são nos projetos maldosos e que fôssemos tão sábios quanto eles são astuciosos. O murmúrio revelava habilidade como também covardice, pois a conspiração não deve ser conhecida até tudo estar pronto.

"Contra mim imaginam o mal." Eles juntam cabeças para tramar e conspirar. Foi o que fizeram Aitofel e os demais conselheiros de Absalão, como também os principais dos sacerdotes e fariseus. Os homens maus são bons em maquinar. São dados à meditação, pensadores extremamente focados, mas o alvo que almejam é sempre prejudicar os crentes. Quando surgem cobras na grama sabemos que o fim não é bom.

8. *"Uma doença má se lhe pegou."* Eles murmuram entre si que uma maldição caiu sobre o amigo doente e ficou cravado no seu ser. Insinuam que um segredo asqueroso lhe mancha o caráter, e que tal segredo é como um fantasma que lhe assombra a casa, e jamais pode ser aplacado. Um ar de mistério é lançado em torno dessa declaração duplamente dúbia para mostrar como são indistintos os murmúrios da maldade. Exatamente assim foi o nosso Senhor reputado por "ferido de Deus e oprimido" (Is 53.4). Os inimigos imaginaram que Deus o abandonara e o entregara para sempre nas mãos deles.

"E, pois que está deitado, não se levantará mais." Eles esperavam que a doença fosse mortal, e esta seria excelente notícia para eles. A santidade do homem bom não lhes repreenderia mais o pecado. Agora estavam livres do controle que a piedade mantinha. Como os frades ao redor da cama de John Wickliffe, as predições que faziam eram mais exultantes que precisas, mas eram como açoites dolorosos para o doente. Quando o Senhor por um breve momento fere o seu povo com a vara da aflição, os inimigos esperam vê-los executados exemplarmente. Preparam os cânticos para a celebração dos funerais, mas por estarem com muita pressa têm de mudar as cantilenas e cantar em outro tom. O nosso Redentor eminentemente prenunciou isso, pois por ter sido colocado (ou "deitado") na sepultura, Ele foi gloriosamente ressuscitado. Foram inúteis a guarda, a pedra e o selo! Ao ressuscitar, Jesus deixa os inimigos confundidos.

9. *"Até."* Esse é o clímax da aflição do sofredor, e ele o coloca antes da afirmação enfática, dando a entender que tal vilania dificilmente seria crida.

"O meu próprio amigo íntimo", ou "o homem da minha paz", como consta no original hebraico, com quem eu não tinha diferenças, com quem eu estava aliado, que outrora tinha contribuído para a minha paz e consolo. Assim foi Aitofel com Davi, e Iscariotes com o nosso Senhor. Judas era apóstolo, gozava de livre acesso à privacidade do grande Mestre, ouvia-lhe os pensamentos secretos e, por assim dizer, tinha permissão de ler o próprio coração dEle. "Até tu, Brutos?", disse César ao expirar. O beijo do traidor feriu o coração do nosso Senhor tanto quanto os cravos as mãos.

"Em quem eu tanto confiava". Judas era o tesoureiro do colégio apostólico. Quando há extrema e irrestrita confiança, um ato cruel é mais severamente sentido.

"Que comia do meu pão." Não só como convidado, mas como dependente, um pensionista da minha mesa. Judas imergido no mesmo prato com o seu Senhor, e, por conseguinte foi o mais amaldiçoado foi a sua deslealdade vendendo o Mestre por preço de escravo.

"Levantou contra mim o seu calcanhar." Não apenas me deu as costas, mas um coice violento como um cavalo selvagem. É duro ser rejeitado em nossa necessidade por aqueles que outrora se alimentavam da nossa mesa. É digno de nota que o Redentor tenha aplicado a Judas somente as últimas palavras deste versículo, talvez, porque, sabendo da duplicidade, nunca tenha feito dele um amigo de família, no sentido mais pleno do termo, nem colocado confiança implícita nele. A maldade infernal

planejava que toda circunstância na morte de Jesus acrescentasse sofrimento atroz. A traição era uma das mais amargas gotas de fel. Estamos realmente na miséria, quando o nosso amigo de outros tempos se torna o nosso inimigo implacável, quando a confiança é traída, quando todos os ritos da hospitalidade são pervertidos e a ingratidão é o único troco para a bondade. Não obstante, em tão deplorável caso, podemos nos lançar na fidelidade de Deus, pois Ele, tendo livrado a Cabeça da nossa aliança, está na verdade engajado em ser a ajuda muito presente de todos para quem a aliança foi feita.

10 *Mas tu, SENHOR, tem piedade de mim, e levanta-me, para que eu lhes dê o pago.*

10. *"Mas tu, SENHOR, tem piedade de mim."* Como as pessoas perseguidas e amedrontadas se voltam para o seu Deus! Como parecem tomar fôlego com um "mas tu"! Como se agarram na esperança da misericórdia de Deus quando toda chance de piedade dos homens acaba!

"E levanta-me." Recupera-me da minha doença, dá-me de volta a minha posição. Jesus foi levantado da sepultura. A descida foi interrompida pela ascensão.

"Para que eu lhes dê o pago." Estas palavras formam uma declaração verdadeiramente veterotestamentária, e são uma exceção absoluta do espírito do cristianismo. Contudo, temos de realçar que Davi era uma pessoa que desempenhava a função oracular, e pode, sem a menor vingança pessoal, desejar castigar os que lhe tinham insultado a autoridade e difamando-lhe a figura pública. O nosso Grande Apóstolo e Sumo Sacerdote não tinha nenhuma hostilidade pessoal, mas até mesmo Ele, pela ressurreição, deu o pago aos poderes do mal e vingou-se da morte e do inferno por todos os ataques vis interpostos contra a sua causa e pessoa. A aplicação forçada de cada frase deste salmo a Cristo não é a nossa preferência. Preferimos chamar atenção ao espírito do evangelho por ser melhor do que o da antiga dispensação.

11 *Por isto conheço eu que tu me favoreces: que o meu inimigo não triunfa de mim.*
12 *Quanto a mim, tu me sustentas na minha sinceridade e me puseste diante da tua face para sempre.*
13 *Bendito seja o SENHOR, Deus de Israel, de século em século! Amém e Amém!*

11. Todos ficamos alegres com sinais que prenunciam o bem. O salmista sentia que era um presságio auspicioso ele, depois do profundo vale, não ter sido entregue totalmente para o inimigo.

"Por isto conheço eu que tu me favoreces." Tu tens uma consideração especial por mim, e eu, em meu coração, tenho a certeza secreta disso. Portanto, os teus procedimentos não me espantam, porque sei que tu me amas em tudo que fazes.

"Que o meu inimigo não triunfa de mim." Se o crente não triunfa dos seus inimigos, ele deve ficar alegre por eles não triunfarem dele. Se não temos tudo o que queremos, devemos louvar a Deus por tudo que temos. Muito há em nós sobre o que os descrentes podem exultar, e se a misericórdia de Deus mantém a boca dos cães fechada, quando poderia estar aberta, temos de lhe dar a nossa mais sincera gratidão. Que maravilha é que, quando o Diabo toma parte na discussão com um pobre, errante, acamado, abandonado e caluniado santo, e tem mil línguas más para ajudá-lo, mesmo assim não vence, mas no fim tem de retirar-se de maneira furtiva e sem reputação.

O santo mais fraco alcança a vitória
Ainda que a morte e o inferno lhe obstruam o caminho

12. *"Quanto a mim [apesar de todos eles e em vista deles todos], tu me sustentas na minha sinceridade."* O teu poder capacita-me a subir acima do alcance da calúnia por intermédio de uma vida vivida em pureza e integridade. A nossa simplicidade e consistência são o resultado do sustento divino. Somos como óculos sem hastes, que só ficam na posição vertical enquanto são segurados com a mão. Se dependermos de nós mesmos, caímos, escorregamos e quebramos tudo. É graças ao Senhor que somos diariamente sustentados e não caímos em pecado horrendo. Quando os outros pecam mostram o que faríamos se não fosse a graça que nos impede. "Hoje ele, amanhã eu" era a exclamação do homem santo sempre que via outro caindo em pecado. A nossa sinceridade (ou "integridade", ARA) é relativa tanto quanto dependente. Devemos, portanto, ser humildes enquanto somos gratos. Se somos inocentes das supostas faltas apontadas contra nós pelos caluniadores, temos suficiente culpa efetiva para nos deixar envergonhados de nos vangloriar.

"E me puseste diante da tua face para sempr." Ele se alegrava por viver sob a vigilância divina, sendo cuidado, dirigido e favorecido pelo seu Senhor, e mais ainda porque isso seria para sempre. Estar diante de um monarca terreno é considerada uma honra singular. O que será, então, ser um cortesão perpétuo no palácio do Rei eterno, imortal, invisível?

13. O salmo finaliza com uma doxologia.

"Bendito seja o Senhor", ou seja, glorificado seja Ele. A bênção inicial proferida pela boca de Deus volta ao ser proferida pela boca do seu servo

Não podemos adicionar algo à bem-aventurança do Senhor, mas podemos extravasar os nossos desejos gratos. Estes ele aceita, como recebemos pequenos presentes de flores de crianças que nos amam. Jeová ("Senhor") é o nome pessoal do nosso Deus.

"Deus de Israel" é o título ligado à aliança, demonstrando a relação especial que Deus tem com o povo eleito.

"De século em século!" Esse é o modo mais forte de expressar duração infinita. *Nós* morremos, mas a glória de Deus permanece ininterruptamente sem pausa.

"Amém e Amém!" Assim seja firme, segura e eternamente. Assim as pessoas acoplavam ao salmo um brado duplo de confirmação santa. Juntemo-nos de todo o coração ao brado. Este último versículo serve de oração para a igreja universal de todas as épocas, mas ninguém pode cantá-lo com maior doçura do que aqueles que, como Davi, experimentaram a fidelidade de Deus em tempos de necessidade.

NOTAS EXPLICATIVAS E DECLARAÇÕES IMPORTANTES

O Título: A versão siríaca diz: "Era um salmo de Davi, quando ele nomeou supervisores para cuidar dos pobres". — *Adam Clarke*

O Salmo: Esta é uma profecia de Cristo e do traidor Judas. — *Eusébio de Cesareia*, citado por *John Mason Neale*

v. 1: "Bem-aventurado é aquele que atende ao pobre". Os intérpretes em geral são de opinião de que o salmista recomenda a prática da bondade e compaixão, manifestada em atender e ajudar os de poucos recursos. Aqueles, porém, que sustentam que Davi propõe a imparcialidade circunspecta daqueles que julgam sábia e caridosamente os homens na adversidade, formam uma avaliação melhor do significado. O particípio מַשְׂכִּיל (*maśkîl*) não pode ser explicado de outro modo. Observemos, também, por qual razão Davi declara que são bem-aventurados os que formam um julgamento sábio e prudente acerca das aflições pelas quais Deus castiga os seus servos. [...] Indubitavelmente, aconteceu para ele o mesmo que aconteceu com o santo patriarca Jó, a quem os seus amigos pensavam que era um dos homens mais ímpios, quando viram Deus tratando-o com grande severidade. Esse é um erro muito comum entre os homens: considerar os que são fustigados por aflições como indivíduos culpados e malvados. [...] Temos o hábito de falar impulsiva e indiscriminadamente sobre os outros e, por assim dizer, jogamos no mais profundo abismo aqueles que lutam em suas dificuldades. Para conter esse espírito de impulsividade e irreflexão, Davi diz que são bem-aventurados os que, falando por impulso, não se deixam julgar severamente os outros, mas discernindo corretamente as aflições pelas quais são visitados, abrandam pela sabedoria do espírito os julgamentos severos e injustos aos quais naturalmente somos tão propensos. — *João Calvino*

v. 1: "Bem-aventurado é aquele que atende ao pobre". Como Cristo nos atendeu em nosso estado de pobreza, assim sejamos muito cuidadosos em atendê-lo no dEle, em considerar o que Ele sofreu na sua pessoa, em discerni-lo sofrendo nos seus pobres e aflitos membros e em estender a eles a misericórdia que Jesus estendeu a nós. Cristo, que foi bem-aventurado do Senhor e livrado no dia do mau pela gloriosa ressurreição, da mesma forma abençoará e livrará, por amor dEle mesmo, os seus irmãos. — *George Horne*

v. 1: "Bem-aventurado é aquele que atende ao pobre". Não os pobres do mundo em geral, nem os santos pobres em particular, mas um único pobre, pois a palavra está no singular. Trata-se do nosso Senhor Jesus Cristo que, no último versículo do salmo precedente, diz que é pobre e necessitado. — *John Gill*

v. 1: "Bem-aventurado é aquele que atende ao pobre". Chamo a atenção para o modo em que a Bíblia ordena que cuidemos dos pobres. O texto não diz para termos comiseração pelos pobres, pois, se dissesse não mais do que isto, deixaria que as necessidades fossem providas pelas agitações fortuitas de uma solidariedade impetuosa e irrefletida. Provê para eles uma segurança melhor do que o mero sentimento de compaixão — um sentimento que, por mais útil ao propósito excitativo, deve ser controlado e regulado. O sentimento é uma segurança fraca e oscilatória. A imaginação pode enganá-lo. As realidades lúcidas da vida podem repugná-lo. O desapontamento pode extingui-lo. A ingratidão pode amargurá-lo. O engano, com as suas falsas representações, pode fasciná-lo ao objetivo errado. Em todo caso, o tempo é o pequeno círculo no qual o sentimento em geral vagueia. Requer a impressão de objetos sensíveis para sustentá-lo, nem pode entrar com zelo ou com vivacidade nos desejos da alma abstrata e invisível. A Bíblia, em vez de deixar a assistência dos pobres ao mero instinto da solidariedade, torna-a tema de atendimento: "Bem-aventurado é aquele que atende ao pobre", uma prática séria e prosaica, permita--me, e que não figura nas descrições altamente elaboradas, nas quais a narrativa primorosa da benevolência é composta, por um lado, de todas as sensibilidades da ternura e, por outro, de todos os êxtases da gratidão. A Bíblia resgata a causa do dano, ao qual uma sensibilidade descuidada ou irrefletida a exporia. Coloca-a sob a jurisdição de uma faculdade mais sublime — uma faculdade de operação mais firme do que enfadar-se pelo bom procedimento, e de resistência mais robusta do que entregar-se ao desgosto. Convoca-nos a atender aos pobres. Torna a virtude de socorrê-los uma questão de computação como também de sentimento. E quando os socorremos, ela põe-nos acima do alcance das ilusões, pelas quais, às vezes, somos levados a preferir a indulgência da compaixão ao interesse substancial dos ajudados, às vezes, somos levados a retirar-nos humilhados e desapontados da cena do dever, porque não recebemos a gratidão ou a honestidade com que contávamos, e, às vezes, somos levados a gastar todos os nossos desejos na acomodação do tempo e a negligenciar a eternidade. É função do *atendimento* aos pobres salvar-nos de todas essas falácias. É sob a sua instrução que a atenção às necessidades dos pobres se desenvolve em um princípio. [...]

Deve ser óbvio a todos que não basta darmos dinheiro e colocarmos o nosso nome na lista de contribuições de caridade. Temos de dar com discernimento. Temos de dar o nosso tempo e atenção. Temos de descer ao incômodo do exame. Temos de nos levantar do repouso da contemplação para nos familiarizar com os objetos das nossas práticas benevolentes. [...] Dar dinheiro não é todo o trabalho e labuta da benevolência. Temos de ir ao leito de enfermidade dos pobres. Temos de servir às obras assistenciais. Esta é a bondade verdadeira e genuína. Não é algo que seja registrado em documentos terrenos, mas, se for feito sob a influência do princípio cristão, em outras palavras, se for feito para Jesus, será escrito no livro dos céus e dará um novo brilho à coroa que os discípulos aguardam ansiosamente no devido tempo e a usarão pela eternidade. — Extraído de um sermão pregado por *Thomas Chalmers, Doutor em Teologia e Doutor em Direito, 1780-1847, diante da "Society for Relief of the Destitute Sick" [Sociedade para Socorro dos Doentes Pobres], na Igreja de St. Andrew, Edimburgo, Escócia*

v. 1: "Bem-aventurado é aquele que atende ao pobre". Um nobre piemontês, com quem casualmente me encontrei em Turim, contou-me a seguinte história: "Encontrava-me cansado da vida e, depois de um dia que poucos sabem e ninguém desejaria lembrar-se, eu estava andando apressado pela rua em direção ao rio, quando senti um puxão súbito. Virei-me e vi um garotinho que tinha agarrado a ponta do meu casaco na ânsia de chamar a minha atenção. O seu olhar e postura eram irresistíveis.

Muito menos foi a lição que ele aprendera: 'Somos em seis e estamos morrendo porque não o que comer'. 'Por que?', perguntei comigo mesmo, 'não ajudo esta família miserável? Tenho recursos, e não me atrasarei mais do que alguns minutos. Mas o que acontecerá se eu ajudar?' Não dá de descrever a cena de miséria a que ele me levou. Joguei para aquela família minha carteira de dinheiro, e o arroubo de gratidão me sensibilizou. Encheu-me os olhos e foi como um fortificante para o meu coração. 'Amanhã eu volto', gritei. 'Que tolo fui por pensar em deixar um mundo onde há tamanho prazer e por tão pouco dinheiro!'" — *Samuel Rogers, 1763-1855, "Italy" [Itália]*

v. 1: "O Senhor o livrará no dia do mal".

Um espírito ardente mora com o amor cristão
O vigor da águia na pomba compassiva
Não basta que suspiremos de tristeza
Que supramos as necessidades dos pedintes
Que sintamos solidariedade pelos sofredores
Que ouçamos a aflição sem o desejo de curar
Nem estes bastam — para a doença, dor e aflição
O espírito cristão gosta de ir para ajudar
Não será buscado, não espera por falta de pedir
Mas busca o dever — previne a necessidade
Presta a sua maior ajuda para cada doente
E planta socorro para as misérias futuras
— *George Crabbe, 1754-1832*

v. 1: "Bem-aventurado é aquele que atende ao pobre; o Senhor o livrará no dia do mal". Como são tolos os que temem perder a riqueza dando-a, e não temem perderem-se a mantendo! Aquele que guarda ouro pode ser um bom carcereiro, mas aquele que o dispõe, é um bom mordomo. Os comerciantes negociam artigos onde são preciosos por serem escassos. Não compramos vinho na Inglaterra para levá-lo para a França, especiarias na França para levá-las para as Índias. A mesma coisa no que diz respeito à labuta, trabalho, arrependimento e mortificação, pois não há nada disso deles no céu, onde há paz, glória e o favor de Deus. O comerciante sem mercadoria é recebido com desapontamento. Deus perguntará aos homens que chegam às portas do céu, *ubi opera*? (Ap 22.12). A recompensa será de acordo com as obras. Temos riquezas aqui, e aqui estão as pessoas que precisam das nossas riquezas — os pobres. No céu há riquezas, mas não há pobres. Pela fé em Cristo, transfiramos para eles os nossos bens deste mundo para que, por nota de câmbio, os recebamos no mundo por vir. Levamos conosco somente o que enviamos diante de nós. Façamos o bem enquanto está em nosso poder. Socorramos os oprimidos, atendamos os órfãos, enquanto as propriedades são nossas. Quando estivermos mortos, as nossas riquezas pertencerão a outras pessoas. Uma vela levada à frente do homem é mais útil do que vinte levadas atrás. Em nossa compaixão pelos aflitos, ou para usos piedosos, que as nossas mãos sejam os nossos executores e os nossos olhos os nossos inspetores. — *Sermão fúnebre proferido por Francis Raworth, Professor na Igreja em Shoreditch, 1656*

vv. 1 e 3: É bem-aventurado receber quando o homem está em necessidade, mas é mais bem-aventurado dar do que receber. Disse o profeta Davi: "Bem-aventurado é aquele que atende ao pobre". O quê? Dizer: "Coitado, o mundo está sendo duro com ele. Gostaria de haver algo que eu pudesse fazer". Só isso? Não, não, mas atendê-lo a ponto de dar, e dar até que o pobre seja satisfeito, até que respigue a gavela, que é a própria alma para o faminto. Mas o que acontecerá se as dificuldades vierem? Não seria melhor guardar um pouco de dinheiro? O dinheiro não livra ninguém. Pode servir para pôr em risco, para levar a pessoa a entrar em dificuldades, em vez de ajudar a sair delas. Mas se o homem for misericordioso, Deus o livrará, ou por meio dele mesmo ou intermédio de outro homem ou assunto. Mas o que acontecerá se a doença chegar? Ora, "o SENHOR o sustentará no leito da enfermidade" (v. 3), proporcionando um grande bem-estar físico e sendo de extrema bondade. O próprio Deus, por assim dizer, arruma a cama do doente. Aqui os pobres têm vantagem. Eles não devem dizer: "Oh, sou uma mulher pobre, que obra de caridade posso fazer?" Eles podem arrumar melhor a cama dos doentes, pois vemos que é uma grande obra de caridade, uma vez que o próprio Senhor renova a cama dos doentes na doença. E não há ninguém tão pobre que não possa arrumar a cama dos doentes. — *Richard Capel, 1586-1656*

vv. 1 e 5: "Aquele que atende". "Os meus inimigos". Victorinus Strigelius observou que há uma antítese constante neste salmo entre os poucos que devidamente atendem aos pobres de espírito e os muitos que os afligem ou os abandonam. — *W. Wilson*, Doutor em Teologia

v. 2: "O SENHOR o livrará e o conservará em vida". É digno de nota que pessoas benevolentes, que atendem aos pobres, sobretudo os pobres doentes, que vasculham porões, sótãos, ruelas e outros lugares degradantes para encontrá-los (até nos lugares onde o contágio impera), muito raramente tornam-se vítimas da própria benevolência. O Senhor, de maneira especial, os mantém vivos e os conserva. Por outro lado, muitos que se esforçam em ficar longe do contágio, são atacados e caem vítimas exatamente disso. Deus ama o homem misericordioso. — *Adam Clarke*

v. 2: "Será abençoado na terra". Nenhuma das aflições do homem temente a Deus impedirá ou lhe roubará a bem-aventurança começada, até mesmo neste mundo. — *David Dickson v. 3:* "Tu renovas a sua cama na doença". Em que pormenor de ternura primorosa e comovedora o Senhor condescendeu entrar conosco! Somos propensos a supor que foi o que Pedro sentiu quando o Salvador se aproximou dele para levar-lhe os pés: "Nunca me lavarás os pés", disse o apóstolo, ou nunca arrumarás a minha cama. Mas o Senhor respondeu: "Se eu te não lavar, não tens parte comigo" (Jo 13.8). Se o Senhor não arrumar a nossa cama na doença, não haverá paz nem consolo ali. Tivemos Davi invocando Deus para inclinar o ouvido, como a mãe amorosa se inclina para ouvir o mais débil sussurro do filho. A imagem está cheia da mais doce afinidade e condescendência. Mas aqui o Senhor, o grande Senhor dos céus, que quando estava na terra disse: "Eu, porém, entre vós, sou como aquele que serve" (Lc 22.27), toma realmente sobre si a forma, e é achado na forma de servo, cumprindo todas as funções amorosas e ternas de um atendente assíduo. — *Barton Bouchier*

v. 3: "Tu renovas a sua cama na doença". O significado é: "Já não é uma cama de doente, pois tu o curaste da doença". — *J. J. Stewart Perowne*

v. 3: "Tu renovas a sua cama na doença". Quando o homem bom não vai bem de saúde, Deus promete, por assim dizer, arrumar-lhe a cama na doença. Travesseiro, almofada, cabeça, pés, lados e toda a cama. Com certeza, Deus que o fez, sabe muito bem a medida e preferência do doente para arrumar-lhe a cama de maneira acolhedora. A sua habilidade é excelente, não ajustando a cama à pessoa, mas a pessoa à cama, e infundindo-lhe paciência. Mas como Deus arrumará a minha cama, visto que Ele não tem cama própria para fazer? Tolo, Deus pode fazer o fato de tu não teres uma cama, ser uma cama para ti. Quando Jacó dormiu na terra, quem não gostaria de ter tido essa acomodação dura e, com ela, o sonho divino? — *Thomas Fuller*

v. 3: Claro que a cama que Deus renova tem de ficar macia e fofa. — *Thomas Watson*

v. 3: Não nos esqueçamos de que as camas do Oriente não eram necessariamente feitas do mesmo jeito que as do Ocidente. Não passavam de colchões ou colchas densamente acolchoadas, que eram viradas quando ficavam incômodas. Essa é exatamente a palavra usada aqui. — *C. H. S.*

v. 3: "O Senhor o sustentará no leito da enfermidade; tu renovas a sua cama na doença". Quando, certo dia, visitei o meu amado amigo Benjamin Parsons, que estava morrendo, disse-lhe: "Como vai você hoje?" Ele respondeu: "A minha cabeça está descansando muito confortavelmente em três travesseiros — poder infinito, amor infinito e sabedoria infinita". Pouco tempo depois, pregando no Canterbury Hall, em Brighton, mencionei este fato. Muitos meses depois, pediram-me que visitasse uma jovem pobre, mas santa, que tinha uma doença terminal. Ela disse: "Desejei muito vê-lo antes de morrer. Ouvi-o contar a história de Benjamin Parsons e os três travesseiros. Quando me submeti a uma operação cirúrgica muito grande e séria, a minha cabeça estava descansando em travesseiros. Quando eles me foram tirados, perguntei: 'Posso ficar com eles?' O cirurgião respondeu: 'Não, minha querida, temos que tirá-los'. 'Mas', retruquei, 'o senhor não pode tirar os três travesseiros de Benjamin Parsons. Posso descansar a minha cabeça no poder infinito, no amor infinito e na sabedoria infinita'." — *E. Paxton Hood, "Dark Sayings on a Harp" [Declarações Sombrias em uma Harpa], 1865*

vv. 3 e 4: O que Davi disse do fundo do coração quando estava doente? Não foi que apenas não morresse. Davi, estando doente, primeiro se consola com esta promessa: "O Senhor o sustentará no leito da enfermidade; tu renovas a sua cama na doença". Depois acrescenta: "Eu dizia: Senhor, tem piedade de mim; sara a minha alma", quer dizer, destrua as minhas concupiscências, que são as doenças da minha alma, Senhor. Sara a minha alma e renova-me a vida e a comunhão contigo, que são a saúde e a força da minha alma. Não só tira esta doença e morte, mas este pecado, que te desonra, que faz separação entre ti e mim: "Sara a minha alma, porque pequei contra ti". — *Thomas Goodwin* *v. 4:* "Eu dizia: SENHOR, tem piedade de mim". Misericórdia, não justiça! O extremo da misericórdia pelo extremo da desgraça. Justiça como trapos imundos. Por um lado, a carne na qual não habita bem algum, e por outro, "não foi erva nem unguento que os curou, e sim a tua palavra, Senhor, que cura todas as coisas" (Sabedoria de Salomão 15.12)*. — *Tomás de Aquino, citado por John Mason Neale*

v. 4: Deus é a força do coração do cristão, sarando e restabelecendo-o, quando os hábitos infusos da graça falham, mas o pecado fica forte e vigoroso. O cristão nunca falha no exercício da graça, mas o pecado lhe causa uma ferida. Por isso, Davi orou: "Sara a minha alma, porque pequei contra ti". O que Davi pediu, Deus promete para o seu povo: "Eu sararei a sua perversão" (Os 14.4). Quando o cristão fica fraco e cai da graça é levado a cair doente. Foi o que aconteceu com Davi e Efraim. Mas nesse caso, Deus será um médico para a alma e lhe sarará as doenças. Foi o que Ele fez com a doença decadente de Davi, pela qual ele (o salmista) devolveu o tributo do louvor (Sl 103.3). — *Samuel Blackerby*, 1673

v. 4: "Sara a minha alma, porque pequei contra ti". Saul e Judas disseram: "Pequei" (1 Sm 15.24; Mt 27.4), mas só Davi disse: "Pequei contra ti". — *William S. Plumer*

v. 5: "Os meus inimigos falam mal de mim". *Falar* aqui é usado no sentido de *imprecar*. — *João Calvino*

v. 5: "O seu nome". É o nome, o caráter e os privilégios do verdadeiro servo de Deus, que provocam o ódio dos descrentes e fomentam a razão de alegremente o extirparem da vista. — *W. Wilson, Doutor em Teologia*

v. 6: "Se algum deles vem ver-me, diz coisas vãs". Muitas palavras bonitas, mas nenhuma verdadeira. — *David Dickson*

v. 6: "E, se algum deles vem ver-me, diz coisas vãs; no seu coração amontoa a maldade; em saindo para fora, é disso que fala". Lembro-me de um interessante apólogo que Johannes de Bromiardus conta: Certo caçador de aves, em uma manhã extremamente gelada, tendo caçado muitos pássaros pequenos, aos quais ele há muito observara, começou a recolher as redes, e, torcendo a cabeça dos passarinhos, colocava-os no chão.

Um jovem tordo, avistando ao longe as lágrimas que escorriam pelo rosto do caçador por causa do frio extremo, disse à sua mãe que certamente o homem era muito misericordioso e compassivo, pois chorava muito amargamente pela calamidade dos pobres pássaros. Mas a mãe lhe disse mais sabiamente, que podia julgar a intenção do homem mais pelas mãos do que pelos olhos. Se as mãos agem traiçoeiramente, ele jamais pode ser amigo, mesmo que fale bonito e chore lastimosamente. — *Jeremy Taylor*

v. 6: "No seu coração amontoa a maldade".

(1) Ao juntar pecado sobre pecado, no que ele cobre a maldade com essa hipocrisia horrenda.

(2) Ao inventar ou tramar as maneiras que puder para enlaçar-me ou causar-me dano, procurando satisfazer e agradar os seus desejos e sentimentos corruptos.

(3) Ao observar tudo que pode em mim, extrair o que puder de mim e juntar tudo mentalmente, como a razão das suas conjeturas e censuras injustas a meu respeito. (Gosto mais desta.) — *Arthur Jackson*

v. 8: "Uma doença má se lhe pegou". Uma ação má de Belial pegou firmemente nele. Os gramáticos sustentam que a palavra *Belial* é composta de בְּלִי (*b[e]lî*) e יָעַל (*yā'al*), que significam "não subir". No meu entender, a expressão "coisa de Belial" (conforme é

* **N. do E.:** Em sua vasta bibliografia, Spurgeon cita autores cristãos e nãos cristãos. E, quando necessário, faz menção dos apócrifos. O próprio Texto Sagrado usa fontes pagãs e apócrifas (At 17.28; Tt 1.12; Jd 1.14,15).

literalmente no hebraico) significa um crime extraordinário e odioso, que comumente nunca pode ser expiado e do qual não há possibilidade de fuga, a menos que talvez se refira à própria aflição sob a qual ele sofreu, como se os inimigos tivessem dito que ele foi agarrado por alguma enfermidade incurável. — *João Calvino*

v. 8: "Uma doença má". O que significa דְּבַר־בְּלִיַּעַל tem sido questão de certa dificuldade. Os intérpretes antigos traduzem em geral por "uma palavra perversa", ou "uma palavra danosa", ou "uma palavra má". A versão caldaica traduz por "uma palavra perversa". A versão siríaca traduz por "uma palavra de iniquidade". A Septuaginta traduz por λόγον παράνομον. A Vulgata Latina traduz por *iniquum verbum*, "uma palavra ímpia". Na versão arábica, temos "palavras contrárias à lei". Com toda a probabilidade é certo que o significado é "uma grande difamação" ou "uma grande calúnia", ou seja, como os "homens de Belial" são pessoas *difamadoras*, assim o "discurso de Belial" tem de significar um discurso *difamador*. O texto diz que isto "se lhe pegou", ficando bem colado nele, pois a natureza das calúnias, quando fortemente presas em alguém, pegam firme e deixam uma marca ruim. — *Henry Hammond*

v. 9: "Até o meu próprio amigo íntimo, em quem eu tanto confiava, que comia do meu pão, levantou contra mim o seu calcanhar". Os sofrimentos da igreja, como os do Redentor, começam geralmente em casa. Os inimigos públicos não podem lhe causar dano, até que os amigos fingidos a entreguem nas mãos daqueles. Por mais antinatural que pareça, aqueles que se enriqueceram com a sua generosidade, muitas vezes são os primeiros a erguer o calcanhar contra ela. — *George Horne*

v. 9: "Até o meu próprio amigo íntimo". Aquele que, ao visitar-me, continuamente me saúda com o beijo do amor e reverência, e com a saudação habitual: Paz seja contigo. — *Hermann Venema*

v. 9: "Que comia do meu pão". Se o mesmo sentimento prevalecia entre os hebreus, como prevalece hoje em dia entre os árabes beduínos, de prestar consideração sagrada à pessoa e propriedade daquele com quem eles comeram pão e sal, a linguagem é muito forte.

"Levantou contra mim o seu calcanhar" é uma metáfora extraída do cavalo que escoiceia. Essa linguagem pode ter sido usada pelo nosso Salvador em João 13.18, no que diz respeito à ilustração ou ênfase retórica. — *George R. Noyes, Doutor em Teologia, 1846*

v. 9: "Levantou contra mim o seu calcanhar". Nesta frase, ele alude ao coice de um animal contra o dono por quem é alimentado, ou se refere ao costume de os homens repudiarem ou pisotearem aqueles que são lançados ao chão, em uma maneira de mostrar despeito e desprezo. — *Arthur Jackson*

v. 9: "Levantou contra mim o seu calcanhar", ou seja, mostrou desprezo por mim, rejeitou-me, chutou-me, escoiceou-me como faz um animal de carga indócil. Insultaram-me em minha miséria. — *Daniel Cresswell*

v. 10: "Para que eu lhes dê o pago".

(1) Ou bondade por maldade (como no Salmo 35.13). É a marca do homem bom e valente fazer o bem a todos que puder, não ferir ninguém, ainda que seja injustamente provocado.

(2) Ou castigo por transgressão, "para que eu lhes dê o [castigo]", pois não sou eu o magistrado deles e o executor da justiça de Deus? — *Martin Geier*

v. 10: "Para que eu lhes dê o pago". Davi não era alguém do povo comum, mas um rei nomeado por Deus e investido de autoridade. Não foi por impulso da carne, mas em virtude da natureza do cargo que ele foi levado a denunciar contra os inimigos o castigo que eles mereciam. — *João Calvino v. 11:* "Por isto conheço eu que tu me favoreces: que o meu inimigo não triunfa de mim", não porque eu não tenha inimigos, ou porque eu não tenha dificuldades que me superem. Quando ele escreveu *muitas aflições*, ele borrou (por assim dizer) com a pena, como o mercador risca o livro quando a dívida é paga. Em vez de *muitas aflições*, ele interpôs *o Senhor me livra*. Porque Deus perdoa todos os pecados, está escrito que Ele livra de todas as aflições, para mostrar que não temos necessidade de salvador, nem de ajudador, nem de consolador, exceto dEle. — *Henry Smith*

v. 11: "Por isto conheço eu que tu me favoreces". Neste texto vemos duas coisas.

(1) Como Davi se convenceu do amor de Deus por ele.

(2) Como Davi foi grato a Deus por convencê-lo desse amor.

Davi se convenceu do amor de Deus por ele por intermédio de dois argumentos. Um foi tirado dos próprios inimigos, cujas expectativas foram frustradas: "Por isto [...] tu me favoreces". O outro foi tomado da própria situação, que não foi nem um pouco estragada ou prejudicada, mas melhorada por eles. [...] O profeta fala do que sabe e nos informa que não era conhecedor de todas as coisas. Ele sabia que Deus o favorecia, ou seja, que o amava, e contanto que soubesse disso, ele não se importava muito com os outros assuntos ou com o que acontecia no mundo. Para dizer a verdade ele não precisava, porque quem está seguro disso, está seguro de tudo. Deus ama todas as criaturas como Criador bom que é, e não odeia nada do que fez. Aquele que está seguro que Deus assim o favorece, está seguro, ora essa, de tudo. Àquele a quem Deus ama, ele não negará nenhuma coisa boa, nem mesmo o seu próprio Filho. Se Ele nos deu o Filho, porque nos amou, como não nos dará com Ele todas as outras coisas?

Quando o filho fica convencido de que o pai o ama, ele se sente ousado em pedir isto e aquilo ao pai. Da mesma forma, teremos a ousadia de pedir qualquer coisa a Deus, o nosso Pai celeste, que é bom para nós, quando estivermos convencidos de que Ele nos ama. Maria e Marta relembram Jesus de duas coisas. A primeira era que Jesus amava o irmão delas, Lázaro, e a segunda era que Lázaro estava doente: "Senhor, eis que está enfermo aquele que tu amas" (Jo 11.3). Não havia necessidade de dizer-lhe o que fazer, porque elas sabiam o que Jesus podia fazer por Lázaro, visto o que amava. Podemos dizer ao Senhor, quando estamos convencidos de que Ele nos ama: Senhor, aquele que tu amas precisa disso ou daquilo para o corpo ou para a alma. Não precisaremos lhe dizer o que fazer, ou quando, ou como, pois buscando o que lhe é mais conveniente para nós e para a sua glória, Deus seguramente o fará. Seja o que for que Davi conhecesse, há uma coisa que ele se certificará em conhecer. Seja o que for que ele desconhecesse, há uma coisa que ele não desconheceria: ensinar-nos que seja o que for que procuremos nos certificar, primeiro, devemos nos certificar disso, ou não estaremos seguros das demais coisas. Pedro nos ordena que façamos a nossa eleição cada vez mais firme (2Pe 1.10). Jó, quando disse: "Eu sei que o meu Redentor vive" (Jó 19.25), nos ensinou a tornar a nossa redenção mais segura. Aqui Davi nos ensina a nos certificar do favor de Deus. Se nos certificarmos disso, então a nossa eleição estará segura, a nossa redenção segura, a nossa vocação segura e a nossa salvação segura. — *William Burton, 1602*

v. 11: "Que o meu inimigo não triunfa de mim". Quando Deus nos livra das mãos de nossos inimigos, ou de qualquer outra dificuldade, ficamos convencidos de que Ele nos favorece, como favoreceu Davi. Mas alguém pode perguntar: Se Deus ama a igreja, por que permite que ela seja perturbada e assediada por inimigos? A razão é esta: porque, por este meio, o amor divino se manifesta mais, salvando-a e livrando-a. Como um amigo verdadeiro não é conhecido senão em tempos de necessidade, assim a bondade e o amor de Deus nunca são tão mais bem percebidos quando estão nos ajudando nos momentos em que não podemos nos ajudar. Como a queda de Adão serviu para manifestar a justiça e a misericórdia de Deus — uma castigando-o, e a outra perdoando-o do pecado, algo que do contrário jamais teríamos sabido —, assim as dificuldades da igreja servem para manifestar, primeiro, os nossos desertos por causa dos nossos pecados, depois, a nossa fraqueza e incapacidade em nos ajudar, e, por último, a benignidade do Senhor nosso Deus, salvando e defendendo, para que assim possamos ser verdadeiramente gratos e dar todo o louvor e glória a Deus, e nada a nós mesmos. De forma que a igreja de Deus pode ter inimigos, e, ainda assim, ser a amada de Deus, como Lázaro foi amado de Jesus, embora estivesse doente, "porque o Senhor corrige o que ama" (Hb 12.6) — portanto, Ele corrige porque o ama. — *William Burton*

v. 11: Deus preserva os seus e acaba com os inimigos. Depois da semana da paixão vem a Páscoa. — *Comentário de J. P. Lange*

v. 12: "Sinceridade" ("integridade", ARA). Essa integridade é como a arca de Noé, na qual ele foi salvo, enquanto que os outros que estavam fora pereceram. É como o cordão de fio escarlate que os espias de Josué deram a Raabe, que serviu de carta de direitos por meio da qual ela reivindicou a sua vida, enquanto os demais foram mortos, pois não tinham carta semelhante. Assim é essa integridade de pouca importância, confesso, para os homens deste mundo que pensam que não há outro céu senão a terra. Como o cordão de fio escarlate de Raabe foi melhor para ela do que todos os bens e propriedades, quando a espada veio, assim é melhor para os filhos de Deus do que o mundo inteiro, quando a morte vier. Se eles o tiverem interiormente, não se importarão e nem precisarão se preocupar com o que ocorrer exteriormente. Se a bofetada de Satanás vem, este é um capacete impenetrável. Se os dardos de Satanás vêm, este é um escudo para apagá-los. Se uma inundação de tribulações vem para nos levar, este é um barco para nos carregar. Se o mundo joga lodo e sujeira em nosso rosto, não ficamos nenhum pouquinho feios, mas ainda mais bonitos, pois "a filha do rei" (disse Salomão, Salmo 45.13), ou seja, a Igreja de Cristo, "é toda ilustre no seu palácio". — *William Burton*

v. 12: "E me puseste diante da tua face para sempre", ou me confirmaste ou estabeleceste na tua presença, quer dizer, ou sob os teus olhos e cuidado especial, ou para ministrar a ti, não só no teu Templo, mas como um rei sobre o teu povo, ou naquela terra onde tu estás peculiarmente presente. — *Matthew Pool*

v. 13: "Bendito seja o Senhor, Deus de Israel, de século em século! Amém e Amém!" Aqui aprendemos.

(1) A dar glória a Deus como "o Senhor, Deus de Israel", um Deus em aliança com o seu povo, que faz coisas grandes e amáveis para eles, e que tem em estoque mais e melhores coisas.

(2) A dar glória a Deus como um Deus eterno, que tem a sua existência e a sua bem-aventurança "de século em século".

(3) A dar glória a Deus com grande emoção e fervor de espírito, revelado em um selo duplo afixado ao ato: "Amém e Amém". Dizemos *Amém* e que todos os demais digam *Amém* também. — *Matthew Henry*

v. 13: "Amém e Amém!" Como os salmos não foram escritos por um homem, assim nenhum deles formam um livro. O saltério é, na realidade, um pentateuco, e as linhas de demarcação que dividem os cinco livros uns dos outros são claras e devidamente distintas. Ao término do Salmo 41, do Salmo 72, do Salmo 89 e do Salmo 106 encontramos o solene *Amém,* simples ou duplo, acompanhado por uma doxologia que indica que um livro termina e que outro está a ponto de começar.

Um estudo mais acurado dos salmos mostra que cada livro possui características próprias. Jeová ("o Senhor"), por exemplo, é proeminente como nome divino no Livro I, e Elohim ("Deus") no Livro II. — *E. H. Plumptre, Mestre em Ciências Humanas, "Biblical Studies" [Estudos Bíblicos], 1870*

Divisão em cinco livros: Há também outra diferença observável entre os dois livros dos Salmos. No Livro I, todos os salmos que têm dedicatória são expressamente designados a Davi como autor, ao passo que no Livro II temos uma série inteira de salmos atribuídos a alguns cantores levitas. — *J. J. Stewart Perowne*

Divisão em cinco livros: Hoje não há como averiguarmos com exatidão o quanto é antiga esta divisão. Jerônimo, na epístola a Marcela, e Epifânio de Salamina falam que os hebreus dividiram os Salmos em cinco livros, mas não nos informam quando a divisão foi feita. As formas de atribuições de louvor, constantes ao término de cada um dos cinco livros, estão na versão da Septuaginta. Este fato nos leva a concluir que a distribuição foi feita antes da versão grega ter sido elaborada. O autor foi provavelmente Esdras, depois que os judeus voltaram da Babilônia para a sua pátria e estabeleceram o culto a Deus no Templo novo. A inspiração se deve talvez à repartição semelhante dos livros de Moisés. Com esta divisão do Saltério hebraico, deu-se consideração especial ao tema dos salmos. — *João Calvino*

Divisão em cinco livros: Alguém já observou que estes quarenta e um salmos que formam o Livro I relacionam-se principalmente com o ministério de Jesus na terra, preparando os que esperavam a consolação de Israel, por Cristo estar entre eles. Consequentemente, o Livro II, começando com o Salmo 42, referem-se principalmente à igreja infante de Cristo. — *W. Wilson, Doutor em Teologia*

Divisão em cinco livros: O desenvolvimento do livro dos Salmos pode ser ilustrado como um hinário que, no transcurso dos anos, exige primeiro um apêndice e depois outro, para englobar a salmodia crescente da igreja. Neste caso, os salmos puramente davídicos da primeira divisão formaram o núcleo para o qual os outros cânticos sacros foram rapidamente adicionados. — *C. H. S.*

SUGESTÕES AOS PREGADORES

v. 1. "Bem-aventurado é aquele que atende ao pobre." Bênçãos incidentais que resultam de atendermos os crentes pobres: (1) Aprendemos a gratidão. (2) Vemos a paciência. (3) Anotamos os triunfos da grande graça. (4) Ganhamos luz na experiência cristã. (5) Temos as orações deles. (6) Sentimos o prazer da beneficência. (7) Entramos em comunhão com o humilde Salvador.

v. 1. Recomenda o apoio às vítimas de varíola (ou de outras doenças contagiosas). — *Squire,* Bispo, 1760. Dezenas de sermões deste tipo já foram pregados com base neste texto.

v. 2. "Será abençoado na terra." Que bênçãos de caráter terreno o caráter espiritual assegura. O que, em geral, é ser abençoado com respeito a esta vida.

v. 2. "Tu não o entregarás à vontade de seus inimigos." O que é ser livrado *nas* dificuldades: Da impaciência, do desespero, dos expedientes pecaminosos, dos ataques violentos, da perda da comunhão com Deus.

v. 3. Força na fraqueza. Força interior, divinamente dada, continuamente sustentada, suportando até ao fim, triunfante na morte, glorificadora de Deus, comprovadora da realidade da graça e ganhadora dos outros à fé.

v. 3. "Tu renovas a sua cama na doença." A renovação ou arrumação de cama feita por Deus.

v. 4. "Eu dizia." Uma declaração que vale a pena repetir: "Eu dizia". Expressa penitência, humildade, sinceridade, fé, importunidade e temor de Deus.

v. 4. "Sara a minha alma." (1) A doença hereditária que surge em muitos distúrbios — pecado aberto, incredulidade e queda da graça. (2) A saúde espiritual lutando com a doença, evidenciada na dor espiritual, desejo, oração e esforço. (3) O Médico devidamente comprovado sara e sarará pela sua Palavra, pelo seu sangue, pelo seu Espírito.

v. 4. "Pequei contra ti." Esta confissão é pessoal, clara, sem pretensão de desculpa, abrangente e inteligente, pois revela o próprio âmago do pecado: "contra ti".

v. 5. (1) O que é de se esperar. (2) O que os nossos inimigos desejam. (3) O que podemos priorizar, ou seja, o poder da vida e do nome cristão. (4) O que devemos fazer: contar tudo ao Senhor em oração. (5) Que bem virá do mal.

v. 6. "E, se algum deles vem ver-me, diz coisas vãs." A tolice e o pecado de visitantes frívolos.

v. 6. "No seu coração amontoa a maldade; em saindo para fora, é disso que fala." O igual ao igual, ou o modo em qual o caráter atrai o igual a si mesmo. O mesmo assunto pode ser tratado sob o título de O Trapeiro ou O Coletor de Trapos: (1) O que ele amontoa. (2) Onde ele põe o que amontoa: "No seu coração". (3) O que ele faz com o que amontoa. (4) O que ele ganha com o que amontoa. (5) O que acontecerá com ele.

vv. 7 a 12. No leito de enfermidade, o homem descobre não só quem são os seus inimigos e amigos, mas também a si próprio e ao seu Deus, mais intimamente.

v. 9. A traição de Judas.

v. 11. O livramento da tentação é sinal do favor divino.

v. 12. Este texto revela a insígnia daqueles a quem a graça distinguiu: (1) A sinceridade ou integridade é manifestada. (2) O caráter é divinamente sustentado. (3) Eles habitam no favor de Deus. (4) A posição é estável e permanente. (5) O futuro eterno é seguro.

v. 13. (1) O alvo do louvor: o Senhor, o Deus da aliança. (2) A natureza do louvor: sem começo nem fim. (3) A nossa participação no louvor: "Amém e Amém!"

Os antigos rabinos viam nos cinco livros do livro dos Salmos a imagem dos cinco livros da Lei. Este modo de encarar os salmos como um segundo pentateuco, o eco do primeiro, passou para a igreja cristã, e foi acolhido por alguns pais da Igreja Primitiva. Bons expositores, como Franz Delitzsch, o aceitaram, chamando o livro dos Salmos de "a palavra quíntupla da congregação para o Senhor, assim como a Torá (a Lei) é a palavra quíntupla do Senhor para a congregação". Pode ser mera imaginação, mas a sua existência desde os tempos antigos mostra que a divisão em cinco partes atraiu atenção desde o início. — *William Binnie*, Doutor em Teologia

Deus apresentou a Israel a Lei, um Pentateuco, e o Israel agradecido respondeu com um Saltério, um pentateuco de louvor, em reconhecimento do dom divino. — *J. L. K.*

AQUI TERMINA O LIVRO I DO LIVRO DOS SALMOS

SALMO 42

TÍTULO

Masquil para o cantor-mor, entre os filhos de Corá. Dedicado ao mestre da música, este salmo é digno do seu ofício. Aquele que sabe cantar bem não tem nada melhor a cantar. Chama-se *masquil,* ou composição poética de caráter lírico e instrutivo. Repleta como está de profundas expressões experimentais, foi eminentemente dosada para ensinar os peregrinos cujo caminho para o céu é igualmente penoso como foi o de Davi. É sempre edificante ouvir a experiência de um santo tão cheio de graça durante tão grande aflição. Esse grupo seleto de cantores, os filhos de Corá, recebe a incumbência de fazer deste salmo prazeroso um dos mais peculiares. Eles foram poupados quando o seu pai e todos que o acompanhavam, juntamente com todos os filhos dos que se associaram com ele, foram engolidos vivos por terem pecado (Nm 27.11). Eles foram poupados pela graça soberana.

Guardados, nem sabemos por quê, pelo favor distintivo de Deus, imaginamos que depois da extraordinária eleição à misericórdia, eles ficaram tão intensamente gratos que se entregaram à música sacra para que as vidas poupadas fossem consagradas à glória de Deus. Em todo caso, nós que fomos salvos como eles de irmos para o inferno, pelo simples e bom prazer do Senhor, podemos nos unir entusiasticamente neste salmo, e, na verdade, em todos os cânticos que mostram os louvores de nosso Deus e os bramidos de nosso coração por Ele. Embora Davi não seja mencionado como autor, este salmo tem de ser da sua lavra. É extremamente davídico, cheira ao filho de Jessé, traz em cada letra as marcas do seu estilo e experiência. Mais fácil duvidar da autoria da segunda parte do "Peregrino", de John Bunyan, do que questionar o direito de Davi ser o compositor deste salmo.

ASSUNTO

É o brado de um homem que foi afastado das ordenanças e culto a Deus, suspirando pela tão amada Casa do seu Deus. É ao mesmo tempo a voz de um crente espiritual, sob tristeza, desejando ardentemente a renovação da presença divina, lutando com dúvidas e medos, mas ainda permanecendo firme pela fé no Deus vivo. A maioria da família do Senhor já navegou pelo mar que aqui é tão bem descrito. É provável que quando Davi fugiu de Absalão seja o pano de fundo para a composição deste masquil.

DIVISÃO

A estrutura do cântico nos leva a considerá-lo em duas partes que terminam com o mesmo refrão. Portanto, analisaremos primeiro os versículos 1 a 5 e, em seguida, os versículos 6 a 11.

EXPOSIÇÃO

1 *Como o cervo brama pelas correntes das águas, assim suspira a minha alma por ti, ó Deus!*
2 *A minha alma tem sede de Deus, do Deus vivo; quando entrarei e me apresentarei ante a face de Deus?*
3 *As minhas lágrimas servem-me de mantimento de dia e de noite, porquanto me dizem constantemente: Onde está o teu Deus?*
4 *Quando me lembro disto, dentro de mim derramo a minha alma; pois eu havia ido com a multidão; fui com eles à Casa de Deus, com voz de alegria e louvor, com a multidão que festejava.*
5 *Por que estás abatida, ó minha alma, e por que te perturbas em mim? Espera em Deus, pois ainda o louvarei na salvação da sua presença.*

1. *"Como o cervo brama pelas correntes das águas, assim suspira a minha alma por ti, ó Deus!"* Como depois de uma longa seca a pobre e desfalecente corça almeja os rios, ou antes, como o cervo caçado instintivamente procura o rio para lavar os flancos fumegantes e escapar dos cães, assim a minha alma cansada e perseguida brama pelo Senhor, meu Deus. Excluído do culto público, Davi estava deprimido. Não buscava bem-estar, não desejava honra, só o prazer da comunhão com Deus era a necessidade urgente da sua alma. Via isso não meramente como o mais agradável de todos os luxos, mas como uma necessidade absoluta, como água para o antílope. Como o viajante sedento no deserto, cujo odre está vazio e que encontra os poços secos, ou ele bebe água ou morre — ele tem de ter Deus ou desfalece. A sua alma, o seu próprio eu, a sua vida interior estava avidamente desejosa do senso da presença divina. Como o cervo zurra, assim a alma do salmista ora. Deem-lhe o seu Deus e ele ficará tão contente quanto a corça que por fim mata a sede e está perfeitamente satisfeita. Neguem-lhe o seu Senhor, e o coração dispara, o peito palpita, o corpo convulsiona, como alguém que ofega ou suspira por ter corrido um longo percurso. Querido leitor, você sabe o que é isso por experiência própria? É uma amargura doce. A segunda melhor coisa para vivermos na luz do amor de Deus é estarmos descontentes até que o tenhamos, e anelemos por isso de hora em hora — eu disse de hora em hora? A sede é um desejo perpétuo, que não deve ser esquecido, pois exatamente assim contínuo é o desejo do coração por Deus. Quando nos for tão natural desejar Deus quanto ter sede, a nossa alma vai bem, por mais dolorosos que sejam os nossos sentimentos. Com este versículo, aprendemos que a avidez de nossos desejos pode ser usada como argumento para com Deus — e quanto mais intensa a avidez melhor, porque há promessas especiais para quem for inoportuno e insistente.

2. *"A minha alma."* Toda a minha natureza, todo o meu ser interior.

"Tem sede." O que é mais do que ter fome. A fome pode ser disfarçada, mas a sede é terrível, insaciável, clamorosa e mortal. Ter a mais intensa apetência pelo mais alto bem! Esta é uma inquestionável característica da graça.

"De Deus." Não meramente sede do templo e dos cultos, mas da comunhão com o próprio Deus. Só os espirituais podem compreender este tipo de sede.

"Do Deus vivo." Porque Ele vive e dá aos homens a água viva. Por isso, nós, com maior avidez, o desejamos. Um Deus morto não passa de zombaria. Detestamos tal deidade monstruosa. Mas o Deus eterno, a fonte perene de vida, luz e amor, é o desejo de nossa alma. O que são ouro, honra, prazer, senão ídolos mortos? Que jamais bramemos por estes.

"Quando entrarei e me apresentarei ante a face de Deus?" Aquele que ama o Senhor também ama as reuniões em que o seu nome é cultuado. São vãs todas as ostentações à religião onde os meios externos da graça não têm atração. Não havia lugar em que Davi mais se sentia à vontade do que na Casa do Senhor. Ele não se contentava com o culto particular. Ele não abandonou o lugar onde os santos se reúnem, como é costume de alguns. Notemos como ele emocionantemente pergunta quando estará novamente na reunião alegre! Como o salmista repete e reitera o desejo! Pelo seu Deus, o seu Elohim (o seu Deus ser cultuado, que entrara em aliança com ele), Davi anelava como as flores descaídas pelo orvalho, ou a pomba aflita pelo companheiro. Faria bem se todas as vezes que fôssemos ao culto fosse visto como comparecimento à presença de Deus. Seria, então, sinal certo da graça termos grande prazer ali. Quantos comparecem diante do ministro ou dos seus colegas de ministério, e pensam que isso basta! "Verei a face de Deus" é a tradução mais próxima do hebraico. Mas podemos combinar as duas ideias — ele veria o seu Deus e seria visto por Ele. Eis algo que vale a pena termos sede!

3. *"As minhas lágrimas servem-me de mantimento de dia e de noite."* Mantimento salgado, mas saudável para a alma. Quando o homem chega às lágrimas, lágrimas constantes, lágrimas copiosas, lágrimas que enchem o cálice e transbordam pela mesa, ele está sendo realmente sincero. Como as lágrimas se acumulavam nos olhos do antílope durante a angústia, assim as gotas salgadas brilhavam dos olhos de Davi. O seu apetite acabou, as lágrimas não só temperavam os alimentos, mas se tornaram o único alimento, ele não tinha cabeça para outra dieta. Talvez lhe fizesse bem que o coração abrisse as válvulas de segurança. Há uma aflição seca mais terrível do que tristezas chuvosas. As suas lágrimas, por terem sido derramadas porque Deus foi blasfemado, eram "orvalho honrável", gotas de água santa, que o Senhor põe no seu odre.

"Porquanto me dizem constantemente: Onde está o teu Deus" Insultos cruéis vêm naturalmente dos covardes. Claro que eles poderiam ter deixado o pranteador em paz. Ele não podia prantear mais do que já pranteava. Tratava-se de uma ação executada além dos termos da obrigação da maldade bombear mais lágrimas de um coração que já estava alagado. Note como era incessante a zombaria e como eram ardilosos em moldá-la. O homem bom ficou dilacerado ao ver a fidelidade de Deus impugnada. Teria sido melhor enfiarem agulhas nos seus olhos do que arremessarem insinuações contra o seu Deus. Podemos citar Simei, que escarneceu de Davi deste modo quando este fugia de Absalão. Ele afirmou claramente que Davi era homem de sangue, e que Deus estava castigando-o por ter suplantado Saul e a sua casa. O seu desejo era o pai dos seus pensamentos. Os ímpios sabem que o nosso pior infortúnio seria perder o favor de Deus. Isso explica a diabólica maldade que os leva a declarar que se trata disso. Glória seja dada a Deus. Eles mentem descaradamente, pois o nosso Deus está nos céus e na fornalha também, socorrendo o seu povo.

4. *"Quando me lembro disto, dentro de mim derramo a minha alma."* Quando Davi tocava harpa durante as aflições, o coração se derretia e se derramava em si mesmo. Deus oculto e inimigos enfurecidos, uma dupla de males suficiente para derrubar o mais robusto coração! Por que deixar reflexões tão tenebrosas apoderar-se de nós, visto que o resultado não é de valor algum. Meramente virar a alma em si mesma, esvaziá-la de si mesma em si mesma é inútil, é muito melhor derramar o coração diante do Senhor! O moinho movido pelo prisioneiro pode colocá-lo no céu mais cedo do que meros questionamentos interiores, podem nos colocar mais próximos da consolação.

"Pois eu havia ido com a multidão; fui com eles à Casa de Deus." Reflexões dolorosas vieram-lhe à mente pela memória de alegrias passadas. Ele tinha se juntado na multidão dos piedosos, cuja quantidade ajudara a lhe dar alegria e despertar o prazer santo. A companhia desse povo lhe era fascinante, enquanto com eles o salmista subia o monte Sião. Prosseguindo gentilmente com desembaraço santo, em procissão graciosa, com frequentes canções melodiosas, ele e o povo de Senhor tinham marchado em grupos reverentes até ao santuário do sacrifício, ao querido domicílio de paz e santidade. Longe de tal companhia santa, o homem santo imagina a cena sagrada e concentra-se nos detalhes da marcha piedosa.

"Com voz de alegria e louvor, com a multidão que festejava." O barulho festivo lhe soando aos ouvidos, e a dança solene ainda passa diante dos olhos. Talvez, Davi esteja aludindo à remoção da arca e aos ajuntamentos gloriosos das tribos naquele grandioso dia santo e feriado nacional. Como era diferente o lugar agora! Por Sião, um deserto; por sacerdotes trajados de linho branco, soldados fardados para a guerra; por canção, a zombaria da blasfêmia; por festividade, lamentação; por alegria no Senhor, um canto triste sobre essa ausência.

Suspiro ao pensar nos dias mais felizes
Quando tu, ó Deus, estavas perto de mim
Quando todo coração estava afinado para te louvar
E não havia ninguém mais abençoado do que eu

Quando em terra estrangeira, entre as idolatrias do papismo, sentimos exatamente a mesma saudade da casa do Senhor descrita aqui. Dizemos: "Siana, Siana, nossa santa e bonita casa, quando eu te verei novamente? Tu, igreja do Deus vivo, minha mãe, minha casa, quando ouvirei os teus salmos e as orações santas, e voltarei a ver o Senhor no meio do seu povo?" Parece que Davi teve uma lembrança peculiarmente terna do cântico dos peregrinos, e seguramente esta é a parte mais gostosa do culto e que chega mais perto da adoração do céu. Que degradação trocar os cânticos inteligentes da congregação pela lindeza teatral de um quarteto musical, as delicadezas refinadas de um coral ou os golpes inanimados de sinos e os sopros de flautas! Podemos tanto quanto orar pela maquinaria como louvar por meio dela.

5. *"Por que estás abatida, ó minha alma"?* É como se Davi fosse dois homens, o salmista fala consigo mesmo. A fé argumenta com os medos, a esperança discute com as tristezas. Essas dificuldades vigentes têm de durar para sempre? As alegrias dos meus inimigos são mais do que conversa vazia? A minha ausência das festas solenes é de um exílio perpétuo? Por que essa depressão profunda, esse desânimo incrédulo, essa melancolia covarde? Como diz Trapp: "Davi reprova Davi por causa das tristezas", sendo nisto um exemplo para todos os desesperados. Investigar a causa da tristeza é a melhor cirurgia para a aflição. A autoignorância não é uma bênção; neste caso, é uma desgraça. A névoa da ignorância aumenta a causa do nosso alarme. Uma visão mais clara fará os monstros virarem ninharias.

"E por que te perturbas em mim?" Por que o meu sossego acabou? Se não posso guardar um sábado público, para quê então nego à minha alma o sábado interior? Por que estou agitado como um mar tumultuoso, e por que os meus pensamentos fazem um barulho como uma multidão em revolta? As causas não são suficientes para justificar tal entrega total ao desespero. Ânimo, coração meu! O que te aflige? Porta-te como homem, e os teus desencorajamentos tornar-se-ão em encorajamentos, e acalmará as tuas ansiedades.

"Espera em Deus." Se forem soltos todos os males da caixa de Pandora, ainda haverá esperança no fundo. Essa é a graça que continua nadando, embora as ondas rujam e estejas inquietas. Deus é imutável, e, portanto, a sua graça é a base para a esperança inabalável. Mesmo que tudo esteja escuro, o dia virá. Enquanto isso, a esperança carrega as estrelas nos olhos. As suas lâmpadas não dependentes de óleo exterior, a sua luz é alimentada por visitações secretas de Deus, que sustenta o espírito.

"Pois ainda o louvarei." Os meus suspiros ainda darão lugar a canções, as minhas cantigas tristes serão trocadas por hinos triunfais. A perda da sensação presente do amor de Deus não é uma perda desse amor. A joia está lá, embora não brilhe em nosso peito. A esperança conhece o seu bom documento de posse mesmo quando não a possa ler claramente. Ela espera o benefício prometido embora a providência se coloque diante dela de mãos vazias.

"Pois ainda o louvarei na salvação da sua presença." Os livramentos vêm da face propícia de Deus, e Ele ainda levantará a sua face sobre nós. Note bem que a principal esperança e o principal desejo de Davi está no sorriso de Deus. A sua face é o que ele busca e espera ver, e o recuperará do desânimo, porá em desprezo os inimigos risonhos, lhe restabelecerá todas as alegrias daqueles dias santos e felizes em que a memória teima em ficar. Essa é a grande alegria. Este versículo, como o cântico de Paulo e Silas, solta as cadeias e treme as paredes da prisão. Aquele que pode usar tal linguajar heróico nas horas escuras seguramente vencerá. No jardim da esperança crescem os lauréis para as vitórias futuras, as rosas da iminente alegria, os lírios da paz vindoura.

6 *Ó meu Deus, dentro de mim a minha alma está abatida; portanto, lembro-me de ti desde a terra do Jordão, e desde o Hermom, e desde o pequeno monte.*

7 *Um abismo chama outro abismo, ao ruído das tuas catadupas; todas as tuas ondas e vagas têm passado sobre mim.*

8 *Contudo, o Senhor mandará de dia a sua misericórdia, e de noite a sua canção estará comigo: a oração ao Deus da minha vida.*

9 *Direi a Deus, a minha Rocha: Por que te esqueceste de mim? Por que ando angustiado por causa da opressão do inimigo?*

10 *Como com ferida mortal em meus ossos, me afrontam os meus adversários, quando todo o dia me dizem: Onde está o teu Deus?*

11 *Por que estás abatida, ó minha alma, e por que te perturbas dentro de mim? Espera em Deus, pois ainda o louvarei. Ele é a salvação da minha face e o meu Deus.*

6. *"Ó meu Deus, dentro de mim a minha alma está abatida."* Aqui a canção recomeça com os instrumentos de sopro. Um fim tão doce merece isso; em prol de um segundo encerramento esperançoso, o salmo deve até começar de novo. Talvez, o abatimento do salmista tenha continuado e o espasmo de desânimo voltado. Então, ele se acalmará com a harpa novamente. Davi tentará que o seu poder venha sobre ele de novo, como nos dias da mocidade, pois o salmista viu a influência causada em Saul, quando o espírito maligno vinha sobre ele. O cântico começa a segunda vez com Deus mais de perto do que na primeira. O cantor também estava um pouco mais tranquilo. A

expressão externa do desejo acabara. Não havia mais suspiro audível. Agora a tristeza estava contida dentro das portas. Ele ficou abatido em si mesmo. Verdadeiramente, isso pode acontecer, porquanto os nossos pensamentos olham mais para dentro de nós do que para cima. Se *o nosso próprio eu* tivesse de fornecer consolação, seríamos provedores ineptos. Não há fundamentação sólida para consolação em tais estruturas inconstantes quando o assunto é o coração. É bom dizer ao Senhor como nos sentimos, e quanto mais clara a confissão melhor. Davi fala como criança doente com sua mãe, e aprendamos a imitá-lo.

"Portanto, lembro-me de ti." Faz bem fugir para o nosso Deus. É onde temos terra firme. Bendito abatimento que nos dirige tão seguramente a uma Rocha de refúgio como tu, ó Senhor!

"Desde a terra do Jordão, e desde o Hermom, e desde o pequeno monte ["e no outeiro de Mizar, ARA]." Ele relembra as épocas de comunhão seleta pelos rios e entre as montanhas, sobretudo os momentos mais preciosos neste pequeno monte, onde o amor falava a sua mais doce linguagem e revelava a mais íntima comunhão. É muito sábio guardar na memória as nossas ocasiões preferidas de conversas com o céu. Podemos precisar delas outro dia, quando o Senhor demorar em trazer de volta o banido, e a nossa alma estiver tomada de medo. "O seu amor em tempos passados" tem sido um tônico precioso para muitos que desfalecem. Como lufada de ar que coloca em chamas o morrão que fumega e sustenta a cana quebrada. Oh, nunca esquecido vale de Acor, tu és uma porta de esperança! Os dias felizes, agora findos, vós deixastes uma luz atrás de vós que alegra a nossa escuridão presente. Ou, então, Davi quer dizer que mesmo onde estava, refletiria sobre o seu Deus. Ele declara que, esquecido do tempo e lugar, contaria o rio Jordão tão sagrado quanto tanque de Siloé, o monte Hermom tão santo quanto o monte Sião, e até Mizar (ARA), aquele montinho insignificante, tão glorioso quanto os montes que estão em volta de Jerusalém! É um coração santo poder cantar:

Para mim não resta lugar nem tempo
A minha pátria está em todo lugar
Posso ficar tranquilo e livre de cuidados
Em qualquer lugar, desde que Deus esteja ali

Fosse eu arremessado onde tu não estás
Isso realmente seria uma sorte terrível
Mas não há regiões remotas que eu não chame
É certo encontrar Deus em tudo

7. *"Um abismo chama outro abismo, ao ruído das tuas catadupas."* Os teus procedimentos severos comigo parecem provocar toda criação a atacar-me. O céu, a terra e o inferno chamam uns aos outros, convocando uns aos outros em conspiração terrível contra a minha paz. Como em uma catadupa, o abismo de cima e de baixo apertam as mãos. Parecia a Davi que o céu e a terra tinham se unido para criar uma tempestade ao redor dele. As aflições eram incessantes e opressivas.

Ondas seguiam ondas, um mar ecoava o rugido do outro. A dor física despertou o medo mental, as sugestões satânicas intrometeram-se com pressentimentos que demonstram falta de confiança. A tribulação exterior trovejou em harmonia terrível com a angústia interior. A alma parecida afogada como em um dilúvio universal de dificuldades, sobre cujas ondas a providência do Senhor movia-se como uma coluna cheia de água, em majestade terrível, inspirando o terror extremo. Para o aflito ele era como um barquinho solitário em torno do qual a fúria da tempestade se deflagra, ou como um marinheiro que flutua em um mastro, com quase toda força submersa.

"Todas as tuas ondas e vagas têm passado sobre mim." Davi pensou que todas as tribulações do mundo tinham sobrevindo sobre a sua vida, mas ele exagerou, pois todas as ondas de Jeová passaram, exceto o Senhor Jesus. Há aflições para as quais Ele torna os filhos estranhos por seu amor. A tristeza naturalmente expõe o caso violentamente. A misericórdia é que o Senhor não trata conosco de acordo com os nossos medos. Mesmo assim que situação horrível é passar por isso!

Os vagalhões do Atlântico varrendo em sucessão incessante sobre a cabeça, as catadupas ficando cada vez mais perto e todo o oceano em alvoroço ao redor do nadador cansado. Os herdeiros do céu conseguem, em sua maioria, visualizar a descrição, porque já passaram pela mesma coisa. Essa é uma experiência difícil desconhecida pelas crianças na graça, mas comum para os que lidam nas grandes águas da aflição. Para estes existe um certo consolo em lembrar que as ondas e vagas são do Senhor. "Todas as tuas ondas e vagas", diz Davi, são enviadas e dirigidas pelo Senhor e alcançam os seus desígnios. Quando o filho de Deus sabe disso, fica mais resignado.

8. *"Contudo, o Senhor mandará de dia a sua misericórdia."* Venha o que vier, será "um certo algo secreto" que adocicará tudo. A misericórdia é um nobre cinto salva-vidas em um mar violento. O dia pode escurecer em uma meia-noite estranha e intempestiva, mas o amor de Deus ordenado antigamente para ser a porção dos eleitos, será por soberano decreto distribuído para eles. Jamais amanhecerá um dia para o herdeiro da graça, que o encontre completamente abandonado pelo Senhor. O Senhor reina e, como Soberano, Ele comandará com autoridade que a misericórdia seja reservada para os escolhidos.

"E de noite." As duas divisões do dia serão iluminadas com amor especial, e não há força gerada por provação que evite isso. O nosso Deus é o Deus da noite como também do dia. Ninguém encontra Israel desprotegido, seja a hora que for.

"A sua canção estará comigo." Cânticos de louvor pelas bênçãos recebidas alegrarão a penumbra da noite. Não há música mais doce do que esta. A crença de que ainda glorificaremos ao Senhor pela misericórdia dada nas horas de necessidade é uma certeza deliciosa para a alma. A aflição pode apagar a vela, mas se não pode silenciar o nosso cântico logo a acenderemos de novo.

"A oração ao Deus da minha vida." A oração é juntada com o louvor. AquEle que é o Deus vivo, é o Deus da nossa vida, dEle nós a derivamos, com Ele em oração e louvor nós a gastamos, a Ele nós a dedicamos, nEle nós a aperfeiçoaremos. Ter certeza de que os nossos suspiros e canções terão livre acesso ao glorioso Senhor é ter motivos para a esperança na mais deplorável condição.

9. *"Direi a Deus, a minha Rocha: Por que te esqueceste de mim?"* A fé tem permissão de perguntar ao seu Deus as causas de Ele estar descontente. Tem permissão até de objetá-lo e lembrá-lo das promessas, perguntando por que elas claramente não se cumpriram. Se o Senhor é de fato a nossa Rocha, quando não encontrarmos refúgio, temos de perguntar: "Por que isso aconteceu?" Entretanto não devemos abandonar o lugar seguro, pois o Senhor ainda tem de ser a "minha" Rocha. Temos de permanecer firmes nEle como a nossa única segurança, e jamais renunciar os nossos interesses nEle.

"Por que ando angustiado por causa da opressão do inimigo?" AquEle que condescende em ser contestado por Abraão, seu amigo, permite-nos que o interroguemos para que possamos investigar as causas da sua severidade para conosco. Claro que Deus não tem prazer em ver o rosto dos seus servos machado e sujo pelas lágrimas. Ele não gosta da aspereza com que os inimigos os atacam.

Jamais Ele tem contentamento na tirania com que Satanás os atormenta. Por que, então, Deus permiti que eles sejam escarnecidos pelos inimigos?

Como pode o Deus Forte, que é tão firme e seguro como uma rocha, ser também tão duro e impassível quanto uma pedra para com aqueles que confiam nEle? Tais perguntas humildemente feitas geram alívio para a alma. Saber a razão para a tribulação é, em parte, saber como escapar dela, ou pelo menos suportá-la. A falta de avaliação cuidadosa faz a adversidade parecer mais misteriosa e desesperadora do que realmente é. Trata-se de uma coisa lastimável a pessoa ter um membro do corpo amputado.

Mas quando sabemos que a operação era necessária para salvar-lhe a vida, ficamos alegres em saber que tudo foi feito com sucesso. À medida que a provação se desdobra, o desígnio do Senhor em enviá-la torna-a mais fácil suportar.

10. *"Como com ferida mortal em meus ossos, me afrontam os meus adversários."* Os escárnios cruéis entram profundamente na carne. Alcançam a alma como se um florete tivesse sido introduzido entre as costelas para furar o coração. Se as afrontas ainda não mataram, elas estão matando, pois a dor causada é excruciante. A língua corta até aos ossos, e as feridas que causam são difíceis de curar.

"Quando todo o dia me dizem: Onde está o teu Deus?" Este é o corte mais inclemente de todos, refletindo tanto a fidelidade do Senhor quanto o caráter do seu servo. Essa era a maldade dos inimigos de Davi, que, pensando sobre a pergunta cruel, eles a diziam, diziam diariamente, repetiam-lhe, e isso por um período de tempo. Não há dúvida de que o latido ininterrupto desses vira-latas nos calcanhares do salmista bastava para enlouquecê-lo. Talvez isso teria acontecido, caso ele não tivesse recorrido à oração e tornado as perseguições dos inimigos um argumento para com o seu Senhor.

11. *"Por que estás abatida, ó minha alma, e por que te perturbas dentro de mim?"* Na repetição da tristeza, ele não acha razão suficiente para ficar inquieto. Encarando os medos não eram tão impressionantes quanto pareciam, quando envoltos na obscuridade.

"Espera em Deus, pois ainda o louvarei." Que a âncora continue segurando firme. Deus é fiel, Deus é amor, portanto há lugar e razão para a esperança.

"Ele é a salvação da minha face e o meu Deus." Essa é a mesma expressão esperançosa que está no versículo cinco, exceto pela adição "e o meu Deus", que mostra que o escritor estava crescendo em confiança, e foi audaciosamente capaz de responder a pergunta: "Onde está o teu Deus?" (v. 10). Aqui, exatamente aqui, Ele está pronto para livrar-me. Não tenho vergonha de confessá-lo entre as zombarias e insultos dos inimigos, porque Deus me salvará das suas mãos. Assim fé termina a luta, vencendo, de fato, por antecipação e, de coração, por firme confiança. A mais triste face ainda será alegrada, se houve fé na palavra que Deus prometeu e esperança na sua salvação.

Pois ainda sei que te louvarei
Que graciosamente para mim
A saúde é da minha face
O meu próprio Deus é Ele

NOTAS EXPLICATIVAS E DECLARAÇÕES IMPORTANTES

O Título: "Os filhos de Corá". Quem eram os filhos de Corá? Estas opiniões têm prevalecido em maior ou menor grau. Uma é que eles descenderam de alguém com esse nome nos dias de Davi. Mudge e outros estudiosos opinam que os filhos de Corá eram uma companhia de músicos, fundada ou dirigida por Corá. Outros pensam que os filhos de Corá eram os descendentes sobreviventes daquele homem miserável que, junto com duzentos e cinquenta dos seus asseclas, que eram príncipes, pereceram quando "a terra abriu a sua boca e os tragou com Corá" (Nm 26.10). Em Números 26.11, lemos: "Mas os filhos de Corá não morreram". Eles atenderam ao aviso dado e se afastaram das tendas destes homens ímpios (Nm 16.24, 26). Temos de admitir que o nome Corá e o patronímico coraíta/coraítas encontram-se nas Escrituras, de certo modo, a gerar dúvida considerável no que diz respeito à pessoa específica de quem os coraítas levam o nome (1 Cr 1.35; 2.43; 6.22, 54; 9.19; 26.1; 2 Cr 20.19). Contudo, a convicção mais comum é que eles descenderam daquele que pereceu por ser contraditório. Esta opinião é aceita por Ainsworth com plena confiança, por Gill e outros estudiosos. O Corá que pereceu era levita. Seja qual tenha sido a sua origem, está claro que os filhos de Corá eram uma família levita de cantores. Nada, então, poderia ser mais apropriado do que a dedicação de uma canção sagrada para essas pessoas. — *William S. Plumer*

O Título: "Os filhos de Corá". O "Corá" cujos "filhos" são mencionados aqui é o levita que chefiou uma insurreição contra Moisés e Arão no deserto (Nm 16). Vemos que os seus descendentes viviam como poderosa família levita, pelo menos no tempo de Davi, se queremos identificá-los, como é provável, com os coraítas mencionados em 1 Crônicas 12.6, que, como os bispos bélicos de tempos antigos, sabiam como tirar as vestes sacerdotais para colocar a armadura militar, e cuja mão sabia brandir a espada como também tanger a harpa. Os coraítas faziam parte do grupo que reconheceu Davi como chefe, em Ziclague. Guerreiros cujos "seus rostos", dizem, "eram como rostos de leões, e eles eram ligeiros como corças sobre os montes" (1 Cr 12.8). De acordo com 1 Crônicas 9.17-19, os coraítas eram no tempo de Davi "guardas dos umbrais do tabernáculo". Ainda mais antigamente, no tempo de Moisés, eram guardas à entrada do acampamento dos levitas. Em 1 Crônicas 26.1-19, temos duas linhagens desta família associadas com Merari, como guardas das portas (porteiros) do Templo. Há alusão provável a este ofício no Salmo 84.10. Mas os coraítas também eram célebres músicos e cantores; veja 1 Crônicas 6.16-33, onde fala que Hemã, um dos três músicos famosos do tempo, é coraíta (cf. 1 Crônicas 25). A reputação musical da família continuou pelo tempo de Josafá (2 Cr 20.19), onde temos a forma plural duplamente peculiar בְּנֵי הַקָּרְחִים, "filhos dos coraítas". — *J. J. Stewart Perowne*

O Título: "Os filhos de Corá". Os escritores medievais observam como aqui, bem como em muitos outros textos, era a vontade de Deus levantar santos onde eles teriam sido menos procurados. Quem imaginaria que da posteridade daquele que disse contra Moisés e contra Arão: "Demais é já" (Nm 16.3), se levantaria pessoas cujos doces salmos seriam a herança da igreja de Deus nos fins dos tempos? — *John Mason Neale*

v. 1: "O cervo brama pelas correntes das águas". Aqui, começamos e saltamos por uma das planícies favoritas de Salomão. Que elegantes criaturas são as gazelas e como saltam graciosamente! [...] Os escritores sagrados mencionam as gazelas usando nomes como cervas, corças e cabritos. [...] Já vi grandes rebanhos de cervos bramantes, reunindo-se em torno de córregos nos grandes desertos da Síria Central, tão vencidos pela sede que dava de chegar bem perto delas antes de fugirem. — *W. M. Thomson, 1859*

v. 1: "Como o cervo brama pelas correntes das águas, assim suspira a minha alma por ti, ó Deus!" Os bêbedos acham que frequentar as casas de Baco dá muito prazer, porém os piedosos têm muito mais alegria em frequentar as casas de Deus. Mas é uma coisa que Deus prometeu há muito pelo profeta: "Também os levarei ao meu santo monte e os festejarei na minha Casa de Oração; os seus holocaustos e os seus sacrifícios serão aceitos no meu altar, porque a minha casa será chamada Casa de Oração para todos os povos" (Is 56.7). E segundo me parece, ouço o disposto povo do poder de Deus, alegremente chamando uns aos outros nas palavras de Miqueias 6.2: "Ouvi, montes, a contenda do SENHOR, e vós, fortes fundamentos da terra; porque o SENHOR tem uma contenda com o seu povo e com Israel entrará em juízo". Como os piedosos ficam encantados com a beleza da santidade (cf. Salmo 29.2), quando estão em tais reuniões! Quanto mais encantado ficou o santo Davi em estar na casa de Deus em Jerusalém, a tal ponto que, se ele fosse mantido longe dela por pouco tempo que fosse, a sua alma bramaria e suspiraria pela casa do Senhor, ardendo de saudade, como um cervo sedento faria por água: "Como o cervo brama pelas correntes das águas, assim suspira a minha alma por ti, ó Deus! A minha alma tem sede de Deus, do Deus vivo; quando entrarei e me apresentarei ante a face de Deus?" Os pobres e desconsolados cativos a colocavam no melhor lugar da memória: "Se eu me esquecer de ti, ó Jerusalém, esqueça-se a minha destra da sua destreza" (Sl 137.5). Não somente isso, mas eles a preferiam como a maior alegria: "Apegue-se-me a língua ao paladar se me não lembrar de ti, se não preferir Jerusalém à minha maior alegria" (Sl 137.6). Não havia lugar no mundo que Davi mais valorizasse ou gostasse de estar: "Porque vale mais um dia nos teus átrios do que, em outra parte, mil. Preferiria estar à porta da Casa do meu Deus, a habitar nas tendas da impiedade" (Sl 84.10), a tal ponto de achar no coração e preferir, se puder, passar todos os dias nessa casa (Sl 27.4). — *Zachary Bogan, 1625-1650*

v. 1: "Como o cervo brama pelas correntes das águas, assim suspira a minha alma por ti, ó Deus!" A alma deseja fortemente ter familiaridade com Deus aqui nas suas ordenanças. Crisóstomo foi muito retórico sobre o texto, dizendo-nos que Davi, como companheiro ausente, tem de expressar afeto como aqueles que dão suspiros delicados, reclamações apaixonadas, exclamações amorosas e várias revelações de afeto. Pode ser que nunca encontrem com uma árvore, mas no barco eles têm de entalhar o nome da amada, Δεινὸς δ' ὁ ἔρως ὥσπες ὁ κιττὸς ἀυτὸν ἐκ πάσης ἀναδῆσαι προφάσεως, não perdendo nenhuma oportunidade, como fala o moralista. Os verdadeiros companheiros de Deus sempre estão pensando nEle, suspirando por Ele, bramando por Ele, falando dEle e (se fosse possível) gravariam o nome do Senhor Jesus no peito de todos os homens do mundo. Olhe para Davi, agora banido e expulso da presença de Saul, e veja como ele se comporta. Não como Temístocles ou Camilo, ou outros tão respeitáveis e valentes que também foram banidos. Ele não reclama da ingratidão da nação, da maldade dos adversários e do próprio sucesso infeliz. Nada disso. Em vez de murmurar, Davi dá um bramido e suspira só pelo seu Deus. Ele foi banido do santuário, o palácio da mais próxima presença de Deus e residência do chefe de todos. Ele não pode desfrutar da beleza da santidade, e todos os outros lugares lhe parecem como as "tendas de Quedar" (Sl 120.5). Ele foi banido do Templo e pensa estar banido do seu Deus, como significam as seguintes palavras: "Quando entrarei e me apresentarei ante a face de Deus?" (v. 2). Os expositores em massa dizem a mesma coisa sobre o significado do desejo forte do salmista de visitar o Templo, e os amáveis átrios do seu Deus, com os quais a sua alma tanta se deleitava. — *Nathanael Culverwel, "Panting Soul" [Alma que Brama], 1652*

vv. 1 a 3: Esses versículos são uma ilustração do uso frequente da palavra *Elohim* no Livro II dos Salmos. Apresentamos a tradução feita por John Fry (1842) dos primeiros três versículos

Como o cervo procura pelas fontes de água
Assim a minha alma procura por para ti, ó Elohim

A minha alma é sedenta de Elohim, do vivo El
Quando irei e verei a face de Elohim?

As minhas lágrimas têm sido a minha comida de dia e de noite
Enquanto eles me dizem continuamente: Onde está o teu Elohim?

v. 2: "A minha alma tem sede de Deus, do Deus vivo; quando entrarei e me apresentarei ante a face de Deus?" Certifique-se de que, em relação a qualquer dever, o coração descanse somente em Cristo. Não faça nada até que você ache algo de Cristo nesse dever, até que você não só obtenha um punhado, mas uma braçada (como obteve o idoso Simeão, Lucas 2.28), um coração cheio do santo e formoso bebê de Belém. De fato, você deve ter trato com o céu e comunhão com Cristo a serviço, que é chamado de a presença de Deus ou a sua apresentação perante Ele (Êx 23.17; Sl 42.2). Os seus serviços têm de ser como uma ponte para dar passagem a você ou como um barco para levá-lo ao seio de Cristo. John Bradford, o santo mártir, disse que não parava de confessar, até que o coração fosse tocado e quebrantado pelo pecado, nem cessava de suplicar, até que o coração fosse sensibilizado pela beleza das bênçãos desejadas, nem deixava de agradecer, até que a alma fosse avivada por conta dos louvores, nem desistia de fazer qualquer serviço até que o coração fosse levado a ficar disposto ao serviço e alguma coisa de Cristo fosse achada nisso. Bernardo falou muito bem: *Nunquam abs te absque te recedam Domine*, que significa: "Eu nunca sairei (em serviço) para Ti sem Ti, Senhor". Agostinho disse que não gostava dos elegantes sermões de Túlio (como se chamava antigamente), porque ele não achava Cristo neles. A alma graciosa também não gosta de serviços vazios. Flores e adornos retóricos, expressões sem impressões sobre a oração ou pregação, não são verdadeiro pão, senão o tinido de címbalo, e não pode ser impedido com a colher vazia de noções irreais, ou canções românticas (que também não são vivas). Se Cristo fala com você no caminho (a serviço) o seu coração arderá dentro de você (Lc 24.16,32). — *Christopher Ness, 1621-1705, "Chrystal Mirrour" [Espelho de Cristal], 1679*

v. 2: "Do Deus vivo". Há três aspectos especiais nos quais se diz que o nosso Deus é o Deus vivo.

(1) Originalmente, porque só Ele tem vida em si mesmo e de si mesmo, e todas as criaturas a têm dEle.(2) Operativamente, porque Ele é o único doador da vida para o homem. A nossa vida, em sua extensão tripla e habilidade, quer a entendamos por fluxos naturais, ou espirituais, ou eternas, e vem de Deus para nós. (3) Está escrito que Deus é o "Deus vivo", por via de diferenciação e em oposição a todos os falsos deuses. — *Thomas Horton*

v. 2: O homem mau jamais pode dizer a sério: "Quando entrarei e me apresentarei ante a face de Deus?", porque ele entrará bem logo e antes do que deseja, como os demônios que disseram que Jesus chegou para atormentá-los antes do tempo (Mt 8.29). Pergunte ao ladrão e malfeitor se se apresentaria de boa vontade perante o juiz. Não, garanto-lhe, não. Ele preferiria não haver juiz perante quem se apresentar. Assim é com os homens mundanos em relação a Deus de quem eles desejam preferencialmente se esconder. — *Thomas Horton*

v. 2: "Entrarei e me apresentarei ante a face de Deus". Quando formos à igreja e ficarmos no santuário, examinemos o que formos ver: Uma sombra de religião? Um demonstração de formas cristãs? Um pregador habilidoso? Figuras e práticas devocionais? Neste caso, teria sito muito mais sábio e inocente termos ido ao deserto para ver "uma cana agitada pelo vento" (Mt 11.7). Podemos dizemos como os gregos disseram na festa: "Senhor, queríamos ver a Jesus" (Jo 12.21)? Ou como Absalão que disse que não lhe servia de nada ir a Jerusalém e não ver a face do rei (2 Sm 14.32). Não serve para nada irmos à igreja, ou prestamos atenção às ordenanças, se não buscarmos, se não virmos Deus. — *Isaac Watts, Doutor em Teologia, 1674-1748*

v. 2: "A minha alma tem sede de Deus, do Deus vivo; quando entrarei e me apresentarei ante a face de Deus?" Se você tirar os brinquedos e guloseimas de uma criança, ela não gostará e chorará no colo da mãe. Assim, o pregador que vai ao púlpito com bonitas frases latinas e gregas, e histórias interessantes, não saciará a alma faminta, ela tem de ter o leite da palavra sem mistura para alimentar-se. — *Oliver Heywood*

v. 2: "Quando entrarei e me apresentarei ante a face de Deus?"

Enquanto estou banido da tua casa
Choro em segredo, Senhor:
"Quando irei e pagarei os meus votos
E ouvirei a tua Santa Palavra?"

Assim enquanto habito em laços de barro
Parece que a minha alma gemerá:
"Quando voarei pelo meu caminho celestial
E me apresentarei perante o teu trono?"

Amo ver o meu Senhor aqui na terra
A sua igreja exibe a sua graça
Mas o mundo superior conhece a sua glória
E o vê face a face

Amo adorar aos seus pés
Embora o pecado ataque-me ali
Mas os santos exaltados perto do seu trono
Não têm ataques a temer

Agrada-me encontrá-lo nos seus átrios
E provar do seu amor celestial
Mas ainda penso que as suas visitas são curtas
Ou saio muito cedo

Ele brilha e eu fico completamente encantado
Ele se esconde e tudo é dor
Quando Ele me fixará na sua visão
E nunca se afastará de novo?
— *Extraído de um dos sermões de Isaac Watts, 1674-1748*

v. 3: "As minhas lágrimas servem-me de mantimento de dia e de noite". O salmista não podia comer nada por causa da extrema aflição por que passava. — *John Gadsby*

v. 3: "Porquanto me dizem". Não só é de mim, mas para mim. Eles são diretos com o salmista, como alguém pronto a justificar e demonstrar que Deus o abandonara. A calúnia argumenta mais baixeza, mas a repreensão aberta requer mais coragem, cinismo e descaramento. É disso que os inimigos de Davi eram culpados aqui. — *Thomas Horton*

v. 3: "Onde está o teu Deus"? Os filhos de Deus são impacientes, na medida em que são homens, sendo dignos de repreensão. Mas na medida em que são homens cristãos, eles são irrepreensivelmente impacientes na religião: "Onde está o teu

Deus?" Eles não eram esses desesperados ateus que pensam que não há Deus, para questionar se havia um Deus ou não, embora, realmente, eles eram pouco melhores. Mas essas pessoas o repreendem e censuram com a sua singularidade: Onde está o *teu* Deus? Tu és um dos prediletos de Deus. Tu és um daqueles que pensam que ninguém, senão tu, serves a Deus. Tu és um que irá sozinho — o *teu* Deus! Assim, esta é uma repreensão comum, uma parte ordinária para os homens maus lançarem às melhores pessoas, especialmente, quando elas estão na miséria. O que acontece agora com a sua confissão? O que acontece agora com o seu ardor e rigor? O que acontece agora com o seu Deus, de quem você se vangloriava e em quem você se considerava tão feliz, como se Ele não tivesse sido Deus de mais ninguém senão de você? Com isso, aprendemos qual é a disposição dos homens maus. É o caráter de uma disposição peçonhenta e amaldiçoada censurar a pessoa com a sua religião.

Mas qual é a extensão? A extensão é pior do que as palavras "onde está o teu Deus?" A extensão é livrar-se da fé e confiança em Deus. Foi isso que o tocou mais enquanto o censuravam. Porque o Diabo sabe muito bem o quanto Deus e a alma estão unidos. É em vão perturbar o homem, então ele trabalha para pôr ciúmes, para acusar Deus contra os homens e os homens contra Deus. Ele sabe que não há nada no mundo que se levante contra Deus. Contanto que façamos de Deus a nossa confiança, todos os seus empreendimentos são vãos. A sua intenção é estremecer a nossa lealdade a Deus. "Onde está o teu Deus?" Assim ele tratou com a Cabeça da igreja, o nosso bendito Salvador, quando o tentou no deserto: "Se tu és o Filho de Deus, manda que estas pedras se tornem em pães" (Mt 4.3). Ele veio com um "se", empenhando-se em abalar a sua filiação. O Diabo, visto que ele foi dividido eternamente do próprio Deus, tornou-se um espírito de divisão. Ele se empenha em dividir Deus Pai do seu próprio Filho: "Se tu és o Filho de Deus?" Da mesma forma, ele se empenha em dividir os cristãos da cabeça, Cristo. "Onde está o teu Deus?" Havia a sua influência, para criar divisão se puder, entre o seu coração e Deus, para que ele possa pôr Deus em ciúmes, como se Ele não o tivesse considerado. Você se esforçou muito para servir o seu Deus. Você vê como o Senhor o considera agora. "Onde está o teu Deus?" — *Richard Sibbes*

v. 3: "As minhas lágrimas servem-me de mantimento de dia e de noite, porquanto me dizem constantemente: Onde está o teu Deus?" Como são fortes as zombarias e repreensões dos descrentes objetivadas a abalar a fé da mente abatida! Como são peculiarmente aflitivas para a alma que ama a Deus a desonra lançada sobre Ele pelos inimigos! — *Henry March, "Sabbaths at Home" [Sábados em Casa], 1823*

v. 3: "Onde está o teu Deus?"

Onde está agora o teu Deus! Oh, tristeza!
De hora em hora ouvindo-o dizer isso
Encontrando assim o desejado amanhã
Triste quanto ao escuro de hoje
Contudo a minha alma não desanimaria
Não seria afligida ou envergonhada
Senão por aquela angústia mais severa
Quando ouço que o Senhor é difamado

Onde está agora o teu Deus! Oh, ajuda-me
Senhor de misericórdia, para responder
Ele está AQUI — embora os inimigos me invadam
Sei que o seu braço estendido está perto
Ajuda-me a ser vitorioso

Enquanto tomo o escudo da fé
Senhor, aparece e faze-te glorioso
Ajuda-me por amor da tua honra
— *Henry March*

v. 4: "Quando me lembro disto, dentro de mim derramo a minha alma; pois eu havia ido com a multidão; fui com eles à Casa de Deus, com voz de alegria e louvor, com a multidão que festejava". Para a pessoa na miséria é um grande aumento de miséria ter sido outrora feliz. Foi para Davi uma ocasião de novas lágrimas quando se lembrou das suas antigas alegrias. Foi-se o tempo, diz a pobre alma, quando eu pensava em Deus com consolo, e quando pensava nEle como o meu próprio Deus. Perder um Deus que outrora desfrutei é a maior de todas as perdas, e de todos os meus terrores é o mais terrível. Foi-se o tempo em que eu podia ir e orar a Ele, e encontrar alívio na oração. Agora não tenho coragem, esperança e sucesso na oração. Não posso mais chamá-lo de meu Pai. Foi-se o tempo em que eu podia ler a Bíblia e entesourar as promessas, e inspecionar a terra de Canaã como a minha herança. Agora não ouso olhar a Palavra para que eu não leia a minha própria condenação. Outrora o sábado era-me como um dos dias do céu. Agora também é como o descanso, um dia triste e pesaroso.

Outrora alegrava-me no nome de Cristo: "Desejo muito a sua sombra e debaixo dela me assento" (Ct 2.3). Eu era aos seus olhos como alguém que acha favor. Agora a minha alma está como os desertos da Arábia, estou chamuscado pelo calor ardente. De que grande altura eu caí! Outrora era digno do céu e da salvação, mas agora estou aquém disso! Outrora florescia nos átrios do Senhor. Agora, todos os meus frutos estão podres e murchos: "O orvalho fazia assento sobre os meus ramos" (Jó 29.19), mas agora sou como as montanhas de Gilboa, não há chuva que caia em mim. Tivesse eu nunca ouvido falar do céu, eu não seria tão miserável como agora sou. Tivesse eu nunca conhecido Deus, a perda não teria sido tão terrível como é (Jó 29.2,3). — *Timothy Rogers*

v. 4: "Quando me lembro disto, dentro de mim derramo a minha alma". A bem-aventurança de até lembrar-se do culto divino é tão grande que pode salvar a alma do desespero. — *Comentário de J. P. Lange*

v. 4: "Dentro de mim derramo a minha alma". A própria alma da oração está no derramamento da alma perante Deus. — *Thomas Brooks*

v. 4: "Eu havia ido com a multidão; fui com eles à Casa de Deus, com voz de alegria e louvor, com a multidão que festejava". O Deus gracioso agrada-se em considerar sua glória ter multidões de mendigos à porta formosa do Templo, em busca de esmolas espirituais e materiais. Que honra é para o nosso Proprietário de terras que em sua Casa de reúnam multidões de inquilinos para pagar o aluguel de gratidão e adoração por tudo que receberam dEle! Como é alto e bonito o som das muitas trombetas de ouro! Bom Senhor, que eco fazem aos ouvidos do céu! Quando muitos músicos hábeis tocam em concerto instrumentos bem afinados e preparados a música não pode deixar de encantar o próprio Deus. — *George Swinnock*

v. 4: Consideremos as lágrimas e dor de Davi por desejar e as fervorosas orações para desfrutar das ordenanças públicas, quando ele tinha oportunidades de performances privadas. Claro que você estimará o ministério da Palavra por não pouca misericórdia. Veja como ele ficou triste quando foi afastado do santuário de Deus. "Quando me lembro disto, dentro de mim derramo a minha alma; pois eu havia ido com a multidão; fui com eles à Casa de Deus, com voz de alegria e louvor, com a multidão que festejava." "Dentro de mim derramo a minha alma", quer dizer, fui tomado pela aflição, e sempre estarei pronto a morrer quando comparo a minha situação presente com a minha felicidade anterior no gozo das reuniões religiosas. Há uma elegância no termo "derramo". A palavra é aplicada à água ou à qualquer coisa líquida, e na Bíblia significa abundância (Jl 2.28). A minha vida está pronta para ser derramada como água no chão, a qual não pode ser juntada novamente quando eu me lembrar das minhas misericórdias anteriores e considerar a minha miséria atual. [...] A perda do pai, mãe, esposa, filhos, terras liberdade e até da própria vida não lhe fizera o coração sofrer tanto quanto a perda das ordenações públicas. Como a tristeza era grande pela falta, assim era o seu desejo mais intenso pelo desfrute. Quantas orações ele apresentou pela liberdade do Tabernáculo! (Sl 43.3,4; e 27.4,8). É a única coisa, a principal coisa que o salmista implora de Deus. — *Henry Smith*

v. 4: A inclinação da alma é mostrada notavelmente pelos objetos da lembrança arrependida. — *Henry March*

v. 4: "Com a multidão que festejava".

Embora a oração particular seja um desígnio valente
A oração pública tem mais promessa, mais amor
E a oração de amor um peso para os corações, um sinal para os olhos
Todos somos suplicantes frios; movamo-nos
Onde está mais morno. Deixa o teu seis e sete
Ora com os mais quentes: pois onde a maioria ora, é céu
— *George Herbert, "The Temple" [O Templo]*

v. 5: Veja também comentários sobre o versículo 11 e o Salmo 43.5.

v. 5: "Por que estás abatida, ó minha alma?" Atanásio aconselhou seu amigo que, quando estivesse em dificuldade, ele deveria dedicar-se à leitura deste salmo, pois há um modo, pensou, de curar pelo igual, como também pelo oposto. Já se observou que quando dois instrumentos são afinados em uníssono, se você toca as cordas de um, as cordas do outro também se movem, ainda que não tocadas, se os instrumentos forem colocados a distância conveniente. Para que, então, você tenta as mesmas experiências em você mesmo, coloque os afetos em uma melodia no mesmo tom em que estas palavras foram faladas. Se você não sentir nada, imagine um pouco da aflição. Quando você fizer assim, para que você seja mais inteiramente movido, coloque a atenção a distância conveniente, olhe estreitamente para este profeta santo, observe como ele se retira, exclui o mundo, chama a alma triste para uma triste constatação: *Quare tam tristis?* Ó minha alma! Tu que foste infundida para me dares vida. Tu és, diz o judeu Filo, uma faísca, um raio da divindade, tu, que serias para este corpo escuro meu como o Sol é para a Terra, iluminando, vivificando, animando o meu espírito. Dize-me, por que estás triste? Por que estás abatida? [...]

Pense nisto, você que sente o peso da alma. Pense nisto, você que não sente, para que sinta. Saiba que há a "tristeza segundo Deus [que] opera arrependimento para a salvação, da qual ninguém se arrepende". Saiba também que há a "tristeza do mundo [que] opera a morte" (2 Co 7.10). Lembre-se de que foram as lágrimas que fizeram a pecadora Maria receber o céu. Lembre-se também de que as lágrimas do pecador Esaú não lhe serviram para nada. Porque como no martírio, não é a espada, o chumbo fervente ou a fogueira, não *o que* sofremos, mas *por que* isso nos torna mártires. Assim em nossas tristezas, não é *o quanto* elas feriram, mas *por quê* isso as justifica. Todo aquele que está com o coração preocupado, deve perguntar à alma *por quê*: "Por que estás abatida, ó minha alma?". Não é pelos seus próprios pecados, ou pelos pecados dos outros? Tome qualquer um deles, os seus olhos terão um grande campo para regar. Não é por isto que você é um filho da ira, servo do Diabo? Não é por isso que você é uma vela ao vento, açoitado pelas provações?

Ou não é para que você seja livre deles? "Ai de mim, que peregrino em Meseque, e habito nas tendas de Quedar" (Sl 120.5). Você está abatido como Agostinho estava, quando leu que o caminho para o céu era estreito e poucos os que trafegavam por ele? Ou você tomou a resolução de Bernardo que fizera um pacto com a alma de nunca mais se alegrar até ouvir o Salvador chamá-lo: "Vinde, benditos", e de nunca mais deixar de entristecer-se até ter escapado da amarga sentença: "Apartai-vos de mim, malditos?". Se qualquer um desses for o *porquê*, a razão das suas tristezas, se tais pensamentos abateram você, saiba que o seu Salvador já o abençoou, pois: "Bem-aventurados os que choram" (Mt 25.34, 41; 5.4). Os anjos são os seus servos, eles juntam as suas lágrimas. Deus é o seu tesoureiro, Ele as põe no odre. O Espírito Santo é o seu consolador, Ele não o deixará. Não temas, então, ó minha alma, seres abatida, não temas seres perturbada dentro de ti. — *Brian Duppa [Bispo], 1588-1662, em um sermão intitulado "The Soule's Soliloquie" [O Solilóquio da Alma]*

v. 5: "Por que estás abatida, ó minha alma?" Por que ou qual pode ser a razão para este texto ser usado três vezes neste salmo e no seguinte? Considerando que você não acha dois versículos do mesmo comprimento usados em outro texto do livro dos Salmos, exceto no Salmo 107, onde é repetido: "Louvem ao SENHOR", com certeza, a menção frequente desse texto e palavras argumentam, e nos chamam a atenção para a importância do tema. [...]

Os homens maus oprimiram Davi e o Diabo o tentou. Contudo, ele repreende o próprio coração e nada mais. Davi não repreendeu Saul, nem repreendeu Absalão, mas repreende e examina o próprio coração: "Por que estás abatida, ó minha alma?". Embora o Diabo e os homens maus, um tente, os outros oprimam como instrumentos de castigo pelo pecado, nós, como Davi, temos de repreender o nosso próprio coração.

Analisemos no texto as palavras que foram traduzidas na voz passiva: "Por que estás abatida, ó minha alma?", mas que no original está na voz ativa. Lemos: "Por que estás abatida?", mas no original lemos, מַה־תִּשְׁתּוֹחֲחִי נַפְשִׁי וּמַה־תֶּהֱמִי עָלָי, "Por que te curvas (ou pressionas) para baixo, ó minha alma? E por que te tumultuas contra mim?" Como Arias Montanus, *Cur humiliasti te? Cur deprimes te anima mea?* Segundo Lorinus, Provérbios 12.25. E as palavras assim lidas, elas dão a entender tudo isso, para que o povo de Deus fique bastante abatido pelo senso de pecado, e seja muito ativo no próprio abatimento. Não é Deus nem o Diabo quem abate você, mas "Por que estás abatida, ó minha alma?" serve para criar mais dificuldades para você mesmo do que ou Deus inflige ou o Diabo tenta. — *Christopher Love, "The Dejected Soul's Cure" [A Cura da Alma Abatida], 1657*

v. 5: "Por que estás abatida, ó minha alma?" Consideremos quanto há de Deus na aflição. (1) Não veio a aflição sem o conhecimento de Deus? Por que você se inquieta, então? O Pai sabendo disso teria detido o seu curso se isso fosse melhor para você.

(2) Não veio a aflição sem a ordem de Deus? Por que você se perturba? É o cálice que o Pai lhe dá, e você não o bebe?

(3) É da vontade do Pai que você sofra, e a sua disposição será rebelar-se contra Ele?

(4) Deus não fez mais do que podia fazer? Por que murmurar, como se Ele tivesse prejudicado você?

(5) Não é uma ação sábia de Deus? Por que você exalta a sua vontade tola acima da sabedoria infinita de Deus?

(6) O caminho de Deus não é um caminho da misericórdia? Por que o seu espírito amotinado tropeça nisso, como se você estivesse em um caminho áspero?

(7) Não é uma coisa boa que acontece com você? Por que reclamar como se fosse uma coisa ruim?

(8) É menos do que os homens sofrem, do que o povo de Deus, do que o seu próprio Filho sofreu, e você tem motivo para reclamar?

(9) Não é o que você merece? E até menos do que merece. Deve o homem vivo reclamar do castigo do seu pecado?

(10) Não está na medida certa, ordenado com cuidado? (a) Pela mão do Médico; (b) um pequeno gole; e (c) proporcional à sua força; (d) dado de acordo com a proporção da força e consolo que Ele quer repartir com você, para você suportar? Por que está abatido? Por que se perturba? Não é o propósito e fruto disso purificar você? Purgar você do pecado passado, e prevenir para o tempo futuro? Você não encontra um fruto nisso? Não acha que agora foi transformado em uma pedra de giz; os seus bosques e imagens, ou seja, as corrupções que o ajudavam quando estava em prosperidade, e que o atenderiam se você tivesse essas coisas boas que necessita e pelas quais se inquieta. Se esses males que você sente ou teme estivessem longe do seu sentimento e temor, eles ainda atenderiam você para que essas coisas boas não se levantassem agora? Levante a cabeça, cristão! Diga à sua alma: "Por que estás abatida, ó minha alma, e por que te perturbas em mim?" Medite no que há de Deus na causa das suas inquietações. — *John Collinge, 1623-1690, "A Cordial for a Fainting Soule" [Um Fortificante para a Alma Desfalecente], 1652*

v. 5: "Por que te perturbas em mim?", mais literalmente, "te tumultuas", um termo aplicado ao rugido, tumulto e agitação do mar (ver Isaías 17.12; Jeremias 5.22; 6.23; 51.55). — *Henry March*

v. 5: "Espera em Deus". Mostrarei que forte influência que a esperança exerce sobre o cristão na aflição e como ela opera.

Em primeiro lugar, a esperança acalma e silencia você na aflição. Mantém a paz do Rei no coração, o qual de outra forma logo estaria em alvoroço. A alma desesperada é clamorosa. Uma hora acusa Deus, outra hora insulta os seus instrumentos. Não pode descansar por muito tempo, e não admira que a esperança não exista. A esperança tem a rara habilidade de acalmar o espírito rebelde, quando nada mais o acalma. É como a mãe que pode acalmar o bebê que chora dando-lhe de mamar, quando a vara o faz chorar mais. Deste modo, Davi recebeu a esperança e viu que era eficaz. Quando a sua alma estava inquieta por causa da aflição, ele a punha no peito da promessa: "Por que estás abatida, ó minha alma, e por que te perturbas em mim? Espera em Deus". E aqui a alma dorme docemente, como a criança com o seio da mãe na boca. Que esse era o seu hábito, podemos pensar pelos frequentes exemplos encontrados. Três vezes o encontramos tomando esse curso de ação em dois salmos: Salmo 42 e Salmo 43.

Em segundo lugar, essa esperança enche a alma aflita de tamanha alegria e consolação, que pode rir enquanto lágrimas estão nos olhos, suspirar e cantar tudo em um fôlego só. Chama-se "a exultação da esperança" (Hb 3.6, ARA). A esperança nunca dispõe mais alegria do que durante a aflição. É em uma nuvem "chorosa" que o Sol pinta as cores singulares do arco-íris. [...] Há duas graças que Cristo usa acima de qualquer outra para encher a alma de alegria — fé e esperança. A fé conta para a alma o que Jesus tem feito, e assim a consola. A esperança reaviva a alma com as notícias do que Jesus Cristo fará. Ambas bebem da mesma fonte: Cristo e a sua promessa. — Condensado de *William Gurnall*

v. 5: "Espera em Deus". A palavra traduzida por "espera" denota a expectativa que está fundamentada na fé em Deus, e que leva a alma a esperar nEle. A ideia é expressa formosamente no Salmo 39.7: "Agora, pois, Senhor, que espero eu? A minha esperança está em ti". — *Henry March*

v. 5: "Pois ainda o louvarei na salvação da sua presença". Quando se pode dizer: "Senhor, eis que está enfermo aquele que tu amas", então se pode dizer: "Esta enfermidade não é para morte" (Jo 11.3, 4), embora se refira à primeira, e não à segunda morte. Quando Jonas estava no mar, quem pensaria que ele pregaria em

Nínive? (Jn 3). Quando Nabucodonosor estava nos campos, quem pensaria que ele reinaria novamente em Babel? (Dn 4). Quando José foi banido pelos irmãos, quem pensaria que eles iriam buscá-lo como servos dele? Quando Jó raspava as feridas no monturo, todas as suas casas estavam queimadas, todo o gado roubado e todos os seus filhos mortos, quem pensaria que ele seria mais rico como jamais fora? Esses são os atos de misericórdia que fazem o justo cantar: "Cantai ao SENHOR, porque sumamente se exaltou" (Êx 15.21). — *Henry Smith*

v. 5: "Ainda o louvarei". A mente Davi está no dever mais do que na misericórdia. No dever, visto que é uma questão da graça, mais do que da misericórdia, visto que é uma questão de sentimento. Então, por um engano feliz, a língua deixa escapulir, como os homens são propensos a fazer em tais casos, e ele troca um pelo outro. Quando ele deveria dizer: "Ainda receberei a misericórdia de Deus", ele diz: "Ainda o louvarei". — *Thomas Norton*

v. 5: "Por que estás abatida, ó minha alma, e por que te perturbas em mim? Espera em Deus, pois ainda o louvarei na salvação da sua presença". Deus é o médico hábil ao mesmo tempo que tira a doença, também consola e fortalece o corpo. O verdadeiro cristão é aquele que não se contenta em apenas pôr de lado costumes e práticas ruins, mas também labuta para andar no exercício das graças contrárias. Você é transtornado com impaciência, assombrado com um espírito de descontentamento durante a aflição? Perceba que não basta silenciar o coração de questionar com Deus, mas pare até que isso o leve a confiar em Deus docemente. O Davi santo foi até esse ponto. Não só repreendeu a alma por estar inquietada, mas ele a incumbiu de confiar em Deus. — *William Gurnall*

v. 5: Alice Benden que, entre outros, foi presa no castelo de Canterbury sob a acusação de religião. Depois de certo tempo, pela ordem do bispo, ela foi lançada a um calabouço profundo, onde nenhum dos seus amigos podia visitá-la. Lá Alice foi alimentada com uma fatia fina de pão e um copo pequeno de cerveja por dia, não lhe permitindo nada mais pelo dinheiro que ela tivesse.

O seu catre era um pouco de palha, entre duas vigas de madeira e uma parede de pedra. Isso a fez lamentar e chorar aflitivamente o seu estado, argumentando consigo mesma, por que o Senhor Deus foi tão pesado em afligi-la e permitiu que fosse isolada da agradável companhia das suas colegas de prisão. Nessa extrema miséria e no meio dessas lutas dolorosas Alice continuou, até que certa noite, repetindo o salmista: "Por que estás abatida, ó minha alma, e por que te perturbas em mim? Espera em Deus, pois ainda o louvarei na salvação da sua presença", e: *A mão direita de Deus pode mudar tudo isso*, ela recebeu consolo no meio das tristezas, e assim continuou alegre até o dia em que foi liberta. — *Samuel Clarke, "Mirrour" [Espelho]*

vv. 5 e 11: Caso você seja, a qualquer hora, oprimido por tristezas, faça ao seu coração e alma a pergunta que Davi fez duas vezes em situação semelhante em um salmo: "Por que estás abatida, ó minha alma, e por que te perturbas em mim?", e certamente a alma devolverá a resposta: A minha angústia de tristeza emana da minha incredulidade. Podemos conhecer a doença pela cura, nas seguintes palavras: "Espera em Deus, pois ainda o louvarei. Ele é a salvação da minha face e o meu Deus". Toda tristeza de coração emana, principalmente, de nossa incredulidade e não da grandeza de outros males. Estou falando sobre tristeza *destrutiva*, pois a tristeza segundo Deus é amiga da alegria segundo Deus. Não é tanto o peso da carga quanto a ferida das costas que atormenta o pobre animal. Assim não é tanto o peso dos males externos, quanto a ferida na consciência esfolada, não purgada nem curada pela fé, que inquieta e perturba a pobre criatura. — *Matthew Lawrence, "The Use and Practice of Faith" [O Uso e a Prática da Fé], 1657*

v. 5 e 11: Quando as aflições procedem de nós mesmos, podemos chamá-las de dificuldades ou perturbações, pois até do melhor homem, às vezes, sai esse humor entranhavelmente em ebulição. Davi não uma, mas muitas vezes clamou: "Por que estás abatida, ó minha alma, e por que te perturbas em mim?" E mostre-me o homem que não se irrita e se perturba em vão, porque ele com paciência não aguarda o tempo do Senhor? O tolo pássaro que, estando em um quarto cuja porta está fechada e as janelas fechadas, se bate contra as paredes e as janelas, quebra as penas e contunde o corpo, ao passo que se ele ficasse parado até que alguma passagem fosse aberta pelo guardião, sairia sem se ferir. O mesmo ocorre conosco, pois quando o Senhor nos prende e nos restringe a liberdade por certo tempo, abrimos de bom grado o caminho por nós mesmos, tendo muitos dispositivos no coração para furar as paredes da providência, ao passo que, se aguardássemos o tempo dEle, dependentes da promessa e submissos ao mover da sua mão, suportaríamos com mais facilidade a prisão e com menos ferimento até sermos libertos. Pois Deus é resoluto e quem pode mudá-lo? Ele realizará aquilo que decretou para nós. — Sermão de *John Barlow, 1618*

v. 5 e 11: Se você deseja segurança, passe mais tempo fortalecendo as provas que você tem do céu do que questionando-as. Esse é o grande erro de muitos cristãos que passam muito tempo questionando e não fortalecendo os seus consolos. Eles raciocinam consigo mesmos em incredulidade e dizem: Deus, por que devo crer? Por que devo me apoderar de uma promessa, visto que sou criatura tão profana e teimosa? E, assim, argumentam consigo mesmos por tal meio a ponto de ousar não se apoderar de Cristo, ao passo que deveria ser sua função argumentar consigo mesmo em Cristo tanto quanto você puder. Labute para fortalecer os seus consolos, e argumente assim: Por que eu não deveria crer em Cristo? Foi o que Davi fez: "Por que estás abatida, ó minha alma, e por que te perturbas em mim?" Não é a misericórdia de Deus mais do que o pecado da criatura? Não há graça livre onde há culpa? Não há a misericórdia perdoadora onde a condenação é merecida? Você deveria argumentar favoravelmente os seus consolos, em vez de argumentá-los desfavoravelmente e passar mais tempo fortalecendo-os do que questionando-os. Você reputaria um homem pouco inteligente aquele que arrendasse muitas terras, e criasse dúvidas e tivesse escrúpulos, e não usasse recursos para melhorar o seu direito de propriedade. Verdadeiramente, muitos cristãos são pouco inteligentes no que concerne ao céu. Têm, como posso dizer, bom selo e marca que Deus os levará para o céu, mas questionam e criticam em incredulidade. Amados, que as coisas não sejam assim, mas fortaleça os seus consolos, em vez de questioná-los. — *Christopher Love*

v. 6: "Ó meu Deus, dentro de mim a minha alma está abatida; portanto, lembro-me de ti". "Por estar muito abatido de espírito, profundamente triste, então me lembrarei de Ti. Lembrar-me-ei de como Tu és condescendente para com o teu 'povo humilde e pobre' (Sf 3.12), de como Tu estás pronto a recebê-los, quando são abandonados ou expulsos pelos homens, de como Tu és amável e paciente em ouvir-lhes a queixa, quando eles derramam a alma diante de Ti. Lembrar-me-ei da tua misericórdia dada a mim em tempos passados, de como Tu consideraste a minha angústia, ouviste a voz das minhas súplicas, me livraste das minhas provações ou me ajudaste a suportar o fardo, fortalecendo-me com força em minha alma. Lembrar-me-ei de tudo que desfrutei da tua presença ao esperar em Ti em tua Casa ou quando celebrava os teus louvores lá em companhia dos teus 'santos que estão na terra e aos ilustres' (Sl 16.3). Lembrar-me-ei do que TU ÉS; que objeto adequado para a confiança de um ser desgraçado como eu. Pois ainda que eu seja pobre, tu és rico, embora eu seja fraco, tu és forte, apesar de eu ser infeliz, Tu és feliz. Lembrar-me-ei de que Tu és o meu Deus, que Tu te manifestaste para a minha alma, que Tu me capacitaste a te escolher por minha porção, que eu tenho confiado em Ti e nunca fui confundido. Lembrar-me-ei da palavra da promessa, na qual Tu me fizeste esperar, à qual Tu sempre tens sido fiel ao longo de todo o passado e o será, como creio verdadeiramente, até o fim". Como são felizes, até mesmo no meio da infelicidade, aqueles que nas provações podem abrigar-se assim em Deus! — *Henry March*

v. 6: "Meu Deus". Expressão surpreendente! Quem ousará dizer ao Criador dos confins da terra, a Majestade nos céus: "Meu Deus"? Um exilado, um peregrino, um desterrado, um abandonado, um menosprezado, um insultado, uma alma abatida e inquietada: esse ousará. Por qual direito? Da aliança. — *Henry March*

v. 6: "Lembro-me, portanto, de ti, nas terras do Jordão, e no monte Hermom, e no outeiro de Mizar" (ARA). É notável que curso o salmista tomou para recuperar o consolo. Ele se lembraria de três experiências da bondade divina: as "terras do Jordão", o "monte Hermom" e o "outeiro de Mizar" ("o pequeno monte", ARC).

Em primeiro lugar, lembrar-me-ei das "terras do Jordão", quer dizer, lembrar-me-ei da grande bondade de Deus em secar o rio Jordão para que as tribos de Israel entrassem na Terra Prometida: por que Deus foi bom, então Ele será bom.

Em segundo lugar, lembrar-me-ei do "monte Hermom", da terra onde Siom, rei dos amorreus, e Ogue, rei de Basã, foram derrotados, como lemos em Josué 12.1, 2: "Estes, pois, são os reis da terra, aos quais os filhos de Israel feriram e possuíram a sua terra dalém do Jordão, ao nascente do sol, desde o ribeiro de Arnom até ao monte Hermom".

Em terceiro lugar, lembrar-me-ei do "outeiro de Mizar", o qual, pensam certos estudiosos, é um pequeno monte (ARC) perto do monte Sinai, onde a Lei foi dada. Lembrar-me-ei da bondade de Deus em dar a Lei para o seu povo. Aqui, Davi chamaria à memória a bondade de Deus de outrora para recuperar o consolo e tranquilidade da mente. — *Christopher Love*

v. 6: "Montes Hermom" (NTLH), ou os cumes, ou picos do Hermom, o plural sendo usado por causa dos dois cumes da montanha *(Wilson, "Land of the Bible" [Terra da Bíblia]),* ou como penso, por causa de toda a cadeia de montanhas com seus cumes cobertos de gelo. — *J. J. Stewart Perowne*

v. 6: "O Hermom", ou seja, como propõem certos expositores, o monte Hermom e as outras montanhas daquele lado do rio, da mesma maneira que Baalim (plural), quer dizer, Baal e outros ídolos adorados junto com ele; ou mais provavelmente, o monte Hermom não considerado como uma única montanha, mas uma cadeia de montanhas, como os Alpes, os Apalaches. — *J. A. Alexander*

v. 6: "No outeiro" (ARA). Aquele que tem uma vida rica de experiência passada é, assim, colocado em eminência, de onde ele pode ter uma visão feliz do caminho que jaz à frente. — *Comentário de J. P. Lange*

v. 7: "Um abismo chama outro abismo, ao ruído das tuas catadupas". Aqui o salmista associou dois fenômenos terríveis e maravilhosos da natureza. É um fato bem confirmado pela evidência de viajantes, que a queda de catadupas não é incomum na costa da Judeia. Parece que elas são ocasionadas pela congregação de grandes massas de nuvem, cujas águas concentrando-se em um ponto, derramam-se em uma tremenda coluna, acompanhadas de um barulho rugidor. A imagem concebida na mente do salmista é a veemência desta vasta catadupa descendo para o mar, já agitado, e aumentando-lhe a turbulência e desordem das ondas. Cena terrível! Especialmente se acrescentarmos as ideias de um negro céu tempestuoso e do rugido ensurdecedor ocasionado pelo tumulto. Qual seria a situação de um navio no meio de tal tempestade, o dilúvio vindo de cima e ao redor o furioso oceano levantando tremendas ondas — quanta ingovernabilidade, quanto desamparo, quanta proximidade do impossível que o navio escape de afundar, exceto por interferência quase milagrosa. A despeito de tal situação, Davi compara o estado da alma quando submersa, por assim dizer, em um mar de aflições.

"Todas as tuas ondas e vagas têm passado sobre mim." Como pungente deve ter sido a sensação de aflição para fazer com que ele fizesse tal comparação, tão fortemente expressiva do mais extremo perigo e terror! — *Henry March*

v. 7: "Um abismo chama outro abismo, ao ruído das tuas catadupas". O abismo de cima chama o abismo debaixo, na voz das quedas das tuas catadupas. — *Targum*

v. 7: "Um abismo chama outro abismo". Assim a oração chama a oração, e a fé a fé e a graça o exercício de outra graça. Se não podemos prevalecer com Deus na primeira vez, contudo podemos na segunda. Ou se não, na terceira. — *Thomas Horton*

v. 7: "Um abismo chama outro abismo". O que significa? Ora, está expresso no versículo anterior: "Deus", diz o salmista, "dentro de mim a minha alma está abatida." "Abatida", ou seja, no fundo das mandíbulas da desconfiança e do medo. E Senhor, a minha alma neste abismo de tristeza clama pela ajuda do teu abismo de misericórdia. Pois embora eu esteja afundando e descendo, não estou tão no fundo que a tua misericórdia não esteja debaixo de mim. Abre, pelas tuas compaixões, esses braços perpétuos, e pega aquele que não tem ajuda ou permanência em si mesmo. Pois assim é com aquele que está caindo em um poço ou em um calabouço. — *John Bunyan*

v. 7: Aqui o salmista sente o espírito de escravidão, que é a ira e o medo. Ele ora pela alegria da salvação de Deus e para ser sustentado pelo Espírito Santo, o espírito de amor e poder. Ele se queixa de que "um abismo chama outro abismo". A alma que está na cova horrível pouco ouve senão as chamadas da Lei e da justiça por vingança, que sempre são replicadas pelas acusações de Satanás e da consciência. As tormentas do Sinai, como a catadupa no mar, ameaçam os navios terrenos com um dilúvio de ira que logo os afundam na destruição e perdição. Essas ondas de desprazer reais e um tanto imaginárias (não menos terríveis do que reais), caindo sobre a pobre criatura, estão prontas a fazer o barco ir a pique. Esse é o modo terrível em que algumas almas caídas e apóstatas são purgadas e recuperadas, sobretudo aquelas que causaram escândalo público ao evangelho e à igreja de Cristo. — *William Huntington*, 1744-1813, *"Contemplations of the God of Israel" [Contemplações do Deus de Israel]*

v. 7: "Tuas catadupas". Boothroyd traduz estas palavras por צִנּוֹרֶיךָ, "tuas cataratas". Na justificação da tradução, ele observa que a situação de Davi sugeria essa imagem forçosa. Ele via as torrentes caindo dos precipícios e as ouvia ressoando, como se estivessem chamando umas às outras em busca de ajuda. Assim, diz ele, "todas as tuas ondas", quer dizer, aflições e dificuldades que vieram sobre mim e me subjugaram. — *John Morison*

v. 7: "Catadupas". Olhe as nuvens que pairam como uma pesada mortalha de pano de saco sobre o mar, ao longo do horizonte ocidental. Delas, em dias de vento como esses, se formam catadupas. Já notei várias "bicas" incipientes alongando-se para baixo desde a ponta mais baixa deles. Esses fenômenos extraordinários acontecem mais na primavera, mas também já os vi no outono. Não são acompanhados por muita chuva. Entre o estrato escuro acima e o mar, o céu é claro e luminoso. Aqui e ali, fragmentos de vapor preto, na forma de funis longos, são atraídos das nuvens para o mar e agitados violentamente, girando em si mesmos à medida que são impelidos pelo vento. Diretamente abaixo deles, a superfície do mar também está em comoção em virtude de um vendaval, que viaja de acordo com a bica acima. Na verdade, tenho visto as duas unirem-se no meio do ar e descerem correndo para as montanhas, contorcendo-se, torcendo-se e dobrando-se como uma serpente enorme, com a cabeça nas nuvens e a cauda no abismo.

Claro que fazem um barulho alto e tudo parece muito assustador. "Um abismo chama outro abismo, ao ruído das tuas catadupas; todas as tuas ondas e vagas têm passado sobre mim", disse Davi, quando a sua alma foi abatida dentro dele. Mas ainda que de aparência terrível, causam muito pouco dano. Nunca ouvi mais de uma vez em que foram destrutivas para os barcos. Entretanto, os marinheiros têm um medo muito grande delas. Assim que atingem a terra, dissolvem-se e desaparecem. Este tipo de catadupa que estoura nas montanhas, geralmente nos meses secos de verão, causa imenso dano. Em alguns minutos, os riachos ao longo do seu trajeto se avolumam e se transformam em rios violentos que destroem grãos, azeitonas, uvas e todos os outros produtos agrícolas. Sei que é frequente levarem e afogarem submerge rebanhos de ovelhas e cabras, e até mesmo de vacas, cavalos e os donos deles também. — *W. M. Thomson*

v. 7: "Todas as tuas ondas e vagas".

Abismo a outro abismo incessantemente chamando
Acossados pelos vagalhões de tempestades furiosas
Infinitas ondas e vagas se sucedendo
Engolfam a minha alma desfalecente
Contudo, vejo um Poder presidindo
No meio do tumulto da tempestade
Sempre regendo, sempre guiando
Para realizar as intenções do amor
No meio das tristezas mais aflitivas
A fé contempla o teu desígnio
Humildemente inclinando-se e confessando
Todas as *tuas* ondas e vagas
— *Henry March*

v. 7: "Todas as tuas ondas e vagas têm passado sobre mim".

A abrangente maré ondulante do infortúnio
Ondas sucedendo-se a ondas expandindo-se
Uma, tendo a fúria gasta, se abaixa
Outra ergue a cabeça tumultuosa
— *Ésquilo, "Tebas" [Os Sete contra Tebas]*

v. 8: "Contudo, o SENHOR mandará de dia a sua misericórdia". A expressão é extraordinária. Não diz que o Deus dará, mas que Ele "mandará de dia a sua misericórdia". Como o dom dado é graça — o favor livre para os indignos —, assim a maneira de dar é soberana. É dada por decreto. É um donativo real. E se Deus manda a bênção, quem impedirá a recepção? — *Henry March*

v. 8: A noite ou o dia é a mesma coisa para o homem temente a Deus. Pois o que é a noite para aquele que tem Deus consigo, que é o Sol para consolá-lo, como também é um escudo para protegê-lo (Sl 84.11)? A luz do semblante divino, por mais breve que seja, é mais consolador para o crente do que todas as outras coisas que o dia pode lhe trazer. Ele pode dizer: "Se morar nas trevas, o SENHOR será a minha luz" (Mq 7.8), e "o SENHOR, meu Deus, alumiará as minhas trevas" (Sl 18.28). Para dizer a verdade, penso que a noite é o tempo mais alegre que o homem temente a Deus tem e o mais triste para o ímpio (pois, embora use a escuridão para esconder o pecado, ele tem medo, por causa dessa mesma coisa na qual a segurança consiste). Se o homem estiver alegre em boa companhia, ele tem de alegrar-se mais quando desfruta melhor dessa situação e há menos elementos para perturbar-lhe a alegria. Assim se dá à noite com o homem temente a Deus, quando a maior parte dos obstáculos é afastada e ele "deleitar-se-á no Todo-poderoso" (Jó 27.10). Davi diz que o Senhor "mandará de dia a sua misericórdia", mas "de noite", diz ele, "a sua canção estará comigo". "A sua canção", na minha opinião, não é de ação de graças, mas de alegria e exultação, como Deus costuma nos dar nesses momentos (Jó 35.10). De dia, a alma é tomada por empreendimentos corriqueiros, se distrai com a variedade de objetos chamativos e, assim, se ocupa com trabalho para o corpo que, ou ela não tem prazer no próprio trabalho (como é esta alegria tanto quanto qualquer coisa), ou não pode fazer tão bem quanto faria, ou tão bem quanto poderia fazer de noite, quando a alma tem menos afazeres. Não duvido que o homem mundano e carnal, agora que estou falando sobre noite e sono, esteja pronto a dizer que estou sonhando, e me responder como o companheiro disse ao caçador, quando ele o convidou a ouvir "que melodia celestial os cães fizeram". Porque sei que ele considera a música e as canções sobre as que falamos, nada mais do que um frenesi ou pelo menos uma fantasia, como algo que pessoas loucas e doentes têm na cabeça. Mas como Pedro disse daqueles em quem o Espírito Santo caiu: "Estes homens não estão embriagados, como vós pensais" (At 2.15). Assim posso responder a tais homens: Não é o caso, os tementes a Deus não estão loucos, como vocês supõem, porque as suas canções não são obra da própria imaginação, não vem de sua cabeça, mas são colocadas para eles pelo próprio Deus, "que inspira canções de louvor durante a noite" (Jó 35.10, ARA). — *Zachary Bogan*

v. 8: "A oração ao Deus da minha vida". Vemos que a religião de Davi era uma religião de oração *depois* do livramento, como também *antes*. O egoísta que clama nas dificuldades deixa de orar quando as dificuldades terminam. Com Davi era o inverso. O livramento das dificuldades fortalecia a sua confiança em Deus, incentivava os seus discursos e lhe fornecia novos argumentos. [...] Há grande necessidade de oração de livramento, pois o tempo de livramento é tempo de provação, quando a alma se exalta e se descuida de vigiar. Em tais ocasiões, grande parte da alegria sentida é meramente natural, como foi a de Davi quando foi salvo do cuidado corruptor que fere o corpo como também angustia a alma. Há o perigo de equívoco, de supor que tudo é espiritual e, por conseguinte, de imaginar que a alma está em um estado de graça mais alto do que realmente está, sendo imperceptivelmente atraída a um estado de falsa segurança. Há a necessidade especial dessa oração: "Sustenta-me, e serei salvo" (Sl 119.117). E para alguns peculiarmente, que são de constituição mental sanguínea, nos tempos de prazer se incham e correm perigo. — *Henry March*

v. 8: "A oração ao Deus da minha vida". A sua canção e a sua oração devem ser dirigidas a Deus como "ao Deus da minha vida". Você não o reconhece como Deus, exceto se o receber e cultuar como o seu Todossuficiente bem, e "a plenitude daquele que a tudo enche em todas as cousas" (Ef 1.23, ARA). Você o deprecia da glória da divindade, se não atribuir isto a Ele. Se, por conseguinte, como alguém que não pode viver sem Deus, você não busca união com Ele e se une a Ele, e, então, se alegra e se consola nessa bendita união. — *John Howe*

v. 9: "Deus, a minha Rocha". Davi era fugitivo, com poucos meios de defesa, sendo continuamente perseguido por inimigos que eram poderosos e numerosos. A região na qual vagava era montanhosa, e ele buscava e achava abrigo nos topos de rochedos íngremes, ou nos buracos naturais ou cavernas escavadas. A ideia de abrigo e defesa estava mentalmente associada com rochas. Era-lhe muito natural aplicar o termo a Deus, e ao buscá-lo como refúgio e ajuda, tratá-lo por esse nome. [...]

"Por que te esqueceste de mim?" Não que Davi supunha que fora esquecido literalmente por Deus, a ponto de ser rejeitado e abandonado por Ele, pois o salmista ainda tinha confiança suficiente na fidelidade divina para ir a Deus em busca de refúgio e esperar na sua misericórdia. A expressão deve ser considerada como linguagem sentimental e não julgadora. Ele se sentia — era sua impressão — como alguém esquecido por Deus. Essas visitas de amor, essas manifestações de bênçãos com que ele fora antigamente favorecido e que lhe eram sinais visíveis da recordação divina, agora estavam retidas, agora quando, por conta da angústia, eram tão inexprimivelmente mais necessárias e desejáveis. Era por isso que Davi disse que se sentia como alguém que fora esquecido. — *Henry March*

v. 10: "Os meus adversários". É estranho que *Davi* tivesse inimigos, ele que era tão inofensivo que quando os inimigos estavam doentes e aflitos, o salmista orava por eles e se vestia de pano de saco por eles, como diz o Salmo 35.13. Esse homem compassivo e de índole tratável, tinha inimigos e inimigos que se revelavam para afrontá-lo e afrontá-lo amargamente.

Da maneira mais cruel, eles lhe afrontavam na religião. Podemos nos armar com essa observação contra o escândalo da oposição: que se encontrarmos inimigos no mundo, não nos ofendamos muito com isso. Podemos ficar aflitos, mas não precisamos ficar admirados! Houve alguém que fez mais coisas boas do que o nosso Salvador Jesus Cristo? "O qual andou fazendo o bem" (At 10.38). Ele nunca fez um milagre que causasse prejuízo (só os dois mil porcos que se jogaram ao mar, mas isso foi por culpa deles), e Jesus andou por toda parte fazendo todo o bem que pôde. Entretanto, vemos que opositores maldosos Ele teve. Aquilo que é verdade acerca da cabeça tem de ser verdade com os membros.

Alegremo-nos em nossa conformidade a Cristo, se for para uma boa causa que tenhamos inimigos e opositores. O Diabo ainda não se tornou cristão e nunca fará o bem, porque ele está *in termino*, como dizemos, ele está no limite, a sua natureza é impassível. Ele está no inferno em relação ao seu estado, embora esteja solto para causar dano. Até que o Diabo seja bom, os filhos de Deus nunca terão falta de inimigos. Ele nunca será bom. Embora haja reis bons e governadores bons espalhados pelo mundo, os homens bons nunca terão falta de inimigos contanto que o Diabo esteja vivo, contanto que ele tenha algo a fazer no mundo. Teremos inimigos e inimigos tais que não esconderão a maldade; caso fosse assim, se eles permitissem que a maldade fervesse e planejasse nos próprios corações, mas não será assim, senão "do que há em abundância no coração, disso fala a boca" (Mt 12.34). — *Richard Sibbes*

v. 10: "Quando todo o dia me dizem". Essa é a constância e perseverança neste comportamento e linguajar: é "todo o dia" ou "o dia todo", כָּל־הַיּוֹם. Não é apenas uma vez ou outra, mas se trata de uma prática frequente e ininterrupta. É em cada e todo o dia. Começam pela manhã e ainda se mantêm até a noite, como costumam fazer os inquietos. Começam a semana assim e vão até ao fim. Ele nunca pode chegar na companhia deles ou perto deles, sem que comecem a falar a mesma coisa. — *Thomas Norton*

v. 10: "Onde está o teu Deus?" Davi poderia ter dito a eles: Onde estão os seus olhos? Onde está a sua visão? Deus não só está no céu, mas também em mim. Embora Davi estivesse excluído do santuário, a sua alma era um santuário para Deus, pois Deus não está ligado a um santuário feito por mãos. Deus tem dois santuários, Ele tem dois céus — o céu dos céus e um espírito quebrantando. Deus habitava em Davi como no Templo. Deus estava com Davi e em Davi. Deus nunca estava mais com ele, nem nunca estava mais nele do que nas maiores aflições. Os inimigos tinham falta de olhos, ele não tinha falta de Deus. Embora, às vezes, Deus se esconda, não só do mundo, mas dos seus próprios filhos, Ele está presente. Seja como for, a tristeza é tamanha que lhes escurece a visão (como verificamos no caso de Agar), de forma que por ora eles não podem vê-lo, e Deus, às vezes, olha no rosto deles (como verificamos no caso de Maria). Ela não podia ver Cristo distintamente, mas pensava que era o jardineiro. Há certo tipo de encobrimento por algum tempo da sabedoria divina. Contudo, Deus sempre está com os seus filhos e eles o conhecem pela fé, embora nem sempre pelo sentimento. [...] Portanto, era uma indagação ignorante perguntar: "Onde está o teu Deus?" Mostrava que os inimigos eram ignorantes das passagens dos procedimento de Deus para com os seus filhos, como realmente ninguém é mais ateu do que os seus zombeteiros. "Onde está o teu Deus?", como se Deus tivesse sido só um Deus de observação, para ser observado exteriormente em todas as suas passagens para com os seus filhos, ao passo que, como eu disse, Ele é um Deus que se esconde muitas vezes e que se mostra em condições contrárias na maioria das vezes, muito confortavelmente. A sua obra é por contrários. Mas esses homens carnais eram desconhecedores dos mistérios da religião e dos mistérios da providência divina para com os filhos de Deus. Portanto, a pergunta mostra a disposição deles: "Onde está o teu Deus?" — *Richard Sibbes*

v. 10: "Onde está o teu Deus?" É a pergunta zombeteira que os perseguidores fazem aos santos durante as provações e dificuldades: *Ubi Deus?* "Onde está o teu Deus?" Mas podem dar uma resposta ousada e confiante: *Hic Deus*, "O nosso Deus está aqui", o nosso Deus está perto de nós, o nosso Deus está ao nosso redor, o nosso Deus está no meio de nós, o nosso Deus nos deu a promessa: "Não te deixarei, nem te desampararei" (Hb 13.5). Em toda dificuldade, em cada perigo, em toda morte, o Senhor com certeza nos faz companhia. Deus faz companhia com os seus filhos, não só quando estão em um paraíso delicioso, mas também quando estão um deserto uivante (Os 2.14). Quando uma companhia de pobres cristãos estava indo em banimento, alguém que estava vendo-os passar disse que era uma situação muito triste em que essas pobres pessoas estavam, serem enxotadas da sociedade dos homens para tornarem-se companheiros dos animais dos campos. É verdade, disse outro, seria uma situação triste, se eles fossem levados para um lugar onde não achassem o seu Deus. Mas animem-se, pois Deus vai junto com eles, e mostrará o consolo da sua presença para onde quer que eles estiverem indo, a sua presença é infinita e enche todos os lugares. Os rabinos puseram *Makom*, que significa, "lugar", entre os nomes de Deus. Victorinus Bythner os traz expondo o texto assim: "Socorro e livramento doutra parte virá" (Et 4.14), quer dizer, de Deus. Agora chamam Deus de *lugar*, porque Ele está em todos os lugares, enchendo o céu e a terra com a sua presença. — *Thomas Brooks*

v. 10: Os mosquitos, pequenos como são, enlouquecem os nobres cavalos de guerra. Então Davi diz: "Como com uma espada em meus ossos, meus inimigos me reprovam; enquanto dizem diariamente até mim: Onde teu é Deus?" — *Frederick William Robertson, 1851*

v. 11: Imitemos o exemplo de Davi, em vez de nos entregar a uma vaga aflição. Cite a sua alma. Investigue a causa particular de tristeza. Remédios diferentes são necessários de acordo com as diferentes fontes de angústia. Tenha cuidado para não brincar com Deus, que é o seu Consolo e Salvação, enquanto você investiga a sua alma: "Por que estás abatida, ó minha alma"? Seja imparcial, há outro julgamento mais solene a ser feito depois desse. Seja perseverante, como o salmista, retorne, muitas e muitas vezes à investigação. Seja compenetrado. O amor-próprio ou as ilusões do seu coração pode enganá-lo. Ore a Deus para que

Ele o sonde e veja se há em você algum caminho mau (Sl 139.23, 24). — *Sermões de Henry Kollock, Doutor em Teologia, 1822*

v. 11: "Espera". A esperança é como o Sol que, como quando viajamos em direção a ele, lança a sombra de nosso fardo para trás de nós. — *Samuel Smiles, Doutor em Direito*

v. 11: "Deus... é a salvação da minha face". A saúde da face de Davi não estava no seu semblante, mas no seu Deus. Isso fez a fé silenciar os temores, e peremptoriamente descansar nela, pois chegará o tempo (por mais perto que ele esteja da boca da sepultura) em que ele ainda o louvará. A saúde e vida da nossa graça estão ambas, não em nossa graça, diz a fé, mas em Deus, que é o nosso Deus, portanto ainda viveremos e o louvaremos. Não me admira que o cristão fraco continue melancólico e triste, quando ele vê a face doentia em outro espelho que não esse. — *William Gurnall*

v. 11: "A salvação da minha face". O semblante é um verdadeiro indicador para a mente. No atual despertamento da religião, nada é mais notável do que os olhares tristes ou alegres daqueles que Deus exercita espiritualmente. É fácil ver quem está triste e quem está alegre. Não há nada de novo nisto. O salmista diz: "Dentro de mim a minha alma está abatida" (v. 6). Portanto, Davi tinha um semblante deprimido. Mas ele também disse: "Envia a tua luz e a tua verdade, para que me guiem. [...] Então, irei ao altar de Deus, do Deus que é a minha grande alegria. [...] Ele é a salvação da minha face e Deus meu" (Sl 43.3-5). Na sua tristeza, a face de Jesus "estava tão desfigurada, mais do que o de outro qualquer, e a sua figura, mais do que a dos outros filhos dos homens" (Is 52.14). O mártir Estevão ficou tão cheio com a visão de Jesus que, no meio dos perseguidores, com a morte em perspectiva, ele tinha um "rosto como o rosto de um anjo" (At 6.15). Meu amigo, e quanto a você? O seu semblante está triste? Ou está brilhando com a alegria do Senhor, contando a verdadeira história da sua vida e destino? — *J. Denham Smith, 1860*

v. 11: Você já viu o Sol brilhando forte em fevereiro, o céu azul, as cercas vivas brotando, as prímulas despontando por baixo dos bancos e os pássaros cantando nos arbustos? Você pensou que a primavera já chegou com beleza e aromas doces. Mas poucos dias depois, as nuvens voltaram, o ar esfriou, os pássaros emudeceram, a neve estava no chão e parecia que a primavera jamais viria. Da mesma forma, às vezes, os temores do novo convertido são removidos, as consolações do evangelho derramadas no seu coração e colocados em sua boca louvor, ação de graças e uma nova canção. Ele julga precipitadamente que as dificuldades para sempre acabaram. Mas depois de certo tempo, as dúvidas voltam, os consolos se extinguem, a luz lhe é tirada, o espírito se deprime e ele se inclina a concluir que a salvação e todas as bênçãos não são para ele. Mas a primavera, ainda que tarde, virá. "Por que estás abatida, ó minha alma, e por que te perturbas dentro de mim?" — *H. G. Salter, Mestre em Ciências Humanas, "The Book of Illustrations" [O Livro das Ilustrações], 1840*

v. 11: Os argumentos e motivos até agora estão saturados com muito sentimento e força. O salmista é exortado por eles na medida certa. "Espera em Deus", porque Ele é: (1) Deus. (2) O seu Deus. (3) A Salvação da sua face. (4) AquEle em quem você (certamente e para sempre) louvará como Deus. (5) Faça isso por mais triste e desesperador que seja o caso que se mostra por aparentes dificuldades ou improbabilidades. Deus e nós mesmos quando somos bem entendidos, profundamente considerados e habilmente exortados e melhorados, damos aos corações graciosos o melhor encorajamento e sustento durante os acidentes mais severos do tempo. Eles muito estranhamente animarão as nossas esperanças em Deus durante as nossas mais dolorosas dificuldades e abatimentos. Davi tinha (1) Confiança em Deus; (2) Razões para confiar em Deus; (3) Habilidade e um coração para incentivar essas razões. Quando ele examinou a si mesmo, viu que a alma era graciosa, e assim soube que Deus a valorizava. Ele estava inclinado a louvar a Deus. Ele sabia que tinha a oportunidade e motivo para isso por causa de alguns favores extraordinários provenientes de Deus. Davi tinha um interesse em Deus. Ele não perderia nem negligenciaria isso. Ele tinha grande experiência das antigas misericórdias de Deus e não as esqueceria. Quando o salmista pensa em Deus, então os louvores também devem ser pensados, e tudo relacionado a isso e todas as perfeições divinas, dentro da circunferência do seu conhecimento, devem ter lembranças novas e sentimentos fortes reavivados no próprio coração. — *Matthew Sylvester, 1636-1708, "Morning Exercises" [Exercícios Matinais]*

v. 11: A alma, quando está muito perturbada, não se acalma logo, por causa de fraquezas e corrupções remanescentes. — *Henry March*

SUGESTÕES AOS PREGADORES

v. 1. A comparação entre o coração que suspira e o cervo que brama.

vv. 1 e 2. Aqueles que já desfrutaram da presença de Deus nos cultos públicos desejarão muito, se deles forem privados, voltar a desfrutá-los novamente. [...] Ficar sem assistir aos cultos públicos na Casa de Deus pode ser tornar um meio de grande benefício para a alma: (1) Ao renovar o nosso prazer das provisões da Casa do Senhor — prazer que tão depressa e tantas vezes esmorece. (2) Ao nos fazer valorizar mais os métodos da graça. Há, pela degeneração humana, a tendência a valorizar menos as coisas, por mais excelentes que sejam, em virtude de serem comuns, ou abundantes, ou de fácil aquisição. (3) Ao nos afastar mais diretamente de Deus. — *Henry March*

vv. 1 a 3. A saudade da alma. (1) O que desperta a saudade na alma? (2) Ao que a saudade é direcionada, ou apontada, ou tendida? (3) Com que a saudade é satisfeita? Pelo alimento amargo, mas muitas vezes saudável, das lágrimas. — *J. P. Lange*

v. 2. (1) Quem tem sede? "A minha alma." (2) Sede de quê? "De Deus". (3) De que modo tem sede? "Quando entrarei." Ou a causa, os incentivos, as excelências e os privilégios da sede espiritual.

v. 2. "Quando entrarei e me apresentarei ante a face de Deus?" A verdadeira visão do culto público.

v. 2. "Quando entrarei e me apresentarei ante a face de Deus?" Comparecer perante Deus aqui e depois. — Isaac Watts, Doutor em Teologia, "Two Sermons" [Dois Sermões]

v. 3. A quaresma do crente e as lágrimas: (1) O que causa a tristeza? (2) O que remove a tristeza? (3) Que benefício vem da tristeza?

vv. 3 e 10. A postura dos inimigos de Davi: (1) A natureza da postura: afronta. (2) A expressão da postura: "Porquanto me dizem". (3) A constância da postura: "Constantemente" ou o dia todo. (4) A especificação da postura, em uma pergunta desdenhosa e ultrajante: "Onde está [agora] o teu Deus?" — *Thomas Horton*

v. 4. (1) É comum para a mente, em tempos de tristeza, buscar alívio do presente lembrando o passado. (2) Em lembranças dos prazeres passados, aqueles relacionados ao culto congregacional serão peculiarmente queridos ao servo de Deus. (3) O homem é um ser social, por conseguinte, obtém ajuda pelo culto unido. — *Henry March*

v. 4. "Dentro de mim derramo a minha alma." A inutilidade da introspecção que demonstra falta de confiança.

v. 4. "Pois eu havia ido com a multidão." A companhia, se for boa, é um acordo muito abençoado e consolável sob vários aspectos: (1) É um exercício das faculdades humanas e dos poderes e habilidades mentais. (2) É uma cerca contra o perigo e um defensivo contra a tristeza e as tentações. (3) É uma oportunidade de fazer o bem. — *Thomas Horton*

v. 4. "Eu havia ido com a multidão". As recordações ensolaradas, as suas lições de gratidão e esperança.

v. 4. "Eu havia ido com a multidão; fui com eles à Casa de Deus, com voz de alegria e louvor, com a multidão que festejava." Não as histórias de Chaucer sobre os peregrinos Canterbury, mas as histórias de Davi sobre os peregrinos de Jerusalém.

v. 4. "Com voz de alegria e louvor." O canto congregacional é defendido, exaltado, discriminado e promovido.

v. 5. A tristeza questionada ou o catecismo da consolação.

v. 5. A doçura, a segurança e a retidão da esperança em Deus. Lugar firme para a âncora.

v. 5. A música do futuro: "Ainda o louvarei".

v. 5. "Na salvação da sua presença", ou no poder sustentador da presença de Deus.

v. 5. "Por que estás abatida"? (1) A mente, até mesmo do homem santo, pode ficar indevidamente abatida e perturbada. (2) Nos casos de abatimento e ansiedade, o remédio certo é discutir com a alma e dirigi-la à única e verdadeira fonte de alívio. (3) Discutir com a alma em tempos de angústia é salutar para o objetivo certo, quando conduz a uma súplica imediata a Deus. — *Henry March*

v. 5. (1) Uma ênfase investigativa ou examinadora: Davi chama a si mesmo para prestar contas da sua zanga e abatimento mental. (2) Uma ênfase reprovadora ou censuradora: Davi repreende e reprova a si mesmo pelo seu destempero. "Por que tu estás assim?" — *Thomas Norton*

vv. 5 e 11. O auxílio (ARA) e a salvação.

v. 6. "Lembro-me de ti." A consolação derivável de termos pensamentos de Deus.

v. 6. "Portanto, lembro-me de ti." Há dois modos de entender, cada um dos quais instrutivo e útil. [...] (1) É como uma expressão de lembrar-se determinadamente de Deus caso Ele seja achado em tais lugares e condições. Os crentes podem supor o pior, e ainda esperar o melhor. (2) A linguagem é como uma expressão de encorajar-se derivadamente da reflexão. Davi esteve nessas situações e circunstâncias, e experimentado nelas demonstrações da providência e graça divina. — *William Jay*

v. 6. "Ebenezeres" muitos, variados, lembrados e úteis.

v. 7. Título sugestivo: "Um abismo chama outro abismo", *in: "Spurgeon's Sermons" [Sermões de Spurgeon], n.º 865.*

v. 7. "Um abismo chama outro abismo." Um mal convida o outro: (1) A diversidade de males — de um mal para o outro. (2) A conjunção de males — de um mal com o outro. (3) A junção de males ou dependência e referência mútua — de um mal no outro. — *Thomas Norton*

v. 7. Os três abismos que os santos e servos de Deus estão sujeitos nesta vida: (1) O abismo da tentação. (2) O abismo da deserção. (3) O abismo da aflição e calamidades humanas. — *Thomas Norton*

vv. 7 e 8. Em tempos de aflição, os servos de Deus se distinguem dos outros pela pronta percepção e reconhecimento da mão do Senhor nas provações. — *Henry March*

v. 8. A misericórdia para o dia e a canção para a noite. As misericórdias do Sol e da sombra.

v. 8. "A oração ao Deus da minha vida." A alternação abençoada entre o louvor e a oração.

v. 8. "Deus da minha vida." Autor, Sustentador, Consolador, Objeto, Coroa e Consumação.

v. 8. "Deus da minha vida." Há uma vida em três partes da qual participamos e Deus é o Deus de cada uma para nós: (1) A vida da natureza. (2) A vida da graça. (3) A vida da glória. — *Thomas Norton*

v. 9. "Deus, a minha Rocha." Nomes de Deus adequados às circunstâncias. — *Henry March*

v. 9. "Deus, a minha Rocha." Ver as metáforas que há aqui.

v. 9. (1) Por que tu? (2) Por que eu? (3) Por que ele? Há um porquê para todas as três perguntas. Para Deus: "Por que te esqueceste de mim?" Para o próprio Davi: "Por que ando angustiado?". Para os inimigos de Davi, fossem quem fossem: "Por causa da opressão do inimigo?". — *Thomas Norton*

v. 10. O mais doloroso dos insultos.

v. 11. "O meu Deus": (1) É uma palavra de interesse: "O meu Deus", por ter uma aliança com Ele. (2) Uma palavra de obediência: "O meu Deus", por submeter-se a Ele. (3) É uma palavra de amor: "O meu Deus", por deleitar-se e alegrar-se nEle. — *Thomas Norton*

v. 11. (1) Um catecismo. (2) Uma consolação. (3) Um louvor.

v. 11. (1) A experiência que Davi teve de Deus: "Ele é a salvação da minha face". (2) A relação que Davi teve com Deus e o interesse por Ele: "Ele é [...] o meu Deus". — *Thomas Norton*

SALMO 43

TÍTULO

Por causa da semelhança estrutural deste salmo com o Salmo 42, certos estudiosos supõem que é um fragmento impropriamente separado do cântico precedente. Sempre é perigoso permitir teorias de erro nas Santas Escrituras. Neste caso, é muito difícil provar o motivo justo para essa ocorrência. Por que o salmo teria sido separado? A semelhança teria garantido a unidade se tivesse sido parte integrante do Salmo 42. Não é muito mais provável que alguns na sua sabedoria imaginada uniram os dois salmos erroneamente, em poucos manuscritos nos quais são achados como um só? Cremos que o fato é que o escritor gostava do estilo poético, e que então, mais tarde, ele tenha escrito este hino suplementar da mesma maneira. Como apêndice não precisava de título. Davi se queixa dos inimigos e pede o privilégio da comunhão com Deus como a certeza de que ele será livrado desses homens.

DIVISÃO

O salmista clama a Deus em oração (vv. 1 a 3). Promete louvar na antecipação da resposta (v. 4) e se repreende por seu desânimo (v. 5).

EXPOSIÇÃO

1 *Faze-me justiça, ó Deus, e pleiteia a minha causa contra a gente ímpia; livra-me do homem fraudulento e injusto.*
2 *Pois tu és o Deus da minha fortaleza; por que me rejeitas? Por que me visto de luto por causa da opressão do inimigo?*
3 *Envia a tua luz e a tua verdade, para que me guiem e me levem ao teu santo monte e aos teus tabernáculos.*

1. *"Faze-me justiça, ó Deus."* As pessoas não podem entender os meus motivos e não estão dispostas a me dar um veredicto justo. O meu coração está limpo quanto à intenção. Por isso, apresento o

meu caso diante de Ti, certo de que Tu com imparcialidade julgas o meu caráter e corriges os meus erros. Se Tu julgares, a Tua aceitação da minha conduta bastará para mim. Posso rir das deturpações humanas se a minha consciência souber que Tu estás ao meu lado. Tu és o único com quem me importo. Além disso, o teu veredicto não dormita, mas Tu verás a justiça prática feita a teu servo caluniado.

"E pleiteia a minha causa contra a gente ímpia." Um advogado como o Senhor mais do que bastará para me defender de uma multidão de acusadores briguentos. Quando as pessoas não são tementes a Deus não admira que sejam injustas. Quem não é verdadeiro com Deus não trata com justiça o seu povo. Por odiarem ao Rei, não amarão os súditos. A opinião popular pesa com muitos, mas a opinião divina é muito mais pesada com uns poucos. Uma palavra boa de Deus excede em valor a dez mil palavras afrontosas dos homens. Deus mantém um escudo de bronze à frente de quem, em todas as coisas, confia nEle. As setas da calúnia batem inofensivamente em tal pequeno escudo.

"Livra-me do homem fraudulento e injusto." A fraude e a injustiça são companheiras alegres. Quem adula não tem medo de caluniar. Desses dois demônios ninguém pode nos livrar senão Deus. A sua sabedoria pode burlar a artimanha da serpente mais vil, e o seu poder pode vencer o leão mais furioso. Se esse homem era Doegue ou Aitofel pouco importa, pois vilões refinados e fingidos como esses são abundantes, e o único modo de lidar com eles é encaminhar o assunto ao justo Juiz de todos. Se lutarmos contra eles com as nossas próprias armas, causaremos dano mais sério em nós do que neles. Ó Filho de Deus, deixe esses inimigos em melhores mãos, lembrando-se de que a vingança não pertence a você, mas ao Senhor. Volte--se a Ele em oração, clamando: "Livra-me", e logo você anunciará a recordação da salvação divina.

2. *"Pois."* Esse é argumento que é a própria força da oração. Se argumentássemos mais com o Senhor teríamos mais vitórias na súplica.

"Tu és o Deus da minha fortaleza." Toda a minha força pertence a Ti, Senhor. Não a usarei, então, em meu favor contra os meus inimigos pessoais. Toda a minha força vem de Ti. Busco ajuda de Ti que podes concedê-la. Toda a minha força está em ti. Deixo esta tarefa de combater os meus inimigos totalmente nas tuas mãos. A fé que deixa tais questões com Deus é fé sábia. Note a certeza de Davi: "Tu és". Não é eu espero e confio que seja, mas sei que é. Termos certeza de que é a nossa consolação.

"Por que me rejeitas?" Por que sou tratado como se Tu me detestaste? Tornei-me uma ofensa para Ti? Há muitas razões por que o Senhor poderia nos rejeitar, mas nenhuma razão prevalecerá para que Ele nos rejeite. Deus não rejeitou o seu povo, ainda que por certo tempo os trate como rejeitados. Aprendamos com essa pergunta que é bom investigarmos as providências obscuras. Mas temos de perguntar a Deus e não aos nossos próprios medos. AquEle que é o autor da provação misteriosa pode melhor expô-las a nós.

A incredulidade cega certamente erra
E esquadrinha o trabalho divino em vão
Deus é o seu próprio intérprete
E Ele tudo esclarecerá

"Por que me visto de luto por causa da opressão do inimigo?" Por que vagueio para cá e para lá como alguém que não tem sossego? Por que trago as ervas daninhas da tristeza em meu corpo, e coloco as linhas da aflição em meu rosto? A opressão enlouquece o sábio. Por que, Senhor, sou chamado para suportar tanto disso por tanto tempo? Esta é outra pergunta útil endereçada ao lugar certo. A resposta é porque somos santos, e temos de ser feitos conformes a Cabeça, e porque tal tristeza

é punitiva ao espírito e dá fruto de consolação. Não devemos questionar o Senhor com impertinência, mas podemos perguntar a Ele com humildade. Deus nos ajuda a observar a distinção para não pecarmos por ênfase da tristeza.

3. *"Envia a tua luz e a tua verdade."* A alegria da tua presença e a fidelidade do teu coração, que ambas se manifestem em mim. Revela o meu verdadeiro caráter através da tua luz, e recompensa-me de acordo com a tua promessa fiel. Como o sol emite os seus raios, assim o Senhor envia a sua bênção e fidelidade para todo o seu povo. Como a natureza se alegra com a luz do sol, assim os santos triunfam na manifestação do amor e fidelidade de Deus, a qual, como os raios dourados do sol, ilumina até os ambientes mais escuros com esplendor delicioso.

"Para que me guiem." Sejam estas — a tua luz e a tua verdade — as minhas estrelas para guiar-me ao meu descanso. Sejam essas os meus guias dos Alpes para conduzir-me pelas montanhas e precipícios até chegar aos domicílios da graça.

"E me levem ao teu santo monte e aos teus tabernáculos." Primeiro, na tua misericórdia leva-me para os teus átrios terrenos e acaba com o meu exílio que cansa. Depois, no devido tempo, recebe-me no teu palácio celestial.

Não buscamos luz para pecarmos por ela, nem verdade para sermos exaltados por ela, mas para que sejam as nossas guias práticas ao objetivo de termos mais comunhão com Deus. Só essa luz e verdade que nos são enviadas por Deus cumprem esta função. A luz comum não é bastante forte para mostrar o caminho do céu, nem as meras verdades morais ou físicas nos ajudam a chegar ao monte santo. Só a luz do Espírito Santo e a verdade que está em Cristo Jesus exaltam, santificam e aperfeiçoam.

Isso explica a virtude que elas têm em nos guiar à presença gloriosa de Deus. É bonito observar como o desejo de Davi de estar longe da opressão dos homens sempre o leva a anelar mais intensamente pela comunhão com Deus.

4 *Então, irei ao altar de Deus, do Deus que é a minha grande alegria, e com harpa te louvarei, ó Deus, Deus meu.*

5 *Por que estás abatida, ó minha alma? E por que te perturbas dentro de mim? Espera em Deus, pois ainda o louvarei. Ele é a salvação da minha face e Deus meu.*

4. *"Então, irei ao altar de Deus."* Se Davi foi favorecido com tal livramento que o habilitou a voltar, não seria à casa de herança o primeiro refúgio, mas os seus pés dispostos o conduziriam ao altar de Deus. O coração seria como um sacrifício no altar, ele mesmo considerando a maior felicidade ter a permissão de ser como holocausto completamente dedicado ao Senhor. Com que exultação os crentes se aproximam de Cristo, que é o antítipo do altar! Luz mais forte aumenta a intensidade do desejo.

"Do Deus que é a minha grande alegria." Não era pelo altar em si que o salmista se preocupava. Ele não era crente na barbaria do ritualismo. A sua alma desejava companheirismo espiritual, companheirismo com o próprio Deus em todas as coisas. O que são todos os ritos do culto se o Senhor não estiver neles? O que são, realmente, senão cascas secas? Note a êxtase santa com que Davi considera o seu Senhor! Ele não é apenas a sua *alegria*, mas a sua *grande* alegria. Não é somente a fonte da alegria, o doador da alegria ou o mantenedor da alegria, mas a própria alegria. Como opção tradutória, temos: "a alegria da minha alegria", ou seja, a alma, a essência, as entranhas da minha alegria. Aproximar-se de Deus, que nos é tamanha alegria, é o objeto de nossa fome e sede.

"E com harpa te louvarei." A melhor música para o melhor amor. Quando Deus nos enche de alegria sempre devemos depositá-la aos seus pés em louvor. Devemos colocar todas as nossas habilidades e talentos na salva das ofertas para aumentar a renda divina da glória.

"Ó Deus, Deus meu." Como o salmista enfatiza o nome que tanto ama! Ele bate na mesma tecla como se a música instrumental tivesse começado agora. Existe som mais doce do que a música que estas quatro palavras emitem? Ter Deus em possessão e saber disso pela fé indicam o melhor lugar do céu — há ali uma plenitude de bênçãos.

5. *"Por que estás abatida, ó minha alma?"* Se Deus é seu, por que este abatimento? Se Ele enaltece você, por que está tão próximo do chão? O orvalho do amor está caindo. Ó coração seco, reavive!

"E por que te perturbas dentro de mim?" Qual é a causa que interrompe o repouso do seu coração? Para que favorecer tristezas desarrazoadas, que não beneficiam ninguém e que afligem você e desonram o seu Deus? Por que se sobrecarregar com maus pressentimentos?

"Espera em Deus", ou "ponha a sua esperança em Deus!" (NVI). Há necessidade de paciência, mas há razão para a esperança. O Senhor não pode senão vingar os eleitos. O Pai celeste não ficará quieto vendo os filhos serem maltratados para sempre. Tão certo quanto o sol está no céu, a luz tem de surgir para o povo de Deus, ainda que por certo tempo eles andem na escuridão. Por que, então, não nos encorajamos e erguemos a cabeça com esperança consoladora?

"Pois ainda o louvarei." Os tempos de reclamação logo terminarão e os períodos de louvor começarão. Venha, coração meu, olhe pela janela, sirva-se de um telescópico, anteveja um pouco e adocique suas câmaras com os raminhos da doce esperança.

"Ele é a salvação da minha face e Deus meu." O meu Deus acabará com as rugas de preocupação da minha testa e com as marcas de lágrimas do meu rosto. Portanto, levantarei a cabeça e sorrirei diante da tempestade. O salmo tem um fim abençoado, o qual nós, de bom grado desejamos quando a morte der um fim à nossa existência mortal.

NOTAS EXPLICATIVAS E DECLARAÇÕES IMPORTANTES

O Salmo: Este salmo é evidentemente uma continuação ou suplemento do salmo precedente. Em alguns manuscritos de Kennicott e de Rossi, eles estão unidos, perfazendo um único salmo. — *George Phillips, Bacharel em Teologia, 1846*

v. 1: "Faze-me justiça, ó Deus, e pleiteia a minha causa". Os crentes podem apelar para a justiça de Deus e pleitear a retidão do Senhor.

(1) Com respeito ao sofrimento que as injustiças dos homens causam, os crentes podem apelar baseados nestas três razões:

(a) A injustiça que os homens fazem aos crentes é tanto contra a natureza justa de Deus quanto é contra o bem-estar dos crentes. Os seus apelos a Deus são concordantes com a inimizade de Deus contra a injustiça. A sua inimizade concorda com os apelos deles (Rm 1.18).

b) A justiça nos homens está de acordo com a natureza de Deus, como também com o bem-estar dos crentes. A disposição e inclinação da natureza de Deus concordam com as orações que eles fazem em busca de livramento (Sl 11.7; Lc 23.6,7).

(c) Comete injustiça contra Deus quem comete injustiça contra o seu povo (2 Cr 14.11; Zc 2.8; At 9.4,5), de forma que no livramento Deus defende a si mesmo como também os crentes.

(2) Com respeito ao pecado em relação à ira de Deus, os verdadeiros crentes podem pleitear a justiça ou retidão de Deus baseados em três razões:

(a) Cristo, o nosso Advogado, pleiteia assim (Jo 17.24). O cliente e o advogado podem pleitear do mesmo modo, vendo o caso em relação à mesma parte e ao mesmo assunto. (b) Cristo satisfez a justiça de Deus, de forma que em Cristo foi posto todos os pecados de todos os crentes. Ele foi "ferido" por eles. Tendo em vista que Cristo foi ferido, os crentes devem ser curados (Is 53.3). Os crentes têm a justiça de Deus imputada neles (2 Co 5.21). Deus tem de tratar com os crentes como Ele trata com a sua própria justiça.

Esta doutrina é útil de duas maneiras.

(1) A primeira utilidade é para terror aos inimigos dos crentes. Quantos clamores prevalecentes à justiça de Deus são contra tais inimigos?

(a) Os seus próprios pecados clamam. (b) Os danos dos crentes clamam. (c) As orações dos crentes clamam. (d) A intercessão de Cristo clama repetidamente as orações e desejos dos crentes.

(2) A segunda utilidade é para consolo aos crentes. Como a misericórdia de Deus é para eles, assim é a justiça divina para livrá-los, não só dos homens, mas do pecado. Em (e por) Cristo os crentes podem humildemente pleitear a justiça tanto contra os pecadores quanto contra o pecado, não só contra a culpa, mas contra o poder, que vendo Cristo morto, o pecado não vive mais. – *Condensado de Nathanael Homes, 1652*

v. 1: "Gente ímpia... homem fraudulento... injusto". Há homens ímpios que, destituídos de princípios religiosos, não têm escrúpulos em nos causar dano, quando satisfazem as suas paixões ou promovem os seus interesses mundanos. Há homens fraudulentos que se vestem do traje da amizade, e ganham a nossa confiança e estima para traiçoeiramente nos roubar a propriedade, ou a reputação, ou a paz. Há homens injustos que, por meio de fraude ou violência, nos privam dos nossos mais estimados direitos e dos nossos mais valiosos bens, e não só reduzem o nosso poder e oportunidade de fazer o bem, mas até mesmo diminuem os meios de nossa subsistência confortável. E há opressores que, tirando proveito da nossa fraqueza ou dependência e pisoteando as máximas da equidade e humanidade, extorquem de nós serviços absurdos, impõem em nós fardos pesados e restrições cruéis, e nos manipulam com insultos, amofinamentos e privações, dos quais não podemos fugir e para os quais não podemos achar alívio. — *Andrew Thomson, Doutor em Teologia, "Lectures on Portions of the Psalms" [Conferências sobre Porções dos Salmos], 1826*

v. 2: "Tu és o Deus da minha fortaleza". O homem piedoso tem de Deus uma força tripla, quais sejam, a força natural, a providencial e a espiritual.

(1) O primeiro tipo de poder é a força natural (At 17.28). Esta força é dupla: do corpo e da mente. Da robustez, firmeza e agilidade física; da inteligência, inventividade e valor metal. Estas doações de dons naturais físicos e mentais são dons de Deus (Sl 18.43,39). [...]

(2) O segundo tipo de poder é a força providencial, que é tripla:

(a) A doação de Deus das misericórdias fortalecedoras, que se desdobra em força corporal, vinho para alegrar e pão para fortalecer (Sl 104.15), e em força mental, dons comuns — como Paulo tinha o dom singular da língua e vida solteira, e Apolo tinha da elocução, argumentação e poder de convencimento. (b) A força providencial é Deus abrir caminho para o povo agir e avançar em força (Sl 78.50). (c) A força providencial é o consentimento de Deus com a nossa ação humana legítima (Sl 18.29).

(3) O terceiro tipo de poder é a força espiritual. Deus é o poder espiritual do homem piedoso: "Eu vos escrevi, jovens, porque sois fortes" (1 Jo 2.14), isto é, com força espiritual, pois o versículo continua: "E a palavra de Deus está em vós, e já vencestes o maligno". Esta é a principal força do homem piedoso, como indica o texto, isto é, os jovens são naturalmente fortes, mas João não leva isso em conta, pois os recomenda à força espiritual. Essa força espiritual vem da Palavra do Espírito, e do Espírito da Palavra, ou seja, do Espírito que acompanha a palavra.

(a) Vem da Palavra do Espírito, a Palavra de Deus: "Isto é a minha consolação na minha angústia, porque a tua palavra me vivificou" (Sl 119.50), ou seja, ela me estimulou, me alentou, que é ser cheio de vigor e espírito, e agir poderosamente. A "consolação" é, conforme significa a palavra, "fazer forte", "fortalecer", pois quando o homem está muito alegre com sobriedade, ele é muito forte. João no texto supracitado diz que os jovens a quem escreveu eram fortes, porque a Palavra de Deus habitava neles. Enquanto que "a solicitude no coração do homem o abate" — torna-o doentio, fraco, desanimado — "[...] uma boa palavra o alegra", fortifica, robustece (Pv 12.25). Se assim é com a palavra de um amigo sábio, quanto mais a Palavra de Deus, com as suas muitas promessas de fortalecimento? (Sl 20.2; 119.28). A Palavra de Deus é a própria mente e vontade de Deus, e o poder de Deus com a palavra Deus criou o mundo, então, aquele que recebe ess a palavra tem de receber muita força (Rm 1.16). (b) Vem do Espírito da Palavra, o Espírito Santo que costuma acompanhar a palavra para aqueles que a recebem. Pelo seu Espírito, Deus está no crente (1 Co 6.9; Ef 2). Este é o espírito de força e poder (Ef 3.16; 2 Tm 1.7). Como a alma poderosa e ativa torna o corpo vigoroso, assim o Espírito na alma torna a alma poderosa e forte, sendo a alma da alma do crente. Lemos mais de uma ou duas vezes na Bíblia que quando os crentes fizeram algum ato eminente, foi o Espírito do Senhor que os revestiu e eles fizeram isto e aquilo, ou seja, o Espírito de Deus neles revelou o seu poder para fazê-los agir poderosamente. — *Condensado de Nathanael Homes, 1678*

v. 3: "Envia a tua luz e a tua verdade". É possível que essa seja indicação ao Urim e Tumim, como o símbolo de luz e verdade. — *J. J. Stewart Perowne*

v. 3: "Luz e... verdade". Palavras deliciosas e abrangentes. Contêm toda a salvação e todo o desejo da alma crente e confiante. Mas é só quando estão juntas, pois separadas não são mais razão de confiança e alegria. De que serviria a bênção sem a fidelidade? Seria não mais do que amizade incerta dos homens, que sorriem hoje e repreendem amanhã, que fazem grandes promessas, mas não as cumpre. Mesmo a "luz" que os anjos e os espíritos glorificados desfrutam no céu seria insuficiente para banir todo o medo e enchê-los de satisfação, não fosse a sua confiança na "verdade" de Deus. Quanto mais com os mortais erráticos e pecadores na terra? Quando o espírito humilde se curva sob o sentimento da sua absoluta indignidade e inumeráveis fraquezas e corrupções, as suas negligências, loucuras e apostasias, o que o salva do desespero é a confiança de que aquEle que foi misericordioso também será fiel, que Deus é a verdade como também a luz, que Ele disse: "Não te deixarei, nem te desampararei" (Hb 13.5), que ele "não pode mentir" (Tt 1.2) e que "a sua benignidade é para sempre" (Sl 106.1). Por outro lado, verdade sem luz e fidelidade sem graça seriam só a execução apavorante das denúncias justas e terríveis dos transgressores da Lei santa. "No dia em que dela comeres, certamente morrerás" (Gn 2.17). Adão comeu, e naquele dia se tornou sujeito ao pecado e à morte. Essa era a verdade executando o julgamento. Mas a luz surgiu na escuridão. Os raios da misericórdia temperaram a nuvem pesada. Foi feita a promessa do grande Libertador. A fidelidade foi inscrita ao lado da graça e engajada para a sua concessão: "A misericórdia e a verdade se encontraram; a justiça e a paz se beijaram" (Sl 85.10). Desde então, a alma humilde e confiante as vê unidas e faz da sua união a base de confiança e alegria. — *Henry March*

v. 3: "Aos teus tabernáculos". Havia dois Tabernáculos, um em Sião onde estava a arca e o outro em Gibeão (1 Cr 16.37,39). Não é a esse fato que o salmista alude, mas à circunstância, com toda a probabilidade acerca dos diferentes compartimentos do Tabernáculo. Havia, primeiro, o Santo dos Santos, depois o Santuário e, em seguida, o Tabernáculo da convocação ou Tenda da Congregação (Hb 9.1-8). — *John Morison*

v. 4: "Então, irei ao altar de Deus". Lembremo-nos de que a aproximação a Deus no Lugar Santo é por meio do altar, de onde subia eternamente a fragrância e a preciosidade do holocausto inteiro e perfeito, e onde para sempre e sempre repousava a santidade divina que abastecia com fogo puro em satisfação infinita e prazer inconcebível. Que lugar santo, divino e maravilhoso é este "altar de Deus"! Hoje, esse altar significa o valor e eficácia perpétua de uma única oferta de Cristo a Deus feita por nós. É nesse pleno poder e bem-aventurança que nos achegamos a Deus. A esse ponto, a essa posição inexprimivelmente abençoada, a luz e a verdade de Deus atrairão os filhos de Deus. Em direção a esse altar, todos os raios da luz da bênção, graça, verdade e santidade divinas têm se convergido desde a eternidade. Deste ponto, eles brilham para a (e na) alma e coração dos pobres e distantes penitentes, atraindo-os ao altar onde encontram o seu Deus. Aproximemo-nos, pois, do altar de Deus. Entremos na nuvem do incenso santo que enche o Tabernáculo do Altíssimo. Percebamos como Deus está devidamente satisfeito com o que Jesus fez, com a sua obediência em morrer para satisfazer as exigências da justiça divina para o pecador e completar a entrega de si mesmo como a nossa "grande alegria", sendo até mesmo a alegria da nossa alegria, o coração, essência, substância e realidade da nossa alegria. — *John Offord, 1868*

v. 4: "Então, irei ao altar de Deus". É com grande alegria, que o salmista vai correndo para oferecer os sacrifícios de ação de graças ao Libertador benevolente. Ele leva a própria alma como holocausto, e a acende para queimá-la com o fogo de um amor vigoroso e afetos elevados, que findam em Deus, cujas chamas sobem para Ele só. [...]

"Do Deus que é a minha grande alegria", ou traduzindo o original hebraico mais literalmente, "do Deus a alegria da sua alegria", que deu o sabor para todas as outras consolações, que era a alma e vida dos seus prazeres e que só Deus podia torná-las reais e duradouras. Foi Deus que elevou a alegria à plenitude da satisfação e contentamento. — *William Dunlop*

v. 4: "Então, irei ao... Deus". A expressão de *ir a Deus* dá a entender submissão e amizade.

(1) Submissão. Irei e prestarei minha homenagem a Deus, como meu Soberano. Irei e ouvirei o que Ele diz. Irei e receberei as suas ordens.

(2) Amizade. Irei e o consultarei, e conversarei com Deus como amigo. Serei grato porque, neste mundo problemático e sedutor, tenho um amigo com quem me aconselhar. (a) Irei e lhe contarei as minhas aflições, como estou grandemente aflito por alguma doença em meu corpo, ou por certa perturbação em minha família, ou por alguma decepção em minhas circunstâncias corriqueiras, ou (o que é pior do que todos os outros juntos) por uma escuridão triste em minha alma. (b) Irei e lhe contarei as minhas alegrias, até mesmo neste vale de lágrimas, às vezes, "está alegre o meu coração e se regozija a minha glória" (Sl 16.9). (c) Irei e lhe falarei dos meus pecados. Deus já os conhece, mas Ele os saberá de mim. (d) Irei e lhe contarei os meus medos, como fico grandemente angustiado, quando percebo que esta ou aquela perversão é tão forte que chego a pensar que estou mortalmente ferido. [...] Como tremo quando por minha loucura provoco o Senhor a me deixar, temendo que Ele nunca mais volte. (e) Irei e lhe contarei as minhas esperanças, pois em todos os meus abatimentos tenho alguma esperança. [...] Irei e lhe contarei tudo isso. Confidenciarei e desabafarei o meu coração para Deus. Se as minhas necessidades não me dirigem a Deus, eu iria a Ele voluntariamente. — Condensado de *Samuel Lavington, 1726-1807*

v. 4: "Do Deus". Os crentes não se satisfazem com o uso das práticas devocionais, a menos que, por meio delas, cheguemos ao próprio Deus. Não estamos falando da chegada ao próprio Deus, que é por e segundo todas as práticas, até atingir uma visão beatífica de Deus em glória. Falamos da chegada ao próprio Deus, que tem de ser *nas* práticas, enquanto estamos no exercício delas, ou seja, atingir a presença especial de Deus nelas em uma verdadeira comunhão, comunicação e conversa com Deus. Desta forma, ficamos espiritualmente sensíveis que Ele está conosco nessas práticas. Digo presença *especial* e comunhão verdadeira com Deus para diferenciar a presença e comunhão habituais e costumeiras de Deus estar a toda hora com o crente (Jo 14.16). — *Nathanael Homes*

v. 4: "A minha grande alegria". O salmista podia dizer que Deus era a sua grande alegria, pois excedia infinitamente todas as outras alegrias em termos de natureza, grau e duração. — *Samuel Lavington, 1726-1807*

v. 4: "A minha grande alegria". À medida que a fé fica mais forte, vimos a pensar em Deus e a tratá-lo em termos mais amáveis. — *J. P. Lange*

v. 4: "Grande alegria". Não se pode dizer o mesmo acerca de outra alegria. Todas as outras belezas têm limite, todas as outras glórias têm escuridão. Essa alegria é aquele mar ilimitável, Deus. — *E. Paxton Hood*

v. 5: "Por que estás abatida, ó minha alma?" O salmista volta ao seu remédio. Ele acalmara a aflição uma vez com a mesma meditação e censura da alma e autorrepreensão. Mas agora toma como um *probatum est*, como um remédio cuja eficácia fora comprovada. Ele trata a alma com rédeas curtas: "Por que estás abatida, ó minha alma? E por que te perturbas dentro de mim?" Veja como os sentimentos de Davi estão entrelaçados com as consolações e as consolações com os sentimentos, até finalmente vencer o próprio coração. Amado, nem o pecado, nem a aflição pelo pecado são acalmados e aquietados a princípio. Há alguns cristãos deprimidos, se todos não se aquietarem inicialmente, tudo se perde com eles. Mas não é assim com a verdadeira alma cristã, com a melhor alma vivente. Não foi assim com Davi, quando ele estava perturbado. Ele se examina, e a inquietação ainda não se acalmou. Ele se confere novamente, e a inquietação começa de novo.

Ele se confere mais uma vez, e o pouco é bastante para levar a alma a uma disposição mental santa, abençoada e quieta, à gloriosa tranquilidade e descanso que a alma deve estar antes de poder desfrutar da felicidade e gozar docemente da comunhão com Deus. Como ocorre na medicina, talvez uma purgação não acabe com o mal humor, então uma segunda se faz necessária. Talvez duas não bastem, deflagrando uma terceira. Assim, quando a alma se examinou uma vez, pode não ser suficiente. Temos de repetir, ir novamente a Deus. Aí quem sabe há outra deflagração de aflição e dor. Temos de fazer tudo de novo, e nunca desistir. Esse é o temperamento certo do cristão. — *Richard Sibbes*

v. 5: "Espera em Deus". Quanto mais terrível a tempestade, mais necessária é a âncora (Hb 6.19). — *William S. Plumer*

v. 5: "Espera em Deus". O estado completo e perfeito dos filhos de Deus aqui não é em *re*, mas em *spe*. Tendo em vista que o Reino de Cristo não é deste mundo, assim também não é a nossa esperança.

O lema do mundo é: "um pássaro na mão". Dê-me o hoje, dizem eles, e fique com o amanhã seja ele qual for. Mas a palavra dos crentes é *spero meliora*, que significa "as minhas esperanças são melhores do que as minhas possessões atuais". — *Elnathan Parr, 1651*

v. 5: Os conflitos variados da alma dão ocasião para o exercício da graça, e, assim, pela sabedoria e bondade divina, tornam-se o meio do bem eventual. — *Henry March*

SUGESTÕES AOS PREGADORES

v. 1. Recorremos a Deus: (1) Como nosso Juiz: "Faze-me justiça". (2) Como nosso Advogado: "Pleiteia a minha causa". (3) Como nosso Libertador: "Livra-me".

v. 1. A aprovação divina tem mais valor do que a opinião popular.

v. 1. O modo em que o Senhor pleiteia a causa do seu povo.

v. 1. O engano e a injustiça são víboras gêmeas: (1) A sua origem. (2) O seu caráter. (3) A sua loucura. (4) O seu fim.

vv. 1, 2, 4, 5. Cinco meus: (1) "A minha causa" — "Pleiteia". (2) A "minha fortaleza" — "tu és". (3) "A minha [...] alegria" — "Deus [...] é". (4) A "minha alma" — "Por que te perturbas"? (5) Deus meu.

v. 2. "O Deus da minha fortaleza": (1) De quem a fortaleza é derivada. (2) Para quem a fortaleza é dedicada. (3) Em quem a fortaleza habita. (4) Por quem a fortaleza será aperfeiçoada.

v. 2. "Pois tu és o Deus da minha fortaleza": (1) A fortaleza vem de Ti. (2) A fortaleza é sustentada por Ti. (3) A fortaleza é dedicada a Ti. (4) A fortaleza será aperfeiçoada por Ti. (5) A fortaleza será recompensada por Ti.

v. 2. "Por que me rejeitas?" (1) A natureza da aparente rejeição: dolorosa, demorada, desconcertante. (2) A causa da rejeição: pecado secreto a ser exposto, pecado passado sendo castigado, graça sob provação, fé fortalecida no final. (3) A melhor conduta nessa situação de rejeição: apelo a Deus, confissão, submissão, oração e confiança.

v. 2. "Por que me rejeitas? Por que me visto de luto por causa da opressão do inimigo?" Os dois "por quês": (1) As perguntas em si. (2) O espírito no qual podem ser feitas. (3) As respostas que podem ser dadas.

v. 3. "Envia a tua luz e a tua verdade": (1) O que é a verdade? (2) Como a verdade tem de ser divulgada. (3) Por que a verdade deve ser divulgada. (4) Quem devem ser os principais agentes da verdade. — *Com modificação de Bogue (Doutor), 1800*

v. 3. (1) As bênçãos desejadas. (2) A orientação buscada. (3) O fim almejado.

v. 3. Sob que influência devemos recorrer ao culto divino.

v. 4. O dever do homem bom — expressado por ir a Deus. (2) A bem-aventurança do homem bom — expressada em alegrar-se em Deus. — *Samuel Lavington*

v. 4. "Então, irei ao altar de Deus, do Deus que é a minha grande alegria": (1) Quando? "Então." (2) Onde? "Altar de Deus." (3) Quem? Eu. (4) Por quê? "A minha grande alegria".

v. 4. "E com harpa te louvarei, ó Deus, Deus meu." É só Deus que pode ser a grande alegria para as suas criaturas. — *Sermão de William Dunlop*

v. 4. A alegria da alegria. A alma da alegria da alma.

v. 4. O grande objetivo do culto público, a sua bênção e o louvor resultante por realizá-lo.

v. 4. (1) O instrumento da alegria: o altar de Deus ou Deus em Cristo Jesus. (2) A fonte da alegria ou os atributos de Deus: misericórdia, justiça, poder, santidade, como vistos na expiação. (3) O valor da alegria: como consolação e força.

v. 4. "Deus que é a minha grande alegria." Um título muitíssimo rico e precioso.

v. 4. "E com harpa te louvarei, ó Deus, Deus meu." Possessão, louvor e decisão.

v. 5. A recuperação de quem está desanimado. — *Sermão de Richard Sibbes*

v. 5. "[Eu] ainda o louvarei." (1) Eu, exatamente eu, cedo ou tarde, com toda certeza. (2) "Ainda", a despeito das dificuldades, inimigos e demônios. (3) "O" acima de todos os outros ajudadores, embora agora Ele esteja me afligindo. (4) "Louvarei" com gratidão, confiança e exultação.

v. 5. "A salvação da minha face", removendo aquilo que a desfigura — pecado, vergonha, medo, cuidado, tristeza e fraqueza.

SALMO 44

TÍTULO

Masquil para o cantor-mor, entre os filhos de Corá. O título é semelhante ao do Salmo 42 e, embora não sirva de prova de ser do mesmo autor, a probabilidade é altíssima. Não precisamos procurar outro autor para atribuir a autoria dos salmos, já que Davi é suficiente. Somos, portanto, avessos a designar este cântico sacro a alguém que não o grande salmista. Contudo, como não sabemos de nenhum período da sua vida que razoavelmente descreva o tema exposto, sentimo-nos compelidos a olhar em outros lugares. Algum patriota israelita passando por tempos difíceis canta, em tons misturados com fé e tristeza, a antiga glória da nação e as atuais aflições, a tradição dos benefícios anteriores e a experiência dos males insistentes.

Para os cristãos, podemos entender melhor o salmo se ele for posto na boca da igreja quando a perseguição é peculiarmente severa. Os últimos versículos nos fazem lembrar dos famosos versos de Milton sobre o Massacre dos Protestantes entre as montanhas de Piedmont. O cântico que estamos estudando é adequado para as vozes dos salvos pela graça, "os filhos de Corá". Está repleto de ensinamentos para eles e para todos os outros cristãos — daí o título "masquil".

DIVISÃO

Os versículos 1 a 3 relatam detalhadamente para Israel as maravilhosas obras do Senhor. Esse relato repetitivo faz com que a fé no Senhor seja expressa (vv. 4 a 8).

Em seguida, ouvimos as notas de reclamação (vv. 9 a 16) e a declaração de fidelidade do povo para com o seu Deus (vv. 17 a 22), seguida pela súplica ao Senhor para que interfira (vv. 23 a 26).

EXPOSIÇÃO

1 *Ó Deus, nós ouvimos com os nossos ouvidos, e nossos pais nos têm contado os feitos que realizaste em seus dias, nos tempos da antiguidade.*

2 *Como expeliste as nações com a tua mão e aos nossos pais plantaste; como afligiste os povos e aos nossos pais alargaste.*
3 *Pois não conquistaram a terra pela sua espada, nem o seu braço os salvou, e sim a tua destra, e o teu braço, e a luz da tua face, porquanto te agradaste deles.*

1. *"Ó Deus, nós ouvimos com os nossos ouvidos."* Os teus atos poderosos são o assunto das nossas conversas. Não é só nos livros que lemos sobre as tuas famosas ações, mas também na conversa comum das pessoas. Entre os israelitas tementes a Deus, a biografia da nação foi preservada por tradição oral, com grande diligência e precisão. Esse método de preservar e transmitir a história tem desvantagens, mas certamente produz uma impressão mais viva na mente do que os outros. Ouvir com os ouvidos nos afeta mais sensivelmente do que ler com os olhos. Sejamos atentos, e aproveitemos toda oportunidade para divulgar o evangelho de nosso Senhor Jesus de *viva voce*, visto que esse é o modo mais revelador de comunicação. A expressão "ouvir com os nossos ouvidos" denota o prazer com que ouviam, a intensidade do interesse, a personalidade da audição e a lembrança viva que tinham da narrativa pitoresca e comovente. Muitos têm ouvidos, mas não ouvem. Felizes aqueles que, tendo ouvidos, aprendem a ouvir.

"E nossos pais nos têm contado." Eles não poderiam ter tido melhores informantes. Os professores são muito bons, mas os pais tementes a Deus são, pela ordem da natureza e da graça, os melhores instrutores dos filhos, e não podem delegar esse dever sagrado. Há que se temer que muitos filhos de professores poderiam pleitear pouco diante Deus acerca do que os pais lhes contaram. Quando os pais não falam nada com a descendência no tocante às coisas de Deus, precisam se admirar de que o coração dos filhos permanecem presos ao pecado? Da mesma maneira que em todas as nações livres os homens gostam de ficar ao redor do fogão a lenha, contando as ações valorosas dos seus antepassados "nos tempos difíceis de antigamente", assim o povo de Deus na antiga dispensação alegrava as famílias ao redor da mesa relatando as ações maravilhosas do Senhor seu Deus. As conversas sobre as coisas de Deus não precisam ser maçantes, e realmente não são se, como neste caso, tratarem mais de fatos e menos de opiniões.

"Os feitos que realizaste em seus dias, nos tempos da antiguidade." Eles começaram com o que os olhos tinham testemunhado, e depois passaram para o que eram as tradições da mocidade. Note que o ponto principal da história transmitido de pai para filho era a obra de Deus. Este é o cerne da história. Por isso, ninguém pode escrever a história corretamente sendo desconhecedor da obra do Senhor. É prazeroso ver as pegadas do Senhor no mar dos acontecimentos variáveis, vê-lo cavalgando no vendaval da guerra, peste e fome, e, acima de tudo, ver o seu cuidado imutável pelo seu povo escolhido. Aqueles que são ensinados a ver Deus na história, aprendem uma boa lição dos pais, e nenhum filho de pais crentes deve ser deixado na ignorância de estudo tão santo. Uma nação ensinada como Israel com uma história tão maravilhosa como a deles, sempre tinha argumentos para pleitear com Deus em busca de ajuda nas dificuldades, visto que aquEle que nunca muda dá, em cada ato da graça, uma garantia de misericórdia ainda por vir. As tradições de nossa experiência passada são argumentos poderosos para ajuda presente.

2. *"Como expeliste as nações com a tua mão."* A expulsão dos cananeus da terra prometida é o feito aqui lembrado. Um povo numeroso, bélico, gigantesco e corajoso, firmemente estabelecido e extremamente fortalecido, foi expulso por uma nação mais fraca, porque o Senhor era contra esse povo na briga. Está claro pela Bíblia que Deus enviou uma praga (de forma que a terra comeu os seus habitantes) e também uma visitação de vespões contra os cananeus, e por outros meios os abateu, de forma

que as vitórias fáceis de Josué foram meros resultados de Deus ter trabalhado de antemão contra as nações idólatras.

"E aos nossos pais plantaste." As tribos de Israel foram plantadas nos lugares antigamente ocupados pelas nações. Os heveus e jebuseus foram expelidos das suas cidades para abrir espaço para Efraim e Judá. O grande Fazedor de Maravilhas arrancou pelas raízes os carvalhos de Basã para plantar ali a sua escolhida "vinha de vinho tinto" (Is 27.2).

"Como afligiste os povos." Com julgamentos e pestes as nações condenadas foram molestadas, por fogo e espada foram caçadas à morte, até serem todas expelidas. Assim, os inimigos de Israel foram banidos para bem longe.

"E aos nossos pais alargaste." AquEle que perturbou os inimigos sorriu para os amigos. Distribuiu vingança às nações descrentes, mas reservou da sua misericórdia para as tribos escolhidas. Como é bela a misericórdia quando está ao lado da justiça! Brilha radiantemente a estrela da graça no meio da noite da ira! É um pensamento solene que a grandeza do amor divino tem a sua contraparte na grandeza da sua indignação. O peso da misericórdia dado para Israel é balanceado pela tremenda vingança que, com a ponta da espada, varreu os milhares de amorreus e heteus até ao inferno. O inferno é tão fundo quanto o céu é alto. As chamas de Tofete são tão eternas quanto as labaredas da glória celestial. O poder de Deus, como mostrado em feitos de misericórdia e de justiça, deve ser lembrado em tempos tempestuosos como uma firmeza para a fé desfalecente.

3. *"Pois não conquistaram a terra pela sua espada."* Veja como só o Senhor foi exaltado ao reunir o povo na terra que mana leite e mel! Ele, na sua ilustre graça, pusera uma diferença entre Canaã e Israel. Então, pelo seu poder eficaz, Ele trabalhou a *favor* dos eleitos e *contra* os adversários. As tribos lutaram pelas suas partilhas, mas o sucesso foi devido inteiramente ao Senhor que trabalhou com eles. Os guerreiros de Israel não eram indolentes, contudo o seu valor era secundário em relação a essa operação misteriosa e divina pela qual as muralhas de Jericó caíram e os corações dos gentios falharam de medo. Foram empregados os esforços de todos os soldados, porém tendo em vista que esses teriam sido fúteis sem o socorro divino, toda honra é atribuída ao Senhor. A passagem pode ser vista como uma parábola bonita da obra de salvação. Os homens não são salvos sem oração, arrependimento..., mas nenhum desses itens salva o homem, pois a salvação é totalmente do Senhor. Canaã não foi conquistada sem os exércitos de Israel, entretanto é igualmente verdadeiro que ela não foi conquistada por eles. O Senhor foi o conquistador, e o povo não passou de instrumento nas mãos dEle.

"Nem o seu braço os salvou." Eles não podiam atribuir as vitórias memoráveis a si mesmos. AquEle que fez o sol e a lua parar era digno de todo o louvor. Há um elemento negativo nas armas e neles mesmos, como que a mostrar que os homens são propensos a designar o sucesso às causas secundárias.

"E sim a tua destra, e o teu braço, e a luz da tua face." A mão divina lutou ativamente por eles, o braço divino os sustentou poderosamente com mais do que força humana e o sorriso divino os inspirou com coragem intrépida.

Quem não ganha com tal ajuda tripla, ainda que a terra, a morte e o inferno se levantem em guerra? De que valeu a altura dos filhos de Anaque ou o terror dos seus carros de ferro? Não serviram para nada, pois o Senhor se levantou em defesa de Israel.

"Porquanto te agradaste deles." Essa é a fonte de onde saem todos rios da misericórdia. O prazer do Senhor no seu povo, o seu afeto peculiar, a sua consideração diferenciada — essa é a mola propulsora da roda de cada providência da graça. Israel era uma nação escolhida, daí as vitórias e a dispersão dos inimigos. Os crentes são

um povo eleito, daí as bênçãos e conquistas espirituais. Não havia nada no povo em si que lhe garantisse sucesso, pois tudo era devido unicamente ao favor do Senhor. Assim é conosco, visto que a esperança da glória final não tem de estar em nós mesmos, senão no favor livre e soberano do Senhor dos Exércitos.

4 *Tu és o meu Rei, ó Deus; ordena salvações para Jacó.*
5 *Por ti venceremos os nossos inimigos; pelo teu nome pisaremos os que se levantam contra nós.*
6 *Pois eu não confiarei no meu arco, nem a minha espada me salvará.*
7 *Mas tu nos salvaste dos nossos inimigos e confundiste os que nos aborreciam.*
8 *Em Deus nos gloriamos todo o dia e louvamos o teu nome eternamente. (Selá)*

4. *"Tu és o meu Rei, ó Deus."* Conhecendo bem o teu poder e graça, o meu coração está alegre em te aceitar por Príncipe Soberano. Quem entre os poderosos é tão ilustre como Tu? Para quem, então, prestarei a minha homenagem ou darei a minha gratidão pela ajuda recebida? Deus de meus pais nos velhos tempos, Tu és o Monarca da minha alma e o Senhor suserano.

"Ordena salvações para Jacó." A quem o povo deve olhar senão ao seu rei? Ele é quem, em virtude do seu ofício, combate as batalhas do seu povo. No caso do nosso Rei, como lhe é fácil desbaratar todos os nossos inimigos! Ó Senhor, o Rei dos reis, com essa facilidade tu salvas o teu povo. Basta uma palavra tua. Dá apenas a ordem e o teu povo perseguido será liberto. A longa vida de Jacó estava abarrotada de tribulações e livramentos, e os seus descendentes são chamados aqui pelo seu nome, como a tipificar a semelhança da experiência deles com a do seu grande antepassado. Quem deseja ganhar as bênçãos de Israel têm de participar das tristezas de Jacó. Esse versículo contém uma declaração pessoal e uma oração intercessora. Ora bem quem está inteiramente certo do seu interesse pessoal em Deus. Aquele que tem a mais plena certeza de que o Senhor é o seu Deus deve ser o primeiro a pleitear pelos demais membros da família provada do crente.

5. *"Por ti venceremos os nossos inimigos."* O combate era muito renhido, os golpes eram inúteis e as espadas não serviam para nada. Fez os punhais serem sacados, e a luta corpo a corpo se tornar um empurra-empurra. O Deus de Jacó estava renovando na semente de Jacó a luta do pai deles. E o que sucedeu com a fé então? Ela poderia rebater pé ante pé o inimigo e defender os que são dela? Sim, poderia, a fé saiu vitoriosa do embate, porque foi suprema no ataque final e subverteu todos os adversários, sendo o Senhor quem a ajudava.

"Pelo teu nome pisaremos os que se levantam contra nós." O nome do Senhor fez a vez de armas, e habilitou aqueles que o usaram para saltar sobre os inimigos e esmagá-los com valor exultante. Em união e comunhão com Deus, os santos fazem maravilhas: "Se Deus é por nós, quem será contra nós?" (Rm 8.31). Note bem que este versículo está dizendo que todas as conquistas dos crentes são "por ti", "pelo teu nome". Que jamais nos esqueçamos disso, para que, indo à guerra às nossas custas, não sejamos ignominiosamente derrotados. Por outro lado, não caiamos no pecado igualmente perigoso de descrer, pois o Senhor pode fazer o mais fraco de nós capaz para vencer qualquer situação crítica. Embora hoje sejamos tímidos e indefesos como ovelhas, Ele pode pelo seu poder nos tornar fortes como o primogênito do boi, e nos fazer acometer como com chifres, até que aqueles que se revoltaram contra nós fiquem tão esmagados e espancados de modo a jamais se levantarem de novo. Aqueles que mal podem se manter em pé sozinhos, mas como bebês cambaleiam e caem, conseguem pela ajuda divina vencer os inimigos e colocar os pés sobre o pescoço deles. Leia a luta do Cristão com Apoliom, e veja como

O homem tão bravamente portou-se como homem
Que fez o demônio fugir

6. *"Pois eu não confiarei no meu arco, nem a minha espada me salvará."* O teu povo de Israel, sob a tua orientação, expulsou as nações e ganhou a terra, não pela habilidade das armas ou pela bravura dos braços, mas pelo teu poder somente. Por isso, renunciamos para sempre toda a segurança nas confianças exteriores, nas quais os homens se vangloriam e nos lançaremos na onipotência do nosso Deus. Fazia pouco tempo que Saul introduzira em Israel a tecnologia para a fabricação de arcos. Eram armas consideradas muito temíveis na história primitiva de Israel, mas aqui são colocadas ao lado da espada vitoriosa, a fim de haver espaço para a fé no Deus vivo. Este versículo, na primeira pessoa do singular, serve de confissão de fé para todo crente que renuncia a justiça e força própria e olha somente ao Senhor Jesus. Que graça é confessar esta autorrenúncia, pois a nossa natureza orgulhosa é muito hábil em colocar a confiança no poder inchado e falso da criatura. Braço de carne, como ouso confiar em ti? Como ouso trazer sobre mim a maldição daqueles que confiam no homem?

7. *"Mas tu nos salvaste dos nossos inimigos."* Em tempos passados, todos os nossos salvamentos se deveram a ti, ó Deus. Tu nunca falhaste. Tu nos ajudaste a passar por todo tipo de perigo.

"E confundiste os que nos aborreciam." Com as costas das Tuas mãos salvadoras destes-lhes uma bofetada que fez com que escondessem o rosto. Tu os derrotaste de tal maneira a ponto de ficarem confundidos e envergonhados de serem derrotados por adversários tão fracos, como eles pensavam que os israelitas eram.

A dupla ação de Deus em abençoar o povo e confundir os inimigos é observada constantemente. O exército de Faraó morreu afogado, enquanto Israel atravessou o mar. Amaleque foi abatido duramente, enquanto as tribos se alegravam. Os ímpios foram expulsos de suas casas, enquanto os filhos de Jacó descansavam debaixo da videira e da figueira.

8. *"Em Deus nos gloriamos todo o dia."* Temos muitos motivos para glorificarmos a Deus, enquanto recontamos os seus atos poderosos. Que glorificação santa é esta! É o único tipo de glorificação que é suportável. Todo o maná criava vermes e fedia, exceto o que era posto diante do Senhor. Todas as glorificações são repugnantes, exceto a glorificação no Senhor, que é louvável e agradável.

"E louvamos o teu nome eternamente." O louvor deve ser perpétuo. Se não há novos atos de amor, mesmo assim o Senhor deve ser louvado pelo que já fez pelo povo. Que os cânticos sejam altissonantemente elevados quando nos lembramos do amor eterno que nos escolheu e predestinou para sermos filhos, nos redimiu por um preço e depois nos enriqueceu com toda a plenitude de Deus.

"Selá." Ocorre uma pausa no momento exato, quando estamos prestes a descer do tom mais alto para o mais baixo. Já não ouviremos os tamboris de Miriã, mas sim o choro de Raquel.

9 *Mas, agora, tu nos rejeitaste, e nos confundiste, e não sais com os nossos exércitos.*
10 *Tu nos fazes retirar-nos do inimigo, e aqueles que nos odeiam nos tomam como saque.*
11 *Tu nos entregaste como ovelhas para comer e nos espalhaste entre as nações.*
12 *Tu vendes por nada o teu povo e não aumentas a tua riqueza com o seu preço.*
13 *Tu nos fazes o opróbrio dos nossos vizinhos, o escárnio e a zombaria daqueles que estão à roda de nós.*
14 *Tu nos pões por provérbio entre as nações, por movimento de cabeça entre os povos.*

15 *A minha confusão está constantemente diante de mim, e a vergonha do meu rosto me cobre,*
16 *à voz daquele que afronta e blasfema, por causa do inimigo e do que se vinga.*

9. *"Mas, agora, tu nos rejeitaste, e nos confundiste."* Aqui, o bardo patriota começa a contrastar a glória passada da história da nação com a tristeza e angústia presente. Ele não designa esse contraste à morte de algum defensor humano, ou aos acidentes de guerra, mas única e inteiramente à retirada do Deus de Israel. Parecia ao lamentador que o Senhor se cansara do seu povo e os colocara de lado repulsivamente, como os homens repelem roupas de leproso, detestando-lhes a aparência. Para mostrar o desprazer, Deus fizera o povo ser ridicularizado pelas nações, cujas vitórias fáceis sobre os seus exércitos maiores cobriam Israel de desgraça e vergonha.

Ai da igreja e do povo, quando o Senhor na força ativa do seu Espírito se retirar deles, pois não lhes faltará maior vergonha ou tristeza. Ele não rejeitará o seu povo para sempre e totalmente, contudo muitas igrejas têm sido abandonadas à derrota e confusão por conta do pecado. Portanto, todas as igrejas devem estar sumamente alertas para que o mesmo não lhes suceda. Pobreza e angústia não causam vergonha a um povo, entretanto a ausência do Senhor tira da igreja tudo que pode exaltar e enobrecer.

"E não sais com os nossos exércitos." Se o Senhor não for o líder, de que valerá fortes batalhões? São inúteis os esforços combinados dos mais zelosos trabalhadores se o braço de Deus não for revelado. Que nenhum de nós em nossas igrejas tenha de lamentar que o ministério, a obra missionária, a visitação, a pregação pelas ruas sejam feitos sem a ajuda divina. Se o nosso grande Aliado não estiver conosco, a derrota é inevitável.

10. *"Tu nos fazes retirar-nos do inimigo."* A humilhante conscientização de que o Senhor os deixou logo torna os homens covardes. A fuga encerra a luta daqueles que não têm o Senhor na vanguarda.

"E aqueles que nos odeiam nos tomam como saque." Depois da derrota e retirada, vem a espoliação. A pobre nação dominada pagou uma penalidade terrível por ter sido vencida. O saque e o assassinato devastaram a terra conquistada, e os invasores carregaram toda coisa preciosa que puderam levar. Na experiência espiritual, sabemos o que é ser espoliado por nossos inimigos. Dúvidas e medos roubam-nos de nossas consolações, e pressentimentos terríveis nos deterioram de nossas esperanças. E tudo porque o Senhor, para propósito sábio, julga adequado que fiquemos sozinhos. Ai da pessoa abandonada! Não há calamidade que iguale a tristeza de sermos deixados por Deus, ainda que apenas "por um pequeno momento" (Is 54.7).

11. *"Tu nos entregaste como ovelhas para comer."* Como as ovelhas são mortas para servir de alimento, assim as pessoas eram mortas aos montes, com facilidade e frequência. Eram mortas não com a dignidade do sacrifício, mas com a crueldade do matadouro. Parecia que Deus as entregara como ovelhas destinadas ao açougueiro, para abandoná-las como os mercenários abandonam o rebanho para os lobos. A lamentação é amargamente eloquente.

"E nos espalhaste entre as nações." Muitos foram levados em cativeiro, para longe do culto público que ocorria no Templo de Deus, para consumirem-se de saudades como exilados entre idólatras. Tudo isso é atribuído ao Senhor como sendo permitido por Ele e até mesmo designado pelo seu decreto. É bom localizar a mão de Deus em nossas tristezas, pois ela seguramente está lá.

12. *"Tu vendes por nada o teu povo."* Como os homens vendem mercadorias para quem quiser comprá-las, assim o Senhor entregava o seu povo a qualquer nação que escolhesse fazer guerra com eles. Enquanto isso, nenhum resultado bom era

perceptível em todas as desgraças de Israel. Até onde o salmista podia ver, o nome do Senhor não recebia nenhuma honra por causa das tribulações do seu povo. Eles eram entregues aos inimigos como se não valessem nada, atingindo sequer o preço comum de escravos. O Senhor não se importava em ter lucro com eles, contanto que eles sofressem. A aflição expressada nessa linha é como vinagre misturado com fel. A expressão é digna do profeta chorão.

"E não aumentas a tua riqueza com o seu preço." Se o Senhor tivesse sido glorificado por todas essas desgraças eles poderiam ter sido suportadas com paciência, mas foi o contrário. O nome do Senhor foi, pelas calamidades da nação, menosprezado pelas insultantes nações pagãs que consideraram a derrota de Israel a derrota do próprio Senhor. A dificuldade do crente sempre é amenizada quando ele vê que o grande nome do Senhor está sendo e será honrado, no entanto é uma dolorosa agravação da desgraça quando parece que estamos sendo torturados em vão. Para a nossa consolação, fiquemos satisfeitos com a realidade de que o Senhor é glorificado. Quando nenhuma glória estiver lhe sendo manifestadamente dada, Ele não está deixando de cumprir o seu propósito secreto, cujo resultado principal será revelado no seu devido tempo. Não sofremos à toa, nem as nossas aflições ficam sem resultado.

13. "Tu nos fazes o opróbrio dos nossos vizinhos." O desprezo sempre é um ingrediente intensamente amargo na taça dos oprimidos. Os insultos e zombarias dos vencedores atormentam os derrotados, quase tanto quanto as espadas e lanças. Foi realmente um mistério que Deus permitisse que a nação real, o seu povo peculiar, fosse escarnecida por todos que moravam perto deles.

"O escárnio e a zombaria daqueles que estão à roda de nós." O povo oprimido tinha se tornado um gracejo comum. "Tão corriqueiro quanto Israel", dizia a língua cruel dos tiranos. O desprezo tornou-se tão habitual que as nações vizinhas, embora talvez igualmente oprimidas, se serviram do linguajar dos conquistadores e uniram-se no escárnio comum. Ser uma derrisão para fortes e fracos, superiores, iguais e inferiores é algo difícil de suportar. As palavras de quem ridiculariza ferem profundamente. O salmista expõe a brutalidade do inimigo em muitas palavras para mover a compaixão do Senhor, cuja a ira justa Ele determinou todas as tristezas do povo. Deus usou o melhor dos argumentos, pois os sofrimentos dos escolhidos tocam o coração de Deus muito mais prontamente do que qualquer outra argumentação. Bendito seja o seu nome, o nosso grande Advogado celestial sabe servir-se desse forte apelo. Se hoje estamos suportando censuras por causa da verdade, Ele as conclamará diante do trono eterno. E Deus não defenderá os seus eleitos? Um pai não suporta ver os filhos tratados insultuosamente. Ele pode aturar por algum tempo, mas o amor despertará a ira rapidamente, e, então, Ele tratará os perseguidores e difamadores como deve.

14. *"Tu nos pões por provérbio entre as nações, por movimento de cabeça entre os povos."* A lamentação é aqui repetida. Eles estavam tão arruinados que ninguém os reverenciava, pois universal e publicamente eram tratados como infames e desprezíveis. Os que insultavam os outros envolviam de passagem o nome de Israel como guarnição para os insultos. Se por acaso eles vissem um da descendência de Jacó na rua, faziam gestos lascivos para atormentá-los. Os ignorantes sacudiam a cabeça com desdém contra o povo separado. Eles eram alvos comuns de toda flecha à-toa. Essa foi a sorte dos justos em tempos passados, e em certa medida ainda é a sua porção hoje, correndo o risco de ser novamente a sua herança no pior sentido. O mundo não conhece a nobreza dos santos, não tem olhos para identificar a verdadeira excelência. Achou uma cruz para o Mestre, e não podemos esperar que premie coroas para os discípulos.

15. *"A minha confusão está constantemente diante de mim."* O poeta se faz o representante da nação e declara a própria angústia. Ele não é homem de extremo desgosto, que não se importa com os problemas da igreja da qual é membro, ou da nação da qual é cidadão. Quanto melhor o coração, maior a solidariedade.

"E a vergonha do meu rosto me cobre." Uma vergonha constante, como um manto vermelho, o cobria diante de Deus e dos homens. Ele sentia diante de Deus que a deserção divina era bem merecida, e diante dos homens, que ele e o seu povo eram realmente desprezíveis, agora que a ajuda divina se fora. Faz bem para a nação quando ainda existe nela homens que sentem profundamente o seu pecado e vergonha. Deus terá compaixão dos seus castigados, e um sinal disso é quando Ele envia ministros escolhidos, homens de ternura, que tomam para si o caso do povo.

16. *"À voz daquele que afronta e blasfema."* Pelo visto, depois de escarnecer o povo de Deus, os adversários passaram a insultar o próprio Deus. Procederam da perseguição para o pecado, que é a condição mais proximamente relacionada, isto é, a blasfêmia.

"Por causa do inimigo e do que se vinga." O inimigo se orgulhava de vingar as derrotas que os antepassados sofreram. Eles se vingavam das antigas vitórias de Israel, insultando o agora povo caído.

Era uma situação triste para a nação, mas de forma alguma era um caso desesperador, pois o Senhor que trouxera todo esse mal sobre eles, podia com igual facilidade libertá-los disso. Contanto que Israel dependesse unicamente do seu Deus, e não do próprio braço, nenhum inimigo poderia retê-lo debaixo dos pés. Israel tinha de levantar-se, pois Deus estava a seu lado.

17 *Tudo isto nos sobreveio; todavia, não nos esquecemos de ti, nem nos houvemos falsamente contra o teu concerto.*

18 *O nosso coração não voltou atrás, nem os nossos passos se desviaram das tuas veredas,*

19 *ainda que nos quebrantaste num lugar de dragões e nos cobriste com a sombra da morte.*

20 *Se nós esquecermos o nome do nosso Deus e estendermos as nossas mãos para um deus estranho,*

21 *porventura, não conhecerá Deus isso? Pois ele sabe os segredos do coração.*

22 *Sim, por amor de ti, somos mortos todo dia; somos reputados como ovelhas para o matadouro.*

17. *"Tudo isto nos sobreveio; todavia, não nos esquecemos de ti."* Aqui o salmista promulga que Israel não se afastou da sua submissão ao Senhor. Quando em meio a muitas aflições ainda nos apegamos em Deus em obediência amorosa, tudo tem de ir bem conosco. A verdadeira fidelidade suporta os tratamentos rudes. Aqueles que seguem a Deus pelo que recebem, o deixarão quando a perseguição começar. Mas não é o que fará o crente sincero. Ele não se esquecerá do seu Senhor, ainda que o pior fique pior.

"Nem nos houvemos falsamente contra o teu concerto." Nenhum ídolo foi estabelecido, o culto ordenado não foi renunciado, Deus ainda era nacionalmente reconhecido. Por isso, o salmista está intensamente determinado que o Senhor interfira. Este e os versículos subsequentes são adequados para os lábios dos mártires. Na verdade, o salmo inteiro pode ser chamado de a reclamação do mártir.

Os santos não sofrem pelo pecado, mas pela justiça, não pela falsidade, mas pela verdade, não por abandonar o Senhor, mas por segui-lo esforçadamente. Os sofrimentos desse tipo podem ser muito terríveis, mas são extremamente honrados, e as consolações do Senhor sustentarão aqueles que são considerados dignos de sofrer pela causa de Cristo.

18. *"O nosso coração não voltou atrás, nem os nossos passos se desviaram das tuas veredas."* O coração e a vida estavam de acordo, e ambos eram verdadeiros aos caminhos do Senhor. Nada de dentro nem de fora ofendera os sofredores piedosos. Eles não eram absolutamente perfeitos, porém eram sinceramente livres de toda transgressão voluntariosa. Era um sinal saudável para a nação o profeta-poeta poder testemunhar da retidão dos israelitas diante de Deus, tanto de coração quanto de ato. Na grande maioria das vezes, as coisas eram bem diferentes, pois as tribos tinham facilidade extrema em estabelecer outros deuses e abandonar a rocha da sua salvação.

19. *"Ainda que nos quebrantaste num lugar de dragões."* Ainda que completamente tiranizados e entregues à devastação, sendo forçados por assim dizer a associarem-se com animais como chacais, corujas e serpentes que frequentam ruínas abandonadas, Israel permaneceu fiel. Ser verdadeiro a um Deus que fere, até mesmo quando os golpes transformam a alegria em montões de ruína, é ser como aquele em quem Deus se compraz. Melhor ser quebrantado *por* Deus do que *de* Deus. Melhor estar num lugar de dragões do que num lugar de enganadores.

"E nos cobriste com a sombra da morte." As palavras são muito fortes. A nação está completamente envolta nas densas trevas do desespero e da morte, encoberta como que estivesse em um caixão sem esperança. Contudo, eles afirmam que ainda permanecem prestimosos do seu Deus, sendo um argumento glorioso. Melhor a morte do que a falsidade de fé. Aqueles que forem verdadeiros com Deus nunca serão tratados por Ele com falsidade.

20. Agora é feito um apelo à onisciência de Deus. Ele próprio é chamado para testemunhar que Israel não estabelecera outro deus.

"Se nós esquecermos o nome do nosso Deus." Esse é o primeiro passo para a apostasia. Primeiro, os homens se esquecem do verdadeiro, e depois cultuam o falso.

"E estendermos as nossas mãos para um deus estranho." Estender as mãos era símbolo de adoração ou de súplica em oração. Isso eles não tinham oferecido a quaisquer dos ídolos dos gentios.

21. *"Porventura, não conhecerá Deus isso?"* Semelhante idolatria poderia ser escondida de Deus? Não teria Ele com indignação santa detectado infidelidade, mesmo que tivesse sido escondida no coração e ficasse oculta na vida?

"Pois ele sabe os segredos do coração." Ele conhece o funcionamento interno da mente. Por isso, tal coisa não lhe poderia ter escapado. Não apenas o coração, o qual é secreto, mas também os segredos do coração, que são segredos da coisa mais secreta, estão como que abertos para Deus como um livro para o leitor. O argumento é que o próprio Senhor sabe que os israelitas são seus seguidores fiéis. Ele não os visitava por causa de pecados. Sendo assim, a aflição se devia obviamente a uma causa bem diferente.

22. *"Sim"*, ou seja, certamente, com certeza, *"por amor de ti"*, não pelas nossas ofensas, mas por obedecer a ti. As aflições desses suplicantes vieram sobre eles, porque eram leais ao seu Deus.

"Somos mortos todo dia." A tribulação nunca deixava de persegui-los até à morte. Não havia descanso nem porta de fuga para o povo. E tudo por amor ao Senhor, porque eles não abandonariam o seu Deus e Rei da aliança.

"Somos reputados como ovelhas para o matadouro", como se tivéssemos sido criados exclusivamente para sermos mortos e feitos com o propósito de servirmos de vítimas; como se fosse algo imensamente fácil e inocente matar-nos quanto é matar ovelhas. Neste e nos versículos seguintes ouvimos claramente o brado dos mártires. De Piedmont e Smithfield, do massacre da noite de São Bartolomeu e às dragonadas de

Claverhouse, esse apelo sobe aos céus, enquanto as almas debaixo do altar continuam com o clamor solene por vingança. Em pouco tempo, a igreja estará pleiteando desta maneira, quando a sua vergonha será recompensada e o seu triunfo despontará.

23 *Desperta! Por que dormes, Senhor? Acorda! Não nos rejeites para sempre!*
24 *Por que escondes a face e te esqueces da nossa miséria e da nossa opressão?*
25 *Pois a nossa alma está abatida até ao pó; o nosso corpo, curvado até ao chão.*
26 *Levanta-te em nosso auxílio e resgata-nos por amor das tuas misericórdias.*

23. *"Desperta! Por que dormes, Senhor? Acorda!"* Deus não dorme, mas o salmista fala assim, como se essa fosse a única teoria que explicasse a inércia divina. De bom grado ele veria o grande Juiz acabando com a opressão e dando paz santa, então clama: "Desperta!" Ele não pode entender por que o reinado de tirania e a opressão da virtude são permitidos e, então, investiga: "Por que dormes, Senhor? Acorda!" Isso é tudo que precisas fazer, pois um só movimento teu nos salvará.

"Não nos rejeites para sempre!" Há muito que Tu nos abandonaste. Os efeitos terríveis da tua ausência estão nos destruindo. Termina Tu as nossas calamidades, e que a tua ira seja aplacada. Em tempos de tribulação, os homens são propensos a clamar: Onde está o Deus de Israel? Ao pensar no que os santos têm suportado dos inimigos arrogantes, unimos nossas vozes ao grande brado de mártir e cantamos com o bardo do paraíso:

Vinga, ó Senhor, os teus santos mortos, cujos ossos
Estão espalhados nas frias montanhas alpinas;
Até mesmo os que mantiveram a tua verdade com a pureza de outrora,
Quando todos os nossos pais adoravam paus e pedras.
Não esqueças: em teu livro registram os seus gemidos
Que eram tuas ovelhas.

24. *"Por que escondes a face e te esqueces da nossa miséria e da nossa opressão?"* Não com petulância, mas com lamentação e indagação, podemos questionar o Senhor quando os seus procedimentos nos são misteriosos. Temos a permissão de dispor o nosso caso com argumentos, e pleitear o direito perante a face da Majestade augusta. Por que, Senhor, tu não fazes conta das aflições dos teus filhos? É muito mais fácil fazer essa pergunta do que respondê-la. De fato, é muito difícil no meio da provação vermos a razão por que Deus permite que soframos tão severamente.

25. *"Pois a nossa alma está abatida até ao pó."* O nosso coração é baixo ao extremo, tão baixo quanto o pó debaixo da sola dos pés dos homens. Quando o coração desanima, o homem realmente fica para baixo, deprimido. A tristeza do coração é o coração da tristeza.

"O nosso corpo, curvado até ao chão." O homem é propenso à terra, e não só está inclinado, mas é firmado à terra e colado a ela. É realmente um tormento quando o coração não pode fugir de si mesmo por estar fechado em seu próprio abatimento e amarrado com as cordas do desânimo. Os santos de Deus podem ser abjetos assim. Podem estar não só no pó, mas no monturo com Jó e Lázaro. No entanto, o dia chegará e a maré virará, quando eles terão um verão magnífico depois de um inverno tenebroso.

26. *"Levanta-te em nosso auxílio."* Essa é uma oração curta, porém agradável, abrangente, direto ao ponto, clara, simples e urgente como devem ser todas as orações.

"E resgata-nos por amor das tuas misericórdias." Esse é o argumento final. A bênção é a redenção e o argumento é a misericórdia. O mesmo se dá no caso dos

crentes sofredores que não se esquecem do seu Deus. A misericórdia sempre é um argumento seguro. O homem não encontra outro melhor.

Fosse eu um mártir na fogueira,
Eu apelaria ao nome do meu Salvador,
Suplicaria perdão por amor dele,
E não faria outra reivindicação.

Aqui termina este salmo memorável. Entretanto, no céu o seu poder não termina, pois traz livramento para o povo provado de Deus.

NOTAS EXPLICATIVAS E DECLARAÇÕES IMPORTANTES

O Salmo: Uma investigação deste salmo mostra não haver dúvida de que os oradores são da raça de Israel. Mas os expositores em sua maioria têm muita dificuldade em entendê-lo no sentido natural. São até mesmo compelidos a abandoná-lo em virtude da impossibilidade de fixá-lo em um período da história daquele povo, pois isso forneceria o propósito para escrevê-lo e ratificaria a sua linguagem. Não pode ser aludido aos tempos do cativeiro babilônico, pois é contestado a esse respeito, e com razão. Em primeiro lugar, os versículos 11 e 14 apresentam os oradores como "[espalhados] entre as nações" e "por provérbio entre as nações", ao passo que o exílio foi limitado a um país.

Em segundo lugar, nos versículos 17 a 21 há a afirmação da adesão fiel ao culto do verdadeiro Deus, o qual é chamado para testemunhar de modo a absolver os sofredores de terem trazido mal sobre si mesmos, ao passo que o cativeiro foi um castigo da nação por apostasia e, sobretudo, pelo pecado doloroso da idolatria. E as mesmas objeções refutam interpretar o salmo com referência aos tempos de Antíoco Epifânio e os macabeus.

Além disso, a história do cânon das Escrituras é terminantemente contra designar uma data tão recente para qualquer um dos salmos. Ainda menos podemos ver os tempos de Davi no contexto do salmo, visto que, embora a religião fosse então pura, não havia, por outro lado, dispersão da nação, nem calamidade que explicasse a lamentação: "Mas, agora, tu nos rejeitaste, e nos confundiste. [...] Tu nos entregaste como ovelhas para comer" (vv. 9 e 11). Desta forma, não há alternativa senão considerarmos o salmo como linguagem exclusiva da igreja cristã, e os seus dias primitivos, como o período imediato da sua maior pureza e sofrimento. — *William de Burgh*

O Salmo: Ambrósio observa que os salmos anteriores mostram uma profecia da paixão, ressurreição e ascensão de Cristo e da vinda do Espírito Santo, e que este salmo nos ensina que devemos estar prontos a lutar e sofrer, a fim de que essas coisas nos sejam proveitosas. O ser humano deve trabalhar junto com a graça divina. — *Christopher Wordsworth*

v. 1: "Nós ouvimos com os nossos ouvidos", ou seja, nós ouvimos com extrema atenção e profundo afeto. Não é um pleonasmo, mas um modo enfático de dizer. — *John Trapp*

v. 1: "Nossos pais nos têm contado". Ouçam, disse Basílio, vocês, pais, que negligenciam ensinar os filhos as coisas que podem operar neles o temor e amor do Senhor, e a fé para confiar nEle e buscá-lo durante os tempos de perigo. Eles fizeram da boca, por assim dizer, livros em que poderiam ser lidos os poderosas atos do Senhor para o seu louvor e para a atração do coração dos filhos para Ele. — *John Mayer v. 1:* "Aquilo que os nossos antepassados nos contaram" (NTLH; "os feitos que realizaste", ARC). Por que só "aquilo" (singular), quando os livramentos feitos por Deus foram inumeráveis, da travessia do mar Vermelho à destruição dos 185.000 soldados no acampamento dos assírios? Porque todos esses eram tipos daquele grande feito, daquele estender da mão do Senhor, quando Satanás foi derrotado, a morte destruída e o Reino do céu aberto para todos os crentes. — *Ambrósio*

v. 1: "Os feitos que realizaste". Enquanto as canções das outras nações cantam o heroísmo dos antepassados, as canções de Israel celebram os feitos de Deus. — *Augustus F. Tholuck*

v. 1: Três requisitos necessários para a boa aprendizagem: (1) Intenção e atenção naquele que aprende: "Nós ouvimos com os nossos ouvidos". (2) Autoridade naquele que ensina: "Nossos pais nos têm contado". (3) Amor entre o professor e o aluno: "Nossos pais". — *Hugo (Cardeal), citado em John Mason Neale, "Commentary" [Comentário]*

vv. 1, 2, 4, 8: Os filhos são os herdeiros dos pais. Seria antinatural o pai, antes de morrer, enterrar o tesouro em um lugar em que os filhos não o achassem ou desfrutassem. As misericórdias de Deus não são a menor parte do tesouro, nem a menor herança dos seus filhos, sendo ambas auxílios para a fé, tema de louvor e estímulo para a obediência. "Nossos pais nos têm contado os feitos que realizaste em seus dias, nos tempos da antiguidade. Como expeliste as nações com a tua mão e aos nossos pais plantaste; como afligiste os povos e aos nossos pais alargaste" (vv.1 e 2). É nisso que eles basearam a confiança: "Tu és o meu Rei, ó Deus; ordena salvações para Jacó" (v. 4), e estimularam a gratidão: "Em Deus nos gloriamos todo o dia e louvamos o teu nome eternamente" (v. 8). Como os filhos são os herdeiros dos pais, assim eles se tornam corretamente sujeitos a pagar as dívidas dos pais. A grande dívida que os santos às portas da morte têm é a que deve a Deus pelas suas misericórdias. Por isso, nada mais justo que Ele vincule a posteridade ao pagamento. Assim, você estará louvando a Deus no céu e na terra ao mesmo tempo. — *William Gurnall*

v. 2:
Tu com a tua mão expulsaste as nações,
E as plantaste;
As nações que tu destruíste,
Mas tu as enxertaste.

As duas frases deste versículo estão em contraste equilibrado. A primeira tem a figura de desarraigar um tipo de árvore para plantar outra, como os cananeus foram desarraigados da Palestina para Israel ser plantado no lugar deles (cf. Salmo 80.8). A segunda figura diz respeito a cortar os ramos ruins para enxertar outros no lugar deles, na mesma raiz, que é novamente a Palestina. — *Benjamim Weiss*

v. 3: "Não conquistaram a terra pela sua espada". Vemos melhor a parte do Senhor em uma obra quando a parte dos homens, e tudo que eles como instrumentos têm feito ou poderiam ter feito, é declarado nulo, sendo considerado como separado de Deus que moveu os instrumentos e trabalha por meio deles como lhe apraz. — *David Dickson*

v. 3: "Porquanto te agradaste deles". A graça livre foi a causa fundamental de toda a felicidade. Deus os amou, porque Ele os amou (Dt 7.7). Ele os escolheu por seu amor, e então os amou por sua escolha. — *John Trapp*

v. 3: "Pois não conquistaram a terra pela sua espada, nem o seu braço os salvou, e sim a tua destra, e o teu braço, e a luz da tua face, porquanto te agradaste deles". O amor de Deus por Israel era livre, imerecido e surpreendente. Ele lhes deu uma terra pela qual eles não tiveram de lutar, e cidades que eles não construíram e vinhedos e olivais que eles não plantaram (Js 24.13). Em alguns casos, nem espada nem arco foram usados, mas vespões foram os instrumentos de conquista (Js 24.12). Desde a queda de Adão, todas as coisas boas no quinhão de todo homem é bondade imerecida. — *William S. Plumer*

v. 3: "Porquanto te agradaste deles". O profeta não pressupõe mérito na pessoa de Abraão, nem imagina merecimento na sua posteridade, por cuja causa Deus lidou tão generosamente com eles. Ele designa tudo ao bom prazer de Deus. [...] Nem o salmista aqui trata da benevolência geral de Deus, que se estende à raça humana. Ele discursa sobre a diferença que existe entre os eleitos e os demais do mundo, e a causa dessa diferença é atribuída ao mero bom prazer de Deus. — *João Calvino*

v. 4: "O meu Rei". Com a aparente aplicação pessoal a si mesmo, o poeta reivindica o seu lugar exclusivo na aliança entre Deus e o povo. — *J. J. Stewart Perowne*

v. 4: "Tu és o meu Rei, ó Deus; ordena salvações para Jacó". Não havia criatura, nem instrumento no mundo que ajudasse, mas não seria uma perda em tempos de necessidade, porque aquEle que está no trono pode fazer tudo sozinho. Ele pode fazer tudo que você precisar, sem usar meios ou instrumentos. A sua simples palavra é suficiente, totalmente suficiente para resolver o que quer que seja, por mais que se mostre grande, difícil e impossível.

Tal poder existe até mesmo na palavra do grande Rei. Você não precisa de mais nada para livrá-lo, livrar o seu povo em qualquer lugar, por mais problemático que esteja, pois basta a ordem daquEle que está assentado no trono. Se o evangelho, os interesses de Cristo nestas partes do mundo, as ternas preocupações da nossa alma e as almas da posteridade fossem como ossos secos, em uma situação de extremo abandono e desespero, Ele pode fazer viver tudo com uma só palavra. AquEle que é o nosso Rei, que está assentado no trono, pode comandar vida ao que está longe de viver como ossos secos. Enquanto Deus está no trono, é insensato deixarmos de confiar no seu poder, mesmo quando todo o poder visível e ajuda falharem. — *David Clarkson*

v. 5: "Por ti venceremos os nossos inimigos", é, literalmente: "Nós os lançaremos ao ar com o nosso chifre", que é metáfora tirada do boi ou touro que lança os cachorros ao ar que o atacam. — *Adam Clarke*

v. 6: "Pois eu não confiarei no meu arco, nem a minha espada me salvará". Por "arco" e "espada", o salmista quer dizer todos os tipos de armas e instrumentos bélicos. E por "salvará", ele quer dizer livrará de perigos, falando na pessoa de um (porque todos os crentes são senão um corpo), em nome de todos os demais. — *Thomas Wilcocks*

v. 6: "Pois eu não confiarei no meu arco, nem a minha espada me salvará". Eu não confiarei na minha espada ou arco, mas na espada do Guerreiro divino e no arco do Arqueiro divino, cujas flechas são afiadas no coração dos inimigos, como consta nos versículos 3 a 5, que está relacionado por essa imagem a este salmo, como também por seu significado interno. — *Christopher Wordsworth*

v. 6: "Pois eu não confiarei no meu arco, nem a minha espada me salvará". Quanto menos confiança tivermos em nós mesmos ou em qualquer coisa que não seja Deus, mais evidência teremos da sinceridade da nossa fé em Deus. — *David Dickson*

vv. 6 e 7: Esses dois versículos correspondem exatamente ao versículo 3. Como lá, em referência ao passado, a salvação foi designada completamente a Deus, do mesmo modo aqui, em referência ao futuro. — *E. W. Hengstenberg*

v. 11: "Como ovelhas para comer". Essas palavras fortes e notáveis dão a entender a extensão da perseguição e matança às qual eles foram expostos. Não havia criatura no mundo que fosse tão abundantemente morta para a subsistência do homem como as ovelhas. A constância de tal matança também é mencionada no versículo 22 como ilustração da opressão ininterrupta à qual os hebreus foram sujeitos. — John Kitto, "Pictorial Bible" [Bíblia Pictórica]

v. 11: "Como ovelhas para comer" e não reservadas para procriação ou produção de lã. — *Arthur Jackson*

v. 12: "Tu vendes por nada o teu povo e não aumentas a tua riqueza com o seu preço". O sentido é: Tu dás o teu povo ao poder dos inimigos sem a menor dificuldade, sem nem mesmo fazer com que a vitória seja obtida a preço elevado. É como alguém que se livra de algo pelo menor preço, algo que ele menospreza e odeia, desejando tão-somente livrar-se disso. — *E. W. Hengstenberg*

v. 12: "Tu vendes por nada o teu povo e não aumentas a tua riqueza com o seu preço". Referindo-se ao assédio de Jerusalém por Tito, Eusébio diz: "Muitos foram vendidos por um preço baixo. Havia muitos a serem vendidos, mas poucos para comprá-los".

v. 12: "Não aumentas a tua riqueza com o seu preço". Tu não promoves a tua honra e serviço com isso, pois os teus inimigos não te servem mais e melhor do que o teu povo, nem ainda do mesmo tanto. — *Matthew Pool*

v. 12: "E não aumentas a tua riqueza com o seu preço". "Tu não recebes dinheiro por eles"; literalmente, "não aumentas o preço deles", como normalmente faz o vendedor ao comprador. — *Daniel Cresswell*

v. 14: "Tu nos pões por provérbio", literalmente, "por similitude", a palavra hebraica מָשָׁל quer dizer aqui, como na passagem original (Dt 28.37) e no significado comum, "similitude". A miséria de Israel foi tão grande, que as pessoas figurativamente chamavam os judeus de miseráveis, da mesma maneira que cretenses eram chamados de mentirosos e os nativos de Sardes de escravos desgraçados. Agora muito longe estão os judeus de serem os *benditos do Senhor*, em quem, de acordo com a promessa, "serão benditas todas as famílias da terra" (cf. Gênesis 12.3). — *E. W. Hengstenberg*

v. 15: "A minha confusão está constantemente diante de mim". Quando a igreja visível é visitada com tristes calamidades, os seus verdadeiros membros se tornam participantes da dificuldade, tristeza e vergonha dessa situação. — *David Dickson*

v. 17: "Tudo isto nos sobreveio; todavia, não nos esquecemos de ti, nem nos houvemos falsamente contra o teu concerto". Eusébio, narrando as crueldades infligidas aos cristãos pelo tirano oriental, Maximino, diz: "Ele prevaleceu contra todos os tipos de pessoas, exceto os cristãos, que desprezavam a morte e menosprezavam a tirania do imperador. Os homens suportavam a morte na fogueira, a decapitação, a crucificação, a devoração voraz de animais, o afogamento no mar, o aleijamento e queimação de membros, a furação e extração de olhos, a mutilação do corpo inteiro. Além disso, fome e prisão. Em suma, eles sofreram todo tipo de tormento pelo serviço de Deus em vez de abandonar o culto a Deus e aceitar o culto aos ídolos. As mulheres também, não inferiores aos homens pelo poder da palavra de Deus, revestiram-se de coragem varonil, por meio do qual algumas sofreram os tormentos com os homens e outras alcançaram até os próprios domínios da virtude". — *Extraído de Eusébio de Cesareia, 267-338, "História Eclesiástica"*

v. 17: "Tudo isto nos sobreveio; todavia, não nos esquecemos de ti, nem nos houvemos falsamente contra o teu concerto". Embora não possamos nos desculpar de muitos outros pecados pelos quais Tu nos castigaste com justiça, temos de dizer para nós mesmos que por tua graça nós nos guardamos da apostasia e idolatria, a despeito de todos os exemplos e provocações, as recompensas propostas e prometidas ou os castigos ameaçados nos induzissem para isso. Em tal caso, esperamos que Tu graciosamente leves em conta e não permitas que sejamos tentados acima do que podemos suportar. — *Matthew Pool*

v. 17: "Tudo isto nos sobreveio; todavia, não nos esquecemos de ti, nem nos houvemos falsamente contra o teu concerto". Se qualquer um de vocês permanecer fiel a Jesus Cristo nesta tempestade, prove como você entrou em aliança com Ele, como fechou o negócio com Ele e em que condições. Mas imagino que há muitos de vocês hoje em dia que são como os jovens audaciosos, que se apressam e se casam, porém nunca levam em conta como sustentarão o lar. Penso que suceda assim com muitos que são confessores nesta geração. Vocês se tornam crentes, entretanto não sabem como, nem podem explicar como chegaram a sê-lo. Mas eu lhes direi, senhores. Vocês permanecerão fiéis a Cristo até que a tempestade surja, aí, então, o deixarão e negarão a sua causa. Vocês precisam prestar atenção a essa atitude, pois ela arruinará as suas vidas no fim do dia. Entretanto, eu lhes direi qual é o jeito certo de entrar em aliança com Deus. É quando Cristo e o crente se encontram. O nosso Senhor nos dá leis, estatutos e mandamentos, e Ele nos incumbe de *não* deixar de cumprir nenhum deles. Não, mesmo que você seja despedaçado em mil pedaços. E o contratante acertado diga: Amém. — *Sermão de Alexander Peden, 1682*

vv. 17 a 19: Nem a mão perseguidora dos homens, nem a mão castigadora de Deus abrandou os singulares santos antigos. Os crentes se assemelham à Lua, que emerge da eclipse por manter o seu movimento, e não deixa de brilhar porque os cachorros estejam latindo para ela. Deixaremos de ser crentes, porque os outros não deixarão de ser perseguidores? — *William Secker*

vv. 17 a 19: Tendo informado as suas grandes dificuldades, a igreja fala disso como argumento de muita sinceridade para com Deus e como força da graça recebida dEle: "Tudo isto nos sobreveio [quer dizer, todas estas calamidades e aflições comuns]; todavia, não nos esquecemos de ti, nem nos houvemos falsamente contra o teu concerto. O nosso coração não voltou atrás, nem os nossos passos se desviaram das tuas veredas".

É como se tivessem dito: Estas aflições eram fortes tentações para nos fazer recusar os teus caminhos, mas pela graça mantivemos a nossa posição e permanecemos firmes em teu concerto, "ainda que nos quebrantaste num lugar de dragões e nos cobriste com a sombra da morte". Como muitos santos têm melhorado sob a cruz, assim houve alguns que, ou pela incredulidade, ou pelo esquecimento "da exortação que argumenta convosco como filhos" (como disse o apóstolo em Hebreus 12.5), desprezaram ou desmaiaram sob a provação. — *Joseph Caryl*

v. 18: "O nosso coração não voltou atrás". A devoção séria tornou-se um assunto absurdo, com o qual as pessoas astutas e maldosas deste mundo ateísta se divertem. No entanto, veja a sabedoria e bondade de Deus em exibir ao mundo testemunhos inegáveis da verdade da religião, tão frequentemente quanto os crentes sinceros são provados por aflições das mãos de Deus ou por perseguições das mãos dos homens. "Aqui está a paciência e a fé dos santos" (Ap 13.10). Aqui está a coragem, a mansidão e a abnegação brilhando como ouro na fornalha. Eles têm as verdadeiras provas disso bem diante dos olhos. Em vez de lançá-los ao inferno e convencê-los pelo fogo eterno, Deus se agrada em lançar o seu próprio povo na fornalha da aflição, para que aqueles que os ridicularizam possam ser convencidos em uma proporção mais fácil e menos custosa. Não é inédito ver os inimigos da religião levados a aceitá-la pela constância e fidelidade dos santos nas provações e sofrimentos por amor a Cristo. Queira o Senhor que o ateísmo da geração atual, não ocasione uma provação mais ardente para o povo de Deus naquilo que eles já estão sofrendo. — *John Flavel*

v. 18: "O nosso coração". A palavra hebraica לֵבָב ou a grega καρδία, que é traduzida por "coração", no Antigo e no Novo Testamento, respectivamente, significam o entendimento, a mente, a vontade, o afeto, a consciência — a alma inteira.

"O nosso coração não voltou atrás". O nosso entendimento e mente são os mesmos como se estivessem em um dia de verão, ainda que estejamos em uma tempestade de inverno. Agora somos afligidos, feridos, quebrantados e perseguidos, todavia "o nosso coração não voltou atrás". A nossa mente, vontade, afeto e consciência — a nossa alma inteira — são os mesmos hoje como antigamente. — *Thomas Brooks*

v. 19: "Ainda que nos quebrantaste num lugar de dragões". Onde os homens, comparáveis a dragões em termos de veneno e crueldade, habitam particularmente em Roma, e a jurisdição romana, tanto pagã quanto papal, o trono de Satanás, o grande dragão vermelho, e da sua ninhada e descendência miserável, a Besta, para quem ele deu poder. Onde os santos e seguidores de Jesus foram imensamente atormentados e perseguidos, mas, mesmo assim, guardaram firmemente o nome de Cristo e não negaram a fé (ver Apocalipse 2.13; 12.3). O deserto é a habitação de dragões. Esse é o nome do lugar onde a Bíblia diz que a igreja está nos dias do papado, e onde ela é alimentada e guardada por um tempo, e tempos, e metade de um tempo (Ap 12.6,14).

v. 19: "E nos cobriste com a sombra da morte". Como a frase anterior denota a crueldade dos inimigos da igreja e do povo de Cristo, esta fala das sombrias aflições, e estado, e condição de abandono. Acreditamos que possa ter relação com a escuridão do papismo, quando estava no seu apogeu, e com a igreja de Cristo, quando estava coberta com isso, havendo pouquíssima aparência e progresso da luz do evangelho em qualquer lugar. — *John Gill*

v. 19: "Dragões". A palavra hebraica traduzida por dragões é תַּנִּים (*tannîm*), que significa "grande peixe", "monstro marinho", "serpente", "dragão" ou "crocodilo". Também pode significar "chacal", "raposa" ou "lobo". De Wette traduz por "chacal". A ideia na passagem é essencialmente a mesma, seja qual for a interpretação da palavra que seja adotada.

O "lugar de dragões" significa o lugar onde se encontram tais monstros ou onde eles viviam, quer dizer, em lugares desolados, ermos, desertos, ruínas antigas e cidades despovoadas. — *Albert Barnes*

v. 20: "E estendermos as nossas mãos para um deus estranho". A ação de estender a mão para um objeto de devoção ou para um lugar santo era uma prática antiga entre os judeus e gentios igualmente, e perdura no Oriente até hoje, cuja continuação não me lembro de ter visto ser observada. Essa atitude em oração continuou entre os povos do Oriente, conforme está indicado pela passagem de Pitts citada a seguir, no relato que ele faz sobre a religião e os costumes dos maometanos. Falando dos algerianos que jogam velas de cera e panelas de óleo ao mar, como presentes para algum marabu (ou santo maometano), Pitts diz: "Depois disso, todos ele se dão as mãos, rogando as bênçãos de marabu e uma viagem próspera". Na mesma página, ele fala: "Os marabus têm geralmente um quarto pequeno e limpo construído ao lado das sepulturas, na forma semelhante a mesquitas ou igrejas, que é muito bem limpo e cuidado". E na página seguinte, Pitts continua: "Dificilmente há uma pessoa que passe por eles sem estender a mão e fazer uma breve oração". Da mesma forma, continua ele, saindo da Batida ou santa casa em Meca, à qual fazem suas peregrinações devocionais, "eles estendem as mãos para a Batida, fazendo súplicas fervorosas". — *Thomas Harmer*, "Observations" [Observações]

v. 21: "Porventura, não conhecerá Deus isso? Pois ele sabe os segredos do coração". Será que há tanta variedade de provações designadas a examinar a sinceridade da generosidade dos homens? Que grande vaidade é, então, a hipocrisia, e com que pequeno propósito os homens se empenham em esconder e ocultá-la! Dizemos que o assassinato não permanecerá, e podemos com a mesma confiança afirmar que a hipocrisia acabará. Quando Rebeca tinha apresentado o enredo para disfarçar o filho Jacó e personificar o irmão, a fim de receber a bênção, Jacó levanta a seguinte objeção: "Porventura, me apalpará o meu pai, e serei, a seus olhos, enganador; assim, trarei eu sobre mim maldição e não bênção" (Gn 27.12). E se ele dissesse: Mas se o meu pai descobrir a fraude? Como, então, olharei para a face dele? Como escapo da maldição? Da mesma maneira, toda alma reta se assusta com o caminho da hipocrisia. Se dissimulo e finjo ser o que não sou, o meu Pai descobre. Não há escuridão nem sombra da morte que esconda o hipócrita. A hipocrisia se revelará no final, por mais habilidoso que o hipócrita seja em escondê-la. [...] Se as obras dos homens não são boas, é impossível eles esconderem esse fato por muito tempo. Uma moeda de bronze lustrado pode passar de mão em mão por algum tempo, mas a pedra de toque revelará o metal de baixa qualidade. E se isso não ocorrer, o fogo revelará. — *John Flavel*

v. 21: "Porventura, não conhecerá Deus isso? Pois ele sabe os segredos do coração". O homem temente a Deus não ousa pecar secretamente. Ele sabe que Deus vê em segredo. Como Deus não pode ser enganado por nossa sutileza, assim Ele não pode ser excluído por nosso segredo. — *Thomas Watson*

v. 21: "Porventura, não conhecerá Deus isso?" Em tempos de perseguição por causa da religião, nada contrabalança os terrores e engodos dos perseguidores, e torna o homem firme na causa de Deus, senão o temor e o amor de Deus instalado no coração. A razão da firmeza dos santos neste salmo é porque Deus teria descoberto o pecado deles, caso tivessem pecado, "pois ele sabe os segredos do coração". — *David Dickson*

v. 22: "Sim, por amor de ti, somos mortos todo dia; somos reputados como ovelhas para o matadouro". Leonard Schoener deixou entre outros documentos, a seguinte advertência para consolar todos os que sofrem pelo nome de Cristo:

"Pedimos-te, ó Deus eterno, que inclines o teu ouvido gracioso. Senhor de Sabaoth, Tu, Senhor dos Exércitos, ouvi a nossa queixa, pois grande aflição e perseguição têm prevalecido. O orgulho entrou na tua herança. Muitos supostos cristãos se uniram ao orgulho e, assim, trouxeram a abominação da desolação. Eles devastam e destroem o santuário cristão. Pisam-no com os pés, e a abominação da desolação é adorada como Deus. Atormentam a tua cidade santa, jogam ao chão o teu altar santo e matam os servos dela assim que colocam as mãos neles. E agora que nós como um pequeno rebanho somos abandonados, eles nos levam para todas as tuas terras com desprezo e repreensão. Somos espalhados como ovelhas que não têm pastor. Somos compelidos a abandonar casas e lares. Somos como corvos noturnos que habitam nos rochedos. Os nossos quartos estão em buracos e penhascos. Eles nos observam como aves que voam no ar. Vagamos pelos bosques, eles nos caçam com cães. Conduzem-nos, dominados e amarrados, como cordeiros que não abrem a boca. Acusam-nos de sermos sediciosos e hereges. Somos levados como ovelhas para o matadouro. Muitos se assentam oprimidos e amarrados de modo até mesmo prejudicial ao corpo. Alguns se entregam aos sofrimentos e morrem sem falta. Aqui está a paciência dos santos na terra. Temos de ser provados pelo sofrimento. Os crentes foram enforcados em árvores, estrangulados, despedaçados, secreta e abertamente afogados. Não só homens, mas também mulheres e moças deram testemunho da verdade, qual seja, que Jesus Cristo é a verdade, o único caminho para a vida eterna. O mundo ainda está enfurecido e não se aquieta; delira como um louco. Inventam mentiras contra nós. Não acabam com as fogueiras e matanças. Tornam o mundo pequeno para nós. Ó Senhor, até quando ficarás calado? Até quando não julgas o sangue dos teus santos? Que o sangue chegue diante do teu trono. Como é precioso aos teus olhos o sangue dos santos! Então temos consolo em toda a nossa necessidade, um refúgio em ti somente e em ninguém mais. Não temos consolo, nem descanso, nem paz nesta terra. Mas aquEle que espera em ti nunca será confundido. Ó Senhor Deus, não há tristeza que nos separe de ti. Sem cessar clamamos a ti, por Cristo Jesus, teu Filho, nosso Senhor, a quem Tu pela tua graça nos deu para a nossa consolação. Ele preparou e nos fez conhecer o caminho reto e o caminho para a vida eterna.

Eterna glória, triunfo, honra e louvor sejam dados a ti, agora e na eternidade, e que a tua justiça permaneça para sempre. Que o teu povo bendiga o teu santo nome, por Cristo, o justo Juiz, que veio para julgar o mundo. Amém." — *Extraído de "A Martyrology of the Churches of Christ, commonly called Baptists" [Um Martirológio das Igrejas de Cristo, comumente Chamadas de Batistas], editado por E. B. Underhill, 1850*

v. 22: "Por amor de ti, somos mortos". É misericórdia para nós que quando Deus nos castiga por nossos pecados, ele torna a nossa correção honrável e faz com que as dificuldades sejam para uma boa causa: "Por amor de ti". — *David Dickson*

v. 22: "Por amor de ti". Essa passagem é citada por Paulo em Romanos 8.36, aparentemente da Septuaginta, como ilustração do fato de que a igreja de Deus, em todas as eras, tem sido uma igreja perseguida. Mas há esta diferença notável entre o tom do salmista e o tom do apóstolo. O salmista não entende o castigo e reclama que a mão pesada de Deus foi posta sem causa no seu povo. O apóstolo se alegra nas perseguições e exclama: "Mas em todas estas coisas somos mais do que vencedores, por aquele que nos amou" (Rm 8.37). — *J. J. Stewart Perowne*

v. 22: "Mortos". A palavra hebraica usada aqui não deriva de קָטַל, mas de הָרַג, que significa "estrangular". Essa é a tradução dada por *J. P. Lange, "Biblewerk" [Obras da Bíblia]*

v. 23: "Desperta! Por que dormes, Senhor?", e Salmo 121.4: "Eis que não tosquenejará nem dormirá o guarda de Israel". Se Deus não dorme nunca, então por que a igreja o chama tantas vezes para que desperte? Se Ele tem de ser despertado do sono, então por que o salmista diz que Deus nunca dorme? Não são essas passagens contraditórias?

Resposta: Uma coisa é a igreja clamar no calor dos sofrimentos, outra coisa é o que o Espírito da verdade fala para o consolo dos santos. É comum os melhores santos e mártires, durante as tempestades, dirigirem-se para Deus como Pedro dirigiu-se a Cristo no mar (que dormia na popa do barco), com tamanha importunidade em oração como se o Senhor não estivesse sentindo a angústia deles muito mais do que Jonas sentia a desgraça dos marinheiros, prestes a morrer no oceano turbulento, quando clamaram: "Que tens, dormente? Levanta-te" (Jn 1.6). Os santos estão tão familiarizados com Deus em oração, como se eles estivessem ao lado da cama dEle.

A aplicação da alma: Tu, Guarda da casa de Israel que nunca dormes, não te importas que pereçamos? Desperta! Acorda! Veste-te de força, cinge-te, ó Tu, braço de Deus! Sei que Tu estás levantado, mas o que sou eu exceto que me ajudes? Sei que Tu não dormes como os homens, mas que vantagem tem a minha alma com isso, a não ser que Tu te mostres para que eu saiba que estás despertado? Sou eu que estou dormindo!

Tu pareces que estás dormindo só para me despertares. Que possa eu vigiar contigo uma hora, como Tu me ordenaste. Logo, então, eu perceberia que a tua vigilância sobre mim é constante. — *William Streat, "The Dividing of the Hoof" [A Divisão do Casco], 1654*

v. 23: "Desperta! Por que dormes, Senhor? Acorda! Não nos rejeites para sempre!" A fraqueza da nossa fé está aberta à tentação de supor que Deus não considera a situação do seu povo no mundo. O Espírito, que conhece as nossas fraquezas, fornece a petição certa para essa provação a qual ao mesmo tempo expressa a expectativa de que Deus se levantará para defender os que são dEle. — *W. Wilson*

v. 25: "Pois a nossa alma está abatida até ao pó; o nosso corpo, curvado até ao chão". Somos como o corpo e a alma, atingidos e derrubados, como se estivéssemos colados ao chão, de forma que por força própria não podemos nos levantar. — *E. W. Hengstenberg*

v. 25. "Pois a nossa alma está abatida até ao pó; o nosso corpo, curvado até ao chão". A linguagem é metafórica, expressando a profundidade da miséria ou a grandeza da tristeza e humilhação. (1) A profundidade da miséria, com a alusão ao caso do homem vencido na batalha, ou mortalmente ferido e caído no pó, ou ao homem morto e deitado no chão: "E me puseste no pó da morte" (Sl 22.15). Claro que a expressão mostra a extremidade da angústia e perigo, como homem, ou morto, ou próximo da morte. (2) A grandeza da tristeza e humilhação. A menção é feita ao homem prostrado e rastejante no chão, que era a postura que assumiam para humilharem-se diante do Senhor ou quando alguma grande calamidade os acometia. Como quando Herodes Agripa morreu, eles se vestiram de pano de saco e se deitaram na terra chorando. — *Thomas Manton*

SUGESTÕES AOS PREGADORES

v. 1. As tradições encorajadoras da história da igreja. Os dias de antigamente.

v. 1. O dever dos pais e o privilégio dos filhos.

v. 1. Nas conversas em família, este é o assunto mais proveitoso.

v. 1. A verdadeira glória dos bons velhos tempos.

v. 2. O contraste; ou os procedimentos de Deus para com os santos e pecadores.

v. 3. A graça livre é exaltada: (1) Ao colocar um elemento negativo no poder humano. (2) Ao manifestar o poder divino. (3) Ao revelar a fonte secreta: "Porquanto te agradaste deles".

v. 3. (1) A criatura sacrificada. (2) O Senhor exaltado. (3) A graça seletiva revelada.

v. 3. "Porquanto te agradaste deles." A fonte eterna de toda misericórdia.

v. 4. (1) A realeza de Deus reconhecida. (2) A intervenção do Rei pedida. (3) A aliança de Deus indicada: "Jacó"; ou o súdito leal buscando ajuda do Rei e para a semente do Rei.

v. 4. Lealdade pessoal e intercessão suplicante.

v. 4. "Meu Rei." Isso significa: (1) Meu Regente. (2) Minha Honra. (3) Meu Líder. (4) Meu Defensor.

v. 4. Os livramentos de Jacó ilustrados pela sua vida cheia de acontecimentos.

v. 5. Os nossos inimigos: (1) De que modo os vencemos. (2) Por qual força. (3) Em que espírito.

v. 5. Os nossos inimigos: (1) A sua atividade. (2) A proximidade da sua abordagem. (3) A certeza da sua derrota. (4) O segredo da nossa força.

v. 6. A renúncia da confiança nas coisas externas. O "meu arco" pode fazer errar a pontaria, ser quebrado, ser arrebatado. "A minha espada" pode trincar, ficar cega, sair do cabo. Não podemos confiar em nossas habilidades, experiência, sagacidade e riqueza.

v. 6. A autorrenúncia é o dever dos santos e dos pecadores.

v. 7. A salvação foi efetuada: (1) Ela quase não foi alcançada: "Mas". (2) Por quem ela foi efetuada: "Tu". (3) Quando ela foi efetuada: "Salvaste" (o verbo está no passado). (4) Para quem ela foi efetuada: "Nos". (5) Até que ponto ela foi efetuada: "Dos nossos inimigos".

v. 7. Salvação completada, inferno confundido e Cristo exaltado.

v. 8. O louvor e a sua continuidade: (1) Como tornar o louvor ininterrupto. (2) Como manifestar o louvor perpetuamente. (3) A influência da continuidade do louvor. (4) As razões que nos compelem a permanecer no louvor.

v. 9. Uma lamentação pelo declinação da igreja.

v. 9. Em que sentido Deus rejeita o seu povo e o por quê.

v. 9. "E não sais com os nossos exércitos." A maior de todas as calamidades para as nossas igrejas.

v. 12. A avaliação humana e a avaliação divina dos resultados da perseguição.

v. 12. Em resposta a esta queixa: (1) O povo de Deus não perde com as suas privações. (2) Os ímpios não ganham com os seus triunfos. (3) Deus não perde a sua glória nos seus procedimentos para com ambos. — *George Rogers*

v. 13. A provação das zombarias cruéis: (1) A nossa conduta durante as zombarias. (2) O nosso consolo em meio às zombarias. (3) A nossa coroa por causa das zombarias.

v. 14. Provérbios profanos ou máximas ateias.

v. 15. Confissões de um penitente.

v. 17. O julgamento, a verdade e o triunfo dos que temem a Deus.

v. 17. A alma fiel apegando-se firmemente à sua integridade.

v. 17. O que é haver-se falsamente contra o concerto de Deus.

v. 18. "O nosso coração não voltou atrás." Quando podemos ter certeza de que o nosso coração não se desviou.

v. 18. (1) A posição do coração na religião: vem em primeiro lugar. (2) A posição da vida moral externa na religião: segue o coração. (3) A necessidade de acordo entre as duas posições. (4) A necessidade de que ambas as posições sejam fiéis a Deus.

v. 18. A conexão entre o coração e a vida, tanto na constância quanto na apostasia.

v. 18. O deleite de Deus no progresso dos retos. — *Thomas Brooks*

Corações retos se manterão firmes nos caminhos de Deus e nos caminhos da beneficência, apesar de todas as aflições, dificuldades e desânimos que encontrarem. — *Thomas Brooks*

v. 18. "Tuas veredas." Os caminhos (veredas) de Deus são: (1) Caminhos justos. (2) Caminhos abençoados. (3) Caminhos que refrigeram a alma. (4) Caminhos transcendentes, pois transcendem todos os outros caminhos. (5) Caminhos que fortalecem a alma. (6) Caminhos, às vezes, aflitivos, confusos e perturbados. — *Thomas Brooks*

v. 21. Deus não pode conhecer? Deus não saberá?

v. 21. Uma pergunta e uma afirmação.

v. 22. (1) Inocência em meio ao sofrimento: "Ovelhas". (2) Honra em meio à vergonha: "Por amor de ti". — *George Rogers*

v. 23. O clamor de uma igreja em tristes circunstâncias. O lamento de uma alma rejeitada.

v. 24. Razões para a retirada do consolo divino.

v. 25. (1) A grande necessidade. (2) A grande oração. (3) O grande apelo.

v. 26. Uma oração adequada: (1) Para a alma que está sob convicção. (2) Para os santos que estão sendo provados ou perseguidos. (3) Para a igreja que está sob opressão ou decadência.

SALMO 45

TÍTULO

Os muitos títulos deste salmo destacam a sua realeza, significação extrema e solene e o prazer que o escritor teve ao compô-lo.

Masquil, uma ode instrutiva, não um poema narrativo sem propósito ou uma balada romanceada, mas um salmo de santo ensino didático e doutrinário. Isso prova que temos de entendê-lo espiritualmente. Bem-aventurado é o povo que conhece o significado do som de júbilo.

Cântico de amor. Não é uma canção de amor carnal, sentimental, mas um cântico celestial de amor eterno apropriado para a língua e ouvidos dos anjos. *Para o cantor-mor [...] sobre Sosanim.* A tradução mais provável dessa palavra é "sobre os lírios" (cf. "De acordo com a melodia Os Lírios", NVI). É um título poético dado a este mais nobre dos cânticos segundo o costume oriental, ou a palavra tem relação com a melodia para a qual foi composto, ou com o instrumento que deveria acompanhá-lo. Somos propensos a aceitar a primeira teoria e, se for a verdadeira, é fácil ver a perícia de adotar um nome para um poema tão bonito, tão puro, tão seleto, tão inigualável para os lírios dourados, cuja vestimenta gloriosa excedia em brilho a glória de Salomão. *Entre os filhos de Corá.* Cantores especiais são designados para tão divino hino. O rei Jesus merece ser louvado não com desvarios aleatórios e descontrolados, contudo com a mais doce e mais hábil música dos coristas mais bem treinados. Os mais puros de coração no Templo espiritual são os cantores mais harmoniosos aos ouvidos de Deus.

A canção aceitável não é tanto questão de vozes melodiosas quanto de sentimentos santificados, mas de forma alguma devemos cantar de Jesus com o coração despreparado.

ASSUNTO

Certos expositores veem aqui somente Salomão e a filha de faraó — esses são os míopes. Outros veem Salomão e Jesus — esses são os estrábicos. Os olhos espirituais nitidamente focados veem aqui só

Jesus, ou se Salomão estiver presente, é como a sombra nebulosa de caminhantes que passam na frente da máquina fotográfica, sendo então vagamente determináveis no cenário fotográfico. O Rei, o Deus cujo trono é para sempre e sempre, não é mero mortal. O seu domínio perpétuo não é limitado pelo Líbano e pelo rio do Egito. Esta não é uma canção de casamento de núpcias terrenas, mas um epitalâmio para o Noivo celestial e a sua esposa eleita.

DIVISÃO

O versículo 1 é o anúncio da intenção, o prefácio ao cântico. O versículo 2 adora a formosura inigualável do Messias. Os versículos 3 a 9 fazem um discurso a Ele, servindo-se de declarações admiradoras de louvor. Os versículos 10 a 12 falam com a noiva. Os versículos 13 a 15 falam mais sobre a igreja. O salmo termina com outro discurso dirigido ao Rei, predizendo-lhe a fama eterna (vv. 16 a 17).

EXPOSIÇÃO

1 *O meu coração ferve com palavras boas; falo do que tenho feito no tocante ao rei; a minha língua é a pena de um destro escritor.*

1. *"O meu coração."* Não há composição como aquela que é ditada pelo coração. Hinos sem emoção são insultos para os céus.

"Ferve com palavras boas." Um coração bom só se contenta com pensamentos bons. Quando a fonte é boa, o rio também é bom. Os estudiosos falam que a palavra hebraica traduzida por "ferve" também pode significar "inunda" ou, segundo outros, "borbulha", "efervesce", denotando o calor do amor do escritor, a plenitude do coração e a riqueza e brilho consequentes da expressão vocal, como se fosse a ebulição do mais secreto da alma, quando está cheiíssima de sentimento. Não temos aqui uma mera declaração fria. O escritor não é alguém que estuda friamente as elegâncias e justezas da poesia, as estrofes são a explosão natural da alma, comparável aos jatos ferventes dos gêiseres de Hecla. Como o grão oferecido em sacrifício era tostado ao fogo, assim é este tributo de amor aquecido com devoção sincera. É triste quando o coração está frio com palavras boas e pior quando está quente com palavras ruins, mas é incomparavelmente melhor quando coração quente e palavras boas estão juntos. Ofereçamos a Deus um *minchah* aceitável, uma oferta agradável recém tirada da panela do coração aquecido com gratidão e admiração.

"Falo do que tenho feito no tocante ao rei." Esse cântico tem o Rei por tema único. Foi composto para honra exclusiva do Rei. O salmista foi feliz em dizer que se tratavam de palavras boas. Ele não escreveu descuidadamente. Ele diz que o seu poema era trabalho ou coisas que fizera. Não devemos oferecer ao Senhor aquilo que não nos custe nada. Material bom merece mão de obra boa. Devemos digerir bem nos sentimentos do nosso coração e nas meditações da nossa mente, todo discurso ou poema no qual falamos de alguém tão grande e glorioso como o nosso Senhor-Rei. Como consta nas traduções, o salmista escreveu acerca de coisas que ele experimentalmente fizera e pessoalmente provara e lidara com relação ao Rei.

"A minha língua é a pena de um destro escritor", não tanto pela rapidez, pois nisso a língua sempre tem a preferência, mas pela exatidão, elaboração, deliberação e perícia de expressão. Raramente as declarações entusiasmadas da boca igualam-se em peso e exatidão reais ao *verba scripta* de um escritor talentoso e criterioso. Mas aqui o escritor, embora cheio de entusiasmo, fala tão corretamente quanto um escritor profissional. Os enunciados não são frases efêmeras, mas saem de homens que calmamente se sentam

e escrevem para a eternidade. Nem sempre os melhores homens estão em tal sintonia, e quando estão, não devem conter a erupção dos sentimentos sagrados. Tal condição de coração em uma mente talentosa cria esse momento auspicioso em que a poesia extravasa a cadência melodiosa para enriquecer o serviço de música na casa do Senhor.

2 *Tu és mais formoso do que os filhos dos homens; a graça se derramou em teus lábios; por isso, Deus te abençoou para sempre.*

2. *"Tu."* Como se o próprio Rei tivesse se apresentado de repente diante dele, o salmista, desorientado em admiração à pessoa do Rei, passa do prefácio para o discurso ao seu Senhor. O coração amoroso tem o poder de constatar o objeto do seu amor. Os olhos de um coração verdadeiro vê mais do que os olhos da cabeça. Além disso, Jesus se revela quando estamos derramando o nosso afeto na presença dEle. Normalmente é o que acontece: quando estamos prontos, Cristo aparece. Se o nosso coração está quente é indício de que o sol está brilhando. Quando estamos desfrutando do seu calor é que vemos a sua luz.

"Tu és mais formoso do que os filhos dos homens." Em pessoa, mas sobretudo em mente e caráter, o Rei dos santos é de beleza inigualável. A palavra hebraica é dupla: "Bonito, bonito és tu". Jesus é tão enfaticamente lindo que as palavras têm de ser duplicadas, insistidas, exauridas para que o descrevam. Entre os filhos dos homens muitos são, pela graça, de caráter formoso. Contudo, todos têm uma falha ou outra. No entanto, em Jesus vemos todo traço de um caráter perfeito em harmoniosa proporção. Ele é formoso em todos os lugares e de todos os pontos de vista, porém não mais do que quando o vemos em união conjugal com a igreja. O amor dá um jato arrebatador de glória à sua beleza.

"A graça se derramou em teus lábios." A beleza e eloquência tornam o homem majestoso, quando essas duas qualidades estão juntas. Ambas habitam em perfeição no todo formoso e todo eloquente Senhor Jesus. A graça da pessoa e a graça do discurso atingem o ponto mais alto nEle. A graça da maneira mais copiosa foi derramada em Cristo, pois agradou ao Pai que nEle habitasse toda a plenitude. Agora a graça verte em superabundância dos seus lábios para alegrar e enriquecer o povo. O testemunho, as promessas, os convites e as consolações de nosso Rei vertem dEle em tais volumes de significado que não podemos senão contrastar essas cataratas da graça com a fala de Moisés, que caiu como a chuva e destilou como o orvalho. Quem em comunhão pessoal com o Amado ouve a sua voz, perceberá que "nunca homem algum falou assim como este homem" (Jo 7.46). Muito bem disse a noiva sobre ele: "Os seus lábios são como lírios que gotejam mirra" (Ct 5.13). Uma palavra que saiu dEle dissolveu o coração de Saulo de Tarso e o transformou em um apóstolo. Outra palavra levantou o apóstolo João que estava desanimado na ilha de Patmos. Muitas vezes uma frase dos seus lábios transformou a nossa meia-noite em manhã, o nosso inverno em primavera.

"Por isso, Deus te abençoou para sempre." Calvino entende o original hebraico assim: "Porque Deus te abençoou para sempre". Cristo é bendito, o bendito de Deus, bendito para sempre. Esta é para nós uma grande razão para a sua beleza, e a fonte das palavras graciosas que procedem dos seus lábios. Os raros dons do homem Cristo Jesus lhe foram dados pelo Pai, para que por Ele o seu povo seja abençoado com todas as bênçãos espirituais em união com Ele. Mas se tomarmos outra tradução, lemos que o Pai abençoou o Mediador como recompensa por todo o seu trabalho gracioso. Ele bem merece a recompensa. AquEle a quem Deus abençoa, devemos bendizer, e quanto mais porque todas as suas bem-aventuranças nos são comunicadas.

3 *Cinge a tua espada à coxa, ó valente, com a tua glória e a tua majestade.*
4 *E neste teu esplendor cavalga prosperamente pela causa da verdade, da mansidão e da justiça; e a tua destra te ensinará coisas terríveis.*
5 *As tuas flechas são agudas no coração dos inimigos do rei, e por elas os povos caíram debaixo de ti.*
6 *O teu trono, ó Deus, é eterno e perpétuo; o cetro do teu reino é um cetro de equidade.*
7 *Tu amas a justiça e aborreces a impiedade; por isso, Deus, o teu Deus, te ungiu com óleo de alegria, mais do que a teus companheiros.*
8 *Todas as tuas vestes cheiram a mirra, a aloés e a cássia, desde os palácios de marfim de onde te alegram.*
9 *As filhas dos reis estavam entre as tuas ilustres donzelas; à tua direita estava a rainha ornada de finíssimo ouro de Ofir.*

3. *"Cinge a tua espada à coxa."* As pessoas amorosas que são zelosas da glória do Redentor desejam vê-lo exibir o seu poder para defender a sua causa santíssima. Por que a espada do Espírito deveria ficar parada, como uma arma pendurada em uma cristaleira? Ela é afiada e forte para cortar e perfurar. Que o poder divino de Jesus seja exibido para ser usado contra o erro! As palavras sob estudo apresentam o nosso grande Rei impulsionado a armar-se para a batalha, colocando a espada no ponto de ser usada. Cristo é o verdadeiro defensor da igreja. Os outros não passam de subalternos que têm de usar a força dEle. O simples braço do Emanuel é a esperança exclusiva dos crentes. A nossa oração deve ser a deste versículo. Há neste momento uma aparente suspensão do poder original do nosso Senhor. Devemos por intermédio da oração inoportuna chamá-lo ao conflito, pois como os gregos sem Aquiles somos logo vencidos por nossos inimigos, e somos homens mortos se Jesus não estiver em nosso meio.

"Ó valente." Trata-se de um título bem merecido, e não dado por cortesia vazia como os títulos de posição, os títulos honoríficos e os títulos de nobreza de nossos semelhantes mortais — títulos que são apenas subornos para a glória vã. Jesus é o mais verdadeiro dos heróis. Veneração ao herói é, no seu caso e só no seu caso, recomendável. Ele é poderoso para salvar, poderoso em amor.

"Com a tua glória e a tua majestade." Que a tua espada ganhe renome e domínio para Ti, ou como pode significar, cinge com tua espada e as tuas vestes que indicam o esplendor da tua realeza. O amor se delicia em ver o Amado trajado como convém à sua excelência. Ele chora quando o vê com as vestes da humilhação e alegra-se ao vê-lo com as vestes da exaltação. Nunca é demais tratar bem o nosso precioso Jesus. O próprio céu não é suficientemente bom para Ele. Toda a pompa que anjos, arcanjos, tronos, domínios, principados e poderes possam colocar aos pés dEle é pouco. Só a sua própria glória essencial é tamanha a ponto de satisfazer devidamente o desejo do seu povo — povo que por mais que o louve não consegue louvá-lo suficientemente.

4. *"E neste teu esplendor cavalga prosperamente."* O Monarca-Valente armado e condizentemente trajado é solicitado a subir no carro triunfal. Quisera Deus, que o nosso Emanuel se apresentasse no carro de amor para conquistar os nossos inimigos espirituais e arrebatar poderosamente as almas que Ele comprou com o seu sangue.

"Pela causa da verdade, da mansidão e da justiça." Podemos traduzir essas palavras por: "Cavalga na verdade, na mansidão e na justiça", três nobres corcéis para puxar o carro de guerra do evangelho. No sentido constante na tradução habitual é um argumento muito forte para apelarmos ao nosso Senhor, pois a causa dos verdadeiros, dos humildes e dos bons exige a sua defesa. A verdade será ridicularizada, a mansidão será oprimida e a justiça morta, a menos que o Deus, o Homem em quem essas coisas preciosas estão encarnadas, surja para defendê-los.

A nossa ardente súplica sempre deve ser que Jesus disponha o braço todo-poderoso na obra da graça, para que a boa causa não enfraqueça e a maldade prevaleça.

"E a tua destra te ensinará coisas terríveis." Prevendo o resultado da operação divina, o salmista profetiza que o braço exaltado do Messias revelará aos próprios olhos do rei, a terrível derrota que os inimigos sofrerão. Jesus não precisa de guia senão da própria mão direita, nem de professor senão do seu próprio poder. Que Ele nos ensine tudo o que pode fazer, realizado-o rapidamente bem diante dos nossos olhos maravilhados.

5. *"As tuas flechas."* O nosso Rei é o mestre de todas as armas. Ele pode golpear os que estão perto e os que estão longe com força igual.

"São agudas." Nada que Jesus faz é mal feito. Ele não usa seta rombuda nem dardo sem ponta.

"No coração dos inimigos do rei." O nosso Capitão aponta no coração e não na cabeça dos homens, e Ele os acerta em cheio. Os seus tiros são diretos e certeiros, penetrando profundamente nas partes vitais da natureza humana. Quer por amor ou por vingança, Jesus nunca erra a pontaria. Quando as flechas fincam, ocasionam uma dor lancinante difícil de ser esquecida, uma ferida que só Ele pode curar. As flechas de convicção de Jesus são aguçadas no tremor da sua Palavra e afiadas quando estão no arco dos seus ministros, porém são mais bem conhecidas quando acham o caminho dos corações descuidados. Elas são as flechas *dEle*: Jesus as fez e Ele as atira; Jesus as afia e Ele as faz entrar no coração. Que nenhum de nós jamais sejamos alvos dos dardos do seu julgamento, pois não há nada mais mortal que isso.

"E por elas os povos caíram debaixo de ti." De ambos os lados, os mortos do Senhor são muitos quando Jesus sai para a guerra. As nações tremem e se voltam para ele quando ele dispara a verdade. Sob o seu poder e presença, os homens são atingidos como se tivessem sido feridos no coração. Não há defesa contra o Filho de Deus quando o arco de poder está nas suas mãos. Terrível será a hora quando o arco tiver disparado todas as flechas e raios de fogo voraz tiverem sido lançados contra os adversários. Então os príncipes cairão e as nações perecerão.

6. *"O teu trono, ó Deus, é eterno e perpétuo."* A quem essas palavras se referem senão ao nosso Senhor? O salmista não consegue conter a sua adoração. Os seus olhos iluminados veem no Marido-Rei da igreja, Deus, o Deus a ser adorado, o Deus que reina, o Deus que reina para sempre. Que gloriosa visão! Cegos são os olhos que não veem Deus em Cristo Jesus! Jamais apreciaremos a condescendência terna de nosso Rei em tornar-se carne com a igreja e em colocar-se à mão direita, até que nos alegremos completamente na sua glória e deidade essencial. Que misericórdia nos é que o nosso Salvador seja Deus, pois quem senão Deus pode executar a obra de salvação? Que alegria é saber Ele reina em um trono que nunca acabará, porque precisamos da graça soberana e do amor eterno para garantir a nossa felicidade. Deixasse Jesus de reinar, nós deixaríamos de ser abençoados, e não fosse Ele Deus e, portanto, Eterno, é o que aconteceria? Não há trono que dure para sempre, senão aquele em que Deus se assenta.

"O cetro do teu reino é um cetro de equidade." Ele é o monarca legítimo de todas as coisas que há. O seu reinado está fundado no que é direito, a sua Lei é certa, o seu resultado é certo. O nosso Rei não é usurpador e opressor. Até mesmo quando Ele despedaça os inimigos com vara de ferro, não comete injustiça humana. A sua vingança e graça estão ambas em conformidade com a justiça. Por conseguinte, confiamos nEle sem suspeita. Cristo não pode errar. Não há aflição severa demais, porque Ele a enviou. Não há julgamento severo demais, porque Ele o ordenou. Ó benditas mãos de Jesus! O poder de reinar está firme contigo. Todos os justos se alegram no governo do Rei, que reina com justiça.

7. *"Tu amas a justiça e aborreces a impiedade."* Cristo Jesus não é neutro na grande competição entre o certo e o errado. Tão calorosamente quanto Ele ama um, detesta o outro. Que qualificações para um soberano! Que razões de confiança para um povo! A totalidade da vida de nosso Senhor na terra comprovou a verdade dessas palavras. A sua morte para destruir o pecado e trazer o reinado de justiça, selou o fato acima de toda dúvida. A providência pela qual Jesus rege desde o trono medianeiro, quando corretamente compreendida, revela o mesmo. O seu veredicto final a proclamará diante de todos os mundos. Devemos imitá-lo no seu amor e repulsa. Eles são necessários para completar o caráter íntegro.

"Por isso, Deus, o teu Deus, te ungiu com óleo de alegria, mais do que a teus companheiros." Jesus, como Mediador, aceitou Deus como o seu Deus, a quem, sendo achado na forma de homem, prestou obediência. Por conta da vida perfeita de nosso Senhor, hoje Ele é recompensado com alegria superior. Outros há para quem a graça proporcionou um companheirismo sagrado com Ele, mas por consentimento universal e por mérito próprio, Jesus é o Príncipe entre eles, o mais alegre de todos porque é a causa dessa alegria. Nas festas orientais, o óleo era derramado na cabeça de convidados muito ilustres e bem-vindos. O próprio Deus ungiu o homem Cristo Jesus, quando este se assentou nos banquetes divinos, ungiu-o como recompensa pelo seu trabalho, com alegria mais sublime e plena do que qualquer outra pessoa pode saber. Assim, foi o Filho do Homem honrado e recompensado por todas as suas dores. Observe o testemunho indisputável da deidade do Messias no versículo 6, e da sua humanidade neste versículo. De quem isso poderia ter sido escrito senão de Jesus de Nazaré? O nosso Cristo é o nosso Elohim. Jesus é o Deus conosco.

8. *"Todas as tuas vestes cheiram a mirra, a aloés e a cássia."* A unção divina faz com que a fragrância destile das vestes do Poderoso Valente. Ele é agradável em todos os sentidos: para os olhos é o mais formoso, para os ouvidos o mais gracioso, para o nariz espiritual o mais doce. As excelências de Jesus são todas muito preciosas, comparáveis aos temperos mais raros. São os mais variados, sendo comparados não só à mirra, mas a todos os perfumes misturados na devida proporção. O Pai sempre tem prazer nEle e nEle, Deus, muito se compraz. E todas as pessoas regeneradas se alegram nEle, porque por Deus Jesus foi feito para nós "sabedoria, e justiça, e santificação, e redenção" (1 Co 1.30). Note que não só Jesus é o mais doce, mas até mesmo as suas vestes o são. Tudo em que Ele toca fica perfumado pela sua pessoa. "Todas" as suas roupas têm essa fragrância; não algumas, mas todas. Nós nos deleitamos tanto na púrpura do seu domínio quanto no linho branco do seu sacerdócio. O seu manto como nosso profeta nos é tão querido quanto a sua túnica sem costura como nosso amigo. Todas as suas vestes têm esse cheiro de doçura. Tentar espiritualizar cada tempero aqui mencionado seria improdutivo. O significado evidente é que todos os tipos de perfume se acham em Jesus e são exalados onde quer que Ele esteja.

"Desde os palácios de marfim de onde te alegram." A morada de Jesus hoje é de esplendor imperial: marfim e ouro, mas que timidamente refletem o seu trono real. Lá Ele se alegrou na presença do Pai e na companhia dos santos. Que desejo de vê-lo com as vestes perfumadas! Só o seu perfume de longe já nos encanta o espírito, o que será então estar do outro lado da porta de pérola, dentro do palácio de marfim, entre as salas de Sião, "saltando de alegria junto com a canção", onde está o trono de Davi e a presença permanente do Príncipe! Pensar na sua alegria, saber que Ele está cheio de alegria, já é motivo de alegria para a nossa alma. Nós, pobres exilados, podemos cantar em nosso banimento, visto que o nosso Rei, o nosso amado, assentou-se no seu trono.

9. *"As filhas dos reis estavam entre as tuas ilustres donzelas."* No palácio do nosso Senhor não faltam cortesãos, e são os mais formosos e mais nobres. As almas virgens

são as damas de honra para a corte, os verdadeiros lírios do céu. Os humildes e puros de coração são estimados pelo Senhor Jesus como os amigos mais íntimos. O lugar deles no palácio não é entre os serviçais, mas próximo do trono. Virá o dia em que as que são "filhas dos reis" literalmente considerarão a maior honra servir a igreja. Enquanto isso, toda irmã crente é espiritualmente filha do Rei, um membro da família da realeza do céu.

"À tua direita [no lugar de amor, honra e poder] estava a rainha ornada de finíssimo ouro de Ofir." A igreja participa da honra e felicidade do Senhor. Ele a coloca no lugar de dignidade e veste-a com o melhor do melhor. O ouro é o mais rico dos metais, e o ouro de Ofir o metal mais puro conhecido. Jesus não dá nada inferior ou de valor secundário para a igreja amada. Ao dar e imputar justiça, a igreja é divinamente vestida. Felizes aqueles que são membros de uma igreja tão honrada e tão amada. Infelizes aqueles que perseguem o povo amado, pois como o esposo não suporta que a esposa seja insultada ou maltratada, assim faz o Esposo divino. Ele defenderá os seus eleitos sem demora. Observe a pompa solene dos versículos que lemos. O Rei aparece com resplendor, cinge-se como guerreiro, veste-se como monarca, sobe no carro, atira as flechas e vence os inimigos. Depois, ascende ao trono com o cetro na mão, enche o salão do palácio com o perfume trazido das câmaras secretas, o séquito o acompanha e, a mais bela de todas, a noiva está à mão direita, com as filhas dos príncipes dos súditos como servas dela. A fé não é estranha a essa cena. Toda vez que ela olha, adora, ama, alegra-se e espera.

10 *Ouve, filha, e olha, e inclina teus ouvidos; esquece-te do teu povo e da casa de teu pai.*
11 *Então, o rei se afeiçoará à tua formosura, pois ele é teu senhor; obedece-lhe.*
12 *E a filha de Tiro estará ali com presentes; os ricos do povo suplicarão o teu favor.*

10. *"Ouve, filha, e olha."* Esse é o grande e constante dever da igreja. A fé vem pelo ouvir, e a confirmação por olhar. Não há preceito que seja mais digno da atenção daqueles honrados em serem esposados por Cristo do que o de segui-lo.

"E inclina teus ouvidos." Incline-se para frente para não deixar de ouvir uma sílaba sequer. Todas as faculdades mentais devem curvar-se para receber o ensino santo.

"Esquece-te do teu povo e da casa de teu pai." Renunciar o mundo não é fácil, mas é o que deve fazer todo aquele que estiver compromissado com o grande Rei, pois este não suporta um coração dividido. Seria desgraça para o amado como também desonra para o seu Senhor. As pessoas más e até mesmo as que são neutras devem ser abandonadas, porquanto não trazem nenhum benefício, mas só causam dano. A casa de nossa natividade é a casa do pecado — fomos formados em iniquidade.

A mente carnal é inimiga de Deus. Temos de sair da casa da natureza caída, já que ela foi construída na Cidade da Destruição. Não que os laços naturais sejam quebrados pela graça, mas os laços da natureza pecadora e os vínculos da afinidade sem a graça. Temos muito a esquecer como também a aprender. O desaprender é tão difícil que só o ouvir diligente, o olhar e a inclinação da alma conseguem realizar o trabalho. Até mesmo esses procedimentos seriam muito fracos se não fosse a ajuda da graça divina. Contudo, por que devemos nos lembrar do Egito de onde saímos? Os pepinos, os melões, as cebolas e os alhos são alguma coisa, quando a escravidão de ferro, as tarefas servis e o Faraó que causa morte do inferno são lembrados? Abrimos mão de insensatez para recebermos sabedoria, bolhas para recebermos alegrias eternas, engano para recebermos verdade, desgraças para recebermos felicidades, ídolos para recebermos o Deus vivo. Quem dera que os cristãos fossem mais atentos do preceito divino aqui registrado. Mas o mundanismo abunda, a igreja se contamina e a glória do grande Rei se oculta. Só quando a igreja levar uma vida diferenciada é que o pleno esplendor e poder do cristianismo se espalhará pelo mundo.

11. *"Então, o rei se afeiçoará à tua formosura."* O amor sincero é o dever e alegria do estado conjugal em todos os casos, mas, sobretudo neste casamento sublime. A igreja tem de abandonar todos os outros e apegar-se só a Jesus, ou não o agradará nem desfrutará da manifestação plena do seu amor. O que mais Ele pode pedir? O que mais ela pode ousar propor do que ser completamente dEle? Jesus vê uma beleza na igreja, uma formosura na qual Ele mais se encanta, quando ela não está arruinada pelo mundanismo. | Jesus sempre está bem perto e é muito precioso para os santos, quando eles tomam a cruz com alegria e o seguem para fora do acampamento. O seu Espírito se agrava quando o seu povo se misturam com as pessoas para aprender os seus costumes. Não há reavivamento grande e duradouro na religião que possa nos ser concedido até que os que confessam amar a Jesus provem o que dizem, a saber, saiam do mundo descrente, separando-se e não tocando em coisa imunda.

"Pois ele é teu senhor; obedece-lhe." Ele tem direitos de rei. A sua graça condescendente não diminui, mas, antes, impõe a sua autoridade.

O nosso Salvador também é o nosso Rei. O marido é a cabeça da esposa. O amor dele não diminui, mas fortalece a obrigação dela em obedecê-lo. A igreja tem de reverenciar Jesus e curvar-se diante dEle na adoração prostrada. A sua união terna com ela lhe dá liberdade, mas não licenciosidade. É o que a livra de todos os outros fardos e coloca o seu jugo suave. Quem desejaria que fosse diferente? O serviço de Deus é o céu no céu, e sendo feito perfeitamente é céu na terra. Jesus, Tu és aquEle a quem a igreja louva nos cânticos incessantes e adora no serviço perpétuo. Ensine-nos a ser completamente teu. Sê paciente conosco, e trabalha por teu Espírito em nós até que a tua vontade seja feita por nós na terra como é feita no céu.

12. *"E a filha de Tiro estará ali com presentes."* Quando a igreja abunda em santidade, não lhe faltará a homenagem dos povos circunvizinhos. A sua glória impressionará e atrairá os gentios, pois até eles também se unem em prestar honras ao Senhor. O poder das missões estrangeiras está em casa. Uma igreja santa será uma igreja poderosa. Não faltará tesouro nos seus cofres quando a graça está no coração. Os presentes voluntários de um povo disposto habilitarão os trabalhadores de Deus a continuar os empreendimentos sagrados sem restrição. O comércio enviará a renda para a manutenção da igreja do grande Rei, não por meio de coletas forçadas e impostos imperiais, mas por meio de doações voluntárias.

"Os ricos do povo suplicarão o teu favor." Não pela promoção das suas loucuras, contudo pelo testemunho contra os próprios pecados, os ricos serão ganhos à fé de Jesus. Virão não para favorecer a igreja, mas para implorar pelo favor dela. Ela não será a assalariada dos grandes, mas como rainha que dispensa favores à multidão suplicante dos ricos entre os povos. Saímos a mendigar por Cristo como os mendigos mendigam esmolas. Muitos ao saber disso assumirão compromissos e se tornarão reticentes da verdade impopular para agradar os grandes da terra. A verdadeira Noiva de Cristo não se degradará assim, quando a sua santificação for mais profunda e mais visível. Então, o coração dos homens se tornará liberal e as ofertas de longe serão abundantes e ininterruptas, sendo apresentadas ao trono do Príncipe da Paz.

13 *A filha do rei é toda ilustre no seu palácio; as suas vestes são de ouro tecido.*
14 *Levá-la-ão ao rei com vestes bordadas; as virgens que a acompanham a trarão a ti.*
15 *Com alegria e regozijo serão trazidas; elas entrarão no palácio do rei.*

13. *"A filha do rei é toda ilustre no seu palácio."* Dentro das suas câmaras secretas a sua glória é grande. Embora não vista pelos homens o seu Senhor a vê e a louva: "Ainda não é manifesto o que havemos de ser" (1Jo 3.2). Ou podemos entender

a passagem no sentido interior — a beleza dela não é apenas ou essencialmente exterior. O mais seleto dos seus encantos acha-se no coração, o seu caráter secreto e os seus desejos interiores. A verdade e a sabedoria nas partes ocultas são o que o Senhor considera. A mera beleza superficial não é nada aos olhos dEle. A Igreja é de linhagem real, de dignidade imperial, porque é a filha do Rei.

Ela foi purificada e renovada em natureza, pois ela é gloriosa interiormente. Note a palavra "toda". O salmo diz que todas as vestes do Noivo eram perfumadas, e agora a noiva é toda gloriosa interiormente — inteireza e perfeição são os grandes atributos. Não há mistura de aroma ruim em Jesus, nem haverá mistura de contaminação no seu povo, pois a igreja será apresentada sem mancha, ruga ou qualquer coisa semelhante.

"As suas vestes são de ouro tecido." O melhor material e a melhor mão de obra. Com que labor e perícia o nosso Senhor trabalha o material precioso da sua justiça em uma veste para o povo! Não há bordado de fios de ouro que se iguale a essa obra-prima de arte santa. Tal vestuário torna-se muito honrado por causa da relação com o grande Rei. O Senhor cuida para que nada falte à glória e beleza da noiva.

14. *"Levá-la-ão ao rei com vestes bordadas."* Virá o dia em que o matrimônio celestial será celebrado publicamente. As palavras desse versículo descrevem a procissão nupcial, na qual a rainha é levada ao Marido-Rei atendida pelas criadas. Na glória dos últimos dias e na consumação de todas as coisas, a glória da noiva, a esposa do Cordeiro, será vista por todo o universo com admiração. Enquanto ela estava dentro do palácio e os santos escondidos, a igreja era gloriosa. Qual será o esplendor quando ela aparecer na semelhança do seu Senhor no dia em que Ele se manifestar? O bordado mais requintado é apenas uma imagem tênue da perfeição da igreja quando santificada pelo Espírito. Este versículo fala do descanso último da igreja: nos braços do Rei. Fala do modo em que ela chegará a esse estado: a igreja é levada pelo poder da graça soberana. Fala do tempo quando isso se dará: no futuro — "Levá-la-ão", ainda não é agora. Fala da condição na qual ela entrará: vestida com as mais ricas vestes e atendida pelos seres mais luminosos.

"As virgens que a acompanham a trarão a ti." Quem ama e serve a igreja por causa do Senhor participará das alegrias "naquele Dia". Em certo sentido, essas pessoas fazem parte da igreja, mas por causa da ilustração são apresentadas como damas de honra. Ainda que a figura pareça incongruente, elas a levarão ao Rei com a mesma familiaridade amorosa que a noiva, porque os verdadeiros servos da igreja são seus membros e participam de todas as suas bênçãos. Note que aqueles que são aceitos na comunhão perpétua com Cristo são "virgens" (puros de coração) "que a acompanham" (puros de companhia) "a trarão a ti" (puros de andar). Toda esperança que será levada ao céu é purificada agora.

15. *"Com alegria e regozijo serão trazidas."* A alegria se torna uma festa de casamento. Que alegria será vista nos banquetes do paraíso, quando todos os remidos forem levados ao lar celestial! A alegria nos próprios santos e o regozijo dos anjos farão os átrios da Nova Jerusalém ressoarem com brados.

"Elas entrarão no palácio do rei." As moradas de paz serão onde o Rei Jesus reina com toda a pompa para sempre. Elas não serão excluídas, mas recolhidas. Receberão o direito de entrada livre no mais santíssimo de tudo. Levadas pela graça, elas entrarão na glória. Se houve alegria em levá-las, o que será quando entrarem? O que será quando habitarem? Os glorificados não são trabalhadores braçais nas planícies do céu, mas filhos que moram em casa, príncipes de sangue, residentes no palácio do Rei. Que momento feliz será quando desfrutarmos tudo isso e esquecermos-nos as tristezas de antigamente nos triunfos da eternidade.

16 *Em lugar de teus pais será a teus filhos que farás príncipes sobre toda a terra.*

17 *Farei lembrado o teu nome de geração em geração; pelo que os povos te louvarão eternamente.*

16. *"Em lugar de teus pais será a teus filhos."* Os antigos santos que eram como pais no serviço do grande Rei faleceram, mas há uma semente espiritual para preencher os lugares vagos. Os veteranos partem, mas os voluntários preenchem os lugares desocupados. A linhagem da graça nunca se extingue. Enquanto o tempo durar, a verdadeira sucessão apostólica será mantida.

"Que farás príncipes sobre toda a terra." Os servos de Cristo são reis. Quando o homem prega com sucesso e evangeliza uma tribo ou nação, ele adquire para si mais que honras reais. O seu nome é como o nome dos grandes homens que estão na terra. Jesus é aquEle que coroa reis. A ambição do tipo mais nobre ganhará o seu desejo no exército de Cristo. As coroas imortais são distribuídas aos soldados fiéis. A terra inteira ainda será subjugada para Cristo, e honrados são eles que terão, pela graça, parte na conquista, pois reinarão com Cristo na sua vinda.

17. *"Farei lembrado o teu nome de geração em geração."* O Senhor, pela boca do profeta, promete ao Príncipe da Paz fama eterna como também uma progênie contínua. O seu nome é a sua fama, caráter e pessoa. Essas características são queridas hoje para o seu povo. É algo que eles nunca podem esquecer. E assim será enquanto a humanidade existir.

Nomes renomados em uma geração são desconhecidos na próxima, mas os lauréis de Jesus sempre estão frescos, o seu renome sempre é novo. Deus cuidará disso. A sua providência e graça farão com que as coisas sejam assim. A fama de Messias não é entregue à tutela humana. É o Eterno que garante, pois a sua promessa nunca falha. Ao longo das eras as recordações do Getsêmani e Calvário arderão com fogo inextinguível. O lapso do tempo, a fumaça do erro ou a maldade do inferno não poderão obscurecer a glória da fama do Redentor.

"Pelo que os povos te louvarão eternamente." Eles confessarão a ti o que tu és, e prestarão eternamente a ti a devida homenagem.

O louvor é devido de todo o coração àquEle que nos amou e nos resgatou pelo seu sangue. Este louvor nunca será totalmente esgotado, pois sempre haverá crédito e débito constantes. Os benefícios diários aumentam as nossas obrigações, elevando o número de nossas canções. Todo novo século revela mais do seu amor. Cada ano aumenta o volume da música da terra e do céu. Que trovões de cânticos ribombem em total melodia ao trono daquEle que vive. Jesus estava morto, mas eis aqui está vivo para todo o sempre e tem as chaves da morte e do inferno (cf. Ap 1.18).

Coroai-o com majestade
AquEle que inclinou a cabeça à morte
E sejam as suas honras soadas altamente
Por todos os seres que têm fôlego

NOTAS EXPLICATIVAS E DECLARAÇÕES IMPORTANTES

O Título: Sobre Sosanim ou *sobre os lírios*. Lembremos que lírios eram emblema de pureza e encanto. Foram introduzidos na construção do Templo de Salomão (ver 1 Reis 7.19,22,26; 2 Crônicas 4.5). Em Cantares, a igreja é comparada a um "lírio entre os espinhos" (Ct 2.2). Os salmos que trazem o título "Sobre os Lírios" são o 46, 69 e 80 (cf. Salmo 60). Todos estes contêm profecias acerca de Cristo e da igreja. O Salmo 60 é paralelo ao 44, e apresenta o apelo suplicante a Deus e as vitórias de Cristo. O Salmo 69 exibe as vitórias ganhas por Cristo pelo sofrimento.

O Salmo 80 também é paralelo ao Salmo 44 e 60, sendo um lamento melancólico da igreja em angústia e um brado suplicante de libertação. Todos esses três salmos são (se arriscamos usar a expressão) como a voz do "lírio entre os espinhos". Há, nesse título, certa referência ao significado espiritual da palavra שֹׁשַׁנִּים, ou "lírios", ideia que no mínimo é provável. — *Christopher Wordsworth*

O Título: Pensamos que "sosanim" significa um instrumento de seis cordas, ou uma canção de alegria. — *Augustine Calmet, 1672-1757*

Por outro lado, John Kitto diz que a palavra é tão claramente *lírios* que ele se sente indisposto a sair do caminho para produzir a palavra hebraica que significa "seis".

O Título: Para o cantor-mor [...] sobre Sosanim. Certos estudiosos entendem que o significado são os instrumentos nos quais havia muitas gravuras de lírios, que são flores de seis copas. De fato, há intérpretes que, por causa dessa derivação da palavra hebraica, traduzem-na por "sobre sosanim", quer dizer, "sobre os lírios". Isso se refere às guirlandas de casamento que eram feitas muitos lírios ou os lírios dizem respeito a Cristo e a Igreja. — *Arthur Jackson*

O Título: Cântico. A palavra שִׁיר (*shîr*), cujo significado (canção) é incontestável, consta no título de muitos salmos. Aparece três vezes sozinho e treze vezes com relação a Mizmor ("de amor"). Não há marca de peculiaridade na composição. O sentido da palavra é diferenciado por Mizmor, como a significar um tema a ser cantado, com referência à sua estrutura poética. — *John Jebb*

O Salmo: O livro dos Salmos, que apresenta tantas verdades com respeito à pessoa e obra de Cristo — muito mais preciosas do que o ouro e mais doces do que o mel —, não está calado com relação ao vínculo que subsiste entre Cristo e o seu povo, *a união emblemática entre Cristo e a Igreja.* Quando um príncipe tem afeto por uma mulher de classe humilde, e a leva para casa para ser sua esposa, os dois estão tão unidos como se as dívidas dela se tornassem dele e as riquezas e honra dele se tornassem dela. Entre Cristo e a Igreja, entre Cristo e toda alma que consente em recebê-lo, formou-se uma ligação, da qual a mais íntima das relações naturais é análoga e tipo, que encontramos ensinada não só nos salmos, mas está implícita na estrutura de muitos deles. Ele toma sobre si os pecados do povo, e eles recebem o direito de tornarem-se filhos de Deus. O Espírito Único de Deus, com o qual Cristo foi batizado sem medida, habita em seu povo de acordo com a medida da graça que é dada a cada um deles. Acrescentarei apenas que essa união, além de estar implícita em tantos lugares, foi expressamente apresentada no mais glorioso salmo — o Cântico das Núpcias de Cristo e a Igreja —, que tem por tema peculiar o trabalho de Casa dos eleitos de Cristo, com o propósito de que eles sejam unidos a Ele em uma união que prevalecerá mais do que os montes eternos. — *William Binnie, Doutor em Teologia*

v. 1: "O meu coração ferve com palavras boas", e então: "A minha língua é a pena de um destro escritor". Irei alegremente a seu serviço, quando tenho palavras preparadas em meu coração. Como o marinheiro vê mais novas estrelas quando navega (ele perde de vista as antigas e descobre as novas), assim o crente, quanto mais navega na religião, mais descobre novas necessidades, novas Escrituras o afetam, novas provações o afligem, novas ocupações ele acha com Deus. Esquecendo as coisas que para trás ficam, ele busca as coisas que estão à frente. Desta forma, o marinheiro acha novas ocupações diariamente com o Senhor, o seu Deus. Aquele que está ocupado não desperdiça tempo. Quanto mais ocupação, menos distração. — *Richard Steele*

v. 1: "O meu coração ferve com palavras boas". A palavra רָחַשׁ (*rāḥash*), "ferver" ou "borbulhar", denota a linguagem do coração cheia e pronta para a expressão vocal. — *Victorinus Bythner v. 1:* "O meu coração ferve com palavras boas". Temos aqui a obra do Espírito de profecia. Pela sua operação, as boas "palavras" são geradas no peito do salmista, e agora o coração está suando e labutando sob o encargo. Só começou a surgir, como água da fonte que flui pelo canal da língua. Temos nisto um *insight* sobre a maneira da operação do Espírito no coração do homem. O salmista diz que o seu coração está fazendo o que o Espírito está fazendo no coração do salmista. O coração faz, de fato, mas se trata da operação do Espírito. O salmista tomou todo o interesse e prazer possível no tema, como se o Espírito não tivesse tido nada a ver com isto, pois quando o Espírito trabalha, ele não só trabalha pelo coração, mas no coração. Ele se apodera de todos os sentimentos do coração, dobrando cada fibra segundo a sua vontade. — *George Harpur, "Christ in the Psalms" [Cristo nos Salmos], 1862*

v. 1: "Palavras boas", as Boas-Novas ou o evangelho. — *Christopher Wordsworth*

v. 1: "O meu coração ferve com palavras boas". Essa similitude é extraída da *mincah* ou "oferta de manjares" estipulada pela Lei. A oferta de manjares era preparada na frigideira ou assadeira (Lv 7.9, ARA), e frita ou assada em óleo, tendo sido feita de flor de farinha sem fermento, misturada com óleo (Lv 2.5). Em seguida, era apresentada ao Senhor pelo sacerdote (Lv 2.8). Aqui as palavras ou tema deste salmo são como a *mincah* ou oblação que, com o óleo, a graça do Espírito, era fervida e preparada no coração do profeta, sendo agora apresentada. — *Henry Ainsworth*

v. 1: "O meu coração ferve com palavras boas". De acordo com Erasmo, Orígenes disse que ele sempre estava disposto, porém muito mais quando discursava de Cristo. Dizem que Johannes Mollias, um bolonhês, sempre que falava de Jesus Cristo, os olhos ficavam extremamente saltados, porque ele ficava muito cheio de um fervor poderoso do Espírito Santo de Deus. Como João Batista, ele era primeiro uma luz que fumegava (fervia ou borbulhava), e depois uma luz que brilhava. — *John Trapp*

v. 1: "No tocante ao rei". Não diz respeito ao rei imediatamente, pois grande parte diz respeito à rainha, e cerca da metade é endereçado diretamente a ela. Mas tem relação com o rei na medida em que se relaciona com a sua família dele. Cristo sempre se identifica com o seu povo, de forma que, o que quer que seja feito, é feito para Ele. Os interesses do povo são de Cristo. — *George Harpur*

v. 1: "A minha língua" será como a pena de alguém que escreve atas ou escreve taquigrafia, pois falarei muito resumidamente e não por extenso, ou de modo a ser entendido em sentido literal, mas por figuras e emblemas. — *Extraído de Anônimo, "Holy David and his Old English Translators Cleared" [O Santo Davi e os Antigos Tradutores Ingleses Explicados], 1706*

v. 1: "A pena". Chamamos os profetas de escritores da Bíblia, ao passo que eles eram apenas a pena do escritor. — *Matthew Henry*

v. 2: "Tu és mais formoso do que os filhos dos homens". Assim Ele começa a mostrar a sua formosura, em que está o prazer de todo aquele que olha. Assim é com a alma quando Deus mostra para os homens o quanto o pecado os tornou imundos e indecentes, e que só por Jesus o pecado é tirado. Como é bonito este rosto em sua primeira aparição!

"A graça se derramou em teus lábios." Esse é o segundo louvor. Ao abrir os lábios para nós, deles Jesus derrama graça em nossa alma, quando Ele nos mostra o Pai, fala de paz para todos que estão longe e perto, e chama: "Vinde a mim, todos os que estais cansados e oprimidos, e eu vos aliviarei" (Mt 11.28). Tudo isso é porque Deus o abençoou para sempre. Estamos certos de que Jesus vem de Deus, e que ele e as suas obras são eternas. Toda a sua graça derramada em nós permanece conosco e nos faz abençoados para sempre, porque ele é a palavra de Deus. Ele fala a mente de Deus, porque fala só do que ouviu do Pai. Quando Jesus fala com a nossa alma pela sua Palavra, o Espírito é dado, certo testemunho à nossa alma de que somos filhos de Deus e um penhor de nossa herança, pois o Espírito e a Palavra não podem ser separados. — *Richard Coore, "Christ Set Forth" [Cristo se Apresentou], 1687*

v. 2: "Tu és mais formoso do que os filhos dos homens; a graça se derramou em teus lábios; por isso, Deus te abençoou para sempre". Nada pode ser mais bonito do que este modo abrupto de discurso. O profeta anuncia o desígnio confessado de falar do Rei. Mas no momento em que ia tratar do assunto, a gloriosa Pessoa de quem ia falar lhe aparece em visão, e o profeta imediatamente deixa de lado todas as outras considerações para falar com o próprio. E que conversa arrebatadora acontece! Primeiro, Ele descreve a glória, formosura e encanto surpreendente da sua pessoa. Aos olhos carnais não havia beleza para o desejarmos, o seu rosto foi desfigurado mais do que o de outro qualquer e a sua forma mais do que a dos filhos dos homens (cf. Is 52.14). Mas para os olhos verdadeiramente iluminados, Jesus é o Rei na sua beleza, muito mais formoso, como o glorioso Mediador, a Cabeça, o Noivo da Igreja e do povo, do que todos os filhos dos homens. E aos olhos do Pai, Ele é tão grandemente amado, tão verdadeiramente glorioso, que a graça foi derramada nos seus lábios. Leitor, observe a expressão. Não é simplesmente graça derramada no coração para a santidade e pureza da sua pessoa, mas derramada nos lábios que, como o mel, poderia derramar no seu povo e ser para sempre comunicada a todos os remidos, em uma perpetuidade infinita de todas as bênçãos apropriadas para o presente e da glória para o futuro. — *Robert Hawker, Doutor em Teologia*

v. 2: "Tu és mais formoso do que os filhos dos homens". Você gosta do que é belo? Isso atrai você muito, pois não há nada como a beleza de Cristo. Em termos de beleza e formosura, Ele ultrapassa infinitamente homens e anjos. As Escrituras nos informam que Moisés era excessivamente belo, e que Davi era ruivo e de semblante bonito (cf. Êxodo 2.2;1; Samuel 16.12). Acerca de um deles, Josefo relata que todo aquele que o via ficava pasmado e fascinado pela beleza. Mas o que era a beleza deles em comparação com a de Cristo? A beleza deles (junto com a beleza dos homens e dos anjos) não era nada diante da beleza de Cristo; não tanto quanto a luz de uma insignificante vela é para a luz do sol do meio-dia. — *Edward Pearce, "The Best Match" [A Melhor Comparação], 1673*

v. 2: "Tu és mais formoso do que os filhos dos homens". Foi: (1) Mais formoso na concepção, pois concebido em pureza. Foi um anjo bonito que deu a notícia. (2) Mais formoso na natividade. A Septuaginta usa a palavra ὡραῖος, *tempustivus*, "no tempo apropriado", ou seja, todas as coisas são bonitas no devido tempo (Ec 3.11). Foi na plenitude do tempo que nasceu, e uma estrela bonita apontou para Ele. (3) Mais formoso na infância. Ele cresceu em graça e favor (Lc 2.52). Os doutores da Lei ficaram imensamente fascinados com ele. (4) Mais formoso na humanidade. Não tivesse sido Jesus assim, diz Jerônimo, não tivesse havido algo admirável no seu semblante e presença, uma beleza divina, os apóstolos e todos os demais (como os próprios fariseus confessaram) não o teriam seguido tão imediatamente. (5) Mais formoso na transfiguração. Branco como a luz ou como a neve, o rosto brilhava como o sol (Mt 17.2), ao ponto de encantar a alma de Pedro, que "não sabia o que dizia" (Mc 9.6). Ele poderia deixar os olhos fitarem esse rosto para sempre sem precisar descer do monte. (6) Mais formoso na paixão. *Nihil indecorum*, "sem indecência" na nudez. As próprias feridas e marcas de sangue dos chicotes e açoites extraíram um *ecce* da boca de Pilatos: "Eis aqui o homem" (Jo 19.5), sem falar na doçura do seu semblante e porte no meio das obscenidades, escarros, chicotes e bofetadas. A sua decência na cruz e na entrega do espírito fez o centurião clamar: "Verdadeiramente, este era o Filho de Deus" (Mt 27.54), pois havia tão doce majestade, tão celestial brilho nEle mesmo em meio à escuridão que o cercava. (7) Mais formoso na ressurreição. Houve uma beleza tão sutil, que os olhos mortais, até mesmo os olhos dos discípulos, não conseguiram ver ou perceber, senão quando Jesus a revelou para eles. (8) Mais formoso na ascensão. A beleza de Jesus fez os discípulos ficarem de pé, contemplando-o por muito tempo (como se nunca fosse demais ficar olhando para Ele), até um anjo ser enviado dos céus para repreendê-los e mandá-los para casa (At 1.11,12). — *Mark Frank*

v. 2: "Tu és mais formoso do que os filhos dos homens". O sol é lindo, a lua é linda, as estrelas são lindas, as flores são lindas, as rosas são lindas e os lírios são lindos, mas o Senhor Jesus é dez bilhões de vezes mais lindo! Eu o prejudiquei fazendo a comparação deste modo. O sol e lua são feios, mas o Senhor Jesus é formoso! As flores, os lírios e as rosas são feios, mas o Senhor Jesus é formoso, formoso, sempre formoso! O céu é feio, mas Jesus é formoso! Ó anjos são feios, mas o Senhor Jesus é infinitamente formoso! — *Samuel Rutherford*

v. 2: "Tu és mais formoso do que os filhos dos homens". Em Cristo podemos contemplar e temos de confessar que está toda a formosura e encanto do céu e da terra. A formosura do céu é Deus, a formosura da terra é o homem. A formosura do céu e da terra juntos é este Deus-Homem. — *Edward Hyde, Doutor em Teologia, 1658*

v. 2: "Tu". "Eu tenho uma paixão", observou o conde Zinzendorf em um dos discursos para a congregação em Herrnhut, "e é Jesus — somente Jesus."

v. 2: "Tu és mais formoso". No original hebraico é: "Tu és duplamente mais formoso". A palavra hebraica é duplicada *ad corroborandum*, disse Kimchi. — *John Trapp*

v. 2: "A graça se derramou em teus lábios". Está escrito como se esta graça fosse um presente, e não algo inerente em nosso próprio Senhor. E não é exatamente o que aprendemos das histórias dos evangelistas? Antes que Jesus se apresentasse para a obra da missão pública, o Espírito Santo desceu do céu como pomba e pousou sobre Ele. O Espírito que dá todas as graças para a Igreja de Cristo deu as graças para o próprio Cristo. Não que o Filho de Deus precisasse da unção do Espírito de Deus, mas Ele permitiu ser ungido para que em todas as coisas fosse como os irmãos. Se Jesus tinha de ser o exemplo, tinha de mostrar para eles em que consistia a sua grande força. Os discípulos viam nEle os frutos do Espírito Santo que lhes foi prometido. Tudo que Cristo já fez como Cabeça e Representante do povo, fez pelo mesmo Espírito que ainda habita na igreja. — *George Harpur*

v. 2: "A graça se derramou em teus lábios". Ele foi cheio da graça quanto ao assunto e cheio da graça quanto à maneira. (1) Quanto ao assunto, Jesus entregou doutrina aceitável: "A lei foi dada por Moisés; a graça e a verdade vieram por Jesus Cristo" (Jo 1.17). Moisés tinha palavras severas e duras na Lei: "Maldito todo aquele que não permanecer em todas as coisas que estão escritas no livro da lei" (Gl 3.10). Cristo, pelo contrário, fala coisas melhores, as primeiras palavras no primeiro sermão foram: "Bem-aventurados os pobres de espírito, porque deles é o Reino dos céus" (Mt 5.3). Ele veio para o seu povo, *cum verbo gratiae, cum osculo gratiae*, disse Agostinho. Os seus lábios estão cheios de graça, ou seja, estão derramando palavras de graça abundantemente (Mt 11.28; Jo 3.16; Lc 4.18). "Os seus lábios são como lírios que gotejam mirra" (Ct 5.13). Todos que o ouviam se maravilhavam com as palavras graciosas que procediam da boca dEle (Lc 4.22). (2) Quanto à maneira, Jesus não ensinava como os escribas. Ele falava tanta doçura que os próprios guardas dos oficiais se admiraram das palavras que o Mestre dizia, dando este testemunho: "Nunca homem algum falou assim como este homem" (Jo 7.46). Ele falava com tanta graça que os apóstolos abandonaram tudo para segui--lo. No seu chamado, André largou imediatamente as redes, Tiago e João deixou o pai sem demora, Mateus abandonou o recebimento dos impostos, Zaqueu saiu de semelhante curso mundano — e todos sem delongas foram recebê-lo com alegria

(Mc 10.28; Mt 4.20,21; 9.9; Lc 19.6). Amados, Jesus é tão poderoso em palavras que até os ventos e as ondas lhe obedeciam a palavra (Mc 4.39). Consta no Escrito Santo que os príncipes e as pessoas tinham desejo ardente de ouvir a eloquência de Salomão. A rainha de Sabá maravilhada com isso, declarou: "Bem-aventurados estes teus servos que estão sempre diante de ti, que ouvem a tua sabedoria!" (1 Rs 10.8). Salomão é o tipo, mas Cristo é a verdade. Isso mostra evidentemente que Cristo não é um tirano, mas um príncipe meigo, que persuade a obediência de forma plausível e não compele as pessoas com violência. As suas declarações são o cetro e a espada. As suas exortações penetrantes são, por assim dizer, as flechas afiadas pelas quais os seguidores são subjugados a ele. Para concluir o argumento, as suas palavras suaves são (como a Bíblia fala) "favo de mel... doces para a alma e saúde para os ossos" (Pv 16.24). O que é mais gostoso do que um "favo de mel"? Essas palavras são "doces para a alma e saúde para os ossos". Existe algo mais saudável? A alma do homem bom é o próprio cônjuge de Cristo, com quem ele fala de muitos modos graciosos. Às vezes corrigindo, e que argumento há mais forte do que o amor? "Porque o Senhor corrige o que ama" (Hb 12.6). Às vezes ensinando, e o evangelho pode fazer "o homem de Deus [...] perfeito e perfeitamente instruído para toda boa obra" (2 Tm 3.17). Às vezes galanteando em termos amorosos, como na canção de amor que há em todos os lugares: "meu amado", "minha irmã", "minha esposa", "a mais formosa entre as mulheres", "minha amiga", "pomba minha" (Ct 1.14; 4.9; 1.8; 4.8; 2.14). Às vezes prometendo as bênçãos desta vida ("Não temas, porque eu sou contigo; não te assombres, porque eu sou o teu Deus; eu te esforço, e te ajudo, e te sustento com a destra da minha justiça", Isaías 41.10) e da vida que está por vir (Jo 17.21,24). Mas a excelente intercessão de Jesus diariamente a Deus Pai, comparecendo no tribunal do céu e como Advogado que defende a nossa causa, é ainda mais cheia de graça. Se Calebe concedeu facilmente o pedido da filha e lhe deu "as fontes superiores e as fontes inferiores" (Jz 1.15), como o Deus Todo-poderoso (cujas misericórdias estão acima de todas as suas obras) negará as petições de tal Filho em quem Ele se agrada? — *John Boys, 1560-1643*

v. 2: "A graça se derramou em teus lábios". A frase anterior notou as suas perfeições interiores. Isso significa a sua habilidade e prontidão em comunicá-las aos outros. — *Matthew Pool*

v. 2: "A graça se derramou em teus lábios". Nunca houve tais palavras de amor e doçura faladas por qualquer homem como por Ele. Nunca houve um coração amoroso e terno como o coração de Jesus Cristo: "Nos teus lábios se extravasou a graça" (ARA). Certamente que nunca houve palavras de amor, doçura e ternura faladas na terra como as palavras proferidas um pouco antes dos seus sofrimentos, as quais estão registradas nos capítulos 13 a 17 de João. Leia todos os livros de amor e amizade que já foram escritos pelos filhos dos homens, e todos eles ficam muito aquém das melodias enternecedoras de amor que foram expressas. Era tão agradável e amável a conversa de Jesus Cristo que a História Eclesiástica registra que o apóstolo Pedro, depois da ascensão de Jesus, chorou tão copiosamente, que as pessoas sempre o viam enxugar as lágrimas do rosto. Quando lhe perguntaram por que chorava assim, ele respondeu: "Não há como não chorar tanto quando me lembro da mais doce conversa com Jesus Cristo". — *John Row, 1677*

v. 3: "Cinge a tua espada à coxa". A espada, de acordo com o costume antigo, era presa a um cinto posto em volta dos ombros, alcançando até a coxa. Ficava suspensa na parte de trás da coxa, quase tocando o chão, mas não era cingida. A espada do cavaleiro era presa no sela por um cinturão. Quando Davi em espírito convida o Redentor da igreja a cingir a espada à coxa, e o esposo diz dos valorosos de Israel: "Cada um com a sua espada à cinta, por causa dos temores noturnos" (Ct 3.8), o sentido não é que a arma era literalmente presa na coxa, mas ficava pendurada na cinta às costas, pois era assim que, pelo testemunho universal de escritores antigos, a infantaria usava espadas. Ainda é costume no Oriente usar espadas desta maneira, pois Chardin nos informa: "Os povos do Oriente usam espadas penduradas ao longo do corpo. Os turcos costumam colocar a espada às costas do cavalo e a levam à coxa". Mas no convite poético ao Redentor: "Cinge a tua espada à coxa", Davi manifestadamente destaca alguma ocasião especial de caráter solene e oficial. Uma luz forte é lançada no significado por um costume até hoje observado no Oriente. "Quando um persa ou príncipe otomano ascende ao trono", diz Morier, "ele cinge o sabre. Por exemplo, Maomé Jaffer foi proclamado pelo Khan, governador *pro tempore*, até a chegada do irmão, sendo investido neste cargo pelo cingir de uma espada à coxa, uma honra que ele aceitou talvez não com total relutância dissimulada." "Esta cerimônia", diz Davey, fazendo uma narrativa de uma coroação oriental, "tinha de ser feita antes que o príncipe fosse considerado rei de fato — era a escolha de um novo nome e o cingir da espada real. O príncipe entrava com toda a pompa no templo onde ele fazia ofertas, e depois, a espada tendo sido cingida à coxa, o sacerdote apresentava um pote de pó de sândalo no qual o príncipe, que agora podia ser chamado de rei, imergia os dedos".

Destas historietas, é evidente que cingir uma espada à coxa faz parte da cerimônia de inauguração real, e que quando o salmista se refere ao Messias, ele fala sobre o recebimento de honras e poderes do Senhor de todos. — *George Paxton, "Illustrations of Scripture" [Ilustrações da Bíblia]*

v. 3: "A tua espada". A palavra de Deus é comparada a essa arma, pois o apóstolo nos informa que é eficaz, ou viva e poderosa, e mais afiada do que qualquer espada de dois gumes, penetrando até ao ponto de dividir a alma e o espírito e as juntas e medulas, e revelando os pensamentos e intenções do coração. Observemos, porém, que essa descrição da Palavra de Deus é aplicável a ela só quando Cristo se cinge da tal e a emprega como a sua espada. De que serve a espada, embora seja a espada de Golias, enquanto ainda está na bainha ou é empunhada pela mão fraca de uma criança? Nessas circunstâncias, ela não conquista nem defende, por mais bem projetada que possa ter sido feita para ambos os fins na mão de um guerreiro. O mesmo ocorre com a espada do Espírito. Enquanto ainda está na bainha ou é brandida pela mão infantil dos ministros de Cristo, é uma arma impotente e inútil. Uma arma da qual o pecador mais fraco ri e contra a qual ele pode se defender com a maior facilidade. Entretanto, não é o que sucede quando aquEle que é Poderoso a empunha. Então se torna uma arma de tremendo poder, uma arma à qual não se pode resistir como o raio do céu: "Não é a minha palavra como fogo, diz o SENHOR, e como um martelo que esmiúça a penha?" (Jr 23.29). De fato, pois o que é mais eficaz e irresistível do que a arma mais afiada que uma espada de dois gumes, brandida pelo Braço da onipotência? Como deve ser a sua espada cujo clarão é um relâmpago? Armado com essa arma, o Capitão de nossa salvação abre caminho para vencer o pecador com facilidade infinita. Embora cercado por pedras e montanhas, destrói as fortalezas e refúgios de mentira. Com um golpe fortíssimo quebra o coração duro, deixando-o prostrado e tremente aos seus pés. Considerando que esses são os efeitos desta arma na mão de Cristo, é com a maior propriedade que o salmista começa pedindo-lhe que se cinja e que não permita que ela fique inativa na bainha ou impotente na empunhadura fraca dos seus ministros. — *Edward Payson, 1783-1827*

v. 3: "Ó valente". Cristo é Todo-poderoso, sendo capaz de fazer todo o bem que diz que faz, e tornar a sua Palavra de preceito, promessa e ameaça eficaz para a incumbência à qual foi enviada. — *David Dickson vv. 3 e 4:* Podemos refletir com prazer na causa gloriosa em que Cristo está engajado e na guerra santa a qual Ele faz, e em qual delas prosperará. É a causa da verdade, da mansidão e da justiça. O evangelho, a sua espada, que é a Palavra de Deus, tende a retificar os nossos erros pela verdade, controlar as nossas emoções pela mansidão que ela promove e regular as nossa vida pelas leis da justiça que inculca. Alegremo-nos por essa causa sagrada ter prosperado até aqui e prosperará. — *Job Orton, 1717-1783*

v. 4: "E neste teu esplendor cavalga prosperamente pela causa da verdade, da mansidão e da justiça; e a tua destra te ensinará coisas terríveis". As rodas do carro de Cristo, no qual Ele anda quando sai para conquistar e subjugar os novos convertidos para o seu Reino, são quatro: *esplendor, verdade, mansidão* e *justiça*, manifestados na pregação do evangelho. O *esplendor* gira quando a magnificência imponente da sua pessoa e ofícios são declarados. A *verdade* gira quando a certeza de tudo que Ele ensina na Bíblia é conhecida. A *mansidão* gira quando a sua graça e misericórdia são oferecidas aos rebeldes. E a *justiça* gira quando a justificação pela fé no seu nome é claramente apresentada. Cristo não parte em viagem em vão. Ele não deixa de atingir o que intenta e designa, mas cumpre o trabalho para o qual saiu, pregando o evangelho: Ele cavalga prosperamente em seu esplendor, verdade, mansidão e justiça. — *David Dickson*

v. 4: "Cavalga prosperamente pela causa da verdade, da mansidão e da justiça". A tradução literal seria: "Cavalga na Palavra da verdade e na mansidão da justiça", e é como consta na versão Siríaca. Se essa tradução for aceita, o significado é que o grande objetivo do evangelho de Jesus é defender a causa da verdade e da justiça no mundo. Jesus cavalga na Palavra da verdade, porque o conhecimento da verdade depende da Palavra, pois é pela Palavra que a verdade é revelada. Ele cavalga na mansidão ou humildade da justiça, porque a mansidão ou humildade é sua característica ilustre. O primeiro aspecto se relaciona com o que o homem deve crer, o último com como ele deve viver. — *George Harpur*

v. 4: "E a tua destra te ensinará coisas terríveis". Essa expressão só pode ter dois significados: que pelo seu poder Jesus seria habilitado a fazer coisas terríveis, porque o ensino capacita os homens a fazer o que foram ensinados ou que pelo seu poder imensamente grande Jesus veria experiencialmente que grandes e terríveis coisas seriam feitas por Ele. — *Arthur Jackson*

v. 5: "As tuas flechas são agudas no coração dos inimigos do rei". Em uma metáfora ainda mais forte, as flechas que são disparadas do arco de Cristo são os pregadores do evangelho, sobretudo os apóstolos e evangelistas. *His sagittis*, diz Jerônimo, *totus orbis vulneratus et captus est.* Paulo, o apóstolo, era uma flecha do Senhor, disparada do arco divino desde Jerusalém para o Ilírico e do Ilírico para a Espanha, voando de leste a oeste, e subjugando os inimigos de Jesus debaixo dos seus pés. — *Christopher Wordsworth*

v. 5: Enquanto suplica que o Redentor cavalgue prosperamente e prediz o sucesso, parece que subitamente ele viu as respostas das orações e o cumprimento das predições. Ele viu o Príncipe vitorioso cingir-se da espada que não oferece resistência, vestir-se de glória e majestade, subir ao carro do evangelho, desfraldar a bandeira da cruz e cavalgar como nas asas do vento, enquanto a voz vigorosa de um arauto proclamava diante dEle: "Preparai o caminho do Senhor; endireitai no ermo vereda a nosso Deus. Todo vale será exaltado, e todo monte e todo outeiro serão abatidos; e o que está torcido se endireitará, e o que é áspero se aplainará. Eis que o Senhor Jeová virá como o forte, e o seu braço dominará; eis que o seu galardão vem com ele, e o seu salário, diante da sua face" (Is 40.3,4,10). Da nuvem luminosa e brilhante que envolveu o carro e o escondeu dos olhos mortais, ele viu flechas de convicção afiadas sendo atiradas para todos os lados, ferindo profundamente o coração obstinado dos pecadores e prostrando-os aos montes pelo caminho, enquanto a mão direita estendida os levantou e curou as feridas que as flechas tinham feito. A sua voz onipotente falou de paz com as almas desesperadas e ordenou que seguissem na caravana e testemunhassem e tomassem parte do triunfo. Da mesma nuvem luminosa, ele viu os grossos raios vingativos coriscando terrivelmente para dinamitar e consumir tudo que se lhe opunha ao avanço. Ele viu o pecado, a morte e o inferno com todas as suas legiões, confusas, derrotadas e fugindo em trêmula consternação diante dEle. Ele os viu colhidos, presos e enroscados às rodas do carro triunfante, enquanto se ouviam do céu vozes embevecidas exclamar: "Agora chegada está a salvação, e a força, e o reino do nosso Deus, e o poder do seu Cristo" (Ap 12.10). Essa era a cena que irrompeu repentinamente na visão encantada do profeta enlevado. Transportado pela visão, ele exclama: "As tuas flechas são agudas no coração dos inimigos do rei, e por elas os povos caíram debaixo de ti". — *Edward Payson*

v. 5: "Dos inimigos do rei", não é simplesmente uma expressão para referir-se a "teus inimigos", como pensam certos estudiosos, mas, antes, indica que a realeza de Jesus é a razão de serem eles inimigos, da mesma maneira que no Salmo 2 o clamor era: "Rompamos os seus laços" (Sl 2.3, ARA). — *George Harpur*

v. 6: "O teu trono, ó Deus". A palavra original é provavelmente vocativa no grego e no hebraico. Os unitaristas modernos entendem assim, pois buscam apoio para explicar a palavra θεός. — *Henry Alford*, 1810-1871, *Doutor em Teologia, em comentário sobre Hebreus 1.8*

v. 7: "Tu amas a justiça e aborreces a impiedade". Muitos amam a justiça, mas não seriam seu defensor. Esse amor não é o amor de Jesus. Muitos aborrecem ou odeiam a impiedade, não por causa dela em si, mas por causa das suas consequências. Esse ódio não é o ódio de Jesus. Para sermos como Jesus temos de amar a justiça como Ele amou e odiar a impiedade como Ele odiou. Amar e odiar como Jesus ama e odeia é ser perfeito como Ele é perfeito. A perfeição deste amor e ódio é a perfeição moral. — *George Harpur*

v. 7: "Por isso". Observe como é habitual imputar a exaltação de Jesus aos seus méritos. Deus o abençoou para sempre, como no versículo 2 deste salmo (se esse for o sentido do versículo), porque Ele era mais formoso do que os filhos dos homens e a graça se derramara nos seus lábios. O mesmo faz o apóstolo. Deus exaltou Jesus sobremaneira e lhe deu um nome acima de todo nome, porque Ele se humilhara e fora obediente até a morte. E neste versículo, Deus o ungiu com óleo de alegria, mais do que os seus companheiros, porque Jesus amava a justiça e aborrecia ou odiava a impiedade. — *George Harpur*

v. 7: "Por isso". Ele não diz: "Por isso, Deus te ungiu para que fosses Deus, ou Rei, ou Filho, ou Palavra", pois isso Jesus já era antes e será para sempre, como foi mostrado, mas diz: "Considerando que Tu és Deus e Rei, por isso Tu foste ungido, já que ninguém senão Tu podias unir o homem ao Espírito Santo, Tu a imagem do Pai, na qual fomos feitos no princípio, pois teu é até o Espírito". — *Atanásio*

v. 7: "Por isso, Deus, o teu Deus". Deus era o Deus de Jesus na aliança, para que Ele fosse o nosso Deus na aliança, pois nos seus procedimentos, o Cristo todo, Cabeça e membros, tem de ser considerado (Gl 3.16; 1Co 12.12), a aliança sendo tratada primeiro com a Cabeça (que nos é dada por aliança, Isaías 42.6), e depois com os membros, com Ele em referência a nós e por nós. Como Deus não falhou com o nosso Fiador, mas o apoiou no grande conflito, quando das profundezas Ele o chamou para si, assim Deus não nos abandonará em tempos de necessidade (Hb 4.16; 13.5,6). — *William Troughton, 1656*

v. 7: "Por isso, Deus, o teu Deus, te ungiu com óleo de alegria, mais do que a teus companheiros", ou seja, Ele te enriqueceu e te encheu de maneira singular e peculiar com a plenitude do Espírito, por meio do qual Tu és consagrado ao teu ofício e por cuja razão Tu brilhas mais e sobressais mais do que todos os santos que são os teus "companheiros" ou coparceiros nestas graças. De forma que nessas palavras você tem duas partes, a saber, primeiro, a dignidade dos santos, e depois a preeminência de Cristo.

(1) A dignidade dos santos - significa que eles são "companheiros" de Cristo. A palavra hebraica מֵחֲבֵרֶיךָ é muito ampla e copiosa, podendo ser traduzida por "cônjuges", "colegas", "sócios", "participantes", "parceiros" ou, como foi traduzida neste versículo, "companheiros", isto é, eles são participantes com Jesus na unção do Espírito, que segundo a medida de cada um deles recebem o mesmo Espírito, sendo todo cristão ungido, *modo sibi proportionato*, com a mesma graça e digno dos mesmos títulos (1Jo 2.27; Ap 1.6). Cristo e os santos estão em comum uns com os outros. O Espírito de santidade habita em Jesus? Então também habita neles. Cristo é Rei e Sacerdote? Ora, assim são eles também pela graça da união com Cristo. Ele "nos fez reis e sacerdotes para Deus e seu Pai". Esta é a dignidade dos santos: ser companheiros, sócios ou parceiros de Jesus, de forma que seja qual for a graça ou excelência que está em Cristo, não fica restrita para si, mas os santos tomam parte com Ele. Verdadeiramente, Cristo foi cheio da plenitude do Espírito por amor e para benefício deles. Como o Sol é cheio de luz não para brilhar para si mesmo, mas para os outros, assim é Jesus em relação à graça. Certos estudiosos traduzem o texto não por *prae consortibus*, "mais do que a teus companheiros", mas por *propter consortes*, "por teus companheiros" (Rivetus), fazendo de Cristo o primeiro receptáculo da graça, o primeiro e instantaneamente cheio da fonte da divindade, mas é *para* o seu povo que recebe e deriva dEle tudo segundo a proporção de cada um. Esta é a grande verdade. A dignidade dos santos está principalmente na sociedade com Cristo, embora a tradução, "mais do que a teus companheiros" se ajuste melhor à importância da palavra e ao âmbito do lugar.

(2) Então, seja qual for a dignidade designada nisto para os santos, há, e ainda haverá uma preeminência reconhecida e atribuída a Cristo. Se eles são ungidos com o espírito de graça, Cristo é muito mais abundantemente: "Deus, o teu Deus, te ungiu com óleo de alegria, mais do que a teus companheiros". — *John Flavel*

v. 7: "Óleo de alegria". O óleo era usado para perfume como também para embelezar o rosto em ocasiões festivas e alegres (Sl 23.5; 104.15; Is 61.3). Da mesma forma, este óleo da consagração e infusão dos dons do Espírito Santo é a causa e fundamentação para a natureza humana obter a alegria e glória perpétuas de Cristo (Fl 2.9; Hb 12.2). — *John Diodati*

v. 7: Vejam, arianos, e reconheçam a verdade até mesmo por isso. O salmista fala que todos nós somos "companheiros" ou participantes do Senhor, mas fosse Ele uma das coisas que vem do nada e das coisas geradas, o próprio Cristo seria um dos que participam. Mas, visto que cantou hinos sobre Jesus como o Deus eterno, dizendo: "O teu trono, ó Deus, é eterno e perpétuo" (v. 6), e declarou que todas as outras coisas participam dEle, que conclusão temos de tirar, senão que Cristo é distinto das coisas geradas e é a Palavra, a Majestade e a Sabedoria unicamente genuínas do Pai, em que todas as coisas geradas participam, sendo santificadas por Ele no Espírito? Aqui, Cristo não é ungido para tornar-se Deus, porque Ele já era há muito, nem para tornar-se Rei, porque Ele já tinha o Reino eternamente, existindo como a imagem de Deus, como mostra o oráculo sacro. Mas está escrito em nosso benefício. Para os reis israelitas, ao serem ungidos eles se tornavam reis, não sendo assim antes como foi com Davi, Ezequias, Josias e os demais. Mas o Salvador, pelo contrário, sendo Deus, sempre governando no Reino do Pai e sendo Ele mesmo o dispensador do Espírito Santo, é ungido para que, como antes, sendo homem ungido com o Espírito, pudesse prover para nós não só exaltação e ressurreição, mas também habitação e intimidade do Espírito. [...] Quando Jesus recebeu o Espírito, nós é que fomos feitos os seus recebedores. Além disso, e por isso, não como Arão, ou Davi ou os demais que Ele foi ungido com óleo, mas de outra maneira, mais do que a seus companheiros, "com óleo de alegria", que Ele próprio interpreta ser o Espírito quando diz pelo profeta: "O Espírito do Senhor Jeová está sobre mim, porque o Senhor me ungiu" (Is 61.1), como também o apóstolo disse: "Como Deus ungiu a Jesus de Nazaré com o Espírito Santo" (At 10.38). — *Atanásio*

v. 8: "Todas as tuas vestes cheiram a mirra, a aloés e a cássia, desde os palácios de marfim de onde te alegram". Embora haja considerável obscuridade pendente nessas palavras, a ideia geral de plenitude superabundante de unção é bastante aparente, justaposta, porém, com a outra ideia de que o óleo ou unguento da unção é da mais primorosa qualidade. Mirra, aloés e cássia eram valorizados por sua fragrância peculiar, sendo essa a razão de serem usados na composição dos mais primorosos unguentos. Êxodo 30.23,24 menciona mirra e cássia como dois dos ingredientes que entravam na composição do santo óleo da unção. Todos os ingredientes da composição eram considerados sagrados. Os israelitas eram proibidos de derramá-lo na carne humana, ou de fabricar uma imitação desse óleo para uso como perfume pessoal. O marfim era nos tempos antigos, como ainda é hoje, raro e caro, sendo altamente valorizado como material para decoração de ambientes, em que se viam o mais fino acabamento e a mais alta despesa. Nos palácios de marfim, em correspondência com a magnificência da estrutura, esperava-se que o gasto com a mobília e o unguento empregado para a unção fossem do mais rico perfume e na maior profusão. De acordo com a tradução do salmo, o Salvador divino é ungido com o óleo do mais excelente tipo, óleo tirado dos palácios de marfim, e ungido também com quantidade de óleo muito acima do habitual. A unção não estava limitada a algumas gotas cerimoniais derramadas na cabeça, mas era tão abundante que todas as suas vestes ficaram cheirando a mirra, aloés e cássia.

O bispo Horsley propôs uma mudança na tradução para dizer que a ideia de abundância está ligada não com a fragrância que surge da unção, mas com a própria unção, que é uma coisa diferente e muito mais importante: "As tuas vestes são toda mirra, aloés e cássia, sobrepujando os palácios de marfim, sobrepujando os que se alegram em ti". Esta tradução, que é tão estritamente literal como também poética, é ao mesmo tempo comparativamente livre de ambiguidade e apresenta visivelmente, sob a mais expressiva imaginação, a medida sobrepujante da unção que foi conferida em nosso Senhor mais do que a todos os seus companheiros. Supõe-se que as suas vestes não só foram todas abundantemente perfumadas ou até mesmo completamente saturadas com o óleo de alegria, mas também foram compostos com os mesmos ingredientes que entraram na composição do mais precioso e aromático unguento. "Todas as tuas vestes cheiram a mirra, a aloés e a cássia." Esta é uma linguagem figurativa, mas não há nada que mostre mais enfaticamente a veracidade de que "o Espírito veio sobre Jesus e pousou sobre Ele" em toda a plenitude dos dons divinos. Essa unção divina fazia vez, por assim dizer, das suas vestes, "sobrepujando" na quantidade ou medida da unção "os palácios de marfim", porque as mobílias, por mais que fossem altamente perfumadas, não foram fabricadas com materiais aromáticos. A força do perfume evapora, e a fragrância logo diminui. Mas fragrância permanente como também abundante são asseguradas àquele cujas "vestes cheiram a mirra, a aloés e a cássia". A tradução proposta finaliza, à guisa de paralelismo, "sobrepujando os que se alegram em ti" ("de onde te alegram"). Dizer que as pessoas aqui aludidas são os ocupantes dos palácios de marfim seria objetado, talvez, como imaginação extravagante. Mas os palácios são as moradas dos reis. Os reis ungidos literalmente, tipicamente ou espiritualmente, são companheiros do Ungido do Senhor. Parece-me claro que como a unção causa alegria e felicidade a todas as partes envolvidas, assim há igualmente uma unção daqueles que são honrados em serem os seus companheiros que causa alegria e felicidade para Ele. Não há razão para considerarmos que os indivíduos que neste versículo dão alegria a Cristo não sejam os mesmos citados no versículo anterior como seus "companheiros". Sendo assim, temos uma comparação entre um e outro na questão da unção, sendo atribuída à unção de Cristo uma clara superioridade. — *David Pitcairn, "The Anointed Saviour" [O Salvador Ungido], 1846*

v. 8: "Todas as tuas vestes cheiram a mirra, a aloés e a cássia, desde os palácios de marfim de onde te alegram". Essas coisas são verdades em Jesus. As vestes significam a justiça, pois está escrito: Ele se vestiu de justiça e zelo. Aqui, o tradutor traduziu por "cheiram" o que deveria ter sido traduzido por "são", pois "todas as tuas vestes *são* mirra, aloés e cássia", quer dizer, são verdadeiramente purificadoras, limpadoras e restauradoras, porquanto a sua justiça, que é a justiça da fé, limpa o coração dos cristãos, ao passo que, a justiça dos homens, que é a justiça das obras, suja os hipócritas. "Os palácios de marfim" são a verdadeira fé e temor de Deus, uma vez que o marfim é sólido e branco, e os palácios são as casas do rei. Por Cristo somos feitos reis e a nossa habitação é na fé e temor de Deus. Essa é a alegria e felicidade do nosso Senhor Jesus: Ele levar muitos filhos e filhas a Deus. — *Richard Coore, 1683*

v. 8: "Desde os palácios de marfim de onde te alegram". Os comentaristas se confundem em explicar essas palavras mais do que outra parte do salmo. Para poupá-lo das várias exposições propostas, lhe darei o que concebo ser o significado da passagem. A palavra hebraica traduzida por "de onde" também é o nome de uma região na Arábia Félix, qual seja, Mini, onde, de acordo com o geógrafo Estrabão, "abundavam mirra e olíbano". É singular que, de acordo com o historiador Diodoro Sículo, "os habitantes da Arábia Félix tinham casas suntuosas, adornadas com marfim e pedras preciosas". Reunindo essas duas informações, ou seja, que essa região abundava mirra e olíbano, e que os seus habitantes adornavam as casas com marfim, podemos, imagino, achar uma pista ao que o salmista quis dizer. Se colocarmos "Mini" em "de onde" a passagem ficará assim:

Mirra, aloés e cássia são todas as tuas vestes
Dos palácios de marfim de Mini eles te alegram

Você lembrará que no versículo anterior o óleo com que Jesus foi ungido é chamado de óleo de "alegria". De forma correspondente, este versículo diz que eles o alegram (é a mesma palavra em ambos os lugares no original hebraico), pelas especiarias com as quais o óleo é composto. Essas especiarias eram extraídas da região mais profícua em especiarias da terra das especiarias, estando implícito que são as melhores especiarias da região das especiarias. "Desde os palácios de marfim", diz o salmista, não só casas, mas palácios — as mansões dos grandes, onde as melhores especiarias seriam guardadas naturalmente —, desde ali vieram a mirra, o aloés e a cássia, que compõem o óleo de alegria por meio do qual ele se alegra. Deus ungiu Cristo, quando Ele o entronizou no trono eterno com o óleo de alegria.

Essa unção foi tão profusa, as vestes ficaram tão encharcadas de óleo, que pareciam que eram nada mais que mirra, aloés e cássia. Além disso, as especiarias, com as quais o óleo ungido foi composto, eram do melhor tipo, trazidas, como foram, dos palácios de marfim de Mini. Esse é o significado que o salmista quer dar. Quando compreendemos assim, a passagem fica lindamente expressiva da excelência e provisão sem medida dos dons e graças daquele Espírito com que Cristo foi ungido pelo Pai. — *George Harpur*

v. 8: "Os palácios de marfim". *As cortes de marfim.* Eram chamados assim, por causa da grande quantidade de marfim usada na decoração e acabamento, como o palácio do imperador Nero, mencionado por Suetônio, era chamado de "áureo" ou "dourado", porque era *lita auro*, "revestido de ouro". Esse método de decorar ou revestir ambientes era muito antigo entre os gregos. Homero, no quarto livro de Odisseia, cita que esse método foi empregado no palácio de Menelau, em Lacedomônia. Horácio e Ovídio deixam evidente que os romanos, às vezes, decoravam os seus aposentos assim. Nos dias atuais, certa testemunha ocular contou que o apartamento de inverno da bela Fátima, em Constantinopla, era "revestido com painéis decorativos de madrepérola, marfim de diferentes cores e madeira de oliveira". O marfim é empregado igualmente em Alepo, como Russell nos informa sobre a decoração de alguns dos apartamentos mais caros. — *Richard Mant*

v. 8: "Os palácios de marfim". Eram edifícios (1 Rs 22.39; Ct 7.13) ou cofres e guarda-roupas de marfim, onde se guardavam ou tiravam roupas. — *Westminster Assembly's Annotations [Anotações da Assembleia de Westminster], 1651*

v. 8: "Desde os palácios de marfim de onde te alegram". O melhor sentido da frase: "De onde te alegram", é fazer com que se refiram às filhas do rei mencionadas no versículo seguinte. — *William S. Plumer*

v. 8: Gesenius e Delitzsch entendem que a palavra מִנִּי é uma forma abreviada da palavra plural מִנִּים (Sl 150.4), que significa "cordas" ou "instrumentos de cordas", sendo traduzida assim: "De palácios de marfim ressoam instrumentos de cordas que te alegram" (ARA). — *Dalman Hapstone [Ewald e Lange concordam com esta tradução. — J. L. K.]*

v. 9: "As filhas dos reis". A igreja composta de convertidos verdadeiros ou santos fiéis é a única e verdadeira esposa de Cristo. As igrejas locais compostas de santos por chamada, por obrigação, por confissão e por avaliação comum são muitas por si próprias ou por outros.

A verdadeira igreja formada por convertidos verdadeiros (cujo louvor é de Deus, por quem só elas são conhecidas e não pelos homens), sendo senão uma, é comparada à rainha. As igrejas locais, cujas reuniões e congregações são conhecidas pelos homens, ainda que muitas, são comparadas às damas de honra que servem a rainha. — *David Dickson*

v. 9: "A rainha". Dizem que a imperatriz Matilda era a filha de um rei, a mãe de um rei e a esposa de um rei.

Ortu magna, viro major, sed maxima prole
Hic jacet Henrici filia, nupia, parens

Davi dá a entender neste hino que a igreja é a filha de um Rei: "A filha do rei é toda ilustre no seu palácio" (v. 13), a mãe de um Rei: "Em lugar de teus pais será a teus filhos que farás príncipes sobre toda a terra" (v. 16), e a esposa de um Rei: "À tua direita estava a rainha" (v. 9), sendo, por assim dizer (falo na língua de Canaã), espiritualmente a esposa casada com o rei da glória. — *John Boys v. 10:* "Esquece-te do teu povo e da casa de teu pai". Há três coisas que espero que você abra a mão totalmente, disse Jesus:

(1) Todas as concupiscências pecaminosas, todos os procedimentos do velho Adão, a casa do nosso pai. Desde a apostasia de Adão, Deus e o homem têm casas separadas. Desde então, a casa do nosso pai é uma casa de procedimentos maus, uma casa de pecado e impiedade. (2) Todos os benefícios mundanos: "Se alguém vier a mim e não aborrecer a seu pai, e mãe, e mulher, e filhos, e irmãos, e irmãs, e ainda também a sua própria vida, não pode ser meu discípulo" (Lc 14.26). Aquele que tem todos esses benefícios deve estar pronto a separar-se de tudo. Eles estão unidos não disjuntivamente, mas copulativamente. (3) Todo o eu próprio, a vontade própria, a justiça própria, a autossuficiência, a autoconfiança e autointeresse. — *Lewis Stuckley, 1687*

v. 10: "Esquece-te do teu povo e da casa de teu pai". Se você vê uma abelha deixar uma flor bonita e pousar em outra, você conclui que ela achou uma substância mais adocicada na flor que acabara de encontrar. Assim o povo de Deus nunca deixaria tantas belas flores do jardim do mundo, não houvesse outra na qual achassem a maior doçura. Jesus tem um jardim ao qual Ele leva a amada igreja. Ali, ela acha outras espécies de flores que o mundo não tem, nas quais há doçura da mais sublime natureza, até mesmo a substância adocicada da seleta misericórdia, bondade e bênção do próprio Deus. Se o povo de Deus abandona os peitos cheios do mundo, é porque acharam os peitos da consolação, dos quais sugam uma espécie de doçura que os peitos do mundo não oferecem. — *Jeremiah Burroughs, 1599-1646, "Moses, His Self-Denyall" [Moisés, a Sua Renúncia], 1649*

v. 10: "Esquece-te". Se você está no monte, não tenha amor para olhar para trás para Sodoma (Gn 19.26). Se você está na arca, não volte correndo para o mundo, como fez o corvo (Gn 8.7). Se você está morando em Canaã, esqueça as panelas de carne do Egito (Êx 16.3). Se você está marchando contra Midiã, esqueça-se de abaixar-se de joelhos para beber as águas de Harode (Jz 7.1-7). Se você está sobre o telhado, esqueça-se do que está no andar de baixo (Mc 13.15). Se as mãos estão no arado, esqueça-se do que está atrás de você (Lc 9.62). Temístocles preferia aprender a arte do esquecimento à arte da lembrança. A filosofia é a arte de lembrar, e a divindade insere nela a arte de esquecer. A primeira lição que Sócrates ensinou aos discípulos foi: *Lembrem*, porque ele pensava que o conhecimento era nada mais que do lembrar-se das coisas que a mente já sabia antes que o corpo soubesse. Mas a primeira lição que Cristo ensinou aos discípulos foi: *Esqueçam*: "Esquece-te do teu povo", "Arrependei-vos" (Mt 4.17); primeiro, "aparte-se do mal" (1 Pe 3.11). — *Thomas Adams*

v. 11: "Então, o rei se afeiçoará à tua formosura". Essa é a mais doce promessa. O Espírito Santo sabe que este monstro, o monge, se agarra firmemente em nosso coração — para que sejamos puros e sem mancha diante de Deus. Assim, sob o papismo, era esta toda a minha tentação. Eu dizia: "Para que eu vá de boa vontade para o sacramento se eu fosse ao menos digno". Assim buscamos, naturalmente, uma pureza em nós mesmos. Examinamos a nossa vida inteira e desejamos achar uma pureza em nós mesmos, para que não precisemos da graça, mas sejamos pronunciados justos com base em mérito próprio. [...] Você certamente nunca se torna justo por você mesmo e por obras próprias. [...] O Espírito Santo disse: Eu te darei bons conselhos. Se me ouvires, tu te tornarás uma pessoa virgem e formosa. Mas se você não for formoso aos olhos de Deus, de forma que todas as suas obras o agradem e Ele diga: "A tua oração me agrada. Tudo que tu dizes, fazes e pensas me agrada!", passe, então, a dizer assim: "Ouvi, vê e inclina o teu ouvido", e você se tornará todo formoso. Quando você tiver ouvido, visto, esquecido toda a sua justiça própria, toda a Lei, todas as tradições e toda essa vida monástica, e tiver crido, então será formoso, não em sua própria formosura, mas na formosura do Rei, que o adornou com a Palavra dEle, porque Deus trouxe para você a justiça, santidade, verdade e fortaleza dEle, e todos os dons do Espírito Santo. [...] O Espírito Santo usa a mais exaltada linguagem: "Então, o rei se afeiçoará à tua formosura", quer dizer, você por essa fé prevalecerá sobre Ele para fazer o que quer que você deseje, de forma que, como exortado pelo poder do amor, Deus espontaneamente o seguirá você, permanecerá em você e fará morada com você. Sempre que Deus dá a sua Palavra, Ele não abandona a obra que começou em você. Primeiro, o Senhor permite que as tentações do mundo, do Diabo e da carne cheguem até você, pois é por elas que Ele trabalha na sua vida. Esses são os abraços com os quais Deus abraça o cônjuge pela impaciência do amor. [...] A suma é: A nossa formosura não consiste em virtudes, nem mesmo nos dons que recebemos de Deus, pelos quais produzimos as virtudes e fazemos todas as coisas que pertencem à vida da Lei. Mas consiste em temer a Cristo e crer nEle. É então que somos verdadeiramente formosos e é só essa formosura que Cristo procura e não outra. — *Martinho Lutero*

v. 11: Neste salmo, Jesus se apresenta em toda a sua realeza e majestade, mas está escrito que "o rei se afeiçoará à [...] formosura" da rainha, quer dizer, à graça dos santos. Não é uma afeição comum, mas uma grande afeição. A afeição do Rei aumenta de acordo com a beleza da rainha. Esse ponto foi apresentado como motivo para ela ser ainda mais santa e condescendida a Ele: "Ouve, filha, e olha, e inclina teus ouvidos; esquece-te do teu povo e da casa de teu pai. Então, o rei se afeiçoará à tua formosura" (vv. 10,11). Cristo tem uma formosura que o afeiçoa, como também nós temos, embora seja de outro tipo. Então, não pare até que Ele tire toda ruga e mancha do rosto da esposa, como fala o apóstolo em Efésios 5.27, "para a apresentar a si mesmo igreja gloriosa", quer dizer, aprazível e agradável aos seus olhos. — *Thomas Goodwin*

v. 12: "E a filha de Tiro estará ali com presentes". As filhas de Tiro são as filhas dos gentios, a parte representando o todo. Tiro, uma cidade que faz fronteira com o país onde a profecia foi entregue, tipificava as nações que tinham de crer em Cristo. Foi de onde veio a mulher cananeia, que a princípio foi chamada de *cachorrinho*, como diz o evangelho: "E, partindo Jesus dali, foi para as partes de Tiro e de Sidom. E eis que uma mulher cananeia, que saíra daquelas cercanias" (Mt 15.21-28), com todo o restante do texto ali relatado.

Ela que, a princípio, na casa do seu pai e entre o seu povo, era apenas um cachorrinho, que, indo e chorando após esse Rei, se tornou formosa ao crer nEle, o que ela conseguiu ouvir? "Ó mulher, grande é a tua fé", em outras palavras: o Rei se afeiçoou à tua formosura. — *Agostinho*

v. 12: "Com presentes". Aquele que vendia sua propriedade ia com o presente implorar a face desta "rainha", e o depositava aos pés dos apóstolos (At 4.37). O amor na igreja era quente. — *Agostinho*

v. 12: "Os ricos". Eles são, realmente, ricos na graça, cuja graça não é impedida pelas riquezas, cuja alma prospera quando o corpo prospera, como o apóstolo João fala na sua terceira Epístola. Ou são aqueles que, como está profetizado neste versículo, estando cheio das bênçãos terrenas, ainda tem fome e sede em sua busca de Cristo. "E a filha de Tiro estará ali com presentes; os ricos do povo suplicarão o teu favor", disse o salmista. Isso significa, ou o favor do próprio Cristo, ou o favor da igreja, por causa da excelência espiritual e glória interior que ela recebeu de Cristo. Ver os ricos levando presentes e — esse é o principal ponto indicado aqui — entregando-se a Cristo, é uma visão rara e uma notável obra da graça. — *Joseph Caryl*

v. 13: "A filha do rei é toda ilustre no seu palácio; as suas vestes são de ouro tecido". Quando os filhos de Deus lembram a sua linhagem gloriosa e divina, eles se empenham em sobrepujar os outros, tanto na maravilhosa disposição de alma quanto no modo de vida. "A filha do rei", quer dizer, a filha do Pai celeste, que também é a Noiva do filho do Rei. Toda alma crente "é toda ilustre", adornada com uma santidade não só gloriosa para ela, mas também para o Pai e o Noivo, e é o começo de uma glória celeste. Isso se dá principalmente "no" interior do palácio, não só quando filha do Pai celeste está fora e se apresenta para ser vista pelos homens, mas também quando ela se assenta no quarto interno para os exercícios secretos da religião. É quando ela em particular agrada o Pai e o Noivo, que, levando em consideração o homem interior, ela acima de todos os esforços procura mantê-lo puro e casto. A sua roupa é de "ouro", em cuja comparação qualquer qualidade superior que os homens naturais possuíam, é apenas um vazio ofuscante. Não somente isso, mas a roupa era "de ouro tecido", singularmente embelezado com diversas coisas semelhantes que representam as perfeições do próprio Deus. A roupa era de cores diferentes, por causa das graças diferentes, mas harmoniosamente correspondentes do Espírito Santo. Ou a roupa era bordada pelos bordadores de frígios, ou antes, se tratava do trabalho de trabalhadores peritos mencionados em Cantares 7.1. A esposa é formosa não apenas interiormente, mas também exteriormente. "Retendo a palavra da vida" (Fp 2.16), ela pratica caridade, glorifica Cristo, edifica o próximo e, desta maneira, é levada ao Rei, digna de ser apresentada a Ele. Esse é o único modo pelo qual temos de nos empenhar em ser íntimos com Ele e ter o mais doce relacionamento do mais puro amor, tanto na terra quanto no céu. — *Hermann Witsius, 1636-1708*

v. 13: "A filha do rei é toda ilustre no seu palácio". O significado é:

(1) Ou a sua grande glória consistia em ser admitida nessa privacidade familiar com o rei.

(2) Ou quando ela se sentava nos quartos íntimos do palácio do Rei, ela estava na sua maior glória, porque esses quartos eram apresentados muito vistosamente com todos os tipos de esplendor e mobília gloriosa.

(3) Ou ela estava gloriosamente vestida, não só quando se apresentava em público, mas também quando estava no interior do palácio, por estar verdadeiramente adornada (o que pode estar implícito) só para o deleite do Rei, e não para ser contemplada pelos outros.

(4) Ou — e esta é a melhor opção — as virtudes e dons interiores da sua mente eram os seus maiores ornamento e glória. — *Arthur Jackson*

v. 13: "Toda ilustre no seu palácio". Os santos têm de brilhar pela beleza de Cristo, como um marido gracioso trabalha para mudar a esposa à sua imagem e semelhança por meio de bom tratamento, preceito e exemplo, para que ele tenha mais prazer na sua pessoa. Assim, o nosso Salomão espiritual muda a cor da rainha egípcia para que ela considere as coisas e pessoas como o seu Senhor e marido julgar. Ele também ajusta o espírito dela para que ela desfrute em fazer a vontade e prazer dEle e receba o mais alto consolo na obediência. Desta forma, ela goza da liberdade celeste, misturada com reverência de amor e alegria. Ele tira do coração dela todas as emoções mutáveis e fantasias mundanas. Os ardentes desejos dos costumes tolos de Siquém, todas as inclinações carnais pela linhagem das filhas de Canaã e todos os pobres temperamentos do mundo enlouquecido, a fim de ignorar com um desprezo santo todo o esplendor desprezível desta vida maldita e passageira, passando a ter uma estimativa certa das bugigangas e ninharias que encantam o coração carnal. Por fim, ela chega a um julgamento nobre e generoso, considerando tudo senão esterco e escória para que ela possa ganhar a Cristo. Como o Príncipe da vida foi crucificado pelo mundo para que ela fosse redimida, assim ela começa a ser crucificada para o mundo em símbolo de conformidade ao Príncipe da vida e, por fim, ela se torna "toda ilustre". — *Samuel Lee, "The Triumph of Mercy" [O Triunfo da Misericórdia], 1676 v. 13:* "Interior" (ARA). A arca foi pintada por dentro e por fora com o mesmo piche. Assim, o homem sincero por dentro e por fora é igual, por dentro e por fora é uma coisa só. Ele é bem melhor do que aparenta, como "a filha do rei", que no exterior, às vezes, estava com pano de saco, mas interiormente era "toda ilustre no seu palácio; as suas vestes são de ouro tecido". Ou como o Templo, exteriormente só se via madeira e pedra, mas interiormente era todo rico e bonito, especialmente o *sanctum sanctorum* (quando o véu foi tirado) era todo de ouro. O próprio chão como também o telhado eram revestidos de ouro (1 Rs 6.30). — *John Sheffield*

v. 13: "As suas vestes são de ouro tecido". Certos comentaristas entendem que as vestes eram bordadas com fios de ouro, ou rematadas com ouro, esmaltadas de ouro, incrustadas com pedras preciosas, que eram excessivamente esplêndidas e gloriosas. Assim eram as roupas de serviço no Tabernáculo, e as vestes e mantos do sumo sacerdote, que prenunciavam a justiça de Cristo (Êx 28.11-14; Êx 39.1-6). — *William Troughton*

v. 13: Por esta época, o padre La Combe foi chamado a pregar em certa ocasião pública. A nova doutrina, como era chamada, não era um segredo absoluto. A curiosidade pública fora excitada. Por texto, ele escolheu a passagem do Salmo 45.13: "A filha do rei é toda ilustre no seu palácio; as suas vestes são de ouro tecido". Por Rei, ele entendeu que era Jesus, pela filha do rei, a igreja. A doutrina era, seja qual for a verdade em relação à depravação original dos homens, que aqueles que são verdadeiramente dados a Cristo e estão em perfeita harmonia com Ele, são libertos dessa depravação, quer dizer, são todos ilustres interiormente. Como Cristo, eles amam a Deus com um amor livre de egoísmo, com um puro amor. Como Cristo, eles fazem a vontade do Pai. Cristo é formado neles. Eles não só têm fé em Cristo, e fé em Deus por meio de Cristo, mas, em consequência desta fé, eles têm a disposição de Cristo. Agora estão em posição para dizer individualmente sobre si mesmos, nas palavras do apóstolo Paulo: "Vivo, não mais eu, mas Cristo vive em mim" (Gl 2.20). Ele não sustenta que todos os cristãos sejam necessariamente os objetos deste estado avançado da experiência cristã, mas se esforçou para mostrar que esse é um estado possível, por mais intensa que seja a depravação humana, a graça de Deus tem poder para vencê-la, que o exemplo de Cristo, as suas promessas plenas e ricas, e até mesmo os mandamentos dão encorajamento aos esforços e confiança na vitória última. — *Extraído de "Life, Religious Opinions and Experiences of Madame de la Mothe Guyon" [Vida, Opiniões Religiosas e Experiências de Madame Guyon]*

v. 14: "As virgens que a acompanham a trarão a ti". O crente mais sublime e mais excelente não pode dizer: *Eu não preciso de ti.* A rainha nada é sem as suas verdadeiras companheiras. Como é no corpo natural, assim é na igreja ou corpo místico de Cristo: "Do qual todo o corpo, bem ajustado e ligado pelo auxílio de todas as juntas, segundo a justa operação de cada parte, faz o aumento do corpo, para sua edificação em amor" (Ef 4.16; Cl 2.19). — *William Troughton*

v. 14: "As virgens que a acompanham". Trata-se de membros da igreja, mas a figura de um séquito nupcial é empregada para sustentar a alegoria. Que séquito esplendoroso a Noiva do Rei terá quando sair ao encontro do Noivo. As filhas dos reis estarão lá, pois toda cabeça coroada na terra um dia se inclinará ao pé da cruz. A filha de Tiro estará lá — Tiro, o antigo empório das nações —, para mostrar que a mercadoria do mundo seja santidade ao Senhor. Os reis de Sabá e Sebá oferecerão presentes. Judeus e gentios estarão lá — os representantes de todos os povos, línguas e nações. São "virgens". Mantêm-se sem a mancha do mundo. Foram desapegados dos ídolos. Temem as contaminações idolátricas. O primeiro cuidado é preservar a brancura da alma lavando-a diariamente no sangue do Cordeiro. [...]

"Acompanham" a Noiva do Rei. Ficam ao seu lado em tempos de tempestade e em tempos de sol. Acompanham-na na regeneração. Acompanham-na na busca do Amado (Ct 3.2,3). Acompanham-na aos pastos verdejantes e às águas tranquilas. Acompanham-na para fora do arraial, levado o seu vitupério (Hb 1.3). Como fez Rute, deixam pai e mãe para acompanhá-la (Rt 1.16). Como Calebe, acompanham o Senhor completamente. Quando chegam os problemas e a chamada "quem é do Senhor, venha a mim" (Êx 32.26) envolve sérias questões, fazendo os falsos crentes fugirem como andorinhas antes da tempestade, elas a acompanham. Quando a perseguição vem, e as fiéis testemunhas de Cristo têm de profetizar vestidas com pano de saco, e talvez passar por um batismo de sangue para receber a coroa, elas a acompanham. Como Alexander Peden que, estando sob perseguição dos cães de caça e nada havendo à frente senão um pântano solitário, lembrou-se de Richard Cameron que foi para a glória e, desejando muito, disse: "Oh, vou estar com Richie!" — *Duncan Macgregor, Mestre em Ciências Humanas, "The Shepherd of Israel; or Illustrations of the Inner Life" [O Pastor de Israel; ou Ilustrações da Vida Interior], 1869*

v. 15: "Com alegria e regozijo serão trazidas". Nenhum casamento jamais se realizou com essa solenidade triunfal como o casamento que Cristo e os crentes terão no céu. Entre os judeus, a casa de casamento se chamava *bethillulah*, "a casa de louvor". Havia alegria em todas as mãos, mas não como a alegria que haverá no céu quando os crentes, a esposa de Cristo forem levados para lá. Deus, o Pai, se alegrará em ver a concretização e consumação santa desse desígnio e projeto glorioso do seu amor. Jesus Cristo, o Noivo, se alegrará em ver o trabalho da sua alma, o bendito nascimento e prole de todas as suas dores e agonias (Is 53.11). O Espírito Santo se alegrará em ver o complemento e perfeição desse desígnio santificador que foi entregue às suas mãos (2 Co 5.5). Ver as almas que outrora Ele viu como pedras ásperas, mas agora brilham como pedras polidas do templo espiritual. Os anjos se alegrarão. Grande foi a alegria quando foi lançada a pedra fundamental deste desígnio, na encarnação de Cristo (Lc 2.13). Grande, então, tem de ser a alegria quando a pedra de arremate for fixada com brado e clamor: Graça, graça. Os próprios santos se alegrarão de maneira indizível, quando eles entrarem no palácio do Rei e estiverem para sempre com o Senhor (1 Ts 4.17). De fato, haverá alegria em todas as mãos, exceto entre os demônios e os malditos, que rangerão os dentes com inveja por causa do avanço e glória eterna dos crentes. — *John Flavel*

v. 15: "Serão trazidas". Leitor! Não deixe de observar a maneira da expressão: a igreja é *trazida*, ela não vai por si mesma. Não, ela tem de ser convencida, convertida e tornada propensa. Ninguém pode ir a Jesus, se o Pai, que enviou Jesus, não o trouxer (Jo 6.44). — *Robert Hawker, Doutor em Teologia*

v. 15: "Elas entrarão no palácio do rei". Há dois palácios ricos mencionados neste salmo. Um é o palácio de marfim (v. 8), que significa as assembleias dos santos e as ordenanças do culto divino, nas quais o Senhor se manifesta com graça. Aqui, a presença do Senhor é doce e amável (Ct 1.8; Sl 84.2). O outro palácio é mencionado neste versículo, sendo um palácio de glória, um palácio mais brilhante e esplêndido do que o ouro mais fino, as mansões gloriosas (Jo 14.2). — *William Troughton*

v. 16: "Em lugar de teus pais será a teus filhos". Ó igreja de Deus, não pense que você foi abandonada, porque não vê Pedro nem Paulo — você não vê aqueles por quem você nasceu. Da sua descendência veio para você um corpo de "pais". — *Agostinho*

v. 16: "Filhos que farás príncipes sobre toda a terra". A nova conexão é gloriosa ao Rei. Muitos foram os antepassados gloriosos e reais até Jessé, mas agora nasceu a Jesus, ao Rei eterno, filhos como o orvalho do próprio seio da alva (Sl 110.3), que, como príncipes, ocuparão os tronos do mundo. Assim o nosso Senhor prometeu aos discípulos: "Em verdade vos digo que vós, que me seguistes, quando, na regeneração, o Filho do Homem se assentar no trono da sua glória, também vos assentareis sobre doze tronos, para julgar as doze tribos de Israel" (Mt 19.28). E Paulo diz: "Não sabeis vós que os santos hão de julgar o mundo?" (1 Co 6.2). — *Augustus F. Tholuck*

v. 16: "Príncipes sobre toda a terra". Os outros são príncipes apenas em seu próprio domínio, mas ele fará de vocês príncipes sobre todos os territórios da terra. [...] Tal reino você terá, se você receber a Cristo, então você terá a liberdade de reis, a abundância e fartura de reis, o poder de reis, a vitória de reis e a glória de reis. — *John Preston*

v. 17: "Pelo que os povos te louvarão eternamente". Cristo está esposando para si mesmo uma igreja. Está reunindo para ela, de século em século pela sua Palavra e Espírito almas convertidas, levando-as à comunhão da sua família e dando-lhes uma mente e emoções magníficas, onde quer que estejam vivendo, pois é uma grande porção de crescimento e glória perpétua à sua majestade. Em relação a esse ponto e ao que foi dito antes neste salmo, Ele adiciona à guisa de encerramento de tudo: "Pelo que os povos te louvarão eternamente". — *David Dickson*

v. 17: No texto hebraico, que é citado aqui, há uma partícula adicionada à palavra hebraica que significa *sempre*. Neste caso, denota uma eternidade apropriada, sem conclusão ou fim, e por causa disso foi traduzida por "eternamente" ("para todo o sempre", ARA). — *William Gouge, Doutor em Teologia, comentário sobre Hebreus 1.8*

v. 17: "Pelo que os povos te louvarão eternamente":

Quando a manhã doura os céus
O meu coração, despertando, clama
Louvado seja Jesus Cristo

Quando o sono nega o seu bálsamo
O meu espírito silencioso suspira
Louvado seja Jesus Cristo
Na felicidade eterna do céu
A tônica mais agradável é
Louvado seja Jesus Cristo

Para Deus a Palavra nas alturas
As hostes dos anjos clamam
Louvado seja Jesus Cristo

Ergam também, mortais
A voz em hinos de louvor
Louvado seja Jesus Cristo

Gire o amplo círculo da terra
Em notas alegres ressoe
Louvado seja Jesus Cristo

O ar, o mar e o céu
Do abismo às alturas respondam
Louvado seja Jesus Cristo

Seja esta minha vida aqui
O meu cântico divino
Louvado seja Jesus Cristo

Seja esta a canção eterna
Por todos os séculos por vir
Louvado seja Jesus Cristo
— *Traduzido por Edward Caswell, "Poems" [Poemas], 1861*

SUGESTÕES AOS PREGADORES

v. 1. No prefácio, o profeta enaltece o tema sobre o qual ele tratará, significando: (1) Que são palavras boas — boas, pois falam do Filho de Deus, que é o único que é bom. (2) Boas para nós, pois do casamento de Cristo com a igreja depende o nosso bem. — *William Nicholson* (Bispo)

v. 1. O caráter lido pela escrita do coração: (1) Quem verdadeiramente ama a Cristo é sincero: "O meu coração"? (2) Ele é homem de emoção. (3) Um homem de meditação santa. (4) Um homem de experiência: "Tenho feito". (5) Um homem que dá testemunho do seu Senhor.

v. 1. Três coisas indispensáveis para o ensino cristão: (1) Que as palavras sejam boas e digam respeito ao melhor de todos os assuntos: "No tocante ao rei". (2) Que a linguagem seja fluente como a pena: (a) Em parte, por natureza. (b) Em parte, por cultura. (c) Em parte, pelo Espírito de Deus. (3) Que o coração fique absorvido nisso: "O meu coração ferve". — *George Rogers*

v. 2. Em que aspectos Jesus é mais formoso do que o melhor dos homens.

v. 2. Jesus: (1) A sua pessoa. (2) O seu evangelho. (3) A plenitude da sua bênção.

v. 2. (1) Podemos e devemos louvar a Jesus Cristo. Os anjos louvam, Deus louva, as Escrituras louvam, os santos do Antigo e do Novo Testamento louvam, então também devemos louvar. É a obra dos céus começada na terra. (2) Pelo que devemos louvar a Jesus Cristo? (a) Pela sua formosura. A sabedoria é formosura? É justiça? É amor? É mansidão? Tudo isso se encontra nEle supremamente.

Todas as belezas humanas, todas as belezas divinas
Em nosso Redentor se encontram e brilham

(b) Pela sua graça. A graça de Deus está entesourada nEle.

(c) Pela sua bem-aventurança — de Deus e para sempre. — *George Rogers*

vv. 2 a 5. Esses versículos apresentam o Senhor Jesus: (1) Como o mais amável em si mesmo. (2) Como o grande predileto dos céus. (3) Como o vitorioso sobre os inimigos. — *Matthew Henry*

v. 3. A presença do capitão desejada pelo soldado: (1) É nossa honra. (2) É nosso prazer. (3) É nossa segurança. (4) É nossa força. (5) É nossa vitória. (6) É nossa recompensa.

vv. 3 a 5. A vitória do Messias foi predita e desejada. — *Sermão de Edward Payson*

v. 5. (1) As flechas da ira judicial são agudas, ou seja, afiadas. (2) As flechas da bondade providencial são mais afiadas ainda. (3) As flechas da graça dominante são as mais afiadas de todas. A aljava do Todo-Poderoso está cheia dessas flechas. — *George Rogers*

v. 5. Flechas: (1) O que são. (2) De quem são. (3) A quem atingem. (4) Onde atingem. (5) O que causam. (6) O que acontece depois.

v. 6. (1) O Deus, o Rei, o trono, a duração, o cetro. (2) Vamos cultuar, obedecer, confiar, consentir e regozijar.

vv. 6 e 7. (1) Império. (2) Eternidade. (3) Equidade. (4) Estabelecimento. (5) Exultação.

v. 7. "Aborreces a impiedade": (1) Jesus a aborreceu ou odiou quando na tentação ela o atacou. (2) Ele a odiou em outros. (3) Ele a denunciou. (4) Ele morreu para matá-la. (5) Ele virá para condená-la.

v. 7. O amor de Jesus e o ódio de Jesus.

v. 8. As vestes de Jesus: (1) Os seus ofícios. (2) As suas duas naturezas. (3) As suas ordenanças. (4) As suas honras — tudo está impregnado de fragrância.

v. 8. "De onde te alegram." Alegramos Jesus: (1) Com o nosso amor. (2) Com o nosso louvor. (3) Com o nosso serviço. (4) Com os nossos dons. (5) Com a nossa santidade. (6) Com a nossa comunhão com Ele.

v. 8. (1) O aroma das suas vestes, não de sangue e batalha, mas de doce perfume. (2) O esplendor dos seus palácios — de marfim por raridade, pureza, durabilidade. (3) A origem da sua alegria: (a) Ele mesmo, o doce aroma das suas próprias graças. (b) O seu povo, o aroma daqueles que são salvos. (c) Os seus inimigos: "e nos que se perdem" (2 Co 2.15). (d) Todas as criaturas felizes e santas que se unem para alegrá-lo. — *George Rogers*

v. 10. Jesus, o melhor Esposo. Ou: um convite sério para as jovens irem e verem Jesus. — *George Whitefield, "Sermon Preached to a Society of Young Women" [Sermão Pregado para uma Sociedade de Moças], em Fetter Lane*

vv. 9 e 10. (1) As conexões do Noivo são para lembrarmos. (2) As conexões da Noiva são para esquecermos.

v. 11. "Então, o rei se afeiçoará à tua formosura." Cristo se deleita com a beleza dos justos. — *Martinho Lutero [H. Cole, "Select Works" [Obras Seletas], vol. I, p. 281.]*

vv. 13 a 15. (1) O novo nome da Noiva: "A filha do rei". Ela é a filha do rei por duas razões: (a) Ela é nascida de Deus. (b) Ela é casada com o Filho de Deus. (2) O caráter da Noiva: "Toda ilustre": (a) Porque Cristo reina no trono do coração dela. (b) Porque ela é o templo do Espírito Santo. (3) As vestes da Noiva: "De ouro tecido", "bordadas", que são a justiça de Cristo. Em outras palavras: (a) A sua obediência perfeita. (b) A sua morte expiatória. (4) As companheiras da Noiva: "As virgens que a acompanham". (5) A ida ao lar celestial da Noiva: "Levá-la-ão ao rei com vestes bordadas. [...] Com alegria e regozijo serão trazidas; elas entrarão no palácio do rei" (vv. 14 e 15): (a) Ela verá o Rei na sua formosura. (b) Haverá uma declaração aberta do seu amor por ela diante de todos os mundos. — *Duncan Macgregor, Mestre em Ciências Humanas*

v. 14. (1) A apresentação da igreja a Cristo: (a) Quando a alma é levada pela primeira vez a Ele: "Porque vos tenho preparado para vos apresentar como uma virgem pura a um marido, a saber, a Cristo" (2 Co 11.2). (b) Quando a alma chega à presença dEle pela morte. (b) Quando a igreja aperfeiçoada é apresentada a Ele: "Para a apresentar a si mesmo igreja gloriosa, sem mácula, nem ruga, nem coisa semelhante, mas santa e irrepreensível" (Ef 5.27). (2) A maneira da apresentação da igreja a Cristo: (a) "Com vestes bordadas", como as que Ele mesmo preparou. (b) Com todas as pessoas que a seguem: 1. A pureza: "virgens". 2. As companhias: "que a acompanham". 3. A sucessão: "trarão a ti", de uma era para outra até que se completem. — *George Rogers*

v. 17. (1) Cristo é o prazer do Pai: *Eu* "farei lembrado o teu nome de geração em geração". (2) Cristo é o tema da igreja — o seu nome será lembrado. (3) Cristo é a glória do céu: "Os povos te louvarão eternamente". — *George Rogers*

SALMO 46

TÍTULO

Cântico sobre Alamote. Essa observação denota, talvez, que a música tinha de ser tocada em tom alto para a voz de soprano das virgens hebreias. Elas saíram dançando para cantar os louvores de Davi, quando ele matou Golias. Portanto, era natural que elas se alegrassem e jubilassem quando as vitórias do Senhor se tornassem o tema dos cânticos. Precisamos louvar a Deus com coração virgem, com alma reservada exclusivamente para o temor santo, com expressões vivas e exaltadas e melodias alegres. Ou quem sabe a palavra *alamote* diga respeito aos instrumentos de som estridente, como em 1 Crônicas 15.20, onde lemos que Zacarias, Eliabe, Benaia e outros citados tinham de louvar ao Senhor "com alaúdes, sobre Alamote". Não precisamos, por descuido, cantar e/ ou tocar sempre em uma mesma tonalidade, mas com inteligência temos de modular os nossos louvores e torná-los apropriadamente expressivos da ocasião e da alegria que gera em nossa alma. Não é possível interpretarmos com exatidão esses antigos termos musicais, mas ainda assim, são úteis porque mostram o cuidado e a habilidade que devemos dedicar à música sacra.

Para o cantor-mor. Quem soube cantar os outros salmos tão bem recebeu, merecidamente, mais essa nobre composição poética. As canções simples podem ser entregues a cantores comuns, contudo o mais hábil músico de Israel tinha de ser incumbido com a devida execução deste cântico, com as mais harmoniosas vozes e a mais seleta música.

Entre os filhos de Corá. Uma pessoa sozinha não podia executar o louvor. Tinham de haver coristas escolhidos sob a sua direção, cujo privilégio feliz seria celebrar o serviço de música na Casa do Senhor. Quanto à razão de terem sido escolhidos os filhos de Corá, veja as observações constantes no início do comentário sobre o Salmo 42. Podemos acrescentar que se tratava de uma divisão dos levitas que cumpriam turno no serviço do Templo. Todos os trabalhos do serviço santo não devem ser monopolizados por um grupo talentoso. Cada companhia de crentes deve desfrutar, no devido tempo, de tal privilégio. Ninguém deve ficar sem ter uma parte no serviço de Deus.

ASSUNTO

Independentemente dos acontecimentos, o povo do Senhor é feliz e está protegido. Essa é a doutrina do salmo. Para ajudar a memória, poderíamos intitulá-lo de *Cântico da Santa Confiança*, não fosse o grande amor do reformador por este hino que fala ao coração. Por isso, será mais bem lembrado por *Salmo de Lutero*.

DIVISÃO

O salmo, por autoridade inspirada, foi dividido em três partes, cada uma das quais terminando com a palavra "Selá".

EXPOSIÇÃO

1 *Deus é o nosso refúgio e fortaleza, socorro bem presente na angústia.*
2 *Pelo que não temeremos, ainda que a terra se mude, e ainda que os montes se transportem para o meio dos mares.*
3 *Ainda que as águas rujam e se perturbem, ainda que os montes se abalem pela sua braveza. (Selá)*

1. *"Deus é o nosso refúgio e fortaleza."* Não os nossos exércitos ou as nossas fortalezas. O orgulho de Israel está no Senhor, o único Deus vivo e verdadeiro. Outros se vangloriam nos seus castelos inexpugnáveis, situados em rochedos inacessíveis e protegidos com portas de ferro. Mas Deus é um refúgio muitíssimo melhor na hora do sofrimento do que todos esses. Quando chega o momento de entrar guerreando no território dos inimigos, o Senhor é de mais vantagem para o seu povo do que toda a bravura das legiões ou a força ostensiva de carros e cavalos. Soldados da cruz, lembrem-se disso, e considerem-se seguros, e façam-se fortes em Deus. Não se esqueçam da palavra possessiva pessoal "nosso".

Cada um precisa ter certeza da porção que tem em Deus, para então poder dizer individualmente: "Ele é o *meu* refúgio e a *minha* fortaleza". Não nos esqueçamos também do fato de que Deus é *agora mesmo* o nosso refúgio, no presente imediato, tão verdadeiramente quanto no momento em que Davi escreveu as palavras. Só Deus é o nosso tudo em todos. Todos os outros refúgios são refúgios de mentira e todas as outras fortalezas são fraqueza, pois o poder pertence só a Deus. Mas tendo em vista que Deus é devidamente suficiente, a nossa defesa e o nosso poder são igualmente em todas as emergências.

"Socorro bem presente na angústia." ou "nas angústias Deus foi achado". Ele foi tentado e provado pelo povo. Ele nunca se afasta dos aflitos. Ele é a ajuda de forma veraz, eficaz e constante. Ele está presente ou perto, bem ao lado e pronto para socorrer, fato enfatizado pela palavra "bem".

Ele está mais presente que o amigo ou o parente — mais presente até mesmo que o próprio problema. A toda essa verdade é adicionada a consideração de que a ajuda chega no momento certo. Ele não é como as andorinhas que no inverno vão embora. Ele é amigo em tempos de necessidade e amigo de verdade. Quando as coisas estiverem ruins para nós, digamos com espírito forte: "Venha, vamos cantar o Salmo 46".

Fortaleza firme e | Rocha inabalável
É Deus em tempos de perigo

Escudo e espada em todo embate
Do inimigo conhecido ou estranho

2. *"Pelo que."* Como o salmista gosta de usar palavras de ligação! A sua poesia não é um êxtase poética sem razão, pois é tão lógica quanto uma demonstração matemática. As palavras a seguir são uma conclusão necessária destas: "Não temeremos". Com Deus ao nosso lado, como é irracional ter medo! Onde Ele está tudo é poder, tudo é amor, por que então desanimar?

"Ainda que a terra se mude", ainda que a base de todas as coisas visíveis se sacuda a ponto de ficar completamente mudada. "E ainda que os montes se transportem para o meio dos mares", ainda que o mais firme dos objetos criados caia em ruína impetuosa e seja submerso em total destruição.

As duas frases apresentam as mais terríveis comoções na gama da imaginação, incluindo a subversão das dinastias, a destruição das nações, a ruína das famílias, a perseguição da Igreja, o reinado da heresia e o que mais, que a qualquer tempo, tente a fé dos crentes. O pior vai para o pior. Os filhos de Deus jamais devem se entregar à desconfiança. Considerando que Deus permanece fiel, não há perigo para a sua causa ou para o seu povo. Quando os elementos se fundirem pelo calor fervente, e os céus e a terra tiverem passado na última conflagração geral, veremos serenamente "a destruição da matéria e o estrondo dos mundos", pois mesmo então o nosso refúgio nos preservará de todo o mal e a nossa fortaleza nos preparará para todo o bem.

3. *"Ainda que as águas rujam e se perturbem."* Quando todas as coisas estão estimuladas à fúria e revelam o seu poder extremo em perturbar, a fé sorri com serenidade. Ela não tem medo do barulho, nem mesmo da força naval, ela sabe que o Senhor acalmou a fúria do mar e contém as ondas na concha da mão.

"Ainda que os montes se abalem pela sua braveza." Os Alpes e os Andes podem tremer, porém a fé descansa em uma base mais firme, que não se desloca pela força dos mares volumosos. O mal pode fermentar, a ira pode ferver e o orgulho pode espumar, mas o coração valente da confiança santa não treme. Os grandes homens que são como montes podem tremer de medo em tempos de grande calamidade, contudo o homem cuja confiança está em Deus nunca ficará apavorado.

"Selá." Em meio de tal alvoroço, é bom haver uma pausa na música para dar fôlego aos cantores e tempo para a nossa meditação. Não temos pressa, mas podemos nos sentar e ver a terra desintegrar-se, os montes balançarem e os oceanos rugirem. Não pertence a nós a precipitação e a impetuosidade para passarem por coragem e valentia, pois calmamente confrontamos o perigo e refletimos sobre o terror, concentrando-nos nos elementos de separação e nas forças de união.

A pausa não é uma exclamação de desânimo, entretanto somente um descanso na música. Não suspendemos a canção alarmados, mas afinamos novamente as harpas com deliberação no meio do tumulto da tempestade. Seria bom se todos pudéssemos dizer: "Selá", durante as provações tempestuosas. Todavia, muitas vezes também falamos precipitadamente, pomos as mãos trementes e desnorteadas entre as cordas, dedilhamos a lira com um toque brusco e arruinamos a melodia da canção da nossa vida.

4 *Há um rio cujas correntes alegram a cidade de Deus, o santuário das moradas do Altíssimo.*

5 *Deus está no meio dela; não será abalada; Deus a ajudará ao romper da manhã.*

6 *As nações se embraveceram; os reinos se moveram; ele levantou a sua voz e a terra se derreteu.*

7 *O Senhor dos Exércitos está conosco; o Deus de Jacó é o nosso refúgio. (Selá)*

4. *"Há um rio."* A graça divina como um rio calmamente fluente, fertilizante, volumoso e constante produz refrigério e consolação nos crentes. Esse é o rio da água da vida, da qual a Igreja de cima como também a Igreja debaixo participam eternamente. Não é um oceano tumultuoso, mas um rio plácido. Não sai do leito através de terremotos ou montanhas desmoronando, pois segue o curso sereno sem perturbação. Felizes são aqueles que sabem por experiência própria que há tal rio de Deus.

"Cujas correntes", em suas várias influências, porque são muitas, "alegram a cidade de Deus", assegurando aos cidadãos que o Senhor de Sião infalivelmente satisfaz todas as suas necessidades. As correntes não são passageiras como o ribeiro de Querite, nem barrentas como o rio Nilo, nem furiosas como o ribeiro de Quisom, nem traiçoeiras como os ribeiros enganosos de Jó (Jó 6.15), nem as suas águas são "más" como as de Jericó (2 Rs 2.19), pois são límpidas, novas, refrescantes, abundantes e agradáveis. O grande medo de uma cidade oriental em tempos de guerra era o abastecimento de água ser cortado durante o cerco.

Se o abastecimento fosse garantido, a cidade poderia resistir os ataques por um período indefinido. Este versículo descreve Jerusalém, que representa a Igreja de Deus, como cidade bem abastecida de água para destacar o fato de que, em tempos de Tribulação, a graça Todo-suficiente nos será dada para nos capacitar a suportar até o fim.

A igreja é como uma cidade bem organizada, cercada pelos poderosos muros da verdade e justiça, guarnecida pela onipotência, formosamente construída e adornada pela sabedoria infinita. Os seus cidadãos, os santos, desfrutam altos privilégios. Comerciam com terras distantes e vivem sob o favor do Rei. Como um grande rio é o próprio motivo e esteio de uma cidade, assim o largo e eterno rio do amor e da graça é a alegria e felicidade desses cidadãos, os santos. A igreja é peculiarmente a "cidade de Deus" — a cidade do seu projeto, construção, eleição, compra e habitação. É dedicada para o seu louvor e glorificada pela sua presença.

"O santuário das moradas do Altíssimo." Essa era a glória peculiar de Jerusalém, que o Senhor dentro dos muros tinha um lugar onde se revelava peculiarmente e esse é o privilégio de escolha dos santos, acerca do qual podemos clamar com espanto: "Senhor, de onde vem que te hás de manifestar a nós e não ao mundo?" (Jo 14.22). Ser o templo do Espírito Santo é a porção deliciosa de cada santo, ser o templo vivo do Senhor nosso Deus também é a sublime honra da Igreja na sua capacidade de ser corpo. O nosso Deus é chamado por um título de honra, indicando o seu poder, majestade, sublimidade e excelência.

É digno de nota que sob esse caráter Ele habita na igreja. Não temos um grande Deus na natureza e um pequeno Deus na graça. Nada disso. A igreja contém revelação de Deus tão clara e convincente quanto as obras da natureza. É até mais surpreendente a glória excelente que brilha entre os querubins fazendo sombra no propiciatório, que é o centro e lugar de reunião do povo do Deus vivo. Ter o Altíssimo habitando nos seus membros é fazer a Igreja na terra como a Igreja no céu.

5. *"Deus está no meio dela."* A sua ajuda é certa e próxima. Se a cidade está sitiada, então Ele também está sitiado dentro dela. Podemos ter certeza de que Deus irromperá sobre os adversários.

Como o Senhor está perto das angústias dos santos, visto que Ele permanece no meio deles! Prestemos atenção para não o afligirmos. Tenhamos esse respeito por Deus como Moisés teve quando sentiu que as areias do deserto de Horebe eram santas e tirou as sandálias dos pés quando o Senhor falou da sarça ardente.

"Não será abalada." Como ela pode ser abalada a menos que os inimigos também abalem o Senhor que está no meio dela? A sua presença torna toda esperança de capturar e destruir a cidade atrevidamente ridícula. O Senhor está no navio. Por isso, ele não pode ser afundado.

"Deus a ajudará." Para dentro da cidade Ele fornecerá ricos materiais, e fará dos inimigos montões de mortos como ficaram os exércitos de Senaqueribe, quando o anjo saiu e os feriu.

"Ao romper da manhã." Assim que os primeiros raios da luz do sol proclamam o dia que chega, na virada da manhã, o braço direito de Deus se estenderá a favor do seu povo. O Senhor está de pé cedo. Somos tardos em encontrá-lo, mas Ele nunca chega atrasado para nos ajudar. A impaciência reclama da demora divina, mas em cada ação o Senhor não é relapso em relação à promessa. A pressa do homem é loucura, porém a aparente demora de Deus sempre é sábia. Quando vista de modo correto, não é demora de jeito nenhum. Hoje os bandos do mal podem cercar a igreja de Deus e ameaçá-la com destruição. Todavia sem atraso passarão como a espuma das águas e o barulho do tumulto que causam será silenciado na sepultura. A hora mais escura da noite é logo antes da virada da manhã. Então, e só então, o Senhor virá como o grande aliado da igreja.

6. *"As nações se embraveceram."* As nações estavam em violento alvoroço. Reuniram-se contra a cidade do Senhor como lobos vorazes em torno da presa. Espumaram, rugiram e se agigantaram como um mar tempestuoso.

"Os reinos se moveram." Uma confusão geral tomou conta da sociedade. Os invasores ferozes convulsionaram os próprios domínios, exortando a população a fazer guerra. Devastaram outros territórios durante a marcha assoladora para Jerusalém. Coroas caíram da cabeça de reis. Tronos antigos balançaram como árvores açoitadas pela tempestade. Impérios poderosos caíram como pinheiros desarraigados pela ventania. Tudo ficou em desordem e o desânimo apoderou-se de todos que não conheciam o Senhor.

"Ele levantou a sua voz e a terra se derreteu." Sem outra instrumentalidade que não a palavra, o Senhor dominou a tempestade. Ele liberou a voz e corações robustos foram dissolvidos, exércitos imponentes foram aniquilados e exércitos conquistadores foram enfraquecidos.

A princípio, a confusão pareceu piorar, quando o elemento de poder divino entrou em cena. A própria terra aparentava ter virado cera, as mais sólidas e substanciais coisas humanas derreteram como a gordura de carneiro no altar. Mas a paz logo veio, a raiva dos homens amainou, o coração disposto ao arrependimento cedeu e os implacáveis foram silenciados.

Como a palavra de Deus é poderosa! Como a Palavra encarnada é poderosa! Quem dera que agora mesmo tal palavra viesse da glória excelente para derreter todos os corações em amor por Jesus, e acabar para sempre com todas as perseguições, guerras e rebeliões dos homens!

7. *"O Senhor dos Exércitos está conosco."* Essa é a razão para a segurança de Sião e para a derrota dos inimigos. O Senhor governa os anjos, as estrelas, os corpos e todas as hostes celestiais. O céu dos céus está debaixo do seu domínio. Os exércitos dos homens, embora não saibam, foram feitos para servir à vontade divina. Este Generalíssimo das forças terrestres e Senhor Almirantíssimo das forças navais está do nosso lado — Ele é o nosso aliado augusto. Ai daqueles que lutam contra Deus, pois fugirão como fumaça diante do vento quando Ele der a palavra de ordem para desbaratá-los.

"O Deus de Jacó é o nosso refúgio." Emanuel é o Senhor dos Exércitos, e o Deus de Jacó é o nosso lugar alto de defesa. Quando esse versículo alegre é cantado com uma música digna de tal júbilo, os cantores fazem uma pausa e os instrumentistas esperam, enquanto reafirmam os instrumentos. Então, ocorre adequadamente esta nota solene, imponente e calma de descanso: "Selá".

8 *Vinde, contemplai as obras do Senhor; que desolações tem feito na terra!*

9 *Ele faz cessar as guerras até ao fim da terra; quebra o arco e corta a lança; queima os carros no fogo.*
10 *Aquietai-vos e sabei que eu sou Deus; serei exaltado entre as nações; serei exaltado sobre a terra.*
11 *O SENHOR dos Exércitos está conosco; o Deus de Jacó é o nosso refúgio. (Selá)*

8. *"Vinde, contemplai as obras do SENHOR."* Os alegres cidadãos de Jerusalém são convidados a apresentar-se e ver os inimigos sobreviventes, para que observem a bravura do Senhor e o espólio que a sua mão direita ganhou para o povo. Faria bem se também notássemos cuidadosamente os procedimentos providenciais do Deus da nossa aliança e fôssemos ágeis em perceber a sua mão nas batalhas da igreja. Sempre que lêssemos uma história deveria ser com este versículo soando aos nossos ouvidos. Devíamos ler os jornais com o mesmo espírito, vendo como a Cabeça da Igreja governa as nações para o bem do seu povo, como José governou o Egito por amor de Israel.

"Que desolações tem feito na terra!" Os destruidores, Deus destrói, os desoladores, Deus desola. Como é forte este versículo até hoje! As cidades arruinadas da Assíria, Babilônia, Petra, Basã e Canaã são as nossas instrutoras, as quais em tábuas de pedra registram os feitos do Senhor. Em todo lugar onde a sua causa e coroa foram desconsideradas a destruição seguramente se seguiu.

O pecado tem sido a ferrugem das nações, e os seus palácios viraram montões de ruína. Nos dias do escritor deste salmo, deve ter ocorrido alguma interposição memorável de Deus contra os inimigos de Israel. Quando ele viu o estado de aniquilamento em que ficaram, conclamou os concidadãos a apresentarem-se para atentamente refletir nas coisas terríveis que, com justiça, foram feitas em seu favor. Os castelos desmantelados e as abadias arruinadas na terra são como lembranças das vitórias do Senhor sobre a opressão e a superstição. Que haja mais de tais desolações.

Edifícios obscuros, túmulos de homens vivos
Sepulcros de mulheres ou pior
Refúgios da mentira logo todos cairão
E entre as tuas ruínas a coruja, o morcego
E o dragão achem lugar de descanso congenial

9. *"Ele faz cessar as guerras até ao fim da terra."* A sua voz aquieta o tumulto da guerra e chama o silêncio da paz. Por mais remota e bárbara a tribo, Deus atemoriza as pessoas para que parem. Esmigalha os grandes poderes até que não possam mais causar conflito. Dá para o seu povo um profundo repouso.

"Quebra o arco." Inutiliza o instrumento que envia a morte de voo rápido.

"E corta a lança." Quebra em pedaços a lança do valente.

"Queima os carros no fogo." Entrega às chamas o imponente carro de guerra com gadanhas que causam a morte. Faz montes e mais montes de todo tipo de armas, para destruí-las totalmente. Foi assim na Judeia dos dias de antigamente, assim será em todas as terras nos séculos ainda por vir. Que santa ação do Príncipe da Paz! Quando será executada literalmente? Os inimigos espirituais do seu povo já foram despojados do poder para destruir. Mas quando a vitória universal da paz será celebrada e os instrumentos do assassinato em massa serão consignados à destruição infame? Como será gloriosa a vitória última de Jesus Cristo no dia da sua aparição, quando todo inimigo lamberá o pó!

10. *"Aquietai-vos e sabei que eu sou Deus."* Afastem as mãos, inimigos! Sentem-se e esperem com paciência, crentes! Reconheçam que o Senhor é Deus, vocês que

sentem os terrores da ira divina! Cultuem a Ele e só a Ele, vocês que participam das proteções da graça divina. Considerando que ninguém pode proclamar a natureza divina meritoriamente, que o "silêncio expressivo intensifique a meditação do seu louvor". As ostentações arrogantes dos descrentes e os pressentimentos medrosos dos santos devem ser silenciados pela visão do que o Senhor fez nas eras passadas.

"Serei exaltado entre as nações." As nações se esquecem de Deus e adoram ídolos, mas o Senhor ainda será honrado por elas. Leitor, os prospectos das missões são brilhantes, brilhantes como as promessas de Deus. Não desfaleça o coração de ninguém por causa disso. As declarações solenes deste versículo serão cumpridas: "Serei exaltado entre as nações", entre todos os povos, pouco importando qual tenha sido a sua maldade ou degradação. Ou por terror ou por amor, Deus subjugará todos os corações a Ele. A terra inteira ainda refletirá a luz da Majestade Divina. Ainda mais por causa do pecado, da obstinação e do orgulho do homem, Deus será glorificado quando a graça reinar até a vida eterna em todos os cantos do mundo.

11. *"O Senhor dos Exércitos está conosco; o Deus de Jacó é o nosso refúgio."* Era apropriado que esse tema fosse cantado duas vezes mais. É uma verdade sobre a qual o crente não se cansa. É um fato muitas vezes esquecido. É um privilégio precioso que nunca é demais considerarmos. Leitor, o Senhor está do seu lado? O Emanuel, o Deus conosco, é o seu Redentor? Há uma aliança entre você e Deus como houve entre Deus e Jacó? Nesse caso, você é muito feliz. Mostre a sua alegria na canção santa, e em tempos de dificuldade seja valoroso fazendo música para o seu Deus.

"Selá." Aqui, como antes, eleve o coração. Descanse na contemplação depois do louvor. Mantenha a alma em sintonia. É mais fácil cantar um hino de louvor do que continuar no espírito de louvor. Seja o nosso alvo manter elevada a devoção do nosso coração grato. Assim, terminemos o nosso cântico na intenção de que a continuação virá.

Selá manda que a música descanse
Faça uma pausa em silêncio suave e feliz
Selá manda elevar a melodia
Harpas e vozes em perfeita afinação
Selá termina o louvor vocal
Aquiete o coração para Deus levantar

NOTAS EXPLICATIVAS E DECLARAÇÕES IMPORTANTES

O Título: Referindo-se à noção do tema עָלַם, *occultavit*, a Septuaginta o traduz por ὑπὲρ τῶν κρυφίων, que significa "para o escondido", a Vulgada Latina o traduz por *pro arcanis*, e os demais intérpretes antigos tomam o mesmo curso.

A versão Caldaica o refere a Corá e aos que foram escondidos, ou seja, engolidos pela terra com ele, enquanto esses filhos de Corá escaparam. Era como se a menção aos filhos de Corá no título, por quem esta canção seria cantada, referisse o salmo todo àquela história. Por conseguinte, o versículo 2, lido no original hebraico é: "Ainda que a terra se retire", gerando a paráfrase: "Quando os nossos pais foram tirados da terra". — *Henry Hammond*

O Título: O título é peculiar: "Sobre Alamote", dando a entender "um coral de virgens", como se esse coral de virgens tivesse sido selecionado para cantar um salmo que contasse os muitos e variados perigos, temores e sobressaltos a fim de mostrar que, naquele dia, até as virgens frágeis podem cantar sem medo, porque "o Forte" (Is 1.24) está do lado delas. — *Andrew A. Bonar*

O Título: “Sobre Alamote”. [Para ser cantado] à voz de soprano. — *Armand de Mestral, citado por J. J. Stewart Perowne*

O Salmo: Cantamos este salmo em louvor a Deus, porque Deus está conosco e, de forma poderosa e milagrosa, protege e defende a Igreja e a sua Palavra contra todos os espíritos fanáticos, contra as portas do inferno, contra o implacável ódio do Diabo e contra todos os ataques do mundo, da carne e do pecado. — *Martinho Lutero*

O Salmo: Lutero e seus colegas, com toda a prontidão ousada diante do perigo e da morte pela causa da verdade, tiveram momentos em que os sentimentos eram semelhantes aos do cantor divino, que disse: “Por que estás abatida, ó minha alma?” (Sl 43.5). Mas em tais ocasiões, o reformador resoluto dizia alegremente ao amigo Melantone: “Venha, Filipe, vamos cantar o Salmo 46”, e eles cantavam na própria versão característica de Lutero:

Castelo forte é nosso Deus
Espada e bom escudo
Com seu poder defende os seus
Em todo transe agudo

[...]

Se nos quisessem devorar
Demônios não contados
Não nos podiam assustar
Nem somos derrotados
— *S. W. Christopher, “Hymn Writers and their Hymns” [Os Escritores de Hinos e os seus Hinos], 1866*

v. 1: “Deus é o nosso refúgio e fortaleza”. Começa de maneira abrupta, mas nobre. Vocês podem confiar em quem e no que quiserem, contudo Deus (Elohim) “é o nosso refúgio e fortaleza”.

“Socorro bem presente na angústia.” É um socorro muito forte e eficaz nos apuros e dificuldades. No original hebraico, as palavras são muito enfáticas: עֶזְרָה בְצָרוֹת נִמְצָא מְאֹד (*‘ezrâ b[e]tsārôt nimtsā’ m[e]’ōd*), que significam: “Ele se mostra um socorro excedente ou superlativo nas dificuldades”. É o que encontramos nEle. Então, celebremos os seus louvores. — *Adam Clarke*

v. 2: “Ainda que a terra se mude”. John Wesley pregou em Hyde Park, na ocasião do terremoto que ocorreu em Londres, em 8 de março de 1750, e repetiu estas palavras. Charles Wesley compôs o Hino 67 (Wesley’s Collection [Coleção de Wesley]), os seguintes versos que ilustram este versículo:

Como somos felizes, nós
Que construímos, Senhor, em ti!
O que pode sacudir a nossa fundação?
Ainda que á terra esfacelada se retire
A nossa cidade está em uma Rocha
Na Rocha do amor celeste

vv. 2 e 3: A terra lançada em um estado de confusão turbulenta, as montanhas jogadas no abismo profundo, os mares fustigados em uma tempestade e os montes eternos deslizando em suas ondas espumantes são imagens vívidas que, na linguagem dos profetas, descrevem Deus julgando as nações ímpias e perseguidoras. — *John Morison*

vv. 2, 3 e 5: A Palestina era sujeita a terremotos frequentes, como se esperaria pelas suas características físicas e situacionais. É uma peculiaridade extraordinária que, ainda que todas as outras religiões da terra tenham sido ocasionalmente cenário dessas convulsões terríveis, a capital ficava quase totalmente livre delas. O monte Moriá, ou o monte da Visão, assim se chamava por causa da sua elevada altura, que o tornava destacável ao longe. Situava-se no centro de uma cadeia de montanhas que o rodeavam na forma de anfiteatro e era, principalmente por causa desta posição, sob a bênção especial de Deus, que permanecia firme e inabalável durante os terremotos frequentes que sacudiam e devastavam a Terra Santa. — *George Paxton, "Illustrations of Scripture" [Ilustrações da Bíblia]*

v. 4: "Há um rio cujas correntes alegram a cidade de Deus". O que há no rio que alegra a cidade de Deus? Respondo: O próprio Deus é o rio, como diz no versículo seguinte: "Deus está no meio dela". (1) Deus Pai é o rio: "Porque o meu povo fez duas maldades: a mim me deixaram, o manancial de águas vivas, e cavaram cisternas, cisternas rotas, que não retêm as águas" (Jr 2.13). (2) Deus Filho é o rio, a fonte de salvação: "Naquele dia, haverá uma fonte aberta para a casa de Davi e para os habitantes de Jerusalém, contra o pecado e contra a impureza" (Zc 13.1). (3) Deus Espírito é o rio: "Quem crê em mim, como diz a Escritura, rios de água viva correrão do seu ventre" (Jo 7.38). "Aquele que beber da água que eu lhe der nunca terá sede, porque a água que eu lhe der se fará nele uma fonte de água a jorrar para a vida eterna" (Jo 4.14).

Quais são as correntes deste rio? Respondo: São as perfeições de Deus, a plenitude de Cristo e as operações do Espírito, as quais fluem pelo canal da aliança da promessa. — *Ralph Erskine*

v. 4: "Há um rio". Essa é a inundação que Ezequiel viu em visão. As águas que desciam do lado direito da casa atingiram primeiro os tornozelos. O profeta avançou um pouco mais, e as águas davam pelos joelhos, depois pelos lombos e, por fim, tornou-se um rio que não dava de atravessar, pois as águas tinham subido muito. Eram águas para serem cruzadas a nado, um rio para ser atravessado nadando. Não deveríamos ver com o Mestre Angelical o rio da graça que emanou do monte Calvário? Rios que se ramificam para todos os lados, o *pelagim* dos hebreus "para fartar a terra deserta e assolada e para fazer crescer os renovos da erva?" (Jó 38.27). Ó "fonte dos jardins, poço das águas vivas, que correm do Líbano" (Ct 4.15), como vós, as "fontes inferiores" deste mundo, nos trazeis algo da duradoura beleza e paz das "fontes superiores" (cf. Juízes 1.15), pelas quais o rebanho bonito se alimenta e se deita, não havendo nada que os amedronte? Ou como Ambrósio e Bernardo, entendamos que o versículo deste salmo se refira ao "rio puro da água da vida, claro como cristal, que procedia do trono de Deus e do Cordeiro" (Ap 22.1). Então os rios dessa inundação realmente alegrarão "a cidade de Deus", a casa não feita por mãos, eterna nos céus, onde estão a árvore da vida que dá doze frutos e produz fruto todos os meses (Ap 22.2). Essa nação e esse rio, sobre o qual as antigas liturgias dizem: "Aqueles que descansam no seio de Abraão estão no tabernáculo da alegria e descanso, na morada da luz, no mundo do prazer e na igreja da verdadeira Jerusalém. É onde não há lugar para aflição, nem meio de tristeza. Onde não há guerra contra a carne e nem resistência à tentação. Onde o pecado é esquecido, e o perigo passado é lembrado apenas como um prazer presente". — *Tomás de Aquino, Ambrósio e Bernardo, citado em John Mason Neale, "Commentary" [Comentário]*

v. 4: "Há um rio". O rio de Deus que flui do trono. Não há inimigo que corte as correntes deste rio da igreja de Cristo. Observe a referência a Isaías 36.2; 37.25, em comparação a 2 Crônicas 32.2-4. Essas correntes suaves, mas cheias, são contrastadas com as ondas rugidoras do mar. — *T. C. Barth*

v. 4: "Há um rio cujas correntes alegram a cidade de Deus". A alusão é ao ribeiro de Cedrom, que corria por Jerusalém, ou às águas de Siloé, as quais por diferentes cursos e braços atravessavam a cidade de Jerusalém, abastecendo os bairros para a alegria e conforto dos habitantes. Mas devemos entender as palavras em sentido figurado, aplicáveis aos tempos do evangelho. Esse rio designa o evangelho, cujas correntes são as doutrinas que são águas vivas que saíram de Jerusalém, anunciando as Boas-Novas de grande alegria para todos os pecadores sensíveis. Ou refere-se ao Espírito e as suas graças, que são comparados a uma fonte e rios de água viva, em cujos exercícios os santos têm muita alegria e paz. Ou, então, diz respeito ao próprio Senhor, que é o lugar de largos rios e correntes para o povo, sendo o seu refrigério e proteção. Ou, mais exatamente, o significado é o amor eterno de Deus pelo seu povo. — *John Gill*

v. 4: "Há um rio cujas correntes alegram a cidade de Deus, o santuário das moradas do Altíssimo". Comparadas com os desertos, a Judeia e Jerusalém eram bem abastecidas de águas. A seca fustigava mais severamente os sitiadores do que os sitiados. A alusão é ao famoso córrego e tanque de Siloé. Em Isaías 8.6, a bênção da proteção de Deus é representada pelas águas de Siloé, que correm suavemente. — *Extraído de Four Friends [Quatro Amigos], "The Psalms Chronologically Arranged" [Os Salmos Cronologicamente Organizados], 1867*

v. 4: "A cidade". A igreja de Deus é como uma cidade, porque: (1) Uma cidade é um lugar de segurança. (2) Uma cidade é um lugar de sociedade: o que um quer o outro fornece. Há companheirismo mútuo. (3) Uma cidade é um lugar de unidade, onde o povo vive em paz e acordo. (4) Uma cidade é um lugar de comércio e tráfico. É o mercado da graça livre: "Ó vós todos os que tendes sede, vinde às águas, e vós que não tendes dinheiro, vinde, comprai e comei; sim, vinde e comprai, sem dinheiro e sem preço, vinho e leite" (Is 55.1). Essa é a pérola de grande valor colocada à venda. (5) Uma cidade é um lugar de liberdade. Libertação e livramento da culpa do pecado, da ira de Deus, da maldição da Lei, do presente século mau, da escravidão a Satanás. (6) Uma cidade é um lugar de ordem e regularidade. Tem as suas constituições e ordenanças. (7) Uma cidade é um lugar de descanso e cômodo para se viver, sendo o oposto do deserto. (8) Uma cidade é um lugar de privilégios. (9) Uma cidade é um lugar de pompa e esplendor. Há o rei, a corte e o trono. (10) Uma cidade é um lugar de prazer e beleza (Sl 48.2). — *Ralph Erskine*

v. 5: "Deus está no meio dela". É a presença real de Cristo e o poder sobrenatural do Espírito, que torna a igreja poderosa para a conquista de almas. A igreja se espalha porque "Deus está no meio dela". Toda vez que ela esquece que é dependente da intercessão invisível da Cabeça e da energia graciosa do Espírito, ela se acha tosquiada dos cachos da sua grande força e se torna motivo de riso dos filisteus. — *William Binnie, Doutor em Teologia*

v. 5: "Deus está no meio dela". Os inimigos da igreja podem jogá-la como ondas, mas não conseguem dividi-la como pedras. Ela pode ser imersa em água como uma pena, mas não ficará no fundo como chumbo. AquEle que é uma fonte de água no interior da cidade para impedi-la de desfalecer, também será um muro de fogo em volta da cidade para evitar que caia. Provada ela pode ser, mas destruída não. A sua fundação é a Rocha eterna, e a sua defesa são os Braços eternos. Só os elementos estruturais fundados sobre a areia é que são derrubados pelo vento. Os adversários do povo de Deus os empurrarão até onde os chifres alcançam, todavia quando os tiverem limpado pela perseguição, como vasilhames denegridos, então Deus lançará tais resíduos ao fogo. — *William Secker*

v. 5: "Deus está no meio dela; não será abalada; Deus a ajudará ao romper da manhã". Quando os papistas estavam no seu rufo, e Melantone começou a temer que a reforma infante fosse abafada já no nascimento, Lutero estava acostumado a consolá-lo com estas palavras: *Si nos ruemus, ruet Christus una, scilicet ille regnator mundi, esto ruat, malo ego cum Christo ruere, quam cum Caesare stare*, que quer dizer, "Se perecermos, Cristo também terá de cair (Ele está no meio de nós), e se tem de ser assim, que seja. Prefiro perecer com Cristo, o grande Governador do mundo, do que prosperar com César". — *John Collinge*

v. 5: "Ao romper da manhã". Note que todos os grandes livramentos narrados nas Santas Escrituras ocorreram ao romper da manhã, como se tivessem sido realizados no meio da noite. Foi o que aconteceu com Gideão, que usou tochas e cântaros contra os midianitas. Aconteceu com Saul, quando subiu contra Naás, amonita. Aconteceu com Josué, quando subiu para socorrer Gibeão. Aconteceu com Sansão, quando carregou triunfalmente as portas da entrada de Gaza. Também aconteceu com os reis associados sob as orientações de Eliseu, na expedição contra os moabitas, quando eles, de acordo com a ordem de Deus, encheram o deserto de covas e viram os inimigos atraídos à destruição pelo reflexo do sol nascente na água. — *Michael Ayguan, 1416*

v. 5: "Ao romper da manhã". Ou conforme outra opção tradutória: "Quando a manhã aparecer". A restauração dos judeus será uma das primeiras coisas no tempo do segundo advento. Será realizado no próprio amanhecer daquele dia, quando "nascerá o sol da justiça e salvação trará debaixo das suas asas" (Ml 4.2). — *Samuel Horsley*

v. 7: "O Senhor dos Exércitos está conosco". Há três tipos de presença especial de Deus, todas as quais podem ser devidamente atribuídas ao privilégio da igreja. (1) A presença gloriosa de Deus ou a sua presença testemunhada pela glória eminente e a sua residência. Assim se diz que Deus está no céu diferencialmente tanto quanto não está em outro lugar. O céu é chamado de trono ou assento da sua morada (1 Rs 8.39), como o rei não está em outro lugar tão majestosamente quanto no trono ou cadeira de estado. Trata-se de tão grande privilégio da igreja que ela só irá desfrutá-lo quando chegar triunfantemente ao céu. Portanto, não é desta presença que o versículo sob estudo menciona.

(2) A presença graciosa de Deus ou a sua presença testemunhada por sinais da sua graça e favor ao povo, quer de forma visível, como no Templo onde Ele escolheu colocar o nome e onde, acima de todos os outros lugares, Ele seria cultuado, em cujo aspecto se diz que Ele habita entre os querubins (2 Sm 6.2). Ou os sinais espirituais da sua graça, como assistência e aceitação nos deveres do seu culto, junto com o prazer e benefício das suas ordenanças. Assim Deus está presente com a igreja e o seu povo no tempo do evangelho: "Onde estiverem dois ou três reunidos em meu nome, aí estou eu no meio deles" (Mt 18.20). Esse tipo de presença é o privilégio da igreja militante, pois Deus estará com ela nas administrações e ordenanças santas e espirituais. Mas essa não é a presença que o versículo sob estudo menciona principalmente. (3) A presença providencial de Deus ou a sua presença testemunhada por atos da providência especial, onde o poder, sabedoria ou qualquer outro dos atributos de Deus são eminentemente apresentados, quer por via de ajuda ou de defesa para o povo. Assim, o Senhor estava presente com Israel no deserto pela coluna de fogo e de nuvem: "E o Senhor ia adiante deles, de dia numa coluna de nuvem, para os guiar pelo caminho, e de noite numa coluna

de fogo, para os alumiar, para que caminhassem de dia e de noite" (Êx 13.21). E como essa presença tinha a função de guiar, assim também servia de defesa para o povo contra os inimigos e com a qual os inimigos egípcios foram perturbados (Êx 14.20). Por esse tipo de presença, o Senhor está com a igreja militante em relação ao regimento externo e, mais especificamente, na guerra, defendendo-a e estando com ela contra os inimigos. Este é o privilégio da igreja nestas palavras: "O SENHOR dos Exércitos está conosco". — *John Strickland, Bacharel em Teologia (1601-1670), em um sermão intitulado "Immanuel" [Emanuel], 1644*

v. 7: "O Deus de Jacó". Se alguém me perguntar: Por que o Deus de Jacó é mais do que o Deus de Isaque? Embora bastasse que o Espírito de Deus se contentasse em apenas dizer, contudo Calvino nos dá esta razão: a aliança da graça foi mais solenemente feita e publicamente ratificada com Abraão e Jacó do que com Isaque. Quando Ele é considerado como Deus em aliança com o povo, Ele se mostra mais pelo nome do Deus de Abraão e do Deus de Jacó do que pelo do Deus de Isaque. Mas, às vezes, Deus se agrada em assumir esse nome também. — *John Strickland*

v. 7: "O nosso refúgio". O nosso refúgio ou fortaleza, onde a igreja, como um navio em porto seguro, pode ancorar e ficar em segurança. Pode ser também uma metáfora dos buracos ou covas onde criaturas desprovidas de armas acham abrigo, quando são caçadas e perseguidas por inimigos, como diz Provérbios 30.26: "Os coelhos são um povo débil; e, contudo, fazem a sua casa nas rochas". Estão seguros nas rochas se puderem chegar ali, ainda que eles mesmos sejam muito fracos. Assim a igreja, ainda que perseguida por inimigos sangrentos e fraca em si mesma, se conseguir chegar debaixo das asas do Deus de Jacó, pode ser destemida, porque ali ela está segura. Deus é o nosso refúgio. Estaríamos desprezando a Deus, se temêssemos as criaturas, quando Ele está conosco. Antígono, quando ouviu por acaso que os soldados estavam contando quantos eram os inimigos, abordou-os de repente e exigiu: "E por quantos vocês me contam?" — *John Strickland*

v. 8: "Vinde, contemplai as obras do SENHOR". *Venito, videio.* Deus espera que as suas obras sejam bem observadas, sobretudo quando Ele dá grande livramento ao povo. De todas as coisas, Deus não suporta ser esquecido. — *John Trapp*

v. 8: "Que desolações tem feito na terra!" Primeiramente, somos convidados para presenciar uma visão trágica. Somos levados à câmara da morte para ver o semblante horrível das mortes e desolações por todo o mundo. Não há nada mais horrível e terrível que isso. Você é convocado para ver pilhas de carcaças mortas, cestadas cheias de cabeças, como as apresentadas a Jeú. É um espetáculo medonho, mas necessário. Veja, então, "que desolações tem feito na terra!" *Desolações feitas por guerras.* Quantos campos foram encharcados de sangue e adubados com carcaças. Quantos milhões de homens foram perfurados em todas as épocas pelo fio da espada! *Desolações feitas por fome*, em que os homens foram forçados a fazer dos corpos sepulcros dos outros, e mães foram obrigadas a devorar os filhos depois de um longo tempo. *Desolações feitas por praga e peste*, que mataram, como conta a história, oitocentos mil em uma cidade. *Desolações feitas por inundação*, que cobriram a superfície de muitas regiões e limparam a terra dos seus habitantes sujos. *Desolações feitas por terremotos*, que engoliram cidades inteiras grandes e populosas. *Desolações feitas pelas mãos de anjos*, como no Egito, nas tendas dos assírios (quando morreram cento e oitenta e cinco mil em uma noite), no acampamento de Israel, na peste de Davi. *Desolações feitas pelas mãos de homens*, em batalhas e massacres. *Desolações feitas por animais selvagens*, como as ocorridas nas colônias de Azur plantadas em Samaria. *Desolações feitas por enxames de criaturas funestas e nauseantes*, como as que aconteceram no Egito, e desde então na África: "Falou ele, e vieram gafanhotos e pulgão em quantidade inumerável" (Sl 105.34). Semelhantemente, durante o consulado de Marcos Fúlvio Flacco, depois das guerras sangrentas da África, vieram inumeráveis gafanhotos, os quais, depois de devorar todas as ervas e frutos, foram, por um vento súbito, lançados ao mar africano. A infecção se seguiu à putrefação e, logo após, uma mortandade geral, cujo número chegou a oitenta mil mortos, sendo que só no litoral entre Cartago e Utica foram mais de duzentos mil mortos. *Desolações feitas de todas as maneiras e por toda variedade de meios.* Mas tudo isso foi feito pela mão divina: "Que desolações tem feito na terra!" Seja qual for o instrumento, Deus é o Autor. — *Joseph Hall (Bispo), 1574-1656*

v. 8: "Vinde, contemplai as obras do Senhor; que desolações tem feito na terra!" Deus não faz grandes desolações quando faz com que o homem que se considera religioso confesse ser incapaz de ter um bom pensamento? Como fez com Paulo, Ele não faz cessar as guerras quando faz com que o coração de um perseguidor busque ardentemente a paz com Deus e os homens, sim, com os seus próprios inimigos? Ele não espatifa o arco e todas as armas de guerra, de toda a terra, quando proclama paz para todos os que estão longe e para todos os que estão perto, crentes e descrentes, judeus e gentios? — *Richard Coore*

vv. 8 a 10: "Vinde, contemplai as obras do Senhor". Que obras? Obras destruidoras. "Que desolações tem feito na terra!" Deus fez obras estranhas no mundo naquele tempo. As nações que antes eram como o jardim de Deus tornaram-se um deserto desolado. Quem podia suportar isso com paciência? O Espírito de Deus disse nas palavras seguintes que isso deve ser suportado com paciência. Deus deixa os homens lutarem e guerrearem uns com os outros para deixá-los em confusão comum, mas nenhum homem pode lutar com Deus a esse respeito. A razão dada é somente esta (a qual é verdadeiramente toda a razão do mundo): *Ele é Deus.* Assim continua o salmo dizendo: "Aquietai-vos e sabei que eu sou Deus". É como se o Senhor tivesse dito: Nem uma palavra, nem tente, nem replique. Seja o que for que você vir, cale-se. Saiba que Eu, sendo Deus, não dou explicações sobre qualquer um dos meus assuntos. — *Joseph Caryl*

v. 9: "Ele faz cessar as guerras até ao fim da terra; quebra o arco e corta a lança; queima os carros no fogo". AquEle que destrói todos os instrumentos de guerra certamente faz a paz. AquEle que faz cessar as guerras, certamente faz a paz começar. A paz é feita de duas maneiras. Primeiro, absorvendo as diferenças e reconciliando o espírito dos homens. Depois, abatendo o poder e tomando todas as provisões de guerra dos homens. O Senhor faz a paz por essas duas maneiras ou por qualquer uma delas. — *Joseph Caryl*

v. 9: "Quebra o arco e corta a lança; queima os carros no fogo". Quando os romanos, a seu modo de falar, tinham dado paz para uma nação, extirpando a maior parte dos habitantes miseráveis, eles confiscavam as armas dos derrotados e ateavam fogo, reduzindo-as a cinzas. Uma medalha, cunhada por Vespasiano, imperador romano, ao terminar as guerras feitas na Itália e em outras partes do mundo, apresenta a deusa da paz segurando um ramo de oliveira na mão e uma tocha acesa na outra, ateando fogo a um montão de armaduras. Virgílio, em *A Eneida* (livro III, vol. 1, p. 560) fala sobre esse costume: *O mihi praeteritos referat si Jupiter annos! Qualis eram cum primam aciem Praeneste sub ipsa Stravi, scutorumque incendi victor acervos,* que significa: "Ó que Júpiter me restabeleça os anos que se passaram! Tal como eu era, quando sob o próprio Pretório derrotei o mais importante posto do inimigo e vitoriosamente ateei fogo a montões de armadura".

A mesma prática, pela ordem do Senhor, prevalecia entre os judeus. A primeira ocorrência está registrada no livro de Josué 11.6. Também é celebrada nos cânticos de Sião, como a atendente da paz e a prova da sua continuação: "Ele faz cessar as guerras até ao fim da terra; quebra o arco e corta a lança; queima os carros no fogo". — *George Paxton, "Illustrations of Scripture" [Ilustrações da Bíblia]*

v. 9: "Queima os carros no fogo". Pouco a pouco, o carro veio a ser uma das forças reconhecidas na guerra. É mencionado ao longo dos livros da Bíblia, não só no sentido literal, mas também como metáfora que todo o mundo entende. Nos salmos, por exemplo, há várias alusões aos carros de guerra. "Ele faz cessar as guerras até ao fim da terra; quebra o arco e corta a lança; queima os carros no fogo" (v. 9). Novamente: "À tua repreensão, ó Deus de Jacó, carros e cavalos são lançados num sono profundo" (Sl 76.6). E: "Uns confiam em carros, e outros, em cavalos, mas nós faremos menção do nome do SENHOR, nosso Deus" (Sl 20.7). Não estaremos apreciando devidamente a força dessas passagens, a menos que percebamos o terror que o carro de guerra dava nos soldados de infantaria. Era muito temido até mesmo pelos soldados de cavalaria. Mas os carros eram objetos de medo quase que supersticioso. Há repetidas menções ao som impetuoso das rodas, ao barulho dos cascos dos cavalos e ao tremor do chão, pois "os cavalos atropelam, e carros vão saltando" (Na 3.2), ribombando de longe. — *J. G. Wood, 1869*

v. 10: "Aquietai-vos e sabei que eu sou Deus". As grandes obras de Deus, nas quais aparecem a sua soberania, foram descritas nos versículos precedentes. Nas desolações terríveis que Ele fez e no livramento dado ao povo dessas mesmas coisas terríveis, Deus mostrou grandeza e domínio. Manifestou poder e soberania, e assim manda que todos nós nos aquietemos e saibamos que Ele é Deus. Pois, assim diz o Senhor: "Serei exaltado entre as nações; serei exaltado sobre a terra". Sobre essas palavras observemos: (1) O dever descrito: estar quieto diante de Deus e sob a dispensação da sua providência. Isso indica que devemos ser quietos, não falar contra a dispensação soberana da providência ou reclamar dela, não obscurecer os conselhos mediante palavras sem conhecimento ou justificar-nos e falar grandes palavras arrogantes de vaidade. Devemos ser quietos quanto às ações e comportamento, de modo a não nos opor a Deus na sua dispensação, e quanto à disposição interior do coração, cultivando uma submissão de alma tranquila e quieta para o deleite soberano de Deus, seja ele qual for.

(2) A razão para esse dever, a saber, a divindade de Deus. O fato de Ele ser Deus é razão suficiente para que nos aquietemos diante dEle, de maneira alguma murmurando, ou contestando, ou opondo, mas calma e humildemente submetendo-nos a Ele. (3) Como temos de cumprir o dever de aquietar-nos diante de Deus, isto é, estando cientes da sua divindade, como que vendo a razão deste dever, no que sabemos que Ele é Deus. A nossa submissão tem de ser tamanha no que concerne a seres racionais. Deus não exige que nos submetamos contrário à razão, mas que nos submetamos como que vendo a razão e base da submissão. Por conseguinte, a simples consideração de que Deus é Deus pode muito bem ser suficiente para acalmar todas as objeções e oposições contra as dispensações soberanas divinas. — *Jonathan Edwards*

v. 10: "Aquietai-vos e sabei que eu sou Deus". Esse texto da Bíblia proíbe a contenda e murmuração contra Deus. Farei a aplicação enquanto prossigo. Há poucas e estas muito bem circunstanciadas ocasiões que não se enquadram no perigo de estar em contenda com Deus. Chego a pensar que se anjos estivessem na terra, eles correriam perigo disso. Garanto-lhe que nenhum deles está sujeito à corrupção, porém eles precisam temer isso. Muitos entregam-se a este tipo de contenda, sem levar em conta o perigo. Cuidado, pois é uma coisa terrível disputar com Deus. Quem pode lhe dizer: "Que fazes?" (Is 45.9). Quando Deus enviou fogo para destruir os filhos de Arão, este fez muito bem em ficar quieto. Portanto, ao tomar o jugo, o crente deve "assentar-se solitário e ficar em silêncio; porquanto Deus o pôs sobre ele. Ponha a boca no pó; talvez assim haja esperança" (Lm 3.28,29). Sabemos que a murmuração dos filhos de Israel custou muito caro para eles. "Aquietai-vos", ou seja, cuidado para não murmurar contra mim, diz o Senhor. Deus não presta contas dos seus assuntos a ninguém, porque há muitas coisas que você não pode compreender claramente. Afirmo que Deus não presta contas dos seus assuntos a quem quer seja. Cuidado, então, para não fazer conclusões apressadas. — *Sermão de Richard Cameron pregado em 18 de julho de 1680, três dias antes que ele fosse morto na cidade de Airsmoss, Escócia*

v. 10: "Aquietai-vos e sabei que eu sou Deus". A fé dá para a alma a visão do grande Deus. Ela ensina a alma a colocar a onipotência divina contra a magnitude do pecado e a infinidade divina contra a multidão do pecado, debelando a tentação. A razão por que o pecador presunçoso teme tão pouco e a alma desesperada teme tanto é por não saber que Deus é grande. Para curá-los, propomos a séria consideração de Deus sob esta noção: "Aquietai-vos e sabei que eu sou Deus", como se Ele tivesse dito: Sabei, ó ímpios, que eu sou Deus que me vingo de vós quando Eu quiser. Parai de me provocar com os vossos pecados para não ficardes confusos. Outra vez, "sabei", ó almas trêmulas, "que eu sou Deus", ou seja, que posso perdoar os maiores pecados, e parai de desonrar-me com os vossos pensamentos incrédulos sobre mim. — *William Gurnall*

v. 10: "Aquietai-vos e sabei que eu sou Deus". Nem todo o mundo é aluno adequado para a escola de Deus, mas os tais são purificados de acordo com a purificação do santuário. Os homens carnais naufragam nos cuidados carnais e mundanos, e não são purgados nem levantados até receberem a luz de Deus, para que não fiquem indispostos por preconceito ou emoção que não podem ficar sabendo. Nunca o conheceremos salvadoramente, até que a alma fique livre dessas indisposições. Entre todos os elementos, a terra é apropriada para receber a semente do semeador. Se Ele o lançar no fogo, queima. Se o lançar no ar, murcha.

Se o lançar na água, apodrece. A instabilidade desse ambiente produz monstros, porque não fecha hermeticamente os peixes com ovas. Pessoas de temperamento explosivo, ou de luz inconstante, ou que se movem como água não são para os ensinos de Deus, mas os tais em humildade permanente ficam sob as mãos dEle. Se as águas forem misturadas com barro ou a sua superfície for perturbada pelo vento, elas não podem gerar nem refletir imagem. Tais pessoas instáveis na escola de Deus perdem tempo e se arriscam. — *William Struther*

v. 10: "Aquietai-vos e sabei que eu sou Deus; serei exaltado entre as nações; serei exaltado sobre a terra". Como você tem de ir e contemplar (v. 8), assim vá e ouça o que o Senhor diz para os seus inimigos. — *John Trapp*

v. 11: "O Senhor dos Exércitos está conosco". Na terça-feira, John Wesley poderia com dificuldade ser entendido, embora tentasse falar muitas vezes. Por fim, com toda a força que tinha, clamou: "O melhor de tudo é: Deus está conosco". Mais uma vez, erguendo a mão e acenando em triunfo, ele exclamou com efeito emocionante: "O melhor de tudo é: Deus está conosco". Ao que parece, essas palavras expressam a principal característica da sua vida inteira. Deus estivera com ele desde a tenra infância. A providência divina o guiara por todas as perambulações da vida humana. Agora, quando ele estava entrando no "vale da sombra da morte", a mesma mão o sustentava. — *Extraído de W. C. Larrabee, Mestre em Ciências Humanas, "Wesley and his Coadjutors" [Wesley e os seus Auxiliares], editado por B. F. Tefft, Doutor em Teologia, Cincinnati, EUA, 1851*

SUGESTÕES AOS PREGADORES

v. 1. O cântico de fé em tempos de tribulação: (1) O nosso refúgio. O nosso único, inconquistável, acessível, delicioso lugar de retiro é o nosso Deus. (2) A nossa fortaleza. A nossa fortaleza Todo-suficiente, inconquistável, honrável e motivadora é o nosso Deus. (3) O nosso socorro. Sempre perto, compassivo, fiel, real e potente é o nosso Deus.

v. 1. "Socorro bem presente na angústia." A religião nunca é tão valiosa quanto em tempos de dificuldade, doença e morte. Deus está presente socorrendo-nos para que suportemos as dificuldades, melhoremos a situação e passemos por elas. Deus está presente pelas comunicações graciosas e manifestações doces. Deus está mais presente quando parece ausente, restringindo, dominando e santificando a dificuldade. Confie e espere. — *James Smith*

v. 2. As razões, vantagens e glória da coragem santa.

vv. 2 e 3. (1) As grandes e muitas causas de medo: (a) O que pode acontecer: montes, águas, perseguição e epidemia. (b) O que tem de acontecer: aflições, morte e julgamento. (2) O grande e único motivo para não temer. A falta de medo sob tais circunstâncias tem de estar bem fundamentada. O próprio Deus é o nosso refúgio, e nós, confiando nEle, não temos medo. — *George Rogers*

v. 4. Boas notícias em tempos de tristeza. Ou a cidade de Deus em tempos de dificuldade e confusão, regada com o rio da consolação. — *Ralph Erskine*

v. 4. O que é este rio, senão a gloriosa aliança na qual Davi firmou em tempos de dificuldade? [...] O que são as correntes desse rio, senão as emanações e efeitos desta constituição divina? (1) O sangue de Jesus. (2) As influências do Espírito Santo. (3) As doutrinas e promessas do evangelho. (4) As ordenanças da religião. (5) Todos os meios da graça. — *William Jay*

v. 4. "Alegram a cidade de Deus." Há quatro maneiras pelas quais as correntes de um rio alegram os cidadãos: (1) A primeira maneira diz respeito à perspectiva. (2) A segunda maneira diz respeito ao tráfico. (3) A terceira maneira diz respeito à fertilidade. (4) A quarta maneira diz respeito ao abastecimento. — *William Jay*

v. 4. "A cidade de Deus." Podemos dizer que a Igreja é "a cidade de Deus", porque: (1) Ele habita nela (ver versículo 5). (2) Ele a fundou e a construiu. (3) Ela obtém dEle todos os privilégios e imunidades. (4) Ele é o principal Administrador ou Governador dela. (5) Ela é a propriedade dEle. (6) Ele recebe os impostos dela. — *Ralph Erskine*

vv. 4 e 5. É para a igreja: (1) Alegria. (2) Estabelecimento. (3) Libertação.

v. 6. O que o homem fez e o que Deus fez.

v. 8. "Vinde, contemplai as obras do SENHOR": (1) Vale a pena contemplá-las, pois elas são como Ele mesmo. Todas condizem com o seu infinito poder, sabedoria e justiça. (2) Temos olhos exatamente para esse propósito. Não são para contemplarmos a vaidade nem para enganarmos ou ferirmos a alma, mas para uso e honra do Criador. (3) O Senhor se agrada que as suas obras sejam contempladas. Ele sabe que há nelas excelência e perfeição, e que quanto mais são contempladas e notadas, mais honra advirá para quem as criou. (4) Ninguém, senão nós podemos fazer isso. Essa é a maior razão para as contemplarmos cuidadosamente. (5) Contemplá-las nos será de grande benefício. — *Hall* (Bispo)

v. 8. As desolações do Senhor e a consolação dos santos: (1) Uma declaração do que aconteceu. (2) Uma promessa do que acontecerá. — *"Spurgeon's Sermons" [Sermões de Spurgeon], n.º 190*

v. 9. O grande Pacificador, ou os princípios do evangelho são a nossa única esperança para a abolição total da guerra.

v. 10. "Aquietai-vos e sabei que eu sou Deus." A consideração exclusiva de que Deus é Deus, suficiente para acalmar todas as objeções à sua soberania. — *Jonathan Edwards*

v. 10. "Eu sou Deus": (1) No que tange a Ele ser Deus, Ele é um ser absoluta e infinitamente perfeito. (2) Já que é Deus, Ele é tão grande que está infinitamente acima de todo entendimento. (3) Já que é Deus, todas as coisas lhe pertencem. (4) No que tange a Ele ser Deus, Ele é digno de ser soberano acima de todas as coisas. (5) No que tange a Ele ser Deus, Ele será soberano e agirá como tal. (6) No que tange a Ele ser Deus, Ele pode se vingar daqueles que se opõem à sua soberania. — *Jonathan Edwards*

SALMO 47

TÍTULO

Salmo para [...] os filhos de Corá. Não podemos concordar com aqueles que pensam que os filhos de Corá foram os autores destes salmos. Todos têm indicações claras da autoria davídica. Os nossos ouvidos acostumaram-se com o som das composições de Davi, e estamos moralmente certos de que o ouvimos neste salmo. Todo perito detecta nesta composição poética o autógrafo do Filho de Jessé ou estamos muito enganados.

Os filhos de Corá cantaram estes salmos, mas cremos que não eles que os escreveram. Cantores competentes eram eles, cuja origem os fez lembrar do pecado, cuja existência era prova da graça soberana e cujo nome tem relação íntima com o nome do Calvário.

Para o cantor-mor. Muitos cânticos foram dedicados a este líder do coral, mas ele não ficou sobrecarregado. O serviço de Deus causa tanto prazer que não cansa. A parte mais preferencial, cantar louvores a Deus é tão aprazível que nunca é demais. É indubitável que um cantor-mor ou músico principal como ele, comissionado com tantos cânticos sacros, sentisse que quanto mais, melhor.

ASSUNTO

Seria difícil decidir se o assunto direto deste salmo é o transporte da arca da casa de Obede-Edom para o monte Sião ou a comemoração de alguma vitória memorável.

Tendo em vista que até os estudiosos diferem entre si, quem deve dogmatizar?

Mas é nitidamente claro, que a soberania vigente do Senhor e as vitórias finais do nosso Deus foram aqui devidamente cantadas, ao passo que a ascensão e suas profecias foram docemente glorificadas.

Em um salmo tão curto não há necessidade de outra divisão senão a indicada pela pausa musical ao término do versículo 4.

EXPOSIÇÃO

1 *Aplaudi com as mãos, todos os povos; cantai a Deus com voz de triunfo.*

1. *"Aplaudi com as mãos."* A maneira mais natural e o sinal mais entusiástico de exultação têm de ser usados por causa das vitórias do Senhor e do seu reinado universal. A nossa alegria em Deus pode ser demonstrativa, a qual Ele não a censurará.

"Todos os povos." A alegria tem de ser estendida a todas as nações. Israel pode ir na vanguarda, mas todos os gentios têm de segui-lo na marcha de triunfo, pois eles têm parte igual nesse Reino, onde não há grego nem judeu, mas Cristo é tudo em todos. Mesmo agora se eles ao menos souberem disso, é a melhor esperança para todos os povos que o Senhor reine sobre eles. Se todos não podem falar a mesma língua, todos podem usar a linguagem simbólica das mãos. Nos últimos dias, o Senhor reinará sobre todos os povos e eles exultarão nesse Rei. Fossem eles sábios, submeter-se-iam agora a esse reinado, e se alegrariam em fazê-lo, aplaudindo com as mãos em êxtase só por pensar.

"Cantai", que as vozes entrem em harmonia com as mãos.

"A Deus", que Ele receba todas as honras do dia, e que sejam altas, joviais, universais e ininterruptas.

"Com voz de triunfo", com sons de alegria, de acordo com vitórias tão esplêndidas, Rei tão grande, Reino tão excelente e súditos tão alegres. Muitas são as línguas humanas, contudo as nações podem triunfar a uma voz. A visão da fé do governo de Deus está cheia de êxtase, a perspectiva do reinado universal do Príncipe da Paz é suficiente para fazer a língua do mudo cantar. Qual será a realidade? O poeta das estações tem razão em mandar que os montes e vales elevem um hino de júbilo:

Pois o grande Pastor reina
E o seu Reino inabalável ainda virá

2 *Porque o Senhor Altíssimo é tremendo e Rei grande sobre toda a terra.*

2. *"Porque o Senhor"*, ou Jeová, o único Deus autoexistente.

"Altíssimo", maior em poder, mais sublime em domínio, mais eminente em sabedoria e mais elevado em glória.

"É tremendo", nada ou ninguém pode resistir-lhe o poder ou permanecer diante da sua vingança. Ainda que esses terrores sejam brandidos em benefício dos súditos, são razões apropriadas para a alegria. A onipotência, a qual é tremenda e terrível para ser esmagada, é poderosíssima para proteger. Na grandiosa revista das tropas de um grande príncipe, todos os súditos leais estão cheios de triunfo, porque o senhor feudal pode defender os seus e é imensamente temido pelos inimigos.

"E Rei grande sobre toda a terra." Não sobre a Judeia apenas, contudo até nas mais longínquas ilhas o seu reinado se estende. O nosso Deus não é uma divindade local, um rei imperceptível de uma tribo. Em majestade infinita Ele domina sobre os reinos mais poderosos como árbitro absoluto do destino, monarca único de todas as terras, o Rei dos reis e Senhor dos senhores. Nem um vilarejo ou uma ilhota fica fora dos seus domínios. Como será gloriosa a era em que isso for visto e conhecido por todos, quando na pessoa de Jesus toda a carne verá a glória do Senhor!

3 *Ele nos submeterá os povos e porá as nações debaixo dos nossos pés.*

3. *"Ele"*, com quem está o poder infinito, "nos submeterá os povos." A batalha não é nossa, mas do Senhor. No devido tempo, Ele levará os seus, mas certamente

alcançará a vitória para a igreja. A verdade e a justiça subirão pela graça à posição de poder. Não empreendemos uma guerra duvidosa. O coração mais rebelde e a vontade mais teimosa se submeterão à graça conquistadora. Todo o povo do Senhor, quer judeus ou gentios, pode aplaudir com as mãos, pois a vitória de Deus é a nossa vitória. Claro que os apóstolos, profetas, ministros e os que mais sofrem e mais labutam receberão a parte maior da alegria. Ainda pisaremos na idolatria, infidelidade e superstição, como os homens andam nas pedras da rua.

"E porá as nações debaixo dos nossos pés." A igreja de Deus será a maior das monarquias, a vitória será notável e decisiva. Cristo tomará para si o seu grande poder e Reino, e todas as tribos dos homens imediatamente reconhecerão a glória dEle e a glória do seu povo nEle. Como será mudada a posição dos assuntos e negócios nas eras por vir! O povo de Deus tem estado sob os pés dos homens em perseguições longas e cruéis, e em desprezo diário. Entretanto Deus inverterá a posição, e o de melhor caráter será o primeiro na honra.

4 *Escolherá para nós a nossa herança, a glória de Jacó, a quem amou. (Selá)*

Enquanto não vemos todas as coisas colocadas sob o domínio do Senhor, estamos alegres em colocar a nós mesmos e as nossas riquezas à disposição dEle.

"Escolherá para nós a nossa herança." Sabemos que o seu reinado é tão gracioso que mesmo agora pedimos que no mais alto grau sejamos seus súditos. Submetemos a nossa vontade, a nossa escolha, o nosso desejo inteiramente a Ele. A nossa herança aqui e daqui em diante deixamos com Deus, para que Ele faça conosco como bem lhe parecer.

"A glória de Jacó, a quem amou." AquEle que deu a parte que cabia para o seu povo antigo, também nos dará a nossa, e não pediremos nada mais. Essa é a maneira mais espiritual e mais verdadeira de aplaudir com as mãos por conta da soberania divina, ou seja, deixar todos os nossos assuntos nas mãos de Deus, pois, então, as mãos ficarão vazias de todo o cuidado e livres para serem usadas para a honra dEle. Deus era o motivo de orgulho e a glória de Israel, Ele é e será o nosso. Deus amou o povo e tornou-se a maior glória dEles. Deus nos ama, e será a nossa alegria sobrepujante. Quanto aos últimos dias, não pedimos nada mais do que permanecer em nossa sorte designada, pois se tivermos ao menos uma porção em nosso Senhor Jesus, já será suficiente para satisfazer os nossos mais intensos desejos. A nossa beleza, motivo de orgulho e maior tesouro estão no fato de termos um Deus em quem confiar e termos esse Deus para nos amar.

"Selá." Sim, façam uma pausa, cantores fiéis. Há amplo espaço para meditação santa:

Medita um pouco, em pensamento obediente
No tema com êxtase insistente
Vê o teu Rei, cujo Reino se estende
Até às partes mais remotas da terra!
As nações alegremente reconhecem
Que Ele é o teu único Senhor e Deus
Aplaude com as mãos com santa alegria
Saúda-o como *O Monarca da Terra*
Vem, alma minha, prostra-te diante dEle
Tu és a mais feliz dos súditos
Deixa a tua porção à sua escolha
Na sua soberania te alegrarás
Esta é a tua mais pura, mais profunda felicidade
Ele é teu e tu és dEle

5 *Deus subiu com júbilo, o Senhor subiu ao som da trombeta.*

5. *"Deus subiu com júbilo."* A fé ouve as pessoas que já bradam. A ordem do versículo 1 é considerada como fato neste versículo. A guerra acabou, o conquistador sobe ao carro triunfal e anda até às portas da cidade, que resplandece com a alegria da sua volta. As palavras são totalmente aplicáveis à ascensão do Redentor. Não duvidamos que anjos e espíritos glorificados lhe tivessem dado as boas-vindas com aclamações. Ele não veio à Terra sem cânticos, imaginaremos então que Ele voltou ao céu em silêncio?

"O Senhor subiu ao som da trombeta." Jesus é Jeová. A melodia jovial da trombeta indica o esplendor do triunfo. Era adequado dar as boas-vindas com música marcial aos que voltavam das guerras. Acabando de chegar de Bozra, com as vestes tintas de vermelho do lagar, Ele subiu, levando cativo o cativeiro. A trombeta soou as Boas-Novas da volta vitoriosa do Emanuel.

6 *Cantai louvores a Deus, cantai louvores; cantai louvores ao nosso Rei, cantai louvores.*

"Cantai louvores." Que júbilo é esse, quando cinco vezes a Terra toda é chamada para cantar "a Deus"? Ele é digno, Ele é o Criador, Ele é a própria bondade. "Cantai louvores", continuem com o trabalho alegre. Nunca deixe a música parar. Ele nunca deixa de ser bom, então nunca deixemos de agradecer. É estranho que necessitemos de exortação para praticar um exercício tão celestial.

"Cantai louvores ao nosso Rei." Demos-lhe todos os nossos louvores. Ninguém deve ficar sequer com uma partícula de louvor. Jesus tem de receber tudo. A sua soberania é a fonte da nossa alegria. É um atributo sublime, cheio de bênçãos para os crentes. Prestemos a nossa homenagem não em gemidos, mas em cânticos. Ele não força que escravos lhe abrilhantem o trono. Ele não é déspota. Cantar é homenagem adequada para um monarca tão abençoado e benevolente. Que todos os corações que aceitaram o domínio do cetro cantem e cantem para sempre, pois há razão perpétua para agradecer enquanto habitamos sob a sombra de tal trono.

7 *Pois Deus é o Rei de toda a terra; cantai louvores com inteligência.*

7. *"Pois Deus é o Rei de toda a terra."* Os judeus nos dias de nosso Salvador se ressentiram com essa verdade. Mas tivessem os seus corações se certificado, eles teriam se alegrado com isso. Teriam guardado o seu Deus para si, e nem mesmo permitido que os cachorrinhos gentios comessem os farelos de pão que caem da mesa. Como o egoísmo torna o mel em absinto! O Senhor não é Deus só dos judeus, mas todas as nações da Terra, pelo Messias, hão de confessar o Senhor. Enquanto isso, o seu trono providencial governa todos os acontecimentos debaixo dos céus.

"Cantai louvores com inteligência." Cantem um salmo didático. A sã doutrina louva a Deus. Mesmo sob a economia de tipos e cerimônias, está claro que o Senhor levava em consideração a espiritualidade da adoração, e seria louvado com reflexão, sabedoria e avaliação profunda da razão para os cânticos. Há que se temer o modo desleixado em que alguns fazem barulho ao cantar, pois imaginam que qualquer som é louvor.

Por outro lado, tendo em vista a grande atenção que alguns dão à mera música, é triste constatar que o sentido não causa efeito sobre eles. Não é pecado fazer cócegas nos ouvidos das pessoas quando confessamos estar louvando ao Senhor? O que o deleite sensório em ouvir instrumentos musicais, hinos, etc., tem a ver com devoção? Os homens não confundem efeitos físicos com impulsos espirituais? Não oferecem eles muitas vezes a Deus melodias e canções muito mais calculadas para a diversão humana do que para a aceitação divina? É então e só então que o entendimento iluminado pelo Espírito Santo fica devidamente capaz de oferecer louvor digno.

8 *Deus reina sobre as nações; Deus se assenta sobre o trono da sua santidade.*

8. *"Deus reina sobre as nações."* Hoje Deus reina de forma secreta sobre os mais humilhados idólatras. Essa é uma obra para a fé. Como almejamos o dia em que essa verdade será mudada em seu aspecto, e o governo agora não reconhecido virá a ser deleitado! A grande verdade que Deus reina em providência é a garantia de que a sua promessa se cumprirá e o seu Reino virá.

"Deus se assenta sobre o trono da sua santidade." Impassível, Ele ocupa um trono indisputado, cujos decretos, atos e mandamentos são a própria santidade. Que outro trono é assim? Nunca foi manchado com a injustiça ou contaminado pelo pecado. AquEle que se assenta no trono jamais se apavora ou entra em apuros. Ele se assenta com serenidade, porque sabe o poder que tem e vê que os seus propósitos não falharão. Essa é razão suficiente para a canção santa.

9 *Os príncipes dos povos se congregam para serem o povo do Deus de Abraão; porque os escudos da terra são de Deus; ele está muito elevado!*

9. *"Os príncipes dos povos se congregam."* Os olhos proféticos do salmista veem os súditos receptivos do grande Rei reunidos para celebrar a glória dEle. Não só os pobres e as pessoas de baixa condição social, mas os nobres dobram o pescoço voluntariamente ao domínio desse Rei: "Todos os reis se prostrarão perante ele" (Sl 72.11). Nenhum povo ficará sem representatividade. Os grandes homens serão bons homens, os reis serão regenerados. Como será augusto o parlamento quando o Senhor Jesus abrir o tribunal, e os príncipes se levantarem para honrá-lo!

"Para serem o povo do Deus de Abraão." Esse mesmo Deus, que só era conhecido por este e aquele patriarca como o Pai dos crentes, será adorado por uma descendência tão numerosa quanto as estrelas do céu. A promessa da aliança será cumprida: "Em ti e na tua semente serão benditas todas as famílias da terra" (Gn 28.14). Siló virá, e "a ele se congregarão os povos" (Gn 49.10). A dispersão de Babel será obliterada pelo braço de ajuntamento do Grande Rei-Pastor.

"Porque os escudos da terra são de Deus." A insígnia de pompa, os emblemas de posto, as armas de guerra — tudo tem de prestar homenagem de lealdade ao Rei de todos. Os títulos honoríficos de direito devem honrar Jesus, e as majestades têm de reconhecê-lo possuidor de majestade muito mais sublime. Os protetores da terra e os escudos da comunidade derivam o poder dEle, pois a Ele pertence. Todos os principados e poderes devem se sujeitar ao Senhor e ao seu Cristo, porque "ele está muito elevado!" Em natureza, poder, caráter, glória não há nada que se compare a Ele. Que gloriosa visão de uma era por vir! Apressem-se, rodas do tempo! Enquanto isso, santos, "sede firmes e constantes, sempre abundantes na obra do Senhor, sabendo que o vosso trabalho não é vão no Senhor" (1 Co 15.58).

NOTAS EXPLICATIVAS E DECLARAÇÕES IMPORTANTES

O Salmo: Certos estudiosos aplicam este salmo à ascensão de Jesus, mas na verdade ele fala da segunda vinda. O Senhor Altíssimo está assentado pacificamente no trono. Nós nos remetemos ao Salmo 45. — *Andrew A. Bonar*

v. 1: "Aplaudi com as mãos, todos os povos; cantai a Deus com voz de triunfo". É o que devemos fazer: (1) Alegremente: "Aplaudi com as mãos", pois este é sinal de alegria interior (Nm 3.19). (2) Universalmente: "Todos os povos". (3) Vocalmente: "Cantai a Deus com voz de triunfo". (4) Frequentemente: "Cantai louvores a Deus, cantai louvores; cantai louvores ao nosso Rei, cantai louvores" (v. 6), e novamente: "Cantai louvores" (v. 7). Nunca é demais cantar louvores. (5) Conscientemente e discretamente: "Cantai louvores com inteligência" (v. 7). Conheça a razão por que você tem de louvar. — *Adam Clarke*

v. 1: "Aplaudi com as mãos, todos os povos; cantai a Deus com voz de triunfo". Alguns acham indignos e imprudentes tais expressões de afeto piedoso e devoto, mas não devemos estouvadamente censurá-las e condená-las, muito menos ridicularizá-las. Se elas partem de um coração reto, Deus aceitará a força do afeto e desculpará a fraqueza das expressões desse afeto. — *Matthew Henry*

v. 1: "Aplaudi com as mãos". A voz da melodia não é tanto para ser proferida com a língua ou com as mãos, quer dizer, as nossas ações não são as nossas palavras, pelas quais Deus será louvado aqui. É exatamente como se deu naquEle, cujo padrão temos seguir: "Tudo que Jesus começou, não só a fazer, mas a ensinar" (At 1.1). — *John Mason Neale*

v. 1: "Todos os povos". *Povos*, no plural. O termo é usado para chamar os judeus e gentios de todas as nações. — *William S. Plumer*

v. 1: "Cantai a Deus". *Jubilate Deo*: em Deus, em relação a Deus e em honra de Deus. Ele não os convoca para a alegria carnal. — *Martin Geier*

v. 2: "Porque o Senhor Altíssimo é tremendo e Rei grande sobre toda a terra". A igreja celebra a ascensão de Cristo, porque Ele, então, foi exaltado "soberanamente", Ele, então, se tornou "terrível" aos inimigos, todo o poder do céu e da terra foi-lhe entregue e Ele, então, começou a exibir a majestade excelente do Reino universal, para o qual Ele, então, foi inaugurado, sendo coroado "Rei dos reis e Senhor dos senhores". — *George Horne*

v. 2: "O Senhor Altíssimo é tremendo". Cristo é "tremendo", ou seja, terrível, temeroso ou digno de ser temido não só pelos seus filhos para o bem deles, mas também pelos ímpios para o castigo deles. "Tremendo" contra o Diabo, sendo mais forte do que ele, expulsando o príncipe das trevas pelo dedo de Deus (Lc 11.22; Jo 12.31). Tão logo o espírito imundo viu Jesus, ele clamou: "Ah! Que temos contigo, Jesus Nazareno? Vieste destruir-nos? Bem sei quem és: o Santo de Deus" (Mc 1.24); ou como disseram outros demônios: "Vieste aqui atormentar-nos antes do tempo?" (Mt 8.29), pois os demônios creem e estremecem.

"Tremendo" contra os hipócritas e outros agentes incrédulos do Diabo, pois Jesus "em sua mão tem a pá, e limpará a sua eira, e recolherá no celeiro o seu trigo, e queimará a palha com fogo que nunca se apagará" (Mt 3.12). Ou Cristo é *excelsus in potentia, terribilis in justitia*, que significa "alto em poder e terrível em justiça", alto para exaltar o bem e tremendo para humilhar o mal. — *John Boys*

v. 3: "Ele nos submeterá os povos e porá as nações debaixo dos nossos pés". A consequência da ascensão do nosso Senhor foi a saída da Palavra dominadora, sob cuja influência e direção as nações convencidas e convertidas renunciaram os ídolos e suas concupiscências e dobraram o pescoço receptivo ao jugo de Jesus. Essa foi a grande conquista, prefigurada pelas vitórias de Josué, Davi e de todos os heróis fiéis dos velhos tempos e predita em linguajar usurpado da história deles. — *George Horne*

v. 3: "Ele nos submeterá os povos e porá as nações debaixo dos nossos pés", ou "Ele guiará como ovelhas", ou "Ele levará para o aprisco", como os estudiosos traduzem a palavra, comparando com Isaías 5.17 e Miqueias 2.12.

Ao que parece, o salmista fala dessa subjugação como se fosse para o bem do povo subjugado. Esse é o motivo de alegria para eles (v. 1), algo que é verdadeiro para esses povos a quem Davi subjugou, os quais, por esse meio, tiveram oportunidades, obrigações e incentivos para confessar e adorar o verdadeiro Deus, que era o único caminho para a verdadeira e duradoura felicidade do povo. Davi fala dessa subjugação como se fosse também e especialmente para os gentios, que foram subjugados a Cristo pela pregação do evangelho. Os convertidos gentios foram, de certo modo, dominados pelos judeus, porque eles foram sujeitos a Cristo, aos apóstolos e à Igreja Primitiva, que eram judeus. — *Matthew Pool*

v. 3: "E porá as nações debaixo dos nossos pés". Por esse modo de falar, o significado é que os gentios deveriam ser, por assim dizer, os alunos e os judeus, os professores, pois a Bíblia usa a expressão *sentar-se debaixo dos pés* ou *aos pés* para denotar posição para estudar ou aprender, como vemos em Atos 22.3. — *Thomas Wilcocks*

v. 4: "Escolherá". Em hebraico, os verbos no futuro são traduzidos diferentemente. Por isso, a Vulgata Latina, a versão Siríaca e a versão Arábica traduzem o verbo por: "Escolheu". — *Matthew Pool*

v. 4: "Escolherá para nós a nossa herança". Perguntaram a certa mulher doente se ela queria viver ou morrer. Ela respondeu: "O que for da vontade de Deus". Mas, disse alguém, e se Deus dissesse que era para você escolher, o que diria? "Neste caso", respondeu ela, "eu entregaria a decisão para Ele". Assim esta mulher obtém a vontade de Deus, sujeitando a própria vontade a Ele.

Não devemos nos aborrecer por não termos mais de Deus, contudo temos de nos aborrecer por não fazermos mais para Deus. Cristão, se o Senhor está muito satisfeito com você, não ficará, você, satisfeito com a sua situação? Há mais razão para você ficar satisfeito com as suas condições do que Ele ficar satisfeito com você. Os crentes devem ser como ovelhas que mudam de pasto segundo a vontade do pastor. Ou devem ser como os recipientes de uma casa, que estão cheios ou vazios como aprouve ao dono. AquEle que navega no mar deste mundo como bem quiser, acabará afundando em um oceano sem fundo. Nunca houve alguém que fosse o autor da própria fortuna que não se machucasse sem cura. — *William Secker*

v. 4: "Escolherá para nós a nossa herança", significa que aquEle que sabe o que é melhor para nós, mais do que nós mesmos, escolheu, isto é, designou, de acordo com a sua boa vontade e misericórdia por nós, a nossa herança.

Designou não só as coisas apropriadas para esta vida, como terras, casas e bens, mas até mesmo todas as coisas relativas à esperança de uma vida melhor, a saber, um Reino que não pode ser abalado, uma habitação eterna, "uma herança incorruptível, incontaminável e que se não pode murchar, guardada nos céus para vós" (1 Pe 1.4). — *John Boys*

v. 4: "A glória [ou excelência] de Jacó, a quem amou", quer dizer, até todas as coisas excelentes que o Senhor deu e prometeu a Jacó, nas quais ele pode se gloriar e se alegrar. Os recursos fiéis que tiveram tanto quanto Jacó teve, quer em termos de abundância quanto de garantia da graça e da bondade de Deus. — *Thomas Wilcocks*

v. 4: "Escolherá para nós a nossa herança, a glória de Jacó, a quem amou". Pode ser que você seja crente e pobre. Tudo bem, mas você pode dizer que se não fosse pobre, você seria crente? Claro que Deus nos conhece melhor do que nós mesmos. Portanto, Ele pode ajustar a melhor circunstância a cada pessoa. — *Giles Fletcher, 1588-1623*

v. 5: "Deus subiu com júbilo, o SENHOR subiu ao som da trombeta". É digno (como Orígenes sugere) que essa menção ao "júbilo" e ao "som da trombeta" sirva para ligar eventos passados e futuros na história da igreja e do mundo, e levar os nossos pensamentos à vinda de Cristo e ao julgamento. — *Christopher Wordsworth*

v. 5: Tu tens grande motivo, ó minha alma, para louvá-lo e alegrar-te diante dEle, sobretudo se considerares que Cristo não ascendeu só para si, mas também para ti. É Deus em nossa natureza que subiu ao céu. Tudo que Deus agiu na pessoa de Cristo, Ele o fez em teu benefício, e Ele quer agir exatamente o mesmo em ti. Cristo como pessoa pública ascendeu ao céu. O teu interesse está nesta mesma ascensão de Jesus Cristo. Então tu consideras que a tua Cabeça está como que subindo? Que todo membro do corpo louve o nome santo. Que a tua língua (chamada a tua glória) se glorie nisso e trombeteie o louvor santo, para que em relação a este dever seja constatado: Cristo "subiu com júbilo, o Senhor subiu ao som da trombeta". — *Isaac Ambrose*

v. 7: "Pois Deus é o Rei de toda a terra", como se o salmista tivesse dito: "O nosso Rei, eu disse? É pouco. Ele é o Rei de toda a terra". — *John Trapp*

v. 7: "Cantai louvores com inteligência". Como temos de melodiar em nosso coração para Deus ao cantarmos os salmos? Temos de cantar "com inteligência". Não devemos ser guiados pelo tempo, mas pelas palavras do salmo. Temos de dar mais importância ao tema do que à música, e levarmos em conta o que cantamos e como cantamos. A melodia afeta a imaginação, mas é o tema que afeta o coração e que Deus observa. O salmista nos aconselha neste particular, como fez o apóstolo (1 Co 14.15). Caso contrário, este doce dever seria o trabalho mais de um corista do que de um cristão, e desfrutaríamos mais no hino de um compositor do que no salmo da lavra do Espírito. Alguém observou que no texto de 1 Coríntios 14.15, a palavra "entendimento" é *masquil*, מַשְׂכִּיל, que significa "julgamento profundo". Temos de cantar com sabedoria para que cantemos com gratidão. Temos de apreciar o que cantamos. Em suma, temos de cantar do modo em que temos de orar. O mais rude suplicante entenderá o que pede (1 Co 14.15). Se não entendemos o que cantamos, é indício de descaso de espírito ou dureza de coração. Isso torna o serviço impertinente. A respeito disso, o ilustre John Davenant exclama: "Adeus aos berros dos papistas, que cantam em uma língua desconhecida". Deus não nos entenderá nesse serviço se nós mesmos não nos entendermos. Uma das primeiras obras da criação foi a luz, e esta tem de permear todo o dever. — *John Wells, 1676, "Morning Exercises" [Exercícios Matinais]*

v. 7: "Cantai louvores com inteligência", cantai uma canção instrutiva. Que o sentido e o som estejam juntos. Que o coração e a cabeça se unam com as vozes. Entenda o que você canta e sinta o que você entende. — *Adam Clarke*

v. 7: "Cantai louvores com inteligência", porque na plena luz da nova dispensação, a escuridão das eras patriarcais, o ver como por espelho da Lei levita, são transformados na visão da própria realidade total. — *Hugo Victorinus*

v. 7: "Cantai louvores com inteligência". Note isto: Você que lê diariamente os salmos, mas não os entende. — *Simon de Muis*

v. 7: "Com inteligência". Se eles tivessem cantado "com inteligência", não teriam adorado pedras. Quando o homem sensível cantou para uma pedra insensível, ele cantou "com inteligência"? Mas hoje, irmãos, não vemos com os olhos a quem adoramos, porém corretamente adoramos. Muito mais Deus é digno de louvor, pois que com os olhos não o vemos. — *Agostinho*

v. 9: "Os príncipes dos povos se congregam". Acerca dessas palavras, observo que não é impossível os grandes homens serem bons homens, os chefes de um país serem membros de Cristo e os príncipes como também o povo servirem o Deus de Abraão. O profeta diz: "Eis que, para minha paz, eu estive em grande amargura" (Is 38.17); "Mil cairão ao teu lado, e dez mil, à tua direita, mas tu não serás atingido" (Sl 91.7). Dez morrem na prosperidade por um que cai em adversidade. *Homo victus in paradiso, victor in stercore*, que significa: "Adão no jardim do prazer foi vencido pela serpente sutil, ao passo que Jó no monturo da miséria foi mais do que vencedor". Os lenhadores dizem que os cervos são mais circunspetos em pastos gordos, assim os crentes temem mais em tempos de propriedade abundante. Disse Sêneca: *Nihil timendum video timeo tamen.* É uma aprazível oração de nossa igreja na litania. "Bom Senhor, livra-nos em todo o tempo da nossa riqueza", dando a entender que a mente não é tão corrupta na necessidade quanto na abundância. Contudo, como vemos, essa é a bondade indizível de Jesus para todos os tipos de pessoas, adiantando até mesmo as riquezas da misericórdia, para que não só os pobres, mas também os poderosos entre os gentios sejam unidos à igreja do Deus de Abraão. — *John Boys*

v. 9: "Se congregam". Os santos de Jesus se congregarão em torno dEle na segunda vinda, a vinda para julgar, o juízo geral e final: "Ora, irmãos, rogamos-vos, pela vinda de nosso Senhor Jesus Cristo e pela nossa reunião com ele" (2 Ts 2.1). — *James Scot, -1773, "A Collection of Sermons" [Uma Coletânea de Sermões], 1774*

v. 9: "O povo do Deus de Abraão". (1) No tocante ao Deus de Abraão, é Cristo, cujos dias Abraão desejou ver e vendo muito se alegrou (Jo 8.56). Ele viu não só o dia do nascimento, como sabemos pelo juramento que mandou o servo fazer (Gn 24.2-9), mas também o dia da paixão, que viu há muito tempo e se alegrou ao ver, quando no monte disse ao filho Isaque: "Deus proverá para si o cordeiro para o holocausto" (Gn 22.8). (2) "O povo do Deus de Abraão" são os seus filhos e posteridade. A semente de Abraão são os que saíram dos seus lombos, sendo não apenas "os filhos da carne", mas também "os filhos da promessa" (Rm 9.8). Se só os que saem dos lombos de Abraão fossem seus filhos, então os agarenos, os turcos e os ismaelitas seriam o povo de Deus: "Mas: Em Isaque será chamada a tua descendência" (Gn 9.7). Os que se apossam da promessa pela fé, "os que são da fé são filhos de Abraão" (Gl 3.7), que têm o mesmo espírito de fé que patriarca tinha. Como disse o apóstolo: "Não é judeu o que o é exteriormente, nem é circuncisão a que o é exteriormente na carne" (Rm 2.28). Os que adoram o Messias crendo nEle com a fé de Abraão, esses são filhos de Abraão e "o povo do Deus de Abraão", cujo fato João Batista afirma: "Mesmo destas pedras Deus pode suscitar filhos a Abraão" (Mt 3.9). Assim os gentios, que adoravam pedras, tornaram-se semelhantes a elas (Sl 115.8), e foram, apesar disso, elevados a filhos para Abraão. — *Lancelot Andrews, 1555-1626*

v. 9: "Os escudos da terra são de Deus". Os governantes da terra são apresentados por uma relação dupla: uma é para cima, eles são *scuta Deo*, ou seja, "eles pertencem a Deus"; a outra é para baixo, eles são *scuta terrae*, ou seja, "os escudos da terra". Essas duas relações denotam duas coisas: a dignidade e o dever. Pertencer a Deus é a honra que Ele os selou. Pertencer a Deus é o dever de estar sujeito a Ele. Ser "os escudos da terra" é a honra que eles têm acima dos outros. Ser "os escudos da terra" é o dever de proteger os outros. — *Edward Reynolds (Bispo)*

v. 9: "Os escudos da terra são de Deus". Muitos estudiosos entendem que são os príncipes. Reconheço que essa metáfora é de ocorrência frequente na Bíblia, e esse sentido não é inadequado ao contexto da passagem. [...] Contudo, o sentido será mais simples se explicarmos as palavras assim: Tendo em vista que só Deus é que defende e guarda o mundo, cuja sublime e suprema majestade é suficiente para tão exaltada e difícil obra como a conservação do mundo, Ele é devidamente olhado com admiração. O escritor sacro usa expressamente a palavra *escudos* no plural, pois, considerando os muitos e quase inumeráveis perigos que incessantemente ameaçam cada região do mundo, a providência de Deus tem de necessariamente se interpor de muitas formas, e se servir, por assim dizer, de muitos escudos. — *João Calvino*

v. 9: "Os escudos da terra". Está escrito que os magistrados têm de trazer a espada, mas eles não são espadas (Rm 13.3,4). Está escrito que eles são escudos, mas eles não devem trazer escudos. Tudo isso serve para mostrar que proteção e conservação são mais essenciais e intrínsecos ao ofício do que destruição e castigo. — *Joseph Caryl*

SUGESTÕES AOS PREGADORES

v. 1. Há ocasiões em que expressões de alegria incomuns e entusiásticas são justificáveis e até desejáveis.

vv. 1 a 4. A alegria é o verdadeiro espírito de adoração: (1) A alegria no caráter de Deus. (2) Alegria no reinado de Deus. (3) A alegria nos triunfos do evangelho de Deus. (4) A alegria no favor de Deus para os santos.

v. 2. Os terrores do Senhor são vistos pela fé como tema de alegria.

v. 2. "Rei grande sobre toda a terra." O reinado universal de Cristo: como é e como há de ser.

v. 3. A esperança da vitória para a igreja: (1) O que será subjugado? (2) Pela instrumentalidade de quem? "Nos". (3) Pelo poder de quem? "dEle". (4) Quando será realizado? (5) Qual é o sinal disso? A ascensão (v. 5).

v. 3. (1) O triunfo final dos santos. Todos os inimigos subjugados na terra e no inferno, por dentro e por fora: (a) Gradualmente. (b) Completamente. (2) O poder pelo qual isso é realizado: "Ele nos submeterá": (a) Não sem recursos. (b) Não somente pelos recursos. (c) Mas pelos recursos designados e potencializados pela energia divina. — *George Rogers*

v. 4. Isso abrange o tempo e a eternidade. É algo prático, de santa aquiescência, de santo desejo e de santa gratidão.

v. 4. (1) Deus está disposto a escolher a nossa herança para nós no tempo e na eternidade. (2) A escolha de Deus é melhor do que a nossa: "A glória de Jacó". (3) Deus nos deixará com as consequências da nossa escolha. (4) Deus nos ajudará a obter aquilo que escolheu para nós. — *George Rogers*

v. 5. A ascensão: (1) A sua publicidade, solenidade, triunfo e alegria. (2) Quem ascendeu. (3) Onde Ele ascendeu. (4) Ao que Ele ascendeu. (6) Com que propósito Ele ascendeu. (7) Com que resultado Ele ascendeu.

v. 6. A importância do canto sacro. A repetição reprova a nossa moleza e indica que a seriedade, a frequência, o prazer e a universalidade devem caracterizar os louvores dados.

v. 7. "Cantai louvores com inteligência." A salmodia dos instruídos e a instrução pela salmodia. O louvor deve ser o fruto e o veículo do ensino.

v. 8. "Deus se assenta sobre o trono da sua santidade." A soberania divina sempre está ligada com a santidade.

v. 8. Deus tem: (1) Um trono de santidade, pelo qual deve ser temido por todos os homens. (2) Um trono de graça, pelo qual deve ser amado pelos remidos. (3) Um trono de glória, pelo qual deve ser louvado por todas as criaturas que criou.

v. 9. (1) O escudo é uma arma misericordiosa, como nenhuma outra. (2) O escudo é uma arma arrojada, um tipo de segurança, que ampara os golpes e recebe os ferimentos que eram para outrem. (3) O escudo é uma arma forte para repelir os dardos da maldade e despedaçá-los. (4) O escudo é uma arma honrável, como nenhuma outra. Tirar os escudos era sinal de vitória, guardá-los era sinal de glória. (5) Lembre-se de que o escudo sempre tem de ter olhos para guiá-lo. — *Edward Reynolds (Bispo)*

SALMO 48

TÍTULO

Cântico. Salmo para os filhos de Corá. Um cântico para alegria e um salmo para reverência. Infelizmente, nem todo cântico é um salmo, pois nem todos os poetas nasceram do céu, e nem todo salmo é um cântico, pois para irmos à presença de Deus temos de fazer tristes confissões como também dar exultantes louvores. Os filhos de Corá ficaram contentes em ter uma tão grande seleção de cânticos. O culto em que ocorria esta variedade musical não podia ser monótono, pois proporcionava o ambiente para todos os sentimentos sacros da alma graciosa.

ASSUNTO

Seria perda de tempo atribuir dogmaticamente este cântico a determinado evento da história judaica. O autor e data são desconhecidos. Registra que certos reis confederados bateram em retirada de Jerusalém, pois a valentia os abandonou antes mesmo de darem um golpe de ataque. A menção das naus de Társis permite que conjeturemos que foi escrito em referência à subversão de Amom, Moabe e Edom no reinado de Josafá. Se o leitor consultar 2 Crônicas 20 e notar especificamente os versículos 19, 25 e 36, ele aceitará a sugestão.

DIVISÃO

Os versículos 1 a 3 foram escritos em honra do Senhor e da cidade dedicada ao seu culto. Os versículos 4 a 8 narram a confusão dos inimigos de Sião, atribuindo todo o louvor a Deus. E os versículos 9 a 11 exaltam Sião e declaram que o Senhor é o seu Deus para sempre.

EXPOSIÇÃO

1 *Grande é o* S*ENHOR e mui digno de louvor na cidade do nosso Deus, no seu monte santo.*

2 *Formoso de sítio e alegria de toda a terra é o monte Sião sobre os lados do Norte, a cidade do grande Rei.*

3 *Deus é conhecido nos seus palácios por um alto refúgio.*

1. *"Grande é o Senhor."* Ninguém pode conceber o quanto o Senhor é essencialmente grande. Todos vemos que Ele é grande no livramento do povo, grande na estima de quem foi livrado e grande no coração dos inimigos a quem Ele espalha pelos próprios medos que eles têm. Em vez do grito furioso de Éfeso: "Grande é a Diana" (At 19.28), demos o testemunho racional, demonstrável e patente: "Grande é o Senhor". Ninguém há grande na igreja senão o Senhor. Jesus é o "grande Pastor" (Hb 13.20), ele é "Redentor e Protetor" (Is 19.20), o nosso grande Deus e Salvador, o nosso grande Sumo Sacerdote. O Pai lhe deu uma porção com os grandes, e o seu nome será grande até aos confins da terra.

"E mui digno de louvor." A adoração deve ser de acordo com a natureza de Deus. Os seus louvores jamais se tornam demasiadamente constantes, demasiadamente laudatórios, demasiadamente sérios, demasiadamente reverentes, demasiadamente sublimes. Não há ninguém como o Senhor e não há louvor como os seus louvores.

"Na cidade do nosso Deus." Ele é grande na cidade, onde deve ser grandemente louvado. Se todos ao redor renunciaram o culto ao Senhor, o povo escolhido na cidade favorecida deve continuar cultuando-o, pois no seu meio e a seu favor revelou-se o poder glorioso de forma tão evidente. Na igreja, o Senhor será exaltado ainda que todas as nações se enfureçam contra Ele. Jerusalém era a morada peculiar do Deus de Israel, o sítio do governo teocrático e o centro da adoração prescrita, e exatamente assim é a igreja o lugar da manifestação divina.

"No seu monte santo." É onde se viam o Templo santo, os sacerdotes santos e os sacrifícios santos continuamente. Sião era um monte e, como era a parte mais renomada da cidade, é mencionado como sinônimo da própria cidade. A igreja de Deus é um monte para elevação e para notabilidade. Deve ser adornada com santidade, sendo os filhos participantes da santidade de Deus. Só por homens santos o Senhor é apropriadamente louvado, os quais devem se ocupar incessantemente com o oculto.

2. *"Formoso de sítio."* Jerusalém era formosa por natureza. Chamaram-na de a Rainha do Oriente. A igreja é formosa espiritualmente, sendo colocada perto do coração de Deus, nos montes do seu poder, sobre os montes da sua fidelidade, no centro das operações providenciais. A elevação da igreja é a sua formosura. Quanto mais ela está acima do mundo, mais bonita é.

"E alegria de toda a terra é o monte Sião." Jerusalém era a estrela do mundo. Toda luz que há na terra foi tomada dos oráculos preservados por Israel. Um israelita ardente estimaria a santa cidade como a visão das nações, a pérola mais preciosa de todas as terras. É certo que a igreja de Deus, ainda que menosprezada pelos homens, é a verdadeira alegria e esperança do mundo.

"Sobre os lados do Norte, a cidade do grande Rei." Significa que Jerusalém se situava na extremidade norte de Judá, ou denota a parte da cidade que fica ao norte do monte Sião. Era a glória de Jerusalém ser a cidade de Deus, a residência do Rei. É a alegria da igreja o fato de Deus estar no meio dela. O grande Deus é o grande Rei da igreja, e por causa dela Ele governa todas as nações. O povo entre quem o Senhor se digna em habitar é privilegiado acima de todos os outros. As linhas caem-lhe em lugares deliciosos e coube-lhe uma formosa herança (cf. Salmo 16.6). Os que moram na Grã-Bretanha sobre os lados do norte têm isso por glória principal: o Senhor é conhecido em nossa terra e a morada do seu amor está entre nós.

3. *"Deus é conhecido nos seus palácios por um alto refúgio."* Não adoramos um deus desconhecido. Nós o conhecemos como o nosso refúgio em tempos de angústia,

nos deleitamos nEle como tal e corremos para Ele toda vez que temos necessidade. Não conhecemos nada mais como refúgio. Embora fomos feitos reis e as nossas casas sejam palácios, não confiamos em nós mesmos, mas temos confiança no Senhor Protetor, cujo bem conhecido poder é o nosso antemuro.

4 *Porque eis que os reis se ajuntaram; eles passaram juntos.*
5 *Viram-no e ficaram maravilhados; ficaram assombrados e se apressaram em fugir.*
6 *Tremor ali os tomou, e dores, como de parturiente.*
7 *Tu quebras as naus de Társis com um vento oriental.*
8 *Como o ouvimos, assim o vimos na cidade do* Senhor *dos Exércitos, na cidade do nosso Deus. Deus a confirmará para sempre. (Selá)*

4. *"Porque eis que os reis se ajuntaram; eles passaram juntos."* Vieram e foram. Imediatamente após se reunirem espalharam-se. Vieram por um caminho e fugiram por vinte. Os exércitos orgulhosos reuniram-se com os líderes reais, pondo em desespero as companhias fugitivas com os respectivos capitães surpresos. Vieram como espuma do mar bravio e como espuma derreteram. O acontecido foi tão extraordinário que o salmista coloca um sinal de exclamação: "Vejam!" (NVI). O quê? Eles fugiram tão de repente! Exatamente assim os que odeiam a igreja desaparecem de vista: os papistas, ritualistas, arianos e céticos terão, cada um, o seu dia e passarão para o limbo do esquecimento.

5. *"Viram-no e ficaram maravilhados."* Vieram, viram, mas não venceram. Não houve um *veni, vidi, vici* para eles. Imediatamente após perceberem que o Senhor estava na Cidade Santa, partiram em disparada. Antes que o Senhor chegasse às vias de fato, eles ficaram com medo e bateram em retirada.

"Ficaram assombrados e se apressaram em fugir." Os atormentadores foram atormentados. A pressa em vir não era nada em relação à pressa de ir. O pânico apoderou-se deles, os cavalos não eram suficientemente velozes na fuga. Teriam pedido emprestado as asas do vento, se pudessem. Fugiram ignominiosamente, como crianças apavoradas. Glória seja dada a Deus, pois é exatamente assim que sucede com os inimigos da igreja. Quando o Senhor vem para nos ajudar, os inimigos são como nada. Pudessem eles terem previsto a derrota infame, não teriam avançado para o ataque.

6. *"Tremor ali os tomou."* Eles estavam nas garras de desespero gigantesco. Onde esperavam triunfar, foi onde tremeram de terror. Não tomaram a cidade, mas o medo os tomou.

"E dores, como de parturiente." Sofreram tamanha derrota como a mulher cujo medo causa aborto ou tiveram tantas dores como a pobre mãe nas dores de parto. É uma expressão forte, comumente empregada pelos povos do Oriente para apresentar angústia extrema. Quando o Senhor se levanta para ajudar a igreja, os mais orgulhosos dos inimigos serão como mulheres trêmulas, e o pavor é apenas o começo da derrota eterna.

7. *"Tu quebras as naus de Társis com um vento oriental."* Tão facilmente quanto os navios são levados a naufragar, Tu destróis os adversários mais poderosos. Ou pode significar a força militar que as nações colocam nos navios, cujo casco de madeira é logo quebrada. Mas a nossa força está no nosso Deus. Por isso, ela não falha. Ou pode haver este significado: Ainda que Tu sejas a nossa defesa, Tu nos punes em nossas invenções. Ainda que Tu nos guardas, os nossos navios, as nossas consolações, as nossas ambições terrenas nos são tirados para que olhemos somente para Ti. Deus é visto no mar, mas Ele também está presente na terra. Heresias especulativas, alegando nos trazer riquezas de longe, estão constantemente

atacando a igreja, mas o sopro do Senhor logo as leva para a destruição. É frequente a igreja confiar na sabedoria dos homens, mas essa ajuda humana vai a pique sem demora. No entanto, a igreja em si está segura sob os cuidados do seu Deus e Rei.

8. *"Como o ouvimos, assim o vimos na cidade do Senhor dos Exércitos, na cidade do nosso Deus."* As histórias dos nossos pais são reproduzidas diante dos olhos. Ouvimos a promessa e vimos o cumprimento. Os maravilhosos registros de Sião comprovaram que são verdadeiros, porque estão em perfeita harmonia com os fatos presentes. Note que o Senhor é falado primeiro como *Senhor dos Exércitos*, nome de poder e soberania, e depois como *nosso Deus*, nome ligado à aliança e condescendência. Considerando que o Senhor tem ambos os títulos, não admira que Ele nos trate segundo os precedentes da sua benignidade e a fidelidade das suas promessas.

"Deus a confirmará para sempre." A verdadeira igreja jamais deixará de ser igreja. Aquilo que os reis estabelecem só dura por certo tempo, mas aquilo que Deus estabelece dura por toda a eternidade.

"Selá." Esse é um lugar apropriado para uma pausa para vermos o passado com admiração e o futuro com confiança.

9 *Lembramo-nos, ó Deus, da tua benignidade no meio do teu templo.*

10 *Segundo é o teu nome, ó Deus, assim é o teu louvor, até aos confins da terra; a tua mão direita está cheia de justiça.*

11 *Alegre-se o monte de Sião; alegrem-se as filhas de Judá por causa dos teus juízos.*

9. *"Pensamos"* (ARA; "lembramo-nos", ARC). Os santos são pessoas que pensam. Não deixam que as maravilhas de Deus passem diante dos olhos e caiam no esquecimento, mas meditam profundamente nelas.

"Ó Deus, da tua benignidade." Que assunto delicioso! A mente dos crentes nunca se cansa de tão divino tema. Faz bem pensar na benignidade do passado em tempos de provação, e é igualmente proveitoso lembrar disso em tempos de prosperidade. Lembranças gratas adocicam a tristezas e equilibram a alegria.

"No meio do teu templo." Lugar adequado para tão devota meditação. Onde Deus é mais visto, é mais amado. Os santos reunidos formam um Templo vivo. Quando estamos reunidos, as nossas mais profundas meditações têm de ter relação com a benignidade do Senhor, mostrada nas variadas experiências de cada uma das pedras vivas. As recordações da misericórdia devem estar associadas com a continuação do louvor. Próximo da mesa dos pães da proposição, que faz lembrar o sustento divino, tinha de estar o altar de incenso, que denota o nosso louvor.

10. *"Segundo é o teu nome, ó Deus, assim é o teu louvor, até aos confins da terra."* A grande fama é devido ao grande nome. A glória das proezas do Senhor ultrapassa os limites da terra. Os anjos veem com admiração, e de toda estrela inteligências encantadas proclamam a fama divina além dos confins da Terra. Se os homens ficarem em silêncio, os bosques, mares e montanhas, com todas as tribos incontáveis e todos os espíritos invisíveis que andam ali estão cheios do louvor divino. Em uma concha ouvimos os murmúrios do mar, assim nas convoluções da criação ouvimos os louvores de Deus.

"A tua mão direita está cheia de justiça." O teu cetro e a tua espada, que representam o teu governo e a tua vingança, são completamente justos. A tua mão nunca está vazia, mas cheia de poder, generosidade e equidade. Nem santos nem pecadores descobrem que o Senhor é um Deus de mãos vazias. Em cada um dos casos, Ele dispensa justiça total. Para os santos, por Jesus, Ele será justo em perdoar, e para os pecadores, justo em condenar.

11. *"Alegre-se o monte de Sião."* Como a primeira das cidades de Judá e o objetivo principal do ataque dos inimigos, seja Sião a primeira a cantar.

"Alegrem-se as filhas de Judá." Em seguida, unam-se ao coral as cidades menores, porque elas estão juntas na vitória comum. Estejam as mulheres, que sejam as mulheres que mais sofrem a destruição da guerra, entre os indivíduos mais felizes dos felizes, agora que os saqueadores fugiram. A igreja inteira e cada membro em particular devem alegrar-se no Senhor e engrandecer o seu nome.

"Por causa dos teus juízos." Os atos justos do Senhor são temas legítimos para o louvor feliz. Por mais que pareça na terra, no céu a ruína eterna dos ímpios será o tema dos cânticos de adoração: "Aleluia! Salvação, e glória, e honra, e poder pertencem ao Senhor, nosso Deus, porque verdadeiros e justos são os seus juízos, pois julgou a Grande Prostituta, que havia corrompido a terra com a sua prostituição, e das mãos dela vingou o sangue dos seus servos. E outra vez disseram: Aleluia! E a fumaça dela sobe para todo o sempre" (Ap 19.1-3). Justiça que para a nossa pobre ótica hoje parece severa, perceberemos que é perfeitamente consistente com o nome de amor de Deus e uma das joias mais brilhantes da coroa.

12 *Rodeai Sião; cercai-a; contai as suas torres;*
13 *notai bem os seus antemuros; observai os seus palácios, para que tudo narreis à geração seguinte.*
14 *Porque este Deus é o nosso Deus para sempre; ele será nosso guia até à morte.*

12. *"Rodeai Sião."* Batam as fronteiras, como quando Israel marchou em volta de Jericó. Com inspeção vagarosa e cuidadosa, examinem-na.

"Cercai-a." Circundem-na repetidas vezes com visitas de inspeção em amor. Nunca é demais repetirmos ou aprofundarmos cada vez mais as considerações sobre a origem, privilégio, história, certeza e glória da igreja. Alguns assuntos merecem apenas um breve pensamento. Mas estamos diante de uma tema digno da mais paciente consideração.

"Contai as suas torres." Vejam se alguma das torres foi esmigalhada ou demolida. A igreja de Deus é o que ela foi em termos de doutrina, força e beleza? Os inimigos contaram as torres primeiro com inveja e depois com terror. Contemos com exultação santa. A cidade de Lucerna, cercada por muros antigos, adornada com uma série de torres é ilustração visível desta figura. Conforme a rodeamos e paramos em cada torre pitoresca, percebemos a inspeção amorosa e prolongada que a metáfora insinua.

13. *"Notai bem os seus antemuros."* Considerem mais atentamente como são fortes as suas plataformas, como estão seguros os habitantes entrincheirados atrás das sucessivas linhas de defesa. A segurança do povo de Deus não é uma doutrina para ser mantida na obscuridade, pois pode ser seguramente ensinada e frequentemente ponderada. Só para os corações maus esta verdade gloriosa causará danos. Os filhos da perdição fazem uma pedra de tropeço até do Senhor Jesus. Não admira, então, que distorçam a verdade de Deus relativa à perseverança final dos santos. Não devemos deixar de inspecionar as plataformas de Sião, porque os preguiçosos esgueiram-se atrás delas.

"Observai os seus palácios." Examinem com cuidado as belas habitações da cidade. Que as promessas do Rei que dispõem lugares de descanso silenciosos para os crentes sejam inspecionadas atentamente. Vejam como as defesas oferecem segurança e como são belos os jardins de recreio daquela antiga cidade, da qual vocês são cidadãos. Cada pessoa é mais bem conhecida na sua própria casa, e a igreja é a nossa querida e abençoada habitação. Quisera os que confessam a Deus fossem mais atenciosos no que tange à condição da igreja. Longe de contar as torres, alguns nem sabem o que ou onde elas estão. Estão muito ocupados contando dinheiro e analisando a contabilidade. Propriedades livres e alodiais, propriedades de terra e

propriedades arrendadas, os homens medem por polegada, porém as propriedades do céu e as propriedades da graça são muitas vezes tomadas ao acaso e descuidadas por pura falta de atenção.

"Para que tudo narreis à geração seguinte." Essa é razão excelente para a observação estudiosa. Se recebemos, temos de transmitir. Temos de ser alunos para podermos ser professores. Temos de nos esforçar para pagar a dívida do passado transmitindo a verdade para o futuro.

14. *"Porque este Deus é o nosso Deus para sempre."* Essa é uma boa razão para mantermos um registro de tudo que o Senhor tem feito. Israel não mudará o seu Deus a ponto de desejar esquecer, nem o Senhor mudará a ponto de tornar o passado mera história. Ele será o Deus da aliança do seu povo para todo o sempre. Não há outro Deus, não desejamos outro, não teríamos outro mesmo que houvesse. Há alguns que estão tão prontos a consolar os ímpios que, em prol de acabar com o castigo eterno, debilitam a força da linguagem, traduzindo "para sempre" com o sentido de apenas por um tempo. Não obstante, apesar dessas interpretações, exultamos na esperança de uma eternidade de bênçãos, pois para nós "eterno" e "para sempre" significam exatamente o que dizem.

"Ele será nosso guia até à morte." Ao longo da vida e até a hora da morte, Deus graciosamente nos guiará, e mesmo depois da morte Ele nos guiará às fontes das águas da vida. Olhamos para Ele em busca de ressurreição e vida eterna. Essa consolação é claramente derivável do texto precedente. Até agora, os inimigos têm se espalhado e os antemuros minado o ataque, pois Deus está em nosso meio. Por isso, todo ataque possível no futuro será igualmente fútil.

A igreja enfrenta todos os inimigos
E ri com desdém do ódio que eles têm
Exatamente assim ela permanecerá para sempre
Protegida de século em século

Adeus, medo. Aproximem-se, gratidão e fé, e cantemos com toda alegria.

NOTAS EXPLICATIVAS E DECLARAÇÕES IMPORTANTES

O Título: Cântico. Salmo. Essa é a maneira em que a voz e o instrumento eram usados. A voz começava primeiro e o instrumento vinha depois. Onde consta a anotação Salmo e Cântico, está dizendo que o instrumento começou e a voz acompanhou. — *John Richardson, 1654*

O Salmo: De acordo com John Lightfoot, o salmo constante e comum para o segundo dia da semana era o 48.

v. 1: "Grande é o Senhor e mui digno de louvor na cidade do nosso Deus, no seu monte santo". O profeta estando prestes a elogiar um certo edifício, começa elogiando o arquiteto. Ele diz que na cidade santa a habilidade e sabedoria maravilhosa de Deus, que a construiu, se mostram verdadeiramente. "Grande é o Senhor e mui digno de louvor." Assim Ele é, quer olhemos para a sua essência, poder, sabedoria, justiça ou misericórdia, pois todos são infinitos, perpétuos e incompreensíveis. Por conseguinte, tão grandemente Deus deve ser louvado, que todos os anjos, todos os homens e até mesmo todas as suas obras não bastariam. No entanto de todas as coisas reveladas, não há nada que possa nos dar uma maior ideia da grandeza divina, ou por cuja causa devamos louvá-lo e agradecer-lhe mais do que o estabelecimento da Igreja. O profeta acrescenta: "Na cidade do nosso Deus, no seu monte santo", quer dizer, a grandeza de Deus, e pela qual Ele merece tanto louvor, é destacada na fundação e edificação da Igreja. — *Robert Bellarmine (Cardeal)*

v. 1: "Grande é o SENHOR". É maior (Jó 33.12), maior acima de todos (Sl 95.3), a própria grandeza (Sl 145.3). Ele está um grau acima do superlativo. — *John Trapp*

v. 1: "No seu monte santo". A religião no seu monte é santo. O povo no seu monte é um povo santo. — *William Nicholson*

v. 2: "Formoso de sítio e alegria de toda a terra é o monte Sião sobre os lados do Norte, a cidade do grande Rei". O que há ou havia em Sião para justificar o alto *eulogium* de Davi? A situação foi de fato eminentemente adaptada para ser a plataforma de uma cidadela magnífica. Elevando-se bem acima do profundo vale de Giom e Hinom, ao oeste e ao sul, e o um pouco menos profunda dos Queijeiros a leste, só podia ser atacada no sentido noroeste. Então, "sobre os lados do Norte" era suntuosamente bonita, fortalecida por muros, torres e antemuros, a maravilha e terror das nações: "Porque eis que os reis se ajuntaram; eles passaram juntos. Viram-no e ficaram maravilhados; ficaram assombrados e se apressaram em fugir" (vv. 4 e 5). Ao pensar nisso, o salmista real irrompe novamente em triunfo: "Rodeai Sião; cercai-a; contai as suas torres; notai bem os seus antemuros; observai os seus palácios, para que tudo narreis à geração seguinte" (vv. 12 e 13). As torres há muito tombaram ao chão, os antemuros foram esmigalhados e os palácios viraram pó. E nós, que hoje andamos por Sião, não temos outra história a contar do que esta para a geração seguinte.

Há, porém, outra Sião, cujas torres são muito mais gloriosas e jamais cairão. "Deus é conhecido nos seus palácios por um alto refúgio" (v. 3). E "este Deus é o nosso Deus para sempre" (v. 14). Quantas vezes é esse nome sinônimo da Igreja do Deus vivo! Há somente um lugar que pode ser dividido com o afeto do seu povo. Há somente um nome que pode despertar tais esperanças joviais no coração do cristão. Hoje, a Sião temporal está no pó, mas a verdadeira Sião está levando-se, livrando-se do pó e vestindo vestes bonitas para dar as boas-vindas ao Rei quando Ele chegar para reinar sobre a terra inteira. — *W. M. Thomson, Doutor em Teologia*

v. 2: Quando naquela manhã cheguei ao cume do monte das Oliveiras e olhei para baixo em direção à cidade que coroa as alturas providas de ameias, cercada por desfiladeiros fundos e escuros, exclamei involuntariamente: "Formoso de sítio e alegria de toda a terra é o monte Sião sobre os lados do Norte, a cidade do grande Rei". Enquanto contemplava, os raios vermelhos do sol nascente derramaram um halo em volta do topo do castelo de Davi. Depois, pincelaram de ouro cada minarete cônico e douraram cada cúpula da mesquita e igreja. Por fim, banharam com uma inundação de luz corada os telhados terraplenados da cidade, a relva, as folhagens, as cúpulas, os pavimentos e os muros colossais do santuário islâmico. Não há ser humano que fique desapontado quando vê Jerusalém desde o monte das Oliveiras. — *J. L. Porter, 1867*

v. 2: "Formoso de sítio", ou "formoso de clima", ou seja, o monte Sião está situado em lugar de clima bom e agradável. Essa é a visão defendida por Montanus e Ainsworth. Bate e Parkhurst interpretaram assim: "Formoso de extensão", ou seja, na perspectiva até onde os olhos alcançam". — *Extraído de "Editorial Note to Calvin" ´[Nota Editorial a Calvino], in loc.*

v. 2: "Formoso de sítio". Essa terra foi, pelo pecado, coberta de deformidade. Por isso, esse lugar que foi embelezado com santidade, pode com razão ser chamado de a "alegria de toda a terra", ou seja, o lugar em que a terra toda tinha razão para alegrar-se, porque Deus assim habitaria de fato com os homens na terra. — *Matthew Henry*

v. 2: "Formoso de sítio".

Bela Jerusalém
A cidade santa, as suas torres erguem-se bem alto
E mais alto ainda o Templo glorioso foi edificado
A sua coluna, de longe aparece como um monte
De alabastro, encabeçado com pináculos dourados
— *John Milton, 1608-1674, "O Paraíso Recuperado"*

v. 2: "Sobre os lados do Norte". Jerusalém, que é a parte superior e melhor, foi construída sobre os lados do norte do monte Sião. — *Hadrian Reland, 1676-1718*

v. 2: "O monte Sião sobre os lados do Norte". Jerusalém situa-se sobre o norte do monte Sião. Essa circunstância é mencionada como prova da grande segurança do monte Sião, pois era quase inacessível de todos os outros lados, menos do norte. Nesse lado, era defendido por Jerusalém, que era muito forte. — *Samuel Burder*

v. 2: "Grande Rei". Deus é chamado de grande Rei em oposição aos reis citados no versículo 4. — *E. W. Hengstenberg*

v. 4: Eles eram muitos e poderosos: os reis e a maioria deles. Eram reis confederados: "Os reis se ajuntaram". Forças unidas são as mais poderosas. Mas todos os esforços desses reis confederados não deram em nada: "Eles passaram juntos". Juntos vieram e juntos desapareceram. — *William Nicholson*

vv. 5 e 6: "Viram-no e ficaram maravilhados; ficaram assombrados e se apressaram em fugir. Tremor ali os tomou, e dores, como de parturiente". Os potentados do mundo viram os milagres dos apóstolos, a coragem e constância dos mártires e o aumento diário da igreja. A despeito de todas as perseguições, viram com surpresa o avanço rápido da fé por todo o império romano. Invocaram os seus deuses, entretanto os deuses não podiam ajudar nem a si mesmos. A idolatria expirou ao pé da cruz vitoriosa. — *George Horne*

v. 6: "Tremor ali os tomou, e dores, como de parturiente". Nada é mais inexplicável do que o pânico. Não há homem ou grupo de homens que consiga prevenir-se adequadamente contra tal terror. AquEle que fez os ouvidos pode facilmente fazer com que zunam. AquEle que segura os ventos no punho, pode facilmente fazer com que sussurrem um alarme ou rujam o desânimo. É o que se espera sobretudo quando os homens agem de modo a ter a própria consciência contra eles (Jó 15.21). Mas a qualquer hora Deus pode abandonar os homens a ponto de ficarem acovardados e fazerem o papel de tolo excessivamente (Lv 26.36). Há homens que lutaram muitas batalhas com bravura, mas depois bancam os covardes. — *William S. Plumer*

v. 7: "Tu quebras as naus de Társis com um vento oriental". É somente pelo seu Senhor que a igreja ganha as verdadeiras riquezas (cf. Lucas 16.11). Quando ela comercia impropriamente com o mundo, toma os recursos do mundo por recursos próprios. Quando ela confia nas riquezas, no poder político, na astúcia terrena para produzir mercadorias, os instrumentos que adota viram em nada nas suas mãos, deixando-a desamparada e pobre. — *Extraído de "A Plain Commentary on the Book of Psalms" [Um Comentário Claro sobre o Livro dos Salmos], in: The Prayer Book Version [A Versão do Livro de Oração], fundamentado principalmente pelos Pais, 1859*

v. 7: "Com um vento oriental", que, na Judeia, é um vento muito violento e destrutivo. Kennicott traduz o versículo assim: "Como o vento oriental quebra as naus de Társis", fundamentando a conjetura na semelhança de forma de duas letras hebraicas, uma que significa "em" e a outra que significa "como". — *Daniel Cresswell v. 9:* “Pensamos” (ARA; “lembramo-nos”, ARC). As palavras hebraicas דּוּם, דָּמַם e דָּמָה têm o mesmo significado, “aquietar”, “descansar”, “silenciar”, “esperar pacientemente”, “pensar” e “considerar”, e a escolha é determinada pelo contexto. Aqui, a acepção de aguardar ou esperar pacientemente, com confiança em Deus e sem a menor desconfiança ou queixa da demora, é o mais indicado. Ir ao santuário para orar em busca de misericórdia, é algo que soa mais agradável dizer do que *é onde a esperamos*, como no lugar onde Ele prometeu dá-la em resposta às orações. — *Henry Hammond*

vv. 12 e 13: Em sentido espiritual, as torres e antemuros de Sião são as doutrinas da verdadeira fé. Tratam-se da força e glória da igreja, que serão mantidas na sua inteireza e estabilidade contra os ataques dos mestres heréticos, de forma que sejam transmitidas incólumes às gerações seguintes. — *Orígenes* e *Teodoreto*, citados por *Christopher Wordsworth*

v. 13: “Notai bem os seus antemuros”. O original hebraico também pode ser traduzido assim: “Fixai o coração nos seus antemuros”, quer dizer, prestem bem atenção neles. Fazei a investigação com cuidado, não como alguém cujo coração não está no que faz e o faz com negligência. A palavra hebraica traduzida por “antemuros”, חֵיל (*ḥayil*), significa propriamente, “hoste” ou “exército”, denotando fortificação ou entrincheiramento, sobretudo o fosso ou a trincheira, com muro baixo ou barricada cercando-o (2 Sm 20.15; Is 26.1). (*Gesenius, Lexicon* [Léxico]) — *Albert Barnes*

v. 13: “Notai bem”, ou seja, afeiçoem, observem seriamente e olhem com simpatia. — *Henry Ainsworth*

v. 13: “Os seus antemuros”. (1) A designação e constituição de Jesus Cristo como Rei da igreja, Rei de Sião, é o grande antemuro de Sião. (2) As promessas de Deus que são inumeráveis. (3) A providência alerta de Deus para com a igreja. (4) A presença especial de Deus, pois Ele está presente de maneira especial na igreja. (5) O último antemuro, no qual todos os outros se apoiam, é a aliança de Deus: “Porque este Deus é o nosso Deus” (v. 14). — *John Owen*

v. 14: “Este Deus é o nosso Deus para sempre”. Que bem o crente tem! O proprietário de terras não pode dizer: Esses campos são meus para sempre. O rei não pode dizer: Essa coroa é minha para sempre. Esses bens logo mudarão de dono. Os possuidores em breve se misturarão ao pó, e até as sepulturas que ocuparem não ficará com eles por muito tempo. Mas é a felicidade singular e suprema de todo cristão dizer ou ter o direito de dizer: Este Deus glorioso com todas as suas perfeições divinas é o meu Deus para sempre, e até a morte não me separará desse amor. — *George Burder*

v. 14: “Este Deus é o nosso Deus”. Quando o povo de Deus é tomado pela conscientização da sua relação peculiar com Deus, eles não se contentam em apenas saber, pois têm de proclamar. Também não basta que a presente era saiba, pois eles têm de contar para a geração seguinte: “Alegre-se o monte de Sião” (v. 11). Observe: “Para que tudo narreis à geração seguinte. Porque este Deus é o nosso Deus” (vv. 13 e 14). Veja o orgulho do salmista! Este Deus. Um dia: Vejam que Deus temos! Vejam-no bem e reparem como Deus é glorioso. Eles se gloriam na grandeza do Deus com quem se relacionam, assim se gloriarão na eternidade da relação: “Este Deus é o nosso Deus *para sempre*” (grifos meus). — *John Howe*

v. 14: Deus é uma porção satisfatória, preenchendo toda fenda da nossa alma com a luz da alegria e consolação. Deus é uma porção santificadora, elevando a nossa alma à perfeição primitiva e original. Deus é uma porção universal, não apenas saúde, ou riquezas, ou amigos, ou honra, ou liberdade, ou vida, ou casa, ou esposa, ou filho, ou perdão, ou paz, ou graça, ou glória, ou terra, ou céu, mas é tudo isso e infinitamente mais, pois é também uma porção eterna. Esse Deus é o seu Deus "para sempre".

Que palavra maravilhosa: *para sempre!* Você é a coroa da coroa dos santos e a glória da glória deles. A porção dos santos está tão cheia que eles não desejam nada mais. Desfrutam de variedade e abundância de delícias sobre o que perguntar ou pensar, que nada mais querem que não tenha sido dado. Possuindo essa porção em paz, sem interrupção ou cessação, eles pisotearão todos os reinos da terra como o pó dos pés. Veja bem, você é a pomba livre que leva na boca uma folha de oliveira. "Este Deus é o nosso Deus para sempre." Todos os algarismos aritméticos de dias, meses, anos e séculos não são nada diante desta cifra infinita, *sempre*, a qual, ainda que não representa nada no cômputo secular, contém todos os nossos milhões, pois os nossos milhões e bilhões são menos do que gotas nesse oceano. — *George Swinnock*

v. 14: Certos expositores constatam uma dificuldade estranha no último versículo, julgando que tal confissão de fé pessoal é uma conclusão imprópria para um cântico nacional. Até mesmo Delitzsch, intérprete sábio e devoto, compartilha desta noção, indo tão longe quanto conjeturar que alguma palavra tenha sido perdida do texto hebraico. A mim parece-me que o versículo, como se apresenta, está admiravelmente em harmonia com o cântico, sendo a sua beleza culminante. Quando o Senhor faz grandes coisas para a igreja ou nação,

Ele quer que todos os crentes, por mais humilde que seja a sua posição, animem--se, voltem a colocar a confiança nEle e apeguem-se a Ele com uma esperança mais firme, dizendo: "Este Deus é o nosso Deus para sempre; ele será nosso guia até à morte". — *William Binnie*

v. 14: "Até à morte", ou como certos comentaristas explicam, *na morte*, ou seja, Deus nos salvará dela. Outros entendem que quer dizer, *por cima da morte*, ou seja, além dela. Porém a explicação mais óbvia e a mais agradável de usar é a que faz a frase ter o significado de *até ao fim da vida*, ou *contanto que vivamos*. A ideia de um estado futuro, ainda que não expresso, não está excluído. — *Joseph Addison Alexander*

v. 14: "Até à morte". A última frase é muito mal entendida. Não é: "O nosso guia *para a* morte", pois as palavras são יְנַהֲגֵנוּ עַל־מוּת, "Ele será nosso guia *pela* morte". Com certeza, significa que Deus é o nosso guia *pela* morte *para a* ressurreição — pelo rio Jordão para entrar em Canaã. A palavra עַל é usada em Levítico 15.25, traduzida por "por mais", em relação ao tempo, e não é este o sentido aqui? Por mais tempo do que a morte. Até que a morte termine para nós. Até que nos levantemos na sepultura da morte. É Deus que nos guia nessa última vitória. Ele traga a morte na vitória, e nos leva a pisar na morte. Assim entendido, discernimos facilmente a bela ligação de pensamento que une este salmo ao que vem a seguir. Esta é a celebração de *O Poderoso se tornou a glória de Jerusalém*. — *Andrew A. Bonar*

SUGESTÕES AOS PREGADORES

[Todas as sugestões dadas para este salmo, exceto as designadas de outro modo, são do nosso amado amigo e irmão George Rogers, professor na "The Pastor's College" [A Faculdade do Pastor].

v. 1. (1) O que a igreja é para Deus: (a) A cidade: não uma populaça sem lei, mas uma comunidade bem organizada. (b) O monte santo para a demonstração da justiça justificadora e da graça santificadora. (2) O que Deus é para a igreja: (a) O habitante. É a sua cidade e o seu monte. Lá Ele é grande. Não havia espaço para o todo de Deus no Paraíso, nem havia espaço para Ele na Lei, nem havia espaço para Ele no céu dos anjos. Só na igreja há espaço para todas as perfeições divinas, para um Senhor trino e uno. Grande em todos os lugares, Ele é peculiarmente grande aqui. (b) O objeto dos louvores. Como Deus é maior aqui, assim são os seus louvores e por todo o universo por conta disso.

v. 2. (1) A antiga Sião não era formosa por causa da sua localização? Assim está a igreja do Novo Testamento fundada em uma Rocha, segundo um propósito e graça eterna. (2) A antiga Sião não era a alegria de toda a terra? Assim se tornará a igreja do Novo Testamento. (3) A antiga Sião não era a alegria especial das tribos de Israel que estavam quase que totalmente ao norte de Jerusalém? Assim é a igreja para os santos. (4) A antiga Sião não era uma cidade real como também uma cidade santa? Assim é a igreja: "Eu, porém, ungi o meu Rei sobre o meu santo monte Sião" (Sl 2.6).

v. 3. (1) Deus é um refúgio na igreja. A igreja é uma cidade de refúgio, mas o refúgio não está na igreja, mas no seu Deus: (a) Para os pecadores, refúgio da ira. (b) Para os santos, refúgio das provações e temores. (2) Deus é conhecido como refúgio, conhecido por milhares de pessoas, mas não conhecido assim em outros lugares: "E em ti confiarão os que conhecem o teu nome; porque tu, Senhor, nunca desamparaste os que te buscam" (Sl 9.10).

vv. 4 a 7. (1) A oposição dos poderes mundanos contra a igreja: "Os reis se ajuntaram". (2) A maneira em que foram dominados: pelos próprios medos. A consciência persegue aqueles que perseguem a igreja de Deus. Aqueles que se apoderaram da arca de Deus ficaram alegres em devolvê-la com uma oferta. (3) A completude com que foram derrotados: como uma frota de navios de Társis, dispersados, quebrados e afundados pelo vento oriental.

v. 8. (1) Deus sempre foi para o povo o que Ele agora é: o mesmo "ouvimos" como "vimos". (2) Deus é agora o que sempre foi: o mesmo "vimos" como "ouvimos". (3) Deus sempre será o que Ele agora é: "confirmará para sempre".

v. 9. (1) Quais são as benignidades de Deus? (a) Compaixão para os miseráveis. (b) Perdão para os penitentes. (c) Ajuda para os suplicantes. (d) Consolo para os aflitos. (2) Onde estão as benignidades de Deus? "No meio do teu templo": (a) É onde são reveladas. (b) É onde são dispensadas. (c) É onde são buscadas. (d) É onde são desfrutadas.

v. 10. Segundo é o nome de Deus, assim são os seus louvores: (1) Supremos. (2) Ilimitados. (3) Universais. (3) Eternos.

v. 10. "A tua mão direita está cheia de justiça": (1) A justiça da onipotência. (2) A onipotência controlada pela justiça. (3) A onipotência da justiça.

v. 11. (1) Os assuntos da alegria do povo de Deus. Não misericórdia somente, mas julgamento também. (2) Motivos: (a) Porque são santos — indispensável para a pureza do governo moral. (b) Porque são justos — indispensável para a defesa da Lei. (c) Porque são bons — indispensável para a maior quantidade de bem.

v. 12. (1) O que devemos entender por guarda e proteção da igreja? (2) O que se quer dizer com "notai bem" e "observai" as causas e meios para a guarda da igreja? (3) Quais são as causas e meios para guardar a igreja, as torres e antemuros que não cairão? (4) Qual é a razão para essa notação e observação das causas da guarda e proteção da igreja? (5) Qual é o testemunho que temos de dar a respeito deste assunto para a geração seguinte? — *Sermão de John Owen*

v. 14. "Porque este Deus é o nosso Deus para sempre." Esta é a linguagem de um proprietário cuja propriedade é Deus: (1) De um proprietário seguro: "Este Deus é o nosso Deus". (2) De um proprietário permanente: "Para sempre". (3) De um proprietário exultante. — *William Jay*

v. 14. (1) A linguagem da discriminação: "Este Deus", *este* Deus em Cristo na igreja. (2) A linguagem da fé: "O nosso Deus", Ele é *nosso*. (3) A linguagem da esperança: "Para sempre". (4) A linguagem da resignação: "Ele será nosso guia até à morte".

SALMO 49

TÍTULO

"Salmo para o cantor-mor, entre os filhos de Corá." Este título é exatamente o mesmo de outros salmos já comentados. Não há, portanto, necessidade de fazermos mais observações.

DIVISÃO

O músico poeta canta, acompanhado pela harpa, o caráter desprezível daqueles que confiam nas riquezas. Desta forma, ele consola os crentes oprimidos. Os primeiros quatro versículos são um prefácio. Os versículos 5 a 12 afastam todo medo dos grandes opressores pela lembrança da loucura em que vivem e do fim que terão. O versículo 13 contém uma exclamação de admiração por causa da perpetuidade da loucura. Os versículos 14 e 15 contrastam os ímpios e os justos no que tange ao futuro. E os versículos 16 a 20 determinam que a lição do salmo está na forma de admoestação repreensiva. Note o coro nos versículos 12 e 20, e também as duas vezes em que ocorre a palavra selá.

EXPOSIÇÃO

1 *Ouvi isto, vós todos os povos; inclinai os ouvidos, todos os moradores do mundo,*
2 *quer humildes quer grandes, tanto ricos como pobres.*
3 *A minha boca falará da sabedoria; e a meditação do meu coração será de entendimento.*
4 *Inclinarei os meus ouvidos a uma parábola; decifrarei o meu enigma na harpa.*

Nesses quatro versículos, o profeta-poeta chama a humanidade universal para ouvir o hino didático.

1. *"Ouvi isto, vós todos os povos."* Todos os homens têm interesses no assunto, pois diz respeito a eles e é, portanto, para eles que o

salmista fala. Não é um tema que os homens gostem de tratar. Por isso, quem os instrui tem de insistir para que prestem atenção. Quando o tema, como neste caso, afirma ser sabedoria e entendimento, a atenção é corretamente exigida. Quando o estilo combina o laconismo do provérbio com a candura da poesia, o interesse é imediatamente despertado.

"Inclinai os ouvidos, todos os moradores do mundo." "Quem tem ouvidos para ouvir ouça" (Mt 11.15). Os homens de todas as regiões interessam-se igualmente pelo assunto, pois as leis da providência são as mesmas em todas as nações. É sábio cada um sentir que é um ser humano, e que tudo que diz respeito aos mortais lhe interessa pessoalmente. Todos havemos de comparecer diante do tribunal de Cristo. Então, é melhor dar atenção séria à advertência santa que nos ajuda a estar preparados para esse evento terrível. Aquele que se recusa a receber instrução pelos ouvidos, não poderá deixar de receber a destruição pelos ouvidos quando o Juiz disser: "Apartai-vos de mim, malditos" (Mt 25.41).

2. *"Quer humildes quer grandes, tanto ricos como pobres."* Filhos de homens de fina estirpe e filhos de homens plebeus, homens de muitas propriedades e homens que definham na pobreza são convidados a ouvir o trovador inspirado enquanto dedilha a harpa em um poema triste, mas instrutivo. Os humildes serão encorajados, os grandes serão advertidos, os ricos serão moderados, os pobres serão consolados, pois há uma lição útil para cada um se estiverem dispostos a aprender. A nossa pregação tem de ter uma mensagem para todas as classes e todas as classes devem ouvi-la. Adequar a nossa palavra só aos ricos é agrado perverso, e objetivar agradar só os pobres é ser demagogo. A verdade pode ser falada de modo a exigir a atenção de todos, e a fazer com que os sábios procurem aprender esse estilo agradável. Já que os ricos e os pobres logo se encontrarão na sepultura, podem muito bem se contentar em encontrar-se agora. Na congregação dos mortos todas as diferenças de classe serão obliteradas, as quais nesta vida não devem ser obstruções para instruções unidas.

3. *"A minha boca falará da sabedoria."* Inspirado e elevado fora de si, o profeta não está louvando as próprias realizações, mas exaltando o Espírito divino que falava nele. Ele sabia que o Espírito da verdade e sabedoria falava por ele. Quem não sabe se as suas palavras são boas não tem direito de pedir que as pessoas o ouçam.

"E a meditação do meu coração será de entendimento." O mesmo Espírito que tornou os antigos videntes eloquentes, também os fez reflexivos. Deus nunca quis que a ajuda do Espírito Santo fizesse a vez do uso das faculdades mentais. O Espírito Santo não nos faz falar como a jumenta de Balaão, que meramente proferiu os sons, porém, nunca meditou. Primeiro, o Espírito nos leva a considerar e refletir, e depois nos dá a língua de fogo para falar com poder.

4. *"Inclinarei os meus ouvidos a uma parábola."* Quem quer que os outros o ouçam, começa ouvindo a si mesmo. O trovador inclina o ouvido para a harpa, assim o pregador se dedica de corpo e alma ao ministério. A verdade ocorreu ao salmista como parábola, e ele se esforçou em destrinchá-la para uso popular. Ele não deixaria a verdade na obscuridade, mas lhe ouviria a voz até que entendesse tão bem a ponto de interpretá-la e traduzi-la na linguagem comum da multidão. Ainda restavam inevitavelmente um problema e uma declaração obscura para muitos ignorantes, contudo, não por culpa do cantor, pois o salmista disse: "Decifrarei o meu enigma na harpa". O escritor não era místico, encantando-se com coisas ocultas e nebulosas, embora não tivesse medo de temas mais profundos. Davi tentou abrir os tesouros da escuridão, e enaltecer as pérolas das profundezas. Para chamar atenção, colocou a filosofia proverbial na forma de canção e afinou a harpa segundo o tom solene do assunto. Coloquemo-nos em volta do trovador do Rei dos reis e ouçamos o salmo que no passado foi regido pelo cantor-mor para o coral dos filhos de Corá erguerem a voz no Templo.

5 *Por que temerei eu nos dias maus, quando me cercar a iniquidade dos que me armam ciladas?*
6 *Aqueles que confiam na sua fazenda e se gloriam na multidão das suas riquezas,*
7 *nenhum deles, de modo algum, pode remir a seu irmão ou dar a Deus o resgate dele*
8 *(pois a redenção da sua alma é caríssima, e seus recursos se esgotariam antes);*
9 *por isso, tampouco viverá para sempre ou deixará de ver a corrupção;*
10 *porque vê que os sábios morrem, que perecem igualmente o louco e o bruto e deixam a outros os seus bens.*
11 *O seu pensamento interior é que as suas casas serão perpétuas, e as suas habitações, de geração em geração; dão às suas terras os seus próprios nomes.*
12 *Todavia, o homem que está em honra não permanece; antes, é como os animais, que perecem.*

5. *"Por que temerei eu nos dias maus, quando me cercar a iniquidade dos que me armam ciladas?"* O homem de Deus aguarda calmamente os tempos dificultosos, quando os males que os perseguem com ciladas ganharem vantagem temporária sobre ele. Os iníquos, aqui em teoria chamados de *iniquidade*, ficam de tocaia esperando os justos, como serpentes que miram o calcanhar dos viajantes: "Quando me salteia a iniquidade dos que me perseguem" (ARA). A iniquidade é o mal que visa nos desconcertar ou nos impedir. A antiga profecia dizia que a serpente feriria o calcanhar da semente da mulher, e o inimigo das nossas almas é diligente em cumprir a premonição. Em certo trecho triste da nossa caminhada, o mal fica mais forte e mais audaz e, ganhando vantagem sobre nós, ataca-nos abertamente. Aqueles que nos perseguem como matilha de lobos podem nos alcançar e nos cercar. E então? Render-nos-emos à covardia? Seremos presa para os seus dentes? Deus nos livre! Nós nem mesmo temeremos, pois quem são esses inimigos? O que eles realmente são, exceto homens mortais que perecerão e morrerão? Não há base real de alarme para o crente. Os inimigos são muito insignificantes para merecerem sequer a emoção do medo. Não nos diz o Senhor: "Eu, eu sou aquele que vos consola; quem pois és tu, para que temas o homem, que é mortal, ou o filho do homem, que se tornará em feno?" (Is 51.12).

Os estudiosos têm oferecido outras opções tradutórias para este versículo, uma delas traduzindo *"dos que me armam ciladas"* por *"dos meus calcanhares"*. Mas descobri, com grata surpresa, que isso não muda o significado que dou ao versículo.

6. E se os inimigos do homem bom estiverem entre os grandes da terra! Mesmo assim, ele não precisa temê-los.

"Aqueles que confiam na sua fazenda." Pobres coitados, pois ficam contentes com essa confiança reles. Quando comparamos a nossa Rocha com a deles, seríamos tolos ter medo. Ainda que bradem com voz alta os seus feitos orgulhosos, podemos nos permitir dar um sorriso.

"E se gloriam na multidão das suas riquezas." Mesmo quando nos gloriamos em nosso Deus, não ficamos atemorizados pelas suas ameaças orgulhosas. Grande força, excelente posição e muitos bens tornam os ímpios muito sublimes na própria estima e tirânicos para os outros. Mas o herdeiro do céu não fica intimidado por essa alta posição, nem acovardado por essa arrogância. Vê o pouco valor das riquezas, e a impotência que são para os donos na hora da morte. Portanto, ele não é tão desprezível a ponto de ter medo de uma efemeridade, uma quimera, uma bola de sabão.

7. *"Nenhum deles, de modo algum, pode remir a seu irmão."* Nem todas as riquezas reunidas de todos eles podem salvá-los das garras frias da morte. Vangloriam-se do que farão conosco, deixemos que eles mesmos vejam. Pesem o ouro na balança da morte, e verifiquem quanto podem comprar dos bichos e da sepultura. Os pobres são os iguais a eles neste aspecto. Por mais que amem um amigo tão afetuosamente,

não podem *"dar a Deus o resgate dele"*. O resgate de um rei seria inútil, um monte Rosa de rubis, uma América de prata, um mundo de ouro, um sol de diamantes serão totalmente desdenhados. Ostentadores, não pensem em nos terrificar com a sua riqueza fútil. Vão intimidar a morte antes de ameaçarem os homens em quem está a vida e a imortalidade.

8. *"(Pois a redenção da sua alma é caríssima, e seus recursos se esgotariam antes)."* É muito alto o preço. A compra é impossível. Os esforços em remir a alma com dinheiro é um fracasso eterno. A morte chega e as riquezas não podem suborná-la. O inferno vem em seguida e não há chave de ouro que destranque os calabouços. São vãs, então, as ameaças que vocês, possuidores do barro amarelo, fazem. Os seus brinquedos infantis são menosprezados por homens que estipulam o valor dos bens pelo siclo do santuário.

9. Não há preço que assegure a salvação do homem, *"por isso, tampouco viverá para sempre ou deixará de ver a corrupção"*. Os homens são loucos na busca de ouro, o que seria se pudessem comprar o elixir da imortalidade? O ouro é gasto em vultosa quantidade para enganar os bichos do pobre corpo, embalsamando-o ou entesourando-o em um caixão de chumbo. Mas se trata de um ato desprezível, uma farsa e comédia. Quanto à alma, é algo muito sutil para ser detida quando ela ouvir o mandamento divino para planar por caminhos até então desconhecidos. Nunca temeremos esses roedores vis em nossos calcanhares, cujo tesouro ostentado são comprovadamente muito impotentes para salvar.

10. *"Porque vê que os sábios morrem."* Todo mundo vê. O rico orgulhoso e perseguidor não pode deixar de ver. Não há como fechar os olhos ao fato de que homens mais sábios do que ele estão morrendo, e que ele também, com toda a sua artimanha, morrerá.

"Que perecem igualmente o louco e o bruto." A loucura não tem imunidade de morte. Vão embora o chapéu do palhaço, como também o capelo do estudante. O divertimento não pode rir da hora da morte. A morte que visita a universidade, não poupa o bar. A falta de reflexão e a brutalidade encontram o fim tão certo quanto muito cuidado e o estudo exaustivo. De fato, enquanto o verdadeiramente sábio, no que concerne a este mundo, *morre*, o louco tem uma sorte pior, porque ele *perece*, é apagado da lembrança, não é lamentado por ninguém, não é mais lembrado.

"E deixam a outros os seus bens." Não levam nem um centavo consigo. Se herdeiros do próprio corpo, legalmente gerados, herdam os seus bens ou permanecem não reclamados, não importa, pois as suas economias não são mais deles. Os amigos podem disputar as propriedades que deixaram ou os estranhos podem dividi-la como espólio, porém, eles não podem interferir. Ostentadores, guardem bem o que é seu, antes de vocês sonharem em espoliar os filhos do Deus vivo. Mantenham os sapatos nos próprios pés durante a peregrinação escura da morte, antes de procurarem morder os nossos calcanhares.

11. *"O seu pensamento interior é que as suas casas serão perpétuas, e as suas habitações, de geração em geração."* É muito tolo aquele que é mais tolo nos pensamentos do que ousa ser nas falas. Tal fruto podre, podre até ao caroço, é o mundanismo. Bem no fundo do coração, ainda que não ousem dizer, imaginam que os bens terrenos são reais e duradouros. Sonhadores tolos! As frequentes dilapidações dos seus castelos e mansões senhoriais deveriam tê-los ensinado, mas ainda apreciam a ilusão. Não conseguem diferenciar a miragem dos verdadeiros rios. Imaginam que o arco-íris é estável, e as nuvens são montes eternos.

"Dão às suas terras os seus próprios nomes." Esta prática é bastante comum. Se as terras recebem o nome do dono, então ele pode também escrevê-lo na água. Os homens até chamam países pelos seus nomes, mas o que são esses nomes melhores do que o elogio vazio, mesmo que os homens perpetuem a sua nomenclatura?

12. *"Todavia, o homem que está em honra não permanece."* Ele é apenas um visitante por uma hora, um hóspede que não vai passar a noite. Mesmo quando ele mora em ambientes revestidos com mármores, o aviso para sair já está escrito. A eminência está sempre em iminência de perigo. O herói da hora dura só uma hora. Cetros caem de mãos paralisadas que outrora as empunhavam, e coroas escorregam de crânios quando a vida se despede.

"Antes, é como os animais, que perecem." Ele não é como as ovelhas que são cuidadas pelo grande Pastor, mas como os animais caçados que estão sentenciados à morte. Ele vive uma vida bruta e morre uma morte bruta. Chafurdado nas riquezas e saciado com prazer, ele é engordado para a matança, e morre como o boi no matadouro. Ai da nobre criatura que desperdice a vida de forma tão indigna e a termine de forma tão vergonhosa. No que diz respeito a este mundo, em que a morte de muitos homens difere da morte de um cachorro? Eles descem:

Ao pó vil de onde saíram
Sem serem pranteados, honrados e reconhecidos

Que motivo os piedosos têm para temer, quando esses animais brutos e naturais os atacarem? Não devem possuir a alma na paciência? (cf. Lucas 21.19).

Fazemos uma pausa aqui, porque esta estrofe é o refrão da canção, e como tal é repetido no versículo 20.

13 *Este caminho deles é a sua loucura; contudo, a sua posteridade aprova as suas palavras. (Selá)*

13. *"Este caminho deles é a sua loucura."* As suas vãs confianças não são aberrações casuais do caminho da sabedoria, mas são o "caminho deles", o curso habitual e regular, a vida inteira pautada por tais princípios. Para eles, o caminho da vida é loucura essencial. São loucos inveterados. Do primeiro ao último, a brutalidade é a sua característica e a estupidez rastejante o principal traço de conduta.

"Contudo, a sua posteridade aprova as suas palavras." Aqueles que os seguem na descida, os seguem na loucura, citam as suas máximas mundanas e aceitam a sua carreira desvairada como o modo de vida mais prudente. Por que eles não veem pelos erros dos pais a loucura dos pais? A raça transmite a sua fraqueza. A graça não é hereditária, mas o mundanismo sórdido vai de geração em geração. A raça dos loucos nunca desaparece. Não há necessidade de missionários para ensinar os homens a ser minhocas, pois rastejam naturalmente no pó.

"Selá." O trovador agiu bem em fazer uma pausa para nos mandar meditar na loucura entranhada dos filhos de Adão. Aproveite a ocasião, leitor, para refletir na sua.

14 *Como ovelhas, são enterrados; a morte se alimentará deles; os retos terão domínio sobre eles na manhã; e a sua formosura na sepultura se consumirá, por não ter mais onde more.*

15 *Mas Deus remirá a minha alma do poder da sepultura, pois me receberá. (Selá)*

14. *"Como ovelhas, são enterrados."* Como gado tolo que é levado, eles são impelidos para a destruição e encurralados dentro das portas da perdição. Como ovelhas que vão para onde são guiadas e seguem o líder sem pensar, assim estes homens que escolhem fazer deste mundo o seu tudo, são incentivados pelas paixões até se acharem no fim da jornada, que desemboca nas profundidades do Hades. Ou se seguirmos esta tradução: "Como ovelhas são postos na sepultura" (ARA), teremos

a ideia de morrerem pacificamente, sendo enterrados em silêncio, tendo apenas de acordar envergonhados no último grande dia.

"A morte se alimentará deles." A morte como pastor severo os seduz e os guia para o lugar das pastagens eternas, onde tudo é esterilidade e miséria. Os justos são guiados pelo bom Pastor, mas os ímpios têm a morte por pastor que os guia progressivamente ao inferno. Como o poder da morte reina sobre eles neste mundo, porque não passaram da morte para a vida, assim os terrores da morte os devora no mundo por vir. Como nas antigas historietas que narram que gigantes cruéis alimentam-se dos homens a quem atraem para as cavernas, assim o monstro morte alimenta-se da carne e do sangue dos poderosos.

"Os retos terão domínio sobre eles na manhã." Os pobres santos eram outrora a cauda, mas ao romper do dia eles serão a cabeça. Os pecadores dominam até a noite cair. As suas honras murcham durante a noite, e pela manhã encontram a situação totalmente invertida. A mais agradável reflexão para os retos é que a "manhã" quer dizer começar um dia infinito e invariável. Quando o Juiz de toda a terra abrir a sessão matutina, o mundano orgulhoso terá extrema aflição de espírito ao ver o homem a quem ele menosprezou, exaltado nas alturas do céu, ao passo que ele é lançado fora!

"E a sua formosura na sepultura se consumirá, por não ter mais onde more." Seja qual for a glória que os descrentes tenham, desaparecerá na sepultura. Forma e beleza acabarão, pois os vermes causarão tremenda destruição em toda essa formosura. Até mesmo o último lugar de habitação, a sepultura, não protegerá os restos mortais entregues a ela. O corpo se dissolverá, não restará traço dos membros fortes e da cabeça altiva, nem será discernível algum vestígio da restante beleza. A formosura do reto ainda não foi revelada, pois espera que seja manifestada. Mas toda formosura que os ímpios podem ter está em plena floração nesta vida. Desbotará, murchará, apodrecerá, se decomporá e se acabará. Quem, então, ainda inveja ou teme o pecador orgulhoso?

15. *"Mas Deus remirá a minha alma do poder da sepultura."* Daquele lugar de descanso temporário, ao qual iremos no devido tempo, sairemos ressuscitados pelo poder divino. Como Jesus, a Cabeça, ressuscitou, não podemos ser detidos pelas faixas da sepultura. A redenção nos emancipou da escravidão da morte. Nenhuma redenção o homem acha nas riquezas, mas Deus a achou no sangue do seu querido Filho. O nosso Irmão mais velho deu a Deus um resgate, e somos os redimidos do Senhor. Em virtude dessa redenção por preço, seremos seguramente remidos por poder e tirados da mão do último inimigo.

"Pois me receberá." Ele me tirará da sepultura e me levará ao céu. Se não está escrito acerca de mim como está de Enoque: "E não se viu mais, porquanto Deus para si o tomou" (Gn 5.24), ainda chegarei ao mesmo estado glorioso.

O meu espírito Deus receberá e o meu corpo dormirá na gaveta de Jesus, mas, sendo ressuscitado segundo a sua imagem, também será recebido em glória. Que esperança infinitamente superior é a qualquer coisa que os nossos opressores ostentem! Eis algo em que meditar. Façamos mais uma pausa, à ordem do músico, que inseriu um "selá" aqui.

16 *Não temas quando alguém se enriquece, quando a glória da sua casa se engrandece.*
17 *Porque, quando morrer, nada levará consigo, nem a sua glória o acompanhará.*
18 *Ainda que na sua vida ele bendisse a sua alma, e os homens o louvem quando faz bem a si mesmo,*
19 *irá para a geração dos seus pais; eles nunca verão a luz.*
20 *O homem que está em honra, e não tem entendimento, é semelhante aos animais, que perecem.*

16. Nestes últimos versículos, o salmista torna-se pregador, e dá aulas admonitórias de lições que obteve por experiência.

"Não temas quando alguém se enriquece." Não se entregue a preocupações ao ver os ímpios prosperarem. Não questione a justiça divina. Não permita que o pressentimento nuble o seu entendimento. A prosperidade temporal é tema muito insignificante para você se aborrecer. Tenham os cães os ossos, e os porcos as fezes.

"Quando a glória da sua casa se engrandece." Embora o pecador e sua família gozem de grande apreço e tenham excelente nome, não importa. Todas as coisas serão corrigidas no devido tempo. Só aqueles cujo julgamento não tem valor estimarão mais os homens que tiverem terras mais amplas. Os que são altamente estimados por tais razões irracionais em breve descobrirão o seu nível social correto, quando a verdade e a justiça assumirem sua posição de eminência.

17. *"Porque, quando morrer, nada levará consigo."* O rico tem apenas o aluguel dos acres, pois a morte encerra o título de posse. Pelo rio da morte, o homem tem de passar desnudo. Nem um trapo das suas roupas, nem uma moeda do seu tesouro, nem um pouquinho da sua honra pode o mundano agonizante levar consigo. Por que, então, aborrecer-se com prosperidade tão passageira?

"Nem a sua glória o acompanhará." Quando ele desce, desce, desce para sempre, porquanto nem as honras ou bens o seguirão. Título de nobreza são inválidos no sepulcro. A sua adoração, honra, domínio e graça serão igualmente ridicularizados na tumba. O inferno não reconhece aristocracia. Os pecadores corteses e elegantes descobrirão que as chamas eternas não respeitam afetação e requinte.

18. *"Ainda que na sua vida ele bendisse a sua alma."* Ele pronunciou-se feliz. Teve as coisas boas da vida. O alvo principal era abençoar-se. Ele se encantava com as adulações do lisonjeador.

"E os homens o louvem quando faz bem a si mesmo." A generalidade dos homens adora o sucesso, por mais que ganhem. A cor do cavalo que vence a corrida não é importante. É o vencedor e isso basta. "Cuide de si mesmo", diz a filosofia proverbial do mundo. Quem a segue com rigor é "inteligente", "alguém que sabe negociar", "negociante astuto", "homem com a cabeça no lugar".

Ganhe dinheiro, e você será "respeitável", "importante" e a sua casa será "uma empresa de destaque na cidade" ou "uma das nossas melhores famílias do município". Fazer o bem ganha fama no céu, mas fazer o bem para si mesmo é a coisa prudente para os homens do mundo.

Contudo, nem um pio de congratulação mundana acompanha o milionário que morre. Dizem que morreu digno da casa da moeda, mas que encanto tem esse fato para os ouvidos frios e inertes da morte? O banqueiro apodrece tão rapidamente quanto o sapateiro, e o nobre fica tão pútrido quanto o indigente. Pobre riqueza, tu não passas do colorido do arco-íris, do matiz que amarela a manhã, mas não lhe acrescenta nada de concreto.

19. *"Irá para a geração dos seus pais."* Onde estão as antigas gerações, a atual também estará. Os antepassados chamam os filhos para a terra do esquecimento. Pais mortais não geram filhos imortais. Como os nossos antepassados partiram, nós também partiremos.

"Eles nunca verão a luz." Os mundanos mortos nunca voltarão dessa região superior para possuir os seus bens e desfrutar dos seus altos cargos. Entre os mortos têm de ficar nas densas trevas, para onde nem a alegria, nem a esperança pode ir. Entre todos os tesouros não restou nada que lhe servisse de vela. A chama da sua glória está apagada para sempre, e não sobrou nem uma faísca para alegrá-lo. Por que, então, olhamos com admiração ou inveja para o infeliz sentenciado a tal infelicidade?

20. O cântico termina com o refrão: *"O homem que está em honra, e não tem entendimento, é semelhante aos animais, que perecem"*. O entendimento diferencia os homens dos animais, mas se eles não seguirem a sabedoria mais sublime e como animais acharem tudo nesta vida, então o fim deles será tão vil e desonroso como o dos animais mortos na caça ou abatidos no matadouro. Da mais elevada honra mundana para a mais profunda morte é apenas um passo. O mais triste de tudo é esta reflexão: os homens são como animais no que tange à deterioração ocasionada pela morte, mas não nas demais coisas, das quais os animais estão livres, pois acerca dos homens está escrito: "E irão estes para o tormento eterno" (Mt 25.46).

Assim o trovador finaliza a melodia. O tema é consolador para os retos e cheio de advertência para os mundanos: "Ouvi isto, vós todos os povos; inclinai os ouvidos, todos os moradores do mundo, quer humildes quer grandes, tanto ricos como pobres" (vv. 1 e 2).

NOTAS EXPLICATIVAS E DECLARAÇÕES IMPORTANTES

O Salmo: É notável que dois salmos tão próximos, como este e o Salmo 45, fossem os únicos a imitarem ou serem os precursores de dois trabalhos dos filhos de Davi: este Eclesiastes, o anterior Cantares. — *John Mason Neale*

v. 2: Neste salmo, Davi, por assim dizer, convoca e divide a humanidade. No versículo 1, ele convoca: "Ouvi isto, vós todos os povos; inclinai os ouvidos, todos os moradores do mundo". No versículo 2, ele divide: "Quer humildes quer grandes, tanto ricos como pobres". Em hebraico, a palavra traduzida por "grandes" é בְּנֵי אִישׁ (*b^enê 'îsh*), "filhos de Ish", e a palavra traduzida por "humildes" é בְּנֵי אָדָם (*b^enê 'Ādām*), "filhos de Adão". Se traduzirmos o texto literalmente, as palavras têm de ser: "filhos dos homens e filhos dos homens", pois filhos de *Adão* e filhos de *Is* são termos traduzidos por *filhos dos homens*. Contudo, quando estão em oposição, um significa "humildes" e o outro "grandes". Os tradutores traduziram de acordo com o bom senso, não por "filhos dos homens e filhos dos homens", mas por "humildes" e "grandes". Junius traduz com esse sentido, embora use mais palavras: "tanto os nascidos de homens ignóbeis, quanto os nascidos de homens ilustres". — *Joseph Caryl*

v. 4: "Inclinarei os meus ouvidos a uma parábola", ou seja, serei extremamente cuidadoso para que eu não cante nada de forma indelicada. Trata-se de uma metáfora tirada do mundo musical, quando o músico que colocava os ouvidos mais perto da harpa para averiguar a harmonia do som. — *Victorinus Bythner*

v. 5: "Por que temerei eu nos dias maus, quando me cercar a iniquidade dos que me armam ciladas?" As pessoas que estão cheias de anos estão se aproximando cada vez mais da felicidade. Estão terminando a jornada, e, agora, avistam o porto. A provisão da natureza gastou, o estoque que ela deu acabou. Agora o homem bom não tanto desce quanto cai na sepultura, e de lá sobe para o céu e a felicidade eterna. E ficará ele perturbado com isso? Estará com medo de ser feliz? Se não me engano, esse é o significado das palavras do salmista. São em geral interpretadas a respeito dos seus caminhos, mas me parece que se referem particularmente à calamidade para a qual a velhice era incidente, pois os "dias maus" são a velhice, como chamou o sábio (Ec 12.1). O calcanhar é a parte extrema do corpo, sendo aplicado à última parte da vida do homem, aos seus anos de declínio. "Iniquidade" (como a palavra, às vezes, é usada entre os hebreus) significa o mal penal, e denota as fraquezas e decadências da parte final da vida do homem. De forma que o verdadeiro significado das palavras do salmista é este: agora, nos meus últimos dias, não me abaterei por medo e preocupações, porque estou indo para a minha felicidade, os meus anos declinantes me entregarão à terra, e isso me consignará à vida perpétua. Claro que essa é questão de alegria e não de medo. Por essa razão, considero os meus últimos dias a parte mais vantajosa da minha vida. — *John Edwards, Doutor em Teologia, 1637-1716, "Theologia Reformata" [Teologia Reformada]*

v. 5: "Por que temerei eu nos dias maus, quando me cercar a iniquidade dos que me armam ciladas?", ou seja, quando os pecados ou imperfeições que fiz me vier à lembrança ou me castigarem. Diz certa tradução: "Quando me cercar a iniquidade dos meus calcanhares". Os calcanhares de todo homem têm iniquidade. Como a sujeira que se pega aos calcanhares enquanto andamos em um mundo sujo, assim há sujeira, corrupção, em todas as nossas ações, a qual podemos chamar de: "A iniquidade dos meus calcanhares". — *Joseph Caryl*

v. 5: "Quando me cercar a iniquidade dos que me armam ciladas?" Com o bispo Robert Lowth, o célebre John Henry Michaelis, o bispo Francis Hare e muitos outros críticos, inclino-me decididamente à ideia de que עֲקֵבַי, que pode ser traduzido por "meus calcanhares", tem de ser considerado o particípio presente do verbo עָקַב, "suplantar", "agir com engano", "enganar", "segurar alguém pelo calcanhar". Sendo assim, a tradução correta será: "Para que temerei nos dias da adversidade a iniquidade dos meus suplantadores que me cercam?" A versão Siríaca e a versão Arábica traduzem como traduziu Benjamin Kennicott: "Por que temerei eu nos dias maus, quando a iniquidade dos meus inimigos me cercar?". — *John Morison*

vv. 5 a 9:

Por que temeria a hora má
Quando inimigos cruéis estão em emboscada
Os quais se divertem no orgulho do seu poder
E confiam na riqueza acumulada?

Quem pode pagar o resgate do irmão
Ou alterar o destino eterno dado por Deus?
Que mão pode arrancar da morte a presa
O seu banquete da sepultura em putrefação?

— *Extraído por um membro da Universidade de Cambridge [Benjamim Hall Kennedy, Doutor em Teologia] de "The Psalter, or Psalms of David, in English Verse" [O Saltério ou Salmos de Davi, em Poesia em Inglês], 1860*

v. 6: "Aqueles que confiam na sua fazenda e se gloriam na multidão das suas riquezas". São os ricos confiando e se gloriando. Claro que se trata de confiança muito confiante a ponto de lançar-se a gloriar-se! Quem se gloria em Deus subiu ao degrau mais alto da fé em Deus. Tem fé no ouro fino quem se gloria assim. — *Joseph Caryl*

v 6: "Aqueles que confiam na sua fazenda". *O Monólogo do Avaro*: Acredite, os dias são difíceis e perigosos. O amor se esfria, e os amigos se sentem constrangidos. Uma bolsa vazia está cheia de tristezas, e bolsas furadas tornam o coração pesado. A pobreza é uma praga civil que atemoriza amigos e familiares, deixando-nos a um "Deus tenha misericórdia de nós". É uma doença muito contagiosa e infecciosa, mais comumente detestada do que curada. O melhor antídoto é angélica e providência, e o melhor tônico é *aurum potabile*. Abstinência de tomar ouro é um soberano aprovado. Dívidas são maus humores, que por fim viram em obstruções perigosas. Empréstimo é um mero consumo de humor radical, o qual, se consumido, não leva o paciente a nada. Confiem os outros nas promessas dos bajuladores, nas atuações dos amigos, nos favores dos príncipes. Deem-me um brinquedo chamado ouro, deem-me uma coisa chamada dinheiro. Ó bendito Mamom, como é extremamente doce a sua presença preponderante para a minha alma próspera! No banimento, tu és o meu querido companheiro. No cativeiro, tu és o meu resgate precioso. Na dificuldade e aperto, tu és o meu descanso gostoso. Na doença, tu és a minha saúde. Na aflição, tu és a minha única alegria. Em toda necessidade, tu és a minha única confiança. A virtude tem de vendar-se de ti. A própria graça, não apreciada com a tua doçura, chega a desagradar os paladares justos dos filhos dos homens. Vem, então, alma minha, aconselha, inventa, projeta. Vai circundar o mar e a terra. Não deixes nada sem experimentar, nenhum caminho sem trilhar, nenhum tempo sem gastar. Não disponhas aos olhos o sono, à cabeça o descanso. Negligencia a barriga voraz. Descubra as costas. Engana, trai, jura e renega para cercar tal amigo. Se fores humilde de nascimento, ele te fará nobre. Se fores fraco de poder, ele te fará tremendo. Os teus amigos são poucos? Ele os tornará numerosos. A tua causa é ruim? Ele te ganhará advogados. É verdade que a sabedoria é uma ajuda excelente caso se incline deste modo. O aprendizado é um adorno da alta sociedade, se não muito oneroso. Entretanto, com a tua licença, não passam de bens para o período da vida. Mas o ouro eterno, se bem aproveitado, não só abençoará os teus dias, mas os teus filhos de geração em geração. Vem, vem, deixa que os outros encham o cérebro de inteligência comprada a alto preço, tornem os centavos em amor cheio de despesas e abasteçam o peito com devoção improdutiva. Deixa-os perder tudo para salvar a consciência imaginária e empobrecer-se em casa para serem considerados honestos fora de casa. Enche as tuas sacas e celeiros, e deita e descansa por muitos anos. — *Francis Quarles, "The Covetous Man's Care" [O Cuidado do Avaro]*

v. 6: "Aqueles que confiam na sua fazenda e se gloriam na multidão das suas riquezas". A forma do dinheiro concorda bem com essa condição. É cunhado na forma de círculo, porque é muito propenso a fugir. Incêndio, ladrão, inundação e causas infinitas hão de consumir as riquezas e empobrecer os que as possuem, ainda que tenham milhões e montanhas de ouro. Mas suponha que, contrário à natureza, elas fiquem com o homem. Neste caso, não pode ele ficar com elas, pois ele tem de deixá-las apesar da força, como disse o salmista sobre o rico: "Porque, quando morrer, nada levará consigo, nem a sua glória o acompanhará" (v. 17). A morte faz uma separação violenta entre o rico e os seus bens, quando lhe diz: "Louco, esta noite te pedirão a tua alma" (Lc 12.20). O "rico", disse Jó muito elegantemente, "se deita com a sua riqueza, abre os seus olhos e já não a vê" (Jó 27.19, ARA). Acontece com o rico na morte, como com o homem que dorme quando se acorda do sono. O homem que sonha com o achado ou desfrute de algum espólio rico está maravilhosamente contente. Mas, quando acorda, não encontra nada, pois vê que foi apenas um sonho, e então se entristece. Assim parecia que o rico durante a vida tinha alguma coisa, mas no dia da morte tudo desaparece como a ideia de um sonho, isto o atormenta. — *J. D., "The Threefold Resolutions" [As Triplas Decisões], 1608*

v. 6: "Aqueles que confiam na sua fazenda e se gloriam na multidão das suas riquezas". Quem bate com mais ousadia na porta do céu para entrar do que eles que Cristo rejeitará como obreiros da iniquidade? Que ilusão é essa! Calígula nunca foi mais ridículo do que quando foi honrado como um deus, ao passo que vivia mais como um demônio. Antes que os outros tomem você por cristão, pelo amor de Deus, prove que você é humano e não animal, como a sua vida embrutecida mostra. Não fale de esperança de salvação enquanto se veem as marcas da danação na sua vida perversa. Se o caminho para o céu fosse fácil assim, garanto a você que os santos de todas as eras teriam sido supervisionados para esforçar-se em mortificar as concupiscências e negar a satisfação do apetite sensual. Para que desperdiçaram tanto suor no zelo em servir a Deus? Qual o propósito das lágrimas que poderiam tê-lo servido melhor, se eles poderiam ter ido para o céu como esses homens esperam ir? Esse monge foi mais correto no julgamento deste ponto, pois, pregando em Roma durante uma quaresma, quando alguns cardeais e muitos outros grandes estavam presentes, começou o sermão desta forma abrupta e irônica. Pedro foi um tolo, Paulo foi um bobo e todos os cristãos primitivos foram ignorantes, pois pensaram que o caminho para o céu era por meio de oração, lágrima, vigília, jejum, severidade de mortificação e negação da pompa e glória deste mundo, ao passo que os senhores aqui em Roma passam o tempo em bailes e festas, vivem em pompa, orgulho, luxúria e luxo, e, mesmo assim, se consideram bons cristãos e esperam ser salvos. Contudo, no fim, ficará comprovado que os senhores é que são os tolos e eles os sábios. — *Sermão proferido por William Gurnall nos funerais da lady Mary Vere, 1671*

vv. 6 a 10: Davi fala de alguns *"que confiam na sua fazenda e se gloriam na multidão das suas riquezas"* (v. 6). Os ricos podem fazer grandes coisas, mas eis algo que não podem: *"Nenhum deles, de modo algum, pode remir a seu irmão ou dar a Deus o resgate dele"* (v. 7). Do que o rico não pode remir o irmão? É verdade, trata-se da redenção espiritual. É o que está muito fora do alcance do dinheiro dos ricos: "Não foi mediante coisas corruptíveis, como prata ou ouro, [...] mas pelo precioso sangue, [...] o sangue de Cristo" (1Pe 1.18,19). Mas o salmista fala de uma redenção mais baixa, à qual todas as riquezas do homem não podem alcançar: "Nenhum deles, de modo algum, pode remir a seu irmão ou dar a Deus o resgate dele (pois a redenção da sua alma [quer dizer, redimir a sua pessoa da sepultura] é caríssima, e seus recursos se esgotariam antes)" (vv. 7, 8).

Ele expressa mais claramente sobre a sua redenção da sepultura no versículo 9, que diz: "Por isso, tampouco viverá para sempre ou deixará de ver a corrupção". Jesus Cristo não nos remiu para que vivamos para sempre e não vejamos a corrupção. Foi o privilégio de Jesus Cristo Redentor não ver a corrupção. Mas Ele não nos remiu para que não vejamos a corrupção.

Remiu-nos para que vivamos para sempre no céu, mas não nos remiu da corrupção para que vivamos para sempre na terra ou para que não vejamos a corrupção na sepultura. Como consta no versículo 10, vemos "que os sábios morrem, que perecem igualmente o louco e o bruto e deixam a outros os seus bens". É como se o salmista tivesse dito: Nem um, nem o outro tipo de homem pode fazer este uso ou melhoria das riquezas para livrá-lo de ir para a sepultura, já que se pudessem, teriam dado tudo na compra, mas não puderam, então "deixam a outros os seus bens". — *Joseph Caryl*

v. 7: "Nenhum deles, de modo algum, pode remir a seu irmão ou dar a Deus o resgate dele". Alguns animais dedicados a Deus poderiam ser resgatados por certo preço, todavia, nenhum preço poderia ser estipulado para o resgate da alma. A fé da igreja sempre antevira que tal resgate seria fornecido: "E ele remirá a Israel de todas as suas iniquidades" (Sl 130.8). — *W. Wilson, Doutor em Teologia*

v. 8: "Pois a redenção da sua alma é caríssima, e seus recursos se esgotariam antes". Neste julgamento, as lágrimas não importarão, as orações não serão ouvidas, as promessas não serão aceitas, o arrependimento estará muito atrasado. Quanto às riquezas, títulos de honra, cetros e diademas, estes não terão a menor vantagem. A inquisição será tão curiosa e diligente, que nem um leve pensamento ou uma palavra ociosa (dos quais você não se arrependeu nesta vida) será esquecida, pois a própria Verdade disse, não de brincadeira, mas a sério, "que de toda palavra ociosa que os homens disserem hão de dar conta no Dia do Juízo" (Mt 12.36). Quantos que hoje pecam com grande prazer, até mesmo com avidez (como se servíssemos a um deus de madeira ou de pedra, que nada vê nem pode fazer nada), ficarão então surpresos, envergonhados e silenciosos. Então, os dias da alegria terminarão e você será envolto pelas trevas eternas, e em lugar dos prazeres terá tormentos eternos. — *Thomas Tymme*

v. 8: "Pois custa mais para remir a alma: de forma que ele tem de deixar isso só para sempre". — Versão do Livro de Oração Comum

v. 8: "Se esgotariam antes", ou melhor, as riquezas sempre ficam abaixo do poder necessário para realizar isso. Sempre é insuficiente. Sempre será. Não há esperança de que algum dia será suficiente, que por aumento no montante, ou por mudança nos termos do negócio, os bens ou riquezas sejam de proveito. A questão é totalmente desesperadora no que toca ao poder da riqueza em salvar um ser humano da sepultura. Sempre fracassa em salvar o homem da morte. A palavra traduzida por "se esgotariam" é חָדַל (*ḥādal*), que significa "deixar fora", "desistir", "falhar" (Gn 11.8; Êx 9.34; Is 2.22). — *Albert Barnes*

v. 11: "O seu pensamento interior é que as suas casas serão perpétuas". Esta é a interpretação das nossas ações, quando não fazemos de Deus a nossa porção, mas confiamos na abundância das nossas riquezas. Este é o nosso "pensamento interior", a declaração do nosso coração: Tu és o meu Deus. Dizemos na prática: Tu és a minha confiança, a minha esperança e a minha alegria, e ficarás ao meu lado quando todas as coisas cessarem e falharem. Não permitirás que as coisas me faltem ou que eu seja injustiçado enquanto Tu permaneceres. Essas são as palavras secretas do nosso coração. Cristãos! Muitos (como o orador) podem declamar contra a vaidade da criatura e falar tão baixamente do dinheiro como os outros, dizendo: Sabemos que o dinheiro não passa de terra um tanto quanto refinada, mas o coração se apega a isso e é avesso a deixá-lo por amor a Deus ou segundo a vontade declarada de Deus. Quem fala palavras boas de Deus não significa necessariamente que confie em Deus, assim as palavras ruins ditas sobre as riquezas mundanas não nos isentam de confiar nelas. Há uma diferença entre declamar como orador e agir como cristão. — *Thomas Manton*

v. 11: "O seu pensamento interior". Se os pensamentos bons forem os seus pensamentos profundos e se, como dizemos, o que vale é a intenção, então os seus pensamentos são justos e você é justo. Como os pensamentos profundos dos mundanos são pensamentos mundanos e os pensamentos profundos dos homens maus são pensamentos maus, assim os pensamentos profundos dos homens bons são pensamentos bons. Esta é uma observação extraordinária que o Espírito Santo faz concernente aos mundanos: "O seu pensamento interior é que as suas casas serão perpétuas, e as suas habitações, de geração em geração; dão às suas terras os seus próprios nomes". Por quê? Há algum pensamento que não seja pensamento interior? Não, mas o significado é que embora eles tenham pensamentos flutuantes sobre a própria mortalidade, e a vaidade e transitoriedade de todas as coisas mundanas estejam, por assim dizer, nadando na parte de cima, eles não permitem que tais pensamentos se aprofundem no coração ou que sejam profundos. Os pensamentos que se alojam ali são, como disse o nosso Salvador, estes: "Alma, tens em depósito muitos bens, para muitos anos; descansa, come, bebe e folga" (Lc 12.19). Note a frase que ocorre imediatamente antes: "E direi à minha alma". Há outros tipos de pensamentos que, às vezes, batem à porta do coração dos mundanos. Aliás, não somente isso, pois, às vezes, olham dentro do coração através das janelas, como ocorreu com o sermão de Paulo que começou a pressionar o interior do coração de Félix e a deixá-lo tremendo. Há outros pensamentos interiores, os quais se eles não podem manter os pensamentos totalmente bons, eles os impedirão de deixar a devida ou profunda impressão no coração. Agora, os pensamentos que se aconchegam, por assim dizer, na raiz do coração para impedir que outros pensamentos cheguem ali, são os pensamentos profundos que a Bíblia chama de "pensamento interior", de acordo com o do salmista: "Fazem indagações maliciosas, inquirem tudo o que se pode inquirir; até o íntimo de cada um e o profundo coração" (Sl 64.6). — *"Faithful Teat" (Teta Fiel), in: "Right Thoughts the Righteous Man's Evidence" [Pensamentos Justos Evidenciam os Justos], 1656*

v. 11: "Dão às suas terras os seus próprios nomes". Deus os faz de bobos, pois não são poucos os que vão além da terceira geração? Como são poucas as casas que o filho ou o neto pode dizer: "Esta era a casa do meu avô e do meu bisavô?". Como são poucas as casas em que os moradores podem dizer: "O meu antepassado morou aqui, e estas terras eram dele?".

Vasculhe o país e verá que são poucos os que podem dizer isso. Os homens quando constroem, junto com as edificações na terra, constroem castelos no ar; são imaginações. Agora, construo para os meus filhos e para os filhos dos meus filhos. Deus os impede. Ou eles não têm posteridade, ou por mil coisas que ocorrem no mundo, o resultado é oposto. O tempo é curto e a forma deste mundo passa, quer dizer, os edifícios passam, as construções passam, todas as coisas passam. Portanto, compre como se você não possuísse. Compre para que você não negligencie a melhor possessão no céu. Possua essas coisas, como se não fosse possuído nem comandado por elas. — *Richard Sibbes*

v. 11: "O seu pensamento interior é que as suas casas serão perpétuas, e as suas habitações, de geração em geração; dão às suas terras os seus próprios nomes". A era um rico fazendeiro em Massachusetts com sessenta anos de idade. Fora a sua decisão e quase única paixão da vida adquirir bens. O seu vizinho B possuía uma fazenda pequena que se situava muito perto do centro dos amplos domínios de A. Era uma mancha no prospecto de A, destruía a regularidade das terras. De modo geral, era uma necessidade, na sua opinião, que ele acrescentasse mais essa propriedade aos bens. B entrou em dificuldades financeiras e foi processado. Houve as audiências judiciais e as penhoras foram emitidas. Agora, A pensou que compraria a terra, mas uma penhora depois da outra foi conciliada, e, por fim, a dívida foi liquidada sem a venda da terra. A ficou sabendo do pagamento da última penhora, a qual lhe acabou com as esperanças de obter a terra, ele exclamou: "B é um velho e não vai viver para sempre. Quando ele morrer, compro o lote". B tinha cinquenta e oito anos, e A sessenta. Leitor, você acha que nunca vai morrer? — *K. Arvine, "Cyclopaedia of Moral and Religious Anecdotes" [Enciclopédia de Historietas Morais e Religiosas]*

v. 11: "O seu pensamento interior é que as suas casas serão perpétuas, e as suas habitações, de geração em geração; dão às suas terras os seus próprios nomes". Comprei, disse alguém, terras e lhes dei um bom título, que certamente permanecerão meus e de meus herdeiros para sempre. Mas nem por um minuto considerou que todas as coisas aqui na terra estão sujeitas a altos e baixos, a reviravoltas e vicissitudes diariamente. — *Joseph Caryl*

v. 11: "O seu pensamento interior é que as suas casas serão perpétuas, e as suas habitações, de geração em geração; dão às suas terras os seus próprios nomes". A natureza passageira de todas as possessões terrenas é ilustrada muito bem pela vida de William Beckford, e o caráter não duradouro de edifícios deslumbrantes é lustrado pela ruína da famosa Babel, a Abadia de Fonthill. Byron compôs uma canção cujo tema foi o palácio de Beckford, na Espanha, em linguagem mais aplicável a Fonthill:

Lá tu também, Vathek! O filho mais rico da Inglaterra
Formava outrora o teu paraíso, como se desconhecesse
Quando as suas mais poderosas ações fizeram as riquezas corruptas

A paz mansa sempre estava habituada a evitar as seduções voluptuosas
Aqui tu moraste; aqui tu fizeste esquemas de prazer
Abaixo do cume sempre belo do monte
Mas, agora, como se uma coisa não abençoada pelos homens
A tua bela morada é tão solitária quanto tu!
Aqui, ervas daninhas gigantescas mal permitem uma passagem
Para os salões abandonados, para os portais que bocejam amplamente
Lições frescas para o seio do pensamento,
Como são vãos os prazeres que a terra fornece
Varridas para a destruição agora pela maré rude do tempo!
— *C. H. S.*

vv. 11 e 12: "Dão às suas terras os seus próprios nomes. Todavia, o homem que está em honra não permanece". No versículo 11, temos אֲדָמוֹת, "terras", e no versículo 12, temos אָדָם, "homem", sendo proposital a repetição e o jogo de palavras no original hebraico. Por falta de atenção a esse detalhe, a passagem não tem sido devidamente compreendida. — *John Mason Good, 1764-1827*

v. 12: "O homem que está em honra não permanece". Os rabinos interpretam essas palavras assim: "Adão, estando em honra, não pernoitou uma noite". Em hebraico, a palavra traduzida por "permanece" significa "passar ou pernoitar toda a noite". Adão, então, ao que parece, não passou sequer uma noite inteira no Paraíso. — *Thomas Watson, "Body of Divinity" [Corpo da Divindade]*

v. 13: "Este caminho deles é a sua loucura; contudo, a sua posteridade aprova as suas palavras". O mestre Richard Baxter explica muito bem este versículo no excelente livro *"Saint's Everlasting Rest" [O Descanso Eterno dos Santos].* A pequena nobreza ensina os filhos a seguir o prazer, e a plebe ensina os filhos a seguir o lucro, e os mais novos estão prontos a seguir os mais velhos. *"Este caminho deles é a sua loucura."* Os próprios pagãos condenam isso, mas os cristãos não se importam. O filósofo Crates de Tebas disse que, se fosse possível, ele, de boa vontade, subiria ao mais alto lugar da cidade, de onde bradaria em voz alta esta mensagem: "O que acham, meus senhores, e por que correm com tanta pressa? Vocês se preocupam e tomam o máximo cuidado para juntar bens e fazer riquezas, ao mesmo tempo em que fazem pouca ou nenhuma conta de todos os seus filhos, a quem vocês terão de deixar todas as suas riquezas. Vocês não estão se importando mais com a riqueza do homem exterior dos seus filhos do que com a saúde do homem interior?" — *J. Votier, "Survey of Effectual Calling" [Pesquisa da Chamada Eficaz], 1652*

v. 13: "Este caminho deles é a sua loucura". A loucura do homem raramente aparece mais do que quando ele está ocupadíssimo com nada, fazendo grande alarido onde há pouca lã. Como aquele camarada vazio que apresentou-se a Alexandre, tendo gasto muito tempo e se esforçado muito, vangloriava-se de que podia jogar uma ervilha por um pequeno buraco, e esperava uma grande recompensa por isso. Mas o rei lhe deu só um cesto de ervilhas, por recompensa adequada à negligência diligente ou inatividade ocupada. Coisas que são vãs e vazias são indignas de nosso cuidado e aplicação. O homem que por muito trabalho e risco de vida subiu ao topo do campanário para fixar um ovo na ponta, foi merecidamente alvo de dó e risada. Achamos que ele é um pouco melhor do que o louco que faz uma grande fogueira tanto para cozinhar um ovo quanto para assar um boi. — *George Swinnock*

v. 13: "Este caminho deles é a sua loucura". John Leifchild, no livro *"Remarkable Facts" [Fatos Extraordinários]*, registra o seguinte incidente acerca de uma pessoa de posse, que se acostumara regularmente a participar dos cultos, mas que sempre manifestara uma disposição avara: "Chamaram-me para oferecer-lhe a consolação da religião enquanto ele jazia no leito de morte. Qual foi a minha surpresa, depois de ter conversado e orado com ele, ao descobrir que ele estava pouco disposto a tomar a minha mão, murmurando que sabia que não tinha feito o que era certo com referência ao sustento e progresso da religião, mas que desejava corrigir esse erro. Pediu-me que lhe dissesse o que eu pensava que lhe aconteceria. Como responder, senão exortando-o ao arrependimento e que ele, renunciando todos os demais pensamentos de natureza mundana, recorresse ao sacrifício e mediação do Filho de Deus em busca de perdão, segurança e salvação ao mundo que ele estava, ao que parecia, prestes a entrar? Ele me contemplou com um olhar de desapontamento. Percebi que eu devia investigar os seus pensamentos, naquele momento, e fiz-lhe a pergunta explicitamente. Para a minha surpresa e horror, ele me relevou relutantemente o fato de que, ainda que aparentemente estivesse prestes a dar o último suspiro, as suas mãos debaixo do cobertor estavam agarrando as chaves do gabinete e tesouros, para que os seus valores não lhe fossem tirados. Em seguida, partiu desta vida. E havia razão para temer que, com a sua propriedade, ele transmitira um pouco da sua paixão fatal àqueles que o sobreviveram. Foi-me estressante refletir que um dos meus congregantes deixasse este mundo com os dedos endurecidos da morte em torno das chaves dos seus tesouros. Como foi forte, como foi terrível a paixão dominante na morte deste homem!"

v. 14: "Como ovelhas, são enterrados; a morte se alimentará deles; os retos terão domínio sobre eles na manhã; e a sua formosura na sepultura se consumirá, por não ter mais onde more", ou como diz outra opção tradutória: "A sepultura, sendo uma morada para cada um deles, consumirá a sua beleza". Alguém pode contestar: O mesmo não ocorre com os retos? Não são eles tratados assim pela morte e pela sepultura? A morte não se alimenta deles? A sepultura não lhes consome a formosura? Respondo que embora seja verdade, ela não se alimenta deles e não os consome, como ela se alimenta e consome os ímpios. O salmista está falando que a morte triunfa sobre os ímpios, ao passo que os retos triunfam sobre a morte.

Em primeiro lugar, o salmista diz: Os ímpios, "como ovelhas, são enterrados". vivem como lobos ou leões, mas são enterrados como ovelhas. Se alguém perguntasse: Por que como ovelha? Respondo: Não pela inocência da vida, mas pela impotência na morte. É como se tivesse sido dito: Assim que a morte os toma nas mãos para colocá-los na sepultura, não podem resistir mais do que uma ovelha resiste a um leão ou lobo.

Quando a morte os coloca na sepultura, então, em segundo lugar, o salmista diz: "A morte se alimentará deles", dos ímpios, como o leão se alimenta da ovelha ou outro animal selvagem se alimenta da presa, fato que é um grau a mais do triunfo da morte sobre os ímpios.

Em terceiro lugar, o salmista diz: "A sua formosura na sepultura se consumirá", ou seja, toda beleza física e natural (esta é toda a beleza que eles têm) se consumirá na sepultura, ao passo que os retos têm uma beleza (e a consideram a única beleza) que a sepultura não pode consumir. É a beleza da graça, a beleza da santidade, a beleza espiritual do homem interior e a beleza espiritual das santas ações exteriores que não se consumirão na sepultura: "Bem-aventurados os mortos que, desde agora, morrem no Senhor. Sim, diz o Espírito, para que descansem dos seus trabalhos, e as suas obras os sigam" (Ap 14.13). — *Joseph Caryl*

v. 14: "A morte se alimentará deles", ou mais exatamente: "A morte será o seu pastor" (Septuaginta). Ao término do salmo precedente, o salmista dissera em nome do povo, que "este Deus é o nosso Deus para sempre; ele será nosso guia até à morte" (Sl 48.14). Aqui ele usa a mesma figura pastoral, e contrasta o caso com o episódio dos mundanos orgulhosos e prósperos que confiam nas riquezas e poderes terrenos. Eles não serão guiados em segurança, sob os cuidados pastorais de Deus, durante a morte. A própria morte será o pastor, e a sepultura o aprisco, onde serão postos como ovelhas em um redil. Como disse Agostinho: "A morte é o pastor dos descrentes. A vida (ou seja, Cristo) é o Pastor dos crentes (*in inferno sunt oves quibus pastor Mors est; in caelo sunt oves quibus pastor Vita est*). E como se expressou Keble:

> Exatamente como rebanho, eles são postos em ordem
> Para a sepultura escura; a morte lhes guia pelo caminho
> A morte agora é o seu pastor
> — *Christopher Wordsworth*

v. 14: "Na manhã", ou melhor, segundo Dathe, "no tempo do juízo". Na opinião dele, a alusão é ao tempo habitual das sessões nos tribunais de justiça, que ocorria na parte da manhã (cf. Salmos 83.14; 101.8; Jeremias 21.12). — *Extraído de "Editorial Note to Calvin" [Nota Editorial a Calvino], in loc.*

v. 14: "E a sua formosura na sepultura se consumirá". Se pensarmos um pouco sobre os túmulos e sepulcros dos príncipes e nobres, cuja glória e majestade vimos quando viviam na terra, e virmos as formas horríveis e aspectos medonhos que eles têm agora, não clamaremos como homens admirados: É esta a glória que eu vi? São estas a nobreza e os títulos de honra? Para onde foram os numerosos criados que os serviam? Onde estão os ornamentos e as joias? Onde estão a pompa, a delicadeza e amabilidade? Todas essas coisas sumiram como fumaça, e agora não há nada além de pó, horror e fedor. Com a partida da alma, o que resta no chão não é um corpo humano, mas uma carcaça sem vida, sem sentimento, sem força e tão repugnante de olhar, que mal suporta um único vislumbre. Claro que é um pouco melhor (no que tange à matéria) do que o corpo de cavalo, ou de cachorro, que ficam mortos nos campos, e todos que passam tampam o nariz e apertam o passo, para que não se aborreçam com a visão e o fedor. É no que o corpo humano se torna, seja o corpo de um monarca, imperador ou rei. Onde está a majestade, o título de nobreza, a autoridade que ele teve anteriormente, quando todos tremiam só de ver e em cuja presença não podiam entrar sem cumprir todo o protocolo e mesura? O que aconteceu com todas essas coisas? Eram um sonho ou sombra? Segundo essas coisas o funeral foi preparado, o qual é tudo que os homens podem levar consigo, de todas as riquezas e reino. Mas isso eles também não terão, se na vida eles não o designarem à dignidade e honra. O profeta Davi disse com verdade: "Não temas quando alguém se enriquece, quando a glória da sua casa se engrandece. Porque, quando morrer, nada levará consigo, nem a sua glória o acompanhará" (vv. 16 e 17). — *Thomas Tymme*

v. 14: Quando vemos um ossuário e damos uma olhada na sepultura, que cenas incríveis e escuras se apresentam! Quantas e importantes imagens aparecem! Horrores perturbadores nos golpeiam a imaginação, e sons horrorosos de doenças, destruição e morte, com toda comitiva negra e triste, nos terrificam. Ah! o montão confuso e melancólico das ruínas da humanidade, que carnagem terrível se faz da raça humana! Que teatro solene e terrível da mortalidade, coberta com os restos mortais desordenados dos nossos semelhantes, se apresente para a nossa mente! Ali estão os ossos de um monarca orgulhoso, que imaginou que era um pequeno deus, misturados com as cinzas dos seus mais pobres súditos! A morte o agarrou na altura da vaidade. Ele estava voltando de uma conquista e a mente arrogante se inchava de poder e grandeza, quando uma dessas flechas fatais lhe perfurou o coração, e imediatamente acabou com todos os perecíveis pensamentos e ideias.

Então, o sonho de glória desapareceu e todo o império foi limitado à sepultura. Veja como está pálido aquele general vitorioso. Como estão mortos, frios e inanimados as armas que estavam acostumadas com a guerra. Veja se pode discernir a diferença entre o pó dele e do escravo mais desprezível. Ali está um numeroso exército, outrora bravo e resoluto, cujas conquistas foram rápidas como o raio, que fez todas as nações tremerem de medo, agora é tão fraco que serve de presa, exposto aos piores animais, os vermes repugnantes que rastejam em triunfo sobre ele e lhe insultam as ruínas deterioradas. Ali está um corpo que foi tão amado e cuidado de forma tão solícita, cuja beleza e forma eram admiradas tão tolamente, agora é nauseante e podre, sendo o objeto de amor de nada mais que bichos daninhos. Que mudança extremamente patética que a morte fez! Olhe, ao lado dele, as cinzas ingloriosas de um infeliz rico e cobiçoso, cuja alma estava apegada a este mundo e se abraçava firmemente aos tesouros. Com foram tremendas a agonia e convulsões para que a morte o rasgasse da terra! Como as suas mãos se agarravam ao ouro! Como era veemente o desejo com que se firmou na prata, que era fraca e infrutífera! Verifique agora se as riquezas o salvaram naquele dia. Veja se você identifica algum dos tesouros inúteis deitado ao lado dele na sepultura ou se a glória da sua casa desceu pelo mesmo caminho que ele. Ali está um estadista ambicioso, mal dando de discernir-lhe os ossos podres. Como ele aplaudiu as suas artimanhas astutas! Com que firmeza ele as executou, e se orgulhou com a esperança de uma grandeza certa! Mas a morte entrou e, de uma vez, explodiu tudo pelos ares. Essa sepultura é o resultado total das suas deliberações. Ali, que fedor nauseante e sufocante sobe destes muitos sacrifícios infernais da luxúria e impureza, que desperdiçaram a força nas orgias e levaram abaixo consigo nada mais que a vergonha dos prazeres bestiais para a sepultura. Mas não há fim para os cadáveres, nem podemos acabar de inspecionar este campo terrível das conquistas da morte. — *William Dunlop*

v. 15: "Pois me receberá". Este pequeno meio-versículo é, como Bottcher observa, o mais importante exatamente pela própria brevidade. A mesma expressão ocorre outra vez: "E, depois, me receberás em glória" (Sl 73.24). O original de ambos está em Gênesis 5.24, onde é usado na translação de Enoque: "E não se viu mais, porquanto Deus para si o *tomou*" (grifo meu). — *J. J. Stewart Perowne*

v. 17: "Porque, quando morrer, nada levará consigo, nem a sua glória o acompanhará". A forma do dinheiro (moeda) concorda bem com esta condição. É cunhado na forma de círculo, porque é muito propenso a fugir. Poderíamos ser ricos contanto que vivêssemos, mas isso seria bastante incerto, pois a vida é apenas um sonho, uma sombra, apenas o sonho de uma sombra (Agostinho). Os ricos são como pedras de granizo. Fazem barulho no mundo, como os outros dão pancadas nas telhas de uma casa. Onde caem, ficam e se dissolvem. De forma que se as riquezas pudessem permanecer com o homem, o homem não pode permanecer com elas. A despeito da força, ele, "quando morrer, nada levará consigo". A vida e os bens estão em um mesmo recipiente, e ambos acabam ao mesmo tempo. Entre os dois, a vida tem mais probabilidade de continuar. Por mais que a vida não passe tão rapidamente, as riquezas têm asas de águias e voam mais rápidas do que ela. Há ladrões nas estradas que tomam o dinheiro e poupam a vida. Na Lei Penal, não há tantas maneiras de perdermos a vida quanto os bens. O rico Jó viveu o suficiente para ver a pobreza e tornar-se um provérbio. Quantos nesta cidade reputaram-se ricos, mas quebraram com dívidas aos milhares! Há modos inumeráveis de ficarmos pobre: incêndio, ladrão, falso criado, fiança, confiança em clientes ruins, fator desonesto, pirata e piloto inexperiente são exemplos que levaram os ricos à pobreza. Um vento forte é suficiente para tornar os comerciantes ricos ou mendigos. A vida humana é como as margens de um rio, e a condição temporal humana é o rio. O tempo deteriorará as margens, mas o rio não permanece limitado a elas, pois passa continuamente. A vida é a árvore, as riquezas são os frutos ou, antes, as folhas. As folhas cairão, os frutos são arrancados, mas a árvore permanece. Alguns dizem que se a casca do zambujeiro for tirada, ele dura muito tempo, mas se for deixado intacto, apodrece. Se a casca do mundano for tirada, ele vive talvez mais, havendo grande esperança de que viveria melhor. — *Thomas Adams*

v. 17: "Nada levará consigo". As coisas estão conosco neste mundo, como ocorria nos campos e vinhedos judaicos. Eles podiam arrancar e comer o quanto quisessem enquanto estivessem ali, entretanto, não poderiam pôr na bolsa ou planejar levar consigo (Dt 23.24). — *Thomas Gataker*

v. 17: "Nada levará consigo". "Engoliu fazendas, mas vomitá-las-á; do seu ventre, Deus as lançará" (Jó 20.15).

v. 17: "Acompanhará". A morte toma o pecador pela garganta e "o puxa escada abaixo para a sepultura". A indulgência em qualquer tendência pecadora tem essa direção declinante e mortal. Toda concupiscência, quer por riquezas ou honras, por jogos, vinhos ou mulheres, conduz os crentes iludidos e miseráveis passo a passo para as câmaras da morte. Não há esperança na perspectiva terrível. As dificuldades e angústias tomam conta do espírito. Tu escapaste, alma minha, da rede do passarinheiro infernal? Nunca esqueças que tu és como um tição tirado do fogo. Oh, honrar tão grande devedor! — *Nota de George Offor, "The Works of John Bunyan" [As Obras de John Bunyan], 1862*

v. 17:

> Você não levará nenhuma das suas riquezas, tolo, para as águas do rio Aqueronte
> Você será transportado em balsa totalmente despido no barco do inferno
> — *Sextus Propertius*

v. 18: Como é tolo você se considerar homem melhor do que o outro, só porque o seu monturo é um pouco maior do que o dele! Estas coisas não devem ser levadas em conta e dignas de um homem. Elas são tudo sem ti, e dizem respeito a ti não mais do que roupas finas afetam a saúde ou força do corpo. É a riqueza realmente que faz todo o barulho e agitação no mundo, e provoca todo o respeito e honra para si. O vulgo ignorante, cujos olhos ficam deslumbrados com pompa e coragem, presta-lhe reverência estúpida e impressionante. Mas saiba que são apenas a seda, o veludo, as terras ou a comitiva e criados que eles veneram e não a você. Se você pensa diferente, você é tão exatamente ridículo como o asno no apólogo que ficou muito orgulhoso e ganhou posição com grande pompa, quando o povo caiu prostrado aos seus pés, adorando, não a ele, mas ao ídolo que ele levava. — *Ezekiel Hopkins*

v. 20: "É semelhante aos animais, que perecem". Meus senhores, se os homens têm afinidade com os prazeres bestiais e amam as honras perecíveis, não é de admirar que se tornem "semelhante aos animais, que perecem". Não é maravilha que se aquele que vive como animal morra como animal. Considere o homem que vive tolamente o evangelho, e diga-me, o que este homem faz pela alma imortal mais do que o animal pela alma perecível? Alma, alma, para de ter cuidado, come, bebe e sossega. Esta é a constante cantilena da maioria dos homens em posição de honra. Preocupam-se com roupas, alimentos, títulos, ofícios, modos de ganho e prazer. Não atingi ainda o topo? Pode ser que investigam a magia negra da lisonja e deslealdade. Entendem o espírito dos tempos, as complacências e dependências deste e de outro estadista, os projetos de diversos príncipes no estrangeiro e o desígnio principal aqui em casa. É tudo? Por que, então, lhe é sabido que os homens desta tendência não fizeram melhor provisão para a alma preciosa do que se tivessem a alma, a alma evanescente dos animais? Claro que se fôssemos julgar a substância da alma dos homens pela sua conversação indigna e sensual, cairíamos facilmente na heresia, no sonho perigoso de alguns que concebem que a alma é mortal. — *Extraído de um sermão de Francis Cheynell, intitulado "The Man of Honour" [O Homem de Honra], pregado para os Lordes do Parlamento Escocês, 1645*

v. 20: "É semelhante aos animais, que perecem". O pecado é formal e eficazmente vil. Como o pecado é em si mesmo, assim torna o homem vil. Não há ser criado tão baixo como o homem, tornando-se neste aspecto mais vil do que qualquer outro ser. Não há tal depravação na natureza de outro ser criado, exceto na natureza diabólica. Nenhum ser criado jamais arrasou em sua natureza com a imagem de Deus, exceto o homem. Não há aversão à vontade de Deus, não há inclinação ao que o ofende em qualquer ser criado na terra, exceto no homem. O homem que outrora era a glória da criação, veio a ser o mais vil de todos os seres criados, pois o mais vil é ser contrário à glória infinita, e assim é a nossa natureza: "O homem que está em honra, e não tem entendimento", é agora "é semelhante aos animais, que perecem" ou pior do que os animais, pois o maior vil o torna pior: "Contudo, pouco menor o fizeste do que os anjos e de glória e de honra o coroaste. Fazes com que ele tenha domínio sobre as obras das tuas mãos; tudo puseste debaixo de seus pés" (Sl 8.5,6). Mas pela corrupção natural, aquele que era um pouco menor do que os anjos, agora está um pouco abaixo dos animais. Era para o homem ter domínio, no entanto, se tornou mais baixo do que aqueles sobre quem tinha de dominar. Os animais foram postos debaixo dos seus pés, mas agora o homem é tão baixo como eles. Esse é o assunto triste da corrupção natural. — *David Clarkson*

v. 20: "Semelhante aos animais". O homem é tanto animal que não pode saber que é até que Deus o ensine. E nunca aprendemos que somos homens até que tenhamos aprendido que éramos animais. [...] Não está escrito que o homem é semelhante a este ou aquela animal, mas que ele "é semelhante aos animais, que perecem". Considere qualquer animal, ou todos os animais, ou o pior dos animais, ele é o quadro de todos eles. O homem diariamente exemplifica em si mesmo a mais vil das qualidades animalescas. — *Joseph Caryl*

SUGESTÕES AOS PREGADORES

v. 2. (1) As necessidades comuns dos ricos e dos pobres. (2) Os privilégios comuns dos santos ricos e dos santos pobres. (3) O serviço comum de todos eles. (4) O céu comum de todos eles.

v. 4. As coisas profundas de Deus objetivam: (1) Exercitar a nossa mente para entendê-las. (2) Provar a nossa fé crendo nelas — "inclinarei" indica uma mente submissa. (3) Provocar a nossa alegria quando a compreendemos — "na harpa". (4) Empregar as nossas faculdades explicando-as aos outros.

v. 5. (1) Os efeitos do nosso pecado permanecem: (a) Em nós mesmos. (b) Nos outros. (2) Na hora da convicção eles me cercaram: melhor fazerem isso nesta vida do que nos assombrarem para sempre. (3) Quando eles são perdoados não temos nada a temer. — *George Rogers*

v. 7. (1) Implícito: a alma precisa de resgate. (2) Negado: riqueza, poder, cultura não podem resgatar. (3) Suprido: o resgate por Jesus. (4) Aplicado: pelo Espírito para a nossa real libertação.

v. 12. "Antes, é como os animais, que perecem." (1) Em que os descrentes são como os animais. (2) Em que os descrentes são diferentes dos animais.

v. 12. Temos aqui uma dupla frustração ou cancelamento dos propósitos dos mundanos: (1) Eles não serão aquilo que um dia desejaram ser: não continuarão em honra. (2) Eles serão aquilo que nunca desejaram ser: serão como os animais que morrem. Perderão o que procuravam e terão o que não procuravam. — *Samuel Hieron*

v. 14. (1) Segundo a proporção da prosperidade dos descrentes aqui, será a miséria no além: "Como ovelhas, são enterrados". Como ovelhas do pasto gordo guiadas para o matadouro. (2) Segundo a proporção do luxo dos descrentes aqui, será a corrupção no além: "A morte se alimentará deles". Eles foram bem alimentados para a morte alimentar-se deles. (3) Segundo a proporção da dignidade dos descrentes aqui, será a degradação no além: "Os retos terão domínio sobre eles na manhã". Que contraste entre o rico e Lázaro! (4) Segundo a proporção da formosura dos descrentes aqui, será a deformidade no além: "E a sua formosura na sepultura se consumirá, por não ter mais onde more". "E és semelhante a nós?" (Is 14.10, ARA). — *George Rogers*

v. 14. Ovelhas, até que ponto elas representam os descrentes.

v. 14. "Na manhã." Veja as diversas profecias bíblicas relativas ao que acontecerá "na manhã".

v. 15. (1) Eu voltarei ao pó. (2) Deus remirá do pó. (3) Ele receberá no céu. (4) Eu me alegrarei para sempre.

v. 17. O pecador carregado e o pecador descarregado.

v. 20. (1) Homens de entendimento espiritual sem honra mundana são mais altos do que os anjos de Deus no céu. (2) Homens em honra mundana sem a verdadeira sabedoria são piores do que os animais que perecem. — *George Rogers*

SALMO 50

TÍTULO

"Salmo de Asafe." Este é o primeiro dos salmos de Asafe, mas não sabemos se foi a produção deste músico eminente, ou se o título é mera dedicatória a ele. Doze salmos levam no título o seu nome, mas nem todas às vezes são designações de autoria, pois vários destes salmos são de data muito recente para terem sido compostos pelo mesmo escritor como os outros. Havia um Asafe nos dias de Davi que era um dos cantores-mores de Davi e, ao que parece, a família desse músico continuou por muito tempo ocupando o cargo hereditário de músicos do templo. Um Asafe é mencionado como cronista ou chanceler nos dias de Ezequias (2 Rs 18.18), e havia outro que era guarda das florestas reais durante o reinado de Artaxerxes. Aquele Asafe escreveu alguns salmos, como deixa certo o texto de 2 Crônicas 29.30, onde está registrado que os levitas receberam ordens para "que louvassem ao SENHOR com as palavras de Davi e de Asafe, o vidente", mas os outros salmos asáficos não foram da sua composição. Ele os recebeu apenas como músico, segundo estipulação clara de 1 Crônicas 16.7, onde está escrito que Davi entregou um salmo nas mãos de Asafe e seus irmãos. Para nós, pouco importa se ele os compôs ou cantou, pois poeta e músico estão estreitamente relacionados. Se um compõe palavras, outro as musica e ambos se alegram juntos na presença do Senhor.

DIVISÃO

O texto apresenta o Senhor convocando a terra para ouvir o que ele tem a declarar (vv. 1 a 6). Em seguida, o Senhor descreve a natureza do culto que ele aceita (vv. 7 a 15). Depois, ele acusa os ímpios de quebra dos preceitos da segunda tábua da lei (vv. 16 a 21), e encerra a sessão do tribunal com uma palavra de ameaça (vv. 22) e uma direção de graça (v. 23).

EXPOSIÇÃO

1 *O Deus poderoso, o SENHOR, falou e chamou a terra desde o nascimento do sol até ao seu ocaso.*
2 *Desde Sião, a perfeição da formosura, resplandeceu Deus.*
3 *Virá o nosso Deus e não se calará; adiante dele um fogo irá consumindo, e haverá grande tormenta ao redor dele.*
4 *Do alto, chamará os céus e a terra, para julgar o seu povo.*
5 *Congregai os meus santos, aqueles que fizeram comigo um concerto com sacrifícios.*
6 *E os céus anunciarão a sua justiça, pois Deus mesmo é o Juiz. (Selá)*

1. *"O Deus poderoso, o SENHOR."* El, Elohim, Jeová: três nomes gloriosos para o Deus de Israel. Para deixar o tratamento mais impressionante, os títulos augustos são mencionados exatamente como ocorre nos decretos reais: os nomes e títulos dos monarcas são colocados na frente. O salmo descreve o verdadeiro Deus como o Todo-poderoso, como o único e perfeito objeto de culto e como o auto-existente: "Falou e chamou a terra desde o nascimento do sol até ao seu ocaso". O domínio do Senhor se estende sobre toda a terra. Portanto, o decreto é dirigido a todo o gênero humano. O leste e o oeste recebem a ordem de ouvir o Deus que faz o sol subir em todos os rincões do globo. Será que desprezaremos a convocação do grande Rei? Ousaremos provocá-lo à ira menosprezando a chamada?

2. *"Desde Sião, a perfeição da formosura, resplandeceu Deus."* O texto apresenta o Senhor não só falando com a terra, mas também vindo para revelar a glória da sua presença a um universo reunido. O Deus de outrora habitava em Sião, entre o povo escolhido, mas o texto descreve os raios de luz do seu esplendor brilhando em todas as nações. O Sol foi mencionado no versículo 1, porém esse é um Sol muito mais luminoso. A majestade de Deus é muito visível entre os eleitos, no entanto não se limita a eles. A igreja não é uma lanterna apagada, mas um castiçal. Deus brilha não só em Sião, mas fora dela. Ela é perfeita em formosura, porque o Senhor habita nela. Essa formosura será vista por todos os observadores, quando Deus resplandecer a partir dela.

Observe como com a voz de trombeta e a insígnia de fogo o Senhor infinito convoca os céus e a terra para ouvir o que Ele tem a dizer.

3. *"Virá o nosso Deus."* O salmista fala de si e dos irmãos como se eles estivessem na expectativa imediata da aparição do Senhor em cena. "Ele vem", dizem eles, "o Deus da nossa aliança está vindo." Eles ouvem a de Deus de longe, e percebem o esplendor do séquito que o acompanha. Mesmo assim, temos de esperar a prometida aparição do Senhor do Céu.

"E não se calará." Deus vem para falar, para pleitear com o povo, para acusar e julgar os ímpios. Ele ficara calado por longo tempo com paciência, mas em breve falará com poder. Que momento de temor respeitoso enquanto o povo espera que o Onipotente se revele! Qual será a alegria reverente e a expectativa solene quando a cena poética deste salmo se tornar realidade no último grande dia!

"Adiante dele um fogo irá consumindo, e haverá grande tormenta ao redor dele." Os textos descrevem com frequência a presença de labareda e furacão servindo de criados da aparição divina: "O nosso Deus é um fogo consumidor" (Hb12.29). "Ao resplendor da sua presença as nuvens se espalharam, e a saraiva, e as brasas de fogo" (Sl 18.12). "E montou num querubim e voou; sim, voou sobre as asas do vento" (Sl 18.10). "Quando se manifestar o Senhor Jesus desde o céu, com os anjos do seu poder, como labareda de fogo, tomando vingança dos que não conhecem a Deus" (2 Ts 1.7,8). O fogo é o emblema da justiça em ação, e a tempestade é o símbolo do seu poder dominante. Quem não ouvirá em solene silêncio quando este for o tribunal do qual o juiz pleiteia com o céu e a terra?

4. *"Do alto, chamará os céus e a terra."* Anjos e homens, o mundo superior e o mundo inferior são chamados para testemunhar a cena solene. Toda a criação estará no tribunal para testemunhar a solenidade e a verdade do pleito divino. A terra, em baixo, e o céu, em cima, se unirão na condenação do pecado. O culpado não terá direito a recurso, embora todos sejam chamados para apelarem se ousarem. Anjos e homens têm visto a culpa do gênero humano e a bondade do Senhor. Eles, então, confessarão a justiça da declaração divina, e dirão "Amém" à sentença do Juiz supremo. Ai de vocês, desprezadores! O que vocês farão e a quem recorrerão?

"Para julgar o seu povo." O juízo começa na Casa de Deus. O julgamento do povo visível de Deus será um cerimonial muito terrível. Ele purgará completamente a tribuna. Ele discernirá entre o povo nominal e o povo verdadeiro. E o fará em pleno tribunal, sob as vistas do universo inteiro. Alma minha, quando esse episódio estiver acontecendo, como tu te sairás? Suportarás o dia da sua vinda?

5. *"Congregai os meus santos."* Vão, mensageiros de voo rápido, e separem o precioso do vil. Reúnam o trigo no celeiro divino. Congreguem agora em um lugar os meus santificados, o povo que há muito foi espalhado, mas é eleito e conhecido pela minha graça separadora. Nem todos os santos são o que parecem. Tem de ocorrer uma separação. Todos os que confessam ser santos serão reunidos diante do meu trono do julgamento para ouvirem a palavra que investiga e prova todos, a fim de que os falsos sejam condenados e os verdadeiros revelados.

"Aqueles que fizeram comigo um concerto com sacrifícios." Essa é a prova principal, contudo alguns ousam imitar. O concerto era ratificado pelo sacrifício das vítimas, o corte e divisão das ofertas. Tudo isso o justo fez aceitando pela verdadeira fé o grande sacrifício propiciatório. Tudo isso os embusteiros fizeram na mera forma externa. Sejam todos reunidos diante do trono para julgamento e prova, pois tantos quantos realmente ratificaram o concerto pela fé no Senhor Jesus serão comprovadamente apresentados diante de todos como objetos da graça distintiva, ao passo que os formalistas saberão que os sacrifícios externos são todos em vão. Oh, solene sessão de tribunal, como a minha alma se curva por temor reverente diante dessa perspectiva!

6. *"E os céus anunciarão a sua justiça."* As inteligências celestiais e os espíritos dos justos aperfeiçoados engrandecerão o julgamento infalível do tribunal divino. Agora questionam indubitavelmente a hipocrisia dos homens. Depois se maravilharão igualmente com a exatidão da separação entre o verdadeiro e o falso.

"Pois Deus mesmo é o Juiz." Essa é a razão para a justeza do julgamento. Sacerdotes de outrora e igrejas de tempos antigos foram prontamente enganados, mas não o Senhor que a tudo discerne com perspicácia. Não é um juiz suplente que está assentado no grande trono branco. É o próprio Senhor de todos, o Senhor ferido, que julga as evidências e sentencia a vingança ou a recompensa. A cena do salmo é uma grandiosa concepção poética, mas também é uma profecia inspirada daquele dia que arderá como forno, quando o Senhor fizer a diferença entre o que o teme e o que não o teme (cf. Ml 3.8; 4.1).

"Selá." Façamos uma pausa para prostração reverente, examinando profundamente o coração, em oração humilde e expectativa respeitosa.

7 *Ouve, povo meu, e eu falarei; ó Israel, e eu, Deus, o teu Deus, protestarei contra ti.*
8 *Não te repreenderei pelos teus sacrifícios, ou holocaustos, de contínuo perante mim.*
9 *Da tua casa não tirarei bezerro nem bodes dos teus currais.*
10 *Porque meu é todo animal da selva e as alimárias sobre milhares de montanhas.*
11 *Conheço todas as aves dos montes; e minhas são todas as feras do campo.*
12 *Se eu tivesse fome, não to diria, pois meu é o mundo e a sua plenitude.*

13 *Comerei eu carne de touros? Ou beberei sangue de bodes?*
14 *Oferece a Deus sacrifício de louvor e paga ao Altíssimo os teus votos.*
15 *E invoca-me no dia da angústia; eu te livrarei, e tu me glorificarás.*

O discurso a seguir é dirigido para pessoas que confessam ser de Deus. Primeiro, é claramente objetivado para Israel, mas é igualmente aplicável para a igreja visível de Deus de todas as épocas. Declara a futilidade do culto exterior, quando a fé espiritual está ausente e o mero cerimonialismo externo é tudo que há.

7. *"Ouve, povo meu, e eu falarei."* Porque o Senhor fala e eles são declaradamente o seu povo, eles são obrigados a dar-lhe toda a atenção. "Eu falarei", diz o grande EU SOU. Os céus e a terra são apenas ouvintes, o Senhor está prestes tanto a testemunhar quanto a julgar.

"Ó Israel, e eu [...] protestarei contra ti." O nome deles no concerto é mencionado para dar vantagem ao discurso. Tratava-se de um mal duplo que a nação escolhida se tornasse tão carnal, tão material, tão falsa, tão insensível ao seu Deus. O próprio Deus, cujos olhos não dormem, que não é enganado por boatos, mas vê tudo, entrou em cena como testemunha contra a nação favorecida. Ai de nós quando Deus, mesmo o Deus de nossos pais, testemunhar da hipocrisia da igreja visível.

"Deus, o teu Deus." Ele os tomara para ser o povo peculiar acima de todas as outras nações, e eles declararam da maneira mais solene que Ele era o Deus deles. Isso explica a razão especial para chamá-los a prestar contas. A Lei começou com: "Eu sou o SENHOR, teu Deus, que te tirei da terra do Egito" (Êx 20.2). Agora a sessão do julgamento começa com a mesma lembrança da posição, privilégio e responsabilidade singular que detinham. Não era só que o Senhor fosse Deus, mas que Ele fosse o Deus de Israel. É o que fez com que se comportassem da forma tão cômoda e tranquila diante das repreensões investigativas do Senhor.

8. *"Não te repreenderei pelos teus sacrifícios, ou holocaustos, de contínuo perante mim."* Embora não tivessem falhado em manter o culto exterior, ou mesmo que tivessem, não era sobre isso que Deus os chamava para explicar. Um assunto mais importante estava agora sob consideração. Eles pensavam que os sacrifícios diários e os abundantes holocaustos bastavam. Para Deus, isso não valia nada se o sacrifício interior do culto do coração fora negligenciado. O que era grande para eles era pequeno para Deus. Hoje é a mesma coisa. Os sacramentos (assim chamados) e os ritos sacros são a principal preocupação para os não convertidos e religiosos, mas para o Altíssimo, o culto espiritual que eles esquecem é a questão exclusiva. Que as coisas exteriores sejam mantidas por todos os meios de acordo com o mandamento divino, mas se o aspecto secreto e espiritual não estiver nelas, são um sacrifício vão, um ritual morto e até uma abominação diante do Senhor.

9. *"Da tua casa não tirarei bezerro."* Imaginavam, tolamente, que bois com chifres e cascos agradaria ao Senhor, quando na verdade Ele buscava corações e almas. Pensavam, impiamente, que Jeová precisava dessa provisão, e que se eles alimentassem o altar com animais gordos, Ele ficaria contente. O que Deus queria que servisse de instrução, eles tornaram pontos de confiança. Esqueceram-se de que "o obedecer é melhor do que o sacrificar; e o atender melhor é do que a gordura de carneiros" (1 Sm 15.22).

"Nem bodes dos teus currais." O salmista menciona essas vítimas menos importantes para que despertassem o senso comum e vissem que o grande Criador não tinha nenhuma satisfação em meras ofertas de animais. Se Deus precisasse disso, Ele não apelaria para as escassas baias e currais que o povo tinha. Na verdade, Deus se recusa a tomar sequer um animal, se eles o levarem sob a falsa e desonrosa visão de que estavam com isso agradando-o. Isso mostra que os sacrifícios da Lei eram

símbolos de coisas mais altas e espirituais, e não agradavam a Deus, exceto sob o aspecto da tipologia. O adorador crente que olhasse além do aspecto externo dos sacrifícios era aceito, ao passo que o adorador não espiritual que desconsiderasse o significado estava desperdiçando os bens e blasfemando do Deus do céu.

10. *"Porque meu é todo animal da selva."* Como podiam imaginar que o Deus Altíssimo, o possuidor do céu e da terra, tinha necessidade de animais, quando todas as hordas incontáveis que se abrigavam em mil florestas e desertos pertencem a Ele?

"E as alimárias sobre milhares de montanhas." Não só os animais selvagens, mas também as criaturas mais dóceis são todas do Senhor. Mesmo que Deus se importasse com essas coisas, Ele podia cuidar da própria subsistência. Afinal de contas, o gado deles não era na verdade deles, mas fazia parte da grande propriedade do Criador. Por que, então, Deus se sentiria obrigado a eles. De Dã a Berseba, de Nebaiote ao Líbano não se alimentava um animal que não estivesse marcado com o nome do grande Pastor. Por que, então, Ele necessitaria das ofertas sacrificiais de Israel? Que desprezo há até nos sacrifícios divinamente estipulados, quando incorretamente vistos como algo que em si agrada a Deus! E tudo isso foi declarado expressamente durante o período em que a Lei vigorava! Quanto mais esse ponto está claro durante os dias do evangelho, quando foi revelado muito mais claramente que "Deus é Espírito, e importa que os que o adoram o adorem em espírito e em verdade" (Jo 4.24). E agora, ritualistas, sacramentários e fariseus modernos, o que vocês acham disso?

11. *"Conheço todas as aves dos montes."* Todas as criaturas aladas estão sob a minha inspeção e próximos da minha mão. Qual é, então, o valor das duas rolas e dos dois pombinhos? O grande Senhor não só alimenta todas as criaturas, mas conhece bem cada uma delas. Como é maravilhoso saber disso!

"E minhas são todas as feras do campo." A população que habita as planícies é inteiramente minha. Por que, então, eu buscaria os seus bois e carneiros? Em mim, todas as coisas vivem e se movem. Como vocês são tolos em supor que eu desejo os seus seres vivos! Um Deus espiritual exige outra vida do que a que há nos animais. Ele procura o sacrifício espiritual, o amor, a confiança, o louvor, a vida do coração dos ofertantes.

12. *"Se eu tivesse fome, não to diria."* Concepção estranha: Deus faminto! Ainda que tal ideia absurda fosse verdade e o Senhor tivesse fome de carne, Ele não precisava pedir aos homens. Ele poderia se servir das próprias posses. Não se tornaria suplicante aos seres que Ele mesmo criou. Até no mais grosseiro conceito sobre Deus, a fé em cerimônias externas é grotesca. Os homens imaginam que o Senhor precisa de bandeiras, música, incenso e linho fino? Se precisasse, as estrelas decorariam a sua padronagem, os ventos e as ondas se tornariam a orquestra, dez milhões de flores exalariam perfume, a neve seria a túnica de linho fino, o arco-íris o cinto e as nuvens de luz o manto. Ó tolos e tardos de coração, "vós adorais o que não sabeis" (Jo 4.22).

"Pois meu é o mundo e a sua plenitude." Do que pode necessitar quem é o dono de todas as coisas e é capaz de criar o que quiser e quando quiser? Assim o Senhor deixa predominantemente claro os seus argumentos aos formalistas.

13. *"Comerei eu carne de touros? Ou beberei sangue de bodes?"* Vocês são tão passionalmente cegos a ponto de pensar isso? O grande EU SOU está sujeito aos apetites físicos, os quais devem ser saciados dessa forma tão brutal? É o que pensam os pagãos sobre os ídolos, mas ousaremos pensar assim sobre o Deus que fez os céus e a terra? Tu caíste tanto a ponto de pensar assim sobre mim, ó Israel? Que raciocínio vívido temos aqui! Como os raios de fogo atingem a face dos ineptos que confiam nas formas externas! Vocês, bobos de Roma, conseguem ler isso e ficar

impassíveis? A expostulação é furiosa. As perguntas confundem totalmente. A conclusão é inevitável. A adoração de coração só é aceitável com o verdadeiro Deus. É inconcebível que coisas externas o satisfaçam, exceto na medida em que por elas a nossa fé e amor se expressem.

14. *"Oferece a Deus sacrifício de louvor."* Não olhem para os sacrifícios como dádivas que em si me agradam, mas os apresentem como tributos de gratidão. É quando os aceitarei, mas não enquanto a alma não tem amor e gratidão para me oferecer. Os sacrifícios, considerados em si mesmos, são desprezados, mas as emoções internas de amor consequente em uma lembrança da bondade divina são recomendadas como a essência, significado e alma do sacrifício. Mesmo quando os cerimoniais legais estavam em vigor, isso era verdade. Agora que chegaram a um fim, essa verdade se manifestou mais do que nunca. Não foi por falta de bois no altar que Israel era culpado, mas por falta de adoração grata diante do Senhor. Os israelitas se superavam nas coisas visíveis, mas na graça interior, que é a coisa mais necessária, fracassaram tristemente. Muitos crentes hoje estão na mesma condenação.

"E paga ao Altíssimo os teus votos." Apresentem o sacrifício real ao Deus que vê o coração, deem-lhe o amor que vocês prometeram, façam o serviço que vocês estipularam, mantenham a lealdade de coração que vocês juraram. Façam pela graça! Sejamos, pois, graciosamente capacitados a amar a Deus e a viver segundo os termos da confissão! A nossa maior preocupação é, de fato, sermos servos do Senhor, os amados de Jesus. De que vale o batismo nas águas, qual é o fim de participarmos da mesa do Senhor, qual é o propósito das reuniões solenes, se não temos o temor do Senhor e a divindade vital reinando em nosso peito?

15. *"E invoca-me no dia da angústia."* Que versículo glorioso! Então esse é o verdadeiro sacrifício? É uma oferta pedir esmolas do céu? Sim. Foi o próprio Rei que o considerou. Nisso a fé é manifestada, nisso o amor é provado, dado que na hora do perigo corremos para quem amamos. Parece coisa pequena orarmos a Deus quando estamos aflitos, contudo é adoração mais aceitável do que a mera apresentação insensível de bois e bodes. Essa é a voz do trono e está cheia de misericórdia! É uma abóboda muito tempestuosa que está em torno de Jeová, mas são macias as gotas da chuva de misericórdia que caem do centro da tempestade! Quem não faria tal sacrifício? Vocês que estão angustiados, apressem-se em apresentá-lo agora! Quem diz que os santos do Antigo Testamento não conheciam o evangelho? O próprio espírito e essência do evangelho exalam como incenso por todo este salmo santo.

"Eu te livrarei." Vocês verão a realidade do sacrifício da oração na resposta. Se a fumaça de touros queimando me for ou não agradável, certamente a oração humilde será. Provarei que me foi agradável, respondendo graciosamente a invocação feita. Essa promessa é muito ampla, podendo se referir a livramentos temporais e eternos. A fé pode virar para esta ou para aquela direção, como a espada do querubim.

"E tu me glorificarás." A sua oração me honrará, e a sua percepção grata da minha misericórdia em responder também me glorificará. As cabras e os bois serão um fracasso comprovado, mas o verdadeiro sacrifício jamais falhará. Os bezerros do curral podem ser uma oferta vã, mas não os bezerros dos lábios sinceros.

Assim vemos qual é o verdadeiro ritual. Aqui, lemos orientações inspiradas. A adoração espiritual é a grande e essencial questão. Tudo o mais sem isso é algo que, antes, provoca do que agrada a Deus. Como ajuda para a alma, as ofertas externas eram preciosas, porém quando os homens ficavam somente nisso, até mesmo as suas coisas santas eram profanas aos olhos do céu.

16 *Mas ao ímpio diz Deus: Que tens tu que recitar os meus estatutos e que tomar o meu concerto na tua boca,*

17 *pois aborreces a correção e lanças as minhas palavras para detrás de ti?*

18 *Quando vês o ladrão, consentes com ele; e tens a tua parte com adúlteros.*
19 *Soltas a tua boca para o mal, e a tua língua compõe o engano.*
20 *Assentas-te a falar contra teu irmão; falas mal contra o filho de tua mãe.*
21 *Estas coisas tens feito, e eu me calei; pensavas que era como tu; mas eu te arguirei, e, em sua ordem, tudo porei diante dos teus olhos.*

Aqui, o Senhor se dirige manifestadamente aos ímpios entre o seu povo. Havia ímpios até nos lugares mais altos do santuário. Se os formalistas morais foram repreendidos, quanto mais os hipócritas imorais na comunhão com o céu? Se a falta de coração deteriorou a adoração dos mais decentes e virtuosos, quanto mais as violações da Lei, cometidas com mão alta, corromperam os sacrifícios dos ímpios?

16. *"Mas ao ímpio diz Deus."* O Senhor se dirige aos transgressores da segunda tábua da Lei. Previamente, Ele falara com os negligentes da primeira tábua.

"Que tens tu que recitar os meus estatutos?" Vocês violam a minha lei moral abertamente, mas são grandes defensores dos mandamentos cerimoniais! O que vocês têm a ver com eles? Que interesse podem ter neles? Vocês ousam ensinar a minha Lei para os outros, mas vocês mesmos a profanam? Que descaramento! Que blasfêmia! Mesmo que vocês afirmem serem filhos de Levi, o que é que tem? A sua iniquidade desqualifica vocês, deserda vocês, tira vocês da sucessão. Isso deveria calá-los e calaria, se o meu povo fosse tão espiritual quanto deveria, porque eles se recusam a ouvir vocês e pagar a vocês a porção das coisas temporais que são devidas aos meus verdadeiros servos. Vocês adicionam dias santos, disputam os rituais, brigam por aspectos exteriores, contudo as questões mais importantes da Lei vocês menosprezam! Guias cegos, vocês coam mosquitos e engolem camelos. A hipocrisia de vocês está escrita na testa visivelmente a todos.

"E que tomar o meu concerto na tua boca?" Vocês dizem que estão em concerto comigo, mas pisoteiam a minha santidade como os porcos pisoteiam pérolas. Pensam que posso tolerar isso? A boca de vocês está cheia de mentira e calúnia, mesmo assim, vocês declamam as minhas palavras como se elas fossem bocados apropriados para vocês! Que mal tremendo é hoje vermos homens explicando doutrinas que menosprezam os preceitos! Fazem da graça uma coberta para o pecado, e julgam que são sãos na fé, enquanto que, ao mesmo tempo, são podres na vida. Precisamos da graça das doutrinas tanto quanto das doutrinas da graça. Sem isso, um apóstolo não passa de um Judas, e um mestre agradável e cortês ao falar é um inimigo notório da cruz de Cristo.

17. *"Pois aborreces a correção."* Os mestres profanos são sábios demais para aprender e demasiadamente bêbados com vaidade para serem ensinados por Deus. Que monstruosidade os homens declararem estatutos que o coração desconhece, estatutos que negam abertamente com a vida! Ai dos homens que odeiam a correção que eles assumem dar.

"E lanças as minhas palavras para detrás de ti?" Menosprezando-as, jogando-as fora como algo inútil, pondo-as fora da vista como algo ofensivo. Foi exatamente os que muitos ostentadores da Lei fizeram. Nestes últimos dias, há colhedores e escolhedores das palavras de Deus que não suportam a parte prática da Bíblia. Ficam enojados com o dever, detestam a responsabilidade, estripam os textos dos significados claros e torcem as Escrituras para a própria condenação. É mau sinal quando o homem desafia não olhar a Bíblia de frente. É evidência de descaramento pertinaz quando ele procura fazer com que Bíblia signifique algo menos condenatório ao pecado, e se empenhe em provar que ela é menos integral no que exige. Como é forte o argumento que tais homens não têm o direito de ter o concerto de Deus na boca, visto que o espírito do concerto não regulamenta a vida que eles levam!

18. *"Quando vês o ladrão, consentes com ele."* A honestidade moral não pode estar ausente onde a graça verdadeira está presente. Os que desculpam os outros na trapaça são culpados também. Os que usam os outros para fazer atos injustos para eles são duplamente injustos. Se o homem sempre é muito piedoso, mas as suas ações não reprovam a desonestidade, então ele é cúmplice dos ladrões. Se consentimos com qualquer coisa que não seja reta, então, não somos retos e a nossa religião é mentira.

"E tens a tua parte com adúlteros." Um por um os pecadores em Sião quebram os preceitos morais. Sob a capa da devoção, as pessoas impuras se escondem. Podemos agir assim rindo dos gracejos impudicos, ouvindo expressões indelicadas e sendo coniventes com comportamento licencioso em nossa presença. Se agimos assim, como ousamos pregar, ou fazer uma oração publicamente, ou usar o nome de crente? Veja como o Senhor coloca a retidão no prumo! Como é clara a mensagem de todas estas palavras: sem a santificação, ninguém verá o Senhor! (cf. Hb 12.14). Não há quantidade de exatidão cerimonial ou teológica que cubra a desonestidade e a fornicação. Essas coisas imundas têm de purgadas de nós pelo sangue de Jesus, ou elas acenderão o fogo da ira de Deus que arderá até ao mais profundo do inferno.

19. *"Soltas a tua boca para o mal."* Aqui, são mencionados os pecados contra o nono mandamento. O homem que se entrega ao hábito da difamação é um hipócrita vil se ele se associar com o povo de Deus. A saúde do homem é prontamente julgada pela língua. Boca suja igual a coração sujo. Alguns caluniam quase com tanta frequência quanto respiram, e ainda são grandes apoiadores da igreja e grandes defensores da santidade. A que profundidade não irão no mal, quem gosta de espalhá-lo com a língua?

"E a tua língua compõe o engano." Trata-se de um tipo mais deliberado de difamação, em que o homem com destreza elabora falsos testemunhos e prepara métodos difamatórios. Há uma engenhosidade de calúnia em certos homens, e infelizmente até em alguns que pensam que são seguidores do Senhor Jesus. Inventam falsidades, tecem no tear, martelam na bigorna e depois vendem as mercadorias para toda empresa. Estes são aceitáveis a Deus? Embora levem as riquezas ao altar e falem com eloquência sobre a verdade e a salvação, têm eles algum favor com Deus? Estaríamos blasfemando o Deus santo se pensássemos assim. São corruptos aos olhos de Deus, um fedor para as narinas divinas. O Senhor lançará todos os mentirosos no inferno. Que preguem, orem e sacrifiquem como quiserem. Até que se tornem verdadeiros, o Deus da verdade os detesta totalmente.

20. *"Assentas-te a falar contra teu irmão."* Ele se assenta para isso, faz disso o seu alimento, rumina, medita, torna-se mestre em difamação, ocupa a cadeira da calúnia. O mais próximo amigo não está a salvo, o mais querido parente não lhe escapa.

"Falas mal contra o filho de tua mãe." Ele deveria amá-lo mais, porém tem uma palavra ruim para ele. "O filho de tua mãe" era para os povos do Oriente um parente muito terno. Mas o caluniador miserável não reconhece direitos de família. Apunhala o irmão às escuras, e dá uma bofetada contra aquele que saiu do mesmo útero. E ainda se envolve no manto da hipocrisia, e sonha que é um dos preferidos do céu, um adorador aceito pelo Senhor. Será que hoje em dia damos de cara com tais monstros? Infelizmente, eles ainda profanam as igrejas, são raízes de amargura, manchas em nossas festas de caridade, estrelas errantes, para os quais está eternamente reservada a negrura das trevas (cf. Dn 11.31; Hb 12.15; Jd 12,13). Talvez algum deles esteja lendo estas linhas, mas provavelmente as lerão em vão. Os olhos estão muito cegos para ver a própria condição, o coração está embrutecido e os ouvidos quase surdos. Entregaram-se à forte ilusão de acreditar numa mentira para que sejam condenados.

21. *"Estas coisas tens feito, e eu me calei."* Não foi um julgamento apressado que causou a queda do pecador — a resignação reinou. Não se ouviu trovão ameaçador, e não caiu um raio de fogo para executar a sentença.

"Pensavas que era como tu." A inferência tirada da paciência do Senhor era infame. O culpado, cuja execução fora temporariamente prorrogada, pensou que o juiz era da mesma qualidade que ele. Ofereceu sacrifício e julgou-se aceito. Continuou no pecado e permaneceu impune, dizendo arrogantemente: "Por que preciso acreditar nestes profetas malucos? Deus não se preocupa com o modo como vivemos, contanto que paguemos o dízimo. Ele pouco se importa com a maneira como conseguimos a pilhagem, contanto que levemos um boi ao altar". O que mais os homens imaginam do Senhor? De uma vez, comparam a glória de Israel a um bezerro e imediatamente ao seu caráter embrutecido.

"Mas eu te arguirei." Por fim, quebrarei o silêncio e darei a conhecer o que penso.

"E, em sua ordem, tudo porei diante dos teus olhos." Disporei os seus pecados em ordem de batalha. Farei com que você os veja. Inscreverei item por item, todos devidamente classificados e organizados. Você saberá que se fiquei em silêncio por um tempo, nunca foi por eu ser cego ou surdo. Farei com que você perceba o que você tenta negar. Sairei do trono da misericórdia para o trono do julgamento, e, assim, você verá como é grande a diferença entre mim e você.

22 *Ouvi, pois, isto, vós que vos esqueceis de Deus; para que vos não faça em pedaços, sem haver quem vos livre.*

22. *"Pois"*, ou *agora*, ou *oh!* é uma palavra de solicitação, já que o Senhor é avesso em deixar até o mais descrente ir para a destruição.

"Ouvi [...] isto." Levem estas verdades ao coração, vocês que confiam em cerimônias e vocês que vivem na iniquidade, cujo ponto comum de ambos é: "Vós que vos esqueceis de Deus". Reflitam como vocês são inaceitáveis e voltem-se para o Senhor. Percebam como vocês escarneceram do Eterno e arrependam-se das suas iniquidades.

"Para que vos não faça em pedaços", como o leão que despedaça a presa, "sem haver quem vos livre", sem Salvador, sem refúgio, sem esperança. Vocês que rejeitam o Mediador, tomem cuidado, pois precisarão urgentemente de alguém no dia da ira, e não haverá ninguém por perto para defendê-los. Como será terrível, como será total, como será dolorosa, como será humilhante a destruição dos ímpios! Deus não usa palavras gentis, ou metáforas aveludadas, nem os seus servos devem usar palavras semelhantes quando falarem da ira por vir. Leitor, reflita sobre isso.

23 *Aquele que oferece sacrifício de louvor me glorificará; e àquele que bem ordena o seu caminho eu mostrarei a salvação de Deus.*

23. *"Aquele que oferece sacrifício de louvor me glorificará."* O louvor é melhor do que o sacrifício. Falo da gratidão verdadeira, sincera e graciosa de uma mente renovada. A música em que os ouvidos do Senhor se deleitam não é o mugido de bois presos ao altar, mas o cântico dos remidos. Sacrifique a sua gratidão em amor, e Deus será honrado.

"E àquele que bem ordena o seu caminho eu mostrarei a salvação de Deus." O viver santo é evidência seleta de salvação. Aquele que se submete à orientação divina, e é cuidadoso em honrar a Deus na vida, faz uma oferta que o Senhor aceita pelo seu Filho querido. Tal indivíduo será cada vez mais instruído e conhecerá a salvação do Senhor experimentalmente. Ele precisa de salvação, pois a melhor ordenação da vida não pode nos salvar, mas *essa* salvação ele terá. A bênção não é prometida

às cerimônias ou aos lábios não purificados, mas ao coração grato e ao viver santo. Ó Senhor, concede-nos que compareçamos ao julgamento com esses que te adoram corretamente e veem a tua salvação.

NOTAS EXPLICATIVAS E DECLARAÇÕES IMPORTANTES

O Salmo: O exórdio ou começo do salmo é o mais grandioso e impressionante que se pode imaginar — o orador é Deus e a audiência é um mundo reunido! Não há comparação ou cena similar a algo semelhantemente humano. Nem imagino que a terra verá dia igual até o momento em que a trombeta do arcanjo soará e todas as nações dos quatro cantos da terra serão reunidas, de uma extremidade do céu à outra. Então os mortos, grandes e pequenos, comparecerão diante de Deus, o mar dará os mortos que nele estão, e a morte e o inferno entregarão os mortos que neles estão. — *Barton Bouchier*

v. 1: "El, Elohim, Jeová falou!", é como consta no original hebraico. — *Andrew A. Bonar*

v. 1: "O Deus poderoso, o SENHOR." Certos comentaristas observaram que estes três nomes: El, Elohim, Jeová, aqui mencionados, têm três acentos muito distintos, os quais, quando estão juntos com um verbo hebraico no singular, דִּבֵּר, "falou", contêm o mistério da trindade de Pessoas na unidade da Essência divina. — *John Gill*

v. 1: "E chamou a terra desde o nascimento do sol até ao seu ocaso", ou seja, Ele ordenou que todos os habitantes da terra comparecessem como testemunhas e espectadores do julgamento. — *Simon de Muis*

vv. 1 a 5:

Os ateus não mais escarnecerão da demora;
A vingança divina não dorme mais; eis o dia!
Vejam! O Juiz desce; os guardas estão perto,
Tempestades e fogo o acompanham desde o céu.
Quando Deus aparecer, toda a natureza o adorará.
Enquanto os pecadores tremem, os santos se alegram diante dEle.
Céu, terra e inferno se aproximam; venham todas as coisas
Ouvir a minha justiça e o destino dos pecadores.
Mas primeiro reúnam os meus santos (o Juiz ordena),
Tragam-nos, anjos, das terras distantes, tragam.
Quando Cristo voltar, despertem toda emoção alegre,
E bradem, santos; Ele vem para salvar vocês!
— *Isaac Watts*

v. 2: "Desde Sião, a perfeição da formosura, resplandeceu Deus", ou, Deus fez com que a perfeição da formosura brilhasse desde Sião. — *Martin Geier*

v. 2: "Resplandeceu Deus", como o Sol na sua força, às vezes, para a consolação do povo (Sl 80.1), às vezes, para o terror dos malfeitores (Sl 94.1). Mas Deus é eternamente terrível desde os seus lugares santos (Sl 68.35; 89.7). — *John Trapp*

v. 2: "Resplandeceu Deus". O significado próprio de יָפַע é "espalhar raios de longe e de um lugar alto e brilhar". Trata-se de uma palavra de som imponente, diz o capelão Albert Schultens, que é sempre usada para referir-se a uma luz magnífica e brilhante. Pelo visto, é usada para referir-se ao símbolo esplêndido da presença de Deus, como em Deuteronômio 33.2, onde diz que Ele "resplandeceu [espalhou raios; "brilhou", NTLH] desde o monte Parã". Diante disso, fica claro que pode se referir a coluna de nuvem e coluna de fogo, o lugar da majestade divina visível no monte Sinai, ou no Tabernáculo, ou na parte mais interna do Templo. — *Hermann Venema*

v. 3: "Virá o nosso Deus e não se calará". Ele se manteve em silêncio para que pudesse ser julgado, mas não se manterá em silêncio quando começar a julgar. O salmista não teria sido dito que Ele "virá", a menos que inicialmente Ele tivesse vindo às ocultas. Também não teria sido dito que Deus "não se calará", não tivesse Ele a princípio se mantido em silêncio. Como Ele se calou? Pergunte a Isaías: "Como um cordeiro, foi levado ao matadouro e, como a ovelha muda perante os seus tosquiadores, ele não abriu a boca" (Is 53.7). Mas Ele virá manifestadamente e não se calará. Como não se calará? "Adiante dEle um fogo irá consumindo, e haverá grande tormenta ao redor dEle." A tormenta é para levar embora toda palha que agora está na eira. O fogo é para consumir o que a tormenta leva. Agora, porém, Ele está calado. Está silencioso quanto ao julgamento, mas não quanto ao preceito. Ora, se Cristo está calado, o que significam os evangelhos? O que são as vozes dos apóstolos? O que significa os cânticos dos salmos? O que se entende pelos sublimes enunciados dos profetas? Com certeza, em todos estes Cristo não está calado. Entretanto, Ele está calado quanto ao presente em não tomar vingança, não em não advertir. Mas Jesus virá em brilho inigualável para tomar vingança, quando então será visto por todos, até mesmo por aqueles que não creem nEle. Mas agora, tendo em vista que Ele não está escondido, foi necessário que fosse menosprezado, pois a menos que Cristo tivesse sido menosprezado, Ele não teria sido crucificado. E se não tivesse sido crucificado, não teria derramado sangue, o preço com o qual Jesus Cristo nos resgatou. Mas para que pudesse dar o preço por nós, Ele foi crucificado, e para que fosse crucificado, Ele foi menosprezado, e para que fosse menosprezado, Ele apareceu em forma humilde. — *Agostinho*

v. 3: "Virá o nosso Deus e não se calará". O futuro na primeira frase pode ser traduzido por "está vindo o nosso Deus", como se o som da voz e a luz da glória tivessem precedido a aparição efetiva. A imagem vem da doação da Lei no monte Sinai. — *Joseph Addison Alexander*

v. 3: "Virá o nosso Deus", ou segundo a versão de Junius & Tremellius: "Venha o nosso Deus!" É uma oração pela aceleração do seu advento, como em Apocalipse 22.20. — *"Pool's Synopsis" [Sinopse de Pool]*

v. 3: "Adiante dele um fogo irá consumindo". Como ele deu a lei em fogo, assim em fogo ele a exigirá. — *John Trapp*

v. 4: "Do alto, chamará os céus e a terra". Que essas mudas criações sejam evidências tão expressivas contra um povo indigno quanto testemunhas dos procedimentos justos de Deus contra eles (Dt 32.1; Is 1.2; Mq 6.2). A versão Caldaica parafraseou assim: "Ele chamará os anjos sublimes de cima e os justos da terra em baixo". — *John Trapp*

v. 5: "Congregai os meus santos, aqueles que fizeram comigo um concerto com sacrifícios". A quem essas palavras foram dirigidas? Muitos estudiosos supõem que foram dirigidas para os anjos, na função de ministros da vontade de Deus, mas é desnecessário tornar a expressão mais definida do que já está no salmo. — *J. J. Stewart Perowne*

v. 5: "Os meus santos", os objetos da minha misericórdia, aqueles a quem Eu chamei e especificamente distingui. O termo aqui descreve uma relação, não uma qualidade intrínseca. — *Joseph Addison Alexander v. 5:* "Congregai os meus santos, aqueles que fizeram comigo um concerto com sacrifícios". Há uma reunião a Cristo feita duplamente ou em duas partes. Há uma reunião a Cristo pela fé, uma reunião ao vínculo da aliança, uma reunião à família de Deus, uma reunião à raiz de Jessé, desfraldando a bandeira dos povos: "E acontecerá, naquele dia, que as nações perguntarão pela raiz de Jessé, posta por pendão dos povos, e o lugar do seu repouso será glorioso" (Is 11.10). Esse é o principal propósito do evangelho, a grande obra dos ministros, a reunião dos pecadores a Cristo. Há também uma reunião a Cristo no julgamento geral, e essa é a reunião falada aqui. Essa reunião é a consequência da outra. Cristo não reunirá ninguém para si no último dia, senão aqueles que são reunidos a Ele pela fé aqui. Deus dará ordens para que se reúnam a Ele todos esses e mais ninguém, senão os que se apoderaram do seu concerto. [...]

Eu falaria de Cristo confessar e reconhecer os santos na segunda vinda. O fato da confissão e reconhecimento ganha significação quando Ele dá estas ordens: "Congregai os meus santos". [...] Agora, com esse título, menciono as seguintes coisas: (1) A santidade será a única marca distintiva naquele dia. Hoje há muitas marcas distintivas, estas, contudo, acabarão e só aquela permanecerá. (2) A santidade será o distintivo de honra de Cristo. Cuidado para não escarnecer da santidade ou sacralidade, inviolabilidade e pureza, pois é o distintivo de honra de Cristo, a roupa com a qual os seguidores são vestidos e será o único distintivo de honra no grande dia. (3) Cristo não esquecerá nem desconhecerá os santos. Muitos dos santos são esquecidos aqui. Esquecemos que tais pessoas estavam no mundo, mas Cristo não esquecerá nem desconhecerá nenhum deles no grande dia. Jesus emitirá uma lista com o nome de todos os santos com ordens para reuni-los a Ele. (4) Cristo confessará, aceitará e reconhecerá os santos diante do Pai e dos santos anjos (Mt 10.32; Lc 12.8; Ap 3.5). Eles irão para a casa do meu Pai, onde entrarão em meu nome e pelos meus méritos. Assim é necessário que Eu os confesse e reconheça diante do meu Pai. Mas qual é a necessidade de confessá-los diante dos anjos? É porque os remidos serão os companheiros dos anjos, e, portanto, faz-se necessário que Cristo os confesse diante dos anjos. Servirá de atestado para eles em relação aos anjos. Por fim, as evidências do direito de propriedade de Cristo sobre os santos serão manifestas: "E eles serão meus, diz o SENHOR dos Exércitos, naquele dia que farei, serão para mim particular tesouro" (Ml 3.17). Então, será tarde demais para as pessoas se tornarem de Cristo. Assim, o significado é que os santos mostrarão com todas as evidências que são meus. — *James Scot, 1773*

v. 5: "Congregai os meus santos". Podemos considerar o nosso texto como a comissão dada pelo grande Juiz aos anjos, esses espíritos ministradores que fazem a vontade divina, escutando atentamente a voz do poder soberano. A linguagem do texto está de acordo com o que foi proferido pelo nosso Senhor quando, aludindo à vinda do Filho do Homem, diz: "E ele enviará os seus anjos com rijo clamor de trombeta, os quais ajuntarão os seus escolhidos desde os quatro ventos, de uma à outra extremidade dos céus" (Mt 24.31). Mas antes dessa congregação final, desse ajuntamento geral dos santos para julgamento, Jeová os congrega de vários modos, em vários lugares e por vários meios, tanto da providência quanto da graça. Antes de estarmos assentados no trono do julgamento, nós o vemos assentando no trono da misericórdia, ouvindo-o dizer: "Congregai os meus santos". Essas palavras nos levam a observar duas coisas: (1) O caráter descrito: "Os meus santos". Pelo termo "os meus santos", temos de entender os santificados, os que foram santificados e separados por Deus. Nenhum de nós possui essa característica por natureza. Nascemos pecadores e não há diferença entre nós. Mas pela graça divina, experimentamos mudança de natureza, e, por conseguinte, mudança de nome. O título de *santo* é muitas vezes dado ao povo de Deus em tom de desdém. "Tal indivíduo", dizem os homens do mundo para Deus, "é um dos seus santos." Mas meus irmãos, não há maior honra que possamos receber do que sermos chamados de *santos*, se verdadeiramente merecemos esse atributo. Mas de que modo nos tornamos santos? (a) Nós nos tornamos santos pela escolha divina. Os santos são os objetos do amor eterno. Os seus nomes estão escritos no livro da vida do Cordeiro. É digno de nota que sempre que o povo de Deus é mencionado nas Escrituras sagradas como objetos desse amor eterno, é com relação à sua santificação pessoal. Observe que eles não foram escolhidos *porque* são santos, nem porque foi previsto que eles o seriam, mas são escolhidos *para* serem santos. A santificação é o efeito e a única evidência da eleição. (b) Nós nos tornamos santos pela mudança divina, que é a consequência necessária da eleição. O poder do Espírito Santo efetua uma mudança interior, espiritual, sobrenatural e universal nos santos. Assim os santos são renovados no espírito da sua mente e feitos participantes da natureza divina (cf. Ef 4.23; 1 Pe 1.4). [...] Não esqueçam, então, desta importante verdade: os cristãos são chamados pelo evangelho para serem santos, vocês são cristãos, não tanto por sua ortodoxia quanto por sua santidade, e vocês são santos não mais do que são santos em toda a sua maneira de viver (cf. 1 Pe 1.15). (c) O povo de Deus fornece evidências de que são santos pela conduta religiosa. "Portanto, pelos seus frutos", não pelos sentimentos, não pelos lábios, não pela confissão geral, mas "pelos seus frutos os conhecereis" (Mt 7.20). (d) O caráter dos santos é comprovado pela consagração divina. O povo de Deus é chamado santo na medida em que é dedicado a Deus. É dever e privilégio dos santos consagrarem-se a serviço de Deus. Até um filósofo descrente pôde dizer: "Eu me empresto ao mundo, mas me dou aos deuses". Mas nós possuímos mais luz e conhecimento, e temos maior responsabilidade do que Sêneca.

(2) A ordem emitida: "Congregai". Jeová congrega os santos de vários modos. (a) Deus congrega os santos na conversão. A comissão dada por Cristo aos ministros é: "Ide por todo o mundo, pregai o evangelho a toda criatura" (Mc 16.15), ou em outras palavras: "Congregai os meus santos". O evangelho é pregado aos pecadores para que eles possam se tornar santos. (b) Deus congrega os santos no culto público. [...] (c) Deus congrega os santos nos tempos de perigo. Quando a tempestade está se formando ao redor dos santos, Ele fica desejoso em protegê-los. Deus diz a eles, na linguagem de Isaías: "Vai, pois, povo meu, entra nos teus quartos [os quartos das minhas perfeições e das minhas promessas] e fecha as tuas portas sobre ti; esconde-te só por um momento, até que passe a ira" (Is 26.20). (d) Deus congrega os santos no serviço da igreja. Cristo congregou os apóstolos para dar-lhes a comissão apostólica de ir e ensinar todas as nações. No período da reforma, a Cabeça da igreja levantou Lutero e Calvino, junto com outros reformadores eminentes, a fim de que acendessem uma chama na Europa, sim, e por todo o mundo para que o papado jamais pudesse apagá-la. (e) Deus congrega os santos na morte e na ressurreição: "Preciosa é à vista do Senhor a morte dos seus santos" (Sl 116.15). Essa é a comissão que a morte habitualmente recebe: "Vai, morte, e congrega a mim fulano de tal, que é um dos meus santos". Como o jardineiro entra no jardim, e arranca a flor florescida e o fruto amadurecido, assim Jesus Cristo entra no jardim da igreja e congrega os santos a Ele, pois diz: "Pai, aqueles que me deste quero que, onde eu estiver, também eles estejam comigo, para que vejam a minha glória que me deste" (Jo 17.24). — *Condensado de J. Sibree, "Sermão pregado na reabertura da Capela de Surrey, em 29 de agosto de 1830"*

v. 5: "Aqueles que fizeram comigo um concerto com sacrifícios". "Fizeram [...] um concerto" ou "ratificaram um concerto", é literalmente, "cortar", "golpear", talvez em alusão à prática de matar e dividir as vítimas como no rito religioso que acompanha os compactos solenes (ver Gn 15.10-18). O mesmo uso pode estar embutido na palavra "sacrifícios": *sobre os sacrifícios*, isto é, concerto que fica sobre eles, ou, *nos sacrifícios*, isto é, concerto que fundamenta o compromisso em uma súplica feita previamente a Deus. Há indícios da grande transação relacionada ao concerto registrada em Êxodo 24.4-8. Essa referência a sacrifícios mostra claramente que o que se segue não tinha o propósito de desacreditar ou repudiar esse símbolo essencial do sistema típico ou cerimonial. — *Joseph Addison Alexander*

v. 5: "Fizeram comigo um concerto". Antigamente, os soldados faziam o juramento de não hesitar em defender a bandeira, mas de manterem-se fiéis aos líderes. É o que chamavam de *sacramentum militare*, "juramento militar". Tal juramento diz respeito a todo crente. É tão essencial à identidade dos santos que isto os descreve: "Congregai os meus santos, aqueles que fizeram comigo um concerto com sacrifícios". Não somos cristãos até que entremos nesse concerto e entremos incondicionalmente. Quando confessamos o nome de Cristo, nós nos inscrevemos na lista de chamada de soldados para inspeção, e por meio disso, ficamos comprometidos em viver e morrer com Ele em oposição a todos os inimigos. [...] Jesus não nos receberá até que nos coloquemos livremente à sua disposição para que depois não haja questionamento das suas ordens, mas, como alguém sob autoridade, vamos para lá ou para cá conforme a sua Palavra. — *William Gurnall*

v. 6: "E os céus anunciarão a sua justiça". É o modo que as Escrituras têm de confirmar o ensino daquilo que desejam que seja mais notável e é importante aos céus e a terra. Todos veem os céus, e a sua luz revela todas as coisas. Este texto fala dos céus, e não da terra, porque eles são perpétuos, mas a terra não. — *Martin Geier* e *Simon de Muis, "Pool's Synopsis" [Sinopse de Pool]*

v. 8: "Não te repreenderei pelos teus sacrifícios, ou holocaustos, de contínuo perante mim", ou seja, não é porque você é negligente nessas coisas, mas por confiar nelas, por enganar por meio delas, por me trazer a casca sem o conteúdo, por não se servir do propósito e uso correto delas, mas por você se satisfazer no trabalho feito. — *John Trapp*

v. 8: "Não te repreendo pelos teus sacrifícios, ou holocaustos, que estão de contínuo perante mim" (AEC). Essas palavras "que estão", adicionadas pelos tradutores, podem ser excluídas sem perda do sentido exato. Se essas palavras forem mantidas, então a partícula negativo *não* tem de ser tomada da primeira parte do versículo, dando esta leitura: "Não te repreendo pelos teus sacrifícios, ou holocaustos, que *não* estão de contínuo perante mim". Quer dizer, Deus não os acusa por negligência de dever ou culto exterior, pois o dever ou culto interior ou espiritual (v. 14) é o que mais lhe agrada. — *Joseph Caryl*

vv. 8 e 9: "Não te repreenderei pelos teus sacrifícios, ou holocaustos, de contínuo perante mim. Da tua casa não tirarei bezerro nem bodes dos teus currais". É o mesmo protesto que o nosso Senhor fez aos fariseus dos seus dias, por darem tanta ênfase na observância externa das tradições: a lavagem de panelas e copos e outras coisas semelhantes, o pagamento do dízimo da hortelã, do endro e do cuminho, o cumprimento ostentoso de todas as observâncias cerimoniosas aos olhos dos homens, a exaltação da sombra pela exclusão do corpo. E não temos visto a mesma coisa em nossos dias, até no que tange ao vestuário do ministro, à mesura de dobrar o joelho e à postura do corpo? Como se a igreja material fosse tudo em todos e Deus não fosse Espírito, que exige de quem o adora que o adore em espírito e em verdade? Como se o ouro e ornamentos do Templo fossem muito mais do que "o homem encoberto no coração, no incorruptível trajo de um espírito manso e quieto, que é precioso diante de Deus"? (1 Pe 3.4). — *Barton Bouchier*

v. 10: "Porque meu é todo animal da selva e as alimárias sobre milhares de montanhas". Esta última frase idiomática significa mil montanhas ou montanhas onde o gado perambula aos milhares, com alusão aos terrenos montanhosos de Basã além do Jordão. De acordo com a etimologia, o substantivo da primeira frase significa *animal* e o da segunda, *animais selvagens* em geral. Mas quando colocados em antítese, o primeiro denota *animal selvagem*, e o segundo *animais domesticados* ou gado. Ambas as palavras eram necessárias para expressar a propriedade soberana de Deus de toda a criação animal. Assim entendido, o versículo atribui uma razão para a declaração negativa constante no versículo anterior. Mesmo que Deus precisasse de oferendas de animais, por causa dEle ou por causa deles, Ele não teria necessidade de ir aos homens para ter os animais, visto que toda a criação animal é de sua propriedade e está inteiramente à sua disposição. — *Joseph Addison Alexander*

vv. 11 e 12: Mostramos o nosso desprezo à suficiência de Deus por pensamentos secretos de que merecemos algo dEle por causa de nossos atos religiosos, como se Deus pudesse estar em dívida conosco e ficasse obrigado a fazer algo por nós. Como se as nossas práticas devocionais pudessem acrescentar uma bem-aventurança a Deus mais do que Ele essencialmente já tem, quando na verdade tudo o que temos de bom vem dEle (Sl 16.2, NTLH). Os nossos serviços a Deus são, antes, serviços a nós mesmos, trazendo felicidade a nós e não a Deus. Essa opinião secreta de mérito (embora discutida entre os papistas) é natural ao homem. Sobre essa satisfação secreta conosco mesmos, quando cumprimos algum dever e, por conta disso, esperamos alguma compensação justa de Deus, como se lhe tivesse sido lucrativo, Deus declara: "Minhas são todas as feras do campo. Se eu tivesse fome, não to diria, pois meu é o mundo e a sua plenitude". Ele está dizendo que o povo entendeu mal a plenitude infinita, pensando que Deus tinha necessidade dos sacrifícios e serviços que faziam, e que Ele lhes era devedor pelo culto que prestavam. Todo mérito implica insuficiência moral ou natural na pessoa de quem nos tornamos merecedores de algo, pois quando fazemos algo para alguém, significa que essa pessoa não pode ou, pelo menos, não faz tão bem sozinho. Na nossa murmuração dos procedimentos de Deus para conosco, está implícito um curso de providências recíprocas, em que os homens pensam que mereceram mais das mãos de Deus pelo serviço feito do que Ele pode rejeitar e desprezar. Na nossa prosperidade, somos propensos a ter pensamentos secretos de que os nossos prazeres eram dívidas que Deus nos devia, em lugar de presentes que Ele nos deu livremente. É por isso que os homens são menos propensos a abrir mão da justiça do que dos pecados, e mais aptos a desafiar a salvação como dívida em vez de buscá-la ardentemente como ato da graça. — *Stephen Charnock*

v. 12: "Se eu tivesse fome, não to diria, pois meu é o mundo e a sua plenitude". Os sacrifícios pagãos eram considerados banquetes dos deuses. — *Daniel Cresswell*

v. 13: "Comerei eu carne de touros? Ou beberei sangue de bodes?" Em outras palavras, tenho falta de algo que eu não lhe diria? Você tem tamanha noção flagrantemente humana a ponto de imaginar que designei e preciso do sangue e carne de animais em prol deles e não por algum propósito específico? Você pensa que me contento com essas coisas, quando são oferecidos sem fé, amor e gratidão? Não, "oferece a Deus sacrifício de louvor e paga ao Altíssimo os teus votos" (v. 14). Preste a mim um culto espiritual e racional, cumprindo suas obrigações, e então você verá que sou "socorro bem presente na angústia" (Sl 46.1). — *Benjamin Boothroyd, 1836*

v. 15: "E invoca-me no dia da angústia; eu te livrarei, e tu me glorificarás". A oração é como o anel que a rainha Elizabeth deu ao conde de Essex, estipulando que se ele estivesse em angústia, enviasse-lhe o anel e ela o ajudaria. Deus ordena que o seu povo, caso esteja em dificuldades, lhe envie esse anel: "E invoca-me no dia da angústia; eu te livrarei, e tu me glorificarás". — *George Swinnock*

v. 15: "E invoca-me no dia da angústia; eu te livrarei, e tu me glorificarás". Quem terá o trabalho dificultoso de arrancar do capataz um pedaço de carne de veado, se ele tem livre acesso ao dono da caça para pedir e receber? Não vá atrás de outros ajudantes, confie só em Deus, creia nEle totalmente no uso de tais recursos conforme Ele prescreve e oferece. Deus tem ciúmes e não dá chance a oponentes, nem permite que você (neste caso) use dois fios no arco de flechas para caçar. AquEle que "opera tudo em todos" (1 Co 12.6) tem de ser para você tudo em todos: "Porque dele, e por ele, e para ele são todas as coisas; glória, pois, a ele eternamente. Amém!" (Rm 11.36). — *Sermão pregado por George Gipps (diante de Deus e proveniente dEle) para a honrável Câmara dos Comuns, 1645*

v. 15: "E invoca-me no dia da angústia; eu te livrarei, e tu me glorificarás". O Senhor promete suprir aos seus filhos todas as coisas boas, contudo eles têm de entender qual é o meio de obter o benefício: pela oração. Ele "dá aos animais o seu sustento e aos filhos dos corvos, quando clamam" (Sl 147.9). Ele alimenta os filhos dos corvos, mas primeiro eles têm de invocar ao Senhor. Deus retém o que não foi pedido para que Ele não dê algo que não desejam (Agostinho). Davi tinha confiança de que, pelo poder de Deus, ele saltaria uma muralha (cf. Sl 18.29). Mas não sem pôr a própria força e agilidade no empreendimento. Devemos trabalhar pelas coisas pelas quais oramos (Agostinho). O carroceiro em Isidoro, quando o carro foi tombado, fez com que o deus Hércules descesse do céu para ajudá-lo a desvirar. Enquanto ele se absteve de colocar o ombro no empreendimento, o carro permaneceu imóvel. Abraão era tão rico quanto qualquer dos nossos conselheiros municipais. Davi era tão valoroso quanto qualquer dos nossos cavalheiros. Salomão era tão sábio quanto qualquer dos nossos mais ferrenhos naturianos. Susana era tão bela quanto qualquer das nossas pinturas. Mas nenhum deles pensou que a riqueza, a bravura, a política, a beleza ou pinturas excelentes podiam salvar. Acenderam as fagulhas da graça, e se dedicaram ao trabalho piedoso. Este é o nosso recurso, se a nossa intenção for sermos salvos. — *Thomas Adams*

v. 15: "Eu te livrarei", literalmente, "eu te tirarei com a minha própria mão poderosa", e te plantarei em liberdade e prosperidade. — *Hermann Venema*

v. 16: "Mas ao ímpio diz Deus: Que tens tu que recitar os meus estatutos e que tomar o meu concerto na tua boca". "Como a neve no verão e como a chuva na sega, assim não é conveniente ao louco a honra" (Pv 26.1). Não é? Não admira que a sabedoria divina exija que nos despojemos do homem velho (como cobras que mudam de pele) antes de assumirmos o mais honroso ofício de reprovar o pecado. É um dever que, acima de qualquer outro, traz louvor a Deus e benefício aos homens, já que desconheço haver trabalho mais honroso para Deus nos dar. E o que você acha? Ajudantes de cozinha suarentos são apropriados para estar diante de reis? Varredores de canis imundos são adequados para ser emissários ou embaixadores? Homens brutos são próprios para serem feitos trabalhadores sociais de lordes e enviados a buscar o favor do rei? Pessoas desprezíveis são adequadas para lançar pérolas e a pérola muitíssima rica da Palavra Real de Deus? Ninguém sonharia com isso. Por conseguinte, ninguém pode se julgar qualificado ou comissionado para ser repreensor do pecado até que seja lavado, até que seja santificado, até que seja justificado em nome do Senhor Jesus e pelo Espírito do nosso Deus (cf. 1 Co 6.11). Um mendigo lunático em Atenas não deixava de acreditar que todos os navios atracados no porto eram dele. O seu engano não excedeu o engano daqueles que se encarregam desse mais rico dever, antes de serem "vivos dentre mortos" e terem "nascido do Espírito" (Rm 6.13; Jo 3.8), antes de voltarem para Deus ou para eles mesmos. Dizem que o duque de Alva reclamou que "o rei o enviou acorrentado para lutar por ele", porque sem ter-lhe dado perdão e enquanto era prisioneiro, o rei o empregou na guerra. Mas o Rei supremo é mais misericordioso. Ele ordena que a nossa caridade comece em casa, tornando o nosso primeiro dever romper com os nossos pecados e depois, quando tivermos tirado estas nossas correntes, irmos lutar as suas batalhas. — *Daniel Burgess, 1645-1712-13, "The Golden Snuffers" [As Espevitadeiras de Ouro]*

v. 16: "Ao ímpio". Por quem se quer dizer, não os pecadores abertamente profanos, mas os homens confessadamente religiosos e que eram mestres dos outros, como mostram as seguintes expostulações para com eles: os escribas, fariseus e mestres entre os judeus dizem respeito — e é como Kimchi interpreta — aos sábios que aprenderam e ensinaram a lei, mas não agiam de acordo com ela. — *John Gill*

v. 16: "Que tens tu que recitar os meus estatutos e que tomar o meu concerto na tua boca"? Todos os escritores medievais ensinam, até da lei mosaica relativa aos leprosos, como o escritor deste salmo só pôs em palavras o que esses estatutos expressavam na realidade. É por isso que está escrito: O "leproso, em quem está a praga, [...] cobrirá o lábio superior" (Lv 13.45). Como todos os estudiosos dizem, seguindo Orígenes: Aqueles que são de lábios impuros, prestem a devida atenção para não ensinarem os outros. Ou dizendo de modo oposto, vejam como Isaías não falaria com o povo, porque ele era homem de lábios impuros e habitava no meio de um povo de impuros lábios, até que eles foram tocados com a brasa viva do altar (cf. Is 6.5-7). Por isso, como por um sacramento do Antigo Testamento, receberam uma sentença de absolvição. — *John Mason Neale*

v. 16: "Que tens tu que recitar os meus estatutos e que tomar o meu concerto na tua boca"? A ênfase está na frase: *recitar os estatutos de Deus*, que denota conhecimento acurado deles, como se obtém numerando-os, e revisão diligente e pública deles. Propriamente dito, a palavra hebraica é derivada do árabe e significa "calcular no pó", pois os antigos tinham o hábito de calcular no pó finamente espalhado em cima de tábuas de escrever ou do ábaco. — *Hermann Venema*

v. 16: "Mas ao ímpio diz Deus: Que tens tu que [...] tomar o meu concerto na tua boca?" Para quem o concerto é feito senão para o ímpio? Se os homens não fossem ímpios ou pecadores, qual seria a necessidade de um concerto da graça? O concerto é feito para os ímpios, e o concerto traz suficiente graça para perdoar os que são muito ímpios. Por que, então, o Senhor diz ao ímpio: "Que tens tu que [...] tomar o meu concerto na tua boca?". Observe o que se segue e o significado fica claro: "Pois aborreces a correção" (v. 17). É como se Deus tivesse dito: Você, ímpio, que protege os seus pecados e os segura firmemente, recusando e odiando a correção, por que você se intromete com o meu concerto? Tire as mãos imundas dele. Aquele que decide segurar o pecado toma o concerto em vão, ou mais exatamente, não se importa com isso, enquanto dá mostras de que o cumpre. Ai daqueles que suplicam por misericórdia ao mesmo tempo em que negligenciam o dever. — *Joseph Caryl*

v. 16: "Mas ao ímpio diz Deus: Que tens tu que recitar os meus estatutos e que tomar o meu concerto na tua boca". Quando o ministro não faz o que ensina, é tomado por pessoa vil. Não somente isso, mais esse comportamento o expõe ao ridículo, como o farmacêutico Luciano que, tendo remédio na farmácia para curar tosse, dizia aos outros que o tomassem, ao mesmo tempo que tossia terrivelmente. Com que desfaçatez você assume o púlpito e anuncia as leis de Deus, incumbindo-se de condenar as almas, quando a sua própria nudez aparece, a sua língua é de tamanho maior do que as mãos, o seu ministério está dividido contra si mesmo e o seu porte mostra que a sua doutrina é mentira. Você diz que os homens têm de ser santos, mas o que você faz declara que é hipócrita. Assim, você causa mais dano do que cem outros. — *William Fenner, 1600-1640*

v. 17: "E lanças as minhas palavras para detrás de ti". Você lança fora as minhas palavras desdenhosamente, com desgosto e raiva, como ídolos são jogados fora de uma cidade, ou como Moisés que indignadamente arremessou ao chão as tábuas da Lei. — *Martin Geier*

v. 17: "As minhas palavras", são, ao que parece, os Dez Mandamentos, habitualmente chamados de "as dez palavras" (cf. Êx 34.28), pelas quais se diz muitas vezes que Deus fez concerto com Israel. — *Hermann Venema*

v. 18: "Quando vês o ladrão, consentes com ele", ou "corres com ele". Essa descrição era literalmente verdadeira acerca dos escribas e fariseus. Eles devoravam a casa das viúvas e lhes roubavam o sustento sob o pretexto de longas orações. Consentiram com as ações do ladrão Barrabás, quando preferiram a ele a Jesus Cristo. Uniram-se com os ladrões na cruz, insultando Jesus. Em sentido espiritual, roubaram a palavra do Senhor, cada homem do seu vizinho tomou a chave do conhecimento pertencente ao povo e adicionaram falsas glosas aos escritos sacros. — *John Gill*

v. 18: "Consentes com ele", ou "já se torna seu cúmplice". Συνέτρεχες αὐτῷ (Septuaginta; cf. NVI), ou seja, você o ajudou a levar o saque e a fugir. — *Samuel Horsley*

v. 18: "Consentes com ele", ou você foge com ele. "E tens a tua parte com", isto é, você é o seu companheiro. Esse é um termo tirado do comércio feito por comerciantes ou de banquetes feitos conforme a maneira antiga, para o qual diversas pessoas contribuíam e tinham a sua parte. — *John Diodati*

v. 18: "E tens a tua parte com adúlteros". Dar entretenimento a quem sabemos que é dissoluto é participar dos pecados dessa pessoa. — *Thomas Adams*

v. 19: "Soltas a tua boca para o mal, e a tua língua compõe o engano". No original hebraico, "soltas" é "envias", a saber, "livras". A palavra é usada para referir-se ao homem que despede a esposa ou despede o escravo, a quem dá a liberdade. Você tem língua solta e desatrela todas as restrições da Lei de Deus e da sua própria consciência, e dá à língua a liberdade de falar o que você quiser, por mais ofensivo e desonroso que seja a Deus, e prejudicial ao próximo e até à sua própria alma. É exatamente isso que produz evidências da sua hipocrisia.

"Para o mal", quer para proferir palavras pecaminosas, quer para proferir palavras danosas.

"Compõe o engano", ou seja, declara mentiras ou palavras bonitas, com as quais ilude as pessoas com quem trata. — *Matthew Pool*

v. 19: O nono mandamento é adicionado agora aos outros dois, por serem habitualmente violados pela pessoa aqui tratada. — *Joseph Addison Alexander*

v. 20: "Assentas-te a falar". O homem pode falar tanto quanto fazer o mal, enquanto está sentado não fazendo nada. A postura ociosa pode servir de ocasião para obra como essa. — *Joseph Caryl*

v. 20: "Assentas-te a falar contra teu irmão". Sempre que você está sentado, sem nada mais a fazer, você está prejudicando o vizinho com fala difamadora. A conversa à mesa é para insultar os mais chegados amigos. — *Samuel Horsley*

v. 20: "O filho de tua mãe". Para entender a força dessa expressão, é necessário conservar em mente que entre os israelitas a poligamia era permitida. Aqueles que nasceram do mesmo pai eram irmãos, mas havia uma relação ainda mais íntima entre os que eram filhos da mesma mãe como também do mesmo pai. — *W. French e G. Skinner, 1842*

v. 21: "Estas coisas tens feito, e eu me calei". Nem o sono, nem a soneca, nem a conivência, nem a negligência de qualquer coisa pode ser incidente a Deus. Porque Ele não julga presentemente nem mata visivelmente os pecadores, infere-se presunçosamente esta blasfêmia: Será que Deus vai se preocupar com tais assuntos insignificantes? Assim idealizaram pelo imaginário Júpiter. *Non vacat exiguis rebus adesse Jovem.* Que entendimento tacanho e finito tem a pessoa que pensa isso de Deus! AquEle que causa e produz toda ação não estará presente em cada ação? O que podemos fazer sem Deus que não seja feito nEle? Ele conhece cada pardal e numera as sementes que o lavrador planta na terra, pode, então, alguma ação do homem fugir do seu conhecimento ou escapulir da sua visão? Pode parecer que Deus piscou exatamente quando algo ocorria, mas Ele nunca fecha os olhos. Nem sempre o Senhor manifesta um conhecimento para repreender, contudo sempre retém um conhecimento para apreender. Davi não feriu Simei quando o amaldiçoava, mas ouviu Simei quando o amaldiçoava. Como juízes muitas vezes decidem ouvir, mas não ouvem para decidir, assim Deus não vê para gostar, mas gosta de ver. — *Thomas Adams*

v. 21: "Pensavas que era como tu". A cegueira e corrupção da nossa natureza são tamanhas a ponto de termos pensamentos muito deformados e disformes sobre Deus. Essa situação dura até que, com os olhos da fé, vemos a face divina no espelho da Palavra. Perkins afirma que todos os homens que vieram de Adão (exceto unicamente Cristo) são por natureza ateus, porque ao mesmo tempo em que confessam a Deus, negam-lhe o poder, a presença e a justiça, permitindo que Ele seja apenas o que lhes agrada. De fato, é natural o homem desejar acomodar as concupiscências com essa concepção de Deus, conforme lhes seja mais favorável e melhor lhes convenha. Deus acusa alguns disso: "Pensaram que eu era igual a vocês" (NVI). Os pecadores fazem com Deus, como os etíopes fazem com os anjos, a quem pintam com rostos negros para que sejam como eles. — *William Gurnall*

v. 21: "Pensavas que era como tu". É o que os homens fazem quando alegam que os pecados são tão pequenos, tão veniais, que não vale a pena Deus tomar conhecimento deles.

Porque pensam assim, então Deus tem de pensar assim também. Homens, com um orgulho gigantesco, subiriam ao trono do Todo-Poderoso para estabelecer uma contradição à vontade santa, fazendo a vontade deles e não a de Deus, a norma e regra das ações divinas. Esse princípio começou e tomou forma no Paraíso, quando Adão não dependeu mais da vontade de Deus revelada a ele, mas dependeu dele e da sua vontade, fazendo-se assim como Deus. — *Stephen Charnock*

v. 21: "E, em sua ordem, tudo porei diante dos teus olhos". Devemos entender essas palavras *em termos militares*, quando os pecados são dispostos em ordem e enfileirados, em formação militar sangrenta contra a alma; ou *em termos forenses*, quando os pecados serão dispostos em ordem conforme os muitos indiciamentos pela rebelião e traição. — *Stephen Charnock*

v. 21: "Mas eu te arguirei, e, em sua ordem, tudo porei diante dos teus olhos". É como se Deus tivesse dito: Você pensou que todos os seus pecados se espalharam e foram dispersos, que não havia um deles a ser achado, que eles nunca seriam reunidos e juntados. Mas garanto a você que farei um exército desses pecados, um exército completo, que porei em ordem e fila diante dos seus olhos. Veja como você não pode contemplar e muito menos combater uma hoste como essa. Cuidado para que você não se mobilize para uma guerra contra a sua própria alma, pois esta é a pior de todas as guerras civis ou intestinas. Se um exército de terrores divinos é imensamente medonho, o que dirá de um exército de pecados escuros e infernais? É o que acontecerá quando Deus trouxer contra você regimentos de pecados — um regimento de palavras impuras, um bando de mentiras, um batalhão de falsos procedimentos, uma tropa de ações pecaminosas e uma legião de pensamentos profanos —, todos lutando ao mesmo tempo contra a sua vida e a paz perpétua. — *Joseph Caryl*

v. 21: "Estas coisas tens feito, e eu me calei; pensavas que era como tu; mas eu te arguirei, e, em sua ordem, tudo porei diante dos teus olhos". Os ateus escarnecem das Escrituras que falam que devemos prestar contas de todas as nossas ações. Mas Deus fará com que descubram essa verdade no dia do ajuste de contas. Para Ele, é tão fácil fazer a mente esquecida lembrar-se de criar a mente. Quando Deus imprimir o registro dos pecados cometidos no espírito daqueles que os esqueceram, eles verão todos os pecados de que esqueceram. Quando o impressor coloca o papel em branco na impressora carregada de tinta, o papel recebe a impressão de cada letra. Assim quando Deus passa o registro na mente dessas pessoas, elas têm uma visão de todos os pecados cometidos e esquecidos. A mão estava escrevendo contra Belsazar sempre que ele estava pecando, embora ele tenha visto o escrito somente depois que o copo ficou cheio. Assim é com os ímpios. Os pecados são enumerados, avaliados e não vistos até que sejam divididos pelo despertar medroso. — *William Struther*

v. 21: "Mas eu te arguirei, e, em sua ordem, tudo porei diante dos teus olhos". *Inicialmente:* O pecado da sua concepção. *Artigo:* Os pecados da sua infância. *Artigo:* Os pecados da sua mocidade. *Artigo:* Os pecados da sua idade adulta. Ou, *inicialmente:* Os pecados contra a primeira tábua do decálogo. *Artigo:* Os pecados contra a segunda tábua do decálogo. Os muitos pecados de ignorância. Os muitos pecados de conhecimento. Os muitos pecados de presunção separadamente distribuídos entre eles. Ele cometeu pecados desordenadamente, amontoando-os à pilha, mas Deus os coloca em ordem e os sistematiza para as suas mãos. — *Thomas Fuller*

v. 22: "Ouvi, pois, isto, vós que vos esqueceis de Deus; para que vos não faça em pedaços, sem haver quem vos livre". O que é menor do que um grão de areia? Contudo, quando multiplicado, o que é mais pesado do que as areias do mar? Uma pequena soma multiplicada sobe elevadamente. Um pequeno pecado não arrependido nos causa destruição, como o vazamento num navio, caso não seja identificado e tratado, o faz naufragar. "Pecadinhos", como o mundo os chama, são grandes pecados contra a majestade do Deus Altíssimo.

Essa majestade, contra a qual se envolveram, acentua e realça os pecados e, caso não se arrependerem, os condenará. Alguém pode pensar que não é grande coisa esquecer-se de Deus, contudo há uma destruição terrível aguardando quem pensa assim. O não aumento de talentos e o não exercício da graça são considerados pelo mundo como algo sem importância. Mas lemos que aquele que enterrou o talento não o gastou, sendo condenado apenas por ter deixado de negociar com ele. — *Thomas Watson*

v. 22: "Para que vos não faça em pedaços". Essa é expressão metafórica tirada da força e fúria irresistível do leão. Contra isso, a interferência do pastor é inútil para dar proteção ou defesa ao rebanho. — *William Walford*

v. 23: "Aquele que oferece sacrifício de louvor me glorificará". Ação de graças é uma obra de exaltação a Deus. Ninguém pode acrescentar um côvado à glória essencial de

Deus, mas o louvor o exalta aos olhos dos outros. O louvor é a demonstração da honra de Deus, a exaltação do seu nome, a exibição do troféu da sua bondade, a proclamação da sua excelência, a propagação da sua fama, o rompimento da caixa de unguento, por meio do qual o agradável aroma e perfume do nome de Deus se espalha pelo mundo.

"E àquele que bem ordena o seu caminho." A principal obra da religião ocorre interiormente, mas "resplandeça a vossa luz" (Mt 5.16) para que os outros a vejam. A fundação da sinceridade está no coração, mas a fachada bonita aparece no caminho, ou seja, nos relacionamentos. Os santos são chamados de "tesouro", porque lançam um brilho cintilante nos olhos dos outros. O cristão reto é como o Templo de Salomão, ouro por dentro e por fora. A sinceridade é uma levedura santa que, se está no coração, opera para a vida, fazendo-a crescer e subir tão alto quanto o céu (Fp 3.20). — *Thomas Watson*

SUGESTÕES AOS PREGADORES

v. 1. Este versículo diz respeito indescritivelmente a todos os homens, para que saibam o que Deus falou. — *W. S. Plumer*

v. 1. (1) Quem falou? O poderoso, não homens ou anjos, mas o próprio Deus. (2) A quem Ele falou? A todas as nações, a todas as classes sociais, a todas as pessoas. Isso exige: (a) Reverência, é a voz de Deus. (b) Esperança, porque Ele condescende em falar com rebeldes. (3) Onde Ele falou? (a) Na criação. (b) Na providência. (c) Na sua Palavra. — *George Rogers*

vv. 1 a 6. (1) O tribunal é convocado em nome do Rei dos reis. (2) A sessão é aberta e o Juiz toma assento (vv. 2 e 3). (3) As partes dão chamadas (v. 8). (4) A decisão do tribunal solene é prognosticada (v. 6). — *Matthew Henry*

vv. 1 a 15. (1) O chamado de Deus ao homem. (2) O chamado do homem a Deus.

v. 2. (1) A beleza interior de Sião: (a) A beleza positiva é a beleza da sabedoria, do amor e da santidade. (b) A beleza comparativa com a beleza do Paraíso e do céu dos anjos. (c) A beleza superlativa, pois todas as perfeições de Deus são combinadas. (2) A glória exterior de Sião. Desde Sião Deus resplandece: (a) Neste mundo. (b) Nas almas graciosas. (c) Nos anjos que desejam olhar. (d) No universo. — *George Rogers*

v. 4. (1) O que Deus fará para o povo: (a) Ele os julgará. (b) Ele os livrará. (c) Ele os defenderá. (d) Ele os sustentará. (2) Os meios à disposição de Deus para esse propósito: "Do alto, chamará os céus e a terra", pois os céus e a terra são subservientes a Ele para o bem da igreja. — *George Rogers*

v. 4. O julgamento da igreja visível: (1) Deus mesmo a julgará. (2) Será um julgamento público. (3) Será um julgamento investigativo com fogo e vento. (4) Será um julgamento exato. (5) Será um julgamento final.

v. 5. A grande reunião de família: (1) Quem serão reunidos. (2) Como serão reunidos. (3) A quem serão reunidos. (4) Quando serão reunidos.

v. 5. "Aqueles que fizeram comigo um concerto com sacrifícios": (1) O concerto. (2) Os sacrifícios que ratificam o concerto. (3) Como podemos dizer que fazemos parte desse concerto.

v. 6. "Pois Deus mesmo é o Juiz": (1) A difamação não perverterá a sentença. (2) A severidade imprópria não amargará a sentença. (3) A parcialidade não isentará a sentença. (4) A falsidade não enganará a sentença. (5) A justiça será devidamente feita.

v. 7. Os pecados do povo de Deus são especialmente contra Deus e só conhecidos por Deus. Esse é um assunto minucioso.

vv. 13 a 15. (1) O que os sacrifícios não são. (2) Quais são os sacrifícios aceitáveis a Deus.

v. 15. (1) A ocasião: "No dia da angústia". (2) A ordem: "Invoca-me". (3) A promessa: "Eu te livrarei". (4) O desígnio: "Tu me glorificarás". — *George Rogers*

v. 15. "Tu me glorificarás." É o que fazemos: (1) Quando oramos. (2) Quando louvamos pela oração respondida. (3) Quando confiamos nas promessas de Deus. (4) Quando nos submetemos aos castigos de Deus. (5) Quando nos preocupamos com a honra de Deus. (6) Quando nos ligamos à causa de Deus. (7) Quando temos afeição pelo povo de Deus. (8) Quando obedecemos ininterruptamente às ordens de Deus.

v. 15. (1) Convite especial quanto à pessoa e ao tempo. (2) Promessa especial para os que aceitarem o convite. (3) Obrigação especial envolvido quando a promessa é cumprida.

vv. 16 e 17. (1) A proibição dada: (a) As coisas proibidas: "Recitar os meus estatutos" e "tomar o meu concerto". 1. Pregando. 2. Ensinando, como na Escola Bíblica Dominical. 3. Orando. 4. Cumprindo as ordenanças. (b) As pessoas proibidas: Os pregadores ímpios enquanto continuam na impiedade. (2) A razão dada: "Aborreces a correção e lanças as minhas palavras para detrás de ti". (a) O ímpio não aplica a si a verdade. (b) O ímpio odeia interiormente a verdade. (c) O ímpio rejeita exteriormente a verdade. — *George Rogers*

v. 17. (1) O sinal fatal: (a) Ódio de ser ensinado. (b) Ódio do que é ensinado. (2) O que indica: (a) Orgulho. (b) Desprezo a Deus. (c) Indiferença à verdade. (d) Ateísmo em essência. (e) Morte da consciência. (2) Ao que conduz: Destruição sem livramento (v. 22).

vv. 17 e 18. A rejeição da instrução salutar leva, mais cedo ou mais tarde, à transgressão. Exemplos, razões, advertências deduzíveis.

vv. 20 e 21. (1) O homem falando e Deus em silêncio. (2) Deus falando e o homem em silêncio.

v. 21. (1) Deus deixa os homens entregues a si mesmos por algum tempo. (2) Os homens julgam Deus por si mesmos por conta disso. (3) Deus revelará aos homens, no devido tempo, tudo o que eles são essencialmente: "Eu te arguirei, e, em sua ordem, tudo porei diante dos teus olhos". — *George Rogers*

vv. 21 e 23. Note a alternativa: uma vida corretamente em ordem *hoje*, ou os pecados postos em ordem *depois*.

v. 22. (1) A acusação: "Vós que vos esqueceis de Deus", da sua onisciência, poder, justiça, bondade, misericórdia, Palavra e grande salvação. (2) A chamada: "Ouvi, pois, isto", acordem do seu esquecimento para fazerem uma reflexão séria. (3) A condenação: "Para que vos não faça em pedaços, sem haver quem vos livre": (a) A atrocidade: "Faça em pedaços", como o leão ou a águia faz com a vítima — despedaça o corpo e separa a alma. (b) A inexorabilidade: "Sem haver quem vos livre". — *George Rogers*

v. 23. (1) A salvação é obra de Deus. (2) A evidência de salvação é santidade de coração e vida. (3) O efeito dessa evidência é louvor. (4) A tendência desse louvor é glorificar ao Senhor. Deus não é glorificado pelas dúvidas, temores e murmurações do seu povo, mas pelo louvor deles. — *George Rogers*

v. 23. "E àquele que bem ordena o seu caminho eu mostrarei a salvação de Deus." A verdadeira ordem de vida: (1) O primeiro que é primeiro. (2) O mais que é mais. (3) O para sempre que é para sempre. (4) O tudo que é tudo.

SALMO 51

TÍTULO

"Salmo de Davi." É surpreendente, embora seja fato, que haja comentaristas que neguem a Davi a autoria deste salmo. As objeções que levantam são frívolas, pois o salmo é todo caracteristicamente davídico. Seria muito mais fácil imitar Milton, Shakespeare ou Tennyson do que Davi. O estilo é totalmente *sui generis*, e tão facilmente distinguível quanto a pincelada de Rafael ou a coloração de Rubens.

"Para o cantor-mor." Portanto, o cântico não foi escrito apenas para a meditação privada, mas também para o culto público. Adequado para a solidão da penitência individual, este salmo singular é igualmente bem adaptado para a assembleia dos pobres de espírito.

"Quando o profeta Natã veio a ele, depois de ele ter estado com Bate-Seba." Davi escreveu este salmo quando a mensagem divina despertou-lhe a consciência dormente e o fez ver a enormidade da culpa. Ele tinha abandonado a salmodia enquanto cedia à carne, mas quando a natureza espiritual foi-lhe despertada, ele voltou à harpa e extravasou o cântico sob o acompanhamento de suspiros e lágrimas.

O grande pecado de Davi é inescusável, mas faz bem lembrar que no seu caso há uma coletânea excepcional de detalhes especiais. Ele era homem de emoções muito fortes, soldado e monarca oriental que detinha poder despótico. Nenhum outro rei da sua época teria sentido a menor dor de consciência por ter agido como ele. Por conseguinte, não havia em seu ambiente as restrições de costume e associação que, quando quebradas, tornam o crime muito mais monstruoso. Davi nunca sugere um ponto atenuante em todo o episódio. Esses fatos não foram mencionados como desculpa ao pecado, que era hediondo ao extremo, mas como aviso aos crentes para que reflitam que, tendo a mesma licenciosidade, podem hoje ser até mais seriamente culpados do que o incorreto rei de Israel. Quando nos lembrarmos do pecado de Davi, foquemos mais o arrependimento e a longa série de castigos, que tornaram a parte subsequente da sua vida uma história muito triste.

DIVISÃO

É mais simples demarcar nos primeiros doze versículos as confissões do penitente Davi e a súplica por perdão, e depois, nos últimos sete versículos, assinalar a gratidão auspiciosa e o modo em que ele resolve demonstrá-la.

EXPOSIÇÃO

1 *Tem misericórdia de mim, ó Deus, segundo a tua benignidade; apaga as minhas transgressões, segundo a multidão das tuas misericórdias.*
2 *Lava-me completamente da minha iniquidade e purifica-me do meu pecado.*
3 *Porque eu conheço as minhas transgressões, e o meu pecado está sempre diante de mim.*
4 *Contra ti, contra ti somente pequei, e fiz o que a teus olhos é mal, para que sejas justificado quando falares e puro quando julgares.*
5 *Eis que em iniquidade fui formado, e em pecado me concebeu minha mãe.*
6 *Eis que amas a verdade no íntimo, e no oculto me fazes conhecer a sabedoria.*
7 *Purifica-me com hissopo, e ficarei puro; lava-me, e ficarei mais alvo do que a neve.*
8 *Faze-me ouvir júbilo e alegria, para que gozem os ossos que tu quebraste.*
9 *Esconde a tua face dos meus pecados e apaga todas as minhas iniquidades.*
10 *Cria em mim, ó Deus, um coração puro e renova em mim um espírito reto.*
11 *Não me lances fora da tua presença e não retires de mim o teu Espírito Santo.*
12 *Torna a dar-me a alegria da tua salvação e sustém-me com um espírito voluntário.*

1. *"Tem misericórdia de mim, ó Deus."* Davi apela imediatamente à misericórdia de Deus, mesmo antes de mencionar o pecado. A visão da misericórdia é boa para os olhos que estão doídos de tanto chorar penitencialmente. O perdão do pecado sempre deve ser um ato de pura misericórdia. Portanto, é para esse atributo que o pecador despertado recorre.

"Segundo a tua benignidade." Age, ó Senhor, como Tu és. Tem misericórdia como a tua misericórdia. Mostra misericórdia conforme é congruente com a tua graça.

Grandioso Deus, de natureza ilimitada
Que em perdão tua graça seja encontrada

Que palavras seletas, que combinação rara de coisas preciosas: amor e benignidade agradavelmente misturados no mesmo momento.

"Segundo a multidão das tuas misericórdias." Deixa as tuas mais amorosas compaixões virem a mim, e perdoa-me conforme elas sugerirem. Revela todos os teus mais gentis atributos no meu caso, não só essencialmente, mas também de maneira abundante. Inúmeros têm sido os atos da tua bondade e vasta é a tua graça. Seja eu o objeto da tua misericórdia infinita, e reproduze-a toda em mim. Faz do meu caso um exemplo de todas as tuas ternas misericórdias. Em cada ato da graça feito para as outras pessoas, sinto-me encorajado, e oro para que Tu adiciones à longa lista mais um ato de compaixão, e desta vez grandioso, feito à minha própria pessoa.

"Apaga as minhas transgressões." As minhas revoltas, os meus excessos foram todos registrados contra mim, mas, Senhor, apaga as linhas escritas. Usa a tua pena de escrever em todas as páginas do registro. Oblitera o registro, ainda que esteja esculpido na pedra para sempre. Talvez sejam necessários muitos golpes da tua misericórdia para tirar a inscrição incrustada, mas Tu tens uma multidão de misericórdias. É por isso que rogo que apagues os meus pecados.

2. *"Lava-me completamente."* Não bastava apagar os pecados, pois o salmista próprio foi contaminado. Davi ficaria contentíssimo em ser purificado. Ele desejava que o próprio Deus o purificasse, já que ninguém senão Ele poderia fazê-lo com eficiência. A lavagem tem de ser completa, tem de ser repetida, por isso clama: "Multiplica as tuas lavagens". A tintura é em si irremovível, e eu, o pecador, fiquei muito tempo nela, até que o vermelho ficou impregnado em mim. Mas, Senhor, lava, lava e lava até que a última mancha saia e não reste sequer um traço da minha corrupção. O hipócrita contenta-se em ter as roupas lavadas, mas o verdadeiro suplicante brada: "Lava-me". A alma descuidada se satisfaz com uma limpeza nominal, mas a consciência verdadeiramente despertada deseja uma lavagem real e prática, e do tipo mais completo e eficaz.

"Lava-me completamente da minha iniquidade." O salmista vê a iniquidade como uma grande contaminação, que contaminou toda a natureza e como se tudo lhe pertencesse. Era como se nada mais lhe pertencesse tanto quanto o pecado. O pecado contra Bate-Seba serviu para mostrar ao salmista toda a montanha da sua iniquidade, da qual aquela ação infratora era apenas uma pedra solta. Ele deseja ser livre do volume total da sua impureza, que outrora era tão pouco observada, agora se tornara um terror horroroso e medonho para a mente.

"E purifica-me do meu pecado." É mais do que uma expressão geral. É como se o salmista tivesse dito: "Senhor, se a lavagem não bastar, experimenta outro processo. Se a água não foi eficaz, usa fogo. Não deixes de experimentar nada que possa me purificar. Livra-me do meu pecado de algum modo, de qualquer jeito, por todos os meios, mas me purifica completamente e não deixes nenhuma culpa em minha alma". Não é contra o castigo que Davi clama, mas contra o pecado. Muitos assassinos ficam mais inquietos com a forca do que com o assassinato que os levou à forca. Os ladrões gostam da pilhagem, embora temem a prisão. Com Davi não era assim. Ele está nauseabundo do pecado como pecado. Os seus mais altos clamores são contra o mal da transgressão, e não contra as suas dolorosas consequências. Quando lidamos seriamente com o pecado, Deus trata gentilmente conosco. Quando odiamos o que o Senhor odeia, Ele, para a nossa alegria e paz, logo dá um fim ao objeto do nosso ódio.

3. *"Porque eu conheço as minhas transgressões."* Aqui, Davi vê a pluralidade e o número imenso dos seus pecados e declara-os abertamente. Ele parece dizer: Faço uma confissão completa dos meus pecados. Não que este seja o meu apelo em busca de perdão, mas é evidência clara de que preciso de misericórdia, e sou totalmente incapaz de confiar em outra fonte de misericórdia em busca de ajuda. A minha confissão de culpa impediu-me de apelar contra a sentença de justiça. Ó Senhor, tenho de me lançar na tua misericórdia. Não me recuses, rogo-te. Tu me fizeste desejoso em confessar. Dá-me junto desta obra da graça o teu perdão total e livre!

"E o meu pecado está sempre diante de mim." O meu pecado como um todo jamais está fora da minha lembrança. Oprime o meu espírito continuamente. Coloco-o diante de ti, porque sempre está diante de mim. Senhor, remove-o tanto de diante de ti quanto de diante de mim. Para a consciência despertada, a dor por causa do pecado não é passageira e ocasional, mas intensa e permanente. Este não é sinal da ira divina, mas, antes, um prefácio certo de favor abundante.

4. *"Contra ti, contra ti somente pequei."* O veneno do pecado está em oposição a Deus. O sentimento de pecado do salmista para com os outros tendia a aumentar a força do sentimento de pecado contra Deus. Todas as suas transgressões se concentraram, culminaram e atingiram o ápice ao pé do trono divino. Fazer mal aos nossos semelhantes é pecado, principalmente porque violamos a Lei de Deus. O coração do penitente estava tão cheio de um senso de injustiça cometida contra

o próprio Senhor, que todas as outras confissões foram engolfadas pelo reconhecimento triste do pecado contra Ele.

"E fiz o que a teus olhos é mal." Cometer traição na própria corte do rei e diante dos seus olhos é o maior descaramento. Davi percebia que o pecado fora cometido em toda a sua impureza, enquanto o próprio Senhor estava olhando. Ninguém mais senão um filho de Deus se preocupa com os olhos de Deus. Quando há graça na alma, essa preocupação se reflete em uma culpa temerosa em todo ato pecaminoso, pois lembramos de que o Deus a quem ofendemos estava presente quando a transgressão foi cometida.

"Para que sejas justificado quando falares e puro quando julgares." Ele não tinha nenhum argumento contra a justiça divina, se ela procedesse imediatamente a condená-lo e puni-lo pelo crime. A sua confissão e o testemunho do juiz do fato colocaram a transgressão além de toda dúvida ou questionamento. A iniquidade foi incontestavelmente cometida e se tratava inquestionavelmente de um pecado imundo. O curso da justiça era transparente e acima de toda disputa.

5. *"Eis que em iniquidade fui formado."* Ele ficou atônito pela descoberta do seu pecado congênito, e passa a contá-lo. A intenção não era justificar-se, mas visava completar a confissão. É como se o salmista dissesse: Não só pequei desta vez, mas por natureza própria sou pecador. A fonte da minha vida está contaminada como também as vertentes. As minhas tendências inatas estão fora do esquadro da equidade. Eu naturalmente me inclino para as coisas proibidas. É minha a doença constitucional, tornando a minha própria pessoa ofensiva à tua ira.

"E em pecado me concebeu minha mãe." Ele volta ao primeiríssimo momento de existência, não para caluniar a mãe, mas para confessar a raiz central e profunda do seu pecado. É violência perversa cometida contras as Escrituras, negar que elas ensinam aqui o pecado original e a depravação natural. Claro que os homens que contestam esta doutrina têm de ser ensinados pelo Espírito Santo sobre quais são os primeiros princípios da fé. A mãe de Davi era serva do Senhor, o salmista nascera em um casamento puro, de um bom pai, e era um homem segundo o coração de Deus (At 13.22). Contudo, a sua natureza era tão caída quanto a de qualquer outro dos filhos de Adão, e tudo que Davi precisava era a oportunidade para manifestar esse fato triste. Em nossa formação fomos deformados, e quando fomos concebidos a nossa natureza concebeu o pecado. Coitada da pobre humanidade! Há quem a elogia, porém é mais abençoado aquele que em sua alma aprende a lamentar o estado perdido.

6. *"Eis."* Esta é questão importante a considerar. Deus não deseja a mera virtude exterior, mas a pureza interior, e o senso de pecado do penitente é grandemente aprofundado quando, com surpresa, descobre esta verdade, e o quanto está longe de satisfazer a demanda divina. Este segundo "eis" foi adequadamente posicionado em relação ao primeiro (v. 5). Como é grande o golfo que se abre entre eles!

"Que amas a verdade no íntimo." Realidade, sinceridade, verdadeira santidade, fidelidade de coração são as demandas de Deus. Ele não se importa com o pretexto da pureza, Ele olha para a mente, o coração e a alma. O Santo de Israel sempre avalia os homens pela natureza interior e não pelas confissões exteriores. Para Deus, o interior é tão visível quanto o exterior, e Ele julga com justiça que o caráter essencial de uma ação está no motivo daquele que a faz.

"E no oculto me fazes conhecer a sabedoria." O penitente sente que Deus está lhe ensinando a verdade acerca da natureza humana, fatos que ele não percebera antes. O amor do coração, o mistério da queda e o modo da purificação são sabedoria oculta que todos devemos obter. É grande bênção acreditar que o Senhor nos fará conhecer isso. Ninguém pode nos ensinar sobre a natureza interior senão

o Senhor, pois Ele nos instrui com proveito. O Espírito Santo pode escrever a Lei em nosso coração, e essa é a suma da sabedoria prática. Ele pode pôr o temor do Senhor dentro de nós, e esse é o começo da sabedoria. Ele pode revelar Cristo em nós, e Ele é a sabedoria essencial. Como somos miseráveis, tolos e desordenados! Contudo, seremos devidamente corrigidos, e a verdade e a sabedoria reinarão em nós.

7. *"Purifica-me com hissopo."* Asperge o sangue expiatório em mim com os meios adequados. Dá-me a realidade que as cerimônias legais simbolizam. Nada senão o sangue pode tirar de mim as manchas de sangue, pois nada mais do que a purificação é eficaz para limpar-me. Que a oferta pelo pecado purgue o meu pecado. Que aquEle que foi nomeado para expiar, execute o seu ofício sagrado em mim, já que não há ninguém que precise mais do que eu. Podemos ler a passagem como a voz da fé ou como oração, ficando assim: Tu me purgarás com hissopo "e ficarei puro". Impuro como sou, há tamanho poder na propiciação divina que o meu pecado desaparecerá totalmente. Como o leproso a favor de quem o sacerdote executava os ritos de purificação, serei novamente recebido na assembleia do teu povo e aceito para participar nos privilégios do verdadeiro Israel, ao mesmo tempo em que, aos teus olhos também, por Jesus, meu Senhor, serei aceito.

"Lava-me." Seja eu limpo não apenas em tipo, mas também pela verdadeira purificação espiritual, que removerá a contaminação da minha natureza. Executa em mim o processo santificador como também o processo perdoador. Salva-me dos males que o meu pecado criou e alimentou em mim.

"E ficarei mais alvo do que a neve." Somente Tu podes me tornar alvo. Tu, pela graça, podes exceder a própria natureza no que tange ao estado de pureza. A neve logo junta fumaça e pó, derrete e desaparece. Tu podes me dar uma pureza duradoura. A neve é branca embaixo como também na superfície, mas Tu podes trabalhar a mesma pureza interior em mim e me tornar tão limpo, que só uma hipérbole pode mostrar a minha condição imaculada. Senhor, faze isso. A minha fé crê que Tu farás, pois ela sabe muito bem que Tu podes.

Dificilmente as Santas Escrituras contêm um versículo mais cheio de fé do que este. Tendo em vista a natureza do pecado e a profunda sensação que o salmista tinha do pecado, é uma fé gloriosa poder ver no sangue mérito suficiente, ou melhor, suficientíssimo para purificá-lo. Tendo em vista também a corrupção congênita, profunda e natural que Davi viu e experimentou interiormente, é um milagre de fé ele se alegrar na esperança da pureza perfeita do seu ser interior. Contudo, acrescentemos que a fé não é mais do que a Palavra autoriza, do que o sangue da expiação encoraja, do que a promessa de Deus lhe dá o direito de ser. Leitor, anime-se, mesmo agora enquanto você está sofrendo por causa do pecado, a dar ao Senhor a honra de crer com toda a confiança no sacrifício consumado do Calvário e na misericórdia infinita ali revelada.

8. *"Faze-me ouvir júbilo e alegria."* No fim do salmo, Davi ora acerca da tristeza. Ele começou pelo pecado. Pede para ouvir o perdão, e depois para ouvir a alegria. O salmista busca conforto no momento certo e da fonte certa. Os ouvidos ficaram surdos por causa do pecado, por isso ora: "Faze-me ouvir". Não havia voz que pudesse reavivar-lhe as alegrias mortas, senão a voz que desperta os mortos. O perdão de Deus lhe daria dupla alegria: "júbilo e alegria". Não há uma felicidade restrita aguardando o perdoado. Davi terá não só uma alegria duplamente florescente, mas também a ouvirá; cantará com exultação. Certa alegria é sentida, porém, não ouvida, visto que combate com temores. Mas a alegria do perdão tem uma voz mais alta do que a voz do pecado. A voz de Deus falando de paz é a música mais suave que os ouvidos podem ouvir.

"Para que gozem os ossos que tu quebraste." Davi era como um infeliz miserável, cujos ossos foram triturados e feitos em pedaços por um meio incomum: a própria

onipotência. Ele gemeu por terríveis feridas da carne. As suas forças firmíssimas, mas delicadíssimas foram "despedaçadas por completo". A sua humanidade se tornara uma sensibilidade deslocada, mutilada e tremente. Mas se aquEle que esmagou curasse, cada ferida se tornaria uma nova boca para cantar, cada osso que tremeu de agonia ficaria igualmente sensibilizado por intenso prazer. A figura é audaz, e audaz é o suplicante. Ele está pedindo uma grande coisa, a alegria para o coração pecador e a música para os ossos esmagados. Orações irracionais e absurdas a qualquer lugar menos ao trono de Deus! Orações irracionais e absurdas a todos os lugares, menos à cruz onde Jeová levou os nossos pecados em seu próprio corpo na cruz. O penitente não precisa pedir para ser um empregado contratado ou deve assentar-se desesperado contentando-se em lamentar-se perpetuamente. Ele pode pedir alegria e a terá, pois se quando os pródigos voltam o pai se alegra, e os vizinhos e amigos se rejubilam e se divertem com música e dança, que necessidade há de o próprio restabelecido ser miserável?

9. *"Esconde a tua face dos meus pecados."* Não olha para eles. Esforça-te para não os ver. Eles se metem no teu caminho. Mas, Senhor, recusa-te a vê-los para que Tu não os analise, a Tua ira se acenda e eu morra.

"E apaga todas as minhas iniquidades." Davi repete a oração do versículo 1 com a amplificação desta palavra: "todas". Nem todas as repetições são "vãs repetições" (Mt 6.7). A alma em agonia não tem espaço para achar e usar variedade de palavras. A dor tem de contentar-se com a monotonia. A face de Davi estava envergonhada por olhar o pecado, e não havia pensamento distraído que lhe tirasse isso da memória. Mas o salmista pede que o Senhor faça com o pecado o que ele não pode. Se Deus não esconder a face dos nossos pecados, Ele terá de escondê-la para sempre de nós. Se Deus não apagar os nossos pecados, Ele terá de apagar o nosso nome do livro da vida.

10. *"Cria."* Como? O pecado nos destruiu tanto, que o Criador tem de ser chamado novamente? Que ruína as más obras causaram para o gênero humano!

"Cria em mim." Eu ainda existo na estrutura exterior, mas por dentro estou vazio, desértico e vago. Vem, então, e que o teu poder entre em ação fazendo uma nova criatura em meu velho ser caído. No princípio, Tu fizeste o homem no mundo. Senhor, faze um homem novo em mim!

"Um coração puro." No versículo 7, Davi pediu para ser limpo. Neste, ele busca um coração adequado a essa limpeza. Mas o salmista não pede: "Limpa o meu velho coração", pois ele é muito experiente na desesperança da velha natureza. O seu desejo era que o velho homem fosse enterrado como uma coisa morta, e uma nova criatura fosse feita para preencher o lugar. Só Deus pode criar um novo coração ou uma nova terra. A salvação é a demonstração maravilhosa de poder supremo. A obra feita *em* nós tanto quanto a obra feita *por* nós é totalmente da Onipotência. Primeiro, as emoções devem ser retificadas ou toda a nossa natureza se perderá. O coração é o leme da alma, e até que o Senhor o tome em mãos estamos pilotando em um caminho falso e impuro. Ó Senhor, Tu que me fizeste uma vez, agrada-te em me fazeres novo, renovando-me até ao meu íntimo ser.

"E renova em mim um espírito reto." Já que foi lá uma vez, Senhor, retorne. A Lei no meu coração tornou-se como uma inscrição de difícil leitura. Escreve-a de novo, bondoso Criador. Remove o mal como pedi, e coloque no lugar o bem, para que no meu coração varrido, esvaziado e decorado, do qual o Diabo saiu por um tempo, sete outros espíritos piores que o primeiro não entrem e habitem. As duas frases formam uma oração completa. "Cria" o que ali não existe, e "renova" o que ali existe — existe, porém está em estado tristemente fraco.

11. *"Não me lances fora da tua presença."* Não me jogues fora como algo inútil. Não me lances fora, como Caim, da tua face e do teu favor. Permita-me sentar entre

os que tomam parte do teu amor, ainda que seja junto à porta para guardá-la. Mereço a proibição eterna de entrar nos teus átrios. Mas, ó bom Senhor, permite-me ainda o privilégio que me é querido como a vida para mim.

"E não retires de mim o teu Espírito Santo." Não retires as suas consolações, deliberações, ajudas, avivamentos para que eu não seja realmente como um homem morto. Não me deixes como Tu fizeste com Saul, quando nem por Urim, nem por profeta, nem por sonho Tu lhe respondias. O teu Espírito é a minha sabedoria, não me deixes na minha loucura. Ele é a minha força, ó não me abandones na minha própria fraqueza. Não me afastes para longe de ti, nem vás para longe de mim. Mantém a união entre nós, que é a minha única esperança de salvação. Será uma grande maravilha se Espírito tão puro se dignar ficar em um coração tão vil como o meu. Será, Senhor, uma tão grande maravilha essa união, por isso faze por tua misericórdia, é o que te peço fervorosamente.

12. *"Torna a dar-me a alegria da tua salvação."* Davi conhecera a salvação, e a conhecera como posse do Senhor. Ele também sentira a alegria que surge de ser salvo no Senhor, mas ele a perdera por ora e almejava que lhe fosse restaurada. Somente Deus pode devolver essa alegria. Ele pode fazer. Podemos pedir. Ele o fará para a sua glória e o nosso benefício. Essa alegria não vem antes, mas depois do perdão e da pureza. Essa ordem é segura, mas em outra é vã presunção ou delírio tolo.

"E sustém-me com um espírito voluntário." Consciente da fraqueza e cônscio de ter ultimamente caído, Davi busca ser firmado nos pés por poder superior ao seu. Esse Espírito real, cuja santidade é a verdadeira dignidade, pode nos fazer andar como reis e sacerdotes, em toda a retidão de santidade. É o que Deus fará se buscarmos o seu sustento benevolente. Tais influências não nos escravizarão, mas nos emanciparão, pois santidade é liberdade, e o Espírito Santo é um Espírito voluntário. Dos caminhos mais acidentados e mais traiçoeiros somos guardados por tal Guardador. Nos melhores caminhos tropeçamos se ficarmos por conta própria. A oração por alegria e sustento vão bem juntas. A alegria acaba se os pés não forem guardados. Por outro lado, a alegria é algo que sustenta e ajuda grandemente a santidade. Enquanto isso, o Espírito voluntário, nobre e leal está por baixo de ambas.

13 *Então, ensinarei aos transgressores os teus caminhos, e os pecadores a ti se converterão.*

14 *Livra-me dos crimes de sangue, ó Deus, Deus da minha salvação, e a minha língua louvará altamente a tua justiça.*

15 *Abre, Senhor, os meus lábios, e a minha boca entoará o teu louvor.*

16 *Porque te não comprazes em sacrifícios, senão eu os daria; tu não te deleitas em holocaustos.*

17 *Os sacrifícios para Deus são o espírito quebrantado; a um coração quebrantado e contrito não desprezarás, ó Deus.*

18 *Abençoa a Sião, segundo a tua boa vontade; edifica os muros de Jerusalém.*

19 *Então, te agradarás de sacrifícios de justiça, dos holocaustos e das ofertas queimadas; então, se oferecerão novilhos sobre o teu altar.*

13. *"Então, ensinarei aos transgressores os teus caminhos."* Era a sua firme resolução ser mestre dos outros. É certo que ninguém ensina tão bem aos outros quanto aqueles que foram ensinados experimentalmente por Deus. Os caçadores ilegais recuperados são os melhores guardas de caça. O título acadêmico de Huntingdon de P.S. (Pecador Salvo) é mais necessário para o evangelista do que ganha almas do que o título de M.A. (Mestre em Ciências Humanas) ou de D.D. (Doutor em Teologia). A matéria Pecador Perdoado será boa, porque Davi foi ensinado na

escola da experiência, e o método como ele ensinar será eficaz, porque ele falará com simpatia, como alguém que sente o que diz. A audiência que o salmista escolherá será memorável, ou seja, ele ensinará a transgressores como ele. Outros poderão menosprezá-los, mas "um sentimento de amizade nos faz maravilhosamente gentis" (David Garrick). Se indigno de edificar os santos, Davi se insinuaria entre pecadores para humildemente contar-lhes sobre o amor de Deus. A misericórdia de Deus para uma pessoa é ilustração dos seus procedimentos habituais, de forma que o nosso caso nos ajuda a entender os seus "caminhos" ou os modos gerais de ação. Talvez, também, Davi sob esses termos se refere à parte perceptiva da Palavra de Deus a qual, tendo quebrado e por isso sofrido, ele sentia que podia confirmar e insistir na reverência dos outros ofensores.

"E os pecadores a ti se converterão." A minha queda será a restauração dos outros. Tu abençoarás o meu testemunho trágico para a recuperação de muitos que, como eu, desviaram-se e entraram em caminhos tortuosos. Indubitavelmente este salmo e a história de Davi produziram por muitos séculos os resultados mais saudáveis na conversão de transgressores, e, assim, o mal foi predominado pelo bem.

14. *"Livra-me dos crimes de sangue."* Ele fora o instrumento da morte de Urias, o heteu, um seguidor leal e afeiçoado, e agora confessa o fato. Além disso, o pecado de adultério era delito capital, e ele se coloca como merecedor de morrer. Os penitentes honestos não buscam um limite e confessam os pecados em uma perífrase elegante, mas vão direto ao ponto, falando claramente e sem omissões, confessando tudo. Que outro procedimento é racional quando se lida com o Onisciente?

"Ó Deus, Deus da minha salvação." Ele não se arriscara a chegar tão perto antes. Até agora tinha sido: "Ó Deus", mas aqui Davi clama: "Deus da minha salvação". A fé cresce pelo exercício da oração. O salmista confessa o pecado mais claramente neste versículo do que antes, e lida com Deus com mais confiança. Crescer para cima e para baixo ao mesmo tempo é perfeitamente consistente. Ninguém senão o Rei pode remitir a pena de morte. É uma alegria para a fé que Deus seja o Rei, e que Ele seja o autor e consumador da nossa salvação.

"E a minha língua louvará altamente a tua justiça." Esperaríamos que o salmista dissesse que cantará louvores pela *misericórdia* do Senhor. Mas Davi vê o método divino de justificação, a justiça de Deus que, mais tarde, Paulo falou, pela qual o descrente é justificado, e promete cantar e cantar com muito vigor louvores a essa maneira justa de misericórdia. Afinal de contas, é a justiça da misericórdia divina que é a sua maior maravilha. Note que Davi no versículo anterior pregaria, e neste cantaria. Nunca é demais fazer muito para o Senhor a quem devemos mais do que tudo. Se pudéssemos ser pregadores, regentes de coral, porteiros, auxiliares de porteiro e lavadores de pés — tudo de uma vez — seria muito pouco para mostrar toda a nossa gratidão. Um grande pecador perdoado torna-se um grande cantor. O pecado tem voz alta, e assim deve ser a nossa gratidão. Não cantamos os nossos próprios méritos se somos salvos, pois o nosso tema é o Senhor justiça nossa, em cujo mérito fomos justamente aceitos.

15. *"Abre, Senhor, os meus lábios."* Davi está com tanto medo de si mesmo que se entrega por inteiro aos cuidados divinos, e teme falar até que o Senhor destranque a sua boca silenciada pela vergonha. Como o Senhor é maravilhoso em abrir os nossos lábios, e que coisas divinas nós, pobres simplórios, falamos por inspiração dos céus! Esta oração feita por um penitente é uma petição de ouro para o pregador. Senhor, eu a ofereço por mim e por meus irmãos. Mas serve muito bem para aquele cuja vergonha pelo pecado o faz gaguejar nas orações, as quais, quando completamente respondidas, fazem a língua dos mudos cantar.

"E a minha boca entoará o teu louvor." Se Deus abre a boca, é certo que Ele terá o fruto que dela sair. De acordo com o porteiro que está junto à porta é a natureza

daquilo que sai dos lábios do homem. Quando é a vaidade, a raiva, a falsidade ou a cobiça que destranca a porta, então saem as mais sujas vilezas. Mas se for o Espírito Santo que abre o postigo, então, a graça, a misericórdia, a paz e todas as graças saem em danças melodiosas, como as filhas de Israel quando saíram ao encontro de Davi que voltava com a cabeça do gigante filisteu.

16. *"Porque te não comprazes em sacrifícios."* Esse foi o assunto do último salmo. O salmista estava tão iluminado a ponto de ver muito mais do que o ritual simbólico. Os olhos da fé contemplaram com prazer a verdadeira expiação.

"Senão eu os daria." O salmista teria ficado muito alegre em apresentar dezenas de milhares de vítimas se isso fosse satisfatório. De fato, tudo que o Senhor prescrevesse ele alegremente faria. Estaríamos prontos a entregar tudo que tivéssemos se tão-somente pudéssemos nos livrar dos nossos pecados. Quando o pecado é perdoado, a nossa gratidão jovial está preparada para fazer qualquer sacrifício.

"Tu não te deleitas em holocaustos." Ele sabia que nenhuma forma de holocausto era uma propiciação satisfatória. A profunda necessidade da sua alma o fez olhar do tipo para o antítipo, do rito exterior para a graça interior.

17. *"Os sacrifícios para Deus são o espírito quebrantado."* Todos os sacrifícios são apresentados a ti em um, pelo homem cujo coração quebrantado apresenta a ti o mérito do Salvador. Quando o coração chora por causa do pecado, Tu te agradas mais do que quando o boi sangra sob os golpes do machado. "Coração quebrantado" é uma expressão que implica tristeza profunda que amarga a própria vida. Traz em si a ideia de angústia mortífera concentrada na região que é tão vital a ponto de ser a própria fonte de vida. É tão excelente o espírito humilhado e choroso por causa do pecado, que não só já é um sacrifício em si, mas também tem uma pluralidade de excelências e são preeminentemente os "sacrifícios" de Deus.

"A um coração quebrantado e contrito não desprezarás, ó Deus." Um coração esmagado é um coração fragrante. Os homens desprezam aqueles que são desprezíveis aos próprios olhos, mas o Senhor não vê como o homem vê. Deus menospreza o que os homens estimam, e estima o que eles menosprezam. Ele jamais rejeitou o penitente humilde e chorão, e jamais o fará, enquanto Deus for amor e enquanto Jesus for chamado o Homem que recebe pecadores. Bois e carneiros não são o seu desejo, pois Ele busca corações contritos. Apenas um deles já lhe é melhor do que todas as ofertas variadas do antigo santuário judaico.

18. *"Abençoa a Sião, segundo a tua boa vontade."* Que bênçãos de acordo com o teu hábito sejam derramadas no monte santo e na cidade escolhida. Sião era o lugar preferido de Davi, sobre o qual ele esperara edificar o Templo. A paixão que o governava era tão forte, que, quando a consciência ficou aliviada, ele tinha de ter uma palavra para Sião. O salmista sabia que retardara o projeto de honrar ao Senhor lá como desejava, mas pediu a Deus que o lugar da arca fosse glorioso, e que ele estabelecesse ali o culto do Senhor e que o povo cultuasse ao Senhor.

"Edifica os muros de Jerusalém." Este fora um dos planos de Davi: edificar os muros da cidade santa, pois desejava vê-los de pé. Mas cremos que para ele havia um significado mais espiritual, e por isso orou pela prosperidade da causa e do povo do Senhor. Ele causara dano pelo pecado e demolira, por assim dizer, os muros. Por conseguinte, implora que o Senhor desfaça o mal e estabeleça a igreja. Deus pode fazer a sua causa prosperar e, em resposta à oração, é o que Ele fará. Sem que o Senhor edifique, labutamos em vão. Portanto, somos mais imediatos e constantes em oração. Claro que não há graça em nós se nada sentimos pela igreja de Deus, e se não temos interesse duradouro pelo seu bem-estar.

19. *"Então, te agradarás de sacrifícios de justiça, dos holocaustos e das ofertas queimadas; então, se oferecerão novilhos sobre o teu altar."* Nesses dias de alegre

prosperidade, os santos te apresentarão em grande abundância os mais ricos e mais santos sacrifícios e ofertas de louvor, e Tu te agradarás em aceitá-los. A alma salva espera ver as orações respondidas em uma igreja reavivada. Portanto, é certo que Deus será grandemente glorificado. Já não fazemos sacrifícios pelo pecado, contudo, como sacerdotes de Deus, os nossos louvores solenes e presentes comemorativos são sacrifícios e ofertas de louvor aceitáveis a Deus por Jesus Cristo. Não levamos ao Senhor coisas que nos são menos importantes — como rolas e pombinhos. Mas lhe apresentamos as nossas melhores posses — novilhos. Estamos alegres que nesta presente época podemos cumprir pessoalmente a declaração deste versículo. Esperamos também, prevendo o futuro, dias da presença divina, quando a igreja de Deus, com alegria indizível, oferecerá presentes no altar de Deus que eclipsará qualquer coisa já vista nestes dias menos entusiásticos. Apressa esse dia, ó Senhor.

NOTAS EXPLICATIVAS E DECLARAÇÕES IMPORTANTES

O Título: "Depois de ele ter estado com Bate-Seba". Esse foi o chamariz do Diabo que ocasionou muitos outros pecados, um após o outro e sobre o outro. Veja em 2 Samuel 11 e 12 os elos da dolorosa corrente da cobiça de Davi. — *John Trapp*

O Título: "Quando o profeta Natã veio a ele, depois de ele [ou seja, Davi] ter estado com Bate-Seba". No original hebraico, a repetição significativa da frase "veio a" é perdida na maioria das traduções. "Depois" não é mera partícula de tempo, equivalente simples de *quando*, mas indica as ideias de analogia, proporção e retaliação. — *Joseph Addison Alexander*

O Salmo: Este salmo é a pedra preciosa mais brilhante do livro dos Salmos, contendo instrução tão ampla e doutrina tão preciosa, que a língua dos anjos não podem deixar de fazer justiça ao pleno desenvolvimento. — *Victorinus Strigelius, 1524-1569*

O Salmo: Este salmo é muitas vezes e adequadamente chamado de *O Guia do Pecador*. Em algumas das suas versões ajuda o pecador que se volta para Deus. Atanásio recomendou os cristãos, a quem ele escrevia, que o recitassem quando acordassem de noite. Todas as igrejas evangélicas estão familiarizadas com ele. Lutero diz: "Não há outro salmo que seja mais vezes cantado ou orado na igreja". Este é o primeiro salmo no qual temos a palavra *Espírito* usada em aplicação ao Espírito Santo. — *William S. Plumer*

O Salmo: Não há o que duvidar do caráter profético deste salmo em relação à nação de Israel. Nos últimos dias, eles considerarão os seus caminhos, tendo como resultado arrependimento e autodepreciação. Culpa de sangue mais intensa que a de Davi tem de ser removida dessa nação. Eles se tornarão mestres dos gentios, depois que a iniquidade da própria transgressão for purificada. — *Arthur Pridham*

O Salmo: Este é o mais intensamente comovente de todos os salmos, e estou certo de que é o mais aplicável a mim. É o desabafo de uma alma sentindo dor sob o senso de uma transgressão recente e grande. Meu Deus, quer recentes ou não, permite-me sentir a enormidade dos meus pecados múltiplos, e não te lembres contra mim os pecados da minha mocidade. Que mina de ricas palavras e expressões para a oração! Lava-me, purifica-me, ó Senhor, e não me deixes esquecer do meu pecado e da minha pecaminosidade. Permite que eu sinta essa condição como pecado principalmente contra ti, e que a minha tristeza seja segundo ti. Que eu sinta a virulência da minha corrupção inata. Purifica-me disso completamente. Coloca a verdade em meu ser interior para que minha seja a realidade da virada do pecado ao Salvador. Cria-me novamente, ó Deus. Não retires o teu Espírito de mim. Faz-me alegrar na salvação presente. Livra-me, ó Deus, da culpa de sangue por ter ofendido algum dos teus pequeninos. Abre os meus lábios para que eu fale das coisas maravilhosas que tens feito por minha alma! Quero oferecer sacrifícios espirituais. Não permitas que as minhas delinquências causem escândalo para a igreja, mas purifica-a e edifica-a para que até os serviços externos, livrados de toda mancha de corrupção ou hipocrisia, sejam agradáveis à tua vista. — *Thomas Chalmers*

v. 1: "Tem misericórdia de mim, ó Deus". Tremo e ruborizo-me ao mencionar o meu nome, pois o fato de te conhecer anteriormente só me deixou mais envergonhado por ter sido reconhecido por ti depois da minha culpa. Não digo, então: "Senhor, lembra-te de Davi", como em ocasião mais feliz, nem como conciliando-te, dizia eu, lembra-te do "teu servo" ou do "filho da tua serva" (cf. Salmo 86.16). Não sugiro nada que recorde a minha relação anterior contigo e, assim, aumente a minha maldade. Não perguntes, Senhor, quem sou, mas só perdoa-me, pois confesso o meu pecado, condeno a minha falta e peço a tua piedade. "Tem misericórdia de mim, ó Deus.". Não ouso dizer *meu* Deus, pois seria presunção. Eu te perdi pelo pecado, eu me alienei de ti seguindo o Inimigo e sou impuro. Não ouso me aproximar de ti, mas de longe e erguendo a voz com grande devoção e contrição de coração, clamo e digo: "Tem misericórdia de mim, ó Deus". — *Extraído de A. P. Forbes (Bispo de Brechin), "A Commentary on the Seven Penitential Psalms, Chiefly from Ancient Sources" [Um Comentário sobre os Sete Salmos Penitenciais, Principalmente de Fontes Antigas], 1857*

v. 1: "Tem misericórdia". A palavra hebraica traduzida por "tem misericórdia", significa "sem causa", "sem merecimento" (Sl 35.19; 69.4; Ez 14.23), e "de graça", "sem dar pagamento" (Êx 21.11). É usada em Gênesis 6.8, onde diz que "Noé, porém, achou graça aos olhos do Senhor", que é favor especial, como o Senhor sustenta os escolhidos em Cristo Jesus. — *Charles de Coetlogon, Mestre em Ciências Humanas, "The Portraiture of the Christian Penitent" [O Retrato do Cristão Penitente], 1775*

v. 1: "Misericórdia... benignidade... misericórdias". Não posso deixar de observar a gradação no sentido das três palavras usadas para expressar a compaixão divina, e a propriedade da ordem na qual são colocadas. Essa constatação seria considerada como verdadeira excelência e beleza para qualquer escritor clássico. A primeira palavra, חָנֵּנִי,"misericórdia", denota o tipo de afeto que é expresso por afligir-se pelo objeto que amamos e temos compaixão. Trata-se de στοργὴ, o afeto e ternura natural que até os animais selvagens mostram aos seus pequeninos por meio dos sons que fazem respectivamente para eles, e particularmente o barulho estridente do camelo, pelo qual confirma o seu amor pelas crias. A segunda palavra, כְּחַסְדֶּךָ, "benignidade", denota a forte propensão, a disposição pronta, grande e liberal à bondade e compaixão que fortemente promove todos os exemplos de bondade e generosidade. Flui tão livre e abundantemente quanto o leite dos seios ou como as águas de uma fonte eterna. Denota grau de bondade mais alto do que a primeira palavra. A terceira palavra, רַחֲמֶיךָ, "misericórdias" ("grande compaixão", NTLH, NVI), denota o que os gregos expressam por σπλαγχνίζεσθαι. Trata-se da mais terna piedade, a qual comunicamos pelo movimento do coração e das entranhas, indicando o mais alto grau de compaixão da qual a natureza humana é suscetível. Como são animadoras a convicção e consideração dessas compaixões abundantes e ternas de Deus para alguém nas circunstâncias de Davi, cuja mente sofreu sob o peso da mais odiosa culpa e pelo medo do desprazer e vingança divinas! — *Samuel Chandler*

v. 1: "Segundo a multidão". Os homens ficam muito apavorados com a multidão dos pecados, mas este é um consolo — o nosso Deus tem uma multidão de misericórdias. Se os nossos pecados forem em número como os cabelos da nossa cabeça, as misericórdias de Deus são como as estrelas do céu. Como ele é um Deus infinito, assim as suas misericórdias são infinitas. Como as suas misericórdias estão muito acima dos nossos pecados, assim Ele está acima de nós, pobres pecadores. É por meio dessa busca da multidão de misericórdias, que o salmista mostraria a profundeza com que foi ferido pelos múltiplos pecados — este parecia cem. Assim é conosco. Quando estamos sob a direção de Satanás, mil pecados parecem um, mas se nos entregarmos ao serviço de Deus, um pecado parecerá mil. — *Archibald Symson*

v. 1: "Misericórdias" ("grande compaixão", NTLH, NVI), ou, de acordo com Zanchy no tratado que escreveu sobre os atributos de Deus, o tipo de sentimento que os pais sentem quando veem os filhos em alguma dificuldade (1 Rs 3.26). — *Charles de Coetlogon*

v. 1: "Apaga as minhas transgressões". No original hebraico é מְחֵה (*mᵉḥēh*), que significa "esfregar para fora", "anular", "eliminar", "destruir". Há referência à acusação. O salmista sabe o que isso implica. Ele se confessa culpado, mas roga que os autos sejam apagados. Pede que um fluido próprio seja aplicado ao pergaminho para retirar a tinta, a fim de que não haja registro contra ele. Isso só a "misericórdia", a "benignidade" e a "misericórdia" ("grande compaixão", NTLH, NVI) do Senhor podem fazer. — *Adam Clarke*

v. 1: "Apaga as minhas transgressões". O salmista não está aludindo, como Georges-Louis LeClerc imagina, há dívidas registradas em um livro que são apagadas quando perdoadas, mas à esfregação ou limpeza de um prato, para que nada reste nele. O significado da petição é que Deus o perdoe completa e totalmente, para que nenhuma parte da culpa que ele contraíra permaneça, e o castigo por conta disso seja removido inteiramente. — *Samuel Chandler*

v. 1: "Apaga", ou como é usado em Êxodo 17.14, "risca totalmente", de modo que não haja recordação das minhas transgressões para sempre (Is 43.25; 44.22). — *Charles de Coetlogon*

v. 1: "As minhas transgressões". A consciência, quando é saudável, sempre fala assim: "As minhas transgressões". Não foi a culpa delas que tentou você. Elas têm as próprias culpas, mas cada uma como um agente em separado, tem o seu próprio grau de culpa. A sua culpa é sua. É a violação do seu senso de dever e não dos outros. A culpa solitária, terrível e não partilhada aderiu-se só a você dentre todos os espíritos do universo. — *Frederick William Robertson*

vv. 1 e 2: "Transgressões... iniquidade... pecado". (1) É *transgressão,* פֶּשַׁע (*pesha'*), que significa "rebelião". (2) É *iniquidade,* עָוֹן (*'āwōn*), avon, que significa "procedimento tortuoso". (3) É *pecado,* חַטָּאָה (*ḥaṭṭā'â*), *chattath,* que significa "erro e vagueação". — *Adam Clarke*

v. 2: "Lava-me". Davi ora para que o Senhor o lavasse. O pecado suja, e ele ficou impuro e imundo pelo pecado. Para lavá-lo abundantemente, limpá-lo e banhá-lo, para mostrar que o pecado o sujara excessivamente e lhe manchara a alma e o corpo, deixando-o repugnante, ele deseja ser lavado, limpado e purificado da sujeira do pecado. Por conseguinte, podemos saber que coisa vil, imunda e miserável é o pecado aos olhos de Deus. O pecado mancha o corpo do homem, mancha a alma do homem, torna-o mais vil do que o mais vil dos seres criados. Não há ser tão asqueroso e repugnante à vista do homem, como é, à vista de Deus, o pecador manchado e sujo pelo pecado, até que ele seja limpo e lavado no sangue de Cristo. — *Samuel Smith, 1588*

v. 2: "Lava-me completamente da minha iniquidade e purifica-me do meu pecado". A palavra כָּבַס é aplicada peculiarmente à lavagem e limpeza de roupas como os pisoadores lavam e limpam panos e tecidos (2 Rs 18.17; Êx 19.10; Lv 17.15). — *Samuel Chandler*

v. 2: "Lava-me completamente da minha iniquidade". Nenhuma outra lavagem resolve senão o *lava tu,* "lava tu". Davi estava tão imundo que precisava ser lavado inteiramente. — *Samuel Page, "David's Broken Heart" [O Coração Quebrantado de Davi], 1646*

v. 2: "Lava-me completamente". Em hebraico é "multiplica para me lavar", com essa frase o salmista quer dizer que reconhece a grandeza da sua culpa, a insuficiência de toda lavagem legal e a absoluta necessidade de outra coisa e outra coisa melhor para lavá-lo — a necessidade da graça de Deus e do sangue de Cristo. — *Matthew Pool*

v. 2: "Lava-me... purifica-me". Mas por que Davi falou tão excedentemente?Por que usou duas palavras quando uma bastaria? Se estamos purificados, que importa se estamos lavados ou não? Davi tinha uma ótima razão para usar as duas palavras. Ele não exige que Deus o purifique por milagre, mas pelo modo comum de purificação, ou seja, pela lavagem. Ele designa a lavagem como meio e a purificação como fim. Ele nomeia a lavagem como trabalho em ação e a purificação como trabalho feito. Ele especifica a lavagem como a consideração do agente e a purificação como a aplicação dele no paciente. De fato, como na figura da Lei não havia, assim na veracidade do evangelho não há meio comum de purificação, mas só de lavagem. Portanto, do lado de Cristo, nosso Salvador, saiu água e sangue. — *Sir Richard Baker*

v. 2: "E purifica-me do meu pecado". Observe que é da culpa e não do castigo que ele pede livramento. Que a espada nunca se apartasse da sua casa. Que o pecado, tendo começado, não só secretamente em sua plena realização, mas muito mais secretamente nos recessos do coração de Davi, fosse castigado diante de todo o Israel e debaixo do sol. Que o filho tão querido a Davi fosse feito um grande castigo do seu pecado. Essas coisas, no que diz respeito a este salmo, poderiam ou não acontecer. O que Davi fala é do pecado contra Deus, da contaminação do Templo de Deus pela impureza, embora esse fato não tivesse sido então declarado com tanta clareza. — *Ambrósio, citado em John Mason Neale, "Commentary" [Comentário]*

v. 2: "Pecado". A palavra hebraica original significa "errar o alvo", como o arqueiro que atira e atinge abaixo, ou acima, ou ao lado do alvo. Também se refere a "andar de lado" ou "tropeçar no ato de caminhar". Em sentido espiritual denota divergência de uma regra, quer por omissão, quer por comissão. — *Thomas Tregena Biddulph, 1763-1838, Mestre em Ciências Humanas, "Lectures on the Fifty-first Psalm" [Palestras sobre o Salmo 51], 1835*

v. 2: "Lava-me completamente da minha iniquidade e purifica-me do meu pecado". O pecado é imundo de se pensar, imundo de se falar, imundo de se ouvir e imundo de se fazer. Em uma palavra, não há nada nele senão vileza. — *Archibald Symson*

v. 3: "Porque eu conheço as minhas transgressões, e o meu pecado está sempre diante de mim". Se conheço ("reconheço", NVI) as minhas transgressões, é porque há confissão. Se o pecado sempre está diante de mim, é porque há convicção e contrição. Conhecer as transgressões, é, preste atenção, confessar os pecados, lembrá-los, trazê-los de volta à memória o que pudermos, reconhecê-los com vergonha e declará-los com tristeza. É confessá-los um por um, dar, até onde lembramos, explicações detalhadas sobre eles e estendê-los diante do Senhor, como fez Ezequias com a carta de Rabsaqué. É, no senso humilde de nossa própria vileza, implorar a bondade de Deus para que Ele multiplique as suas misericórdias para conosco, como multiplicamos as nossas transgressões contra Ele, em um perdão livre e pleno de todos eles. Ter sempre o pecado diante de nós é estar totalmente convencido dele, é estar continuamente incomodado com ele, é ser verdadeiramente humilhado sob o senso dele e ser tomado desses medos e terrores de consciência que nunca nos deixam descansar ou desfrutar dessa quietude em nosso próprio peito, até termos nos reconciliado com o gracioso Deus. — *Adam Littleton, 1627-1694*

v. 3: "Porque eu conheço [reconheço, NVI] as minhas transgressões, e o meu pecado está sempre diante de mim". Não pode haver *agnitio*, se não há *cognitio peccati*, um reconhecimento, a menos que haja a precedência de um conhecimento do pecado. Davi os reúne. Se os nossos pecados não estiverem diante de nós, como poderemos estendê-los diante de Deus? Para o correto exercício desse dever, há a exigência de um exame prévio de nosso coração, uma inspeção em nossa vida para que possamos ver os nossos pecados. Aquele que ainda não se perguntou: *Quid feci?*, "O que eu fiz?", nunca pode fazer a confissão: *Sic feci*, "Assim e assim eu fiz". A esse respeito, ainda que desnecessário, aconselharia como prática piedosa e prudente aquilo que, não duvido, já beneficiou muitos cristãos: Manter uma relação diária e constante das misericórdias recebidas e dos pecados cometidos. — *Nathanael Hardy*

v. 3: "Eu... minhas... meu". Davi não pensou que fosse suficiente reconhecer que a raça humana inteira é pecadora. Mas, como se ele estivesse sozinho no mundo e fosse o único ofensor, ele diz: "Eu conheço as minhas transgressões, e o meu pecado está sempre diante de mim". — *Charles de Coetlogon*

v. 3: "O meu pecado". Davi conhece o seu pecado e o confessa. Esta é a nossa riqueza natural: o que podemos dizer que é nosso senão o pecado? Os alimentos, as roupas e as coisas necessárias da vida nos são emprestados. Entramos com fome e nus no mundo, não trazemos nada conosco e não merecemos nada. O pecado veio conosco, como Davi confessou. Temos direito de herança ao pecado, recebendo-o por transferência e transmissão dos nossos pais. Temos direito de posse. Assim disse Jó: "Por que escreves contra mim coisas amargas e me fazes herdar as culpas da minha mocidade?" (Jó 13.26). — *Samuel Page*

v. 3: "O meu pecado". É o pecado, como pecado, e não o seu castigo aqui nem depois. Também não é quaisquer das consequências más do pecado. Mas é pecado, o pecado contra Deus, a ousada impiedade de quebrar a Lei boa e santa deste Deus vivo e amoroso. — *Thomas Alexander, Doutor em Teologia, "The Penitent's Prayer" [A Oração do Penitente], 1861*

v. 3: "Sempre diante de mim". A tristeza pelo pecado excede a tristeza pelo sofrimento, no que tange à continuação e durabilidade. Aquela tristeza, como uma inundação, vem logo e logo vai. Esta é um rio que desce ou corre ininterruptamente, mantendo um fluxo constante. "O meu pecado", disse Davi, "Está sempre diante de mim", assim também está a tristeza pelo pecado na alma de quem é filho de Deus. De manhã, de tarde, de dia, de noite, quando está doente, quando está com saúde, comendo, jejuando, em casa, fora de casa sempre está dentro dele. Essa aflição começa na conversão, continua por toda a vida e só termina na morte. — *Thomas Fuller*

v. 3: "Diante de mim". *Coram populo*, "Diante do povo", vergonha para ele. *Coram ecclesia*, "Diante da igreja", aflição para ela. *Coram inimicis*, "Diante dos inimigos", alegria para eles. *Coram Deo*, "Diante de Deus", ira contra ele. *Coram Nathane*, "Diante de Natã", uma repreensão. Mas se há esperança de arrependimento e correção, então está em *peccatum meum coram me*, "o meu pecado diante de mim". Essa é a angústia do pecador, pois ele nunca discerne como é infeliz até que o pecado esteja diante dele. — *Samuel Page*

v. 4: "Contra ti, contra ti somente pequei, e fiz o que a teus olhos é mal". Este versículo é exposto diferentemente por pessoas diferentes. Ninguém até agora considerou que este pequeno ponto é a maior dificuldade com que deparamos neste salmo. Embora deixo os outros irem de acordo com as próprias interpretações, tenho boa esperança de que poderei dar-lhe o verdadeiro e genuíno significado do texto.

Primeiramente, eu aconselharia o leitor a manter em mente o que observei no começo do salmo, qual seja, que Davi está falando de todos os santos, e não apenas da sua própria pessoa, nem da sua pessoa como adúltero. Não digo que não pode, que não foi essa a queda que, como instrumento, o levou ao conhecimento de si mesmo e da natureza humana, fazendo-o pensar assim: "Vejam! Eu, tão santo rei, que com tanta devoção piedosa tenho observado a Lei e o culto a Deus, fui tão tentado e vencido pelo mal e pecado inato da minha carne que assassinei um homem inocente e, por propósitos adúlteros, tomei-lhe a esposa! Não é esta prova evidente de que a minha natureza foi mais profundamente infectada e corrompida pelo pecado do que jamais pensei? Eu que ontem era puro, hoje sou adúltero! Eu que ontem tinha as mãos inocentes de sangue, hoje sou homem culpado de sangue!". Pode ser que deste modo o salmista derivou a sensação da sua pecaminosidade, da queda em adultério e assassinato, chegando a esta conclusão: Nem a árvore, nem os frutos da natureza humana são bons, mas que o todo ficou tão deformado e perdido pelo pecado que não restou nada são no todo da natureza. É o que gostaria que o leitor mantivesse em mente em primeiro lugar, caso queira ter o significado puro desta passagem. Em segundo lugar, temos de explicar a construção gramatical, que está um tanto quanto obscura. O que o tradutor traduziu pelo pretérito prefeito, deveria estar no presente: "Contra ti somente peco", quer dizer, eu sei que diante de ti não passo de um pecador, ou, diante de ti não faço nada mais do que o mal continuamente. Em outras palavras, a minha vida é má e depravada por causa do pecado. Não posso me vangloriar diante de ti, quer por mérito, quer por justiça, pois sou completamente mau, e aos teus olhos este é o meu caráter — eu faço o mal. Eu pequei, eu peco e pecarei até ao final do capítulo. — *Martinho Lutero*

v. 4: "Contra ti, contra ti somente pequei". Não há algo aqui que nos deixa perplexos? Dizer: "Contra ti pequei", é devidamente justo e adequado. Mas dizer: "Contra ti *somente* pequei", é algo duro. Talvez tivesse sido um discurso adequado na boca do nosso primeiro pai Adão. Ele poderia com acerto dizer a Deus: "Contra ti somente pequei", pois nunca pecou contra outra pessoa. Mas para nós dizê-lo, que cometemos pecados diariamente contra o nosso semelhante, e especialmente para Davi dizê-lo, que tinha cometido dois pecados notórios contra o seu semelhante e amigo fiel Urias, que discurso mais inadequado haveria? Não é que essas ações de Davi não fossem realmente grandes injustiças e enormes iniquidades contra Urias, mas podemos dizer com acerto que eram *pecados* contra Urias? Que é pecado, senão transgressão da Lei de Deus? Como então os pecados podem ser cometidos contra alguém senão somente contra aquEle cuja Lei transgredimos? Ou podemos dizer com acerto: "Contra ti somente pequei", porque contra os outros talvez em má gestão, contudo, só contra Deus em direito de posse? Ou Davi podia dizer a Deus com acerto: "Contra ti somente pequei", porque contra os outros ele podia apelar, por ser rei e não ter superior, mas não podia apelar contra Deus, por ser o Rei dos reis e Senhor supremo acima de todos? Ou podemos dizer com acerto: "Contra ti, contra ti somente pequei", vendo que Cristo levou e ainda leva sobre si todos os nossos pecados, e todo pecado que cometemos é como um novo fardo colocado nas suas costas e somente nas suas? Por fim, podemos dizer com acerto: "Contra ti, contra ti somente pequei", porque só "a teus olhos" pequei? Dos olhos dos outros posso esconder e escondo, mas o que posso esconder dos teus olhos oniscientes? Mesmo que essas coisas tivessem sido as piores, que eu tivesse pecado somente contra ti, e que isso fosse suficientemente ruim e infinitamente demasiado, ainda assim podia talvez haver reconciliação. Mas fazer esse mal "a teus olhos", é como se eu tivesse dito: Eu o farei mesmo que Tu te levantes e olhes, sendo como em desafio a ti, que pecado é tão terrível? Que pecado pode ser tão imperdoável? O pecado por fraqueza pode admitir justificação. O pecado por ignorância pode encontrar justificativa. Mas o pecado por rebeldia pode não ter defesa. — *Sir Richard Baker*

v. 4: "Contra ti, contra ti somente pequei". Há uma tristeza segundo Deus que leva o homem à vida. Essa tristeza é trabalhada no homem pelo Espírito de Deus e no coração do temente a Deus. Ele lamenta pelo pecado, porque desagradou a Deus, que lhe é tão querido e tão doce Pai. Suponha que o salmista não tivesse céu a perder, nem inferno a ganhar, mesmo assim ele está triste e pesaroso de coração porque agravou a Deus. — *John Welch, 1576-1622*

v. 4: "Pequei". *Me, me, adsum, qui feci*, "Aqui, aqui estou eu que o fez". Eu, a quem Tu tomaste de após ovelhas e seus cordeiros, cujo cajado Tu mudaste em cetro, cujas ovelhas mudaste em teu próprio povo Israel, em cuja cabeça Tu puseste uma coroa de puro ouro. Eu, a quem Tu ultimamente investiste na monarquia plena do teu povo, a quem Tu deste a posse de Jerusalém retirando-a dos jebuseus. Eu, que estabeleci a paz, a religião e tribunais de justiça em Jerusalém para que Tu sejas servido e honrado. Eu, que de bom grado teria construído uma casa em Jerusalém. Eu, eu, a quem Deus confiou o governo para reinar sobre os outros, o julgamento para punir os outros, como rei sobre a herança do Senhor. Eu, a quem Deus entregou o cuidado da alma dos outros para guiá-los pela Palavra, dirigi-los pela boa deliberação, atraí-los pelas promessas da graça, terrificá-los pelas exortações, como profeta santo do Senhor. Eu, que sendo rei e profeta deveria ter sido exemplo de santidade e justiça para todo o Israel. Natã disse: *Tu es homo*, "Tu és o homem", em justa acusação. Agora Davi disse: *Ego sum homo*, "Eu sou o homem", em humilde confissão. — *Samuel Page*

v. 4: "Fiz o que [...] é mal". Vemos pela experiência que há muitos que não se identificam em um discurso geral sobre pecadores, e dificilmente reconhecem um mal especial a explicar. Se você fala com eles sobre os Mandamentos, eles estão prontos a anunciar a metáfora extravagante de dificilmente haver um Mandamento em que estejam falhos. No primeiro Mandamento, confessam somente um Deus. No segundo, adoram imagens. No terceiro Mandamento, juram tão pouco quanto qualquer um e nunca senão pela verdade. No quarto, mantêm a igreja aos domingos como também a maioria. Na segunda tábua dos Dez Mandamentos, não há traição, nem assassínio, nem roubo, nem prostituição, nem pecados hediondos semelhantes, pois no que diz respeito a isso, estão prontos a protestar inocência. Aquele que os ouvirá em particular, não vejo como acreditará neles em geral, quando dizem que são pecadores, pois quando você os acusa de quebraram os Mandamento, eles estão prontos a declararem-se *inocentes* de todos eles. Enquanto os homens estiverem sem senso e entendimento das coisas particulares, não há esperança de levá-los para o bem. Feliz é o homem que é compungido no coração com o sentimento do que é este "mal". Para este, a verdade do arrependimento o levará a um arrependimento completo da sua situação. Esse mal totalmente entendido, levou Davi a ficar de joelhos, quebrou-lhe o coração, derreteu-lhe a alma, fez com que clamasse por perdão, implorasse por purificação e importunasse o Senhor para que um espírito voluntário o estabelecesse. — *Samuel Hieron, 1572-1617, "David's Penitentiall Psalme opened" [Os Salmos Penitenciais de Davi abertos], 1617*

v. 4: "A teus olhos". Davi estava tão curvado pelo pecado de modo que a majestade e presença de Deus não lhe causavam admiração reverente. Esse é agravamento sério do pecado e o torna muito mais odioso. O ladrão que rouba na presença do juiz comete o mais alto ato de descaramento que há. Assim é o homem que peca à vista de Deus, mas não se comove com isso. — *Thomas Horton*

v. 4: "Para que sejas justificado quando falares e puro quando julgares". Mas Davi não tem uma defesa e uma defesa muito justa? Pois ao dizer: "Contra ti, contra ti somente pequei, [...] *para que sejas justificado quando falares*", não está falando o salmista como se tivesse pecado para agradar a Deus? Portanto, pecou para que Deus pudesse ser justificado? O que mais se pode dizer para a justificação de Deus? Mas longe está de Davi ter tal intenção. As suas palavras não significam um abrandamento, mas um agravamento do pecado, como se ele tivesse dito: Porque um juiz pode ser com acerto acusado de injustiça se puser um castigo maior em um criminoso do que o criminoso merece. Então, para eximir-te, ó Deus, de toda possibilidade de erro desse tipo, conheço que os meus pecados são muito odiosos e as minhas ofensas muito agravantes, de modo que nunca podes ser desapiedado em me punires, ainda que a tua punição nunca seja tão desapiedada. Como pode o juiz ultrapassar os limites da equidade quando o delinquente ultrapassou todos os limites da iniquidade? Que erro pode haver em seres severo, quando a grandeza da minha falta é a justificação da severidade? Que condenação pesada Tu não podes me dar que eu não tenha merecido? Tu não podes pronunciar tão dura sentença contra mim, da qual eu não seja merecedor. Se Tu julgas que devo ser torturado, é senão brandura. Se eu morrer a morte, não passa da minha dívida. Se eu morrer para sempre, não posso dizer que Tu és injusto. — *Sir Richard Baker*

v. 5: "Eis que em iniquidade fui formado, e em pecado me concebeu minha mãe". Ele não disse: "Eis o mal que eu fiz", mas: "Eis que em iniquidade fui formado". Ele não disse: "Eis que eu, Davi", rei que recebeu tais e tais misericórdias de Deus, que teria me dado mais (como Deus lhe disse), que tinha a completa comunhão com ele e que recebeu muitas graças dele. Eu, eu mesmo, fiz este mal. Não foi o que ele disse. Ele persiste até chegar a esse ponto, quando o coração não consegue mais segurar: "Eis que [...] em pecado me concebeu minha mãe". Aqui, a sua humilhação estava no auge. A quem ele proferiu este "eis"? Como? Aos homens? Não. A sua intenção não era conclamar os homens: Vós, filhos dos homens, vede! Este era o alvo secundário, que surgiu por ele ter escrito e entregue estas palavras à igreja. Mas quando as proferiu, foi para Deus ou, antes, diante de Deus, ainda que não houvesse necessidade de conclamar Deus para ver. Em outro salmo, falando desta mesma corrupção, Davi disse: "O Senhor olha dos céus" e "vê todos os filhos dos homens" (Sl 33.13, ARA). O salmista sabia que Deus via as coisas suficientemente, mas ele as profere diante de Deus, ou, como se falasse de si mesmo entre Deus e ele, para expressar a própria surpresa e assombro à vista da convicção desta corrupção, e à vista do monstro que ele se viu ser aos olhos de Deus em relação a este pecado. Era um *eis* de surpresa para ele, como se Davi estivesse na presença do grande e santo Deus. Portanto, ele apoia e acompanha esse *eis* com outro *eis* para Deus: "Eis que amas a verdade no íntimo" (v. 6). É como se com os dois *eis* Davi tivesse dito: *Oh, como fui derrotado em todos os sentidos. Quando olho para mim, vejo como sou infinitamente corrupto na própria constituição da minha natureza. Quando olho para ti, vejo e considero que infinito e santo Deus Tu és em natureza e ser, e que tão grande santidade exiges. Fui completamente vencido na intuição de ambos esses eis, e não posso mais te ver, nem te observar, ó Deus santo! — Thomas Goodwin*

v. 5: "Eis que em iniquidade fui formado, e em pecado me concebeu minha mãe". Não devemos supor que Davi estivesse aludindo aos seus pais como o meio de transmitir a ele os elementos do mal moral. Também não devemos intuir que, pela apresentação da doutrina do pecado original, ele quis exaurir a enormidade dos seus crimes. Pelo contrário, devemos entender que Davi está se afligindo pela reflexão humilhante de que a sua natureza era caída e que as suas transgressões fluíam de um coração naturalmente em inimizade com Deus. Ele refletia também que não era pecador por acidente, mas por depravação de propósito, que se estende aos desejos íntimos e propósitos secretos da alma. Ele viu que havia nos seus membros outra lei que batalhava contra a Lei do seu entendimento e o prendia debaixo da lei do pecado que estava nos meus membros (Rm 8.23). O salmista percebia que era membro de uma raça de seres culpados, entre os quais não havia nenhum que pudesse pleitear isenção de coração mau por incredulidade, pronto, às vezes, a deixar o Deus vivo. Até que vejamos o pecado na fonte do coração, jamais o lamentaremos verdadeiramente na vida e nas relações. — *John Morison*

v. 5: "Eis que em iniquidade fui formado". Davi ainda não está suficientemente arrependido. Ele tem de arrepender-se mais. Não basta confessar que a água é imunda no tanque. Ele volta à fonte, e confessa que o rio todo está poluído até à cabeceira. A fonte está suja. O próprio manancial emana águas impuras. — *Thomas Alexander*

v. 5: "Eis que em iniquidade fui formado". Não me convencerei facilmente em pensar que os pais, que são pecadores e estão sob a influência de afetos e paixões ruins, gerarão filhos sem transmitir a eles algumas das desordens e corrupções da natureza com as quais eles mesmos estão infetados. Se essa for a dificuldade, pediria que não se observasse que essa é uma dificuldade que afeta a religião natural como também a religião revelada. Considerando que temos de tomar a natureza humana como ela é, e se ela estiver realmente em um estado de desordem e corrupção, não podendo ser diferente, tendo em vista a lei comum da produção, a dificuldade deveria ter sido tão antiga quanto o primeiro homem que nasceu. Portanto, não pode ser objeção contra a verdade da revelação, mas tem de ser igualmente objeção contra a religião natural, que tem de permitir a coisa por igual, se for na realidade um fato, com a própria revelação. — *Samuel Chandler*

v. 5: As crianças não são inocentes, pois nasceram com o pecado original. A primeira faixa na qual foram envolvidas foi tecida com pecado, vergonha, sangue e imundícia (Ez 16.4). Dizemos que pecam quando estavam nos lombos de Adão, da mesma maneira que dizemos que Levi paga dízimos para Melquisedeque quando estava nos lombos do antepassado Abraão (Hb 7.9,10). Caso contrário, as crianças não morreriam, pois o salário do pecado é a morte (Rm 6.23). O reinado da morte é alcançado pelo reinado do pecado, que reinou sobre todo o gênero humano, exceto Cristo. Todos são pecadores, infetados com a culpa e impureza do pecado. A podridão (de acordo com a declaração popular) infestou o rebanho. Por conseguinte, Davi reflete sobre o pecado original como a causa de todos os seus pecados vigentes, dizendo: "Eis que em iniquidade fui formado, e em pecado me concebeu minha mãe". A doença do homem começa cedo, na própria concepção. Essa serpente sutil semeou o joio muito cedo, de forma que todos nós já nascemos em pecado (Jo 9.34). — *Christopher Ness, "Divine Legacy" [Legado Divino], 1700*

v. 5: "Eis que em iniquidade fui formado, e em pecado me concebeu minha mãe". A despeito de tudo que Hugo Grócio e outros estudiosos disseram, creio que Davi está falando sobre o que se chama comumente de *pecado original.* Trata-se da propensão para o mal que todo homem traz consigo ao mundo, e que é a fonte frutífera de onde toda a transgressão procede. — *Adam Clarke*

v. 6: "Eis". Antes de tratar de qualquer uma das partes do versículo, Davi usa a partícula de admiração "eis". Ele nunca a usa, senão de modo notável, para por ela nos elevar mais à contemplação de tão grandes assuntos a serem tratados. — *Archibald Symson*

v. 6: "Amas a verdade no íntimo". Tu amas a verdade, não a sombra ou a imagem, mas a realidade. Tu amas a verdade no íntimo, dentro da verdade, um coração verdadeiro, uma consciência pura. É cristão quem o é intimamente (Rm 2.29). — *John Ball v. 6:* "A verdade no íntimo". Um grande padre francês é chamado de *le bon chrétien*, "o bom cristão", porque dizem que nunca é corrupto até à raiz. — *George Swinnock*

v. 6: "E no oculto me fazes conhecer a sabedoria". John Piscator, nas anotações sobre este salmo, dá este sentido a estas palavras. Davi deveria bendizer a Deus por ter-lhe feito conhecer esta sabedoria especial nestas coisas ou fatos ocultos, e por ter-lhe esclarecido o conhecimento destas coisas ou fatos como um ponto da sabedoria salvadora do homem oculto do seu coração, a fim de que ele visse essa corrupção nativa de forma completa e clara como a causa de todo o pecado e, por conta disso, tomasse isso seriamente em consideração. — *Thomas Goodwin*

v. 6: "E no oculto me fazes conhecer a sabedoria". Uma coisa é ser sábio de cabeça, outra é ser sábio de língua e outra é ser sábio de coração. Não há nada mais corriqueiro na Bíblia do que a exibição da sabedoria que é verdadeira de coração. Ela diz que o próprio Deus é "sábio de coração" (Jó 9.4). Criaturas tolas são como Efraim, "[...] uma pomba enganada, sem entendimento [coração]" (Os 7.11). Podem ter cabeça, noção, brilhante luz e aparência para os outros, mas não têm coração. Não têm a grande obra, mas uma nova cabeça e um velho coração, uma cabeça cheia e um coração vazio, uma confissão clara e ardente e um coração escuro, morto e frio. Aquele que está em tal condição é tolo e tolo errante. — *John Murcot, 1657*

v. 6: "E no oculto me fazes conhecer a sabedoria". Certos estudiosos interpretam assim: "E no oculto me *fizeste* conhecer a sabedoria". Tu fizeste, mas caí da minha alta posição, estraguei a tua obra. "Por um mergulho na concupiscência eu caí e me sujei". — *Arthur Jackson*

v. 6: "Eis que amas a verdade no íntimo, e no oculto me fazes conhecer a sabedoria". A partícula copulativa que liga as duas frases indica a correspondência entre a revelação da vontade divina, em uma parte, e o desejo e oração do coração penitente, na outra. "O que quero, Tu prometeste dar." Arrependimento e fé são os dons de Deus, e a mente despertada está cônscia de que o são. — *Thomas Tregena Biddulph*

vv. 6 a 8: A convicção correta do pecado compreende ser reconhecida não só em nossos trabalhos, mas também em nosso ser. — *Augustus F. Tholuck*

v. 7: "Purifica-me com hissopo". Faço bem em prescrever a Deus aquilo com que Ele me purificará, como se eu conhecesse todos os remédios de Deus como também a Ele? E o que é pior: Eu prescrevo e Ele administra? Dá licença, ó minha alma, pois não é eu que prescrevo a Deus, é Deus que prescreve a mim. Hissopo é a receita divina, e um dos ingredientes prescritos por Ele para a formulação da água de separação para a cura da lepra. [...] Tenho de confessar que fiquei com o coração alegre quando ouvi falar de hissopo. Pensar que eu deveria ser purificado com tanta gentileza, e com algo que pode ser obtido muito facilmente, pois hissopo dá em todo jardim. Então pensei em ir ao jardim apanhar hissopo para me purificar. Mas agora percebo que não se trata deste hissopo sobre o qual Salomão escreveu quando discorreu desde o cedro ao hissopo (cf. 1 Rs 4.33). Este hissopo é a erva da graça que nunca dá em jardim senão no jardim do Paraíso, aonde ninguém pode ir buscá-lo a menos que o próprio Deus o entregue. A verdade é que esse hissopo era, às vezes, um cedro. A mais alta de todas as árvores se tornou o mais baixo de todos os arbustos, só para ser feito este hissopo para nós. Cristo é realmente o verdadeiro hissopo, e o seu sangue é o suco do hissopo, o único que pode purificar os meus pecados. — *Sir Richard Baker*

v. 7: "Purifica-me com hissopo". No original hebraico é תְּחַטְּאֵנִי, e significa propriamente, "expia o meu pecado com hissopo". O salmista está falando sobre a purificação da lepra (Lv 14.52), ou do toque em um corpo morto (Nm 19.19), ambos os quais eram purificados pela aspersão de água e outras coisas com hissopo. — *Samuel Chandler v. 7:* "Hissopo". O *lasaf* ou *asaf*, a alcaparra, a trepadeira verde brilhante que dava nas fissuras das pedras nos vales do Sinai, foi fundamentalmente identificada com grande probabilidade com o "hissopo" ou *ezob* da Bíblia. Isso explica de onde veio os ramos verdes usados, até mesmo no deserto, para a aspersão da água sobre as tendas dos israelitas. — *Arthur Penrhyn Stanley, Doutor em Teologia, "Sinai and Palestine" [Sinai e Palestina]*

v. 7: "Hissopo". Os estudiosos já propuseram entre 20 e 30 plantas, mas ninguém chega tão perto das exigências citadas como a alcaparra (*Capparis spinosa*). Ela "nasce na parede" (1 Rs 4.33). Os talos fornecem ramalhete e vara admiravelmente adequados para os fins indicados. Essa planta sempre foi estimada no Oriente como possuidora de propriedades purificadoras. — *John Duns, Doutor em Teologia, "Biblical Natural Science" [Ciência Natural Bíblica]*

v. 7: "Hissopo". Que pena que a botânica de Salomão se perdeu, na qual ele discorreu sobre as "árvores, desde o cedro que está no Líbano até ao hissopo que nasce na parede"! (1 Rs 4.33). Conhecemos o cedro, mas o que é o "hissopo" do rei botânico? B, certo cônsul francês desta cidade de [Sidom] e entusiasta botânico, mostrou-me duas variedades de hissopo. Uma era chamada de *zatar* pelos árabes, tendo a fragrância do tomilho, com um gosto pungentemente quente e talos longos e esbeltos. Um ramalhete desta planta serviria muito bem para aspergir o sangue pascal e sacrificatório nos umbrais e vergas das portas, e sobre pessoas e casas limpas da lepra. Porém, B pensa que o "hissopo" de Salomão era uma planta verde muito pequena, como o musgo que cobre paredes velhas em lugares úmidos. Duvido disso. A outra variedade também dá em paredes, especialmente nos muros de jardins, e era muito mais provável que chamasse a atenção do estudioso real. — *W. M. Thomson, Doutor em Teologia, "The Land and the Book" [A Terra e o Livro]*

v. 7: A paráfrase deste versículo na versão Caldaica é: "Tu me aspergirás como o sacerdote asperge o impuro com as águas purificadoras, com o hissopo, com as cinzas de uma bezerra ruiva, e ficarei limpo". — *John Morison*

v. 7: "E ficarei mais alvo do que a neve". Mas como é possível? Todos os tintureiros da terra não podem tingir o vermelho de branco. Como, então, é possível que os meus pecados, que são tão vermelhos quanto a escarlata, podem ficar tão brancos quanto a neve? De fato, tal movimento retrógrado não é trabalho da perícia humana. Só pode ser o feito daquEle que fez o sol atrasar dez graus no relógio de Acaz. Deus tem um nitro da graça que não só pode trazer o vermelhidão dos pecados escarlates, mas até mesmo a negridão dos pecados mortais de volta à sua pureza e brancura nativa. Então digamos que seja possível, que necessidade há de tão grande brancura a ponto de ser "mais alvo do que a neve"? A neve não é como *paris dealbatus*, "uma parede pintada, branca por fora, mas imunda por dentro". A neve é branca *intus et in cute*, "por dentro e por fora, em tudo e por toda parte". Que olhos tão esquisitos que somente tal brancura os contenta! Contudo, tal brancura não serve, porque posso ser tão branco quanto a neve e, ao mesmo tempo, ser leproso, como está escrito que Geazi saiu de diante de Eliseu "leproso, branco como a neve" (2 Rs 5.27). Tem de ser, então, "mais alvo do que a neve". Tal brancura é o que o lavar de Deus opera em nós, faz dentro de nós. Não há neve tão branca aos olhos dos homens como é a alma limpa de pecado aos olhos de Deus. Mas é uma brancura ainda mais branca do que esta, pois para sermos purificados do pecado devemos, *induere stolam album*, "vestir o manto branco". Essa é uma brancura como muito mais branca do que a neve, como a brancura angelical é mais do que a elementar. — *Sir Richard Baker*

v. 7: No idioma hebraico, há duas palavras para expressar tipos de lavagem, e sempre são usadas com a mais rígida precisão. Uma significa o tipo de lavagem que penetra a matéria da coisa lavada, purificando-a inteiramente. A outra é usada para expressar o tipo de lavagem que só limpa a superfície da matéria que a água não pode penetrar. A primeira é aplicada à lavagem de roupas. A última é usada para referir-se a lavar alguma parte do corpo. Por meio de uma metáfora bela e forte, Davi usa a primeira palavra neste versículo: "Lava-me, e ficarei mais alvo do que a neve", e no versículo 2: "Lava-me completamente da minha iniquidade e purifica-me do meu pecado". Assim, em Jeremias 4.14, a mesma palavra é aplicada ao coração. — *Richard Mant*

v. 8: "Faze-me ouvir júbilo e alegria". Esse é o amor excedentemente grande do Senhor por seus filhos. Ele não só lhes forneceu uma salvação segura pelo perdão dos pecados em Cristo Jesus, mas também sela no coração deles o testemunho dessa salvação — testemunho dado pelo Espírito Santo de adoção. Tudo isso para que tenham consolação presente, a fim de que não sejam tragados pelo peso de tentações ininterruptas. Embora Deus não fale com todos os seus filhos como falou com Daniel, por meio de um anjo: "Homem muito amado" de Deus (Dn 10.11, ARA), nem como falou com a bendita virgem Maria: "Salve, agraciada" (Lc 1.28), Ele testemunha a mesma coisa no coração dos seus filhos pelo testemunho interior. Quando o ouvem, são avivados. Quando não o têm, não passam de mortos. A alma recusa todas as outras consolações, sejam quais forem. — *William Cowper, 1566-1619*

v. 8: "Faze-me ouvir júbilo e alegria". Como o cristão é o homem mais triste do mundo, assim não há homem mais feliz do que ele. É que o motivo da sua alegria é a maior que há. No que diz respeito à desgraça, era a maior que havia. No que diz respeito ao livramento, era o maior que havia. Então, no que diz respeito à alegria, é a maior que há. Ele foi libertado do inferno e da morte para ser levado para a vida no céu. [...] A pessoa de quem ele busca essa alegria é Deus: "Faze-me ouvir", diz ele. Com isso, Davi nos ensina que essa alegria só vem de Deus. O Senhor é a fonte de alegria e de todo prazer, pois todas as coisas boas vêm do alto (Tg 1.17). As alegrias naturais procedem de fonte natural e carnal. As alegrias espirituais só emanam de Deus. Assim, quem procura as alegrias de baixo procura água quente debaixo de gelo frio. — *Archibald Symson*

v. 8: "Faze-me ouvir júbilo e alegria". É outra referência à expiação do leproso, cuja orelha, polegar e dedo do pé seriam tocados com o sangue da oferta da culpa e com o óleo, para mostrar que as faculdades mentais estavam agora preparadas para o serviço de Deus. Assim, Davi ora para os seus ouvidos sejam santificados para a audição de alegria e júbilo. Isso o coração não santificado jamais pode receber. — *W. Wilson*

v. 8: "Os ossos que tu quebraste". Deus, em favor dos seus filhos, os aflige por causa do pecado. A própria frase "quebrar os ossos", embora expresse intensa desgraça e dor, tem em si esperança, pois ossos quebrados por mãos habilidosas podem ser sarados e readquirir pleno uso e força. A consciência afligida pelos pecados não está irremediavelmente sem esperança. Contudo, nessa esperança, o homem sábio não deve se aventurar no pecado, dizendo: Ainda que eu esteja ferido, posso ser curado. Ainda que eu esteja quebrado, posso ser restaurado. Ele tem de levar estas coisas em consideração:

(1) Quem quebra os ossos: "Tu". É aquEle que fez os nossos ossos, colocou-os nos devidos lugares, uniu-os com ligamentos e cobriu-os de carne. É aquEle que guarda todos os nossos ossos de quebrar. Tem de ser um motivo muito grande para fazê-lo quebrar os ossos de qualquer um de nós. Quando o Deus de toda a consolação, que nos consola em toda a nossa tribulação (cf. 2 Coríntios 1.4), vem nos castigar, faz a tribulação ficar pesada.

(2) A dor da angústia é expressa com tanto sentimento quando os ossos são quebrados que, como se diz, é a angústia da alma pelo pecado, o medo do fogo consumidor da ira de Deus e, como diz Jó, a tempestade da ira.

(3) A dor para colocar os ossos de volta no lugar. Os ossos deslocados podem ser postos de volta nas juntas e, ainda que os ossos quebrados sarem, nada é feito sem dor e grande sofrimento para o paciente.

O arrependimento sara todos os nossos ossos quebrados e doloridos. Protege a alma da angústia do processo de cura. Aquele que já sentiu a dor lancinante do verdadeiro arrependimento, dirá que os prazeres do pecado, que duram só por um momento, são o pior negócio que existe e o mais caro. Custaram-lhe lágrimas que são *sanguis vulnerati cordis*, "o sangue de um coração ferido". Custaram-lhe choros e gemidos que não podem ser expressos. Custaram-lhe vigília, jejum, domesticação do corpo para colocá-lo em sujeição, chegando até mesmo à crucificação da carne com as suas concupiscências. Portanto, que ninguém arrisque os ossos na esperança simplória de que eles saram. — *Samuel Page*

v. 8: "Para que gozem os ossos que tu quebraste". O desprazer que Deus expressou contra os pecados de que o salmista era culpado, e a profunda sensação que este tivera da natureza agravante deles, encheram-no de dores e angústias a ponto de compará-las à intensa tortura mental que sentiria tivessem todos os seus ossos sido esmagados. A palavra hebraica no original, דִּכִּיתָ, significa "mais do que quebrado", ou seja, "ser triturado completamente". Ele compara a alegria que produziria em sua mente o fato de Deus declarar-se totalmente reconciliado com ele com o prazer inconcebível que surgiria pelo restabelecimento instantâneo e cura dos ossos, depois de terem sido quebrados, despedaçados e esmagados. — *Samuel Chandler*

v. 9: "Esconde a tua face dos meus pecados". O verbo סָתַר significa, propriamente, "vendar", "cobrir com véu", "esconder com véu". — *Samuel Chandler*

v. 9: "Esconde a tua face dos meus pecados". No terceiro versículo, Davi disse que o seu pecado estava sempre diante dele. Neste, ele ora para que Deus o tire de diante dele. É uma sequência muito boa. Se mantivermos os pecados diante dos olhos para caçá-los, Deus os lançará para trás das costas a fim de perdoá-los. Se nos lembramos deles e nos arrependermos, Deus os esquecerá e perdoará. Caso contrário, *peccatum unde homo non avertit, advertit Deus: et si advertit, animadvertit*, que significa "o pecado do qual o homem não se desvia, Deus olha. E se Ele olhar, com certeza o castigará". — *William Cowper*

v. 9: "Todas as minhas iniquidades". Veja como um pecado traz à lembrança muitos milhares, os quais ainda que estejam adormecidos há tanto tempo, como uma dívida latente, não sabemos quando poderão ser levados em conta. Certifique-se de ter recebido o perdão geral, e preste atenção para não adicionar novos pecados aos velhos. — *John Trapp*

v. 10: "Cria em mim, ó Deus, um coração puro". Tu que criaste do nada o primeiro céu e a primeira terra! Tu que criaste o novo céu e a nova terra (onde habita a justiça), quando o pecado tornara a criatura pior do que tudo! Tu que criaste a nova criatura, o novo homem apropriado para ser habitante do novo mundo, da nova Jerusalém! Tu que disseste: "Eis que faço novas todas as coisas" (Ap 21.5), "cria em mim", até mesmo em mim, "um coração puro e renova em mim um espírito reto". — *Matthew Lawrence*

v. 10: "Cria em mim, ó Deus, um coração puro e renova em mim um espírito reto". Davi ora para que o Senhor crie nele um coração novo, não para corrigir o coração velho, mas para criar nele um coração novo. Ele dá a entender que o seu coração era como uma roupa velha, tão podre e esfarrapada que não dava mais para consertar ou remendar. Tinha de ser tirada para que uma nova fosse recebida. Paulo disse: "Que [...] vos despojeis do velho homem" (Ef 4.22). Não era para apanhar o velho homem e lavá-lo até ficar limpo, mas tinha de ser descartado e começado de novo, como Davi fez. Você sabe qual é esse renovo? É a reparação da imagem de Deus até que sejamos como Adão quando ele habitava no Paraíso. Como há um velho homem inteiro, assim tem de haver um novo homem inteiro. O velho homem tem de ser trocado pelo novo homem, sabedoria por sabedoria, amor por amor, medo por medo. A sabedoria mundana tem de ser trocada por sabedoria divina, o amor carnal por amor espiritual, o medo servil por medo cristão, os pensamentos ociosos por pensamentos santos, as palavras vãs por palavras saudáveis, as obras da carne pelas obras da santificação. — *Henry Smith*

v. 10: "Cria em mim, ó Deus, um coração puro". Criar, propriamente dito, é fazer do nada, e aqui a palavra é usa impropriamente. O profeta fala conforme os seus sentimentos e julgamento vigente, como se tivesse perdido tudo e não houvesse bondade nele. Sem dúvida, o coração do profeta era em parte puro, embora não tanto quanto desejava. Depois desta introdução, surge uma indagação. *Pergunta:* Davi podia ter perdido a pureza de coração, tendo-a recebido uma vez? *Resposta:* Não. Os dons e o chamado de Deus, que são (em minha opinião) os dons da chamada eficaz, são de tal qualidade a ponto de Deus jamais se arrepender deles ou retirá-los. A fé, a esperança e o amor são dons permanentes tão certo quanto a eleição de Deus é inalterável. De fato, os filhos de Deus, se os considerarmos apenas neles mesmos com os seus inimigos, cairiam. Mas por estarem fundados na natureza inalterável de Deus e na imutabilidade do seu conselho, não caem. As portas do inferno não prevalecem contra eles, os eleitos não podem ser enganados ou arrancados das mãos de Cristo. É certo que Davi não deixou a primeira pureza. Sem dúvida, o seu coração o golpeava (como aqui), pois golpeando-o diante de questões de menos importância, não estava completamente sem pureza. Repito, ele não podia orar por purificação se não estivesse um tanto quanto puro. Este fato é muito certo: Muita impureza surge na alma por meio de pecados graves, como a árvore perde folhas e alguns ramos por causa de um vento impetuoso, para que a parte pecadora revele grandes emoções quase como se ele tivesse perdido tudo. Mas o fato de desejar a graça mostra infalivelmente que o salmista tinha alguma graça desse tipo. O profeta não deseja um coração puro, porque não ter nada do tipo, mas porque não estava percebendo muito bem essa pureza nele e nem o consolo como antes experimentara. Por isso, desejava uma porção maior do que tinha agora. Pessoas cultas e ricas não se acham cultas e ricas em relação ao que desejam. Quando o sol está a pino, a lua *parece não ter luz. — George Estey, "Certaine Godly and Learned Expositions" [Certas Exposições Religiosas e Cultas]*

v. 10: "Cria em mim, ó Deus, um coração puro e renova em mim um espírito reto". Essa "criação" é do nada. Para falar da nossa criação, Davi usa a mesma palavra que Moisés usou para falar sobre a criação dos céus e da terra (Gn 1.1). A nossa criação "em Cristo Jesus" não é mero fortalecimento da nossa força, nem mera ajuda para a nossa fraqueza natural pelo poder da graça de Deus. Não se trata de simples emenda e melhoria dos hábitos morais. É uma criação do nada, daquilo que não tínhamos antes. Não havia nada em nós pelo qual algo fosse criado. Estávamos arruinados, corrompidos, mortos em transgressões e pecados. O que está morto não fica vivo, exceto pela infusão do que não havia. O que está podre não recebe saúde, exceto falecendo para ser trocado por uma nova produção. O "velho homem" não passa para o "novo homem", mas é despojado. Não é a base da nova vida, mas um obstáculo. Tem de ser despojado para que o novo homem seja revestido, assim somos "criados em Cristo Jesus" (Ef 2.10; 4.22-24). — *E. B. Pusey, Doutor em Teologia, 1853*

v. 10: "Cria em mim, ó Deus, um coração puro". Davi usou a palavra hebraica *bara*, "criar", termo reservado exclusivamente para referir-se à obra de Deus. Com isso, o salmista mostra que a mudança que ele precisava só Deus podia fazer. — *Christopher Wordsworth*

v. 10. "Um coração puro". O sacerdote tinha a obrigação de fazer um rígido exame da pele do leproso para poder pronunciá-lo limpo. Davi pede que o seu coração seja limpado por Deus. — *W. Wilson*

v. 10: "Um espírito reto". "Um espírito firme", ou seja, uma mente firme para seguir o caminho do dever. — *W. French* e *G. Skinner*

vv. 10 a 12: Quem tinha de fazer este trabalho? Não ele, só Deus. Por isso, ora: "Ó Deus, cria. Ó Senhor, renova. Sustém pelo teu Espírito". — *Adam Clarke*

v. 11: "Não me lances fora da tua presença". Davi implorou antes que o pecado o matasse e o tornasse como morto, desejando um coração ou espírito vivificado. Agora, como os mortos são execrados pelos vivos, ele teme que o Senhor o expulse da sua presença como uma coisa morta e detestável. Com isso, aprendemos que esse é um dos castigos justos pelo pecado. Ele faz com que o homem seja expulso da face de Deus. Vemos, assim, como são caríssimos os prazeres do pecado quando o homem, para desfrutar a face da criatura, se priva da face consoladora do Criador. Foi o que aconteceu com Davi, pois o amor carnal da face de Bate-Seba pôs o salmista em perigo e ele teve ser lançado para fora da presença do Senhor, seu Deus. Se o homem pudesse se lembrar disto durante as tentações de Satanás, o que é que o Enganador oferece e o que é que ele busca, o homem seria avesso em comprar os prazeres perecíveis do pecado pelo preço que Satanás vende, e lhe daria a resposta que o apóstolo deu ao mágico Simão: "O teu dinheiro seja contigo para perdição" (At 8.20). O teu ganho, a tua glória, o teu prazer e tudo que me darias para pecar contra o Senhor, meu Deus, seja contigo para perdição, pois o que tu podes me oferecer comparável ao que tu me roubastes?

Mas por que Davi ora: "Não me lances fora da tua presença"? Pode o homem ser lançado de algum modo para fora dessa presença? Não, disse ele sobre si mesmo: "Para onde poderia fugir da tua presença?" (Sl 139.7, NVI). A resposta está em distinguirmos duplamente a presença. Uma é a presença em misericórdia, com a qual ele refrigera e consola os que lhe pertencem. É a presença que desfrutam interruptamente os que estão no céu. A outra é a presença em ira, por meio da qual Ele terrifica e atormenta sem interrupção os malditos no inferno. Quanto aos que estão na terra, é certo que Deus está descontente com muitos que, por não lhe verem a face irada, não a levam em consideração, apoiados pelos divertimentos temporais da criatura que não lhes valerá de nada. Há muitos a quem Deus olha como um Pai amoroso em Cristo, mas que não lhe veem a face misericordiosa por causa dos muitos véus interpostos. Mas para aqueles que outrora sentiram a doçura da divina face de amor é morte não tê-la. — *William Cowper*

v. 11: "Não me lances fora da tua presença". Como o leproso que era banido da sociedade até ser limpo ou como Saul que foi rejeitado como rei, porque não obedeceu à Palavra do Senhor (1 Sm 15.23). Davi não podia deixar de sentir que as suas transgressões teriam merecida rejeição semelhante. — *W. Wilson*

v. 11: "Não me lances fora". Senhor, embora eu infelizmente te lancei fora, não me lances fora. Não escondas a tua face de mim, ainda que muitas vezes eu tenho recusado olhar para ti. Não me deixes sem ajuda para eu morrer em meus pecados, apesar de outrora eu ter te deixado. — *Fra Thome de Jesu v. 11:* "E não retires de mim o teu Espírito Santo". As palavras deste versículo implicam que o Espírito não fora retirado dele completamente. Porém, muitos dos seus dons foram temporariamente obscurecidos. [...] Em um ponto ele caiu em letargia mortal, mas Deus não o "entregou a um sentimento perverso" (Rm 1.28). É difícil conceber que a repreensão do profeta Natã operasse tão facilmente e tão de repente esse despertamento, caso não lhe restasse uma faísca oculta de temor a Deus. [...] A verdade que estamos insistindo é importante, pois muitos estudiosos imprudentemente aventaram a opinião de que os eleitos, quando caem no pecado mortal, podem perder totalmente o Espírito e ser apartado de Deus. Pedro, de maneira exata e clara, afirma o contrário, dizendo que a palavra pela qual nascemos de novo é uma semente incorruptível (1 Pe 1.23). João é igualmente explícito ao nos informar que os eleitos são guardados de cair completamente (1 Jo 3.9). Por mais que por certo tempo pareça que foram rejeitados por Deus, vemos depois que a graça estava viva no peito até mesmo durante o período em que parecia extinta. Também não há força no argumento de que Davi fala como se temesse poder ser privado do Espírito. É natural que os santos, quando caem em pecado e fazem todo o que podem para expelir a graça de Deus, sintam ansiedade a esse respeito. O dever dos santos é manterem-se firmes à verdade de que a graça é a semente incorruptível de Deus, a qual jamais pode morrer no coração em que é plantada. Esse é o espírito mostrado por Davi. Refletindo sobre o pecado, ele fica agitado por medos e temores. Mas mesmo assim, descansa na convicção de que, sendo filho de Deus, não será realmente privado do que, com justiça, ele perdeu. — *João Calvino*

v. 12: "Torna a dar-me". Não é pequeno consolo para o homem que perdeu o recibo da dívida paga, quando ele lembra que o homem com quem negociou é uma pessoa boa e justa, ainda que o pagamento quitado não seja achado. O Deus com quem você negocia é muito benevolente. O que você perdeu, Ele está pronto a tornar a dar (quero dizer a evidência da graça em você). Davi pediu e recebeu. Sim, diz a fé, mesmo que seja verdade o que você teme, ou seja, que a graça em você nunca foi verdadeira, ainda há bastante misericórdia no coração de Deus para perdoá-lo de toda essa hipocrisia anterior, se você chegar-se a Ele com sinceridade de coração. A fé convence a alma por um ato de aventura, lançando-se sobre Deus em Cristo. Você, diz a fé, não esperará achar misericórdia nas mãos de Deus tanto quanto você procura nas mãos dos homens? Não está acima da linha da misericórdia criada perdoar uma multidão de crueldade, falsidade e infidelidade, em um reconhecimento humilde e sincero disso. O mundo não é tão mau, pois há muitos pais que fazem exatamente isso com os filhos e muitos senhores, com os criados. Será difícil para Deus fazer o que é tão fácil para as criaturas que Ele criou? A fé defende o nome de Deus. Contanto que não percamos de vista o coração misericordioso de Deus, a nossa cabeça será mantida sobre a água, ainda que careçamos de evidência da graça que há em nós. — *William Gurnall*

v. 12: "Torna a dar-me a alegria da tua salvação e sustém-me com um espírito voluntário". Como Deus pode tornar a dar o que Ele não tirou? Posso acusar Deus de ter tirado de mim a alegria da salvação? Ó gracioso Deus, não te acuso de a tirares, pois eu mesmo a perdi. Esta é a condição infeliz de nós, miseráveis: Se Tu tornares a nos dar não mais do que aquilo que tiraste de nós, logo estaremos em falta de nossos bens e a ruína será tão súbita quanto inevitável. Mas por que desejo tanto receber de volta a alegria da salvação? Que bem me fará recebê-la de volta? Como a guardarei melhor do que guardei antes de desfrutá-la? Se eu a desfrutar, quando ainda temo perdê-la, que alegria haverá em tal desfrute? Não me tornes a dá-la apenas, mas "sustém-me com um espírito voluntário", para que, ao recebê-la de novo de ti, eu desfrute dela por inteiro, e ao ser sustentado por ti, eu desfrute dela com firmeza. — *Sir Richard Baker*

v. 12: "Sustém-me". Sou propenso a pensar que agora sou um cristão restaurado, que venci esta ou aquela concupiscência tantas vezes que adquiri o hábito da graça oposta, de forma que não há mais medo. Posso me arriscar e chegar bem perto da tentação, mais perto do que as pessoas chegam. Essa é uma mentira de Satanás. Posso também falar de pólvora obtida pelo hábito do poder de resistência ao fogo, de forma a ficar não reagente a faíscas. Contanto que a pólvora esteja molhada, ela resiste à faísca. Mas quando seca, está pronta a explodir ao primeiro contato. Contanto que o Espírito habite em meu coração, Ele me amortece contra o pecado, de forma que se eu for legalmente chamado pela tentação, posso recorrer a Deus para ajudar-me a vencer. Mas quando o Espírito me deixa, sou como pólvora seca. Oh, que sejamos sábios! — *Robert Murray M'Cheyne*

v. 12: "Sustém-me com um espírito voluntário". A mãe amorosa escolhe o lugar apropriado e o momento certo para deixar o filhinho cair. Ele está aprendendo a andar, está adquirindo confiança. Ele pode ir a um lugar perigoso e, possuído de toda essa confiança, cair e se machucar. Por isso, ela permite que caia em determinado lugar e de certo modo a sentir pequena dor, uma dor saudável e benéfica, mas de forma alguma perigosa. Agora ele perdeu a confiança própria, mas se agarra ainda com mais amor e confiança às mãos fortes que podem sustentá-lo em todos os passos. Assim Davi, esse pequeno filho do grande Deus, caiu. Foi uma queda dolorosa, todos os ossos se quebraram, mas foi uma lição preciosa e útil para ele. Agora, o salmista não tem mais confiança em si, pois a confiança não está agora no braço de carne. "Sustém-me com um espírito voluntário." — *Thomas Alexander*

v. 12: "Sustém-me com um espírito voluntário". Em outras palavras: "Que um espírito voluntário me sustente", quer dizer, não permitas que eu seja escravizado, como fui, pelas minhas paixões pecaminosas. — *Henry Dimock, Mestre em Ciências Humanas, 1791*

v. 13: "Então, ensinarei aos transgressores os teus caminhos, e os pecadores a ti se converterão". Vemos o dever que nos foi dado quando, tendo recebido a misericórdia de Deus por nós, somos beneficiados para a edificação dos outros. Todo talento recebido de Deus deve ser colocado em proveito dos outros, mas sobretudo o talento da misericórdia. Tendo em vista que é o maior talento, o Senhor exige o maior fruto, tanto para a sua glória como para a edificação de nossos irmãos. Considerando que somos vasos de misericórdia, o cheiro e a doce fragrância da misericórdia não devem exalar de nós? Este foi o dever que Jesus deu para Pedro: "E tu, quando te converteres, confirma teus irmãos" (Lc 22.32). E como Davi aqui promete, podemos saber como ele cumpriu esse dever: "Vinde e ouvi, todos os que temeis a Deus, e eu contarei o que ele tem feito à minha alma" (Sl 66.16). A qualidade inerente do cristão é *fides per delectionem efficax*, "a fé opera pelo amor". De que vale fingir ter fé em Deus quando não temos amor pelo próximo? Em que o amor pode ser declarado mais do que isso: Atrair as pessoas para participarem do mesmo mérito para o qual Deus nos chamou? Pela Lei, a pessoa era obrigada a levar para casa o animal perdido do vizinho caso o encontrasse. Quanto mais, então, devemos levar as pessoas a caírem em si quando estão perdidas do Senhor, de seu Deus? Se dois homens andando pelo caminho caem em um buraco, mas um deles consegue sair, continua a viagem e se esquece do amigo, não seria uma rematada, bárbara e desumana crueldade? Todos nós caímos no mesmo lodo de iniquidade. Já que o Senhor estendeu a mão misericordiosa para nos tirar dessa prisão de pecado, recusaremos a estender a mão para ver se podemos trazer conosco os nossos irmãos? — *William Cowper* (Bispo) *v. 14:* "Livra-me dos crimes de sangue". Em hebraico, o termo "sangue" pode denotar crime capital. Em minha opinião, o salmista está aludindo à sentença de morte, para a qual ele se sentia detestável e da qual ele pede livramento. — *João Calvino*

v. 14: "Livra-me dos crimes de sangue". A versão Caldaica diz: "Livra-me do julgamento de assassinato".

v. 14: "Ó Deus, Deus da minha salvação". "Ó Deus" é boa invocação, porque Ele ouve as orações. Para separá-lo de todos os falsos deuses, Davi é tão minucioso a ponto de distingui-lo de todos os outros: "Deus". Para enaltecê-lo e reforçar o pedido, o salmista o chama de *Deum salulis*, "o Deus da salvação", que o expressa apto para livrá-lo, pois é da sua natureza, amor e glória ser preservador dos homens. Para levar essa alegria e consolo ao próprio coração, ele adiciona: *salutis meae*, "da minha salvação". Assim é *oratio fervens*, e o apóstolo fala que tal oração prevalece muito para com Deus. Mesmo que Deus seja Salvador e Libertador, podemos fugir da sua mão salvadora, escapulir da sua mão direita. Podemos não ter o consolo dos favores de Deus, a menos que o apliquemos em casa. Podemos, mais exatamente, "pensar em Deus e ficar incomodados". — *Samuel Page*

v. 14: "E a minha língua louvará altamente a tua justiça". Hierom, Basílio, Eutêmio e outros antigos mestres observam que as corrupções naturais e os pecados vigentes são as barreiras que detêm a passagem livre dos cânticos (v. 15). Assim o próprio Davi se expõem: "Livra-me dos crimes de sangue, ó Deus, Deus da minha salvação, e a minha língua louvará altamente a tua justiça". A sua ingratidão clamava, o seu adultério clamava, o seu assassinato clamava ao Senhor por vingança. Mas ele próprio estava calado, até que Deus em tão grande misericórdia fechou a boca dos adversários clamorosos, e lhe deu licença para falar. — *John Boys*

v. 14: "Altamente" para Deus, para ele mesmo e para os outros.

(1) Para Deus. Para proclamarem a honra e a glória divina, eles utilizaram a voz de instrumentos de tons altos e baixos.

(2) Para ele mesmo. Tendo recebido tal benefício, Davi não consegue se conter. Esse vinho novo de alegria espiritual que lhe encheu o vaso tem de ter vazão. Todas as emoções são expressas altamente. A ira repreende altamente, a tristeza chora altamente, o medo grita altamente e a alegria canta altamente. Assim o salmista exprime a veemência do que sente, pois "aquele a quem pouco é perdoado pouco ama" (Lc 7.47).

(3) Para os outros. "O ferro com o ferro se aguça" (Pv 27.17). Exemplos de zelo e devoção impactam muito. Reuniões solenes e públicas oferecem em geral o melhor serviço a Deus, porque um provoca o outro. — *Samuel Page*

v. 15: "Abre, Senhor, os meus lábios, e a minha boca entoará o teu louvor". Como o homem é um pequeno mundo no grande mundo, assim a língua é um grande mundo no pequeno mundo. Disse Jerônimo: *Nihil habet medium; aut grande malum est, aut grande bonum*, que significa "não tem meio termo, ou é um grande mal ou um grande bem". Se for bom, é (como disse Eunápio acerca do famoso retórico) "uma biblioteca ambulante", uma universidade inteira de sabedoria edificante. Mas se for ruim, é (como fala o apóstolo) um "mundo de iniquidade" (Tg 3.6). Não há prato melhor para o serviço público de Deus, quando está bem temperado. Repito, não há nada pior, quando é mal tratado. De forma que, se desejamos ser porteiros da casa de Deus, peçamos primeiro que Deus seja o porteiro de nossa casa, para que ele feche o postigo da nossa boca contra palavras insípidas e abra a porta dos nossos lábios e, assim, "a minha boca entoará o teu louvor". Essa era a oração de Davi e deve ser a nossa prática. Sobre isso faço três observações especiais: Quem?

O "Senhor". O quê? "Abre [...] os meus lábios." Por quê? "E a minha boca entoará o teu louvor." Primeiramente, o homem por si mesmo não pode desamarrar as cordas da própria língua gaga, pois só Deus abre "a porta da palavra" (Cl 4.3). Quando temos um pensamento bom, é (como a faculdade ensina) *gratia infusa*. Quando temos uma palavra boa, é *gratia effusa*. Quando temos um trabalho bom, é *gratia diffusa*. O homem é a fechadura e o Espírito de Deus tem a chave "que abre, e ninguém fecha, e fecha, e ninguém abre" (Ap 3.7). Foi o Espírito de Deus que abriu o coração de Lídia para que ficasse bem atenta, os ouvidos do profeta para este ouvir bem, os olhos do servo de Eliseu para ver bem — e aqui, abriu os lábios de Davi para falar bem (At 16.14; Is 50.4; 2 Rs 6.17). Ainda que no versículo 14 Davi parecia demasiadamente peremptório, dizendo: "A minha língua louvará altamente a tua justiça", ele, por assim dizer, se corrige com esta edição posterior e segundo discurso: Ó Senhor, eu me acho muito incapaz de cantar ou dizer, mas "abre, Senhor, os meus lábios", toca na minha língua e então, com certeza, "a minha boca entoará o teu louvor". — *John Boys*

v.15: "Abre, Senhor, os meus lábios, e a minha boca entoará o teu louvor". Mais uma vez, o salmista dá a impressão de ter em mente o caso do leproso que, com o lábio superior coberto, clamava unicamente: imundo, imundo. Ele ora como um leproso espiritual que venha a ser autorizado, com liberdade e plenitude, a entoar os louvores do seu Deus. — *W. Wilson*

v. 15: "Abre, Senhor, os meus lábios". Ele ora para que os seus lábios sejam abertos. Em outras palavras, que Deus lhe dê tema de louvor. O significado normalmente ligado à expressão é que Deus dirigiria a língua de Davi, pelo Espírito, de modo a tornar o salmista apto para cantar-lhe louvores. É verdade que Deus tem de nos suprir com palavras, pois, caso Ele não o faça, ficaremos calados em seus louvores. Pelo visto, Davi quer dizer que a sua boca ficará fechada até que Deus o chame ao exercício de dar graças oferecendo-lhe o perdão. — *João Calvino*

v. 16: "Porque te não comprazes em sacrifícios, senão eu os daria; tu não te deleitas em holocaustos". Pode haver outra razão por que Davi afirma que Deus não aceitaria sacrifícios, nem ser agradaria com holocaustos. A Lei de Moisés não estipulava um sacrifício específico para expiar a culpa de assassinato e adultério. A pessoa que cometia tais crimes era, de acordo com a Lei divina, punida com a morte. Podemos entender que Davi está declarando que lhe era totalmente inútil pensar em recorrer a sacrifícios e holocaustos com vistas a expiar a culpa que tinha. O salmista sabia que a criminalidade cometida por ele era de tal caráter que a lei cerimonial nada previra para o livramento da punição terrível que as ações de horror mereciam. Os únicos sacrifícios, imaginou ele, que o ajudariam eram os mencionados no versículo seguinte: "Os sacrifícios para Deus são o espírito quebrantado". — *João Calvino*

v. 16: "Senão eu os daria". E boa razão é que nós, que estamos diariamente junto a porta formosa do Templo mendigando esmolas do Senhor e recebendo-as da sua mão aberta, que abriu a mão e encheu com a sua fartura todo ser vivente, não pensemos muito em lhe devolver tais ofertas de nossos bens como a Lei requer. — *Samuel Page*

vv. 16 e 17: "Porque te não comprazes em sacrifícios, senão eu os daria; tu não te deleitas em holocaustos. Os sacrifícios para Deus são o espírito quebrantado; a um coração quebrantado e contrito não desprezarás, ó Deus". Estava eu pensando no que era conveniente oferecer a Deus por toda a bondade que ele tem me mostrado. Pensei em sacrifícios, porque, às vezes, lhe foram agradáveis e, às vezes, exalaram um cheiro agradável. Mas concluí que os sacrifícios eram apenas sombra das coisas por vir, pois "as coisas velhas já passaram; eis que tudo se fez novo" (2 Co 5.17). As sombras passaram, e os corpos que faziam sombra entraram no lugar. Os bois que hoje têm de ser sacrificados são os nossos corações. Seria mais fácil eu lhe dar bois para sacrifício do que lhe dar o meu coração. Mas por que eu lhe ofereceria coisas que Ele não quer? O meu coração, eu sei, Ele quer. Se for quebrado e oferecido com penitência e contrição, é o único sacrifício no qual hoje Deus se compraz. Mas será que Deus aceitaria um coração quebrado? Uma coisa que está quebrada serve para alguma coisa? Podemos beber em um copo quebrado? Podemos nos apoiar em uma bengala quebrada? Mas embora as outras coisas fiquem piores quando quebram, o coração nunca é melhor até que seja quebrado. Só depois de quebrado é que vemos o que há dentro. Sem ser quebrado, não pode exalar o seu mais agradável cheiro. Ainda que Deus ame o coração que é inteiro em afeto a Ele, Ele ama o coração quebrado em seu sacrifício. Não admira, então, constatarmos que é Deus que o quebra, pois nada mais que o sangue de bodes pode quebrar o que é duro como diamante, assim nada mais que o sangue do nosso bode expiatório, Jesus Cristo, pode quebrar o nosso coração duro como diamante. Aceita, então, ó Deus, o meu coração quebrado, que ofereço a ti de todo o coração, visto que Tu não podes desprezá-lo por estar inteiro, o qual é quebrado em sacrifício a ti, nem desprezá-lo por estar quebrado, o qual é inteiro em afeto a ti. — *Sir Richard Baker*

v. 17: "Os sacrifícios para Deus são o espírito quebrantado; a um coração quebrantado e contrito não desprezarás, ó Deus". Ao falar sobre gratidão, esperaríamos que o salmista dissesse: "um coração alegre" ou "um coração grato", mas ele disse: "um coração [...] contrito". A alegria do perdão não bane a tristeza e a contrição pelo pecado. Isso ainda continua. Quanto mais profunda a sensação de pecado e mais verdadeira a tristeza por ele, mais sincera também será a gratidão pelo perdão e reconciliação. O coração terno, humilde, quebrantado é a melhor oferta de gratidão. — *J. J. Stewart Perowne*

v. 17: Observemos que a segunda palavra, נִדְכֶּה, a qual foi traduzida por "contrito", denota o ser machucado e despedaçado, como uma coisa que é pisada no gral (Nm 11.8). Portanto, em sentido moral, significa um peso de tristeza que esmaga a mente com força e de forma total sem alívio eficaz e adequado. — *Samuel Chandler*

v. 18: "Segundo a tua boa vontade". Seja o que for que busquemos sempre deve ser buscado de acordo com esta restrição: "A tua boa vontade". Edifica, Senhor, mas edifica segundo o teu sábio tempo e da tua boa maneira. Edifica os muros de separação que dividem a igreja do mundo. Que sejam muros *no* mundo e não *do* mundo. Guarda-os do seu mal. Edifica os muros que amarram, que unem o teu povo em uma cidade, sob uma sociedade politicamente organizada, para que todos sejam um. Edifica e demole. Demole todos os muros internos que dividem o teu povo do teu povo. Apressa o dia em que, como há um só Pastor, assim haverá um só aprisco. — *Thomas Alexander*

vv. 18 e 19: "Abençoa a Sião, segundo a tua boa vontade; edifica os muros de Jerusalém. Então, te agradarás de sacrifícios de justiça, dos holocaustos e das ofertas queimadas; então, se oferecerão novilhos sobre o teu altar". Certos intérpretes judeus cultos, enquanto atribuem o salmo à época do fato mencionado no título, conjeturam que os versículos 18 e 19 foram adicionados por algum trovador judeu, no tempo do cativeiro babilônico. Essa opinião também é defendida por Venema, Green, Street, French e Skinner. Não há, porém, razão suficiente para referir o poema, quer no todo ou em parte, àquele período. Nem os muros de Jerusalém, nem os edifícios de Sião, como o palácio real e a construção magnífica do Templo, que sabemos que Davi já previra para o culto a Deus (2 Sm 7.1ss), foram concluídos durante o seu reinado. Isso só se sucedeu no reinado de Salomão, seu filho (1 Rs 3.1). A oração no versículo 18 tem referência particular à inauguração desses edifícios, sobretudo à edificação do Templo, no qual sacrifícios de magnitude sem precedente foram oferecidos. Os medos de Davi facilmente lhe sugerem que os crimes cometidos poderiam evitar a construção do Templo, o qual Deus prometera que seria construído (2 Sm 7.13). "O rei não se esquece", observa o bispo Horne, "de pedir misericórdia para o seu povo como também para si mesmo, a fim de que nem os pecados dele nem os dos seus obstassem a construção e desenvolvimento da Jerusalém terrena, ou, o que era de importância infinitamente maior, as bênçãos prometidas do Messias, que tinham de proceder dele para erigir os muros da Nova Jerusalém." — *James Anderson, "Note to Calvin" [Nota para Calvino], in loc.*

SUGESTÕES AOS PREGADORES

[O salmo está tão evidentemente cheio de sugestões para sermões que não procurei oferecer nada da minha lavra, mas meramente inseri uma seleção de George Rogers e outros estudiosos.]

v. 1. (1) A oração: (a) Por misericórdia, não por justiça. A misericórdia é o atributo do pecador e faz parte da natureza divina tanto quanto a justiça. A possibilidade do pecado está implícita na sua existência. A existência do pecado está implícita na exibição. (b) Por perdão, não meramente por piedade, mas por remissão. (2) O argumento: (a) Perdão para grandes pecados por causa das grandes misericórdias e benignidade. (b) Muitos pecados por causa da multidão de misericórdias. (c) Pecados merecedores do inferno por causa das ternas misericórdias. Nós que pecamos somos humanos, Deus que perdoa é divino.

Grandioso Deus, de natureza ilimitada
Que em perdão tua graça seja encontrada

v. 3. (1) Confissão: "Eu conheço as minhas transgressões". (2) Humilhação: "O meu pecado está sempre diante de mim". Não é mera confissão com os lábios, mas o meu pecado está sempre diante de mim, mostrando a minha culpa, contaminação, consequências nesta vida e na futura.

vv. 3, 4, 11, 12, 17. (1) A avaliação bíblica do pecado: (a) Avaliado como prestação de contas pessoal: "O meu pecado". (b) Avaliado como odioso a Deus: "Contra ti, contra ti somente pequei". (c) Avaliado como separação de Deus: "Não me lances fora da tua presença". (2) A restauração espiritual. O primeiro passo é o sacrifício de um espírito quebrantado: "O espírito quebrantado". O último passo é o Espírito de liberdade: "Com um espírito voluntário". — *Frederick William Robertson*

v. 4. (1) A pessoa: Eu. (2) O cometimento: "Fiz". (3) A transgressão: "Mal". (4) A particularidade: "O que". (5) A ousadia: "A teus olhos". — *Samuel Page*

v. 4. "Contra ti". (1) Ti, um Deus santo, um Deus de olhos puros e que não suporta ver a iniquidade. (2) Ti, um Deus justo que castiga o pecado. (3) Ti, um Deus Todo-Poderoso. (4) Ti, um Deus gracioso. — *Thomas Horton*

v. 4. (1) Autocondenação: (a) Por causa da grandeza do pecado. Não meramente contra si mesmo ou contra os outros, mas contra Deus. Isso inclui toda a culpa, pois tudo é contra Deus. (b) Por causa da audácia do pecado: "A teus olhos". (2) Justificação divina: (a) Na permissão do pecado. (b) No castigo do pecado. (c) No perdão do pecado. Deus tem de ser justificado, quando justifica os descrentes.

v. 6. Ver a obra de Thomas Goodwin intitulada "An Unregenerate Man's Guiltiness before God, in respect of Sin and Punishment" [A Culpa do não Regenerado diante de Deus, em relação ao Pecado e Castigo], livro ix, capítulos i e ii [Edição de Nichol, vol. X., pp. 324 a seguir.]

v. 7. Aqui há: (1) Fé no fato da expiação pelo pecado: "Ficarei puro". (2) Fé no método da sua aplicação: "Purifica-me com hissopo", "lava-me". Aspergido como o sangue dos sacrifícios. (3). Fé na sua eficácia: "Ficarei mais alvo do que a neve".

v. 10. (1) A mudança a ser efetuada: (a) Um coração puro. (b) Um espírito reto. (2) O poder pelo qual a mudança é realizada: (a) Um poder criativo, como o que criou o mundo no princípio. (b) Um poder renovador, como o que renova continuamente a face da terra. (3) A aquisição destas bênçãos. A oração: "Cria", "renova".

v. 11. "Não me lances fora da tua presença": (1) Não sou lançado fora e ficaria grato. (2) Mereço ser lançado fora e deveria demonstrar arrependimento. (3) Tenho medo de ser lançado fora e tenho de ser suplicante. "Não me lances fora": (1) Da tua presença protetora para o perigo. (2) Da tua presença amorosa para a ira. (3) Da tua presença alegre para a angústia. (4) Da tua presença abundante para a penúria. (5) Da tua presença graciosa para o desespero. O pecado nos afasta fortemente de Deus, mas a graça nos impele aos seus braços. O pecado separa e a graça une, Deus e a alma. — *W. Jackson*

v. 11. (1) Há muita consolação na muita aflição: "Não me lances fora da tua presença". A consciência de ainda ter a presença divina e o medo de perdê-la incentiva a oração. (2) Há muita fé no muito medo: "Não retires de mim o teu Espírito Santo". A fé no espírito opera naquele enquanto ele teme.

vv. 12 e 13. Um desejo em três partes: (1) Ser feliz: "Torna a dar-me a alegria da tua salvação". (2) Ser consistente: "Sustém-me com um espírito voluntário". (3) Ser útil: "Ensinarei aos transgressores os teus caminhos, e os pecadores a ti se converterão". — *W. Jackson*

v. 13. (1) Não é o nosso dever buscar a conversão dos outros até que nós mesmos sejamos convertidos. (2) Quanto maior prazer temos nos caminhos de Deus, mais fiel e sinceramente os anunciaremos aos outros. (3) Quanto mais fiel e sinceramente os anunciarmos aos outros, mais eles serão influenciados por eles.

v. 15. (1) Confissão. Os lábios do salmista estão fechados por causa: (a) Da queda no pecado — e com razão. (b) Da timidez natural. (c) Da falta de zelo. (2) Petição. "Abre, Senhor", não somente o meu entendimento e o meu coração, mas também "os meus lábios". (3) Decisão. Então, ele falaria livremente sobre os louvores de Deus.

v. 15. (1) Quando Deus não abre os nossos lábios é melhor mantê-los fechados. (2) Quando Ele abre os nossos lábios é melhor não fechá-los. (3) Quando Deus abre os nossos lábios não é para falar os nossos próprios louvores e raramente os louvor dos outros, mas sempre o louvor do Senhor. (4) Devemos fazer esta oração sempre que formos falar no seu nome: "Abre, Senhor, os meus lábios, e a minha boca entoará o teu louvor".

vv. 16 e 17. (1) Os homens alegremente fariam qualquer coisa para a própria salvação, caso pudessem: "Porque te não comprazes em sacrifícios, senão eu os daria". (2) Tudo que os homens podem fazer não serve para nada. Todas as observâncias cerimoniais das igrejas judaicas ou gentias não conseguiram obter perdão para a menor transgressão da lei moral. (3) A única oferta dos homens que Deus não menospreza é "um coração quebrantado e contrito". (4) Todas as outras exigências para a salvação dos homens o próprio Deus providenciará.

v. 18. (1) Por quem a oração é feita: pela igreja ou por Sião? (a) Depois do nosso bem-estar, devemos buscar o bem-estar de Sião. (b) Todos devemos buscá-lo por intermédio da oração. (2) Pelo que a oração é feita? (a) O tipo de bem, não mundano ou eclesiástico, mas espiritual. (b) A medida do bem: "Segundo a tua boa vontade". O teu amor por isso, e o que já fizeste por isso. (c) A continuação do bem: "Edifica os muros de Jerusalém". As suas doutrinas, graças e zelo.

v. 19. (1) Quando somos aceitos por Deus, as nossas ofertas são aceitas: "Então, te agradarás". (2) Devemos fazer as mais ricas ofertas que estão em nosso domínio, tempo, talentos e influência. (a) Obediência santa. (b) Auto-sacrifícios: não meias ofertas, mas "holocaustos" inteiros, não somente cordeiros, mas "novinhos". (c) Zelo pelas ordenanças divinas. "Sobre o teu altar". (3) Deus terá prazer em tais serviços: "Então, te agradarás". (a) Porque são feitos pelos remidos. (b) Porque são feitos no nome do Redentor. "Com tais sacrifícios, Deus se agrada" (Hb 13.16).

SALMO 52

TÍTULO

"Masquil de Davi." Um ensino. Até mesmo a maldade de um Doegue pode fornecer ensino para um Davi. Davi foi o principal alvo do ódio brutal de Doegue, sendo a pessoa indicada para tirar do incidente as lições ocultas.

"Para o cantor-mor." Mesmo os salmos curtos, que registram apenas um exemplo da bondade do Senhor e repreendem não mais do que levemente o orgulho do homem, são merecedores da nossa melhor cantoria. A constatação de que cada salmo é dedicado "para o cantor-mor" deve nos fazer valorizar nossa salmodia e nos coibir de louvar ao Senhor negligentemente.

"Quando Doegue, o edomita, o anunciou a Saul e lhe disse: Davi veio à casa de Abimeleque." Através dessa calúnia enganosa, ele conseguiu a morte de todos os sacerdotes que estavam em Nobe. Embora fosse um crime socorrer Davi como rebelde, eles não tinham culpa por intenção e conhecimento da proibição. Davi sentiu muito a vileza desse arqui-inimigo, e neste salmo, ele o denuncia em termos fortes. Pode ser que ele também tinha Saul em vista.

DIVISÃO

Seguiremos as pausas sacras assinaladas pelo termo *selá* que o poeta usou.

EXPOSIÇÃO

1 *Por que te glorias na malícia, ó homem poderoso? Pois a bondade de Deus permanece continuamente.*

2 *A tua língua intenta o mal, como uma navalha afiada, traçando enganos.*

3 *Tu amas mais o mal do que o bem; e mais a mentira do que o falar conforme a retidão. (Selá)*

1. *"Por que te glorias na malícia, ó homem poderoso?"* Doegue tinha a mínima razão para gloriar-se por ter conseguido a matança de um grupo de sacerdotes indefesos. Era um homem deveras poderoso para matar homens que nunca tocaram numa espada! Ele devia ter sentido vergonha dessa covardia. Não havia lugar para exultação! Títulos honoríficos não passam de ironia quando o detentor é mau e cruel. Se Davi está se referindo a Saul, com estas palavras ele quis dizer em tom de lástima: "Como alguém por natureza dotado para ações mais nobres desceu a nível tão baixo a ponto de achar razão para gloriar-se em uma matança tão insensível e danosa?"

"Pois a bondade de Deus permanece continuamente." Um belo contraste. A fúria do tirano não consegue secar o fluxo perene da misericórdia divina. Se os sacerdotes foram mortos, o seu Mestre vive. Se Doegue por ora triunfa, o Senhor continuará vivendo e corrigirá as injustiças que ele fez. Esse fato deveria modificar as exultações orgulhosas dos maus, pois, afinal de contas, enquanto o Senhor viver, a iniquidade não terá motivo para exaltar-se.

2. *"A tua língua intenta o mal."* Doegue fala com segundas intenções. A informação dada era para ajudar Saul aparentemente, mas, na verdade, o coração do edomita odiava os sacerdotes do Deus de Jacó. É marca de profunda depravação quando o mal falado tem a intenção astuciosa de promover um mal ainda maior.

"Como uma navalha afiada, traçando enganos." Em sua ilustração, Davi diz que a língua falsa é eficaz para causar danos, como uma navalha que, sem que a pessoa sinta, está lhe rapando a cabeça. Os barbeiros orientais executam o trabalho com extrema suavidade e habilidade. Ou talvez ele esteja dizendo que, como a garganta do homem pode ser cortada muito rapidamente com uma navalha afiada, sob a alegação de barbeá-lo, da mesma forma Doegue matou o grupo de sacerdotes sutil e baixamente, porém com eficácia. Afiado pela malícia e guiado pela habilidade, ele fez esse trabalho cruel com maldita perfeição.

3. *"Tu amas mais o mal do que o bem."* Ele não amava o bem de nenhum jeito. Se ambos fossem igualmente lucrativos e agradáveis, ele teria preferido o mal.

"E mais a mentira do que o falar conforme a retidão." Ele se sentia mais à vontade mentindo do que dizendo a verdade. Ele não falava a verdade exceto por descuido, pois se deliciava de todo coração com a falsidade.

"Selá." Façamos uma pausa para olhar o orgulhoso e violento mentiroso. Doegue se foi, mas há outro cão vociferando contra o povo do Senhor. O chefe dos pastores de Saul foi enterrado, mas o Diabo ainda tem os condutores de rebanho que, de bom grado, guiariam os santos como ovelhas para a matança.

4 *Amas todas as palavras devoradoras, ó língua fraudulenta.*
5 *Também Deus te destruirá para sempre; arrebatar-te-á e arrancar-te-á da tua habitação; e desarraigar-te-á da terra dos viventes. (Selá)*

4. *"Amas."* Tu tens um gosto especial, um grande desejo por palavras más.

"Todas as palavras devoradoras." Há palavras que, como jiboias, engolem homens inteiros, ou como leões, despedaçam os homens. Essas são as palavras que as pessoas más gostam mais. A oratória dessas pessoas é constantemente furiosa e sangrenta. Aquilo que mais prontamente provoca as mais baixas paixões, eles com certeza empregam. Pensam que tais intrigas e explorações que contribuem para o desatino dos maus são eloquência de elevada ordem.

"Ó língua fraudulenta." Os homens podem lograr dizer muitíssimas coisas violentas, cobrindo tudo com o pretexto da justiça. Afirmam que têm zelo pelo direito, quando, na realidade, estão determinados a destruir a verdade e a santidade, astuciosamente empreendendo tudo sob esta pretensão transparente.

5. *"Também Deus te destruirá para sempre."* O perseguidor de bom grado destrói a igreja, então Deus o destruirá, lhe derrubará a casa, lhe arrancará as raízes e lhe dará um fim.

"Arrebatar-te-á." Deus extinguirá as brasas do perseguidor e o varrerá como se varrem as cinzas do forno. Ele teria extinguido a verdade, então Deus o extinguirá.

"E arrancar-te-á da tua habitação", como uma planta tirada violentamente do lugar onde estava plantada, ou como um cativo arrastado à força de casa. Abimeleque e os seus irmãos sacerdotes foram extirpados de onde moravam, e assim serão os que planejaram e maquinaram assassiná-los.

"E desarraigar-te-á da terra dos viventes." O perseguidor será erradicado, arrancado pela raiz, extirpado pela raiz e ramos. Ele buscou a morte dos outros, então a morte cairá sobre ele. Ele transtornou a terra dos viventes, então será banido para a terra onde os ímpios cessem de transtornar. Os que não deixam viver não têm o direito de viver. Deus virará as mesas dos maldosos, e lhes repartirá uma porção segundo a própria medida deles.

"Selá." Faça outra pausa, e veja a justiça divina mostrando-se mais do que adequada ao pecado humano.

6 *E os justos o verão, e temerão, e se rirão dele, dizendo:*

7 *Eis aqui o homem que não pôs a Deus por sua fortaleza; antes, confiou na abundância das suas riquezas e se fortaleceu na sua maldade.*

8 *Mas eu sou como a oliveira verde na Casa de Deus; confio na misericórdia de Deus para sempre, eternamente.*

9 *Para sempre te louvarei, porque tu isso fizeste; e esperarei no teu nome, porque é bom diante de teus santos.*

6. *"E os justos"* — o objeto do ódio do tirano — sobreviverão a essa inimizade e "o verão", ou seja, presenciarão o fim do opressor descrente. Deus permitiu que Mardoqueu visse Hamã ser enforcado. Davi apanhara os símbolos da morte de Saul em Gilboa.

"E temerão." O temor santo acalmará a mente do homem bom. Ele adorará com reverência o Deus da providência.

"E se rirão dele." Se não com reta alegria, pelo menos com desprezo solene. As maquinações de tão longo alcance serão baldadas. Os planos tão minuciosos, tão prudentes serão frustrados. Mefistófeles foi burlado, pois a antiga serpente trapaceou-lhe a própria sutileza. Esse é um tema agradável para a risada entranhada, que está mais relacionada com a solenidade do que a alegria ruidosa.

7. *"Eis aqui."* Olhem aqui e leiam o epitáfio de um homem poderoso, que agiu com arrogância durante o pouco tempo que tinha, e pisou no pescoço dos escolhidos de Deus.

"O homem que não pôs a Deus por sua fortaleza." Vejam o homem! O grande homem vanglorioso. Ele encontrou uma fortaleza, mas não em Deus. Gloriou-se em sua força, mas não na do Todo-Poderoso. Onde ele está agora? Como ele se sairá no tempo da necessidade? Vejam a ruína desse homem e aprendam.

"Antes, confiou na abundância das suas riquezas e se fortaleceu na sua maldade." Os bens materiais que juntou e os danos que causou foram a sua ostentação e glória. Riqueza e maldade são companheiras terríveis. Quando se combinam, formam um monstro. Quando o Diabo é o responsável pelas bolsas de dinheiro, é realmente maligno. Belzebu e Mamom juntos aquecem a fornalha sete vezes mais para o filho de Deus, mas no fim, estarão trabalhando para a própria destruição. Sempre que virmos hoje um grande homem em pecado e riqueza, faremos bem em contemplar antecipadamente o seu fim, e termos este versículo como o *in memoriam* divino.

8. *"Mas eu"*, ainda que caçado e perseguido, "sou como a oliveira verde". Não fui arrancado ou destruído, mas sou como uma oliveira florescente e frutífera, que, do caroço, extrai óleo e, durante a seca, continua viva e crescendo.

"Na Casa de Deus." Ele era membro da família divina e não podia ser expulso dela. O seu lugar era ao lado do seu Deus, onde havia segurança e felicidade, apesar de todas as maquinações dos inimigos. Ele estava frutificando e continuaria frutificando quando todos os seus inimigos orgulhosos estivessem murchando como galhos podados de árvores.

"Confio na misericórdia de Deus para sempre, eternamente." A misericórdia eterna é a minha confiança vigente. Davi sabia que a misericórdia de Deus era (e é) eterna e perpétua, e nisso ele confiava. Que pedra sobre a qual edificarmos! Que fortaleza na qual nos abrigar!

9. *"Para sempre te louvarei."* Como é a tua misericórdia, assim seja a minha gratidão. Enquanto os outros se gloriam nas riquezas, eu me glorio em meu Deus. Quando eles pararem de gloriarem-se por terem sido silenciados para sempre pela sepultura, a minha canção continuará proclamando a benignidade do Senhor.

"Porque tu isso fizeste." Tu defendes os justos e castigas os ímpios. Os atos memoráveis da providência de Deus, tanto para os santos quanto para os pecadores, merecem e têm de ter a nossa gratidão. Davi vê as orações como já respondidas e as promessas de Deus como já cumpridas, por isso eleva imediatamente o salmo sagrado.

"E esperarei no teu nome." Deus sempre será a esperança do salmista. Futuramente, ele não procurará a esperança em outro lugar. Aquele cujo nome foi tão gloriosamente revelado em verdade e justiça, foi corretamente escolhido como a nossa esperança para os anos por vir.

"Porque é bom diante de teus santos." Diante ou entre os santos Davi queria esperar, sentindo que era bom para ele e para os outros olharem somente ao Senhor e também esperarem pela manifestação do caráter divino no devido tempo. Os homens não devem nos perturbar. Nossa força tem de permanecer aquietada. Os poderosos podem se gloriar, mas nós esperaremos no Senhor. Se essa agitação traz para eles honra imediata, a nossa paciência terá a sua vez aos poucos, e trará para nós a honra que é excelente.

NOTAS EXPLICATIVAS E DECLARAÇÕES IMPORTANTES

O Título: O versículo 7 do Salmo 47 deixa claro que "masquil" quer dizer composição sacra. Onde foi traduzido por: "Cantai louvores com inteligência", é literalmente: "Cantai um masquil" ou cântico de ensino. Essa palavra ocorre como título em 13 lugares, e seis vezes está prefixada a composições de Davi. Consta em salmos sucessivos, ou seja, nos Salmos 42 (do qual o 43 é a sequência), nos Salmos 44 e 45, nos Salmos 52, 53, 54 e 55, nos Salmos 88 e 89. Essa característica favorece a noção de que o termo era peculiarmente usado por certo editor ou colecionador de determinada porção do livro dos Salmos. — *John Jebb*

v. 1: "Por que te glorias na malícia, ó homem poderoso?", quer dizer, aquele que está na malícia é poderoso, então por que ele se gloria? É necessário que o homem seja poderoso só na bondade e não na malícia. É grande coisa gloriar-se na malícia? Construir uma casa é habilidade que diz respeito a poucos homens, mas qualquer ignorante que você quiser pode derrubá-la. Semear trigo, fazer a colheita, esperar até amadurecer e alegrar-se nesses frutos pelos quais você labutou são características que dizem respeito a poucos homens. Com uma faísca, qualquer homem que você queira pode queimar toda a colheita. [...] O que você está a ponto de fazer, ó homem poderoso? O que você está fazendo, gloriando-se tanto? Você está prestes a matar um homem. Mas um escorpião, ou uma febre, ou um fungo venenoso também pode fazer essa ação. Veja a que patamar o seu poderio foi reduzido, pois se tornou igual a um fungo venenoso! — *Agostinho*

v. 1: Por "malícia", não entendemos que seja o mal que ele fizera, e sim a prosperidade que ele desfrutava, obtida pela malícia, como está claro pelo verbo "te glorias" e pelo versículo 7. [...] Outrora, ele fora o chefe dos pastores de Saul (1 Sm 21.7), mas por essa matança injustificada dos sacerdotes de Deus por ordem de Saul e pela execução da sentença cruel, ele obteve o principal lugar perto do rei (1 Sm 22.9). — *Hermann Venema*

v. 1: "Ó homem poderoso". Essas palavras foram adicionadas por ironia, como se ele tivesse dito: Você mostrou muita bravura e coragem matando um grupo de homens desarmados, os sacerdotes do Senhor, inclusive as mulheres e crianças, todos incapazes de fazer resistência a você. Ou foram adicionadas para indicar a razão dessa vanglória, a saber, ou a dignidade, por ser homem de elevada posição e de grande poder para com Saul, ou a grande subida de cargo que ele esperava de Saul. — *Arthur Jackson*

v. 1: "Pois a bondade de Deus permanece continuamente". Ele contrasta a bondade de Deus com a riqueza e o poder de Doegue, e o fundamento da sua confiança tão extensamente diferente da de Doegue, a sua própria colocada na bondade de Deus, que permanece para sempre e mostra-se eficaz. É como se ele tivesse dito: A bondade de Deus na qual confio é muito poderosa e é a mesma ao longo do tempo. Certamente, nela me alegrarei em todo o tempo, pois visto que hoje ela me sustenta, assim me exaltará no seu devido bom tempo. Portanto, *está* e *estará sobre mim*. [...] Não é sem ênfase que ele diz a bondade de אֵל, *do Deus forte*, fazendo um contraste com o Doegue herói e o fundamento arruinado da sua fortuna. — *Hermann Venema*

v. 2: "A tua língua intenta o mal, como uma navalha afiada, traçando enganos". Nessa versão, não entendo muito bem a propriedade do mal intencional da língua e esse intento ser como uma navalha afiada. Mas podemos evitar facilmente essa comparação adversa, preferindo esta tradução: "A tua língua urde planos de destruição; é qual navalha afiada, ó praticadora de enganos!" (ARA), ou seja, a tua língua solta e lisonjeira urde planos para ferir a reputação e o caráter dos outros, como se tu estivesses cortando-lhes a garganta com uma navalha afiada. — *Samuel Chandler*

v. 2: "Como uma navalha afiada", que, em vez de raspar o cabelo, lanceta a carne; ou errando em cortar a barba, acaba cortando a garganta. — *John Trapp*

v. 2: "A tua língua intenta o mal, como uma navalha afiada, traçando enganos". A maneira suave e ágil de executar um plano astucioso e perverso não esconde nem enfraquece a sua maldade. Assassinato com "uma navalha afiada" é tão mau quanto assassinato com um cutelo de açougueiro ou uma clava. A mentira mais engenhosamente feita e repetida de maneira melíflua é pecado muito grande, e no fim, se constatará que é loucura tão grande como a tentação mais malfeita para enganar. — *William S. Plumer*

v. 3: "Tu amas mais o mal", diz ele, "do que o bem", não o preferindo apenas, mas substituindo-o, de forma que, em vez de fazeres o bem, fazes o mal, e por profundo amor da alma, propenso para o mal. Ele não diz que aceitou, mas que amou o mal, não só o mal moral, mas o físico, para a destruição do semelhante. Por tanto que amou o mal, ele não quis nada mais que o mal, sendo avesso a todo o bem. — *Hermann Venema v. 4:* "Amas todas as palavras devoradoras, ó língua fraudulenta". Ele era só língua; um homem de palavras, e essas das mais enganosas e prejudiciais. — *Adam Clarke*

v. 5: "Também Deus te destruirá para sempre; arrebatar-te-á e arrancar-te-á da tua habitação; e desarraigar-te-á da terra dos viventes". Há quatro palavras que o salmista usa para denotar a vingança total que aguardava esse infeliz enganador e sanguinário, todas as quais tendo um significado muito forte. A primeira palavra (*destruir*) é יִתָּצְךָ, derivada de נָתַץ, e significa "puxar para baixo", "derrubar" e quebrar totalmente em pedaços, "demolir", como quando um altar é demolido (Jz 6.30; 8.9). A segunda palavra (*arrebatar*) é יַחְתְּךָ, que vem da raiz חָתָה, que significa "torcer" algo ou "arrancar algo torcendo-o em volta", como as árvores às vezes são torcidas. A terceira palavra (*arrancar*) é יִסָּחֲךָ, derivada de נָסַח, que significa literalmente "totalmente varrer para longe algo como pó ou palha". E a expressão יִסָּחֲךָ מֵאֹהֶל não quer dizer "varrer-te para longe da tua tenda", e sim "varrer-te para longe, a fim de que tu não sejas mais uma tenda". Tu mesmo, a tua família e os teus bens serão completa e inteiramente varridos para longe e dissipados para sempre. A isso, a quarta palavra (*desarraigar*), שֵׁרֶשְׁךָ, responde *eradicabit te*, "ele te arraigará para fora da terra dos viventes". Essas palavras impossíveis expressam a mais plena e absoluta destruição. — *Samuel Chandler*

v. 5: "Também Deus te destruirá para sempre". Essas são *quoi verba tot tonolrua*, "tantas palavras, tantos trovões". Como tu destruíste os sacerdotes do Senhor e a cidade inteira, arrasando-a e fustigando-a, assim Deus te demolirá e te destruirá totalmente, como uma casa demolida por inteiro, de forma que uma pedra não fique sobre outra (Lv 14.45). Assim Deus demolirá Doegue daquele elevado cargo honorífico, ao qual, por servilismo, chegou à corte. — *John Trapp*

v. 5: "Também Deus te destruirá para sempre; arrebatar-te-á e arrancar-te-á da tua habitação; e desarraigar-te-á da terra dos viventes". É maravilhosa a força dos verbos no original hebraico, os quais conotam quatro ideias: "jazer prostrado", "dissolver como que através do fogo", "varrer para longe como com uma vassoura" e "totalmente extirpar a raiz e os ramos", como uma árvore é erradicada do lugar no qual cresceu. Se mais comentário for necessário, você achará na história dos inimigos de Davi e dos crucificadores do Filho de Davi. Mas a passagem será plena e cabalmente explicada pela destruição do mundo dos descrentes no último dia. — *George Horne*

v. 5: "Também Deus te destruirá para sempre; arrebatar-te-á e arrancar-te-á da tua habitação; e desarraigar-te-á da terra dos viventes". O poeta acumula palavras medonhas e pesadas e também entrosa metáforas para pintar com as mais vivas cores o quadro da destruição deste homem. Três metáforas foram unidas. A primeira metáfora foi tirada de uma construção, a segunda de uma tenda e a terceira de uma árvore, se prestarmos atenção à força e acepção comum das palavras. — *Hermann Venema*

v. 5: "Arrebatar-te-á", ou, agarrar-te-á, como brasas são apanhadas com tenazes. — *J. J. Stewart Perowne*

v. 6: "E os justos o verão, e temerão, e se rirão dele, dizendo". Quer dizer, usando as palavras hábeis de Gejerus: "Este não será um julgamento secreto ou só conhecido por alguns, mas a fama comum propagará ao longo do reino ou da cidade o castigo extraordinário dos descrentes. Os justos também não passarão por tal evento com indiferença, mas com olhos sérios o contemplarão". Acrescento: por isso, terão mais alegria e a usarão para proveito próprio, para maior temor de Deus. [...] Os justos, cuja destruição fora a intenção do descrente, sobreviverão e gastarão a vida seguros no favor de Deus. Verão a vida com mente lúcida e a considerarão. Não passarão por ela, como os mundanos estão acostumados a fazer, sem reflexão ou melhoria, pois verão e temerão, a saber, Deus, o justo juiz. Instruídos no julgamento por esse exemplo, serão mais cuidadosos em esquivar-se de todos os desígnios e crimes do mesmo tipo. — *Hermann Venema*

v. 6: "E se rirão dele", ou "dele [do ímpio assim abatido] eles se referirão com contentamento". Tal exultação, para a nossa experiência de hoje, parece chocante, porque quase não dá de imaginar que não seja satisfação de espírito vingativo pessoal. Mas existe o ódio justo, o desprezo justo. Existe o grito de alegria justo por causa da queda do tirano e do opressor, por causa do triunfo da justiça e da verdade sobre a injustiça e a falsidade. — *J. J. Stewart Perowne*

v. 7: "Eis aqui o homem que não pôs a Deus por sua fortaleza". Tendo mostrado o ímpio desarraigado da terra dos viventes pelo justo julgamento de Deus (vv. 5 e 6), Davi mostra nesse versículo o justo ao mesmo tempo temendo e rindo do que está presenciando, cuja cena o aponta e diz: "Eis aqui o homem que não pôs a Deus por sua fortaleza". As palavras são um sarcasmo divino porém lancinante. No original hebraico, a palavra é *geber*, que significa "homem forte e valoroso". Mas quem era esse homem? Era alguém, disse ele, que "confiou na abundância das suas riquezas". É difícil abundar em riquezas e não confiar nelas. Por conseguinte, a advertência: "Se as vossas riquezas aumentam, não ponhais nelas o coração" (Sl 62.10). Qual é o apego do coração nas riquezas, senão a nossa alegria e confiança nelas? O coração do homem é facilmente convencido a pôr essa confiança pecaminosa nas riquezas. Por isso, o apóstolo insiste para que Timóteo convença todos os homens — não só os ricos mundanos, mas também os ricos religiosos — a evitarem essa confiança. Ele exorta Timóteo a persuadir os ricos contra dois pecados que são piores que todas as pobrezas do mundo, ainda que sejam criados habituais das riquezas — o orgulho e a confiança: "Manda aos ricos deste mundo que não sejam altivos" (1 Tm 6.17). — *Joseph Caryl*

vv. 7 e 8: Talvez faça muito tempo que você seja professor da Bíblia, mas tenha tido muito pouco crescimento em amor a Deus, humildade, propensão às coisas celestiais e mortificação. Vale a pena cavar para ver o que está na raiz da sua fé, caso não haja ali um princípio legal que esteja lhe influenciando muito. Nunca passou pela sua mente que você está extraindo todas as coisas de Deus dos deveres e serviços que você faz, colocando muita esperança nas suas próprias ações? Infelizmente, tudo isso é como terra estéril que deve ser jogada fora para que os princípios do evangelho sejam colocados no lugar. Tente esse procedimento para que a fonte da graça não se esgote rapidamente. Davi faz um relato de como ele permanecia e florescia, quando alguns que eram ricos e poderosos subitamente murcharam e acabaram em nada. "Eis aqui", diz ele, "o homem que não pôs a Deus por sua fortaleza; antes, confiou na abundância das suas riquezas e se fortaleceu na sua maldade. Mas eu sou como a oliveira verde na Casa de Deus; confio na misericórdia de Deus para sempre, eternamente". Enquanto os outros confiam nas riquezas da justiça própria e dos serviços prestados, não fazendo de Cristo a sua força, você renuncia tudo e confia na misericórdia de Deus em Cristo. Então, você será como uma oliveira verde enquanto os outros definham e murcham. — *William Gurnall*

v. 8: "Mas eu sou como a oliveira verde":

Mas eu uma oliveira carregada de frutos
Em terra fértil que cresce

É o que expressa o significado das palavras hebraicas que os tradutores traduzem por "como a oliveira verde". Mas que, na realidade, não tem relação com a cor, e sim com o estado florescente, robusto e viçoso da planta, da mesma maneira que Homero dá o epíteto de "exuberante" e "florescente", e Ovídio de "sempre florescente". O fato é que a cor das folhas dessa árvore não é um verde brilhante e vivo, e sim um verde escuro, maçante ou amarelado. Em sua descrição, Scheuchzen afirma que as folhas da oliveira são *superne coloris atrovirentis, vel in virdi flavescentis*. Certo viajante inglês, escrevendo da Itália, expressa a decepção que teve com a oliveira: "Os campos e toda a região da Toscana estão até certo ponto cobertos de oliveiras. Mas a oliveira não corresponde ao aspecto que eu imaginara. O salmista rei e outros escritores sagrados falaram com êxtase sobre 'a oliveira verde', de forma que eu esperava ver um verde bonito. Confesso que fiquei tristemente desapontado ao constatar que a cor se assemelha ao da cerca viva quando está coberta de pó". Já ouvi outros viajantes expressarem o mesmo sentimento decepcionante. "O verdadeiro modo de resolver a dificuldade", como observa acertadamente Thomas Harmer, "é considerar a palavra hebraica traduzida por 'verde', não como descritiva de cor, e sim de alguma outra característica: o viço da juventude, o vigor, a vitalidade, o florescimento ou semelhantes." — *Richard Mant*

v. 8: "A oliveira verde na Casa de Deus". Vários expositores imaginam fantasiosamente que, em alguns dos pátios do tabernáculo, havia oliveiras. Essa ideia não tem sustentação, visto que teria sido muito semelhante aos bosques pagãos para que fosse tolerada, pelo menos no tempo de Davi. Claro que o texto deve ser lido com certa discrição. O poeta não se refere às oliveiras na casa de Deus, mas compara *ele mesmo na casa de Deus* a uma oliveira. Isso nos lembra desta passagem: "Os teus filhos, como plantas de oliveira, à roda da tua mesa" (Sl 128.3), na qual certos estudiosos, cuja imaginação é mais viva do que o juízo, viram uma mesa rodeada, não com crianças, mas sim com oliveiras. Quem, no seu verdadeiro bom senso jamais ouviu falar de oliveiras à roda de uma mesa? Se, como supõe Thrupp, a cidade de Nobe estava situada no monte das Oliveiras, podemos, sem conjeturar, ver o motivo para essa referência a uma oliveira florescente. — *C. H. S.*

v. 8: "Mas eu sou como a oliveira verde na Casa de Deus; confio na misericórdia de Deus para sempre, eternamente". Davi se compara:

(1) A uma oliveira, uma árvore sempre verde, permanente e frutífera, cujo fruto é muito útil e agradável. Assim, descreve o futuro como um estado alegre, glorioso, duradouro, proveitoso e agradável aos homens. É nítida a referência ao ofício real e profético, em ambos os quais ele se representa como uma oliveira, que fornece aos outros óleo através do seu governo e ensino.

(2) A uma oliveira exuberantemente grande, com abundantes ramos de folhas fartas, denotando espaço e grandeza.

(3) Mas por que o salmista acrescenta a frase "na Casa de Deus"? A menos que eu esteja enganado, ele quer dizer que:

(a) Ele possuía uma habitação no lugar onde a casa de Deus estava, de onde ele foi exilado agora pelas calúnias de Doegue e pelos ataques de Saul provocados por elas.

(b) Ele fazia serviços notáveis para a casa de Deus, adornando-a, restaurando a religião, agora negligenciada, e praticando-a com zelo.

(c) Ele derivava de Deus e do seu favor, de quem era aquela casa, toda a prosperidade.

(d) Ele, como filho de Deus, se alegrava nessa familiaridade com ele e acabou se tornando o herdeiro das suas possessões e promessas. — *Hermann Venema*

SUGESTÕES AOS PREGADORES

v. 1. A confiança de fé: (1) As circunstâncias eram aflitivas: (a) Davi foi mal julgado. (b) Davi estava exilado. (c) Um homem mau estava no poder. (d) Os sacerdotes de Deus foram assassinados. (2) A consolação era constante: (a) Há um Deus. (b) Ele é bom. (c) A sua bondade permanece. (d) O bem, então, vencerá. (3) A réplica foi triunfante: "Por que te glorias"?: (a) A malícia não tocou no ponto principal. (b) A malícia seria dominada. (c) A malícia recuaria. (d) A malícia exporia os criminosos ao desprezo.

v. 3. Em que casos os homens claramente amam mais o mal do que o bem.

vv. 7 e 8. (1) O mundano como uma árvore arrancada pela raiz. (2) O crente como uma oliveira viçosa e bem plantada.

v. 8. (1) O caráter do crente. (2) A posição do crente. (3) A confiança do crente. (4) A continuação do crente.

v. 9. (1) O duplo dever e a dupla razão. (2) O único coração e o único objetivo do coração.

v. 9. (1) O que Deus fez. (2) O que faremos. (3) E por quê.

SALMO 53

TÍTULO

"Masquil." Essa é a primeira nota adicional não encontrada no Salmo 14, indicando que se deve dar atenção dobrada a esta canção muito instrutiva.

"De Davi". Não é uma cópia do Salmo 14, corrigida e revista por mãos estranhas. Trata-se de outra edição feita pelo mesmo autor, enfatizada em certas partes e reescrita para outro propósito.

"Para o cantor-mor." Se o líder do coral foi privilegiado em cantar os *Jubilates Deo* da graça divina, ele não deve desdenhar em cantar os *Misereres* da depravação humana. Esta é a segunda vez que o mesmo salmo lhe foi entregue (ver Salmo 14). Deve, então, ser mais cuidadoso em cantá-lo.

"Sobre Maalate." É a melodia escolhida para o músico, quem sabe uma cantiga melancolicamente solene. Ou talvez se trate da indicação de um instrumento musical, e o regente do coral tem de, a pedido, tornar esse instrumento sobressalente na orquestra. Seja como for, essa é outra orientação que não se acha na cópia anterior do salmo e demonstra requerer mais cuidado. Ao que parece, a palavra *maalate* significa, em alguma das suas formas, "doença". De fato, este salmo é *A Canção da Doença Humana* — a mancha mortal e hereditária do pecado.

ASSUNTO

A natureza má do homem é colocada diante dos nossos olhos pela segunda vez, quase com as mesmas palavras inspiradas. Nem todas as repetições são vãs repetições. Somos tardos em aprender, e precisamos repassar linha após linha. Davi, depois de uma longa vida, não tinha melhor opinião dos homens do que tivera antes. As Santas Escrituras nunca se repetem sem necessidade. Há bom motivo para a segunda cópia deste salmo. Vamos lê-lo com mais atenção do que antes. Se a nossa idade já avançou dos 14 para os 53 anos, acharemos a doutrina deste salmo mais evidente agora do que quando éramos jovens.

DIVISÃO

O credo néscio do mundo (v. 1a): A influência prática em corromper a moral (vv. 1b a 3), as tendências perseguidoras dos pecadores (v. 4), os temores dos pecadores (v. 5) e uma oração pela manifestação do Senhor para a alegria do seu povo (v. 6).

[O leitor é convidado a ler compenetradamente os comentários feitos ao Salmo 14 no Volume 1 desta coleção.]

EXPOSIÇÃO

1 *Disse o néscio no seu coração: Não há Deus. Têm-se corrompido e têm cometido abominável iniquidade; não há ninguém que faça o bem.*

1. *"Disse o néscio no seu coração: Não há Deus."* E ele diz, porque é néscio. Sendo néscio, fala de acordo com a sua natureza. Sendo um grande néscio, ele se intromete em um grande assunto e chega a uma louca conclusão. O ateu é moralmente, como também mentalmente, um néscio; néscio de coração como também de mente; néscio na moralidade como também na filosofia. Com a negação de Deus como ponto de partida, concluímos que o progresso do néscio é rápido, revoltoso, delirante e ruinoso. Quem começa na impiedade está pronto para qualquer coisa. "Não há Deus", sendo interpretado, significa que não há lei, nem ordem, nem restrição para a concupiscência, nem limite para o desejo sexual. Quem senão o néscio seria deste pensamento? Que Casa de Loucos, ou antes, que Aceldama ("isto é, Campo de Sangue", Atos 1.19) o mundo se tornaria se tais princípios sem lei se tornassem universais! Quem cogita animadamente uma mentalidade anti-religiosa e leva a cabo as questões a ela legítimas é filho de Belial, perigoso à sociedade, irracional e desprezível. Todo homem natural é alguém que, em maior ou menor grau, nega a Deus. O ateísmo prático é a religião da raça humana.

"Têm-se corrompido." Eles estão podres. É inútil elogiá-los como duvidadores sinceros e pensadores cordiais — eles são pútridos. Hoje em dia, as pessoas tratam o ateísmo com extrema delicadeza. Não é um erro inofensivo, é ofensivo, um pecado pútrido, e os justos devem encarar esse tema sob essa luz. Todo ser humano sendo, em maior ou menor grau, ateísta de espírito também é, nessa medida, corrupto. O coração está sujo, a natureza moral se deteriorou.

"E têm cometido abominável iniquidade." Princípios maus logo conduzem a vidas más. Não vemos a virtude ser promovida pelo exemplo de seus Voltaires e Thomas Paines. Esses que falam tão abominavelmente a ponto de negarem o Criador agirão abominavelmente quando convir ao que advogam. Sempre negar e esquecer-se de Deus são, entre os homens, a fonte da injustiça e do crime que vemos por toda parte. Se todos os homens não são exteriormente maus tem como explicação a ação do poder de outros e melhores princípios. Mas caso sejam deixados por si mesmos, o espírito de "Não há Deus" tão universal na humanidade produziria nada mais do que as ações mais repugnantes.

"Não há ninguém que faça o bem." O néscio típico é reproduzido em toda a raça humana. Sem uma única exceção, os homens se esquecem do caminho certo. Essa acusação é repetida duas vezes no salmo, e mais uma vez, pelo inspirado apóstolo Paulo. Trata-se, portanto, da mais solene e extensa acusação formal, mas aquele que o faz não erra. Ele sabe o que há no homem. Outrossim, ele não fará acusação maior do que possa provar.

2 *Deus olhou desde os céus para os filhos dos homens, para ver se havia algum que tivesse entendimento e buscasse a Deus.*

3 *Desviaram-se todos e juntamente se fizeram imundos; não há quem faça o bem, não há sequer um.*

2. *"Deus olhou desde os céus para os filhos dos homens."* Foi o que ele fez em épocas passadas. É o que ele continua a fazer, olhando firmemente do seu observatório de inspeção.

"Para ver se havia algum que tivesse entendimento e buscasse a Deus." Houvesse um homem que entendesse, um verdadeiro amante do seu Deus, os olhos divinos teriam descoberto. Esses puros pagãos e bárbaros admiráveis sobre os quais os homens tanto falam não aparecem visíveis aos olhos da Onisciência. O fato é que eles não vivem em outro lugar senão no reino da ficção. O Senhor não procura graça, mas só sinceridade e desejo correto, mas estes ele não achou. Ele viu todas as nações, todos os homens de todas as nações, todos os corações de todos os homens e todos os movimentos de todos os corações, mas não viu nem cabeça limpa nem coração limpo entre todos eles. Onde olhos de Deus não veem sinal favorável estejamos certos de que não há nenhum.

3. *"Desviaram-se todos."* Todos os membros da humanidade, sem exceção, desviaram-se. No Salmo 14, o original hebraico diz que todos eles literalmente "viraram para o lado", o que já é bastante ruim. Mas neste salmo, o original hebraico diz que todos eles literalmente "voltaram para trás", descrevendo as pessoas correndo em direção diametralmente oposta. A vida da humanidade não regenerada está em oposição direta da Lei de Deus. Não está meramente separada, mas lhe é contrária.

"E juntamente se fizeram imundos." A massa toda ficou azeda por causa de uma levedura má; suja por causa de uma contaminação infiltradora; malcheirosa por causa de uma putrefação geral. Assim, aos olhos de Deus, nossa natureza ateísta não é algo perdoável que pensamos que é. Erros sobre Deus não são distúrbios moderados que alguns julgam ser, mas são males abomináveis. O mundo é belo para os cegos, mas para Jeová, que tudo vê, é bem diferente.

"Não há quem faça o bem, não há sequer um." Como poderia haver, quando a massa toda foi fermentada com levedura tão ruim? Isso acaba com as ficções dos selvagens inocentes, dos patriarcas solitários, dos índios não civilizados. O verso papal vira fumaça:

> Pai de todos, em todas as eras
> Em todas as regiões adorado
> Por santos, selvagens ou sábios
> Jeová, Júpiter ou Senhor

A raça caída dos homens, dependente da própria força, não produz um único ser amante de Deus ou fazedor da santidade, nem jamais produzirá. A graça tem de interferir ou não haverá nenhuma espécime da humanidade que siga o que é bom e verdadeiro. Esse é o veredicto de Deus depois de olhar para a raça humana. Quem o contradirá?

4 *Acaso não têm conhecimento estes obreiros da iniquidade, os quais comem o meu povo como se comessem pão? Eles não invocam a Deus.*

4. *"Acaso não têm conhecimento estes obreiros da iniquidade"?* Eles não têm sabedoria, certamente, mas mesmo o conhecimento comum poderia tê-los contido. Será que não veem que há Deus? Que o pecado é uma coisa má? Que a perseguição ricocheteia na cabeça do próprio homem? Serão eles tão rematados néscios a ponto de não saber que eles mesmos são inimigos deles mesmos e que estão destruindo a si mesmos?

"Os quais comem o meu povo como se comessem pão?" Será que não veem que essa comida é de difícil digestão e que trará sobre eles um vômito horrível quando Deus tratar com eles com justiça? Imaginam eles que o Senhor permitirá que devorem o seu povo impunemente? Eles têm de ser insanos mesmo.

"Eles não invocam a Deus." Prosseguem nos empreendimentos cruéis contra os santos e se servem de todos os recursos, exceto do que é essencial para o sucesso em todo o caso, ou seja, a invocação a Deus. Nesse aspecto, os perseguidores são muito mais coerentes do que os fariseus que devoravam as casas das viúvas e também oravam. O homem natural, como Ismael, não ama a semente espiritual, tem muito ciúmes dela e de bom grado a destrói, porque é amada de Deus. Contudo, o homem natural não busca o mesmo favor de Deus. A mente carnal inveja aqueles que obtêm misericórdia, mas mesmo assim, não busca a misericórdia para si. É um desmancha-prazer. Os pecadores por inveja maldosa devoram aqueles que oram, mas eles mesmos não oram.

5 *Eis que se acharam em grande temor, onde temor não havia, porque Deus espalhou os ossos daquele que te cercava; tu os confundiste, porque Deus os rejeitou.*

5. *"Eis que se acharam em grande temor, onde temor não havia."* Davi vê o fim dos descrentes e o triunfo último da semente espiritual. Os rebeldes partem em marcha furiosa contra aquele que está cheio da graça, mas, de repente, são acometidos por um pânico sem causa. Os que outrora eram destemidos em gloriar-se agora tremem como as folhas do álamo tremedor, atemorizados com a própria sombra. Nessa frase e nesse versículo, este salmo difere muito do Salmo 14. É, evidentemente, a expressão de um estado mais alto de conscientização do poeta, que enfatiza a verdade através de enunciados mais fortes. Sem causa, os ímpios ficam alarmados. Aquele que nega a Deus é, no fundo, um covarde. Na sua infidelidade, ele é como o menino andando pelo cemitério da igreja que "assobia para mostrar que não tem medo".

"Porque Deus espalhou os ossos daquele que te cercava." Quando os ímpios veem a destruição dos companheiros, desanimam. Eram fortes os exércitos que sitiaram Sião, porém foram derrotados. Os cadáveres insepultos provaram a proeza do Deus cuja existência eles ousaram negar.

"Tu os confundiste, porque Deus os rejeitou." O povo de Deus pode muito bem olhar com derrisão os inimigos, visto que estes são alvos do desprezo divino. Eles nos ridicularizam, mas com maior razão, podemos tratá-los com o máximo desprezo, porque o Senhor, nosso Deus, os considera menos do que nada e são vaidade.

6 *Oh! Se de Sião já viesse a salvação de Israel! Quando Deus fizer voltar os cativos do seu povo, então, se regozijará Jacó e se alegrará Israel.*

6. *"Oh! Se de Sião já viesse a salvação de Israel!"* Queira Deus que a batalha final termine logo. Quando é que o Senhor vingará os seus eleitos? Quando será que a longa opressão que os santos sofrem chegará ao fim e a glória será a coroa em suas cabeças? No original hebraico, a palavra "salvação" está no plural para denotar grandeza.

"Quando Deus fizer voltar os cativos do seu povo, então, se regozijará Jacó e se alegrará Israel." Já que o jugo tem sido pesado e a escravidão cruel, a liberdade tem de ser alegre e o triunfo feliz. O segundo advento e a restauração de Israel são a nossa esperança e expectativa.

Tentamos colocar em versos os últimos dois versículos deste salmo:

Os inimigos de Sião tremem de medo
Onde não havia medo a temer
Pois conhecem muito bem a espada de poder
Que perfura couraças de escamas

O Senhor de então corrompeu os escudos
E de todas as lanças, ele desprezou

Os ossos foram espalhados pelos campos
Insepultos e não lamentados

Que os inimigos de Sião fiquem cheios de vergonha
Os filhos dela são benditos de Deus
Ainda que zombadores lhe menosprezem o nome agora
O Senhor quebrará a vara

Oh! Tivesse o nosso Deus voltado para Sião
Deus vestido de salvação
Então as harpas de Judá aprenderiam música
E Israel se alegraria

NOTAS EXPLICATIVAS E DECLARAÇÕES IMPORTANTES

O Salmo: Os dois salmos se referem a períodos diferentes. O Salmo 14 diz respeito ao período mais primitivo do mundo ou da história judaica. O Salmo 53 diz respeito a um período posterior, talvez ainda a um tempo futuro. Dizem muitas vezes que Jeová, por Cristo, se volta ao mundo para ver em que condição ele está, e sempre com o mesmo resultado. Nos dias de Noé, "toda carne havia corrompido o seu caminho" (Gn 6.12), e, "quando, porém, vier o Filho do Homem" novamente, está subentendido que ele dificilmente "achará fé na terra" (Lc 8.8). Os dois salmos também se aplicam a pessoas diferentes. O Salmo 14 se refere aos inimigos de Deus, que tremem quando a sua presença se manifesta. "Ali se acharam em grande pavor" (Sl 14.5), porque a vingança está prestes a abater-se sobre eles por causa dos pecados. Aqui, o Ser Supremo é chamado de Jeová (Sl 14.2,4,6,7). No Salmo 53, são os interesses do povo de Deus que estão principalmente em vista. Os descrentes tramam contra os justos, e é sob essa ótica que o caso é considerado. O medo que era justo e racional no Salmo 14, porque concernia aos injustos sob o senso de julgamento iminente, é infundado no Salmo 53, porque Deus estava no meio do seu povo, espalhando "os ossos daquele que te cercava" (Sl 53.5) e mostrando para si mesmo, não como Jeová, e sim como o Elohim dos seus filhos remidos. O Salmo 14 contempla julgamento, o Salmo 53 livramento. Assim, embora aparentemente semelhantes, cada um dá uma lição diferente.

O salmo, então, descreve a corrupção universal e contínua da natureza humana e ocupa muito adequadamente um lugar introdutório em uma série destinada a apresentar os inimigos do Messias, que, durante a sua ausência, se opõem à igreja e que são tentados a resistir ao poder divino quando ele voltar. Antes de fazer um exame do caráter destes oponentes, o salmo ensina que, até que sejam transformados pela graça, todos se desviaram: "Não há um justo, nem um sequer" (Rm 3.10), e que para todos há somente um remédio: "De Sião virá o Libertador, e desviará de Jacó as impiedades" (Rm 11.26). — *R. H. Ryland, Mestre em Ciências Humanas, "The Psalms Restored to Messiah" [Os Salmos Restaurados ao Messias], 1853*

O Salmo: Temos de ser profundamente sensíveis ao estado da terra. O mundo que jaz na maldade deve ocupar grande parte dos nossos pensamentos. A culpa enorme, a corrupção inconcebível, o ateísmo indescritivelmente provocante desse campo caído do domínio de Deus é tema de nossa meditação incessante e lamento contínuo. Para nos deixar mais impressionados, o Salmo 53 repete o que já foi cantado no Salmo 14. É o mesmo salmo, com apenas algumas palavras variadas. É "mandamento sobre mandamento, mandamento e mais mandamento, regra sobre regra, regra e mais regra" (Is 28.10). As notas mais melancólicas e mais tristes da harpa soaram novamente aos nossos ouvidos. Não que o Senhor nos detenha sempre ou desproporcionalmente por muito tempo entre cenas de tristeza, pois em outros lugares, ele repete, de certa forma, essa melodia muito triunfante (Sl 60.5-12; 108.6-13), mas é bom voltar de vez em quando ao pleno campo no qual todos fomos achados, lançados em repulsiva degradação (cf. Ez 16.5,6). — *Andrew A. Bonar, "Christ and his Church in the Book of Psalms" [Cristo e a Igreja no Livro dos Salmos], 1859*

O Salmo: Esta é a segunda edição do Salmo 14, com variações mais ou menos importantes em cada versículo. É altamente improvável que qualquer uma dessas composições seja uma cópia incorreta da outra, porque duas cópias do mesmo salmo não teriam sido retidas na coleção, e também porque as variações também são por demais uniformes, consistentes e significativas para serem obra do acaso ou mera corruptela tradicional. É improvável que as mudanças foram feitas deliberadamente por um escritor posterior, porque tal liberdade dificilmente teria sido tomada com um salmo de Davi, e porque a forma posterior, nesse caso, teria sido excluída do Saltério, ou então trocada pela primeira forma, ou imediatamente ligada a ela.

A única hipótese satisfatória é que o escritor original o reescreveu mais tarde com essas modificações por serem necessárias para salientar certos pontos distintamente, porém sem a intenção de substituir o uso da composição original que, então, ainda retém o seu lugar na coleção. Essa suposição é confirmada pelos títulos que atribuem ambos os salmos a Davi. [...] Como fato geral, podemos declarar que as variações no Salmo 53 são tamanhas a ponto de tornar a expressão mais forte, mais ousada e, em um ou dois casos, mais obscuras e difíceis. — *Joseph Addison Alexander, 1850*

O Salmo: Este salmo é uma variação do Salmo 14. Em cada um desses dois salmos, o nome de Deus ocorre sete vezes. No Salmo 14, ocorre três vezes Elohim e quatro vezes Jeová. No Salmo 53, são sete vezes Elohim. — *Christopher Wordsworth, 1868*

O Salmo: Deus, neste salmo, "fala uma e duas vezes" (Jó 33.14), pois este é quase que literalmente igual ao Salmo 14. O alvo é nos convencer dos nossos pecados, nos deixar envergonhados e trêmulos por causa deles. Há necessidade de repassarmos linha sobre linha para atingirmos essa finalidade. Deus, pelo salmista, mostra:

I. O fato do pecado. Deus é testemunha. Ele olha do céu e vê toda a pecaminosidade do coração e da vida dos homens. Tudo isso está aberto e patente diante dEle.

II. O crime do pecado. É iniquidade (vv. 1 e 4). É uma coisa injusta. É aquilo em que não há nada de bom (vv. 1 e 3). É dar as costas a Deus (v. 3).

III. A fonte do pecado. Como foi que os homens ficaram tão maus? Com certeza, foi por não haver temor de Deus diante dos olhos deles. Eles dizem no coração: "Não há Deus" para nos chamar a prestar contas, não há ninguém diante de quem precisamos comparecer em temor reverente. As práticas más dos homens surgem dos seus princípios maus.

IV. A loucura do pecado. É louco (na opinião de Deus, cujo julgamento sabemos que é certo) quem abriga tais pensamentos corruptos. Os "obreiros da iniquidade", sejam quais forem as suas pretensões, "não têm conhecimento". Podemos dizer com acerto que nada sabe quem não conhece a Deus (v. 4).

V. A podridão do pecado. Os pecadores "têm-se corrompido" (v. 1). A sua natureza é pervertida e apodrecida. A sua iniquidade é "abominável". É odiosa ao santo Deus, e os torna odiosos, considerando que, de resto, ele "não odeia nada do que fez". Seja qual for a pureza que os pecadores orgulhosos pretendam, é certo que a iniquidade é a maior sordidez do mundo.

VI. O fruto do pecado. Veja a que grau de barbaridade o pecado leva os homens! Veja a crueldade com que tratam os irmãos! Eles os comem "como se comessem pão". Como se não só tivessem se tornado animais, mas também animais de rapina. Veja o desprezo que, ao mesmo tempo, eles têm por Deus — não o invocam, mas sim desprezam ser observados por Ele.

VII. O medo e a vergonha pertinentes ao pecado: "Eis que se acharam em grande temor"(v. 5), os que fizeram de Deus inimigo. A própria consciência culpada os amedrontou e os encheu de horror. Isso habilita a virgem, a filha de Sião, a envergonhá-los e expô-los, "porque Deus os rejeitou".

VIII. A fé dos santos e a esperança e poder referentes a este grande mal (v. 6). Virá um Salvador, uma grande salvação, uma salvação do pecado. Que venha sem demora, pois trará tempos de glória e alegria. Nos tempos do Antigo Testamento, havia aqueles que olhavam e aguardavam, que oravam e esperavam essa redenção. Tais salvações ocorriam com frequência, e todas tipificavam os triunfos eternos da Igreja gloriosa. — Condensado de *Matthew Henry, 1662–1714*

v. 1: "Disse o néscio no seu coração: Não há Deus. Têm-se corrompido e têm cometido abominável iniquidade; não há ninguém que faça o bem". É no coração que ele o diz. Esse é o desejo secreto de todo peito não convertido. Se o peito de Deus estivesse ao alcance dos homens, seria apunhalado um milhão de vezes num momento. Quando Deus se manifestou em carne, ele era totalmente adorável. Não cometeu pecado e ia por toda parte fazendo o bem continuamente. Todavia, tomaram-no e penduraram-no numa cruz. Escarneceram dEle e cuspiram nEle. É o que os homens fariam com Deus de novo. Em primeiro lugar, aprendamos a depravação temerosa do nosso coração. Arrisco dizer que não há um não convertido que faça a menor ideia da iniquidade monstruosa que está no seu peito. Pare antes de chegar ao Inferno e ficar sem controle. Mas permita-me dizer-lhe o que é — você tem um coração que mataria Deus se pudesse. Se o peito de Deus estivesse agora ao seu alcance e um golpe bastasse para livrar o universo de Deus, você teria um coração perfeito para fazer a ação. Em segundo lugar, aprendamos o amor surpreendente de Cristo: "Nós, sendo inimigos, fomos reconciliados com Deus pela morte de seu Filho" (Rm 5.10). — *Robert Murray M'Cheyne, 1813-1843*

v. 1: "Não há Deus". O termo אַיִן é propriamente um substantivo e significa "o nada" ou "não existência". Fica assim, literalmente: "O nada de Deus" ou "não tal coisa como Deus". Não pode ser explicado como um desejo: "Nenhum Deus!", ou seja, "ah, se não houvesse Deus!", porque o termo אַיִן quando é usado sempre inclui o verbo independente e nega a existência, ou, pelo menos, a presença da pessoa ou coisa à qual é anteposto. Isso também está claro pelo uso da mesma palavra na última frase, onde o sentido não é ambíguo. — *Joseph Addison Alexander sobre o Salmo 14*

v. 1: "Não há Deus". Assim, nega a agência da Providência, pois a palavra hebraica *Elohim*, aqui traduzida por "Deus", significa "juiz" (cf. Êx 22.28), e não tem referência à essência, e sim à providência da deidade. — *Daniel Cresswell, 1776–1844*

v. 1: Notemos que a Bíblia diz: "*Disse* o néscio no seu coração", e não *pensou* ele no coração. Isso significa que ele não pensa tão completamente no julgamento quanto tem boa vontade em ser dessa crença. Tendo em vista que não lhe ajuda que haja um Deus, ele, por todos os meios, procura adequadamente convencer-se e decidir-se, além de preocupar-se em afirmar, confirmar e provar para si mesmo, como um tema ou posição, tudo o que contribui para a ideia de que Deus não existe, apesar de a centelha de luz da criação, pela qual os homens reconhecem uma deidade, ainda arder interiormente. Em vão, ele se esforça para alienar ou extinguir totalmente essa ideia, de forma que, pela corrupção do seu coração e vontade, e não pelo entendimento natural do cérebro e imaginação, ele estabelece a sua opinião, como disse o poeta cômico: "Então aconteceu que a minha mente foi de minha opinião", como se ele e a sua mente tivessem sido duas coisas diversas. Portanto, o ateu preferiu dizer e manter no coração aquilo que pensou ou creu no coração, ou seja, que não há Deus. — *Francis Bacon, 1560–1626, "Thoughts on Holy Scripture" [Pensamentos sobre as Santas Escrituras]*

v. 2: "E buscasse a Deus". Ainda que todas as coisas estejam cheias de Deus, Ele tem de ser buscado pelos homens piedosos, por causa da escuridão que envolve a nossa mente em virtude do pecado original. A carne, os sentimentos e as emoções terrenas nos impedem de conhecer Deus, muito embora Ele esteja presente. — *Peter Martyr, 1500-1562*

vv. 2 e 3: "Para ver se havia algum que tivesse entendimento e buscasse a Deus. Desviaram-se todos e juntamente se fizeram imundos". O pecado é descrito em gradações. Eles não entendem porque o verdadeiro conhecimento das coisas divinas forma a base da conduta própria para chegar-se a Deus. Eles não buscam a Deus porque só se importam com quem cujo discernimento claro e seguro o toma como o maior bem para eles. Eles se desviam porque quem não se importa com Ele com certeza será apartado dEle e afastado dos seus caminhos. E eles se fazem imundos (ou seja, inúteis) juntamente porque a própria força e aptidão do homem à virtude devem manar da fonte da comunhão com Deus. — *Augustus F. Tholuck, 1856*

v. 3: "E juntamente se fizeram imundos". נֶאֱלָחוּ (*ne'ělāḥû*). Eles se tornaram azedos e rançosos. É metáfora tirada do leite que fermentou e ficou azedo, rançoso e inútil. — *Adam Clarke, 1760-1832*

v. 3: "E juntamente se fizeram imundos". A palavra נֶאֱלָחוּ, traduzida por "se fizeram imundos", pode ser traduzida por "ficaram podres ou pútridos". — *John Morison,* 1829

v. 3: "Não há quem faça o bem, não há sequer um". Os homens maus não só são culpados de pecados de comissão, tendo cometido iniquidade abominável, como também são culpados de muitos pecados de omissão. Na verdade, nunca fizeram um ato santo. Podem ser morais, decentes, amáveis e membros de uma igreja, mas "não há quem faça o bem, não há sequer um". — *William S. Plumer, 1867*

v. 4: "Acaso não têm conhecimento estes obreiros da iniquidade"? A consciência é um meio de restringir, conter, controlar e repreender a natureza corrupta e as suas formas de expansão. Não se porta como um habitante nativo, mas é como uma guarnição postada numa cidade rebelde pelo grande Governador do mundo a fim de manter a rebelião dos habitantes dentro dos limites, os quais, do contrário, irromperiam em confusão incontida. Davi fala da corrupção inata do homem segundo esta pergunta: Não haveria um certo conhecimento que mostrasse para eles que as ações que praticam são más? Sim, responde ele, haveria. "Acaso não têm conhecimento estes obreiros da iniquidade, os quais comem o meu povo como se comessem pão?" Sim, têm. É por isso "que se acharam em grande temor" (v. 5). Deus lhes deu conhecimento para com isso vencê-los pelo medo, e assim contê-los de cometerem muitas afrontas contra o povo de Deus, a quem, segundo o desejo e, às vezes, prática, eles comem como pão. Portanto, esse conhecimento é colocado como rédea para a natureza corrupta, como um anzol foi posto no nariz de Senaqueribe (Is 37.29) para dominar e subjugar os homens e vencê-los pelo medo. Se não tivessem conhecimento, eles comeriam uns aos outros e a igreja como pão. Mas esse é o medo que sentem, diz ele, a saber, é assim que sucede que são mantidos em temor. — *Thomas Goodwin, 1600-1679*

v. 4: "Os quais comem o meu povo como se comessem pão". *C'est, n'en font non plus de conscience, que de manger un morceau de pain.* [Quer dizer, eles não têm mais escrúpulos em fazer isto do que comer um pedaço de pão.] — Nota marginal da *Bíblia em Francês*

v. 4: "O meu povo". Davi pode verdadeiramente chamar o povo de seu por causa da preocupação demonstrada por eles e porque eles eram seus partidários e amigos. Eles se apegavam a ele em todas as aflições pelas quais passou. ["O teu povo *é* o meu povo, o teu Deus *é* o meu Deus", Rt 1.16.] — *Benjamim Boothroyd, 1836*

v. 5: "Eis que se acharam em grande temor, onde temor não havia". Há um medo irreal e supersticioso quando os homens têm medo da própria sombra, assim como Pisander, que tinha medo de encontrar a própria alma, e Antenor, que nunca saía pelas portas, a não ser em carruagem fechada de todos os lados ou com um pequeno escudo sobre a cabeça, para que, suponho, o céu não lhe caísse em cima, de acordo com o que diz o salmo: "Eis que se acharam em grande temor, onde temor não havia". — *John King, 1559-1621*

v. 5: "Eis que se acharam em grande temor, onde temor não havia". Veja como é terrível o Inferno para a consciência ferida! Por que Caim ficou com medo de ser morto, visto que não havia nenhum ser vivo para matá-lo senão o pai e a mãe, e talvez algumas mulheres e crianças que a Bíblia não menciona? Trata-se do justo julgamento de Deus que, aqueles que não temem ao Senhor, o único a quem devemos temer, fiquem merecidamente com medo daqueles que não são motivo para se temer. Aquele que ultimamente não temeu matar o irmão agora se torna um terror para si mesmo. Por meio disso, consideramos também como funciona o arrependimento dos ímpios. Eles vêem o erro junto com o castigo, porém reconhecem o erro e reclamam do castigo. — *Nicholas Gibbens, 1602*

SUGESTÕES AOS PREGADORES

[Veja as Sugestões aos Pregadores feitas ao Salmo 14.]

v. 1. O néscio por dentro e por fora.

v. 1. (1) A loucura do ateísmo. Aquele que diz que não há Deus é louco: (a) Não há razão a favor da afirmação. (b) Há toda razão contra a afirmação. (2) O lugar do ateísmo é o coração: (a) É uma incredulidade moral, não intelectual. (b) É a linguagem da vontade, não do entendimento. (3) A causa do ateísmo: (a) Amar o mal. (b) Odiar o bem. — *George Rogers*

v. 2. (1) Deus não deixou o mundo entregue a si mesmo. (2) Deus presta atenção particular a tudo o que acontece no mundo. (3) A única coisa que Deus valoriza no mundo é o conhecimento que há sobre Ele, Deus. — *George Rogers*

v. 4. Até que ponto o conhecimento é e não é uma restrição à impiedade.

v. 4. É pecado não invocar a Deus: (1) O que é invocar a Deus? Três coisas são necessárias: (a) Aproximar-se de Deus. (b) Falar com Deus (1 Sm 1.12,13). (c) Orar a Deus. (2) Como devemos invocar a Deus? (a) Com reverência, levando em conta: (aa) A santidade e a grandeza de Deus. (bb) O nosso próprio pecado e fraqueza (Gn 18.27). (b) Com entendimento (1 Co 14.15): (aa) Do que pedimos. (bb) De quem pedimos. (c) Com submissão. (d) Com fé (Mc 11.24; Tg 1.6). (e) Com sinceridade (Tg 4.3). (f) Com constância: (aa) Para estar sempre em atitude de oração. (bb) Para aproveitar todas as oportunidades de derramar a alma em oração a Deus. (cc) Para não ficar nenhum dia sem oração. (3) Por que é pecado não invocar a Deus: (a) Porque Deus o ordenou (Is 55.6; 1 Tm 2.8). (b) Porque a oração é uma das principais partes do culto que devemos a Deus. (4) Quem é culpado do pecado de não invocar a Deus? (a) Todos os que oram a qualquer outro que não a Deus. (b) Todos os que negligenciam a oração pública, particular ou familiar. (c) Todos os que oram, porém não corretamente. — *William Beveridge, 1636–1708, "Thesaurus Theologicus" [Tesauro Teológico]*

v. 5. (1) O que os perseguidores são para si mesmos — os seus próprios atormentadores, cheios de medos infundados. (2) O que os perseguidores são uns aos outros — embora de comum acordo aqui, os seus ossos são espalhados depois. (3) O que os perseguidores são para quem eles perseguem — confundidos diante deles. (4) O que os perseguidores são para Deus — um desprezo e escárnio. — *George Rogers*

v. 6. (1) Há salvação para Israel. (2) A salvação de Israel está em Sião. (3) A salvação de Israel permanece em Sião quando eles são deportados de lá. (4) A alegria de Israel fica maior quando eles voltam. — *George Rogers*

SALMO 54

TÍTULO

"Masquil." Devemos aprender e ensinar pelo que cantamos. A edificação não deve ser separada da salmodia.

"De Davi." As produções de Davi eram tão profusas quanto profícuas. A sua vida variada foi para o nosso benefício, pois dela derivamos estes hinos, os quais hoje nos são tão novos e preciosos quanto na época em que foram escritos.

"Para o cantor-mor, sobre Neguinote." A música tinha de ser com instrumentos de corda. Devemos nos preocupar em dar variedade às melodias e a todos os assuntos relacionados ao cântico sacro. A monotonia é, muitas vezes, a morte do louvor congregacional. A providência é variada, e assim devem ser as nossas canções gravadas.

"Quando os zifeus vieram e disseram a Saul: Porventura, não está escondido entre nós?" Para bajularem as boas graças de Saul, eles se tornaram culpados de grave inospitalidade. Não se importaram que sangue inocente fosse derramado, contanto que ganhassem o sorriso desairoso do monarca! Davi chegou quietamente entre eles, esperando ter descanso das suas muitas fugas, mas eles o espreitaram de longe na sua moradia solitária e o traíram. Ele se volta a Deus em oração com tão forte fé que logo cantou em serenidade deliciosa.

DIVISÃO

Dos versículos 1 a 3, findo os quais o selá nos dá uma pausa para descanso, o salmista pleiteia com Deus. Depois, no restante do cântico (vv. 4 a 7), ele coloca de lado toda dúvida e salmodia um hino de alegre triunfo. O vigor da fé é a morte da ansiedade e o nascimento da segurança.

EXPOSIÇÃO

1 *Salva-me, ó Deus, pelo teu nome, e faze-me justiça pelo teu poder.*
2 *Ó Deus, ouve a minha oração; inclina os teus ouvidos às palavras da minha boca.*
3 *Porque estranhos se levantam contra mim, e tiranos procuram a minha vida;*
não põem a Deus perante os seus olhos. (Selá)

1. *"Salva-me, ó Deus."* Tu és o meu Salvador. Ao redor de mim, estão os meus inimigos e os seus asseclas ávidos em ajudá-los. Nenhum abrigo me é permitido. Toda terra me rejeita e me nega descanso. Mas tu, ó Deus, me darás refúgio e me livrarás de todos os meus inimigos.

"Pelo teu nome", pelo teu grande e glorioso caráter. Emprega todos os teus atributos a meu favor. Que cada uma das perfeições que estão misturadas em teu nome divino trabalhe por mim. Não está a tua honra empenhada em minha defesa?

"E faze-me justiça pelo teu poder." Livra-me com a tua justiça, pois não há quem me livre. Tu podes me dar justiça eficiente e corrigir minhas injustiças pela tua onipotência. Não ousamos suplicar a Deus quando sabemos que a nossa causa é ruim, mas quando é boa, podemos levá-la sem medo perante a sua justiça e entregá-la ao seu poder.

2. *"Ó Deus, ouve a minha oração."* Essa sempre tem sido a defesa de santos. Contanto que Deus tenha os ouvidos abertos, não podemos fechar a boca em tempos de dificuldade. Todas as outras armas podem ser inúteis, mas toda oração sempre está disponível. Não há inimigo que neutralize essa arma.

"Inclina os teus ouvidos às palavras da minha boca." A oração vocal ajuda o suplicante. Mantemos a mente mais plenamente desperta quando usamos a língua como também o coração. Mas o que é a oração se Deus não ouvir? Dá tudo no mesmo, quer balbuciemos tolices ou pleiteemos argumentos, se o nosso Deus não nos conceder audição. Como o caso ficara perigoso, Davi não podia se dar ao luxo de orar por costume, pois ele tinha de ser bem-sucedido nas súplicas ou tornar-se presa do adversário.

3. *"Porque estranhos se levantam contra mim."* Aqueles que não tinham motivo de hostilidade posicionaram-se contra ele. Pessoas a quem não havia como ele ter ofendido, pois lhe eram estranhas. Eram também estranhas ao seu Deus e teriam permissão para atormentá-lo e destruí-lo. A criança pode se queixar ao pai quando surgem estranhos para perturbá-la? Que direito têm eles de interferir? Que parem de intrometer-se e vão tratar dos seus próprios assuntos.

"E tiranos procuram a minha vida." Saul, o tirano perseguidor, estampara a própria imagem em muitos outros mais. Os reis geralmente cunham moedas com a sua imagem. Ele deu o exemplo, e os outros prosseguiram em procurar a alma, o sangue, a vida e a própria existência de Davi. Eram cruéis e intensos na maldade, pois esmagariam totalmente o homem bom. Não havia meia medida que os contentasse.

"Não põem a Deus perante os seus olhos." Não tinham mais consideração pelo direito e pela justiça do que teriam se não conhecessem Deus ou não se importassem com ninguém. Tivessem eles levado Deus em consideração, não teriam traído o inocente para ser caçado e capturado como um pobre antílope inofensivo. Davi percebia que o ateísmo formava a base da inimizade que o perseguia. Os homens bons são odiados por causa de Deus, e esse é um bom argumento para eles pleitearem em oração.

"Selá." É como se ele dissesse: "Chega! Vamos parar um pouco". Ele está sem fôlego de tanta indignação. Uma sensação de erro manda que ele suspenda a música por enquanto. Observemos também que mais pausas, por via de regra, melhoram as nossas devoções. Em geral, estamos com muita pressa. Um pouco mais de meditação santa torna nossas palavras mais apropriadas e nossas emoções mais fervorosas.

4 *Eis que Deus é o meu ajudador; o* Senhor *está com aqueles que sustêm a minha alma.*
5 *Ele pagará o mal daqueles que me andam espiando; destrói-os por tua verdade.*
6 *Eu te oferecerei voluntariamente sacrifícios; louvarei o teu nome, ó* Senhor, *porque é bom,*
7 *porque me livrou de toda a angústia; e os meus olhos viram cumprido o meu desejo acerca dos meus inimigos.*

4. *"Eis que Deus é o meu ajudador."* Ele via inimigos em todos os lugares. Agora, para a sua alegria, quando olha para o grupo dos que o defendiam, ele vê alguém cuja ajuda é melhor do que toda a ajuda dos homens. Ele é tomado de grande alegria ao reconhecer o divino defensor, e brada: "Eis". Não é este um tema para exultação piedosa em todo tempo: o grande Deus protege a nós, o seu povo? Que importa a quantidade ou a violência dos nossos inimigos, quando ELE tomar o escudo da sua onipotência para nos proteger e a espada do seu poder para nos ajudar? Pouco nos preocupamos com o ataque do inimigo quando temos a defesa de Deus.

"O Senhor *está com aqueles que sustêm a minha alma."* O Senhor que reina, o grande Adonai está do lado dos meus defensores. Esse defensor é maior do que qualquer um dos três poderosos, ou do que todos os valentes que escolheram Davi por capitão. O salmista estava muito confiante. Ele sentia tão absolutamente que o seu coração estava do lado do Senhor que não havia dúvida de que Deus estava do lado *dele*. No primeiro versículo, ele pediu por livramento, e neste, ele agradece pela proteção. Enquanto estivermos buscando uma misericórdia que ainda não temos, não sejamos descuidados de outra que já temos. É grande misericórdia termos amigos, mas é misericórdia ainda maior ver o Senhor entre eles, pois como tantas pessoas sem importância os nossos amigos não são nada até o Senhor se coloque como grande unidade na frente deles.

5. *"Ele pagará o mal daqueles que me andam espiando."* Trabalharam para o mal, então receberão o salário do mal. A maldade não pode ficar impune. Seria crueldade para os bons terem de ser benevolentes com os perseguidores. Está determinado, e assim sempre será, que os que atiram as flechas da maldade para cima, elas cairão em cima deles. Muitas vezes, o coice da arma dos opressores os mata.

"Destrói-os por tua verdade." Ele fala não por vingança atroz, mas como um *amém* à sentença certa do justo Juiz. A veracidade das tuas ameaças são inquestionáveis, o decreto é certo e justo, que seja cumprido. Não se trata de um desejo particular, mas é a declaração de um militar, um homem excepcionalmente prejudicado e ferido, um líder público destinado a ser monarca e um homem bem treinado na escola de Moisés, cuja lei ordena olho por olho e dente por dente.

6. *"Eu te oferecerei voluntariamente sacrifícios."* Espontaneamente levarei a ti as minhas ofertas voluntárias. Tão certo está ele do livramento que faz uma promessa por antecipação. A sua gratidão transbordante encheria os altares de Deus com vítimas alegremente apresentadas. Quanto mais recebemos, mais devemos dar. A espontaneidade das dádivas e doações é elemento importante na aceitação. "Deus ama ao que dá com alegria" (2 Co 9.7).

"Louvarei o teu nome, ó Senhor.*"* Como se não houvesse quantidade de sacrifício que expressasse os seus sentimentos alegres, ele decide ser loquaz na gratidão vocal. O nome que ele invocou na oração (v. 1), agora ele exaltará em louvor. Note como ele destaca claramente: "Ó Senhor". Este sempre é o principal nome do Deus revelado de Israel (Jeová), um nome que desperta os mais sublimes sentimentos, e assim nutre o mais aceitável louvor. Ninguém pode louvar tão bem o Senhor como os que tentaram e provaram a preciosidade do seu nome em tempos de adversidade. O salmista adiciona: "Porque é bom", e com certeza, podemos ler essa frase com

um nominativo duplo: O nome de Deus é bom, e assim é o seu louvor. É de grande proveito para a nossa alma sermos copiosos no louvor. Nunca somos tão santos ou tão felizes como quando a nossa adoração a Deus é abundante. O louvor é bom em si mesmo, bom para nós e bom para tudo que nos cerca. Se os inimigos de Davi são aqueles que "não põem a Deus perante os seus olhos" (v. 3), aqui ele declara que é de opinião diferente, porque ele decide ter o Senhor em perpétua recordação pelos seus sacrifícios e louvores.

7. *"Porque me livrou de toda a angústia."* Nessa altura dos acontecimentos, o livramento estava chegando. E pelo perigo em que estava, ele sentia que o salvamento estava próximo. Davi viveu uma vida cheia de perigos e libertações por um triz, mas ele sempre era guardado. No retrospecto dos muitos livramentos que recebeu, ele percebe que tem de louvar a Deus e considerar como já recebida a misericórdia que ele estava buscando. Então, ele canta esta canção:

> Um novo cântico está em minha boca
> Para a composição musical há muito amada
> *Glória a ti por toda a graça*
> *Que ainda não tenho*

O Deus da aliança se empenha em nos tirar de todas as nossa dificuldades. Portanto, agora mesmo, enalteçamos a nota de triunfo ao Senhor, o preservador fiel daqueles que põem a confiança nele. Até aqui temos experimentado a sua boa promessa. Ele não muda. Em todo o futuro desconhecido, ele continuará sendo o nosso guardador e defensor, "para mostrar-se forte para com aqueles cujo coração é perfeito para com ele" (2 Cr 16.9).

"E os meus olhos viram cumprido o meu desejo acerca dos meus inimigos." Ele sabia que ainda veria os inimigos arrogantes e olharia para eles com triunfo, assim como agora eles olhavam para ele com desprezo. Era o que ele desejava como questão de justiça, e não por ressentimento pessoal. A alma justa exultava porque ele sabia que a maldade não provocada e gratuita teria o castigo justo. Quando pudermos manter fora do coração toda inimizade pessoal da forma como o salmista fez neste salmo, então sentiremos com ele um consentimento sacro e um prazer santo na justiça divina que salva os justos e derrota os maldosos.

Concluindo, confiemos que, se estivermos sem amigos como esse homem de Deus esteve, podemos recorrer à oração como ele fez, exercer fé igual, e logo estaremos cantando o mesmo hino alegre de louvor.

NOTAS EXPLICATIVAS E DECLARAÇÕES IMPORTANTES

O Título: Com a dedicatória, aprendemos que:

(1) Dilemas particulares e livramentos particulares devem ser observados particularmente: como Davi relembra o perigo pelo qual passou com a deslealdade dos zifeus.

(2) Os poderosos terão facilmente mais amigos numa causa má do que os piedosos numa causa boa: como Saul teve os zifeus que lhe prestaram um serviço à crueldade, quando Davi estava em apuro.

(3) Os ímpios são muito cordiais em fazer maus-tratos e ficam muito felizes quando encontram uma oportunidade para tanto. "Porventura", disseram eles, "não está [Davi] escondido entre nós?", como se essa fosse uma boa e abençoada notícia. — *David Dickson (1583–1662), "A Brief Explication upon the Psalms" [Uma Breve Explicação sobre os Salmos]*

O Salmo: A igreja tem assumido uma visão clara ao designar este salmo como um dos salmos entoados na comemoração da paixão de Cristo. É visto com maior efeito como uma profecia simples acerca de Jesus. Lido sob essa ótica, é muito claro e fácil de entender, exigindo pouco mais do que a primeira ideia para mostrar uma correspondência perfeita com a vida e sentimentos do Messias. — *William Hill Tucker, "The Psalms . . . with Notes" [Os Salmos... com Notas], 1840*

O Salmo: Nos primeiros três versículos, Davi, sendo perseguido pelos inimigos, ora contra eles. Esse era o seu hábito, pois ele sempre começava o conflito com Deus, combatendo e lutando com ele pela bênção e socorro. Ele não ousa erguer a mão contra os inimigos de Deus (contudo, o que Davi não se atreve a fazer?) antes de primeiro ter erguido as mãos em súplica humilde ao Senhor da sua força, "que adestra as minhas mãos para a peleja e os meus dedos para a guerra" (Sl 144.1). Feito isso, a coragem irrompe como raio, e ele não titubeia em matar milhares e dez milhares. Nos versículos 4 e 5, ele se torna o seu próprio profeta, prometendo para si mesmo vitória, pois quem pode resistir aquele que tem a onipotência por seu ajudante? Ou como podem os inimigos manterem a luta contra o capitão que, outrora, derrotou e desbaratou as forças militares desses inimigos pelas orações que ele fez? Ele garantiu a vitória antes mesmo que pusesse a armadura! Depois, nos últimos versículos, Davi conclui por onde começou, confessando com gratidão a bondade de Deus pelo livramento recebido e desbaratamento dos inimigos, obrigando-se a um retorno de serviço obediente e afetuoso, em consideração a tão grandes misericórdias recebidas. — *Sermão de ação de graças pregado por J. Dolben, 1665*

O Salmo: Bendito Redentor! Dá-me a graça de te olhar e me lembrar dos teus procedimentos entre os falsos amigos e os francos inimigos, que nos dias da tua carne te rodeavam. Senhor! Ajuda-me a considerar a ti, que suportaste tal contradição dos pecadores contra ti, para que eu não enfraqueça e desfaleça em meu ânimo. Porquanto os zifeus dos dias de hoje me atormentam e me afligem, e entregariam a minha alma nas mãos do inimigo, que, pela tua graça, eu esteja olhando para ti e derivando força de ti, para que eu veja a tua mão graciosa livrando-me de todas as minhas dificuldades e tornando-me mais do que vencedor na tua força e no poder da tua força. — *Robert Hawker, Doutor em Teologia, 1753–1827*

v. 1: "Salva-me, ó Deus". Como Davi foi desta vez colocado fora do alcance da ajuda humana, devemos entender que ele orava para ser salvo pelo *nome e poder de Deus* em sentido enfático, ou por esses meios em contraste com os meios habituais de libertação. Embora toda ajuda no final das contas tenha de vir de Deus, há métodos comuns pelos quais ele geralmente a oferece. Quando estes fracassam e todo impedimento terreno é retirado, ele tem, então, de resolver as coisas por conta própria. Foi em tal situação que Davi correu ao refúgio último dos santos e buscou ser salvo pelo milagre do poder divino. — *João Calvino*

v.1: "Faze-me justiça pelo teu poder", ou seja, determina, decide a minha causa pelo teu poder grandioso. Saul, na causa entre ele e Davi, estava determinado a resolvê-lo pela força e arbitrar de nenhum outro modo que não pela lança, pela espada ou pelas próprias forças. O salmista bem sabia que Saul, nesse aspecto, seria muito duro com ele. É por isso que suplica proteção e justiça daquele cujo poder ele sabia que era infinitamente superior aos dos adversários, e que, ele tinha certeza, poderia e o defenderia. — *Samuel Chandler (1693–1766), "A Critical History of the Life of David" [Uma História Crítica da Vida de Davi]*

v. 2: "Inclina os teus ouvidos às palavras da minha boca". Que as "palavras da minha boca", com as quais defendi a minha causa, sejam agradáveis e aceitáveis a ti.

Para que deste modo, as orações e palavras da boca sejam devidamente distinguidas, a menos que alguém deseje entender que elas sejam as orações proferidas pela boca. Mas, como eu disse, a frase é mais enfática. — *Hermann Venema, 1697–1787*

v. 3: "Estranhos". São alienígenas à tua verdade, ó Deus, homens que, por incredulidade, se alienaram de toda parte e porção na tua aliança — eles oprimem e perseguem. — *William Hill Tucker*

v. 3: "Porque estranhos se levantam contra mim". A versão Caldaica diz "orgulhosos" em vez de "estranhos", uma interpretação também encontrada em oito dos Códices de Kennicott (cf. NTLH). É o que também ocorre no Salmo 86.14. — *William Walford, "The Book of Psalms. A New Translation" [O Livro dos Salmos. Uma Nova Tradução], 1837*

v. 3: "Porque estranhos se levantam contra mim". É um grande erro traduzir a palavra זָרִים (*zārîm*) por "estranhos". Os zifeus eram, com certeza, israelitas, e não estranhos ou estrangeiros. O fato é que a palavra é tomada de זָרָה (*zārâ*), cujo significado primário é "espalhar", "dispersar" e também "peneirar" como grãos. Por conseguinte, denota figurativamente "peneirar um assunto", "investigar", "explorar", "procurar saber", "localizar", "delinear". Davi está reclamando dos novos e perigosos inimigos que lhe eram os zifeus, que se tornaram espiões de Saul. Quando ele pleiteia por libertação, dizendo "Salva-me, ó Deus", ele descreve o perigo em que estava: "Porque *espiões* se levantam contra mim". — *Benjamin Weiss, "New Translation, Exposition and Chronological Arrangement of the Psalms" [Nova Tradução, Exposição e Ordem Cronológica dos Salmos], 1858*

v. 3: "E tiranos procuram a minha vida", ou seja, a minha vida, pelo menos, e a minha alma também, eles destruiriam se pudessem, assim como os papistas entregaram John Huss ao Diabo. — *John Trapp, 1611–1662*

v. 4: "Eis", diz ele, eu produzo certo fato, famoso, demonstrado por uma nova prova e digno de toda a atenção. A partícula *eis* contém esta amplitude de significado. — *Hermann Venema*

v. 4: Jesus vê com a mais extrema clareza que Deus será o seu "ajudador" e o "ajudador" daqueles — os discípulos e os crentes — "que sustêm a [sua] alma". No mesmo momento, ele prevê a destruição dos inimigos. Ele vê, em pensamento, os exércitos de Tito, a queda da nação judaica e a dispersão do remanescente. Ele vê a mão vingadora de Deus, estendida com fúria sobre os destruidores. — *William Hill Tucker*

v. 4: "O SENHOR está com aqueles que sustêm a minha alma". Como tomaram parte com os santos perseguidos, Deus tomará parte com eles: "O SENHOR está com aqueles que sustêm a minha alma". — *David Dickson*

vv. 4 e 5: Ele tem certeza que obterá ajuda para si e para os amigos, e vingança para os inimigos. Daí aprendemos que:

(1) A oração fervorosa recebe prontamente uma resposta rápida e, às vezes, maravilhosamente rápida, até mesmo antes que o homem termine de falar, como Davi experimentou aqui: "Eis", disse ele, "que Deus é o meu ajudador".

(2) A visão da fé é muito clara e atravessa todas as nuvens. Quando Deus exibe nela a luz do seu Espírito, ela pode demonstrar Deus presente em um momento, pronta para ajudar nos maiores dilemas: "Eis que Deus é o meu ajudador".

(3) Há mais alegria na presença sentida de Deus do que na angústia sentida na dificuldade, pois o "eis que Deus é o meu ajudador" trazia mais consolo para Davi do que a crueldade dos amigos e a maldade dos estranhos lhe era dolorosa. — *David Dickson*

v. 5: "Destrói-os". Ele deseja que Deus os destrua com um golpe mortal, que é a força contida na palavra צָמַת. O sentido primário é "estar calado", "manter silêncio", de onde é transferido a um golpe que penetra profundamente e atinge fatalmente. É como se chama o golpe *silencioso* em oposição ao *sonoro*, o qual é comum dar rebote e não cravar com fundura. — *Hermann Venema*

v. 6: "Eu te oferecerei voluntariamente sacrifícios". Ele sacrificaria de boa vontade. Com isso, ele não está aludindo à circunstância, que sacrifícios de louvores eram opção para os adoradores, mas à vivacidade e alegria com que ele cumpriria o voto quando ele tivesse escapado dos perigos atuais. — *João Calvino*

v. 7: "Os meus olhos viram cumprido o meu desejo acerca dos meus inimigos". Ou, "os meus olhos olharam para os meus inimigos", quer dizer, ele estava apto para ter um encontro com eles sem terror. — *Samuel Davidson, Doutor em Teologia, 1852*
v. 7: "Porque me livrou de toda a angústia; e os meus olhos viram cumprido o *meu desejo* acerca dos meus inimigos". O leitor notará que as palavras "meu desejo" foram acrescentadas pelos tradutores, pois não estão no texto original hebraico. — *C. H. S.*

SUGESTÕES AOS PREGADORES

v. 1. No livramento dos santos, a honra e o poder de Deus estão envolvidos: (1) O fracasso dos santos desonra a honra e o poder de Deus. (2) A salvação dos santos glorifica a honra e o poder de Deus. (3) A honra e o poder de Deus são imutáveis; portanto, temos um argumento seguro em todo tempo.

v. 2. Nossa principal preocupação na oração: (1) Qual é o significado de Deus ouvir a oração. (2) Como podemos saber que Deus ouviu a oração. (3) O que devemos fazer quando duvidamos que Deus ouviu a oração. (4) O que é devido a Deus quando Ele ouve a oração.

v. 3. Estranhas provações: (1) Não são provações completamente estranhas: (a) Não são estranhas para Deus. (b) Não foram estranhas na História da Igreja. (c) Não são estranhas para as providências da graça, nas quais estão previstas. (2) Em que as provações são estranhas: (a) Revelam Deus de novo. (b) Encarecem as promessas esquecidas. (c) Exercitam as graças desusadas. (d) Trazem novos louvores.

v. 3. "Não põem a Deus perante os seus olhos." A raiz do pecado: (1) Se os pecadores se lembrassem da autoridade de Deus, não ousariam. (2) Se os pecadores provassem o amor de Deus, não quereriam. (3) Se os pecadores se conformassem à natureza de Deus, não poderiam.

v. 4. Um tema para nossa admiração: (1) A graça imerecida de Deus, pois Ele ficou do nosso lado. (2) O poder gracioso de Deus, pois quem pode resistir a Ele? (3) A ajuda prática de Deus, pois Ele sustém a nossa alma.

v. 6. Devemos oferecer sacrifícios voluntariamente, livremente, liberalmente, alegremente, continuamente, com puro motivo.

v. 6. A bondade de louvar o bom nome do Senhor.

v. 7. "Porque me livrou de toda a angústia": (1) A exclamação do penitente recentemente perdoado. (2) O brado do santo libertado. (3) A canção do cristão maduro. (4) O grito do crente glorificado.

SALMO 55

TÍTULO

"Masquil". Não se trata de mero hino pessoal, pois contém ensinamentos para cada um de nós. Onde o nosso Senhor brilha por Davi, o seu tipo pessoal, há grande profundidade de significado.

"De Davi". O homem de muitas situações, mui provado e mui favorecido, perseguido mas livrado e exaltado, era capacitado pela experiência a escrever tão preciosos versículos, nos quais expõe não só as tristezas dos peregrinos comuns, mas também as do Senhor.

"Para o cantor-mor, sobre Neguinote". Outro cântico para ser acompanhado por instrumentos de corda. A melodia é, às vezes, triste, às vezes, suavemente doce. Exigia a maior perícia do cantor-mor para que a música fosse a expressão exata do sentimento.

ASSUNTO

Seria perda de tempo datar e determinar uma ocasião para o salmo com algum grau de dogmatismo. Está redigido na forma de canção do tempo de Absalão e Aitofel. Foi depois de Davi ter apreciado o culto pacífico (v. 14), quando ele era ou tinha acabado de tornar-se morador em uma cidade (vv. 9 a 11) e quando se lembrou das suas antigas perambulações pelo deserto. No todo, temos a impressão de estar relacionado com a época triste em que o rei foi traído pelo seu conselheiro de confiança. Os olhos espirituais de vez em quando veem o Filho de Davi e Judas, e os principais sacerdotes indo e vindo na tela quente do salmo.

DIVISÃO

Dos versículos 1 a 8, o suplicante apresenta o caso em linhas gerais perante o seu Deus. Nos versículos 9 a 11, ele descreve os inimigos. Nos versículos 12 a 14, ele menciona um traidor em especial e clama por vingança ou a prediz no versículo 15. Dos versículos 16 a 19, ele se consola pela oração e fé. Nos versículos 20 e 21, ele menciona novamente o enganoso violador do pacto e termina com uma exortação animadora para os santos (v. 22) e uma denúncia de destruição sobre os ímpios e enganadores (v. 23).

EXPOSIÇÃO

1 *Inclina, ó Deus, os teus ouvidos à minha oração e não te escondas da minha súplica.*
2 *Atende-me e ouve-me; lamento-me e rujo,*
3 *por causa do clamor do inimigo e da opressão do ímpio; pois lançam sobre mim iniquidade e com furor me aborrecem.*
4 *O meu coração está dorido dentro de mim, e terrores de morte sobre mim caíram.*
5 *Temor e tremor me sobrevêm; e o horror me cobriu.*
6 *Pelo que disse: Ah! Quem me dera asas como de pomba! Voaria e estaria em descanso.*
7 *Eis que fugiria para longe e pernoitaria no deserto. (Selá)*
8 *Apressar-me-ia a escapar da fúria do vento e da tempestade.*

1. *"Inclina, ó Deus, os teus ouvidos à minha oração."* O fato é tão comum para nós que, caso contrário, ficaríamos surpresos em observar como é universal e constante os santos recorrerem à oração em tempos de angústia. Do grande Irmão Mais velho até ao menor na família de Deus, todos têm prazer na oração. Correm tão naturalmente para o trono da misericórdia em tempos de dificuldade como os pintinhos para a galinha na hora do perigo. Mas note que nunca é o ato vão da oração que satisfaz os piedosos, pois almejam uma audiência com o Céu e uma resposta do trono, e nada menos que isso os satisfaz.

"E não te escondas da minha súplica." Não tampes os ouvidos ou retenhas a mão. Quando o homem viu o seu semelhante em angústia e deliberadamente passou por ele, disseram que ele se escondia dele. O salmista implora que o Senhor não o trate assim. Nessa hora de pavor, quando Jesus levou nossos pecados na cruz, o Pai se escondeu dEle, e esta foi a parte mais terrível de toda a agonia do Filho de Davi. Supliquemos para que calamidade como essa não ocorra conosco: Deus recusar ouvir os nossos clamores.

2. *"Atende-me e ouve-me."* Essa é a terceira vez que ele faz a mesma oração. Ele está determinado, profunda e amargamente determinado. Se o seu Deus não ouvir, ele sente que tudo está acabado com ele. Ele implora ao seu Deus que ouça e responda.

"Lamento-me e rujo." Ele extravasa a tristeza, permite que a mente recite as aflições e as derrame em linguagem sugestiva do que ele está passando, quer seja coerente ou não. Que consolo termos tal familiaridade com o nosso Deus! Não podemos reclamar *dEle*, mas podemos reclamar *a Ele*. Os pensamentos desconexos que temos quando estamos perturbados pela aflição podem ser levados diante dEle, inclusive em expressões vocais que mais são rugidos que palavras. Ele atenderá com todo cuidado, pois nos entende e frequentemente satisfaz desejos que não sabemos expressar em palavras que façam sentido. "Gemidos inexprimíveis" (Rm 8.26) são muitas vezes orações que não podem ser recusadas. O próprio Senhor se serviu de brados fortes e lágrimas copiosas, e "foi ouvido quanto ao que temia" (Hb 5.7).

3. *"Por causa do clamor do inimigo."* O inimigo era suficientemente vocal e loquaz, pois tinha voz enquanto a vítima piedosa não tinha nada melhor que rugidos. Dificilmente, a difamação está com falta de expressão, visto que fala sem parar e tagarela incessantemente. Nem Davi, nem nosso Senhor, nem os santos tiveram permissão de escapar dos ataques das línguas venenosas, e em todos os casos, tal mal era a causa da angústia extrema.

"E da opressão do ímpio." O injusto oprimia e afligia o justo. Como um fardo insuportável, ele o derrubou e o colocou de joelhos perante o Senhor. Essa é uma história que se repete muitas vezes, sendo verdadeira até aos fins dos tempos. O que é gerado segundo a carne persegue o que é gerado segundo o Espírito (cf. Gl 4.29). A poderosa semente da mulher tinha o calcanhar ferido.

"Pois lançam sobre mim iniquidade", eles me enegrecem com porções de fuligem, jogam o pó das mentiras sobre mim, arremessam a peçonha da calúnia em cima de mim. Empenham-se em me desconcertar, e se não caio, dizem que cairei.

"E com furor me aborrecem." Com maldade sincera detestam o santo. Não se tratava de hostilidade dormente, mas de rancor mortal que reinava no peito. O leitor não precisa que mostremos a elevada aplicabilidade desses fatos ao nosso Senhor.

4. *"O meu coração está dorido dentro de mim."* O espírito de Davi se estorcia de agonia, como um verme. Ele estava fisicamente com tanta dor como a mulher em trabalho de parto. A alma íntima foi tocada; e o espírito ferido quem pode suportar? Se isto foi escrito quando Davi foi atacado pelo próprio filho predileto e ignominiosamente expulso da capital, ele estava coberto de razão para usar essas expressões.

"E terrores de morte sobre mim caíram." Medos mortais se apoderaram dele. Sentia-se como alguém repentinamente cercado pelas trevas da sombra de morte, sobre quem a noite eterna desce de repente. Por dentro e por fora ele era afligido, e o principal terror parecia vir de cima, pois ele usa a expressão: "Sobre mim caíram". Ele se entregou pelos perdidos. Sentia que era tão bom quanto morto. O centro íntimo do seu caráter deslocou-se pela tristeza angustiosa. Pense em nosso Senhor no jardim do Getsêmani, com a "alma [...] cheia de tristeza até à morte" (Mt 26.38), e você tem um paralelo das aflições do salmista. Se, por acaso, querido leitor, você ainda não trilhou este escuro caminho, logo trilhará. Portanto, assegure-se de pisar nas marcas exatas dos pés do seu Senhor nessa parte lamacenta do caminho.

5. *"Temor e tremor me sobrevêm."* Como arrombadores de casa, esses ladrões estavam lhe entrando na alma. Como alguém que sente um desmaio prestes a lhe sobrevir, assim o suplicante oprimido estava entrando em um estado de terror. O medo era tão grande que o fazia tremer. Ele não sabia o que lhe aconteceria em seguida, ou quando o pior viria. Os boatos astutos e misteriosos da difamação causam mais medo na mente nobre do que o antagonismo aberto. Podemos ser valentes contra um inimigo declarado, mas conspirações covardes e artificiosas nos desnorteiam e nos distraem.

"E o horror me cobriu." Ele era como alguém envolvido em escuridão que podia ser apalpada. Como Jonas desceu ao mar, assim Davi desceu às profundezas do horror. Foi intimidado, ficou desconcertado e foi levado a um estado horroroso de expectativa e receio mortal.

6. *"Pelo que disse: Ah! Quem me dera asas como de pomba! Voaria e estaria em descanso."* Se ele não podia resistir como a águia, ele fugiria como a pomba. Velozmente e sem ser percebido, com asas fortes e incansáveis, ele fugiria para longe das moradas da difamação e maldade. O amor pela paz o fez ansiar pela fuga da cena da discussão.

> Um chalé em algum vasto deserto
> Uma continuidade ilimitada de sombra
> Onde boatos de opressão e engano
> Nunca mais me alcancem

Todos temos extrema tendência a proferir esse desejo vão, pois vão é. Não há asas de pombas ou de águias que nos levem para longe das tristezas de um coração tremente. A aflição interior não respeita lugar. Além disso, é covardia fugir da batalha que Deus quer que lutemos. É melhor enfrentarmos o perigo, porque não temos armadura para proteger as costas. Davi precisaria de transporte mais rápido do que asas de pomba para escapar da calúnia. Pode descansar quem não foge, mas encomenda o caso ao seu Deus. Até mesmo a pomba de antigamente não achou repouso para a planta do pé até que voltou para a arca. Nós, em meio a todas as nossas tristezas, achamos repouso em Jesus. Não precisamos partir. Tudo ficará bem se confiarmos nEle.

7. *"Eis que fugiria para longe."* Mas quando Davi estava distante, ele ansiava estar mais uma vez perto de Jerusalém. Da mesma forma, em nossa situação difícil, sempre pensamos que o passado era melhor do que o presente. Seremos atraídos a fugir para bem longe, mas possivelmente teremos relutância em ir. Não precisamos alimentar noções vãs de fuga prematura da terra.

"E pernoitaria no deserto." Mesmo sem ter achado um lugar bom, ele decide tornar o deserto a sua morada permanente. Tivesse ele sido condenado a receber o que desejava, logo se sentiria como Alexander Selkirk, segundo a estrofe do poeta:

Ó solidão, onde está o encanto
Que os sábios acham em tua face?
Melhor morar no meio do perigo
Do que reinar neste lugar horrível

Nosso Senhor, porquanto livre de todos os desejos vãos, achou muita força na solidão, pois gostava do cume dos montes à meia-noite e da sombra quieta das oliveiras no jardim do Getsêmani. Do ponto de vista prático, é melhor irmos ao retiro do que pateticamente ansiarmos por Ele. É bastante natural quando as pessoas nos fazem injustiça, desejar nos separar de tal convívio. A natureza, porém, tem de dar lugar à graça. Temos de suportar a contradição dos pecadores contra nós mesmos, para que não enfraqueçamos e desfaleçamos em nosso ânimo (cf. Hb 12.3).

"Selá." Depois de tal fuga a mente pode descansar. Quando estamos indo rápidos demais e dando vazão muito livre aos pesares, faz bem gritarmos "Basta!" e fazermos uma pausa até que pensamentos mais lúcidos e equilibrados retornem.

8. *"Apressar-me-ia a escapar."* Ele tentou fazer uma pausa mas não pôde, como o cavalo que, quando é freado, escorrega um pouco por causa da velocidade à qual vinha. Davi declara que não desperdiçaria um momento sequer, ou ficaria para despedir-se dos amigos, mas se levantaria e se poria a caminho imediatamente por medo de estar muito atrasado e porque não suportava mais ouvir a gritaria dos inimigos.

"Da fúria do vento e da tempestade." A tormenta estava se armando e, como pomba, ele voaria mais rápido do que ela para chegar a uma região mais tranquila. Mais veloz que as nuvens da tormenta, ele fugiria para evitar o dilúvio das chuvas e o clarão dos raios. Infelizmente, pobre alma, você não tem asas assim. Por enquanto, você terá de ficar aqui e sentir a fúria da tormenta. Mas tenha bom ânimo, pois, muito em breve, você baterá asas para um voo mais ousado, pois o Céu o receberá, onde as tristezas terão um termo de felicidade entre os pássaros do paraíso.

9 *Despedaça, Senhor, e divide a sua língua, pois tenho visto violência e contenda na cidade.*

10 *De dia e de noite andam ao redor dela, sobre os seus muros; iniquidade e malícia estão no meio dela.*

11 *Maldade há lá dentro; astúcia e engano não se apartam das suas ruas.*

9. *"Despedaça, Senhor."* Aniquila totalmente meus inimigos. Sejam devorados pela espada, visto que a desembainharam contra mim. Como esperaríamos que o monarca exilado fizesse outra oração senão esta contra as turbas rebeldes de Absalão e os esquemas astuciosos de Aitofel?

"E divide a sua língua." Faze outra Babel nos seus debates e conselhos de guerra. Coloca-os em objetivos contrários. Divide a matilha para que a caça escape. As divisões do erro são a esperança da verdade.

"Pois tenho visto violência e contenda na cidade." O populaça e os líderes estavam tramando e planejando, enraivecendo-se e argumentando contra o rei, agindo sem controle com mil projetos loucos. A anarquia fermentara entre eles, e agora o rei esperava que sucedesse que o mesmo desrespeito às leis que o exilara gerasse

fraqueza entre os inimigos. A revolução devora as próprias crias. Os que são fortes pela violência, cedo ou tarde descobrirão que a sua força é a sua morte. Absalão e Aitofel podem levantar multidões, mas não podem governá-las tão facilmente, nem tão prontamente implementar a própria política de modo que continuem sendo amigos firmes. A oração de Davi foi ouvida, pois os rebeldes logo se dividiram em seus conselhos. Aitofel, tomando o seu caminho, enforcou-se com corda, e Absalão, tomando o seu caminho, enforcou-se sem corda.

10. *"De dia e de noite andam ao redor dela, sobre os seus muros."* A cidade, a cidade santa se tornara covil da maldade. Os conspiradores se reuniam na escuridão e falavam em pequenos grupos nas ruas em pleno dia. Nesse ínterim, o interior do país era excitado à revolta e os traidores, sem serem intimidados, cercavam a cidade, agindo em concordância com os rebeldes citadinos. Não há dúvida de que havia um fogo sufocado de insurreição que Absalão acendeu e ventilou, o qual Davi percebeu com alarme pouco antes de deixar Jerusalém. Assim que abandonou a cidade, o fogo irrompeu em visíveis labaredas.

"Iniquidade e malícia estão no meio dela." Infeliz capital por ser atacada assim pelos inimigos, abandonada pelo próprio monarca e cheia de todos esses elementos de turbulência que geravam males e dificuldades. Infeliz rei por ser forçado assim a ver danos que ele não podia evitar, que assolavam a cidade que ele tanto amava. Houve outro Rei cujas lágrimas abundantes regaram a cidade rebelde e que disse: "Jerusalém, Jerusalém, que matas os profetas e apedrejas os que te são enviados! Quantas vezes quis eu ajuntar os teus filhos, como a galinha ajunta os seus pintos debaixo das asas, e tu não quiseste!" (Mt 23.37).

11. *"Maldade há lá dentro."* O próprio coração da cidade era vil. Nas posições de autoridade, o crime ia de mãos dadas com a calamidade. Todos os mais desvairados e piores elementos ocupavam postos de comando. Os canalhas eram os chefes. A ralé circulava nos lugares mais importantes. A justiça estava desacreditada. A população estava totalmente pervertida. O progresso desaparecera e, com ele, a ordem.

"Astúcia e engano não se apartam das suas ruas." Em todos os lugares de reunião, as línguas astuciosas estavam ocupadas em persuadir as pessoas com frases enganadoras. Demagogos astutos faziam o povo segui-los cegamente. O bom rei era difamado de todas as maneiras, e quando o viram ir embora, passaram a insultar os governadores da sua própria escolha. O foro era a fortaleza da fraude, o congresso era a convenção da astúcia. Pobre Jerusalém, ser desse jeito a vítima do pecado e da vergonha! A virtude era insultada, e o vício reinava! As assembleias solenes acabaram, os sacerdotes fugiram, o rei se deportou e tropas de vilões despreocupados desfilavam pelas ruas, assomavam aos muros e vomitavam blasfêmias nos recintos sagrados. Havia motivos mais do que suficientes para causar a tristeza tão lamentosamente proferida nestes versículos.

12 *Pois não era um inimigo que me afrontava; então, eu o teria suportado; nem era o que me aborrecia que se engrandecia contra mim, porque dele me teria escondido,*
13 *mas eras tu, homem meu igual, meu guia e meu íntimo amigo.*
14 *Praticávamos juntos suavemente, e íamos com a multidão à Casa de Deus.*

O leitor fará bem em observar a precisão com o salmista definiu o próprio salmo, quando disse: *"Sinto-me perplexo em minha queixa"* (v. 2, ARA; "lamento-me"), ou mais exatamente: "Dou vazão aos meus pensamentos", porque ele passa de um ponto de tristeza para outro, perambulando como alguém num labirinto, fazendo pausas aqui e ali e não dando a menor indicação de que está mudando de assunto. Agora, da cidade turbulenta, a mente se volta ao conselheiro maquiavélico.

12. *"Pois não era um inimigo que me afrontava; então, eu o teria suportado."* Não era um inimigo declarado, e sim um amigo fingido. Esse amigo passou para o outro lado e tentou provar a realidade da traição, caluniando o velho amigo. Não há inimigos

mais reais que os falsos amigos. Repreensões de quem tinha intimidade conosco e em que confiávamos atingem bem o âmago do nosso ser. Estão normalmente tão bem familiarizados com nossas fraquezas peculiares que sabem nos tocar onde somos mais sensíveis e falar de modo a nos ferir mais. As difamações do antagonista declarado raramente são tão más e covardes quanto as de um traidor. A ausência dos elementos de ingratidão e traição as torna menos difícil de suportar. Podemos suportar de Simei o que não podemos suportar de Aitofel.

"Nem era o que me aborrecia que se engrandecia contra mim, porque dele me teria escondido." Podemos nos esconder de inimigos declarados, mas quem pode escapar da traição? Se inimigos orgulhosamente se vangloriam contra nós, revigoramos a alma para a resistência. Mas quando os que fingem nos amar nos olham atravessado e com desprezo, para onde iremos? Nosso Senhor bendito, no seu pior estado, teve de suportar o engano e a traição de um discípulo favorecido. Não fiquemos surpresos quando formos chamados a trilhar o caminho que está marcado pelos pés perfurados de Jesus.

13. *"Mas eras tu."* Ele está vendo. A fúria poética está sobre ele, pois ele vê o traidor como se estivesse na sua presença em carne e sangue. Distingue-o, aponta o dedo para ele, encara-o provocativamente. "Mas [..] tu". Até tu, Brutos? E tu, Aitofel, estás aqui? "Judas, [...] trais o Filho do Homem?" (Lc 22.48).

"Homem meu igual." Tratado por mim como alguém do meu nível. Nunca foi olhado por mim como alguém inferior, mas como um amigo de confiança.

"Meu guia", um conselheiro extremamente sábio, em cujos conselhos confiei e achei prudente confiar.

"E meu íntimo amigo", com quem eu era abertamente íntimo, que me conhecia como eu o conhecia por revelações mútuas de coração. Não era um estranho com que eu conversava ocasionalmente, e sim um querido e chegado amigo aceito em minhas relações particulares. Tratava-se de traição perversa tal indivíduo mostrar ter duas caras. Não havia desculpa para tal vilania. Judas desfrutou muito dessa relação com o nosso Senhor. Ele foi tratado como igual, confiado como tesoureiro e, nessa função, era frequentemente consultado. Ele conhecia o lugar onde o Mestre era habituado a ir para ter momentos de solidão. Na realidade, ele conhecia todos os movimentos do Mestre. Mesmo assim, ele o entregou traiçoeiramente aos adversários sem remorso. Como era justo o Senhor apontar para ele e dizer: "Mas [...] tu". Contudo, o espírito gentil advertiu o filho da perdição da maneira mais suave, e não fosse Iscariotes ser dez vezes mais filho do Inferno, ele teria renunciado o propósito detestável.

14. *"Praticávamos juntos suavemente."* Não eram apenas os conselhos que os homens recebiam juntos em público ou sobre temas comuns, pois o companheirismo entre eles se tornara afável e confidencial. O traidor fora tratado com amor e muita confiança. O consolo, mútuo e animador, se formara com as longas e particulares conversas entre eles. Não havia segredos comuns entre eles de nenhum tipo. A alma se relacionava com a alma, pelo menos da parte de Davi. Por mais fingido que tivesse sido o afeto do traiçoeiro, o amigo traído não lidara com ele friamente ou fora cuidadoso em escolher as palavras em suas declarações. Que vexame o infeliz desvirtuar tal companheirismo e trair tal confiança!

"E íamos com a multidão à Casa de Deus." A religião tornara o relacionamento sagrado, pois eles entrosaram o culto que prestavam a Deus e comungaram temas divinos. Se existem laços que devem permanecer invioláveis, os vínculos religiosos são um. Há no fingimento certa impiedade, do tipo detestável, que degrada a união daqueles que confessam ser crentes. Deve o próprio altar de Deus ser contaminado pela hipocrisia? Devem as reuniões no templo serem poluídas pela presença da traição? Tudo isso era verdadeiro acerca de Aitofel, e, em certa medida, acerca de Judas. A união que ele mantinha com o Senhor estava baseada na fé. Eles estavam unidos no mais santo dos empreendimentos. Ele fora encarregado do mais precioso dos deveres. A sua cooperação com Jesus visava atender objetivos abomináveis,

fato que o caracterizou como o primogênito do Inferno. Melhor teria sido para ele jamais haver nascido (cf. Mc 14.21). Estejam advertidos todos os professos e enganosos crentes pelo destino desse homem, pois, como Aitofel, ele foi para o seu próprio lugar pelas suas próprias mãos e detém primazia horrível na lista de crimes notórios. Esta foi uma fonte de sofrimento para o Redentor, da qual participam os que o seguem. Da ninhada da serpente, ainda restam algumas víboras, que ferirão a mão dos que os acariciavam e venderão por dinheiro os que os elevaram à posição que possibilitou serem tão hediondamente traiçoeiros.

15 *A morte os assalte, e vivos os engula a terra; porque há maldade nas suas habitações e no seu próprio interior.*

Jesus não oraria assim, mas foi como o rude soldado que Davi extravasou a angústia do seu espírito pela traição e maldade raramente igualadas e completamente não provocadas. Todo soldado deseja o aniquilamento dos inimigos, pois é para esse objetivo que ele luta. Vistos sob o ângulo da lei e da justiça, Davi tinha razão no desejo. Ele estava empreendendo uma guerra justa e defensiva contra homens que não davam a mínima à verdade e justiça. Leiamos as palavras como a imprecação de um guerreiro.

15. *"A morte os assalte."* Traidores como estes merecem morrer, não há existência com eles, a terra foi contaminada por terem-na pisado. Se espiões são fuzilados, muito mais estes vilões furtivos.

"E vivos os engula a terra." Desçam ao Seol ("cova", ARA) enquanto ainda estão no vigor da vida. Troquem de repente o prazer dos vivos pelos sepulcros dos mortos. Não há, porém, necessidade de ler este versículo como imprecação. É, mais exatamente, uma expectativa ou profecia confiante. O salmista estava certo de que Deus os devastaria e os expulsaria da terra dos viventes para as regiões dos mortos.

"Porque há maldade nas suas habitações e no seu próprio interior." São muito maus para serem poupados, pois as casas são covis da infâmia e os corações, fontes do dano. São uma praga para a comunidade, uma peste moral, uma peste espiritual para serem erradicados pelas leis dos homens e pela providência de Deus. Aitofel e Judas logo deram um fim à própria vida. Absalão ficou pendurado num carvalho (onde foi morto), e os rebeldes pereceram no bosque em grande quantidade. Há justiça no universo, o próprio amor o exige. Ter compaixão pelos que se rebelam contra Deus, como tais, não é virtude — oramos por eles como seres criados e os detestamos como inimigos de Deus. Hoje em dia, precisamos muito mais nos precaver da iniquidade disfarçada, que se compadece do mal e considera o castigo uma crueldade, do que da rudeza de uma época antiga. Dirigimo-nos para tão longe de Cila que o Caríbdis está nos absorvendo.

16 *Mas eu invocarei a Deus, e o* Senhor *me salvará.*
17 *De tarde, e de manhã, e ao meio-dia, orarei; e clamarei, e ele ouvirá a minha voz.*
18 *Livrou em paz a minha alma da guerra que me moviam; pois eram muitos contra mim.*
19 *Deus ouvirá; e os afligirá aquele que preside desde a antiguidade (Selá), porque não há neles nenhuma mudança, e tampouco temem a Deus.*

16. *"Mas eu invocarei a Deus."* O salmista não se daria ao trabalho de enfrentar as intrigas dos adversários através de contra-intrigas, nem imitaria a incessante violência, mas, em oposição direta ao comportamento irreligioso, ele recorreria continuamente ao seu Deus. Foi o que Jesus fez, e é sábio que todos os crentes façam o mesmo. Como isso exemplifica o contraste do caráter das duas partes, assim prediz o contraste do fim das duas partes — os justos subirão ao seu Deus e os ímpios descerão para a ruína.

"E o Senhor me salvará." Jeová cumprirá o meu desejo, e se glorificará com a minha libertação. O salmista está bastante certo disso. Ele sabe que orará, e disso ele também está bastante certo. O nome da aliança é o penhor da promessa da aliança.

17. *"De tarde, e de manhã, e ao meio-dia, orarei."* Muitas vezes, porém não em demasia. Tempos de grande necessidade requerem tempos de frequentes práticas devocionais. Os três períodos escolhidos são os mais adequados. Começar, permanecer e terminar o dia com Deus é sabedoria suprema. Onde o tempo fixou um limite natural, é onde devemos montar um altar de pedras. O salmista quer dizer que sempre orará. Percorrerá uma linha de oração durante o dia todo e seguirá o sol com súplicas. De dia e de noite, ele viu os inimigos ocupados (v. 10), por isso enfrentaria essa atividade pela oração contínua.

"E clamarei." Ele daria voz à reclamação. Seria extremamente fervoroso nas súplicas argumentativas com os céus. Alguns choram em voz alta sem nunca dizer uma palavra. É o sino do coração que toca alto nos céus. Certos estudiosos interpretam esse trecho do versículo assim: "E meditarei e murmurarei". Os pensamentos do fundo do coração devem ser assistidos com declarações de aflição inarticuladas mas veementes. Bendito seja Deus, pois o gemido é traduzível para os céus. O coração do pai lê o coração do filho.

"E ele ouvirá a minha voz." Ele está confiante de que vencerá. Não duvidando que será ouvido, ele fala como se já tivesse recebido a resposta. Quando a nossa janela está aberta para os céus, as janelas dos céus estarão abertas para nós. Basta termos um coração que invoca a Deus para Deus ter mãos cheias de fartura para nós.

18. *"Livrou em paz a minha alma da guerra que me moviam."* O livramento veio. Joabe derrotou os rebeldes. O Senhor justificou a causa do seu ungido. A fé vê como também prevê. Para ela, previsão é visão. Davi não está apenas seguro, mas também sereno: "Livrou em paz a minha alma" — paz no mais fundo da alma.

"Pois eram muitos contra mim", ou seja, eram muitos os que contendiam contra ele. Ou pode ser que ele reconhece com gratidão que o Senhor levantou para ele aliados inesperados, buscou-lhe socorro quando mais precisava e fez do monarca sem amigos mais uma vez o chefe de um grande exército. O Senhor pode mudar a nossa situação em um instante, e muitas vezes é o que acontece quando as orações se tornam fervorosas. A crise da vida é normalmente o lugar secreto da luta. O vau de Jaboque fez de Jacó um príncipe que prevalecia. Aquele que nos tira todos os amigos para, com essa ausência, nos fazer ver somente a ele, pode devolvê-los em maior quantidade para que o vejamos com mais alegria no fato da presença deles.

19. *"Deus ouvirá; e os afligirá."* Eles rugem como eu (v. 2), e Deus os ouvirá. A voz da difamação, maldade e orgulho não só é ouvida por aqueles a quem eles afligem, mas também alcança os céus, penetra os ouvidos divinos, exige vingança e a terão. Deus ouve e livra o seu povo. Ouve e destrói os ímpios. Os gracejos cruéis, as falsidades vis, os insultos covardes, as blasfêmias atrevidas são ouvidas e lhes serão retribuídas pelo Juiz eterno.

"Aquele que preside desde a antiguidade." Ele se assenta na eternidade, juiz eternamente empossado. Todas as orações dos santos e as profanações dos pecadores estão diante do seu tribunal, portanto, ele fará justiça.

"Selá." O cantor faz uma pausa, comovido pelo temor reverente de estar na presença do Deus eterno.

"Porque não há neles nenhuma mudança, e tampouco temem a Deus." Esse sentimento de reverência faz com que ele se lembre do ateísmo ousado dos ímpios. Ele percebe que as provações o dirigiram ao seu Deus e declara que foi a prosperidade ininterrupta dessa gente que fez com vivessem em tamanho descaso ao Altíssimo. É fato mais do que evidente que bem-estar e prazer excessivamente prolongados produzem as piores influências nos homens que não têm a graça. As dificuldades não os convertem, contudo a ausência delas faz com que a natureza corrupta se desenvolva com mais presteza. Água parada se torna pútrida. O calor do verão

cria insetos nocivos. Quem está sem dificuldade está frequentemente sem Deus. É prova forçosa da depravação humana que o homem torne a misericórdia de Deus em nutrição para o pecado. O Senhor nos salve disso.

20 *Puseram suas mãos nos que tinham paz com ele; romperam a sua aliança.*
21 *A sua boca era mais macia do que a manteiga, mas no seu coração, guerra; as suas palavras eram mais brandas do que o azeite; todavia, eram espadas nuas.*

O salmista não consegue esquecer da conduta do traidor e volta ao tema para fazer mais considerações.

20. "Tal homem estendeu as mãos contra os que tinham paz com ele" (ARA; "Puseram suas mãos nos que tinham paz com ele", ARC). Ele feriu aqueles a quem ele recebera a mão da amizade, quebrou os laços da aliança, foi pérfido com os que habitavam em paz por causa da relação amigável que mantinham com ele.

"Corrompeu a sua aliança" (ARA; "Romperam a sua aliança", ARC). Profanou a mais solene liga, sem levar em consideração juramentos e promessas.

21. *"A sua boca era mais macia do que a manteiga."* Ele elogiava e ornamentava com palavras de efeito o homem a quem desejava devorar. Untava-o com lisonja e depois batia-o com malícia. Tenha cuidado da pessoa que tenha muito mel na língua. Suspeite da armadilha onde a isca é muito atrativa. Palavras macias, suaves e melífluas são mais abundantes onde a verdade e a sinceridade são mais escassas.

"Mas no seu coração, guerra." Ele produziu manteiga em um prato grandioso, mas tinha uma estaca de tenda pronto para as têmporas do convidado. Quando o coração e a boca diferirem tão amplamente, o homem é um monstro, e as pessoas a quem ele ataca são realmente atormentadas.

"As suas palavras eram mais brandas do que o azeite." Não havia nada que pudesse ser mais insincero e verboso, pois inexistiam sílabas censuráveis, discussões ou discórdias. As suas palavras eram tão flexíveis quanto o melhor suco da azeitona.

"Todavia, eram espadas nuas", floretes desembainhados, armas brandidas para a rixa. Esse infeliz bajulava a vítima porque queria devorá-la! Atraía-a como se ele fosse um animal de rapina. Com certeza, é o que você é!

22 *Lança o teu cuidado sobre o* SENHOR, *e ele te susterá; nunca permitirá que o justo seja abalado.*

22. *"Lança o teu cuidado"*, ou o que o seu Deus colocar em você, coloque "sobre o SENHOR". A sabedoria divina o lança sobre você, então é a sua sabedoria lançá-lo sobre Ele. Ele lança a sua sorte sobre você, então lance essa sorte sobre Ele. Ele dá a você a sua parcela de sofrimento, então aceite-a com resignação feliz e, depois, leve-a de volta a Ele através da sua firme confiança.

"E ele te susterá." O seu pão será dado a você, as suas águas serão certas. Nutrição abundante convirá a você para suportar todas as labutas e provações. Como são os seus dias assim será a sua força.

"Nunca permitirá que o justo seja abalado." Ele pode ser sacudido como os galhos de uma árvore na tempestade, mas nunca será abalado como uma árvore arrancada pelas raízes. Fica firme quem se firma em Deus. Muitos gostariam de acabar com todos os santos, mas Deus não permite e nunca permitirá. Como colunas, os tementes a Deus permanecem imóveis para a glória do grande Arquiteto.

23 *Mas tu, ó Deus, os farás descer ao poço da perdição; homens de sangue e de fraude não viverão metade dos seus dias; mas eu em ti confiarei.*

23. *"Mas tu, ó Deus, os farás descer ao poço da perdição."* Para os descrentes, está designada uma destruição certa, terrível e fatal. Por mais que subam, o poço

da perdição está de boca escancarada para recebê-los, pois é para onde o próprio Deus fará com que desçam. A perdição que ali há será a porção deles.

"Homens de sangue e de fraude", duplamente iníquos por serem cruéis e fraudulentos, "não viverão metade dos seus dias". Eles serão interrompidos nas suas intrigas ou, sendo frustrados nos seus estratagemas, o tormento acabará com eles. Eram no coração assassinos de pessoas, e se tornaram na realidade suicidas. Não duvidemos que a virtude alonga a vida e que o vício tende a encurtá-la.

"Mas eu em ti confiarei." Essa é conclusão muito sábia e prática. Não há como ter melhor fundamento para a confiança. O Senhor é tudo, e mais do que tudo que a fé pode precisar como fundação para a dependência tranquila. Senhor, aumenta a nossa fé cada vez mais.

NOTAS EXPLICATIVAS E DECLARAÇÕES IMPORTANTES

O Título: "Masquil". Essa palavra é frequentemente anteposta a salmos nos quais Davi fala que está sendo castigado por Deus, já que o alvo do castigo é o ensino. — *Simon de Muis, 1587-1644*

O Salmo: A oração do Homem Cristo na sua humilhação, menosprezado e rejeitado pelos homens, quando Ele foi feito pecado pelo povo, para que este fosse feito justiça de Deus em Cristo, quando ele estava a ponto de sofrer o castigo do povo, pagar a dívida e o resgate deles.

A depravação absoluta dos habitantes de Jerusalém. A traição sofrida pelo Messias de um dos doze, a quem ele ordenara ao ofício apostólico e que era o servo constante do Messias em todos seus giros ministeriais.

A morte prematura e punitiva do traidor Judas e de outros relacionados à crucificação do Senhor da glória. — *John Noble Coleman, Mestre em Ciências Humanas, "A Revision of the Authorized English Versions of the Book of Psalms" [Uma Revisão das Versões Inglesas Autorizadas do Livro dos Salmos], 1863*

v. 1: "Inclina, ó Deus, os teus ouvidos à minha oração e não te escondas da minha súplica". Na primeira frase, ele usa a palavra תְּפִלָּתִי, para indicar que ele meramente buscou a justiça de Deus como Juiz. Na segunda frase, ele implora o favor de Deus para que, caso a oração por justiça lhe for menos conveniente como pecador, Deus não lhe negue a graça. — *Hermann Venema*

v. 1: "E não te escondas da minha súplica". Essa é ilustração tirada da postura de um rei que proíbe o ofensor de ver-lhe a face (2 Sm 14.24), ou de um inimigo que se esconde, por exemplo, de um boi, quer dizer, finge que não o vê, mas vai embora, deixando-o (ver Dt 22.1,3,4; Is 58.7), ou de um falso amigo ou pessoa grosseira que, prevendo que alguém pobre e necessitado vai pedir-lhe algo, não se deixa ver, mas procura sair de fininho. — *Martin Geier, 1614–1681*

v. 2: "Lamento-me e rujo". Como alguém deprimido pela tristeza, faz ruídos dolorosos. — *Henry Ainsworth, 1622*

v. 2: "Lamento-me e rujo". O suplicante lamentoso e rugidor não desperdiçará nem as orações nem as lágrimas, pois o "lamento-me" é apresentado pela razão da esperança de que Deus o atenderá e ouvirá. — *David Dickson*

v. 2: "Lamento-me". A tradução literal dessas palavras é: "deixar-me-ei vagar em meus pensamentos", ou seja, deixarei a minha mente vagar ou os meus pensamentos perambularem como quiserem. — *Joseph Addison Alexander*

v. 2: "Lamento-me". Os santos lamentam pelos próprios pecados e depravação, pela falta de frutos e produtividade, pela decadência da vitalidade cristã interior, pela situação crítica de Sião, pelo estado declinante do interesse de Cristo e pelo pouco sucesso do evangelho. Choram, nessas lamentações, pelos próprios pecados e pelos pecados dos outros, crentes e descrentes, e sob tormentos temporais e espirituais deles próprios e da igreja. Jesus também nos dias da sua carne lamentou a perversão e falta de fé da geração dos homens entre os quais vivia, a insolência, orgulho e disputa dos discípulos, as repreensões, insultos e afrontas dos inimigos, e o desamparo do Deus Pai. Muitas vezes, ele lamentou por conta de uma ou outra destas coisas, sendo "homem de dores" e "experimentado nos trabalhos" (Is 53.3). — *John Gill*

v. 2: "Lamento-me". A palavra hebraica aqui empregada significa comumente "discurso", "meditação". Aqui, ocorre no sentido de reclamação, como em Jó 7.13; 9.27; 21.4; 23.2; Salmo 142.2; 1 Samuel 1.16. Não é, porém, usado para denotar *reclamação* no sentido de procurar defeitos, queixar-se, acusar, ou trazer a ideia de que fomos tratados com injustiça. Não tem esse significado nesse texto ou na Bíblia em geral. Trata-se da linguagem de alguém atribulado, e não de uma pessoa magoada. — *Albert Barnes, 1868*

v. 2: Na confissão, quando a alma se desfaz em santa vergonha e tristeza pelos pecados, ele se esparrama na presença do Senhor, ele sente uma santa dor e aflição interior e não faz um papel trágico com um coração cômico. Disse Crisóstomo: "Pintar as lágrimas é pior que pintar o rosto". Este é o verdadeiro fervor: "Lamento-me e rujo". Pode haver fogo na panela sem nada dentro, ou ventos fortes sem chuva. Davi fez um rugido com a voz e lamentou no espírito. — *William Gurnall, 1617–1679*

v. 3: "Por causa do clamor do inimigo", há palavras afrontosas; "da opressão do ímpio", há roubo violento de bens; "pois lançam sobre mim iniquidade", há calúnias difamadoras e acusação falsa de erros; "e com furor me aborrecem", há a busca cruel para matar. — *David Dickson*

v. 3: "Pois lançam sobre mim iniquidade". Fazem com que a iniquidade caia sobre mim, como os homens fazem com que pedras ou outros objetos caiam sobre os que os sitiam para feri-los. Foi o que este pecado, vergonha e qualquer coisa fizeram com o inocente Davi para torná-lo odioso. — *John Trapp*

v. 4: "Está dorido" ou treme de dor (cf. ARA). A palavra hebraica significa normalmente "dores que a mulher sente no trabalho de parto". — *Henry Ainsworth*

v. 4: "E terrores de morte sobre mim caíram". "O meu coração", disse o salmista aflito, *"está dorido dentro de mim"*, e, embora eu esteja reiteradamente convicto do meu interesse no amor e favor divino, agora os "terrores de morte sobre mim caíram". O caso de Davi está tão longe de lhe ser peculiar, que ele o pinta com as mais destacáveis cores. É um estado de espírito ao qual muitos dos mais exemplares cristãos estão frequentemente, se não constantemente, sujeitos. Muitos, cuja esperança está na fundação certa, até mesmo Jesus Cristo e aqueles cuja conduta é uniforme e coerente, são acossados quase que permanentemente pelos medos atormentadores da morte. [...] Será uma investigação interessante e útil examinar as verdadeiras causas do medo que, por um lado, cultiva a melancolia e o desânimo e, por outro, destrói a nossa felicidade no outro. Para cumprir este propósito, farei algumas considerações.

(1) As causas do medo da morte. Há, realmente, uns poucos que estão tão insensibilizados na escravidão da maldade ou tão plenamente alheios a todos os avisos, a ponto de considerarem o terrível período da decomposição sem as emoções de terror e desânimo. Há algo tão peculiarmente horrível na ideia de uma mudança até aqui desconhecida e de um estado até agora não experimentado, que os mais fortes veteranos reconhecem os tremendos aspectos a isso relacionados. [...]

A primeira causa do medo da morte é a culpa consciente. Os mais insensíveis estão cientes de muitas coisas que eles não estão propensos a confessar. Os mais virtuosos estão cientes de muitos crimes, os quais engenhosamente procuram esconder. Enquanto os cristãos olham somente para os próprios hábitos e temperamentos, poderão se sentir e sempre se sentirão miseráveis. Mas quando olham para o grande Fiador, Cristo Jesus (cf. Hb 7.22), o prospecto sombrio logo se transforma em alegria.

O apego a este mundo é a segunda causa do medo da morte.

O princípio de autopreservação é a terceira causa do medo da morte. Nosso corpo, que é mimado pelo orgulho e nutrido pela indulgência, ser consignado à sepultura silenciosa para tornar-se comida de vermes é uma reflexão humilhante para a ostentada dignidade humana. A natureza se revolta com a ideia da própria decomposição. Por conseguinte, mostra o desejo de preservar a vida, algo que está evidentemente implantado em nós.

O Diabo é a quarta causa permitida a terrificar a consciência humana, pelo menos aumentando o medo da morte.

A incredulidade é a quinta causa do medo da morte. Estivesse a nossa fé mais frequentemente em exercício, teríamos a capacidade de olhar além das mansões hediondas da sepultura com a esperança cheia de imortalidade. Os medos da morte podem ser causados por procurarmos essa perfeição em nós mesmos, a qual nunca descobriremos com facilidade.

(2) Os argumentos calculados a acabar com o medo da morte. É necessário postularmos que as consolações da religião pertencem unicamente aos verdadeiros cristãos. Os ímpios têm razão justa para terem medo da aproximação da morte. Mas aqueles que estão humilhados sob o senso da própria indignidade e que correram para Cristo em busca de perdão e salvação não têm razão para terem medo dos sofrimentos ou consequências da morte. Em primeiro lugar, porque o aguilhão da morte foi tirado. Em segundo lugar, porque a morte não é mais inimiga mas amiga. Ao invés de nos ameaçar com desgraça, convida-nos à felicidade. Em terceiro lugar, porque a certeza do nosso estado está fundada no juramento, propósito e promessa de Deus. Em quarto lugar, porque é a consideração dos benefícios resultantes da morte. Em quinto lugar, porque são os benefícios que os crentes recebem de Cristo na ressurreição. — *Condensado de um sermão pregado por John Grove, Mestre em Ciências Humanas, Membro da Sociedade Real de Londres, 1802*

vv. 4 e 5: Na versão do livro dos Salmos usada no Livro de Orações, esse versículo consta com uma simplicidade mais rústica e expressiva: "O meu coração está inquieto dentro de mim, e o medo da morte caiu sobre mim. Receio e tremor me sobrevieram, e um pavor terrível me dominou". O medo da morte está em toda a carne. Não é sinal de humanidade não ter esse medo. Vencê-la no caminho do dever é coragem. Enfrentar a morte com paciência é fé. Mas não temê-la é um dom da graça especial ou uma insensibilidade perigosa. Sem dúvida, até os mais importantes santos disseram: "Tenho desejo de partir" (cf. Fp 1.23). E muitos correram para o martírio, como se corressem para o amor e seio do seu Senhor. Mas quanto aos demais, à multidão do seu rebanho, que não são nem pecadores obstinados, nem estão entre os santos, o pensamento da morte é um pensamento de medo. Vemos que, o primeiro sentimento por terem colocado os pés no caminho que conduz à sepultura, até os homens bons sentem "o medo da morte" e "um pavor terrível" que fazem o pulso bater a uma velocidade acelerada e veemente. A natureza toda, tanto do corpo quanto da alma, treme até ao âmago. O coração fica "inquieto" e "dorido" dentro deles. [...]

Vejamos quais são as causas ou razões destes "terrores de morte". O fato necessário é a conscientização da pecaminosidade pessoal. A sensação de inadequação para irmos à presença de Deus, a nossa má vontade em morrer, a multidão de faltas pessoais, as disposições, pensamentos e inclinações maus. A lembrança de pecados inumeráveis, de grandes omissões e da mornidão em todas as práticas devocionais. O pouco amor ou gratidão que temos a Deus e a grande imperfeição do nosso arrependimento. Essas são coisas que nos fazem tremer ao pensamento de irmos prestar contas. Sentimos como se fosse impossível sermos salvos. Vergonha, medo e "um pavor terrível" nos sobrevêm. — *Henry Edward Manning, Mestre em Ciências Humanas, 1850*

v. 5: "Temor e tremor me sobrevêm". Com essa lamentável condição de espírito, aprendemos que não é algo incompatível com a piedade cristã sentir muito medo na hora do perigo. As emoções naturais não são retiradas quando ocorre a conversão, mas são santificadas e abrandadas. — *Daniel Dickson*

v. 5: "Temor". Como é natural essa descrição! Davi está em angústia, então lamenta, ruge, chora e suspira. O coração está ferido, então não espera nada senão a morte. Isso gera medo, isso gera tremor, que termina na profunda conscientização da inevitável ruína que se aproxima e o enche de horror. Ninguém jamais descreveu um coração ferido como Davi. — *Adam Clarke*

v. 6: "Pelo que disse: Ah! Quem me dera asas como de pomba! Voaria e estaria em descanso". Aonde quer que o salmista botasse os olhos, a constatação era vaidade e tormento. Um dilúvio de pecado e desgraça cobria o mundo, de forma que, como a pomba de Noé, ele não encontrava repouso para a planta dos pés. Por isso, dirige a rota para o céu e diz: "Ah! Quem me dera asas como de pomba! Voaria e estaria em descanso". Mas o descanso não é um estrangeiro naturalizado neste mundo. Nada, senão o céu dos céus está em descanso, e aqui é apenas a preparação. — *Thomas Sharp, 1630–1693, "Divine Comforts" [Consolações Divinas]*

v. 6: "Ah! Quem me dera asas como de pomba! Voaria e estaria em descanso". O rei Davi, embora no que tange à inocência não fosse uma pomba, mas a raridade das pombas, foi notável tipo de Cristo, em quem o Espírito Santo desceu na forma de pomba, pois a vida toda de Davi foi nada mais que *bellom sine inductis*, "uma eterna perseguição sem interrupção". O mesmo dizia respeito à porção de Cristo, o Senhor de Davi, e até ao fim do mundo será sempre a sorte daqueles que são a herança de Cristo. O meu texto significa nada menos que isso, o qual, sendo considerado historicamente, é a voz de Davi perseguido pelos inimigos; profeticamente, é a voz de Cristo na paixão; misticamente, é a voz dessa pomba mística, a alma inocente, rodeada e cercada com as armadilhas da morte. É até mesmo, como disse Pellican: *Generalis quaedam querela*, que quer dizer "uma reclamação geral da maldade dos ímpios em perseguir os justos". Que pena que seja assim, mas é, como se expressou Terêncio: *Non rete accipitri tenditur, neque milvio, qui malè faciunt, nobis; illis qui nil faciunt, tenditur*, que significa: "A rede não é lançada para aves de rapina, como o falcão e o milhafre, mas para pobres pássaros inofensivos que nunca meditam no dano". E Juvenal: *Dat veniam corvis, vexat, censura columbas*, que quer dizer: "A pomba seguramente receberá tiros, enquanto o urubu fica livre dos tiros".

Não será novidade para você que aqui a alma fiel, o cônjuge, a pomba de Cristo, quando a tribulação e aflição se apoderam dela e as inundações de Belial a cercam (como fala Agostinho acerca dos monges enclausurados dos seus dias: *Tanquam avis e cave liberari cupit*), "deseje como um pássaro ser solto da gaiola". Ou como Jonas (cujo nome significa "pomba"), depois de passar três dias e três noites aprisionado na barriga da baleia, não podia deixar de almejar a libertação. Assim a alma do homem, como a pomba, quando não três, mas muitos dias, meses e anos está aprisionada no corpo, deseja ardentemente ser liberta para voar ao Deus que a fez. Lamentar como pomba na súplica devota e subir como pomba na reflexão divina, irrompe nestas tristes elegias: "Ah! Quem me dera asas"! e: "Infelizmente, não tenho asas! Ai de mim que sou constrangido a peregrinar em Meseque e ter de habitar nas tendas de Quedar (cf. Sl 120.5). 'Como o cervo brama pelas correntes das águas, assim suspira a minha alma por ti, ó Deus!' (Sl 42.1). Desejo ser decomposto e estar com Cristo. Quem me dará asas?" É como se a pobre alma aflita, pateticamente lamentando a desprezada situação de peregrinação, mais abundantemente tivesse a libertação. "O meu esposo já subiu mais alto do que os ventos, do que as nuvens, do que os mais altos céus, e eu, pobre alma, como viúva sem marido, como órfã sem tutor, como exilada inconsolável, fui deixada no abandono e desconsolação deste vale de lágrimas. Não há ninguém que cuide de mim, que me console até que eu torne a alcançar aquele a quem amo e em quem vivo. Não somente isso, mas o pior é que este meu amigo familiar, este meu companheiro mais próximo e mais querido, o meu corpo, é um fardo para mim. O seu peso e frequentes pecados que persistem tão firmemente nele, obstruem-me, algemam-me, grudam em mim e pregam-me à terra de modo que não posso elevar-me ou suspender-me em direção ao Céu. Ou então que ele descesse para socorrer-me, sendo eu *filia, sponsa, soror*, "filha, esposa e irmã". Ou então que ele me desse asas para com elas subir para ele, sob a sombra de cujas asas eu certamente descansarei em segurança" (Sl 91.4).

"Tenho de confessar que foi a própria amargura da necessidade que primeiro me compeliu a amá-lo, embora por si mesmo Ele não fosse menos amável do que o próprio amor. Foi a aguda impertinência da aflição que atiçou os meus sentimentos e aguçou o meu apetite 'pela comida que permanece para a vida eterna' (Jo 6.27). Mas agora que o experimentei, estou em êxtase santo, extremamente encantado e extasiado sentindo um desejo fervente por ele e sua presença que *ubi sum, ibi non sum; ubi non sum est, ibi animus*, 'onde estou, lá não estou; e onde não estou, lá estou'. Portanto, como disse Erasmo: *Anima est ubi amat, non ubi animal*, 'a alma está onde gosta, não onde vive'. Agora, não lamento tanto pelos perigos atuais que rejeitarei quanto por causa do meu amor ausente, a quem mais desejo: 'Ah! Quem me dera asas como de pomba! Voaria e estaria em descanso'".

Façamos algumas observações cuidadosas deste versículo:

(1) A causa eficiente ou autor destas asas: Deus. "Ah! Quem me dera", "quem", isto é, senão Deus?

(2) O teor do desejo: "asas". "Quem me dera asas."

(3) A forma dessas asas: "como de pomba". "Quem me dera asas como de pomba!"

(4) O propósito mediato: voar. "Voaria."

(5) O fim último: descansar. "E estaria em descanso."

(1) Esta é a humildade cristã: "Ah! Quem me dera".

(2) Esta é a celeridade prudente: "Ah! Quem me dera asas".

(3) Esta é a simplicidade inocente: "Asas como de pomba!"

(4) Esta é a elevação devota: "Voaria".

(5) Esta é a segurança permanente: "E estaria em descanso". — *John Rawlinson, "The Dove-like Socle" [O Plinto como de Pomba]. Sermão pregado diante de Sua Alteza, o Príncipe no Palácio de Whitehall, em 19 de fevereiro de 1618*

v. 6: "Ah! Quem me dera asas como de pomba! Voaria e estaria em descanso". Alguns dos mais extraordinários sermões já pregados tiveram por base este texto, que era muito preferido pelos antigos teólogos. Eles roubaram de Plínio e Ulisse Aldrovandi as mais ultrajantes fábulas sobre pombas e os seus olhos, fígado, papo e até esterco, passando a procurar emblemas cristãos em todo fato e fábula. Griffith Williams, em amplos detalhes, discursa sobre o fato de que Davi não desejava asas como de gafanhoto para saltar de flor em flor, como as pessoas apressadas que saltam na religião, mas não correm com perseverança. Não desejava asas como de avestruz, que não decola da terra, embora seja pássaro, como fazem os hipócritas que nunca se enlevam com as coisas divinas. Não desejava asas como de águia, ou de pavão, ou de besouro, ou de corvo, ou de papagaio, ou de morcego. Depois de mostrar de muitas formas a semelhança entre os piedosos e as pombas, ele nos compara a Hugo Cardinalis e outros mais. Não pensamos que seria edificante carregarmos estas páginas com tais excentricidades e metáforas extravagantes. Esta única frase do bispo Patrick vale por tudo: "Ele preferiu desejar a esperar fugir". Ele não viu saída exceto por meio improvável ou impossível. — *C. H. S.*

v. 6: Quando os gauleses provaram o vinho da Itália, perguntaram onde estavam as plantações de uvas e não sossegaram até que chegaram lá. Assim seja o seu clamor: "Ah! Quem me dera asas como de pomba! Voaria e estaria em descanso". O crente está disposto a perder o mundo pelo prazer da graça. Está propenso a deixar o mundo pelo gozo da glória. — *William Secker v. 6:* "Asas como de pomba". O pombo ou pomba é um dos pássaros mais velozes. — *"Book of Psalms, with Preface and Explanatory Notes" [Livro dos Salmos, com Prefácio e Notas Explicativas], in: Religious Tract Society [Sociedade de Folhetos Religiosos]*

v. 6: "Ah! Quem me dera asas como de pomba! Voaria e estaria em descanso". Certo antigo escritor fala que lhe teria sido mais honrável ter pedido a força de um boi para suportar as provações do que asas de uma pomba para fugir delas. — *William Jay, 1769–1853*

v. 6: "Pomba". A referência é, suponho, à pomba cujo arrulho é lastimoso. O lamento baixo e triste pode ser ouvido o dia todo em certas estações nas plantações de oliva, e nos vales solitários e sombrios entre as montanhas. Eu, porém, fiquei mais impressionado com as pombas que habitam os vastos pomares que circundam Damasco do que as de outros lugares. São tão desanimadas, tão tristes entre as árvores, onde o ar farfalha suavemente e pequenos córregos correm fazendo murmurinhos enternecedores pelos corredores floridos. Esses pássaros nunca podem ser domesticados. Se forem confinados em uma gaiola, definham, e como William Cowper, desejam "um chalé em algum ermo vasto com alguma contiguidade ilimitada de sombra". Imediatamente após ganharem liberdade, fogem para a sua montanha como pássaros (Sl 11.1). Davi se refere aos hábitos desses animais neste aspecto, quando o seu coração estava dorido dentro dele: "Ah! Quem me dera asas como de pomba! Voaria e estaria em descanso. Eis que fugiria para longe e pernoitaria no deserto". É onde você encontrará estes pássaros tímidos longe dos antros de caçadores cruéis, de cuja sociedade eles são peculiarmente desconfiados. — *W. M. Thomson*, Doutor em Teologia, *"The Land and the Book" [A Terra e o Livro], 1859*

v. 6: "Ah! Quem me dera asas como de pomba! Voaria e estaria em descanso".

No princípio, ela estima a terra-mãe
E abraça o mundo e as coisas mundanas
Ela voa perto do chão e paira aqui
E não sobe com as asas celestiais

Mas debaixo do céu ela não pode pousar naquilo
Com que a sua natureza celestial concorde
Ela não pode descansar, ela não pode fixar os pensamentos
Ela não pode neste mundo estar contente

[...]

Então como a abelha que cai entre ervas daninhas
Que parecem flores doces, com brilho puro e alegre
Ela toca nisto e naquilo, e experimenta tudo
Mas, não gostando de nada, sobe e levanta voo

Assim quando a alma não encontra aqui verdadeiro contentamento
E como a pomba de Noé, não acha lugar seguro para pousar
Ela volta de onde foi enviada no princípio
E voa para aquele que fez as asas para ela
— *Sir John Davies, 1569–1626*

v. 7: "Eis que fugiria para longe e pernoitaria no deserto". Certa passagem em "Octávia", de Sêneca, é citada como paralelo a este versículo de Davi. Está na resposta de Octávia ao Coro, ato V, versos 914 a 923:

Quem pode suficientemente lamentar as minhas aflições?
Que notas as minhas tristezas podem expressar?

Até o próprio doce rouxinol falharia em
Responder com a sua angústia melancólica
Tivesse eu as suas asas, eu voaria
Para onde tristezas eu jamais sentiria
Elevada nas suas plumagens pelo céu
Em regiões longe da exploração do gênero humano
Em um bosque onde o silêncio triste reina
Em um borrifo eu me sentaria só
Em lamentações estridentes reclamaria
E em lamúrias verteria o meu gemido
— *J. B. Clarke [Extraído de Adam Clarke, in loc.]*

v. 8: "Apressar-me-ia a escapar da fúria do vento e da tempestade". Havia uma tormenta e tempestade ventosa lá fora e, o que é pior, um tumulto e agitação dentro dos meus pensamentos. O homem pode escapar das confusões externas, mas como fugirá de si mesmo? Se ele estiver fora do alcance de todos os exploradores da terra e de todas as fúrias do Inferno, mas for perseguido e assombrado pelas próprias cogitações turbulentas e incontroláveis, ele não precisa de outro atormentador. Foi assim que esse homem santo foi afligido duplamente, uma tempestade no exterior e um terremoto no interior tornaram a sua situação mais dolorosa. Mas para ambos ele tem εν μεγα. Ele não vagueia com as raposas deste mundo para aliviar-se com estratagemas e engodos sutis por meio de mudanças e políticas carnais, uma futilidade lançada para lá e para cá por aqueles que buscam a morte. Não, o seu grande refúgio é ir para o alto, ascender para Deus. — *Thomas Sharp*

v. 9: "Despedaça, Senhor, e divide a sua língua". As suas línguas foram verdadeiramente despedaçadas e se dividiram, em primeiro lugar, quando o testemunho de duas falsas testemunhas não concordaram tão exatamente, e, em segundo lugar, por causa do relato contraditório dos soldados que guardavam o sepulcro de Jesus. — *Michael Ayguan (1416), em John Mason Neale, "Commentary on the Psalms" [Comentário sobre os Salmos], 1860*

v. 9: "Divide a sua língua", ou seja, faze com que deem opiniões contraditórias. — *W. French e G. Skinner, 1842*

v. 10: "Iniquidade e malícia estão no meio dela". A cidade, como observa Abenezra, era como um círculo. Violência e discussão eram como a linha limítrofe que a rodeava, e iniquidade e malícia eram como o centro dela. E essas duas sempre estão juntas: onde há iniquidade, segue-se a malícia. — *John Gill*

v. 12: "Então, eu o teria suportado". É admirável que o Senhor, que suportou as outras indizíveis tristezas e agonias da paixão em perfeito e maravilhoso silêncio, permitisse que a dor lhe escapasse somente aqui. Foi quando ele lamentou-se aos discípulos porque um deles o trairia e quando, ao ser levado preso, dirigiu-se ao tal com estas palavras de repreensão: "Judas, com um beijo trais o Filho do Homem?" (Lc 22.48). — *Fra Thome de Jesu, 1582*

v. 12: "Porque dele me teria escondido". Em geral, é fácil sair do caminho de um inimigo declarado, mas como estar prevenido contra um amigo traiçoeiro? — *A. R. Fausset, "A Commentary, Critical, Experimental, and Practical" [Um Comentário Crítico, Experimental e Prático], 1866*

v. 13: "Homem meu igual". A Septuaginta traduz essas palavras não de maneira ruim, ἰσόψυχε ("de igual alma"). Jerônimo as traduz por *unanimus mens* ["de uma só opinião", "unânime"]. — *Hermann Venema*

v. 14: “Praticávamos juntos suavemente,”. Derivado de מָתַק, “ser doce”, “ser suave”, e a noção comum de סוֹד, “segredo”, a frase נַמְתִּיק סוֹד será lida literalmente assim: “Fizemos o nosso segredo doce” (ou “suavizamos o nosso segredo”). Assim pode ser uma prática elegante com o sentido de ser amigo dele ou de comunicar segredos para ele. — *Henry Hammond*

v. 14: “Praticávamos juntos suavemente, e íamos com a multidão à Casa de Deus”. A primeira frase fala de intimidade privada. A outra fala de associação em atos públicos, sobretudo nas grandes festas e procissões do templo. — *J. J. Stewart Perowne, 1864*

v. 14: “Com a multidão”. Essas palavras podem ser traduzidas por “com barulho”. É o que denota a versão Caldaica, quando traz a tradução “com pressa”. Isso concorda com os doutores judeus, que dizem que os homens têm de entrar com pressa e acelerado na sinagoga, mas sair dela muito devagar. — *Henry Hammond*

v. 15: “A morte os assalte, e vivos os engula a terra”. A parte última e final da vida dos pecadores é pior para eles. Passam a vida ocupados comerciando no mundo, comprando e vendendo, adquirindo ganho e gastando-o a rodo no mundo. Enquanto isso, pelos pecados, entram profundamente em dívida com Deus, e por falta de interesse em Cristo ser para eles o fiador na morte (pode ser súbita) vêm as palavras do salmista: “A morte os assalte, e vivos desçam à cova!” (ARA). A morte se apodera deles de improviso, como um sargento ou passavante, e lança-os na prisão, que é expresso pelo fato de desceram velozmente ao Inferno [como diz em Números 16.32,33], segundo aconteceu com Corá e o seu grupo. — *Anthony Tuckney, 1599–1670*

v. 15: “A morte os assalte” pela autorização divina, e vão direto para o Inferno. Morram, sejam enterrados e condenados ao Inferno em um momento, pois a maldade está onde quer que estejam, está entre eles. A alma dos impenitentes pecadores desce viva ao Inferno, porque eles têm consciência nítida das suas desgraças e, portanto, ainda viverão para que possam sentir essa miserabilidade. Essa oração é uma profecia da ruína absoluta, cabal e perpétua de todos os que, secreta ou abertamente, opõem-se e rebelam-se contra o Messias do Senhor. — *Matthew Henry*

v. 15: “Vivos”, quer dizer, como aconteceu com Corá, Datã e Abirão. — *Extraído de Four Friends [Quatro Amigos], “The Psalms Chronologically Arranged” [Os Salmos Cronologicamente Organizados], 1867*

v. 15: Há, ao longo dessa série de salmos, uma penalidade peculiar ligada a cada classe de transgressão, ou cada variedade de oposição contra Deus tem um fim satisfatório. Os descrentes, quer dizer, os ateus e indiferentes amontoam para si uma recompensa má quando a ira de Deus for revelada (v. 5). Mas um castigo imediato cai sobre os crentes falsos e traiçoeiros, como Paulo declarou “anátema” qualquer um que perverter o evangelho de Cristo nas igrejas da Galácia. Assim, neste salmo, as palavras “a morte os assalte, e vivos os engula a terra” anunciam o julgamento terrível de Jeová, como outrora foi mostrado em Datã e Abirão. Trata-se de um castigo que, pela sua subitaneidade e notoriedade, ao mesmo tempo expõem a culpa e manifestam o desprazer do Todo-Poderoso contra isso. — *R. H. Ryland, Mestre em Ciências Humanas, “The Psalms Restored to Messiah” [Os Salmos Restaurados ao Messias], 1853*

v. 17: “De tarde, e de manhã, e ao meio-dia, orarei; e clamarei, e ele ouvirá a minha voz”. Esse é o costume dos hebreus piedosos (ver Dn 6.10). Os hebreus começam o dia pela tarde, e consequentemente, Davi menciona a tarde primeiro. Os rabinos dizem que os homens devem orar três vezes por dia, porque o dia muda três vezes. Essa prática era observada na Igreja Primitiva, mas os períodos em lugares diferentes eram variados. O antigo Saltério dá esta interpretação curiosa: “De tarde, contarei os seus louvores do que Cristo fez na cruz. De manhã, mostrarei os seus louvores do que ele fez ao morrer pelos irmãos. E ao meio-dia, ele ouvirá a minha voz, aquele que está assentado à mão direita do Pai, visto que ele ascendeu ao meio-dia". — *Adam Clarke*

v. 17: "De tarde, e de manhã, e ao meio-dia, orarei". Os três períodos principais do dia são mencionados, não para marcar horas especiais reservadas à oração, mas como uma expressão poética para referir-se a "o dia inteiro", "a toda hora", "sem cessar". — *J. J. Stewart Perowne*

v. 17: "De tarde, e de manhã, e ao meio-dia, orarei". Se o nosso pobre e frágil corpo precisa da vitalidade dos alimentos três vezes ao dia, quem, conhecedor da própria fraqueza, dirá que não precisa da vitalidade de tão frequentes alimentos espirituais para o nosso pobre e frágil espírito? — *William S. Plumer, 1867*

v. 17: "De tarde, e de manhã, e ao meio-dia, orarei". Não creio mais no crente que é frequente e espiritual na oração exclamativa, mas negligencia a hora da oração solene, do que posso crer naquele que guarda todos os dias durante a semana um sábado, mas negligencia guardar aquele dia específico que Deus determinou. — *William Gurnall, 1617-1679*

v. 17: "De tarde, e de manhã, e ao meio-dia, orarei; e clamarei, e ele ouvirá a minha voz". Não há tempo determinado no tribunal dos céus para ouvir as petições. Não é como no tribunal dos príncipes terrenos, pois há livre acesso em qualquer dia da semana, a qualquer hora do dia ou da noite, em qualquer minuto da hora. Como o advogado diz do rei, por ter o que lhe é devido: *Nullum tempus occurrit regi*, que quer dizer: "Assim diga eu do piedoso, por fazer as suas orações e conceder os seus pedidos". *Nullum tempus occurrit fidelibus*, que quer dizer: "Não há tempo inoportuno, assim o coração é temperado com fé". Não há período de funcionamento do tribunal de recursos de Deus. Ele mantém a casa continuamente aberta para todos os que chegam e saem. Na verdade, mais para os que chegam do que para os que saem. Os seus olhos sempre estão abertos para ver as nossas lágrimas. Os seus ouvidos sempre estão abertos para ouvir os nossos gemidos. O seu coração também e as suas entranhas sempre estão abertos e nunca se fecham rápido demais, mas se compadecerão e se enternecerão, se a nossa miséria nunca for bem pequena. Porque não temos um sumo sacerdote pelo qual oramos "que não possa compadecer-se das nossas fraquezas" (Hb 4.15), assim também não temos um Deus a quem oramos que nos veja angustiados, nos ouça clamar e chorar, e nunca fique comovido. — *Zachary Bogan, 1625-1659, "Meditations of the Mirth of a Christian Life" [Meditações sobre a Felicidade da Vida Cristã]*

v. 17: "E clamarei". A palavra hebraica empregada aqui significa literalmente "murmurar", "fazer som de zunido", "suspirar", "rosnar", "gemer". A linguagem significa que ele daria expressão vocal aos seus profundos sentimentos em tons apropriados — quer por palavras, suspiros ou gemidos. — *Albert Barnes*

v. 17: "E ele ouvirá". E o que esse clamor fará? Fará com que seja, sem dúvida, ouvido, por isso se assegura: "E ele ouvirá a minha voz". Não é que Deus ouça qualquer oração quer queira quer não (como os homens às vezes fazem importunamente, sem se importarem com isso), mas sim que ele não tem disposição nem é contra ouvir tais orações, as orações daqueles que clamam a ele. — *Joseph Caryl, 1602-1673*

v. 18: "Livrou em paz a minha alma da guerra que me moviam". No meio da guerra, o Senhor pode guardar o homem com tanta segurança quanto no tempo da paz, e preservá-lo também durante os perigos extremos. Aquele que confia em Deus nos tempos de dificuldade, embora tenha um batalhão contra ele, tem mais a favor dele, quando Deus está do seu lado, do que pode haver contra ele. — *David Dickson*

v. 18: "Pois". O "pois" indica a razão por que Deus se interpôs para livrar Davi, a saber, por causa do princípio geral de que Deus ministra socorro quando o seu povo está em necessidade. — *A. R. Fausset*

v. 18: "Eram muitos contra mim". É questionável se Davi está se referindo a inimigos ou a amigos. Se for a inimigos, podemos entender assim: Pois com muitos (com grande multidão) eles eram lutadores comigo. Se for a amigos, podemos entender que são os anjos de Deus que, em grande número, estavam com ele, acampando-se ao redor para ajudá-lo (Sl 34.7), como disse Eliseu: "Mais são os que estão conosco do que os que estão com eles" (2 Rs 6.16,17). A versão Caldaica explica assim: "Pois nas muitas aflições a sua palavra foi para a minha ajuda". — *Henry Ainsworth*

v. 19: "Aquele que preside desde a antiguidade". As ações pelas quais Deus já se mostrou desde a antiguidade como Rei e Juiz justo, os julgamentos, por exemplo, dos ímpios na terra de Sinar (v. 9), do grupo de Corá (vv. 9 e 18) e das cidades da planície (v. 15), empenham a sua pronta interposição. Aquele que já está no trono por tanto tempo, agora também tem de mostrar-se como Rei e Juiz. Agora ele não pode, em tão tardio período, ser outro. — *E. W. Hengstenberg, 1845*

v. 19: "Porque não há neles nenhuma mudança, e tampouco temem a Deus". Em outras palavras, não há coisa nova entre eles, nenhuma reviravolta providencial e extraordinária, nenhuma mudança judiciária. A sua prosperidade mantém um curso fixo, e porque têm todas estas coisas em andamento segundo o antigo curso da providência, prosseguem no velho curso da pecaminosidade: "Tampouco temem a Deus". Isso dá a entender que essas mudanças sempre devem, como normalmente fazem, despertar temor, e que, se o Senhor os mudasse, lançasse e espalhasse pelas diversas dispensações problemáticas, com certeza eles o temeriam. — *Joseph Caryl*

v. 19: "Porque não há neles nenhuma mudança, e tampouco temem a Deus". Ou: "Com quem não há nenhuma mudança, e tampouco temem a Deus". Se por "mudança" se quis dizer os bens e o bem-estar temporal, como em Jó 10.17, onde ocorre a mesma palavra que aqui, חֲלִיפוֹת: "Reveses [ou seja, mudanças] e combate estão comigo", então, de acordo com a primeira tradução ("porque não há neles nenhuma mudança"), é apresentada uma razão de perseverarem na maldade e desprezarem a Deus, a saber, a prosperidade mundana constante e ininterrupta. Ou, de acordo com a segunda tradução ("com quem não há nenhuma mudança"), é um grande agravamento da impenitência que, a despeito de tanta bondade a eles concedida, continuem tão ingratos a ponto de recompensar tão mal, ou tão estúpidos e insensíveis a ponto de não reconhecer o autor. Mas se a mudança diz respeito, como pensam muitos, à alma, então o significado é por uso longo e continuado do pecado. Eles se tornaram, pelo justo julgamento de Deus, completamente obstinados e inflexíveis. Portanto, não admira que nada funcione para eles para que se convertam: "Pode o etíope mudar a sua pele ou o leopardo as suas manchas? Nesse caso, também vós podereis fazer o bem, sendo ensinados a fazer o mal" (Jr 13.23). Mas essa "mudança" também pode ter outro significado. Os gregos costumavam dizer: στρέπται φρένες ἔσθλων, que a mente ou coração dos homens bons é mutável, cujo significado é que os homens bons são misericordiosos. *Quos quisque est major, magis est placabilis ira: et faciles motus mens generosa capit*, como expressa o provérbio latino. Ele pode então dizer que eles, pela inclemência cruel, mostram que não têm temor ou o menor senso de Deus. Caso contrário, eles o temeriam, de cuja misericórdia eles estão em tanta necessidade, e considerariam que aqueles a quem eles tão ferrenhamente perseguem foram criados por Deus como também eles o foram. — *Westminster Assembly's Annotations [Anotações da Assembleia de Westminster]*

v. 19: "Porque não há neles nenhuma mudança, e tampouco temem a Deus". Quem são esses em quem não há nenhuma mudança? Ao que parece, são aqueles sobre quem está escrito que Deus humilha ou castiga. E qual é o significado da palavra "mudança" usada aqui? Muitos comentaristas entendem que se refere à mudança moral, "em quem não houve mudança nem melhora de coração". Mas a palavra nunca ocorre nesse sentido. Significa, literalmente, "mudança" no sentido de *troca sequencial* de roupas, de tropas que rendem a guarda, de criados que se aposentam do trabalho e coisas do tipo. Por conseguinte, significaria, em sentido moral: "Não há neles cessação do seu procedimento (por ter a guarda rendida, por exemplo), pois sempre continuam e perseveram na vida de maldade". Calvino e outros estudiosos opinam que diz respeito à *mudança de sorte*, ou seja, "quem é sempre próspero". Mas esse sentido também não é apoiado pelo uso. — *J. J. Stewart Perowne*

v. 19: "E tampouco temem a Deus". O medo mencionado aqui é temê-lo como Deus, e como Deus apresentado por este nome: Elohim, o qual, ainda que seja um nome cuja raiz primária está no poder e na força (pois *El* é *Deus fortis*, "o Deus poderoso", e como não há amor sem medo, assim não há medo sem poder), significa literalmente o julgamento, ordem, providência, dispensação e governo que Ele tem sobre os seres que Ele criou. É esse nome que passa por todas as obras da criação e da disposição que Deus deu a todas as criaturas de Gênesis 1. Em tudo isso, Ele é chamado somente por este nome, o nome Deus. Não é chamado por Jeová, para apresentar uma majestade infinita. Não é chamado por Adonai, para apresentar um poder absoluto. Não é chamado por Tzebaoth, para apresentar um poder ou conquista militar. É chamado somente pelo nome de Deus, o nome ligado ao governo. A conclusão de tudo é: temer a Deus é apegar-se a Ele, do jeito dEle, como Ele se dispensou a nós e se comunicou conosco, ou seja, como Deus manifestado em Cristo, nas Escrituras, e aplicado a nós por meio dessas Escrituras, pela igreja, e não confiar na natureza sem Deus, nem em Deus sem Cristo. — *John Donne, 1573-1631*

v. 21: "A sua boca era mais macia do que a manteiga, mas no seu coração, guerra; as suas palavras eram mais brandas do que o azeite; todavia, eram espadas nuas". Tem essa aparência a hipocrisia dos hipócritas, a caridade dos beatos e fanáticos, a benevolência dos ateus, as confissões do mundo, a sedução da carne e as tentações de Satanás, quando ele julga apropriado aparecer na figura de um anjo de luz. — *George Horne, 1730-1792*

v. 21: "A manteiga". A manteiga oriental não é de forma alguma a substância sólida conhecida por esse nome nas regiões de clima frio. É líquida e fluente, como mostram outras passagens da Bíblia (particularmente Jó 29.6; 20.17), e como confirmam relatos de viajantes hoje em dia. Na verdade, assemelha-se mais a "nata", que, segundo Vitringa, é o sentido genuíno da palavra usada aqui. — *Richard Mant, 1776-1849*

v. 21: "A sua boca era mais macia do que a manteiga, mas no seu coração, guerra; as suas palavras eram mais brandas do que o azeite; todavia, eram espadas nuas". Para evitar todas as dificuldades tradutórias, o expediente mais à mão é aceitar a tradução da Septuaginta de חָלְקוּ, διεμερίσθησαν, "eles eram" ou "eles se dividiram", ou seja, os membros do ímpio aqui mencionados estão a grande distância uns dos outros; מַחְמָאֹת פִּיו, "amanteigam a boca" ou "a boca é manteiga", וּקֲרָב־לִבּוֹ, e "guerreiam o coração" ou "o coração é guerra". Essa é a tradução mais correta. — *Henry Hammond, 1605-1660*

v. 21: "A sua boca era mais macia do que a manteiga, mas no seu coração, guerra; as suas palavras eram mais brandas do que o azeite; todavia, eram espadas nuas". O amigo fingido é como o crocodilo que, quando sorri, envenena, e quando chora, devora. É como a hiena que, tendo voz de homem e mente de lobo, fala como amigo e devora como inimigo. É como a sereia lisonjeira que canta docemente a perdição do marinheiro. É como o apito do caçador de aves que toca agradavelmente a morte do pássaro. É como a abelha que carrega mel na boca e ferrão na cauda. É como o álamo, cujas folhas sempre são verdes, mas as sementes são veneno. O rosto do amigo fingido é amigável e as palavras agradáveis, mas a intenção é perigosa e as ações, prejudiciais.

O estratagema é lisonjear, pegar o que puder
O propósito atingido, o desprezo para esse homem
— *L. Wright, 1616*

v. 21: "A sua boca era mais macia do que a manteiga, mas no seu coração, guerra; as suas palavras eram mais brandas do que o azeite; todavia, eram espadas nuas". Quando me levaram outra vez ao tribunal, lá estava Foster, de Bedford, que, vindo de outra sala e vendo-me pela luz da vela, pois era noite fechada, perguntou-me: "Quem é? John Bunyan?" Havia tanta doçura na voz, que foi como se ele tivesse me abraçado com firmeza e me beijado (um verdadeiro Judas!). Isso me deixou um tanto quanto maravilhado com o fato de um homem como ele, com quem tive tão pouco contato e que jamais se opusera terminantemente aos caminhos de Deus, se encher de tanto amor por mim. Mas depois, quando vi o que ele fez, vieram-me à memória essas declarações: "As suas palavras eram mais brandas do que o azeite; todavia, eram espadas nuas", e: "Acautelai-vos, porém, dos homens, porque eles vos entregarão aos sinédrios e vos açoitarão nas suas sinagogas" (Mt 10.17). Quando lhe respondi que, louvado seja Deus, eu estava bem, ele disse: "O que o traz aqui?", ou qual era o assunto. Respondi que eu estava numa reunião com umas pessoas perto daqui com o propósito de dizer-lhes uma palavra de exortação. Mas (continuei eu) quando a justiça soube disso, achou por bem expedir um mandado de busca para levar-me à sua presença. — *John Bunyan, "In relation to J. B.'s Imprisonment" [Em relação ao aprisionamento de J. B.],* escrito por ele mesmo *(edição de Offor, vol. I, p. 52)*

v. 21: "A sua boca era mais macia do que a manteiga, mas no seu coração, guerra".

> Suaves são as palavras, a voz é como a doçura do mel
> Contudo a guerra está no coração e há sombrio engano
> — *Mosschus (250 a.C.)*

v. 22: "Lança o teu cuidado sobre o SENHOR, e ele te susterá; nunca permitirá que o justo seja abalado". O remédio que o salmo sugere e, talvez, o único recurso em uma dificuldade do tipo, quando os inimigos da verdadeira religião estão lutando sob o pretexto da amizade, são anunciados em voz oracular de Deus: "Lança o teu cuidado sobre Jeová, pois ele te susterá; nunca permitirá que o justo seja jogado para lá e para cá para sempre". — *R. H. Ryland*

v. 22: "Lança o teu cuidado sobre o SENHOR, e ele te susterá; nunca permitirá que o justo seja abalado". A melhor maneira de encontrar alívio é pôr a carga em Deus. Ele levará a carga e levará você também. Há muitos homens que estariam dispostos a prosseguir, se alguém ao menos levasse o fardo para eles. Se você jogar a carga sobre Deus, Ele não só a levará, mas levará você também. Ele não se preocupa quanto peso haja nas costas do cristão. O verdadeiro israelita pode encontrar alívio e agradar ao seu Deus imediatamente e de uma vez só. Deus não gosta de ver olhos lacrimejantes ou semblantes pálidos. Gemido e choro não são música aos ouvidos celestiais. Ele prefere que você se livre dessa carga, lançando-a sobre Ele, para que Ele se regozije com a sua alegria e consolação. A verdadeira confiança em Deus e o descanso em Deus livrarão você do fardo e também trarão a força de Deus para sustentar e guardar você de cair. Então, que tal confessar a Deus como a sua força e buscar a força de Deus para a sua alma? Descanse em Deus, entregue-se a ele (1) em tempos de maiores fraquezas, (2) em tempos de maiores serviços, (3) em tempos de maiores provações. — *Samuel Blackerby, 1674*

v. 22: "Lança o teu cuidado" sobre Ele da mesma forma que o navio em uma tempestade lança a carga na âncora e a âncora se prende em lugar firme e seguro. Na minha opinião, essa é a sensação mais bonita das duas — uma sensação que assim que ocorreu, pode ser acompanhada por estes versos gloriosos:

> E vejo o bom navio singrando um caminho perigoso
> Os baixos rizes estufando a sotavento; a onda comprida do oceano se derramando
> Mar após mar, da proa à popa; o mastro principal ao largo

As amuradas caídas; o leme destruído; os escaleres despedaçados pelas correntes
Mas coragem, bravos marinheiros, a *Âncora* ainda permanece
Ele não vacilará — não, sequer um milímetro — até que vocês arfem nos altos céus
Então, ele move a cabeça como se dissesse: "Não tenhas medo. Eu estou aqui!"
— *John Mason Neale, "Commentary on the Psalms" [Comentário sobre os Salmos]*

v. 23: "Tu, ó Deus, os farás descer". Indica uma morte violenta, como a do boi, que se diz que desce quando cai sob o golpe da morte. O "poço da perdição" tem o sentido de *cova da putrefação*, no qual o cadáver se decompõe, mas não denota apenas o sepulcro, mas a condição infame de um cadáver atirado a esmo, como quando é jogado em uma cova. — *Hermann Venema*

v. 23: "Homens de sangue e de fraude não viverão metade dos seus dias". Os ímpios nunca vivem a metade dos seus dias, pois morrem antes de terem vivido a metade do curso natural das coisas ou morrem antes de terem vivido um quarto do trajeto de vida que desejam. Não vivem a metade do que poderiam, nem a décima, nem a centésima parte do que gostariam. Então, morrem quando morrerem, a morte é cheia de terror, transtorno e confusão, porque morrem fora do tempo certo. Nunca tiveram ou reservaram tempo certo para Deus, e com certeza, Deus não terá nem considerará o tempo certo para eles. — *Joseph Caryl*

v. 23: "Metade dos seus dias". No cômputo judaico, 60 anos era a idade do homem, e a morte antes disso era considerada intempestiva, julgada e chamada de כרת, "excisão", da qual fizeram 36 graus. Portanto, não viver metade dos dias é, segundo esse método, morrer antes dos 30 anos de idade. — *Henry Hammond*

v. 23: "Homens de sangue e de fraude não viverão metade dos seus dias". Quanto mais pecados cometemos, mais apressamos a nossa morte, porque, como falou o sábio: "O temor do Senhor aumenta os dias, mas os anos dos ímpios serão abreviados" (Pv 10.27), e o profeta Davi disse: "Homens de sangue e de fraude não viverão metade dos seus dias". O pecado é um resumidor ou encurtador de tudo. Consome a riqueza, limita a liberdade, impede a saúde e abrevia a vida, levando-nos sem demora para a sepultura. — *Griffith Williams, 1636*

SUGESTÕES AOS PREGADORES

v. 1. (1) Um mal a ser temido: "Não te escondas da minha súplica": (a) Demorando longamente em um caso urgente. (b) Recusando, no caso do pecador, ouvi-lo de vez. (2) Causas que podem produzir esse mal: (a) No homem. (b) Na própria oração. (c) Na maneira de orar. (3) Males que virão desse mal (essa é uma lista que o pregador pode compor prontamente). (4) Remédios contra o mal. Não há nada que detenha esse mal, mas a introspecção, o arrependimento, a importunação, a invocação do nome de Jesus são práticas que levarão à remoção do mal.

v. 2. O grande Ouvinte: (1) Que tipo de discurso lhe apresentaremos? (2) Que tipo de atenção desejamos? (3) Como conseguiremos essa atenção? (4) Qual é o dever correspondente de nossa parte? Atendê-lo e ouvi-lo.

v. 2. "Lamento-me e rujo." Reclamação permissível: (1) Não *de* Deus mas *a* Deus. (2) Principalmente de nós mesmos. (3) Do mundo por estar contra Deus e o direito. (4) Sempre com santa aflição, e não com irritação egoísta.

v. 4. "Terrores de morte." Sobre esse tema, ver o sermão pregado por *John Grove*, registrado nas Notas Explicativas e Declarações Importantes acima.

v. 7. A solidão: (1) Os supostos benefícios. (2) As dolorosas tentações. (3) As ocasionais vantagens. (4) As doces consolações.

v. 8. Uma escapada rápida demais da provação: (1) Mostraria rebelião contra Deus. (2) Manifestaria covarde falta de fé. (3) Envolveria perda de experiência útil. (4) Levaríamos a outras e piores provações. (5) Evitaria que glorificássemos a

Deus. (6) Arruinaria a nossa conformidade a Cristo e comunhão com o seu povo. (7) Diminuiria o valor do Céu.

v. 9. "Despedaça, Senhor, e divide a sua língua." A Babel de heresias: (1) É essencial, pois a verdade é única. (2) É inevitável, pois os motivos dos hereges chocam-se entre si. (3) É providencial, pois assim eles se enfraquecem mutuamente. (4) É judicial, pois assim eles se atormentam uns aos outros.

v. 10. "De dia e de noite andam ao redor dela, sobre os seus muros." Essa é a atividade do mal.

v. 10. "Iniquidade e malícia estão no meio dela." As gêmeas diabólicas ou causa e efeito.

v. 14. Os companheirismos sociais que advêm da religião: (1) Têm em bom fundamento: "Juntos". (2) São proveitosos: "Praticávamos". (3) Dão prazer: "Suavemente". (4) Levam ao entusiasmo: "Íamos com a multidão". (5) Devem ser sagradamente cultivados. (6) Mas precisam ser cuidadosamente vigiados.

v. 16. O contraste: (1) Os filhos de Deus não prejudicam os ímpios como os ímpios os prejudicam. (2) Os filho de Deus invocam a Deus como os ímpios não invocam. (3) Deus ouve os seus filhos como Ele não ouve os ímpios. (4) Enfim, Deus trata com os seus filhos de modo diferente com que trata os ímpios.

v. 17. (1) Davi orará com fervor: "Orarei; e clamarei". (2) Davi orará com frequência, diariamente, três vezes ao dia: "De tarde, e de manhã, e ao meio-dia". — *Matthew Henry*

v. 18. (1) Nossas batalhas. (2) Nossa quase derrota. (3) Nosso ajudador. (4) Nossos livramentos. (5) Nosso louvor.

v. 19. O governo eterno de Deus é uma ameaça para os descrentes.

v. 19. "Porque não há neles nenhuma mudança, e tampouco temem a Deus." A prosperidade que gera ateísmo envolve: (1) Ingratidão — devem ser mais devotos. (2) Descaramento — pensam que são como Deus. (3) Esquecimento — esquecem que mudanças ocorrem. (4) Ignorância — desconhecem que prosperidade ininterrupta é a cota provisória dos malditos. (5) Loucura — não há razão para esse comportamento. (6) Podridão — estão sendo preparados para serem rejeitados eternamente.

v. 21. (1) A boca dos hipócritas tem muitas palavras. (2) São palavras que só saem da boca dos hipócritas. (3) São palavras muito bajuladoras. (4) São palavras que escondem em vez de revelar o propósito. (5) São palavras mordazes e mortíferas. (6) São palavras que matarão os próprios hipócritas.

v. 22. "Lança o teu cuidado sobre o Senhor, e ele te susterá." Vemos que os crentes têm: (1) Um cuidado que os prova. (2) Um dever que os compromete: "Lança o teu cuidado sobre o Senhor". (3) Uma promessa que os encoraja: "E ele te susterá". — *Ebenezer Temple, 1850*

v. 22. "Nunca permitirá que o justo seja abalado." (1) Quem são os justos? (2) O que significa os justos serem abalados? (3) De quem é necessária a permissão para que os justos sejam abalados? (4) Ele dará a permissão? "Nunca". (5) Por quê?

v. 23. "Mas eu em ti confiarei." As grandes decisões resumem o salmo: (1) Quando oro, versículos 1 a 3. (2) Quando desfaleço, versículos 4 a 7. (3) Quando sou gravemente cercado, versículos 9 a 11. (4) Quando sou traído, versículos 12 a 14, 20, 21. (5) Quando os outros perecem, versículo 15. (6) Depois que sou livrado, versículo 18. (7) Em todas as situações, versículo 22.

SALMO 56

TÍTULO

Mictão de Davi. Este é o segundo *Salmo de Ouro*. O primeiro foi o Salmo 16, com o qual este salmo tem grande semelhança, especialmente no fim, pois termina na presença alegre. O mistério de ouro, o segredo gracioso da vida de fé está belamente desvelado em ambos os salmos, seguido pela criação de um obelisco por causa da verdade de Deus.

Para o cantor-mor. Este menestrel poderoso adquiriu, aos poucos, um repertório nobre de cânticos sacros e os musicou.

Sobre Jonate-Elém-Recoquim. Era o título da melodia, o qual talvez originalmente fizesse parte do salmo. Neste caso, é instrutivo, pois a tradução é "Uma pomba em carvalhos distantes" (cf. AEC; NVI). Temos aqui, os cânticos do servo de Deus, que se alegra mais uma vez por voltar do exílio e deixar esses lugares perigosos, onde era forçado a manter-se calado até mesmo diante de pessoas boas. Há conhecimento espiritual tão profundo neste salmo que poderíamos declarar: "Feliz é você, Simão, filho de Jonas! Porque isto não lhe foi revelado por carne ou sangue, mas por meu Pai que está nos céus" (Mt 16.17, NVI). Quando Davi representa o papel de Jonas (que significa "pomba"), ele não é como o profeta do mesmo nome. Em Davi, o amor da pomba predomina, mas em Jonas, as queixas e lamentos são muito mais destacáveis.

Quando os filisteus o prenderam em Gate. Davi era, então, como uma pomba nas mãos de estranhos, entretanto, quando conseguiu fugir, ele registra a gratidão.

DIVISÃO

Nos versículos 1 e 2, Davi extravasa o seu lamento. Nos versículos 3 e 4, declara a confiança em Deus. Nos versículos 5 e 6, o salmista volta a lamentar, mas roga com esperança fervorosa nos versículos 7 a 9 e canta um cântico de gratidão nos versículos 10 a 13.

EXPOSIÇÃO

1 *Tem misericórdia de mim, ó Deus, porque o homem procura devorar-me; e me oprime, pelejando todo o dia.*
2 *Os que me andam espiando procuram devorar-me todo o dia; pois são muitos os que pelejam contra mim, ó Altíssimo.*

1. *"Tem misericórdia de mim, ó Deus."* Em minha profunda angústia, a minha alma se volta a ti, meu Deus. Os homens não têm misericórdia de mim, então duplica a Tua misericórdia por mim. Se a Tua justiça soltou os meus inimigos, que a Tua misericórdia encurte-lhes a corrente. É agradável ver como o amoroso espírito do salmista voa, como pomba, para os mais amorosos atributos em busca de socorro na hora de perigo.

"Porque o homem procura devorar-me." Ele é Tua criatura, um mero homem, contudo, como monstro, está ávido por sangue, arqueja e suspira por mim. Não deseja apenas ferir-me ou alimentar-se do meu ser, mas de bom grado me devoraria completamente para, assim, acabar comigo. A boca aberta dos pecadores, quando se enfurecem contra nós, deve abrir a nossa boca em oração. Podemos alegar a crueldade dos homens como razão para a interposição divina — um pai logo entra em ação quando o filho é tratado vergonhosamente.

"E me oprime, pelejando todo o dia." Ele não me dá sossego — luta diariamente. É bem-sucedido na guerra injusta contra mim — oprime-me, esmaga-me, aperta-me até ferir. Davi está com os olhos cravados no líder dos inimigos, e dirige o lamento contra ele no lugar certo. Se podemos demandar contra o homem, muito mais contra o grande inimigo das almas, o Diabo. Pedimos ao Senhor que nos perdoe os pecados, que é outra maneira de dizer: "Tem misericórdia de mim, ó Deus", depois dizemos: "E não nos induzas à tentação, mas livra-nos do mal". Quanto mais violento o ataque de Satanás, mais forte é o nosso argumento pelo livramento.

2. *"Os que me andam espiando procuram devorar-me todo o dia."* O apetite por sangue nunca diminui. Com eles não há trégua. Eles são muitos, mas um pensamento os anima. Não há nada que eu faça que faça com que mostrem piedade. A menos que me devorem totalmente jamais ficarão satisfeitos. Os ogros dos contos infantis existem na realidade nos inimigos da igreja, que, se pudessem, esmagariam os ossos dos piedosos para com eles encher a boca.

"Pois são muitos os que pelejam contra mim." Os pecadores são seres gregários. Os perseguidores caçam em bandos. Esses lobos da igreja raramente nos atacam isoladamente. A quantidade dos inimigos é um forte argumento a favor da interposição do único Defensor dos crentes, que é mais poderoso do que todos esses bandos. Esses inimigos dos agraciados também têm olhos clínicos, pois sempre estão nos espiando, nos observando.

"Ó Altíssimo." Contra os altos da terra, Davi invoca a ajuda daquEle que é mais alto do que os mais altos. Certos intérpretes traduzem as palavras diferentemente, e entendem que o escritor está dizendo que os inimigos o atacaram dos lugares altos onde o orgulho e o poder os colocaram. Saul, o grande inimigo, o atacou do trono com toda a força que a alta posição lhe punha à disposição. A nossa consolação em tal caso está à mão, pois Deus nos ajudará de um lugar mais alto do que os nossos mais orgulhosos inimigos podem ocupar. A grandeza de Deus como o Altíssimo é um manancial fértil de consolação para santos fracos que são oprimidos por inimigos poderosos.

3 *No dia em que eu temer, hei de confiar em ti.*
4 *Em Deus louvarei a sua palavra; em Deus pus a minha confiança e não temerei; que me pode fazer a carne?*

"No dia em que eu temer." Davi não era fanfarrão, nunca afirmou que não tinha medo, nem era estóico embrutecido livre de medo, por causa da falta de ternura. A inteligência de Davi o privou do descuido da ignorância, pois ele viu a iminência do perigo e teve medo. Somos homens, portanto, sujeitos à derrota. Somos fracos, portanto, incapazes de evitá-la. Somos pecadores, portanto, merecedores dela. E por todas estas razões temos medo. Mas a condição mental do salmista era complexa. Ele temia, mas esse medo não lhe enchia a área inteira da mente, pois, logo após declarar o seu medo, acrescenta: "Hei de confiar em ti". É possível, então, que medo e fé ocupem a mente no mesmo momento. Somos seres estranhos, e a nossa experiência na vida divina é mais estranha ainda. Estamos frequentemente na penumbra, onde luz e escuridão estão presentes, sendo difícil determinar qual delas predomina. É um medo santo que nos dirige a confiar. O medo pecaminoso nos afasta de Deus, mas o medo gracioso nos impulsiona a Ele. Se temo os homens, tenho apenas de confiar em Deus, pois tenho o melhor antídoto. Confiar quando não há causa para ter medo, é tudo menos fé. Ser confiante em Deus quando situações para alarme são abundantes e urgentes é a vencedora fé dos eleitos de Deus. Embora o versículo esteja na forma de decisão, tornou-se um fato na vida de Davi. Que o mesmo ocorra na nossa. Quer o medo surja de fora ou de dentro, do passado, presente ou futuro, das coisas temporais ou espirituais, dos homens ou demônios, fiquemos firmes na fé, pois logo recuperaremos a coragem.

4. *"Em Deus louvarei a sua palavra."* Fé produz louvor. Quem confia logo canta. A promessa de Deus, quando cumprida, é tema nobre para louvor, e mesmo antes do cumprimento deve ser o tema da canção. É em (ou por) Deus que podemos louvar. Louvamos como também oramos em Espírito. Ou podemos ler quando exaltamos ao Senhor, uma vez que um dos pontos principais para a ação de graças é a sua vontade revelada na Bíblia e a fidelidade com que Ele mantém a palavra da promessa.

"Em Deus pus a minha confiança." Total e unicamente em Deus devemos permanecer. O que no versículo anterior era uma decisão graciosa, neste é afirmado como já feito.

"E não temerei; que me pode fazer a carne?" Com a fé exercitada, o medo é banido e o triunfo santo sobrevém, de forma que a alma pergunta: "Que me pode fazer a carne?" Realmente, o quê? Não pode me causar nenhum dano real. Toda a sua maldade será anulada para o meu bem. O homem é carne, a carne é relva — Senhor, em teu nome desafio a ira extrema dos homens. Houve dois versículos de lamento seguidos imediatamente por dois de confiança. Faz bem pesar uma quantidade suficiente de doçura para contrabalançar o azedume.

5 *Todos os dias torcem as minhas palavras; todos os seus pensamentos são contra mim para o mal.*

6 *Ajuntam-se, escondem-se, espiam os meus passos, como aguardando a minha morte.*

5. *"Todos os dias torcem as minhas palavras."* Essa é uma prática comum de guerra entre os descrentes. Eles colocam o nosso discurso no tronco para extorquir dele significados absolutamente inexistentes. As observações sobre a profecia do nosso Salvador concernente ao Templo do seu corpo e as acusações incontáveis contra os seus servos estavam fundamentadas em perversões deliberadas. Aqueles que fazem essas coisas diariamente tornam-se grandes especialistas da arte. O lobo sempre acha nas palavras do cordeiro uma razão para devorá-lo. Pregações são blasfêmias se optamos por lê-las ao avesso.

"Todos os seus pensamentos são contra mim para o mal." Não há quantidade de bem que reduza a maldade dessa gente. Se o viam como rei, salmista, homem, pai,

guerreiro, sofredor, era tudo a mesma coisa, pois o viam por olhos preconceituosos e não conseguiam ter sequer um pensamento bondoso a respeito Davi. Mesmo as ações feitas por ele, que eram bênçãos inquestionáveis para a comunidade, os seus perseguidores se empenhavam em subestimar. Oh, fonte suja da qual nunca emana uma gota de água pura!

6. *"Ajuntam-se."* Os tições queimam mais vorazmente quando são empurrados para mais perto uns dos outros. Têm medo de enfrentar o homem bom até que a numerosidade do grupo coloque tremenda vantagem contra ele. Apareçam, covardes, um de cada vez, e lutem com o velho valente! Que nada, vocês esperam até que se ajuntem como ladrões em bandos, e, mesmo então, atocaiam o homem. Não há a mínima valentia em vocês.

"Escondem-se." Ficam de emboscada, esperando a oportunidade. Homens da maldade são homens da covardia. Aquele que se atreve a não enfrentar abertamente o mensageiro do rei na estrada real, inscreve-se automaticamente no rol dos vilãos. A reputação dos homens bons é constantemente atacada por maquinações cuidadosamente planejadas e enredos extremamente diabólicos, nos quais inimigos anônimos apunhalam na escuridão.

"Espiam os meus passos", como caçadores que marcam o rastro da caça para determinar-lhe a localização. Os homens maldosos são, em sua maioria, muito perspicazes em descobrir os erros ou supostos erros dos justos. Nem todos os espiões e delatores estão na folha de pagamento dos governos terrenos, dado que alguns receberão salários em moeda recém-saída de alguém que é mais sutil do que todos os animais do campo.

"Como aguardando a minha morte." Nada menos do que a vida de Davi os satisfaria; só a sua ruína atual e eterna poderia saciá-los inteiramente. O homem bom não é bobo, pois sabe que tem inimigos e que são muitos e astuciosos. Ele vê o perigo que corre e, então, mostra sabedoria, apresentando o caso diante do Senhor e colocando-se sob a proteção divina.

7 *Porventura, escaparão eles por meio da sua iniquidade? Ó Deus, derriba os povos na tua ira!*
8 *Tu contaste as minhas vagueações; põe as minhas lágrimas no teu odre; não estão elas no teu livro?*
9 *Quando eu a ti clamar, então, retrocederão os meus inimigos; isto sei eu, porque Deus está comigo.*

7. *"Porventura, escaparão eles por meio da sua iniquidade?"* Será que uma maldade como essa os coloca em vantagem? Poderá esse comportamento evitar que recebam a sentença do castigo terreno? Eles caluniam o homem bom para protegerem-se — serão bem-sucedidos? Até aqui, comportam-se com astúcia, mas não haverá um fim para as trapaças?

"Ó Deus, derriba os povos na tua ira!" Passa a rasteira nas trapaças deles. Lança-os da Rocha Tarpeia. O homem perseguido tem um amigo até mesmo em um Deus irado, quanto mais no Deus de amor! Quando os homens procuram nos derrubar, é mais do que natural e de forma alguma ilegítimo orar para que fiquem impossibilitados de realizar os desígnios infames. O que Deus faz com frequência podemos seguramente pedir-lhe que o faça.

8. *"Tu contaste as minhas vagueações."* Cada passo que o fugitivo dera quando estava sendo perseguido pelos inimigos foi não só observado, porém considerado digno de ser computado e registrado. Ficamos, talvez, tão confusos depois de um longo trajeto de dificuldades, que mal sabemos onde estivemos ou onde não estivemos.

Mas o onisciente e atencioso Pai do nosso espírito lembra-se de todas as coisas em detalhes. Ele as conta e reconta como os homens contam e recontam dinheiro, pois até mesmo a prova da nossa fé é preciosa aos olhos divinos.

"Põe as minhas lágrimas no teu odre." As tristezas de Davi eram tantas que foi necessário um odre grande para guardá-las. Não há alusão ao pequeno e elogiável lacrimatório dos elegantes e extravagantes romanos. É, sem dúvida, uma vigorosa metáfora. As lágrimas que Davi chorou foram tão copiosas que um odre não as conteria. A sua confiança é que o Senhor será extremamente atencioso com as lágrimas derramadas a ponto de armazená-las, como os homens armazenam o suco da videira. Davi sabe que o lugar de armazenamento é especial, pois diz *teu* odre e não *um* odre.

"Não estão elas no teu livro?" Sim, é onde estão registradas. Mas esteja na Tua presença não somente o registro das minhas lágrimas, contudo, também a aflição que as gerou. Olha para as minhas aflições como coisas reais, já que estas comovem o coração mais do que um mero relato, ainda que exato. Como o Senhor é condescendente! Como é preciso o conhecimento que tem de nós! Como é generosa a sua avaliação! Como é o doce a sua preocupação!

9. *"Quando eu a ti clamar, então, retrocederão os meus inimigos."* Assim que eu orar, eles fugirão. Tão certo quanto choro, eles serão derrotados.

> Tão imediata é a oração em chegar ao céu
> Tão bondoso é Deus para mim

A dinâmica da oração nem sempre é visível, embora seja muito eficiente. Deus nos leva a orar, choramos em angústia de coração, Ele ouve, Ele age, o inimigo retrocede. Que artilharia irresistível é essa que vence a batalha assim que se ouve o estampido! Que Deus é este que ouve o clamor dos seus filhos e, em um instante, livra-os dos adversários!

"Isto sei eu." Essa é uma das certezas dos crentes, um dos seus axiomas, as verdades infalíveis e indisputáveis.

"Porque Deus está comigo." Isso é o que sabemos. Sabemos, então, que nada pode ser contra nós que valha um momento de medo: "Se Deus é por nós, quem será contra nós?" (Rm 8.31). Quem deixará de orar, quando orar tem tanto poder? Quem buscará outro aliado que não Deus, que está imediatamente presente assim que damos o sinal combinado, pelo qual mostramos tanto a nossa necessidade quanto a nossa confiança?

10 *Em Deus louvarei a sua palavra; no* SENHOR *louvarei a sua palavra.*
11 *Em Deus tenho posto a minha confiança; não temerei o que me possa fazer o homem.*
12 *Os teus votos estão sobre mim, ó Deus; eu te renderei ações de graças;*
13 *pois tu livraste a minha alma da morte, como também os meus pés de tropeçarem, para que eu ande diante de Deus na luz dos viventes.*

10. *"Em Deus louvarei a sua palavra."* Agora vem a ação de graças. Ele não é um infeliz que, tendo obtido ajuda, se esquece de voltar com uma nota de gratidão. O mínimo que podemos fazer é louvar aquEle de quem recebemos tão distintos favores. Será que Davi quer dizer: "Pela graça de Deus, eu o louvarei?". Neste caso, ele mostra que todos os nossos sentimentos para com Deus devem ser em Deus, produzidos por Ele e apresentados como tais. Ou o salmista quer dizer que: "O que em Deus é maior objeto do meu louvor é a sua Palavra e a fidelidade com que Ele a mantém?". Neste caso, vemos até que ponto o nosso coração deve ser dedicado à palavra firme da promessa, especialmente àquEle que é a *Palavra* encarnada.

Devemos louvar ao Senhor em cada uma das suas expressões e em todos os seus atributos e atos, mas certas misericórdias extraem mais peculiarmente a nossa admiração por porções especiais do grande todo. O louvor que nunca é especial em sua direção não é muito reflexivo, e há que se temer que não é muito aceitável.

"No Senhor louvarei a sua palavra." Por gostar de enfatizar os louvores, Davi repete a canção. A mudança pela qual ele introduz o nome glorioso de Jeová tem o propósito indubitável de indicar que, em todas as circunstâncias, ele tem prazer no seu Deus e na sua Palavra.

11. *"Em Deus tenho posto a minha confiança."* Este e o versículo anterior são evidentemente o coro do salmo. Nunca é demais cuidarmos da nossa fé ou sermos aplicados em constatar que ela está fundamentada só no Senhor.

"Não temerei o que me possa fazer o homem." A fé expulsou o medo. Ele vê os inimigos no traço de personalidade mais forte que têm, não chamando-os de *carne*, mas indicando-os como *homem*, contudo, não os teme. Mesmo que a raça humana inteira fosse inimiga de Davi, ele não teria medo, agora que a confiança estava firmada em Deus. Não tem medo do que ameaçam fazer, pois grande parte do que dizem não podem realizar. E mesmo as coisas que *podem* fazer, ele desafia com santa ousadia. Fala do futuro: "Não temerei", porque tem certeza de que a segurança do presente será suficiente para os dias por virem.

12. *"Os teus votos estão sobre mim, ó Deus."* Os votos feitos durante as dificuldades não foram levianamente esquecidos, atitude que devemos imitar. Já que os fizemos voluntariamente, que os cumpramos com alegria. Todo cristão professo está sob votos, sobretudo aqueles que, nas horas de angústia medonha, se dedicaram novamente ao Senhor.

"Eu te renderei ações de graças." Com coração, voz e talento, exaltemos alegremente o Deus da nossa salvação. A prática de fazer votos solenes, em tempos de dificuldade, só é recomendável quando for acompanhada pelo costume muito menos comum de cumpri-los quando a dificuldade acaba.

"Pois tu livraste a minha alma da morte." Os inimigos foram derrotados nos esforços de acabar com a sua vida. Por isso, Davi prometeu dedicá-la a Deus.

"Como também os meus pés de tropeçarem." Uma misericórdia é argumento para outra, pois pode ser que a segunda seja complemento necessário da primeira. De nada serve a vantagem que temos, se os empurrões dos inimigos nos fazem tropeçar em nossa reputação. Não vivamos privados de honra e tropecemos e caiamos prostrados diante dos inimigos.

"Para que eu ande diante de Deus na luz dos viventes", desfrutando o favor e a presença de Deus, e com isso tendo a alegria e o resplendor da vida. O que busco é andar em liberdade, em serviço santo, em comunhão sagrada, em progresso constante, em santidade, gozando o sorriso dos céus. Este é o ápice da ambição do homem bom: morar com Deus, andar em justiça na sua presença, alegrar-se na sua presença e na luz e glória que dela emanam. Neste breve salmo, saímos das mandíbulas vorazes do inimigo para entrar na luz da presença do Senhor, um caminho que só a fé pode trilhar.

NOTAS EXPLICATIVAS E DECLARAÇÕES IMPORTANTES

O Título: As palavras *"Jonate-Elém-Recoquim"* podem ser traduzidas por "concernente a uma pomba muda entre aqueles que estão longe ou em lugares distantes". — *John Gill*

O Título: "Mictão".

v. 1: "Tem misericórdia". Este é o segundo salmo que começa com a palavra latina *miserere.* O Salmo 51 foi o primeiro. — *C. H. S.*

v. 1: "Tem misericórdia de mim, ó Deus". Para mim, essa é a única fonte de todas as minhas esperanças, a única fonte de todas as promessas: *Miserere mei, Deus, miserere mei. — Bernardo, 1091-1157*

v. 1: "Tem misericórdia". A primeira luta em oração foi com a acusação da consciência, quer pelos pecados diários, quer, em particular, por expor-se a tamanho perigo evidente, a ponto de ter se arriscado sem segurança provável quando buscou abrigo entre os inimigos do povo de Deus, cujo sangue ele próprio derramara abundantemente. É por essa precipitação ou por outros pecados que o salmista pede misericórdia. — *David Dickson*

v. 1: "O homem". Neste versículo, Davi usa o termo indefinido *homem*, embora no seguinte fala que tem muitos inimigos. Desta forma, o salmista expressa mais enfaticamente a verdade de que o mundo inteiro estava em conluio contra ele, que ele não sentia benevolência entre os homens e que estava em extrema necessidade da ajuda divina. — *João Calvino*

v. 1: "Procura devorar-me". "Sugar-me", como soa a palavra hebraica, "fazer de mim um gole" ou "chupar-me para dentro como um remoinho de água", "devorar-me como um animal selvagem voraz". — *John Trapp*

v. 1: "Pelejando todo o dia". Não há manhã em que podemos nos levantar, sair e dizer: "Nenhum inimigo virá contra mim hoje". Não há noite em que podemos nos retirar deste mundo para achar segurança na solidão do nosso quarto e dizer: "Nenhum mal pode entrar aqui". — *Barton Bouchier*, "Manna in the Heart" *[Maná no Coração], 1855*

vv. 1 e 2: "Tem misericórdia de mim, ó Deus, porque o homem procura devorar-me; e me oprime, pelejando todo o dia. Os que me andam espiando procuram devorar-me todo o dia; pois são muitos os que pelejam contra mim, ó Altíssimo". Essas mesmas palavras são aplicáveis à situação e circunstâncias de Davi, quando perseguido pelos inimigos de Cristo e pelos judeus; da igreja, quando afligida no mundo; e da alma, quando cercada por inimigos contra quem é forçada a empreender guerra permanente. — *George Horne*

v. 2: "Ó Altíssimo". No original hebraico, a palavra nem sempre tem o sentido de "Altíssimo", embora na maioria das mais de cinquenta vezes que ocorre na Bíblia hebraica tenha essa tradução (Sl 7.17). Há apenas mais dois lugares onde a palavra é aplicada, como epíteto, a Deus: Salmo 92.8 e Miqueias 6.6. A significação mais comum da palavra é "de acima", "no alto", "nos lugares altos", "alto", "com arrogância" (Sl 73.8). [...] O significado provável no versículo sob estudo é: "Eles lutam contra mim desde os altos lugares de autoridade, tanto em Jerusalém quanto em Gate", ou seja, os meus inimigos estão no poder. — *William S. Plumer, "Studies in the Book of Psalms" [Estudos sobre o Livro dos Salmos], 1867*

v. 3: "No dia em que eu temer, hei de confiar em ti". Não há nada como a fé para nos ajudar em uma situação difícil. A fé dissolve as dúvidas como o sol afugenta a névoa. E para que você não seja aniquilado, saiba que toda hora é hora para crer. Há tempos em que certas bênçãos ficam obsoletas, mas não é o que ocorre com a fé. Portanto, a fé sempre deve estar em exercício. A fé são os olhos, a boca, as mãos, e durante o dia um destes membros estão em uso. A fé é ver, receber, trabalhar ou comer. O cristão ou está vendo, ou recebendo, ou trabalhando, ou alimentando-se ao longo do dia. Haja chuva, vento, trovão ou relâmpago, o cristão ainda tem o dever de crer: "No dia em que", disse o homem bom, "eu temer, hei de confiar em ti". — *John Bunyan*

v. 3: "No dia em que eu temer, hei de confiar em ti". Uma faísca divina pode viver em uma fumaça de dúvidas sem a súbita combustão em chamas. Quando a graça estiver no fundo da dúvida, haverá confiança em Cristo e vívidas petições a Ele. A fé de Pedro titubeia quando começa a afundar, mas ele lança um olhar e envia um clamor ao Salvador, reconhecendo-lhe a suficiência: "Senhor, salva-me" (Mt 14.30). Às vezes, essas incertezas fortalecem a nossa confiança e nos fazem agarrar Deus com mais firmeza: "No dia em que eu temer, hei de confiar em ti" (v. 3). Esse era um receio de Davi ou de outros e não um zelo de Deus. Se ele tivesse tido suspeitas inconvenientes de Deus, não teria confiado nEle. Não teria corrido em busca de remédio para dirimir o medo. As hesitações onde a fé está, são como os balanços de um navio preso à âncora (ainda há confiança em Deus), e não como um barco levado pelas ondas do mar para colidir contra as rochas. Se o coração está firme em Cristo no meio dessas hesitações, não é um coração que sofre o mau de incredulidade. Tais hesitações são consistentes com a habitação do Espírito, que está no coração para exercer o ofício de Consolador contra tais temores e expelir essas grossas fumaças da natureza. — *Stephen Charnock*

v. 3: "No dia em que eu temer, hei de confiar em ti". Não sei o que fazer, mas tentarei do meu jeito. Para mim, é bom aproximar-me ainda mais. Farei do jeito que estou acostumado a fazer. Lançar-me-ei na graça livre de Cristo segundo as promessas. É onde porei o peso do meu espírito abatido, renovarei a minha fé, vida e esperança. Esse é o meu velho jeito. Nunca serei expulso ou tirado à força daqui. Esse cristão na sua força pode desafiar todas as portas do inferno. Era este o comportamento de Davi: "Tu és a minha confiança desde a minha mocidade" (Sl 71.5). Era por isso que ele podia dizer: "No dia em que eu temer, hei de confiar em ti". O escudo e a espada sempre lhe estavam à mão. Era por isso que podia usá-los imediatamente quando o medo e as preocupações se lhe ofereciam. "Temer." Mas quem não teme? E quando temer que atitude tomar? A mesma que você habitualmente toma, ou seja, crer, use sempre a fé e tenha-a agora. — *Sermão de Elias Pledger, "The Morning Exercises" [Os Exercícios Matutinos], 1677*

v. 3: "No dia" é, literalmente, "diariamente", como "o homem [...] [que] me oprime [...] todo o dia" (v. 1). Portanto: "*Todo o dia* em que eu temer, hei de confiar em ti". — *A. R. Fausset*

v. 3: É uma boa máxima com a qual andarmos em um mundo cheio de perigos. É uma boa máxima com a qual irmos para o mar. É uma boa máxima com a qual estarmos em uma tempestade. É uma boa máxima quando estamos em perigos da terra. É uma boa máxima quando estamos doentes. É uma boa máxima quando pensamos sobre a morte e o juízo: "*No dia* em que eu temer, hei de confiar em ti". — *Albert Barnes*

v. 3: "Hei de confiar em ti". A fé e o medo estão juntos, assim como o medo e o amor. — *John Richardson, 1654*

vv. 3 e 4: Às vezes, a fé vem da oração em triunfo e brada: *Victoria*. Ela oferece existência à misericórdia buscada para a alma cristã, antes que haja a menor probabilidade de que isso ocorra para os sentidos e a razão, de forma que o cristão pode silenciar todos os pensamentos de preocupação com a esperança de receber. Foi assim que Ana orou: "E o seu semblante já não era triste" (1 Sm 1.18). A fé fará o cristão despender os seus louvores pela misericórdia muito tempo antes de recebê-la. A alta fé operava em Davi. "No dia em que eu temer, hei de confiar em ti", e nas palavras seguintes: "Em Deus louvarei a sua palavra", quer dizer, ele louvaria a Deus pela promessa antes de que ela estivesse em ação a favor dele, quando ela existia somente na fidelidade de Deus e na fé de Davi. Esse homem santo tinha olhos tão penetrantes que, quando estava no ponto mais miserável da necessidade, via a promessa tão certa e inquestionável no poder e verdade de Deus, que podia louvá-lo como se a misericórdia prometida já lhe tivesse sido cumprida de fato. — *William Gurnall*

v. 4: "Em Deus louvarei a sua palavra", ou seja, Davi louvava a Deus pela sua Palavra, por todas as Escrituras que então existiam. — *John Gill*

v. 4: A melhor posse que a fé pode ter de Deus é tomá-lo pela "sua palavra", seja qual for o seu propósito. No fim, trará satisfação, pois "em Deus louvarei a sua palavra", é o mesmo que dizer que, embora Ele retenha a minha consolação e o meu livramento, de forma que não tenho o que teria, tenho a "sua palavra" e eu lhe darei a glória de todos os seus atributos. — *David Dickson*

v. 4: "Não temerei; que me pode fazer a carne?" Não tema o homem, pois ele é carne. Você não precisa, nem deve ter medo. Não há necessidade. Como? Não ter medo de homens importantes, nem de muitos deles que têm a chave de todas as prisões à cinta, que podem matar ou deixar vivo? Não, nem desses também. Só considere que eles são inimigos por causa da justiça. Preste atenção para que você não faça do mais pequenino o seu inimigo, levando-o a errar. Deus corrigirá os ímpios até mesmo pelos santos. Se ele transgredir, não achará abrigo sob as asas de Deus para os pecados que cometer. Isso fez Jerônimo reclamar, porque os pecados dos cristãos fizeram as armas das nações bárbaras que invadiram vitoriosamente a cristandade: *Nostris peccatis fortes sunt barbari.* Mas se a ira do homem encontra você no caminho de Deus e a fúria desse homem ateia fogo na santidade que você tem, não há o que temer, ainda que a sua vida tenha sido a presa que ele caçava. Carne só pode ferir carne. Pode matar você, mas não ferir você. Por que ter medo de ser despojado do que você já entregou a Cristo? É a primeira lição que você aprende: O cristão tem de negar a si mesmo, tomar a cruz e seguir o Mestre, de forma que o inimigo chega tarde demais. Você não tem vida a perder, porque já a entregou para Jesus. O homem não pode tirá-la sem a permissão de Deus. Tudo que você tem está em segurança. Embora Deus não tenha prometido imunidade a esse tipo de sofrimento, Ele tomou medidas para compensar a perda, ou seja, recompensar você cem vezes mais — mas você só a receberá no outro mundo. Repito, não tenha medo da carne. No espaço de seis versículos (Mt 10), por três vezes o nosso Salvador ordena a não temer o homem. Se o seu coração treme de medo de um homem, como você se comportará na arena contra Satanás, cujo dedo mindinho é mais pesado do que os lombos dos homens? Os romanos tinham *arma praelusoria*, ou melhor, "armas sem fio" ou "clavas", nas quais eram treinados antes de serem afiadas. Se você não suporta nem um ferimento na carne feito pela clava e arma cega dos homens, o que você fará quando tiver a espada de Satanás fincada no seu lado? Deus se considera difamado quando os seus filhos temem um homem medroso. É por isso que fomos chamados para santificar o Senhor e não para ter medo do medo deles. — *William Gurnall*

v. 4: "Não temerei; que me pode fazer a carne?" Eusébio menciona um discurso notável que Inácio costumava dizer quando estava nas mãos dos inimigos, pouco antes de o torturarem, que revelava um espírito elevado à altura maravilhosa acima do mundo e de si mesmo. "Não me importo", diz ele, "com nada visível ou invisível para que eu possa ganhar a Cristo. Queimem-me na fogueira, crucifiquem-me, entreguem-me aos animais ferozes, quebrem-me os ossos, estraçalhem-me os membros, moam-me o corpo inteiro e atormentem-me os próprios demônios. Assim seja, para que eu possa ganhar a Cristo. — Extraído de *Jeremiah Burroughs*, "Moses, His Self-Denyall" [Moisés, a sua Renúncia], 1649

v. 4: “Não temerei; que me pode fazer a carne?” Quando as Escrituras querem falar depreciativamente do homem e lhe mostrar que é o mais baixo dos seres criados, chamam-no de “carne”. Desta forma, revelam a fraqueza à qual o homem está sujeita. — *John Arrowsmith, 1600-1660*

v. 4: “Não temerei; que me pode fazer a carne?” Ter medo do homem é um ídolo que dá risos cruéis, pois a boca está ensanguentada. Ele devorou muitas almas e as pisoteou até ao inferno! Os olhos estão cheios de ódio direcionado aos discípulos de Cristo. Zombarias e desprezos espreitam-lhe os olhos. O riso do escarnecedor rosna na garganta. Derrubem esse ídolo. Ele afasta vocês de orarem secretamente, de cultuarem a Deus com a família, de irem apresentar o seu caso diante dos ministros e de confessarem Cristo abertamente. Vocês que já sentiram o amor e o Espírito de Deus, despedacem esse ídolo. “Quem pois és tu, para que temas o homem, que é mortal?”. (Is 51.12). “Não temas, ó bichinho de Jacó”. (Is 41.14). “Que mais tenho eu com os ídolos?” (Os 14.8). — *Robert Murray M’Cheyne, 1813-1843*

v. 4: A fé fica valorosa com as lutas. Começa como covarde e titubeia no primeiro conflito, mas se torna robusta, incontinente e coloca os adversários sob os pés: “Em Deus pus a minha confiança e não temerei; que me pode fazer a carne?” — *David Dickson*

v. 5: “Todos os dias torcem as minhas palavras”, ou seja, eles põem as minhas palavras à dor e ao tormento, ou ainda, eles arrancam dolorosa e cruelmente as minhas palavras. Os inimigos de Davi apanhavam o que ele dizia para dar nova forma. Faziam de maneira tão deturpada, que, como diz o texto, torciam as palavras. Uma coisa é deturpada quando é arrancada ou virada totalmente fora da forma que tinha antes. O apóstolo Pedro usou a mesma metáfora em referência à doutrina quando, falando das epístolas de Paulo, disse que: “Entre as quais há pontos difíceis de entender, que os indoutos e inconstantes *torcem*” (2 Pedro 3.16; grifo meu). Ou então, eles colocavam as palavras de Davi no tronco do suplício. Formavam-nas dolorosamente e as apresentavam em um sentido que ele jamais disse. As palavras do pregador podem ser corretas tanto no tema quanto na intenção, mas chega outro e as arranca, modela e molda segundo modelo próprio, dando um sentido que o pregador jamais sonhou. — *Joseph Caryl*

v. 5: “Todos os dias torcem as minhas palavras; todos os seus pensamentos são contra mim para o mal”. John Jewel, bispo de Salisbury, que de acordo com o que viveu morreu mais crente e mais paciente, expirou cantando um verso do hino “Te Deum”, que diz: “Em vós espero, meu Deus, não serei confundido eternamente”. Por causa disso, suprimindo tudo o mais, anunciaram que o principal defensor dos hereges clamou, nas suas últimas palavras, que estava confundido. — *Lord Bacon,* “Bible Thoughts” *[Pensamentos Bíblicos]*

v. 5: “Torcem as minhas palavras”. Tudo que Jesus dizia em justificação própria era torcido para ganhar um sentido prejudicial a Ele. As coisas ainda são assim no mundo, pois a autojustificação por palavras tem pouco sentido para os descrentes. — *W. Wilson, Doutor em Teologia, 1860*

v. 6: “Espiam os meus passos”. Eles vão aonde vou, estão ao meu encalço. — *William Nicholson (1671), “David’s Harp Strung and Tuned” [A Harpa Tocada e Afinada de Davi]*

v. 8: “Põe as minhas lágrimas no teu odre”. Entre os pertences de Abbott, do Cairo, havia um lacrimatório ou pequeno vaso de lágrimas que ele encontrara em uma tumba em Tebas. O artigo interessou-me em extremo. Segundo o costume dos tempos antigos, quando a pessoa estava doente ou em situação muito difícil e recebia a visita dos amigos, eles levavam consigo um recipiente de lágrimas. Quando as lágrimas rolavam pelas faces do sofredor, elas eram recolhidas nesses recipientes, lacradas e guardadas como lembrança do fato. É a essa prática que Davi se referiu quando escreveu: "Põe as minhas lágrimas no teu odre". No entanto implica muito mais do que a princípio sugere e muito mais do que consigo descrever. Por exemplo, é como se Davi tivesse dito: "Visitem-me e vejam as minhas lágrimas" ("Visita-me com a tua salvação", Salmo 106.4), pois sem essa visita não haverá recipiente para as lágrimas". "Tu contaste as minhas vagueações; põe as minhas lágrimas no teu odre", porque "as minhas lágrimas servem-me de mantimento de dia e de noite" (Sl 42.3). "Guarda-as na tua presença, como lembrança, e quando tu vires o recipiente, pensa naquele cujas lágrimas estão ali contidas. Não estão elas no teu livro?" Em outras palavras, o livro de recordações de Deus foi escrito "para os que se lembram do seu nome" (Ml 3.16), da mesma maneira que os reis de outrora costumavam manter um livro das memórias das crônicas de eventos importantes (ver Ester 6.1-11). — *John Gadsby, 1860*

[Inserimos o comentário acima para mostrar o que os comentaristas escreviam. Mas não pensamos que haja a mais leve insinuação a essa etiqueta romana neste texto. — *C. H. S.*]

v. 8: "As minhas lágrimas". O uso do plural denota coletividade. "No teu odre", como se alguém dissesse: Cuide das minhas lágrimas, como se fossem um tipo de vinho caríssimo e muito agradável para você. Ou então, que no futuro você reparta para mim exatamente a mesma quantidade de alegrias. É uma metáfora do guarda de um vinhedo, que recebe no recipiente as gotas das uvas pisadas no lagar da aflição. A palavra נֹאד, "recipiente de couro", "saco feito de pele", denota a maneira na qual armazenavam vinho (1 Sm 16.20; Js 9.4,13) e leite também (Jz 4.19). — *Martin Geier*

v. 8: "Põe as minhas lágrimas no teu odre". Que doce pensamento essas palavras evocam acerca de Deus lembrar-se da aflição do seu povo! É uma figura de linguagem interessante: *engarrafar lágrimas*. Mas o sentido é: elas são lembradas. Ai do homem que ofende um dos pequeninos de Deus por conta disso. O que agora são odres de lágrimas, no fim dos tempos será derramado como muitas taças da ira. Mas leitor! Pense como as lágrimas de Jesus foram armazenadas quando foram derramadas pelos pecados do povo. — *Robert Hawker, 1753-1827*

v. 8: "Põe as minhas lágrimas no teu odre". Alguém observou engenhosamente que as Escrituras dizem que Deus tem um saco (Jó 14.17) e um odre, um saco para os nossos pecados e um odre para as nossas lágrimas; e que devemos ajudar a encher este como enchemos aquele. Há certa alusão aqui no original hebraico que não pode ser vertida em outra língua. — *John Trapp*

v. 8: "Não estão elas no teu livro?" Enquanto estamos neste vale de desgraças, Deus guarda todas as nossas lágrimas em um odre. É tão preciosa a água que é destilada das lágrimas dos olhos penitentes. Pelo fato de Deus estar tão certo de que não falharão, ele observa quantas gotas há no seu registro. Era um unguento muito precioso com o qual a mulher (julga-se que era Maria Madalena) na casa do fariseu ungiu os pés de Jesus. Mas as lágrimas com as quais ela os lavou tinham mais valor do que o unguento de nardo puro. — *Abraham Wright, "A Practical Commentary or Exposition upon the Book of Psalms" [Um Comentário Prático ou Exposição sobre o Livro dos Salmos], 1661*

v. 9: "Quando eu a ti clamar". O grito da fé e oração a Deus é mais terrível aos nossos inimigos espirituais do que é o grito de guerra dos índios para os seus surpresos irmãos selvagens. — *Adam Clarke*

v. 9: "Quando eu a ti clamar". Foi algo assim que Davi orou quando foi salvo dos inimigos: "O SENHOR, digno de louvor, invoquei e de meus inimigos fiquei livre" (2 Sm 22.4). Há o poder defensivo da oração, mas é mais do que derrotar os inimigos: "Quando eu a ti clamar, então, retrocederão os meus inimigos" e serão postos em fuga. Há o poder ofensivo da oração. Na torre de Davi, havia um arsenal, *thalpijoth*, um lugar para pendurar as espadas de dois gumes, espadas com dois fios (Ct 4.4): um gume defensivo e um gume ofensivo. Ambos os gumes devem ser usados por quem busca segurança. A oração é uma espada de dois gumes. "Mete no seu lugar a tua espada", disse Jesus para Pedro, "porque todos os que lançarem mão da espada à espada morrerão" (Mt 26.52). Mas pode ser que aqueles que não lançam mão da espada morram à espada. A desembainhação desta espada pode salvar o homem de morrer à espada. Observe a última razão que o nosso Salvador dá para Pedro meter a espada na bainha: "Ou pensas tu que eu não poderia, agora, orar a meu Pai e que ele não me daria mais de doze legiões de anjos?" (Mt 26.53). É como se Jesus tivesse dito: Se eu quisesse confundir esses inimigos que agora se levantam contra mim, Eu não precisaria da tua espada. Oraria a meu Pai e, agora, pela oração, viriam tantos exércitos ao campo mais do que suficientes para derrotar e espalhar todos os meus inimigos. Com isso, Cristo dava a entender que, se quisesse, causaria aos inimigos mais dano e baixas pelas orações do que pela espada e todos os outros instrumentos de guerra. A oração é "doze legiões" mais forte, sim, "doze legiões de anjos" fortes contra os inimigos. — *Jeremiah Dyke, 1620, "Righteous Man's Tower" [A Torre dos Justos]*

v. 9: "Isto sei eu". A fé está terra firme. Não é uma conjetura falível, mas um conhecimento certo. — *David Dickson*

v. 10: "Em Deus louvarei a sua palavra; no SENHOR louvarei a sua palavra". A primeira palavra, *Elohim*, é um nome que diz respeito a Deus como juiz. A segunda palavra, *Jeová*, é um nome ligado à misericórdia. Louvarei a Deus, quer Ele me trate segundo a justiça ou segundo a misericórdia, quando Ele tiver trovão na voz, como também quando tiver mel debaixo da língua. Como deveríamos louvar a Deus e ter prazer em tal disposição de espírito! — *Stephen Charnock*

v. 10: "Em Deus louvarei a sua palavra". Pela ajuda de Deus, serei capacitado a louvá-lo pelo cumprimento das suas promessas. — *Symon Patrick, 1626-1707*

v. 12: "Os teus votos estão sobre mim, ó Deus". Quem está familiarizado com os salmos de Davi, vê que ele muitas vezes faz votos e é cuidadoso em cumpri-los. Quando essas palavras lhe escaparam, ele havia acabado de livrar-se de um perigo premente entre os filisteus, com quem encontrara abrigo contra a fúria do rei Saul, que o perseguia incansavelmente. Mas logo descobriu que a lembrança das realizações prejudiciais feitas contra esse povo no passado, ainda estava muito fresca entre eles e os irritava sobremaneira, de forma que a vida de Davi estava em constante perigo. Nessa angústia, o salmista corre para Deus, o seu refúgio habitual, e lhe faz fervorosas declarações, jurando que se o Senhor lhe desse livramento desse novo dilema, ele mostraria senso de gratidão por misericórdia tão notável por meio da exatidão e precisão da sua obediência futura. Deus o ouve e socorre. Logo após, Davi rememora agradecidamente os fatos, empenha-se em renovar o sentimento de gratidão ao grande Libertador e animar-se por intermédio de repetições adequadas. Por isso, brada: "Os teus votos estão sobre mim, ó Deus". É como se ele tivesse dito: Decido, ó Deus, não esquecer o que foi tratado, quando eu estava no meio dos meus temores. Tu ouviste os meus clamores e confesso que estou completamente preso ao que votei. Fui sincero quando os fiz, e me esforçarei em mostrar esse sentimento pelo cuidado em cumpri-los. "Os teus votos", ó Deus, feitos realmente da minha parte, mas devidamente exigidos por ti, "estão sobre mim", eles na verdade se agarram em mim e não desejo que sejam liberados. Estou cônscio que mereço ser tachado de infeliz pérfido se eu um dia os esquecer. Esse temperamento do santo Davi com referência aos votos feitos nesta ocasião deve ser nosso com referência a todos os votos sagrados que venhamos a fazer. Todos os cristãos, como tais, estão necessariamente sob votos ao Deus bendito. Certas circunstâncias particulares podem tornar oportuno fazermos compromissos especiais com Ele. Esses compromissos podem ser chamados corretamente de *votos de Deus*, ou seja, são conforme a sua Palavra autoriza. Devemos tornar essas palavras do santo Davi o nosso padrão e determinar imitá-lo, reconhecendo seriamente a força oculta que há nelas e empenhando-nos em reagir a elas e cumpri-las. — *Edmund Calamy, "A Practical Discourse Concerning Vows" [Um Discurso Prático Relativo a Votos], 1704*

v. 12: "Os teus votos estão sobre mim, ó Deus". Um voto bem feito tornará você mais circunspeto e cauteloso no curso geral da vida. Essa influência, ainda que atue mais diretamente em uma parte, não está limitada só a ela. Foi assim com Davi. Esses votos foram feitos quando ele estava em perigo de vida, como mostra o versículo 13, pois quando Deus o ouviu, livrou a alma do salmista da morte. Por isso, o salmista jurou dar louvores particulares e os daria. Mas, com isso, ele se compromete em andar com mais perfeição e circunspeção na presença de Deus em todos os deveres. É o que ele diz na parte final do versículo 13. — *Henry Hurst, 1629-1696, "The Morning Exercise at Cripplegate" [Os Exercícios Matinais em Cripplegate], 1661*

vv. 12 e 13: "Os teus votos estão sobre mim, ó Deus". Passivamente, os votos são feitos a Deus e não por Deus. Ou essas palavras dizem respeito às obrigações dos votos e orações que fiz e pelas quais recebi respostas. Os sacrifícios de louvores eram chamados de votos de misericórdia, como se tivessem sido jurados a Deus na necessidade para serem cumpridos depois de recebê-los: "E, se o sacrifício da sua oferta for voto" (Levítico 7.16; cf. Levítico 7.12). "Os teus votos estão sobre mim", ou seja, o fruto dos meus votos está sobre mim, de forma que estou em dívida com Deus para lhe dar louvores. "Pois tu livraste." Davi dá a entender que houve um grande perigo, ao qual teria sucumbido, não fora Deus estar com ele. A misericórdia maior, ou seja, o livramento da sua alma da morte, sustenta argumentativamente a misericórdia menor, ou seja, o impedimento de os seus pés tropeçarem. "Na luz dos viventes." Por luz dos viventes ele quer dizer a vida, porquanto o homem é alumiado com "a luz dos viventes" (Jó 33.30). Às vezes, é a vida eterna no céu: "Quem me segue não andará em trevas, mas terá a luz da vida" (Jo 8.12). "Para que eu ande diante de Deus." Andar obedientemente aos olhos de Deus, com relação à sua presença, é andar muito agradavelmente em todos os aspectos. Esse é o último argumento no salmo com o qual Davi consubstancia o mais forte argumento, como se não soubesse o que dizer se este falhasse. É como se ele tivesse dito: Senhor, eu experimentei a tua sabedoria para planejar, o teu poder para efetuar, a tua misericórdia para livrar-me, a tua bondade ao responderes os meus votos e orações. "Tu livraste a minha alma da morte", um perigo tão grande e inevitável como a morte. Ó Senhor, Tu não és como tu eras? Tu não és mais sábio para planejar e mais gracioso para teres misericórdia? Já não é mais óbvio que Tu livrarás os meus pés de tropeçarem? Um contém a experiência e o outro a inferência ou conclusão que tira disso. Misericórdias recebidas devem ser lembradas de maneira especial. Misericórdias recebidas são encorajamentos para novos pedidos, e fundamento firme para esperarmos as misericórdias de que necessitamos. — *Stephen Charnock v. 13:* "De tropeçarem", ou, mais literalmente, "do empurrão", "do repelão", o qual é a causa do tropeço e queda. — *Prescott Hiller*

v. 13: "Para que eu ande diante de Deus na luz dos viventes". Andar na presença de Deus é, em parte, estar sob a sua atenção, orientação e cuidado, e, em parte, estar particularmente onde Deus é propenso a estar, onde Ele é adorado pelas pessoas e derrama as bênçãos, em oposição ao seu estado atual, pelo qual foi afastado do lugar do seu culto e presença (cf. 1 Samuel 26.19). Enfim, andar na luz dos viventes denota, em geral, viver entre os que vivem na luz, ou que desfrutam a luz, como diz em outro texto: "Na terra dos viventes" (Sl 27.13; Is 38.11; 53.8; Ez 32.32; Sl 142.5), em oposição aos mortos ou à região dos mortos, que moram na escuridão. Mas significa, particularmente, viver em um estado seguro e próspero, cujo emblema bem conhecido é a luz. — *Hermann Venema*

v. 13: "Para que eu ande diante de Deus na luz dos viventes". Não podemos restringir essa frase à vida mortal. Os votos de Davi o prenderam a andar na luz da vida espiritual e também na luz da vida eterna, da qual pela fé ele era participante. A maioria dos comentaristas aplica este versículo à luz da glória do mundo por vir, como o objetivo real e final das relações dos crentes aqui na terra. — *W. Wilson, Doutor em Teologia*

SUGESTÕES AOS PREGADORES

vv. 2 e 3. (1) O medo é comum a todos os homens, em uma ocasião ou outra. (2) É comum lançarmos mão de medidas impróprias e ineficazes para acabar com o medo. (3) Temos aqui a sugestão do método verdadeiro e eficaz para acabar com o medo. — *Robert Morrison, 1782-1834, "A Parting Memorial" [Um Memorial Repartido]*

v. 3. "No dia em que eu temer, hei de confiar em ti." Sempre que estamos com medo do mau, ainda podemos pôr a nossa confiança em Deus: (1) O que é pôr a nossa confiança em Deus? (a) É guardar o nosso coração de desanimar ou de sucumbir ao temor. (b) É consolar-nos em Deus. (c) É esperar a sua libertação. (2) O que há em Deus para pormos a nossa confiança nEle? (a) As suas promessas. (b) Os seus atributos: poder, sabedoria, justiça, misericórdia, todo-suficiência. (3) Por que, em meio a todos os nossos temores, devemos pôr a nossa confiança em Deus? (a) Porque não há outro que nos proteja dos nossos temores. (b) Porque não há temores dos quais Deus não possa nos proteger, quer acabando com a coisa temida quer subjugando o medo da coisa. — *Beveridge (Bispo)*

v. 3. (1) Há medo sem confiança. (2) Há confiança sem medo. (3) Há medo e confiança juntos. — *George Rogers*

v. 7. (1) Não há escape da iniquidade. (2) Não há escape pela iniquidade. A misericórdia de Deus garante um e a justiça de Deus obsta o outro. — *George Rogers*

v. 8. Temos aqui: (1) Múltiplas misericórdias, para recuperar os que vagueiam: "Tu contaste as minhas vagueações". (2) Ternas misericórdias, para pôr as lágrimas em um odre: "Põe as minhas lágrimas no teu odre". (3) Misericórdias pertinentes à aliança: "Não estão elas no teu livro?" — *George Rogers*

v. 9. (1) Deus está do lado do seu povo. (2) Deus é conhecido por estar do lado do seu povo. (3) Em resposta à oração, Deus aparece do lado do seu povo. (4) Quando Deus aparece do lado do seu povo, os inimigos fogem.

Ou: (1) O fato: "Deus está comigo". (2) O conhecimento desse fato: "Isto sei eu". (3) O uso desse conhecimento: "Quando eu a ti clamar". (4) A consequência desse uso: "Então, retrocederão os meus inimigos". — *George Rogers*

v. 10. "Em Deus louvarei a sua palavra": (1) Louvarei a Deus *na* sua Palavra, conforme Ele está revelado nela. (2) Louvarei a Deus *pela* sua Palavra: "Cantai ao SENHOR um cântico novo" (Is 42.10).

v. 12. Temos aqui: (1) Dedicação passada. (2) Consagração presente. (3) Glorificação futura. — *George Rogers*

v. 12 e 13. Temos aqui : (1) A comemoração das misericórdias anteriores: "Pois tu livraste a minha alma da morte". (2) A confiança futura: "Como também os meus pés de tropeçarem". (3) O fim de tudo: "Para que eu ande diante de Deus na luz dos viventes". — *Stephen Charnock*

v. 13. (1) A linguagem da gratidão: "Pois tu livraste a minha alma da morte. (2) A linguagem da fé: "Como também os meus pés de tropeçarem". (3) A linguagem da espera: "Para que eu ande diante de Deus na luz dos viventes". — *George Rogers*

Gráfica
IMPRENSA da FÉ